DICIONÁRIO
de
SINÓNIMOS e ANTÓNIMOS

DICIONÁRIOS MODERNOS

PORTO EDITORA
Especialistas em Dicionários

PORTO EDITORA Rua da Restauração, 365 4099-023 PORTO • PORTUGAL

E-mail www.portoeditora.pt/contactos Telefone (351) 22 608 83 00 Fax (351) 22 608 83 01

MAI/2009 DEP. LEGAL 291809/09 ISBN 978-972-0-05754-9

Este livro foi produzido na unidade industrial do Bloco Gráfico, Lda., cujo **Sistema de Gestão Ambiental** está certificado pela APCER, com o n.º 2006/AMB.258

Produção de livros escolares e não escolares e outros materiais impressos.

Índice

Acordo Ortográfico

O texto deste dicionário está em conformidade com a nova ortografia. As palavras cuja grafia é alterada pelo Acordo Ortográfico encontram-se devidamente assinaladas.

Foram usadas as seguintes marcações para assinalar as alterações da reforma ortográfica:

[aAO] *antes do Acordo Ortográfico:* grafias anteriores

[dAO] *depois do Acordo Ortográfico:* grafias novas

[AO] *Acordo Ortográfico:* grafias duplas

As grafias que deixarão de ser válidas são assinaladas com [aAO] e remetem para as grafias novas.

actual[aAO] *adj.2g.* ⇒ **atual**[dAO]

As grafias novas são assinaladas com [dAO] e apresentam a informação do artigo do dicionário.

atual[dAO] *adj.2g.* **1 contemporâneo**, moderno, presente, vigente ≠ **antigo**, antiquado **2 efetivo**, real ≠ **potencial**, virtual

Os casos de dupla grafia são registados como entradas e assinalados com [AO]. A forma mais usada em Portugal surge em primeiro lugar e é previlegiada dentro do artigo do dicionário.

característico[AO] ou **caraterístico**[AO] *adj.* **1 particular**, próprio, específico, típico, peculiar, especial, exclusivo, singular, único ≠ **universal**, geral, genérico, abrangente **2 marcante**, distintivo, diferente, inconfundível ≠ **banal**, incaracterístico, confundível, vulgar ■ *n.m.* **apanágio**, distinção, particularidade, atributo, diferenciação ≠ **banalidade**, vulgaridade, confundibilidade

O texto do Acordo Ortográfico é dúbio em vários pontos, pelo que as opções tomadas nesses casos são subjetivas enquanto não for publicado o vocabulário oficial previsto.

Como usar o dicionário

entrada

a categoria gramatical é registada de forma abreviada e em itálico

o contexto em que se usa a palavra é indicado entre parênteses curvos

o sinónimo principal destaca-se a negrito

o antónimo principal destaca-se a negrito

a área geográfica onde a palavra é usada indica-se de forma abreviada

símbolo que antecede os antónimos

abafado *adj.* 1 **sufocante**, abafadiço, irrespirável, pesado, ensoado ≠ **fresco**, ventilado *fig.* 2 **sufocado**, asfixiado, apertado *fig.* ≠ **desabafado** 3 **enroupado**, agasalhado, tapado ≠ **desenroupado**, desagasalhado, desabafado 4 **oprimido**, apertado *fig.*, esmagado *fig.* ≠ **desabafado** 5 **oculto**, dissimulado, disfarçado, velado ≠ **desabafado** 6 *col.* (objeto) **roubado**, furtado

abafamento *n.m.* **sufocação**, asfixia, abafadura, abafo, afogamento, abafadela, afogo, afogadura ≠ **desabafamento**, desabafo

abafar *v.* 1 **sufocar**, asfixiar, atabafar, assovacar ≠ **desabafar**, arejar, aerificar, aerizar, aventar, ventilar, orear [BRAS.] 2 **estrangular**, esganar 3 **tapar**, cobrir, agasalhar, enroupar 4 (processo, discussão) **travar**, interromper, anular, impedir, desentabular *fig.* 5 (som) **amortecer**, atenuar ≠ **acentuar** 6 (incêndio) **apagar**, extinguir ≠ **atear**, acender, incendiar 7 **reprimir**, conter, oprimir, dominar ≠ **libertar** 8 *fig.* (facto, informação) **esconder**, ocultar, dissimular, encobrir, sonegar ≠ **divulgar**, revelar 9 *col.* **roubar**, furtar, fanar *col.*, surripiar *col.*, bispar *col.* 10 NÁUT. (velas) **aferrar** ■ *n.m.* ICTIOL. **albafora**, olho-verde, albafar

marcação do Acordo Ortográfico

símbolo que separa as diferentes categorias gramaticais

remete para a palavra onde se encontra a definição

a área temática do conhecimento indica-se de forma abreviada e em maiúscula

os algarismos destacam diferentes sentidos da entrada

abstracto[aAO] *adj.,n.m.* ⇒ **abstrato**[dAO]

abstrair *v.* 1 **excluir**, omitir, excetuar, prescindir, dispensar, desprezar, deixar 2 **separar**, apartar, afastar, alhear, retirar

abstrair-se *v.* 1 **concentrar-se**, alhear-se, distrair-se, absorver-se 2 **ignorar**, desatender ≠ **considerar**, atender 3 **afastar-se**, apartar-se ≠ **envolver-se**

abstrato[dAO] *adj.* 1 **imaterial**, metafísico, impalpável ≠ **concreto**, material 2 (arte) **não figurativo** 3 *fig.* **obscuro**, vago, enigmático, subtil ≠ **claro**, preciso 4 *fig.* **absorto**, abstraído, aéreo, alheio, alheado, desatento, inexpressivo, imerso, pensativo, concentrado, contemplativo, extático, sonhador, enlevado, extasiado 5 GRAM. ≠ **concreto** ■ *n.m.* FIL. **abstração**, conceito

absurdo *adj.* 1 **ilógico**, incoerente, contraditório, paradoxal, inconsequente, incongruente, contraproducente, antilogismo 2 **disparatado**, despropositado, insensato, tolo, inepto ■ *n.m.* 1 **contrassenso**, despropósito, disparate, absurdidade, absurdez, absurdeza, contradição, paradoxo, inconsequência, incongruência, insensatez, desatino, desconchavo, tolice, dislate, inépcia 2 **utopia**, fantasia, sonho

Abreviaturas

adj.	adjetivo
adv.	advérbio
AERON.	aeronáutica
AGRIC.	agricultura
ANAT.	anatomia
ARQ.	arquitetura
ARQUEOL.	arqueologia
ART. PLÁST.	artes plásticas
ASTROL.	astrologia
ASTRON.	astronomia
BIOL.	biologia
BIOQUÍM.	bioquímica
BOT.	botânica
BRAS.	Brasil
card.	cardinal
CIN.	cinema
conj.	conjunção
CUL.	culinária
dem.	demonstrativo
DESP.	desporto
det.	determinante
DIR.	direito
ECOL.	ecologia
ECON.	economia
ELETR.	eletricidade
f.	feminino
FARM.	farmácia
FIL.	filosofia
FÍS.	física
FISIOL.	fisiologia
FOT.	fotografia
GEOG.	geografia
GEOL.	geologia
GEOM.	geometria
GRAM.	gramática
HER.	heráldica
HIST.	história
HISTOL.	histologia
ICTIOL.	ictiologia
indef.	indefinido
INFORM.	informática
int.	interrogativo
interj.	interjeição
inv.	invariável
JORN.	jornalismo
LING.	linguística
LIT.	literatura
LÓG.	lógica
m.	masculino
MAT.	matemática
MEC.	mecânica
MED.	medicina
METEOR.	meteorologia
MIL.	militar
MIN.	mineralogia
MITOL.	mitologia
mult.	multiplicativo
MÚS.	música
NÁUT.	náutica
num.	numeral
ÓPT.	óptica
ord.	ordinal
ORNIT.	ornitologia
PATOL.	patologia
PETROL.	petrologia
pl.	plural
POL.	política
prep.	preposição
prn.	pronome
PSIC.	psicologia
PSICAN.	psicanálise
QUÍM.	química
RÁD.	rádio
REG.	regionalismo
rel.	relativo
RELIG.	religião
SOCIOL.	sociologia
TAUR.	tauromaquia
TEAT.	teatro
TIP.	tipografia
TOPOGR.	topografia
TV	televisão
v.	verbo
VET.	veterinária
ZOOL.	zoologia
2g.	2 géneros (m. e f.)
2n.	2 números (invariável)

Registos

ant.	antiquado	indica palavras ou aceções que caíram em desuso, embora possam surgir em contextos atuais
cal.	calão	assinala vocabulário usado por grupos restritos ou marginais, geralmente de carácter expressivo, humorístico e/ou transgressor
col.	coloquial	identifica vocabulário usado em situações informais
fig.	figurado	indica sentidos não literais
gír.	gíria	marca o vocabulário próprio de grupos socioprofissionais restritos
infant.	infantil	particulariza vocabulário próprio das crianças, bem como o que os adultos utilizam quando falam com elas
irón.	irónico	assinala sentidos opostos ao que geralmente uma palavra significa
pej.	pejorativo	indica sentidos com uma conotação desfavorável ou negativa
poét.	poético	marca as palavras usadas em contextos literários
técn.	técnico	identifica palavras ou aceções de área técnica ou especializada
vulg.	vulgarismo	assinala vocabulário grosseiro ou obsceno

Símbolos

■	separa diferentes categorias gramaticais
⇒	remete para a palavra onde se encontra a definição
1, 2, ...	separam diferentes sentidos de uma palavra
[ ]	delimita variantes geográficas e a indicação do plural
( )	delimita contextos
≠	indica o(s) antónimo(s)
aAO	*antes do Acordo Ortográfico:* assinala grafias anteriores
dAO	*depois do Acordo Ortográfico:* assinala grafias novas
AO	*Acordo Ortográfico:* assinala grafias duplas

A

aba *n.f.* 1 **borda**, orla, friso, ourela, beira 2 (capa ou sobrecapa de livro) **badana**, orelha 3 (telhado) **beiral**, beirada, beirado 4 (montanha) **sopé**, falda, fralda, base 5 **beira**, margem, praia, riba, orla 6 *fig.* **proteção**, apoio, abrigo, amparo, ensombro *fig.* 7 **arredores**, cercanias, proximidades

abacate *n.m.* (árvore) **abacateiro**, aguacate

abacaxi *n.m.* 1 [BRAS.] *col.* **problema**, complicação, embrulhada, maçada *fig.* 2 [BRAS.] *pej.* **importunação**, frete *col.*

abade *n.m.* **pároco**, cura, prior, reitor

abadessa *n.f.* 1 **prelada**, prioresa, superiora, priora 2 *fig.,pej.* **matronaça** *col.*, matrona

abadia *n.f.* 1 **mosteiro**, convento, cenóbio 2 **abadiado**

abafado *adj.* 1 **sufocante**, abafadiço, irrespirável, pesado, ensoado ≠ **fresco**, ventilado *fig.* 2 **sufocado**, asfixiado, apertado *fig.* ≠ **desabafado** 3 **enroupado**, agasalhado, tapado ≠ **desenroupado**, desagasalhado, desabafado 4 **oprimido**, apertado *fig.*, esmagado *fig.* ≠ **desabafado** 5 **oculto**, dissimulado, disfarçado, velado ≠ **desabafado** 6 *col.* (objeto) **roubado**, furtado

abafamento *n.m.* **sufocação**, asfixia, abafadura, abafo, afogamento, abafadela, afogo, afogadura ≠ **desabafamento**, desabafo

abafar *v.* 1 **sufocar**, asfixiar, atabafar, assovacar ≠ **desabafar**, arejar, aerificar, aerizar, aventar, ventilar, orear [BRAS.] 2 **estrangular**, esganar 3 **tapar**, cobrir, agasalhar, enroupar 4 (processo, discussão) **travar**, interromper, anular, impedir, desentabular *fig.* 5 (som) **amortecer**, atenuar ≠ **acentuar** 6 (incêndio) **apagar**, extinguir ≠ **atear**, acender, incendiar 7 **reprimir**, conter, oprimir, dominar ≠ **libertar** 8 *fig.* (facto, informação) **esconder**, ocultar, dissimular, encobrir, sonegar ≠ **divulgar**, revelar 9 *col.* **roubar**, furtar, fanar *col.*, surripiar *col.*, bispar *col.* 10 NÁUT. (velas) **aferrar** ■ *n.m.* ICTIOL. **albafora**, olho-verde, albafar

abafo *n.m.* 1 **sufocação**, abafamento 2 **agasalho**, cobertura, resguardo, regalo 3 *fig.* **afago**, carinho, afeto, aconchego, conchego

abaixamento *n.m.* 1 **diminuição**, abatimento, redução, abaixadela 2 **descida**, declinação, baixa, declínio 3 **depressão** 4 *fig.* **humilhação**, depreciação, aviltamento, desvalorização, prostramento ≠ **valorização**, valoração, exalçação

abaixar *v.* 1 **descer**, baixar, arriar ≠ **erguer**, levantar, elevar 2 (valor, intensidade) **diminuir**, baixar ≠ **aumentar**, elevar 3 **abrandar**, aplacar, enfraquecer, atenuar, moderar, amainar, refrear, entibiar 4 *fig.* **submeter**, subjugar, sujeitar ≠ **libertar** 5 *fig.* **humilhar**, rebaixar, amesquinhar, aviltar, abater, prostrar, arrasar ≠ **valorizar**, enaltecer, embandeirar *fig.*, canonizar *fig.*

abaixar-se *v.* 1 **baixar-se**, agachar-se, acocorar-se, acaçapar-se, acochar-se, amochar-se ≠ **erguer-se**, levantar-se 2 **curvar-se**, inclinar-se, debruçar-se, vergar-se, alcatruzar-se, alcachinar-se ≠ **endireitar-se**, empertigar-se 3 *fig.* **humilhar-se**, rebaixar-se, sujeitar-se, submeter-se, vergar-se, curvar-se, prostrar-se, rastejar, abater-se, acanhar-se, apoucar-se, apequenar-se, zumbrir-se, dobrar-se, prosternar-se, amesquinhar-se, aviltar-se ≠ **valorizar-se**, alçar-se, dignificar-se

abaixo *adv.* 1 **depois**, posteriormente, subsequentemente ≠ **acima**, antes, anteriormente 2 **inferiormente** ≠ **acima** 3 **descensionalmente** ≠ **ascensional** ■ *interj.* **fora!**, morra!, saia! ≠ **viva!**

abaixo-assinado *n.m.* **subscrição**

abajur *n.m.* **quebra-luz**, abaixa-luz, para-luz, tapa-luz, veda-luz, pantalha, lucivelo, abat-jour

abalada *n.f.* **partida**, abalo, ida, retirada, saída, debandada, abaladura, abalamento, desabalada ≠ **chegada**, retornamento, retornança

abalado *adj.* 1 **aluído**, quebrado, instável ≠ **firme**, seguro 2 **débil**, enfraquecido, alquebrado, abatido ≠ **forte** 3 *fig.* **hesitante**, inseguro, vacilante, boiante ≠ **decidido**, confioso 4 *fig.* **emocionado**, comovido, perturbado, impressionado ≠ **imperturbado**

abalamento *n.m.* 1 **partida**, abalo, ida, retirada, saída, debandada, abaladura, abalada ≠ **chegada** 2 **abalo**, emoção, comoção, agitação, concussão, choque, perturbação, surpresa 3 **oscilação**, abano, balanço, agitação, estremecimento, trepidação, sacudidela, estremeção, tremor, abanão, abalo

abalançar *v.* 1 (balança) **pesar** 2 **impelir**, arrojar, lançar 3 **oscilar**, balançar, baloiçar, balancear

abalançar-se *v.* 1 **arriscar-se**, atrever-se, arrojar-se, aventurar-se, expor-se ≠ **acobardar-se**, amedrontar-se, acagaçar-se *col.* 2 **lançar-se**, atirar-se, arremessar-se, precipitar-se ≠ **deter-se**, reter-se

abalar *v.* 1 **tremer**, estremecer, badanar, convelir ≠ **parar**, estacar, imobilizar 2 **sacudir**, abanar, agitar, oscilar, concutir, embanar *col.* ≠ **parar**, estacar, imobilizar 3 **demover**, dissuadir, desimaginar ≠ **convencer**, mentalizar, encasquetar *fig.*, derrotar *fig.* 4 **impressionar**, afetar, atingir, emocionar 5 **inquietar**, perturbar, dessossegar, assustar 6 partir, ir-se, sair, fugir, retirar-se, ausentar-se, desparecer

abalar-se *v.* 1 tremer, oscilar, abanar ≠ parar, estacar, imobilizar-se 2 comover-se, impressionar-se, emocionar-se

abalaustrar *v.* balaustrar

abalável *adj.2g.* 1 instável, inseguro, altibaixo ≠ inabalável, firme 2 impressionável, perturbável, influenciável, sensível, compassível ≠ inabalável, imperturbável

abalizado *adj.* 1 balizado, demarcado 2 assinalado, apontado, indicado 3 notável, ilustrado, eminente, distinto, idóneo, competente, respeitado ≠ incompetente, inidóneo, infame, nulo, indouto

abalizador *adj.,n.m.* demarcador, marcador ■ *n.m.* 1 agrimensor 2 *fig.* crítico, avaliador

abalizar *v.* 1 balizar, limitar, determinar, demarcar ≠ desbalizar 2 assinalar, distinguir, extremar

abalizar-se *v.* distinguir-se, assinalar-se, destacar-se, notabilizar-se, evidenciar-se, salientar-se, sobressair

abalo *n.m.* 1 oscilação, agitação, estremecimento, trepidação, sacudidela, sacudidura, abano, estremeção, tremor, abanão, abalamento 2 sismo, terramoto, tremor de terra, abalo de terra 3 partida, ida, retirada, saída, debandada, abaladura, abalada, abalamento 4 comoção, emoção, concussão, choque, abalamento 5 alvoroço, desordem, perturbação, agitação, bulha, abalamento 6 susto, alarme, tremelique, caganeta *col.*

abalo de terra *n.m.* sismo, terramoto, tremor de terra, abalo

abalroação *n.f.* colisão, abordagem, abalroamento, embate, choque, encontro, abalroada, abalroadela

abalroamento *n.m.* colisão, abordagem, abalroação, embate, choque, encontro, abalroada, abalroadela

abalroar *v.* 1 colidir, embater, chocar, esbarrar, encontrar, marrar, topar 2 acometer, assaltar, atacar 3 atracar, abordar, aferrar, acostar ≠ desabalroar, desaferrar, desatracar

abanadela *n.f.* 1 sacudidela, sacudidura, abanação, abanadura, estremeção, solavanco, abanamento 2 *fig.* abanão, abano, repreensão

abanador *n.m.* 1 abanico, abano 2 leque, ventarola

abananar *v.* 1 oscilar, tremer, estremecer, agitar, trepidar, sacudir, abanar, abalar 2 *fig.* aturdir, atarantar, aparvalhar, apatetar, embaçar, apalermar, atoleimar 3 *fig.* espantar, maravilhar 4 demover, dissuadir, desconvencer, desaconselhar ≠ convencer, persuadir, levar, tentar, arrastar, dispor, impelir *fig.* 5 enfraquecer, desanimar, desalentar ≠ animar, encorajar, acoroçoar, incitar

abanão *n.m.* 1 safanão, sacudidela, estremeção, repelão, puxão, solavanco, sacão 2 *fig.* comoção, choque, abalo 3 *fig.* repreensão, abano, abanadela

abanar *v.* 1 agitar, acenar, menear, mover, sacudir 2 arejar, refrescar, ventilar, ventanear 3 comover, impressionar, afetar, emocionar 4 demover, dissuadir, desconvencer, desaconselhar ≠ convencer, persuadir, levar, tentar, arrastar, dispor, impelir *fig.* 5 enfraquecer, desanimar, desalentar ≠ animar, encorajar, acoroçoar, incitar 6 tremer, estremecer, oscilar, abalar

abanar-se *v.* 1 refrescar-se, ventilar-se 2 balançar, oscilar, tremer 3 sacudir-se, agitar-se

abancar *v.* 1 amesendar 2 estabelecer-se

abancar-se *v.* 1 amesendar-se, repotrear-se 2 estabelecer-se

abandalhação *n.f.* aviltamento, rebaixamento, relaxe, abandalhamento, degradação *fig.*

abandalhamento *n.m.* aviltamento, rebaixamento, relaxe, abandalhação, degradação *fig.*

abandalhar *v.* enxovalhar, aviltar, rebaixar, envilecer, acanalhar, achincalhar, relaxar, abargantar, ajavardar *col.* ≠ dignificar

abandalhar-se *v.* aviltar-se, rebaixar-se, enxovalhar-se, acanalhar-se, envilecer-se, abargantar-se ≠ dignificar-se

abandoar *v.* bandear, aconfradar, amaltar

abandoar-se *v.* bandear-se, abandar-se, aconfradar-se, enranchar-se ≠ separar-se, afastar-se

abandonado *adj.* 1 largado, deixado 2 desamparado, desprotegido, desprezado, derrelicto ≠ amparado, acarinhado 3 desprezado, maltratado, danificado, estragado ≠ zelado, cuidado 4 desocupado, vazio ≠ ocupado 5 (terreno) deserto, ermo, inculto

abandonar *v.* 1 largar, deixar 2 partir, deixar, sair, retirar-se ≠ permanecer 3 desamparar, enjeitar, repudiar, desabrigar, desassistir, desseguir, desapadrinhar ≠ amparar, assistir, acarinhar 4 desdenhar, desprezar ≠ apreciar, valorizar 5 negligenciar, descuidar ≠ cuidar 6 renunciar, desistir, abdicar, abjurar, desabrir 7 desocupar ≠ ocupar

abandonar-se *v.* 1 entregar-se, ceder, dar-se, render-se, resignar-se 2 desleixar-se, descuidar-se, negligenciar-se

abandono *n.m.* 1 afastamento, abandonamento, partida, deserção ≠ permanência 2 renúncia, desistência, cedência, cessão, abdicação 3 desamparo, desabrigo, solidão, abandonamento ≠ amparo, abrigo 4 desleixo, negligência, incúria, desapego, descuido, desalinho, abandonamento ≠ cuidado 5 descontração, relaxamento

abanico *n.m.* **1** **abanador**, abano **2** **leque**, ventarola **3** [*pl.*] (estilística) **mesuras**, galantarias
abano *n.m.* **1** **sacudidela**, solavanco, estremeção, abanão **2** **abanador**, abanico **3** **leque**, ventarola **4** *fig.* **comoção**, abalo **5** *fig.* **prejuízo**
abarbatar *v.* **1** *col.* **surripiar**, roubar, furtar, bifar *col.*, fanar *col.*, pifar *col.* **2** *col.* **apanhar**, conseguir, agarrar, obter
abarbatar-se *v. col.* **apoderar-se**, assenhorear-se
abarca *n.f.* **chanca**, tamanco, soco, alpercata, pargata, alpargata
abarcador *adj.* **abarcante**, abrangente, englobante, inclusivo ■ *adj.,n.m.* **monopolista**, açambarcador, monopolizador
abarcamento *n.m.* **monopólio**, açambarcamento
abarcar *v.* **1** **cingir**, abraçar, envolver **2** **abranger**, conter, compreender, encerrar, atingir **3** **avistar**, vislumbrar, alcançar **4** **monopolizar**, açambarcar ≠ **desmonopolizar**
abarracamento *n.m.* **acampamento**, bivaque
abarracar *v.* **1** **alojar**, instalar ≠ **desalojar** **2** **aquartelar**, acampar, acantonar, acasernar ≠ **desaquartelar**
abarracar-se *v.* **1** **acolher-se**, recolher-se **2** **acampar**, aquartelar-se, alojar-se
abarrotado *adj.* **1** *fig.* **repleto**, cheio, superlotado, carregado, atestado, atochado **2** *fig.* **empanturrado**, enfartado, empanzinado, empachado, farto, entourido [REG.]
abarrotar *v.* **1** **barrotar**, barrotear **2** **atestar**, encher, atulhar, fartar, rechear, sobrecarregar ≠ **esvaziar**, despejar **3** **empanturrar**, empanzinar, enfartar, empachar
abastado *adj.* **1** **rico**, endinheirado, afazendado, bagalhudo *col.* ≠ **desabastado**, pobre, necessitado **2** **abundante**, farto, cheio, copioso ≠ **desabastado**, escasso
abastança *n.f.* **1** **abundância**, fartura, cópia, abastamento, exabundância, regaçada ≠ **carência**, falta **2** **riqueza**, fortuna, haveres, desafogo ≠ **pobreza**, miséria **3** **abastecimento**, aprovisionamento, fornecimento, provimento, abastamento, provisionamento
abastar *v.* **1** **abastecer**, fornecer, prover, amuniciar ≠ **desprover** **2** **bastar**, chegar, satisfazer ≠ **escassear**, faltar
abastardamento *n.m.* **1** **adulteração**, deturpação, falsificação **2** **degeneração**, degenerescência, corrupção, envilecimento
abastardar *v.* **1** **adulterar**, alterar, falsificar, viciar, abastardear **2** **degenerar**, envilecer, abastardear
abastardar-se *v.* **1** **adulterar-se**, alterar-se, falsificar-se, viciar-se **2** **degenerar**, envilecer
abastecedor *adj.,n.m.* **fornecedor**, provedor, provisor
abastecer *v.* **fornecer**, prover, aprovisionar, fornir, sortir, guarnecer, abastar, munir, municionar, dotar ≠ **desprover**
abastecer-se *v.* **prover-se**, aprovisionar-se, munir-se, sortir-se ≠ **desprover-se**
abastecimento *n.m.* **fornecimento**, provimento, provisão, bastimento, estoque, amuniciamento ≠ **desprovimento**
abatatado *adj.* **1** (nariz) **batatudo** *fig.* **2** *fig.* **pasmado**, admirado **3** *fig.* **envergonhado**, acanhado, tímido **4** *fig.* **humilhado**, acabrunhado, acapachado *fig.*
abatatar *v.* **1** **achatar**, amolgar, amassar **2** *fig.* **humilhar**, abater, acabrunhar
abate *n.m.* **1** (árvores) **corte**, abatimento, derrube **2** (animais) **matança**, abatimento, supressão **3** (preço) **desconto**, abatimento, redução, baixa **4** *fig.* **humilhação** **5** *fig.* **prostração**, abatimento, fraqueza
abater *v.* **1** **abaixar**, baixar, descer, arriar **2** **derrubar**, demolir, derribar, apear **3** (árvores) **cortar** **4** (valor) **reduzir**, descontar, diminuir, deduzir, descer, amortizar ≠ **aumentar**, subir **5** **matar**, aniquilar **6** **desanimar**, prostrar, desalentar, desencorajar, quebrantar, entibiar ≠ **animar**, encorajar, espertar, desatemorizar **7** **desabar**, desmoronar, cair **8** (terreno) **ceder**, aluir **9** **debilitar**, enfraquecer, definhar, extenuar, dessorar *fig.*, descrasear [REG.] *fig.* **10** **vexar**, humilhar, envergonhar, aviltar, deprimir, envilecer, apoucar, vergar, vencer, calcar *fig.* **11** NÁUT. **cacear**, adernar, descair
abater-se *v.* **1** **cair**, descer, baixar **2** **desabar**, desmoronar-se, ruir, derrocar, aluir **3** (terreno) **ceder**, aluir **4** **desanimar**, acabrunhar-se, prostrar-se, desalentar, desmoralizar-se ≠ **animar-se**, encorajar-se **5** **humilhar**, rebaixar-se, apoucar-se, prostrar-se, apequenar-se *fig.*
abatido *adj.* **1** **abaixado**, arriado, baixado, descido **2** **derrubado**, caído, arrasado **3** **cansado**, fatigado, prostrado, fraco **4** **magro**, chupado, definhado, minguado, esguio ≠ **gordo** **5** **morto**, decepado *fig.* ≠ **vivo** **6** *fig.* **deprimido**, desalentado, desanimado, descaído *fig.* ≠ **animado**, entusiasmado **7** *fig.* **humilhado**, diminuído, subjugado
abatimento *n.m.* **1** **afundimento**, abate **2** (preço) **redução**, desconto, baixa, dedução, descida, diminuição, bónus ≠ **aumento**, subida, alta **3** (terreno) **abaixamento**, desnivelamento **4** **desmoronamento**, queda, descaimento, demolição, destruição **5** **matança**, abate, supressão **6** *fig.* **enfraquecimento**, prostração, cansaço, debilitação, debilidade, desfalecimento, esmorecimento, fraqueza, tibieza, langor, languidez, dessoramento **7** *fig.* **tristeza**, depressão, desalento, desânimo, acurvamento, choquice *fig.*

abaular *v.* arredondar, arquear, recurvar, curvar, alombar

abc *n.m.* alfabeto, abecedário

abcesso *n.m.* MED. **postema**, rebentão, apostema *ant.*

abdicação *n.f.* **resignação**, renúncia, desistência, cessão, demissão, abandono

abdicar *v.* **1** **renunciar**, resignar, desistir, depor, deixar, destituir, exonerar **2** **ceder**, desistir, prescindir, abandonar, deixar

abdicativo *adj.* **1** **renunciatório**, abdicatório **2** **independente**, exclusivo, abdicatório

abdicatório *adj.* **1** **renunciatório**, abdicativo **2** **independente**, exclusivo, abdicativo

abdómen[AO] ou **abdômen**[AO] *n.m.* ANAT. **ventre**, barriga, pança *col.*

abdominal *adj.2g.* ventral

abducente *adj.2g.* **abdutor**, afastador, separador

abdutor *adj.* **abducente**, afastador, separador, abdutivo

abduzir *v.* **1** **afastar**, separar, desviar, apartar, arredar **2** **arrebatar**, forçar

á-bê-cê *n.m.* **alfabeto**, abecedário

abecedar *v.* **1** **alfabetar** **2** **dicionarizar**

abecedário *n.m.* **1** **alfabeto**, abc, á-bê-cê, alfabetista **2** **cartilha**, silabário, bê-á-bá **3** **rudimentos**, bê-á-bá *fig.* ■ *adj.* (raramente usado) **alfabético**

abécula *n.f. pej.* **aselha** *col.*, inepto

abegão *n.m.* **1** ZOOL. **zângão**, abelhão **2** **caseiro**, rendeiro, feitor, quinteiro

abegoaria *n.f.* **granja**

abeirar *v.* **aproximar**, acercar, avizinhar ≠ **afastar**, distanciar

abeirar-se *v.* **aproximar-se**, chegar-se, acercar-se, avizinhar-se ≠ **afastar-se**, arredar-se, retirar-se, distanciar-se, demarcar-se

abeiro *n.m.* [REG.] **sombreiro**

Abelha *n.f.* ASTRON. **Ápis**, Mosca Indiana

abelha-mestra *n.f.* ZOOL. **rainha**, mãe

abelhão *n.m.* **1** ZOOL. **zângão**, abegão, abelha-macha **2** [REG.] **vespão**

abelharuco *n.m.* ORNIT. **abelheiro**, abelhuco, pega-abelha, alrute, barranqueiro, barroqueiro, gralho, melharuco, milheirós, pita-barranqueira, pito-barranqueiro

abelheira *n.f.* **1** **enxame** **2** BOT. **erva-abelha**, erva-aranha, abelha-flor, alpivre

abelheiro *n.m.* **1** **apicultor**, apícola, colmeeiro **2** **colmeia**, abelheira **3** ORNIT. **abelharuco**, abelhuco, pega-abelha, alrute, barranqueiro, barroqueiro, gralho, melharuco, milheirós, pita-barranqueira, pito-barranqueiro

abelhudo *adj.,n.m.* **1** *col.* **indiscreto**, intrometido, curioso, atrevido, impertinente, metediço, bisbilhoteiro, coscuvilheiro, confiado, bedelheiro, entremetido, saído [BRAS.] ≠ **discreto**, reservado **2** *col.* **diligente**, apressado, ativo, esforçado, solícito, expedito, pressuroso

abençoado *adj.* **1** **bendito**, benzido, bento, louvado ≠ **maldito**, amaldiçoado, empecadado **2** *fig.* **próspero**, ditoso, venturoso, feliz, favorável ≠ **infeliz**, desfortunoso **3** *fig.* **fecundo**, fértil, feraz, opimo, ubertoso *poét.* ≠ **infértil**, estéril **4** *fig.* **protegido**, favorecido ≠ **desprotegido**, desfavorecido

abençoar *v.* **1** **benzer**, bendizer, abendiçoar ≠ **amaldiçoar**, maldizer **2** **louvar**, glorificar **3** **favorecer**, proteger, amparar ≠ **desfavorecer**, desproteger **4** **aprovar**, aclamar

aberração *n.f.* **1** **desvio**, irregularidade ≠ **regularidade** **2** **alteração**, deformação, distorção ≠ **conservação** **3** **anormalidade**, anomalia ≠ **normalidade** **4** **absurdo**, desatino, contradição, erro, engano **5** **monstruosidade**, monstro, aborto *pej.*

aberrante *adj.2g.* **1** **anormal**, anómalo, extranormal ≠ **normal** **2** **excecional**, extraordinário

aberta *n.f.* **1** **abertura**, buraco, brecha, fenda, fresta, frincha, greta **2** **acesso**, passagem **3** **pausa**, intervalo, interrupção, folga **4** **acalmia** **5** **clareira**, claro **6** *fig.* **oportunidade**, ocasião, ensejo **7** *fig.* **solução**, saída, resposta

abertamente *adv.* **1** **francamente**, desenganadamente, sinceramente, honestamente, bofé ≠ **insinceramente**, enganadamente, cavilosamente **2** **claramente**, visivelmente, manifestamente, publicamente, descobertamente ≠ **ocultamente**, secretamente

aberto *adj.* **1** **descerrado**, arreganhado ≠ **fechado** **2** **desimpedido**, livre, acessível, desobstruído, pérvio ≠ **fechado**, obstruído, inacessível **3** **descoberto**, exposto ≠ **coberto** **4** **amplo**, vasto, largo, extenso, espaçoso ≠ **estreito**, fechado, limitado **5** **afastado**, separado, desunido ≠ **fechado**, junto **6** **manifesto**, claro, patente, declarado, evidente **7** **destapado** ≠ **tapado** **8** (pessoa) **franco**, sincero, despretensioso, lhano, expansivo **9** (espírito, mentalidade) **tolerante**, liberal, recetivo ≠ **fechado**, tacanho **10** (peça de roupa) **desabotoado**, desapertado **11** **encetado**, inaugurado **12** **ligado**, acionado ≠ **fechado**, desligado **13** **decotado**, cavado **14** (flor) **desabrochado** **15** GRAM. (som, vogal) ≠ **fechado** ■ *n.m.* **abertura**

abertura *n.f.* **1** **descerramento**, abrimento ≠ **fechamento** **2** **começo**, princípio, início, encabeçamento, exórdio *fig.* ≠ **fim**, encerramento **3** **orifício**, buraco, aberta, brecha, fenda, fresta, frincha, greta, hiato, racha, rasgão, rombo, corte, janela, rotura, rutura, cavidade **4** **inauguração** **5** *fig.* **franqueza**, sinceridade **6** *fig.* **tolerância**, compreensão, acessibilidade **7** **entrada**, passagem **8** **introdução**, preâmbulo, prelúdio **9** MÚS. **prelúdio**

abespinhar *v.* **enfurecer**, assanhar, irritar, aborrecer, zangar, agastar, encolerizar, exasperar, embespinhar ≠ **acalmar**, serenar, tranquilizar, desencalmar *fig.*

abespinhar-se *v.* **enfurecer-se**, assanhar-se, irritar-se, aborrecer-se, zangar-se, agastar-se, encolerizar-se, exasperar-se, acirrar-se, encrespar-se, enxofrar-se, arreminar-se ≠ **acalmar-se**, serenar, tranquilizar-se, desencalmar-se *fig.*

abetarda *n.f.* **1** ORNIT. **betarda**, abutre, batarda, peru-selvagem, sisão, alcaravão **2** ORNIT. **grifo**, brita-ossos, fouveiro, ossífrago, pica-osso

abeto *n.m.* BOT. **pinheiro-alvar**, abete, abíeto

abetumar *v.* **calafetar**, acafelar, barrar, argamassar

abibe *n.m.* ORNIT. **galispo**, mula, galeno, abecoinha, coim, becuinha, donzela-verde, choradeira, cuinha, bécua, avecoinha, ave-fria, abetoninha, abitoninha, pendro, verdinzela, pendre, verdizela, ventoninho, matoninha

abicar *v.* **1** **aguçar** **2** NÁUT. **varar**, encalhar **3** **aproximar**, chegar, tocar

abismado *adj.* **1** **espantado**, assombrado, admirado, perplexo **2** **precipitado**, lançado

abismal *adj.2g.* **1** **abissal** **2** *fig.* **aterrador**, assombroso, assustador **3** *fig.* **enorme**, incomensurável, profundo, colossal ≠ **pequeno**, mínimo, diminuto

abismar *v.* **1** **precipitar**, engolfar **2** **afundar**, submergir **3** *fig.* **espantar**, maravilhar, assombrar, aterrorizar **4** *fig.* **arruinar**

abismar-se *v.* **1** **precipitar-se**, lançar-se **2** **absorver-se**, enfronhar-se, concentrar-se, mergulhar *fig.* **3** *fig.* **espantar-se**, assombrar-se, admirar-se

abismo *n.m.* **1** **precipício**, despenhadeiro, báratro, algar, barranco **2** **voragem**, sorvedouro, tragadouro **3** *fig.* **extremo**, máximo **4** *fig.* **caos**, confusão, voragem *fig.*, sorvedouro *fig.* **5** *fig.* **inferno**, trevas, treva **6** *fig.* **imensidade**, profundeza, profundidade

abissal *adj.2g.* **1** **abismal**, abíssico **2** *fig.* **enorme**, incomensurável, profundo, colossal ≠ **pequeno**, diminuto **3** *fig.* **misterioso**, insondável, enigmático **4** *fig.* **aterrador**, assombroso, assustador

abjeção[dAO] *n.f.* **1** **baixeza**, aviltamento, aviltação, degradação, infâmia, torpeza, vileza, opróbrio, envilecimento, lama **2** **abatimento**, prostração **3** **desprezo**, desdenho, desconsideração

abjecção[aAO] *n.f.* ⇒ **abjeção**[dAO]

abjecto[aAO] *adj.* ⇒ **abjeto**[dAO]

abjeto[dAO] *adj.* **desprezível**, baixo, imundo, vil, ignóbil, infame, cenagoso, cenoso

abjudicação *n.f.* DIR. **abjurgação**

abjudicar *v.* DIR. **abjurgar**

abjuração *n.f.* **renúncia**, apostasia, abjuramento, retratação, perjúrio

abjurar *v.* **1** **renegar**, renunciar, abandonar, apostatar, perjurar ≠ **adotar**, abraçar **2** **desdizer**, retratar, negar ≠ **confirmar**, reafirmar

ablação *n.f.* **1** **extração**, corte, extirpação, supressão **2** MED. **amputação**, remoção, aférese **3** GRAM. **aférese**

ablativo *adj.* **extrativo**

ablução *n.f.* **1** **lavagem**, banho, loção **2** RELIG. **batismo**, purificação

abnegação *n.f.* **altruísmo**, generosidade, desinteresse, abandono, desprendimento, renúncia, desapego, sacrifício ≠ **egoísmo**, ambição, apego

abnegado *adj.* **1** **desinteressado**, desprendido **2** **dedicado**, altruísta, devotado ≠ **egoísta**, indiferente

abnegar *v.* **1** **renunciar**, renegar, reprovar, desistir, deixar **2** **recusar**, rejeitar, negar, indeferir **3** **sacrificar-se**, abster-se

abóbada *n.f.* ARQ. **cúpula**, concameração, fórnice, arcada

abobadar *v.* **cambrar**, abaular, curvar, arquear

abobado *adj.* [BRAS.] **tolo**, amalucado, apalermado, aparvalhado, atolambado

abóbora *n.f.* **1** BOT. (fruto) **cabaça**, abobra *col.* **2** BOT. **aboboreira** **3** *fig.,col.* **cabeça** **4** *fig.,pej.* **abadessa**, baleia *pej.* **5** *fig.,col.* **preguiçoso**, molengão, fracalhão

aboborar *v.* **1** **amolecer** **2** **embeber**, ensopar, abeberar *fig.* **3** *fig.* (ideia, plano) **amadurecer**, ponderar, abeberar

aboboreira *n.f.* BOT. (planta) **abóbora**

abocanhar *v.* **1** **abocar**, bocar, boquejar **2** **despedaçar**, morder, estraçalhar, esmordaçar **3** **devorar**, engolir, tragar **4** **bocanhar** **5** *fig.* **caluniar**, difamar, desacreditar, desabonar, criticar, desmerecer, injuriar, vilipendiar, apoucar, censurar, detrair, ofender, aboquejar, denegrir *fig.*, enxovalhar *fig.* **6** *col.* **roubar**, apoderar-se

abolachado *adj.* **1** **arredondado**, circular **2** **achatado**, espalmado, chato, achamorrado, amassado, batido, comprimido

abolachar *v.* **achatar**, comprimir, amachucar, amassar, amolgar, amolar *col.*

abolição *n.f.* **1** **supressão**, extinção, anulação, abolimento, eliminação **2** **derrogação**, revogação, ab-rogação

abolir *v.* **1** **extinguir**, suprimir, eliminar, aniquilar, apagar, banir, riscar **2** **revogar**, anular, ab-rogar, derrogar **3** *ant.* **amnistiar**, indultar, perdoar

abolorecer *v.* **abolorentar**, embolorar, embolorecer, mofar

abolorentar *v.* **abolorecer**, embolorar, embolorecer, mofar

abominação *n.f.* 1 **repulsa**, aversão, detestação, execração, malquerença, ódio, rancor, esconjuração, rejeição, abomínio 2 **horror**, execração, iniquidade, barbaridade, atrocidade

abominado *adj.* **odiado**, detestado, execrado

abominar *v.* 1 **repelir**, abrenunciar, afugentar 2 **detestar**, odiar, execrar, desadorar ≠ **adorar**, apreciar

abominável *adj.2g.* 1 **detestável**, execrável, condenável, odioso, nefando 2 **horrendo**, horrível, horroroso

abonação *n.f.* 1 **fiança**, garantia, caução, abono, abonamento, satisdação, fiadoria 2 (dinheiro) **adiantamento**, abono 3 **subsídio**, auxílio, abono 4 **louvor**, recomendação, abono 5 (lexicografia) **citação** 6 **riqueza**, abastança

abonado *adj.* 1 **acreditado**, confiável 2 **subsidiado** 3 **afiançado**, garantido 4 **abastado**, endinheirado, rico ≠ **pobre**, miserável 5 (lexicografia) **citado**

abonador *adj.* **abonatório**, comprovador, confirmador, confirmativo, confirmatório, abonativo, confirmante ■ *n.m.* **fiador**, afiançador, garante, avalista ≠ **afiançado**

abonar *v.* 1 **afiançar**, garantir, acreditar, avalizar 2 **dar**, oferecer 3 **confirmar**, comprovar, apoiar 4 (dinheiro) **adiantar**, emprestar, fiar, creditar, dar 5 **testemunhar** 6 **justificar**, relevar

abonar-se *v.* 1 **gabar-se**, jactar-se, vangloriar-se, bazofiar, farsolar 2 **apoiar-se**, valer-se, apadrinhar-se, socorrer-se

abonatório *adj.* **abonador**, comprovador, confirmador, confirmativo, confirmatório

abono *n.m.* 1 **fiança**, garantia, caução, abonação, abonamento, satisdação, fiadoria 2 (dinheiro) **adiantamento**, abonação, crédito, empréstimo 3 **subsídio**, auxílio 4 *fig.* **louvor**, recomendação, elogio

abordada *n.f.* 1 (navios) **abalroamento**, abalroação, abalroada, colisão, choque, abordagem 2 (embarcação) **acostagem**, abordo, abordagem 3 (navios) **assalto**, abordagem 4 *fig.* (assunto, tema) **tratamento**, focagem, abordagem 5 *fig.* (pessoa) **aproximação**, abordagem 6 *fig.* **perspetiva**, visão, abordagem

abordagem *n.f.* 1 (navios) **abalroamento**, abalroação, abalroada, colisão, choque, abordada 2 (embarcação) **acostagem**, abordo, abordada 3 (navios) **assalto**, abordada 4 *fig.* (assunto, tema) **tratamento**, focagem, abordada 5 *fig.* (pessoa) **aproximação**, abordada 6 *fig.* **perspetiva**, visão, abordada

abordar *v.* 1 NÁUT. **acostar**, atracar, aportar, arribar 2 NÁUT. **abalroar**, assaltar 3 (assunto) **tratar**, versar 4 **aproximar-se**, interpelar, abeirar-se, chegar-se

abordável *adj.2g.* **acessível**, tratável ≠ **inabordável**, inacessível

abordo *n.m.* 1 (embarcação) **acostagem**, abordagem, chegada 2 **acesso**, entrada ≠ **saída**

aborígene *adj.,n.2g.* **nativo**, autóctone, natural, indígena

aborrecer *v.* 1 **maçar**, enfadar, cansar, entediar, enojar *fig.* ≠ **divertir**, distrair, desenfadar, desaborrecer 2 **irritar**, enervar, arreliar, importunar, zangar, arrenegar 3 **detestar**, abominar, odiar, execrar, aborrir *ant.* ≠ **apreciar**, gostar

aborrecer-se *v.* 1 **maçar-se**, enfadar-se, cansar-se, entediar-se, enfastiar-se, amorcegar, enojar-se *fig.*, encaiporar-se [BRAS.] ≠ **divertir-se**, distrair-se, desenfadar-se 2 **irritar-se**, impacientar-se, agastar-se, enervar-se, arreliar-se, zangar-se, aferventar-se [BRAS.] *fig.*

aborrecido *adj.* 1 **maçador**, entediado, enfadonho, fastidioso, chato, impertinente, cabuloso [BRAS.] *col.* ≠ **divertido**, distraído, desenfadado 2 **entediado**, enfastiado, indisposto, farto, contrariado, apereado [BRAS.] *col.* 3 **irritado**, zangado, arreliado, cabreado *col.* 4 **desagradável**, triste

aborrecimento *n.m.* 1 **tédio**, enfado, fastio, amoladela *col.* 2 **irritação**, raiva, arrelia 3 **contratempo**, contrariedade, adversidade, estopada *fig.* 4 **aversão**, repugnância, ódio, nojo, asco, rancor

abortamento *n.m.* 1 **aborto**, desgravidação, móvito, desmancho *col.*, desarranjo *col.* 2 *fig.* **fracasso**, malogro, frustração, insucesso

abortar *v.* 1 MED. **malparir**, desgravidar 2 *fig.* **malograr**, frustrar, gorar, fracassar 3 INFORM. (programa, comando) **terminar**, interromper-se, cancelar

abortivo *adj. fig.* **fracassado**, malogrado, frustrado, frustrâneo ■ *adj.,n.m.* MED. **ectrótico**, abortífero ≠ **antiabortivo**

aborto *n.m.* 1 **abortamento**, desgravidação, móvito, desmancho *col.*, desarranjo *col.* 2 *fig.* **fracasso**, insucesso, malogro, frustração 3 *pej.* **monstro**, monstruosidade, aberração, disformidade

abotoadeira *n.f.* (instrumento) **abotoador**

abotoar *v.* 1 (peça de vestuário) **fechar**, apertar, prender 2 BOT. (plantas) **abrolhar**, rebentar, brotar, germinar

abotoar-se *v.* 1 **enriquecer**, desempobrecer, afazendar-se, amaquiar-se, apatacar-se ≠ **desenriquecer**, empobrecer 2 *col.* **apoderar-se**, assenhorear-se, senhorear-se

abra *n.f.* 1 **baía**, angra, enseada, abrigada 2 **ancoradouro**, porto

abraçado *adj.* 1 **abarcado** ≠ **desabraçado** 2 *fig.* **cercado**, rodeado 3 *fig.* **adotado**, seguido

abraçar *v.* 1 **cingir**, enlaçar, apertar, estreitar ≠ **soltar**, desenlaçar, descingir 2 **cercar**, incluir, encerrar, rodear, conter, envolver, circundar 3 abarcar, abranger, alcançar **4 aceitar**, admitir, receber **5** (ideia, crença) **adotar**, seguir, professar, aperfilhar ≠ **renegar**, renunciar **6** (causa, profissão) **consagrar-se**, dedicar-se

abraçar-se *v.* **enlaçar-se**, entrelaçar-se, agarrar-se, enlear-se ≠ **desprender-se**, soltar-se, largar-se

abraço *n.m.* **1 amplexo**, abraçamento, chi-coração *col.*, chi *col.* **2** *fig.* **união**, ligação, fusão **3** BOT. **gavinha**, elo, enliço, tesoirinha **4** [*pl.*] BOT. **enleios**, cabelos-louros

abrandamento *n.m.* **1 desaceleração**, redução, abrandecimento ≠ **aceleração**, aceração, aceramento **2 afrouxamento**, enfraquecimento, frouxidão, diminuição, mitigação, moderação, arrefecimento *fig.*

abrandar *v.* **1 amolecer**, embrandecer, amaciar, emolir, molificar, atenrar, brandear, entenrecer ≠ **endurecer**, enrijar **2** (velocidade) **afrouxar**, moderar, reduzir, refrear, diminuir, temperar *fig.* ≠ **aumentar**, açodar **3** (temperatura) **diminuir**, baixar ≠ **subir**, aumentar **4** (irritação, fúria) **atenuar**, aplacar, apaziguar, pacificar, acalmar, aquietar, suavizar, mitigar, sossegar, aliviar, minorar, açucarar *fig.*, adoçar *fig.*, laxar *fig.*, abemolar *fig.* ≠ **agitar-se**, inquietar-se **5** (dor, sofrimento) **aliviar**, atenuar

abrandar-se *v.* **1 amolecer**, embrandecer, emolir, molificar, atenrar-se ≠ **endurecer**, enrijar **2 atenuar-se**, enfraquecer, aplacar-se, diminuir, aligeirar-se ≠ **intensificar-se**, reforçar-se **3 acalmar-se**, serenar, amansar-se *fig.* ≠ **agitar-se**, inquietar-se **4 comover-se**, sensibilizar-se, enternecer-se

abrangência *n.f.* **1 alcance**, extensão **2 compreensão**

abrangente *adj.2g.* **1 inclusivo 2 amplo**, vasto

abranger *v.* **1 incluir**, compreender, conter, abarcar **2 alcançar**, atingir, compreender, perceber, entender, descortinar **3** (assunto, tema) **cobrir 4 cingir**, cercar, circundar, rodear, circunscrever **5 avistar**, ver, alcançar

abrasado *adj.* **1 queimado**, requeimado, ardido **2 ardente**, quente **3 corado**, afogueado, acalorado **4 rubro**, vermelho **5 consumido**, destruído **6 exaltado**, excitado, entusiasmado

abrasador *adj.* **1 abrasante**, ardente, escaldante, tórrido, calcinante *fig.*, férvido *fig.* ≠ **regelador 2 sufocante**, abafadiço **3 intenso**, forte, arrebatador **4 aflitivo**, torturante, devorador, consumidor

abrasamento *n.m.* **1 combustão**, incêndio, queima, ignição, queimada, queimação **2** *fig.* **entusiasmo**, ardor, exaltação, paixão, veemência

abrasão *n.f.* **1 erosão 2** MED. **raspagem**

abrasar *v.* **1 queimar**, incendiar, incandescer, afoguear, acender, assar, esmechar **2 aquecer**, arder, enfogar ≠ **regelar 3 arrebatar**, apaixonar, entusiasmar, exaltar, excitar, incitar, inflamar **4 assolar**, destruir, devastar, arruinar, arrasar **5 ressequir**, ressecar, ressicar **6 avermelhar**, corar, afoguear **7 desbastar**, polir

abrasar-se *v.* **1 arder**, queimar, incendiar-se ≠ **extinguir-se**, apagar-se **2 ruborizar-se**, corar, avermelhar-se, afoguear-se, acerejar-se

abrenúncio *n.m.* **1 esconjuro**, maldição, imprecação, abrenunciação **2 renegação**, renúncia **3 aversão**, rejeição, repugnância ■ *interj.* **credo!**, ápage!, arreda-te!, tarrenego!, demónio!, figas!, fora!, isola!

abreu *n.m.* [BRAS.] ZOOL. **moça-branca**

abreviação *n.f.* **1 encurtamento**, redução, diminuição, encolhimento, abreviamento **2 abreviatura 3 resumo**, sinopse, sumário, suma, compêndio, epílogo, epítome, súmula

abreviado *adj.* **1 encurtado**, reduzido **2 resumido**, condensado, sucinto, conciso, sumário **3 antecipado**, apressado ■ *n.m.* **resumo**, apanhado

abreviar *v.* **1 encurtar**, reduzir, diminuir, encolher **2 resumir**, compendiar, sintetizar, sumariar, epitomar, recopilar **3 despachar**, aviar **4 antecipar**, acelerar, apressar, atalhar

abreviatura *n.f.* **1 abreviação 2 resumo**, sumário, epílogo, epítome, sinopse, compêndio, súmula

abridor *n.m.* **1 gravador**, burilador, entalhador **2** [BRAS.] **abre-latas**, tira-cápsulas

abrigada *n.f.* **1 baía**, angra, enseada, porto, abra, calheta **2 abrigo**, refúgio, asilo, resguardo

abrigado *adj.* **protegido**, resguardado, defendido, acobertado, aprico *poét.* ≠ **desabrigado**, desabrigoso

abrigar *v.* **1 albergar**, asilar, acolher, acoitar, recolher, aguaritar, amalhar, acoutar ≠ **desabrigar 2 resguardar**, proteger, recolher, amantar *fig.* ≠ **desabrigar**, desproteger **3 amparar**, agasalhar, apadrinhar, auxiliar, defender ≠ **desabrigar**, desamparar **4 conservar**, ter, guardar

abrigar-se *v.* **1 proteger-se**, resguardar-se, refugiar-se, acoutar-se, acovilhar-se, apriscar-se ≠ **desabrigar-se 2 acolher-se**, agasalhar-se **3** *fig.* **encontrar-se**, encerrar-se, guardar-se

abrigo *n.m.* **1 proteção**, defesa, resguardo **2 refúgio**, asilo, guarida, acolhimento, acolhida, abrigada, tugúrio, abrigadouro, acoitamento, acoito **3 agasalho**, abafo, cobertura **4 apoio**, amparo, auxílio, socorro **5 enseada**, angra, porto, baía, abrigada

abril *n.m.* *fig.* **juventude**, adolescência, mocidade, primavera *fig.*

abrilhantar *v.* **1 polir**, lustrar, brunir, lapidar, facetar, fulgentear, aurorar *fig.* **2 iluminar**, alumiar **3** *fig.* **realçar**, engalanar, aformosear, ataviar, aureolar, ornamentar, ornar

abrir *v.* **1 descerrar**, desfechar ≠ **fechar**, cerrar **2 destapar** ≠ **fechar**, tapar **3 encetar**, inaugurar **4 ligar**, acionar **5 afastar**, separar, apartar, desunir ≠ **fechar**, juntar **6 desimpedir**, desobstruir, franquear ≠ **fechar**, obstruir **7 descobrir**, expor ≠ **cobrir 8 decotar**, cavar **9 desabotoar**, desapertar ≠ **abotoar**, apertar **10 clarear**, limpar, aclarar ≠ **nublar 11 desvendar**, patentear, manifestar **12 esculpir**, entalhar, burilar, gravar **13 romper**, sulcar, vazar, escavar **14 cortar**, talhar, rasgar **15 fender**, escachar, gretar, rachar, retalhar **16 desembrulhar**, desempacotar ≠ **embrulhar**, empacotar **17 estimular**, excitar **18 lavrar**, exarar **19** (flor) **desabrochar 20** (sessão) **começar**, principiar, iniciar **21** (empresa, negócio) **estabelecer**, fundar

abrir-se *v.* **1 descerrar-se** ≠ **fechar-se**, encerrar-se **2 destapar-se** ≠ **fechar-se**, tapar-se **3 separar-se**, desunir-se, afastar-se, juntar-se ≠ **unir-se 4 rachar-se**, fender-se, quebrar-se, partir-se **5 rebentar**, romper-se, rasgar-se **6** (flor) **desabrochar**, desabotoar ≠ **fechar 7** *fig.* **desabafar**, desafogar, expor-se, franquear-se, desnudar-se ≠ **fechar-se**, conter-se, retrair-se **8** *fig.* **revelar-se**, apresentar--se, desvendar-se **9 iniciar-se**, principiar, começar ≠ **terminar**, acabar

ab-rogar *v.* **1** DIR. **anular**, abolir, revogar, cassar, invalidar **2 suprimir**, eliminar, extinguir, aniquilar

abrolho *n.m.* **1** BOT. **rebento**, gomo, botão **2 pua**, espinho, trepe **3 escolho 4** *fig.* (mais usado no plural) **contrariedade**, dificuldade, obstáculo, contratempo

abrunheiro *n.m.* BOT. **abrunho**

abrunho *n.m.* **1** (fruto) **ameixa**, brunho **2** BOT. (planta) **brunheiro**

abruptamente *adv.* **1 subitamente**, repentinamente, bruscamente, inesperadamente **2 bruscamente**, arrebatadamente

abrupto *adj.* **1 escarpado**, íngreme, inclinado **2 rude**, áspero ≠ **suave**, mavioso **3 repentino**, inesperado, inopinado, súbito

abrutalhado *adj.* **grosseiro**, rude, tosco, abroncado, achaboucado, achamboado, lapúrdio, brutesco, montano *fig.*, broeiro *fig.*, alóbroge *fig.* ≠ **cortês**, delicado, gentil, palaciano

abrutalhar *v.* **embrutecer**, embrutar, brutificar, estupidificar, brutalizar, abrutar, abrutecer, barbarizar ≠ **desembrutecer**, civilizar, instruir

absinto *n.m.* **1** BOT. **losna**, alosna, sintro [REG.] **2** *poét.* **amargura**, mágoa, dissabor, dor, pena, pesar, sofrimento

absolutamente *adv.* **inteiramente**, totalmente, completamente, diametralmente *fig.*

absolutismo *n.m.* **autocracia**, despotismo, ditadura, tirania ≠ **democracia**, democratismo, vulgocracia

absolutista *n.2g.* **autocrata**, ditador, déspota, tirano, autoritário, prepotente, opressor ≠ **democrata**, liberal, demófilo, publícola

absoluto *adj.* **1 independente**, soberano, supremo, sumo, extremo **2 ilimitado**, irrestrito, infinito ≠ **limitado**, finito, restrito **3 autocrático**, déspota, despótico, ditatorial, tirânico **4 completo**, total, acabado, cabal, integral, totalitário, inteiro ≠ **parcial**, relativo **5 perfeito**, pleno, ideal ≠ **imperfeito 6 puro** ≠ **impuro**, misturado **7 incondicional**, incontestável, irrecusável, evidente, indiscutível ≠ **contestável**, discutível

absolver *v.* **1 inocentar**, perdoar, desculpar, isentar, relevar, remitir, despenitenciar ≠ **condenar**, punir **2 dispensar**, desobrigar, desonerar, eximir, exonerar ≠ **obrigar**, exigir

absolver-se *v.* **1 perdoar-se**, desculpar-se ≠ **culpabilizar-se**, inculpar-se **2 dispensar-se**, desobrigar-se, eximir-se, isentar-se, exonerar-se ≠ **obrigar-se**

absolvição *n.f.* **perdão**, remissão, desculpa, indulgência, absolvimento, indulto

absorção *n.f.* **1 absorvência**, embebição, absorvimento, impregnação **2 assimilação**, apreensão **3 anexação 4 concentração**, atenção **5 monopolização**, controle **6** *fig.* **êxtase**

absorto *adj.* **1 alheado**, distraído, absorvido, ausente, abstraído, abstrato ≠ **concentrado**, atento **2 concentrado**, absorvido **3** *fig.* **enlevado**, extasiado, embevecido, arrebatado, atónito, pasmado, admirado

absorvente *adj.2g.* **1 absorvedor**, captativo **2** *fig.* **cativante**, arrebatador, arrebatante, interessante, apaixonante **3** *fig.* **monopolizador**, avassalador, dominante

absorver *v.* **1 embeber**, impregnar-se, sorver, chupar, sugar **2 amortecer**, neutralizar **3 anexar**, integrar **4 assimilar**, apreender, digerir, reter, captar **5 consumir**, gastar, exaurir **6 monopolizar**, açambarcar **7 destruir**, tragar, devorar **8 inalar**, aspirar **9 ingerir**, engolir **10** *fig.* **arrebatar**, cativar, arroubar, enlevar, entusiasmar, extasiar

absorver-se *v.* **1 concentrar-se**, abstrair-se, alhear-se, perder-se, aplicar-se **2 emebeber-se**

absorvido *adj.* **1 embebido**, sorvido **2 assimilado**, compreendido **3 consumido**, gasto **4 absorto**, distraído, alheado, ausente, abstraído, abstrato

abstemia *n.f.* **1 abstinência** ≠ **embriaguez**, ebriez, trapizonda [REG.] **2 sobriedade**, moderação ≠ **insobriedade**, descomedimento

abstémio[AO] ou **abstêmio**[AO] *adj.,n.m.* **1 abstinente**, abstémico, sóbrio ≠ **embriagado**, tomadote 2 **moderado**, sóbrio, continente, casto, comedido, frugal, parco, regrado

abstenção *n.f.* **abstinência**, privação, continência, renúncia, jejum, desistência, coibição

abstencionismo *n.m.* POL. **absentismo**

abster *v.* **privar**, impedir, proibir, coibir, estorvar

abster-se *v.* 1 **privar-se**, abdicar, renunciar 2 **conter-se**, reprimir-se, refrear-se, coibir-se, moderar-se, omitir-se 3 **recusar-se**, negar-se, escusar-se, rejeitar, dispensar, prescindir 4 **calar-se**, silenciar ≠ **pronunciar-se**, opinar

abstersivo *adj.,n.m.* **abstergente**, purificante, purificador, detersivo, decantador

abstinência *n.f.* 1 **privação**, abstenção, renúncia, continência 2 **castidade**, abstenção 3 **jejum**, inédia, dieta 4 **moderação**, sobriedade, temperança

abstinente *adj.,n.m.* 1 **abstémio**, abstémico 2 **casto**, continente ≠ **incasto** 3 **moderado**, sóbrio, regrado, parco, frugal, comedido

abstração[dAO] *n.f.* 1 **conceptualização**, generalização, extrapolação 2 **noção**, conceito 3 **alheamento**, distração, afastamento, abstraimento 4 **concentração**, meditação, recolhimento, suspensão 5 *pej.* **ilusão**, devaneio, utopia

abstracção[aAO] *n.f.* ⇒ **abstração**[dAO]

abstracto[aAO] *adj.,n.m.* ⇒ **abstrato**[dAO]

abstrair *v.* 1 **excluir**, omitir, excetuar, prescindir, dispensar, desprezar, deixar 2 **separar**, apartar, afastar, alhear, retirar

abstrair-se *v.* 1 **concentrar-se**, alhear-se, distrair-se, absorver-se 2 **ignorar**, desatender ≠ **considerar**, atender 3 **afastar-se**, apartar-se ≠ **envolver-se**

abstrato[dAO] *adj.* 1 **imaterial**, metafísico, impalpável ≠ **concreto**, material 2 (arte) **não figurativo** 3 *fig.* **obscuro**, vago, enigmático, subtil ≠ **claro**, preciso 4 *fig.* **absorto**, abstraído, aéreo, alheio, alheado, desatento, inexpressivo, imerso, pensativo, concentrado, contemplativo, extático, sonhador, enlevado, extasiado 5 GRAM. ≠ **concreto** ■ *n.m.* FIL. **abstração**, conceito

absurdo *adj.* 1 **ilógico**, incoerente, contraditório, paradoxal, inconsequente, incongruente, contraproducente, antilogismo 2 **disparatado**, despropositado, insensato, tolo, inepto ■ *n.m.* 1 **contrassenso**, despropósito, disparate, absurdidade, absurdez, absurdeza, contradição, paradoxo, inconsequência, incongruência, insensatez, desatino, desconchavo, tolice, dislate, inépcia 2 **utopia**, fantasia, sonho

abúlico *adj.* 1 PATOL. **disbúlico** 2 **apático**

abundância *n.f.* 1 **fartura**, profusão, abastança, riqueza, cópia, copiosidade, uberdade, ror *col.*, ucharia *fig.* ≠ **falta**, míngua, escassez 2 **opulência**, luxo ≠ **pobreza**, miséria 3 *fig.* **excesso**

abundante *adj.2g.* 1 **farto**, copioso, profuso, prolixo, abrejado, abundado, diluviano *fig.*, caudaloso *fig.* 2 **fértil**, fecundo, produtivo 3 **numeroso**, vário 4 **opulento**, rico, abastado

abundar *v.* **sobrar**, sobejar, superabundar, exuberar, pulular, formigar, transbordar *fig.*, enxurrar *fig.*

abusado *adj.* [BRAS.] **atrevido**, ousado

abusar *v.* 1 **mal-usar**, exagerar, exorbitar, exceder-se, prevaricar, desregrar 2 **aproveitar-se**, valer-se 3 **menosprezar**, humilhar, desconsiderar 4 **violar**

abusivo *adj.* 1 **excessivo**, indiscriminado, impróprio 2 **inconveniente**, impróprio, repreensível, reprovável, censurável

abuso *n.m.* 1 **exagero**, excesso, descomedimento, abusão 2 **ofensa**, desonra, desaforo, atrevimento, atropelo 3 **maçada**, transtorno, embaraço, estorvo 4 **violação**, estupro

abutre *n.m.* 1 *fig.,pej.* **cruel**, bárbaro 2 *fig.,pej.* **agiota**, usurário, onzenário, onzeneiro, zângão *fig.*, logreiro *ant.*

aca *n.m.* **fedor**, bedum, bodum

acabado *adj.* 1 **concluído**, terminado, completo, pronto, realizado, findo ≠ **inacabado**, incompleto 2 **gasto**, usado 3 **abatido**, exausto, enfraquecido, debilitado, esgotado 4 **envelhecido**, velho, avelhentado, acabadote *col.*, avelado *fig.* 5 **extinto**, apagado 6 **arruinado**, encerrado, falido ■ *n.m.* **acabamento**, remate

acabamento *n.m.* 1 **remate**, conclusão 2 **termo**, fim, conclusão, final, terminação, finalização 3 **morte**, extinção, fenecimento, finamento *fig.*

acabar *v.* 1 **terminar**, concluir, completar, finalizar, consumar, findar ≠ **começar**, iniciar, principiar, abrolhar *fig.* 2 **rematar**, encimar, ultimar, perfeiçoar, aprimorar 3 **esgotar**, exaurir, consumir, gastar 4 **destruir**, aniquilar, extinguir, dirimir, matar, mortalhar 5 **resultar**, originar, tornar-se 6 (namoro, noivado) **romper**, desmanchar, finalizar ≠ **começar**, iniciar 7 **terminar**, findar, cessar 8 **esgotar-se** 9 **morrer**, falecer, fenecer, perecer, expirar 10 **fechar**, encerrar-se ≠ **abrir**, inaugurar

acabar-se *v.* 1 **terminar**, findar-se, finalizar-se ≠ **começar**, iniciar-se 2 **esgotar-se**, extinguir-se, exaurir-se, consumir-se, gastar-se 3 **morrer**, finar-se, perecer

acabrunhado *adj.* 1 **abatido**, desanimado, deprimido, desalentado, prostrado, alicaído *fig.* 2 **envergonhado**, vexado, humilhado, oprimido, assopeado *col.* 3 **entristecido**, atormentado, amargurado, melancólico

acabrunhador *adj.* 1 **humilhante**, vexante, acabrunhante, depressor 2 **pungente**, aflitivo, atormentador, acabrunhante

acabrunhamento *n.m.* 1 **abatimento**, prostração, desalento, desânimo ≠ **ânimo**, vigor 2 **desgosto**, aflição, tristeza ≠ **alegria** 3 **humilhação**, vexação, vexame, vergonha, opressão ≠ **enaltecimento**

acabrunhar *v.* 1 **desanimar**, abater, prostrar, quebrantar, deprimir ≠ **fortalecer**, avigorar 2 **envergonhar**, vexar, humilhar, espezinhar, oprimir ≠ **enaltecer**, exaltar 3 **atormentar**, entristecer, afligir, apoquentar, contristar, magoar, molestar, mortificar, ralar ≠ **alegrar**, animar

acaçapar-se *v.* 1 **agachar-se**, baixar-se, acocorar-se, acochar-se 2 **esconder-se**, ocultar-se ≠ **mostrar-se**, revelar-se

academia *n.f.* 1 **universidade**, escola 2 **ateneu** 3 [BRAS.] **ginásio**

académico[AO] ou **acadêmico**[AO] *adj.* 1 **academial**, escolar, universitário, arcadiano 2 **convencional**, clássico 3 *pej.* **pretensioso**, afetado ■ *n.m.* aluno, estudante, academista, aulista

academista *n.2g.* **aluno**, estudante, académico, aulista

açafata *n.f.* **camareira**, aia, cuvilheira

açafate *n.m.* **canastra**

açafrão *n.m.* BOT. (planta) **açafroeira**, açafroeiro, açaflor, açafrol, açafroa

açafroa *n.f.* BOT. (planta) **cártamo**

açafroeira *n.f.* BOT. (planta) **açafrão**, açafroeiro, açaflor, açafrol

açaimar *v.* 1 **amordaçar**, abarbilhar, embarbelar ≠ **desaçaimar** 2 *fig.* **silenciar**, calar, emudecer 3 *fig.* **reprimir**, refrear, conter, subjugar, dominar, sopear

açaime *n.m.* 1 **mordaça**, focinheira 2 **freio**

acalcanhar *v.* 1 **calcar**, acalcar, pisar, espezinhar, assapatar 2 **cambar**, entortar, gastar 3 *fig.* **humilhar**, vexar, oprimir, enxovalhar, pisar *fig.*

acalentar *v.* 1 **embalar**, adormecer, adormentar 2 **abrandar**, acalmar, tranquilizar, suavizar, aplacar, aquietar, mitigar, sossegar 3 **consolar**, confortar, animar, acarinhar *fig.* 4 **alimentar**, cultivar

acalentar-se *v.* **acalmar-se**, tranquilizar-se, serenar, sossegar

acalento *n.m.* 1 **afago**, mimo, carinho, carícia, biju 2 *fig.* **léria**, treta, logro, lábia *col.*, chacha *col.*, chachada *col.*

acalmar *v.* 1 **tranquilizar**, serenar, asserenar ≠ **enervar**, abespinhar, excitar, aborrascar, acerbar, agastar, enchouriçar, exagitar, ferver *fig.*, encalmar *fig.*, alcachofrar *fig.* 2 **abrandar**, aplacar, aquietar, atenuar, amansar, amainar, mitigar, moderar, serenar, sossegar, paziguar ≠ **agravar**, aumentar 3 **reprimir**, conter, refrear ≠ **avivar**, excitar 4 (tempestade, vento) **amainar**, abonançar, bonançar, desemborrascar ≠ **emborrascar**

acalmar-se *v.* 1 **tranquilizar-se**, serenar, sossegar, abrandar, aquietar-se, apaziguar-se, desenraivecer-se, desenraivar-se, desencolerizar-se, desembravecer-se, desassanhar-se, descomover-se ≠ **enervar-se**, irritar-se, excitar-se, abespinhar-se, enfurecer-se, agastar-se, enchouriçar-se, esbravear, afreimar-se, agrimar-se, cegar-se, rebitar-se *fig.* 2 **amainar**, abonançar-se, amansar

acalmia *n.f.* 1 **estiagem** 2 **bonança**, recalmão, desanuviamento 3 **sossego**, abrandamento, acalmamento, acalmação, tranquilidade

acalorado *adj.* 1 **abrasado**, encalmado 2 (debate, discussão) **inflamado** *fig.*, aceso, renhido, veemente, vivo, porfiado 3 *fig.* **entusiasmado**, apaixonado, empenhado, animado, aferventado *fig.*

acalorar *v.* 1 **aquecer**, encandecer, incandescer, esquentar ≠ **esfriar**, arrefecer 2 *fig.* **animar**, entusiasmar, exaltar, excitar, avivar ≠ **esmorecer**, desalentar

acalorar-se *v.* 1 **aquecer-se**, esquentar-se ≠ **esfriar**, arrefecer 2 *fig.* **animar-se**, entusiasmar-se, avivar-se, exaltar-se, excitar-se, afervar-se *fig.* ≠ **esmorecer**, afrouxar, resfriar-se, esfriar-se *fig.*, arrefecer-se *fig.*, enregelar-se *fig.*, gelar-se *fig.*

acamado *adj.* 1 **deitado**, estendido 2 (pessoa) **adoentado**, amaleitado, amormado 3 **alisado**, assentado 4 GEOL. **estratificado**

acamar *v.* 1 **deitar** ≠ **levantar** 2 **alisar**, assentar ≠ **eriçar** 3 **tombar**, derrubar, derribar, abater 4 **encamar**, estratificar ≠ **desacamar** 5 **humilhar**, prostrar, desanimar 6 **adoecer**, encamar 7 (colmo dos cereais) **tombar**

acamaradar *v.* 1 **emparceirar**, aparceirar, acompadrar ≠ **desacamaradar** 2 **abandear**, bandear, enaipar

acamaradar-se *v.* **bandear-se**, abandar-se, aparceirar-se

acamar-se *v.* 1 **deitar-se** 2 **adoecer**

açambarcador *adj.,n.m.* **monopolizador**, abarcador, monopolista, arrebanhador, atravessador [BRAS.]

açambarcagem *n.f.* **monopólio**, apropriação, açambarcamento, açambarque

açambarcamento *n.m.* **monopólio**, apropriação, açambarcagem, açambarque

açambarcar *v.* **monopolizar**, apropriar-se, usurpar, assobarcar *fig.*

acampamento *n.m.* MIL. **arraial**, abarracamento, bivaque, alhela

acampar *v.* 1 MIL. **alojar**, bivacar, abarracar 2 **campear**, castrametar 3 *col.* **instalar-se**, alojar-se

acampar-se *v.* **abarracar-se**, instalar-se

acanalhado *adj.* **ordinário**, pulha, vil, reles, velhaco, afandangado, chué, escurril, fúfio *col.*

acanalhar *v.* **abandalhar**, aviltar, rebaixar, envilecer ≠ **dignificar**, enobrecer, desacanalhar

acanalhar-se *v.* **aviltar-se**, envilecer-se, rebaixar--se, abaixar-se, infamar-se, deslustrar-se, degradar-se, abandalhar-se, sevandijar-se, enlamear--se *fig.* ≠ **dignificar-se**, enobrecer-se

acanhado *adj.* **1 apertado**, pequeno, estreito, diminuto, exíguo, curto, escasso ≠ **enorme**, abissal, abíssico **2 tímido**, envergonhado, atado, irresoluto, retraído, contrafeito ≠ **comunicável**, extravertido **3 enfezado**, franzino, raquítico **4** *fig.* **mesquinho**, somítico, sovina, cainho *fig.*

acanhamento *n.m.* **1 timidez**, retraimento, inibição, pusilanimidade, confrangimento, constrangimento, pejo, acanho, atamento *fig.*, lã *fig.* **2 estreiteza**, pequenez, exiguidade ≠ **grandeza**, enormidade

acanhar *v.* **1 embaraçar**, envergonhar, intimidar ≠ **desacanhar**, desembaraçar **2 atrofiar 3 estreitar**, apertar, apequenar, encolher, encurtar, diminuir, limitar ≠ **alargar**, ampliar

acanhar-se *v.* **1 envergonhar-se**, intimidar-se, retrair-se, encabular-se ≠ **desacanhar-se**, desembaraçar-se **2 humilhar-se**, rebaixar-se, vexar-se, render-se **3 estreitar**, apertar ≠ **alargar**, ampliar

acanto *n.m.* BOT. **erva-gigante**

acantonamento *n.m.* MIL. **aquartelamento**

acantonar *v.* **aquartelar**, acasernar, alojar

ação[dAO] *n.f.* **1 atuação**, ato, atividade **2 ato**, obra, feito **3 movimento 4 funcionamento 5 atitude**, comportamento, gesto, postura **6 energia**, força, dinamismo, vigor ≠ **inação**, inércia **7 enredo**, intriga, entrecho **8 influência 9** DIR. **causa**, demanda, processo, pleito **10** MIL. **combate**, luta, operação

acardumar *v.* **1 encardumar 2** *fig.* **reunir**, aglomerar, agrupar

acareação *n.f.* **confronto**, confrontação, acareamento, careação, cotejo

acarear *v.* **confrontar**, comparar, cotejar

acaríase *n.f.* PATOL. **sarna**, escabiose

acariciante *adj.2g.* **acariciador**, acariciativo

acariciar *v.* **1 afagar**, acarinhar, ameigar, amimar **2 roçar**, roçagar, perpassar, entrepassar **3** *fig.* **alimentar**, acalentar, nutrir ≠ **desencorajar**, desalentar **4** *fig.* **lisonjear**, bajoujar, adular ≠ **censurar**, criticar

acaridar-se *v.* **apiedar-se**, compadecer-se, condoer-se, sensibilizar-se, comiserar-se ≠ **empedernir-se** *fig.*, endurecer-se *fig.*

acarinhar *v.* **1 afagar**, acariciar, amimar, ameigar, amimalhar ≠ **maltratar**, afinfar *col.* **2** *fig.* **apoiar**, amparar, encorajar ≠ **desapoiar 3** *fig.* **alimentar**, acalentar, nutrir ≠ **desencorajar**, desalentar

ácaros *n.m.pl.* ZOOL. **acarídeos**, acarinos, acáridos

acarretamento *n.m.* **carregamento**, acarreto, carreto, acartamento *col.*

acarretar *v.* **1 transportar**, levar, carregar, trazer, conduzir, acartar, carrear, acarrear **2 implicar**, causar, ocasionar, originar, provocar, produzir

acarreto *n.m.* **carregamento**, acarretamento, carreto, acartamento *col.*

acartar *v. col.* **transportar**, levar, carregar, trazer, conduzir, acarretar, carrejar, acarrear

acasalar *v.* **1** (macho e fêmea) **cruzar 2 emparelhar**, irmanar, emparceirar ≠ **desemparelhar**, desirmanar **3 amancebar-se**, amigar-se

acasalar-se *v. pej.* **amancebar-se**, amigar-se, amasiar-se

acaso *n.m.* **1 casualidade**, eventualidade, coincidência, imprevisto, contingência, adrego **2 destino**, sorte, ventura, providência ■ *adv.* **1 acidentalmente**, eventualmente, casualmente, fortuitamente ≠ **certamente**, propositadamente **2 porventura**, quiçá, talvez

acastelar-se *v.* **1 refugiar-se**, recolher-se, proteger-se **2 amontoar-se**, acumular-se, aglomerar--se, rebalsar-se, encardumar-se

acatamento *n.m.* **1 veneração**, respeito, cortesia, decoro, mesura, deferência, reverência, consideração ≠ **desacato**, desconsideração **2 cumprimento**, obediência, acato ≠ **desobediência**, insubordinação

acatar *v.* **1 respeitar**, venerar, reverenciar, considerar, estimar, honrar ≠ **desacatar**, desconsiderar **2 cumprir**, obedecer, atender, observar ≠ **desacatar**, desobedecer

acatitar *v.* **alindar**, enfeitar, ajanotar, aparaltar, acasquilhar

acatitar-se *v.* **aperaltar-se**, alindar-se, ajanotar--se, atafular-se *ant.*

acato *n.m.* **respeito**, acatamento, cortesia, decoro, mesura, deferência, reverência, consideração, veneração

acaule *adj.2g.* BOT. **acaulescente**, acáulico

acautelado *adj.* **1 prudente**, precavido, cauteloso, conspectivo **2 prevenido**, avisado, abarreirado **3 protegido**, resguardado

acautelar *v.* **1 precaver**, prevenir, precautelar, premunir, precatar ≠ **desacautelar**, desprecaver **2 evitar**, prevenir ≠ **desacautelar**, desprevenir **3 proteger**, defender, resguardar, vigiar ≠ **desacautelar**, desproteger

acautelar-se *v.* **1 precaver-se**, prevenir-se, premunir-se, precatar-se, munir-se, atalaiar-se, esguardar-se, anteparar-se ≠ **desacautelar-se**, desprecaver-se, descuidar-se **2 proteger-se**, defender-se, resguardar-se ≠ **desacautelar-se**, desproteger-se, expor-se

acavalar *v. fig.* **amontoar**, sobrepor, empilhar ≠ **desacavalar**

acavalar-se *v.* 1 **montar**, escarranchar-se ≠ **desmontar-se** 2 *fig.* **amontoar-se**, sobrepor-se, apinhar-se, aglomerar-se, agregar-se, acumular-se, enxamear-se, acardumar-se ≠ **desacavalar-se**, desamontoar-se

acção[aAO] *n.f.* ⇒ **ação**[dAO]

accionado[aAO] *adj.,n.m.* ⇒ **acionado**[dAO]

accionamento[aAO] *n.m.* ⇒ **acionamento**[dAO]

accionar[aAO] *v.* ⇒ **acionar**[dAO]

aceção[dAO] ou **acepção**[AO] *n.f.* **significado**, significação, sentido, interpretação

acedente *adj.2g.* **concordante**, anuente

aceder *v.* 1 **concordar**, consentir, anuir, aquiescer, assentir, condescender 2 **alcançar**, atingir 3 INFORM. (informação, dados) **acessar**[BRAS.]

acéfalo *adj.* 1 **acrânio**, acraniano, acefálico, acefalita, anencefálico, anencéfalo, acefalino 2 *fig.* **imbecil**, idiota, estúpido, parvo, párvulo, estroso, patau, bocó[BRAS.] ■ *n.m.pl.* ZOOL. **lamelibrânquios**, pelecípodes

aceitação *n.f.* 1 **anuência**, aquiescência, concordância, assenso, consentimento, permissão, beneplácito, aceitamento ≠ **recusa**, rejeição 2 **recetividade**, aprovação, receção, acolhimento, recebimento, reconhecimento ≠ **desaprovação** 3 **estima**, benquerença, afeição ≠ **desestima**, desafeição

aceitante *adj.,n.2g.* **aceitador**, recebedor ≠ **renunciador**, abdicador

aceitar *v.* 1 **aceder**, anuir, assentir, concordar, consentir ≠ **discordar**, desaprovar 2 **receber**, acolher, pegar, tomar ≠ **recusar**, rejeitar, abrenunciar 3 **reconhecer**, admitir 4 **adotar**, acolher ≠ **recusar**, rejeitar 5 **conformar-se**, resignar-se, submeter-se, tolerar ≠ **recusar**, rejeitar

aceitável *adj.2g.* 1 **admissível**, tolerável, plausível, concebível, aceitativo ≠ **inaceitável**, inadmissível 2 **razoável**, passável, satisfatório, suficiente, escapatório ≠ **inaceitável**, insatisfatório

aceite *adj.2g.* 1 **estimado**, recebido, acolhido 2 **admitido**, permitido 3 **aprovado** 4 **adotado**

aceito *adj.* 1 **estimado**, recebido, acolhido 2 **admitido**, permitido 3 **aprovado** 4 **adotado**

aceleração *n.f.* 1 **aceleramento**, apressuramento ≠ **desaceleração**, abrandamento 2 **rapidez**, prontidão, ligeireza, pressa, celeridade ≠ **desaceleração**, lentidão, lenteza 3 **adiantamento**, precipitação ≠ **atraso**

acelerado *adj.* 1 **rápido**, veloz, apressado, ligeiro, açodado ≠ **lento**, desacelerado, tardeiro 2 *col.* **hiperativo**, enérgico 3 *fig.* **impetuoso**, precipitado, alvoroçado, descontrolado

acelerar *v.* 1 **apressar**, apressurar, aligeirar, aviar, açodar, assapar *col.* ≠ **desacelerar**, retardar, avagarar, temporizar, alentecer, alerdar 2 **abreviar**, antecipar, adiantar ≠ **desacelerar**, atrasar, delongar 3 **estimular**, instigar, animar, avivar, precipitar, açodar, promover ≠ **refrear**, esmorecer

acelerar-se *v.* **despachar-se**, apressar-se, afainar-se, afreimar-se, açodar-se ≠ **desapressar-se**

acenar *v.* 1 **gesticular**, chamar 2 **seduzir**, aliciar, atrair, engodar

acendalha *n.f.* 1 **maravalha**, chamiço, chamiça, aparas, sacaí[BRAS.] 2 **isqueiro**, acendedor 3 *fig.* **origem**, causa, estímulo

acendedor *n.m.* **isqueiro**, acendalha

acender *v.* 1 **atear**, inflamar, incendiar, afoguear, atiçar, abrasar ≠ **apagar**, extinguir 2 **ligar**, ativar ≠ **apagar**, desligar 3 **provocar**, suscitar, causar 4 **estimular**, afervorar, animar, avivar, excitar, incitar, instigar, acalorar ≠ **acalmar**, esfriar 5 **enlevar**, maravilhar ≠ **desenlevar**, desencantar

acender-se *v.* 1 **inflamar-se** ≠ **apagar-se**, extinguir-se 2 **iluminar-se**, abrilhantar-se ≠ **escurecer** 3 **intensificar-se**, avivar-se ≠ **esmorecer**, enfraquecer 4 **encolerizar-se**, enfurecer-se, irritar-se, irar-se, abespinhar-se, assomar-se ≠ **acalmar-se**, apaziguar-se 5 **ruborizar-se**, enrubescer, corar 6 **ligar-se**, ativar-se ≠ **apagar-se**, desligar-se

aceno *n.m.* 1 **gesto**, meneio, sinal, acenamento, ademane 2 **chamamento**, convite, acenamento 3 **indício**, indicação, sinal

acento *n.m.* 1 **sotaque**, pronúncia 2 **entoação**, inflexão, timbre, intonação, modulação 3 **consonância**, harmonia, acordo 4 MÚS. **acentuação**

acentuação *n.f.* 1 **entoação**, tom 2 **ênfase**, realce, destaque

acentuado *adj.* 1 *fig.* **marcado**, sublinhado, realçado 2 *fig.* **marcante**, proeminente 3 *fig.* **claro**, nítido

acentuar *v.* 1 **destacar**, realçar, salientar, frisar, sublinhar ≠ **desacentuar**, dissimular 2 **intensificar**, aumentar, reforçar, carregar ≠ **desacentuar**, amenizar

acentuar-se *v.* 1 **intensificar-se**, aumentar ≠ **diminuir**, enfraquecer 2 **agravar-se**, agudizar-se, piorar ≠ **amenizar-se**, suavizar-se

acepção[AO] *n.f.* ⇒ **aceção**[dAO]

acepipe *n.m.* **aperitivo**, petisco, iguaria, guloseima, gulodice, prato, pitéu *col.*, quitute[BRAS.]

ácer *n.m.* BOT. **bordo**, zelha

acerbo *adj.* 1 **amargo**, azedo, acre, agro, áspero, amaricante ≠ **doce** 2 *fig.* **severo**, austero, duro, rígido, rigoroso, agressivo, desabrido ≠ **amável** 3 *fig.* **doloroso**, pungente, atroz, cruel, terrível, penoso, lancinante ≠ **ameno**, brando

acercar *v.* 1 **abeirar**, aproximar, avizinhar, chegar 2 **rodear**, cercar, circundar

acercar-se *v.* **aproximar-se**, abeirar-se, chegar-se, avizinhar-se ≠ **afastar-se**, arredar-se, distanciar-se, retirar-se

acérrimo *adj.* 1 **pertinaz**, obstinado, tenaz, intransigente, persistente, insistente 2 **fortíssimo**

acertado *adj.* 1 **adequado**, ajustado, apropriado, conveniente ≠ **desacertado**, desapropriado 2 **combinado**, ajustado ≠ **desajustado** 3 *fig.* **sensato**, prudente, assisado, correto, judicioso, certo ≠ **insensato**, imprudente

acertar *v.* 1 **descobrir**, encontrar, achar 2 **atingir**, alcançar, bater, topar ≠ **errar** 3 **ajustar**, endireitar ≠ **desacertar**, desajustar 4 **combinar**, estabelecer, fixar, concertar, convencionar ≠ **descombinar** 5 **solucionar**, adivinhar, resolver, atinar ≠ **errar** 6 **igualar**, harmonizar ≠ **desigualar**, desarmonizar 7 **emendar**, corrigir, retificar ≠ **desemendar** 8 **acontecer**, suceder, calhar, coincidir

acerto *n.m.* 1 **acordo**, ajuste ≠ **desacordo**, desajuste 2 **ajuste**, ajustamento ≠ **desajuste**, desajustamento 3 **discernimento**, tino, prudência, juízo, sabedoria, rigor, ponderação, senso, sensatez, cordura ≠ **insensatez**, imprudência 4 (pouco usado) **acaso**, sorte, casualidade

acervo *n.m.* 1 **montão**, pilha, monte, magote, rima, ruma, acumulação, acervação, agregado, ajuntamento 2 **património**, riqueza

aceso *adj.* 1 **ateado**, inflamado, acendido, ativo ≠ **apagado**, extinto 2 **ligado**, acionado ≠ **apagado**, desligado 3 (discussão, debate) **acalorado**, animado, inflamado ≠ **calmo**, sereno 4 *fig.* **entusiasmado**, excitado, exaltado, inflamado, arrebatado, afervorado ≠ **calmo**, sereno 5 **ardente**, abrasante, escaldante, abrasado ≠ **gélido**, gelado 6 **afogueado**, ruborizado, vermelho, rubro ≠ **pálido** 7 (cor) **vivo**, garrido, brilhante, luzente ≠ **apagado**, morto, baço 8 **zangado**, furioso, embravecido, enfurecido, irado, raivoso ≠ **calmo**, sereno 9 **intenso**, forte, veemente, violento ≠ **brando**, suave ■ *n.m.* **apogeu**, auge

acessão *n.f.* 1 **anuência**, aquiescência, assentimento, consentimento, adesão ≠ **desconsentimento**, desacordo 2 **acrescentamento**, acréscimo, adição, aditamento, aumentação, crescimento ≠ **decréscimo** 3 **ascensão**, acesso, promoção ≠ **descensão**, despromoção, descida

acessível *adj.2g.* 1 **alcançável**, atingível ≠ **inacessível**, inatingível 2 **compreensível**, inteligível ≠ **incompreensível**, ininteligível, impenetrável 3 **sociável**, dado, comunicativo, social, tratável, afável, aberto, fácil, conversável ≠ **fechado**, insociável, intratável, esquivoso 4 **razoável**, módico, reduzido, moderado ≠ **excessivo**, exorbitante

acesso *n.m.* 1 **entrada**, ingresso ≠ **saída** 2 **passagem**, comunicação, serventia, passadoiro 3 **chegada**, aproximação 4 **ataque**, crise, acometimento 5 **compreensão**, apreensão 6 **promoção**, elevação, acessão, subida ≠ **despromoção**, descida

acessório *adj.* 1 **secundário**, dispensável, extrínseco, adiáforo ≠ **fundamental**, essencial, elementário 2 **adicional**, suplementar, anexo, dependente ≠ **básico**, principal ■ *n.m.* 1 **complemento** 2 **adorno**, ornamento 3 **anexo**, apêndice 4 **utensílio**, instrumento, ferramenta

acetar *v.* 1 **acetificar**, azedar, vinagrar 2 *fig.* **irritar**, exacerbar, exasperar

acetato *n.m.* 1 QUÍM. **etanoato** 2 **transparência**

acético *adj.* **ácido**, agre

acetileno *n.m.* QUÍM. **etino**

acetímetro *n.m.* **acetómetro**

acetinado *adj.* 1 **lustroso** 2 **macio**, suave, sedoso, seríceo *poét.*

acetinar *v.* **amaciar**, aveludar, alisar, anediar

acetona *n.f.* QUÍM. **propanona**, dimetilcetona

acetoso *adj.* 1 **avinagrado** 2 **acético**, ácido, azedo, acre, agro

acha *n.f.* **cavaca**, lenha, cavaco, estilha, lasca, racha [REG.]

achacado *adj.* 1 **adoentado**, combalido, enfermo 2 **achacadiço**, enfermiço, achaquento 3 *fig.* **adulterado**, viciado, defeituoso

achacar *v.* 1 **adoecer**, enfermar 2 **aborrecer**, desagradar, molestar

achada *n.f.* 1 **achado**, achamento, descoberta, descobrimento 2 [REG.] **planalto**, planície, planura, chã, plaino

achado *adj.* 1 **encontrado**, descoberto ≠ **escondido**, abscôndito, absconso 2 **implicado**, envolvido ■ *n.m.* 1 **descobrimento**, achada, achamento 2 **invenção**, invento, descoberta 3 *col.* **acaso**, sorte 4 *col.* **pechincha**, arranjão, mamola [REG.]

achamento *n.m.* 1 **descobrimento**, achada ≠ **sumidura**, extravio 2 **invenção**, invento, descoberta

achaque *n.m.* 1 **doença**, enfermidade, indisposição, mal, moléstia, mazela, macacoa *col.*, mururu [BRAS.] *col.* 2 **defeito**, vício, imperfeição, pecha 3 **pretexto**, motivo, desculpa, razão 4 **acusação**, imputação, denúncia 5 *ant.* **dissabor**, desgosto, preocupação, pena, trabalho, dificuldade

achar *v.* 1 **encontrar**, descobrir, deparar, topar, reconhecer, notar, ver 2 **pensar**, crer, julgar, considerar, supor, presumir, entender 3 **obter**, alcançar, conseguir

achar-se *v.* 1 **encontrar-se**, ver-se, apanhar-se, estar, acertar-se *ant.* 2 **considerar-se**, julgar-se, reputar-se, crer-se 3 **localizar-se**, situar-se

achatado *adj.* 1 **chato**, plano 2 **amolgado**, espalmado 3 *fig.* **humilhado**, rebaixado, diminuído, achinelado, despromovido *fig.*

achatar *v.* 1 **aplanar**, alisar, achanar, abatatar 2 **amolgar**, espalmar, amassar, amolachar *col.* 3 **derrotar** 4 *fig.* **humilhar**, rebaixar, vexar, deprimir, aniquilar

achatar-se *v.* 1 **aplanar-se**, alisar-se, achanar-se, deslisar-se 2 *fig.* **humilhar-se**, rebaixar-se, vexar-se

achavascar *v.* 1 **abrutalhar** 2 **deturpar**, viciar, descaracterizar

ache *n.m.* BOT. **aipo**, salsa-dos-pântanos

achega *n.f.* 1 **acréscimo**, acrescentamento, adição, adicionamento, aditamento, aumento, adjeção ≠ **subtração**, diminuição 2 **auxílio**, ajuda, socorro, achego 3 **subsídio**, subvenção 4 **dica** *col.*

achegado *adj.,n.m.* 1 **aparentado**, parente, consanguíneo 2 **próximo**, contíguo, vizinho 3 **aliado**, amigo, partidário

achegar *v.* 1 **aproximar**, avizinhar, chegar, abeirar, acercar, apropinquar 2 **aconchegar**, conchegar, ajeitar, compor 3 **unir**, juntar, reunir

achegar-se *v.* 1 **aproximar-se**, abeirar-se, acercar-se, juntar-se, encostar-se 2 **acolher-se**, amparar-se, valer-se 3 **acrescer**, acrescentar-se 4 **consentir**, condescender

achincalhação *n.f.* 1 **escárnio**, chacota, ridicularização, zombaria, chufa, achincalhamento, achincalho, achincalhe 2 **rebaixamento**, humilhação

achincalhar *v.* 1 **escarnecer**, zombar, mofar, chacotear, chasquear, apodar 2 **humilhar**, rebaixar, ridicularizar, vexar, acabrunhar

achincalhe *n.m.* 1 **escárnio**, chacota, ridicularização, zombaria, chufa, achincalhamento, chasqueio, rabo-leva *fig.* 2 **rebaixamento**, humilhação

acicatar *v. fig.* **estimular**, incitar, incentivar, excitar, esporear *fig.*

acicate *n.m.* 1 **espora** 2 *fig.* **estímulo**, estimulante, incentivo

acidar *v.* 1 **acidificar** 2 **azedar**, avinagrar, acidular

acidentado *adj.* 1 **irregular**, montanhoso, escabroso 2 *fig.* **agitado**, tumultuoso, movimentado ■ *n.m.* **sinistrado**

acidental *adj.2g.* 1 **casual**, eventual, contingente, fortuito, ocasional 2 **acessório**, suplementar, adicional

acidentalmente *adv.* **casualmente**, fortuitamente, incidentalmente, ocasionalmente

acidentar *v.* 1 **desnivelar**, desigualar ≠ **nivelar**, igualar, aplanar 2 **vitimar**, ferir

acidentar-se *v.* 1 **desnivelar-se** 2 **vitimar-se** 3 (ferida, doença) **agravar-se**

acidente *n.m.* 1 **contingência**, acaso, casualidade, sorte, ocorrência, circunstância, peripécia 2 **desastre**, desgraça, revés, contratempo, inconveniente, infelicidade, percalço *col.* 3 **pormenor**, detalhe 4 **desnivelamento**, desnível, irregularidade 5 *col.* **acesso**, ataque, acometimento, fanico, desmaio, síncope, delíquio, vertigem

acidez *n.f.* 1 **acrimónia**, acritude, agrura, pique, pico *fig.* 2 *fig.* **azedume**, azedia, azia *fig.*

acidificar *v.* **acidar**, acidular ≠ **desacidificar**

ácido *adj.* 1 **agre**, acro, acídico, acidulado, acidificado, azedo, acerbo, agraz, acrimonioso 2 **corrosivo**, cáustico ≠ **antiácido** 3 *fig.* **mordaz**, áspero, corrosivo, cruel, desagradável

acidular *v.* **acidificar**, acidar

acidular-se *v.* **azedar-se**, adificar-se

acídulo *adj.* **acidulado**

acima *adv.* 1 **arriba**, suso *ant.* ≠ **abaixo** 2 **atrás**, anteriormente ≠ **abaixo** ■ *interj.* **upa!**, eia!, sus!

acinte *n.m.* 1 **provocação**, contrariedade 2 **teima**, obstinação, pirraça ■ *adv.* **intencionalmente**, propositadamente ≠ **involuntariamente**

acinzado *adj.* **acinzentado**, acendrado, grisalho

acinzar *v.* **acinzentar**

acinzentado *adj.* **acinzado**, acendrado, grisalho

acinzentar *v.* **acinzar**

acionado[dAO] *adj.* 1 **ligado**, ativado ≠ **desativado** 2 DIR. **processado** ■ *n.m.* 1 DIR. **réu** 2 **aceno**, meneio, gesto, gesticulação, movimento, ademã

acionamento[dAO] *n.m.* 1 **ativação**, mobilização 2 (plano, projeto) **execução**

acionar[dAO] *v.* 1 **ativar**, ligar ≠ **desligar** 2 **movimentar**, mover ≠ **imobilizar** 3 DIR. **processar**, demandar 4 **gesticular**, esbracejar

acirrado *adj.* 1 **incitado**, açulado *fig.* 2 **estimulado**, excitado, instigado, picado *fig.* 3 **irritado**, exasperado, agastado, azedado *fig.*

acirrar *v.* 1 **incitar**, açular *fig.* 2 **estimular**, excitar, instigar, picar *fig.* 3 **irritar**, exasperar, agastar, aziumar *fig.*

aclamação *n.f.* 1 **ovação**, aplauso, saudação, clamor, louvor, viva 2 **proclamação**

aclamar *v.* 1 **aplaudir**, saudar, vitoriar, ovacionar, exaltar 2 **proclamar**, declarar, reconhecer, escolher, nomear, aprovar

aclaração *n.f.* **explicação**, esclarecimento, apuramento, elucidação, justificação

aclarar *v.* 1 **alvorecer**, alvorar, clarear, amanhecer 2 **alumiar**, iluminar, clarear, escampar 3 **clarear**, embranquecer, desenfuscar 4 **limpar**, purificar 5 **esclarecer**, explicar, explanar, explicitar, clarificar, elucidar 6 **mostrar**, evidenciar, ilustrar, manifestar, patentear, realçar 7 **decifrar**, deslindar, descobrir, desvendar, interpretar, apurar, averiguar, investigar 8 **desanuviar**, abrir

aclimatação *n.f.* **adaptação**, habituação, aclimação

aclimatado *adj.* 1 **adaptado**, ambientado, habituado, familiarizado, acostumado ≠ **desaclimatado**, desaclimado 2 **harmonizado**

aclimatar *v.* **adaptar**, acostumar, habituar, ajustar, aclimar, aclimatizar

aclimatizar *v.* **adaptar**, acostumar, habituar, ajustar, aclimar, aclimatar

aclive *n.m.* **subida**, ladeira ■ *adj.* **íngreme**, alcantilado, escarpado, enladeirado

aço *n.m.* 1 **arma branca** 2 **gume**, fio, az 3 *fig.* **força**, resistência, energia, valor, vigor ■ *adj.* [BRAS.] **albino**

acobardado *adj.* 1 **amedrontado**, medroso, atemorizado 2 **acanhado**, retraído 3 **desanimado**, descoroçoado

acobardar *v.* 1 **amedrontar**, atemorizar, assustar, aterrar ≠ **desacobardar** 2 **acanhar**, intimidar, envergonhar ≠ **desacobardar** 3 **desanimar**, desalentar, descoroçoar, entibiar ≠ **desacobardar**, animar

acobardar-se *v.* 1 **amedrontar-se**, atemorizar-se, assustar-se, intimidar-se, apoltronar-se, assovacar-se, acagaçar-se *col.* ≠ **desacobardar-se** 2 **acanhar-se**, intimidar-se, envergonhar-se 3 **desanimar**, desalentar, acabrunhar-se, desmoralizar-se ≠ **animar-se**, encorajar-se

acobertar-se *v.* 1 **resguardar-se**, defender-se, escudar-se, abrigar-se 2 **esconder-se**, dissimular-se 3 **cobrir-se**, tapar-se

acocorar *v.* 1 **agachar**, abaixar, acaçapar 2 [BRAS.] **proteger**, abrigar, acobertar, aninhar *fig.* 3 [BRAS.] *fig.* **humilhar**, abater, rebaixar 4 [BRAS.] **acariciar**, afagar, blandiciar, amimar

acocorar-se *v.* **agachar-se**, encolher-se, abaixar-se, acaçapar-se, acachapar-se

açoitamento *n.m.* **castigo**, sova

acoitar *v.* 1 **abrigar**, alojar, acolher, asilar, hospedar, recolher ≠ **desabrigar**, desacolher, desacoitar 2 **proteger**, amparar, defensar, agasalhar, mantar *fig.* ≠ **desproteger**, desamparar

açoitar *v.* 1 **chicotear**, fustigar, azorragar, flagelar, vapular, azurzir, surrar, varejar, ventanear *fig.*, vergastar *fig.* 2 **castigar**, punir, fustigar *fig.* 3 **ferir**, magoar, maltratar, molestar

açoite *n.m.* 1 **chicote**, flagelo, látego, vergasta, zorrague, azorrague, açoute 2 **palmada**, pancada, estourada 3 *fig.* **calamidade**, catástrofe, castigo 4 *fig.* **padecimento**, tormento, angústia

acolá *adv.* **ali**, além, lá ≠ **aqui**, cá

acolchoado *adj.* **almofadado**, estofado ■ *n.m.* [BRAS.] **edredão**

acolchoar *v.* **estofar**, almofadar, colchoar, embastar, enchumaçar, chumaçar, forrar, bastear, bastir ≠ **desacolchoar**

acolhedor *adj.* 1 **afável**, simpático, amável 2 **hospitaleiro**, hospedeiro, hospedal, recetivo

acolher *v.* 1 **hospedar**, albergar, alojar, recolher, acoitar, admitir, asilar, receber, acovilhar 2 **abrigar**, agasalhar, amparar, proteger

acolherar *v.* 1 **enconchar** ≠ **desenconchar** 2 [BRAS.] **juntar**, unir

acolher-se *v.* 1 **abrigar-se**, proteger-se, refugiar-se, amparar-se, mantar-se *fig.* 2 **albergar-se**, hospedar-se, alojar-se 3 **apoiar-se**, valer-se, socorrer-se

acolhida *n.f.* 1 **receção**, acolhimento, recebimento, hospitalidade, aceitação 2 **asilo**, refúgio, retiro, guarida, esconderilho, acolheita, couto *fig.*

acolhimento *n.m.* 1 **receção**, acolhida, recebimento, hospitalidade, hospedagem ≠ **desacolhimento** 2 **refúgio**, abrigo

acolitar *v.* 1 RELIG. (em serviço religioso) **ajudar**, assistir 2 **acompanhar**

acólito *n.m.* 1 **sacristão**, ajudante, sacrifículo, chupa-galhetas 2 **ajudante**, assistente, auxiliar, companheiro, cúmplice, auxiliador 3 (nas procissões religiosas) **ceroferário** 4 *pej.* **guarda-costas**

acometer *v.* 1 **atacar**, investir, assaltar, agredir, arremeter, arrostar, saltear, tomar, assaltear, interprender 2 *fig.* **hostilizar**, insultar, afrontar, injuriar, desafiar, atacar ≠ **desafrontar** 3 *fig.* **afetar**, invadir, dominar, apoderar-se 4 *fig.* **empreender**, intentar, tentar, entreprender

acometida *n.f.* **assalto**, investida, arremetida, agressão, assaltada, ataque, remesso, ofensiva, surtida

acomodação *n.f.* 1 **alojamento**, instalação, cómodo 2 **adaptação**, aclimatação, acomodamento, apropriação, ajuste, adequação ≠ **desadaptação**, inadaptação, inadequação 3 **arrumação**, arranjo, organização ≠ **desarrumação**, desarranjo 4 **conciliação**, reconciliação, concerto, acordo, concórdia ≠ **desentendimento**, desavença 5 **colocação**, emprego, cargo, ofício 6 **conformismo**, passividade

acomodado *adj.* 1 **alojado**, instalado 2 **adaptado**, aclimatado, apropriado, adequado, próprio ≠ **desadaptado**, inadaptado, inadequado 3 **arrumado**, arranjado, organizado ≠ **desarrumado**, desarranjado 4 **colocado**, empregado ≠ **desempregado** 5 **conformista**, resignado 6 **calmo**, comedido, moderado, tranquilo, pacato, sossegado, quieto, manso 7 **moderado**, razoável, módico

acomodamento *n.m.* 1 **alojamento**, instalação, cómodo 2 **adaptação**, aclimatação, apropriação, ajuste, adequação ≠ **desadaptação**, inadaptação, inadequação 3 **arrumação**, arranjo, organização ≠ **desarrumação**, desarranjo 4 **conciliação**, reconciliação, concerto, acordo, concórdia ≠ **desentendimento**, desavença 5 **colocação**, emprego, cargo, ofício 6 **conformismo**, passividade

acomodar *v.* 1 **hospedar**, alojar, albergar, instalar, receber, recolher ≠ **desalojar**, desacomodar 2 **adaptar**, adequar, apropriar, ajustar, conformar, amaneirar, aptar, habituar, moldar *fig.*, amoldurar *fig.* ≠ **desadaptar**, desadequar, desajustar 3 **arrumar**, arranjar, dispor, acondicionar, ajeitar, ordenar ≠ **desarrumar**, desacomodar 4 **harmonizar**, conciliar, concertar, reconciliar, compor *fig.* 5 **acalmar**, apaziguar, aquietar, sossegar ≠ **desassossegar**, desacomodar 6 **empregar**, colocar ≠ **demitir**, desempregar

acomodar-se *v.* 1 **acostar-se**, instalar-se 2 **adaptar-se**, conformar-se, aclimar-se, acostumar-se, habituar-se, ajustar-se, justar-se ≠ **desadaptar-se**, desacostumar-se 3 **resignar-se**, acostumar-se, conformar-se, ceder ≠ **reagir** 4 **sossegar**, acalmar-se, assentar

acompanhamento *n.m.* 1 **comitiva**, séquito, companhia, escolta, comparsaria 2 **cortejo**, procissão, préstito 3 CUL. **guarnição** 4 **orientação**, assistência, seguimento, ajuda

acompanhante *adj.,n.2g.* **companheiro**, acompanhador, escolta

acompanhar *v.* 1 **escoltar**, comboiar ≠ **desacompanhar** 2 (acontecimento) **cobrir** ≠ **desacompanhar** 3 (programa) **seguir**, assistir ≠ **desacompanhar** 4 (doente) **tratar** ≠ **desacompanhar** 5 **assistir**, auxiliar, ajudar ≠ **desacompanhar**, desajudar 6 **guarnecer**, enfeitar ≠ **desacompanhar**, desguarnecer 7 **associar-se**, juntar-se ≠ **desacompanhar** 8 **combinar**, juntar, unir, aliar ≠ **desacompanhar**, separar 9 **concordar**, condizer, harmonizar-se ≠ **desarmonizar**

acompanhar-se *v.* **cercar-se**, rodear-se ≠ **afastar-se**, distanciar-se, repelir

aconchegado *adj.* 1 **junto**, chegado, próximo, acochado *fig.* ≠ **desaconchegado**, distante 2 **confortável**, cómodo ≠ **desaconchegado**, desconfortável 3 **agasalhado**, aquecido ≠ **desaconchegado**, desagasalhado 4 **abrigado**, protegido ≠ **desaconchegado**, desabrigado

aconchegante *adj.2g.* **acolhedor**, agradável, confortável ≠ **desagradável**, incómodo

aconchegar *v.* 1 **aproximar**, acercar, achegar, chegar, encostar ≠ **afastar**, desaconchegar 2 **agasalhar**, aquecer, cobrir ≠ **desagasalhar**, desaconchegar 3 **ajeitar**, compor, arranjar ≠ **desarranjar** 4 **acomodar** ≠ **desacomodar**, desaconchegar

aconchego *n.m.* 1 **conforto**, bem-estar, comodidade, aninho ≠ **desconforto**, incómodo 2 **segurança**, proteção, amparo ≠ **desproteção**, desamparo 3 **abrigo**, agasalho

acondicionado *adj.* 1 **arrumado**, ordenado ≠ **desarrumado**, desordenado 2 **resguardado**, protegido 3 **embrulhado**, embalado ≠ **desembrulhado**, desempacotado

acondicionamento *n.m.* 1 **arrumo**, arrumação, disposição, acondicionação, arranjo 2 **empacotamento**, embalagem

acondicionar *v.* 1 **arrumar**, dispor ≠ **desarrumar**, desorganizar 2 **empacotar**, embalar, acondiçoar ≠ **desempacotar**, desembalar 3 **acomodar**, adaptar, acostumar ≠ **desadaptar**, desacostumar 4 **resguardar**, recolher, guardar, preservar, proteger ≠ **desproteger**

aconselhado *adj.* 1 **orientado**, guiado ≠ **desaconselhado** 2 **sugerido**, indicado ≠ **desaconselhado**, contraindicado 3 **sensato**, prudente ≠ **insensato**, imprudente

aconselhamento *n.m.* 1 **orientação**, encaminhamento ≠ **desaconselhamento** 2 **consulta**, recomendação

aconselhar *v.* 1 **recomendar**, sugerir, preconizar, alvitrar ≠ **desaconselhar**, contraindicar 2 **orientar**, encaminhar, guiar ≠ **desorientar**, desencaminhar 3 **advertir**, admoestar, avisar ≠ **desadmoestar**, desaconselhar 4 **convencer**, induzir, instigar, persuadir ≠ **desconvencer**, desaconselhar

aconselhar-se *v.* **consultar**, esclarecer-se, instruir-se

aconselhável *adj.2g.* **recomendável**, sugerível, preferível ≠ **desaconselhável**

acontecer *v.* **ocorrer**, suceder, sobrevir, advir, calhar, verificar-se, passar-se, realizar-se, efetuar-se, dar-se

acontecido *adj.* **sucedido**, ocorrido ■ *n.m.* **acontecimento**, ocorrência, facto, caso

acontecimento *n.m.* 1 **ocorrência**, facto, caso, acontecido, evento, sucedimento 2 **incidente**, acaso, eventualidade, episódio, acidente 3 **efeméride** 4 *fig.* **sucesso**, êxito, alto-astral [BRAS.] *col.*

acoplado *adj.* 1 **conectado**, junto, unido 2 **emparelhado**, acasalado 3 [BRAS.] **amancebado**

acoplagem *n.f.* **ligação**, junção

acoplar *v.* 1 **emparelhar**, acasalar, agrupar ≠ **desacoplar**, separar 2 **conectar**, juntar, ligar, associar ≠ **desconectar**, desligar, desacoplar

acordado *adj.* 1 **despertado**, desperto, desvelado, vígil, vigilante ≠ **adormecido** 2 **combinado**, ajustado, assente, decidido ≠ **irresoluto**, indeciso

acórdão *n.m.* DIR. **aresto**, sentença, deliberação, decisão

acordar *v.* 1 **despertar**, espertar, desadormecer ≠ **adormecer**, adormentar 2 **combinar**, ajustar, assentar, concertar, desarrufar ≠ **desacordar** 3 **conciliar**, harmonizar, reconciliar, concordar, acomodar ≠ **desacordar** 4 **avivar**, despertar, excitar, suscitar ≠ **apagar** 5 **consciencializar**, alertar 6 **ceder**, conceder, outorgar, anuir ≠ **recusar**

7 **decidir**, resolver, deliberar 8 **recordar**, lembrar ≠ **esquecer**, olvidar, obliterar

acordar-se *v.* 1 **recordar-se**, lembrar-se ≠ **esquecer-se**, olvidar-se, desmemoriar-se, varrer-se 2 **resolver-se**, decidir-se, dispor-se ≠ **hesitar** 3 **consciencializar-se**, alertar-se

acorde *adj.2g.* 1 **concordante**, conforme, concorde ≠ **discordante** 2 *fig.* **afinado**, harmonioso, harmónico, cônsono, cadenciado ≠ **dissonante**, desafinado ■ *n.m. fig.* **harmonia**, acordo, concordância

acordeão *n.m.* MÚS. **harmónica**, harmónio

acordo *n.m.* 1 **concordância**, assentimento, anuência ≠ **discordância**, desaprovação 2 **consonância**, conformidade, concórdia, entendimento, sintonia, conciliação ≠ **desacordo**, desarmonia 3 **convenção**, pacto, combinação, ajuste, ajustamento, contrato 4 **tino**, prudência, reflexão ≠ **desatino**, irreflexão

açoriano *adj.,n.m.* **açorenho**, açorense, açórico, açorino [REG.]

acorrentar *v.* 1 **encadear**, encarcerar, arramar-se ≠ **desencorrear**, desacorrentar 2 *fig.* **subjugar**, oprimir, submeter, sujeitar

acorrer *v.* 1 **acudir**, socorrer, vir, ajudar, valer ≠ **dessocorrer** 2 **aliviar**, atenuar, remediar ≠ **agravar** 3 **proteger**, amparar ≠ **abandonar**, desproteger

acorrer-se *v.* recorrer, servir-se

acossar *v.* 1 **perseguir**, seguir 2 **atormentar**, molestar, afligir, angustiar, incomodar 3 **ferir**, castigar, flagelar, maltratar

acossar-se *v. ant.* **fugir**, ir-se

acostado *adj.* 1 (barco) **atracado** 2 **encostado**, arrimado 3 **protegido**, apoiado 4 **deitado**, recostado ■ *n.m.* [REG.] **barco**, bote

acostagem *n.f.* **atracação**, abordagem, acostamento

acostar *v.* 1 **atracar**, abordar, aferrar ≠ **desacostar**, desatracar 2 **costear**, bordear 3 **confinar**, limitar 4 **anexar**, ajuntar, juntar 5 **encostar**, apoiar ≠ **desencostar**

acostar-se *v.* 1 **recostar-se**, deitar-se, reclinar-se, acomodar-se 2 **encostar-se**, apoiar-se, sustentar-se, arrimar-se, ater-se 3 **basear-se**, apoiar-se, estribar-se, fundamentar-se 4 **valer-se**, socorrer-se, ater-se, apoiar-se

acostumado *adj.* 1 **habituado**, adaptado, aclimatado, treito ≠ **desacostumado**, desabituado 2 **frequente**, habitual, usual

acostumar *v.* **habituar**, adaptar, aclimatar, afazer, amoldar, vezar ≠ **desacostumar**, desafazer, desavezar, desvezar, desaclimar

acostumar-se *v.* **habituar-se**, familiarizar-se, avezar-se, afazer-se, amoldar-se, acadimar-se ≠ **desacostumar-se**, desavezar-se, destreinar-se, descaçar-se

acotovelar *v.* 1 **empurrar**, atropelar 2 *fig.* **provocar**, incitar, instigar

acotovelar-se *v.* 1 **empurrar-se**, atropelar-se, encontroar-se 2 *fig.* **amontoar-se**, apinhar-se

açougue *n.m.* 1 **talho**, carniçaria 2 **matadouro**, degoladoiro 3 *fig.* **matança**, massacre, mortandade

açougueiro *n.m.* **carniceiro**, talhador, cortador, magarefe

acovardar *v.* 1 **amedrontar**, atemorizar, assustar, aterrar ≠ **desacobardar** 2 **acanhar**, intimidar, envergonhar ≠ **desacobardar** 3 **desanimar**, desalentar, descoroçoar, entibiar ≠ **desacobardar**

acre *adj.2g.* 1 **azedo**, ácido, agre, acro, acidulado, acerbo, acidificado, agraz, acrimonioso ≠ **doce**, açucarado 2 **picante**, ativo, intenso ≠ **brando**, impercetível 3 **áspero**, ríspido, desagradável, irascível, atrabiliário ≠ **amável**, afável 4 **mordaz**, cáustico, corrosivo, sarcástico ≠ **construtivo**

acreditado *adj.* 1 **qualificado**, reconhecido, considerado, conceituado ≠ **desacreditado**, desconceituado 2 **afiançado**, abonado, garantido ≠ **desabonado**

acreditar *v.* 1 **admitir**, aceitar 2 **credenciar**, recomendar 3 **afiançar**, abonar, autorizar ≠ **desabonar**, desautorizar 4 **considerar**, julgar, supor 5 **crer**, ter fé ≠ **descrer**, negar 6 **confiar**, fiar-se, crer ≠ **duvidar**

acreditar-se *v.* 1 **considerar-se**, julgar-se, crer-se 2 **valorizar-se** ≠ **desacreditar-se**, desonestar-se

acreditável *adj.2g.* **crível** ≠ **inacreditável**

acrescentamento *n.m.* 1 **aumento**, acréscimo, acrescento, ampliação, adicionamento, acessão, adição, acrescência 2 **suplemento**, apêndice, adenda, achega, aditamento

acrescentar *v.* 1 **adicionar**, juntar, ajuntar, adir, aditar, apensar, acumular, sobrepor ≠ **subtrair**, tirar 2 **aumentar**, ampliar, engrossar, dilatar, desenvolver, engrandecer, enriquecer *fig.* ≠ **diminuir**, reduzir

acrescentar-se *v.* 1 **aumentar**, avolumar-se, crescer, gigantizar-se ≠ **diminuir** 2 **juntar-se**, adicionar-se, somar-se

acrescento *n.m.* 1 **acréscimo**, acrescentamento, apensação 2 **aumento**

acrescer *v.* 1 **aumentar**, acrescentar, adicionar, aditar, acumular, ampliar, juntar ≠ **diminuir**, reduzir 2 **advir**, sobrevir, acrescentar-se, adicionar-se, juntar-se 3 *ant.* **sobejar**, sobrar ≠ **faltar**, carecer

acrescido *n.m.* **anexo**, apenso, sobrevindo, acessório, ádvena

acrescimento *n.m.* 1 **acrescento**, acrescentamento, acréscimo, adição, aditamento, acessão, suplemento, adenda, apêndice ≠ **corte**, supressão 2 **aumento**, elevação, crescimento, ampliação, amplificação ≠ **decréscimo**, diminuição

acréscimo *n.m.* 1 **acrescento**, acrescentamento, acrescimento, adição, aditamento, acessão, suplemento, adenda, apêndice ≠ **corte**, supressão 2 **aumento**, elevação, crescimento, ampliação, amplificação ≠ **decréscimo**, diminuição

acriançado *adj.* 1 **infantil**, pueril, agarotado, menineiro 2 **imaturo**, infantil, ingénuo, irrefletido

acriançar *v.* **infantilizar**, ameninar, agaiatar

acrimónia[AO] ou **acrimônia**[AO] *n.f.* 1 **acidez**, acritude, agrura, acridez, pique, pico *fig.* ≠ **doçura** 2 *fig.* **aspereza**, azedume, desabrimento, rudeza, animosidade, causticidade, severidade, acridez, azia *fig.* ≠ **afabilidade**, amabilidade

acrimonioso *adj.* 1 **azedo**, ácido, acre, agre, acro, acidulado, acerbo, acidificado, agraz, amarulento ≠ **doce**, açucarado 2 **desabrido**, áspero, ríspido, rabugento, rigoroso, severo, impertinente, duro *fig.* ≠ **amável**, afável

acrobacia *n.f.* 1 **acrobatismo**, equilibrismo 2 *fig.* **habilidade**

acrobata *n.2g.* **equilibrista**, ginasta, volatim, saltimbanco, funâmbulo

acromático *adj.* 1 **incolor**, acromo, acrómico 2 MÚS. **diatónico**

acrómico[AO] ou **acrômico**[AO] *adj.* **incolor**, acromo, acromático

acromo *adj.* **incolor**, acromático, acrómico

acta[aAO] *n.f.* ⇒ **ata**[dAO]

actínia *n.f.* ZOOL. **anémona-do-mar**, ortiga-do-mar

activação[aAO] *n.f.* ⇒ **ativação**[dAO]

activar[aAO] *v.* ⇒ **ativar**[dAO]

actividade[aAO] *n.f.* ⇒ **atividade**[dAO]

activismo[aAO] *n.m.* ⇒ **ativismo**[dAO]

activista[aAO] *adj.,n.2g.* ⇒ **ativista**[dAO]

activo[aAO] *adj.,n.m.* ⇒ **ativo**[dAO]

acto[aAO] *n.m.* ⇒ **ato**[dAO]

actor[aAO] *n.m.* ⇒ **ator**[dAO]

actuação[aAO] *n.f.* ⇒ **atuação**[dAO]

actual[aAO] *adj.2g.* ⇒ **atual**[dAO]

actualidade[aAO] *n.f.* ⇒ **atualidade**[dAO]

actualização[aAO] *n.f.* ⇒ **atualização**[dAO]

actualizar[aAO] *v.* ⇒ **atualizar**[dAO]

actualmente[aAO] *adv.* ⇒ **atualmente**[dAO]

actuante[aAO] *adj.2g.* ⇒ **atuante**[dAO]

actuar[aAO] *v.* ⇒ **atuar**[1][dAO]

açúcar *n.m.* 1 **sacarose**, sacarina, adoçante, edulcorante, sucrose 2 *fig.* **brandura**, doçura, suavidade, blandícia 3 *fig.* **manha**, lábia

açucarado *adj.* 1 **adoçado**, dulcificado, edulcorado, dulcífico ≠ **azedo**, amargo, agraço 2 *fig.* **amenizado**, suavizado ≠ **agravado**

açucarar *v.* 1 **adoçar**, dulcificar, edulcorar ≠ **azedar** 2 *fig.* **suavizar**, ameigar, amenizar, confeitar ≠ **agravar**

açucena *n.f.* 1 BOT. **lírio**, cecém, lírio-branco, lis, bordão-de-são-josé, palma-de-são-josé, cajado-de-são-josé 2 *fig.* **pureza**, inocência

açudar *v.* **represar**, empresar, apresar, reter

açude *n.m.* **represa**, comporta, dique, encoramento

acudir *v.* 1 **auxiliar**, socorrer, ajudar, atender, defender ≠ **abandonar**, desassistir 2 **atender**, comparecer, apresentar-se ≠ **desatender** 3 **acorrer**, afluir, convergir, concorrer ≠ **afastar-se** 4 **responder**, retorquir, replicar, redarguir 5 **interferir**, interceder, intervir ≠ **abster-se** 6 **lembrar**, ocorrer

acuidade *n.f.* 1 **agudeza**, aguçadura, afunilamento 2 *fig.* **perspicácia**, subtileza, ácie, agudeza *fig.* 3 (visão, audição) **sensibilidade** 4 (assunto, problema) **importância**, relevância

açulamento *n.m.* **incitamento**, instigação, provocação, estimulação

açular *v.* **incitar**, instigar, atiçar, acirrar, assanhar, enfurecer, estimular, exacerbar, excitar, irritar, encarniçar, provocar, acicatar ≠ **acalmar**, apaziguar

aculturar-se *v.* **integrar-se**, adaptar-se

acumulação *n.f.* 1 **aglomeração**, amontoação, acumulamento, encastelamento 2 **amontoado**, cúmulo, aglomerado, acervo, acúmulo, montão, pilha, rima, congérie 3 **reunião**, concentração 4 **associação**, junção

acumulado *adj.* 1 **amontoado**, empilhado, aglomerado, acogulado 2 **armazenado**, conservado ≠ **gasto**, despendido 3 (dinheiro) **poupado**, amealhado ≠ **gasto**, despendido

acumular *v.* 1 **amontoar**, juntar, empilhar, aglomerar, reunir, cumular, apinhar, sobrepor, entesourar, coacervar *ant.* ≠ **desacumular**, desamontoar 2 **armazenar**, conservar ≠ **despender**, gastar 3 **acrescentar**, acrescer, aumentar, somar ≠ **diminuir**, reduzir 4 (dinheiro) **poupar**, amealhar ≠ **despender**, gastar 5 **associar**, juntar, combinar, ajuntar

acumular-se *v.* 1 **amontoar-se**, empilhar-se, aglomerar-se, apinhar-se, encastelar-se, rebalsar-se ≠ **desamontoar-se** 2 **juntar-se**, reunir-se, rebanhar-se ≠ **espalhar-se**, separar-se 3 **armazenar-se**, conservar-se ≠ **perder-se**, escapar-se 4 **suceder-se**, seguir-se 5 **associar-se**, juntar-se, combinar-se, grupar-se, aliar-se

acusação *n.f.* 1 **incriminação**, criminação, imputação, compelação, inculpação, culpabilização 2 denúncia, delação, denunciação, malsinação **3** **confissão**, autoincriminação **4** **censura**, exprobração, repreensão, increpação, verrina

acusado *adj.* **1** **incriminado**, inculpado **2** **denunciado**, delatado **3** **acentuado**, marcado, vincado

acusador *adj.,n.m.* **1** **denunciante**, acusante, delator, malsim, malsinador, increpante, criminador, alcagüete [BRAS.] *gír.* **2** **revelador**, indicador, descobridor

acusar *v.* **1** **incriminar**, culpar, arguir, acriminar, criminar, imputar ≠ **inocentar**, defender **2** **denunciar**, delatar, malsinar **3** **censurar**, exprobrar, acoimar, recriminar, repreender, increpar, vituperar **4** **revelar**, evidenciar, indicar, mostrar, patentear, salientar **5** **notificar**, comunicar

acusar-se *v.* **1** **incriminar-se**, culpar-se **2** **denunciar-se**, confessar, delatar-se

acutângulo *adj.* GEOM. **oxígono**

acutilante *adj.2g.* **1** **penetrante**, perfurante **2** **incisivo**, agudo, penetrante *fig.*

adágio *n.m.* **provérbio**, aforismo, ditado, máxima, anexim, sentença, axioma, exemplo, refrão, rifão, sentenciúncula, apotegma, dito, gnoma, parémia, prolóquio

adamantino *adj.* **1** **duro**, rijo, firme, diamantino, forte, durázio, duraz **2** **cristalino**, puro, brilhante **3** **inabalável**, inquebrantável, íntegro, puro

adaptação *n.f.* **acomodação**, aclimatação, acomodamento, apropriação, ajuste, ajustamento, adequação, ambientação, justura, entrosamento *fig.* ≠ **desadaptação**, inadaptação, inadequação, desambientação

adaptar *v.* **adequar**, acomodar, apropriar, ajustar, conformar, harmonizar, aptar, habituar, moldar, amoldar ≠ **desadaptar**, desadequar, desajustar

adaptar-se *v.* **1** **ajustar-se**, adequar-se, aclimar-se, aclimatar-se, moldar-se, afeiçoar-se, ambientar-se, modelar-se ≠ **desadaptar-se**, desadequar-se, desajustar-se **2** **acostumar-se**, habituar-se, afazer-se, condicionar-se, engar ≠ **desadaptar-se**, desacostumar-se, desabituar-se, desaclimatar-se **3** **mudar**, modificar-se

adaptável *adj.2g.* **ajustável**, amoldável, apropriável, acomodatício, acomodadiço ≠ **inadaptável**

adega *n.f.* **cave**

adelgaçamento *n.m.* **1** **estreitamento**, aguçamento, aguçadura ≠ **engrossamento**, alargamento **2** **emagrecimento**

adelgaçar *v.* **1** **estreitar**, aguçar, desengrossar, afiar, aparar, desbastecer, cinturar, adelgar, adelgadar, desvolumar ≠ **alargar**, engrossar, entoiçar, entoiceirar **2** **emagrecer**, agalgar ≠ **engordar**, engrossar **3** **enfraquecer**, abalar, diminuir, apoucar, abater ≠ **fortalecer**, revigorar **4** **aperfeiçoar**, apurar, melhorar, cepilhar, acepilhar *fig.* **5** (pouco usado) **rarefazer** ≠ **adensar**

adelgaçar-se *v.* **1** **estreitar-se**, aguçar-se, afilar-se ≠ **alargar**, engrossar **2** **emagrecer**, desnutrir-se ≠ **engordar**, engrossar

adelo *n.m.* **adeleiro**, bricabraquista, farrapeiro, ferro-velho, roupa-velheiro, trapeiro, algibebe *ant.*, aljubete *ant.*

ademais *adv.* **demais**, além disso, de resto

adenda *n.f.* **acrescento**, acréscimo, acrescentamento, acrescimento, adição, aditamento, acessão, suplemento, apêndice ≠ **corte**, supressão

adenite *n.f.* MED. **ganglionite**

adensamento *n.m.* **1** **espessamento**, engrossamento, consolidação ≠ **diluição** **2** **acumulação**, aglomeração ≠ **desacumulação**, desaglomeração **3** **saturação**, impregnação

adensar *v.* **1** **condensar**, espessar, engrossar ≠ **diluir** **2** **acumular**, aglomerar, aumentar, volumar **3** **saturar**, impregnar, carregar

adentro *adv.* **dentro**, interiormente ≠ **fora**

adepto *n.m.* **1** (doutrina, corrente) **seguidor**, partidário, sectário, prosélito, sequaz **2** (equipa) **admirador**, apoiante, fã, apaixonado, simpatizante

adequação *n.f.* **1** **adaptação**, aclimatação, acomodamento, apropriação, ajuste, acomodação ≠ **desadaptação**, inadaptação, inadequação **2** **conformidade**, correspondência

adequado *adj.* **1** **adaptado**, aclimatado, apropriado, acomodado, próprio ≠ **desadaptado**, inadaptado, inadequado **2** **apropriado**, ajustado, acertado, conveniente ≠ **desacertado**, desapropriado, incurial

adequar *v.* **adaptar**, acomodar, apropriar, ajustar, conformar, harmonizar, aptar, habituar, moldar, amoldar ≠ **desadaptar**, desadequar, desajustar

adequar-se *v.* **apropriar-se**, reajustar-se, adaptar-se, acomodar-se, aptar-se, conformar-se ≠ **desadequar-se**, desajustar-se

adereçar *v.* **1** **aparelhar**, aprontar, preparar, arrear **2** (pouco usado) **adornar**, enfeitar, ornar, guarnecer, ataviar, alindar **3** (pouco usado) **endereçar**, remeter, dirigir, enviar

adereço *n.m.* **ornamento**, adorno, enfeite, atavio, ornamentação, ornato, exornação, louçainha, aderece

aderência *n.f.* **1** (objeto, substância) **ligação**, união, junção, conexão, aglutinação **2** (causa, ideia) **adesão**, apoio, apego, simpatia **3** *fig.* **assentimento**, adesão, anuência

aderente *adj.2g.* **pegado**, adesivo, colado, coalescente, unido, ligado, conexo, junto ≠ **inaderente**, abertiço, antiaderente ■ *n.2g.* **1** **associado**, assinante **2** **partidário**, adepto, simpatizante, seguidor, sectário, prosélito, sequaz

aderir *v.* 1 **colar-se**, unir-se, pegar-se, ligar-se, aglutinar-se, juntar-se ≠ **descolar-se**, despegar--se 2 **apoiar**, aprovar ≠ **recusar** 3 (grupo, associação) **associar-se**, filiar-se ≠ **desfiliar-se**

adesão *n.f.* 1 **concordância**, aprovação, aderência, assentimento, aquiescência, anuência, apoio, consentimento ≠ **desaprovação** 2 **união**, ligação, junção, aglutinação, conexão ≠ **descolamento**

adesivo *adj.* **aderente** ▪ *n.m.* 1 **autoadesivo**, penso rápido, esparadrapo [BRAS.] 2 **gomado**

adestramento *n.m.* **treino**, instrução, tirocínio, adestração, treinamento

adestrar *v.* 1 (pessoa) **ensinar**, instruir, educar, habilitar, industriar 2 (animal) **treinar**, amestrar

adeus *n.m.* **despedida**, separação, partida ▪ *interj.* **chau!**, tchau!

adiado *adj.* **protelado**, procrastinado, prorrogado, delongado, protraído, retardado ≠ **antecipado**, adiantado

adiamento *n.m.* **dilação**, protelação, procrastinação, prorrogação, prolação, delonga, protraimento, vê-lo-emos, retardação, remissa, remissão, trasladação ≠ **antecipação**, adiantamento

adiantado *adj.* 1 **antecipado**, precipitado ≠ **adiado**, protelado, procrastinado, prorrogado, delongado, protraído, retardado 2 **avançado**, desenvolvido ≠ **atrasado** 3 **saliente**, proeminente 4 *col.* **indiscreto**, intrometido, atrevido, metediço, abelhudo ≠ **discreto**, reservado

adiantamento *n.m.* 1 **antecipação**, antecedência ≠ **adiamento**, dilação 2 **avanço**, progresso ≠ **atraso**, retrocesso 3 (dinheiro) **abono**, abonação, crédito, empréstimo 4 *col.* **atrevimento**, ousadia ≠ **discrição**, reserva

adiantar *v.* 1 **avançar** ≠ **atrasar** 2 **desenvolver**, progredir, promover 3 **antecipar**, precipitar ≠ **adiar**, protelar 4 (dinheiro) **abonar**, emprestar, fiar, creditar, dar 5 **acelerar**, apressar ≠ **atrasar**, desacelerar

adiantar-se *v.* 1 **avançar** ≠ **retroceder**, recuar 2 **antecipar-se** 3 **precipitar-se**, apressar-se 4 **desenvolver-se**, progredir ≠ **atrasar-se** 5 **atrever--se**, exceder-se, ousar 6 **furtar**, apropriar-se

adiante *adv.* 1 (direção) **antes**, avante, lá ≠ **atrás** 2 **depois**, posteriormente ≠ **antes** ▪ *interj.* **avante!**, eia!, siga!, vamos!

adiar *v.* **protelar**, dilatar, procrastinar, retardar, aprazar, atempar, delongar, demorar, deter, diferir, pospor, postergar, transferir ≠ **antecipar**, adiantar

adiável *adj.2g.* **prorrogável**, protelável, transferível ≠ **inadiável**

adição *n.f.* 1 **acrescento**, acrescentamento, acrescimento, aditamento, acessão, suplemento, adenda, apêndice, achega ≠ **corte**, supressão 2 MAT. **soma** ≠ **subtração**, dedução 3 **dependência**, vício

adicional *adj.2g.* **extra**, complementar, suplementar, aditivo, supletivo, acessório, acessional ≠ **básico**, essencial ▪ *n.m.* **acréscimo**, suplemento

adicionamento *n.m.* **acrescento**, acrescentamento, acrescimento, acréscimo, aditamento, adição, adicionação, acessão, suplemento, adenda, apêndice, achega ≠ **corte**, supressão

adicionar *v.* 1 **acrescentar**, juntar, ajuntar, adir, aditar, anexar ≠ **tirar**, deduzir 2 MAT. **somar** ≠ **subtrair**, deduzir

adido *adj.* **agregado**, adicionado, adveniente, somado, anexo, junto, suplementar ▪ *n.m.* **adjunto**, assessor, assistente, ajudante, funcionário

adiposidade *n.f.* 1 **gordura**, ádipe, ádipo 2 **obesidade**

adiposo *adj.* 1 **gorduroso**, gordo, untuoso ≠ **magro** 2 **obeso**, gordo, balofo ≠ **magro**

adir *v.* **adicionar**, juntar, ajuntar, acrescentar, aditar, apensar, acumular, sobrepor ≠ **subtrair**, tirar

adir-se *v.* **ligar-se**, juntar-se

aditamento *n.m.* 1 **acrescento**, acrescentamento, acrescimento, adição, acréscimo, acessão, suplemento, adenda, apêndice ≠ **corte**, supressão 2 **suplemento**, apêndice, adenda, achega, acrescentamento

aditar *v.* 1 **adicionar**, juntar, ajuntar, adir, acrescentar, apensar, acumular, sobrepor ≠ **subtrair**, tirar 2 **afortunar**, felicitar ≠ **infelicitar**, desgraçar

aditivo *adj.* **extra**, complementar, suplementar, adicional, supletivo, acessivo, adicionável ≠ **básico**, essencial ▪ *n.m.* MAT. (subtração) **diminuendo**, minuendo

adivinha *n.f.* 1 **enigma**, charada, adivinhação 2 **profetisa**, pitonissa, sibila, adivinhadeira

adivinhação *n.f.* 1 **auguração** 2 **enigma**, charada, adivinha, divinação 3 **presságio**, augúrio, auspício, conjetura, predição, pressentimento, profecia, vaticinação, vaticínio

adivinhar *v.* 1 **descobrir**, acertar, desvendar, atinar 2 **decifrar**, explicar, interpretar 3 **prever**, antever, predizer, profetizar, vaticinar, prenunciar, prognosticar, vislumbrar, agourar, bacorejar 4 **intuir**, pressagiar, antessentir 5 **conjeturar**, supor, presumir

adivinho *n.m.* **adivinhador**, agoureiro, vidente, profeta, vaticinador, áuspice, aríolo, áugure *fig.*

adjacência *n.f.* 1 **contiguidade**, proximidade, vizinhança ≠ **distância**, afastamento 2 [*pl.*] **redondezas**, cercanias

adjacente *adj.2g.* **confinante**, vizinho, contíguo, junto, chegado, próximo, perto, convizinho ≠ **afastado**, distante

adjectivação[aAO] *n.f.* ⇒ **adjetivação**[dAO]

adjectivar-se[aAO] *v.* ⇒ **adjetivar-se**[dAO]
adjetivação[dAO] *n.f.* qualificação
adjetivar-se[dAO] *v.* 1 qualificar-se, intitular-se 2 associar-se, adaptar-se, aplicar-se
adjudicação *n.f.* concessão, atribuição
adjudicado *adj.* concedido, atribuído
adjudicar *v.* conceder, atribuir, ceder, conferir, entregar
adjunção *n.f.* anexação, agregação, junção, união, ajuntamento, acrescentamento
adjunto *adj.* 1 **pegado**, contíguo, anexo, junto, apenso, aposto 2 **auxiliar**, assistente, adicto ■ *n.m.* 1 **assessor**, assistente, adido, agregado, ajudante, auxiliar, coadjuvante 2 **suplente**, substituto 3 **sócio**, associado
adjuvante *adj.,n.2g.* **auxiliar**, ajudante, colaborador, corroborante, auxiliador, adjutor, coadjutor
adjuvar *v.* **ajudar**, coadjuvar, auxiliar
administração *n.f.* 1 **gestão**, governo, governação, regência, superintendência, governança *ant.,pej.* 2 (empresa, instituição) **gerência**, direção
administrado *adj.* 1 **gerido**, dirigido, governado 2 **aplicado** 3 (medicamento) **ministrado**
administrador *n.m.* **gerente**, diretor, governador, regedor, superintendente
administrar *v.* 1 **gerir**, governar, dirigir, reger, superintender, zelar 2 (medicamento) **ministrar**, aplicar, dar 3 (sacramento) **conferir**, ministrar
admiração *n.f.* 1 **surpresa**, assombro, espanto, pasmo, estranheza, estupefação, assombramento, estupor, arrebatamento 2 **contemplação**, êxtase, enleio 3 **consideração**, apreço, adoração, respeito ≠ **desprezo**, desdém
admirado *adj.* 1 **espantado**, surpreso, assombrado, pasmado 2 **considerado**, adorado, respeitado ≠ **desprezado**, desdenhado 3 **enlevado**, extasiado
admirador *n.m.* 1 **apreciador**, entusiasta, fã, idólatra *fig.* 2 **apaixonado**, adorador, amante, galanteador
admirar *v.* 1 **surpreender**, assombrar, espantar, pasmar, estupeficar, ciladear 2 **contemplar**, extasiar, enlevar, maravilhar 3 **considerar**, prezar, apreciar, adorar ≠ **desprezar**, desdenhar
admirar-se *v.* 1 **espantar-se**, surpreender-se, pasmar, embasbacar-se 2 **maravilhar-se**, extasiar-se, assombrar-se
admirável *adj.2g.* **espantoso**, surpreendente, esplêndido, notável, assombroso, colossal, estupendo, excelente, fenomenal, magnífico, maravilhoso, monumental, ótimo, soberbo, sublime, belíssimo, prodigioso, admirando ≠ **detestável**, odiável, execrável
admissão *n.f.* 1 (escola, instituição) **entrada**, ingresso ≠ **demissão**, expulsão 2 **aceitação**, consentimento, aprovação, adoção, recebimento, acolhimento, receção ≠ **desaprovação**, recusa
admissível *adj.2g.* 1 **compreensível**, aceitável, tolerável, concebível, suportável, assumptível ≠ **inadmissível**, inaceitável 2 **razoável**, plausível, aceitável, verosímil, crível ≠ **inadmissível**, inaceitável, impossível
admitir *v.* 1 **acolher**, receber, hospedar, recolher ≠ **desacolher**, desamparar 2 **contratar**, empregar ≠ **demitir**, desempregar, despedir 3 **aceitar**, acolher, conceder, concordar, consentir, tolerar, aprovar, adotar, acreditar, abraçar ≠ **rejeitar**, negar 4 **permitir**, possibilitar, deixar ≠ **impossibilitar**, impedir 5 **supor**, crer, conjeturar, imaginar
admoestação *n.f.* 1 **advertência**, aviso, conselho, lembrança, mónita, monitória, exortação, admonição 2 **repreensão**, censura, reprimenda, reparo, sermão, exprobação, admonição, lembrete *col.*, esfrega *fig.*
admoestar *v.* 1 **advertir**, avisar, aconselhar, lembrar, observar, insinuar 2 **repreender**, censurar, ralhar, arguir, exprobrar, increpar
adoçamento *n.m.* 1 **dulcificação**, edulcoração 2 *fig.* **alívio**, lenitivo, mitigação, abrandamento, afrouxamento, refrigério *fig.*
adoçante *adj.,n.m.* 1 **edulcorante**, dulcificante, dulcificador, adoçador 2 **lenitivo**, consolador, mitigante, calmante, emoliente, leniente
adoção[dAO] *n.f.* 1 (criança) **perfilhação**, perfilhamento 2 **aceitação**, aprovação, recebimento, acolhimento, receção
adoçar *v.* 1 **açucarar**, edulcorar, dulcificar, adocicar, melificar, adulçorar, desacerbar, arrobar ≠ **azedar**, amargar, acetar 2 **afiar**, alisar, polir, aplanar 3 *fig.* **suavizar**, abrandar, acalmar, aliviar, amenizar, atenuar, embrandecer, mitigar, lenificar, moderar, serenar, apaziguar ≠ **agravar**, endurecer
adoçar-se *v.* 1 **açucarar-se** 2 **suavizar-se**, abrandar, acalmar, dulcificar-se *fig.*
adocicado *adj.* 1 **açucarado**, edulcorado, dulcificado, adoçado ≠ **azedo** 2 *fig.* **brando**, suave, ténue 3 *fig.* **afetado**
adocicar *v.* 1 **açucarar**, edulcorar, dulcificar, doçar, melificar, amelaçar ≠ **azedar**, amargar 2 *fig.* **atenuar**, suavizar, mitigar, abrandar, abemolar *fig.*
adoecer *v.* **enfermar**, achacar, combalir, acamar ≠ **curar-se**, restabelecer-se
adolescência *n.f.* **juventude**, mocidade, puberdade, mancebia *ant.*
adolescente *adj.,n.2g.* **jovem**, púbere, novo, frango *col.*, broto [BRAS.] *col.*
adopção[aAO] *n.f.* ⇒ **adoção**[dAO]
adoptado[aAO] *adj.* ⇒ **adotado**[dAO]
adoptante[aAO] *adj.2g.* ⇒ **adotante**[dAO]

adoptar[aAO] *v.* ⇒ **adotar**[dAO]

adoptável[aAO] *adj.2g.* ⇒ **adotável**[dAO]

adoptivo[aAO] *adj.* ⇒ **adotivo**[dAO]

adoração *n.f.* 1 veneração, culto, louvor 2 *col.* paixão, veneração, idolatria *fig.*

adorar *v.* 1 venerar, louvar, reverenciar, honrar 2 *col.* amar, idolatrar, admirar, venerar

adorável *adj.* 1 venerável 2 encantador, admirável, atraente, fascinante ≠ desinteressante 3 agradável, simpático, amábil *poét.* ≠ desagradável, antipático, detestável

adormecer *v.* 1 sopitar, adormentar, acalentar ≠ acordar, despertar, desacordar 2 entorpecer, adormentar, anestesiar *fig.* ≠ desentorpecer, desentolher 3 *fig.* acalmar, afrouxar, abrandar, apaziguar, sossegar, suavizar, amolecer ≠ intensificar, revigorar 4 entediar, aborrecer, narcotizar *fig.* ≠ interessar

adormecido *adj.* 1 entorpecido, dormente 2 *fig.* acalmado, serenado

adormecimento *n.m.* 1 sono, sonolência 2 entorpecimento, dormência, letargo, letargia, torpor, modorra, insensibilidade, estupefação, embotamento *fig.* 3 inatividade, inação, inércia, marasmo ≠ atividade, dinamismo 4 *pej.* desleixo, negligência, indiferença, descuido

adornar *v.* 1 enfeitar, ornamentar, ornar, alindar, adereçar, formosentar, ajaezar, arrear, ataviar, decorar, embelezar, engalanar, aformosentar, arrebicar, embrincar, recamar ≠ desadornar, desenfeitar, desataviar, desornar, desguarnecer 2 (navio) adernar, virar-se

adornar-se *v.* enfeitar-se, ornamentar-se, ataviar-se, afestoar-se, arrear-se, empenar-se, ajaezer-se, aparamentar-se, atilar-se

adorno *n.m.* enfeite, ornamento, adereço, atavio, embelezamento, ornamentação, ornato, alfaia, aparato, arreamento, guarnição, paramento, guarnecimento, exornação, louçainha, arreio *fig.*

adotado[dAO] *adj.* 1 (criança) perfilhado, adotivo 2 aceite, aprovado, escolhido

adotante[dAO] *adj.2g.* adotivo

adotar[dAO] *v.* 1 (criança) perfilhar, tomar, filhar ≠ renegar 2 aceitar, abraçar, acolher, professar, receber, reconhecer ≠ rejeitar, renegar 3 aprovar, sancionar, validar ≠ desaprovar, rejeitar 4 escolher, eleger, optar 5 usar, utilizar, assumir

adotável[dAO] *adj.2g.* aceitável, admissível ≠ inaceitável, inadmissível

adotivo[dAO] *adj.* 1 adotado, perfilhado, escolhido 2 adotante 3 aprovado, escolhido

adquirir *v.* 1 comprar, obter ≠ vender, alienar 2 conseguir, obter, alcançar, ganhar, conquistar, granjear, biscoutar *fig.* ≠ perder 3 contrair, ganhar, apanhar ≠ perder

adrenalina *n.f.* 1 FISIOL. epinefrina 2 *col.* energia, força

adro *n.m.* átrio, vestíbulo, períbolo

adscrever-se *v.* 1 obrigar-se, sujeitar-se ≠ desobrigar-se 2 limitar-se, restringir-se

adstringência *n.f.* contração, aperto, constrição, estipticidade

adstringente *adj.2g.* 1 MED., FARM. adstritivo, adstringivo, contractivo, estíptico, sincrítico 2 travento, travoso

adstringir *v.* 1 contrair, apertar, encolher ≠ afrouxar, alargar 2 *fig.* obrigar, sujeitar, constranger ≠ isentar, livrar

adstrito *adj.* 1 ligado, unido, adjunto, agregado, dependente, incorporado, submetido ≠ separado, afastado 2 contraído, apertado *col.*, estreito, fechado, constrito ≠ descomprimido 3 obrigado, constrangido, sujeito ≠ livre

aduana *n.f.* alfândega, barreira

aduanar *v.* alfandegar ≠ desalfandegar

aduaneiro *adj.* alfandegário, alfandegueiro

adubação *n.f.* 1 estrumação, adubamento, estercada, estruma 2 tempero, condimento, adubamento

adubar *v.* 1 estrumar, estercar, fertilizar 2 temperar, condimentar 3 (peles) curtir, preparar 4 *fig.,ant.* adornar, enfeitar, ornar

adubo *n.m.* 1 estrume, esterco, fertilizante 2 tempero, condimento, especiaria, adubamento, adubadura, adubadela 3 *fig.,ant.* adorno, enfeite

adulação *n.f.* bajulação, lisonja, lisonjaria, louvaminha, babujaria, prazenteio, capachice *col.*, graxa *col.*, engraxadela *fig.*, manteiga *fig.*, incenso *fig.*, lambedela *fig.*, turificação *fig.*

adulador *adj.,n.m.* bajulador, aduloso, lisonjeiro, lisonjeador, louvador, galanteador

adular *v.* bajular, lisonjear, gabar, cortejar, elogiar, louvar, louvaminhar, sabujar, panegiricar, prazentear, bajoujar, apaijar *col.*, incensar *fig.*, escovar *fig.,col.*

adulteração *n.f.* deturpação, falsificação, viciação, distorção, contrafação, fraude, alteração

adulterar *v.* 1 deturpar, viciar, perverter, abastardar, degenerar, corromper, depravar, desfigurar, derrancar *fig.* ≠ conservar, manter 2 modificar, alterar ≠ conservar, manter 3 falsificar, contrafazer, defraudar, falsear, imitar, mascavar, arremedar ≠ conservar, manter

adultério *n.m.* traição, infidelidade, encornanço *vulg.* ≠ fidelidade

adúltero *adj.* 1 infiel ≠ fiel 2 adulterino 3 alterado, falsificado, corrompido, degenerado ≠ autêntico, genuíno 4 falso, fingido ≠ autêntico, genuíno

adulto *adj.* **crescido**, desenvolvido, descriado, escanado *fig.* ■ *n.m.* **maior**
adunco *adj.* **curvo**, encurvado, recurvado, aduncado, retorcido, aquilino ≠ **plano**, chato
adurir *v.* **queimar**, comburir, cauterizar, calcinar, causticar, inflamar
aduzir *v.* **1 trazer**, acarretar, conduzir, transportar **2 apresentar**, expor, alegar, meter
advento *n.m.* **1 chegada**, aparecimento, vinda ≠ **partida**, ida **2 início**, começo, princípio ≠ **fim**, término
adversário *adj.,n.m.* **rival**, inimigo, opositor, concorrente, competidor, émulo, antagonista, contendor, contrário, oposto, contendedor ≠ **aliado**, parceiro, amigo
adversativo *adj.* **contrário**, adverso, oposto
adversidade *n.f.* **contrariedade**, contratempo, revés, fatalidade, má-sorte, infelicidade, desgraça, desventura, infortúnio, calamidade, desastre, tribulação, transe, dificuldade ≠ **fortuna**, sorte, sucesso, ventura, acaso
adverso *adj.* **1 oposto**, contrário, adversativo, hostil, inimigo, antagónico ≠ **aliado**, amigo **2 desfavorável**, danoso, prejudicial, desvantajoso ≠ **favorável** ■ *n.m.* **adversário**, antagonista, impugnador ≠ **aliado**, amigo
advertência *n.f.* **1 aviso**, conselho, observação, mónita, monitória, premonição, recomendação **2 admoestação**, repreensão, censura, reparo, animadversão, lembrete *col.*, rabecada *col.*
advertido *adj.* **1 avisado** ≠ **inadvertido**, desadvertido **2 prudente**, acautelado, atento, cauto, precavido, prevenido, ponderado, circunspecto, judicioso ≠ **inadvertido**, imprudente, irrefletido **3 repreendido**, admoestado
advertir *v.* **1 avisar**, prevenir, acautelar **2 aconselhar**, lembrar, sugerir **3 repreender**, admoestar, censurar, arguir **4 atentar**, reparar, refletir, observar, anotar, atender, considerar, notar
advertir-se *v.* **reparar**, atentar, observar
advindo *adj.* **1 sobrevindo 2 resultante**
advir *v.* **1 acontecer**, ocorrer, suceder, sobrevir **2 resultar**, provir, derivar
advogado *n.m.* **1 causídico**, defensor, jurisconsulto, patrono **2 mediador**, medianeiro, intercessor, rogador
advogar *v.* **defender**, apadrinhar, patrocinar, proteger, amparar
aereamente *adv.* **1** *fig.* **impensadamente**, irrefletidamente, infundadamente, levemente, distraidamente, aluadamente **2** *fig.* **levianamente**, futilmente, frivolamente
aéreo *adj.* **1 atmosférico** ≠ **terrestre 2** *fig.* **leve**, vaporoso ≠ **pesado**, encorpado **3** *fig.* **imaginário**, fantasioso, quimérico, irreal ≠ **real**, verdadeiro **4** *fig.* **fútil**, leviano, vão, superficial, frívolo **5** *fig.* **distraído**, absorto, alheado, absorvido, abstraído ≠ **concentrado**, atento
aerívoro *adj.* **aerófago**
aerodinâmico *adj. col.* **moderno**, futurista
aeródromo *n.m.* **aeroporto**
aerófago *adj.* **aerívoro**
aerólito *n.m.* ASTRON. **meteorito**, uranólito, pedra-do-ar
aeromodelismo *n.m.* **aviominiatura**
aeronáutica *n.f.* **aeronavegação**, aviação
aeronave *n.f.* **1 avião**, aeroplano **2 aeróstato**, balão, dirigível
aeronavegação *n.f.* **aeronáutica**, aviação
aeroplano *n.m.* **avião**, aeronave
aeroporto *n.m.* **aeródromo**
aerossol *n.m.* **vaporizador**, spray, pulverizador, nebulizador, borrifador
aeróstato *n.m.* **aeronave**, balão, dirigível
afã *n.m.* **1 azáfama**, pressa, frenesi, corrupio, lufa, tráfego *fig.*, dobadoura *col.* ≠ **quietude**, vagar, tranquilidade **2 canseira**, fadiga, cansaço, esfalfamento, estafa, extenuação ≠ **repouso**, descanso **3 faina**, trabalho, labuta, lida ≠ **ócio**, ociosidade, farniente **4 diligência**, empenho, solicitude, zelo, fervor ≠ **desleixo 5 ânsia**, ansiedade, inquietação ≠ **calma**, sossego
afabilidade *n.f.* **delicadeza**, amabilidade, cortesia, lhaneza, polidez, urbanidade, civilidade ≠ **descortesia**, indelicadeza, rudeza
afadigar *v.* **1 cansar**, fatigar, estafar **2 importunar**, afligir, molestar, perturbar, atormentar **3** *fig.* (embarcação) **perseguir**, acossar
afadigar-se *v.* **1 labutar**, atarefar-se, azafamar-se, lidar, moirejar, afanar-se, trafegar *fig.*, suar *fig.* **2 esforçar-se**, empenhar-se, dedicar-se, afanar-se, diligenciar, lutar, trabalhar **3 cansar-se**, estafar-se, extenuar-se, esfalfar-se, fatigar-se, afanar-se ≠ **descansar**, repousar **4 apressar-se**, despachar-se, correr, afanar-se
afagado *adj.* **1 acarinhado**, acariciado, acalentado, mimado, ameigado, amansado, embalado, amimado ≠ **maltratado 2 nivelado**, alisado, aplainado, aplanado, desbastado **3** *fig.* **lisonjeado**, bajulado, mimado ≠ **criticado**, censurado, exprobrado **4** *fig.* **alimentado**, fomentado, acalentado, alentado ≠ **desestimulado**, desanimado
afagar *v.* **1 acarinhar**, acariciar, amimar, ameigar, amansar, embalar, acalantar *ant.* ≠ **maltratar 2 nivelar**, alisar, aplainar, aplanar, desbastar, acofiar **3** *fig.* **lisonjear**, bajular, mimar ≠ **criticar**, censurar **4** *fig.* **alimentar**, fomentar, acalentar, alentar ≠ **desestimular**, desanimar
afagar-se *v.* **acarinhar-se**, acariciar-se, acalentar-se

afago *n.m.* 1 **carícia**, carinho, meiguice, mimo, ternura, desvelo, acalento, afagamento, blandícia, bijou, tagaté, alféloa *fig.* 2 **agasalho**, abafo, gasalhado, gasalhamento 3 **adulação**, lisonja, afagamento

afamado *adj.* 1 **célebre**, famoso, insigne, celebrado, conhecido, exímio, falado, ilustre, notável, apregoado, reputado ≠ **desconhecido**, ignorado 2 *ant.* **faminto**, esfaimado ≠ **saciado**, farto

afamar *v.* **celebrizar**, notabilizar, glorificar ■ *v. ant.* **esfaimar**, esfomear, afaimar *ant.*

afamar-se *v.* **celebrizar-se**, notabilizar-se, nobilitar-se, glorificar-se, engrandecer-se, ilustrar-se

afanar *v.* 1 *col.* **roubar**, furtar, abafar *col.*, fanar *col.*, surripiar *col.* 2 (pouco usado) **conquistar**, granjear

afanar-se *v.* 1 **labutar**, afadigar-se, atarefar-se, azafamar-se, lidar, moirejar, trafegar *fig.*, suar *fig.* 2 **esforçar-se**, empenhar-se, dedicar-se, afadigar-se, diligenciar, lutar, trabalhar 3 **cansar-se**, estafar-se, extenuar-se, esfalfar-se, fatigar-se, afadigar-se, atrafegar-se ≠ **descansar**, repousar, desfadigar-se 4 **apressar-se**, despachar-se, correr, afadigar-se

afasia *n.f.* MED. **afemia**, anaudia, alalia

afastado *adj.* 1 **distante**, longínquo, retirado, longe ≠ **próximo**, vizinho, adjacente 2 **antigo**, remoto ≠ **recente** 3 **alheado**, desinteressado, longe ≠ **interessado** 4 **expulso**, irradiado 5 **ausente**, arredado ≠ **presente** 6 **aberto**, separado ≠ **fechado**, junto, unido

afastamento *n.m.* 1 **separação**, apartamento, longada, arredamento, egresso, abjunção ≠ **aproximação**, abeiramento, achegamento 2 **abandono**, abandonamento, partida, deserção ≠ **permanência** 3 **ausência** 4 **distância** ≠ **contiguidade**, proximidade 5 **alheamento**, distração, abstração, abstraimento

afastar *v.* 1 **apartar**, distanciar, desviar, separar, alienar, repelir, amover, desarredar [REG.] ≠ **aproximar**, abeirar, adjazer 2 **afugentar**, espantar 3 **desterrar**, banir, exilar, expulsar, excluir, expelir 4 **rejeitar**, recusar, desprezar ≠ **aceitar**

afastar-se *v.* 1 **distanciar-se**, apartar-se, despegar-se, arredar-se, alongar-se, desachegar-se ≠ **aproximar-se**, acercar-se, chegar-se, abeirar-se 2 **desviar-se**, esquivar-se 3 **isolar-se**, retirar-se 4 **demitir-se**, despedir-se, exonerar-se, renunciar 5 **sair**, ausentar-se, fugir ≠ **ficar**, permanecer 6 **diferir**, distanciar-se, divergir ≠ **assemelhar-se**, convergir

afável *adj.2g.* 1 **sociável**, dado, comunicativo, social, tratável, acessível, aberto, fácil, polido ≠ **fechado**, insociável, intratável 2 **afetuoso**, carinhoso, cortês, amável, dado, delicado, doce, dócil, gentil, meigo, pacífico, suave, brando ≠ **frio**, desapegado, impassível, desinteressado 3 **agradável**, ameno, aprazível, deleitável ≠ **desagradável**

afazer *v.* **habituar**, adaptar, aclimatar, amoldar, avezar, aclimar ■ *n.m.* **tarefa**, ocupação, trabalho, serviço, quefazer, faina

afazer-se *v.* 1 **acostumar-se**, habituar-se, vezar-se 2 **adaptar-se**, aclimar-se

afeção[AO] ou **afecção**[AO] *n.f.* MED. **doença**, enfermidade, mal, moléstia, padecimento

afectação[aAO] *n.f.* ⇒ **afetação**[dAO]

afectado[aAO] *adj.* ⇒ **afetado**[dAO]

afectar[aAO] *v.* ⇒ **afetar**[dAO]

afectividade[aAO] *n.f.* ⇒ **afetividade**[dAO]

afectivo[aAO] *adj.* ⇒ **afetivo**[dAO]

afecto[aAO] *adj.,n.m.* ⇒ **afeto**[dAO]

afectuosidade[aAO] *n.f.* ⇒ **afetuosidade**[dAO]

afectuoso[aAO] *adj.* ⇒ **afetuoso**[dAO]

afegane *n.2g.* (pessoa) **afegão** ■ *n.m.* (moeda) **afegani**

afegani *n.m.* (moeda) **afegane**

afegão *n.m.* (pessoa) **afegane**

afeição *n.f.* **afeto**, apego, amizade, inclinação, simpatia, ternura, carinho, dileção, predileção, benquerença, bem-querer, dedicação, amor, paixão, afeiçoamento, estima, apeguilho *fig.* ≠ **desafeição**, indiferença, frieza

afeiçoado *adj.* 1 **amigo**, dedicado, devotado, desvelado, fiel, apaixonado ≠ **desafeiçoado** 2 **partidário**, parcial 3 **adaptado**, habituado, acostumado ≠ **desadaptado**, desabituado 4 **bem-feito**, aperfeiçoado, aprimorado ≠ **malfeito**

afeiçoamento *n.m.* **afeto**, afeição, apego, amizade, inclinação, simpatia, ternura, carinho, dileção, predileção, benquerença, bem-querer, dedicação, amor, paixão, estima ≠ **desafeição**, indiferença, frieza

afeiçoar *v.* 1 **moldar**, modelar, amoldar, ductilizar 2 **aperfeiçoar**, aprimorar 3 **adaptar**, acomodar, apropriar, afazer ≠ **desadaptar**, desadequar

afeiçoar-se *v.* 1 **apegar-se**, estimar, gostar, devotar-se, prezar, simpatizar, amar, namorar-se, apaixonar-se ≠ **desafeiçoar-se**, desapegar-se 2 **adaptar-se**, acomodar-se, aclimar-se, ajustar-se, adequar-se, apropriar-se, afazer-se ≠ **desadaptar-se**, desadequar-se 3 **acostumar-se**, habituar-se, familiarizar-se 4 **aperfeiçoar-se**, apurar-se, aprimorar-se

afeito *adj.* **adaptado**, costumado, acostumado, habituado, avezado, vezado, aclimatado ≠ **desafeito**, desacostumado, desabituado

aférese *n.f.* 1 GRAM. **ablação** 2 MED. **ablação**, amputação, excisão

aferição *n.f.* **avaliação**, verificação, apreciamento, afilamento, comparação, aferimento

aferido *adj.* 1 **avaliado**, cotejado, comparado, conferido 2 **normalizado**, harmonizado, padronizado

aferir *v.* **avaliar**, conferir, cotejar, confrontar, afilar, apreciar, medir, comparar, verificar, comensurar

aferrar *v.* 1 **fundear**, ancorar, aportar 2 **atracar**, abordar, abalroar, acostar, arpoar, ferrar, arpar ≠ **desabalroar**, desaferrar, desatracar 3 **agarrar**, prender, pegar, segurar ≠ **largar**, soltar

aferrar-se *v.* 1 **agarrar-se**, prender-se, pegar ≠ **largar-se**, soltar-se 2 **obstinar-se**, aferrenhar-se, apegar-se, porfiar, teimar, insistir, afincar-se

aferro *n.m.* 1 **apego**, afinco, obstinação, pertinácia, teimosia, teima, contumácia, tenacidade, aferramento 2 **dedicação**, apego, adesão, afeição, aferramento

aferroar *v.* 1 **aguilhoar**, picar, espetar 2 *fig.* **estimular**, espicaçar, assovinhar *fig.* ≠ **acalmar**, apaziguar 3 *fig.* **provocar**, instigar, acirrar ≠ **acalmar**, apaziguar 4 *fig.* **irritar**, apoquentar, irar ≠ **acalmar**, apaziguar

aferrolhar-se *v.* **trancar-se**, fechar-se

afervorar-se *v.* **intensificar-se**, inflamar-se, agitar-se, aquecer-se

afetaçãodAO *n.f.* 1 **fingimento**, simulação, dissimulação, falsidade, impostura ≠ **naturalidade**, espontaneidade 2 **presunção**, vaidade, pedantismo, pretensão, snobismo, amaneiramento, enfatuação, pose ≠ **simplicidade**

afetadodAO *adj.* 1 **artificial**, fingido, simulado ≠ **natural** 2 **pedante**, presunçoso, amaneirado, pretensioso, presumido ≠ **simples**, símplice 3 **influenciado**, alterado, atingido

afetardAO *v.* 1 **influenciar**, alterar, atingir 2 **atingir**, impressionar, tocar, comover 3 **fingir**, aparentar, simular, dissimular 4 **interessar**, dizer respeito 5 **destinar**, atribuir ≠ **desafetar** 6 **exteriorizar**, mostrar, ostentar ≠ **esconder**, ocultar 7 **prejudicar**, lesar, danar

afetividadedAO *n.f.* **afetuosidade**, sensibilidade, sentimentalidade ≠ **frieza**, impassibilidade, frigidez, displicência, fleuma, acataplexia, gelo *fig.*

afetivodAO *adj.* 1 **afetuoso**, meigo, terno, carinhoso, delicado, afeiçoado, amorativo, apaixonado ≠ **frio**, impassível 2 **emocional**, sentimental ≠ **racional**

afetodAO *adj.* 1 **atribuído**, destinado 2 **dedicado**, afeiçoado 3 **dependente**, subordinado, sujeito, ligado, incumbido ≠ **independente**, desligado ■ *n.m.* **afeição**, apego, amizade, inclinação, simpatia, ternura, carinho, dileção, predileção, benquerença, dedicação, amor, paixão ≠ **desafeição**, indiferença, frieza

afetuosidadedAO *n.f.* **afetividade**, sensibilidade, sentimentalidade, doçura, meiguiçe ≠ **frieza**, impassibilidade

afetuosodAO *adj.* **afetivo**, meigo, terno, carinhoso, delicado, afeiçoado, amoroso, apaixonado, doce, extremoso, amavioso, amorzeiro, cariciável, caricioso ≠ **frio**, impassível

afiação *n.f.* **amoladura**, amolação, aguçamento, aguçadura, afiamento

afiado *adj.* 1 **aguçado**, amolado, cortante, acerado ≠ **boto** [REG.], embotado, rombo 2 *fig.* **irritado**, abespinhado, agastado, arreliado, acirrado, afinado *fig.* ≠ **calmo**, tranquilo 3 *fig.* **penetrante**, agudo

afiador *n.m.* 1 **amolador**, adelgaçador 2 **aguçadeira**, afiadeira 3 **apara-lápis**, aguça, afiadeira, afia-lápis

afiançado *n.m.* **abonado**, acreditado, garantido ≠ **desabonado**

afiançar *v.* 1 **abonar**, garantir, acreditar, caucionar, autenticar, responsabilizar-se, avalizar, fiar ≠ **desabonar**, desautorizar 2 **assegurar**, asseverar, afirmar, jurar, garantir ≠ **negar**

afiar *v.* 1 **aguçar**, amolar, afilar, acerar, apontar, acuminar, adelgaçar ≠ **desafiar**, desembotar 2 *fig.* **aperfeiçoar**, apurar, afinar, refinar *fig.* 3 *fig.* **irritar**, exasperar, acicatar, provocar ≠ **acalmar**, sossegar

aficionado *n.m.* **apreciador**, fã, entusiasta

afifar *v. col.* **bater**, afinfar, sovar, surrar, pespegar

afigurar *v.* 1 **representar**, figurar, aparentar, parecer, mostrar, demonstrar 2 **devanear**, imaginar, expor, suspeitar

afigurar-se *v.* 1 **parecer**, assemelhar-se, aparecer, configurar-se 2 **revelar-se**, demonstrar-se, tornar-se

afilado *adj.* 1 **fino**, delgado, agudo, pontiagudo ≠ **grosso**, largo 2 **adelgaçado**, emagrecido, esmagriçado ≠ **gordo**, largo 3 **delicado**, elegante 4 **exato**, apurado

afilamento *n.f.* **avaliação**, apreciação, aferição, comparação, aferimento, verificação

afilar *v.* 1 **afiar**, adelgaçar, aguçar, afinar, estreitar ≠ **engrossar**, alargar 2 **aferir**, cotejar, examinar 3 **açular**, estimular, excitar, instigar, acirrar ≠ **acalmar**, sossegar 4 **caçoar**, troçar, irritar

afilhado *n.m. fig.* **protegido**, apaniguado, favorecido, favorito ≠ **desprotegido**, desfavorecido

afiliação *n.f.* 1 **descendência**, origem, procedência, genealogia 2 **conexão**, encadeamento, relação

afiliar *v.* 1 **adotar**, perfilhar ≠ **renegar** 2 **admitir**, associar ≠ **rejeitar**, negar

afim *adj.2g.* **semelhante**, análogo, idêntico, congénere, parecido, igual, conforme, contíguo, próximo ≠ **diferente**, distinto, oposto ■ *n.2g.* 1 **parente**

2 amigo, adepto, aderente, partidário ≠ **inimigo**, adversário

afinação *n.f.* **1 consonância**, harmonia, afinamento ≠ **discordância**, desarmonia **2 ajustamento**, aperfeiçoamento, apuramento, refinação ≠ **desajustamento**, desajuste **3** (metais) **purificação**, depuração, refinação, têmpera **4** *fig.* **irritação**, exacerbação, impertinência, zanga

afinal *adv.* **finalmente**, enfim

afinar *v.* **1 aguçar**, afiar, afilar, adelgaçar, desbastar ≠ **engrossar**, alargar **2 ajustar**, regular ≠ **desafinar**, desregular **3** (metais) **depurar**, purificar, refinar, acendrar, acrisolar, limpar **4 apurar**, aperfeiçoar, esmerar ≠ **empobrecer 5 aferir**, aquilatar, cotejar, ensaiar [REG.], entoar, regular, temperar **6 irritar**, agastar, zangar, exacerbar, amofinar ≠ **acalmar**, sossegar **7 amuar**, encavacar, desconfiar

afinar-se *v.* **1 adelgaçar-se**, aguçar-se, encarniçar-se ≠ **engrossar 2 apurar-se**, polir-se, aprimorar-se, civilizar-se **3 conciliar-se**, harmonizar-se, concertar-se, ajustar-se ≠ **desajustar-se**, desarmonizar-se, desavir-se

afincar *v.* **1 afixar**, cravar, espetar, fincar, firmar, fixar, pespegar, pregar, fitar, apoiar, enterrar ≠ **descravar**, tirar **2 insistir**, instar, teimar, perseverar, persistir, porfiar, ateimar, afinfar, aferrar-se

afincar-se *v.* **1 teimar**, obstinar-se, insistir, persistir, porfiar, ferrar-se, instar **2 cravar-se**, espetar-se, enterrar-se

afinco *n.m.* **1 apego**, aferro, obstinação, pertinácia, teimosia, teima, contumácia, tenacidade, aferramento, insistência, persistência, porfia, afincamento, perseverança **2 empenho**, diligência, firmeza, afincamento ≠ **desleixo**, indiferença

afinidade *n.f.* **1 parentesco 2 ligação**, conexão, correlação, relação ≠ **afastamento**, separação **3 analogia**, semelhança, conformidade, compatibilidade ≠ **diferença**, oposição **4 simpatia**, atração ≠ **antipatia**, repulsão

afirmação *n.f.* **1 declaração**, asserção, palavra, afirmativa, asseveração, asseguração **2 confirmação**, afirmativa ≠ **negação**, negativa

afirmar *v.* **1 asseverar**, declarar, dizer, afiançar, assegurar, confessar, garantir **2 comprovar**, confirmar, atestar, certificar, sustentar, testemunhar, provar ≠ **negar 3 fixar**, firmar, fincar, ajustar

afirmar-se *v.* **1 consolidar-se**, impor-se, estabelecer-se **2 evidenciar-se**, distinguir-se, notabilizar-se **3 fitar**, observar, atentar

afirmativa *n.f.* **1 afirmação**, asserção, asseveração, declaração, palavra **2 confirmação**, comprovação ≠ **negação**, negativa

afirmativo *adj.* **categórico**, assertório, certo, positivo, real, verdadeiro ≠ **inafirmativo**, negativo

afivelar *v.* **1 infibular 2 apertar**, abrochar, enfivelar, segurar, ajustar, prender, firmar

afixação *n.f.* **colagem**, fixação ≠ **descolagem**, descolamento

afixar *v.* **fixar**, grudar, pregar, apegar, cravar, segurar, firmar, estampar ≠ **arrancar**, descravar, despregar, tirar

afixo *adj.* **fixado**, pregado, justaposto, unido, ligado ≠ **despregado**, descravado, arrancado

aflautar *v.* **1 esganiçar 2 aguçar**, adelgaçar

aflautar-se *v.* **1 aguçar-se**, adelgaçar-se **2** [REG.] **aperaltar-se**, apurar-se, enfeitar-se

aflição *n.f.* **1 dor**, sofrimento, padecimento, pena, angústia, agonia, apoquentação, mágoa, provança **2 tristeza**, desconsolação, pesar, consternação, desgosto, amargura, contristação ≠ **alegria**, contentamento **3 martírio**, mortificação, tortura, tormento, suplício, cruz, excruciação **4 ânsia**, ansiedade **5 apuro**, afogo, aperto, entalação *fig.*

afligir *v.* **1 apoquentar**, angustiar, atormentar, agoniar, atribular, chagar, cruciar, mortificar, martirizar, molestar, torturar, vexar, pungir, acabrunhar, amofinar, amargar, consternar, consumir, contristar, desconsolar, desgostar, desolar, dilacerar, entristecer, golpear, magoar, minar, oprimir, penalizar, ralar, flagelar, verrumar *fig.*, supliciar *fig.*, lancear *fig.* ≠ **alegrar**, contentar, desapoquentar **2 assolar**, devastar

afligir-se *v.* **apoquentar-se**, preocupar-se, ralar-se, angustiar-se, atormentar-se, agoniar-se, consumir-se, atribular-se, aporrinhar-se, mortificar-se, martirizar-se, amofinar-se, amargar-se, condoer-se, consternar-se, contristar-se, desconsolar-se, desgostar-se, dilacerar-se, entristecer-se, incomodar-se, magoar-se, penalizar-se, penar-se ≠ **despreocupar-se**, tranquilizar-se

aflitivo *adj.* **angustiante**, doloroso, penoso, atribulador, afligidor, agónico

aflito *adj.* **1 ansioso**, impaciente, inquieto, apreensivo ≠ **tranquilo**, calmo **2 preocupado**, apoquentado, atormentado, oprimido, pesaroso, torturado ≠ **aliviado**, despreocupado **3 enjoado**, afrontado, agoniado, indisposto

aflorar *v.* **1 assomar**, emergir, aparecer, brotar, romper, mostrar-se ≠ **submergir**, imergir **2 nivelar**, aplanar ≠ **desnivelar**

afluência *n.f.* **1 abundância**, cópia, profusão, quantidade, fartura ≠ **falta**, míngua, carência **2 afluxo**, ajuntamento, confluência, concorrência, concurso, convergência **3 enchente**

afluente *adj.2g.* **1 abundante**, caudaloso, copioso ≠ **carecente**, carecido **2 crescente 3 rico** ≠ **pobre**

afluir *v.* 1 **convergir**, concorrer, desembocar, sobrevir, descer, derivar ≠ **refluir** 2 **abundar**, chegar, crescer, exuberar, aglomerar-se, acumular-se ≠ **rarear**, escassear

afluxo *n.m.* **afluência**, concorrência, convergência, concurso, fluxão, fluxo

afocinhar *v.* 1 **cair**, esbarrar, mergulhar, foçar 2 **desanimar**, soçobrar, sucumbir, descorçoar, abater-se

afofar *v.* 1 **amaciar**, fofar, amolecer, amolentar 2 **acarinhar**, amimar, amaciar, ameigar ≠ **maltratar** 3 *fig.* **envaidecer**, enfatuar, inchar, vangloriar, lisonjear, entumecer *fig.*, levedar *fig.* ≠ **censurar**, criticar

afogadilho *n.m.* **pressa**, aperto, precipitação, açodamento

afogamento *n.m.* 1 **sufocação**, asfixia, abafamento, abafo, afogo, afogadela 2 **angústia**, ansiedade, opressão 3 **avareza**, mesquinhez

afogar *v.* 1 **mergulhar**, submergir, ensopar, embeber, encharcar, inundar, enlagar [REG.], enriar [REG.] 2 **abafar**, asfixiar, sufocar, esganar, estrangular ≠ **desafogar**, descomprimir 3 **reprimir**, acanhar, impedir, conter, comprimir, embargar, ocultar, oprimir, encobrir, esconder, amortecer ≠ **estimular**, incentivar, libertar 4 **extinguir**, exterminar, destruir ≠ **acender**, avivar

afogar-se *v.* 1 **banhar-se**, cobrir-se 2 **embriagar-se**, embebedar-se 3 **sufocar**, asfixiar, engasgar-se 4 *fig.* **perder-se**, arruinar-se

afogo *n.m.* 1 **sufocação**, asfixia, abafamento, abafo, afogamento, afogadela ≠ **desafogo** 2 **aflição**, angústia, aperto, opressão, constrangimento, congoxa *ant.* ≠ **desafogo**, alívio 3 **ânsia**, ansiedade ≠ **desafogo**, calma 4 **pressa**, urgência ≠ **desafogo**, calma

afogueado *adj.* 1 **ardente**, quente, escaldado, abraseado ≠ **frio**, fresco 2 **rubro**, rosado, vermelho 3 **corado**, abrasado, acalorado 4 **caloroso**, entusiástico, exaltado, inflamado ≠ **frio**, glacial

afoguear *v.* 1 **queimar**, incendiar, tostar, incender, abrasar, acender, inflamar, esbrasear, alabarar 2 **ruborizar**, corar, enrubescer, avermelhar 3 **excitar**, animar, entusiasmar, exaltar, apressar

afoguear-se *v.* 1 **arder**, abrasar-se 2 **corar**, enrubescer, ruborizar-se, anacarar-se 3 **excitar-se**, animar-se, entusiasmar-se, exaltar-se, inflamar-se

afoitamente *adv.* **corajosamente**, intrepidamente, determinadamente, atrevidamente, estoicamente ≠ **cobardemente**, medrosamente

afoitar *v.* **estimular**, incitar, encorajar, animar, induzir, entusiasmar, acoroçoar, desamodorrar ≠ **refrear**, esmorecer, desacoroçoar

afoitar-se *v.* 1 **arriscar-se**, atrever-se, expor-se, ousar 2 **animar-se**, encorajar-se

afoiteza *n.f.* **arrojo**, atrevimento, audácia, bravura, coragem, ousadia, valentia, afoitamento, ânimo, determinação, intrepidez, denodo, valor, desassombro, confiança, ardimento ≠ **medo**, cobardia, timidez

afoito *adj.* 1 **audaz**, corajoso, ousado, valente, valoroso, destemido, arrojado, valentão, decidido ≠ **cobarde**, medroso 2 **atrevido**, desembaraçado, resoluto, impetuoso, imprudente, confiado, precipitado

afora *prep.* **exceto**, salvo, menos, tirante ■ *adv.* **adiante**, fora

aforar-se *v.* **arrogar-se**, atribuir-se, arvorar-se

aforismo *n.m.* **adágio**, máxima, ditado, provérbio, sentença, gnoma, anexim, axioma, apotegma, brocardo, rifão

aformosear *v.* **embelezar**, alindar, enfeitar, ornamentar, ornar, adornar, abrilhantar, adereçar, aformosentar, embelecer, formosear, realçar, aprimorar, desafear ≠ **desformosear**, desfear, afear

aforrar *v.* 1 **poupar**, economizar, amealhar, forrar ≠ **gastar**, esbanjar 2 **libertar**, alforriar, emancipar, resgatar, isentar ≠ **prender** 3 **forrar**, enchumaçar 4 [REG.] **arregaçar**, arremangar

aforrar-se *v.* 1 **desembaraçar-se**, desimpedir-se, expedir-se, desempatar-se 2 **libertar-se**, soltar-se, desprender-se

aforro *n.m.* **poupança**, economia, pecúlio, parcimónia

afortunado *adj.* 1 **bem-aventurado**, ditoso, venturoso, feliz, felizardo, afortunoso, fortunado, bem-ditoso, abortado [BRAS.] *col.* ≠ **desafortunado**, infeliz 2 **rico**, fausto, faustoso, divicioso ≠ **pobre**, carente

afortunar *v.* 1 **prosperar**, aditar 2 **felicitar**, abendiçoar

afretamento *n.m.* **frete**

afretar *v.* **alugar**, reservar

afrodisíaco *adj.,n.m.* ≠ **anafrodisíaco**, antiafrodisíaco

afronta *n.f.* 1 **ofensa**, agravo, desfeita, vitupério, ultraje, insulto, injúria, desonra, ignomínia, impropério, indignidade, infâmia, vilipêndio, vexame, vergonha, opróbrio, contumélia, doesto, labéu, vilta, sem-razão, enxovalho *fig.* ≠ **desagravo**, desafronta 2 (pouco usado) **fadiga**, cansaço

afrontamento *n.m.* 1 **enfartamento**, indisposição, agonia, calor 2 **fadiga**, cansaço, afronta, incómodo 3 **ofensa**, agravo, desfeita, vitupério, ultraje, insulto, injúria, desonra, ignomínia, impropério, indignidade, infâmia, vilipêndio, vexame, vergonha, opróbrio, contumélia, doesto, labéu, vilta, sem-razão, enxovalho *fig.* ≠ **desagravo**, desafronta

afrontar *v.* 1 **confrontar**, defrontar, enfrentar, encarar, opor, arrostar, acarear 2 **insultar**, injuriar, molestar, ofender, importunar, desafiar, amesquinhar, envergonhar, acobardar, aviltar, descompor, desonrar, desprezar, ultrajar, vituperar, vexar, sobrepujar, acometer, enxovalhar *fig.* ≠ **desafrontar**, desagravar, desultrajar 3 **afligir**, agoniar, ansiar, abafar, apertar, dardar *fig.* 4 **aguentar**, suportar, tolerar

afrontar-se *v.* 1 **arrostar**, encarar, defrontar-se, avistar-se 2 **deparar-se**, encontrar 3 **comparar-se**, igualar-se, equiparar-se, ombrear-se, equivaler-se, rivalizar, medir-se

afrontoso *adj.* 1 **injurioso**, humilhante, indecoroso, infamante, insultuoso, provocador, ultrajante, vergonhoso, vexatório, aviltante 2 **fatigante**, incomodativo, sufocante

afrouxamento *n.m.* 1 **enfraquecimento**, amortecimento, relaxação, abrandamento, adoçamento ≠ **fortalecimento** 2 **debilidade**, frouxidão, frouxeza

afrouxar *v.* 1 **abrandar**, reduzir, amainar, desentesar, amortecer, debilitar, desapertar, desalentar, desanimar, diminuir, enfraquecer, moderar, relaxar, retardar, entibiar, remitir, suxar, abater ≠ **agravar**, apertar 2 **relaxar-se**, decair, arrefecer, desfalecer, fraquejar, laxar, encolher, esfriar, murchar, entibiar-se, estiar

afrouxar-se *v.* **descuidar-se**, descurar-se, negligenciar, relaxar-se, desleixar-se

afugentar *v.* **expulsar**, escorraçar, espantar, enxotar, banir, afastar, repelir, desbaratar, debandar, dispersar, desvanecer, impelir, expelir, dissipar, extinguir, rechaçar, varrer, sacudir ≠ **atrair**, chamar

afundamento *n.m.* **abaixamento**, depressão, submersão ≠ **alteamento**, elevação, alçadura

afundar *v.* 1 **submergir**, mergulhar, afundir, alagar, abaixar, fundear ≠ **emergir**, aflorar, desafundar 2 **aprofundar**, profundar, examinar, escavar, penetrar

afundar-se *v.* 1 **imergir**, submergir-se, soçobrar, naufragar, abismar-se, alagar-se, subverter-se, sorver-se, afocinhar-se *fig.* ≠ **emergir**, atonar 2 **enterrar-se**, atolar-se, acravar-se 3 **descer**, abaixar 4 **embrenhar-se**, penetrar, mergulhar *fig.* 5 *fig.* **falhar**, arruinar-se, frustrar-se, malograr-se, baldar-se 6 *fig.* **desaparecer**, perder-se, sumir-se

afunilamento *n.m.* **adelgaçamento**, estreitamento ≠ **engrossamento**, alargamento

afunilar *v.* **estreitar**, aguçar, adelgaçar ≠ **engrossar**, alargar

agachar *v.* **acocorar**, abaixar, esconder, ocultar, encobrir ≠ **erguer**, levantar

agachar-se *v.* 1 **abaixar-se**, acaçapar-se, acocorar-se, alapardar-se, anichar-se, curvar-se, debruçar-se, encolher-se, inclinar-se, alapar-se, assapar-se *col.* ≠ **erguer-se**, levantar-se, desalapar-se 2 *fig.* **ceder**, render-se, submeter-se, sujeitar-se, acovardar-se ≠ **resistir**, enfrentar 3 *fig.* **rebaixar-se**, humilhar-se, prostrar-se ≠ **valorizar-se**

agarotado *adj.* 1 **acriançado**, pueril, infantil, menineiro, meninil, agaiatado 2 **traquina**, travesso, estouvado 3 **ingénuo**, imaturo, infantil, menineiro, meninil

agarrado *adj.* 1 **preso**, seguro, fixo, unido ≠ **solto**, lasso 2 **obstinado**, teimoso, tacanho 3 **avarento**, avaro, somítico, sovina, mesquinho, usurário, acanhado, económico, poupado ≠ **esbanjador**, gastador, esbalgidor

agarrar *v.* 1 **segurar**, pegar, apanhar, filar, abotoar, apreender, garrear, gazofilar *col.*, catrafilar *col.*, trancafilar *col.* ≠ **soltar**, largar 2 **aprisionar**, prender, prear, engazofilar *col.*, trincafiar *fig.* ≠ **libertar**, soltar 3 **apoderar-se**, alcançar, arrepanhar, arrebatar, colher, pilhar, conseguir, empolgar, obter, tomar, abaganhar

agarrar-se *v.* 1 **segurar-se**, escorar-se, emparar-se, apoiar-se, acarrapatar-se *fig.* ≠ **soltar-se** 2 **apertar**, comprimir ≠ **largar**, soltar 3 **prender-se**, colar-se, fixar-se, unir-se ≠ **despegar-se**, sair 4 **dedicar-se**, aplicar-se, entregar-se, esforçar-se ≠ **abandonar**, deixar, enjeitar 5 **apoiar-se**, confortar-se, consolar-se, recorrer, valer-se 6 **apegar-se**, afeiçoar-se 7 **importunar**, aborrecer, perseguir, acarraçar-se *fig.*

agasalhar *v.* 1 **aconchegar**, abafar, abrigar, acarinhar, aquecer, cobrir, conservar, embrulhar, enroupar, empapelar, emparar, esconder, guardar, resguardar, amantilhar ≠ **desgasalhar**, desenroupar 2 **albergar**, acolher, alojar, hospedar, acomodar, arrecadar, arrumar, auxiliar, recolher, acoitar, nutrir, proteger, patrocinar ≠ **desabrigar**, desagasalhar

agasalho *n.m.* 1 **abafo**, abrigo, conchego, quentura 2 **acolhimento**, alojamento, guarida, hospedagem, pousada, cómodo, teto, conchego, abrigo 3 **proteção**, valimento, resguardo, conchego, amparo

agastamento *n.m.* 1 **zanga**, irritação, ira, cólera, assomo, arrufo, birra, perrice ≠ **desagastamento**, apaziguamento 2 **aborrecimento**, enfado, tédio, amuo, fadiga, mau humor, escabreação ≠ **desagastamento** 3 **pesar**, enojo, nojo, aflição ≠ **desagastamento** 4 **ânsia**, ansiedade, impaciência, freimaço [REG.] ≠ **desagastamento**

agastar *v.* **arreliar**, irritar, irar, afrontar, encolerizar, enraivecer, assanhar, afligir, arrufar, enfadar, espinhar

agastar-se *v.* **irritar-se**, aborrecer-se, zangar-se, arreliar-se, enfurecer-se, encolerizar-se, apoquentar-se, acirrar-se, exasperar-se, enervar-se, amofinar-se, impacientar-se, indignar-se, amuar, afinar, anojar-se, embespinhar-se, arrufar-se, estomagar-se, ofender-se, melindrar-se, ressentir-se, esbravejar, esquentar-se, escabrear-se, azoar-se, aperrear-se, desabrir-se

agência *n.f.* 1 **diligência**, atividade, trabalho, agenciamento, granjeio, indústria, mister ≠ **preguiça**, indolência, calaça, molanqueirice, ralassaria 2 **filial**, sucursal, escritório 3 **administração**

agenciador *adj.,n.m.* **ativo**, empreendedor, trabalhador, fura-bolo [BRAS.] *col.* ≠ **preguiçoso**, indolente

agenciar *v.* 1 **conseguir**, adquirir, apanhar, alcançar, ganhar, granjear, obter, colher 2 **administrar**, gerir, cuidar 3 **diligenciar**, trabalhar, empenhar-se, esforçar-se, procurar, promover, trafegar *fig.*, manivelar *fig.* 4 **negociar**, tratar, contratar, especular, traficar *ant.*

agenda *n.f.* **facienda**, vade-mécum, calepino, ementário

agente *adj.2g.* **ativo**, enérgico ■ *n.m.* 1 **causa**, motivo, causador, motor, força, princípio, instrumento, móbil, propulsor, reagente 2 **intermediário**, representante, comissário, solicitador, corretor [BRAS.], medianeiro, transmissor, procurador, encarregado, enviado ■ *n.2g.* **polícia**, autoridade

agigantamento *n.m.* **engrandecimento**, exagero

agigantar *v.* **avolumar**, aumentar, engrandecer, alongar, exagerar, avultar, crescer ≠ **apequenar**, diminuir

agigantar-se *v.* 1 **aumentar**, avultar-se, avolumar-se, ampliar-se, crescer ≠ **diminuir** 2 **engrandecer-se**, crescer 3 **distinguir-se**, destacar-se, sobressair

ágil *adj.2g.* 1 **ligeiro**, lesto, leve, veloz, vivo, pronto, rápido ≠ **lento**, lerdo, vagaroso 2 **destro**, hábil, desenvolto, desembaraçado, despachado, expedito, habilidoso, jeitoso, sacudido *fig.*, desempenado *fig.* ≠ **ineficiente**, preguiçoso

agilidade *n.f.* 1 **flexibilidade**, mobilidade, elasticidade ≠ **rigidez** 2 **ligeireza**, soltura, desenvoltura, desembaraço, presteza, leveza, viveza, vivacidade ≠ **lentidão**, morosidade 3 **habilidade**, destreza ≠ **inabilidade**

ágio *n.m.* 1 **comissão**, corretagem, percentagem 2 **especulação**, usura 3 **juro**, lucro

agiota *n.m.* 1 **usurário**, interesseiro, onzeneiro, onzenário, zângano, logreiro *ant.* 2 **penhorista**, preguista, prestamista

agiotagem *n.f.* **usura**, especulação, onzenaria

agiotar *v.* 1 **especular**, traficar, agenciar, negociar 2 **usurar**

agir *v.* 1 **atuar**, proceder, operar, obrar, manobrar, realizar, praticar, mover-se 2 **intervir**, ingerir-se

agitação *n.f.* 1 **alvoroço**, bulha, bulício, desassossego, frenesi, polvorosa, rebuliço, efervescência, ebulição, tormenta, agitamento, barafusta, fermentação *fig.* ≠ **sossego**, quietude, calmaria, acalmação, acalmamento 2 **abalo**, abalamento, balanço, convulsão, estremecimento, mexida, movimento, sacudidela, trepidação, tremura, agitamento, euripo ≠ **estabilidade**, inércia 3 **ansiedade**, inquietação, nervosismo, impaciência, perturbação, conturbação, comoção, emoção, agitamento ≠ **serenidade**, sossego, tranquilidade 4 **motim**, desordem, confusão, revolta, conflito, revolução, sublevação, tumulto, agitamento, sedição, alevanto 5 **fúria**, furor, irritação, agitamento, febre *fig.* ≠ **calma**, impassibilidade

agitado *adj.* 1 **aflito**, ansioso, convulsivo, convulso, desinquieto, exaltado, furioso, impetuoso, inquieto, nervoso, desvairado, perturbado ≠ **calmo**, tranquilo, sossegado 2 **revolto**, tempestuoso, alterado ≠ **calmo**, tranquilo, sossegado

agitador *adj.,n.m.* **perturbador**, provocador, inquietador, fomentador, revolucionário, amotinador, alvorotador ≠ **apaziguador**, pacificador

agitar *v.* 1 **abanar**, sacudir, vibrar, brandir, abalar, mexer, mover, movimentar, encapelar, balançar, alterar, apressar 2 **amotinar**, alvoroçar, desassossegar, estimular, excitar, fomentar, incitar, inquietar, revolucionar, alvorotar, sublevar, suscitar, debater, comover, impressionar, perturbar ≠ **acalmar**, desalterar 3 **discutir**, ventilar

agitar-se *v.* 1 **remexer-se**, revolver-se, revirar-se, mexer-se, bulir, convolver-se 2 **abanar**, tremer, oscilar 3 **debater-se**, contorcer-se, estrebuchar, estorcer-se, escabujar, espernear 4 **inquietar-se**, preocupar-se, enervar-se, perturbar-se, soçobrar-se 5 **tumultuar**, fervelhar, referver 6 **encapelar**, encrespar-se, estuar 7 NÁUT. **panejar**, grivar

aglomeração *n.f.* **acumulação**, agregado, agrupamento, montão, pilha, pinha, massa, ajuntamento, amontoado, reunião, concentração, amontoação, amontoamento, acastelamento ≠ **desaglomeração**, desacumulação, desamontoação, desamontoamento

aglomerado *adj.* **reunido**, amontoado, unido, junto, ligado, aglutinado ≠ **desaglomerado**, desamontoado ■ *n.m.* **aglomeração**, conjunto, associação, junção, massa

aglomerar *v.* **amontoar**, acumular, juntar, ajuntar, empilhar, aglutinar, agregar, conglomerar, enfeixar, reunir, apinhar, condensar, conglobar ≠ **desaglomerar**, desamontoar, desacumular

aglutinação *n.f.* **junção**, ligação, união, coalescência, aderência, aglutinamento, apegamento ≠ **desunião**, separação

aglutinante *adj.2g.* **1 aglutinativo**, conglutinante, grudante, colante ≠ **descolante**, antiaglutinante **2 aderente**, pegajoso, viscoso

aglutinar *v.* **unir**, aglomerar, apegar, grudar, juntar, justapor, colar, ligar, reunir, consolidar, soldar, aderir, pegar, coalescer ≠ **separar**, apartar

aglutinar-se *v.* **unir-se**, juntar-se, combinar-se, ligar-se, amalgamar-se, colar-se, grudar-se, aglomerar-se, associar-se, intermisturar-se ≠ **separar-se**, despegar-se

agnóstico *adj.,n.m.* **ateu**, agnosticista

agoirar *v.* **vaticinar**, adivinhar, antever, predizer, prever, profetizar, pressagiar, futurar, pressentir, conjeturar, prognosticar, augurar

agoireiro *adj.* **agoirento**, azarento, fatídico, supersticioso ▪ *n.m.* **adivinho**, adivinhador, vidente, arúspice, áugure, profeta, vaticinador

agoirento *adj.* **agoireiro**, azarento, fatídico, supersticioso, aziago, nefasto

agoiro *n.m.* **presságio**, adivinhação, augúrio, predição, prognóstico, vaticínio, prenúncio

agonia *n.f.* **1 angústia**, afligimento, martírio, tormento, desgosto, inquietação, temor ≠ **serenidade**, tranquilidade **2 ânsia**, ansiedade ≠ **calma**, sossego **3 estertor**, vasca, transe, falecimento, morte, desfecho *fig.*, fim *fig.*, final *fig.* **4 enjoo**, náusea, vascas

agoniado *adj.* **1 angustiado**, aflito, congoxado *ant.* **2** *col.* **enjoado**, nauseado

agoniar *v.* **1 agonizar**, enjoar, nausear, indispor **2 atormentar**, apoquentar, agastar, amargurar, angustiar, atribular, consumir, desgostar, mortificar, oprimir, torturar, vexar, desinquietar, inquietar, irritar, magoar, molestar, enfadar, penalizar, apesarar, averrumar *fig.* ≠ **acalmar**, serenar

agoniar-se *v.* **1 afligir-se**, apoquentar-se, preocupar-se, ralar-se, angustiar-se, atormentar-se, consumir-se, mortificar-se, amofinar-se, acravar-se *fig.* **2 indispor-se**, enjoar, nausear **3 encolerizar-se**, enfurecer-se, agastar-se, irritar-se, aborrecer-se, zangar-se, arreliar-se, acirrar-se, exasperar-se, enervar-se, amofinar-se, impacientar-se

agonizante *adj.2g.* **1 moribundo**, expirante, expirador **2 decadente**, murcho, enfezado **3 aflitivo**, angustiante, atormentador

agonizar *v.* **1 afligir**, angustiar, atormentar, desgostar, torturar, flagelar, martirizar, penalizar **2 estertorar**, finar-se, estertorizar

agora *adv.* **1 atualmente**, presentemente, hoje ≠ **antes**, antigamente **2 já**, imediatamente ≠ **depois**, posteriormente

agourar *v.* **vaticinar**, adivinhar, antever, predizer, prever, profetizar, pressagiar, futurar, pressentir, conjeturar, prognosticar, augurar

agourento *adj.* **agoireiro**, azarento, fatídico, supersticioso, aziago, nefasto

agouro *n.m.* **presságio**, adivinhação, augúrio, predição, prognóstico, vaticínio, prenúncio

agraciar *v.* **1 condecorar**, galardoar, distinguir, honrar, recompensar **2 amnistiar**, perdoar, indultar **3 aformosear**, alindar, ornar, favorizar, embelezar ≠ **desformosear**, desfear, afear

agradado *adj.* **satisfeito**, deleitado, contente ≠ **desagradado**, descontente, insatisfeito

agradar *v.* **1 encantar**, deliciar, deleitar, contentar, comprazer, aprazer, lisonjear, prazer, satisfazer, simpatizar, quadrar ≠ **desagradar**, descontentar, aborrecer, desgostar, encanzoar **2** [BRAS.] **acarinhar**, afagar, amimar

agradar-se *v.* **1 apaixonar-se**, afeiçoar-se, enamorar-se **2 gostar**, apreciar, prezar **3 comprazer-se**, deleitar-se, deliciar-se

agradável *adj.2g.* **1 delicado**, delicioso, doce, encantador, engraçado, galante, gentil, gracioso, alegre, risonho, atraente, belo, lindo, bonito, meigo, cortês, amável, afável, sedutor, simpático ≠ **desagradável**, detestável **2 aprazível**, atrativo, deleitoso, ameno, bom, grato, caro ≠ **desagradável**, detestável **3 cómodo**, confortável ≠ **desagradável**, desconfortável **4 macio**, suave, ameno ≠ **desagradável**

agradecer *v.* **gratular**, reconhecer, recompensar, gratificar, agraciar, remunerar, retribuir, remercear *ant.*, regraciar *ant.* ≠ **desagradecer**

agradecido *adj.* **grato**, reconhecido, obrigado, penhorado ≠ **desagradecido**, ingrato

agradecimento *n.m.* **1 reconhecimento**, graça, gratidão, gratulação ≠ **desagradecimento**, ingratidão **2 gratificação**, recompensa, remuneração, paga, pago *ant.*

agrado *n.m.* **1 aprazimento**, contentamento, contento, gosto, prazer, alegria, satisfação ≠ **desagrado**, desprazer, desgosto **2 aprovação**, consentimento ≠ **desaprovação** **3 afabilidade**, amabilidade, amenidade, gentileza, cortesia, urbanidade, graça ≠ **desafabilidade**, rudeza, descortesia, indelicadeza **4** [BRAS.] **carinho**, mimo, festa, doçura

agrafo *n.m.* **grampo**

agrário *adj.* **1 campesino**, campestre, rural, rústico **2 agricultor**, camponês

agravação *n.f.* **1 aumento**, agravamento, agravo ≠ **diminuição**, redução **2 ofensa**, vexame, vexação, afronta, gravame, dano, insulto, ultraje, desonra, injúria, vitupério, opróbrio, agravo, agravamento ≠ **desagravo**, desafronta **3 piora**, pioria, agravo, agravamento ≠ **melhoria**, melhora

agravamento *n.m.* 1 **aumento**, agravação, agravo ≠ **diminuição**, redução 2 **ofensa**, vexame, vexação, afronta, gravame, dano, insulto, ultraje, desonra, injúria, vitupério, opróbrio, agravo, agravação ≠ **desagravo**, desafronta 3 **piora**, pioria, agravo, agravação, deterioramento ≠ **melhoria**, melhora

agravante *adj.2g.* 1 **agravativo**, negativo, agravador ≠ **atenuante**, atenuador 2 **ofensivo**, vexatório ≠ **desafrontado** ■ *n.2g.* **apelante**, queixoso ■ *n.f.* ≠ **atenuante**

agravar *v.* 1 **piorar** ≠ **atenuar**, melhorar, diminuir 2 **vexar**, exacerbar, ferir, importunar, incomodar, irritar, magoar, molestar, ofender, assanhar, injuriar, indispor ≠ **desagravar**, desafrontar 3 **sobrecarregar**, carregar ≠ **atenuar**, aliviar 4 **onerar**, aumentar, avultar ≠ **atenuar**, aliviar

agravar-se *v.* 1 **piorar**, complicar-se, agudizar--se, exacerbar-se, aumentar, acentuar-se, engravescer, recrudescer ≠ **atenuar-se**, melhorar 2 **ofender-se**, melindrar-se

agravo *n.m.* **ofensa**, afronta, dano, desonra, injúria, gravame, insulto, ultraje, vexame, vexação, vitupério, agravamento, agravação ≠ **desagravo**, desafronta, vingação

agredir *v.* 1 **acometer**, atacar, espancar, ferir, assaltar, arremeter, sovar 2 **insultar**, injuriar, provocar, doestar, cimbrar *fig.,ant.* ≠ **desafrontar**, desagravar, desultrajar

agregação *n.f.* 1 **adjunção**, aglomeração, ajuntamento, anexação, incorporação, reunião, união, acumulação, associação, junção ≠ **desagregação**, fragmentação, desunião 2 **montão**, conjunto

agregado *adj.* **associado**, adjunto, anexo ≠ **desagregado**, fragmentado ■ *n.m.* 1 **aglomerado**, conjunto, complexo, reunião, união, acervo, ajuntamento, junção, montão, grupo 2 **serviçal**, criado

agregar *v.* **congregar**, aglomerar, amontoar, ajuntar, agrupar, acumular, incorporar, jungir, juntar, justapor, reunir, unir, cumular, misturar, associar, anexar, admitir, acrescentar, acrescer, adir, arrebanhar ≠ **desagregar**, fragmentar, desunir, atorçoar

agremiação *n.f.* 1 **associação**, reunião 2 **clube**, comunidade, grémio, grupo, sociedade

agremiar *v.* **agrupar**, reunir, associar, incluir, ligar ≠ **desagrupar**, desassociar

agressão *n.f.* 1 **ataque**, acometimento, assalto, investida, acometida 2 **pancada**, apaleamento, catatau *col.* 3 **insulto**, ofensa, injúria, provocação, cacholeta *fig.* ≠ **desagravo**, desafronta

agressividade *n.f.* 1 **hostilidade**, violência, provoação 2 **combatividade**, belicosidade

agressivo *adj.* 1 **ofensivo**, hostil, belicoso, violento ≠ **brando**, calmo 2 **bravo**, combativo 3 **provocador** ≠ **apaziguador**, moderado

agressor *adj.,n.m.* 1 **atacante**, assaltador, salteador 2 **provocador**, ofensor, instigador, invasor ≠ **apaziguador**, moderado

agreste *adj.2g.* 1 **campesino**, campestre, camponês, campesinho, montanhês, montesinho 2 **inclemente**, rigoroso, áspero ≠ **ameno**, calmo 3 *fig.* **rude**, rústico, tosco 4 *fig.* **indelicado**, labrosta, desagradável, intratável, boçal, bravio, bravo, brusco, grosseiro ≠ **delicado**, agradável

agrícola *adj.2g.* 1 ≠ **antiagrícola** 2 **rural** ■ *n.m.* **agricultor**, lavrador, cultivador

agricultar *v.* **cultivar**, lavrar, arar, amanhar, granjear, arrotear, rotear, aproveitar

agricultor *n.m.* 1 **lavrador**, cultivador, agrário, granjeiro, roceiro, agrícola, granjeeiro 2 **agrónomo**

agricultura *n.f.* 1 **lavra**, lavoura, cultura, cultivo, lavrada 2 **agrografia**, agronomia

agridoce *adj.2g.* **acre-doce**, agrodoce, doce--amargo, agridulce

agrilhoar *v.* 1 **aferrolhar**, acorrentar, agrilhetar, prender, amarrar, encadear, ferropear ≠ **libertar**, soltar 2 *fig.* **constranger**, coartar, reprimir, manietar ≠ **desconstranger** 3 *fig.* **subjugar**, oprimir, escravizar, vincular ≠ **libertar**, soltar

agrimensura *n.f.* **agrimensão**, arpentagem

agro *adj.* 1 **ácido**, acre, azedo, acerado, acerbo, acetoso, áspero, amargo ≠ **doce** 2 *fig.* **íngreme**, inacessível, escabroso, fragoso, áspero ≠ **plano**, suave 3 *fig.* **desabrido**, desagradável, inclemente, severo, rigoroso ≠ **agradável**, amável, doce 4 *fig.* **sombrio**, triste, melancólico 5 *fig.* **árduo**, dificultoso, rigoroso, difícil, penoso ≠ **fácil** ■ *n.m.* 1 *ant.* **campo** 2 *fig.* **agrura**, amargor, amargura, aflição, desgosto, pena, azedume ≠ **afabilidade**, amabilidade 3 *fig.* **escabrosidade**, fragosidade

agrupado *adj.* **reunido**, associado, grupado, acorrilhado ≠ **separado**, disperso

agrupamento *n.m.* 1 **ajuntamento**, junção, reunião, aglomeração, agrupação ≠ **afastamento**, dispersão 2 **grupo**, sociedade, tertúlia, clube

agrupar *v.* **juntar**, reunir, amontoar, ajuntar, apinhoar, associar, unir, acumular, aliar ≠ **separar**, afastar, dispersar

agrura *n.f.* 1 **acidez**, acritude, acridez, pique, pico *fig.* ≠ **doçura** 2 **escabrosidade**, fragosidade, aspereza 3 **penedia**, escarpa, alcantil, fraguedo, rocha, fragaredo [REG.] 4 *fig.* **aspereza**, azedume, amargura, rispideza, durez, acerbidade, rudeza, agrimónia ≠ **doçura**, serenidade 5 *fig.* **contrariedade**, dissabor, aflição, desgosto

água *n.f.* 1 **bua** *infant.* 2 **chuva** 3 **hidrosfera** 4 **pranto**, choro, lágrimas 5 **infusão**, caldo, cozimento **6** **linfa** *poét.* **7** *fig.* **limpidez**, transparência, diafanidade, translucidez **8** [*pl.*] **ondas**, mar **9** [*pl.*] **urina** **10** [*pl.*] **termas**

aguaceiro *n.m.* **1** **chuvada**, bátega, borrasca, bategada, chuvasco, escarduçada, pé-d'água, saraivada, salseirada, salseiro **2** *fig.* **contratempo**, desgraça, transtorno, infortúnio, infelicidade, azar, dificuldade **3** *fig.* **arrufo**, zanga, amuo

aguada *n.f.* **dilúvio**, cigarrada, chuvada, bátega, aguaceiro, zurvada [REG.]

aguado *adj.* **1** **diluído** **2** **humedecido** **3** **malogrado**, contrariado, estragado, fracassado, estorvado **4** **insípido**, diluído, sensaborão, deslavado *fig.* **5** **chuvoso** **6** *fig.* **apagado**, apático, mortiço, froixo ≠ **ativo**, vivo

água-furtada *n.f.* **mansarda**, sótão, desvão, trapeira, sobrecâmara

água-pé *n.f. pej.* **zurrapa**, mistela, juliana, gaspoia

aguar *v.* **1** **banhar**, deslavar, barrufar, humedecer, lavar, molhar, regar, caldear, diluir, aguarelar **2** *fig.* **enfraquecer**, frustrar, estragar, malograr, perturbar, definhar, minguar, desgostar, destemperar, diminuir, interromper, esvaecer, turvar **3** **desejar**, salivar, ougar *col.*

aguardar *v.* **1** **esperar** **2** **acatar**, obedecer, respeitar **3** **velar**, vigiar, observar, olhar, guardar, espreitar **4** **acompanhar**, escoltar, cortejar, proporcionar

aguardente *n.f.* **bagaceira**, brande, bicha *col.*, girgolina *col.*, ardina [REG.], fervura [REG.], branca [BRAS.], branquinha [BRAS.], sete-virtudes [BRAS.], teimosa [BRAS.], jeribita [BRAS.], jeripiti [BRAS.], minduba [BRAS.], cachaça [BRAS.], mandureba [BRAS.], cana [BRAS.], caninha [BRAS.], parati [BRAS.]

águas-furtadas *n.f.pl.* **mansarda**, sótão, desvão, trapeira, sobrecâmara

água-viva *n.f.* ZOOL. **alforreca**, medusa

aguça *n.m.* **apara-lápis**, afiador, afiadeira

aguçado *adj.* **1** **afiado**, cortante **2** **pontiagudo**, fino, assobiado [REG.] ≠ **rombo**, grosso, achamorrado, obtuso, rombudo **3** *fig.* **apurado**, agudo, perspicaz ≠ **desatento**, lento

aguçar *v.* **1** **afiar**, afilar, adelgaçar, aparar, amolar, desembotar, pontar, enfunilar, afusar, arestizar, espicular ≠ **alargar**, engrossar, desaguçar **2** *fig.* **animar**, estimular, excitar, incitar, instar, provocar, apressar, apressar, avivar, diligenciar, espertar, impelir ≠ **acalmar**, esfriar

aguçar-se *v.* **1** **afilar-se**, adelgaçar-se **2** **esforçar-se**, aplicar-se

agudez *n.f.* **1** **gume**, fio, acuidade, finura, aguçamento, agudeza **2** *fig.* **argúcia**, astúcia, destreza, engenho, esperteza, habilidade, perspicácia, sagacidade, subtileza, agudeza ≠ **inépcia**, lentidão

agudeza *n.f.* **1** **gume**, fio, acuidade, finura, aguçamento, agudez ≠ **obtusão** **2** *fig.* **argúcia**, astúcia, destreza, engenho, esperteza, habilidade, perspicácia, sagacidade, subtileza, agudez ≠ **inépcia**, lentidão

agudizar *v.* **agravar**, exacerbar, empiorar ≠ **atenuar**, aliviar, abemolar *fig.*

agudo *adj.* **1** **aguçado**, pontudo, bicudo, pontiagudo, afilado, afiado, aflautado, fino, adelgaçado ≠ **rombo**, redondo **2** *fig.* **forte**, pungente, violento, intenso ≠ **leve**, ligeiro **3** *fig.* **penetrante**, perfurante, incisivo **4** *fig.* **arguto**, perspicaz, esperto, penetrante ≠ **mortiço**, apagado **5** *fig.* **irónico**, satírico, mordaz, dicaz ≠ **construtivo** **6** GRAM. **oxítono** **7** MÚS. **alto**, aflautado ≠ **baixo**, grave

aguentar *v.* **1** **sustentar**, resistir, suportar, suster, tolerar, aturar, comportar, amparar, carregar, reter, segurar, sofrer, manter, equilibrar, amochar **2** **enfrentar**, defrontar, acarar ≠ **sucumbir**, soçobrar

aguentar-se *v.* **1** **firmar-se**, segurar-se, sustentar-se **2** **conter-se**, segurar-se, comedir-se, moderar-se **3** **resistir**, conservar-se **4** **desembaraçar-se**, arranjar-se, avir-se

aguerrido *adj.* **1** **temerário**, valente, valoroso, corajoso, destemido, audaz, animoso, atrevido ≠ **medroso**, cobarde **2** **esforçado**, combativo

aguerrir *v.* **1** **aguerrear** **2** **fortalecer**, encorajar

aguilhão *n.m.* **1** **ferrão**, acúleo, alfinete, pico, pua, espinho, mucrão, aguilhada, espículo, guilho **2** *fig.* **estímulo**, estimulação, estimulante, incentivo, incitamento, instigação **3** *fig.* **tormento**, sofrimento, remorso, irritamento

aguilhar *v.* **1** **aguilhoar**, esporear, espicaçar, aferroar, aferretoar, agulhar, ferretoar, picar **2** *fig.* **ferir**, pungir, magoar, irritar, atormentar **3** *fig.* **ativar**, animar, estimular, excitar, impelir, incitar, instigar, provocar, acelerar, apressar, espertar

aguilhoada *n.f.* **1** (agulha) **picada** **2** (dor) **pontada**, agulhada **3** *fig.* **instigação**, incitamento, acotovelamento

aguilhoar *v.* **1** **aguilhar**, esporear, espicaçar, aferroar, aferretoar, agulhar, ferretoar, picar, aculear **2** *fig.* **ferir**, pungir, magoar, irritar, atormentar **3** *fig.* **ativar**, animar, estimular, excitar, impelir, incitar, instigar, provocar, acelerar, apressar, espertar

agulha *n.f.* **1** (relógio) **ponteiro** **2** ARQ. **obelisco** **3** **caruma**, carunha, mondilho [REG.] **4** ICTIOL. **peixe-agulha**, espadarte **5** *fig.* (vinho) **pico**, acidez, pique **6** *fig.* **intriga**, maledicência, sarcasmo, troça, zombaria

agulhada *n.f.* **1** (agulha) **picada** **2** (dor) **pontada** **3** *fig.* **instigação**, incitamento **4** (linha) **enfiadura**

agulhão *n.m.* **1** **bússola** **2** ICTIOL. **peixe-agulha**

ai *n.m.* 1 **lamento**, gemido, grito, queixa, queixume 2 **suspiro**, soluço

aí *adv.* 1 **ali**, acolá, além, lá ≠ **aqui**, cá 2 **então**, ali

aia *n.f.* **camareira**, governanta, açafata, cuvilheira, criada de quarto, rascoa *ant.*, rascoeira *ant.*

aiar *v.* **suspirar**, gemer, gaiar, guaiar

ainda *adv.* 1 **até agora**, inda 2 **até então**, inda 3 **mais**, além disso, também, inda

aio *n.m.* 1 **camareiro**, escudeiro 2 **precetor**, pedagogo, mestre, instrutor, conselheiro

aipo *n.m.* BOT. **ache**, salsa-dos-pântanos

airoso *adj.* 1 **elegante**, engraçado, esbelto, galante, lindo, jeitoso, vistoso, gracioso, folheiro *fig.* ≠ **desairoso**, deselegante 2 **amável**, delicado, gentil, polido ≠ **indelicado**, desamável 3 **decente**, decoroso, digno, honesto, honroso ≠ **desairoso**, indecoroso, indecente, cloacino *fig.*

aixe *n.m. infant.* **ferimento**, axe *infant.*, dói-dói *infant.*

ajaezar *v.* 1 **arrear**, selar, albardar, aparelhar, apeirar 2 **adornar**, ornar, enfeitar, ataviar, adereçar ≠ **desadornar**, desenfeitar, desataviar, desornar

ajaezar-se *v.* **enfeitar-se**, adornar-se, ataviar-se, afestoar-se, arrear-se, empenar-se, ornamentar-se

ajeitar *v.* 1 **arranjar**, arrumar, amanhar, compor, endireitar, diligenciar, proporcionar, dispor, feitiar ≠ **desarrumar**, desarranjar 2 **adaptar**, afeiçoar, acomodar, conformar, acostumar, adjetivar, moldar, harmonizar ≠ **desadaptar**, desacomodar

ajeitar-se *v.* 1 **governar-se**, desembaraçar-se, desenvencilhar-se, arranjar-se, desenrascar-se 2 **preparar-se**, arranjar-se 3 **acomodar-se**, instalar-se 4 **acostumar-se**, habituar-se, amoldar-se 5 **surgir**, apresentar-se, oferecer-se

ajoelhação *n.f.* **genuflexão**

ajoelhado *adj.* 1 **genuflexo** 2 *fig.* **humilhado**, prostrado

ajoelhar *v.* 1 **genufletir** 2 *fig.* **humilhar-se**, submeter-se, prosternar-se, ceder, fraquejar, sucumbir, prostrar-se, curvar-se

ajoelhar-se *v.* 1 **genufletir**, arrodilhar-se 2 *fig.* **humilhar-se**, submeter-se, prosternar-se, ceder, fraquejar, sucumbir, prostrar-se, acurvar-se

ajoujar-se *v.* 1 **juntar-se** 2 **submeter-se**, sujeitar-se

ajuda *n.f.* 1 **auxílio**, socorro, coadjuvação, cooperação, apoio, achega, favor, assistência, benesse, reforço, demão, mão *fig.*, ancila *fig.* ≠ **desproteção**, desapoio 2 **ajudante**, auxiliar, adjutório 3 *col.* **clister**

ajudante *adj.,n.2g.* 1 **assistente**, auxiliário, adjunto, colaborador, assessor, acólito, ajudador 2 **subalterno**, substituto

ajudar *v.* 1 **auxiliar**, coadjuvar, socorrer, amparar, apoiar, assistir, acudir, apadrinhar, defender, proteger, secundar, fortalecer, valer, servir, suster, sustentar, subsidiar, acolitar ≠ **desajudar**, desauxiliar, desamparar, desservir 2 **acompanhar**, colaborar, concorrer, contribuir, corroborar, cooperar, ministrar ≠ **desacompanhar**, estorvar 3 **facilitar**, favorecer, propiciar, promover ≠ **dificultar**, desfavorecer

ajudar-se *v.* **valer-se**, servir-se, usar, aproveitar-se

ajuizado *adj.* 1 **atinado**, atilado, prudente, razoável, sensato, criterioso, discreto, judicioso, sentencioso ≠ **insensato**, imprudente, desvairado, abajoujado, abobado [BRAS.] 2 **avaliado**, julgado

ajuizar *v.* 1 **avaliar**, arbitrar, apreciar, calcular, computar, estimar, medir, opinar, esmar, reputar 2 **achar**, conjeturar, supor, julgar, considerar, ponderar, pensar, discernir, discorrer, arrazoar

ajuntamento *n.m.* 1 **aglomeração**, agrupamento, grupo, multidão, agregado, cardume, amontoamento 2 **acrescentamento**, acumulação, adição, anexação, aumento, junção, união 3 **reunião**, assembleia, junta, congregação 4 *col.* **mancebia**, concubinato 5 **acervo**, coleção, monte, pilha, pinha

ajuntar *v.* 1 **associar**, casar, matrimoniar, acasalar, emparelhar, irmanar, juntar, ligar, coligar, congraçar, conciliar, congregar, grudar, incorporar, pegar, reunir, unir, achegar, aliar ≠ **separar**, apartar, disjuntar 2 **aglomerar**, acumular, amontoar, apinhar, colecionar, coligir, compilar, adicionar, adir, agrupar, acrescentar, agregar, apensar ≠ **desaglomerar**, desamontoar, desacumular 3 **economizar**, amealhar

ajuntar-se *v.* 1 **juntar-se**, unir-se, agrupar-se, reunir-se, abandar-se, arrebanhar-se, associar-se, agremiar-se, incorporar-se, acrescer 2 **amancebar-se**, amantizar-se, amasiar-se, amigar-se, abarregar-se

ajustado *adj.* 1 **conforme**, adaptado, assente, coerente, certo, congruente, consentâneo, exato, proporcional, determinado ≠ **desajustado**, desfasado 2 **justo**, cingido, apertado *col.* ≠ **largo**, solto

ajustamento *n.m.* 1 **acerto**, ajuste, arranjo, concerto, compostura, harmonia ≠ **desajustamento**, desajuste, desarranjo 2 **adaptação**, ajuste, acomodamento ≠ **desajustamento**, desadaptação 3 **conciliação**, ajuste, combinação, combinado, contrato, convénio, convenção, concordata, concórdia, disposição, estipulação, pacto, pazes, tratado, trato ≠ **desajuste**, desacordo

ajustar *v.* 1 **acertar**, afinar, regular, alinhar ≠ **desajustar**, desregular 2 **adaptar**, adequar, amoldar, concertar, moldar, acomodar, harmonizar, conformar, talhar *fig.* ≠ desajustar, desadaptar **3 acordar**, combinar, contratar, conciliar, convencionar, reconciliar, estipular, negociar, pactuar ≠ **desajustar 4 inteirar**, perfazer, completar **5 estreitar**, apertar ≠ **desajustar**, alargar **6 estabelecer**, firmar, fixar, determinar, aprazar

ajustar-se *v.* **1 adaptar-se**, adequar-se, aclimar-se, aclimatar-se, moldar-se, afeiçoar-se ≠ **desadaptar-se**, desadequar-se, desajustar-se **2 acordar-se**, concordar **3 conformar-se**, coincidir, conciliar-se, harmonizar-se **4 convir**, adequar-se, calhar, quadrar

ajustável *adj.2g.* **adaptável**, aplicável, acomodável, amoldável ≠ **desacomodável**

ajuste *n.m.* **1 acerto**, arranjo, concerto, compostura, harmonia, ajustamento ≠ **desajuste**, desacerto **2 adaptação**, ajustamento, acomodamento ≠ **desajuste**, desadaptação **3 conciliação**, ajustamento, combinação, combinado, contrato, convénio, convenção, concórdia, concordata, disposição, estipulação, pacto, pazes, tratado, trato ≠ **desajuste**, desacordo

ala *n.f.* **1 fileira**, renque, enfiada, fila, reata **2 flanco**, lado **3** *ant.* **asa** ■ *interj.* **anda!**, eia!, larga!, puxa!, raspa-te!, retire-se!, safa!, saia!, siga!, vá!, vai-te!, vamos!

alabastro *n.m. fig.* **alvura**, brancura

alado *adj.* **1 aéreo**, volátil **2 leve**, ligeiro, rápido **3 gracioso**, elegante, airoso

alagadiço *adj.* **1 encharcado**, húmido **2 lamacento**, lodoso, pantanoso, atoladiço

alagado *adj.* **encharcado**, inundado, amarado, arneiroso [BRAS.]

alagamento *n.m.* **inundação**, submersão, cheia, aluvião, enchente, alagadela

alagar *v.* **1 submergir**, inundar, encharcar, banhar, ensopar, molhar, invadir, transbordar, acapelar, abrejar ≠ **secar**, enxugar **2** *fig.* **destruir**, arruinar, arrasar, demolir, derribar, derrubar, desperdiçar, afundar, dissipar, diruir

alagar-se *v.* **1 afundar-se**, imergir, submergir, naufragar, soçobrar **2 desabar**, desmoronar-se **3 inundar-se**, encharcar-se

alambazado *adj.* **1 alarve**, glutão, sôfrego, comilão **2 desajeitado**, grosseiro, abrutalhado, corpanzudo

alambazar-se *v. col.* **empanturrar-se**, abarrotar-se, atafulhar-se, empanzinar-se, fartar-se, encher-se, saciar-se, entulhar-se

alambicar *v.* **arrebicar**, aperfeiçoar, aprimorar, apurar, requintar, subtilizar, presumir

alambicar-se *v.* **afetar-se**, amaneirar-se

alambique *n.m.* **destilador**, alquitara, alquitarra

alameda *n.f.* **álea**, aleia, vial, avenida

álamo *n.m.* BOT. **choupo**

alapar *v.* **esconder**, ocultar

alar *adj.2g.* **aliforme** ■ *v.* **1 adejar**, esvoaçar, alear **2 erguer**, elevar, alçar, guindar, içar, levantar, puxar, rebocar

alaranjado *adj.,n.m.* (cor) **laranja**, cor de laranja

alarde *n.m.* **1 jactância**, bazófia, bravata, vaidade, gabo, presunção, vanglória, alardeamento, farronfa, estendal *fig.*, bufeira *fig.* **2 aparato**, ostentação, pompa, fausto

alardear *v.* **jactar-se**, vangloriar-se, gabar-se, blasonar, parlapatear, ostentar, bazofiar, espalhafatar, arrentar *col.*, bofar *fig.*, bufar *fig.*

alargamento *n.m.* **dilatação**, ampliação, aumento, extensão ≠ **estreitamento**, apertamento, afunilamento

alargar *v.* **1 ampliar**, amplificar, aumentar, desenvolver ≠ **estreitar**, diminuir, afunilar **2 afrouxar**, desapertar, dilatar, desencolher, descingir, desprender, desamarrar, soltar, relaxar ≠ **apertar**, encolher, cingir **3 prolongar**, prorrogar, alongar, estender ≠ **encurtar**

alargar-se *v.* **1 ampliar-se**, expandir-se, aumentar, crescer ≠ **estreitar**, encolher, afunilar-se **2 estender-se**, espraiar-se, espalhar-se, propagar-se **3 prolongar-se**, dilatar-se, continuar **4 afrouxar**, desentesar-se **5 alongar-se**, divagar, espraiar-se, desenvolver **6 exceder-se**, multiplicar-se, exorbitar ≠ **conter-se 7 esbanjar**, desperdiçar, esportular-se

alarido *n.m.* **gritaria**, grita, gritada, vozearia, algazarra, alvoroço, berreiro, brado, vociferação, choradeira, clamor, inferneira, escarcéu, celeuma, alarida, escandaleira, vozeirada [REG.]

alarma *n.m.* **1 rebate**, repique **2 gritaria**, vozearia, celeuma **3 pânico**, medo, inquietação, susto, terror, sobressalto **4 alvoroço**, confusão, perturbação, tumulto

alarmante *adj.2g.* **assustador**, preocupante, inquietante, alvoroçante ≠ **tranquilizador**

alarmar *v.* **alvoroçar**, agitar, sobressaltar, desassossegar, despertar, inquietar, perturbar, espantar, impressionar, assustar, aterrar, aterrorizar ≠ **acalmar**, tranquilizar, sossegar

alarme *n.m.* **1 rebate**, repique **2 gritaria**, vozearia, celeuma, conclamação **3 pânico**, medo, inquietação, susto, terror, sobressalto **4 alvoroço**, confusão, perturbação, tumulto

alarve *adj.,n.2g.* **1 comilão**, alambazado, glutão, guloso, grosseiro **2 abrutado**, brutal, bruto, rude, brutamontes, intratável, rústico, selvagem, idiota, estúpido, ignorante, parolo

alastramento *n.m.* **espalhamento**, propagação, difusão

alastrar *v.* **1 lastrar 2 espalhar**, propagar, difundir, estender, derramar, juncar, arramar

alastrar-se *v.* **1 alargar-se**, espalhar-se, difundir-se, estender-se, desenvolver-se, propagar-se, propalar-se, grassar, lavrar, viçar *fig.*, manir [REG.] **2** **encher-se**, cobrir-se

alavanca *n.f.* **1** palanca, alçaprema, panca **2** *fig.* **expediente**, motor, agente, instrumento

alavancar *v.* **1** **promover**, estimular ≠ **desincentivar**, despromover **2** **custear**, financiar

alba *n.f.* **alvorada**, alva, madrugada, arraiada, albor ≠ **anoitecer**, crepúsculo, noitinha

albacora *n.f.* ICTIOL. **atum**, alvacora, atum-de-galha-comprida, atum-voador, peixe-judeu, cachorra

albanês *adj.,n.m.* albano ■ *n.m.* **alvenel**, alvenéu

albano *adj.,n.m.* albanês

albarda *n.f.* **1** sela **2** *fig.* **opressão**, dominação

albardar *v.* **1** **selar**, aparelhar **2** *fig.* **humilhar**, oprimir, vexar **3** *fig.* **enganar**, lograr, aldrabar, engazupar *col.*, enzampar *col.*, adergar *col.* **4** *fig.* atabalhoar

albatroz *n.m.* ORNIT. alcatraz

albergar *v.* **1** **hospedar**, abrigar, recolher, acolher, alojar, agasalhar, aquartelar, acomodar, asilar, aposentar ≠ **desabrigar**, desacolher **2** *fig.* **conservar**, conter, encerrar

albergaria *n.f.* **1** **estalagem**, albergue, hospedaria, pousada, alojamento, estau **2** **asilo**, abrigo, albergagem, guarida

albergar-se *v.* **1** **hospedar-se**, pousar, alojar-se **2** **refugiar-se**, recolher-se

albergue *n.m.* **1** **albergaria**, hospedaria, pousada, estalagem, alojamento, estau **2** **abrigo**, asilo, guarida, refúgio **3** **hospital**, hospício

albino *adj.,n.m.* **aça** [BRAS.], aço [BRAS.]

albornoz *n.m.* gabão

albricoque *n.m.* BOT. **damasco**, alperce

albufeira *n.f.* **1** **abafeira**, laguna **2** **almofeira**, reima, amurca

albume *n.m.* **1** BOT. **endosperma**, perisperma **2** clara do ovo

albúmen *n.m.* **1** BOT. **endosperma**, perisperma, albume **2** **clara do ovo**, albume

alça *n.f.* **1** **suspensório** **2** **presilha**, aselha, asa, argola **3** **puxadeira** **4** **luvas**, gratificação, recompensa, donativo

alcácer *n.m.* **palácio**, cidadela, paço, alcaçaria

alcáçova *n.f.* **1** **fortaleza**, castelo, casa-forte, cidadela **2** [REG.] **lapa**, buraco, cova, fosso, furna

alçada *n.f.* **jurisdição**, competência, atribuição, domínio, autoridade, poder, peloiro

alçado *adj.* **1** **levantado**, erguido, alteado, exalçado **2** *fig.* **altivo**, enaltecido, orgulhoso ■ *n.m.* ARQ. **planta**, traçado

alcaide *n.m.* **1** HIST. **castelão**, governador, alcalde, caide **2** HIST. **oficial de justiça**, esbirro *ant.*, aguazil *ant.*, galfarro *ant.*, beleguim *ant.,pej.* **3** ORNIT. **tem-tem**

alcalino *adj.* QUÍM. **básico**, alcálico ≠ **ácido**, antialcalino

alcançado *adj.* **1** **conseguido**, obtido ≠ **inalcançado** **2** **atingido**, apanhado, agarrado ≠ **inalcançado** **3** **compreendido**, percebido, entendido ≠ **inalcançado** **4** **endividado**, empenhado **5** **enganado**, subtraído, pobre

alcançar *adj.* **1** **conseguir**, obter, adquirir, granjear, filar, abichar, abocar *fig.*, abeiçar *fig.*, biscoitar *fig.* **2** **abarcar**, abranger, abraçar **3** **atingir**, apanhar, agarrar, caçar **4** **avistar**, vislumbrar, divisar, topar **5** **chegar**, atingir ≠ **deixar**, partir **6** *fig.* **compreender**, perceber, entender, penetrar *fig.* **7** *col.* **engravidar**, conceber, gravidar **8** (pouco usado) **desfalcar**, defraudar

alcançar-se *v.* **1** **endividar-se**, arruinar-se, empenhar-se **2** **desfalcar**, defraudar

alcançável *adj.2g.* **acessível**, atingível ≠ **inalcançável**, inatingível, inacessível

alcance *n.m.* **1** **encalço**, perseguição, seguimento **2** **obtenção**, consecução, conseguimento **3** **distância**, abrangimento **4** **acesso**, chegada **5** **desvio**, desfalque **6** **compreensão**, entendimento **7** *fig.* **perspicácia**, inteligência, capacidade **8** *fig.* **importância**, interesse, valor

alcanço *n.m.* **1** **encalço**, perseguição, seguimento **2** **obtenção**, consecução, conseguimento **3** **distância**, abrangimento **4** **acesso**, chegada **5** **desvio**, desfalque **6** **compreensão**, entendimento **7** *fig.* **perspicácia**, inteligência, capacidade **8** *fig.* **importância**, interesse, valor

alcantil *n.m.* **1** **despenhadeiro**, precipício **2** **cume**, píncaro

alcantilada *n.f.* **despenhadeiro**, precipício, alcantilado

alcantilado *adj.* **1** **íngreme**, escarpado, abrupto, escabroso, fragoso, despenhado **2** **alto**, empinado, alcandorado

alçapão *n.m.* **armadilha**, esconderijo, arapuca [BRAS.]

alçar *v.* **1** **altear**, elevar, erguer, hastear, levantar, içar, alar, guindar, rebitar, arvorar, subir, empinar, encimar, sublevar, remontar, trepar, alcear, encabritar ≠ **baixar**, descer **2** **edificar**, erigir **3** **abalar**, fugir, sair **4** **aclamar**, celebrar, eleger, enaltecer, engrandecer, aumentar, exaltar, nomear, proclamar, promover, sublimar, exalçar ≠ **humilhar**, espezinhar

alçar-se *v.* **1** **levantar-se**, erguer-se, elevar-se, sobrelevar-se, guindar-se, altear-se, torrear-se **2** **engrandecer-se**, ensoberbecer-se, envaidecer-se **3** **revoltar-se**, amotinar-se, erguer-se, sublevar-se, rebelar-se, insurgir-se **4** **sobressair**, destacar-se, sobrelevar

alcateia *n.f.* *fig.* **quadrilha**, bando, súcia, malta

alcatifa *n.f.* **tapete**, tapeçaria, carpete, alfombra

alcatifar *v.* **atapetar**, tapetar, entapizar, alfombrar, juncar, esteirar, carpetar

alcatra *n.f.* **1** (rês) **quadril**, ancas **2** *col.,vulg.* **nádegas**, culatra *col.*, assento *col.*

alcatrão *n.m.* **1** **pez**, piche **2** (pavimento) **asfalto**, betume

alcatraz *n.m.* **1** ORNIT. **albatroz**, gaivotão, ganso-patola, mascato, pelagiano **2** *col.* **endireita**, algebrista *ant.*

alcatroar *v.* **asfaltar**, embrear, brear

alce *n.m.* ZOOL. **grã-besta**, rangífer, rangífero

alcofa *n.f.* **seira**, alcofinha, cesta, teiga ■ *n.2g.* **alcoviteiro**, alcaiote, medianeiro, alcofinha

álcool *n.m.* QUÍM. **etanol**, espírito *ant.*

alcoólatra *n.2g.* **alcoólico**, bêbedo, ébrio ≠ **abstémio**, sóbrio

alcoólico *n.m.* **1** ≠ **antialcoólico** **2** **alcoólatra**, bêbedo, ébrio ≠ **abstémio**, sóbrio

alcoolismo *n.m.* **1** ≠ **antialcoolismo** **2** **dipsomania**, etilismo

alcoolizado *adj.* **etilizado**, embriagado, bêbedo ≠ **sóbrio**, abstémio

alcoolizar *v.* **embebedar**, embriagar

alcoómetro[AO] ou **alcoômetro**[AO] *n.m.* QUÍM. **pesa-álcool**, alcoolómetro

alcorão *n.m.* **1** ORNIT. **alcaravão**, algrubão, galinha-do-mato, gazola, perluís, pirolé, piroliz, sisão, algravão, galinha do-monte **2** (com maiúscula) **Corão**, Moçafo **3** (com maiúscula) **islamismo**

alcova *n.f.* **1** **câmara**, cela, cubículo **2** *fig.* **abrigo**, refúgio

alcovitar *v.* **mexericar**, intrigar, enredar, alcaiotar, alcovetar, enrodilhar *fig.*, fuxicar [BRAS.]

alcoviteira *n.f.* **1** **medianeira**, alcaiota, alcofinha, alcofa, intercessora, casamenteira, casquilheira, achegadeira, agenciadeira *ant.*, alcarroteira [REG.] **2** **mexeriqueira**, bisbilhoteira, coscuvilheira, inculcadeira, inculcadora **3** *ant.* **proxeneta**

alcoviteiro *n.m.* **1** **alcaiote**, medianeiro, alcoveto, alcofa, alcofinha, intercessor, terceiro, rufião, rufia, alcofeiro, cuvilheiro *col.*, turgimão *fig.* **2** **mexeriqueiro**, intriguista, intrigante, alcofinha, enredador, inculcador, leva-e-traz **3** *ant.* **proxeneta**, corretor *col.*

alcunha *n.f.* **epíteto**, apelido, cognome, antonomásia, agnome, sobrenome, nome, apodo, denominação

alcunhar *v.* **apelidar**, denominar, cognominar, chamar, designar, taxar, apodar

aldeã *n.f.* **1** **camponesa**, montesina, lavradeira, viloa **2** **campesina**, provinciana, rústica, grosseira, rude, tosca, simples

aldeão *n.m.* **1** **camponês**, montesino, vilão, quinteiro ≠ **citadino**, urbano **2** **campesino**, provinciano, rústico, grosseiro, rude, tosco, simples

aldeia *n.f.* **povoação**, povoado, terra, lugarejo, casal, campo, campanário *fig.*, burgo, parvalheira *col.,pej.*, terriola *pej.*

aldeola *n.f.* **lugarejo**, casal, campo, terriola, aldeia, campanário *fig.*

aldino *adj.* TIP. **itálico**, grifo

aldraba *n.f.* **1** **batente**, argola **2** **ferrolho**, trinco, pedrês, pica-porta, taramela, tramelo

aldrabão *adj.,n.m.* **1** *col.* **intrujão**, impostor, mentiroso, trapaceiro, trafulha, astuto **2** *col.* **trapalhão**, incompetente, remendão *fig.,pej.*

aldrabar *v.* **1** *col.* **intrujar**, ludibriar, engrampar, vigarizar, enganar, imposturar, mentir ≠ **desenganar** **2** *col.* **atabalhoar**, atamancar, atrapalhar **3** **aferrolhar**, trancar

aldrabice *n.f.* **1** *col.* **falsidade**, impostura, intrujice, mentira, patranha, peta, trapaça, bluff **2** *col.* **trapalhice**, atabalhoamento

álea *n.f.* **alameda**, aleia, vial, avenida

aleatoriamente *adv.* **casualmente** ≠ **propositadamente**

aleatoriedade *n.f.* **casualidade**, eventualidade, contingência

aleatório *adj.* **casual**, contingente, eventual, fortuito, incerto, precário ≠ **certo**, determinado

alecrim *n.m.* BOT. (arbusto) **alecrineiro**, alecrinzeiro

alegação *n.f.* **1** **argumento**, razão, defesa, alegado, arrazoado, prova **2** **exposição**, proposição, asserção, alegado **3** **explicação**, justificação, alegado

alegado *n.m.* **1** **arrazoado**, argumento, razão, defesa, alegação **2** **exposto**, proposto, asserto, alegação **3** **explicação**, justificação, alegação

alegar *v.* **1** **argumentar**, citar, mencionar **2** **defender**, abonar, arguir, declarar, dizer, exemplificar, enumerar, referir, relatar, expor, provar, apontar, defender-se, justificar-se

alegoria *n.f.* **1** **imagem**, emblema, parémia **2** **fábula** **3** **parábola** **4** **mito**

alegórico *adj.* **figurativo**, alusivo, figurado, metafórico, simbólico

alegrar *v.* **1** **divertir**, distrair, deleitar, encantar, excitar, exultar, jubilar, reavivar, regozijar, recrear, desamuar, aliviar, animar, avivar, desmelancolizar ≠ **entristecer**, atristar, amuar, aburrar, embesourar **2** *col.* **embriagar**, embebedar **3** **aformosear**, alindar, embelezar ≠ **desformosear**, desfear, afear

alegrar-se *v.* **1** **exultar**, regozijar-se, rejubilar, folgar, contentar-se, jubilar, gaudiar, letificar-se ≠ **entristecer-se**, contristar-se, anojar-se **2** **divertir-se**, animar-se, desenfadar-se, distrair-se, espairecer, desanuviar

alegre *adj.2g.* **1** **contente**, jovial, feliz, gaiato, satisfeito, radioso, radiante, divertido, risonho, prazenteiro, galhofeiro, animado, gozoso, sorridente, cómico, engraçado, folgazão, jubiloso, festivo ≠ **triste**, acabrunhado, descontente, entristecido 2 **agradável**, prazível, gostoso ≠ **triste**, desagradável 3 **vistoso**, vivo, garrido ≠ **triste**, apagado 4 *col.* **embriagado**, tocado, patusqueiro, pingueiro, tomadote

alegrete *adj.2g.* 1 **alegre**, alegrote ≠ **triste**, acabrunhado, descontente, entristecido 2 **ébrio**, alegrote, tocado, pingado *col.* ■ *n.m.* **canteiro**, cômoro

alegria *n.f.* 1 **gáudio**, júbilo, exultação, contentamento, satisfação, regozijo, alegramento, animação, entusiasmo, graça, jovialidade, jucundidade, alacridade, ledice, letícia *poét.* ≠ **tristeza**, entristecimento, acabrunhamento 2 **agrado**, gosto, prazimento, prazer, deleite, encantamento, gozo ≠ **desprazimento**, desgosto, desagrado 3 **divertimento**, folia, festa, festejo, gala, folguedo, brincadeira

alegrote *adj.* 1 **alegre**, alegrete ≠ **triste**, acabrunhado, descontente, entristecido 2 **ébrio**, tocado, pingado *col.*

aleijado *adj.* 1 **deformado**, estropiado, mutilado 2 *col.* **ferido**, magoado, contuso

aleijão *n.m.* 1 **deformidade**, disformidade, defeito, mutilação, lesão, ferida, aleijamento 2 *fig.* **monstro**, monstruosidade, aberração, aborto *pej.*

aleijar *v.* 1 **estropiar**, mutilar, trilhar, deformar 2 **ferir**, lesar, magoar, contundir 3 **deturpar**, danificar, adulterar, estragar, prejudicar

aleijar-se *v.* 1 **magoar-se**, ferir-se, machucar-se [BRAS.] 2 *fig.* **deturpar-se**, deformar-se

aleitação *n.f.* **amamentação**, aleitamento, alactamento, alactação

aleitamento *n.m.* **amamentação**, aleitação, alactamento, alactação

aleitar *v.* 1 **amamentar**, alactar 2 (pouco usado) **clarear**, branquear

aleivosia *n.f.* 1 **traição**, deslealdade, infidelidade, insídia, perfídia, felonia 2 **calúnia**, injúria, infâmia, ignomínia 3 **falsidade**, impostura, fraude, dolo

aleivoso *adj.* 1 **desleal**, infiel, pérfido, traiçoeiro, traidor, trapaceiro ≠ **leal**, fiel, confiável 2 **caluniador**, injuriador 3 **fraudulento**, falso, enganoso

além *adv.* 1 **ali**, acolá, aí, lá ≠ **aqui**, cá 2 **longe**, mais longe ≠ **perto** 3 **adiante**, mais adiante ■ *n.m.* 1 **confins** 2 **além-túmulo**, além-mundo

alemão *adj.,n.m.* **germânico**, tedesco, tudesco

além-mar *n.m.* **ultramar**

além-mundo *n.m.* **eternidade**, além, além-túmulo

além-túmulo *n.m.* **eternidade**, além, além-mundo

alentado *adj.* 1 **corpulento**, avantajado, possante, volumoso ≠ **pequeno** 2 **valente**, corajoso, esforçado ≠ **cobarde**, fraco, medroso

alentar *v.* 1 **encorajar**, animar, estimular, desassombrar, excitar, incitar, acalentar, acoroçoar, avigorar, aviventar, desacobardar, confortar ≠ **desencorajar**, desacoroçoar, desanimar 2 **acalentar**, alimentar, nutrir, sustentar, fortalecer, vivificar 3 **arfar**, esfolegar, respirar

alentar-se *v.* **animar-se**, entusiasmar-se, encorajar-se, afoguear-se, afoitar-se, motivar-se ≠ **desanimar**, desencorajar-se

alentejano *adj.* **transtagano**, alentejão *ant.*

alento *n.m.* 1 **respiração**, fôlego, sopro, respiro, bafo, bafejo, aragem, hálito, inspiração, anélito 2 **ânimo**, força, energia, vigor, coragem, entusiasmo, intrepidez, vontade, valor, alma *fig.*, vida *fig.*, síria [REG.] ≠ **desalento**, desânimo, prostração, aniquilamento, desmaio, acurvamento *fig.*, caimento *fig.*, choquice *fig.* 3 **inspiração**, estro

alergia *n.f. fig.* **antipatia**, aversão, repulsão ≠ **atração**, simpatia

alérgico *adj.* 1 ≠ **antialérgico** 2 *fig.* **avesso**, oposto

alerta *adj.2g.* **atento**, vigilante, acautelado, desperto ≠ **desatento**, desacautelado ■ *n.m.* **aviso**, sinal, rebate ■ *adv.* **atentamente**, vigilantemente ■ *interj.* **atenção!**, cuidado!, cautela!, guarda!, sentido!

alertar *v.* 1 **prevenir**, avisar 2 **assustar**, inquietar, alvorotar

alertar-se *v.* 1 **acautelar-se** 2 **sobressaltar-se**

aletria *n.f.* **fidéus**

alfa *n.f.* BOT. **esparto** ■ *n.m. fig.* **início**, começo, princípio

alfabetar *v.* 1 **abecedar**, dicionarizar 2 **ordenar**, classificar

alfabético *adj.* **alfabetário**, abecedário

alfabetização *n.f.* **instrução**, ensino, letramento [BRAS.]

alfabeto *n.m.* **abecedário**

alfacinha *n.f.* BOT. **alface-do-mar**, folhada ■ *adj.,n.2g. col.* **lisboeta**, lisbonense, olisiponense

alfageme *n.m.* **armeiro**, espadeiro, açacalador

alfaia *n.f.* 1 **adorno**, atavio, enfeite, corregimento, louçainha, arreio *fig.* 2 **joia** 3 **utensílio**, instrumento, artefacto 4 **baixela**

alfaiate *n.m.* 1 ZOOL. **cabra**, donzelinha, joaninha 2 ORNIT. **sovela**, avoceta, fura-joelhos *col.* 3 ORNIT. **serra-serra**, serrador, veludinho, tiziu

alfama *n.f. ant.* **asilo**, refúgio

alfândega *n.f.* **aduana**, barreira

alfandegário *adj.* **aduaneiro**, alfandegueiro

alfarrábio *n.m.* **calhamaço**, cartapácio, rabeco

alfarrabista *n.2g.* **sebo** [BRAS.]

alfarroba *n.f.* BOT. (árvore) **alfarrobeira**, parda, farroba, farrobeira

alfavaca *n.f.* BOT. (planta) **alfádega**, alfávega, manjericão

alfazema *n.f.* BOT. (planta) **lavanda**

alfena *n.f.* BOT. (planta) **alfeneiro**, alfenheiro, ligustro, santantoninhas

alferce *n.m.* **picareta**, alvião, enxadão, alferça

alferes *n.m.2n. ant.* **porta-bandeira**, porta-estandarte

alfinetada *n.f.* **1** *fig.* (dor) **pontada**, agulhada, picada, alfinetadela **2** *fig.* **crítica**, remoque, ironia, sátira

alfinetar *v.* **1** alfinetear, picar **2** *fig.* **satirizar**, criticar, flechar *fig.*

alfinete *n.m.* **1** joia **2** espínula **3** broche **4** ZOOL. **aresta**, bicha-amarela, bicha-cadela, bicha-galo, bicho-galo, travela, câncer, bicha-do-milho, rapelho, serra-cancelas **5** BOT. **cuidado-dos-homens** **6** [*pl.*] despesas

alfineteira *n.f.* **pregadeira**

alforge *n.m.* **sacola**, cevadeira, golpelha, mântica

alforreca *n.f.* ZOOL. **medusa**, água-viva

alforria *n.f.* **1** manumissão **2** **emancipação**, liberdade, libertação

alforriado *adj.,n.m.* HIST. **manumisso**, liberto, aforrado

alforriar *v.* **manumitir**, libertar, resgatar, isentar, remir

alforriar-se *v.* **libertar-se**, resgatar-se, livrar-se

alga *n.f.* BOT. **limo**, sargaço, bodelha, bodelho, botelho, botilhão

algália *n.f.* MED. **sonda**, candelinha, cateter

algar *n.m.* **1** **abismo**, precipício, despenhadeiro, barranco, barroca, ravina **2** **caverna**, gruta, cova, subterrâneo, furna, antro, covil

algaraviada *n.f.* **1** **algravia**, aljamia, aravia, burundanga, araviada **2** **vozearia**, gritaria, berreiro, algazarra **3** **imbróglio**, barafunda, embrulhada

algarismo *n.m.* **cifra**, número

algarvio *adj.,n.m.* **1** algarviense **2** *fig.* **falador**, tagarela, cacarejador, farfalhão

algazarra *n.f.* **1** **vozearia**, berreiro, gritaria, açougada, alarido, berraria, gritada, algara, grita, falatório, barulho, celeuma, burburinho, rumor, clamor, matinada, arruído, argel, estrupício [BRAS.], pocema [BRAS.] **2** **balbúrdia**, barafunda, confusão, banzé, desordem, chinfrim, chinfrinada, farragem, toirada *fig.*, caravancerai *fig.*

algébrico *adj.* **1** algebraico **2** *fig.* **preciso**, rigoroso, justo

algema *n.f.* **1** **cadeia**, grilhão, grilheta, ferros, prisão, ferropeia, adoba **2** *fig.* **opressão**, sujeição, coerção

algemar *v.* **1** **agrilhoar**, manietar, maniatar, acorrentar, prender, segurar ≠ **desalgemar**, soltar **2** *fig.* **subjugar**, escravizar, oprimir, aprisionar, coagir, obrigar, submeter, dominar ≠ **libertar**, soltar

algeroz *n.m.* **caleira**

algibebe *n.m. ant.* **adeleiro**, adelo, aljubeta

algibeira *n.f.* **bolso**, bolsa, fraldiqueira *pej.*

algidez *n.f.* **frialdade**, frigidez ≠ **calidez**

álgido *adj.* **frígido**, gelado, gélido, glacial ≠ **cálido**, quente

algo *n.m. ant.* **haveres**, bens, posses

algodão *n.m.* BOT. (planta) **algodoeiro**, xilo

algodoeiro *n.m.* BOT. (planta) **algodão**, xilo

algoz *n.m.* **1** **carrasco**, matador, verdugo, carnífice **2** *fig.* **cruel**, atormentador, opressor, perseguidor, tirano

alguém *pron.indef.* **um** ≠ **ninguém**

alguidar *n.m.* **almofia**, barranhão

algum *det.,pron.indef.* **um**, qualquer, certo, determinado

alguma *n.f. col.* **asneira**, disparate

algures *adv.* **alhures**, em alguma parte ≠ **nenhures**

alhada *n.f. col.* **dificuldade**, embrulhada, trapalhada, enredo, embaraço, imbróglio, complicação, apuros, salsada, camisa de onze varas *fig.*, encrenca *col.*, cegada *col.*

alheado *adj.* **1** **absorto**, distraído, absorvido, ausente, abstraído, abstrato ≠ **atento**, concentrado **2** **enlevado**, arrebatado **3** **alienado**, louco, doido

alheamento *n.f.* **1** **alienação**, cessão, transferência **2** **alheação**, alienação, desprendimento, abstração, distração, absorção, insulação, insulamento ≠ **atenção**, concentração

alhear *v.* **1** **alienar**, ceder, vender, trespassar, transferir ≠ **conservar**, manter **2** **afastar**, apartar, desviar ≠ **aproximar**, acercar **3** **desvairar**, alucinar, enlouquecer, perturbar

alhear-se *v.* **1** **abstrair-se**, distrair-se, absorver-se, perder-se, esquecer-se **2** **afastar-se**, apartar-se, separar-se, isolar-se **3** **eximir-se**, esquivar-se, desobrigar-se **4** **desinteressar-se**, desafeiçoar-se **5** **enlevar-se**, extasiar-se, arrebatar-se

alheio *adj.* **1** **absorto**, distraído, distante, alheado, abstrato, extático, alienado **2** **estranho**, estrangeiro **3** **indiferente**, alheado, desinteressado **4** **falho**, falto, impróprio, inoportuno

alheira *n.f.* BOT. **erva-alheira**

alho *n.m. col.* **espertalhão**, finório

ali *adv.* **aí**, acolá, além, lá ≠ **aqui**, cá

aliado *adj.,n.m.* **partidário**, adepto, parceiro, cúmplice, amigo ≠ **inimigo**, opositor, rival

aliança *n.f.* **1** **coligação**, coalizão, junção, fusão, união, reunião, laço, liga, liança, sociedade, aliagem, federação, confederação **2 casamento**, matrimónio **3 tratado**, pacto

aliançar *v.* **coligar**, confederar, aliar, unir, ligar, associar, pactuar, fraternizar ≠ **desunir**, separar

aliar *v.* **coligar**, confederar, aliançar, ligar, federar, ajuntar, agrupar, associar, juntar, unir, reunir, incorporar, casar, misturar ≠ **desunir**, separar, desaliar

aliar-se *v.* **1 unir-se**, combinar-se, juntar-se, associar-se, coligar-se, acompadrar-se, coalizar-se **2 casar**, desposar, matrimoniar-se

aliás *adv.* **1 de outro modo**, de outra forma, de contrário **2 ou melhor**, ou por outra, ou seja **3 além disso**, além do mais

álibi *n.m.* **justificação**, escusa

alicate *n.m.* **turquês**

alicerçar *v.* **1** *fig.* **basear**, apoiar, fundamentar, consolidar **2** *fig.* **fortalecer**, cimentar, firmar, consolidar ≠ **enfraquecer**, afracar

alicerce *n.m.* **1 fundação**, fundamento, substrução, base, apoio **2** *fig.* **base**, sustentáculo, fundamento, esteio, pé, pedestal

aliciação *n.f.* **1 sedução**, aliciamento, catequização *fig.* **2 subornação**, peita, engodo, aliciamento **3 instigação**, induzimento **4 engajamento**, alcoviteirice

aliciado *adj.* **1 seduzido**, atraído **2 subornado**, peitado **3 instigado**, incitado

aliciamento *n.m.* **1 sedução**, aliciação, catequização *fig.* **2 subornamento**, peita, engodo, aliciação **3 instigação**, induzimento **4 engajamento**, alcoviteirice

aliciante *adj.2g.* **atrativo**, aliciador, atraente, sedutor, encantador, tentador ≠ **repelente**, repulsivo

aliciar *v.* **1 cativar**, atrair, engodar, seduzir, envolver, tentar, catequizar *fig.* ≠ **repugnar**, desmotivar **2 incitar**, induzir, instigar **3 subornar**, peitar, comprar **4 engajar**, recrutar, angariar

alienação *n.f.* **1 alheação**, cessão, transferência, venda, doação ≠ **inalienação 2 distração**, desprendimento, apartamento, abstração, alheação, absorção, insulação, insulamento, afastamento, alienamento, alheamento ≠ **atenção**, concentração **3 alucinação**, demência, loucura, perturbação, alienismo, insânia ≠ **sanidade 4 enlevo**, êxtase, arrebatamento, arroubamento

alienado *adj.* **1 cedido**, vendido, transferido, doado **2 alheado**, alheio, absorto, estranho, deslocado, desligado ≠ **atento**, concentrado **3 perturbado**, alucinado, louco, dementado, doido, maníaco, neurótico, psicótico

alienar *v.* **1 alhear**, ceder, vender, trespassar, transferir, desapropriar ≠ **conservar**, manter **2 afastar**, alhear, apartar, separar, desviar ≠ **aproximar**, acercar **3 alucinar**, endoidecer, enlouquecer

alienar-se *v.* **1 afastar-se**, apartar-se, separar-se, isolar-se **2 enlouquecer**, endoidecer, aluar-se

alienável *adj.2g.* **transferível**, desviável, alheável, afastável

alienígena *adj.,n.2g.* **1 estrangeiro**, forasteiro ≠ **nativo**, indígena, aborígene, autóctone, antialienígena **2 extraterrestre** ≠ **antialienígena**

alienismo *n.m.* **loucura**, alienação

aligeirado *adj.* **1 leve 2 atenuado**, suavizado ≠ **agravado**, piorado **3 apressado**, acelerado ≠ **retardado**

aligeirar *v.* **1 alijar**, aliviar ≠ **achumbar** *fig.* **2 atenuar**, aliviar, abreviar, diminuir, minorar, moderar, suavizar, mitigar ≠ **agravar**, aumentar **3 acelerar**, apressar, açodar ≠ **desacelerar**, retardar

alijar *v.* **1 aliviar**, descarregar, aligeirar, despejar, sacudir, arremessar, desalijar **2 desembaraçar-se**, livrar-se **3 afastar**, abandonar, declinar

alijar-se *v.* **livrar-se**, desencarregar-se, desobrigar-se, desonerar-se

alimária *n.f.* **1 asno**, besta, animália **2** *fig.,pej.* **bruto**, boçal, estúpido

alimentação *n.f.* **1 nutrição**, mantença, mesa ≠ **desnutrição 2 alimento**, sustento, nutrimento, comedorias, paparoca *col.* **3** *téc.* **abastecimento**, fornecimento, provimento

alimentar *adj.2g.* **alimentício**, nutriente, nutritivo ■ *v.* **1 nutrir**, sustentar, cevar, cibar ≠ **desnutrir 2 acalentar**, alentar, incitar, apoiar, incrementar, fomentar, manter ≠ **desencorajar**, desalentar **3 fornecer**, prover, munir, abastecer ≠ **desprover**

alimentar-se *v.* **1 comer**, nutrir-se, sustentar-se, consumir, papar *col.*, rangar *col.* **2 sobreviver**, viver **3** *fig.* **fortalecer-se**, reforçar-se, revigorar-se, caldear-se, corroborar-se

alimentício *adj.* **nutritivo**, nutriente, alimentador, substancial, alimentoso, nutrítico

alimento *n.m.* **1 comida**, comer, nutrimento, cebo, vianda, víveres, pasto, chucha, mantimento, manja, manjua, pábulo, pão *fig.* **2** *fig.* **alento**, estímulo, incentivo, fomento

alindamento *n.m.* **embelezamento**, aformoseamento, adorno, alinde ≠ **afeamento**

alindar *v.* **aformosear**, adornar, embelezar, ornar, enfeitar, ataviar, engalanar, aperfeiçoar, aperaltar, compor, arrear, aprimorar, alinhar, acasquilhar, amanhar ≠ **desformosear**, desfear, afear

alindar-se *v.* **aformosear-se**, embelezar-se, enfeitar-se, aperaltar-se, acasquilhar ≠ **desformosear-se**, desfear-se, afear-se

alínea *n.f.* **item**, parágrafo

alinhado *adj.* 1 **endireitado**, enfileirado, aprumado, ordenado, correto ≠ **desalinhado**, torto 2 *fig.* **elegante**, cuidado, caprichado, esmerado, janota ≠ **desalinhado**, deselegante, descuidado

alinhamento *n.m.* 1 **fila**, fiada, renque, enfileiramento, correnteza, fieira 2 **compostura**, correção, aprumo

alinhar *v.* 1 **enfileirar**, perfilar, endireitar, ordenar, compor ≠ **desalinhar** 2 **equiparar**, nivelar 3 **ajeitar**, aprumar, arranjar, adornar, ataviar, enfeitar ≠ **desalinhar**, desarranjar 4 *col.* **concordar**, aderir 5 (texto) **justificar**, ajustar

alinhar-se *v.* 1 **enfileirar-se** 2 **nivelar-se**, comparar-se, equiparar-se, igualar 3 **enfeitar-se**, ornar-se, aprumar-se, arranjar-se

alinhavar *v.* 1 **apontoar** ≠ **desalinhavar** 2 **delinear**, esboçar, desenhar 3 **preparar**, idealizar 4 **atabalhoar**, atamancar

alinhavar-se *v.* **arranjar-se**, governar-se

alinhavo *n.m.* 1 **costura** 2 *fig.* **esboço**, rascunho, apontamento, delineamento, lineamento

alinho *n.m.* 1 **arranjo**, limpeza, asseio, arrumação, alinhamento ≠ **desalinho**, desarrumação, desarranjo 2 **correção**, decência, decoro, compostura ≠ **incorreção**, indecência 3 **cuidado**, esmero, apuro, aprumo ≠ **descuido**

alíquota *adj.* **submúltiplo**, aliquanta

alisado *adj.* 1 **aplanado**, liso, plano 2 **desenrugado**, desencrespado ≠ **enrugado**, crespo 3 **polido**, brunido ≠ **baço** 4 **amaciado** 5 METEOR. **aliseu**, alísio

alisar *v.* 1 **nivelar**, apalmar, igualar, achanar 2 **desenrugar**, desencrespar ≠ **enrugar**, encrespar, averrugar, amarrotar, rodilhar 3 **pentear** ≠ **despentear**, esgrouvinhar, esgadelhar 4 **polir**, brunir ≠ **embaçar** 5 **amaciar**, anediar 6 **abrandar**, desanuviar, serenar, suavizar, acariciar, adoçar, cofiar, afagar

alisar-se *v.* **desenrugar-se**, aplanar-se, espalmar-se, desfranzir-se

alísio *adj.* METEOR. **aliseu**, alisado

alistamento *n.m.* 1 **arrolamento**, inscrição 2 **lista**, catálogo, rol 3 **recrutamento**, incorporação

alistar *v.* 1 **arrolar**, relacionar, recensear, inventariar, catalogar 2 **recrutar**, incorporar, arregimentar, inscrever, filiar, empadroar

alistar-se *v.* **incorporar-se**, inscrever-se, ingressar, recensear-se, arrolar-se, empadroar-se

aliteração *n.f.* **repetição**, reiteração

aliviado *adj.* 1 **tranquilo**, calmo, sossegado, desagastado ≠ **preocupado**, apoquentado, ansioso, impaciente 2 **serenado**, abrandado ≠ **agravado**, exacerbado

aliviar *v.* 1 **atenuar**, abrandar, acalmar, aplacar, mitigar, lenir, minorar, suavizar, serenar, diminuir, balsamizar *fig.*, adoçar *fig.*, laxar *fig.*, refrigerar *fig.* ≠ **agravar**, intensificar 2 **consolar**, confortar 3 **dispensar**, desobrigar, libertar, eximir, isentar, desonerar, livrar ≠ **obrigar**, exigir 4 **descarregar**, alijar, desembaraçar 5 **desoprimir**, desafogar, desafrontar, desabafar, desempachar *fig.* ≠ **oprimir**, reprimir 6 *col.* **parir**, dar à luz 7 [BRAS.] *col.* **furtar**, roubar, subtrair

aliviar-se *v.* 1 **desafogar-se**, desembaraçar-se, desoprimir-se 2 *col.* **defecar**, evacuar 3 *col.* **desgravidar-se**, desquitar-se, parir

alívio *n.m.* 1 **lenitivo**, bálsamo, remédio, refrigério, aliviação, aliviamento 2 **descanso**, refolgo, repouso, folga, aliviação, aliviamento, aléu *fig.* 3 **atenuação**, mitigação, abrandamento, minoração, aliviação, remissão, aliviamento, refrigeração *fig.*, balsamização *fig.* 4 **melhoras** 5 **ajuda**, aliviação, advogado, aliviamento 6 **consolação**, aliviação, conforto, consolo, aliviamento 7 **descarga**, alijamento, aliviação, aliviamento 8 **desafogo**, desabafo, desopressão, aliviação, aliviamento ≠ **opressão**, afogo 9 **desenfado**, desagastamento, distração, diversão, divertimento, recreação, recreio, espairecimento, aliviação, aliviamento ≠ **enfado**, agastamento

alizar *n.m.* **guarda-vassouras**, rodapé

aljôfar *n.m.* 1 **pérola**, aljofre 2 **orvalho**, aljofre 3 **lágrima**, aljofre 4 BOT. **aljofareira**, aljofre

alma *n.f.* 1 **espírito**, ânimo, génio ≠ **corpo** 2 **ser**, indivíduo, pessoa 3 **âmago**, base 4 **índole**, carácter, fundamento 5 *fig.* **alento**, ânimo, entusiasmo, energia, força, fogo, vigor, vivacidade, viveza, ardor, calor ≠ **desalento**, desânimo, prostração 6 *col.* **fantasma**

almanaque *n.m.* 1 **anuário** 2 **repertório**, folhinha

almarge *n.m.* **pasto**, lameiro, pastagem, prado, almargem, almargeal

almargem *n.m./f.* **pasto**, lameiro, pastagem, prado, almarge, almargeal

almejar *v.* 1 **ambicionar**, cobiçar, apetecer, desejar, pretender, querer, ansiar, anelar, aspirar, suspirar 2 *fig.* **agonizar**

almejo *n.m.* **desejo**, anelo, aspiração, ânsia

almocreve *n.m.* **recoveiro**, arrieiro, arrocheiro, azemel, cangalheiro, cargueiro, tropeiro [BRAS.], tocador [BRAS.]

almofada *n.f.* 1 **travesseiro**, coxim, almadraque, chumela [REG.], pulvinar 2 **chumaço** 3 **encosto**, recosto, reclinatório

almofadar *v.* **enchumaçar**, acolchoar

almofariz *n.m.* **gral**, morteiro

almotolia *n.f.* **azeiteira**

almoxarife *n.m.* HIST. (casa real) **administrador**

alocução *n.f.* 1 **discurso**, espiche 2 **fala**, espiche

alógeno *adj.* **alofilo**, estrangeiro

alogia *n.f.* **absurdo**, contrassenso

alógico *adj.* absurdo, ilógico, disparatado ≠ **lógico**

aloirar *v.* 1 enloirar, enloirecer 2 **tostar**, assar, doirar

alojamento *n.m.* 1 **acomodação**, alojo, hospedagem, acolhimento ≠ **desalojamento**, desacomodação 2 **albergue**, estalagem, hospedaria, pousada, alojo 3 **habitação**, domicílio, morada, alojo 4 MIL. **quartel**, abarracamento, aboletamento, acantonamento, aquartelamento, alojo

alojar *v.* 1 **albergar**, hospedar, acomodar, acolher, abrigar, agasalhar, receber, recolher, boletar ≠ **desalojar**, desacolher 2 MIL. **aboletar**, aquartelar, acampar, abivacar ≠ **desalojar**, desaquartelar 3 **armazenar**, comportar, conter, guardar

alojar-se *v.* 1 **hospedar-se**, abrigar-se 2 **acampar**, entrincheirar-se, fortificar-se, aquartelar-se 3 **depositar-se**, instalar-se, cravar-se

alojo *n.m.* 1 **acomodação**, alojamento, hospedagem, acolhimento ≠ **desalojamento**, desacomodação 2 **albergue**, estalagem, hospedaria, pousada, alojamento 3 **habitação**, domicílio, morada, alojamento 4 MIL. **quartel**, abarracamento, aboletamento, acantonamento, aquartelamento, alojamento 5 [BRAS.] **vómito**

alomorfia *n.f.* BIOL. **metamorfose**

alongamento *n.m.* 1 **extensão**, dilação, prolongamento, acrescentamento, prolongação, estiramento, estirão ≠ **encurtamento** 2 **afastamento**, apartamento, separação ≠ **aproximação** 3 **demora**, adiamento, tardança ≠ **antecipação**, adiantamento

alongar *v.* 1 **prolongar**, estender, esticar, ampliar, aumentar, alargar, espaçar, desencolher, crescer ≠ **encurtar**, encolher 2 **afastar**, apartar, distanciar, desviar, separar ≠ **aproximar**, acercar 3 **demorar**, delongar, dilatar, adiar, tardar ≠ **antecipar**, adiantar

alongar-se *v.* 1 **ampliar-se**, esticar, expandir-se, aumentar, crescer ≠ **encolher** 2 **estender-se**, espraiar-se, espalhar-se, propagar-se 3 **prolongar-se**, dilatar-se, continuar 4 **separar-se**, afastar-se, apartar-se 5 **desenvolver**, divagar, alargar-se, espraiar-se, discorrer 6 **demorar**, arrastar-se *fig.*

alonso *adj.* 1 *col.* **ingénuo**, pacóvio, palerma, parvo, pateta 2 *col.* **vagaroso**, molangueiro, molengão, molancão

aloquete *n.m.* **cadeado**, ferrolho

alourado *adj.* 1 (cabelo) **claro** 2 CUL. **dourado**, tostado

alourar *v.* 1 enlourar, enloirecer 2 **tostar**, assar, dourar

alpaca *n.f.* 1 ZOOL. **lama** 2 **lustrina** 3 **sandália**, alpergata, alparcata

alpendorada *n.f.* **alpendre**, telheiro, pórtico, coberto, galilé, cabanel [REG.]

alpendrada *n.f.* **alpendre**, telheiro, pórtico, coberto, galilé, cabanal [REG.]

alpendre *n.m.* **telheiro**, alpendorada, alpendrada, pórtico, coberto, galilé, cabanal [REG.], copiara [BRAS.]

alperce *n.m.* BOT. **damasco**, albricoque

alpestre *adj.2g.* 1 **alpino** 2 **montanhoso**, rochoso, pedregoso, alpino, escabroso, fragoso, alcantilado 3 **rústico**, rude, rusticano

alpinismo *n.m.* **montanhismo**

alpinista *n.2g.* **montanhista**

alpino *adj.* 1 **alpestre**, alpense 2 **montanhoso**, rochoso, pedregoso, alpestre, escabroso, fragoso, alcantilado

alporca *n.f.* 1 MED. **escrófula** 2 AGRIC. **alporque**

alquebrado *adj.* **enfraquecido**, debilitado, abatido, depauperado, adoentado, extenuado, exausto, esgotado, escanastrado [REG.]

alquebramento *n.m.* **enfraquecimento**, cansaço, prostração, quebreira, fraqueza, lassidão, quebranto

alquebrar *v.* 1 **curvar**, dobrar, inclinar 2 **debilitar**, enfraquecer, quebrantar, estafar, derrear, fatigar, quebrar, cansar, abalar, abater, maçar, prostrar, vergar, exaurir

alqueive *n.m.* AGRIC. **pousio**

alquimia *n.f.* **espagiria**, espagírica, crisopeia

alquimista *n.2g.* 1 **mágico**, mago 2 *pej.* **falsificador**, manipulador, mistificador, fingidor

alta *n.f.* 1 **aumento**, subida ≠ **baixa**, descida 2 **alta-roda**, escol, elite, fina flor, flor, nata *fig.*

altamente *adv.* 1 **grandemente**, muito, muitíssimo, excessivamente ≠ **pouco**, não muito 2 **dignamente**, elevadamente, esplendidamente, excelentemente, distintamente, profundamente, ricamente, magnificamente, nobremente, sublimemente, sumptuosamente ■ *adj.2g. col.* **excelente**, ótimo, maravilhoso ≠ **péssimo**, horrível

altaneiro *adj.* 1 **alto**, elevado, erguido, levantado 2 *fig.* **altivo**, arrogante, desdenhoso, empolado, orgulhoso, soberbo, sobranceiro ≠ **humilde**, modesto, desvaidoso

altar *n.m.* 1 **ara** 2 *fig.* **culto**, religião

altear *v.* 1 **levantar**, alçar, erguer, aumentar, elevar, avultar ≠ **descer**, baixar 2 **crescer**, subir, encarecer, elevar-se

altear-se *v.* 1 **elevar-se**, levantar-se, erguer-se, alçar-se, subir, ascender, remontar-se 2 **engrandecer-se**, crescer 3 **sublimar-se**, apurar-se

alterabilidade *n.f.* **mutabilidade** ≠ **inalterabilidade**, imutabilidade

alteração *n.f.* 1 **modificação**, mudança, transformação, variação, transtorno, mutação, demudamento **2** **adulteração**, falsificação, corrupção, deturpação **3** **decomposição**, degeneração

alterado *adj.* **1** **modificado**, mudado, diferente, transformado, demudado ≠ **inalterado** **2** **adulterado**, falsificado, corrompido, deturpado ≠ **inalterado** **3** **decomposto**, degenerado, estragado ≠ **inalterado** **4** **inquieto**, enervado, irritado, agitado, perturbado ≠ **inalterado**, calmo **5** **exaltado**, indignado, irritado ≠ **inalterado**, calmo

alterar *v.* **1** **modificar**, mudar, transformar, desmudar, reformar, decompor ≠ **manter**, conservar **2** **decompor**, degenerar, estragar, deteriorar **3** **adulterar**, falsificar, bastardear, contrafazer, corromper, degenerar, deturpar **4** **inquietar**, enervar, irritar, agitar, perturbar, transtornar, desassossegar, alvorotar ≠ **acalmar**, sossegar **5** **amotinar**, conturbar, disturbar, revoltar, sublevar, turbar

alterar-se *v.* **1** **modificar-se**, transformar-se, mudar, transmudar-se ≠ **manter-se**, conservar-se **2** **decompor-se**, estragar-se, deteriorar-se, corromper-se **3** **adulterar-se**, abastardar-se, degenerar, deturpar-se **4** **enervar-se**, irritar-se, exasperar-se, encolerizar-se, enfurecer-se, perturbar-se, indignar-se ≠ **acalmar-se**, sossegar

alterável *adj.2g.* **modificável**, transformável, mudável ≠ **inalterável**

altercação *n.f.* **1** **discussão**, desinteligência, contenda, debate, dize-tu-direi-eu, alterco, baralha *fig.*, esquentação *fig.*, referta *ant.*, bate-boca [BRAS.] **2** **briga**, rixa, combate, conflito, alterco, zaragata, zanga

altercar *v.* **discutir**, contender, brigar, disputar, polemicar, controverter, pelejar, rixar, rezingar, renhir, contestar, testilhar, turrar, triscar, pendenciar

alternadamente *adv.* **revezadamente**, alternamente, por turnos

alternado *adj.* **alterno**, revezado, alternativo

alternância *n.f.* **revezamento**, alternato, alternação

alternante *adj.2g.* **alternativo**, alterno

alternar *v.* **revezar**, intercalar, interpolar, entremear

alternativa *n.f.* **1** **opção** **2** **revezamento**, variação

alternativo *adj.* **1** **alternado**, alterno, interpolado **2** **opcional**

alterno *adj.* **alternado**, alternativo, revezado

alteza *n.f.* **sublimidade**, excelência, grandeza, majestade, nobreza, altura, elevação, celsitude, eminência, soberania, altivez

altifalante *n.m.* **alto-falante**

altimetria *n.f.* GEOG. **hipsometria**

altíssimo *adj.* **1** **elevadíssimo**, compridíssimo, enorme **2** **excelso**, sublime, supremo, todo-poderoso **3** RELIG. (com maiúscula) **Deus**

altissonante *adj.2g.* **1** **retumbante**, ruidoso, sonoro, estridente, altíssono **2** *fig.* **sublime**, sublimado, bombástico, empolado, pomposo

altitude *n.f.* **altura**, elevação

altivez *n.f.* **1** **brio**, elevação, dignidade, aprumo, grandeza, magnanimidade, majestade, garbo, orgulho, soberania, sublimidade, hombridade, imponência, solenidade **2** **arrogância**, altanaria, desdém, elação, presunção, soberba, sobranceria, empáfia, jactância, arreganho ≠ **humildade**, modéstia

altivo *adj.* **1** **brioso**, digno, ilustre, nobre, majestoso **2** **emproado**, arrogante, orgulhoso, soberbo, presunçoso, empertigado, empinado, enchouriçado *fig.*, engomado *fig.*, entufado *fig.* ≠ **humilde**, modesto

alto *adj.* **1** **elevado**, subido, comprido ≠ **baixo**, pequeno **2** **distinto**, importante, eminente, magnífico, ilustre, nobre, poderoso, grandioso, soberano, soberbo, sublime, celso, superior, supremo, excelente, excelso, célebre, famoso, ilustrado, ínclito, insigne, venerável, majestoso, sumptuoso ≠ **banal**, trivial, vulgar, comuníssimo, correntio *fig.* **3** **remoto**, longínquo ≠ **recente** **4** **intrincado**, difícil, transcendente ≠ **simples**, fácil **5** **vantajoso**, bom **6** **profundo**, intenso **7** **agudo**, penetrante **8** *fig.* **caro**, dispendioso ≠ **barato** ■ *n.m.* **1** **altura** **2** **elevação**, monte **3** **cimo**, cume, topo, vértice, pináculo **4** **protuberância**, saliência, elevação, bossa, excrescência, quisto **5** MÚS. **contralto** **6** MÚS. **viola**, viola de arco, violeta ■ *adv.* **sonoramente**, ruidosamente ≠ **baixo** ■ *interj.* **basta!**, pare!, chó!, interrompa!, acabou!

altruísmo *n.m.* **desinteresse**, abnegação, filantropia ≠ **egoísmo**, individualismo

altruísta *adj.,n.2g.* **desinteressado**, abnegado, caridoso, filantropo ≠ **egoísta**, individualista

altruístico *adj.* **filantrópico**

altura *n.f.* **1** **altitude**, elevação, altor *ant.* **2** **alto**, cume, cumeada, montanha, monte, assomada, culminância **3** **estatura**, tamanho **4** **nível** **5** **ocasião**, época, instante, vez **6** **alteza**, sublimidade, excelência, grandeza, majestade, nobreza, elevação, celsitude, eminência, soberania **7** [*pl.*] **céu**, firmamento **8** [*pl.*] RELIG. **paraíso**, bem-aventurança, eternidade

aluado *adj. col.* **estroina**, doido, estouvado, extravagante, insensato, lunático, maluco, maníaco, aloucado, amalucado, azoeirado

alucinação *n.f.* **1** **ilusão**, visão **2** **delírio**, desvairamento, desvairo, desvario, devaneio **3** **deslumbramento**, ofuscamento

alucinado *adj.,n.m.* **1** **louco**, desvairado, doido, gaseado *fig.* **2** *fig.* **fascinado**, deslumbrado

alucinante *adj.2g.* **1** **alucinatório** **2** **estonteante**, impressionante, vertiginoso, endoidecedor, perturbador

alucinar *v.* 1 **enlouquecer**, desvariar, alienar 2 **deslumbrar**, encantar, apaixonar, fascinar, ofuscar, iludir, embriagar *fig.*

alucinar-se *v.* **desvairar**, perturbar-se, desorientar-se, enevoar-se, cegar *fig.*

alucinatório *adj.* **alucinante**, delirante

alude *n.m.* **avalancha**

aludir *v.* **referir**, mencionar, citar, indicar, apontar, relatar, falar, tocar, referir-se

alugar *v.* 1 **arrendar**, fretar, alquilar, locar, sublocar ≠ **desalugar** 2 **salariar**, assoldadar, assoldar

aluguer *n.m.* 1 **arrendamento**, locação, frete, alugação, alugamento 2 **renda**

aluimento *n.m.* **desabamento**, derrocada, desmoronamento

aluir *v.* 1 **demolir**, destruir, desmoronar, desmantelar, abater, abalar, arrasar, abanar 2 **cair**, desabar, derrocar, ruir, oscilar, desmoronar-se

aluir-se *v.* 1 **cair**, desabar, derrocar, desmoronar-se, ruir 2 **arruinar-se**

alúmen *n.m.* QUÍM. **ume**, pedra-ume

alumiar *v.* 1 **iluminar**, luzir 2 **acender**, atear ≠ **apagar** 3 **sobressair**, realçar, resplandecer 4 **elucidar**, esclarecer, explicar, ensinar, guiar, instruir, ilustrar, orientar, inspirar, patentear, aclarar, clarear

aluno *n.m.* 1 **estudante**, discípulo, aprendiz, educando, aulista 2 *ant.* **filho**

alusão *n.f.* **menção**, referência, sugestão, indireta *col.*

alusivo *adj.* 1 **referente**, relativo, respeitante 2 **alegórico**, figurado

aluvião *n.f.* 1 GEOG. **alúvio** 2 **enchente**, alagamento, cheia, inundação, torrente, coluvião 3 *fig.* **abundância**

alva *n.f.* 1 **amanhecer**, alvor, alvorada, antemanhã, aurora, madrugada, manhã, dilúculo, anteaurora 2 *fig.* **início**, princípio, primórdio, começo

alvado *n.m.* 1 (orifício) **olho** 2 (dentes) **alvéolo** 3 (abelhas) **aivado**

alvalade *n.m.* 1 **camarote**, cadafalso 2 **palanque**, palanca

alvar *adj.2g.* 1 **alvo**, esbranquiçado 2 *fig.* **bobo**, boçal, bronco, brutal, confiado, estúpido, grosseiro, inepto, ingénuo, palerma, parvo, pateta, tolo, aparvalhado, atoleimado, idiota

alvará *n.m.* **licença**, diploma, despacho

alvarinho *n.m.* BOT. **roble**, carvalho-comum, carvalho-alvarinho

alvejado *adj.* 1 **alvo**, branco, branqueado, clareado 2 **atingido**

alvejar *v.* 1 **branquejar**, branquear, embranquecer 2 **amanhecer**, alvorecer, despontar ≠ **anoitecer**, entardecer 3 **acertar**, atingir, mirar, apontar

alvéolo *n.m.* 1 **alvado**, buraco, célula 2 **casulo**

alverca *n.f.* 1 **paul** 2 **tanque** 3 (peixes) **viveiro**

alvíssaras *n.f.pl.* **recompensa**, achádego, gorjeta, alcavalas *fig.*

alvitrar *v.* 1 **arbitrar**, avaliar 2 **sugerir**, propor, lembrar, aconselhar, aventar

alvitre *n.m.* **sugestão**, proposição, conselho, proposta, lembrança, alvitramento

alvo *adj.* 1 **branco**, claro, limpo, níveo, ebúrneo, alabastrino, leitoso, nevado, nevoso, albuginoso, alveiro ≠ **negro**, escuro 2 *fig.* **puro**, límpido, cândido, inocente ≠ **impuro**, mau ■ *n.m.* 1 **fito**, meta, objeto, objetivo, fim, intento, intuito, motivo, propósito, termo, escopo, norte *fig.* 2 **alvura**, brancura

alvor *n.m.* 1 **alva**, alba, alvorada, aurora, madrugada, dilúculo 2 **alvura**, brancor, candura, candidez 3 **brilho** 4 **clareza**, claridade 5 *fig.* **início**, princípio, primórdio, começo

alvoraçar *v.* 1 **agitar**, excitar, sobressaltar, desassossegar, inquietar, perturbar ≠ **acalmar**, tranquilizar, abonançar 2 **alegrar**, entusiasmar ≠ **entristecer** 3 **assustar**, espantar 4 **amotinar**, revoltar, sublevar

alvorada *n.f.* 1 **amanhecer**, alba, alva, alvor, antemanhã, aurora, madrugada, dilúculo, amanhecida [REG.] ≠ **anoitecer**, entardecer 2 *fig.* **começo**, início, princípio, primórdio 3 *fig.* **juventude**, mocidade

alvorar *v.* 1 **alvorecer**, amanhecer, aclarar, alvejar, clarear, nascer ≠ **noitecer**, entardecer 2 **despontar**, principiar 3 **abalar**, fugir, ausentar-se, desarvorar 4 **alçar**, hastear, levantar, içar, arvorar 5 **empinar-se**, levantar-se

alvorecer *v.* **amanhecer**, alvorar, aclarar, alvejar, alvorejar, clarear, branquejar, branquear ≠ **anoitecer**, entardecer

alvoroçar *v.* 1 **agitar**, excitar, sobressaltar, desassossegar, inquietar, perturbar ≠ **acalmar**, tranquilizar 2 **alegrar**, entusiasmar ≠ **entristecer** 3 **assustar**, espantar 4 **amotinar**, revoltar, sublevar

alvoroçar-se *v.* 1 **agitar-se**, excitar-se, sobressaltar-se, desassossegar-se, inquietar-se, perturbar-se 2 **assustar-se**, espantar-se 3 **entusiasmar-se**, animar-se, alegrar-se, exultar 4 **comover-se**, emocionar-se 5 **apressar-se**, precipitar-se

alvoroço *n.m.* 1 **desordem**, distúrbio, motim, tumulto, sublevação, zaragata, revolta, revolução, alvoroto 2 **barulho**, ruído, alvoroto 3 **inquietação**, comoção, agitação, perturbação, emoção, desassossego, sobressalto, alarme, alvoroto, alteração ≠ **calma**, sossego, tranquilidade 4 **alegria**, entusiasmo, fervura *fig.*

alvura *n.f.* 1 **brancura**, alvor 2 **pureza**, inocência, candura, candidez 3 **claridade**, limpidez, nitidez 4 neve

ama *n.f.* 1 **dona**, patroa, senhora, proprietária 2 **governanta** 3 **aia**, criada 4 **ama de leite** 5 **ama-seca**

amabilidade *n.f.* **gentileza**, afabilidade, fineza, polidez, delicadeza, cortesia, urbanidade ≠ **indelicadeza**, brutalidade, rudeza

amachucadela *n.f.* 1 **achatamento**, amolgadela, amolgadura, depressão, amarfanhamento 2 **contusão**, pisadura 3 *col.* **sova**, tareia, pancada

amachucar *v.* 1 **amarrotar**, amolgar, calcar, achatar, amassar, amarfanhar, amolancar ≠ **alisar**, endireitar 2 **humilhar**, magoar, acabrunhar, apoquentar, penalizar, deprimir, ralar ≠ **animar**, estimular

amaciar *v.* 1 **amolecer** 2 **alisar**, desembaraçar, desmaranhar 3 *fig.* **abrandar**, embrandecer, serenar, suavizar, lenificar, adoçar *fig.* 4 *fig.* **domesticar**, amansar, molificar *fig.*

amaciar-se *v.* **acalmar**, serenar

amadeu *n.m.* HIST. **amadeísta**

amado *adj.* **querido**, preferido, caro, estimado, dileto, benquisto, respeitado ≠ **detestado**, odiado, desamado ■ *n.m.* **amante**, namorado

amador *adj.,n.m.* 1 **amante**, enamorado, apaixonado, namorado 2 **apreciador**, entusiasta, curioso, devoto, diletante 3 *pej.* **inexperiente**, desconhecedor, leigo, curioso, ignorante

amadorismo *n.m.* **diletantismo**

amadurecer *v.* 1 **amadurar**, madurecer, madurar, sazonar, assazoar-se 2 **ponderar**, estudar, calcular, meditar

amadurecido *adj.* 1 *fig.* **experiente**, sensato, ajuizado, vivido ≠ **inexperiente**, insensato 2 *fig.* **ponderado**, refletido ≠ **irrefletido**

amadurecimento *n.m.* 1 **maturação**, sazonação, sazonamento 2 *fig.* **maturidade**, madureza, sensatez

âmago *n.m.* 1 (plantas) **cerne**, medula 2 *fig.* **íntimo**, centro, imo, cerne, fundo, essência, seio, fulcro, durâmen 3 *fig.* **alma**, espírito, coração

amainar *v.* 1 **abaixar**, colher, arriar 2 *fig.* **aquietar**, abrandar, acalmar, afrouxar, amansar, enfraquecer, moderar, serenar, sossegar, tranquilizar, diminuir, abonançar ≠ **agravar**, aumentar

amaldiçoar *v.* 1 **esconjurar**, maldizer, blasfemar, anatematizar, maldiçoar, imprecar 2 **praguejar**, condenar, reprovar 3 **detestar**, execrar, odiar 4 **arrenegar**, abandonar

amálgama *n.m./f.* 1 QUÍM. **liga** 2 *fig.* **miscelânea**, mescla, mistura, amalgamação, misturada, salsada, anguzada [BRAS.] 3 *fig.* **confusão**, embrulhada

amalgamar *v. fig.* **ligar**, unir, combinar, juntar, reunir, misturar, mesclar, confundir

amamentação *n.f.* **aleitação**, aleitamento, criação, lactação, mama ≠ **ablactação**, desmame, desmama, desmamação, desmamo

amamentar *v.* 1 **aleitar**, lactar ≠ **desmamar**, ablactar, desaleitar, desamamentar, desquitar [REG.] *col.*, vedar [REG.] 2 **alimentar**, nutrir, criar

amancebado *adj.,n.m.* **amante**, amigado, amantizado, amásio, concubinário, barregão, abarregado *col.*

amancebamento *n.m.* **concubinato**, mancebia

amancebar-se *v.* **amantizar-se**, amasiar-se, amigar-se, abarregar-se, contubernar-se, concubinar-se

amaneirar *v.* 1 **adaptar**, acomodar 2 **afetar**, arrebicar, presumir

amaneirar-se *v.* **alambicar-se**, presumir-se

amanhã *adv.* **depois**, posteriormente, futuramente ■ *n.m.* **futuro**, devir

amanhado *adj.* 1 (terra) **lavrado**, cultivado 2 *col.* **arranjado**, ataviado

amanhar *v.* 1 **cultivar**, lavrar, agricultar, arrotear 2 (peixe) **preparar**, tratar, limpar, escamar, estripar 3 **acomodar**, ajeitar, arranjar, arrumar, alinhar, compor, consertar, dispor, preparar ≠ **desamanhar** 4 **ataviar**, enfeitar 5 **adquirir**, conseguir

amanhar-se *v.* 1 *col.* **arranjar-se**, vestir-se, compor-se, ataviar-se 2 **afazer-se**, dispor-se 3 *col.* **aviar-se**, arranjar-se, desenrascar-se, desembaraçar-se 4 **entender-se**, avir-se

amanhecer *v.* 1 **alvorecer**, alvorar, raiar, clarear, romper, madrugar ≠ **anoitecer**, escurecer 2 *fig.* **acordar**, despertar 3 *fig.* **surgir**, principiar, aparecer, levantar-se, revelar-se ■ *n.m.* **alvorada**, alvor, alva, antemanhã, aurora, madrugada, manhã, dilúculo, anteaurora

amanho *n.m.* 1 **arranjo**, alinho, conserto, preparação, preparo, compostura 2 **lavoura**, cultivo, lavra, granjeio, cultura, amanhação 3 **acomodação**, disposição 4 **atavio**, alfaia

amansado *adj.* **acalmado**, domesticado *fig.*, desbravado *fig.*

amansar *v.* 1 **domesticar**, domar, desembravecer, submeter, subjugar, sujeitar, debelar, desbravar *fig.*, dobrar *fig.* ≠ **embravecer**, enfurecer 2 **acalmar**, sossegar, apaziguar, tranquilizar, serenar, suavizar, aquietar, abonançar, amainar, mitigar, aplacar, abrandar, adoçar *fig.* ≠ **agravar**, acirrar, assanhar, acicatar, abesoirar, abespinhar 3 **moderar**, reprimir, refrear

amante *adj.,n.2g.* 1 **apaixonado**, adorador, amado, amador, galanteador, namorado, noivo 2 **amigado**, concubinário, amásio

amanteigado *adj. fig.* **macio**, mole

amanuense *n.2g.* **escrevente**, copista, escriba, escriturário, escrivão, secretário, tabelião

amar *v.* 1 **adorar**, idolatrar, querer, bem-querer, estimar, venerar, estremecer ≠ **odiar**, detestar, execrar 2 **desejar**, apetecer, preferir, escolher

amarar *v.* **amerissar** [BRAS.]

amarelado *adj.* 1 (cor) **agemado**, gualde 2 (aparência) **pálido**, descorado ≠ **corado**, afogueado, vermelhaço, rubro, alagostado, rubicundo, pudibundo *fig.*, vermelho *fig.*, alacoado *fig.*

amarelecer *v.* 1 **amarelejar**, amarelir, emarelecer 2 **empalidecer**, descorar, esmaecer

amarelejar *v.* **amarelecer**, amarelir, emarelecer

amarelo *adj.* 1 **gemado**, doirado, áureo, fulvo, cróceo, crócino, leonado 2 **descorado**, desmaiado, pálido, macilento, murcho, lúrido, lívido

amarfanhar *v.* 1 **amarrotar**, amachucar, amarfalhar, enrugar, machucar, encrespar 2 *fig.* **maltratar**, acabrunhar, enxovalhar, escravizar, humilhar, abater, quebrar, entristecer

amargamente *adv.* **amarguradamente**, penosamente, pesarosamente, dolorosamente, tristemente ≠ **alegremente**

amargar *v.* 1 **sofrer**, suportar, padecer, aguentar 2 **amargurar**, afligir, molestar, incomodar, dissaborear, atormentar

amargo *adj.* 1 **acerbo**, amaro, amargoso, acre, agro, áspero, azedo ≠ **doce**, açucarado 2 *fig.* **angustioso**, custoso, áspero, duro, penoso, cruel, desagradável, doloroso, triste ≠ **agradável** 3 *fig.* **mordaz**, ofensivo, insultuoso, venenoso, irritante, molesto, cáustico *fig.* ≠ **afetuoso**, amável ■ *n.m.* 1 **amargor**, amargura, fel *fig.* 2 [*pl.*] *col.* **desgostos**, dissabores

amargor *n.m.* 1 **amargo**, amargura, travo, fel *fig.* 2 *fig.* **angústia**, amargura, aflição, pena, mágoa, pesar, amaritude *poét.*

amargoso *adj.* 1 **amargo**, azedo, atroviscado, troviscoso ≠ **doce**, adocicado 2 *fig.* **triste**, penoso ≠ **alegre**

amargura *n.f.* 1 **amargo**, amargor, travo, fel *fig.* 2 *fig.* **mágoa**, aflição, angústia, desgosto, pena, pesar, tristeza, dor, amargor *fig.*, amaritude *poét.*

amarguradamente *adv.* **amargamente**, penosamente, pesarosamente, dolorosamente, tristemente ≠ **alegremente**

amargurado *adj.* **angustiado**, atormentado, dolorido, triste, incomodado, atribulado, aflito

amargurar *v.* **angustiar**, afligir, atormentar, torturar, mortificar, magoar, agoniar, molestar, penalizar, atribular, desgostar, fraguar *fig.*, afelear *fig.*

amaricar-se *v.* **efeminar-se**, afeminar-se, adamar-se, amulherengar-se

amarinhar *v.* 1 (navio) **comandar**, marinhar, governar, marear, tripular, marinheirar, amarinheirar, amarujar 2 *col.* **trepar**, subir

amaro *adj.* 1 **acerbo**, amargo, amargoso, acre, agro, áspero, azedo ≠ **doce**, açucarado 2 *fig.* **angustioso**, custoso, áspero, duro, penoso, cruel, desagradável, doloroso, triste ≠ **agradável**

amarra *n.f.* 1 NÁUT. **rageira** 2 **cabo**, corda, corrente, aúste, calabre, estrém, talingadura, talinga 3 *fig.* **apoio**, segurança, proteção, auxílio, valimento 4 *fig.* **prisão**, amarração 5 [*pl.*] **amarração**, amarradura

amarração *n.f.* 1 **amarras** 2 **ancoradoiro**, ancoragem, atracadura, fundeadouro, surgidoiro 3 *col.* **casamento** 4 *fig.* **prisão**

amarrado *adj.* 1 **atado**, preso 2 NÁUT. **ancorado**, fundeado 3 *col.* **comprometido** 4 [BRAS.] *col.* **apaixonado**

amarrar *v.* 1 **acorrentar**, agrilhoar, trincafiar ≠ **desamarrar**, desacorrentar 2 **atar**, laçar, segurar, prender, engastalhar ≠ **desatar**, desamarrar 3 **ligar**, liar, unir ≠ **libertar**, livrar 4 **atracar**, fundear, ancorar, aferrar ≠ **desatracar**, desaferrar 5 [BRAS.] **parar**, estorvar, dificultar

amarrar-se *v.* 1 **atar-se**, prender-se, acorrentar-se ≠ **desamarrar-se** 2 *fig.* **insistir**, teimar, obstinar-se, embestar 3 [BRAS.] *col.* **interessar-se**, apaixonar-se 4 [BRAS.] *col.* **juntar-se**, casar-se, amancebar-se

amarrotar *v.* 1 **amachucar**, amarfanhar, amolgar ≠ **alisar**, endireitar 2 **enrugar**, encarquilhar, vincar, encrespar, enxovalhar, engelhar, enverrugar, marlotar, avelar ≠ **alisar**, endireitar, desenfestar 3 **contundir**, machucar, esmurrar 4 *fig.* **abater**, derrotar

ama-seca *n.f.* **ama**, babá [BRAS.]

amassadela *n.f.* **amolgadela**, amolgamento, mossa, achatadela, aboladura, amassadura

amassado *adj.* 1 **misturado**, mesclado, altamado, permisto 2 **amolgado**, deformado 3 **achatado**, pisado

amassar *v.* 1 **misturar**, mesclar 2 **amolgar**, amachucar, amarfanhar, amarrotar 3 **achatar**, pisar, esmagar, espalmar, abatatar 4 *col.* **sovar**, socar, espancar 5 *fig.* **deprimir**, vexar, abater

amassar-se *v.* 1 **amolgar-se**, amachucar-se, deformar-se, achatar-se 2 **enrugar-se**, amarrotar-se 3 **misturar-se**, amalgamar-se, juntar-se

amável *adj.2g.* **afável**, agradável, amoroso, aprazível, atencioso, bom, cortês, delicado, encantador, fino, galante, gentil, lisonjeiro, meigo, polido, terno ≠ **desagradável**, indelicado, inamável

amazona *n.f.* **belatriz**, unimama

amazónico[AO] ou **amazônico**[AO] *adj.* **amazónio**, amazonense

ambages *n.m.pl.* *fig.* **subterfúgios**, rodeios, evasivas

âmbar *n.m.* **alambre**, ambre, alâmbar

ambição *n.f.* 1 **aspiração**, pretensão 2 **cobiça**, ganância, avidez, cupidez, sofreguidão, sede *fig.*

ambicionar *v.* **pretender**, desejar, apetecer, cobiçar, querer, aspirar

ambicioso *adj.* 1 **ganancioso**, cobiçoso, ávido, desejoso, interesseiro ≠ **desinteresseiro**, generoso 2 **ousado**, arriscado, destemido ≠ **modesto**

ambiência *n.f.* **ambiente**, meio, esfera

ambientado *adj.* **integrado**, adaptado ≠ **desambientado**

ambientar *v.* **aclimatar**, adaptar, acostumar, adequar

ambientar-se *v.* **adaptar-se**, integrar-se, aclimatar-se, acomodar-se, entrosar-se ≠ **desambientar-se**

ambiente *n.m.* 1 **meio**, ar, atmosfera, ambiência 2 **esfera**, roda, sociedade ■ *adj.2g.* **circundante**, envolvente, envaginante

ambiguidade *n.f.* 1 **duplicidade** 2 LING. **anfibologia** 3 **dúvida**, incerteza 4 **indecisão**, hesitação, ambivalência

ambíguo *adj.* 1 **equívoco**, dúbio, duvidoso, obscuro, flexíloquo ≠ **claro**, exato 2 **indefinido**, indeterminado, vago ≠ **definido**, determinado 3 **hesitante**, incerto, indeciso, irresoluto, inseguro ≠ **decidido**, resoluto

âmbito *n.m.* 1 **espaço**, extensão, setor, círculo 2 **campo de ação** 3 **circunferência**, contorno, circuito, horizonte, órbita 4 **cercadura**, perímetro, periferia

ambos *pron.indef.* **os dois**, um e outro, âmbolos

ambrar *v.* **perfumar**, aromatizar

ambrósia *n.f.* **néctar**

ambrósio *adj.* 1 **aromático**, ambrosíaco, ambrosino 2 *fig.* **delicioso**, saboroso

ambulante *adj.2g.* 1 **móvel**, volante, ambulativo, movediço, mudável 2 **caminhante**, errante, errático

ambulatório *adj.* **ambulante**, deambulatório, ambulativo, mudável

ameaça *n.f.* 1 **cominação**, intimação, ameaço, arremesso, advertência 2 **prenúncio**, ameaço, sinal, sintoma

ameaçador *adj.* **assustador**, aterrador, sinistro, temível, feroz, torvo, ameaçativo ≠ **tranquilizador**, tranquilizante

ameaçar *v.* 1 **amedrontar**, apavorar, assustar, atemorizar, intimidar, bravatear, arremeter 2 **anunciar**, prenunciar, prognosticar, apontar

ameaço *n.m.* 1 **cominação**, intimação, arremesso, advertência 2 **prenúncio**, sinal, sintoma

amealhar *v.* **poupar**, aforrar, forrar, economizar, amontoar, juntar ≠ **esbanjar**, dissipar

amedrontar *v.* **atemorizar**, apavorar, assustar, assombrar, aterrar, intimidar, espantar, espavorir, ameaçar, horripilar, desanimar, acobardar, esparvar, acagaçar *col.* ≠ **desamedrontar**, desassustar, tranquilizar, sossegar

ameigar *v.* 1 **acariciar**, acarinhar, afagar, amimar, cofiar, desvelar 2 **suavizar**, abrandar ≠ **agravar**, piorar

ameigar-se *v.* **suavizar-se**, amenizar

amêijoa *n.f.* ZOOL. **berbigão**, bergão [BRAS.]

ameijoar *v.* 1 **juntar**, reunir 2 **recolher-se**, abrigar-se

ameixa *n.f.* 1 **abrunho**, amêixoa 2 *col.* **bala**, projétil, bomba

amém *interj.* **assim seja!**, assim é!, concordo! ■ *n.m.* **aprovação**, concordância, consentimento

amendoim *n.m.* **aráquide**, alcagoita [REG.]

amenidade *n.f.* 1 **suavidade**, doçura, serenidade, brandura, macieza 2 **benignidade**, amabilidade, graça 3 **delicadeza**, polidez, urbanidade ≠ **indelicadeza** 4 **deleite**, agrado, encanto

ameninado *adj.* **pueril**, acriançado

ameninar-se *v.* **acriançar-se**, infantilizar-se

amenizar *v.* 1 **abrandar**, serenar, suavizar, minorar, mitigar 2 **deleitar**, deliciar, entreter 3 **perfumar**, aromatizar, balsamizar, ambrear

amenizar-se *v.* **abrandar**, suavizar-se, serenar, mitigar-se

ameno *adj.* 1 **afável**, agradável, amoroso, delicado, prazenteiro ≠ **desagradável**, desameno 2 **aprazível**, belo, calmo, deleitoso, delicioso, doce, fresco, frondoso, gracioso ≠ **desaprazível** 3 **macio**, mimoso, sereno, suave, brando

amentar *v.* 1 **evocar**, lembrar, recordar, memorar, rememorar 2 **responsar**, conjurar 3 **dementar**, enlouquecer

amento *n.m.* BOT. **amentilho**

americanice *n.f. pej.* **excentricidade**, exagero

americano *adj.,n.m.* **norte-americano**, estado-unidense, ianque

amesquinhar *v.* 1 **aviltar**, humilhar, oprimir, vexar, depreciar, apoucar, deprimir, diminuir, desvalorizar, ananicar, desvalorar ≠ **valorizar**, dignificar 2 **entristecer**, abater, afligir, amofinar, atormentar, desgraçar, desventurar

amesquinhar-se *v.* 1 **aviltar-se**, rebaixar-se, enxovalhar-se, acanalhar-se, envilecer-se, apoucar-se, depreciar-se, apequenar-se 2 **entristecer-se**, contristar-se, afligir-se

amestrado *adj.* 1 (animal) **treinado**, ensinado 2 (animal) **domado**, amansado

amestrar *v.* 1 **adestrar**, instruir, ensinar, treinar, exercitar, industriar, ensaiar 2 **domar**, amansar, domesticar

amianto *n.m.* **asbesto**, salamandra

amiga *n.f.* 1 **companheira**, camarada, colega 2 **amante**, concubina, amásia, amada, comborça, barregã, manceba

amigalhaço *n.m. col.* **amigalhão**, amigaço, amigalhote, amigão

amigar *v.* **harmonizar**, conciliar, reconciliar, amistar

amigar-se *v.* 1 *col.* **amancebar-se**, amasiar-se, abarregar-se, contubernar-se, amantar-se[REG.] 2 **acamaradar-se** ≠ **inimizar-se** 3 **reconciliar-se**, amistar-se, desagastar-se, desarrenegar-se

amigável *adj.2g.* 1 **amistoso**, amical ≠ **conflituoso**, contencioso 2 **afável**, afetuoso, amorável, amoroso, benévolo, bom, caridoso, complacente, conciliador, cortês, doce, extremoso, gracioso, sociável ≠ **desafável**, malvado

amígdalaAO ou **amídala**AO *n.f.* ANAT. **tonsila**, campainha

amigdaliteAO ou **amidalite**AO *n.f.* MED. **tonsilite**, angina, esquinência *ant.*

amigo *adj.* 1 **afetuoso**, dedicado, amigável, afeiçoado, simpático, querido, achegado, extremoso, complacente, benévolo, benigno, dileto ≠ **antipático**, inimigo 2 **aliado**, simpatizante ≠ **inimigo**, adversário 3 **propício**, favorável ≠ **desfavorável**, adverso ■ *n.m.* 1 **companheiro**, camarada, colega ≠ **inimigo**, adversário 2 **amante**, amásio, barregão, concubino, comborço

amimar *v.* **afagar**, acariciar, acarinhar, cariciar, ameigar, bajoujar, cofiar, apanicar[REG.]

amir *n.m.* **emir**

amissão *n.f.* **perda**, privação

amistoso *adj.* **amigável**, conciliador, cordial ≠ **hostil**

amiudadamente *adv.* **frequentemente**, amiúde, repetidamente, constantemente, reiteradamente, continuadamente ≠ **raramente**

amiudar *v.* 1 **esmiuçar**, esmiudar, esfarelar 2 **repetir**, reiterar

amiúde *adv.* **frequentemente**, amiudadamente, repetidamente, constantemente, reiteradamente, continuadamente ≠ **raramente**

amizade *n.f.* 1 **afeição**, afeto, bem-querer, benquerença, dileção, estima, dedicação, desvelo, ternura, carinho, amor, favor, graça, apego, simpatia, predileção, atração, inclinação, benevolência ≠ **inimizade**, aversão, malquerença, hostilidade 2 **acordo**, aliança, ligação, união 3 **camaradagem**, companheirismo, cumplicidade, comadrio 4 **cordialidade**, familiaridade

amnésia *n.f.* **esquecimento**

amnésico *adj.* 1 **amnéstico** 2 *fig.* **esquecido**, desmemoriado

amnistiaAO ou **anistia**AO *n.f.* **perdão**, indulto, graça, desculpa

amnistiarAO ou **anistiar**AO *v.* **indultar**, perdoar, desculpar, agraciar

amo *n.m.* 1 **dono**, senhor, patrão, proprietário 2 *ant.* **aio**, pedagogo, percetor

amodorrar *v.* **adormentar**, sopitar, adormecer

amodorrar-se *v.* 1 **adormecer** 2 **aferrar-se**, dedicar-se, agarrar-se, apegar-se, entranhar-se

amoedar *v.* **cunhar**, monetizar

amofinação *n.f.* 1 **aborrecimento**, agastamento, apoquentação, arrelia, desprazer, enfado, enojo ≠ **desenfado**, desagastamento 2 **desgosto**, ralação, aflição, angústia, consumição, matação, tormento ≠ **alegria**, contentamento

amofinado *adj.* 1 **aborrecido**, apoquentado, agastado, arreliado, enfadado ≠ **desenfadado**, desgastado 2 **desgostoso**, aflito, infeliz, melindrado, magoado, ressabiado ≠ **alegre**, contente

amofinar *n.f.* 1 **aborrecer**, agastar, apoquentar, arreliar, enfadar, perrear, moer ≠ **desenfadar**, desagastar 2 **afligir**, atormentar, mortificar, ralar, inquietar, angustiar, consumir, molestar ≠ **alegrar**, animar

amofinar-se *v.* 1 **irritar-se**, aborrecer-se, zangar-se, agastar-se, arreliar-se, enfurecer-se, encolerizar-se, apoquentar-se, acirrar-se, exasperar-se, enervar-se, impacientar-se, arrufar-se, ofender-se, melindrar-se, ressentir-se 2 **afligir-se**, apoquentar-se, preocupar-se, ralar-se, angustiar-se, atormentar-se, agoniar-se, consumir-se, amargar-se, condoer-se, consternar-se, contristar-se, desgostar-se, entristecer-se, penar-se

amolar *v.* 1 **aguçar**, afiar, acerar, adelgaçar ≠ **alargar**, engrossar 2 **meditar**, matutar, pensar, remoer, caquear[REG.] 3 [BRAS.] **aborrecer**, apoquentar, importunar, incomodar, causticar, enfadar, maçar ≠ **desenfadar**, desagastar

amolar-se *v.* 1 *col.* **aguentar**, entalar-se, espetar-se 2 [BRAS.] **aborrecer-se**, apoquentar-se, incomodar-se, enfadar-se, maçar-se, importunar-se

amoldar *v.* 1 **aclimatar**, acostumar, adaptar, habituar, afazer, adequar, afeiçoar, ajustar, conformar ≠ **desacostumar**, desadaptar, desafeiçoar 2 **moldar**, modelar, proporcionar, talhar

amoldar-se *v.* 1 **habituar-se**, acostumar-se 2 **ajustar-se**, adaptar-se, conformar-se

amolecer *v.* 1 **molificar**, amolentar, afofar, demulcir, desvertebrar *fig.* ≠ **endurecer**, endurar 2 **abrandar**, abrandecer, embrandecer, suavizar, maciar, afrouxar, adoçar *fig.* ≠ **endurecer** 3 **comover**, enternecer, tocar, apiedar ≠ **endurecer**

amolecido *adj.* 1 **flexível**, mole ≠ **endurecido**, enresinado, cóscoro 2 *fig.* **comovido**, sensibilizado ≠ **endurecido**

amolecimento *n.m.* 1 *fig.* **enfraquecimento**, debilitação ≠ **endurecimento** 2 *fig.* **enternecimento**, comoção ≠ **endurecimento**

amolgadela *n.f.* **achatamento**, achatadura, depressão, amolgadura, mossa

amolgado *adj.* **amassado**, achatado, amartelado, mossado

amolgadura *n.f.* **achatamento**, depressão, amolgadela, mossa ≠ **desamolgação**, desamolgamento

amolgar *v.* 1 **amachucar**, amarrotar, achatar, abater, deformar, encarquilhar, amassar, amossar, embotar, machucar, esmagar, acochichar, amartelar, amossegar ≠ **alisar**, endireitar, achanar, desamarrotar, desenviesar, destorcer 2 **bater**, magoar, pisar, contundir 3 **derrotar**, subjugar, sujeitar, vencer, vergar, dominar, curvar 4 **ceder**, fraquejar, submeter-se, sujeitar-se, quebrantar-se

amolgar-se *v.* 1 **amassar-se**, amachucar-se, deformar-se ≠ **desamolgar-se**, endireitar-se, empertigar-se, engravitar-se 2 **embotar-se** 3 **ceder**, vergar, submeter-se, sujeitar-se

amoníaco *adj.* **amoniacal**

amontoado *n.m.* **montão**, cúmulo, aglomerado, acervo, acúmulo, pilha, rima, congérie, acumulação ■ *adj.* **acumulado**, empilhado, acervado

amontoar *v.* 1 **acumular**, ajuntar, juntar, aglomerar, agregar, agrupar, cumular, multiplicar, apinhar, apinhoar, encavalar 2 *fig.* **arrecadar**, guardar, aferrolhar *fig.*, entesoirar *fig.*

amor *n.m.* 1 **bem-querer**, afeto, dileção, afeição, querença, benquerença, benevolência, amizade ≠ **ódio**, malquerença 2 **paixão**, atração 3 [*pl.*] **namoro**, caso, aventura 4 [*pl.*] BOT. **bardana**, bardana-ordinária, pegamasso, pegamasso-menor

amora *n.f.* 1 BOT. (árvore) **amoreira** 2 BOT. (fruto) **mora** *col.*

amorável *adj.2g.* **afável**, afetuoso, agradável, amável, amigável, amoroso, aprazível, benévolo, carinhoso, dócil, meigo, terno ≠ **desamorável**, desagradável

amoravelmente *adv.* **ternamente**, meigamente, amorosamente, carinhosamente

amordaçar *v.* 1 **açaimar**, açamar, emordaçar 2 *fig.* **reprimir**, refrear

amordaçar-se *v.* **calar-se**, silenciar-se

amoreira *n.f.* 1 BOT. (árvore) **amora** 2 ORNIT. **flecha**, papa-amoras, pica-amoras, felosa-real, felosa-de-papo-branco, charrasca, cheldra, felosa, fuleca, fulecra, toutinegra, fura-balaças, tarréu

amorfismo *n.m.* **deformação**

amorfo *adj.* 1 **informe**, irregular 2 **apático**, indiferente

amorico *n.m.* **namorico**

amorim *n.f.* BOT. (pera) **lambe-lhe-os-dedos**, morim

amornar *v.* 1 **amornecer**, aquentar 2 **entibiar**

amoroso *adj.* **afetivo**, afetuoso, afeiçoado, agradável, amável, amigável, amorável, apaixonado, aprazível, benévolo, brando, carinhoso, enamorado, fino, gracioso, meigo, terno, cupidíneo, cupidinoso ≠ **desamoroso**, desamorável, desagradável

amor-perfeito *n.m.* BOT. **flor-seráfica**

amor-próprio *n.m.* 1 **autoestima**, orgulho, brio 2 **vaidade**, soberba, jactância, filáucia

amortecedor *adj.,n.m.* **silenciador**

amortecer *v.* 1 **abrandar**, froixar, moderar, temperar, entibiar, acalmar, amaciar, abafar, aplacar, quebrantar, suavizar ≠ **aumentar**, intensificar 2 **enfraquecer**, entorpecer

amortecer-se *v.* **acalmar**, afrouxar, aplacar, moderar-se, enfraquecer, desfalecer

amortecimento *n.m.* 1 **desfalecimento**, esmorecimento 2 **enfraquecimento**, afroixamento

amostra *n.f.* 1 **exemplar**, mostra, espécime, espécimen, modelo 2 **prova**, sinal, indício 3 **apresentação**, demonstração, exibição, exposição, revelação

amostrar *v.* 1 **apresentar**, exibir, expor, mostrar 2 **indicar**, apontar, mostrar 3 **demonstrar**, revelar, evidenciar, manifestar, denotar, mostrar 4 **aparentar**, simular, mostrar

amotinação *n.f.* **motim**, levantamento, rebelião, sublevação, desordem, tumulto, revolta, levante, sedição, alvoroto, alvoroço, sarrafusca

amotinar *v.* **sublevar**, tumultuar, alvoroçar, alvorotar, excitar, faccionar, insurgir, agitar, perturbar, rebelar, revoltar, concitar, atumultuar, barulhar

amover *v.* 1 **afastar**, arredar, apartar, desviar, remover 2 **desapossar**, privar, destituir, tirar

amovível *adj.2g.* 1 **removível**, transferível, deslocável ≠ **inamovível**, fixo 2 **temporário**, transitório ≠ **inamovível**, vitalício

amparar *v.* 1 **segurar**, suster, apoiar, sustentar, arrimar, escorar, estear, suportar ≠ **desamparar**, deixar cair, largar 2 **ajudar**, socorrer, proteger, defender, patrocinar, auxiliar, apadrinhar, resguardar, sobraçar ≠ **desamparar** 3 **acolher**, abrigar, agasalhar, valer ≠ **desamparar**, desacolher

amparar-se *v.* 1 **agarrar-se**, firmar-se, apoiar-se, segurar-se, escorar-se, encostar-se, trincheirar-se *fig.* 2 **defender-se**, proteger-se, resguardar-se, refugiar-se

amparo *n.m.* 1 **apoio**, auxílio, assistência, conchego, favor, socorro, benefício ≠ **desamparo**, desapoio 2 **bordão**, cajado, muleta 3 **encosto**, arrimo 4 **abrigo**, asilo 5 **sustentáculo**, escora, espeque, esteio 6 **proteção**, égide, escudo, defesa, adarga *fig.*, arnês *fig.* ≠ **desamparo**, desproteção 7 **acolhimento**, guarida, refúgio, resguardo

amperímetro *n.m.* **amperómetro**

amplamente *adv.* 1 **bastante**, muito, assaz ≠ **pouco** 2 **grandemente**, largamente, profusamente, abundantemente, difusamente, vastamente, densamente ≠ **escassamente**

amplexo *n.m.* **abraço**, enlaçamento, enlace, abraçamento, chi-coração *col.*, chi *col.*

ampliação *n.f.* **alargamento**, aumento, dilatação, extensão, amplificação, acrescentamento, expansão, engrandecimento, crescimento, desenvolvimento ≠ **redução**, encurtamento

ampliar *v.* **aumentar**, alargar, alongar, dilatar, amplificar, acrescentar, prolongar, estender, aditar, ensanchar ≠ **diminuir**, reduzir

ampliativo *adj.* **ampliador**, amplificativo, ampliatório

amplidão *n.f.* **vastidão**, extensão, largueza, amplitude, roda, grandeza, vasteza, latitude ≠ **exiguidade**

amplificação *n.f.* 1 **aumento**, alargamento, dilatação, desenvolvimento, engrandecimento, ampliação, acréscimo 2 **hipérbole**, exageração, exagero, encarecimento

amplificador *adj.,n.m.* **ampliador**, aumentador, intensificador, acrescentador

amplificar *v.* 1 **ampliar**, aumentar, acrescentar, dilatar, alongar, alargar, prolongar, estender ≠ **diminuir**, reduzir 2 **exagerar**, engrandecer

amplificar-se *v.* **crescer**, ampliar-se, aumentar, dilatar-se, estender-se ≠ **diminuir**, reduzir-se

amplitude *n.f.* **amplidão**, extensão, largueza, roda, grandeza, vastidão, vasteza, largura ≠ **exiguidade**

amplo *adj.* 1 **vasto**, largo, dilatado, espaçoso, desafogado, grande, camposo [REG.] ≠ **exíguo**, pequeno, acanhado 2 **extenso**, genérico ≠ **restrito**

ampola *n.f.* **vesícula**, bolha, empola, folipo, folecho

amputação *n.f.* 1 **excisão**, ablação, cortamento, corte, mutilação, apócope 2 *fig.* **eliminação**, redução, diminuição, supressão ≠ **acrescentamento**

amputar *v.* 1 **cortar**, mutilar, excisar, decepar, fanar 2 *fig.* **eliminar**, suprimir, tirar, seccionar ≠ **acrescentar** 3 *fig.* **restringir**, reduzir, coartar, limitar

amuado *adj.* **carrancudo**, mal-humorado, melindrado, abezerrado, entourado [REG.]

amuar *v.* 1 **aborrecer-se**, agastar-se, melindrar-se, entrombar-se, embezerrar *col.* 2 **teimar**, obstinar-se, emperrar 3 **arrecadar**, aferrolhar, entesoirar, aferroar

amuar-se *v.* **arrufar-se**, aborrecer-se, aburrar, melindrar-se, encaramonar, emonar-se, chofrar-se, embezerrar *col.*, entrombar-se *col.*, enfunar-se *fig.*, embaçar-se *fig.*

amuleto *n.m.* **talismã**, figa, mascote

amuo *n.m.* **mau humor**, aborrecimento, agastamento, enfado, arrufo, arrumaço, emburramento, mona *col.*, beiça *col.*, azeites *fig.*, burrão *fig.*

amurada *n.f.* **muro**, paredão, parede, molhe

amuralhar *v.* 1 **amurar**, fortificar 2 **defender**, proteger

amuralhar-se *v.* **retrair-se**

anã *n.f.* **anoa**, pigmeia *fig.*

anacatarsia *n.f.* **expetoração**, anacatarse

anacoreta *n.m.* **asceta**, eremita, ermitão, solitário, cenobita *fig.*

anacrónico[AO] ou **anacrônico**[AO] *adj.* 1 **antiquado**, arcaico, extemporâneo, retrógrado 2 **estranho**, destoante

anactesia *n.f.* MED. **analepse**, convalescença

anafado *adj.* **gordo**, nédio, rechonchudo, repolhudo *fig.*, chorudo *col.* ≠ **magro**

anafar *v.* 1 **engordar**, cevar, alimentar, nutrir, anediar 2 **afagar**, alisar

anagogia *n.f.* **arrebatamento**, arroubamento, êxtase, anagogismo

anal *adj.* **anual** ■ *n.m.pl.* **crónica**, história, memórias

analecta *n.f.* **antologia**, seleta, analecto

analepse *n.f.* 1 MED. **anactesia**, convalescença 2 LIT. **flashback**

analéptico *adj.* 1 **higiénico** 2 **retrocedente** ■ *adj.,n.m.* **fortificante**, reconstituinte, tónico, revigorante

analfabetismo *n.m.* **iliteracia**, ignorância ≠ **alfabetismo**, instrução

analfabeto *adj.,n.m.* 1 **iletrado**, ignorante, apedeuto ≠ **alfabetizado** 2 *fig.,pej.* **estúpido**, rude, boçal, bronco

analgésico *adj.* **análgico**, antálgico, anódino, anestesiante, antiálgico

analisador *adj.,n.m.* **analista**, crítico, observador

analisar *v.* 1 **estudar**, examinar, investigar, observar, dissecar, decompor 2 **comentar**, criticar

análise *n.f.* 1 **estudo**, exame, investigação, observação, pesquisa 2 **decomposição**, divisão ≠ **síntese** 3 **crítica**, apreciação, comentário 4 **ensaio** 5 MED. **psicanálise**

analista *n.2g.* 1 **analisador**, crítico, observador 2 **historiador**, tratadista 3 MED. **psicanalista** 4 **matemático**

analítica *n.f.* **análise**

analítico *adj.* MED. **psicanalítico**

analogia *n.f.* **afinidade**, assemelhação, semelhança, conformidade, parecença, comparação, símile, conexão, vizinhança *fig.* ≠ **diferença**, assimetria, diversidade

analógico *adj.* **semelhante**, similar ≠ **diferente**, diverso

análogo *adj.* **semelhante**, similar, parecido, afim, idêntico, aproximado ≠ **diferente**, diverso

anamnese *n.f.* **recordação**, reminiscência

ananás *n.m.* BOT. (planta) **ananaseiro**

anão *adj.,n.m.* 1 **pigmeu** *fig.*, ananico, anainho ≠ **gigante** 2 *fig.* **pequeno**, enfezado, nanico, mirrado, raquítico 3 *fig.* **mesquinho**, acanhado, apoucado

anarquia *n.f.* 1 POL. **acracia**, anarquismo 2 **desgoverno**, barafunda, confusão, desordem, caos, desorganização, orgia *fig.*, bagunça [BRAS.] ≠ **ordem**, organização

anárquico *adj.* **desgovernado**, desordenado, desorganizado, caótico, confuso ≠ **ordenado**, organizado

anarquismo *n.m.* POL. **anarquia**, acracia, acratismo

anarquista *adj.,n.2g.* 1 **anarca**, libertário, revolucionário 2 **desordeiro**

anarquizar *v.* 1 **amotinar**, sublevar, revoltar, indisciplinar 2 **confundir**, desorganizar, desordenar

anátema *n.m.* 1 **excomunhão**, anatematização 2 **condenação**, maldição, execração, opróbrio 3 **censura**, reprovação ■ *adj.,n.2g.* 1 **excomungado** 2 **maldito**, réprobo, amaldiçoado

anatematizar *v.* 1 **excomungar** 2 **condenar**, reprovar, amaldiçoar

anatomia *n.f.* 1 BOT. **fitotomia** 2 ZOOL. **zootomia**

anatómico[AO] ou **anatômico**[AO] *adj.* **adaptado**, moldado ■ *n.m.* **anatomista**, dissector

anatomista *n.2g.* **anatómico**, dissector

anatomizar *v.* 1 **dissecar** 2 *fig.* **estudar**, examinar

anavalhar *v.* 1 **esfaquear**, retalhar, alanhar 2 *fig.* **afligir**, amargurar, atormentar, torturar ≠ **alegrar** 3 *fig.* **caluniar**, difamar, denegrir

anca *n.f.* 1 ANAT. **quadril**, cadeiras, nádegas 2 ZOOL. **garupa**

ancestral *adj.2g.* 1 **antepassado**, ascendente, avito 2 **antigo**, remoto, velho

ancho *adj.* 1 **amplo**, desenvolvido, dilatado, espaçoso, extenso, grande, largo, vasto 2 *fig.* **gordo**, nutrido, corpulento, forte 3 *fig.* **enfatuado**, orgulhoso, soberbo, vaidoso, empertigado, empatufado

anchova *n.f.* ICTIOL. **biqueirão**, enchova

anciania *n.f.* **velhice**, ancianidade

ancião *n.m.* **decano**, deão, avô ■ *adj.* 1 **idoso**, provecto, velho, anciano 2 **antiquado**, antigo, remoto, vetusto, senecto

ancilosar *v.* 1 **anquilosar** 2 *fig.* **cristalizar**, paralisar, retesar, imobilizar, torpecer, enrijar

ancilose *n.f.* MED. (articulação) **acampsia**, paralisia, anquilose

ancinho *n.m.* **encinho**, ciscador, engaço, garamanha

âncora *n.f.* 1 NÁUT. **ferro**, pombeira, fateixa 2 *fig.* **proteção**, segurança, abrigo, amparo, apoio, arrimo

ancoração *n.f.* NÁUT. **ancoragem**

ancorado *adj.* 1 NÁUT. (navio) **fundeado** 2 *fig.* **fixado**, estabelecido 3 *fig.* **apoiado**, sustentado

ancoradouro *n.m.* 1 **fundeadouro**, porto, surgidouro, amarradoiro, abra 2 *fig.* **pouso**, abrigo, paragem, residência

ancoragem *n.f.* NÁUT. **ancoração**

ancorar *v.* 1 **aportar**, atracar, fundear, aferrar, surgir, poitar 2 *fig.* **perseverar**, persistir, estribar 3 *fig.* **fixar-se**, firmar-se, apoiar-se, basear-se, estear-se, estribar-se

andaço *n.m.* **contágio**, endemia, epidemia

andaime *n.m.* 1 **bailéu** 2 **adarve**

andaimo *n.m.* 1 **bailéu** 2 **adarve**

andamento *n.m.* 1 **andar**, marcha, passo 2 **aviamento** 3 **funcionamento** 4 **curso**, direção, continuação, seguimento 5 **prosseguimento**, progresso, movimento, prosseguição 6 **ritmo**, velocidade 7 **andada**, andadura, andança, jornada

andança *n.f.* 1 **andada**, andadura, andamento, jornada, caminhada 2 *fig.* **sorte**, fortuna, destino, dita 3 [*pl.*] *fig.* **aventuras**, trabalhos, faina

andante *adj.2g.* 1 **errante**, errático, vagabundo 2 **aventureiro** ■ *n.2g.* **transeunte**, caminhante, caminheiro, viandante

andar *n.m.* 1 **apartamento**, casa 2 **piso** 3 **camada**, divisão 4 **andamento**, porte, passo, locomoção, movimento ■ *v.* 1 **caminhar**, ir, deslocar-se, encaminhar-se, mover-se, passar, vir, avançar, prosseguir, seguir, percorrer, marchar, ambular 2 **continuar**, estar, decorrer, persistir 3 **frequentar**, viver, conviver 4 **funcionar**, trabalhar 5 **apresentar-se**, comportar-se, conduzir-se, portar-se, mostrar-se

andarilho *n.m.* 1 **caminhante**, calcorreador, andadeiro, andador, caminhador, caminheiro, cursor, papa-léguas, manja-léguas, estradeiro 2 **aranha**, voador, andador 3 **volantim**, funâmbulo 4 *ant.* **emissário**, patamar *ant.*, patamarim *ant.*

andas *n.f.pl.* 1 **chiolas**, pernas-de-pau 2 **andor**, charola

andor *n.m.* **charola**, liteira, palanquim ■ *interj.* **embora!**, vamos!

andorinha *n.f.* ORNIT. **pedreirinho**, progne *poét.*

andrajo *n.m.* **trapo**, frangalho, farrapo, falhipo [REG.]

andrajoso *adj.* **esfarrapado**, roto, esfrangalhado, farrapento ≠ **bem-apresentado**

androceu *n.m.* BOT. **estame**

androginia *n.f.* BIOL. **hermafroditismo**, androginismo

androgínico *adj.* **andrógino**, hermafrodito

andrógino *adj.,n.m.* BIOL. **hermafrodita**, androgínico

androide[dAO] *n.m. fig.* **boneco**, fantoche ■ *adj.2g.* **antropoide**

andróide[aAO] *n.m.,adj.2g.* ⇒ **androide**[dAO]

anedota *n.f.* **chiste**, historieta, laracha, piada
anedótico *adj.* 1 **cómico**, risível, jocoso, pilhérico 2 **fútil**, insignificante
aneiro *adj.* **contingente**, incerto, inconstante, precário ≠ **duradouro**, persistente
anel *n.m.* 1 **argola**, argolinha, aro, círculo, ânulo 2 **elo**, manilha 3 ARQ. **ânulo** 4 (cabelo) **caracol**, cacho 5 ZOOL. **merídio**
anelar *adj.2g.* **aneliforme**, anular, anelado ■ *v.* 1 **encaracolar**, encanudar, enrolar, enrocar 2 **aspirar**, desejar, ansiar, almejar, suspirar
anelídeo *adj.* ZOOL. **anelado**, anélido, esternebrado
anelo *n.m.* **anseio**, desejo, ansiedade, ânsia, aspiração, vontade, anélito
anemia *n.f. fig.* **enfraquecimento**, fraqueza, desalento, abatimento
anémicoAO ou **anêmico**AO *adj.* 1 **descorado**, pálido 2 **enfraquecido**, debilitado, fraco
anemómetroAO ou **anemômetro**AO *n.m.* **barosânemo**
anémonaAO ou **anêmona**AO *n.f.* BOT. **pulsatila**
anémona-do-marAO ou **anêmona-do-mar**AO *n.f.* ZOOL. **actínia**, urtiga-do-mar
anestesia *n.f.* 1 MED. **narcose** 2 **anestésico**, analgesia, analgia 3 *fig.* **insensibilidade**, apatia, desinteresse
anestesiar *v.* 1 **narcotizar**, analgizar 2 *fig.* **insensibilizar**, embotar, adormecer
anestésico *adj.* **anestesia**, antialgésico ■ *n.m. col.* **anestesista**
anestesista *adj.,n.2g.* **anestesiador**, anestesiologista, anestésico *col.*
aneurisma *n.m.* MED. **tumor**
anexação *n.f.* **incorporação**, integração, ajuntamento, junção, agregação ≠ **desanexação**, desunião
anexar *v.* 1 **incorporar**, apensar, agregar, ajuntar, grupar, juntar, ligar, vincular, unir, reunir, adicionar, acumular ≠ **desanexar**, desunir 2 *col.* **furtar**, roubar, tirar
anexo *adj.* **apenso**, agregado, junto, contíguo, incluso, incorporado, ligado, dependente, acessório ≠ **desanexado**, separado ■ *n.m.* 1 **acréscimo**, aditamento, suplemento, dependência 2 **sucursal**, dependência
anfíbio *adj.,n.m.* ZOOL. **anfibiano**, batráquio
anfibologia *n.f.* LING. **anfibolia**
anfiteatro *n.m.* **arena**, circo
anfitrião *adj.,n.m.* **banqueteador**
anfractuosidade *n.f.* 1 **cavidade**, saliência 2 **curvatura**, sinuosidade, volta
anfractuoso *adj.* **sinuoso**, tortuoso, coleado, policurvo, serpenteado, serpiginoso
angariação *n.f.* 1 **recrutamento** 2 **obtenção**, conseguimento
angariador *adj.,n.m.* 1 **agente**, agenciador, agencioso 2 **aliciador**, recrutador
angariar *v.* 1 **adquirir**, alcançar, granjear, obter, conseguir, agenciar 2 **recrutar**, aliciar, atrair, conquistar
angélica *n.f.* 1 BOT. **nardo**, angélica-dos-jardins, tuberosa 2 [REG.] **jeropiga**
angelical *adj.2g.* 1 **angélico**, angelino, divino 2 *fig.* **encantador**, perfeito, formoso, lindo, belo 3 *fig.* **inocente**, puro
angélico *adj.* 1 **angelical**, angelino, divino 2 *fig.* **encantador**, perfeito, formoso, lindo, belo 3 *fig.* **inocente**, puro
angelina *n.f.* ICTIOL. **anjounil**, xaputa, ajenil
angina *n.f.* MED. **amigdalite**, tonsilite, esquinência *ant.*
anglicanismo *n.m.* 1 RELIG. **conformismo** 2 LING. **anglicismo**, inglesismo
anglicano *adj.,n.m.* **inglês**, anglo
anglicismo *n.m.* LING. **inglesismo**, anglicanismo
anglicizar *v.* **anglizar**, inglesar
anglo *adj.,n.m.* **inglês**, anglicano
anglo-saxão *adj.* **anglo-saxónio**, anglo-saxónico
angola *adj.,n.m.* **angolano**, angolense, angolar
angolano *adj.,n.m.* **angola**, angolense, angolar
angolar *adj.,n.2g.* **angolano**, angolense, angola
angra *n.f.* **enseada**, baía, abra, abrigo, calheta, goleta, anco
angular *adj.2g.* 1 **anguloso**, angulado 2 *fig.* **basilar**, fundamental, essencial, principal ≠ **secundário**, acessório ■ *v.* **enviesar**, torcer
ângulo *n.m.* 1 **canto**, esquina, cotovelo, aresta, quina 2 *fig.* **perspetiva**, ponto de vista
anguloso *adj.* 1 **angular**, angulado, esquinado 2 **ossudo**
angústia *n.f.* 1 **afogo**, aperto, constrição, estrangulação, opressão ≠ **desafogo**, alívio 2 **aflição**, ânsia, ansiedade, desassossego, transe, tribulação, desespero, turbação, pesar, desgosto, sofrimento, dor, tristeza, mágoa, amargura, tormento, agonia ≠ **contentamento**, paz, tranquilidade
angustiado *adj.* **aflito**, ansioso, agoniado, atormentado, triste ≠ **tranquilo**, calmo, contente
angustiante *adj.2g.* **tormentoso**, aflitivo, angustiador
angustiar *v.* **afligir**, atormentar, amargurar, mortificar, torturar, atribular, constranger, confranger, dilacerar, inquietar, apertar, ansiar, agoniar, entristecer, golpear *fig.*, apuar *fig.* ≠ **alegrar**, contentar, desapoquentar
angustiar-se *v.* 1 **afligir-se**, atormentar-se, amargurar-se, mortificar-se, agoniar-se, consumir-se, preocupar-se, apoquentar-se, ralar-se, atribular-

-se, amofinar-se, amargar, entristecer-se, contristar-se, dilacerar-se, penar-se, acarvar--se *fig.,ant.* 2 ≠ **alegrar-se**, contentar-se

angustioso *adj.* 1 **angustiado**, aflito, atormentado, ansioso, triste ≠ **tranquilo**, calmo, contente 2 **tormentoso**, aflitivo, angustiante, lancinante, doloroso, excruciante

anho *n.m.* **borrego**, cordeiro

anichar *v.* **encafuar**, esconder, guardar, aconchegar, agasalhar, entocar

anichar-se *v.* 1 **esconder-se**, ocultar-se, amocambar-se, encovilar-se, acavernar-se, acantoar-se, entocar-se 2 *fig.* **empregar-se**, fixar-se, arreigar--se

anídrico *adj.* **anidro**

anil *n.m.* 1 **índigo** 2 **azul** 3 BOT. **anileira**, anileiro, indigueiro, índigo ■ *adj.2g.* **senil**, velho

anilado *adj.* **azulado**

anilar *v.* **azular**, azulinar

anilha *n.f.* 1 **anel**, argola, argolinha 2 **arruela**, roel

anilhar *v.* **argolar**

animação *n.f.* 1 **alegria**, arrebatamento, entusiasmo, fervor, calor *fig.*, gás *fig.* 2 **vivacidade**, vida, movimento, viveza 3 **dinamização**, impulso, incitamento, galvanização *fig.*, polarização *fig.*

animado *adj.* 1 **vivo** ≠ **inanimado** 2 **agitado**, buliçoso, ativo ≠ **mortiço**, apagado 3 **entusiasmado**, corajoso, enérgico, esperançado, animoso ≠ **desanimado**, desalentado 4 **alegre**, expansivo, satisfeito, bem-disposto

animador *adj.* **alentador**, estimulante, reconfortante, confortador, consolativo ≠ **desanimador**, desalentador ■ *n.m.* **dinamizador**, entertainer

animadversão *n.f.* 1 **advertência**, repreensão, reprovação, reparo, crítica, censura, nota 2 **aversão**, ódio, malquerença, malevolência, embirração, animosidade, embirrança

animal *n.m.* 1 BIOL., ZOOL. **zoonte** 2 **besta**, bicho 3 *pej.* **alimária**, cavalgadura ■ *adj.2g.* 1 *fig.* **grosseiro**, boçal, rude, bruto, brutal 2 *fig.* **asno**, estúpido, ignorante, irracional 3 *fig.* **sensual**, voluptuoso, carnal

animalejo *n.m.* 1 **bichinho** 2 *fig.,pej.* **estúpido**, grosseirão, azémola *fig.*

animalesco *adj. fig.* **bestial**, brutal, grosseiro

animalidade *n.f.* **bestialidade**, brutalidade

animalizar *v.* **bestificar**, bestializar, embrutecer, estupidificar

animar *v.* 1 **encorajar**, entusiasmar, estimular, excitar, exortar, incitar, instigar, fomentar, movimentar, concitar, afervorar, acoroçoar, alentar, acalorar, aguilhoar *fig.* ≠ **desanimar**, desencorajar, acobardar 2 **alegrar**, avivar, vivificar, aviventar, avigorar ≠ **entristecer**, esmorecer

animar-se *v.* 1 **alentar-se**, entusiasmar-se, motivar-se, afoguear-se, encorajar-se, afoutar-se 2 **divertir-se**, alegrar-se, desinibir-se, desenfadar-se, distrair-se, espairecer, desanuviar 3 **excitar-se**, estimular-se, avivar-se, aquecer *fig.* 4 **atrever-se**, ousar, abalançar-se 5 **decidir-se**, resolver-se ≠ **hesitar**, vacilar, claudicar 6 **embriagar-se**, embebedar-se, alegrar-se

animatógrafo *n.m.* 1 **cinematógrafo** 2 **cinema**

anímico *adj.* **psicológico**, psíquico

animizar *v.* **animar**

ânimo *n.m.* 1 **humor** 2 **índole**, génio, temperamento 3 **alento**, coragem, energia, força, disposição, afoiteza, valentia ≠ **desânimo**, desalento 4 **vontade**, desígnio, resolução, intento 5 (pouco usado) **alma**, espírito ■ *interj.* **coragem!**, eia!, sus!

animosidade *n.f.* 1 **aversão**, animadversão, ódio, inimizade, malquerença, embirração 2 **pugnacidade**, combatividade 3 **coragem**, arrojo, valor, audácia

animoso *adj.* 1 **corajoso**, arrojado, audaz, bravo, aguerrido, decidido, enérgico, esforçado, intrépido, ousado, resoluto, temerário, valente ≠ **medroso**, cobarde 2 [REG.] **alegre**, folgazão, divertido

anina *n.f.* **anilha**, virola

aninhar *v.* 1 **acolher**, acoitar, receber, recolher 2 **ocultar**, esconder, acantoar 3 **abrigar**, agasalhar, conchegar

aninhar-se *v.* 1 **agachar-se**, acocorar-se, abaixar--se 2 **aconchegar-se**, acomodar-se 3 **abrigar-se**, acolher-se 4 **deitar-se**

aniquilação *n.f.* 1 **extermínio**, aniquilamento, destruição, extinção, desbaratamento 2 **prostração**, abatimento, aniquilamento

aniquilamento *n.m.* 1 **extermínio**, aniquilação, destruição, extinção, desbaratamento 2 **prostração**, abatimento, aniquilação

aniquilar *v.* 1 **exterminar**, extinguir, exinanir, matar, destruir, desbaratar, abolir, anular, inutilizar, aniilar, amortalhar, ceifar *fig.* 2 **abater**, prostrar, deprimir ≠ **animar**, revigorar

aniquilar-se *v.* 1 **destruir-se**, anular-se, arrasar--se, matar-se 2 **abater-se**, prostrar-se, exinanir--se 3 **rebaixar-se**, humilhar-se

anis *n.m.* BOT. (planta) **aniseira**

anite *n.f.* MED. **proctite**, rectite

aniversário *n.m.* **dia de anos**, anos

anjinho *n.m.* 1 *fig.* **ingénuo**, lorpa, papalvo 2 *fig.* **criança**, anjo 3 ORNIT. **alma-negra**

anjo *n.m.* 1 *fig.* **mensageiro** 2 *fig.* **criança**, anjinho 3 *fig.* **querubim** 4 ICTIOL. **anjo-do-mar**

anódino *adj.* 1 **inofensivo**, inócuo, comum 2 **insignificante**, apagado, medíocre ■ *adj.,n.m.* **analgésico**, análgico, antálgico, analgético, paliativo

anoitecer *v.* 1 escurecer, obscurecer ≠ amanhecer, clarear, alvorear 2 *fig.* envelhecer ≠ rejuvenescer

anojar *v.* 1 enojar, nausear, enjoar 2 enfadar, entediar, entejar, cansar 3 desgostar, magoar, afligir, molestar

anojar-se *v.* 1 enlutar-se ≠ desanojar-se 2 desgostar-se, apesarar-se, entristecer, enlutar-se *fig.* 3 aborrecer-se, enfadar-se 4 enojar-se, nausear--se

anomalia *n.f.* 1 anormalidade, irregularidade ≠ normalidade, regularidade 2 aberração, anormalidade, deformidade

anómalo[AO] ou **anômalo**[AO] *adj.* 1 anormal, irregular, desigual ≠ normal, regular 2 aberrante, anormal, excecional

anomia *n.f.* anarquia, desorganização

anonimato *n.m.* anonimado

anónimo[AO] ou **anônimo**[AO] *adj.* desconhecido, incógnito ≠ conhecido

anorexia *n.f.* MED. fastio, inapetência ≠ orexia, orexomania

anormal *adj.2g.* 1 anómalo, insólito, irregular, incomum, singular, invulgar ≠ normal, comum 2 *fig.,pej.* tarado, depravado

anormalidade *n.f.* 1 anomalia, irregularidade, singularidade ≠ normalidade, regularidade 2 aberração, anomalia, deformidade

anos *n.m.pl.* 1 idade 2 aniversário

anotação *n.f.* 1 apontamento, nota, notação, cota, apostilha 2 observação, comentário, escólio, glosa

anotado *adj.* 1 apontado 2 arrolado, inventariado

anotador *n.m.* comentador, escoliasta, glosador, apostilador

anotar *v.* 1 apontar, registar, notar 2 comentar, explicar, esclarecer 3 observar, reparar, notar 4 inventariar, arrolar

anovar *v.* inovar, renovar, reformar

ansa *n.f.* 1 asa 2 ensejo, azo, ocasião, oportunidade, pretexto

anseio *n.m.* 1 desejo, anelo, ânsia 2 aflição, angústia, ânsia, ansiedade

ânsia *n.f.* 1 aflição, perturbação, agonia, ansiedade, anseio, cuidado, desassossego, inquietação, tormento 2 desejo, anelo, cobiça, avidez, sofreguidão, ansiedade, sede *fig.* 3 estertor, vasca

ansiar *v.* 1 afligir, afrontar, oprimir, sufocar, atribular, agoniar, angustiar 2 almejar, anelar, apetecer, desejar, aspirar

ansiar-se *v.* afligir-se, angustiar-se, apoquentar--se, preocupar-se, ralar-se, atormentar-se, agoniar-se, consumir-se, contristar-se, padecer

ansiedade *n.f.* 1 aflição, perturbação, agonia, anseio, cuidado, desassossego, inquietação, tormento 2 desejo, anelo, ânsia, cobiça, avidez, sede, sofreguidão 3 impaciência, apreensão, ânsia ≠ calma, serenidade

ansiolítico *adj.,n.m.* FARM. tranquilizante, calmante

ansioso *adj.* 1 aflito, agitado, desassossegado, impaciente, inquieto, alvoroçado, mortificado ≠ sereno, calmo, tranquilo 2 ávido, desejoso, sedento, sôfrego, mortinho *col.*, morto *col.*

anta *n.f.* ARQUEOL. dólmen

antagónico[AO] ou **antagônico**[AO] *adj.* contrário, oposto, adverso, incompatível

antagonismo *n.m.* incompatibilidade, oposição, rivalidade, inimizade, conflito ≠ concordância, harmonia, acordo

antagonista *adj.,n.2g.* 1 contrário, oposto 2 adversário, competidor, concorrente, contendor, contraditor, émulo, rival, opositor, impugnador, inimigo ≠ aliado, amigo

antagonizar *v.* hostilizar, opor-se

antanho *adv.* antigamente, outrora

antárctico[aAO] *adj.* ⇒ **antártico**[dAO]

antártico[dAO] *adj.* austral, meridional ≠ ártico, boreal, setentrional

ante *prep.* perante, diante de, vis-à-vis

antecâmara *n.f.* antessala, antegabinete

antecedência *n.f.* anterioridade, precedência

antecedente *adj.2g.* anterior, prévio, precedente, preliminar ≠ posterior, ulterior

anteceder *v.* 1 preceder, antepassar, anteverter ≠ seguir 2 antecipar-se, adiantar-se, antepor-se

anteceder-se *v.* antecipar-se, adiantar-se, antepor-se

antecessor *n.m.* 1 predecessor ≠ sucessor 2 antepassado

antecipação *n.f.* 1 adiantamento, prolepse, anteocupação ≠ dilação, protelação, procrastinação 2 previsão, antevisão, conjetura, previdência, futuração

antecipadamente *adv.* 1 previamente, de antemão, adiantadamente ≠ depois, posteriormente 2 prematuramente, precipitadamente ≠ tardiamente

antecipado *adj.* 1 adiantado, precoce, prévio ≠ posterior, protelado 2 previsto

antecipar *v.* 1 adiantar, avançar, apressar, acelerar, precipitar ≠ atrasar, protelar, procrastinar 2 acautelar, prevenir, prever

antecipar-se *v.* 1 adiantar-se, antepor-se 2 *fig.* superar, ultrapassar, exceder, suplantar-se

antedatar *v.* preceder, adiantar

antediluviano *adj.* 1 pré-diluviano ≠ pós--diluviano 2 *fig.* antiquíssimo 3 *fig.* velhíssimo

antegozar *v.* antegostar, antefruir, prelibar

antegozo *n.m.* antegosto, prelibação

antemanhã *n.f.* alva, alvorada, madrugada ≠ anoitecer, entardecer

antemão *adv.* antecipadamente, anteriormente, antes, previamente

antena *n.f.* (inseto) cornicho, cornículo, corno

antenome *n.m.* prenome

antenupcial *adj.2g.* anteconjugal, pré-nupcial

antepara *n.f.* biombo, defesa, forro

anteparar *v.* 1 acautelar, defender, precaver, prevenir, obviar, proteger, resguardar, abrigar, acobertar, cobrir, fortificar 2 *fig.* embaraçar, estorvar, impedir, parar, suspender, sustar, tolher

anteparo *n.m.* 1 antepara, biombo, defesa, forro, cortina, tabique, tapume, tapamento, guarda-vento 2 bastida, trincheira 3 para-fogo, guarda-fogo 4 resguardo, defesa, precaução, proteção

antepassado *adj.* anterior, antecedente, precedente ≠ posterior ■ *n.m.* 1 antecessor, ascendente, predecessor, avô *fig.* ≠ descendente 2 [*pl.*] ascendência, progenitores, antigos, maiores, genealogia, antecessores, progénie, avós *fig.*, pais *fig.*, estirpe *fig.* ≠ descendência, descendentes

antepor *v.* 1 prepor ≠ pospor 2 opor, contrapor 3 preferir, escolher, anteferir

antepor-se *v.* adiantar-se, antecipar-se, preceder

anteposição *n.f.* 1 precedência, primado, primazia, preposição ≠ posposição 2 preferência

anteprojecto[aAO] *n.m.* ⇒ **anteprojeto**[dAO]

anteprojeto[dAO] *n.m.* esboço

anterior *adj.2g.* 1 antecedente, precedente, prévio, primeiro, antecipado ≠ posterior 2 dianteiro, avançado ≠ posterior, traseiro

anterioridade *n.f.* 1 antecedência, precedência 2 prioridade, primazia, primado

anteriorizar *v.* preceder

anteriormente *adv.* antes, dantes, primeiro, precedentemente, previamente ≠ posteriormente, depois

antes *adv.* 1 anteriormente, antecedentemente, precedentemente, primeiramente, previamente, antecipadamente ≠ depois, posteriormente 2 antigamente, outrora, dantes ≠ futuramente, depois 3 preferentemente, melhor 4 aquém

antessala *n.f.* antecâmara, saleta

antever *v.* prever, prognosticar, pressagiar, futurar, adivinhar, conjeturar, pressentir, antecipar, agoirar, antemostrar

antevisão *n.f.* previsão, adivinhação, prognóstico, antevidência, anteconhecimento

anticlímax *n.m. fig.* declínio, desilusão

anticoncecional[dAO] ou **anticoncepcional**[AO] *n.m.* contracetivo, anticoncetivo

anticoncepcional[AO] *n.m.* ⇒ **anticoncecional**[dAO]

anticorpo *n.m.* BIOL., MED. imunoglobulina

antídoto *n.m.* contraveneno, antitóxico, contrapeçonha, remédio, triaga

antífona *n.f.* estribilho, refrão

antigamente *adv.* dantes, outrora, primitivamente ≠ recentemente, atualmente, agora

antigo *adj.* 1 velho, antiquado, desusado, obsoleto, envelhecido, arcaico, vetusto, dioso, bolorento *fig.*, ferrugento *fig.*, carunchoso *fig.* ≠ novo, recente 2 primitivo, remoto 3 idoso, velho, senil, provecto, senecto *ant.* ≠ jovem, novo ■ *n.m.pl.* antepassados, ascendentes, maiores, progenitores ≠ descendência, descendentes

antigualha *n.f.* antiguidade, relíquia, velharia, ferro-velho

antiguidade *n.f.* 1 anciania, velhice, vetustez, ancianidade 2 antiqualha, relíquia, velharia, ferro-velho, antigualha, antigalha

antijurídico *adj.* ilegal, injurídico

antilogia *n.f.* contradição, paradoxo, oposição, paradoxismo

antimónio[AO] ou **antimônio**[AO] *n.m.* QUÍM. estíbio

antinatural *adj.2g.* contranatural, contranatura

antinomia *n.f.* antagonismo, contradição, paradoxo, oposição

antinómico[AO] ou **antinômico**[AO] *adj.* antagónico, contraditório, contrário, oposto

antipatia *n.f.* aversão, incompatibilidade, repulsa, repulsão, embirração, repugnância, asco, asca, grima *ant.* ≠ simpatia, afinidade

antipático *adj.* desagradável, detestável, odioso, repugnante, repulsivo ≠ simpático, agradável

antipatizar *v.* desengraçar, embirrar, implicar, aborrecer, abominar, execrar, detestar, malquerer ≠ simpatizar

antípoda *n.2g.* 1 antíctone, antípode 2 *fig.* oposto, contrário, inverso

antipopular *adj.2g.* impopular

antiquado *adj.* 1 obsoleto, antigo, arcaico, desusado, anacrónico, velho, envelhecido ≠ atual, recente 2 bota-de-elástico *col.*, jarreta *col.,pej.*

antiqualha *n.f.* antiguidade, relíquia, velharia, ferro-velho, veteramento

antiquar *v.* inveterar, ab-rogar, abolir

antiquário *n.m.* 1 bricabraquista, adelo 2 alfarrabista

anti-religioso[aAO] *adj.* ⇒ **antirreligioso**[dAO]

antirreligioso[dAO] *adj.* irreligioso

anti-sepsia[aAO] *n.f.* ⇒ **antissepsia**[dAO]

antissepsia[dAO] *n.f.* desinfeção

antítese *n.f.* 1 LING. síncrise, enantiose 2 oposição, contrário, contradição

antiveneno *n.m.* FARM. contraveneno

antolhar *v.* 1 **fantasiar**, imaginar, figurar, antojar 2 *fig.* **apetecer**, desejar, antojar

antolhar-se *v.* **afigurar-se**, parecer

antolhos *n.m.pl. fig.* **ilusão**, desejo

antologia *n.f.* 1 **seleta**, analecta, analecto, coletânea, crestomatia, espicilégio 2 **florilégio**

antoniano *adj.* antonino

antónimo[AO] ou **antônimo**[AO] *adj.,n.m.* **contrário**, oposto

antonomásia *n.f.* **epíteto**, apelido, cognome, alcunho, agnome, sobrenome, nome, apodo, denominação

antraz *n.m.* MED., VET. **carbúnculo**

antro *n.m.* 1 **covil**, cova, caverna, cavidade, lapa, gruta, abismo, toca, espelunca, cafarnaum, cafua, furna, cafurna 2 **cárcere**, masmorra

antropofagia *n.f.* **canibalismo**, androfagia

antropófago *n.m.* **canibal**, andrófago, hominívoro

antropoide[dAO] *adj.2g.* **antropomorfo**

antropóide[aAO] *adj.2g.* ⇒ **antropoide**[dAO]

antropometria *n.f.* 1 **somatometria** 2 **identificação**

antropomórfico *adj.* **antropoforme**, antropomorfo, antropoide

antropomorfo *adj.* **antropoforme**, antropomórfico, antropoide

anual *adj.2g.* **ânuo**, anal

anualidade *n.f.* **anuidade**

anualmente *adv.* **aniversariamente**

anuário *n.m.* **almanaque**, anais

anuência *n.f.* **consentimento**, aquiescência, aprovação, acessão, assentamento, assentimento, deferimento, sim, aceitação, concordância ≠ **desconsentimento**, desacordo, desaprovação

anuidade *n.f.* **anualidade**

anuir *v.* **aquiescer**, consentir, permitir, tolerar, aceitar, aprovar, condescender, acordar, concordar, assentir, aceder, aderir, conceder ≠ **discordar**, desaprovar, desconsentir

anulação *n.f.* **ab-rogação**, abolição, cassação, inutilização, invalidação, obliteração, revogação, derrogamento, eliminação, rescisão, supressão

anular *adj.2g.* **anelar**, aneliforme, circular ■ *v.* **cancelar**, invalidar, revogar, ab-rogar, nulificar, abolir, distratar, cassar, infirmar, derrogar, dissolver, aniquilar, desfazer, destruir, dirimir, eliminar, suprimir, inutilizar, rescindir

anular-se *v.* 1 **aniquilar-se**, destruir-se, invalidar-se, suprimir-se 2 **desvalorizar-se**, apagar-se *fig.* 3 **neutralizar-se**

anulatório *adj.* **derrogatório**, rescisório, revocatório

anulável *adj.2g.* **revogável**, rescindível, revocável

anunciação *n.f.* 1 **anunciada**, anúncio, aviso, comunicação, declaração, participação 2 **predição**, vaticinação

anunciada *n.f.* 1 **anunciação**, anúncio, aviso, comunicação, declaração, participação 2 **predição**, vaticinação

anunciador *adj.,n.m.* **anunciante**, proclamador, denunciador

anunciante *adj.,n.2g.* **anunciador**, mensageiro, proclamador, denunciador

anunciar *v.* 1 **publicar**, declarar, comunicar, avisar, apregoar, proclamar, participar, noticiar ≠ **calar**, esconder, dissimular, encobertar 2 **predizer**, pressagiar, profetizar, prognosticar, vaticinar, prenunciar, antedizer, futurar 3 **assinalar**, ameaçar, indicar, indiciar

anunciar-se *v.* 1 **mostrar-se**, prefigurar-se, afigurar-se 2 **proclamar-se**, inculcar-se, apresentar-se, apregoar-se

anúncio *n.m.* 1 **anunciação**, anunciada, aviso, comunicação, participação, declaração 2 **predição**, vaticinação 3 **notícia**, nova, novidade, revelação 4 **indício**, sinal, sintoma, presságio, prognóstico, prenúncio, vaticínio 5 **reclamo**, publicidade

ânus *n.m.2n.* sesso *col.*, cu *vulg.*, zuaque [REG.] *vulg.*, zuate [REG.] *vulg.*, fiote [BRAS.]

anuviar *v.* 1 **nublar**, enevoar 2 **escurecer**, toldar, carregar

anzol *n.m. fig.* **ardil**, artifício, atrativo, embuste, engano, engodo, logro, ludíbrio, artimanha

aonde *adv.* **onde**, para onde

apadrinhar *v.* 1 **patrocinar**, apoiar, apadroar, proteger, sustentar, paraninfar, auxiliar, favorecer, ajudar, amparar, advogar, socorrer, fautorizar 2 **defender**, abraçar, abrigar

apadrinhar-se *v.* 1 **abonar-se**, autorizar-se 2 **apoiar-se**, valer-se, apadroar-se, abonar-se

apadroar *v.* **apadrinhar**, patrocinar, proteger, sustentar, favorecer

apadroar-se *v.* **abonar-se**, valer-se, apadrinhar-se

apagado *adj.* 1 **extinto** ≠ **aceso**, ateado, ligado 2 *fig.* **obscuro**, sombrio, triste, mortiço, embaciado ≠ **vivo**, exuberante 3 *fig.* **débil**, debilitado, fraco, gasto ≠ **forte**, ativo 4 *fig.* **ignorante**, medíocre

apagamento *n.m.* **extinção**, desaparecimento

apagão *n.m. col.* (corte de energia) **blackout**, blecaute [BRAS.]

apagar *adj.* 1 **extinguir** ≠ **acender**, atear, adurir, afoguear 2 **desligar** ≠ **ligar**, acender 3 **safar**, raspar, rasurar 4 *fig.* **dissipar**, destruir, abolir, eliminar, suprimir, aniquilar, obliterar, delir, expungir, varrer *fig.* 5 *fig.* **obscurecer**, embaciar, desvanecer, amortecer, debotar ≠ **realçar** 6 *col.* **matar**, abater

apagar-se *v.* 1 **extinguir-se** ≠ **acender-se**, atear--se 2 **desligar-se** ≠ **acender-se** 3 **acabar**, terminar ≠ **começar**, iniciar, principiar 4 **desaparecer**, desvanecer-se, gastar-se 5 **morrer**, expirar, desperecer 6 **anular-se**, desvalorizar-se

apaixonado *adj.* 1 **enamorado**, amante, amoroso, babadinho, amantético, amoriscado, amorudo 2 **entusiasta**, adepto, partidário, fanático 3 **arrebatado**, inflamado, ardente ≠ **desapaixonado**

apaixonante *adj.2g.* **cativante**, empolgante, aliciante

apaixonar *v.* 1 **enamorar**, enrabichar 2 **arrebatar**, entusiasmar, cativar, empolgar, prender 3 *col.* **afligir**, exacerbar, contristar, entristecer, penalizar

apaixonar-se *v.* 1 **enamorar-se**, namorar-se, agradar-se, enrabichar-se, afeiçoar-se, encantar--se, engraçar-se, amoriscar-se, engalriçar-se, embeiçar-se *col.*, derreter-se *fig.* 2 **empolgar-se**, entusiasmar-se, arrebatar-se 3 **irritar-se**, agastar--se, enfurecer-se, acalorar-se, espinhar-se

apalavrado *adj.* 1 **acordado** 2 **marcado**, acertado

apalavrar *v.* **contratar**, ajustar, combinar, convencionar, concertar

apalavrar-se *v.* **comprometer-se**, empenhar-se ≠ **descomprometer-se**

apalermado *adj.* **aparvalhado**, apatetado, zaruca *col.*, abananado *fig.*, amacacado *fig.*, tarouco [REG.]

apalermar *v.* **aparvalhar**, apatetar

apalhaçado *adj.* 1 **cómico**, engraçado 2 *pej.* **ridículo**

apalpação *n.f.* **palpação**, apalpo, apalpamento, apalpadela

apalpão *n.m.* 1 **apertão** 2 *col.* **apalpanço**, palpadela

apalpar *v.* 1 **palpar**, tatear, experimentar, examinar 2 *fig.* **averiguar**, indagar, sondar, perscrutar, tentear 3 *fig.* **abater**, maltratar, sovar, espancar, molestar

apanágio *n.m.* 1 **atributo**, característica, predicado, qualidade 2 *fig.* **privilégio**, regalia, direito, prerrogativa

apanha *n.f.* **colheita**, recolha, apanhamento, apanhadura, recolhida, apanho

apanhado *adj.* 1 **tomado**, apreendido, preso, seguro, guardado 2 **arrancado**, colhido 3 (infeção, doença) **contraído** 4 *col.* **enlouquecido**, doido 5 *col.* **apaixonado**, enamorado ■ *n.m.* 1 **resumo**, síntese, sumário, sinopse, epítome 2 **folho**, prega, refego

apanhador *n.m.* 1 **colhedor** 2 **cisqueiro**, apanhadeira

apanhar *v.* 1 **recolher**, segurar, capturar, pegar, prender, agarrar 2 **pescar**, caçar, capturar, apresar, fisgar 3 (infeção, doença) **contrair** 4 **roubar**, furtar, pilhar, rapinar 5 **obter**, conseguir, alcançar 6 **coligir**, compendiar 7 **compreender**, entender, perceber, farar *col.* 8 **arregaçar**, arrepanhar, levantar, erguer 9 **abreviar**, resumir 10 **surpreender**, flagrar [BRAS.] 11 **suportar**, gramar *col.*

apanhar-se *v.* 1 **achar-se**, encontrar-se 2 **definhar**, debilitar-se

apanho *n.m.* **apanha**, colheita, apanhadura, apanhamento, recolhida

apaniguado *adj.,n.m.* 1 **protegido**, afilhado, favorito 2 **adepto**, amigo, partidário, prosélito, aderente, sectário

apaniguar *v.* 1 **sustentar**, manter 2 **proteger**, favorecer, apadrinhar, amparar

apaparicar *v.* 1 **amimar**, acariciar, acarinhar, apanicar ≠ **maltratar** 2 **lisonjear**, adular

apaparicos *n.m.pl.* 1 **afagos**, carícias, carinhos, mimos 2 **guloseimas**, gulodices

apara *n.f.* 1 **raspa**, aparo, limalha, maravalha 2 **cavaca**, acendalha

aparadeira *n.f.* 1 **arrastadeira** 2 **parteira**, comadre 3 **arandela**

aparador *n.m.* 1 **bufete**, credência 2 **cortador**

aparafusar *v.* 1 **parafusar**, entarraxar, roscar ≠ **desparafusar**, desentarraxar 2 **imobilizar**, fixar, firmar 3 **cismar**, cogitar, meditar, magicar

apara-lápis *n.m.2n.* **aguça**, afiador, afiadeira

aparar *v.* 1 **segurar**, agarrar, deter, suster, sustentar 2 **adelgaçar**, afiar, aguçar, apontar, despontar 3 **aplainar**, alisar, igualar, limar, polir, desbastar 4 **adornar**, ajaezar, aperfeiçoar, arrear, embelezar, enfeitar, ornar 5 *fig.* **suportar**, tolerar, aguantar *col.* 6 *fig.* **receber**, aceitar, apanhar, consentir 7 [BRAS.] **adular**, bajular, lisonjear

aparato *n.m.* 1 **pompa**, magnificência, fausto, luxo, grandeza, espavento, ostentação, sumptuosidade, estardalhaço, esplendor, opulência, alardo 2 **adorno**, adereço, ornato

aparatoso *adj.* 1 **pomposo**, esplendoroso, faustoso, grandioso, luxuoso, soberbo, sumptuoso, vistoso, ostentoso, riquíssimo ≠ **modesto**, simples 2 **espalhafatoso**, espetacular ≠ **banal**, normal

aparcar *v.* **estacionar**

aparecer *v.* 1 **comparecer**, surgir, assomar, chegar, figurar, vir ≠ **desaparecer** 2 **ocorrer**, sobrevir, suceder, acontecer 3 **brotar**, despontar, nascer, rebentar, romper, abrir ≠ **desaparecer** 4 **apresentar-se**, revelar-se, declarar-se, descobrir-se, mostrar-se, evidenciar-se, manifestar-se ≠ **desaparecer**

aparecimento *n.m.* 1 **princípio**, começo, advento, chegada, assomada, vinda, aparição ≠

desaparecimento 2 **manifestação**, mostra, apresentação, aparição, visão, eflorescência *fig.* ≠ desaparecimento

aparelhado *adj.* 1 **provido**, munido 2 (cavalo) **selado**, arreado 3 **pronto**, preparado

aparelhagem *n.f.* 1 **alta-fidelidade** 2 **equipamento**

aparelhar *v.* 1 **arrear**, ajaezar ≠ **desaparelhar** 2 **enfeitar**, adornar, ornar ≠ **desaparelhar**, desguarnecer 3 **aprontar**, preparar, aprestar, arranjar, organizar, dispor, esquipar 4 **abastecer**, prover, munir ≠ **desaparelhar**

aparelhar-se *v.* **preparar-se**, aprontar-se, equipar-se, aprestar-se, munir-se, arranjar-se, apetrechar-se

aparelho *n.m.* 1 **mecanismo**, máquina, dispositivo 2 **preparo**, preparação, aparelhamento

aparência *n.f.* 1 **aspeto**, parecer, ar, afiguração, catadura, cariz, arremedo, assomo, aragem *fig.*, capa *fig.*, pinta *fig.* 2 **feição**, fisionomia, configuração, figura, forma, sombra 3 **ilusão**, disfarce

aparentado *adj.* **semelhante**, parecido

aparentar *v.* 1 **parecer**, ostentar 2 **fingir**, iludir, afetar, simular 3 **parecer-se**, assemelhar-se

aparente *adj.2g.* 1 **evidente**, visível, manifesto, palpável, claro ≠ **inaparente** 2 **falso**, fictício, fingido, ilusório, imaginário, simulado, superficial ≠ **real**, verdadeiro 3 **provável**, suposto, verosímil ≠ **improvável**, inverosímil

aparentemente *adv.* 1 **exteriormente** 2 **supostamente**

aparição *n.f.* 1 **aparecimento**, manifestação, presentação ≠ **desaparição**, desaparecimento 2 **espetro**, fantasma, visonha, visão 3 *fig.* **princípio**, começo, advento, chegada, assomada, vinda, nascença, nascimento, origem

aparo *n.m.* 1 **apara**, bico 2 **corte**, talho

aparta *n.f.* 1 **separação**, afastamento, alongamento, apartamento, apartação, desunião, divórcio ≠ **aproximação** 2 **escolha**, apartação, apartamento 3 **partida**, saída, apartação, apartamento 4 **despedida**, apartação, apartamento

apartação *n.f.* 1 **separação**, afastamento, alongamento, apartamento, aparta, desunião, divórcio ≠ **aproximação** 2 **escolha**, apartamento, aparta 3 **partida**, saída, apartamento, aparta 4 **despedida**, apartamento, aparta

apartado *adj.* 1 **separado**, afastado ≠ **aproximado** 2 **distante**, longínquo, ermo, longe, desgarrado ≠ **próximo** 3 **incomunicável**, independente, reservado, secreto ■ *n.m.* **caixa postal**

apartamento *n.m.* 1 **andar**, casa, flat [BRAS.] 2 **quarto**, compartimento, câmara 3 **separação**, afastamento, alongamento, apartação, aparta, desunião, divórcio ≠ **aproximação** 4 **escolha**, apartação, aparta 5 **partida**, saída, apartação, aparta 6 **despedida**, apartação, aparta

apartar *v.* 1 **afastar**, separar, arredar, desunir, despegar, amover, dividir, desapartar *col.* ≠ **aproximar**, juntar, unir 2 **desviar**, distanciar 3 **selecionar**, escolher, excluir, refugar 4 **dissuadir**, afugentar, distrair 5 **desmamar**, desquitar [REG.]

apartar-se *v.* 1 **separar-se**, desunir-se, dispersar-se, dispartir-se, departir-se ≠ **juntar-se**, unir-se 2 **afastar-se**, desviar-se, desencaminhar-se 3 **ausentar-se**, ir-se, retirar-se

aparte *n.m.* 1 **interrupção**, comentário, observação 2 **a-propósito**

aparvalhado *adj.* 1 **confuso**, desconcertado 2 **apalermado**, parvo, parvoinho, apatetado, palúrdio *col.*, amoucado

aparvalhar *v.* 1 **aparvoar**, imbecilizar, abasbacar, atrapalhar, espantar, abobalhar [BRAS.], abobar [BRAS.] 2 **desorientar**, desnortear

aparvalhar-se *v.* 1 **apatetar-se**, atolambar-se, atoleimar-se, abestalhar-se, aparvar-se, apalermar-se, bestificar-se, apascaçar-se, aparvoar-se, abananar-se *fig.*, aboleimar-se *fig.* 2 **atrapalhar-se**, desorientar-se, desnortear-se, azoratar-se

aparvoar *v.* 1 **aparvalhar**, imbecilizar, embasbacar, atrapalhar, espantar, aparvejar 2 **desorientar**, desnortear

apascentamento *n.m.* **pasto**, apascentação, pastoreamento, apascoamento

apascentar *v.* 1 **pastorear**, pastorar, pastar, pascer, apascoar, pascentar 2 **alimentar**, sustentar, nutrir, manter, criar 3 *fig.* **doutrinar**, ensinar, instruir, guiar, conduzir 4 *fig.* **entreter**, recrear, deleitar

apascentar-se *v.* 1 **pastar**, alimentar-se 2 *fig.* **deleitar-se**, divertir-se, entreter-se, recrear-se 3 *fig.* **instruir-se**, cultivar-se, desemburrar-se

apatetar *v.* **aparvalhar**, apalermar, atarantar, desorientar, aturdir, aparvar, atolambar

apatia *n.f.* 1 **letargia**, letargo, indolência, marasmo, inatividade, modorra, madorra, moleza, imobilidade, inércia, indiligência ≠ **dinamismo**, vivacidade 2 FIL. **ataraxia**, estoicismo 3 **imperturbabilidade**, impassibilidade, indiferença, insensibilidade

apático *adj.* 1 **indiferente**, desinteressado, impassível, imperturbável, insensível 2 **indolente**, inerte ≠ **dinâmico**, ativo

apavorado *adj.* **assustado**, aterrorizado

apavorante *adj.2g.* **pavoroso**, terrível, apavorador, assustador, aterrorizador, arrepiador

apavorar *v.* **aterrorizar**, aterrar, atemorizar, horrorizar, terrificar, assustar, espavorir, intimidar, espantar ≠ **desapavorar**, tranquilizar

apaziguador *adj.,n.m.* **conciliador**, pacificador

apaziguamento *n.m.* **pacificação**, aquietação, sossego, tranquilidade, paz, conciliação, desencolerização ≠ **exaltamento**, embravecimento

apaziguar *v.* **1 acalmar**, sossegar, aquietar, tranquilizar, serenar, pacificar, abrandar, aplacar, mitigar ≠ **desapaziguar**, desassossegar, desinquietar **2 pacificar**, conciliar, reconciliar, harmonizar, congraçar ≠ **desapaziguar**

apaziguar-se *v.* **1 serenar**, acalmar, tranquilizar-se, aquietar-se **2 harmonizar-se**, conciliar-se

ape *n.m.* [REG.] **ápice**, instante, triz

apeado *adj.* **1 desmontado 2** *fig.* **destituído**, exonerado

apear *v.* **1 desmontar**, descer, desapear *col.* ≠ **montar**, subir **2 demolir**, derribar, derrubar, abaixar, suprimir **3** *fig.* **demitir**, depor, destituir, exonerar **4** *fig.* **humilhar**, rebaixar, abater

apear-se *v.* **desmontar**, descer, descavalgar-se

apeçonhentar *v.* **empeçonhar**, apeçonhar, envenenar, empestar, pestiferar

apedrejamento *n.m.* **lapidação**

apedrejar *v.* **1 lapidar 2** *fig.* **criticar**, censurar **3** *fig.* **injuriar**, insultar, ofender, maltratar, chingar *col.*

apegadiço *adj.* **1 pegajoso**, peganhento, viscoso, víscido **2 contagioso 3 afeiçoado**, agarradiço

apegado *adj.* **afeiçoado**, dedicado ≠ **desapegado**, desafeiçoado

apegar *v.* **1 colar**, grudar, conglutinar, aglutinar, afixar, aderir, ligar, juntar, unir, prender, segurar, agregar, ajuntar, agarrar ≠ **desapegar**, descolar **2 afundar**, mergulhar, submergir, afundar-se, afogar-se **3 contagiar**, contaminar, infecionar, transmitir

apegar-se *v.* **1 afeiçoar-se 2 aferrar-se**, agarrar-se, dedicar-se **3 valer-se**, amparar-se, arrimar-se, recorrer, confugir **4 agarrar-se**, colar-se, aglutinar-se, aderir, agregar-se

apego *n.m.* **1 afeto**, afeição, dedicação, devoção, simpatia, amizade, amor, inclinação, apegamento ≠ **desapego**, desamor, desinteresse, desaferro *fig.* **2 aferro**, afinco, teimosia, pertinácia, tenacidade, contumácia, insistência, apegamento **3 aderência**, adesão, apegamento

apelação *n.f.* **1 apelo**, chamamento, chamada, apelamento, invocação, convocação **2** DIR. **pedido**, solicitação, recurso

apelante *adj.,n.2g.* DIR. **recorrente**

apelar *v.* **1 recorrer**, queixar-se, invocar, refugiar-se **2 chamar**, apelidar

apelativo *adj.* **atrativo**, atraente ■ *n.m.* **denominação**, designação, nome

apelidar *v.* **1 denominar**, cognominar, designar, chamar, intitular, nomear, qualificar, alcunhar **2 invocar**, convocar, convidar **3 bradar**, aclamar, proclamar

apelido *n.m.* **1 sobrenome**, cognome **2 epíteto**, alcunha, denominação

apelo *n.m.* **1 apelação**, chamada, chamamento, invocação, convocação, solicitação **2** DIR. **recurso**, pedido, apelação

apenar *v.* **1 castigar**, punir, condenar **2 multar**, acoimar **3 alugar**, contratar

apenas *adv.* **só**, somente, simplesmente, unicamente, escassamente ■ *conj.* **logo que**, mal, quando

apêndice *n.m.* **1 acessório**, prolongamento, apendículo **2 acréscimo**, acrescentamento, adenda, adição, anexo, aditamento, apenso, complemento, suplemento

apendicular *adj.2g.* **acessório** ≠ **essencial**

apensação *n.f.* **acrescentamento**, acrescento, adição, anexação, junção

apensar *v.* **anexar**, apender, ajuntar, aditar, acrescentar, juntar ≠ **desapensar**, desanexar

apenso *adj.* **anexo**, anexado, junto, adjunto, acrescido ■ *n.m.* **acrescentamento**

apepsia *n.f.* **dispepsia**, indigestão

apequenar *v.* **1 diminuir**, acanhar ≠ **aumentar**, agigantar **2** *fig.* **amesquinhar**, humilhar, rebaixar, deprimir, apoucar ≠ **lisonjear**

aperaltado *adj.* **janota**, coquete, abonecado, acasquilhado, arreitado, paramentoso, enfarpelado, endomingado

aperaltar *v.* **ajanotar**, aperalvilhar, abonecar, esterlicar, atafular, endomingar, encasquear *fig.*

aperaltar-se *v.* **alindar-se**, ajanotar-se, acatitar-se, fragatear *col.*, apilandrar-se *col.*, afiambrar-se *fig.*, almiscarar-se *fig.*, emperiquitar-se [BRAS.], endomingar-se

aperceber *v.* **1 divisar**, enxergar, entrever, avistar, ver, distinguir, lobrigar **2 acautelar**, avisar, notificar **3 abastecer**, aprestar, aprontar, aparelhar, fornecer

aperceber-se *v.* **1 reparar**, notar, perceber **2 preparar-se**, aprestar-se, munir-se, aparelhar-se, dispor-se **3 prevenir-se**, precaver-se **4 aprovisionar-se**, abastar-se, municiar-se, prover-se

aperfeiçoamento *n.m.* **1 melhoramento**, apuramento, aprimoramento, progresso, escamel *fig.* **2 retoque**, apuro, melhoria

aperfeiçoar *v.* **1 aprimorar**, afinar, apurar, acurar, limar, melhorar, atilar, perfectibilizar, rebulir, polir *fig.*, afiar *fig.*, acepilhar *fig.*, relimar *fig.*, acrisolar *fig.* **2 acabar**, completar, perfazer, rematar, consumar

aperfeiçoar-se *v.* **apurar-se**, aprimorar-se, polir-se, melhorar, especializar-se, acrisolar-se, depurar-se *fig.*

aperitivo *n.m.* **antepasto** ■ *adj.* **1 aperiente**, ecfrático, abertivo, esurino, puxativo **2** *fig.* **excitante**

aperreação *n.f.* **1 importunação**, atormentação, apoquentação, vexação, amofinação, sarrazina **2 opressão**, sujeição **3 clausura**

aperrear *v.* 1 **apoquentar**, amofinar, importunar, afligir, aborrecer, atormentar, arreliar, irritar, molestar, perseguir, entristecer 2 **oprimir**, reprimir, constranger ≠ **libertar**, soltar, desapressar

aperrear-se *v.* **aborrecer-se**, agastar-se, apoquentar-se, desesperar, enfurecer-se, enfrenesiar-se

apertada *n.f.* 1 **opressão**, aflição, angústia, dificuldade, apertão, aperto, apertura 2 **desfiladeiro**

apertadela *n.f.* 1 **apertão**, aperto 2 **repreensão**, censura, pressão

apertado *adj.* 1 **estreito**, acanhado, angusto, cochado ≠ **amplo**, largo 2 (roupa, calçado) **justo** ≠ **folgado** 3 **limitado**, restrito 4 *fig.* **coagido**, pressionado 5 *fig.* **avarento**, agarrado

apertão *n.m.* 1 **apalpão** 2 **opressão**, aperto, apertada, aflição

apertar *v.* 1 **estreitar**, cingir, acanhar, comprimir, encolher, adstringir, atochar, restringir, cochar 2 **abotoar**, atacar, atar ≠ **desapertar**, desabotoar 3 **ligar**, unir 4 **insistir**, instar, intensificar 5 **abreviar**, resumir, reduzir, encurtar 6 *fig.* **afligir**, angustiar, acossar, afrontar, aperrear, importunar, molestar, confranger, constranger, oprimir 7 *fig.* **pressionar**, coagir

apertar-se *v.* 1 **estreitar-se**, comprimir-se, encolher-se, arrochar-se 2 **espartilhar-se**, enfaixar-se

aperto *n.m.* 1 **pressão**, opressão, compressão 2 **apertão**, espremeção [BRAS.] *fig.,col.* 3 **constrição**, estreitamento, estreiteza, estrangulamento 4 **aflição**, angústia, ânsia, dificuldade, afogo, transe, agonia, apuro, mágoa, pena, confrangimento, provação, desgraça, apertada 5 **pressa**, urgência, azáfama 6 **rigor**, rigidez, severidade 7 **embaraço**, vexação, enrascada *col.*, entalação *col.*, entalão *col.*, rascada *fig.* 8 **pobreza**, indigência, penúria 9 **sovinice**, avareza 10 **transtorno**, dificuldade, incómodo 11 (patologia) **estenose**

apessoado *adj.* **elegante**, galante, jeitoso

apetecer *v.* 1 **cobiçar**, ambicionar, desejar, pretender, almejar, anelar, antojar, mirar, suspirar, invejar 2 **agradar**, interessar

apetecível *adj.2g.* **apetitoso**, desejável, ambicionado

apetência *n.f.* 1 **apetite**, desejo, vontade ≠ **inapetência** 2 **propensão**, vocação

apetite *n.m.* 1 **fome**, desfastio, gana, fornicoques *col.* 2 *fig.* **desejo**, ambição, apetência, avidez, cobiça 3 *fig.* **concupiscência**, luxúria, lubricidade, lascívia, sensualidade, carnalidade, cio *fig.*

apetitoso *adj.* 1 **apetecível**, cobiçoso, convidativo, desejoso 2 **saboroso**, gostoso 3 **provocante**, tentador

apetrechamento *n.m.* **aparelhamento**, equipamento, utensilagem, apreste

apetrechar *v.* **aparelhar**, equipar, munir, preparar

apetrechar-se *v.* **preparar-se**, aparelhar-se, aprontar-se, equipar-se, aprestar-se, munir-se

apetrecho *n.m.* **utensílio**, ferramenta, instrumento, munição

ápice *n.m.* 1 **cimo**, alto, cume, cimalha, pico, ponta, vértice, pináculo, zénite, tope 2 *fig.* **extremo**, máximo, auge 3 *fig.* **requinte**, minúcia, subtileza, apuro 4 [*pl.*] GRAM. **trema**

apícola *n.2g.* **apicultor**, abelheiro

apicultor *n.m.* **apícola**, abelheiro

apiedar *v.* **comover**, acaridar, condoer, sensibilizar

apiedar-se *v.* **compadecer-se**, amiserar-se, acaridar-se, condoer-se, doer-se, amercear-se, comiserar-se, sensibilizar-se

apimentar *v.* 1 **enrubescer**, avermelhar 2 **estimular**, excitar

apinhado *adj.* 1 **cheio**, repleto ≠ **vazio** 2 **amontoado**, aglomerado, acardumado *fig.* ≠ **desamontoado**, desaglomerado

apinhar *v.* **acumular**, amontoar, reunir, aglomerar, empilhar, ajuntar, juntar, agrupar, conglomerar, cumular, encher, atestar, apinhoar, acogular, acucular *col.*

ápiro *adj.* **incombustível**

apitar *v.* 1 **assobiar**, silvar, sibilar, atitar 2 *col.* **informar**, comunicar, avisar 3 [REG.] **bufar**, mandar, recalcitrar

apito *n.m.* **assobio**, silvo, atito

aplacar *v.* **acalmar**, aliviar, apagar, apaziguar, aquietar, conciliar, mitigar, pacificar, tranquilizar, moderar, suavizar, achanar, acalentar, abrandar, amansar, amortecer, serenar, sossegar ≠ **agravar**, aumentar

aplacar-se *v.* 1 **acalmar**, serenar, abrandar, apaziguar-se, aquietar-se 2 **atenuar-se**, abrandar, aliviar-se

aplainação *n.f.* **nivelamento**, aplainamento

aplainar *v.* 1 **acepilhar**, falquear 2 **aplanar**, anivelar, alisar, espalmar, igualar, achanar, alhanar, aparar 3 **desembaraçar**, facilitar, moderar, serenar, superar

aplanação *n.f.* **nivelamento**, nivelação, afloração, afloramento

aplanar *v.* 1 **nivelar**, igualar, aplainar, achatar, alisar, terraplenar, achanar, alhanar, espalmar, aterraplenar 2 *fig.* **desembaraçar**, facilitar, resolver, superar, remover

aplaudir *v.* 1 **elogiar**, enaltecer, exaltar, gabar, louvar, aclamar, aprovar, ovacionar, vitoriar, palmejar ≠ **criticar**, censurar, deslouvar 2 **celebrar**, festejar, gloriar

aplaudir-se *v.* 1 regozijar-se, felicitar-se 2 gabar-se, vangloriar-se, bazofiar-se, fanfarrear, jactar-se, fanfar

aplauso *n.m.* 1 **aclamação**, ovação, palmas, vivas 2 **louvor**, aprovação, elogio, encómio

aplicação *n.f.* 1 **utilização**, uso, emprego 2 **afinco**, esmero, diligência, atenção, cuidado, dedicação, assiduidade, persistência 3 **adaptação**, acomodação, sobreposição 4 **destino**, finalidade 5 [BRAS.] **aplicativo**

aplicado *adj.* 1 **apenso**, sobreposto, aposto, justaposto 2 **assíduo**, atento, cuidadoso, desvelado, diligente, entregue, esforçado, estudioso, trabalhador, afincado ≠ **inaplicado**, desatento

aplicar *v.* 1 **sobrepor**, justapor, apor 2 **empregar**, utilizar, usar 3 **destinar**, dedicar, adjudicar 4 **adaptar**, adequar, ajustar, apropriar, acomodar

aplicar-se *v.* 1 **empenhar-se**, esforçar-se, entregar-se, concentrar-se, estudar, ocupar-se, dedicar-se, consagrar-se, vagar 2 **referir-se**, respeitar, concernir

aplicável *adj.2g.* **adequável**, extensível ≠ **inaplicável**, inextensível

apocalipse *n.m.* **cataclismo**, desgraça

apocalíptico[AO] ou **apocalítico**[AO] *adj.* 1 **confuso**, enigmático, incompreensível, ininteligível, misterioso, obscuro, sibilino 2 **descomunal**, monstruoso

apócrifo *adj.* **falso**, duvidoso, suspeito, falsificado, forjado ≠ **autêntico**

apodar *v.* 1 **alcunhar**, apostrofar, intitular, qualificar, tachar 2 **escarnecer**, zombar, mofar, motejar, achincalhar, gracejar, ridicularizar, troçar, satirizar 3 **avaliar**, calcular, comparar, estimar

apoderar-se *v.* 1 **apossar-se**, apropriar-se, assenhorear-se, tomar, usurpar, empossar-se 2 **ocupar**, invadir, dominar

apodítico[AO] ou **apodíctico**[AO] *adj.* **convincente**, demonstrativo, evidente, incontestável, demonstrado

apodo *n.m.* 1 **alcunha**, apelido, epíteto, cognome 2 **zombaria**, motejo, troça, escárnio, mofa, chalaça, chiste, sarcasmo, achincalhe, chufa, motete

apodrecer *v.* 1 **putrefazer**, putrificar, apodrentar, abolorecer, decompor, cariar, estragar, contaminar, azougar, sorvar-se 2 *fig.* **corromper**, perverter, danar 3 **decair**, alterar-se, eivar-se, estragar-se

apodrecimento *n.m.* 1 **decomposição**, putrefação, podridão 2 *fig.* **corrupção**, perversão

apogeu *n.m.* **auge**, máximo, culminância, ápice *fig.*, pináculo *fig.*, cume *fig.*, píncaro *fig.*, zénite *fig.*, pojadura *fig.*

apógrafo *n.m.* **cópia**, reprodução, traslado

apoiado *adj.* 1 **baseado**, fundamentado 2 **protegido**, patrocinado 3 **sustentado**, seguro ■ *n.m.* 1 **aplauso**, apoio 2 **aprovação**, assentimento

apoiante *adj.,n.2g.* **adepto**

apoiar *v.* 1 **patrocinar**, proteger, amparar, ajudar, apadrinhar, favorecer, auxiliar ≠ **desapoiar**, desamparar 2 **firmar**, encostar, sustentar, suster, fincar, fixar, segurar 3 **fundamentar**, fundar, basear, alicercear *fig.* 4 **aplaudir**, aprovar ≠ **desapoiar**, desaprovar

apoiar-se *v.* 1 **segurar-se**, encostar-se, firmar-se, agarrar-se, amparar-se, sustentar-se, recostar-se, fincar-se, escorar-se, ater-se, arrimar-se, abordoar-se, especar-se 2 **basear-se**, fundamentar-se, fundar-se, estribar-se 3 **valer-se**, apadrinhar-se, socorrer-se

apoio *n.m.* 1 **amparamento**, ajuda, arrimo, auxílio, socorro, adminículo ≠ **desapoio**, desamparo 2 **aplauso**, aprovação ≠ **desapoio**, desaprovação 3 **suporte**, escora, arrimo, sustentáculo, esteio, espeque, contrapé 4 **encosto**, descanso 5 **base**, fundamento 6 **patrocínio**, sustento

apologético *adj.* **laudativo**, laudatório, elogioso

apologia *n.f.* **elogio**, louvor, loa, panegírico, apologismo, encómio, defesa, abonação, abono

apologista *adj.,n.2g.* **defensor**, preconizador, prosélito, propugnador, panegirista

apologizar *v.* **louvar**, gabar, defender, justificar

apólogo *n.m.* **fábula**

apontamento *n.m.* 1 **anotação**, nota, registo, assento, lembrete 2 **rascunho**, borrão 3 **resumo** 4 **plano**, esboço, minuta

apontar *v.* 1 **aguçar**, afiar, adelgaçar 2 **indigitar**, indicar, mostrar 3 **mencionar**, citar, indicar, referir, aludir, lembrar 4 **anotar**, assinalar, registar 5 **despontar**, brotar, aparecer, germinar, nascer, principiar, romper, surgir, assomar, abrolhar, raiar 6 **esboçar**, alinhavar, rascunhar, traçar, bosquejar 7 **alvejar**

apontar-se *v.* **apurar-se**, caprichar, esmerar-se, timbrar

apontável *adj.2g.* **assinalável**, registável

apopléctico[aAO] *adj.* ⇒ **apoplético**[dAO]

apoplético[dAO] *adj.* 1 **congestionado** 2 *fig.* **irado**, irritado

apoquentação *n.f.* 1 **aflição**, amofinação, arrelia, consumição, cuidado, desgosto, inquietação, matação, preocupação, ralação, importunação 2 **incómodo**, mal-estar

apoquentado *adj.* 1 **aborrecido** 2 **preocupado**, aflito

apoquentar *v.* 1 **aborrecer**, amofinar, afligir, arreliar, importunar, consumir, incomodar, maçar, molestar, preocupar, ralar, frenesiar, azucrinar *col.*, abodegar [BRAS.] ≠ **desapoquentar**, sossegar 2 **atormentar**, amargurar, mortificar, torturar, aporrinhar, atenazar, sovelar, aperrear, amolar [BRAS.], atucanar [BRAS.] ≠ **desapoquentar**, sossegar

apor *v.* 1 **justapor**, sobrepor, aplicar 2 **acrescentar**, juntar 3 **atrelar**, engatar, jungir, prender, juntar, ligar

aportar *v.* **atracar**, abordar, aferrar, ancorar, fundear, arribar

aportuguesar *v.* **lusificar**, lusitanizar

após *prep.* **empós** *ant.* ■ *adv.* **atrás**, depois

aposentação *n.f.* **reforma**, jubilação, aposentamento, aposentadoria [BRAS.]

aposentado *adj.,n.m.* **reformado**, jubilado

aposentadoria *n.f.* 1 **albergaria**, hospedagem, hospedaria, pousadia 2 [BRAS.] **aposentação**, reforma, aposentamento, jubilação

aposentar *v.* 1 **reformar**, jubilar 2 **abrigar**, acolher, albergar, hospedar, recolher, instalar, acomodar, agasalhar

aposentar-se *v.* 1 **reformar-se**, jubilar-se 2 **alojar-se**, hospedar-se, albergar-se, pousar

aposento *n.m.* 1 **quarto**, compartimento, câmara, cómodo, estância, alcova 2 **domicílio**, habitação, morada, residência, moradia

aposição *n.f.* 1 **justaposição**, adjunção, agregação 2 GRAM. **epexegese**

apossar-se *v.* **apoderar-se**, apropriar-se, assenhorear-se, tomar, conquistar, usurpar, empossar-se, apossuir-se

aposta *n.f.* **parada**

apostar *v.* 1 **arriscar**, jogar, desafiar, disputar 2 **afirmar**, asseverar, sustentar 3 **empenhar-se**, porfiar, obstinar-se, insistir

apostar-se *v.* 1 **resolver-se**, decidiu-se, empenhar-se 2 **colocar-se**, postar-se 3 **preparar-se**, aprontar-se, aparelhar-se

apostasia *n.f.* **abandono**, abjuração, arrenegação, renegação, defeção

apostila *n.f.* **anotação**, apontamento, nota, aditamento, glosa, notação

aposto *adj.* 1 **adjunto**, anexo, anexado, encostado, alinhado, apostado, atrelado 2 **adequado**, aditado, conveniente, composto, airoso, aparelhado

apostolado *n.m.* **evangelização**

apostolar *v.* **evangelizar**, doutrinar, missionar, pregar, difundir, propagar, apostolizar

apostólico *adj.* **papal**, pontifical

apostolizar *v.* **evangelizar**, doutrinar, missionar, pregar, difundir, propagar, apostolar

apóstolo *n.m.* 1 **evangelizador**, pregador, catequista 2 *fig.* **defensor**, romeiro *fig.*

apostrofar *v.* **afrontar**, injuriar, insultar, imprecar

apóstrofe *n.f.* **invetiva**

apóstrofo *n.m.* **vira-acento**

apotegma *n.m.* **adágio**, aforismo, axioma, máxima, provérbio, sentença

apoteose *n.f.* 1 **deificação**, divinização, endeusamento 2 **glorificação**

apoteótico *adj.* **elogioso**, triunfal, glorificante

aprazamento *n.m.* 1 **ajuste**, combinação, emprazamento, atempação 2 **notificação**, convocação, citação, assinamento

aprazar *v.* 1 **atempar**, emprazar 2 **ajustar**, fixar, combinar, definir, assentar, concertar, determinar, designar 3 **convocar**, citar

aprazar-se *v.* **convir**, ajustar-se

aprazer *v.* **agradar**, deleitar, satisfazer, comprazer, prazer, contentar ≠ **desagradar**

aprazer-se *v.* **agradar-se**, contentar-se, deleitar-se, satisfazer-se, comprazer-se

aprazimento *n.m.* 1 **agrado**, prazer, satisfação, alegria, contentamento, júbilo, deleite, gosto, bel-prazer ≠ **desagrado**, desprazer 2 **beneplácito**, consentimento, aprovação, assentimento, licença, permissão ≠ **oposição**, reprovação

aprazível *adj.2g.* **agradável**, ameno, atrativo, atraente, belo, deleitoso, delicioso, encantador, gostoso, gracioso, harmonioso, interessante, aprazedor ≠ **desagradável**, fastidioso

apreçar *v.* 1 **avaliar**, estimar 2 **apreciar**, prezar

apreciação *n.f.* 1 **avaliação**, estimação, análise, exame, aquilatação *fig.* 2 **opinião**, juízo, julgamento, consideração, conceito

apreciador *adj.,n.m.* **conhecedor**, entendedor, admirador, amador, amante, prezador

apreciar *v.* 1 **avaliar**, apreçar, calcular, analisar, examinar, estudar, medir, julgar 2 **estimar**, prezar, considerar, admirar, amar ≠ **desapreciar**, abominar

apreciável *adj.2g.* 1 **estimável**, avaliável, determinável ≠ **inapreciável**, indeterminável 2 **considerável**, notável, significativo, espectável

apreço *n.m.* 1 **consideração**, estima, respeito, estimação, interesse ≠ **desapreço**, desdém 2 **valor**, valia, preço, importância, monta

apreender *v.* 1 **capturar**, deter, prender, penhorar, confiscar, segurar, tomar, pegar ≠ **soltar**, libertar 2 **compreender**, assimilar, entender, perceber 3 **cismar**, empreender, matutar

apreensão *n.f.* 1 **confiscação**, confisco, captura, detenção, prisão, apresamento, aprisionamento 2 **cisma**, preocupação, desassossego, receio, temor 3 **compreensão**, perceção, assimilação

apreensível *adj.2g.* **compreensível**, percetível, assimilável, entendível ≠ **inapreensível**, incompreensível

apreensivo *adj.* 1 **inquieto**, receoso, preocupado, desassossegado ≠ **calmo**, descontraído 2 **cismático**, desconfiado
apreensor *adj.,n.m.* **captor**, apreendedor
apregoar *v.* 1 **anunciar**, divulgar, declarar, publicar, proclamar, espalhar, clamar 2 **celebrar**, enaltecer, aclamar, gabar, gloriar
apregoar-se *v.* 1 **gabar-se**, vangloriar-se, bazofiar-se, fanfarrear, jactar-se 2 **proclamar-se**, inculcar-se, presentar-se, anunciar-se
aprender *v.* **instruir-se**, estudar, conhecer, desemburrar-se ≠ **desaprender**
aprendiz *n.m.* **principiante**, novato, noviço
aprendizado *n.m.* **aprendizagem**, tirocínio, discipulado, estágio
aprendizagem *n.f.* **aprendizado**, discência, tirocínio, discipulado, estágio
apresamento *n.m.* **captura**, presa, apreensão, confiscação, confisco, detenção, prisão, tomadia
apresar *v.* **prender**, apreender, aprisionar, capturar, agarrar, apanhar, tomar, sopresar, prear, apresilhar
apresentação *n.f.* 1 **aparência**, aspeto, porte 2 **exibição**, exposição, mostra
apresentador *adj.,n.m.* **locutor**, comunicador, apresentante
apresentar *v.* 1 **expor**, mostrar, ostentar, exibir, patentear, manifestar, aduzir 2 **citar**, alegar 3 **explicar** 4 **aparecer**, ocorrer, sobrevir, surgir
apresentar-se *v.* 1 **proporcionar-se**, ocorrer, surgir 2 **comparecer**, aparecer, ir 3 **identificar-se**, nomear-se 4 **mostrar-se**, patentear-se, manifestar-se 5 **afigurar-se**, prefigurar-se, parecer, entrefigurar-se
apresentável *adj.2g.* 1 **exibível** ≠ **inapresentável** 2 **admissível** ≠ **inapresentável** 3 **decente** ≠ **inapresentável**
apressado *adj.* 1 **impaciente**, ansioso 2 **rápido**, ligeiro ≠ **lento**, vagaroso 3 **precipitado**, irrefletido
apressar *v.* 1 **acelerar**, aligeirar, adiantar, abreviar, antecipar, avançar, aviar, estugar, azafamar, precipitar, atabular, afoguentar 2 **instigar**, instar, incitar, estimular
apressar-se *v.* **despachar-se**, acelerar, aviar-se, mexer-se, atarefar-se, abelhar-se, acorrer, atrigar-se, afainar-se, abelhoar-se, ensoissar-se [REG.] ≠ **desafreimar-se**
aprestar *v.* **apetrechar**, aparelhar, aprontar, arranjar, preparar ≠ **desaprestar**, desaparelhar
aprestar-se *v.* **apetrechar-se**, aparelhar-se, preparar-se, aprontar-se, equipar-se, munir-se
apresto *n.m.* 1 **equipamento**, aparelho, aparelhamento, mantimentos, munições, aprestação, petrechamento 2 **preparativo**, preparação, preparo, preparos, apercebimento
aprimoramento *n.m.* **aperfeiçoamento**, alindamento, embelezamento, esmero
aprimorar *v.* **aperfeiçoar**, esmerar, requintar, alindar, polir, retocar, atilar, cinzelar *fig.*, bolear *fig.* ≠ **desaprimorar**
aprimorar-se *v.* **aperfeiçoar-se**, apurar-se, esmerar-se, caprichar, encandilar-se, estilizar-se
aprisionado *adj.* **preso**, capturado, cativo, apresado
aprisionamento *n.m.* **apresamento**, captura, detenção, prisão
aprisionar *v.* **capturar**, prender, encarcerar, enclausurar, aferrolhar, apresar, cativar, agrilhoar, prear, tomar, sujeitar, ferrolhar *fig.* ≠ **libertar**, soltar
aproar *v.* 1 **ancorar**, arribar 2 **emproar**, proejar, proar, aproejar 3 **dirigir-se**, encaminhar-se
aprofundado *adj.* 1 **entranhado** 2 *fig.* **detalhado**, minucioso
aprofundar *v.* 1 **afundar**, profundar, escavar 2 **investigar**, sondar, examinar
aprofundar-se *v.* **introduzir-se**, penetrar, entranhar-se
aprontar *v.* 1 **preparar**, aparelhar, aprestar, aviar, arranjar, despachar, dispor 2 **completar**, concluir, acabar, finalizar, terminar
aprontar-se *v.* 1 **preparar-se**, aparelhar-se, equipar-se, aprestar-se, munir-se 2 **vestir-se**, arranjar-se
apropriação *n.f.* 1 **açambarcação**, monopolização 2 **acomodação**, adequação, adaptação ≠ **desapropriação**
apropriado *adj.* **próprio**, adequado, conveniente, oportuno ≠ **impróprio**, inadequado, inconveniente, inoportuno
apropriar *v.* 1 **adaptar**, adequar, ajustar, acomodar, proporcionar 2 **aplicar**, atribuir
apropriar-se *v.* 1 **apoderar-se**, apossar-se, assenhorear-se, tomar, conquistar, usurpar, empossar-se, furtar, roubar 2 **adequar-se**, ajustar-se, adaptar-se, acomodar-se, aptar-se
aprovação *n.f.* 1 **consentimento**, beneplácito, aceitação, anuição, anuência, licença, assentimento, outorgamento, outorga, acordo, aquiescência, sim, sufrágio, ámen, amém, apoio ≠ **desaprovação**, recusa 2 **louvor**, aplauso
aprovado *adj.* 1 **autorizado**, permitido ≠ **desaprovado**, desautorizado 2 **aceite**, adotado ≠ **desaprovado**
aprovar *v.* 1 **sancionar**, ratificar, homologar, autorizar, confirmar, apoiar, abonar, abençoar, permitir ≠ **recusar**, reprovar 2 **aquiescer**, anuir, assentir, consentir, concordar, aceitar, admitir ≠

desaprovar, condenar, adversar 3 **aplaudir**, louvar, gabar ≠ **desaprovar**

aproveitamento *n.m.* 1 **proveito**, benefício, vantagem, benfeitoria, rendimento 2 **utilização**, uso ≠ **desaproveitamento** 3 **melhoramento**, melhoria, melhora, progresso ≠ **desaproveitamento** 4 **poupança**, economia

aproveitar *v.* **beneficiar**, usufruir, fruir, utilizar, ganhar, lucrar, gozar, lograr ≠ **desaproveitar**, desperdiçar, esmanjar *col.*

aproveitar-se *v.* 1 **valer-se**, prevalecer-se, recorrer 2 *pej.* **servir-se**, usar, lograr-se, prevalecer-se 3 **abusar**

aproveitável *adj.2g.* 1 **utilizável** ≠ **inaproveitável**, inutilizável 2 **conveniente**, proveitoso, útil, vantajoso

aprovisionamento *n.m.* **abastecimento**, provimento, municiamento, municionamento, provisões

aprovisionar *v.* **abastecer**, prover, sortir, provisionar, munir

aproximação *n.f.* 1 **abeiramento**, achegamento, apropinquação, acesso, avizinhação, avizinhamento ≠ **afastamento**, apartação, alongamento, arredamento, desvizinhança, distanciamento 2 **estimação**, estimativa

aproximadamente *adv.* **sensivelmente**

aproximar *v.* 1 **avizinhar**, achegar, acercar, apropinquar, abeirar, chegar, encurtar ≠ **afastar**, apartar 2 **unir**, ligar, aliar ≠ **afastar**, desunir 3 **relacionar**, combinar, conotar

aproximar-se *v.* 1 **acercar-se**, abeirar-se, chegar-se, vizinhar-se, apropinquar-se, arramalhar *fig.* ≠ **afastar-se**, distanciar-se, arredar-se 2 **assemelhar-se**, parecer-se ≠ **distinguir-se**, diferir 3 **raiar**, beirar, tocar

aprumado *adj.* 1 **direito**, vertical, ereto, assurgente 2 *fig.* **correto**, apresentável 3 *fig.* **empertigado**, altivo, sobranceiro

aprumar *v.* **endireitar**, levantar, erguer ≠ **dobrar**, arquear

aprumar-se *v.* 1 **endireitar-se**, perfilar-se, desempenar-se 2 **esmerar-se**, cuidar-se, alinhar-se, ajanotar-se 3 **empertigar-se**, ensoberbar-se, envaidecer-se, enruminar-se [REG.]

aprumo *n.m.* 1 **verticalidade**, alinho ≠ **desaprumo** 2 **desempeno**, desembaraço, desenvoltura 3 **altivez**, sobranceria

aptar *v.* **adaptar**, ajustar, adequar, apropriar, acomodar

aptar-se *v.* **adequar-se**, apropriar-se

aptidão *n.f.* 1 **capacidade**, competência, habilidade, faculdade, habilitação, qualidade, aptitude, idoneidade, mérito, engenho 2 **inclinação**, talento, tendência, vocação, jeito, propensão, disposição, facilidade, queda, dedo *fig.*

apto *adj.* 1 **capaz**, competente, habilitado, idóneo ≠ **inapto**, incompetente 2 **conveniente**, apropriado, oportuno, adequado ≠ **inapto**, inconveniente

apunhalar *v.* 1 **esfaquear**, pungir 2 *fig.* **trair**, ofender, magoar, mortificar, afligir, compungir

apunhalar-se *v.* 1 **esfaquear-se** 2 *fig.* **atormentar-se**, mortificar-se

apupada *n.f.* 1 **assobio**, assobiada, vaia, assobiadela, apupo, desaplauso 2 **arruaça**, assuada, algazarra, gritaria, berreiro, corrimaça, corrimento, açougada, apupo 3 **troça**, zombaria, mofa, motejo, escárnio, apupo, matraca *fig.*

apupar *v.* 1 **vaiar**, assobiar, patear, motejar, xingar, troçar, escarnecer ≠ **aplaudir** 2 **berrar**, gritar, matraquear, matraquejar, clamar

apupo *n.m.* 1 **assobio**, assobiada, vaia, assobiadela, apupada, desaplauso 2 **arruaça**, assuada, algazarra, gritaria, berreiro, corrimaça, corrimento, açougada, apupada 3 **troça**, zombaria, mofa, motejo, escárnio, apupada, matraca *fig.*

apurado *adj.* 1 **investigado**, esclarecido 2 **sensível**, aguçado 3 **elegante**, requintado 4 **escolhido**, selecionado 5 DESP. **qualificado** 6 (voto) **contado**

apuramento *n.m.* 1 **aperfeiçoamento**, afinação, apuração, apuro 2 (votos) **contagem** 3 **averiguação**, exame, verificação, investigação 4 **seleção**, escolha, separação 5 **esmero**, primor, elegância, correção, asseio, refinamento, requinte, perfeição, distinção, aperfeiçoamento 6 **liquidação**, acerto

apurar *v.* 1 **purificar** 2 **aperfeiçoar**, aprimorar, melhorar, afinar, atilar, esmerar, requintar, refinar, acendrar, acrisolar, apilarar *col.*, burilar *fig.*, polir *fig.* 3 **aclarar**, concluir, esclarecer, examinar, averiguar, pesquisar, indagar, inquirir, assuntar [BRAS.] 4 **escolher**, selecionar, separar 5 **acertar**, liquidar

apurar-se *v.* 1 **purificar-se**, limpar-se 2 **aperfeiçoar-se**, aprimorar-se, esmerar-se, caprichar, apilarar-se, encandilar-se, refinar-se 3 [BRAS.] **apressar-se**

apuro *n.m.* 1 **esmero**, primor, refinamento, requinte, perfeição, distinção, aperfeiçoamento, apuramento 2 **elegância**, correção 3 **aflição**, angústia, aperto, cuidado, crise, embaraço, tribulação, transe, dificuldade, miséria 4 [BRAS.] **azáfama**, pressa

aquário *n.m.* **natatório**, viveiro

aquartelamento *n.m.* 1 **abarracamento**, abarrancamento, acantonamento, alojamento, aboletamento 2 **quartel**, caserna

aquartelar *v.* **acantonar**, aboletar, abarracar, alojar, albergar, acampar, abrigar

aquartelar-se *v.* instalar-se, acantonar-se, acampar, aboletar-se, hospedar-se, alojar-se, albergar-se
aquático *adj.* aquário, aquátil ≠ **terrestre**
aquecedor *n.m.* **irradiador**, radiador, esquentador, calorífero
aquecer *v.* 1 **acalorar**, aquentar, acalentar, esquentar, encalmar, amornar, escaldar ≠ **arrefecer**, esfriar 2 *fig.* **animar**, entusiasmar, exaltar, excitar, quentar ≠ **desanimar**, arrefecer, desacorçoar
aquecer-se *v.* 1 **enfurecer-se**, encolerizar-se, irar-se 2 **entusiasmar-se**, empolgar-se
aquecimento *n.m.* 1 **calefação**, aquentamento ≠ **arrefecimento**, esfriamento, refrescadela 2 **calor**, quentura, calentura
aqueduto *n.m.* **acéquia**
aquele *pron.dem.* **o**, tal
aqui *adv.* 1 **cá** ≠ **ali**, além, lá, acolá 2 **agora**, já, presentemente
aquiescência *n.f.* **aceitação**, anuência, assentimento, beneplácito, concordância, consentimento, adesão ≠ **oposição**, recusa, rejeição
aquiescer *v.* **aceitar**, aceder, anuir, consentir, ceder, assentir, aderir, transigir, comprazer, aprovar ≠ **opor-se**, recusar, negar
aquietação *n.f.* **acalmia**, apaziguamento, pacificação, quietação, tranquilidade, paz ≠ **agitação**, alvoroço
aquietar *v.* **apaziguar**, pacificar, serenar, sossegar, acalmar, aplacar, amainar, tranquilizar, achanar, abrandar, repousar, aquedar, assossegar, desamotinar ≠ **agitar**, alvoroçar, motinar, raivejar, descabrear, esbravecer
aquietar-se *v.* **sossegar**, acalmar, serenar, tranquilizar-se, aquedar-se, apaziguar-se
aquífero *adj.* **aquoso**, húmido
aquilatar *v.* 1 **contrastear**, pesar 2 **apurar**, aperfeiçoar, melhorar, purificar, realçar, acrisolar, quilatar 3 *fig.* **avaliar**, apreciar, julgar, ponderar, determinar, quilatar
aquilino *adj.* 1 **adunco**, curvo, recurvado 2 *fig.* **agudo**, penetrante, perspicaz
aquilo *pron.dem.* **o**, tal
aquisição *n.f.* 1 **compra**, adquirição 2 **obtenção** 3 **aprendizagem**
aquoso *adj.* **aguado**, aguacento, áqueo
ar *n.m.* 1 **atmosfera**, ambiente 2 **brisa**, aragem, sopro 3 **aspeto**, aparência, modo, maneira, atitude, disposição, pose, presença, porte, postura, jeito, remedo
ara *n.f.* **altar**
arabia *n.f.* **algaravia**, aravia, algraviada, algemia
arado *n.m.* **charrua**, aradouro
aragem *n.f.* 1 **brisa**, arejo, sopro, bafejo, ar, aura, bafagem, ventinho, viração, vêntulo, zéfiro, favónio, oressa [REG.] 2 *fig.* **aparência**, aspeto, apresentação
arame *n.m.* 1 **alambre** 2 **dinheiro**
aramenha *n.f.* 1 BOT. **erva-babosa** 2 [REG.] **armelo** [REG.], arapuca [BRAS.]
aranha *n.f.* 1 **voador**, andarilho 2 ICTIOL. **peixe-aranha**, aranhuço
aranhão *n.m.* 1 **aranhuço** 2 *fig.* **pateta**, tolo, trapalhão, azelha, moleirão, doidarrão, doidarraz
arão *n.m.* BOT. **jarro**
arar *v.* 1 **lavrar**, arrotear, sulcar, cultivar, agricultar 2 *fig.* **cortar**, ferir, rasgar
arara *n.f.* 1 ORNIT. **ará** 2 *fig.* **mentira**, peta, patranha, galga, logro, mentirola, balela
arauto *n.m.* 1 **pregoeiro**, proclamador 2 **mensageiro**, portador, emissário, caduceador, núncio, correio, postilhão, embaixador, estafeta
arável *adj.2g.* **cultivável**, lavradio
arbitragem *n.f.* 1 **arbítrio**, juízo, sentença 2 **julgamento**, avaliação, arbitramento
arbitramento *n.m.* **julgamento**, arbitragem, avaliação
arbitrar *v.* **julgar**, avaliar, ajuizar, decidir, alvitrar, calcular
arbitrariedade *n.f.* 1 **caciquismo**, discricionariedade 2 **autoritarismo**, despotismo, prepotência, abuso 3 **capricho**
arbitrário *adj.* 1 **discricionário**, arbitral 2 **caprichoso**, despótico, injusto, prepotente, tirano, abusivo 3 **facultativo**
arbítrio *n.m.* 1 **juízo**, sentença, arbitragem, disposição, mando, determinação 2 **opinião**, alvitre, parecer, bel-prazer 3 **escolha**, voto, vontade, alvedrio, líbito, talante, nução, nuto, rebora *ant.* 4 **capricho** 5 **abuso**, prepotência
árbitro *n.m.* 1 **juiz**, fiscal, soberano, sentenciador 2 *fig.* **avaliador**, julgador
arborícola *adj.2g.* **dendróbata**
arborização *n.f.* **florestação**
arborizar *v.* **arvorejar**, arvorar, florestar ≠ **desarborizar**, desflorestar
arbúsculo *n.m.* **arvorezinha**, arbúscula, subarbusto
arbusto *n.m.* **arvorezinha**, arbúsculo
arca *n.f.* 1 **baú**, caixa, ucha, urna 2 **cofre**, burra 3 **ataúde**, caixão, urna
arcaboiço *n.m.* 1 **esqueleto**, ossatura, ossada, carcaça, cavername 2 **armação**, estrutura, madeiramento 3 *fig.* **competência**, resistência, capacidade
arcabuz *n.m.* **espingardão**, bacamarte
arcada *n.f.* **arcaria**, concameração

arcádia *n.f.* **academia**, agremiação, grémio

arcaico *adj.* 1 **antiquíssimo**, velho, fóssil ≠ **novo**, recente 2 **antiquado**, obsoleto, anacrónico, desusado, estafado ≠ **novo**, recente

arcano *adj.* **oculto**, secreto, enigmático, impenetrável, misterioso, desconhecido, recôndito, apocalíptico, cabalístico ■ *n.m.* **mistério**, segredo, enigma, brenha *fig.*

arcar *v.* 1 **curvar**, arquear, dobrar, arquejar, vergar, recurvar 2 **aguentar**, suportar, suster, carregar 3 **combater**, lutar, brigar 4 **enfrentar**, arrostar, assumir 5 **arfar**, ofegar

arcar-se *v.* **inclinar-se**, arquear-se, vergar-se, curvar-se ≠ **endireitar-se**, aprumar-se

arcebispado *n.m.* **arquidiocese**, arquiepiscopado

arcediago *n.m.* **diácono-chefe**, arquidiácono

archeiro *n.m.* **alabardeiro**, frecheiro

archote *n.m.* **facho**, tocha, lumieira, luminária

arcipreste *n.m.* **arquipresbítero**

arco *n.m.* 1 **curva**, curvatura 2 **anel**, aro, argola, círculo, cinta, circo, roda

arcobotante *n.m.* ARQ. **botaréu**, pegão, contraforte, espigão, botante

arco-da-velha *n.m. col.* **arco-íris**, arco-celeste, arco-da-aliança, arco-da-chuva

arco-íris *n.m.2n.* **arco-celeste**, arco-da-aliança, arco-da-chuva, arco-da-velha *col.*

árctico[aAO] *adj.* ⇒ **ártico**[dAO]

ardência *n.f.* 1 **ardor**, calor, queimor, adurência, adustez, ardimento, fervor, ardentia, fogo, brasa 2 *fig.* **entusiasmo**, veemência, vivacidade

ardente *adj.2g.* 1 **aceso**, incandescente, inflamado, incendiado, candente, rubro 2 **queimante**, crestante, adurente, adustivo 3 **abrasador**, cálido, quente, tórrido ≠ **glacial**, gélido, frígido, algente 4 **refulgente**, resplandecente, cintilante, brilhante, luminoso, luzente ≠ **mortiço**, ténue 5 *fig.* **entusiasta**, enérgico, entusiástico

arder *v.* 1 **queimar**, abrasar, acender-se, incendiar-se, inflamar-se, queimar-se, flagrar, afoguear-se, abrasar-se, acalorar-se 2 **brilhar**, cintilar, fulgurar, resplandecer 3 **grassar**, propagar-se 4 **picar**, queimar 5 *fig.* **findar**, consumir-se, corromper-se, desbaratar-se, estragar-se, gafar-se, malograr-se 6 *fig.* **aspirar**, ansiar, desejar, entusiasmar-se

ardido *adj.* 1 **queimado**, crestado 2 **fermentado**, rançoso 3 **afoito**, atrevido, audaz, corajoso, destemido, intrépido, renhido, temerário, valente, valoroso

ardil *n.m.* **artimanha**, estratagema, artifício, finura, astúcia, arteirice, cabe, cacha, cilada, engano, embuste, encoberta, manha, trama, engenho, logro, manigância, manobra, marosca, subtileza, truque, ardileza, tramoia, armadilha

ardiloso *adj.* **astuto**, manhoso, astucioso, artificioso, enganador, engenhoso, falace, fino, fraudulento, intrigante, matreiro, cacheiro *fig.*

ardina *n.m.* **jornaleiro**

ardor *n.m.* 1 **abrasamento**, ardência, calor, fervor, fervência, queimor, ardume, estuação, requeimo, flama *fig.*, fogo *fig.*, fogueira *fig.*, chama *fig.*, brasa *fig.*, incêndio *fig.*, incendimento *fig.* ≠ **enregelamento** 2 **entusiasmo**, empenho, energia, ânimo, aplicação, zelo, paixão 3 **ímpeto**, impetuosidade, fogosidade, intensidade, veemência, intrepidez, acensão 4 **fulgor**, brilho, vivacidade, alacridade 5 **prurido**, comichão, uredo, irritação

ardósia *n.f.* **lousa**

árduo *adj.* 1 **agreste**, alcantilado, escarpado, espinhoso, fragoso, inacessível, íngreme, escabroso 2 **arriscado**, perigoso, barrancoso *fig.* 3 **pesado**, rude, trabalhoso, custoso, difícil, complicado ≠ **fácil**, acessível 4 **duro**, áspero

área *n.f.* 1 **superfície**, espaço 2 **âmbito** 3 **território**, zona, recinto, região

areado *adj.* 1 **assoreado** 2 **limpo** 3 *fig.* **perdido**, desorientado 4 *fig.* **amalucado**, atolambado, atontado, tresvariado, absorto, alheado, estonteado, desaurido

areal *n.m.* 1 **praia** 2 **areeiro**, areão [BRAS.]

arear *v.* 1 **assorear**, ensaibrar 2 **esfregar**, limpar 3 **desvairar**, oirar, aparvalhar, estontear, turvar, deturbar, arvoar 4 **aparvalhar-se**, apatetar-se, estontear-se, desnortear-se, pasmar

arear-se *v.* 1 **desorientar-se** 2 **desvairar**

arejado *adj.* 1 **ventilado** ≠ **abafado**, abafadiço 2 *fig.* **liberal**, recetivo

arejar *v.* 1 **ventilar**, aventar 2 **espairecer**, refrescar 3 *fig.* **esclarecer**, iluminar

arejar-se *v.* 1 **aventar-se** 2 **secar** 3 **espairecer**, desanuviar 4 **constipar-se**, endefluxar-se, encatarrar-se

arejo *n.m.* 1 **ventilação**, arejamento 2 **aragem**, brisa 3 *fig.* **mau-olhado**, quebranto

arena *n.f.* 1 **anfiteatro** 2 **corro**, redondel, liça, estacada

arenga *n.f.* **arrazoado**, lengalenga, léria, palavreado, aranzel, palavrório, parlenda, parolagem

arengar *v.* 1 **discursar**, bacharelar, charlar, discutir, palrar, pregar, perorar 2 **contender**, disputar, altercar, querelar, rezingar

arenito *n.m.* PETROL. **grés**

arenoso *adj.* **areado**, areento, areoso, saibroso, arenisco

areoso *adj.* **areento**, arenoso

aresta *n.f.* 1 **esquina**, quina, canto, ângulo, argalha 2 BOT. **pragana**, arista, saruga 3 ZOOL. **alfinete**

4 *fig.* **insignificância**, bagatela, ninharia, argueiro

aresto *n.m.* **acórdão**, sentença

arfante *adj.2g.* **arquejante**, ofegante

arfar *v.* 1 **ofegar**, arquejar, resfolegar 2 **balancear**, oscilar, baloiçar 3 *fig.* **ansiar**

argamassa *n.f.* **cimento**, massa, ligamento

arganaz *n.m.* ZOOL. **leirão**, rato-dos-pomares, arganaça

argentaria *n.f.* **prataria**, pratas

argentino *adj.* **prateado**, argentado, argênteo

argila *n.f.* 1 **barro**, greda, saibro 2 *fig.* **fragilidade**, fraqueza

argiloso *adj.* **barrento**, barroso, argiláceo

argola *n.f.* 1 **anel**, aro, elo, arriel, abraçadeira, anilho 2 (brinco) **arrecada**

argolada *n.f.* 1 **aldrabada** 2 *col.* **asneira**, tolice, calinada

argolinha *n.f.* (jogo) **pampolinha**

argonauta *n.m.* **navegante**, navegador

argúcia *n.f.* 1 **perspicácia**, sagacidade, subtileza, esperteza, agudeza, finura, acúmen *fig.* ≠ **inépcia**, lentidão 2 **chiste**

argucioso *adj.* **ardiloso**, arguto, engenhoso, sofístico, subtil

argueiro *n.m.* 1 **cisco**, grânulo, arujo, maravalha 2 *fig.* **bagatela**, insignificância, ninharia, nonada, aresta

arguente *adj.,n.m.* **examinador**, argumentador, interrogador, arguidor

arguição *n.f.* 1 **acusação**, imputação, incriminação 2 **argumentação** 3 **crítica**, censura, recriminação, repreensão, increpação, exprobração, objurgação

arguido *adj.,n.m.* **acusado**, suspeito

arguir *v.* 1 **argumentar**, alegar, objetar 2 **repreender**, criticar, censurar, incriminar, condenar, reprovar, acusar, encoimar, increpar, exprobrar, verberar *fig.* 3 **culpar**, inculpar, criminar, assacar, imputar 4 **impugnar**, refutar 5 **demonstrar**, revelar 6 **deduzir**, inferir, dessumir

arguir-se *v.* **repreender-se**, censurar-se

arguível *adj.2g.* 1 **argumentável** 2 **acusável**, censurável, criticável

argumentação *n.f.* 1 **argumento**, raciocínio, alegação 2 **discussão**, controvérsia, disputa 3 arguição

argumentar *v.* 1 **alegar**, arguir, arrazoar, objetar, rebater 2 **debater**, discutir, disputar, altercar 3 **concluir**, deduzir, inferir

argumento *n.m.* 1 **razão**, raciocínio 2 **prova**, indício, fundamento, motivo, considerando 3 **resumo**, sumário 4 **tema**, assunto

arguto *adj.* 1 **astucioso**, engenhoso, fino, hábil, subtil 2 **perspicaz**, sagaz

ária *n.f.* **melodia**, balada, canção, cantiga, moda, modinha, modilho, tono, cançoneta, barcarola ■ *adj.,n.2g.* **ariano**, árico

ariano *adj.* **árico**, ária

aridez *n.f.* 1 **secura**, sequidão 2 **esterilidade**, infecundidade

árido *adj.* 1 **seco** 2 **estéril**, inculto, infecundo 3 *fig.* **aborrecido**, desagradável, fatigante, fastidioso ≠ **interessante**, agradável

arilo *n.m.* **grainha**

arisco *adj.* 1 **areísco**, areento, arenáceo 2 **áspero**, agreste, escabro 3 **desagradável** 4 (animal) **bravio**, selvagem 5 *fig.* **esquivo**, desconfiado, gravisco, estranhão

aristarco *n.m.* **censor**, crítico

aristocracia *n.f.* 1 **fidalguia**, nobreza, elite, optimatia, patriciado 2 *fig.* **grandeza**, proeminência, superioridade, supremacia, distinção

aristocrata *n.2g.* 1 ≠ **antiaristocrata** 2 **fidalgo**, nobre, patrício, sangue-azul ■ *adj.2g.* 1 ≠ **antiaristocrata** 2 *fig.* **distinto**, nobre, fino, delicado, aristocrático

aristocrático *adj.* 1 ≠ **antiaristocrático** 2 **nobre**, fidalgo, palaciano 3 *fig.* **distinto**, nobre, fino, delicado, aristocrata

aristotélico *adj.,n.m.* **peripatético**

arlequim *n.m.* 1 **bobo**, palhaço, trejeitador, histrião, farsante, farsista, bufão, truão, titereiro 2 *fig.* **cata-vento**

arlequinada *n.f.* 1 **farsa**, palhaçada, bufonaria 2 *fig.* **inconstância**, versatilidade

arma *n.f.* 1 *fig.* **expediente**, meio, recurso 2 [*pl.*] **brasão**, insígnia, emblema, escudo 3 [*pl.*] *fig.* **recurso**, argumentos 4 [*pl.*] *fig.* **poder**

armação *n.f.* 1 **arcaboiço**, esqueleto, estrutura, travejamento 2 **adorno**, arreamento, ornato, guarnição, aparelhos, aprestos 3 **chifres**, cornos, defesas, galhos, pontas, armadura 4 **armamento**, armas 5 **arranjo**, disposição, contextura 6 **equipamento**, petrechos, apetrechos

armada *n.f.* 1 **frota**, esquadra 2 (vinha) **empa**, evidilha

armadilha *n.f.* 1 **esparrela**, rasteira, emboscada, espera, ratoeira, rede, laço, negaça, arola *fig.*, chirinola *col.*, cambapé *fig.*, arapuca [BRAS.] 2 *fig.* **ardil**, artifício, artimanha, cilada, embuste, engano, esparrela, logro

armado *adj.* 1 **artilhado** ≠ **desarmado**, desartilhado 2 **forrado**, ornamentado 3 **resoluto**, determinado 4 **preparado**, prevenido, acautelado ≠ **desarmado**, desprevenido

armador *n.m.* **decorador**

armadura *n.f.* 1 **couraça**, coira 2 **armação**, defesa, chifres, cornos, pontas, defesas, galhos 3 arnês

armamento *n.m.* 1 **material**, equipamento, petrechos, apetrechos, munições, aprestos 2 **armas**, armação

armanço *n.m. col.* **gabarolice**, farsolice

armar *v.* 1 **equipar**, aparelhar, aprestar, preparar, esquipar ≠ **desarmar**, desaparelhar 2 **abastecer**, guarnecer, prover, munir 3 **montar**, instalar, levantar ≠ **desmontar**, desinstalar 4 **adornar**, enfeitar, ornar, paramentar 5 **presumir**, pretender, fingir-se 6 *fig.* **fortalecer**, fortificar 7 *fig.* **engendrar**, arquitetar, tecer, urdir, maquinar, tramar

armaria *n.f.* 1 **arsenal** 2 **armamento** 3 **heráldica**

armar-se *v.* 1 **munir-se**, prover-se ≠ **desarmar-se** 2 **proteger-se**, defender-se, prevenir-se, resguardar-se, precaver-se 3 **preparar-se**, impender, formar-se 4 *col.* **abusar**, exagerar 5 *col.* **gabar-se**, vangloriar 6 *col.* **fazer-se**, fingir-se

armazém *n.m.* **depósito**, arrecadação, entreposto, loja, godão [REG.]

armazenar *v.* 1 **depositar**, arrecadar, recolher, guardar, conservar, reter, arquivar, apaiolar, enceleirar *fig.* ≠ **desguardar** 2 **acumular**, amontoar, juntar, reunir

armazenista *n.2g.* **grossista**, atacadista

armeiro *n.m.* **alfageme**, espingardeiro

arminho *n.m.* 1 *fig.* **alvura**, brancura, pureza 2 *fig.* **macieza**

armistício *n.m.* **tréguas**, indúcias

arnês *n.m.* 1 **armadura**, coiraça 2 **escudo**, defesa 3 *fig.* **proteção**, égide, amparo

aro *n.m.* **anel**, anilha, arco, argola, círculo

aroeira *n.f.* BOT. **almecegueira**, lentisco, pimenteira-bastarda, almécega

aroma *n.m.* **odor**, perfume, cheiro, fragrância, bálsamo, xerume, olor

aromático *adj.* **balsâmico**, cheiroso, odorífero, perfumado, balsamíneo, aromoso

aromatizar *v.* 1 **perfumar**, aromar, balsamizar, balsamificar, embalsamar, defumar, rescender, ambrar ≠ **desaromatizar** 2 **temperar**

aromatizar-se *v.* **perfumar-se**, almiscarar-se, embalsamar-se

arpão *n.m.* **fateixa**, arpéu, ganchorra, fisga, farpão, arpoeira

arpéu *n.m.* **fateixa**, arpão, ganchorra, fisga, farpão

arpoar *v.* 1 **aferrar**, arpar, arpear, copejar 2 *fig.* **agarrar**, apanhar, segurar 3 *fig.* **tentar**, seduzir

arqueação *n.f.* 1 **capacidade**, lotação, tonelagem, arqueadura, arcadura, arqueamento, arqueio 2 **convexidade**, curvatura, encurvadura, arqueadura, arcadura, arqueamento, arqueio

arqueado *adj.* **dobrado**, curvado, arcado, alombado ≠ **aprumado**, vertical

arqueadura *n.f.* 1 **capacidade**, lotação, tonelagem, arqueação, arcadura, arqueamento, arqueio 2 **convexidade**, curvatura, encurvadura, arqueação, arcadura, arqueamento, arqueio

arqueamento *n.m.* 1 **capacidade**, lotação, tonelagem, arqueação, arcadura, arqueadura, arqueio 2 **convexidade**, curvatura, encurvadura, arqueação, arcadura, arqueadura, arqueio

arquear *v.* 1 **abaular**, encurvar, curvar, corcovar, arcar ≠ **aprumar**, endireitar 2 **vergar**, dobrar ≠ **aprumar**, endireitar

arquear-se *v.* **curvar-se**, dobrar-se, vergar-se, arcar-se

arqueiro *n.m.* **alabardeiro**, frecheiro

arquejante *adj.2g.* **ofegante**, anelante, abombado [BRAS.]

arquejar *v.* 1 **ofegar**, arfar, esbofar, impar 2 **arquear**, arcar 3 *fig.* **agonizar**, estertorar

arquejo *n.m.* 1 **ofego**, esbofamento 2 **anélito** 3 **estertor**, vasca, arranco 4 **opressão** 5 [*pl.*] **arcadas**

arqueológico *adj.* **antiquíssimo**

arquétipo *n.m.* **modelo**, protótipo, paradigma, padrão

arquidiácono *n.m.* **arcediago**, diácono-chefe

arquidiocese *n.f.* **arcebispado**, arquiepiscopado

arquiepiscopado *n.m.* **arcebispado**, arquidiocese

arquitectar[aAO] *v.* ⇒ **arquitetar**[dAO]

arquitectónica[aAO] *n.f.* ⇒ **arquitetónica**[dAO]

arquitectónico[aAO] *adj.* ⇒ **arquitetónico**[dAO]

arquitectura[aAO] *n.f.* ⇒ **arquitetura**[dAO]

arquitectural[aAO] *adj.2g.* ⇒ **arquitetural**[dAO]

arquitetar[dAO] *v.* 1 **projetar**, traçar, planear, delinear 2 **edificar**, construir, elevar ≠ **desarquitetar** 3 *fig.* **imaginar**, idear, fantasiar, engenhar, tramar

arquitetónica[dAO] ou **arquitetônica**[AO] *n.f.* **arquitetura**

arquitetónico[dAO] ou **arquitetônico**[AO] *adj.* **arquitetural**

arquitetura[dAO] *n.f.* **arquitetónica**

arquitetural[dAO] *adj.2g.* **arquitetónico**

arquitrave *n.f.* ARQ. **epistílio**

arquivar *v.* 1 **registar**, catalogar, classificar, ordenar 2 **guardar**, conservar, arrecadar, depositar, colecionar

arquivista *n.2g.* **cartorário**, escriturário, papelista

arquivo *n.m.* 1 **tombo**, repositório 2 **cartório**

arrabalde *n.m.* (também usado no plural) **redor**, arredor, subúrbio, alfoz

arrabil *n.m.* MÚS. **aiabeba**, rabil

arraial *n.m.* 1 MIL. **acampamento**, abarracamento, az, bivaque 2 **romaria**, festejo, festa 3 **povoação**, aldeia, lugarejo, aldeota, azemel, aglomerado

arraia-miúda *n.f. pej.* **povinho** *col.*, populacho

arraigado *adj.* 1 **enraizado** ≠ **desenraizado** 2 **radicado**, fixado

arraigar *v.* 1 **enraizar**, radicar, implantar, inveterar 2 **fixar**, segurar, fortalecer

arraigar-se *v.* 1 **estabelecer-se**, fixar-se, assentar, firmar-se 2 **incrustar-se**

arrais *n.m.2n.* **patrão**, mestre

arranca *n.f.* **pernada**, haste

arrancada *n.f.* 1 **arrancamento**, arranque, arranco 2 **sacão**, arranco, ímpeto, surto 3 **largada** 4 **investida**, arremetida

arrancamento *n.m.* 1 **arranque**, arrancadela, arranco 2 **extração**, separação, arranco, arranque

arrancar *v.* 1 **extrair**, sacar, tirar, arrebatar, despegar, abscindir 2 **desenraizar**, erradicar, desarraigar, desraizar, extirpar ≠ **cravar**, enterrar 3 **afastar**, apartar, separar ≠ **aproximar**, acercar 4 **abalar**, fugir, partir, sair, mudar-se, retirar-se 5 **agonizar**, expirar 6 **extorquir**

arrancar-se *v.* 1 **fugir**, abalar 2 **separar-se**, afastar-se

arranco *n.m.* 1 **arranque**, arrancadura, arrancamento 2 **sacão**, ímpeto, impulso, surto, arranque, arrancada 3 **estertor**, agonia, ânsia, arquejo, aflição

arranhadela *n.f.* **escoriação**, rasgo, agatanhadura, esfoladela, esfoladura, arranhão

arranhar *v.* 1 **unhar**, arrebunhar, escoriar, escalavrar, esgaravatar, esgadanhar, esgatanhar, raspar, agadanhar, agatanhar, esfolar, gatanhar, agatafunhar, esfrolar [BRAS.] 2 **rasgar**, riscar 3 **ofender**, ferir, magoar

arranjado *adj.* 1 **reparado**, concertado ≠ **desarranjado**, desconsertado 2 **asseado** ≠ **desleixado**, desalinhado 3 **económico**, poupado 4 **remediado**, governado 5 **organizado** ≠ **desarranjado**, desorganizado

arranjão *n.m.* **pechincha**

arranjar *v.* 1 **ordenar**, arrumar, dispor ≠ **desarranjar**, desordenar, desarrumar, emaranhar 2 **consertar**, reparar ≠ **desarranjar**, desconsertar 3 **acertar**, ajustar, acomodar ≠ **desarranjar**, desacertar 4 **obter**, conseguir, alcançar, apanhar, adquirir 5 **adornar**, enfeitar ≠ **desarranjar**, desadornar 6 **preparar**, aprontar, amanhar 7 **conciliar**, harmonizar, resolver

arranjar-se *v.* 1 **governar-se**, desembaraçar-se, desenrascar-se, ajeitar-se, amanhar-se, avir-se, remediar 2 **aprontar-se**, vestir-se, ataviar-se 3 **enfeitar-se**, adornar-se

arranjinho *n.m.* 1 *col.* **namoro**, aventura 2 *col.* **combinação**, conluio

arranjo *n.m.* 1 **acordo**, entendimento, contrato, combinação ≠ **desarranjo**, desacordo 2 **arrumação**, ordem, alinho, amanho, compostura ≠ **desarranjo**, desarrumação, desordem 3 **conluio**, logro 4 **conserto**, reparação ≠ **desarranjo**, avaria 5 **aventura**, namoro 6 **amante**

arranque *n.m.* 1 **arranco**, arrancada, arrancamento 2 **sacão**, ímpeto, impulso, surto, arrancada, arranco 3 **extração**, separação, arranco, arrancamento

arrapazar *v.* **agarotar**, agaiatar

arrasado *adj.* 1 **humilhado**, vexado 2 **arruinado**, falido 3 **destruído**, devastado 4 **plano**, raso

arrasamento *n.m.* **demolição**, desmoronamento, destruição, ruína

arrasar *v.* 1 **aplanar**, igualar, achanar, alhanar, rasoirar, rasar, nivelar 2 **demolir**, aluir, abater, derribar, derrocar, assolar, arruinar, desmantelar, destroçar, destruir 3 **humilhar**, aviltar, desfeitear, difamar, rebaixar, injuriar, aborrecer, importunar 4 **prostrar**, derrear, aniquilar, alquebrar, cansar, esfalfar, extenuar, fatigar

arrasar-se *v.* 1 **arruinar-se**, decair, destruir-se, perder-se, desmoronar-se *fig.* 2 **cansar-se**, prostrar-se, abater-se 3 (lágrimas) **encher-se**, humedecer-se, transbordar

arrastadeira *n.f.* **aparadeira**

arrastado *adj.* 1 **lento**, pausado, acarrapatado *fig.* 2 **demorado**, prolongado

arrastamento *n.m.* 1 **arrasto**, demora, lentidão, arrastadura 2 **tração**

arrastão *n.m.* **puxão**, repelão, arrojão, empuxão, tirão

arrastar *v.* 1 **arrojar** 2 **carregar**, conduzir 3 **induzir**, aliciar, atrair 4 *fig.* **humilhar**, vexar, desacreditar, difamar, vituperar 5 *fig.* **forçar**, compelir, impelir, obrigar, constranger

arrastar-se *v.* 1 **rastejar**, rojar-se, alesmar-se 2 **cambalear**, tropeçar, entropeçar *col.* 3 **humilhar-se**, aviltar-se, rebaixar-se, rastejar *fig.* 4 **demorar**, prolongar-se, retardar-se

arrasto *n.m.* 1 **arrastamento**, rojo 2 *fig.* **desgraça**, humilhação, miséria, penúria, vexame, pobreza

arrátel *n.m.* **libra**

arrazoado *n.m.* **defesa**, justificação, alegação, arenga ■ *adj.* 1 **razoável**, racional, justo, judicioso, prudente, sensato, razoado ≠ **desarrazoado**, despropositado 2 **adequado**, acertado, congruente, proporcionado

arrazoamento *n.m.* **argumentação**, raciocínio, discurso, argumento, arrazoado

arrazoar *v.* 1 **argumentar**, alegar, raciocinar, discorrer, arguir, objetar, rebater 2 **altercar**, arengar, discutir 3 **censurar**, increpar, ralhar

arreado *adj.* 1 (cavalo) **aparelhado** 2 *col.* **enfeitado**, adornado

arrear *v.* 1 **aparelhar**, jaezar 2 **adornar**, adereçar, enfeitar, ataviar, aformosear, ornamentar, alfaiar, paramentar

arrear-se *v.* 1 **gabar-se**, gloriar-se, jactar-se, prezar-se, honrar-se 2 **enfeitar-se**, ornamentar-se, adornar-se, ataviar-se

arrebanhar *v.* 1 **juntar**, reunir, amontoar, apinhar, aglomerar, ajuntar ≠ **afastar**, dispersar 2 **açambarcar**, monopolizar, arrebatar 3 **recrutar**, alistar, arregimentar

arrebatado *adj.* 1 **veemente**, impetuoso, arrojado 2 **imprudente**, precipitado, impulsivo, repentino 3 **colérico**, desenfreado, doido, furibundo, louco, possesso, assomadiço 4 **entusiasmado**, assumpto 5 **tirado**, roubado

arrebatador *adj.* **entusiasmante**, empolgante, extasiante, surpreendente, encantador, delicioso

arrebatamento *n.m.* 1 **enlevo**, encanto, encantamento, êxtase, entusiasmo, arroubamento, enlevação, pasmo, admiração, transporte *fig.* 2 **cólera**, fúria, furor, ira 3 **ímpeto**, impulso, veemência, violência, precipitação, arrebato 4 **exaltação**, excitação, fogacho, fogosidade 5 **suspensão**, absorvimento, alienação

arrebatar *v.* 1 **arrancar**, agarrar, apoderar-se, arrepanhar 2 **deleitar**, encantar, enfeitiçar, enlevar, empolgar, entusiasmar, exaltar, extasiar, inebriar, maravilhar 3 **alienar**, alhear 4 **enfurecer**, irritar

arrebatar-se *v.* 1 **enlevar-se**, arroubar-se, encantar-se 2 **encolerizar-se**, enfurecer-se, inflamar-se

arrebate *n.m.* 1 **ímpeto**, impulso, assalto, arrebatamento 2 **soleira**, limiar

arrebentar *v.* 1 **brotar**, despontar, florir, romper, surgir, abrolhar, abotoar, aparecer 2 **despedaçar**, esborrachar, esfalfar, estoirar, estalar, explodir 3 **supurar** 4 **falir** 5 **romper-se**, quebrar

arrebique *n.m.* 1 *ant.* **cosmético**, fuco, enfeite 2 **artifício**, disfarce 3 *fig.* **afetação**, amaneiramento

arrebitado *adj.* 1 *fig.* **atrevido**, petulante, presumido, pretensioso, soberbo, perliqueto 2 *fig.* **vivo**, espevitado, ladino, brejeirote

arrebitar *v.* 1 **levantar**, alevantar, erguer, alçar 2 *fig.* **animar**, despertar, arribar ≠ **amadornar**

arrebitar-se *v.* 1 **levantar-se**, erguer-se 2 *fig.* **espevitar-se**, espertar, animar-se 3 *fig.* **irritar-se**, zangar-se, abespinhar-se, agastar-se 4 *fig.* **emproar-se**, ensoberbecer-se

arrecada *n.f.* (brinco) **argola**

arrecadação *n.f.* 1 **depósito**, armazém, ucharia, entreposto, loja, godão [REG.] 2 **prisão**, custódia, guarda 3 **cobrança**, recebimento

arrecadar *v.* 1 **amealhar**, economizar, embolsar, ensacar, alcançar, guardar, lucrar, conseguir, apedourar 2 **receber**, recolher, cobrar 3 **reunir**, ajuntar

arredado *adj.* 1 **afastado**, desviado ≠ **próximo**, chegado 2 **distante**, remoto ≠ **próximo**, chegado

arredar *v.* 1 **desviar**, afastar, distanciar, separar, apartar ≠ **aproximar**, acercar 2 **remover**, retirar 3 **demover**, dissuadir

arredio *adj.* 1 **afastado**, apartado, desviado, separado, arredado, apartadiço 2 **esquivo**, fugitivo, arisco, esgueiriço

arredondado *adj.* 1 **circular**, esférico, abolado, bugalhudo, reboliço, abocetado 2 **aproximado**

arredondamento *n.m.* 1 **boleio**, boleamento 2 **redondeza** 3 **aproximação**

arredondar *v.* 1 **bolear**, tornear, copar, abocetar, arrebolar, arrepolhar ≠ **desarredondar** 2 **aperfeiçoar**, completar, perfazer, inteirar

arredondar-se *v.* 1 **abaular-se**, arrepolhar-se, enrepolhar-se, repolhar-se *fig.* 2 **engordar** 3 **engrossar**

arredor *adj.2g.* **adjacente**, circunvizinho ■ *n.m.pl.* **arrabaldes**, imediações, proximidades, subúrbios, vizinhanças, circunvizinhanças

arrefecer *v.* 1 **esfriar**, resfriar, refrescar, arrefentar, gelar, refecer, enfriar, entibiar, desafoguear ≠ **aquecer**, aquentar, esquentar 2 *fig.* **afrouxar**, abrandar, desanimar, ceder ≠ **estimular**, animar

arrefecido *adj.* 1 **esfriado**, refrescado ≠ **aquecido**, aquentado 2 *fig.* **desanimado**, desalentado ≠ **animado**, estimulado 3 *fig.* **enfraquecido** ≠ **forte**

arrefecimento *n.m.* 1 **esfriamento**, resfriamento, frieza, tibieza ≠ **aquecimento**, aquentamento 2 **afrouxamento**, desânimo, desanimação, froixidão ≠ **ânimo**, estímulo, catalisador *fig.*, aguilhão *fig.*

arregaçada *n.f.* **abundância**, abada

arregaçar *v.* 1 **arrepanhar**, arremangar, apanhar, levantar ≠ **baixar**, desarregaçar 2 **enrolar**, dobrar

arregaçar-se *v.* **arrepanhar-se**, levantar-se

arregalar *v.* **esgazear**, esbugalhar

arreganhar *v.* 1 **abrir**, entreabrir 2 **rachar**, fender, gretar, arregoar 3 **escarnecer**, mofar, zombar

arreganhar-se *v.* 1 **troçar**, escarnecer, zombar, mofar 2 **rir-se** 3 **encolerizar-se**, irar-se 4 **tremer**, encolher-se, tolher-se

arreganho *n.m.* 1 **ameaça** 2 **braveza**, intrepidez, valentia, ousadia, desassombro, audácia, decisão 3 **altivez**, soberbia, sobranceria, recacho, entono, rópia [REG.] 4 **aparência**, catadura, cariz

arregimentar *v.* 1 **alistar**, incorporar, enfileirar, recrutar 2 **juntar**, agrupar, rebanhar, reunir, associar

arreigar *v.* 1 **enraizar**, radicar, implantar, inveterar 2 **fixar**, segurar, fortalecer

arreio *n.m.* 1 **jaez**, alfaia, asnil 2 *fig.* **enfeite**, adorno, ornato, ornamento, atavio, adereço

arrelia *n.f.* 1 **apoquentação**, contrariedade, amofinação, desgosto 2 **quezília**, zanga, embirração, cavacão, ferro *fig.* 3 **despeito**, ferruncho *col.*

arreliação *n.f.* 1 **apoquentação**, contrariedade, amofinação, desgosto 2 **quezília**, zanga, embirração, cavacão, ferro *fig.* 3 **despeito**, ferruncho *col.*

arreliado *adj.* **zangado**, irritado, aborrecido

arreliador *adj.,n.m.* **impertinente**, implicante, quezilento, arreliento, arreliante, enojadiço *fig.*, fornicador *fig.,vulg.*

arreliar *v.* **aborrecer**, enervar, exasperar, impacientar, irritar, amofinar, apoquentar, quezilar, atormentar, desgostar, aperrear, enxofrar *fig.*

arreliar-se *v.* **zangar-se**, aborrecer-se, enervar-se, exasperar-se, impacientar-se, irritar-se, enxofrar-se *fig.*, fornicar-se *vulg.*

arrelvar *v.* **alfombrar**

arrematação *n.f.* 1 **acabamento**, remate, rematação 2 **leilão**, almoeda, praça

arrematante *adj.,n.2g.* **leiloeiro**, arrematador

arrematar *v.* 1 **leiloar**, almoedar 2 **rematar**, concluir, completar, finalizar, acabar, findar, fechar, terminar, ultimar, aperfeiçoar ≠ **iniciar**, começar

arrematar-se *v.* **terminar**, concluir, acabar

arremate *n.m.* **conclusão**, fim, remate, termo

arremedo *n.m.* 1 **imitação**, cópia, reprodução, simulacro, macaqueação 2 **parecença**, semelhança 3 **aparência**

arremessado *adj.* 1 **lançado**, atirado 2 **afoito**, ousado, temerário

arremessão *n.m.* **lançamento**, arremesso, arrojo, impulso, jáculo, jaculação, lançadura, lanço, arremessamento, despedimento

arremessar *v.* 1 **atirar**, arrojar, lançar, despedir, cuspir, disparar, projetar, desfrechar 2 **repelir**, expulsar 3 [REG.] **abastecer**, prover

arremessar-se *v.* 1 **lançar-se**, atirar-se, arrojar-se, abalançar-se, jogar-se, saltar 2 **investir**, acometer, arremeter, marrar 3 **abalançar-se**, atrever-se, aventurar-se

arremesso *n.m.* 1 **lançamento**, arrojo, impulso, remessão, arremessamento, jáculo, jaculação, lançadura, lanço, despedimento 2 **ameaça** 3 **acometimento**, arremetida, assaltada, assalto, ataque, carga, choque, investida, remetida, arremetimento

arremeter *v.* 1 **acometer**, atacar, assaltar, investir, agredir 2 **lançar-se**, arremessar-se, arrojar-se 3 **incitar**, açular, atiçar

arremetida *n.f.* **investida**, ataque, assalto, assaltada, carga, choque, acometimento, remetida, arremesso, arremetimento

arremetimento *n.m.* **investida**, ataque, assalto, assaltada, carga, choque, acometimento, remetida, arremesso, arremetida

arrenda *n.f.* AGRIC. **redra**, amontoa

arrendamento *n.m.* 1 **aluguer**, locação, arrendação, ablocação 2 **renda**, receita, aluguer

arrendar *v.* 1 **alugar**, locar, ablocar 2 **rendilhar**, recortar 3 AGRIC. **redrar**

arrendatário *n.m.* **inquilino**, locatário, locandeiro, rendeiro, caseiro, ablocatário

arrenegação *n.f.* 1 **abjuração**, apostasia 2 **enfado**, agastamento, irritação, zanga, arrenego

arrenegar *v.* 1 **renunciar**, abjurar, apostatar, abrenunciar, repelir 2 **esconjurar**, amaldiçoar, maldizer 3 **abandonar**, negar, denegar 4 **odiar**, execrar, detestar, abominar 5 **aborrecer**, enfadar

arrenegar-se *v.* **encolerizar-se**, enfurecer-se, enraivecer-se, irar-se, irritar-se

arrepanhar *v.* 1 **repuxar**, regaçar, recolher 2 **amarfanhar**, encarquilhar, enrugar, engelhar, refegar 3 **surripiar**, roubar, pilhar, rapinhar, agafanhar, arrebatar

arrepanhar-se *v.* **contrair-se**, enrugar-se, regaçar-se, franzir-se

arrepelão *n.m.* **arranco**, puxão, repelão

arrepelar *v.* 1 **puxar**, arrancar, repuxar, descabelar, depenar ≠ **soltar**, largar 2 **empurrar**, empuxar, esbarrar

arrepelar-se *v.* 1 **descabelar-se**, escarapelar-se *fig.* 2 *fig.* **desesperar-se**, descabelar-se 3 *fig.* **arrepender-se**, lastimar-se, lamentar-se

arrepender-se *v.* 1 **lamentar**, deplorar, lastimar, doer-se, penitenciar-se, arrepelar-se *fig.* 2 **reconsiderar**, recuar, desdizer-se, desistir, retroceder

arrependido *adj.* **pesaroso**, contrito, repeso

arrependimento *n.m.* **remorso**, contrição, pena, pesar, pungimento, compunção, reconsideração, penitência

arrepiado *adj.* (cabelo) **eriçado**

arrepiante *adj.2g.* **horrível**, assustador, medonho, aterrador, formidoloso

arrepiar *v.* 1 **desgrenhar**, encrespar, enriçar, eriçar, riçar, enrugar ≠ **desenrugar**, desfranzir 2 **amedrontar**, assustar, espavorir, horripilar, horrorizar, tremer 3 **retroceder**, recuar, desandar, desdizer-se

arrepio *n.m.* **calafrio**, estremecimento, estremeção, tremor, arrepiamento

arrestar *v.* **embargar**, penhorar, confiscar, apreender ≠ **desarrestar**

arresto *n.m.* **embargo**, confiscação, apreensão

arrevesado *adj.* 1 **complicado**, confuso, difícil, ininteligível, intricado, intrincado, obscuro, enredoso ≠ **compreensível**, claro 2 **ríspido**, intratável, insociável, desconversável ≠ **sociável**, afável

arrevesar *v.* 1 **inverter**, contraverter 2 **revirar**, revolver 3 **revezar**

arriar *v.* 1 **baixar**, abaixar, descer, abater ≠ **alçar**, erguer, içar 2 **depor**, entregar, ceder, render 3 **agredir**, espancar, bater

arriba *n.f.* **falésia**, riba, escarpa, ribanceira, aportada ■ *adv.* **acima**, adiante ■ *interj.* **acima!**, avante!, upa!

arribação *n.f.* 1 **chegada**, arribada, arribe 2 [BRAS.] **convalescença**, melhora, restabelecimento, arribada

arribar *v.* 1 **aportar**, abordar, aproar, ancorar, abicar 2 **levantar**, erguer, suspender, alar ≠ **baixar**, descer 3 **chegar**, alcançar, assomar 4 **partir**, largar, fugir, desandar, desertar 5 **convalescer**, melhorar, restabelecer-se

arrieiro *n.m.* 1 **almocreve**, azemel, arreador, arrocheiro, asneiro, recoveiro 2 *pej.* **grosseirão**, mal-educado

arrife *n.m.* 1 **aceiro**, atalhada 2 [REG.] **penedo**, recife

arrimar *v.* 1 **acostar**, aproximar, encostar, chegar ≠ **desarrimar**, desencostar 2 **amparar**, apoiar, ajudar, escorar, sustentar ≠ **desarrimar**, desamparar 3 **arrumar**, carregar, atirar 4 *col.* **bater**, dar

arrimar-se *v.* 1 **aderir**, apegar-se, ater-se, conformar-se 2 **segurar-se**, apoiar-se, sustentar-se, firmar-se, encostar-se, estribar-se, amparar-se, escorar-se, ater-se, fundar-se 3 **valer-se**, socorrer-se, estear-se, apoiar-se

arrimo *n.m.* 1 **apoio**, encosto, escora, espeque, esteio 2 **amparo**, proteção, auxílio, ajuda, conchego, adminículo ≠ **desarrimo** 3 **báculo**, bordão, muleta

arriscado *adj.* 1 **perigoso**, difícil 2 **arrojado**, atrevido, audacioso, audaz, aventureiro, aventuroso, destemido, imprudente, intrépido, ousado

arriscar *v.* **aventurar**, comprometer, expor, apostar, prodigalizar, malparar, tentar

arriscar-se *v.* **abalançar-se**, aventurar-se, afoitar-se, lançar-se

arrivismo *n.m.* **videirismo**

arrivista *adj.,n.2g.* **videirinho**, ambicioso

arrochada *n.f.* **bordoada**, cacetada, paulada

arrochar *v.* 1 **comprimir**, apertar, constranger, acochar 2 **oprimir**, obrigar

arrochar-se *v.* **apertar-se**, espartilhar-se, comprimir-se

arrocho *n.m.* 1 **aperto**, apertão, entalação, compressão, opressão 2 **bordão**, cacete, garrote, porrete, varapau 3 *fig.* **rigor**

arrogação *n.f.* **perfilhação**, perfilhamento

arrogância *n.f.* **sobranceria**, altivez, altanaria, soberba, insolência, embófia, empáfia, orgulho, jactância, petulância, ostentação, fanfarrice, presunção, pesporrência, entono, pimponice, bravata, bazófia, inchação *fig.* ≠ **humildade**, modéstia, desempertigamento

arrogante *adj.2g.* **altaneiro**, presunçoso, presumido, altivo, soberbo, emproado, enfatuado, fanfarrão, insolente, orgulhoso, confiado, pedante, petulante, sobranceiro, bazófio, imodesto, imperial *fig.*, enchouriçado *fig.*, encristado *fig.*, entufado *fig.*, inchado *fig.* ≠ **modesto**, humilde, simples

arrogar *v.* 1 **adotar**, perfilhar 2 **atribuir** 3 **atribuir-se**, apropriar-se, assumir

arrogar-se *v.* **atribuir-se**, assumir, adjudicar-se

arrogo *n.m.* **sobranceria**, altivez, altanaria, soberba, insolência, embófia, empáfia, orgulho, jactância, petulância, ostentação, fanfarrice, presunção, pesporrência, entono, pimponice, bravata, bazófia, inchação *fig.* ≠ **humildade**, modéstia

arroio *n.m.* **regato**, ribeira, ribeiro, riacho, regueiro, ribeirada

arrojado *adj.* 1 **temerário**, arriscado, audaz, corajoso, audacioso, destemido, intrépido, valentão, valente, atrevido, afouto ≠ **cobarde**, medroso 2 **ousado**, progressista 3 **arrebatado**, impetuoso

arrojar *v.* 1 **arremessar**, atirar, projetar, lançar, despenhar, precipitar, expelir, impelir, despedir 2 **arrastar**, rojar

arrojar-se *v.* 1 **lançar-se**, atirar-se, arremeter, acometer, arremessar-se, despenhar-se, precipitar-se 2 **arrastar-se**, rastejar 3 **atrever-se**, abalançar-se, ousar, arriscar-se 4 **humilhar-se**, rebaixar-se, aviltar-se

arrojo *n.m.* 1 **lançamento**, arremessão, arremesso, impulso, jáculo, jaculação, lançadura, lanço, arremessamento, despedimento 2 *fig.* **afoiteza**, bravura, audácia, coragem, destemor, intrepidez, ousadia, temeridade, denodo, arrojamento 3 *fig.* **atrevimento**, descaramento, desfaçatez, petulância, soltura 4 *fig.* **animosidade**

arrolado *adj.* 1 **inventariado**, listado, recenseado 2 **arremessado**, arrojado ■ *n.m.* **sem-abrigo**, mendigo

arrolamento *n.m.* **inventário**, recenseamento, rol, relação

arrolar *v.* 1 **inventariar**, listar, relacionar, registar, classificar, atombar, recensear 2 **alistar**, inscrever, recrutar, engajar 3 **enrolar** 4 **arrulhar** 5 **adormentar**, embalar, acalentar

arrolhar *v.* 1 **rolhar**, tapar, abatocar 2 *fig.* **intimidar**, confundir 3 [BRAS.] **agrupar**, reunir

arrombada *n.f.* **rombo**, rotura, buraco, quebra, arrombamento

arrombamento *n.m.* 1 **arrombada**, rombo, rotura, buraco, quebra, arrombadela 2 **rompimento**, arrombadela

arrombar *v.* 1 **quebrar**, romper, rebentar, despedaçar 2 **vencer**, derrotar 3 **derrubar**, arrasar 4 **forçar**, destruir 5 *col.* **desbaratar**, gastar 6 *col.* **cansar**, esfalfar

arrostar *v.* 1 **afrontar**, defrontar, encarar, enfrentar, acometer 2 **arcar**, suportar

arrostar-se *v.* **defrontar-se**, afrontar, encarar, expor-se

arrotar *v.* 1 **eructar**, baforar 2 *fig.* **gabar-se**, vangloriar-se, jactar-se, bazofiar, alardear, bravatear, bizarrear

arroteamento *n.m.* **arrota**, roteia, noval, decrua, surriba

arrotear *v.* 1 AGRIC. **desbravar**, desmoitar, esmoitar, deboiçar, desmaninhar 2 AGRIC. **decruar**, surribar 3 *fig.* **educar**, instruir

arroteia *n.f.* **noval**, decruagem, surriba, arrota, arroteamento

arroto *n.m.* 1 **eructação**, ventosidade 2 *fig.* **obscenidade**

arroubamento *n.m.* **enlevo**, êxtase, fascinação, encanto, arrebatamento, pasmo, enlevação, arroubo

arroubar *v.* **extasiar**, enlevar, arrebatar, espantar, assombrar

arroubar-se *v.* **alhear-se**, enlevar-se, extasiar-se, arrebatar-se

arroubo *n.m.* **enlevo**, êxtase, fascinação, encanto, arrebatamento, pasmo, enlevação, arroubamento

arroxear *v.* **purpurear**, avioletar

arroz *n.m.* 1 *col.* **dinheiro**, caroço, bago, massa, guita 2 *gír.* **pancada**

arruaça *n.f.* **desordem**, motim, alvoroto, assuada, tumulto, rolo [BRAS.]

arruaceiro *adj.,n.m.* **desordeiro**, brigão, turbulento, zaragateiro, tumultuoso, arruaçador

arruamento *n.m.* **rua**

arruar *v.* 1 **vadiar**, errar 2 (javali) **grunhir** 3 (boi) **mugir**

arrufar *v.* **irritar**, encolerizar, agastar, indispor, encrespar, aborrecer

arrufar-se *v.* 1 **agastar-se**, zangar-se, encrespar-se, irritar-se, desavir-se, enrufar-se 2 **amuar**, embezerrar *col.*

arrufo *n.m.* **agastamento**, amuo, enfado, zanga, despeito ≠ **desarrufo**

arruinado *adj.* 1 **destruído**, devastado 2 **falido**, pobre 3 *fig.* **abatido**, arrasado, descalabrado

arruinar *v.* 1 **arrasar**, demolir, derrocar, derrubar, desbaratar, desmantelar, desmoronar, destroçar, destruir, devastar, derruir, abater, arrunhar, talar *fig.* 2 **estragar**, danificar, escangalhar, estuporar, destruir, danar, estrompar *fig.* 3 **empobrecer**, falir ≠ **enriquecer** 4 **abalar**, aluir, combalir 5 **desacreditar**, deteriorar, prejudicar ≠ **reabilitar**

arruinar-se *v.* 1 **desgraçar-se**, perder-se, afundir-se *fig.* 2 **falir**, baquear, empobrecer 3 **fracassar**, gorar-se, frustrar-se, baldar-se, naufragar *fig.* 4 **ruir**, desabar, desfazer-se, decair

arrulhar *v.* 1 **arrolar**, rolar, turturinar [BRAS.] 2 *fig.* **sussurrar** 3 *fig.* **embalar** 4 *fig.* **galantear**, namorar

arrulho *n.m.* 1 **rulo**, turturino [BRAS.] 2 *fig.* **meiguice**, carícia, namoro, ternura

arrumação *n.f.* 1 **alinho**, arranjo, asseio, arrumadela ≠ **desarrumação**, desarranjo, desalinho 2 **ordem**, método, disposição, arrumo ≠ **desarrumação**, desordem, rondão 3 **arrecadação**, arrumo 4 *col.* **emprego**, colocação, ocupação 5 *col.* **traficância**, jogada

arrumado *adj.* 1 **ordenado**, arranjado, organizado ≠ **desarrumado**, desarranjado, desordenado 2 **disciplinado**, organizado, metódico ≠ **desarrumado**, desorganizado 3 **concluído**, resolvido 4 *col.* **casado** 5 [BRAS.] **vestido**, arranjado

arrumador *n.m.* **criado**, doméstico

arrumar *v.* 1 **arranjar**, ordenar, dispor ≠ **desarrumar**, desarranjar, desordenar 2 **atirar**, lançar, arremessar 3 **abandonar**, deixar, desprezar 4 **empregar**, colocar 5 **resolver**, solucionar, concluir 6 [BRAS.] **conseguir**, obter

arrumar-se *v.* 1 *col.* **desviar-se**, afastar-se 2 *col.* **casar-se** 3 *col.* **assentar**, estabelecer-se 4 *col.* **arranjar-se**, avir-se, desembaraçar-se

arrumo *n.m.* 1 **arranjo**, método, ordem, arrumação ≠ **desarrumação**, desarranjo, desordem, desarrumo 2 **emprego**, ocupação, colocação 3 **arrecadação**

arsenal *n.m.* **armazém**, depósito

arte *n.f.* 1 **dom**, génio, talento, faculdade, engenho 2 **destreza**, jeito, habilidade, perícia, técnica, ciência 3 **artifício**, ardil, artimanha, astúcia, engano, fraude, manha, estratagema 4 **maneira**, modo 5 **primor**, perfeição, esmero, método 6 **ofício**, profissão, mister, mester

artefacto[AO] ou **artefato**[AO] *n.m.* **manufacto**

arteirice *n.f.* 1 **ardil**, manha, artice, intriga, fraude, dolo, endrómina, fraudulência, velhacada 2 **astúcia**, sagacidade, subtileza, habilidade, arte 3 **maldade**, travessura, traquinada

arteiro *adj.* 1 **ardiloso**, astucioso, astuto, endiabrado, enganador, fraudulento, malicioso, manhoso, travesso, velhaco 2 **destro**, habilidoso, esperto, fino, sagaz

artelho *n.m.* **tornozelo**

artéria *n.f.* 1 **caminho**, rua, via 2 **ducto**

artesanal *adj.2g.* 1 manual 2 simples, rústico ≠ sofisticado

artesão *n.m.* artífice, obreiro, operário, artista, fabricador, obrador, mesteiral *ant.*

ártico[dAO] *adj.* boreal, setentrional, norte

articulação *n.f.* 1 junta 2 pronunciação

articulado *adj.* 1 pronunciado 2 ligado, unido, estruturado ≠ desarticulado 3 amovível, desmontável

articular *v.* 1 pronunciar, proferir, falar, dizer, verbalizar 2 unir, ligar, juntar, associar ≠ desarticular 3 organizar, estruturar ≠ desarticular, desorganizar 4 artigar [REG.] ■ *adj.2g.* articulável, articulatório

articular-se *v.* 1 ligar-se, encadear-se, juntar-se, concatenar-se 2 organizar-se, estruturar-se

articulável *adj.2g.* 1 articular, articulatório 2 pronunciável ≠ inarticulável, impronunciável, inexprimível 3 relacionável

artículo *n.m.* 1 ANAT. falange 2 BOT. entrenó, entrejunta

artífice *n.2g.* artesão, obreiro, operário, artista, fabricador, obrador, fabro, mesteiral *ant.*

artificial *adj.2g.* 1 fabricado, factício ≠ natural 2 postiço 3 dissimulado, artificioso, falso, fingido, simulado ≠ espontâneo, natural 4 afetado, amaneirado, arrebicado ≠ simples

artificialidade *n.f.* afetação, artificialismo ≠ naturalidade

artificiar *v.* engendrar, engenhar, fabricar, maquinar, tramar, confabular

artifício *n.m.* 1 ardil, astúcia, finura, artimanha, estratagema, arteirice, cabe, cacha, cilada, engano, embuste, encoberta, manha, trama, engenho, logro, manigância, manobra, marosca, subtileza, truque, ardileza, tramoia *col.*, armadilha, fraude, dolo, subterfúgio 2 artefacto, invento, invenção, máquina 3 afetação, fingimento, simulação, vaidade, presunção, maneirismo ≠ espontaneidade, naturalidade, instintividade

artificioso *adj.* 1 artificial, fingido, simulado, falso ≠ natural, desartificioso 2 habilidoso, destro, engenhoso 3 manhoso, ardiloso, arteiro, hipócrita, doloso, astuto, enganoso ≠ inartificioso, sincero

artigo *n.m.* 1 cláusula, parágrafo, item 2 género, mercadoria

artilhar *v. fig.* munir, preparar

artilharia *n.f. fig.* argumentação

artilheiro *n.m.* bombardeiro *ant.*, bombeiro *ant.*

artimanha *n.f.* ardil, astúcia, finura, estratagema, artifício, arteirice, cabe, cacha, cilada, engano, embuste, encoberta, manha, trama, engenho, logro, manigância, marosca, subtileza, truque, ardileza, tramoia *col.*, armadilha, dolo, fraude, solércia, trapaça, treta, endrómina, manganilha, raposia, raposice

artista *n.2g.* 1 artesão, artífice 2 intérprete 3 ator ■ *adj.2g.* 1 talentoso, engenhoso 2 arteiro, astucioso, astuto, manhoso, artificioso, finório

artístico *adj.* 1 ≠ antiartístico 2 perfeito, primoroso

artrópode *adj.2g.,n.m.* ZOOL. articulado, artrozoário

arúspice *n.m.* HIST. (Roma antiga) adivinho, adivinhador, vidente, agoireiro, áugure, profeta, vaticinador, extíspice

arvicultor *adj.,n.m.* lavrador, agricultor

arvicultura *n.f.* agricultura

arvorar *v.* 1 alçar, erguer, levantar, empinar, erigir ≠ baixar, desarvorar 2 hastear, içar, adriçar ≠ arriar, baixar 3 arborizar, florestar ≠ desarborizar 4 fugir, abalar, alvorar, evadir-se 5 exibir, ostentar, alardear 6 elevar, promover

arvorar-se *v.* assumir, inculcar-se

árvore *n.f.* 1 MEC. eixo, veio, fuso 2 NÁUT. mastro

arvoredo *n.m.* bosque, mata, mato, floresta

ás *n.m.* craque

asa *n.f.* 1 ala 2 pega, ansa, pegadeira

asado *adj.* alado ≠ desalado

ascendência *n.f.* 1 antepassados, progenitores, avoengos, antigos, maiores, genealogia, antecessores, progénie, origem, avós *fig.*, pais *fig.*, estirpe *fig.* ≠ descendência, descendentes 2 superioridade, influência, domínio, ascendente, predomínio 3 elevação, ascensão, subida, ascenso

ascendente *adj.2g.* crescente, ascensível ■ *n.2g.* antepassado, predecessor, avô *fig.* ≠ descendente ■ *n.m.* domínio, autoridade, influência, superioridade, predomínio, ascendência

ascender *v.* 1 subir, elevar-se, remontar, erguer-se, altear-se ≠ baixar, descer 2 aumentar, crescer

ascensão *n.f.* 1 subida, elevação, ascenso, ascendimento ≠ descida, abaixamento 2 promoção

ascenso *adj.* elevado ■ *n.m.* 1 subida, elevação, ascensão ≠ descida, abaixamento 2 promoção

ascensor *adj.,n.m.* elevador

asceta *n.2g.* anacoreta, eremita, eremitão

ascético *adj.* contemplativo, espiritual, místico, platónico, devoto

asco *n.m.* 1 aversão, repugnância, nojo, antojo, náusea, enjoo, asca 2 rancor, ódio, antipatia ≠ simpatia 3 BOT. ascídio

ascoroso *adj.* 1 repugnante, imundo, nojento, repelente, asqueroso, sujo 2 *fig.* sórdido, infame, ignóbil

aselha *adj.,n.2g. col.* desajeitado, inábil, ambissinistro ■ *n.f.* alça, argola, presilha, laçada

asfaltar *v.* alcatroar

asfalto *n.m.* **alcatrão**, breu, pez, piche

asfixia *n.f.* **sufocação**, afogo, abafamento, abafo, afogamento, afogadela, atafego, atafegação ≠ **desafogo**

asfixiante *adj.2g.* **sufocante**, irrespirável, abrasador, abafadiço, asfixiador

asfixiar *v.* **1 sufocar**, abafar, estrangular, atafegar [REG.] **2** *fig.* **tolher**, cercear, proibir

asiático *adj.* **1** *fig.* **sumptuoso**, pomposo, magnificente, extraordinário, faustoso **2 asiano**, ásio

asilado *adj.,n.m.* **refugiado**, amparado

asilar *v.* **albergar**, abrigar, hospedar, recolher, acolher, acoitar, proteger ≠ **desabrigar**, desacolher

asilar-se *v.* **1 abrigar-se**, refugiar-se, recolher-se **2 afastar-se**, retirar-se

asilo *n.m.* **1 abrigo**, refúgio, abrigada, acolhida, albergue, guarida, valhacoito, valhacouto, esconderijo, abrigadoiro, couto *fig.*, alfama *ant.* **2 lar**, hospício, orfanato **3** *fig.* **amparo**, apoio, agasalho, proteção

asinha *adv.* **1** *ant.* **depressa**, imediatamente, já **2** *ant.* **cedo**

asinino *adj.* **1 jumental**, asnal, asinário **2** *fig.* **estúpido**, bronco, obtuso, asno, burro, parvo, tolo, idiota

asir *v.* **agarrar**, empunhar, segurar, pegar, firmar, sustentar, suster

asna *n.f.* **1 burra**, mula, jumenta **2** HER. **chaveirão**

asnático *adj. fig.* **estúpido**, bronco, obtuso, asno, burro, parvo, tolo, idiota, choné *col.*

asnear *v.* **disparatar**, tolejar, sandejar, parvoejar, asneirar

asneira *n.f.* **1 disparate**, imbecilidade, baboseira, despautério, calinada, burrice, absurdo, estupidez, parvoíce, burricada, cabeçada, sandice, raia, tolice, toleima, dislate, patacoada, bojarda, burrada, estultícia, asnada, bernardice, bobagem [BRAS.], besteira [BRAS.] *col.* **2 palavrão**, obscenidade, asneirola

asneirola *n.f.* **palavrão**, obscenidade, asneira

asno *n.m.* **1 burro**, jumento, jerico, besta **2** *fig.* **estúpido**, imbecil, estulto, inepto, ignorante, idiota, tolo, estólido, parvo, palerma, lorpa, boleima *fig.*, animalão *fig.,pej.*

aspar *v.* **1 atormentar**, martirizar, maltratar, torturar, mortificar, vexar **2 eliminar**, riscar, raspar, expungir

aspas *n.f.pl.* **comas**

aspecto[AO] *n.m.* ⇒ **aspeto**[AO]

aspereza *n.f.* **1 rugosidade**, asperidade, asperidão, crespidão, garabulho, fragosidade **2** *fig.* **rispidez**, severidade, dureza, austeridade, rigidez, rigor **3** *fig.* **rudeza**, desabrimento, grosseria

aspergir *v.* **borrifar**, orvalhar, respingar, salpicar, aspersar, rociar

áspero *adj.* **1 acidentado**, desigual, irregular, escabroso, fragoso, pedregoso ≠ **plano**, suave **2 crespo**, rugoso ≠ **liso**, igual **3 desarmónico**, desafinado ≠ **harmónico**, afinado **4 acre**, azedo, ácido ≠ **doce** **5 agreste**, árido, estéril, seco, inóspito, bravio, fragueiro **6 rude**, intratável, ríspido, severo, cruel, desabrido, destemperado, grosseiro, mau, arisco ≠ **amável**, afável

aspersão *n.f.* **1 borrifo**, aspergimento, espargimento, afusão **2 asperges**

aspeto[AO] ou **aspecto**[AO] *n.m.* **1 aparência**, ar, apresentação, cara, cariz, catadura, configuração, conspeção, conspecto, contenho, expressão, faceta, feição, figura, fisionomia, parecer, perfil, presença, rosto, semblante, visão, viso, pinta *fig.* **2 lado**, ângulo, face **3 perspetiva**

áspide *n.2g. fig.* **má-língua**

aspiração *n.f.* **1 inalação**, inspiração **2** *fig.* **desejo**, anelo, volição, ambição, pretensão, sonho

aspirante *n.2g.* **pretendente**, candidato ■ *adj.2g.* **aspirador**

aspirar *v.* **1 inspirar**, inalar, respirar, haurir **2 absorver**, sorver, chupar **3 cheirar**, recender **4 ambicionar**, desejar, pretender, almejar, anelar, ansiar

asqueroso *adj.* **1 repugnante**, imundo, nojento, repelente, ascoroso, ascoso, sujo, anojoso, estercoroso **2** *fig.* **sórdido**, infame, ignóbil, indigno, torpe

assacador *adj.,n.m.* **caluniador**

assacar *v.* **caluniar**, vituperar, exprobrar

assado *n.m. fig.* **enrascadela**, embaraço, apuro, confusão

assador *n.m.* **assadeira**, assadeiro

assadura *n.f. col.* **intertrigem**, intertrigo

assalariado *n.m.* **1 empregado**, trabalhador, funcionário **2 jornaleiro**, avençal

assalariar *v.* **1 contratar**, empregar, estipendiar **2 corromper**, subornar, aliciar, seduzir, peitar

assaltada *n.f.* **investida**, ataque, assalto, carga, choque, acometimento, remetida, saltada, arremesso, arremetimento

assaltante *adj.,n.2g.* **1 gatuno**, ladrão, pilho, tagaz **2 invasor**

assaltar *v.* **1 atacar**, acometer, investir, arremeter, saltear, assaltear, abalroar, expugnar **2 ocorrer**, sobrevir **3 assediar**

assalto *n.m.* **1 acometimento**, arremetida, assaltada, ataque, cometida, investida, surtida, avançada, ofensiva, opugnação, salteada, saltada **2** (boxe) **round**

assanhado *adj.* **1 furioso**, zangado, impetuoso, tempestuoso, raivoso, revolto **2** [BRAS.] **atrevido**, buliçoso, irrequieto, metediço, travesso, traquinas

assanhar *v.* 1 **encolerizar**, enraivecer, exasperar, enfurecer, embravecer, exacerbar, inflamar, irritar, abespinhar, irar, encarniçar, agastar ≠ **acalmar**, apaziguar, desassanhar 2 **açular**, excitar, atiçar, provocar, agravar, açorar

assanhar-se *v.* 1 **enfurecer-se**, embravecer, encarniçar-se, abespinhar-se, azedar-se, revoltar-se 2 **encapelar-se**, encrespar-se

assar *v.* 1 **tostar**, torrar, crestar, chorriscar *col.* 2 **queimar**, abrasar, acalorar

assarapantado *adj.* **pasmado**, espantado, atordoado, atónito, boquiaberto, perplexo, embaraçado

assarapantar *v.* 1 **atrapalhar**, confundir, perturbar, espantar, pasmar, assustar, sobressaltar 2 **entontecer**, estontear, atordoar

assassinar *v.* 1 **matar**, trucidar, vindimar *fig.*, despachar *fig.* 2 *fig.* **exterminar**, destruir, aniquilar 3 *fig.* **deturpar**, estragar, inutilizar

assassinato *n.m.* **homicídio**, occídio, occisão, assassínio, assassinamento

assassínio *n.m.* **homicídio**, occídio, occisão, assassinato, assassinamento

assassino *adj.,n.m.* **homicida**, matador, assassinador

assaz *adv.* 1 **suficientemente** ≠ **insuficientemente** 2 **muito**, bastante, abundantemente, amplamente, fartamente ≠ **pouco**

assazonar *v.* **amadurecer**

asseado *adj.* 1 **limpo**, higiénico ≠ **sujo**, imundo, cardido, esquálido 2 **elegante**, vistoso, desenxovalhado ≠ **deselegante**, enxovalhado 3 **perfeito**, apurado

assear *v.* 1 **alimpar**, lavar, mundificar, escarolar *col.* ≠ **sujar**, enludrar 2 *ant.* **enfeitar**, adornar, ornar, ataviar

assear-se *v.* 1 **limpar-se**, lavar-se ≠ **sujar-se** 2 **aprumar-se**

assedentado *adj.* **sedento**, sequioso ≠ **dessedentado**, abeberado

assediador *adj.,n.m.* 1 **sitiador**, sitiante 2 *fig.* **importuno**, maçador, causticante

assediar *v.* 1 **cercar**, sitiar 2 **perseguir**, atormentar, importunar, maçar

assédio *n.m.* 1 **cerco**, sítio 2 **impertinência**, insistência, perseguição

assegurado *adj.* 1 **confirmado**, certificado 2 **certo**, garantido 3 **seguro**, protegido

assegurar *v.* 1 **asseverar**, certificar, atestar, confirmar, garantir, afirmar, testificar 2 **afiançar**, abonar, responsabilizar-se, garantir

assegurar-se *v.* 1 **certificar-se**, convencer-se, verificar 2 **basear-se**, apoiar-se, firmar-se, sustentar-se

asseio *n.m.* 1 **limpeza**, higiene, mundícia, saneamento, desencardimento, detersão ≠ **espurcícia**, chavasquice, esqualidez, esterqueiro, limo, porquidade, sordidez 2 **esmero**, apuro, perfeição 3 **correção**, compostura, alinho

asselvajar *v.* **embrutecer**, estupidificar, estupefazer, alapuzar

asselvajar-se *v.* 1 **descivilizar-se** ≠ **civilizar-se**, desasselvajar-se 2 **brutalizar-se**, abrutar-se, embrutecer-se, aborregar-se, agalegar-se, alabregar-se, alapuzar-se, animalizar-se, estupidificar-se, agrosseirar-se, bestializar-se

assembleia *n.f.* 1 **reunião**, congregação, congresso, ajuntamento, consílio, conselho, corro, corrilho, comício, colóquio 2 **grémio**, corporação, comunidade, sociedade, junta, parlamento

assemelhar *v.* 1 **parecer**, aparentelar, semelhar, arremedar 2 **comparar**, cotejar

assemelhar-se *v.* **parecer**, semelhar, arremedar, aparentar-se

assenhorar *v.* 1 **ensenhorear** ≠ **desassenhorear** 2 **empossar**

assenhorear *v.* **empossar**

assenhorear-se *v.* **apoderar-se**, apropriar-se, apossar-se, tomar, usurpar, ocupar, empossar-se, conquistar, governar, reter

assentada *n.f.* **ocasião**, vez

assentado *adj.* 1 **sentado** ≠ **levantado** 2 **assente**, fundamentado 3 **equilibrado**, judicioso, prudente, maduro 4 **pousado**, depositado 5 **firmado**, resolvido, deliberado, considerado

assentamento *n.m.* 1 **acordo**, anuência, consentimento 2 **ajustamento** 3 **lançamento**, apontamento, averbamento, inscrição, registo, lançadura, assento, nota

assentar *v.* 1 **sentar** 2 **estabelecer**, determinar, convencionar, estipular, decidir, deliberar, combinar, concordar, acordar, ajustar, anuir, resolver 3 **basear**, estribar, fundamentar, fundar, fixar, firmar 4 **colocar**, ajustar 5 **depositar-se** 6 **anotar**, apontar, averbar, inscrever, notar, registar 7 **concertar**, condizer, convir, harmonizar 8 **assegurar**, consolidar 9 **afiar**, aguçar 10 **morar**, residir 11 **acalmar**, sossegar, serenar 12 **iniciar**, caboucar

assentar-se *v.* **sentar-se**, acomodar-se

assente *adj.2g.* 1 **acordado**, ajuizado, ajustado, assentado, combinado, convencionado, decidido, resolvido, determinado, estabelecido, pactuado 2 **escrito**, anotado, registado, apontado 3 **estável**, firme, sólido 4 **apoiado**, pousado 5 **tranquilo**, sossegado, quieto

assentimento *n.m.* **consentimento**, anuência, aquiescência, aprovação, concordância, acordo, apoio, amém, ámen, assenso, nução

assentir *v.* **aceder**, anuir, aquiescer, concordar, conceder, consentir, aprovar, outorgar, permitir ≠ **desaprovar**, discordar

assento *n.m.* 1 **banco**, cadeira 2 *col.* **rabo**, traseiro, nádegas, cu, sim-senhor, sesso 3 **apoio**, base, pedestal, pé, pousadouro 4 **sedimento**, borra 5 **estabilidade**, constância, permanência 6 **juízo**, sensatez, senso, siso, reflexão, ponderação, sisudez, prudência, madureza 7 **anotação**, assentamento, lançamento, averbação, escrituração, registo, apontamento, nota 8 **acordo**, pacto 9 **determinação**, resolução 10 **tranquilidade**, quietação, repouso, descanso 11 **estabelecimento**, assentada

asséptico[AO] *adj.* ⇒ **assético**[AO]

asserção *n.f.* **afirmação**, asseveração, asserto ≠ **negação**, negativa

asserir *v.* **afirmar**, assegurar, garantir

assertar *v.* **afirmar**, assegurar, asseverar

assertivo *adj.* **afirmativo**, assertórico

asserto *n.m.* **afirmação**, asseveração, asserção ≠ **negação**, negativa

assertoar *v.* **afirmar**, asseverar, garantir

assertório *adj.* **afirmativo**, assertivo

assessor *n.m.* **adjunto**, assistente, ajudante, auxiliar, coadjutor, suplente, auxiliador

assessorar *v.* **auxiliar**, ajudar

assestar *v.* 1 **colocar**, dispor, postar 2 **apontar** ≠ **desassestar**, desapontar 3 **acertar** 4 **disparar**

assesto *n.m.* **mira**, pontaria

assético[AO] ou **asséptico**[AO] *adj.* **estéril** ≠ **séptico**

asseveração *n.f.* **afirmação**, certeza, asserção, asserto

asseverar *v.* **afirmar**, garantir, assegurar, atestar, certificar, confirmar, firmar-se

assexo *adj.* **insexuado**, assexuado ≠ **sexuado**

assexuado *adj.* 1 **insexuado**, assexo ≠ **sexuado** 2 **agâmico**, âgamo

assiduamente *adv.* **continuamente**

assiduidade *n.f.* 1 **constância**, frequência, ininterrupção, repetição, continuação ≠ **inassiduidade**, irregularidade 2 **pontualidade**, exatidão ≠ **inassiduidade**

assíduo *adj.* 1 **constante**, continuado, contínuo 2 **habitual**, frequente, repetido 3 **aplicado**, diligente, incansável, incessante

assim *conj.* **portanto**, logo, então

assim-assim *v.* **sofrivelmente**

assimetria *n.f.* **disparidade**, diferença, discrepância, dissemelhança ≠ **simetria**, igualdade, semelhança, dessemelhança [BRAS.]

assimétrico *adj.* **desigual**, diferente, dissimétrico, dissemelhante, díspar ≠ **simétrico**, igual, semelhante

assimilação *n.f.* **absorção**, integração, apropriação

assimilar *v.* **compreender**, apreender, reter, aprender, absorver ≠ **desperceber**

assimilar-se *v.* **incorporar-se**, juntar-se, igualar-se, identificar-se

assinado *adj.* **subscrito**, autenticado, certificado

assinalado *adj.* 1 **marcado** 2 *fig.* **notável**, célebre, distinto, extraordinário, famoso, ilustre, importante, insigne, afamado, valioso

assinalar *v.* 1 **indicar**, sinalizar 2 **marcar**, distinguir, destacar, almagrar *fig.* 3 **mostrar**, notar, particularizar, especificar, apontar 4 **balizar**, abalizar, demarcar, delimitar, divisar, determinar 5 **celebrizar**, nobilitar, qualificar

assinalar-se *v.* 1 **evidenciar-se**, notabilizar-se, distinguir-se 2 **aumentar**, extremar-se 3 **mostrar-se**, revelar-se, aparecer

assinalável *adj.2g.* **notável**, citável, importante

assinante *n.2g.* **signatário**, subscritor

assinar *v.* 1 **rubricar**, firmar 2 **subscrever** 3 **indicar**, apontar, mostrar 4 **assinalar**, abalizar, demarcar, especificar, limitar 5 **outorgar**, atribuir, conferir 6 **intimar**, notificar

assinatura *n.f.* 1 **firma**, rubrica, nome 2 **subscrição**

assistência *n.f.* 1 **público**, auditório, espectadores 2 **ajuda**, amparo, auxílio, socorro, adjutório, proteção, cuidados 3 **presença**, comparecimento 4 *col.* **menstruação**, mênstruo, regras 5 [BRAS.] **ambulância**

assistente *n.2g.* 1 **espectador**, presente, ouvinte, circunstante 2 **auxiliar**, adjunto, assessor, coadjutor

assistir *v.* 1 **ajudar**, auxiliar, socorrer 2 **presenciar**, comparecer, observar 3 **pertencer**, caber 4 **acompanhar**, seguir 5 [BRAS.] **habitar**, morar, residir, domiciliar-se

assoalhada *n.f.* **compartimento**, divisão

assoalhar *v.* 1 **sobradar**, soalhar, assobradar, solhar, ensobradar ≠ **dessolhar** 2 **propalar**, divulgar, publicar, exibir, mostrar, manifestar, ostentar, patentear

assoalhar-se *v.* **blasonar**, vangloriar-se, ostentar, ufanar-se

assoar *v.* **esmoncar**

assoar-se *v.* **esmoncar-se**, moncar

assoberbado *adj.* 1 **altivo**, soberbo, arrogante 2 **atarefado**, sobrecarregado, aflito 3 **repleto**, cheio

assoberbar *v.* 1 **sobrecarregar**, abarbar 2 **avassalar**, oprimir, dominar, subjugar 3 **humilhar**, vexar, intimidar

assoberbar-se *v.* 1 **envaidecer-se**, orgulhar-se, enfatuar-se, ufanar-se, engrandecer-se 2 **sobrecarregar-se**, abarbar-se

assobiar *v.* 1 **silvar**, sibilar, apitar, ciciar, flautar, chichorrobiar [REG.] 2 **apupar**, vaiar, patear

assobio *n.m.* 1 **silvo**, sibilo, atito 2 **apito**, gaita, chichorrobio [REG.] 3 **apupada**, assobiada

associação *n.f.* 1 **coletividade**, sociedade, agremiação, corporação, grupamento, consórcio, federação, liga 2 **união**, conexão, fusão ≠ **desassociação**, desunião

associado *adj.* **ligado**, relacionado, articulado, dependente ≠ **desassociado**, desligado ■ *n.m.* **sócio**, membro, agremiado, acomunado

associar *v.* **coligar**, agrupar, agregar, ajuntar, aliar, congregar, juntar, reunir, unir, ligar, incorporar, casar, combinar, agermanar, acomunar, arranchar ≠ **desassociar**, desunir, desligar

associar-se *v.* 1 **juntar-se**, unir-se, ligar-se, combinar-se, aliar-se, coligar-se, acompanhar, consociar-se, amatalotar-se 2 **compartilhar**, participar 3 **relacionar-se**, ligar-se 4 **cooperar**, colaborar, contribuir 5 **filiar-se**, aderir

associável *adj.2g.* **relacionável**, compatível

assolação *n.f.* **devastação**, destruição, ruína, assolamento

assolado *adj.* 1 **destruído**, devastado 2 **aflito**, agoniado, consternado

assolador *adj.,n.m.* **destruidor**, arrasador, devastador, arruinador, desbaratador

assolapar *v.* **disfarçar**, ocultar, encobrir

assolar *v.* **arrasar**, aniquilar, devastar, destruir, arruinar, depredar, derrocar, desbaratar, destroçar, desmoronar, estragar, desolar, exterminar, alhanar, talar *fig.*

assolar-se *v.* **agachar-se**, acaçapar-se

assomar *v.* 1 **aflorar**, aparecer, surgir, mostrar-se, manifestar-se, entabuar 2 **atingir**, chegar, alcançar 3 **açular**, assanhar, encolerizar, exasperar, irar, irritar 4 **ocorrer**

assomar-se *v.* 1 **irritar-se**, agastar-se, irar-se, enfurecer-se 2 **mostrar-se**, aparecer

assombração *n.f.* **fantasma**, espetro

assombrado *adj.* 1 **sombreado**, sombrio, obscurecido, bixeiro ≠ **desassombrado** 2 **atónito**, espantado, espaventado, suspenso 3 **apavorado**, aterrado, espavorido, fulminado, toldado

assombramento *n.m.* 1 **admiração**, deslumbramento, encanto, enlevo, espanto, estupefação, estupidez, estupor, maravilha, pasmo, assombro 2 **medo**, pavor, terror, susto, assombração, assombro 3 **sombra**

assombrar *v.* 1 **sombrear**, obumbrar, ensombrar, encobrir, escurecer ≠ **desassombrar** 2 **assustar**, apavorar, aterrorizar, aterrar, atemorizar, amedrontar, intimidar, abalar, gelar *fig.*, paralisar *fig.* ≠ **desassombrar**, tranquilizar 3 **maravilhar**, abismar, atordoar, espantar, pasmar 4 **depreciar**, eclipsar

assombrar-se *v.* 1 **aterrorizar-se**, amedrontar-se, apavorar-se, espavorecer-se, estarrecer-se ≠ **desassombrar-se** *fig.* 2 **escurecer**, sombrear-se, abrumar-se *fig.* 3 **admirar-se**, pasmar, embasbacar, maravilhar-se

assombro *n.m.* 1 **admiração**, deslumbramento, encanto, enlevo, espanto, estupefação, estupor, maravilha, pasmo, assombreamento 2 **susto**, monstro, visão 3 **medo**, pavor, terror, assombramento 4 **portento**, prodígio, milagre

assombroso *adj.* **admirável**, espantoso, estupendo, extraordinário, fantástico, incrível, maravilhoso, notável, prodigioso, espantável

assomo *n.m.* 1 **agastamento**, irritação 2 **indício**, laivo, sinal, sintoma, vestígio, mostra 3 **lembrança** 4 **suspeita**, vislumbre 5 **ímpeto**

assonância *n.f.* **consonância** ≠ **dissonância**

assoprar *v.* 1 **bufar**, expirar 2 **atear**, atiçar, avivar 3 *fig.* **favorecer**, auxiliar 4 *fig.* **denunciar**, revelar 5 *fig.* **segredar**, sussurrar

assopro *n.m.* 1 **assopradela** 2 **bafo**, hálito, exalação, fôlego 3 **aragem**, brisa, aura, bafagem 4 *fig.* **denúncia** 5 *fig.* **ajuda**, estímulo

assuada *n.f.* 1 **alarido**, algazarra, arruaça, balbúrdia, barafunda, briga, desordem, gritaria, motim, tumulto, vozearia, corrimaça 2 **vaia**, apupada, apupos, pateada, troça, zombaria, assobiada, surriada, ruxaxá *fig.*, ruxoxó *fig.*

assumir *v.* 1 **arrogar**, adotar, arcar, avocar, atribuir-se, arrogar-se 2 **alcançar**, atingir 3 **apresentar**, manifestar

assumptivo[AO] ou **assuntivo**[AO] *adj.* **adotivo**

assunar *v.* **amotinar**, sublevar, alvoroçar, agitar, assuar

assunção *n.f.* **arrebatamento**, transporte *fig.*

assunto *n.m.* **matéria**, tema, conteúdo, rubrica, objeto, motivo, questão, campo, ponto

assustadiço *adj.* **espantadiço**, medroso, tímido

assustado *adj.* 1 **amedrontado**, atemorizado, alarmado 2 **sobressaltado**, vacilante, trémulo, estremecido

assustador *adj.* **aterrador**, apavorante, pavoroso, ameaçador, medonho, assustoso, sinistro, intimidante, terrível, tremendo

assustar *v.* **amedrontar**, apavorar, atemorizar, aterrar, aterrorizar, aturdir, espavorir, intimidar, terrificar, abalar, atagantar [REG.]

assustar-se *v.* amedrontar-se, alarmar-se, alvoroçar-se, apavorar-se, atemorizar-se, assarapantar-se, intimidar-se, recear-se

asta *interj.* afasta!

astenia *n.f.* debilidade, fraqueza, depauperamento, inanição, abirritação, adinamia

asténico[AO] ou **astênico**[AO] *adj.* 1 fraco, debilitado 2 PSIC. leptossómico

asterisco *n.m.* estrelinha

asteroide[dAO] *n.m.* 1 ASTRON. planetoide 2 [*pl.*] ZOOL. estelerídeos, esteleroides

asteróide[aAO] *n.m.* ⇒ **asteroide**[dAO]

astral *adj.2g.* 1 sideral, sidéreo, ástreo, ástrico, sidérico 2 fulgurante, brilhante

astro *n.m. fig.* estrela, vedeta

astrolábio *n.m.* cosmolábio

astrolatria *n.f.* sabeísmo

astrologia *n.f.* uranoscopia

astrológico *adj.* uranoscópico

astronauta *n.2g.* cosmonauta

astronomia *n.f.* uranografia, cosmografia

astronómico[AO] ou **astronômico**[AO] *adj.* descomunal, enorme, gigantesco, exagerado, incalculável

astrónomo[AO] ou **astrônomo**[AO] *n.m.* uranógrafo, cosmógrafo

astúcia *n.f.* 1 sagacidade, arteirice, agudeza, engenho, esperteza, lábia, manha, solércia, subtileza, ardileza, endrómina, raposice, raposia, finura, indústria, habilidade, ladineza, ladinice, matreirice, ob-repção, diplomacia 2 ardil, artifício, estratagema, fina, artimanha, dolo, engano, fraude, treta, velhacaria, gauchada [BRAS.]

astucioso *adj.* ardiloso, astuto, dissimulado, engenhoso, falso, fino, finório, ladino, malicioso, manhoso, matreiro, sabido, espertalhão, sagaz, brejeiral

astuto *adj.* ardiloso, astucioso, capcioso, engenhoso, esperto, fino, finório, habilidoso, inteligente, manhoso, perito, perspicaz, sabedor, subtil

ata[dAO] *n.f.* resumo, registo, relato

atabafar *v.* 1 abafar, cobrir, acobertar, resguardar, tapar 2 esconder, ocultar, encobrir, dissimular 3 furtar, roubar, empalmar, ratonar

atabafar-se *v.* agasalhar-se, abafar-se

atabalhoação *n.f.* precipitação, atrapalhação, confusão, atabalhoamento

atabalhoado *adj.* 1 atarantado, desordenado, aturdido, estouvado, estabalhoado 2 trapalhão, atamancado

atabalhoamento *n.m.* precipitação, atrapalhação, confusão, atabalhoação

atabalhoar *v.* 1 atamancar, aldrabar, achavascar, atrapalhar, engrolar 2 aturdir, embaraçar, precipitar

atabalhoar-se *v.* atrapalhar-se, confundir-se

ataca *n.f.* 1 atacador, cordão 2 atacante

atacadista *n.2g.* grossista, armazenista

atacado *adj.* 1 assaltado, agredido 2 apertado, ajustado 3 cheio, atestado

atacador *n.m.* 1 cordão, fita, ataca 2 vareta ■ *adj.,n.m.* agressor, atacante

atacante *adj.2g.* injurioso, ofensivo, insultante ■ *adj.,n.2g.* agressor, assaltante, acometedor

atacar *v.* 1 agredir, combater, opugnar, abalroar, abordar, acometer, assaltar, arremeter, carregar, hostilizar, impugnar, investir, afrontar 2 abarrotar, atafulhar, atestar, encher, atapulhar 3 corroer, roer, desgastar 4 criticar, censurar, descompor, acusar 5 ofender, insultar, destratar

atacar-se *v.* encher-se, abarrotar-se, empanzinar-se, fartar-se

atacável *adj.* 1 acometível, expugnável 2 contestável

atada *n.f.* feixe, molho, atado

atadinho *adj.,n.m. col.* acanhado, tímido, embaraçado, hesitante, desajeitado, indeciso, irresoluto, timorato

atado *adj.* 1 ligado, preso 2 dependente, subjugado, obrigado, sujeito 3 acanhado, tímido, embaraçado, desajeitado, inábil, indeciso, irresoluto, timorato ■ *n.m.* feixe, embrulho, molho, atada, nó

atadura *n.f.* 1 atilho, faixa, liame, ligadura, nó 2 conexão, ligação, vínculo

atafona *n.f.* azenha

atafulhar *v.* abarrotar, empanturrar, fartar, encher, acumular, amontoar ≠ esvaziar

atafulhar-se *v.* empanturrar-se, abarrotar-se, empanzinar-se, fartar-se, encher-se, saciar-se, entulhar-se

atalaia *n.f.* 1 guarita, vigia, atalaião 2 observação, vigilância, vela, vigília ■ *n.2g.* sentinela, espia, vigia, observador, esculca, vigilador, vigilante

atalhar *v.* 1 estorvar, impedir, atravancar, dificultar, embargar, obstruir, empecer, empachar, embaraçar, embarrancar 2 abreviar, encurtar, estreitar, resumir 3 interromper, cortar 4 debelar, deter, sustar, refrear, represar

atalhar-se *v.* atrapalhar-se, embaraçar-se, pejar-se

atalho *n.m.* 1 carreiro, trilho, vereda, senda, semideiro, sémita, desvio 2 corte, remate, interrupção 3 estorvo, empecilho, dificuldade, embaraço, inconveniente, óbice, obstáculo

atamancar *v.* **atabalhoar**, achavascar, aldrabar, atrapalhar, engrolar, atacoar, ajambrar, achanatar [REG.], atrangalhar [REG.]

atamento *n.m.* 1 **atilho**, faixa, liame, ligadura, ligamento, atadura, nó 2 **conexão**, ligação, enlace, vínculo, atada, atação, atadura 3 *fig.* **acanhamento**, embaraço, inabilidade, timidez, enleio

atapetar *v.* **alcatifar**, entapetar, entapizar, alfombrar, juncar, esteirar, acarpetar, tapizar, rastolhar

ataque *n.m.* 1 **assalto**, acometida, carga, incursão, investida, ofensiva, acometimento, ofensa, arremetida, cometida, irrupção, ofensão 2 **agressão**, provocação 3 **acesso**, crise, choque, guinada, espasmo 4 **acusação**, impugnação, oposição, opugnação 5 **ofensa**, injúria, insulto, dardada *fig.*

atar *v.* 1 **apertar**, amarrar, enlear, enlaçar, laçar, prender, pear, envencilhar, ilaquear, cintar, cingir, agavelar ≠ **desatar**, desapertar 2 **atrelar**, ajoujar, jungir ≠ **desatar**, desatrelar 3 **sujeitar**, submeter ≠ **soltar**, libertar 4 **vincular**, juntar, unir, liar, aligar 5 **tolher**, embaraçar, impedir, paralisar, reprimir

atarantação *n.f.* **atrapalhação**, confusão, desorientação, perturbação, ataranto, atarantamento, engasgue *fig.*

atarantado *adj.* 1 **aturdido**, tonto, estonteado, azamboado 2 **assarapantado**, confuso, baratinado, atrapalhado, treleado

atarantar *v.* **desorientar**, desnortear, atrapalhar, estontear, aturdir, azoar, confundir, desatinar, perturbar, atontear, azoinar

atarantar-se *v.* **atrapalhar-se**, desorientar-se, desnortear-se, perturbar-se, aturdir-se, trelear

ataraxia *n.f.* 1 **placidez**, calma, serenidade, tranquilidade 2 **apatia**, indiferança

atarefado *adj.* **afadigado**, ocupado, azafamado, sobrecarregado

atarefar *v.* **azafamar**, ocupar, sobrecarregar, assoberbar

atarefar-se *v.* **afadigar-se**, azafamar-se, lidar, moirejar, labutar, afanar-se

atarracado *adj.* 1 **apertado**, arrochado 2 **carregado**, atulhado 3 **achaparrado**, sapudo, aparrado *fig.*

atarracar *v.* 1 **apertar**, arrochar, atochar 2 **arrasar**, vexar, apoucar

atarraxar *v.* 1 **aparafusar**, parafusar, tarraxar ≠ **desatarraxar**, desaparafusar 2 *fig.* **prender**, firmar ≠ **desatarraxar**, desligar 3 *fig.* **compelir**, forçar

atar-se *v.* 1 **amarrar-se**, prender-se 2 **unir-se**, ligar-se, vincular-se, juntar-se 3 **submeter-se**, sujeitar-se 4 **limitar-se**, ater-se, conter-se

atascar *v.* **atolar**, enlodar ≠ **desatascar**, desatolar

atascar-se *v.* 1 **atolar-se**, enlamear-se 2 *fig.* **degradar-se**, rebaixar-se

ataúde *n.m.* **caixão**, esquife, féretro, tumba

ataviar *v.* **adornar**, alindar, embelezar, enfeitar, engalanar, ornar, aformosear, aperfeiçoar, aprimorar, assear, adereçar

ataviar-se *v.* **adornar-se**, enfeitar-se, alindar-se, ornamentar-se, afestoar-se, arrear-se, arrebicar-se

atávico *adj.* **avoengo**, avito, antepassado

atavio *n.m.* 1 **enfeite**, adorno, ornato, adereço, arreio *fig.*, gala, louçainha 2 **compostura**, alinho, preparo, ataviamento

atazanar *v.* 1 **atormentar**, apoquentar, afligir, martirizar, mortificar, torturar, causticar, importunar, cansar, maçar, maltratar, supliciar, molestar, remorder, perseguir 2 **espicaçar**, estimular, incitar, atenazar, atezanar

até *adv.* 1 **também**, inclusive, mesmo 2 **ainda**

atear *v.* 1 **acender**, abrasar, incendiar, inflamar, queimar 2 **alastrar**, lavrar, propagar 3 *fig.* **atiçar**, estimular, excitar, encarniçar, espertar, fomentar, provocar, avivar, suscitar, originar, animar, promover

atear-se *v.* 1 *fig.* **avivar-se**, intensificar-se, crescer, acender-se 2 **alastrar-se**

ateia *n.f.* 1 **ateísta**, cética, incrédula, descrente, irreligiosa 2 *pej.* **herege**, ímpia

ateísmo *n.m.* **descrença**, incredulidade, irreligião

ateísta *adj.2g.* **ateístico** ■ *n.2g.* **ateu**, descrente, cético, incrédulo, irreligioso

atemorizar *v.* **amedrontar**, apavorar, assustar, aterrar, espavorir, horrorizar, intimidar, assombrar

atemorizar-se *v.* **assustar-se**, amedrontar-se, intimidar-se, assombrar-se, assarapantar-se

atempadamente *adv.* **oportunamente**

atempado *adj.* 1 **oportuno** 2 [BRAS.] **adoentado**, xarel [REG.]

atempar *v.* 1 **aprazar**, combinar 2 [REG.] **amadurecer**, vingar

atempar-se *v.* **ajustar-se**, combinar

atenção *n.f.* 1 **ponderação**, tento, cuidado, reparo, sentido, meditação, tino ≠ **desatenção** 2 **afabilidade**, amabilidade, consideração, cortesia, delicadeza, deferência, respeito, solicitude, desvelo, esmero, condescendência, benevolência, urbanidade, obséquio ≠ **desatenção**, desconsideração, descortesia ■ *interj.* **cautela!**, alerta!, cuidado!, reparai!, sentido!

atencioso *adj.* **amável**, atento, cortês, cuidadoso, deferente, delicado, fino, gentil, obsequioso, polido, respeitoso, solícito ≠ **descortês**, indelicado

atendar *v.* acampar

atender *v.* 1 **atentar**, considerar, refletir, acolher 2 **notar**, observar 3 **receber** 4 **resolver**, responder 5 **deferir**, aprovar, despachar ≠ **desatender**, indeferir 6 **obedecer**, ouvir, respeitar, acatar, seguir ≠ **desatender**, desobedecer 7 **acudir**, socorrer ≠ **desatender**, desajudar

atendimento *n.m.* **resolução**, despacho

atendível *adj.2g.* **aceitável**, admissível, plausível, concordável

ateneu *n.m.* **academia**

ateniense *n.2g.* **ático** ■ *adj.2g.* **ático**

atentado *n.m.* 1 **crime**, delito 2 **violação**, insulto, ofensa, agressão

atentamente *adv.* 1 **prudentemente**, cuidadosamente, atentadamente, atentivamente, fixamente 2 **escrupulosamente**, observadamente 3 **respeitosamente**

atentar *v.* 1 **considerar**, ponderar, atender ≠ **desatentar** 2 **empreender**, começar 3 **cuidar**, velar ≠ **desatentar**, descuidar 4 **importunar**, irritar, provocar

atento *adj.* 1 **vigilante**, concentrado, cuidadoso ≠ **desatento**, desconcentrado, absorto 2 **atencioso**, cortês, deferente, desvelado, diligente, polido, respeitoso, reverente, solícito ≠ **desatento**, descortês 3 **aplicado**, estudioso

atenuação *n.f.* **abrandamento**, enfraquecimento, mitigação, diminuição ≠ **agravamento**

atenuador *adj.* 1 **atenuante**, aliviador ≠ **agravante**, agravatório 2 **moderador**

atenuante *adj.2g.* **atenuativo**, suavizador ≠ **agravante**

atenuar *v.* 1 **abrandar**, aplacar, enfraquecer, moderar, amainar, refrear, amenizar, laxar, aligeirar, mitigar, minorar ≠ **agravar**, aumentar 2 **adelgaçar**

atenuar-se *v.* 1 **abrandar**, aplacar-se, aliviar, diminuir, enfraquecer, amenizar-se, suavizar-se, descondensar-se *fig.* ≠ **intensificar-se**, reforçar-se 2 **emagrecer**, adelgaçar

aterrador *adj.,n.m.* **aterrorizador**, apavorante, horroroso, pavoroso, medonho, assustador, atemorizador, ameaçador, terrível, tremendo

aterrar *v.* 1 **aterrorizar**, apavorar, espavorir, terrificar, amedrontar, atemorizar, assustar, assombrar, estarrecer, consternar, varar 2 **arrasar**, assolar, derribar

aterro *n.m.* 1 **terraplenagem**, entulhamento, atulhamento 2 **terrapleno** 3 **entulho**

aterrorizador *adj.* **aterrador**, horroroso, pavoroso, apavorador, aterrorizante

aterrorizar *v.* **apavorar**, aterrar, aterrorar, terrorizar, terrorar, amedrontar, assustar

aterrorizar-se *v.* **apavorar-se**, amedrontar-se, espavorecer-se, assombrar-se, estarrecer, horrorizar-se, horripilar-se

ater-se *v.* 1 **apoiar-se**, arrimar-se, acostar-se, estribar-se, encostar-se, firmar-se 2 **confiar**, fiar-se, valer-se 3 **limitar-se**, restringir-se, cingir-se

atestação *n.f.* 1 **certificação**, afirmação 2 **certificado**, atestado, certidão, testemunho

atestado *n.m.* **certificado**, certidão, prova, testemunho, atestação, demonstração, autêntica ■ *adj.* 1 **certificado**, confirmado, declarado 2 **repleto**, cheio, atulhado

atestar *v.* 1 **certificar**, asseverar, assegurar, afirmar ≠ **desmentir**, negar, desatestar 2 **demonstrar**, abonar, provar, revelar, mostrar 3 **abarrotar**, atulhar, encher, cumular, atopetar[BRAS.] ≠ **esvaziar** 4 **testemunhar**, depor, testificar

atesto *n.m.* **enchimento**, atestamento

ateu *n.m.* 1 **ateísta**, cético, incrédulo, descrente, irreligioso, sem-Deus 2 *pej.* **herege**, ímpio

atiçar *v.* 1 **atear**, incender, inflamar, espevitar, avivar 2 *fig.* **fomentar**, promover, provocar, suscitar 3 *fig.* **estimular**, açular, excitar, incitar, instigar

ático *adj.* 1 **aticista** 2 **perfeito**, polido, puro 3 **conciso**, apurado, sóbrio 4 **elegante**, fino, delicado

atido *adj.* 1 **apoiado**, confiado, dependente 2 **esperançado**

atilado *adj.* 1 **escrupuloso**, correto, delicado 2 **discreto**, ajuizado, alinhado, atinado, sensato, ponderado, prudente, cuidadoso 3 **fino**, hábil, inteligente, perspicaz, esperto, sagaz, engenhoso, entendendido 4 **elegante**

atilar *v.* **aperfeiçoar**, aprimorar, polir, refinar, apurar

atilho *n.m.* **cordão**, atacador, atadura, baraço, barbante, cordel, guita, lio, amarrilho, negalho, tamiça, vencilho, vincilho, ataca

atinado *adj.* 1 **ajuizado**, ponderado, prudente, refletido, judicioso, atilado ≠ **desajuizado**, insensato, zorate 2 **astuto**, fino, inteligente, sagaz, perspicaz, esperto 3 **avisado**, experiente, advertido

atinar *v.* 1 **acertar** ≠ **desatinar**, desacertar 2 **compreender**, conhecer 3 **lembrar-se**, recordar 4 **encontrar**, achar, descobrir 5 **discorrer**, perceber, enxergar

atinente *adj.2g.* **concernente**, pertencente, relativo, tocante

atingir *v.* 1 **acertar**, abranger, afetar, tocar, ferir 2 **alcançar**, obter, lograr, conseguir 3 **compreender**, perceber, entender 4 **ascender**, elevar-se

atingível *adj.2g.* 1 **acessível**, alcançável, tangível ≠ **inatingível**, inacessível 2 **compreensível**, inteligível ≠ **inatingível**, incompreensível

atipicidade *n.f.* **raridade**, anormalidade

atípico *adj.* 1 **anómalo**, diferente, excecional, irregular ≠ **típico**, normal 2 **incaracterístico** ≠ típico, característico

atirada *n.f.* **disparo**

atiradiço *adj.* 1 **arrojado**, atrevido, audaz, destemido, ousado 2 **insolente**, petulante 3 **galanteador**

atirador *n.m.* 1 **esgrimista** 2 **disparador**

atirar *v.* 1 **arremessar**, arrojar, lançar, projetar, despedir, remessar, botar, arrimar, expelir, jogar 2 **disparar**, alvejar, descarregar, desfechar 3 **propender**, tender, tirar 4 **assemelhar-se**, parecer-se 5 **dirigir-se**, encaminhar-se, aproximar-se 6 **aludir**, referir-se

atirar-se *v.* 1 **lançar-se**, arremessar-se, saltar 2 **abalançar-se**, afoitar-se, arriscar-se, aventurar-se, atrever-se, ousar 3 *fig.* **dedicar-se**, entregar-se 4 *col.* **seduzir**, galantear, insinuar-se, fazer-se

atitar *v.* **assobiar**, chilrear, silvar, apitar

atitude *n.f.* 1 **postura**, jeito, disposição, modo, maneira, apostura, tono, pose, posição 2 **ação**, procedimento

ativaçãodAO *n.f.* **acionamento** ≠ **desativação**

ativardAO *v.* 1 **impulsionar** ≠ **desativar** 2 **estimular**, intensificar, avivar, atear, espertar, excitar, impelir, acelerar, apressar ≠ **diminuir**, reduzir 3 **acionar**, ligar ≠ **desligar**, desativar

atividadedAO *n.f.* 1 **movimento**, ação, funcionamento, agência ≠ **inatividade**, repouso 2 **energia**, dinamismo, vigor, vivacidade, vitalidade, frenesi ≠ **inatividade**, inércia, preguiça, sorna, acédia, desídia, ignávia, rebimba, segnícia, acídia, mornidão *fig.* 3 (trabalho) **profissão**, trabalho, labor, ofício, ocupação

ativismodAO *n.m.* **militância**

ativistadAO *adj.,n.2g.* **militante**

ativodAO *adj.* 1 **atuante**, agente ≠ **inativo**, passivo, paciente 2 **prático**, pragmático, objetivo ≠ **contemplativo** 3 **dinâmico**, enérgico, ágil, expedito, diligente, despachado, lesto, laborioso, desembaraçado, expeditivo ≠ **inativo**, indolente, lento 4 **eficaz**, efetivo ≠ **inativo**, ineficaz 5 **intenso**, forte, acentuado, enérgico ≠ **fraco**, ameno 6 (vulcão) **aceso**, ativado ≠ **inativo**, extinto 7 INFORM. (programa) **operacional** ■ *n.m.* ECON. ≠ **passivo**

atlante *n.m.* 1 ARQ. **telamão**, télamon 2 *fig.* **hércules**

atlântico *adj. fig.* **descomunal**, hercúleo, agigantado

atlas *n.m.* ANAT. **atloide**

atleta *n.2g.* 1 **desportista** 2 HIST. **gladiador**, lutador, combatente, espatário ■ *adj.2g.* **robusto**, animoso

atlético *adj.* **robusto**, vigoroso, forte, possante, musculoso

atmosfera *n.f.* 1 **aerosfera** 2 **ar** 3 **ambiente**, meio

atmosférico *adj.* **aéreo**

atodAO *n.m.* 1 **ação**, feita 2 **procedimento**, conduta, postura 3 **cerimónia**, solenidade, ritual 4 **ocasião**, altura, momento, comenos, emmeio

atoarda *n.f.* **boato**, rumor, atoada, toada

atolar *v.* **chafurdar**, enlodar, empoçar, enlamear, atascar, enchafurdar ≠ **desatolar**

atolar-se *v.* 1 **atascar-se**, empantanar-se ≠ **desatolar-se**, deslodar-se 2 **enlamear-se**, sujar-se, atufar-se, enchafurdar-se, enxurdar-se 3 *fig.* **enlear-se**, encalacrar-se, encravar-se 4 *fig.* **aviltar-se**, degradar-se

atoleiro *n.m.* 1 **charco**, lamaçal, pantanal, pântano, paul, atascadeiro, chavascal, ludreiro, lodaçal, ceno, lameiro, atoladoiro, enxurdeiro, lamaceira, lamarão, chapaçal [REG.], lavajo [REG.] 2 *fig.* **aviltamento**, degradação, ignomínia, rebaixamento

atómicoAO ou **atômico**AO *adj.* **nuclear**, atomístico

atomizar *v.* **subdividir**, fragmentar

átomo *n.m. fig.* **ápice**, instante, momento, bocanho

atonia *n.f.* 1 **debilidade**, fraqueza, froixidade, abirritação, atonicidade 2 *fig.* **inércia**, marasmo, languidez, relaxação, relaxamento 3 *fig.* **sossego**, calma

atónicoAO ou **atônico**AO *adj.* 1 MED. **átono** 2 **imóvel**, inexpressivo, parado ≠ **enérgico**, vivo

atónitoAO ou **atônito**AO *adj.* 1 **assombrado**, boquiaberto, surpreendido, espantado, estupefacto, perplexo, abismado, admirado, suspenso, embasbacado, pasmado, obstúpido 2 **absorto**, enlevado, extasiado, maravilhado, encantado 3 **confuso**, perturbado, aturdido, areado

átono *adj.* MED. **atónico**

atordAO *n.m.* 1 **artista**, intérprete, protagonista 2 *fig.* **hipócrita**, impostor, fingidor, enganador

atordoado *adj.* 1 **abalado**, aturdido, esturvinhado *col.* 2 **maravilhado**, assombrado

atordoador *adj.,n.m.* **atordoante**, aturdidor, estonteador

atordoamento *n.m.* **aturdimento**, entontecimento, azamboamento, perturbação, pasmo, vertigem, tontura

atordoar *v.* 1 **insensibilizar**, adormecer ≠ **desatordoar** 2 **aturdir**, entontecer, estontear, azoar, zabumbar, azoratar, azoinar, desorientar ≠ **desatordoar** 3 **assombrar**, maravilhar, pasmar, espantar ≠ **desatordoar**

atormentado *adj.* **torturado**, angustiado, mortificado, amarguroso ≠ **tranquilo**, sossegado

atormentar *v.* 1 **torturar**, supliciar, mortificar, flagelar, martirizar, molestar, cruciar *fig.*, lancear *fig.* 2 *fig.* **acabrunhar**, afligir, apoquentar, amargurar, atribular, desgostar, desinquietar, acanavear **3** *fig.* **importunar**, arreliar, agastar, enfadar, azucrinar, amofinar

atormentar-se *v.* **afligir-se**, apoquentar-se, preocupar-se, ralar-se, angustiar-se, agoniar-se, consumir-se, atribular-se, aporrinhar-se, mortificar-se, martirizar-se, amofinar-se, amargar-se, condoer-se, consternar-se, contristar-se, desconsolar-se, desgostar-se, dilacerar-se, entristecer-se, incomodar-se, magoar-se, penalizar-se, penar-se, autoflagelar-se *fig.*, infernar-se *fig.*

atracação *n.f.* amarração, acostagem, atracadela

atraçãodAO *n.f.* **1** atraimento **2** **simpatia**, inclinação, empatia

atracar *v.* **1** **abalroar**, aferrar, amarrar, arpoar, abicar ≠ **desatracar**, desaferrar, desabalroar **2** **abarcar**, alcançar, arcar **3** **açambarcar**, agarrar, filar, pilhar **4** **acostar**, encostar, chegar-se

atracar-se *v.* **1** **engalfinhar-se**, pegar-se, lutar **2** *col.* **seguir**, colar-se, atrelar-se, agarrar-se

atracçãoaAO *n.f.* ⇒ **atração**dAO

atractivoaAO *adj.,n.m.* ⇒ **atrativo**dAO

atraente *adj.2g.* **1** **encantador**, fascinante, sedutor, cativante, atrativo ≠ **repulsivo**, detestável **2** **agradável**, aliciante, aprazível, gracioso, simpático ≠ **desagradável**, maçante

atraiçoar *v.* **1** **trair**, enganar, insidiar, refalsar **2** **denunciar**, delatar, revelar **3** **adulterar**, deturpar

atraiçoar-se *v.* **acusar-se**, revelar-se, expor-se

atrair *v.* **1** **aliciar**, avocar, chamar, convidar, empolgar, encantar, engodar, fascinar, enlevar, granjear, persuadir, seduzir, engarapar [BRAS.] ≠ **repugnar**, repelir, abalançar **2** **suscitar**, provocar, levantar

atrapalhação *n.f.* **1** **aparvoamento**, assarapantamento, atarantação, desorientação, engano, desconcerto, assarapanto **2** **acanhamento**, embaraço, encabulação, engasgo *fig.* **3** **confusão**, barafunda, azáfama, desordem, enrascadela, felga

atrapalhado *adj.* **1** **confuso**, desordenado **2** **embaraçado**, atarantado, perplexo

atrapalhar *v.* **1** **assarapantar**, confundir, transtornar, embaralhar, engodilhar, embaraçar, azaranzar, bacafuzar [BRAS.] **2** **desarranjar**, perturbar, desordenar, enredar, tolher

atrapalhar-se *v.* **confundir-se**, atarantar-se, enganar-se, baralhar-se, engadanhar-se *fig.*

atrás *adv.* **1** **retro** **2** **após**, depois, a seguir **3** **anteriormente**, antes

atrasado *adj.* **1** **atardado**, arrastado, derrabado ≠ **adiantado**, antecipado **2** **antiquado**, antigo, obsoleto, anterior ≠ **avançado**, contemporâneo

atrasar *v.* **1** **protelar**, adiar, procrastinar, retardar, diferir, demorar, delongar, atardar, dilatar ≠ **adiantar**, antecipar **2** **embaraçar**, transtornar, prejudicar

atrasar-se *v.* **1** **estagnar**, retroceder, regredir, desatualizar-se, remansar-se ≠ **evoluir**, avançar, desenvolver-se, modernizar-se, atualizar-se **2** **atardar-se**

atraso *n.m.* **1** **demora**, atrasamento, retardação, dilação, retardamento, prorrogação, mora, detença *ant.* ≠ **antecipação**, adiantamento **2** **recuo**, retrocesso, retrogradação ≠ **avanço**, progresso, desenvolução

atrativodAO *adj.* **1** **magnético** **2** **atraente**, encantador, simpático, agradável, aprazível ≠ **maçante**, detestável ■ *n.m.* **1** **estímulo**, incentivo, atração **2** **encanto**, graça, sedução, simpatia, donaire, enleio

atravancamento *n.m.* **obstáculo**, empecilho, estorvo, atravanco, travanca

atravancar *v.* **1** **obstruir**, atrancar, estorvar, empecilhar, empachar, barricar, impedir ≠ **desobstruir**, desimpedir, desempachar, desempecilhar **2** **encher**, atulhar

atravancar-se *v.* **atravessar-se**, interpor-se

através *adv.* **atravessadamente**, transversalmente

atravessado *adj.* **1** **trespassado**, varado **2** *fig.* **desinquieto**, irrequieto, travesso, traquinas **3** *fig.* **torcido**, arrevesado, torto **4** *fig.* **maligno**, mau, desleal, perverso

atravessadouro *n.m.* **atalho**, vereda, trilha

atravessamento *n.m.* **cruzamento**

atravessar *v.* **1** **cruzar**, encruzar **2** **perfurar**, trespassar, transpor, varar, permear **3** **estorvar**, impedir, embaraçar **4** *fig.* **suportar**, sofrer **5** *fig.* **açambarcar**, monopolizar, abarcar

atravessar-se *v.* **1** **atravancar-se**, interpor-se, cruzar-se, entremeter-se, intrometer-se, atrancar-se **2** **opor-se**, interpor-se, hostilizar

atreito *adj.* **1** **inclinado**, propenso, sujeito, dado, exposto, achacado **2** **acostumado**, habituado, avezado, afeito

atrelado *adj.* **1** **aposto**, preso, ligado, junto ≠ **desatrelado**, desligado **2** **dominado**, subjugado ≠ **desatrelado**, solto ■ *n.m.* **reboque**

atrelar *v.* **1** **jungir**, engatar, ajoujar, aferrar ≠ **desatrelar**, desprender, soltar **2** **ligar**, unir, atar ≠ **desatrelar**, desligar **3** *fig.* **sujeitar**, dominar, subjugar ≠ **desatrelar**, soltar

atrelar-se *v. col.* **seguir**, colar-se, atracar-se, agarrar-se

atrever-se *v.* **1** **ousar**, afoitar-se, decidir-se, determinar-se, animar-se **2** **afrontar**, arrostar **3** **confiar**, fiar-se

atrevido *adj.* **1** **afoito**, arriscado, arrojado, audaz, corajoso ≠ **cobarde**, medroso **2** **desabusado**, desaforado, alfeirio ≠ **discreto**, reservado **3** **insolente**, malcriado, refilão **4** **petulante**, presumido

atrevimento *n.m.* 1 **audácia**, coragem, arrojo, afouteza, bravura, denodo, intrepidez, ousadia, resolução, temeridade, fidúcia, arrojamento 2 **desaforo**, descaramento, descaro, desavergonhamento, desfaçatez, impertinência, insolência, irreverência, pouca-vergonha, petulância, descomedimento, liberdade, descoco, desvergonhamento, desvergonha

atribuição *n.f.* 1 **jurisdição**, alçada, esfera, autoridade 2 [*pl.*] **funções**, obrigações, prerrogativas, poderes, deveres, competências

atribuir *v.* 1 **conceder**, dar, conferir, outorgar, adjudicar, doar, facultar 2 **imputar**, assacar

atribuir-se *v.* **arrogar-se**, assumir, avocar, reivindicar

atribuível *adj.2g.* **imputável**

atribulação *n.f.* **inquietação**, mágoa, mortificação, tormento, tribulação, aflição, dor

atribulado *adj.* **agitado**, preocupado ≠ **tranquilo**, calmo

atribular *v.* **afligir**, apoquentar, flagelar, mortificar, atormentar, tormentar, amargurar, angustiar, excruciar, inquietar, maltratar, agoniar, torturar, tribular, molestar, penalizar

atribular-se *v.* **afligir-se**, amofinar-se, consumir--se, desesperar-se

atributivo *adj.* **qualificativo**

atributo *n.m.* 1 **qualidade**, propriedade, predicado, particularidade 2 **emblema**, símbolo, insígnia, sinal distintivo 3 **acessório**

atrição *n.f.* 1 **desgaste** 2 *fig.* **arrependimento**, contrição

atrigueirado *adj.* **moreno**, escuro

átrio *n.m.* 1 **adro**, portaria, portal, pátio, soportal 2 **vestíbulo**

atrito *n.m.* 1 **fricção**, roçadura, roçamento 2 **desinteligência**, desentendimento

atro *adj.* 1 **negro**, escuro 2 *fig.* **funesto**, infausto, infeliz, aziago 3 *fig.* **lúgubre**, medonho, tenebrário, pavoroso, tétrico

atroamento *n.m.* 1 **estampido**, estrépito, barulho, estrondo, atroo, atroada, fragor, ruído, ribombo 2 **aturdimento**, atordoamento

atroar *v.* 1 **ribombar**, troar, trovejar, estrondear, retumbar, reboar, ecoar, detonar, repercutir, aturgir [REG.] 2 **atordoar**, aturdir, ensurdecer

atrocidade *n.f.* **crueldade**, barbaridade, barbarice, desumanidade, fereza, ferocidade, impiedade, selvajaria, sevícia, truculência, crueza, enormidade *fig.*

atrofia *n.f.* **definhamento**, depauperação, depauperamento, enfraquecimento, consumpção, decadência, caducidade, aplasia

atrofiado *adj.* 1 **atrófico** 2 *fig.* **definhado**, minguado

atrofiar *v.* **debilitar**, enfezar, depauperar, enfraquecer, tolher, definhar, acanhar

atrofiar-se *v.* **definhar**, amumiar-se *fig.*

atropelação *n.f.* 1 **confusão**, precipitação, desordem, atropelamento, atropelo 2 **arbitrariedade**, atropelo, injustiça, atropelamento 3 **atabalhoamento**, atropelo, atropelamento

atropelamento *n.m.* 1 **confusão**, precipitação, desordem, atropelação, atropelo 2 **arbitrariedade**, atropelo, injustiça, atropelação 3 **atabalhoamento**, atropelo, atropelação

atropelar *v.* 1 **empurrar**, cotovelar, esbarrar 2 **atamancar**, atabalhoar 3 **calcar**, derrubar, derribar, pisar 4 **desrespeitar**, violar, infringir, transgredir 5 **baralhar**, confundir

atropelar-se *v.* 1 **apinhar-se**, apinhoar-se, aglomerar-se 2 **baralhar-se**, confundir-se 3 **chocar-se**

atropelo *n.m.* 1 **confusão**, precipitação, desordem, atropelação, atropelamento 2 **arbitrariedade**, injustiça, atropelamento 3 **atabalhoamento**, atropelamento

atroz *adj.2g.* 1 **bárbaro**, cruel, desapiedado, desumano, perverso, facinoroso 2 **intolerável**, lancinante, medonho, monstruoso 3 **horrendo**, horrível, infernal, terrível, tormentoso, tremendo

atuação[dAO] *n.f.* 1 **ação**, ato, atividade 2 **procedimento**, conduta 3 CIN., TEAT. **interpretação**, representação

atual[dAO] *adj.2g.* 1 **contemporâneo**, moderno, presente, vigente ≠ **antigo**, antiquado 2 **efetivo**, real ≠ **potencial**, virtual

atualidade[dAO] *n.f.* 1 **contemporaneidade**, modernidade, presente, hodiernidade ≠ **passado** 2 **conveniência**, oportunidade

atualização[dAO] *n.f.* **modernização** ≠ **desatualização**

atualizar[dAO] *v.* **modernizar**, amodernar ≠ **desatualizar**, antiquar

atualmente[dAO] *adv.* **agora**, presentemente, hoje, contemporaneamente ≠ **antigamente**, dantes, outrora

atuante[dAO] *adj.2g.* 1 **ativo**, agente, atuoso ≠ **inativo**, passivo, paciente 2 **eficaz**, eficiente, influente ≠ **ineficiente**

atuar[1 dAO] *v.* 1 **agir**, proceder, operar, obrar 2 **influenciar**, influir 3 CIN., TEAT. **representar**, interpretar

atuar[2] *v.* **tutear**

atulhar *v.* 1 **abarrotar**, atestar, encher, fartar, entulhar ≠ **esvaziar** 2 **atravancar**, estorvar, obstruir, impedir

aturado *adj.* **persistente**, constante, contínuo, incessante, ininterrupto, permanente, perseverante

aturar *v.* 1 **aguentar**, tolerar, sustentar, suportar 2 **comportar** 3 **perseverar**, persistir 4 **padecer**, sofrer

aturdido *adj.* 1 **atordoado**, tonto, estonteado, azamboado, atrapalhado, confuso, azoado 2 **espantado**, assombrado

aturdimento *n.m.* 1 **estonteamento**, desorientação, perturbação, atordoamento, entontecimento, azamboamento, vertigem, tontura 2 **pasmo**, espanto

aturdir *v.* 1 **atordoar**, atroar, assarapantar, apatetar, estontear, atarantar 2 **espantar**, assustar, maravilhar, assombrar, surpreender

audácia *n.f.* 1 **afoiteza**, ânimo, arrojo, atrevimento, braveza, bravura, coragem, denodo, desassombro, intrepidez, valentia, valor, ousadia, temeridade ≠ **cobardia**, medo 2 **insolência**, arrogância, petulância, descaramento, cara, descoco, inconsideração, desgarre, desplante, despejo

audacioso *adj.* 1 **ousado**, destemido, corajoso, temerário, valente, arrojado, afoito, arriscado, audaz, desmedroso ≠ **cobarde**, medroso 2 **atrevido**, petulante

audaz *adj.2g.* **ousado**, destemido, corajoso, temerário, valente, arrojado, foito, arriscado, audacioso ≠ **cobarde**, medroso

audição *n.f.* 1 **audiência** 2 **auscultação** 3 **recital**

audiência *n.f.* 1 **audição** 2 **auditório**, assistência, público

auditor *n.m.* **ouvinte**, ouvidor

auditório *n.m.* 1 **assistência**, audiência, público, ouvintes, espectadores, assistentes, assembleia 2 **sala** ■ *adj.* **auditivo**

audível *adj.2g.* **percetível**, inteligível ≠ **inaudível**

auferir *v.* **receber**, obter, colher, retirar, sacar, tirar, conseguir, lucrar

auge *n.m.* 1 **cume**, pináculo, grimpa, fastígio, tope, topo, ápice, suprassumo 2 **apogeu**, clímax, máximo, culminância, culminação, zénite, zina, acme, pino *fig.*, apojadura *fig.*

augurar *v.* **vaticinar**, adivinhar, antever, predizer, prever, profetizar, pressagiar, futurar, pressentir, conjeturar, prognosticar, agoirar, auspicar

áugure *n.m.* **adivinho**, adivinhador, vidente, arúspice, agoireiro, profeta, vaticinador

augúrio *n.m.* **predição**, agouro, auspício, adivinhação, prenúncio, presságio, profecia, vaticinação, prognóstico, vaticínio

augusto *adj.* 1 **sacrossanto**, venerável, respeitável, venerando 2 **magnífico**, majestoso, grandioso, sublime, imponente, solene, sumptuoso, soberbo ■ *n.m.* **palhaço**, faz-tudo

aula *n.f.* 1 **classe** 2 **lição**, preleção 3 *ant.* **palácio**, corte

aulir *v.* **latir**, cainhar, uivar

aumentar *v.* 1 **ampliar**, amplificar, dilatar, acrescentar, acumular, adicionar, ajuntar, engrandecer, alargar, desenvolver, elevar, engrossar, intensificar, multiplicar, redobrar, reduplicar, propagar, levantar ≠ **diminuir**, reduzir, mingar, minorar 2 **agravar**, empolar, exaltar, exacerbar, exagerar ≠ **atenuar**, aliviar 3 **crescer**, progredir, prosperar, florescer, pular

aumentativo *adj.,n.m.* **ampliador** ≠ **diminutivo**

aumento *n.m.* 1 **ampliação**, incremento, amplificação, alargamento, dilatação ≠ **diminuição**, redução, encolhedela 2 **acrescentamento**, acréscimo, adição, aditamento, acessão ≠ **diminuição**, redução, abate 3 **melhoria**, progresso, desenvolvimento, melhoramento

aura *n.f.* 1 **aragem**, brisa, sopro, zéfiro, favónio, ventinho 2 **fama**, favor, nomeada, prestígio, popularidade, renome

aurélia *n.f.* BOT. **grindélia**

áureo *adj.* 1 **dourado**, amarelo, louro, áurico 2 **fulgente**, fulvo, flavo, luzido, brilhante, resplandecente, rutilante, rútilo 3 *fig.* **magnífico**, grandioso, admirável, nobre, elevado, excelente, ditoso, valioso, precioso

auréola *n.f.* 1 **nimbo**, coroa, halo, diadema, lauréola 2 **brilho**, fulgor, clarão, esplendor 3 **prestígio**, glória, resplendor

aureolar *v.* 1 **adornar**, ornar, aureolizar 2 **consagrar**, glorificar, coroar, nimbar, prestigiar, abrilhantar, afamar ■ *adj.2g.* **circular**, coronal

aurícula *n.f.* 1 ANAT. **aurículo** 2 ANAT. **orelha**

auricular *n.m.* (telefone) **auscultador**

aurículo *n.m.* 1 ANAT. **aurícula** 2 ANAT. **orelha**

aurífero *adj.* **aurífico**, aurígero

aurir *v.* 1 **abalar**, fugir, desalvorar, partir 2 **alucinar**, desvairar, ourar

aurora *n.f.* 1 **alvorada**, madrugada, dilúculo, alva, arraiada, angélia *poét.*, titónia *poét.* 2 *fig.* **começo**, princípio, origem 3 *fig.* **juventude**

auscultação *n.f.* 1 **audição**, escuta 2 **exame**, observação, investigação, inquirição

auscultador *n.m.* **estetoscópio**, fonendoscópio

auscultar *v.* 1 **escutar**, ouvir, sondar 2 **examinar**, observar, inquirir

ausência *n.f.* 1 **apartamento**, afastamento 2 **falta** ≠ **presença** 3 **carência**, falta, inexistência

ausentar-se *v.* **afastar-se**, retirar-se, arredar-se, desaparecer, fugir, ir-se, partir, sair, separar-se

ausente *adj.2g.* 1 **afastado**, apartado, retirado, desaparecido, separado, saído ≠ **presente**, comparecente 2 **distante**, longe ≠ **próximo**, junto 3 **absorto**, desatento, distraído ≠ **atento**

auso *n.m. ant.* **ousadia**, arrojo, atrevimento, audácia, denodo, ausio, ousio

auspício *n.m.* **presságio**, adivinhação, agoiro, augúrio, prenúncio, prognóstico, vaticínio, fada *ant.*
auspicioso *adj.* **prometedor**, promissor, esperançoso, auspiciador, futuroso
austeridade *n.f.* 1 **severidade**, rigorismo, rispidez, catonismo, estoicidade, inflexibilidade, incomplacência 2 **integridade**, inteireza
austero *adj.* 1 **rígido**, severo, rigoroso, inflexível, intransigente ≠ **tolerante** 2 **ponderoso**, sério, grave, sisudo 3 **acerbo**, acre, adstringente ≠ **adocicado** 4 **árduo**, duro 5 **áspero**, ríspido
austral *adj.2g.* **meridional**, antártico, austrino ≠ **setentrional**, boreal, ártico
austrália *n.f.* BOT. **acácia-preta**, acácia
australiano *adj.,n.m.* **australês**, austrálio
autarca *n.2g.* 1 **edil** 2 **autocrata**, déspota
autarquia *n.f.* **autonomia**, independência
autárquico *adj.* **autónomo**, independente
autenticação *n.f.* **reconhecimento**
autenticar *v.* **certificar**, autentificar, atestar, validar, legalizar
autenticidade *n.f.* **veracidade**, legitimidade ≠ **inautenticidade**
autêntico *adj.* 1 **verdadeiro**, verídico, fidedigno, genuíno ≠ **inautêntico** 2 **legalizado**, autenticado, validado, legal, legítimo, certificado, válido ≠ **inautêntico**, ilegal, ilegítimo 3 **incontestado**, incontestável, irrecusável
autentificar *v.* **certificar**, autenticar, atestar, validar, legalizar
autismo *n.m.* **ensimesmamento**
auto *n.m.* 1 **automóvel** 2 **ato**, cerimónia, solenidade
autoavaliação[dAO] *n.f.* **autoanálise**
auto-avaliação[aAO] *n.f.* ⇒ **autoavaliação**[dAO]
autobiografia *n.f.* **memórias**
autocarro *n.m.* **autobus**, auto-ónibus, ónibus
autoconfiança *n.f.* **segurança**
autoconfiante *adj.2g.* **seguro**
autocontrolo *n.m.* **autodomínio**, contenção
autocracia *n.f.* **despotismo**, ditadura, tirania, autocratismo
autocrata *n.2g.* **absolutista**, ditador, déspota, tirano, autoritário, prepotente, opressor
autocrático *adj.* **absoluto**, déspota, despótico, ditatorial, tirânico
autóctone *adj.2g.* **nativo**, aborígene, natural, indígena
auto-de-fé *n.m.* **queima**
autodomínio *n.m.* **autocontrolo**, contenção
autoestima[dAO] *n.f.* **amor-próprio**
auto-estima[aAO] *n.f.* ⇒ **autoestima**[dAO]
autografar *v.* **quirografar**, assinar, rubricar
automaticamente *adv.* 1 **mecanicamente** 2 *fig.* **inconscientemente**, involuntariamente
automático *adj.* 1 **mecânico**, maquinal 2 *fig.* **inconsciente**, instintivo, involuntário, irrefletido
automatismo *n.m.* **hábito**, rotina, habituação, prática, costume
automatizar *v.* **mecanizar**
autómato[AO] ou **autômato**[AO] *n.m.* 1 **robô**, androide 2 *fig.* **fantoche**, títere, bonifrate
automobilista *n.2g.* **motorista**
automotor *adj.,n.m.* **automóvel**
automóvel *n.m.* **carro**, auto, automotor, popó *infant.*
autonomia *n.f.* **independência**, emancipação, liberdade ≠ **dependência**
autonómico[AO] ou **autonômico**[AO] *adj.* **independente** ≠ **dependente**
autónomo[AO] ou **autônomo**[AO] *adj.* **independente**, livre, autocéfalo ≠ **dependente**
auto-observação *n.f.* **introspeção**
autópsia *n.f.* **necrotomia**, necropsia
autopsiar *v.* 1 **dissecar**, anatomizar 2 *fig.* **analisar**, examinar
autor *n.m.* 1 **criador**, compositor, feitor, gerador, obreiro, inventor, fabricante 2 **escritor**, redator
autoria *n.f.* **lavra**, criação
autoridade *n.f.* 1 **poder**, domínio, dominação, poderio, mando, senhorio 2 **jurisdição**, alçada, arbítrio 3 **competência**, capacidade, aptidão, faculdade 4 **prestígio**, superioridade, reputação
autoritário *adj.* 1 **autocrata**, ditador, déspota, tirano, absolutista, prepotente, opressor 2 **impositivo**, altivo, arrogante, dominador
autoritarismo *n.m.* **despotismo**, prepotência, arbitrariedade
autorização *n.f.* **anuência**, consentimento, licença, permissão, concessão, ordem, carta-branca ≠ **proibição**, interdição
autorizado *adj.* 1 **permitido**, concedido, outorgado ≠ **desautorizado**, negado 2 **respeitável**, respeitoso, respeitado ≠ **desautorizado**, desprestigiado
autorizar *v.* 1 **permitir**, facultar, deixar, consentir, conceder ≠ **desautorizar**, proibir, negar, interditar, coutar, interdizer 2 **validar**, legalizar, aprovar, abonar, comprovar, corroborar, justificar, legitimar 3 **acreditar** ≠ **desautorizar**, desacreditar
autorizar-se *v.* **permitir-se**
autossuficiência[dAO] *n.f.* **independência**, autarcia
autossuficiente[dAO] *adj.2g.* **autónomo**, independente
autossugestionar-se[dAO] *v.* **influenciar-se**, convencer-se, persuadir-se
auto-suficiência[aAO] *n.f.* ⇒ **autossuficiência**[dAO]

auto-suficiente[aAO] *adj.2g.* ⇒ **autossuficiente**[dAO]
auto-sugestionar-se[aAO] *v.* ⇒ **autossugestionar-se**[dAO]
autuação *n.f.* auto
autuar *v.* 1 **processar** 2 **multar**, coimar
auxiliar *adj.,n.2g.* **ajudante**, assistente, adjunto, colaborador, assessor, cooperante, acólito, adminicular ■ *v.* **ajudar**, socorrer, assistir, coadjuvar, colaborar, acompanhar, amparar, valer, acudir, favorecer, defender, proteger, subsidiar ≠ **desauxiliar**, desajudar, desamparar
auxílio *n.m.* 1 **ajuda**, amparo, achega, colaboração, socorro, apoio, arrimo, assistência, adminículo, coadjuvação, proteção ≠ **desproteção**, desapoio 2 **subsídio**, reforço 3 **esmola**, graça, mercê, favor
aval *n.m. fig.* **consentimento**, aprovação ≠ **desaprovação**
avalancha *n.f.* **alude**
avalanche *n.f.* **alude**
avaliação *n.f.* 1 **apreciação**, avaliamento, estima, estimação, estimativa, alvidramento 2 **cômputo**, cálculo, conta 3 **juízo**, apreciação
avaliador *n.m.* 1 **perito**, ajuizador, arbitrador, árbitro, apreciador, estimador, álvidro 2 **apreçador**
avaliamento *n.m.* **apreciação**, avaliação, estima, estimação, estimativa
avaliar *v.* 1 **calcular**, computar, estimar, esmar, apreçar, aquilatar, cotar, orçar, ponderar, bitolar 2 **ajuizar**, apreciar, alvidrar, julgar, reputar, considerar
avaliável *adj.2g.* 1 **determinável**, computável, orçamentável 2 **apreciável**, estimável
avalista *n.2g.* **avalizador**
avalizar *v.* 1 **afiançar**, abonar, garantir, assegurar 2 **apoiar**, subscrever
avançada *n.f.* 1 **investida**, assalto, carga, acometimento, cometimento, acometida, arremetida, avançamento, avanço 2 **vanguarda**, dianteira
avançado *adj.* 1 **saído**, saliente, proeminente 2 **adiantado** ≠ **atrasado** 3 **inovador**, moderno 4 **progressista**, liberal ≠ **retrógrado**, antiliberal 5 **exótico**, excêntrico ■ *n.m.* **toldo**
avançar *v.* 1 **adiantar-se** ≠ **arrecuar**, retroceder 2 **prosseguir**, continuar ≠ **parar** 3 **progredir**, desenvolver ≠ **atrasar**, regredir 4 **aventar**, emitir, expor, sugerir 5 **investir**, acometer, arremeter, enristar 6 **passar**, decorrer
avançar-se *v.* **precipitar-se**, investir
avanço *n.m.* 1 **avançamento**, avançada ≠ **recuo** 2 **adiantamento** ≠ **atraso** 3 **dianteira** 4 **progresso**, melhoria, impulso ≠ **retrocesso**
avantajado *adj.* 1 **grande**, robusto, corpulento 2 **superior**, excelente, famoso
avantajar *v.* 1 **exceder**, superar, melhorar, promover 2 **favorecer**, privilegiar 3 **distinguir**, salientar
avantajar-se *v.* 1 **superar**, sobrepujar, ultrapassar, exceder, transcender, desbancar 2 **progredir**, avançar, evoluir, desenvolver-se, melhorar ≠ **atrasar-se**, desatualizar-se, remansar-se 3 **adiantar-se**, preceder 4 **distinguir-se**, abalizar-se, sobressair, salientar-se
avante *adv.* **adiante**, diante ■ *interj.* **eia!**, siga!, vamos!
avarento *adj.,n.m.* **sovina**, forreta, avaro, somítico, agarrado, mesquinho, pão-duro, canguinhas, socancra, esganado *col.*, zaino *fig.*, unhas de fome *pej.*, fomenica [REG.], zura [BRAS.] ≠ **esbanjador**, dissipador
avareza *n.f.* **sovinice**, mesquinharia, mesquinhez, usura, somiticaria, aperto ≠ **prodigalidade**
avaria *n.f.* **dano**, danificação, desarranjo, estrago, pane
avariado *adj.* 1 **estragado**, danificado 2 *fig.* **amalucado**, desequilibrado, perturbado, tonto, zonzo, aloucado, apatetado
avariar *v.* 1 **danificar**, deteriorar, empanar, estragar, prejudicar 2 *fig.* **enlouquecer**, tresloucar
avariar-se *v.* 1 **estragar-se**, danificar-se, desconcertar-se 2 *fig.* **enlouquecer**
avaro *adj.,n.m.* **sovina**, forreta, avarento, somítico, agarrado, mesquinho, esganado *col.*, unhas de fome *pej.*, fomenica [REG.] ≠ **esbanjador**, dissipador
avassalador *adj.,n.m.* **dominador**, avassalante
avassalar *v.* 1 **submeter**, sujeitar, dominar, subjugar, domar 2 *fig.* **absorver**, obcecar
avatar *n.m.* **metamorfose**, mutação
ave *n.f.* 1 **pássaro** 2 **ave-maria** 3 **velhaco**, trapaceiro ■ *interj.* **hosana!**, salve!
avelar *n.m.* **avelal**, avelanal, aveleiral ■ *v.* 1 **amarrotar**, engelhar, enrugar, encarquilhar, encarquilhar-se, secar 2 **envelhecer**
aveleira *n.f.* BOT. **avelaneira**, avelãzeira, avelã
avelhentar *v.* 1 **envelhecer**, avelhar, avelhantar 2 **arcaizar**
aveludado *adj.* 1 **sedoso**, suave 2 *fig.* **brando**, meigo, terno
aveludar *v.* **amaciar**, alisar, suavizar
ave-maria *n.f.* **ave**
avena *n.f.* 1 **flauta**, fístula 2 BOT. **aveia**
avenca *n.f.* BOT. **capilária**, adianto
avença *n.f.* **acordo**, ajuste, contrato, pacto, concerto, convenção
avençar *v.* **combinar**, ajustar, acordar, pactuar, concertar
avençar-se *v.* **entender-se**, avir-se, ajeitar-se, harmonizar-se

avenida *n.f.* alameda, álea

aventar *v.* **1** **ventilar**, arejar **2** **atirar**, arremessar **3** **sugerir**, aventurar, alvitrar **4** **adivinhar**, entrever, pressentir, suspeitar, farejar **5** **advir**, chegar-se, ocorrer **6** **enunciar**, revelar, dizer, divulgar

aventura *n.f.* **1** **andança**, façanha, risco, proeza, lance, peripécia, perigo **2** **sorte**, acaso, acidente, ventura

aventurado *adj.* **venturoso**, afortunado, feliz ≠ **infeliz**, desafortunado

aventurar *v.* **1** **arriscar**, ousar, arriscar-se, atrever-se, malparar, tentar, abalançar-se **2** **aventar**, sugerir

aventurar-se *v.* **arriscar-se**, ousar, atrever-se, abalançar-se, arrojar-se, lançar-se, tentar-se

aventureiro *adj.* **1** **ousado**, arriscado, aventuroso, temerário **2** **arriscado**, perigoso, incerto, duvidoso

aventuroso *adj.* **arriscado**, aventureiro, corajoso, ousado, intrépido, valente

averbação *n.f.* **registo**, assento, averbamento

averbamento *n.m.* **registo**, averbação, assento

averbar *v.* **1** **anotar**, registar, sinalar, escrever ≠ **desaverbar**, apagar, riscar **2** **acusar**, tachar, arguir, increpar

averiguação *n.f.* **investigação**, inquérito, indagação, inquirição, verificação, examinação, exame, devassa, observação, sindicância

averiguado *adj.* **1** **investigado** **2** **verificado**, certificado ≠ **desaveriguado**

averiguar *v.* **1** **apurar**, investigar, deslindar, inquirir, devassar, examinar, indagar, alveitar [REG.] **2** **concluir**, certificar-se, aclarar **3** [REG.] **parir**

avermelhado *adj.* **vermelhusco**, ruborizado, cinabrino

avermelhar *v.* **corar**, ruborizar, afoguear, enrubescer, envermelhar, envermelhecer, acerejar, esbrasear, escandecer

aversão *n.f.* **1** **repulsão**, repugnância, antipatia, abominação, animadversão, asco, desafeto, embirração, inimizade, malquerença, nojo, asca, desadoração, desafeiçoamento, entejo, malevolência, zanga, animosidade, osga **2** **ódio**, rancor, raiva ≠ **amizade**, querência

avessado *adj.* **1** **adverso**, contrário, hostil **2** **arrevesado**, desavindo

avessar *v.* **1** **contrariar**, contradizer, impugnar, transtornar **2** **corromper**, subornar, peitar, induzir

avesso *adj.* **1** **oposto**, inverso, contrário, adverso, hostil ≠ **favorável** **2** **mau**, infausto, aziago, infeliz ■ *n.m.* **reverso**, envés, envesso, carnaz

avestruz *n.m./f.* **1** **ema**, nhandu, nandu **2** **casuar**

aviação *n.f.* **aeronáutica**, aeronavegação

aviado *adj.* **1** **despachado**, acabado, terminado **2** **atendido**, servido

aviador *n.m.* **aeronauta**, piloto, aeroplanista

aviamento *n.m.* **1** **andamento**, prosseguimento, despacho, execução, diligência **2** **ajuda**, auxílio **3** **preparo**, preparativo **4** [*pl.*] **apretos**, aprestamento, materiais

avião *n.m.* **aeronave**, aeroplano, aparelho

aviar *v.* **1** **executar**, fazer, realizar, tratar de **2** **atender**, servir, despachar **3** **aprontar**, despachar **4** **arranjar**, providenciar, aprestar **5** *col.* **despedir** **6** *col.* **matar**, assassinar

aviário *n.m.* **passareira**

aviar-se *v.* **1** **desembaraçar-se**, desenrascar-se, arranjar-se **2** **apressar-se**, despachar-se

avícola *adj.,n.2g.* **avicultor**

avicultor *adj.,n.m.* **avícola**, aviculário

avicultura *n.f.* **ornitotrofia**

avidamente *adv.* **sofregamente**, sedentamente, sequiosamente, cobiçosamente

avidez *n.f.* **1** **sofreguidão**, ânsia, voracidade **2** **ambição**, ganância, cobiça **3** **gula**, fome, sofreguidão

ávido *adj.* **1** **ansioso**, sedento, sequioso, sôfrego, desejoso, açorado **2** **ambicioso**, ganancioso, insaciável, cobiçoso **3** **esfomeado**, voraz, esfaimado, faminto, devorador

aviltamento *n.m.* **1** **abjeção**, baixeza, desonra, vileza, degradação, envilecimento, opróbrio, vilta, viltança **2** **depreciação**, humilhação, ultraje, envilecimento **3** **desvalorização**

aviltar *v.* **1** **amesquinhar**, humilhar, menosprezar, desprezar, abater, deprimir, desonrar, rebaixar, envilecer, menoscabar, degradar, pejorar, amolecar, arrefeçar ≠ **enobrecer**, honrar, abalizar **2** **desvalorizar**, diminuir ≠ **valorizar**

avinagrado *adj.* **acre**, acetoso

avinagrar *v.* **1** **acidificar**, azedar, acetar **2** *fig.* **exacerbar**, irritar, enfurecer, constranger

avinagrar-se *v.* **1** **azedar-se** **2** **embriagar-se**

avinhado *adj.* **embriagado**, alcoolizado, ébrio

avinhar-se *v.* **embriagar-se**, embebedar-se, emborrachar-se, inebriar-se

avio *n.m.* **1** **andamento**, prosseguimento, despacho, execução, diligência **2** **ajuda**, auxílio **3** **preparo**, preparativo **4** [*pl.*] **aprestos**, aprestamento, materiais

aviominiatura *n.f.* **aeromodelismo**

avir *v.* **conciliar**, harmonizar, acordar, compor, apaziguar, concordar

avir-se *v.* **1** **acomodar-se**, adaptar-se, ajustar-se **2** **haver-se**, entender-se, arranjar-se, lidar

avisado *adj.* **1** **ajuizado**, sensato, judicioso, acertado, atilado, cauteloso, prudente, razoável ≠

desavisado, insensato **2 discreto**, reservado ≠ desavisado, indiscreto, abelhudo

avisador *adj.,n.m.* **informador**, alvissareiro

avisar *v.* **1 informar**, notificar, comunicar, participar, lembrar, cientificar, anunciar, noticiar **2 prevenir**, admoestar, advertir, alertar, aconselhar, precaver

avisar-se *v.* **1 aconselhar-se**, consultar **2 precaver-se**, acautelar-se

aviso *n.m.* **1 advertência**, admoestação, conselho, recomendação, mónita, exortação, monitória, ditame **2 participação**, comunicação, informação, nova, novidade, notícia, anúncio **3 opinião**, parecer, juízo, conceito **4 cautela**, precaução **5 discrição**, siso, sisudez, prudência, tino, sagacidade

avistar *v.* **divisar**, descortinar, enxergar, ver, entrever, distinguir, toscar, lobrigar ≠ **desavistar**

avistar-se *v.* **1 defrontar-se**, encarar, arrostar **2 deparar-se**, dar, achar, encontrar

avivar *v.* **1 realçar**, acentuar, carregar ≠ **apagar**, atenuar **2 ativar**, atiçar, aviventar, intensificar, estimular, excitar, atear, aguçar, assanhar ≠ **esmorecer**, atenuar **3 animar**, avigorar ≠ **desanimar**

avivar-se *v.* **1 crescer 2 reanimar-se 3 destacar-se 4 avigorar-se 5 ativar-se**

avizinhar *v.* **1 aproximar**, chegar, acercar, abeirar, achegar, apropinquar ≠ **afastar**, apartar **2 confinar**, tocar

avo *n.m.* **1** *fig.* **bagatela**, insignificância, parte **2** *fig.* **partícula**

avó *n.f.* **1 vovó** *infant.* **2** *fig.* **anciã**

avô *n.m.* **1 vovô** *infant.* **2** *fig.* **antepassado 3** *fig.* **ancião**

avocação *n.f.* DIR. **chamamento**, avocatura

avocar *v.* **1 atrair**, aliciar **2 arrogar-se**, altanar **3 evocar**, recordar

avoengo *adj.* **avito**, atávico, antepassado ■ *n.m.pl.* **antepassados**, genealogia, progénie, origem, sangue, progenitores, antecessores, estirpe *fig.* ≠ **descendência**, descendentes

avolumar *v.* **aumentar**, avultar, acumular, exagerar, amontanhar ≠ **desavolumar**, diminuir

à-vontade *n.m.* **naturalidade**, descontração ≠ **inibição**

avós *n.m.pl.* **ascendência**, progenitores, antepassados, antigos, maiores, genealogia, antecessores, progénie, pais *fig.*, estirpe *fig.* ≠ **descendência**, descendentes

avulso *adj.* **1 separado**, solto, isolado **2 arrancado**, desirmanado, dividido **3 desconexo**, inconsistente, esparso, vago

avultado *adj.* **1 volumoso**, desenvolvido, grande, avultoso **2 gordo**, alentado, corpulento **3 importante**, valioso, considerável, exponencial

avultar *v.* **1 avolumar**, aumentar, amplificar **2 sobressair**, destacar, realçar, ressaltar **3 engrandecer**, glorificar

axe *n.m.* **1 áxis**, eixo **2** *infant.* **ferida**, ferimento, feridinha, golpezinho, golpinho, dor, dói-dói *infant.*, dói *infant.*

axial *adj.2g.* *fig.* **fundamental**, primordial, principal

axila *n.f.* ANAT. **sovaco**

axioma *n.m.* **1** FIL. **postulado 2 máxima**, aforismo, adágio, anexim, ditame, provérbio, sentença, apotegma

axiomático *adj.* **claro**, evidente, incontestável, manifesto, óbvio, inquestionável

áxis *n.m.2n.* **axe**, eixo

az *n.m./f.* **1 gume**, fio, aço **2** MIL. **arraial**, abarracamento, acampamento, bivaque **3 esquadrão 4** (exército) **ala**, falange, fileira

azado *adj.* **1 jeitoso**, ágil, apto, capaz, habilidoso ≠ **desazado**, inábil, maljeitoso **2 cómodo 3 propício**, oportuno, apropriado, favorável, próprio ≠ **desazado**, despropositado

azáfama *n.f.* **1 roda-viva**, lufa-lufa, polvorosa, corrupio, trabalheira, fona, faina, lida, afã, lufa, matação, darandina, atarefamento, fervilhação *fig.*, virote *fig.*, tráfega [REG.] **2 atropelo**, atrapalhação, balbúrdia, confusão, badanal

azafamar *v.* **1 apressar**, atarefar, estugar **2 alvoroçar**, agitar **3 assoberbar**, sobrecarregar

azafamar-se *v.* **1 apressar-se 2 atarefar-se**, afadigar-se, lidar

azálea *n.f.* BOT. **rododendro**

azamboar *v.* **1 atordoar**, estontear, entontecer **2 perturbar**, indispor

azambuja *n.f.* BOT. **zambujeiro**, azambujo, zambujo

azar *n.m.* **1 acaso**, sorte, eventualidade **2 contrariedade**, contratempo, infortúnio, infelicidade, revés, desdita, desgraça, desventura, desastre, esteirada *fig.* ■ *v.* **ocasionar**, causar, proporcionar, auxiliar, dispor, facilitar, ajudar

azarar *v.* **agoirar**, enguiçar, engalinhar

azarento *adj.* **1 infeliz**, azarado, desventurado ≠ **afortunado**, felizardo **2 agoirento**, aziago

azar-se *v.* **apresentar-se**, oferecer-se, resultar

azeda *n.f.* BOT. **vinagreira**, azedeira, azedas

azedar *v.* **1 acidificar**, avinagrar, acidular, acetar, apicoar ≠ **adoçar**, açucarar **2** *fig.* **irritar**, indispor, exasperar, exacerbar, encolerizar, desgostar

azedar-se *v.* **1** *fig.* **complicar-se**, piorar **2** *fig.* **irritar-se**, indispor-se, exasperar-se, envinagrar-se *fig.*

azedia *n.f.* **1 azedume**, azia, acidez, acrimónia, agrura, aziúme **2** *fig.* **negligência**, desleixo, inércia, preguiça, acídia, acédia

azedo *adj.* **1** **acre**, ácido, acro, agraz, amargo, amargoso, avinagrado, envinagrado, acerbo, acetoso, áspero ≠ **doce**, adocicado, açucarado **2** *fig.* **irritado**, irado, agastado **3** *fig.* **severo**, ríspido, rude, acrimonioso, desabrido **4** *fig.* **satírico**, mordaz ≠ **afetuoso**, amável ■ *n.m.* **acidez** ≠ **doce**

azedume *n.m.* **1** **azedia**, azia, acidez, acrimónia, agrura, aziúme, acritude, azedo, acetosidade **2** *fig.* **agastamento**, amargor, agror, amargura, desabrimento, despeito, ira, irritação, rudeza, acerbidade

azeitar *v.* **lubrificar**, olear

azeiteiro *n.m.* **1** **almotolia**, galheta, galheteiro **2** *col.* **proxeneta** **3** *col.* **grosseirão**, porcalhão **4** *col.* **parolo**

azeitona *n.f.* BOT. **oliva**

azemel *n.m.* **1** **almocreve**, arrieiro, burriqueiro, azemeleiro **2** **abarracamento**, arraial

azenha *n.f.* **moinho**, atafona

azerar *v.* **acerar**

azevia *n.f.* **língua**, língua-de-vaca

azevinheiro *n.m.* BOT. **pica-folha**, visqueira, visqueiro, azevinho

azevinho *n.m.* BOT. **pica-folha**, visqueira, visqueiro, azevinheiro, aquifólio

azia *n.f.* MED. **pirose**, corteira *col.*

aziago *adj.* **1** **agoirento**, azarento, funesto, infausto, nefasto **2** **infeliz**, desafortunado ≠ **feliz**, afortunado

azinha *n.f.* **1** BOT. **azinheiro**, enzinheira, azinho **2** BOT. **bolota**

azinhaga *n.f.* **córrego**, ruela, viela, quelha, canada, congosta, talinheira [REG.], tarrinheira [REG.]

azinhal *n.m.* **azinheiral**, montado

azinheira *n.f.* BOT. **azinheiro**, azinho, enzinha

azinho *n.m.* BOT. **azinheira**, enzinheiro, azinha

aziúme *n.m.* **1** **azedia**, azia, agrura **2** *fig.* **agastamento**, amargor, agror, amargura, desabrimento, despeito, ira, irritação, rudez, acerbidade

azo *n.m.* **1** **ensejo**, oportunidade, ocasião, ansa, cabe **2** **causa**, origem, motivo

azoar *v.* **1** **atordoar**, aturdir, entontecer, atarantar, azoinar, azoeirar **2** **agastar**, importunar, irritar, exasperar, perturbar, enfadar, molestar

azorrague *n.m.* **chicote**, látego, flagelo, vergalho, açoite, rebém, relho

azotato *n.m.* QUÍM. **nitrato**

azótico *adj.* QUÍM. **nítrico**

azoto *n.m.* QUÍM. **nitrogénio**

azougado *adj.* **1** **esperto**, finório, sabido, vivo **2** **travesso**, turbulento, traquinas, buliçoso, estouvado

azougar *v.* **1** **avivar**, espertar, estimular **2** **desassossegar**, preocupar, perturbar, inquietar **3** **definhar**, murchar

azougue *n.m.* **1** **mercúrio** **2** *fig.* **esperteza**, finura, vivacidade **3** *fig.* **finório**

azucrinar *v. col.* **importunar**, maçar, aborrecer, ervilhar

azul *adj.* **1** **cerúleo** **2** **indigo**, anil **3** *fig.* **assustado**, atrapalhado, embaraçado ■ *n.m. fig.* **céu**, firmamento

azulado *adj.* **1** **cerúleo**, azuláceo **2** **azulino**, anil **3** *fig.* **lívido**

azular *v.* **anilar**, azulejar, azulecer, azulear

azulejar *v.* **anilar**, azular, azulecer, azulear

azulejo *n.m.* **ladrilho**, mosaico

B

baba *n.f.* 1 **saliva**, cuspe, babugem, espuma, escuma, esputação 2 **babete**, babeiro, babadoiro *col.*, babador [BRAS.]

babado *adj.* 1 **ababalhado** *col.* 2 **orgulhoso**, vaidoso, inchado *fig.,pej.* ≠ **modesto**, humilde, simples 3 **apaixonado**, enamorado, embeiçado *col.* ≠ **desapaixonado**, indiferente ■ *n.m.pl.* **sobras**, restos, sobejos

babar *v.* 1 **salivar**, escumar, espumar, esputar ≠ **desbabar** 2 **sujar**, conspurcar, babujar, ababalhar *col.*, enxovalhar *fig.* ≠ **desbabar**

babar-se *v. fig.* **encantar-se**, enlevar-se, entusiasmar-se, empolgar-se, extasiar-se ≠ **desencantar-se**, desiludir-se, dececionar-se

babete *n.m./f.* **babadouro**, baba *col.*, babador [BRAS.]

babilónia[AO] ou **babilônia**[AO] *n.f.* 1 **babel**, labirinto 2 *fig.* **balbúrdia**, confusão, desordem, labirinto, babel, pandemónio, inferneira, tumulto, algazarra, barafunda, caravançarai *fig.* ≠ **ordem**, organização, arrumação, arranjo

babilónico[AO] ou **babilônico**[AO] *adj.* 1 *fig.* **desordenado**, confuso, babilónio, misturado, caótico ≠ **ordenado**, organizado, estruturado 2 *fig.* **grandioso**, majestoso, imponente, catedralesco ≠ **despojado**, simples, pobre, humilde, desaparatoso

baboseira *n.f.* **asneira**, disparate, sandice, tolice, babosice, bobice, desconchavo, despropósito ≠ **sensatez**, acerto

baboso *adj.* 1 **babão**, ababosado 2 *fig.* **orgulhoso**, babado *fig.*, inchado *fig.,pej.* ≠ **modesto**, humilde, simples 3 *fig.* **parvo**, tolo, tonto, idiota, palerma, baboca, abobalhado [BRAS.] ≠ **arguto**, inteligente, esperto, perspicaz, sagaz 4 *fig.* **apaixonado**, enamorado, babado *fig.* ≠ **desapaixonado**, indiferente

babucha *n.f.* **chinelo**, pantufa, cofo, sulipa

babuíno *n.m. fig.,pej.* **imbecil**, tolo, idiota, estúpido, palerma, patego, badana *col.*, bate-orelha *fig.*, paspalho *pej.*, babaca [BRAS.] *col.* ≠ **conhecedor**, entendedor, sabedor, sábio

babujar *v.* 1 **sujar**, conspurcar, babar, ababalhar *col.*, alesmar *fig.* ≠ **desbabar** 2 **balbuciar**, gaguejar, titubear, tartamudear, tartamelear, tartarear, tremelear ≠ **articular**, pronunciar, dizer 3 **adular**, lisonjear, bajular, incensar *fig.*, pajear *fig.* ≠ **censurar**, criticar, menosprezar, reprovar 4 *fig.* **enxovalhar**, conspurcar, desrespeitar, desonrar, desprezar ≠ **respeitar**, acatar, venerar, estimar

babujar-se *v.* **sujar-se**, lambuzar-se, emboldregar-se [REG.]

bacalhau *n.m.* 1 **fiel-amigo** *col.* 2 *ant.* **chicote**, azorrague, relho, açoite, vergasta

bacalhoeiro *n.m.* 1 *fig.* **boçal**, lorpa, panasqueiro *col.,pej.* 2 ORNIT. **milhafre**, rabo-de-bacalhau, milhano-real

bacamarte *n.m.* 1 **espingarda**, trabuco, esmerilhão, garrucha [BRAS.], boca-de-sino *ant.* 2 *fig.* **alfarrábio**, cartapácio, cartapaço, calhamaço 3 ICTIOL. **ruivo**, cabaço, cabra, santo-antónio, emprenhador, bêbedo, cabra-moura 4 (feijão) **grugutuba**

bacanal *adj.2g.* 1 **dionisíaco** 2 **orgíaco**, orgiástico, báquico, licencioso, carnal ≠ **regrado**, moderado, prudente, discreto, comedido, refletido, sensato ■ *n.m.* **orgia**, devassidão, libertinagem, desregramento, carnaval, saturnal *fig.*, tripúdio *fig.*, sábado *col.*

bacante *n.f.* 1 MITOL. **ménade** 2 *fig.* **devassa**, libertina, ménade

bacharel *n.m. pej.* **tagarela**, falador, linguareiro, palrador, loquaz, palavreador, palestrador, tarela, tarelo, taramela, gralha *fig.*, espanta-lobos *fig.*, boca-mole [BRAS.] *col.*

bacharelar *v. pej.* **tagarelar**, parolar, palavrear, badalar, linguajar, linguarejar, papaguear, cacarejar *fig.*, chilrear *fig.*, palrar *fig.* ≠ **calar**, silenciar, emudecer, entuchar

bacia *n.f.* 1 **bacio**, vaso, vaso de noite, defecador, urinol, camareiro, doutor *col.*, penico *col.*, pote *col.*, bispote *col.* 2 ANAT. **pelve**, pélvis 3 GEOG. **enseada**, baía, caldeira, calheta, enseio, recôncavo 4 GEOG. **depressão**, vale, baixa

baciforme *adj.2g.* BOT. **baciano**, bagoado

bacio *n.m.* **bacia**, vaso, vaso de noite, defecador, urinol, camareiro, calhandro, doutor *col.*, penico *col.*, pote *col.*, bispote *col.*

baço *adj.* 1 **embaciado**, bacento, embaçado, fosco, mate, pardo, opaco, nebuloso, nevoento *fig.* ≠ **luzidio**, distinto, claro, nítido, definido, nédio, limpo, desanuviado 2 **trigueiro**, moreno, escuro, bruno *fig.* ≠ **claro**, alvadio, alvo, branco

bacoco *adj.,n.m. col.* **pacóvio**, palerma, parvo, idiota, ridículo, ingénuo, pateta, tanso, anastácio *col.*, badana *col.*, trouxa *col.*, zé *col.*, provinciano *pej.*, babanca [REG.] ≠ **inteligente**, esperto, astuto, perspicaz, sagaz

bacoquice *n.f.* **palermice**, patetice, tolice, bobice, idiotice, pacovice, asneira, asnidade, burrice, calinada, cavalada *col.* ≠ **esperteza**, argúcia, finura, astúcia, sagacidade, perspicuidade, fineza, acuidade, olho *fig.*

bácora *n.f.* leitoa, leitiga, porquinha, marrã, marrancha

bacorada *n.f.* **1** ZOOL. vara, porcada **2** *fig.* **asneira**, calinada, disparate, tolice, obscenidade, asnice, baboseira, alguma *col.*, bojarda [REG.], babaquice [BRAS.]

bácoro *n.m.* **leitão**, porquinho, cochino, porcalho *ant.*

bacteriologista *adj.,n.2g.* **bacteriólogo**

báculo *n.m.* **1** **bordão**, bastão, gajato, croça **2** *fig.* **amparo**, apoio, arrimo, sustentáculo, suporte, base ≠ **desamparo**, desapoio, desarrimo

badalado *adj.* **1** [BRAS.] *col.* **comentado**, falado, divulgado, conversado ≠ **secreto**, reservado, confidencial, privado, sigiloso **2** **difundido**, divulgado, espalhado, disseminado, propagado ≠ **ocultado**, escondido, encoberto, abafado

badalar *v.* **1** (sino, relógio) **soar**, bater, tocar, retumbar, ressoar, entoar, garrir, badejar **2** *fig.* **tagarelar**, parolar, palavrear, linguajar, linguarejar, papaguear, parouvelar, taralhar, cacarejar *fig.*, chilrear *fig.*, palrar *fig.* ≠ **calar**, silenciar, emudecer, entuchar **3** **agitar**, mexer, abalar, mover, deslocar ≠ **imobilizar**, moderar **4** **divulgar**, revelar, espalhar, mostrar, propalar, propagar, disseminar, semear *fig.* ≠ **ocultar**, esconder, encobrir, atabafar **5** **exibir-se**, mostrar-se, expor-se, evidenciar-se, patentear-se, manifestar-se, abrir-se, descerrar-se, revelar-se ≠ **recatar-se**, esconder-se, encobrir-se, ocultar-se, encerrar-se

badalhoco *adj. pej.* **sujo**, porco, hediondo, imundo, encardido, porcalhão, sebáceo, sórdido, caçurrento, cacoso [REG.] ≠ **limpo**, asseado, decente, desencardido, higiénico, imaculado, lavado

badalo *n.m.* **1** *fig.* **língua** **2** *col.,vulg.* **pénis**, falo, pila *col.*, pau *vulg.*, caralho *vulg.*

badameco *n.m.* **1** *col.* **fedelho** *pej.*, gaiato, gandulo, frangalhote *col.*, garibu *col.*, garoto *fig.* **2** *pej.* **joão-ninguém** *col.,pej.*, insignificante, badana, bonifrate *fig.*, gato-pingado *col.*, pigmeu *fig.*, joão-fernandes *col.*, pingarelho *col.*, homenzinho *pej.*, criaturinha *pej.*, badamerda *pej.,vulg.*, micróbio *fig.,pej.*, inseto *fig.,pej.*, pechisbeque *fig.,pej.*

badana *n.f.* **1** (livro) **orelha**, aba **2** *col.* **barbatana**, espadana, galha, nadadeira [BRAS.] ■ *n.2g. col.* **pacóvio**, palerma, tolo, parvo, idiota, estúpido, patego, basbaque, babuíno *fig.,pej.*, paspalho *pej.*, bate-orelha *fig.*, babaca [BRAS.] ≠ **conhecedor**, entendedor, sábio, sabedor

baeta *n.f.* **1** **manta**, cobertor, almocela, baetão, chaleira, baetilha **2** [REG.] *col.* **barbeiro**

bafejado *adj.* **1** *fig.* **protegido**, favorecido, sortudo, abençoado *fig.* ≠ **abandonado**, excluído, desprotegido, desprezado, esquecido **2** *fig.* **inspirado**, encorajado, entusiasmado, estimulado, excitado, incentivado, incitado, motivado, avivado, acicatado, fatíloquo, iluminado *fig.*, beliscado *fig.*, desentorpecido *fig.*, espicaçado *fig.*, impelido *fig.*, picado *fig.* ≠ **entorpecido**, desmotivado, desinteressado, indiferente, desapegado, abnegado, desprendido *fig.*, terra-a-terra *pej.*

bafejar *v.* **1** **soprar**, vaporar, insuflar, espirar **2** *fig.* **acariciar**, acalentar, afagar, ameigar, acarinhar, amimar, blandicar, nutrir *fig.* ≠ **maltratar**, estragar, agredir, molestar, fustigar *fig.* **3** **auxiliar**, ajudar, apoiar, socorrer, remediar ≠ **desauxiliar**, desajudar, desamparar **4** **favorecer**, beneficiar, ajudar, abençoar *fig.* ≠ **desproteger**, desprezar, excluir

bafejo *n.m.* **1** **bafo**, alento, hálito, respiração, bafagem, sopro, assopro, fôlego, baforada, anélito, espiração **2** **sopro**, aragem, brisa, viração, assopramento ≠ **ventania**, rajada, rabanada, furacão, buzaranha, tufão, ciclone, baforada **3** *fig.* **auxílio**, proteção, ajuda, apoio, socorro, amparo, patrocínio, favor ≠ **desproteção**, desapoio, desamparado, abandono, desauxílio, desabrigo *fig.*

bafiento *adj.* **bolorento**, sufocado, rançoso, mofento, mofoso, bafioso, nidoroso, fedegoso, râncio ≠ **inodor**, inolente, odorante, aromático, perfumado, fragrante, cheiroso, recendente, olente, balsâmico, redolente *poét.*

bafio *n.m.* **bolor**, mofo, bafum, fartum, sito, relento, ranço ≠ **aroma**, perfume, fragrância, bálsamo, cheiro, odor

bafo *n.m.* **1** **hálito**, alento, respiração, bafagem, sopro, assopradura, bafejo, fôlego, baforada, anélito **2** *fig.* **favor**, patrocínio, proteção, ajuda, auxílio, apoio, amparo ≠ **desproteção**, desapoio, desamparado, abandono, desauxílio, desabrigo *fig.* **3** *fig.* **inspiração**, iluminação *fig.*, chama *fig.*, bafagem *fig.*, centelha *fig.* ≠ **desmotivação**, desânimo, desalento, esmorecimento, abatimento **4** *fig.* **carinho**, amor, conchego, calor, quentura *fig.* ≠ **maltrato**, agressão, frieza, fresco

baforada *n.f.* **1** **bafo**, alento, hálito, respiração, bafagem, sopro, assopro, fôlego, bafejo, anélito **2** **sopro**, aragem, brisa, viração, assopro, bafejo ≠ **ventania**, rajada, rabanada, furacão, buzaranha, tufão, ciclone **3** *fig.* **alarde**, gabarolice, vaidade, bravata

baga *n.f. fig.* **gota**, pingo, pinga, camarinha, esférula, gotícula, pérola *fig.*

bagaceira *n.f.* **1** **bagaço**, água-ardente, pinga [BRAS.], cachaça [BRAS.] **2** *fig.* **palavreado**, palavrório, bacharelice, palanfrório, farelório, fraseado, alanzoado, conversa *fig.*, lábia *col.*, faramalha [REG.]

bagaceiro *adj.,n.m. fig.* **mandrião**, indolente, madraço, vadio, pachola, preguiçoso, bandarra, calaceiro, gandaieiro, mandrana, rascão, bilhardeiro *col.*, mangaz *col.*, tanjão *col.* ≠ **trabalhador**, empreendedor, esforçado, diligente, ativo, aplicado

bagaço *n.m.* 1 **burusso**, cangaço, canganho, graúlho, baganha 2 **bagaceira**, aguardente, pinga [BRAS.], cachaça [BRAS.] 3 *fig.* **dinheiro**, cabedal, ouro *fig.*, metal *fig.,col.*, guita *col.*, pastel *col.*, arame *col.*, estilha *col.*, carcanhol *gír.*, cacau *col.*, pasta *col.*, pingo *col.*, bagalho *col.*, bagalhoça *col.*, bago *col.*, caroço *col.*, fanfa *col.*, massaroca *col.*, milho *col.*, painço *col.*, pataco *col.*, pecúnia *col.*, teca *col.*, grana [BRAS.] *col.*, tutu [BRAS.]

bagageira *n.f.* **mala**, porta-bagagens, porta-malas

bagageiro *n.m.* **transportador**, recoveiro *ant.*

bagagem *n.f.* 1 **trem**, carga, tralha, fardel, fardelagem 2 *fig.* **saber**, conhecimentos, cultura, instrução, estudo, ilustração ≠ **ignorância**, incultura, insciência, insipiência, desconhecimento, analfabetismo, asofia, ferrugem *col.*

baganha *n.f.* 1 BOT. **caroça**, epiderme, película 2 **brulho**, bagaço, canganho 3 BOT. **uva-de-cão**, norça-preta

bagatela *n.f.* **insignificância**, ninharia, niquice, nada, farelório, futilidade, migalhice, minúcia, ridicularia, tuta e meia *col.*, nica *col.*, caganifância *col.*, farfalhada *fig.*, babugem *fig.*, avo *fig.*, casculho *fig.*, adarme *fig.*, avelório *fig.*, abana-moscas *fig.*, bagana [BRAS.] ≠ **importância**, utilidade, valor, transcendência, relevância, interesse

bago *n.m.* 1 **uva** 2 **grão** 3 *col.* **dinheiro**, cabedal, ouro *fig.*, metal *fig.,col.*, guita *col.*, pastel *col.*, arame *col.*, estilha *col.*, carcanhol *gír.*, cacau *col.*, pasta *col.*, pingo *col.*, bagalho *col.*, bagalhoça *col.*, caroço *col.*, fanfa *col.*, massaroca *col.*, milho *col.*, painço *col.*, pataco *col.*, pecúnia *col.*, teca *col.*, grana [BRAS.] *col.*, tutu [BRAS.]

bagulho *n.m.* 1 **grainha**, baganha, granita, graúlho 2 [BRAS.] **insignificância**, ninharia, niquice, nada, farelório, futilidade, migalhice, minúcia, ridicularia, farfalhada *fig.*, babugem *fig.*, avo *fig.*, tuta e meia *col.*, nica *col.*, caganifância *col.* ≠ **importância**, utilidade, valor, transcendência, relevância, interesse 3 [BRAS.] **droga**

baía *n.f.* GEOG. **angra**, enseada, golfo, calheta, abra, recôncavo

baila *n.f.* 1 **baile**, bailado, dança, bailata, coreia 2 ICTIOL. **robalo**, balha, bailadeira, balhadeira

bailadeira *n.f.* 1 **dançarina**, bailarina, dançadeira, dançatriz, saltatrice 2 ICTIOL. **robalo**, balha, balhadeira

bailado *n.m.* **baile**, baila, dança, bailata, coreia, ballet

bailador *adj.,n.m.* **bailarino**, dançante, dançarino, bailarim, dançadeiro, saltarelo

bailar *v.* 1 **dançar**, regambolear, baiar [BRAS.] 2 **oscilar**, balançar, vacilar, tremer, menear, abanar, embalar, saracotear, ondular ≠ **parar**, imobilizar, cessar, estacar, paralisar

bailarico *n.m.* **bailada**, balancé, brincadeira, bate-chinela, salsifré *col.*, escarafuncho [REG.], forró [BRAS.], forrobodó [BRAS.], fuzo [BRAS.], arrasta-pé [BRAS.] *col.*

bailarina *n.f.* 1 **dançarina**, bailadeira, dançadeira, dançatriz, saltatriz 2 **vasilha**

bailarino *n.m.* **bailador**, dançante, dançarino, bailarim, dançador, saltarelo

baile *n.m.* 1 **baila**, bailado, dança, bailata, coreia 2 *col.* **conflito**, briga, rixa, peleja, luta, contenda, disputa, encontro ≠ **ordem**, sossego, disciplina, tranquilidade, serenidade, quietação, calmaria, paz, placitude

bainha *n.f.* 1 **debrum**, costura, dobra, orla 2 **lâmina** 3 **membrana** 4 **vagem**

baio *adj.* 1 **amarelado**, amarelo-torrado, torrado, castanho, castanho-claro, melado 2 **amulatado**, moreno, trigueiro, tostado, carafuzo 3 **zebrum**, zebruno

bairrista *adj.,n.2g.* **localista**

baiuca *n.f.* 1 **casebre**, choupana, choça, casinhola, casota, tugúrio, covil, buraco *fig.* ≠ **casarão**, mansão, casão, convento *fig.* 2 **taberna**, bodega, tasca, lojeca, botequim, biboca, betesga, futrica, locanda, tasco *col.*, chafarica *col.*, catraia [REG.]

baixa *n.f.* 1 (valor, preço, altura) **diminuição**, redução, abaixamento, abate, abatimento, desvalorização ≠ **aumento**, acréscimo, subida, alta, elevação 2 GEOG. **depressão**, vale, bacia 3 MIL. **licença**, dispensa 4 *fig.* **decadência**, declínio, degradação, descida, quebra ≠ **crescimento**, desenvolvimento, progresso, avanço, florescimento

baixada *n.f.* **descida**, ladeira, declive, encosta, ladeirento, quebrada ≠ **subida**, aclive, trepada [BRAS.]

baixa-mar *n.f.* **vazante**, baixia, jusante, minguante, refluxo ≠ **maré-alta**, maré-cheia, montante, influxo

baixar *v.* 1 **descer**, decair, declinar, descender, cair, pender, arraiar ≠ **subir**, elevar, crescer, ascender, altear 2 **abaixar**, abater, amainar, acocorar, agachar ≠ **erguer**, levantar, subir, alar, altear, arvorar, elevar, empinar, içar, sobrelevar 3 **inclinar**, curvar, dobrar, flexionar, arquear ≠ **endireitar**, desencurvar 4 (voz, som) **diminuir**, reduzir ≠ **aumentar**, subir 5 (preço, valor) **diminuir**, reduzir ≠ **aumentar**, subir 6 (temperatura) **descer**, diminuir, arrefecer, destemperar ≠ **aumentar**, subir, aquecer 7 (avião) **descer**, diminuir ≠ **subir** 8 (processo ou documento) **descer**, remeter ≠ **subir**

baixar-se *v.* 1 **abaixar-se**, curvar-se, debruçar-se ≠ **levantar-se** 2 *fig.* **humilhar-se**, rebaixar-se, aviltar-se, desprestigiar-se, desacreditar-se, depreciar-se, arrefeçar-se, curvar-se *fig.*, prostrar-

-se *fig.*, ananicar-se *fig.* ≠ **prestigiar-se**, acreditar--se

baixel *n.m.* **1** **batel**, barco, embarcação **2** **naveta**, navicela

baixela *n.f.* **serviço**, alfaia, copa, pratas, argentaria, frasca *ant.*

baixeza *n.m.* **1** **inferioridade**, infimidade, secundariedade ≠ **superioridade**, distinção, supremacia, primazia **2** *fig.* **abatimento** **3** *fig.* **vileza**, aviltamento, infâmia, ignomínia, abjeção, indignidade, mesquinhez, torpeza, vilania, ignobilidade, torpidade, picardia, degradamento, bargantaria, degradação *fig.*, baixura *fig.*, atoleiro *fig.*, baixaria [BRAS.] ≠ **nobreza**, altivez, decoro, dignidade, distinção, magnanimidade, grandeza, hombridade, elevação *fig.*

baixinho *adv.* **1** (som) **pianinho**, piano, sottovoce ≠ **forte** **2** **sussurradamente** ■ *adj.* **baixíssimo** ≠ **altíssimo**, elevadíssimo

baixio *n.m.* **1** GEOG. **escolho**, vau, restinga, parcel, cachopo, baixia, baixo, banco **2** *fig.* **obstáculo**, estorvo, revés, embaraço, perigo, dificuldade, impedimento, empacho, empeço, nó, óbice, pejamento, pespego, tropecilho ≠ **facilidade**, desembaraço, aberta, passagem

baixo *adj.* **1** **pequeno**, rasteiro, raso, chão, chato, acaçapado, acachapado ≠ **alto**, elevado **2** (pessoa) **baixote**, pequeno, anão, anãzado ≠ **alto**, grande, crescido **3** (som) **fraco** ≠ **forte** **4** **barato**, económico, módico ≠ **caro**, alto, pesado **5** **inferior**, ordinário, medíocre ≠ **superior**, primacial **6** *fig.* **desprezível**, abjeto, canalha, grosseiro, ordinário, ignóbil, vulgar, indigno, sórdido, reles ≠ **delicado**, educado, cortês, atencioso, fino, elegante, encantador, polido ■ *n.m.* **1** **cavidade**, depressão **2** (som) **grave** ≠ **agudo** **3** [*pl.*] **cave**, subsolo, rés-do-chão, loja, porão [BRAS.] ≠ **sótão**, águas-furtadas, sobrecâmara, desvão

baixo-império *n.m.* **desmoralização**

baixo-relevo *n.m.* **entretalho**, entretalhadura ≠ alto-relevo

baixote *adj.* (pessoa) **baixo**, pequeno, anão ≠ **alto**, grande, crescido

bajulação *n.f.* **adulação**, lisonja, subserviência, sabujismo, bajulice, prazenteio, rapapés, graxa *col.*, manteiga *fig.*, candonguice *fig.*, engraxadela *fig.*, genuflexão *fig.*, incensação *fig.*, ciganice *pej.* ≠ **censura**, crítica, desagrado, repugnância, exclusão, reprovação

bajulador *adj.,n.m.* **lisonjeador**, lisonjeiro, servil, adulador, subserviente, lambe-botas, lambedor, engraxador *fig.*, manteigueiro *col.*, graxista *col.*, puxa-saco [BRAS.] ≠ **crítico**, depreciador, censurador, reprovador

bajular *v.* **lisonjear**, adular, sabujar, louvaminhar, engraxar *fig.*, incensar *fig.*, apajear *fig.*, sorrabar *fig.*, candongar *fig.*, engomar *fig.*, ensaboar *fig.*, turibular *fig.*, escovar *col.* ≠ **criticar**, censurar, depreciar, desprezar, menosprezar, desgabar, vituperar, minimizar *fig.*

bala *n.f.* **1** **projétil**, pelota, ameixa *col.*, pelouro *ant.* **2** [BRAS.] **rebuçado**, caramelo, confeito, pastilha, pirulito, dropes [BRAS.] **3** (mercadorias) **fardo**, pacote, carga, embrulho, troixa, bagagem **4** **desgosto**, prejuízo, golpe

balança *n.f.* **1** ASTROL. (com maiúscula) **Libra** **2** *fig.* **equilíbrio**, ponderação, sensatez, prudência ≠ **imponderação**, irresponsabilidade, insensatez, imprudência, desequilíbrio **3** *fig.* **critério**, justiça ≠ **injustiça**

balançar *v.* **1** **baloiçar**, oscilar, vacilar, agitar, mover-se, librar, nutar, solavancar, jogar, embalançar ≠ **estabilizar**, fixar, imobilizar, parar, cessar **2** **equilibrar**, contrabalançar, contrapesar, compensar, calcular, harmonizar, conciliar ≠ **desequilibrar**, desestabilizar, descompensar **3** *fig.* **hesitar**, duvidar, vacilar, titubear ≠ **determinar**, decidir

balançar-se *v.* **1** **baloiçar-se**, oscilar, embalar-se, galear ≠ **imobilizar-se**, fixar-se **2** **bambolear-se**, bamboar-se, menear-se

balancé[AO] ou **balancê**[AO] *n.m.* **1** **baloiço**, redoiça, balanço **2** **bailarico**, bailada, brincadeira, bate--chinela, salsifré *col.*, escarafuncho [REG.], forró [BRAS.], forrobodó [BRAS.], fuzo [BRAS.], arrasta-pé [BRAS.] *col.*

balancear *v.* **1** **baloiçar**, oscilar, vacilar, agitar, mover-se, librar, solavancar, jogar ≠ **parar**, cessar, fixar, imobilizar, estabilizar **2** **equilibrar**, contrabalançar, contrapesar, compensar, calcular, harmonizar, conciliar ≠ **desequilibrar**, desestabilizar, descompensar **3** *fig.* **hesitar**, duvidar, vacilar, titubear, canguinhar ≠ **determinar**, decidir

balancear-se *v.* **1** **baloiçar-se**, oscilar, embalar--se, galear ≠ **imobilizar-se**, fixar-se **2** **bambolear--se**, bamboar-se, menear-se

balanceiro *n.m.* **balancim**

balancete *n.m.* ECON. (contabilidade) **balanço**, cálculo

balanço *n.m.* **1** **oscilação**, balouçamento, baloiço, vibração, libração, nutação, embalo ≠ **imobilidade**, estabilidade, fixidez, repouso **2** **abalo**, abalamento, abano, agitação, sacudidela, solavanco, sacudida, vibração, estremeção, abanadura, trepidação, sucussão, tranco ≠ **imobilidade**, estabilidade, fixidez, repouso **3** ECON. **balancete**, cálculo

balão *n.m.* **1** **aeróstato** **2** **balão de ensaio** **3** **merinaque** **4** *fig.* **mentira**, balela, palão, balona, peta *infant.*, galga *col.*, batata *col.*

balar *v.* **balir**, berregar

balastro *n.m.* **lastro**

balata *n.f.* MÚS. **balada**

balázio *n.m.* **balaço**

balbo *adj.* **gago**, balbuciante, tardíloquo, tartamelo, tatibitate, tártaro, tátaro, tato

balbuciante *adj.2g.* **gago**, balbo, tartamudo, tatibitate, tato, tátaro, tártaro

balbuciar *v.* **gaguejar**, titubear, tartamudear, tartamelear, hesitar, tartarear, tremelear, babujar ≠ **articular**, pronunciar, dizer

balbucio *n.m.* **1 balbúcie**, lalação, balbuciação, balbuciamento **2** *fig.* **início**, começo ≠ **fim**, término

balbúrdia *n.f.* **1 vozearia**, bulha, algazarra, barulho, ruído, alarido, gritaria, zerichia [REG.] ≠ **silêncio**, paz, calada, emudecimento, sopor **2 confusão**, caos, trapalhada, desordem, babel, pandemónio, rebuliço, chinfrim, alvoroçamento, sarrafusca *col.*, sarapatel *fig.*, feira *fig.*, bacafuzada [BRAS.] ≠ **ordem**, organização, arrumação, arranjo

balça *n.f.* **1 matagal**, mata, mato, sarça, mateira, matorral, balsedo, enxara *ant.* **2 barda**, sebe viva **3 baldio**, terréu, maninho, concelheiro [REG.], bouça [REG.]

balcão *n.m.* **1 varanda**, sacada **2 mostrador**

balda *n.f.* **1 defeito**, mania, senão, fraqueza, pecha, matadura *fig.*, mazela *fig.*, tacha *fig.*, eiva *fig.*, borbulha *fig.* ≠ **qualidade**, virtude, valor **2** (jogo de cartas) **descarte** **3** *col.* **desordem**, desorganização, desarrumação, balbúrdia, confusão, estendal *fig.* ≠ **ordem**, organização, arrumação, arranjo ■ *adj.,n.2g.2n.* [*pl.*] *col.* **mandrião**, preguiçoso, baldão, vadio, procrastinador, madraço, malandro, pachola ≠ **trabalhador**, organizador, diligente, produtivo, ativo

baldão *n.m.* **1 contrariedade**, contratempo, desventura, obstáculo, infortúnio, dificuldade, impedimento, entrave ≠ **desimpedimento**, desatravancamento, desobstrução, desempeço, desempacho **2 ofensa**, impropério, obscenidade, injúria, afronta, insulto, ultraje, convício, doesto, opróbrio, vitupério ≠ **desagravo**, explicação

baldaquino *n.m.* **1 dossel**, sobrecéu **2 pálio**

baldar *v.* **1 frustrar**, impedir, atalhar, gorar, desaviar, malograr, desarmar ≠ **viabilizar**, possibilitar, funcionar **2 inutilizar**, anular, malograr ≠ **utilizar**, validar **3 enganar**, iludir, falsar, falsear, aldrabar, ludibriar, baldrocar, baratinar, capear *fig.*, ciganar *pej.* ≠ **desenganar**, desiludir, desabusar, desengodar *fig.*

baldar-se *v.* **1** *col.* **descartar-se**, livrar-se, esquivar-se **2** *col.* **faltar**, ausentar-se **3 frustrar-se**, fracassar, gorar-se, malograr-se, abortar

baldeação *n.f.* **transbordo**

baldear *v.* **1 trasfegar**, transvasar, transfundir **2 transbordar**, transferir **3 atirar**, arremessar, arrojar, expelir, impelir, lançar, deitar, mandar, despejar **4 balancear**, baloiçar, oscilar, vacilar, agitar, mover-se, librar, nutar, solavancar, jogar ≠ **estabilizar**, fixar, imobilizar, parar, cessar **5** NÁUT. **abaldear**

baldear-se *v.* **1 bandear-se**, passar-se **2 baloiçar-se**, balançar-se

baldio *adj.* **inútil**, estéril, vão, infrutífero *fig.* ≠ **útil**, fértil, frutífero, úbere ■ *n.m.* **balça**, terréu, maninho, concelheiro [REG.], bouça [REG.]

baldo *adj.* **1 necessitado**, carecido, carente, desprovido, falto, falho ≠ **descarecido** **2 ocioso**, vadio, preguiçoso, foba [BRAS.] ≠ **diligente**, produtivo, ativo

baldroca *n.f.* **engano**, fraude, embuste, trapaça, dolo, mentira

balela *n.f.* **aldrabice**, falsidade, mentira, fantasia, invencionice, balona, balão *fig.*, arara *fig.*, galga *col.*, batata *col.*

baleote *n.m.* **baleato**, baleota

balir *v.* **balar**, berregar

balista *n.f.* **catapulta**, trabuco, fundíbulo

baliza *n.f.* **1 marco**, estaca, sinal, demarcação **2** *fig.* **meta**, termo, confim, limite, fronteira, término, linda, alvo *fig.*, raia *fig.*

balizagem *n.f.* **delimitação**, marcação, balizamento, demarcação, delineação, limitação ≠ **desbalização**, expansão

balizar *v.* **1 delimitar**, demarcar, estremar, limitar, separar, assinalar, marcar ≠ **desbalizar**, expandir, estender **2** *fig.* **distinguir**, diferenciar, discriminar ≠ **confundir**, misturar, baralhar, entremisturar **3** *fig.* **restringir**, limitar, delimitar, circunscrever ≠ **desbalizar**, expandir, estender

balneário *adj.* **balneatório**, balnear

balofo *adj.* **1 volumoso**, empolado, avultado, inchado **2 mole**, fofo, brando, macio ≠ **duro**, rígido, sólido **3** *fig.* **superficial**, vão, frívolo, fútil, vazio ≠ **profundo**, consistente, útil **4** [BRAS.] **adiposo**, gordo, obeso ≠ **magro**, chupado, delgado, esguio

baloiçante *adj.2g.* **oscilante**, vacilante ≠ **fixante**, imóvel, estático, parado

baloiçar *v.* **oscilar**, balançar, abanar, vacilar, agitar, mover-se, solavancar, nutar, librar, jogar, apalancar ≠ **estabilizar**, fixar, imobilizar, parar, cessar

baloiço *n.m.* **1 redoiça**, balanço, balancé **2 balanço**, embalo, oscilação, vacilação, vaivém ≠ **paragem**, pausa

balouçar *v.* **oscilar**, balançar, baloiçar, abanar, vacilar, agitar, mover-se, solavancar, nutar, librar, jogar ≠ **estabilizar**, fixar, imobilizar, parar, cessar

balouço *n.m.* **1 redouça**, balanço, balancé, retouça **2 balanço**, embalo, oscilação, vacilação, vaivém ≠ **paragem**, pausa

balsa *n.f.* **dorna**, cuba, balseira, balseiro, tonel

balsâmico *adj.* 1 **aromático**, odorífico, odorífero, oloroso, perfumado, cheiroso ≠ **fétido**, fedorento, malcheiroso, inodoro, inolente, pestilencial 2 *fig.* **suavizante**, calmante, amenizável, aliviador, paliativo ≠ **agressivo**, irritante, agravante, ofensivo, agreste *fig.*

balsamina *n.f.* BOT. **baunilha-dos-jardins**, heliotrópio

bálsamo *n.m.* 1 **aroma**, odor, perfume, olor, eflúvio, cheiro, fragrância ≠ **fedor**, fétido, aca, pestilência *fig.* 2 *fig.* **conforto**, alívio, lenitivo, consolação, refrigério, bem-estar ≠ **desconforto**, aflição, desconsolo

balseira *n.f.* **dorna**, cuba, balsa, balseiro, tonel

balseiro *n.m.* 1 **dorna**, cuba, balseira, tonel 2 **charco**, lamaçal, ludreiro, alagoeiro, alagadiceiro, tejuco, atoladouro [REG.], lavajo [REG.], poceira [REG.]

baluarte *n.m.* 1 **bastião**, cidadela, propugnáculo, reduto 2 *fig.* **reduto**, sustentáculo, suporte, apoio

bambo *adj.* **lasso**, frouxo, flácido, relaxado, débil, lasseiro, márcido, quebrado, esbambalhado ≠ **rígido**, sólido, firme, teso, hirto, inteiriçado

bambolear *v.* **balançar**, saracotear, menear, gingar, abanar, oscilar, bambalear, baloiçar, bamboar, dançar, mover ≠ **parar**, cessar, imobilizar, fixar, estabilizar

bambolear-se *v.* **menear-se**, bamboar-se, saracotear-se, rebolar-se, gingar, esbambolear-se, balancear-se, dandinar, descadeirar-se, desnalgar-se, abanicar-se, rebolir-se [BRAS.]

bamboleio *n.m.* **balanço**, oscilação, saracoteio, balanceamento, bambaleio, vibração, libração, nutação, embalo, meneio, saracote ≠ **imobilidade**, estabilidade, fixidez, repouso

bambu *n.m.* 1 BOT. **cana-da-índia** 2 **cana**

bambual *n.m.* 1 **bambuzal**, bamburral 2 **canavial**

banal *adj.2g.* **vulgar**, ordinário, trivial, corriqueiro, comum, exotérico, obnóxio, comezinho *fig.*, terra-a-terra *pej.* ≠ **invulgar**, esquisito, raro, desusual, extraordinário, inabitual, inusitado, singular, transordinário

banalidade *n.f.* **bagatela**, insignificância, trivialidade, vulgaridade, frivolidade, futilidade, palha *fig.* ≠ **importância**, utilidade, valor, transcendência, relevância, interesse, aquela

banalizar *v.* **vulgarizar**, trivializar, futilizar, familiarizar, generalizar, popularizar, desprivilegiar ≠ **singularizar**, particularizar, especializar, especificar

banalizar-se *v.* **vulgarizar-se**, trivializar-se, popularizar-se

banana *adj.,n.2g. pej.* **palerma**, idiota, lorpa, pacóvio, tolo, estúpido, patego, parvo, basbaque, pateta, babuíno *fig.,pej.*, paspalho *pej.*, bate-orelha *fig.*, babaca [BRAS.] ≠ **inteligente**, esperto, astuto, perspicaz, sagaz

bananal *n.m.* **bananeiral**

bananeira *n.f.* **figueira-de-adão**

banca *n.f.* 1 **secretária** 2 [REG.] **tripeça**, tripé, tropeço

bancada *n.f.* (estádio, sala de espetáculo) **arquibancada**

bancarrota *n.f.* **falência**, quebra, quebradeira, queda, Krach *ant.*, ruína *fig.* ≠ **capitalização**, enriquecimento, florescimento *fig.*

banco *n.m.* 1 **assento**, escabelo, mocho 2 GEOG. **baixio**, baixo, cachopo, escolho, vau, parcel, baixia, restinga

banda *n.f.* 1 **faixa**, barra, orla, cinta, charpa, tira, lista, fita 2 **lado**, margem, borda, bordo, flanco, rebordo, orla, deslado [REG.] 3 **direção**, rumo, caminho, orientação, destino, sentido, rota, corrume, esteira *fig.* 4 **partido**

bandalheira *n.f.* **baixeza**, indignidade, obscenidade, torpeza, desvergonha, bandalhice, vilania, aviltamento, ignobilidade, impudicícia, fealdade *fig.* ≠ **honestidade**, dignidade, brioso, honorabilidade, respeitabilidade

bandalhice *n.f.* **baixeza**, indignidade, obscenidade, torpeza, desvergonha, bandalheira, vilania, aviltamento, ignobilidade, impudicícia, fealdade *fig.* ≠ **honestidade**, dignidade, brioso, honorabilidade, respeitabilidade

bandalho *n.m.* 1 **futre**, biltre, safado, patife, infame, velhaco, bragante, pulha *col.*, canalha *pej.* ≠ **notável**, honesto, respeitador 2 (pessoa) **esfarrapado**, maltrapilho, farrapão, chumiço [REG.] 3 **farrapo**, trapo, andrajo, mondongo, trapicalho, fendrelho [REG.]

bandarilha *n.f.* **farpa**, ferro

bandarilhar *v.* 1 **farpear**, farpar 2 *fig.* **satirizar**, ridicularizar, frechar *fig.*

bandarilheiro *n.m.* **capinha**, toureiro, capeador

bandarra *n.m.* 1 **mandrião**, preguicento, baldão, vadio, procrastinador, madraço, malandro, pachola, tunante, encostadiço ≠ **trabalhador** 2 **fadista**, faia *col.*

bandear *v.* 1 **agrupar**, coligar, unir, juntar, reunir, abandar, aconfradar, enranchar ≠ **desagrupar**, desunir, desmembrar, desfazer 2 **inclinar**, pender, descair, debruçar 3 **oscilar**, balançar, balouçar, abanar, vacilar, agitar, mover-se, solavancar, nutar, librar, jogar ≠ **estabilizar**, fixar, imobilizar, parar, cessar

bandear-se *v.* **abandoar-se**, acamaradar-se, juntar-se, passar-se, abandear-se, enranchar-se

bandeira *n.f.* 1 **estandarte**, pendão, insígnia, signa, vexilo, pavilhão, oriflama, lábaro, penão 2 **cata-vento** 3 **sobreporta** 4 **abajur**, guarda-vista, quebra-luz, para-luz, pantalha 5 *fig.* **partido**, facção, bando, campo *fig.*, alcateia *fig.*, seita *col.* 6 **emblema**, distintivo, lema, insígnia, divisa, dragão 7 **lema**, ideal 8 **proteção** 9 [BRAS.] *col.* **deslize**, lapso, descaída

bandeirola *n.f.* **bandeirinha**, galhardete, flâmula

bandeja *n.f.* **tabuleiro**, sala *ant.*

bandido *n.m.* **malfeitor**, salteador, ladrão, bandoleiro, facínora, criminoso, pistoleiro, escroque, canalha *pej.*, cangaceiro [BRAS.] ≠ **honesto**, respeitador ■ *adj.* 1 **banido**, expulso, excluído ≠ **recebido**, aceite, admitido 2 **desterrado**, exilado, expatriado, deportado, degredado ≠ **repatriado**

banditismo *n.m.* **bandoleirismo**, bandidismo, cangaço [BRAS.]

bando *n.m.* 1 **multidão**, magote, chusma, caterva, tropa, ajuntamento, formigueiro, catrefada, hoste *fig.*, coluvião *fig.*, enxame *fig.*, esquadrão *fig.*, exército *fig.* 2 **quadrilha**, malta, corja, gatunagem, aquadrilhamento, jolda, cáfila *fig.*, rancho *pej.*, súcia *pej.* 3 POL. **partido**, fação, campo *fig.*, alcateia *fig.*, bandeira *fig.*, seita *col.*

bandoleira *n.f.* **boldrié**, talim, tiracolo, talabarte, cinturão

bandoleiro *n.m.* **malfeitor**, salteador, ladrão, bandido, facínora, criminoso, pistoleiro, escroque, canalha *pej.*, cangaceiro [BRAS.] ≠ **honesto**, respeitador

bandolim *n.m.* MÚS. **mandolim**, mandolina

bandulho *n.m.* 1 (nos ruminantes) **pança**, rúmen, ruminadoiro 2 *col.* **barriga**, ventre, pança *col.*, morca [REG.]

bango *n.m.* BOT. **abanga**, bangue, soruma, diamba

banha *n.f.* **pingue**, gordura, gordo, unto, pingo, axúnguia, enxúrdia

banhar *v.* 1 **lavar** 2 **mergulhar**, imergir, submergir, chafundar ≠ **emergir** 3 **molhar**, lavar, regar, chapuçar [REG.] ≠ **secar**, desensopar, dessecar, enxugar, escorrer 4 (rio, mar) **correr**, passar, regar 5 (luz, claridade) **derramar**, inundar *fig.* 6 **cercar**, envolver, rodear, circundar, tornear, cingir 7 **regar**, irrorar, lavar, augar *col.* 8 **embeber**, impregnar, ensopar, molhar, empapar, encharcar, aboborar, imbuir, abrevar, abeberar *fig.* ≠ **desensopar**, secar, dessecar, enxugar, escorrer

banhar-se *v.* 1 **lavar-se** 2 **cobrir-se**, encher-se 3 **envolver-se**

banheira *n.f.* **banheiro**, tina

banheiro *n.m.* 1 **nadador-salvador**, salva-vidas 2 **banheira**, tina 3 [BRAS.] **casa de banho**, quarto de banho, wc, casinha *col.*

banhista *n.2g.* **aquista**, aguista

banho *n.m.* 1 **imersão**, mergulho ≠ **emersão** 2 **molhadela**, molhadura, encharcadela, lavacro, ablução, rega *col.* 3 [*pl.*] **proclama**, pregões

banimento *n.m.* **degredo**, desterro, exílio, expulsão, expatriação, relegação ≠ **repatriação**

banir *v.* 1 **degredar**, deportar, desterrar, exilar, expatriar, expulsar, proscrever, relegar ≠ **repatriar** 2 **expulsar**, excluir, afastar, eliciar, eliminar, impontar ≠ **admitir**, receber, acolher, aceitar 3 **eliminar**, suprimir, proibir, extinguir, abolir, exterminar ≠ **recuperar**, reabilitar, repor, restabelecer, restituir

banqueiro *n.m.* 1 **financeiro** 2 *fig.* **rico**, ricaço, possidente, capitalista *fig.*, argentário *fig.*, fúcaro *ant.* ≠ **pobre**, humilde, mendigo, pelintra

banquete *n.m.* **festim**, prândio, festa, refasto *fig.*, regabofe *col.*

banquetear-se *v.* **regalar-se**, deliciar-se, deleitar-se

banzado *adj.* 1 *col.* **pasmado**, surpreso, espantado, perplexo, admirado, assombrado, atónito, banzo, varado *fig.*, surpreendido *fig.* 2 **desapontado**, desiludido, dececionado, desencantado ≠ **animado**, entusiasmado, excitado, empolgado *fig.*

banzar *v.* **surpreender**, espantar, assombrar, pasmar, admirar, assarapantar, abismar *fig.*, aboleimar *fig.*

banzé *n.m.* 1 *col.* **folgança**, folia, pândega *col.*, flostria *col.*, groma [REG.] 2 *col.* **barulheira**, algazarra, bulha, estardalhaço, chinfrim, alarido, azoada, grazinada, tourada *fig.*, vasqueiro *col.* ≠ **silêncio**, paz, calada, sopor

banzo *adj.* 1 **espantado**, pasmado, perplexo, surpreso, admirado, assombrado, atónito, banzado, varado *fig.*, surpreendido *fig.* 2 [BRAS.] **triste**, nostálgico, acabrunhado, abatido, desalentado, desanimado, bruno *fig.*, caído *fig.*, banzeiro [BRAS.] ≠ **animado**, entusiasmado, motivado, alegre, garrido, vivaço, desentorpecido *fig.*

baptismo[aAO] *n.m.* ⇒ **batismo**[dAO]

baptizado[aAO] *adj.,n.m.* ⇒ **batizado**[dAO]

baptizar[aAO] *v.* ⇒ **batizar**[dAO]

baptizo[aAO] *n.m.* ⇒ **batizo**[dAO]

baque *n.m.* 1 **queda**, caída, tombo, boléu, tambolhão 2 *fig.* **pressentimento**, suspeita, bacorejo, intuição, premonição, presciência, presságio, palpite *fig.*, pancada *fig.*, sintoma *fig.* 3 *fig.* **contratempo**, revés, adversidade, contrariedade, vicissitude ≠ **sorte**, sucesso, êxito, felicidade, fortuna

baquear *v.* 1 *fig.* **arruinar-se**, falir, ruir *fig.*, arrebentar *fig.* ≠ **prosperar**, enriquecer, crescer, florescer *fig.* 2 **morrer**, falecer, expirar, sucumbir, findar, fenecer, espichar *col.*, esticar *col.* ≠ **nascer**, viver

baquear-se *v.* **prostrar-se**, abater-se, debruçar-se

baqueta *n.f.* **vareta**, vaqueta

báquico *adj.2g.* 1 **bacanal**, dionisíaco 2 **orgíaco**, orgiástico, bacanal, licencioso, carnal ≠ **regrado**, moderado, prudente, discreto, comedido, refletido, sensato

bar *n.m.* **botequim**, pub, estaminé

baraço *n.m.* **cordel**, guita, barbante, baraça, cordão, atilho

barafunda *n.f.* 1 **turbamulta** 2 **confusão**, algazarra, tumulto, azáfama, desordem, trapalhada, baralhada, assuada, balbúrdia, rebuliço, badanal, charivari, alvoroço, caos, babel, chinfrim, anarquia, sarapatel *fig.*, sarrafusca *col.*, pé de vento *fig.*, feira *fig.*, tropel *fig.* ≠ **ordem**, organização, arrumação, arranjo

barafustar *v.* 1 **debater-se**, estrebuchar, espernear, esbravejar, bravejar, bracejar *fig.*, espinotear *fig.* ≠ **aquietar**, apaziguar, sossegar, tranquilizar, serenar 2 **protestar**, reclamar, recalcitrar, altercar, deblaterar, escoicear *fig.* ≠ **concordar**, aceitar, alinhar, conformar

baralhado *adj.* 1 (cartas de jogar) **misturado** 2 **misturado**, emaranhado, desordenado, embaraçado, estremeado, envolto ≠ **ordenado**, arranjado, organizado 3 *fig.* **confuso**, desordem, balbúrdia, badanal, trapalhada ≠ **ordem**, organização, arrumação, arranjo

baralhar *v.* 1 (cartas de jogar) **misturar**, esbaralhar 2 **misturar**, emaranhar, enredar, desordenar, complicar, embaralhar, ababelar ≠ **ordenar**, arranjar, organizar 3 *fig.* **perturbar**, confundir, desorientar, estontear, obscurecer, atordoar ≠ **esclarecer**, clarificar, elucidar, aclarar

baralhar-se *v.* 1 **confundir-se**, desorientar-se 2 **enganar-se**, equivocar-se 3 **misturar-se**, embolar-se, ababelar-se

barão *n.m.* **varão**

barato *adj.* 1 **económico**, módico, baixo, fácil, utilitário ≠ **caro**, alto, custoso, dispendioso, pesado, sobrelevado *fig.*, subido *fig.* 2 **banal**, vulgar, ordinário, corriqueiro, trivial, comum, exotérico, obnóxio, comezinho *fig.*, terra-a-terra *pej.* ≠ **invulgar**, extraordinário, singular, desusual, inusitado, inabitual, raro, esquisito ■ *n.m.* 1 **concessão**, favor, facilidade, vantagem, benefício ≠ **desvantagem**, dificuldade, prejuízo 2 [BRAS.] *col.* **curtição**

barba *n.f.* ANAT. **queixo**, mento, barbela

barbado *n.m.* ZOOL. **bugio** ■ *adj.* **barbudo** ≠ **imberbe**

barbante *n.m.* **cordel**, guita, baraço, baraça, cordão, atilho

barbaridade *n.f.* 1 **crueldade**, crueza, algozaria, tirania, atrocidade, impiedade, ferocidade, desumanidade, maldade, barbaria, feridade, sevícia, barbarismo *fig.* ≠ **humanidade**, bondade, piedade, benevolência 2 **disparate**, erro, absurdo, inépcia, tolice, absurdez, asneira, borreguice, doidice, sandice, necedade, bobagem [BRAS.] ≠ **acerto**, tino, juízo, trabelho *fig.*

barbárie *n.f.* 1 **barbaria**, barbarismo ≠ **civilização** 2 **incivilidade**, incultura, selvajaria, barbaria, rusticidade *fig.*, barbarismo *fig.* ≠ **evolução**, progresso, avanço

barbarismo *n.m.* 1 **barbárie**, barbaria ≠ **civilização** 2 *fig.* **crueldade**, crueza, algozaria, tirania, atrocidade, impiedade, ferocidade, desumanidade, maldade, barbaria, feridade, sevícia, barbaridade ≠ **humanidade**, bondade, piedade, benevolência 3 **estrangeirismo**, peregrinismo, exotismo

barbarizar *v.* 1 **embrutecer**, estupidificar, emparvecer, burrificar, lobotomizar *fig.* ≠ **desembrutecer**, instruir, polir *fig.* 2 **asselvajar**, abarbarizar, descivilizar ≠ **civilizar**, desasselvajar, desbarbarizar

bárbaro *adj.* 1 **grosseiro**, rude, bronco, incivil, bruto, abrutalhado, impolido ≠ **civilizado**, educado, cortês, polido *fig.* 2 **brutal**, feroz, desumano, atroz, beluíno, protervo, impiedoso, cruel ≠ **humano**, bondoso, piedoso, bom, compassivo

barbatana *n.f.* 1 ZOOL. **espadana**, badana *col.* 2 **pingalim**, pinguelim, stique

barbear *v.* **rapar**

barbearia *n.f.* **barbeiro**

barbecue *n.m.* **churrasco**

barbeiro *n.m.* 1 **escanhoador**, fígaro *col.*, barbeirola *pej.*, baeta [REG.] *col.* 2 **barbearia** 3 **sarrafaçal**, sarrafaçana, sapateiro *pej.* 4 **curandeiro**, benzedeiro, abençoadeiro, benzedor, bruxo, mata-sanos, mezinheiro, enxalmador, milongueiras, saludador, benzilhão, curador [BRAS.]

barbeito *n.m.* 1 **desbravamento**, arroteamento, barbecho, rotearia, rompida [REG.] 2 **muro**, parede

barbela *n.f.* 1 **barbada**, papada, barbilhão 2 **queixo**, mento, barba

barbo *n.m.* ICTIOL. **cuva**, cumbo

barbuda *n.f.* ORNIT. **joão-barbudo**, barbudo

barbudo *adj.,n.m.* **barbado** ■ *n.m.* ORNIT. **joão-barbudo**, barbuda

barça *n.f.* **angarilha**

barcaça *n.f.* **gabarra**, chata

barco *n.m.* **embarcação**

bardo *n.m.* 1 **barda**, sebe, tapume 2 **latada**, lata, parreira 3 **redil**, ovil, aprisco, malhada 4 **vate**, poeta, trovador, cantor *fig.*, rapsodo *fig.*

baril *adj.2g. col.* **ótimo**, estupendo, formidável, excelente, fantástico, espetacular *col.*, fixe *col.* ≠ **péssimo**, mau, horrível ■ *adv. col.* **otimamente** ≠ **pessimamente**, horrivelmente

barógrafo *n.m.* **barometrógrafo**

baronato *n.m.* **baronia**, baroado

baronia *n.f.* **baronato**, baroado

barqueiro *n.m.* 1 **catraieiro** 2 **remador**

barquinha *n.f.* **barqueta**

barra *n.f.* **1** **lingote** **2** **friso**, faixa **3** (costura) **faixa**, orla, banda, tira, tarja, listão, debrum, fita **4** ZOOL. **diastema** ■ *n.2g. col.* **perito**, competente, especialista, sabedor, entendedor, conhecedor, batuta, sabido, barra-pesada [BRAS.] ≠ **ignorante**, desconhecedor, apedeuta

barraca *n.f.* **1** **cabana**, choupana, choça, palhoça, tugúrio, casebre **2** (feirantes, comerciantes) **tenda**, locanda **3** (campistas, alpinistas, militares) **tenda**, tentório, canadiana **4** *fig.* **fiasco**, insucesso, malogro, fracasso, desastre, falhanço, rata [BRAS.] ≠ **sucesso**, êxito, triunfo, vitória

barracão *n.m.* **1** **casarão**, barracório **2** **alpendre**, telheiro, coberto, desfolhadouro [REG.], copiar [BRAS.]

barrado *adj.* **1** **impedido**, bloqueado, obstruído, travado, vedado ≠ **desimpedido**, desbloqueado, permitido, acessível **2** (cheque) **traçado**, cruzado **3** *fig.* **envergonhado**, tímido, acanhado, inibido, pudendo, corado *fig.* ≠ **desinibido**, desenvolto, destemido

barragem *n.f.* **barreira**, impedimento, obstáculo, obstrução, estorvo ≠ **desimpedimento**, desbloqueamento, permissão, acesso

barranco *n.m.* **1** **barroca**, barranca, batoco, biboca **2** **precipício**, ravina, algar, despenhadeiro, quebrada, ribanceira, runa [REG.] **3** *fig.* **obstáculo**, dificuldade, estorvo, impedimento, embaraço ≠ **desobstrução**, desimpedimento, desempacho

barrão *n.m.* ZOOL. **varrão**, varrasco, barrote

barraqueiro *adj. col.* **espalhafatoso**, extravagante, espampanante, mirabolante, ateatrado *fig.* ≠ **discreto**, comedido, recatado, reservado

barrar *v.* **1** **untar**, besuntar, iscar, lubrificar **2** **argamassar**, cimentar **3** **impedir**, vedar, barricar, obstar, obstruir, contrariar, proibir, opor, embaraçar, estorvar, dificultar ≠ **possibilitar**, facilitar, viabilizar **4** (marcar cheques) **trancar**, traçar, cruzar **5** *fig.* **atravessar**

barreira *n.f.* **1** **barreiral**, barreiro, barral **2** **trincheira**, reparo, trincha *ant.,gír.* **3** **portagem**, pedágio [BRAS.] **4** *fig.* **impedimento**, obstáculo, obstrução, barragem, estorvo, dificuldade ≠ **desimpedimento**, desbloqueamento, permissão, acesso

barrela *n.f.* **1** **coada**, coadura, desemborro, decoada **2** **lixívia** *ant.*, cenrada **3** *col.* **limpeza**

barrento *adj.* **argiloso**, barracento

barrete *n.m.* **1** **carapuça**, carapuço, gorra, casquete **2** **solidéu** **3** *col.* **deceção**, engano, intrujice, logro, embuste, codilho *fig.*, deslize *fig.* **4** (nos ruminantes) **crespina** **5** ORNIT. **barreteiro**, pardal-real, picanço, pintaloporco, tanjarro, tanjerro, zoli

barricada *n.f.* **tapigo**, tapume, vedação

barricar *v.* **atravancar**, entrincheirar, barrar, vedar, obstar, obstruir, embaraçar, estorvar, impedir ≠ **permitir**, viabilizar, autorizar

barriga *n.f.* **1** **ventre**, abdome **2** *col.* **bandulho**, bucho, bojo, panturra, pança *col.*, fole *col.*, bule *cal.*, búzera *col.*, morca [REG.] **3** *fig.* **saliência**, proeminência, protuberância, relevo, alteamento, ressalto ≠ **abaixamento**, afundamento, depressão **4** *fig.* **gravidez**, prenhez, gestação, barrigada [BRAS.]

barrigada *n.f.* **1** **fartadela**, fartura, fartote *col.*, pançada *col.*, gamelório [REG.] **2** [BRAS.] **gravidez**, prenhez, gestação, barriga

barrigudo *adj.,n.m.* **ventrudo**, abdominoso, bojudo, buchudo, gordalhaço, pançudo, borrachudo, barrigana, esbarrigado, pantufo *col.*, baselga *col.* ≠ **desbarrigado** *col.*

barril *n.m.* **pipo**, pipote, vasilha

barro *n.m.* **1** **argila** **2** *fig.* **fragilidade**, delicadeza, instabilidade, argila ≠ **dureza**, força, robustez **3** *fig.* **bagatela**, ninharia, niquice, nada, frioleira, migalhice, ridicularia, minúcia, insignificância, coisica, farfalhada *fig.*, babugem *fig.*, quiqueriqui *fig.*, tuta e meia *col.*, avo *fig.*, nica *col.*, caganifância *col.* ≠ **importância**, utilidade, valor, transcendência, relevância, interesse, aquela

barroca *n.f.* **barranco**, barranca, batoco, biboca, ravina, esbarrondadeiro, algar, runa [REG.], quebrada

barroco *n.m.* **1** **pérola** **2** [REG.] **barroca**, barranco, barranca, batoco, biboca, ravina, esbarrondadeiro, algar, quebrada, runa [REG.] ■ *adj.* **1** *pej.* **exagerado**, excessivo, excêntrico, caprichoso, descomedido ≠ **comedido**, moderado **2** *fig.* **extravagante**, bizarro, esquisito, excêntrico, estranho ≠ **comum**, habitual, familiar

barroqueiro *n.m.* ORNIT. **abelharuco**, barranqueiro, melharuco, gralho, melheirós, pita-barranqueira, alrute [REG.]

barrosinho *n.m.* **barrosão**

barrote *n.m.* **varrão**, barrão, varrasco

bartolomeu *n.m.* [REG.] (pássaro) **papa-figos**, manantéu, clérigo, amarelante, figo-loiro, figo-maduro, marelante, eivão, marantéu, merlante

barulheira *n.f.* **algazarra**, bulha, estardalhaço, chinfrim, alarido, gritaria, vozearia, azoada, clamação, grazinada, tourada *fig.*, vasqueiro *col.*, bazé *col.* ≠ **silêncio**, paz, calada, sopor

barulhento *adj.* **1** **ruidoso**, barulhoso, rumoroso, barulheiro, estrondoso ≠ **silencioso**, calado, tácito, emudecido, silente *poét.* **2** **turbulento**, agitado, inquieto, chinfrineiro, irrequieto, mofino, tavanês ≠ **quieto**, calmo, pacífico

barulho *n.m.* **1** **ruído**, atroada, atrupido, rumor, bulha, traquinada, tagarelice, estrupido, inglesia, estrompido, restolheira, carpido, banzé *col.*, cagaçal *col.*, esterroada *fig.*, marulho *fig.*, marulhada *fig.*, restolhada *fig.*, senzala *fig.*, langará [REG.], estrupício [BRAS.] ≠ **silêncio**, paz, sigilo, sopor **2** **confusão**, caos, trapalhada, desordem, babel, badanal, alvoroço, tumulto, charivari, assuada, zaragata, espalhafato, rebuliço, chinfrim, sarrafusca *col.*, sarapatel *fig.*, feira *fig.*, pé de vento *fig.*, tropel *fig.* ≠ **ordem**, organização, arrumação, arranjo **3** *fig.* **notoriedade**, publicidade, berra, fama, voga ≠ **anonimato**, desconhecimento, obscuridade *fig.*

basal *adj.2g.* **básico**, basilar, fundamental ≠ **acessório**, secundário, auxiliar

basbaque *n.2g.* **palerma**, idiota, lorpa, pacóvio, tolo, estúpido, patego, parvo, pateta, babuíno *fig.,pej.*, banana *pej.*, paspalho *pej.*, bate-orelha *fig.*, babaca [BRAS.] ≠ **conhecedor**, entendedor, erudito, sábio, sabedor

base *n.f.* **1 apoio**, assentamento, assento, suporte, sustentáculo, sustentação, arrimo, poisadoiro, alicerce *fig.* **2 alicerce**, fundação, substrução, fundamento **3 princípio**, fundamento, essência, ideal **4 plinto**, dado, peanha, soco, pé, embasamento, chapim **5** FARM. **excipiente**

baseado *adj.* **1 apoiado**, fundamentado, alicerçado, sustentado, estribado **2 afoito**, valente, resistente, corajoso, destemido, despachado ≠ **inseguro**, instável, inibido

basear *v.* **apoiar**, fundamentar, assentar, firmar, fundar, alicerçar, estear ■ *adj.2g.* **fundamentado**, apoiado

basear-se *v.* **fundamentar-se**, apoiar-se, firmar-se, estribar-se, embasar-se, ancorar *fig.*

básico *adj.* **1 basilar**, capital, elementar, principal, primário, estrutural, nucleal, precípuo, fundamental *fig.*, medular *fig.* ≠ **secundário**, dispensável, auxiliar, anexo, acessório, aditício, marginal, acheguilho, adventício, subsecivo, apendicular *fig.* **2** QUÍM. **alcalino 3** *col.* **palerma**, idiota, pacóvio, tolo, estúpido, patego, parvo, bate-orelha *fig.*, babaca [BRAS.] ≠ **inteligente**, esperto, astuto, perspicaz, sagaz

basilar *adj.2g.* **básico**, capital, elementar, principal, primário, fundamental *fig.*, medular *fig.* ≠ **secundário**, dispensável, auxiliar, acessório

basílica *n.f.* **igreja**, templo

basílico *n.m.* BOT. **manjerico**

basquete *n.m.* **1** (forma reduzida de) **basquetebol 2** [BRAS.] **ténis**, sapatilha

basquetebol *n.m.* DESP. **basquete**, bola-ao-cesto

basta *interj.* (ordem de interrupção) **acabe!**, alto!, bonda!, cale-se!, cesse!, chega!, pare!, não mais!

bastante *det.,pron.indef.* **1 numeroso**, muito, abundante **2 algum**, determinado, certo ■ *adj.2g.* **suficiente**, côngruo, indeficiente, cabonde *ant.* ≠ **insuficiente**, deficiente, diminuto, escasso, exíguo ■ *adv.* **assaz**, bem, muito, copiosamente, abundantemente, basto, consideravelmente, razoavelmente, suficientemente, super *col.*, cabonde *ant.* ≠ **pouco**, raramente

bastão *n.m.* **1 bordão**, cajado, cacete, pau **2** (vinho) **carrascão 3** *fig.,ant.* **autoridade**, poder ■ *adj.* **espesso**, encorpado, grosso, denso, compacto, cerrado, basto ≠ **escasso**, insuficiente, falto, exíguo

bastar *v.* **abundar**, chegar, sobrar, satisfazer, convir, bondar *col.* ≠ **escassear**, faltar, necessitar, precisar, carecer

bastardia *n.f.* **1 ilegitimidade**, adulterinidade, espuriedade **2 degenerescência**, abastardamento, degeneração *fig.*, descaída *col.*

bastardo *adj. fig.* **adulterado**, degenerado, alterado, modificado, adulterino, espúrio *fig.* ≠ **preservado**, protegido, defendido, mantido, salvo, intacto ■ *adj.,n.m.* **híbrido**, ambígeno ≠ **puro** ■ *n.m.* AGRIC. **bastardinho**

bastião *n.m.* **baluarte**, cidadela, propugnáculo, reduto

bastida *n.f.* **paliçada**, tranqueira, cerca, bastião, anteparo, barreira, reparo

bastilha *n.f.* **fortaleza**

bastir *v.* **acolchoar**, forrar, estofar, enchumaçar ≠ **desacolchoar**

basto *adj.* **1 espesso**, encorpado, grosso, denso, compacto, cerrado, bastão ≠ **escasso**, insuficiente, falto, exíguo **2 robusto**, forte, sólido, corpulento ≠ **débil**, fraco, franzino **3 sujo**, imundo, encardido, porcalhão, sebáceo, porco *pej.*, badalhoco *pej.*, cacoso [REG.], cotroso [REG.] ≠ **limpo**, asseado, esmerado, decente, desencardido, higiénico, imaculado, lavado ■ *adv.* **assaz**, bem, muito, copiosamente, abundantemente, bastante, consideravelmente, razoavelmente, suficientemente, super *col.*, cabonde *ant.* ≠ **pouco**, raramente

bastonada *n.f.* **varada**, paulada, bengalada

bastonete *n.m.* **varinha**

batalha *n.f.* **1 discussão**, controvérsia, contenda, altercação, disputa, debate, peleja *fig.* ≠ **acordo**, entendimento, assentimento **2 combate**, peleja, prélio, luta, refrega, campanha *fig.*

batalhão *n.m. fig.* **multidão**, gente, magote, malta, mundo, pelotão, turba, caterva, catrefada, rebanhada *fig.*, enxame *fig.*, mar *fig.*, esquadrão *fig.*, exército *fig.*, coluvião *fig.*, hoste *fig.*, gentio *col.*

batalhar *v.* **1 combater**, pelejar, guerrear, lutar, pugnar **2 discutir**, disputar, altercar, argumentar, porfiar, contender, debater ≠ **acordar**, entender, assentir **3** [BRAS.] **labutar**, lidar, mourejar, trastejar ≠ **descansar**, preguiçar

batarda *n.f.* ORNIT. **abetarda**, batardão, betarda, peru-selvagem

batata *n.f.* **1** *col.* **mentira**, peta, conto, galga *col.*, moca [BRAS.] ≠ **verdade**, realidade, exatidão **2** dis-

parate, asneira, erro, absurdo, inépcia, tolice, absurdez, borreguice, doidice, sandice, necedade, bobagem [BRAS.] ≠ **acerto**, tino, juízo, trabelho *fig.* **3** BOT. **díndia** *col.*, semilha [REG.]
batata-doce *n.f.* BOT. **batata-da-ilha**, jetica [BRAS.]
batateiro *n.m.* **mentiroso**, impostor, falso, lograhdor, patranheiro, rodeleiro, fabulista *fig.*, pintor *fig.* ≠ **honesto**, justo
bate *n.m.* [REG.] **pão-de-ló**
batedeira *n.f.* **batedor**
batedor *n.m.* **batedeira**
bátega *n.f.* **aguaceiro**, chuvada, zerbada [REG.], zurbada [REG.]
batel *n.m.* **barco**, bote
batelada *n.f.* **1** *fig.* **abundância**, fartura, carregação, enxurrada *fig.*, cabazada *col.*, ror *col.* ≠ **escassez**, insuficiência, falta **2** **tigelada**, pratada, pratarrada
batelão *n.m.* **barcaça**, gabarra
batente *n.m.* **aldraba**
bater *v.* **1** **agredir**, dar, cascar, desancar, espancar, esmurrar, maçar, maltratar, percutir, sovar, surrar, escadeirar, esmocar, zupar, coçar *fig.*, escovar *col.*, tosar *col.*, finfar *col.*, malhar [REG.], rosquear [REG.], zucar [REG.], enxalmar [REG.] ≠ **defender**, proteger, resguardar **2** **derrotar**, eliminar, vencer, ganhar ≠ **perder** **3** **remexer**, misturar, agitar **4** (recorde, resultado) **ultrapassar**, superar, exceder **5** (horas) **soar**, tocar, anunciar, dar **6** (coração) **palpitar**, latejar, pulsar **7** (a moeda) **cunhar**, amoedar
bateria *n.f.* (testes, exames) **série**, conjunto, grupo
bater-se *v.* *fig.* **combater**, lutar, pugnar, pelejar, batalhar
batida *n.f.* **1** (coração) **batimento**, palpitação, pulsação, latejo **2** **montaria**, veação, caçada, monteada **3** **corrida** **4** **trilho**, trilha **5** *fig.* **repreensão**, admoestação, reprimenda, censura, exprobração, descomponenda *col.* ≠ **elogio**, louvor, felicitação, aprovação
batido *adj.* **1** **sovado** **2** **desgastado**, usado, corroído **3** **amassado**, calcado, pisado **4** **vencido**, derrotado, rendido, caído *fig.* ≠ **vitorioso**, triunfante **5** *col.* **habitual**, conhecido, trivial ≠ **extraordinário**, excecional **6** *col.* **vulgar**, ordinário, trivial, corriqueiro, comum, exotérico, obnóxio, comezinho *fig.*, terra-a-terra *pej.* ≠ **invulgar**, esquisito, raro, desusual, extraordinário, inabitual, inusitado, singular **7** *col.* **ultrapassado**, antiquado, desatualizado, desusado, démodé
batimento *n.m.* **1** **embate**, pancada, batedura, choque **2** (coração) **batida**, palpitação, pulsação, latejo
batismodAO *n.m.* RELIG. **batizado**, batizo *col.*
batizadodAO *adj.* **1** **neófito**, benzido **2** **novato**, aprendiz, principiante, noviço, iniciado, neófito, catecúmeno ≠ **experiente**, calejado, versado, perito **3** (vinho, leite) **adulterado**, transformado, alterado ■ *n.m.* **batismo**, batizo *col.*
batizardAO *v.* **1** **apelidar**, nomear, denominar, cognominar, chamar **2** (vinho, leite) **adulterar**, transformar, alterar
batizodAO *n.m.* *col.* **batizado**, batismo
batoque *n.m.* **1** **esquiça**, batoqueira, gargaleira **2** *fig.* **tortulho**, bazulaque, buzarate, trolho *col.*, odre *col.*, botija *fig.*, pipa *fig.,pej.*, tarraco [REG.]
batota *n.f.* **trapaça**, batotice, burla, fraude, engano, logro, trica, mandinga ≠ **honestidade**, legalidade
batoteiro *adj.,n.m.* **trapaceiro**, mentiroso, desleal, impostor ≠ **honesto**, leal, correto
batotice *n.f.* **trapaça**, batota, burla, fraude, engano, logro, trica, mandinga ≠ **honestidade**, legalidade
batráquio *n.m.* ZOOL. **anfíbio**, anuro, rã
batucar *v.* **martelar**, martelejar
batuta *n.f.* *fig.* **direção**, orientação, comando ≠ **desorientação**, desgoverno, desordem ■ *n.2g.* **perito**, competente, especialista, sabedor, entendedor, conhecedor, sabido, barra *col.*, barra-pesada [BRAS.] ≠ **ignorante**, desconhecedor, apedeuta ■ *adj.2g.* **corajoso**, forte, arrojado, destemido, despachado, valente, afoito ≠ **inseguro**, instável, inibido
baú *n.m.* **arca**
bazar *n.m.* **empório**, quermesse ■ *v.* *col.* **fugir**, pirar, desaparecer
bazófia *n.f.* *fig.* **vaidade**, presunção, jactância, bravata, gabarolice, vanglória, impostura, embófia, bizarria, bizarrice, farronca, fidalguice, pretensões, pimponice, paparrotagem, pavonada *fig.*, proa *fig.*, prosápia *fig.*, pesporrência *col.* ≠ **discrição**, simplicidade, sobriedade, despojamento, recato, modéstia ■ *n.m.* **fanfarrão**, farofeiro, farronqueiro
beata *n.f.* **1** **rezadeira** ≠ **descrente**, ateia, incrédula **2** *col.* **prisca**, petisca, carocha **3** ZOOL. **louva-a-deus**
beatificação *n.f.* **glorificação**
beatificar *v.* **adular**, sobreexaltar, pindarizar, encarecer *fig.* ≠ **desvalorizar**, depreciar
beatitude *n.f.* **1** **bem-aventurança**, felicidade, plenitude ≠ **insatisfação**, descontentamento **2** (antigo tratamento) **Santidade**, Papa
beato *n.m.* **1** **bem-aventurado** **2** **rezadeiro**, devoto ≠ **descrente**, ateu, incrédulo **3** *pej.* **tartufo**, zelote *col.*
bêbado *adj.,n.m.* **1** **bebedor**, alcoólatra, ébrio, beberrão, borrachão *col.*, bebedolas *col.*, esponja *col.* ≠ **abstémio**, abstinente **2** *pej.* **patife**, biltre, bargante, bilhostre *pej.*, fagundes [REG.], malafaia *col.*, valdevinos ≠ **honesto**

bebéAO ou **bebê**AO *n.2g.* 1 **criança**, recém-nascido, criancinha, neném *col.*, nenê [BRAS.], bacorinho [BRAS.] *col.* 2 ZOOL. **cria**, filhote ■ *adj.2g.* **infantil** *fig.*, criança *fig.*

bebedeira *n.f.* **embriaguez**, ebriedade, bico, canjica, peleira, bebedice, borracheira *col.*, piela *col.*, bruega *col.*, cabeleira *col.*, cardina *col.*, bezana *col.*, carraspana *col.*, tosga *col.*, zangurriana *col.*, zurca *col.*, bicancra *col.*, pileque [BRAS.] ≠ **sobriedade**, abstemia

bêbedo *n.m.* 1 **bebedor**, alcoólatra, ébrio, beberrão, decilitreiro, bangueiro, borrachão *col.*, bebedolas *col.*, esponja *col.*, gororoba [BRAS.], pau-d'água [BRAS.] ≠ **abstémio**, abstinente 2 *pej.* **patife**, biltre, bargante, bilhostre *pej.*, fagundes [REG.], malafaia *col.*, valdevinos ≠ **honesto** 3 ICTIOL. **bergela**, ruivo, cabrinha, casca ■ *adj.* 1 **embriagado**, ébrio, enfrascado, bicudo, ebrioso, embriolado, tocado *col.*, piteireiro *col.*, grogue *col.*, tachado *col.*, púrrio *gír.,pej.*, azumbrado *ant.* ≠ **sóbrio**, abstémico 2 *fig.* **zonzo**, aturdido, ourado, azoratado

bebedor *adj.,n.m.* **bêbedo**, alcoólatra, ébrio, beberrão, borrachão *col.*, bebedolas *col.*, esponja *col.* ≠ **abstémio**, abstinente

bebedouro *n.m.* **bebedor**, aguada [BRAS.]

beber *v.* 1 **ingerir**, tomar, tragar, engolir, consumir, libar 2 **absorver**, embeber, passar, reter, filtrar, infiltrar ≠ **verter**, jorrar, brotar, irromper 3 **embriagar-se**, embebedar-se, alcoolizar-se, emborrachar-se ≠ **desembriagar-se**, desembebedar-se 4 (conhecimentos) **aprender**, receber, adquirir, assimilar, absorver 5 **suportar**, sofrer, padecer, aguentar ≠ **reagir**, resistir 6 (combustível em veículos) **consumir**, gastar ■ *n.m.* **bebida**

beberar *v.* 1 **dessedentar** 2 **abrevar** 3 (plano, ideia) **amadurecer** 4 *fig.* **embeber**, ensopar

beberete *n.m.* **lava-dente** *col.*

bebericar *v.* **decilitrar** *col.*

beberrão *n.m.* **borrachão**, beberraz, copofone, copista, caldivana, esponja *col.*, pipa *col.*, sanguessuga *col.*, tonel *fig.*, mata-borrão *fig.*, sopão *col.* ≠ **abstémio**, abstinente

beberricar *v.* **chuchurrear**, decilitrar *col.*, pingolar *col.*

bebes *n.m.pl.* **bebidas**

bebida *n.f.* **bebedura**, beber, poção, pingalho *col.*, poto *poét.*

bebível *adj.2g.* 1 **potável** ≠ **impotável** 2 **tragável**, suportável ≠ **intragável**, insuportável

beco *n.m.* **viela**, quelha, caleja, betesga

bedelho *n.m. fig.* **fedelho**, rapazelho, criançola *pej.*, gamelho *pej.*, lascarim [REG.]

beiça *n.f.* **lábio**, labro

beiço *n.m.* 1 *col.* **lábio**, labro 2 **rebordo**, borda, ressalto

beiçudo *adj.* **labioso**

beijadela *n.f.* **ósculo**, beijo

beija-flor *n.m.* ORNIT. **colibri**, chupa-flor, pica-flor, suga-flor

beijar *v.* 1 **oscular**, beijocar 2 *fig.* **tocar**, roçar, frisar, perpassar, triscar [BRAS.] 3 *fig.* **banhar**

beijinho *n.m.* 1 **boquinha** *col.* 2 *fig.* **nata**, creme, escol

beijo *n.m.* **ósculo**, beijadela, beijoca

beira *n.f.* 1 **borda**, margem, beiral, aba, falda, orla, ourela, cairel 2 **proximidade**, vizinhança, contiguidade 3 **beiral**, beirado, beirada

beiral *n.m.* **borda**, beirada, beirado

beira-mar *n.f.* **litoral**, costa, ribamar, praia, marinha

beirão *adj.,n.m.* **beirense**

beirar *v.* **ladear**, abeirar, costear, contornear, margear

beirense *adj.,n.2g.* **beirão**

bel *adj.* **belo**, bonito, lindo, estético, preclaro, sublime, formoso, perfeito, pulcro *poét.* ≠ **feio**, horrível, desgracioso, disforme

beldade *n.f.* **beleza**, formosura, lindeza, boniteza, pulcritude ≠ **fealdade**, feiura

beldroega *n.f.* BOT. **verdoega**

beleza *n.f.* 1 **beldade**, formosura, lindeza, boniteza, pulcritude ≠ **fealdade**, feiura 2 **excelência**, perfeição, primor ≠ **imperfeição**, desprimor

belfa *n.f.* 1 [REG.] (almofada) **molhelha**, monelha [REG.], molida [REG.] 2 [REG.] **bazófia** *fig.*, vaidade, presunção, jactância, bravata, gabarolice, vanglória, impostura, embófia, bizarria, bizarrice, farronca, fidalguice, pimponice, pavonada *fig.*, proa *fig.*, prosápia *fig.*, pesporrência *col.* ≠ **discrição**, simplicidade, sobriedade, despojamento, recato, modéstia

belfo *adj.* **belfudo**

belga *n.f.* **courela**, jeira, leira, olga

beliche *n.m.* NÁUT. **camarote**

bélico *adj.* 1 **belicoso**, guerreiro, aguerrido, belígero ≠ **pacífico** 2 **agressivo**, conflituoso ≠ **pacífico**, calmo

belicoso *adj.* **bélico**, guerreiro, aguerrido, belígero, armipotente, mavórtico ≠ **pacífico**

beligerante *n.2g.* **guerreiro**, combatente ≠ **pacifista**, pacificador, amarcial

belígero *adj.* **belicoso**, guerreiro, aguerrido, bélico ≠ **pacífico**

belisca *n.f.* **beliscadura**, beliscadela

beliscadura *n.f.* **beliscadela**, belisca

beliscão *n.m.* **morsegão**, torcegão, velicação, estorcegão

beliscar *v.* 1 **trilhar**, magoar, entalar, contundir ≠ **soltar**, libertar 2 *fig.* **estimular**, excitar, encorajar, incentivar ≠ **desanimar**, abater, desencorajar 3 *fig.* **ofender**, melindrar, irritar, magoar ≠ **agradar**, satisfazer

belisco *n.m.* beliscadura, beliscão

belo *adj.* 1 bonito, estético, lindo, preclaro, sublime, formoso, perfeito, pulcro *poét.* ≠ feio, horrível, desgracioso, disforme 2 formoso, bonito, lindo, elegante ≠ desformoso, desagradável, desengraçado 3 gentil, aprazível, agradável, airoso, lindo ≠ desagradável, grosseiro, rude 4 feliz, ditoso, próspero, venturoso, bem-afortunado, bem-aventurado ≠ infeliz, desventurado, desgraçado 5 generoso, nobre ■ *n.m.* perfeição, primor, mestria, requinte, esmero ≠ imperfeição, deformidade ■ *interj.* apoiado!, excelente!, perfeito!, muito bem!

bel-prazer *n.m.* arbítrio, vontade, talante

beltrano *n.m.* indivíduo, sujeito, sicrano, fulano *col.*, tipo *col.*, cara [BRAS.]

Belzebu *n.m.* Demónio, Diabo, Satanás, maligno, canhoto *col.*, dianho *col.*

bem *n.m.* 1 virtude, bondade, honra, carácter, brio ≠ imoralidade, desonestidade, vício 2 proveito, benefício, utilidade, vantagem ≠ desvantagem, prejuízo, inconveniente, infelicidade 3 namorado, amante, amador, pequeno *col.* 4 [*pl.*] posses, riquezas, meios, rendimentos, capitais, bens ≠ pobreza, miséria 5 [*pl.*] posses, propriedades, imóveis, domínios ■ *adv.* 1 convenientemente, excelentemente, perfeitamente, satisfatoriamente, boamente ≠ mau, pessimamente 2 assaz, bastante, muito, copiosamente, abundantemente, basto, consideravelmente, razoavelmente, suficientemente, super *col.*, cabonde *ant.* ≠ pouco, raramente ■ *interj.* apoiado!, bravo!, sim!, bom! ≠ mal!, péssimo!

bem-afortunado *adj.* bem-aventurado, ditoso, feliz, próspero, venturoso ≠ infeliz, desventurado, desgraçado

bem-aventurado *adj.* bem-afortunado, ditoso, feliz, próspero, venturoso, glorioso ≠ infeliz, desventurado, desgraçado ■ *n.m.* beato

bem-aventurança *n.f.* 1 beatitude, felicidade, plenitude ≠ insatisfação, descontentamento 2 RELIG. (Catolicismo) Céu, glória, elísio, empíreo ≠ Inferno

bem-comportado *adj.* ajuizado, atinado, sensato, criterioso ≠ desajuizado, insensato, desaparafusado *fig.,col.*

bem-criado *adj.* bem-educado, cavalheiro, delicado, cortês, polido *fig.* ≠ mal-educado, indelicado, malcriado, grosseiro

bem-disposto *adj.* divertido, alegre, animado, contente, bem-humorado ≠ mal-humorado, aborrecido, descontente

bem-educado *adj.* bem-criado, cavalheiro, delicado, cortês, polido *fig.* ≠ mal-educado, indelicado, malcriado, grosseiro

bem-encarado *adj.* bem-disposto, risonho, bem-parecido ≠ mal-encarado, carrancudo

bem-estar *n.m.* 1 tranquilidade, serenidade ≠ inquietação 2 conforto, comodidade, prazer ≠ desconforto, incómodo

bem-fadado *adj.* afortunado, ditoso, feliz, venturoso ≠ infeliz, desventuroso, infausto, desditoso

bem-falante *adj.2g.* 1 eloquente, verboso, magníloquo, loquaz, facundo, significativo, diserto ≠ ineloquente, infacundo 2 purista

bem-fazer *v.* beneficiar, auxiliar, ajudar, socorrer, assistir, facilitar, subsidiar ≠ desamparar, desajudar, abandonar, desauxiliar ■ *n.m.* caridade, beneficência, benefício, filantropia ≠ descaridade, inconsciência

bem-humorado *adj.* 1 bem-disposto, divertido, alegre, animado, contente ≠ mal-humorado, amuado, carrancudo, aberrado, trombudo *fig.*, afunado [REG.], bicudo [BRAS.], baixo-astral [BRAS.] 2 atencioso, atento, cuidadoso, delicado

bem-intencionado *adj.* sincero, franco, verdadeiro, autêntico, direito, genuíno, cordial *fig.*, lavado *fig.* ≠ fingido, artificioso, dissimulado, insincero

bem-me-quer *n.m.* BOT. margarida, malmequer, bonina

bem-parecido *adj.* 1 agradável, airoso, aprazível ≠ desagradável, desprazível 2 bonito, estético, lindo, preclaro, sublime, formoso, perfeito, pulcro *poét.* ≠ feio, horrível, desgracioso, disforme

bem-posto *adj.* elegante, janota, catita, airoso ≠ deselegante, desajeitado, desairoso, desgracioso, mal-amanhado, mal-arranjado, acabanado *fig.*

bem-querente *adj.2g.* benévolo, benigno, bondoso, indulgente, complacente, querençoso, paternal *fig.* ≠ malfeitor, malfazejo, nocivo

bem-querer *v.* amar, estimar, simpatizar, apreciar, afeiçoar ≠ desprezar, depreciar ■ *n.m.* benquerença, benevolência, estima, afeto, amizade, amor ≠ malquerença, malevolência, desprezo

bem-soante *adj.2g.* harmonioso, melodioso, cônsono, acordante, mélico, musical, abemolado *fig.* ≠ desarmonioso, desarmónico, desequilibrado

bem-vindo *adj.* bem-recebido, ansiado, desejado ≠ mal-recebido, indesejado

bem-visto *adj.* considerado, estimado, aceite, respeitado, prezado ≠ malvisto, odiado, rejeitado, desprezado

bênção *n.f.* graça, benefício, favor, bendição, mercê, concessão ≠ maldição, imprecação, praga

bendito *adj.* 1 feliz, ditoso, bem-afortunado, bem-aventurado, venturoso, glorioso ≠ infeliz, desventurado, desgraçado 2 abençoado, bento, glorioso, louvado, bem-aventurado ≠ **maldito**, amaldiçoado, execrável

bendizer *v.* 1 **abençoar**, benzer, sagrar 2 **glorificar**, louvar, santificar, exaltar ≠ **praguejar**, condenar, amaldiçoar

beneficência *n.f.* 1 **bem-fazer**, caridade, filantropia ≠ **descaridade**, inconsciência 2 **filantropia**, altruísmo, humanitarismo

beneficiação *n.f.* **benfeitoria**, melhoramento, benefício ≠ **malfeitoria**, prejuízo, dano, estrago

beneficiar *v.* 1 **benfeitorizar**, favorecer, ajudar, proteger, auxiliar ≠ **prejudicar**, desfavorecer, abandonar 2 **consertar**, melhorar, reparar, restaurar ≠ **deteriorar**, estragar, piorar

beneficiário *adj.* **favorecido**, privilegiado, usufruidor ≠ **desfavorecido**, prejudicado ■ *n.m.* 1 **utente**, utilizador, usuário, useiro 2 **colatário**

benefício *n.m.* 1 **graça**, favor, mercê, bem-fazer, bendição, concessão ≠ **maldição**, imprecação, praga 2 **benfeitoria**, beneficiação, melhoramento ≠ **malfeitoria**, prejuízo, dano, estrago 3 **lucro**, ganho, rendimento, proveito, resultado, ganhança *col.* ≠ **prejuízo**, dano, perda

benéfico *adj.* 1 **saudável**, bom, salutar, benigno, sadio, salubre, salutífero, são, benévolo, benfazejo ≠ **prejudicial**, insalubre, nocivo 2 **bondoso**, caridoso, compassivo, generoso, benévolo, bom, clemente, humanitário ≠ **desumano**, desalmado, desapiedado, impio

benemerência *n.f.* **merecimento**, mérito

benemerente *adj.2g.* **benemérito**

benemérito *adj.* 1 **benemerente** 2 **ilustre**, distinto, ínclito, merecedor, notável, egrégio ≠ **indigno**, reprovável, desmerecedor, desrespeitador 3 **benfeitor**

beneplácito *n.m.* 1 **aprovação**, aquiescência, aprazimento, plácito, aceitação ≠ **desaprovação**, rejeição, recusa 2 **licença**, consentimento, autorização, permissão

benesse *n.f.* 1 **pé-de-altar** 2 **pechincha** ≠ **perda**, prejuízo 3 **ajuda**, auxílio, favor, dádiva, benefício

benevolência *n.f.* 1 **benquerença**, bem-querer, complacência, caridade, indulgência, beneficência, estima, afeto, amizade, amor ≠ **malquerença**, malevolência, desprezo 2 **bondade**, carinho, compaixão, generosidade, afeição, clemência, humanidade *fig.* ≠ **desumanidade**, malevolência

benevolente *adj.2g.* 1 **bondoso**, caridoso, compassivo, generoso, benéfico, bom, clemente, humanitário ≠ **desumano**, desalmado, desapiedado, impio 2 **bem-intencionado**, sincero, franco, verdadeiro, autêntico, direito, genuíno, cordial *fig.*, lavado *fig.* ≠ **fingido**, artificioso, dissimulado, insincero 3 **saudável**, bom, salutar, benigno, sadio, salubre, salutífero, são, benfazejo, benéfico ≠ **prejudicial**, insalubre, nocivo

benévolo *adj.* 1 **bondoso**, caridoso, compassivo, generoso, bom, clemente, humanitário ≠ **desumano**, desalmado, desapiedado, ímpio 2 **bem-intencionado**, sincero, franco, verdadeiro, autêntico, direito, genuíno, cordial *fig.*, lavado *fig.* ≠ **fingido**, artificioso, dissimulado, insincero 3 **saudável**, bom, salutar, benigno, sadio, salubre, salutífero, são, benfazejo, benéfico ≠ **prejudicial**, insalubre, nocivo

benfazejo *adj.* 1 **saudável**, bom, salutar, benigno, sadio, salubre, salutífero, são, benévolo ≠ **prejudicial**, insalubre, nocivo 2 **bondoso**, caridoso, compassivo, generoso, benévolo, bom, clemente, humanitário ≠ **desumano**, desalmado, desapiedado, ímpio

benfeitor *adj.,n.m.* **benemérito**, pai *fig.*

benfeitoria *n.f.* **beneficiação**, melhoramento, benefício ≠ **malfeitoria**, prejuízo, dano, estrago

benfeitorizar *v.* 1 **beneficiar**, favorecer, ajudar, proteger, auxiliar ≠ **prejudicar**, desfavorecer, abandonar 2 **melhorar**, aperfeiçoar ≠ **piorar**, estragar

bengala *n.f.* **cana**, cacete, guabirola [BRAS.] *col.*

bengaleiro *n.m.* **cabide**

benignidade *n.f.* 1 **amenidade**, doçura 2 **benquerença**, bem-querer, complacência, caridade, indulgência, beneficência, estima, afeto, amizade, amor, benevolência ≠ **malquerença**, malevolência, desprezo

benigno *adj.* 1 **saudável**, bom, salutar, sadio, salubre, salutífero, são, benfazejo, benéfico ≠ **prejudicial**, insalubre, nocivo 2 **afetuoso**, suave, brando, afável, agradável, ameno, meigo ≠ **desagradável**, maligno

benquerença *n.f.* **bem-querer**, benevolência, estima, afeto, amizade, amor ≠ **malquerença**, malevolência, desprezo

benquisto *adj.* 1 **estimado**, prezado, bem-querido, querido, amado, apreciado ≠ **desprezado**, malquisto, odiado 2 **bem-admitido**, aceite

bento *adj.* 1 **abençoado**, bendito, glorioso, louvado, bem-aventurado ≠ **maldito**, amaldiçoado, execrável 2 **consagrado**, sangrado ■ *n.m.* RELIG. **beneditino**

benzer *v.* **abençoar**, bendizer, sagrar

benzer-se *v.* 1 **persignar-se**, abençoar-se 2 *fig.* **admirar-se**, pasmar

berbequim *n.m.* **broca**, furadeira, pua

berbere *adj.2g.* **berberesco**

berbicacho *n.m.* **problema**, bico-de-obra, dificuldade, embaraço, empecilho, cadilha ≠ **desimpedimento**, facilidade

berbigão *n.m.* ZOOL. **amêijoa**, bergão [BRAS.]

berçário *n.m.* **creche**, infantário, criadouro, jardim-escola, jardim-infantil

berço *n.m.* 1 **terra natal**, pátria, país, ninho *col.* 2 **origem**, começo, princípio, procedência ≠ **fim**, termo

bergantim *n.m.* **fragatim** *ant.*

berílio *n.m.* QUÍM. **glicínio**, glucínio

berlinda *n.f.* **coche**, carruagem

berloque *n.m.* 1 **pingente**, medalha, penduricalho 2 *fig.* **pechisbeque** *fig.,pej.*, insignificância, ninharia

berma *n.f.* **orla**, margem, beira, borda

bernarda *n.f.* **motim**, alvoroço, desordem, insurreição, levantamento, revolta, revolução, agitação, alevante, assuada, bandoria, borrasca *fig.*, conturbação ≠ **tréguas**, sossego, apaziguamento

bernardo *adj.* 1 *col.* **idiota**, tolo, palerma, parvo, estúpido, patego, papalvo, badana *col.*, paspalho *pej.*, babuíno *fig.,pej.*, babaca [BRAS.] *col.* ≠ **inteligente**, esperto, astuto, perspicaz, sagaz 2 *col.* **glutão**, comilão, comedor, guloso, lambão, alambazado, alarve ≠ **fastioso**, frugal, sóbrio, parco

berne *n.m.* 1 ZOOL. **berro**, ura [BRAS.] 2 VET. **berro**

berra *n.f.* 1 **brama** 2 *fig.* **voga**, moda, notoriedade ≠ **desuso**, decadência 3 ORNIT. **narceja**, cabra-do-monte, arregacha, naceja, serzeta, garceja

berrante *adj.2g.* **garrido**, colorido, chocante, gritante *fig.*, folclórico *pej.* ≠ **discreto**, sóbrio

berrar *v.* 1 **gritar**, bradar, bramar, bramir, clamar, rugir, vociferar, urrar, avozear, algazarrear, barregar *col.* ≠ **sussurrar**, murmurar, bichanar *fig.*, zumbir *fig.* 2 **ralhar**, repreender 3 **destoar** *fig.*, desarmonizar, desfear, brigar *fig.* ≠ **desentoar** *fig.*, dissonar

berreiro *n.m.* 1 *col.* **gritaria**, vozearia, barulheira, vociferação, algazarra, estardalhaço, chinfrim, alarido, azoada, grazinada, algarada, barregueiro, vasqueiro *col.*, cagaçal *col.*, escarcéu *fig.*, zurrada *fig.*, tourada *fig.* ≠ **silêncio**, paz, calada, sopor 2 **choro**, choradeira

berro *n.m.* 1 **brado**, grito, bramido, rugido *fig.*, urro *fig.* ≠ **murmúrio**, sussurro, cochicho, bulício 2 **repreensão**, descompostura, raspanete, rabecada *col.*, batida *fig.*, catilinária *fig.*, casaca *col.*, desanda *col.*, descalçadela *col.*, foguete *col.*, sermão *col.*, carão [BRAS.] ≠ **elogio**, louvor, felicitações, aprovação 3 VET. **berne**

besoiro *n.m.* 1 ZOOL. **carocho**, melolonta, rosca 2 ICTIOL. **olhudo**, peixe-lima, peixe-diabo, salmonete-preto

besta *n.f.* 1 **alimária**, bruto, béstia, bestiaga 2 **cavalgadura**, quadrúpede, burro 3 *pej.* **bárbaro**, bruto, animal *pej.* 4 (arma) **balestra** ▪ *adj.2g.* 1 **idiota**, tolo, palerma, estúpido, patego, papalvo, parvo, badana *col.*, burro *fig.*, bate-orelha *fig.*, paspalho *pej.*, jumento *fig.,pej.*, babuíno *fig.,pej.*, babaca [BRAS.] *col.* ≠ **inteligente**, esperto, astuto, perspicaz, sagaz 2 **ignorante**, analfabeto, incapaz, insciente ≠ **culto**, perito, ciente, conhecedor

besteira *n.f.* 1 BOT. **erva-besteira**, heléboro 2 [BRAS.] **disparate**, tolice, asneira, erro, absurdo, inépcia, absurdez, borreguice, doidice, sandice, necedade, bobagem [BRAS.] ≠ **acerto**, tino, juízo, trabelho *fig.*

bestial *adj.2g.* 1 **brutal**, grosseiro, boçal, rude, tosco *fig.* ≠ **afável**, civilizado, cortês, educado 2 **idiota**, tolo, palerma, estúpido, patego, papalvo, parvo, badana *col.*, burro *fig.*, bate-orelha *fig.*, paspalho *pej.*, jumento *fig.,pej.*, babuíno *fig.,pej.*, babaca [BRAS.] *col.* ≠ **inteligente**, esperto, astuto, perspicaz, sagaz 3 **erróneo**, falso ≠ **correto**, certo 4 *gír.* **formidável**, extraordinário, fantástico, soberbo ≠ **terrível**, péssimo

bestialidade *n.f.* **brutalidade**, estupidez, selvajaria, grosseria, incivilidade, rusticidade *fig.* ≠ **civilidade**, cortesia, delicadeza, gentileza, polidez

bestiário *n.m.* 1 **jaula** 2 **beluário**, gladiador

besugo *n.m.* ICTIOL. **ferreira**, besugo-da-ova

besuntar *v.* **engordurar**, lambuzar, untar, laivar, ensebar, olear, oleaginar ≠ **desengordurar**, desensebar

betão *n.m.* **concreto** [BRAS.]

betar *v.* **listrar**, matizar

betesga *n.f.* 1 **viela**, quelha, caleja, beco 2 **taberna**, bodega, tasca, lojeca, botequim, biboca, baiuca, futrica, locanda, tasco *col.*, chafarrica *col.*, catraia [REG.]

betonar *v.* **cimentar**

betoneira *n.f.* (construção civil) **misturador**

bétula *n.f.* BOT. **vido**, bidoeiro, bédulo

bexiga *n.f.* 1 *col.* **troça**, caçoada, chacota, zombaria, escárnio ≠ **respeito**, consideração 2 *col.* **divertimento**, brincadeira, pândega *col.* ≠ **aborrecimento**, tédio, enfado 3 [*pl.*] MED. *col.* **varíola**, bexigas-negras

bexigas-doidas *n.f.pl.* **varicela**, bexigas-loucas

bexigas-loucas *n.f.pl.* **varicela**, bexigas-doidas

bexigas-negras *n.f.pl.* MED. **varíola**, bexigas

bexigoso *adj.* **bexiguento**, varioloso, variolado

bexiguento *adj.* **bexigoso**, varioloso

bezerra *n.f.* **vitela**, novilha, almalha, terneira

bezerro *n.m.* **novilho**, vitelo, anejo, juvenco, anaco, anelho, terneiro

bibe *n.m.* 1 **babeiro** 2 ORNIT. **abibe**, galispo

biberão *n.m.* **mamadeira** [BRAS.]

Bíblia *n.f.* RELIG. **Escritura**

bibliomaníaco *adj.,n.m.* **bibliómano**

biblioteca *n.f.* **livraria**

bica *n.f.* 1 **fonte**, gargalicho [REG.] 2 **caruma** 3 ICTIOL. **breca**, dourada 4 [REG.] **café**, expresso

bicada *n.f.* **picada**, nicanço *col.*, bicaço [BRAS.]

bicar *v.* 1 **picar**, nicar, espicaçar 2 [BRAS.] **beberricar**, beber, emborrachar, embriagar, embebedar, alcoolizar, decilitrar *col.* ≠ **desembriagar**, desembebedar

bicarbonato *n.m.* QUÍM. **hidrogenocarbonato**

bicéfalo *adj.* 1 BIOL. **dicéfalo**, bicípite 2 BOT. **bicípite**, bicipital

bíceps *n.m.2n.* ANAT. **bicípite**

bicha *n.f.* 1 ZOOL. **biscalongo**, arenícola 2 **fila**, fileira, enfiada, renque ▪ *adj.,n.2g. pej.* (homem) **homossexual**, pederasta, gay *col.*, choninha *col.*, maricas *cal.*, paneleiro *col.,pej.*, invertido *col.,pej.*, fanchono *pej.*, puto [BRAS.] *vulg.*, veado [BRAS.] *pej.,vulg.* ≠ **heterossexual**

bichano *n.m.* **gato**, gatinho

bichar *v.* **apodrecer**, carunchar

bicharada *n.f.* **bicharia**, bicheza, bicheira

bicha-solitária *n.f.* ZOOL. **ténia**

bicho *n.m.* 1 **animalejo** 2 *col.* **piolho**

bicho-da-madeira *n.m.* ZOOL. *col.* **caruncho**, carcoma

bicicleta *n.f.* **velocípede**, burra *col.*, pedaleira *col.*

bico *n.m.* 1 **ponta**, pico, acúleo, espinho, pua 2 **aparo** 3 *col.* **boca** 4 **embriaguez**, ebriedade, bebedeira, borracheira *col.*, piela *col.*, bruega *col.*, cabeleira *col.*, cardina *col.*, carraspana *col.*, cabra [REG.] ≠ **sobriedade**, abstemia 5 [*pl.*] **biscate**, gancho, caroca [REG.], quebra-galho [BRAS.] *col.*

bico-de-obra *n.m.* **dificuldade**, problema, embaraço, empecilho, berbicacho ≠ **desimpedimento**, facilidade

bicorne *adj.2g.* **bicórneo**, bicornígero

bicos-de-papagaio *n.m.pl.* MED. **espondilose**

bicudo *adj.* 1 **pontiagudo**, pontudo, agudo, aguçado, bical, acuminado, esquinante ≠ **arredondado**, circular, esférico 2 *fig.* **complicado**, difícil, espinhoso, cornuto ≠ **simples**, fácil, acessível 3 [REG.] **embriagado**, ébrio, enfrascado, bêbedo, tocado *col.*, grogue *col.* ≠ **sóbrio**, abstémico 4 [BRAS.] **mal-humorado**, amuado, carrancudo, trombudo *fig.* ≠ **bem-humorado**, divertido, alegre, animado, contente ▪ *n.m.* ICTIOL. **sargo**, sargueta, choupa, olho-de-boi, alcarraz, mucharra, alcorraz, salema, sefia

bidé[AO] ou **bidê**[AO] *n.m.* **viola** *gír.*

bienal *adj.2g.* **bisanual**

bifendido *adj.* **bífido**, bipartido, bifurcado

bífido *adj.* **bifendido**, bipartido, bifurcado

bifoliado *adj.* BOT. **bifólio**, binado

bifólio *adj.* BOT. **bifoliado**

biforme *adj.2g.* **bifronte**, bifacial, bilateral

bifronte *adj.2g.* 1 **biforme**, bifacial, bilateral 2 *fig.* **dissimulado**, falso, disfarçado, fingido ≠ **verdadeiro**, honesto, sério, sincero

bifurcação *n.f.* **ramificação**, forqueadura, dicotomia ≠ **junção**, união, ligação

bifurcar *v.* **ramificar**, forquear, bipartir, enforquilhar, forquilhar ≠ **juntar**, unir, ligar

bifurcar-se *v.* 1 (cavalo, bicicleta, etc.) **montar** 2 **ramificar-se**, bipartir-se, dividir-se, separar-se, aforquilhar-se

bigode *n.m. col.* **repreensão**, descompostura, raspanete, rabecada *col.*, catilinária *fig.*, casaca *col.*, desanda *col.*, sermão *col.*, carão [BRAS.] ≠ **elogio**, louvor, aprovação, felicitações

bigorrilhas *n.m.2n.* **joão-ninguém** *col.,pej.*, choninhas *col.,pej.*, homenzeco *pej.*, borra-botas *col.*, safardana *col.*, bardamerda *pej.,vulg.*

bijutaria *n.f.* **bugigangas**, quinquilharias, chinesada, mogiganga ≠ **joia**, alfaia

bilateral *adj.2g.* **biforme**, bifronte, bifacial

bilha *n.f.* **botija**, moringue

bilharda *n.f.* **pateiro**, batalho, chona *col.*

bilhete *n.m.* 1 **missiva**, escrito, carta 2 (transportes) **senha**, passe 3 (espetáculos) **entrada**, ingresso 4 **cédula** 5 *gír.* **bofetada**, sopapo, estalo *col.*, tabefe *col.*

bilhete-postal *n.m.* **postal**

biliar *adj.2g.* **féleo**

bilioso *adj.* 1 ≠ **antibilioso** 2 *fig.* **genioso**, rabugento, resmungão, mal-humorado, irascível, irritável, impertinente, raivoso, colérico, enfadadiço, empalagoso [REG.] ≠ **bem-humorado**, simpático, porreiro *col.*, bacano *col.*

bílis *n.f.2n.* 1 FISIOL. **bile**, fel 2 *fig.* **azedume**, irascibilidade, zanga, cólera, irritabilidade, atrabílis ≠ **simpatia**, amabilidade, afabilidade

biltre *adj.2g.* **desprezível**, infame, miserável, ordinário, vil, canalha *pej.* ≠ **correto**, honesto, justo, respeitável ▪ *n.m.* **futre**, bandalho, safado, patife, infame, velhaco, brejeiro, birbante, falpórria, pulha *col.*, canalha *pej.*, melquetrefe [BRAS.] *col.* ≠ **notável**, honesto, respeitador

bimensal *adj.2g.* **bimestre**, bimestral, quinzenal

bimestral *adj.2g.* **bimestre**, bimensal, quinzenal

biografia *n.f.* **história**, vida

biologista *n.2g.* **biólogo**

biombo *n.m.* **anteparo**, para-vento, guarda-vento

bipartição *n.f.* **bissecção** ≠ **união**, junção

bipartir *v.* **bissectar** ≠ **unir**, juntar

bipartir-se *v.* **bifurcar-se**, ramificar-se, dividir--se, separar-se

bípede *adj.2g.* **dípode**

biqueira *n.f.* 1 **ponta**, bico 2 **goteira**, cano, calha, quelha, agueira

biqueirão *n.m.* ICTIOL. **anchova**, boqueirão, chacaréu

biqueiro *adj.* **fastiento**, debiqueiro ≠ **guloso**, comilão, glutão ■ *n.m. col.* **pontapé**, biqueirada, pernada, panázio *col.*

birmane *adj.,n.2g.* **birmanês**, bramá, birmã

birmanês *adj.,n.m.* **birmane**, birmá, birmã

birra *n.f.* **1 capricho**, teima, teimosia, obstinação, pertinácia, caturrice, embirração, porfia, turra *fig.*, cenreira *col.* ≠ **flexibilidade**, plasticidade, maleabilidade **2 antipatia**, aversão, ódio, rancor ≠ **simpatia**, afeição, amizade **3 zanga**, agastamento, aborrecimento, quezília ≠ **alegria**, júbilo, contentamento, felicidade **4 crendice**, superstição, abusão, crença *col.*

birrento *adj.* **1 teimoso**, obstinado, intransigente, inflexível, importuno, pertinaz, ferrenho *fig.* ≠ **flexível**, maleável **2 agastadiço**, irascível, indignativo, zangão ≠ **simpático**, cordial *fig.*, amável, afável

biruta *adj.2g.* **atoleimado**, amalucado, apatetado, aparvalhado, apancado, idiótico, zaré *col.* ≠ **ajuizado**, atinado, criterioso, bem-comportado

bis *n.m.2n.* **repetição**, recapitulação, epilogação ■ *interj.* **mais!**, outra vez!

bisão *n.m.* ZOOL. **bisonte**, bosboque

bisar *v.* **repetir**, reproduzir, secundar, voltar, tornar

bisbilhotar *v.* **coscuvilhar**, intrigar, mexericar, onzenar, alcovitar, cascavilhar, fofocar [BRAS.] *col.* ≠ **discretear**, desinteressar

bisbilhoteiro *n.m.* **coscuvilheiro**, mexeriqueiro, bisbilhoteira, intriguista, linguareiro, enzoneiro, porta-novas, alquitete, furão *fig.*, campainha *fig.*, bichaneiro *fig.*, calhandreiro *fig.,pej.*, xereta [BRAS.], cheireta [BRAS.], cheirinha [BRAS.]

bisbilhotice *n.f.* **coscuvilhice**, mexerico, intriga, enredo, onzenice, alcovitice, alcovitaria, bacorice [REG.] ≠ **discrição**, recato, desinteresse, privacidade

bisca *n.f.* **1 manilha 2** *col.* **escarro**, expetoração, gosma, frango *col.* **3** *fig.* **piada**, picuinha, chalaça, graçola, gracejo, pilhéria **4** *fig.* **patife**, malandro, marmanjo, pulha *col.*, sacana *col.*, bisbórria *col.*, bêbedo *pej.*, canalha *pej.* ≠ **honesto**, justo

biscainho *adj.* **cantábrico**, biscaio, vasconço, vascongado

biscaio *adj.,n.m.* **cantábrico**, biscainho, vasconço, vascongado

biscate *n.m.* **1 bicos**, gancho, niscato *col.*, caroca [REG.] **2 motejo**, remoque, picuinha *fig.*, piada *fig.*, canivetada *fig.*

biscoito *n.m.* **1** CUL. **bolacha 2** *fig.* **bofetão**, sapatada, sopapo, chapada *col.*, tabefe *col.*

bisnaga *n.f.* **1 esguicho**, seringa, lança-perfume [BRAS.] **2** BOT. **bisnaga-das-searas**, paliteira

bisnagar *v.* **borrifar**, seringar, salpicar, orvalhar, asperger

bisnau *adj.* **astuto**, finório, manhoso, velhaco, espertalhão ≠ **correto**, honesto, justo, verdadeiro

bisonho *adj.* **1 inábil**, inexperiente, inexperto ≠ **experiente**, experto **2 novato**, aprendiz, principiante, iniciante ≠ **experiente**, calejado, versado, perito **3 acanhado**, tímido, calado, inexpedito, fugidio, esquivo ≠ **expedito**, vivo, ativo, despachado

bisonte *n.m.* ZOOL. **bisão**, bosboque, bonacho *ant.*

bispado *n.m.* **diocese**, patriarcado

bispo *n.m.* **pontífice**, antístite

bissecção[AO] ou **bisseção**[AO] *n.f.* **bipartição** ≠ **união**, junção

bissemanal *adj.2g.* **biebdomadário**

bissexual *adj.2g.* BIOL., BOT. **hermafrodita**, bissexuado, androgínico, ambisséxuo, dígamo ■ *n.2g.* **1** BIOL. **hermafrodita**, macha-fêmea **2 gilete** [BRAS.]

bissílabo *adj.,n.m.* **dissílabo**, dissilábico

bisturi *n.m.* **1** ANAT., MED. **escalpelo**, dissecador **2** *col.* **lanceta**

bitola *n.f.* **1 medida**, craveira, marca, xeura, padrão, estalão **2 norma**, princípio, regra, preceito **3** *fig.* **inteligência**, capacidade, aptidão, talento ≠ **inaptidão**, incapacidade, inabilidade, insuficiência

bizantino *adj.* **1 esquisito**, estranho, bizarro ≠ **comum**, habitual, familiar **2** *fig.* **pretensioso**, vaidoso, orgulhoso, afetado, fátuo, chieirento ≠ **despretensioso**, desafetado, modesto

bizarria *n.f.* **1 bazófia** *fig.*, fanfarrice, gabarolice, bravata, jactância, ostentação, gala ≠ **modéstia**, humildade, simplicidade **2 bravura**, valentia, ânimo, coragem, denodo, esforço ≠ **cobardia**, timidez, acanhamento

bizarro *adj.* **1 excêntrico**, esquisito, extravagante, singular, estranho ≠ **comum**, habitual, familiar **2 generoso**, gentil, nobre, galhardo, fidalgo ≠ **indigno**, desprezível, vil **3 fanfarrão**, arrogante, jactancioso, bazofiador, ostentativo ≠ **modesto**, humilde, simples

blasfemar *v.* **1 praguejar**, maldizer, jurar, imprecar ≠ **bendizer**, louvar **2 ultrajar**, injuriar, ofender, insultar ≠ **desultrajar**, desagravar

blasfémia[AO] ou **blasfêmia**[AO] *n.f.* **1 sacrilégio**, impiedade, profanação, ímpio, irreligião ≠ **adoração**, veneração, devoção, reverência **2 calúnia**, difamação, maledicência, falsidade, impostura, blasfemação ≠ **consideração**, deferência, respeito **3 ofensa**, insulto, afronta, agravo, ultraje, lesão *fig.*, pedrada *fig.* ≠ **desagravo**, desafronta, explicação

blasfemo *adj.* **1 blasfemador**, profanador, ímpio, impiedoso ≠ **adorado**, venerado, devoto, reverente **2 ultrajante**, ofensivo, insultuoso, injurioso, afrontoso ≠ **exaltante**, elogiador, laudatório, panegírico ■ *n.m.* **blasfemador**, herege, renegador ≠ **adorador**, venerador, devoto

blasonar *v.* **vangloriar-se**, alardear, ostentar, jactar-se, bufar, campear, galrar, gabar-se, gloriar-se, abrasoar, inchar *fig.* ≠ **humildar**, recatar, ocultar

blenorragia *n.f.* MED. **blenorreia**, gonorreia

blindagem *n.f.* **couraça**

blindar *v.* **1 couraçar**, encouraçar, revestir, cobrir ≠ **descobrir**, destapar, revelar **2** *fig.* **proteger**, defender, escudar, abrigar ≠ **desproteger**, desabrigar

bloco *n.m.* **1 massa 2 conjunto**, grupo **3 caderno 4 edifício**, prédio

bloqueado *adj.* **1 obstruído**, tapado, entupido, impedido, vedado, ocluso ≠ **desobstruído**, desimpedido, desentupido, desopilado **2 travado**, preso, atado ≠ **destravado**, desprendido, solto

bloquear *v.* **1 cercar**, sitiar, rodear, cingir, circundar **2 travar**, impedir, prender, atar ≠ **destravar**, desprender, soltar

bloqueio *n.m.* MIL. **cerco**, assédio, sítio

blusa *n.f.* **camiseta**, chambre

boa *n.f.* ZOOL. **jiboia**

boa-fé *n.f.* **sinceridade**, franqueza, verdade, honestidade, lisura *fig.* ≠ **falsidade**, insinceridade, impostura, fraude, finta, logro, falcatrua, acalanto *fig.,ant.*

boa-noite *n.f.* ORNIT. **noitibó**, pita-cega, engole-vento

boateiro *adj.,n.m.* **mexeriqueiro**, intriguista, noveleiro, novelista *fig.*, urdidor *fig.* ≠ **isento**, reto, fidedigno, insuspeito, imparcial

boato *n.m.* **mexerico**, toarda, voz, bacorejo, sussurro, diz-que-diz-que, rumor *fig.*, eco *fig.*, ruge-ruge *fig.*, ruído *fig.*, toada *fig.*, zunzum *fig.*

boazona *adj.* **1** *cal.* (mulher, rapariga) **atraente**, jeitosa, provocante, bem-feita, sexy ≠ **feia**, horrível, desengraçada, horrenda **2 vénus**, borracho *col.*, fatia *col.*, borrega *col.*, pexão *col.*, pão *fig.,col.*, pedaço *fig.,col.*, gata [BRAS.] *col.*

bobagem *n.f.* **1 palhaçada**, farsada, macacada, fantochada *fig.* ≠ **seriedade**, gravidade, austeridade **2** [BRAS.] **insignificância**, ninharia, niquice, nada, futilidade, migalhice, minúcia, coisica, ridicularia, avo *fig.*, tuta e meia *col.*, nica *col.*, caganifância *col.* ≠ **importância**, utilidade, valor, transcendência, relevância, interesse **3** [BRAS.] **asneira**, disparate, sandice, tolice, babosice, bobice, desconchavo, despropósito ≠ **sensatez**, acerto

bobina *n.f.* **carretel**, carrete, carrinho

bobo *n.m. fig.* **bufão**, histrião, jogral, polichinelo, truão, arlequim *fig.* ■ *adj.* **idiota**, tolo, palerma, parvo, estúpido, mentecapto, patego, otário *col.*, badana *col.*, paspalho *pej.*, babuíno *fig.,pej.* ≠ **inteligente**, esperto, astuto, perspicaz, sagaz

boca *n.f.* **1 bocal**, abertura, orifício, entrada, estoma **2** (rio) **embocadura**, barra, foz **3** GEOG. **cratera** ■ *n.m.pl.* ZOOL. **cavaterras**, cavaletes

boca-aberta *n.2g.* **palerma**, idiota, lorpa, pacóvio, tolo, estúpido, patego, parvo, pateta, babuíno *fig.,pej.*, banana *pej.*, paspalho *pej.*, papa-moscas *fig.*, babaca [BRAS.] ≠ **conhecedor**, entendedor, erudito, sábio, sabedor

bocado *n.m.* **1 pedaço**, fragmento, porção, fração, faneco, peça, torrão, tico [BRAS.] ≠ **todo**, soma, totalidade, globalidade **2 naco**, bocada, fatia, talhada, mica, lasca, mordo, posta, fatacaz, tagalho [REG.], catrameço [REG.]

bocal *n.m.* **1 boca**, abertura, orifício, entrada **2 açaimo**, betilho, focinheira, barbilho, cofinho

boçal *adj.2g.* **1 grosseiro**, avilanado **2 simples**, singelo, ingénuo, inocente, natural, crendeiro, bolónio, cândido *fig.* ≠ **corrompido**, degenerado, viciado, contaminado *fig.* **3 estúpido**, grosseiro, ignorante, idiota, papalvo, lorpa, tosco, rude, agreste *fig.*, camelo *col.* ≠ **civilizado**, educado, cortês, polido *fig.*

boçalidade *n.f.* **grosseria**, rudeza, selvajaria, inconveniência, incivilidade, insolente, ruralidade *fig.*, aniagem *fig.* ≠ **delicadeza**, cortesia, civilidade, polidez

bocarra *n.f.* **boqueirão**, bocaça

bocejar *v.* **1 boquejar**, boquear, oscitar **2** *fig.* **aborrecer-se**, enfadar-se, enfastiar-se, entediar-se, fatigar-se ≠ **deliciar-se**, extasiar-se, enlevar-se, encantar-se

bocejo *n.m.* **boqueada**, boquejo, oscitação, boquejamento, boquejadura

boche *adj.,n.2g. pej.* **alemão** ■ *n.m.* **1** *pej.* **fressura**, bofes, colhada [REG.] **2** [*pl.*] **vísceras**, miúdos

bochecha *n.f.* **carrilho** *fig.*

bócio *n.m.* MED. **broncocele**

boda *n.f.* **1 casamento**, matrimónio, tálamo, desposório, himeneu, consórcio **2 núpcias**, noivado, himeneu, tambo

bode *n.m.* **1** ZOOL. **cabrão**, cabro, hirco **2** *col.* **embriaguez**, ebriedade, bico, canjica, vinolência, borracheira *col.*, piela *col.*, bruega *col.*, cabeleira *col.*, cardina *col.*, carraspana *col.*, cabra [REG.] ≠ **sobriedade**, abstemia

bodega *n.f.* **1 taberna**, baiuca, tasca, lojeca, botequim, biboca, betesga, futrica, locanda, tasco *col.*, chafarica *col.*, catraia [REG.] **2 porcaria**, imundície, sujidade, lixo, sordidez, cochinada, caca *col.* ≠ **limpeza**, asseio, higiene

bodeguice *n.f.* **imundície**, porcaria, sujidade, bodegada, bodalhice [REG.] ≠ **limpeza**, asseio, higiene

bodo *n.m.* **comida**, iguaria, manjar, prato

bodum *n.m.* **hircismo**, chulé *col.* ≠ **aroma**, odor, perfume

boémiaAO ou **boêmia**AO *n.f.* **vadiagem**, ramboia, vigairada, borga *col.*

boémioAO ou **boêmio**AO *n.m. fig.* **vadio**, borguista, estroina, estúrdio, valdevinos, vagabundo, bon vivant, bandurrilha *fig.*

bofar *v.* 1 **bufar**, bafejar, bafar, golfar 2 *fig.* **vangloriar-se**, alardear, ostentar, jactar-se, galrar, gabar-se, gloriar-se, inchar *fig.* ≠ **humildar**, recatar, ocultar

bofes *n.m.pl.* 1 *col.* **pulmões** 2 *fig.* **índole**, temperamento, carácter, génio, feitio

bofetada *n.f.* 1 **estalo** *col.*, tapa, lambada, bofete, bolacha *col.*, bolachada *col.*, lagosta *col.*, mosquete *col.*, chapada *col.*, estalada *col.*, tabefe *col.*, estampilha *col.*, lostra *col.*, solha *col.*, sorvete *col.*, bilhete *gír.* 2 *fig.* **afronta**, insulto, injúria, ofensa, ultraje, humilhação, enxovalho *fig.* ≠ **desagravo**, desafronta, explicação

bofetão *n.m.* **sopapo**, sapatada, tabefe *col.*, chapada *col.*, assoa-queixos *col.*, lambada *col.*, biscoito *fig.*, orelhada [REG.], moleque [BRAS.] *col.*

boi *n.m.* **touro**, cornúpeto, cornípeto, zebro, marruaz [BRAS.]

boiadAO *n.f. col.* **comida**, refeição, repasto *fig.*

bóiaaAO *n.f.* ⇒ **boia**dAO

boiada *n.f.* **gadaria**, manada, maromba [BRAS.]

boiar *v.* 1 NÁUT. **aboiar** 2 **flutuar**, sobrenadar, vogar, ondejar, vagar, vaguear ≠ **imergir**, mergulhar, submergir 3 *fig.* **vacilar**, hesitar, oscilar, cambalear ≠ **resolver**, decidir, determinar

boiça *n.f.* [REG.] **baldio**, terréu, maninho, balção, concelheiro [REG.]

boicote *n.m.* **boicotagem**

boieiro *n.m.* 1 **abegão**, vaqueiro, cowboy, cobói, boiadeiro [BRAS.] 2 [REG.] **cajado**

boina *n.f.* **carapuça**, gorra, barrete

boîte *n.f.* **discoteca**

bojo *n.m.* 1 *col.* **bandulho**, bucho, panturra, barriga *col.*, pança *col.*, fole *col.*, búzera *col.* 2 *fig.* **envergadura**, capacidade, aptidão, competência ≠ **incompetência**, inaptidão, inabilidade

bola *n.f.* 1 **esfera**, globo, poma, pela, pelota 2 *col.* **futebol**, desporto-rei 3 *col.* **cabeça**, juízo, tino, sensatez ≠ **insensatez**, insanidade, desorientação 4 [*pl.*] *cal.* **testículos**, tomates *cal.*, grãos *col.*, colhões *vulg.* 5 *col.* (pessoas) **tortulho**, bazulaque, trolho *col.*, odre *col.*, batoque *fig.*, botija *fig.*, pipa *fig.,pej.*, tarraco [REG.] ■ *interj.* [*pl.*] *col.* **caramba!**, fogo!, porra!

bolacha *n.f.* 1 CUL. **biscoito** 2 **estalo** *col.*, bofetada, tapa, lambada, bolachada *col.*, lagosta *col.*, mosquete *col.*, chapada *col.*, estalada *col.*, tabefe *col.*, estampilha *col.*, lostra *col.*, solha *col.*, sorvete *col.*, bilhete *gír.*

bolachudo *adj.* **bochechudo**, bolacheiro, rechonchudo

bolada *n.f.* 1 *fig.* **fortuna**, dinheirama *col.*, dinheirada *col.* 2 *fig.* **prejuízo**, perda, desfalque ≠ **ganho**, proveito, vantagem 3 *col.* **abalo**, choque, comoção, perturbação ≠ **tranquilidade**, serenidade, paz

bolar *adj.2g.* GEOG. **bolo-arménio** ■ *v.* 1 **acertar**, atingir, alcançar, conseguir, resultar ≠ **falhar**, perder 2 [BRAS.] *col.* **arquitetar**, conceber, pensar, projetar, refletir

bolboso *adj.* **bulbiforme**

bolçar *v.* **vomitar**, golfar, lançar, arrevessar, desengolir, abolçar, devolver *col.* ≠ **engolir**, ingerir

bolchevique *adj.,n.2g.* POL. **bolchevista**, comunista

bolchevismo *n.m.* POL. **comunismo**, sovietismo

bolchevista *n.2g.* POL. **bolchevique**, comunista

bolear *v.* 1 **arredondar**, tornear 2 *fig.* **aprimorar**, aperfeiçoar, apurar, corrigir, polir ≠ **estragar**, danificar, deteriorar 3 **bambolear**, girar, tornear, menear, circuntornar ≠ **cessar**, parar, imobilizar

boleeiro *n.m.* **cocheiro**, sota

boleia *n.f.* **carona** [BRAS.] *col.*

boleio *n.m.* 1 **arredondamento**, torneamento 2 *fig.* **aperfeiçoamento**, aprimoramento, apuro, correção, esmero ≠ **estrago**, dano, deteriorização

boletim *n.m.* 1 **periódico** 2 **impresso**, formulário

boletineiro *n.m.* **boletinista**

bolha *n.f.* 1 **empola**, borrega, bojança, bejoga [REG.], bojega [REG.] 2 *fig.* **mania**, telha, panca, veneta

bolhar *v.* **borbulhar**, ferver, borbotar

bólide *n.f. col.* **carro**, automóvel

bolina *n.f.* 1 NÁUT. **escota**, orça 2 BOT. **abóbora-moranga**, abóbora-porqueira

bolinar *v.* NÁUT. **navegar**, vaguear, orçar, errar

bolo *n.m. col.* **palmatoada**, palma

bolor *n.m.* 1 **bafio**, mofo, bafum, fartum, sito, relento, ranço ≠ **aroma**, perfume, fragrância, bálsamo, cheiro, odor 2 *fig.* **velhice**, vetustez, antiguidade, ancianidade, caruncho, senectude, canície ≠ **juventude**, mocidade, adolescência, primavera, aurora

bolorento *adj.* 1 **velho**, decadente, decrépito, antigo, caduco ≠ **jovem**, novo, moço, juvenil 2 **bafiento**, sufocado, rançoso, mofento, nidoroso, fedegoso, rançado, râncido ≠ **inodor**, inolente, odorante, aromático, perfumado, fragrante, cheiroso, olente, balsâmico

bolota *n.f.* **borla**, bálano, lande, boleta *col.*

bolsa *n.f.* 1 **saca**, saco, carteira, alforge 2 **pecúlio**, dinheiro, bolso 3 **papo** 4 ANAT. **folículo**

bolseiro *n.m.* 1 **bolsista** [BRAS.] 2 **tesoureiro**, pagador 3 **alforgeiro**

bolso *n.m.* 1 **algibeira**, aljafra, caixinha [BRAS.] 2 **pecúlio**, dinheiro, bolsa 3 **fofo**

bom *adj.* 1 **benévolo**, benigno, bondoso, favorável, indulgente, complacente, querençoso, paternal *fig.* ≠ **malfeitor**, malfazejo, nocivo 2 **agradável**, belo, gracioso, perfeito, aprazível ≠ **desagradável**, incómodo, desprazível 3 **competente**, eficiente, hábil, destro, capaz, profissional ≠ **incompetente**, incapaz, inábil 4 **saboroso**, gostoso, agradável, delicioso ≠ **desagradável**, malgostoso, impalatável 5 **seguro**, garantido, assegurado, certo ≠ **inseguro**, arriscado, duvidoso, difícil, perigoso

bomba *n.f.* 1 MIL. **explosivo**, petardo 2 **petardo**, foguete 3 **sifão** 4 *fig.* **escândalo**, escarcéu, vexame

bombardeamento *n.m.* **bombardeio**, canhoneio, canhonada

bombardear *v.* **bombear**, canhonar, esbombardar

bombardeio *n.m.* **bombardeamento**, canhoneio, canhonada

bombardeiro *n.m.* MIL. *ant.* **artilheiro**, bombeiro

bombástico *adj.* 1 **estrondoso**, altissonante, barulhento, ruidoso ≠ **silencioso**, sossegado, calmo 2 *fig.* **extravagante**, pomposo, empolado, exagerado, espalhafatoso, farfalhudo ≠ **comum**, banal, usual, habitual

bombeiro *n.m.* 1 MIL. *ant.* **artilheiro**, bombardeiro 2 [BRAS.] **espião**, espia

bombista *adj.,n.2g.* [BRAS.] **terrorista**, revolucionário

bombo *n.m.* **tambor**, zabumba *col.*, zé-pereira *col.*

bombom *n.m.* **chocolate**

bom-tom *n.m.* **civilidade**, delicadeza, elegância, distinção, polidez ≠ **incivilidade**, indelicado, deselegante, desairoso

bonachão *adj.,n.m.* **bondoso**, bonacheirão, generoso, pacífico, simples, ingénuo ≠ **velhaco**, ardiloso, traiçoeiro, fingido, malicioso

bonacheirão *adj.,n.m.* **bondoso**, bonachão, pacato, paciente, pachola, bonacho, borrego *fig.* ≠ **velhaco**, ardiloso, traiçoeiro, fingido, malicioso

bonança *n.f.* **calmaria**, quietação, calma, tranquilidade, serenidade, sossego, paz, íris *fig.* ≠ **tormenta**, tempestade, temporal, procela

bonançoso *adj.* 1 **sereno**, tranquilo, sossegado, calmo, plácido, alcióneo, abonançado ≠ **agitado**, irrequieto, revolto, perturbado 2 **favorável**, propício, oportuno, conveniente ≠ **desfavorável**, inoportuno, inconveniente

bondade *n.f.* **benevolência**, generosidade, mansidão, indulgência, benignidade, humanidade *fig.* ≠ **malquerença**, malevolência, maldade

bondoso *adj.* **benevolente**, caridoso, compassivo, generoso, benéfico, bom, clemente, humanitário ≠ **desumano**, desalmado, desapiedado, impio, sadista

boné *n.m.* **casqueta**

boneca *n.f.* 1 **boneco**, nena *col.* 2 **chucha** *ant.*, chupeta

boneco *n.m.* 1 **bonecra** *col.*, nena *col.* 2 **esboço**, desenho, figura, rabisco 3 **fantoche**, marioneta, bonifrate, títere 4 *fig.* **peralvilho**, casquilho, peralta, taful ≠ **maltrapilho**, farrapilha, pelintra, fraca-roupa [REG.]

bonificação *n.f.* 1 (negócio, concurso) **benefício**, bónus, melhoria, vantagem 2 **beneficiação**, melhoramento

bonificar *v.* 1 **beneficiar**, melhorar, benfeitorizar ≠ **prejudicar**, estragar, piorar 2 **gratificar**, premiar, recompensar, galardoar, esportular ≠ **despremiar**, penalizar

bonifrate *n.m.* 1 **fantoche**, marioneta, boneco, títere 2 *fig.* **palhaço**, caganifrates [REG.] 3 *fig.* **engarilho** [REG.]

bonina *n.f.* BOT. **margarida**, malmequer, bem-me-quer, boas-noites

bonito *adj.* **belo**, estético, lindo, preclaro, sublime, formoso, perfeito, bem-dotado, pulcro *poét.* ≠ **feio**, horrível, desgracioso, disforme ■ *n.m.* ICTIOL. **gaiado**, serra, atum, sarrajão

bonomia *n.f.* 1 **benevolência**, generosidade, mansidão, indulgência, benignidade, bondade, humanidade *fig.* ≠ **malquerença**, malevolência, desprezo 2 **paciência**, pachorra, constância, paz ≠ **impaciência**, inquietação, ansiedade, desassossego, agonia

bónus[AO] ou **bônus**[AO] *n.m.2n.* 1 **abatimento**, desconto, redução 2 **prémio**, bonificação, benefício, melhoria, vantagem

bonzo *n.m. fig.* **hipócrita**, beatão, fingido, beguino *col.*, fariseu *pej.* ≠ **honesto**, justo

boqueirão *n.m.* ICTIOL. **anchova**, biqueirão, chacaréu

boquiaberto *adj.* **admirado**, pasmado, perplexo, embasbacado, alvar, aparvalhado ≠ **inabalável**, imoto

boquiabrir *v.* [BRAS.] **surpreender**, pasmar, admirar, embasbacar, aparvalhar

boquilha *n.f.* 1 **fumadeira** 2 MÚS. **boquim**

borboleta *n.f.* 1 ZOOL. **mariposa** 2 *fig.* **prostituta**, meretriz, menina *cal.,pej.*, pega *vulg.*, puta *vulg.*, arruadeira *ant.*

borboletear *v.* **devanear**, vaguear, divagar, fantasiar, mariposear

borbotão *n.m.* **jorro**, golfada, cachão, borbulhão, gorgolão, bolçada

borbotar *v.* **brotar**, aparecer, jorrar, irromper

borboto *n.m.* BOT. **rebento**, gomo, gema, botão, renovo

borbulha *n.f.* 1 **espinha**, pipoca [BRAS.] *col.* 2 **bolha** 3 BOT. (enxertia) **gema**, brulha, gomo, rebento, renovo, botão 4 **discussão**, zaragata, confusão, esbodegação ≠ **calma**, serenidade, sossego 5 *fig.* **mácula**, mancha, pecha, vício, defeito ≠ **virtude**, brilhantismo

borbulhagem *n.f.* fogagem, borbulhaço

borbulhão *n.m.* 1 borbulhaço 2 **cachão**, jato

borbulhar *v.* **brotar**, aparecer, acachoar, bolhar, ferver, borbotar, rebentar, gorgolhar, referver, jorrar, irromper, marejar *fig.*

borda *n.f.* 1 **bordo**, orla, cairel, ourela, aba, banda, beira, extremidade 2 **praia**, margem, beira-mar

borda-d'água *n.f.* **beira-mar**, margem, costa, borda ■ *n.m.* **calendário**, agenda

bordado *adj.* **guarnecido**, enfeitado ■ *n.m.* **lavor**, brincado, bordadura

bordador *n.m.* recamador

bordalo *n.m.* ICTIOL. **escalo**, escalho, robalinho, pica, ruivaco

bordão *n.m.* 1 **bastão**, cajado, vara, varapau, trocho, arrocho 2 *fig.* **ajuda**, amparo, arrimo, apoio, auxílio, socorro, proteção ≠ **desamparo**, desauxílio, abandono 3 *fig.* **estribilho**, chavão

bordar *v.* 1 **ornar**, enfeitar, recamar, lavrar, debruar *fig.* 2 **fantasiar**, imaginar, criar, inventar, idealizar

bordejado *adj.* 1 **bordado**, guarnecido, orlado 2 **franjado**, fimbriado, laciniado

bordejar *v. fig.* **cambalear**, vacilar, cambar, oscilar

bordel *n.m.* **prostíbulo**, lupanar, alcoice, serralho *fig.*

bordo *n.m.* 1 NÁUT. **bordada**, banda 2 **borda**, orla, cairel, ourela, aba, banda, beira, extremidade 3 *fig.* **disposição**, humor, ânimo, inclinação, temperamento

bordoada *n.f.* **pancada**, arrochada, caibrada, fangueirada, ripada, caqueirada *col.*

boreal *adj.2g.* setentrional

borga *n.f. col.* **boémia**, ramboia, vigairada, vadiagem, estroinice, pândega *col.*, rapioca *col.*

bori *n.m.* BOT. **buri**, buri-da-praia, buri-do-campo

borla *n.f.* 1 **maçaneta**, bolota 2 **calote** *col.*, burla, logro, cão *col.*, piteira [REG.] 3 [BRAS.] **penetra**

borlista *n.2g.* **pendura** *col.,pej.*, filante, parasita *col.,pej.*

bornal *n.m.* 1 **saco**, sacola, mochila, mântica, alforge, abre-saca [REG.] 2 **embornal**, cevadeira 3 **saco** *col.*

borne *n.m.* BOT. **alburno**, samo, sâmago

boroa *n.f.* broa

borra *n.f.* 1 **lia**, resíduo, sedimento, fundagem, fezes, assento 2 *col.* **diarreia**, soltura *col.*, caganeira *col.* 3 *fig.* **escumalha** *fig.,pej.*, cascalho *fig.*, escória *pej.*, ralé *pej.*, povaréu *pej.*, enxurro *fig.,pej.* ≠ **elite**, escol, nata *fig.* 4 ORNIT. **chasco** 5 **insignificância**, ninharia, niquice, nada, farelório, frioleira, futilidade, migalhice, minúcia, nugacidade, coisica, ridicularia, farfalhada *fig.*, babugem *fig.*, quiqueriqui *fig.*, avo *fig.*, tuta e meia *col.*, nica *col.*, caganifância *col.* ≠ **importância**, utilidade, valor, transcendência, relevância, interesse

borracha *n.f.* 1 **safa** *col.* 2 **cauchu**, goma-elástica

borrachão *n.m. col.* **beberrão**, beberraz, copofone, copista, caldaça, esponja *col.*, pipa *col.*, sanguessuga *col.*, sopão *col.*, tonel *fig.*, mata-borrão *fig.* ≠ **abstémio**, abstinente

borracheira *n.f.* 1 *col.* **embriaguez**, bebedeira, ebriedade, bico, canjica, piela *col.*, bruega *col.*, cabeleira *col.*, cardina *col.*, carraspana *col.*, cabra [REG.], carpanta [REG.] ≠ **sobriedade**, abstemia 2 *fig.* **asneira**, disparate, sandice, tolice, babosice, bobice, desconchavo, despropósito, bobagem [BRAS.] ≠ **sensatez**, acerto 3 **borrada** *fig.*, sujeira *fig.*, cagada *cal.*, cancaborrada *col.*

borracho *n.m.* 1 ZOOL. **pombinho** 2 *col.* **pão** *fig.,col.*, pedaço *fig.,col.*, brasa *col.* ■ *adj.,n.m. col.* **bêbedo**, bebedor, alcoólatra, embriagado, ébrio, beberrão, borrachão *col.*, bebedolas *col.*, esponja *col.*, beberrica *col.*, beberricador *col.* ≠ **abstémio**, abstinente

borrada *n.f.* 1 **porcaria**, sujeira, imundície, lixeira, monturo, cagaçal *col.* ≠ **asseio**, limpeza, higiene, mundícia 2 *fig.* **borracheira**, porcaria, sujeira, cagada *cal.*, cacaborrada *col.*

borrador *n.m.* **rascunho**, borrão, bosquejo, escarabocho, esboço, debuxo

borralha *n.f.* 1 **cinzas**, rescaldo, brasido, larada, favila 2 *fig.* **lareira**, lume, fogão 3 *fig.* **lar**, casa, domicílio

borralheira *n.f.* borralheiro

borralheiro *adj.* 1 **friorento** ≠ **calorento** 2 **caseiro**, doméstico, familiar, íntimo ≠ **estranho**, externo ■ *n.m.* **borralheira**

borralho *n.m.* 1 **cinza**, rescaldo, brasido, larada, favila, braseira 2 *fig.* **lareira**, lume, fogão 3 *fig.* **lar**, casa, domicílio

borrão *n.m.* 1 **mancha**, nódoa, borradela, esborratadela, pastelada 2 **rascunho**, borrador, bosquejo, escarabocho, esboço, debuxo, minuta 3 *fig.* **vergonha**, descrédito, infâmia, nódoa *fig.*, desdouro *fig.*, deslustre *fig.*, mácula *fig.* ≠ **honra**, respeito, apreço 4 [REG.] ZOOL. **porco**, cocho, cerdo, suvino

borrar *v.* 1 **sujar**, manchar, enodoar, emporcalhar, cagar *fig.,cal.* ≠ **limpar**, desenodoar, desenxovalhar 2 **riscar**, rabiscar, escrevinhar, gatafunhar, esgaratujar 3 **defecar**, evacuar, descomer *col.*, obrar *col.*, cagar *cal.* ≠ **obstipar** 4 *fig.* **desonrar**, desacreditar, desprimorar, deslustrar *fig.*, manchar *fig.* ≠ **honrar**, respeitar, apreciar, louvar

borrar-se *v.* 1 **sujar-se**, emporcalhar-se 2 **desacreditar-se**, deslustrar-se, desconceituar-se, desqualificar-se, desabonar-se 3 *col.* **defecar-se** 4 *col.* **acobardar-se**, amedrontar-se, assustar-se, acagaçar-se *col.*

borrasca *n.f.* 1 **furacão**, vendaval, rajada, borriscada, aguaceiro 2 **tempestade**, tormenta, temporal, procela 3 *fig.* **contratempo**, inquietação, contrariedade, azar, impedimento ≠ **sorte** *fig.*, acerto, afortunado, achado *col.* 4 *fig.* **motim**, tumulto, refrega, zaragata, revolta, arruaça ≠ **ordem**, organização, disciplina, obediência

borrascoso *adj.* **tempestuoso**, furioso, violento, agitado, tumultuoso ≠ **pacífico**, sereno, tranquilo, sossegado

borrega *n.f.* 1 **empola**, bolha, bejoega [REG.], bojego [REG.] 2 **vénus**, borracho *col.*, fatia *col.*, pão *fig.,col.*, pedaço *fig.,col.*, boazona *cal.*, gata [BRAS.] *col.*

borrego *n.m.* 1 ZOOL. **cordeiro**, anho 2 *fig.* **pacato**, paciente, pachola, bonacheiro ≠ **agitador**, perturbador, amotinador, turbulento

borrifar *v.* 1 **salpicar**, aspergir, irrorar, rociar, aljofarar 2 **orvalhar**, rociar, relentar, aljofrar *fig.* 3 **chuvinhar**, borraçar, morrinhar, librinar, neblinar, peneirar *fig.*, amerujar [REG.], carujar [REG.], morraçar [REG.]

borrifo *n.m.* 1 **aspersão**, respingo, irroração, chapiçada [REG.] 2 [*pl.*] **chuvisco**, borraceiro, borriço, merugem, borrisco

bosque *n.m.* **mata**, espessura, luco, boscagem, viridário

bosquejar *v.* 1 **esboçar**, debuxar, delinear, rascunhar, traçar, arcabouçar 2 **resumir**, sintetizar, condensar, abreviar

bosquejo *n.m.* 1 **esboço**, rascunho, delineação, delineamento, borrão, debuxo, diagrama, esquisso 2 **resumo**, sintomia, síntese, sumário, súmula, epítome

bossa *n.f.* 1 **corcunda**, corcova, marreca, gibosidade, giba *col.* 2 *fig.* **tendência**, disposição, propensão, vocação, queda, habilidade, jeito ≠ **inabilidade**, inaptidão, incapacidade

bosta *n.f.* 1 **excremento**, fezes, cocó *col.*, caca *infant.* 2 *cal.* **insignificância**, ninharia, niquice, nada, porcaria, frioleira, migalhice, coisica, ridicularia, farfalhada *fig.*, babugem *fig.*, quiqueriqui *fig.*, avo *fig.*, tuta e meia *col.*, nica *col.*, caganifância *col.* ≠ **importância**, utilidade, valor, transcendência, relevância, interesse

bostela *n.f.* **crosta**, pústula, cascão, posteja [BRAS.]

bota *n.f.* 1 **botina** 2 *fig.* **dificuldade**, obstáculo, agrura, problema, aborrecimento, contrariedade ≠ **felicidade**, fortuna, sucesso, êxito 3 *fig.* **mentira**, patranha, peta, conto, galga *col.*, grila [REG.], moca [BRAS.], batata *col.* ≠ **verdade**, realidade, exatidão

botânica *n.f.* **fitologia**

botânico *n.m.* **fitólogo**

botão *n.m.* 1 BOT. (enxertia) **gema**, brulha, gomo, rebento, renovo, borbulha 2 MED. **verruga**, cravo 3 *fig.* **mamilo**, teto, zina

botar *v.* 1 *col.* **atirar**, deitar, lançar, arremessar, expelir, repelir, impelir, jacular, mandar ≠ **recolher**, apanhar, guardar 2 *col.* **verter**, derramar, entornar, transbordar, exundar, estrebordar 3 **vestir**, usar, pôr, envergar ≠ **despir**, tirar, desguarnecer 4 **colocar**, pôr, pousar 5 **introduzir**, enfiar, meter 6 **desbotar**, empalidecer, descorar, desmaiar ≠ **avivar**, colorir, corar 7 **estender-se**, alongar-se

bote *n.m.* 1 NÁUT. **barco**, batel 2 **golpe**, cutilada, estocada, cutucão 3 *fig.* **censura**, recriminação, crítica, repreensão ≠ **elogio**, louvor, aprovação, aplauso 4 *fig.* **desfalque**, diminuição, perda, redução ≠ **acréscimo**, aumento, crescimento, adição

botelha *n.f.* 1 **garrafa**, frasco 2 **cabaça**

botelho *n.m.* BOT. **bodelha**, carvalhinho-do-mar, sargaço

botequim *n.m.* **taverna**, baiuca, tasca, lojeca, bodega, biboca, betesga, futrica, locanda, tasco *col.*, chafarica *col.*, catraia [REG.]

botica *n.f. ant.* **farmácia**, drogaria

boticário *n.m. ant.* **farmacêutico**, farmacopola

botifarra *n.f.* **botarra**, alcatruzes *col.*

botija *n.f.* 1 **bilha** 2 *fig.* **tortulho**, bazulaque, batoque *fig.*, trolho *col.*, odre *col.*, pipa *fig.,pej.*, tarraco [REG.]

boto *adj.* 1 (utensílio cortante) **embotado**, rombo, rombudo, arredondado, obtuso ≠ **aguçado**, afiado, fino, agudo 2 *fig.* **bronco**, grosseiro, obtuso, rude, bruto, tosco ≠ **delicado**, fino, distinto ■ *n.m.* ZOOL. **toninha**, golfinho, delfim, germão, porco-marinho

bouça *n.f.* 1 [REG.] **tapada**, tapa [REG.] 2 [REG.] **balça**, terréu, bravio, baldio, maninho, concelheiro [REG.]

boxe *n.m.* **pugilismo**, pugilato

braça *n.f.* (medida de comprimento) **braçada**

braçada *n.f.* 1 **pernada**, ramo, pola, galho, braço 2 **feixe**, molho, manado 3 (medida de comprimento) **braça**

braçado *n.m.* **feixe**, molho, braçada

braçal *adj.2g.* **manual** ■ *n.m.* **braçadeira**, braceira

bracarense *adj.,n.2g.* **bragano**, bracaraugustano, brácaro, braguês

bracejar *v.* 1 **bracear**, esbracejar 2 *fig.* **lutar**, lidar, pelejar, batalhar, combater ≠ **pacificar**, apaziguar, serenar

bracelete *n.m./f.* **pulseira**, escrava, manilha, torque, armela *ant.*

braço *n.m.* 1 **tentáculo** 2 **ramo**, ramificação, galho, pernada 3 (rio) **esteiro**, pernada 4 **auxílio**, proteção, ajuda, amparo, refúgio ≠ **desamparo**, abandono, desauxílio 5 **trabalhador**, executor, operário 6 **esforço**, empenho, dedicação, determinação ≠ **inércia**, apatia, indiferença, letargia *fig.* 7 **jurisdição**, poder, autoridade, influência, preponderância ≠ **inferioridade**, minoria, subalterno, secundário

bradar *v.* **bramar**, bramir, berrar, rugir, vozear, vociferar, bradejar, clamar, exclamar, gritar, chamar, algazarrar ≠ **sussurrar**, murmurar, rumorejar, ciciar, zumbir *fig.*

brado *n.m.* **berro**, grito, bramido, troada, rugido *fig.*, urro *fig.* ≠ **murmúrio**, sussurro, cochicho, bulício

braga *n.f.* 1 **tranqueira**, bastida 2 [*pl.*] **calções**

bragal *n.m.* 1 **enxoval** 2 **bragado**

bragançano *adj.,n.m.* **bragantino**, brigantino, braganção, bragancês

bragano *adj.,n.m.* **bracarense**, bracaraugustano, brácaro, braguês

braguilha *n.f.* **carcela**, portinhola

bramar *v.* 1 **bradar**, bramir, berrar, rugir, vozear, vociferar, bradejar, clamar, exclamar, gritar, chamar ≠ **sussurrar**, murmurar, rumorejar, ciciar, zumbir *fig.* 2 **enfurecer-se**, irritar-se, zangar-se, embravecer-se ≠ **desenfurecer-se**, desencolerizar, serenar

bramido *n.m.* 1 **berro**, grito, brado, troada, rugido *fig.*, urro *fig.* ≠ **murmúrio**, sussurro, cochicho, bulício 2 **estrondo**, frémito, estrépito, estampido, rumor ≠ **calada**, silêncio, surdina

bramir *v.* 1 **bradar**, berrar, rugir, vozear, vociferar, bradejar, clamar, exclamar, gritar, chamar ≠ **sussurrar**, murmurar, rumorejar, ciciar, zumbir *fig.* 2 **estrondear**, retumbar, ressoar, ribombar

branca *n.f.* 1 **cã**, neve *fig.* 2 *col.* **esquecimento**, lapso, falha 3 [BRAS.] **aguardente**, cachaça

brancas *n.f.pl.* **cãs**, neve *fig.*

branco *adj.* 1 **alvo**, claro, níveo, lácteo, alabastrino, prateado, albugíneo, alvejante ≠ **preto**, escuro, nocticolor, sombrio 2 **cândido**, virgíneo, puro, inocente ≠ **impuro**, adulterado, corrompido 3 (tez, pele) **pálido**, lívido, descorado ≠ **corado**, rosado ■ *n.m.* ANAT. **esclerótica**, alva, alvo

brancura *n.f.* **alvura**, alvo, branquidão, candura, candidez, candor ≠ **negrura**, escuridão, obscuridade, negrume

brandão *n.m.* **tocha**, archote, vela, facho

brande *n.m.* **aguardente**

brandir *v.* 1 *fig.* **agitar**, abanar, sacudir, mover ≠ **imobilizar**, cessar, parar 2 **oscilar**, menear, balançar, bambear ≠ **imobilizar**, cessar, parar

brando *adj.* 1 **mole**, tenro, macio, flexível, dobradiço, maneável, fofo ≠ **duro**, inflexível, rígido 2 **manso**, moderado, sossegado, calmo, pacífico, remansado, quieto ≠ **inquieto**, agitado, perturbador, tumultuoso 3 **suave**, terno, doce, meigo, agradável, dúlcido ≠ **áspero**, desagradável, ríspido, acerbo, sarabulhoso 4 **fraco**, leve, suave ≠ **pesado**, duro, denso

brandura *n.f.* 1 **moleza**, frouxidão, fraqueza, languidez, indolência, langor, quebranto ≠ **energia**, força, robustez 2 **suavidade**, amenidade, lenidade, mansidão, ternura, doçura *fig.* ≠ **aspereza**, desagrado, rispidez, rudeza, sarabulha 3 **benevolência**, bondade, mansidão, indulgência, benignidade, humanidade *fig.* ≠ **malquerença**, malevolência, desprezo 4 [*pl.*] **meiguice**, afagos, carícias, mimos, paparicos

brandy *n.m.* **aguardente**

branqueação *n.f.* 1 **albificação**, alveamento ≠ **escurecimento**, enegrecimento, escuridão, obumbração 2 **caiação**

branqueador *n.m.* **alveador**

branqueamento *n.m.* 1 **branqueação**, albificação, branqueio, branqueadura, dealbo ≠ **escurecimento**, enegrecimento, escuridão, obumbração 2 **caiação**

branquear *v.* **branquejar**, embranquecer, caiar, alvejar, alvorecer, dealbar, encanecer, alvorejar, argentar, albificar, alvescer ≠ **enegrecer**, escurecer, denegrir

branqueio *n.m.* 1 **branqueamento**, albificação, branqueação, branqueadura ≠ **escurecimento**, enegrecimento, escuridão, obumbração 2 **caiação**

branquejar *v.* **branquear**, embranquecer, caiar, alvejar, alvorecer, dealbar, encanecer, alvorejar, argentear ≠ **enegrecer**, escurecer, denegrir

brânquia *n.f.* ZOOL. **guelra**

braquiado *adj.* **ramoso**, ramado, ramalhoso

brasa *n.f.* 1 **áscua**, tição 2 **ardor**, ardência, calor, inflamação, queimor, brasido ≠ **frieza**, frio, regelo 3 **afogueamento**, vermelhidão, enrubescimento 4 *col.* **borracho** *col.*, pedaço *fig.,col.*, pão *fig.,col.*

brasão *n.m.* 1 **escudo**, armas, insígnia, emblema, timbre 2 *fig.* **fidalguia**, nobreza 3 *fig.* **glória**, honra, pundonor, orgulho ≠ **desonra**, vergonha, opróbio

braseira *n.f.* 1 **brasido**, borralho, lume, lareira, favila, larada, braseiro 2 **braseiro**, fogareiro, rescaldeiro, escalfeta

braseiro *n.m.* 1 **brasido**, borralho, lume, lareira, favila, larada, braseira 2 **fogareiro**, braseira, rescaldeiro, escalfeta

brasido *n.m.* 1 **ardor**, ardência, calor, inflamação, queimor, brasa ≠ **frieza**, frio, regelo 2 **braseiro**, borralho, lume, lareira, favila, larada

brasil *n.m.* BOT. **pau-brasil**, arabutã

brasileiro *adj.,n.m.* **brasilense**, brasílico, brasiliense, brasiliano, brasuca *col.*

brasonar *v.* **blasonar**, bazofiar, abrasonar

brassagem *n.f.* **brassadura**

bravata *n.f.* **fanfarrice**, bazófia, jactância, bizarria, farronca, palavrada, pimponice, quixotada, vanglória, rabularia, ronca *fig.*, prosápia *fig.* ≠ **discrição**, simplicidade, sobriedade, despojamento, recato, modéstia

bravatear *v.* 1 **fanfarronar**, blasonar, alardear, gargantear, jactar-se, bazofiar, bufar, arrotar *fig.* ≠ **recatar**, resguardar, despojar 2 **ameaçar**, amedrontar, aterrorizar, intimidar ≠ **tranquilizar**, apaziguar, aquietar

braveza *n.f.* 1 **ferocidade**, fereza, feridade, selvajaria, crueldade, desumanidade, sanha, barbaridade, cafrice *pej.* ≠ **humanidade**, bondade, piedade, benevolência 2 **fúria**, dureza, força, furor, cólera, impetuosidade, violência ≠ **calma**, tranquilidade, serenidade

bravio *adj.* 1 **bravo**, agreste, montês, maninho, silvestre, selvagem, indómito, inculto, balceiro, tosco *fig.* ≠ **cultivado**, amanhado, arado, fertilizado 2 **áspero**, arisco, rude, austero, duro *fig.* ≠ **suave**, ameno, brando, macio 3 **feroz**, cruel, fero, bruto ≠ **manso**, calmo, pacífico

bravo *adj.* 1 **corajoso**, forte, valente, intrépido, destemido, brioso, denodado, esforçado, valoroso ≠ **cobarde**, medroso, poltrão, pusilânime 2 **bravio**, agreste, montês, maninho, silvestre, selvagem, indómito, inculto, tosco *fig.* ≠ **cultivado**, amanhado, arado, fertilizado 3 **feroz**, cruel, fero, bruto ≠ **manso**, calmo, pacífico ■ *n.m.* **aplauso**, aclamação, elogio, louvor, aprovação, apoiado ≠ **desaplauso**, reprovação, implausível ■ *interj.* **apoiado!**, bem!, viva!

bravura *n.f.* **valentia**, ânimo, intrepidez, coragem, audácia, denodo, esforço, bizarria, arrojo *fig.* ≠ **cobardia**, timidez, acanhamento

breca *n.f.* 1 MED. *col.* **cãibra**, algospasmo 2 ICTIOL. **bica**, dourada, safata

brecha *n.f.* 1 **fenda**, abertura, racha, rombo, aberta, frincha, greta, falha, quebra 2 *fig.* **dano**, prejuízo, perda, detrimento ≠ **ganho**, lucro, proveito, benefício 3 *fig.* **afronta**, ofensa, ultraje, impropério, insulto, agravo, enxovalho *fig.* ≠ **desagravo**, desafronta, explicação

brega *adj.* [BRAS.] **ordinário**, vulgar, reles, brejeiro, piroso *col.*, saloio *pej.* ≠ **distinto**, superior, notável, extraordinário

brejeirar *v.* **garotar**, marotear, brincar, gracejar ≠ **respeitar**, considerar, prezar, estimar

brejeirice *n.f.* **maroteira**, garotice, brejeirada, gracejo, brincadeira ≠ **respeito**, consideração, estimação

brejeiro *adj.* 1 **malicioso**, descarado, mordaz, maroto, raposino *fig.*, frescalhão *col.* ≠ **sério**, íntegro, reto 2 **ordinário**, vulgar, reles, piroso *col.*, saloio *pej.*, brega [BRAS.] ≠ **distinto**, superior, notável, extraordinário ■ *n.m.* 1 **bandalho**, futre, safado, patife, infame, velhaco, biltre, pulha *col.*, canalha *pej.* ≠ **notável**, honesto, respeitador 2 **brincalhão**, folião

brejo *n.m.* 1 **pântano**, pantanal, paul, lamaçal, sapal, charco, lameiro, tremedal, bafordo 2 **urzal**, urzeira, urzedo 3 **matagal**, agra, charneca, gândara, mato, brenha

brejoso *adj.* **alagadiço**, encharcadiço, lamacento, pantanoso, brejado, palustre, brejento

brenha *n.f.* 1 **matagal**, agra, charneca, gândara, mato, brejo 2 *fig.* **complicação**, confusão, embaraço, estorvo ≠ **desimpedimento**, facilidade, desembaraço 3 *fig.* **mistério**, segredo, enigma, arcano ≠ **descoberta**, achado, solução

breu *n.m.* **pez**, colofónia, piche

breve *adj.2g.* 1 (em duração) **passageiro**, rápido, apressado, momentâneo, instantâneo, efémero, transitório, fugaz, abreviado ≠ **prolongado**, durativo, demorado, longo 2 (em extensão) **curto**, pequeno, sumário, diminuto, conciso, compendioso, resumido, lacónico, sucinto, abreviado ≠ **longo**, extenso, comprido ■ *adv.* **cedo**, logo, prontamente, brevemente

breviário *n.m.* **resumo**, sinopse, sumário, síntese, compêndio, epítome, súmula

brevidade *n.f.* 1 **rapidez**, prontidão, transitoriedade, fugacidade ≠ **prolongamento**, duração, demora, delonga 2 **concisão**, laconismo, condensação *fig.* ≠ **prolixidade**, difusão, redundância

briga *n.f.* **discussão**, controvérsia, contenda, altercação, disputa, debate, arrepeladela, peleja *fig.* ≠ **acordo**, entendimento, assentimento

brigão *adj.,n.m.* **briguento**, arruaceiro, desordeiro, bulhento, conflituoso, rixador, rixoso, acutilador, brigoso, brigador, brigante, díscolo, revolvedor, espancador, guerreão [REG.] ≠ **pacificador**, tranquilizador, sereno

brigar *v.* 1 **bulhar**, batalhar, contender, altercar, debater, disputar, discutir, rixar, pelejar *fig.*, pelear [BRAS.] ≠ **pacificar**, tranquilizar, apaziguar 2 *fig.* **destoar**, aberrar, desarmonizar ≠ **harmonizar**, condizer

brilhante *adj.2g.* 1 **cintilante**, radioso, reluzente, radiante, esplendente, resplandecente, flamante, fulgente, fúlgido, fulgurante, rútilo, espelhento, florescente *fig.* ≠ **fosco**, baço, embaciado, mate 2 *fig.* **célebre**, notável, ilustre, insigne, distinto, famoso, grande ≠ **desconhecido**, incógnito, oculto 3 *fig.* **excelente**, esplêndido, magnífico ≠ **terrível**, horrível, péssimo 4 *fig.* **pomposo**, imponente, magnífico, grandioso, magnificente ≠ **singelo**, simples, despojado ■ *n.m.* MIN. **diamante**

brilhantina *n.f.* **bandolina**

brilhantismo *n.m.* 1 **luzimento**, brilho, refulgência, fulgor, vivacidade ≠ **desluzimento**, deslustre, embaciamento 2 **esplendor**, magnificência, pompa, sumptuosidade, lustre *fig.* ≠ **despojamento**, modéstia, simplicidade, singeleza

brilhar *v.* **1** **cintilar**, fulgir, fulgurar, luzir, refulgir, reluzir, resplandecer, resplender, rutilar, esplendecer, prefulgir, resplendecer, estrelar, faiscar, radiar, reverberar, ourejar ≠ **embaciar**, deslustrar, enturvar, empanar *fig.* **2** *fig.* **mostrar-se**, distinguir-se, realçar, sobressair, evidenciar-se, avultar, revelar-se, salientar-se ≠ **desacreditar**, desprestigiar, desautorizar, borrar *fig.*

brilharete *n.m.* **êxito**, sucesso, triunfo, tiro *fig.* ≠ **fiasco**, fracasso, estenderete

brilho *n.m.* **1** **cintilação**, claridade, fulgor, flamância, fulgência, fulguração, nitescência, radiância, resplandecência, resplendor, luz *fig.* ≠ **deslustre**, embaciamento **2** *fig.* **vivacidade**, brilhantismo, expressividade, fulgor

brincadeira *n.f.* **1** **divertimento**, jogo, folguedo, recreação, folia, brinquedo, pagode *fig.,col.*, reinação *col.*, brinca *col.* **2** **gracejo**, troça, zombaria, galhofa, broma, brinco, chasca **3** **partida**, maganice, maganeira **4** **bailarico**, festa

brincado *adj.* **floreado**, arrendado

brincalhão *adj.,n.m.* **folgazão**, divertido, alegre, lascivo, folião, galhofeiro, garnachão, folhão, brincão, brincador, retoição, gaiteiro *fig.*, reinadio *col.*, chanfalhão *col.* ≠ **tristonho**, macambúzio, taciturno, sorumbático

brincar *v.* **1** **divertir-se**, distrair-se, folgar, entreter-se, galhofar, jogar, estrinchar *col.*, trebelhar *fig.* ≠ **aborrecer-se**, entediar-se, enfadar-se **2** **gracejar**, zombar, escarnecer, caçoar, ludibriar ≠ **respeitar**, considerar, prezar, estimar **3** **adornar**, enfeitar, embelezar, ataviar, enramalhetar, ornar ≠ **desenfeitar**, desarranjar, desadornar, desalinhar *fig.*

brinco *n.m.* **1** **pingente** **2** **gracejo**, troça, zombaria, galhofa, brincadeira, broma **3** **brinquedo**, joguete, dixe **4** **primor**, requinte

brindar *v.* **1** **presentear**, obsequiar, ofertar, mimosear, regalar, dadivar, dar, oferecer **2** **saudar**, felicitar, homenagear

brinde *n.m.* **1** **presente**, oferta, dádiva, lembrança, mimo **2** **saudação**, toste, saúde *fig.*

brinquedo *n.m.* **1** **joguete**, brinco, dixe **2** **divertimento**, jogo, brincadeira, folguedo, recreação, folia, pagode *fig.,col.*, reinação *col.* **3** *fig.* **joguete**, pau-mandado *pej.*

brinquinho *n.m.* **bugiganga**, quinquilharia, bagatela, bufarinha, bugiaria, chinesada

brio *n.m.* **1** **pundonor**, cavalheirismo, estímulo, dignidade, nobreza, decência, decoro, probidade ≠ **desbrio**, desonra, indignidade **2** **elegância**, garbo, distinção, galhardia, donaire, airosidade, graciosidade ≠ **deselegância**, desaire **3** **coragem**, ânimo, valor, denodo, ardimento ≠ **medo**, receio, temor, pavor

briol *n.m.* **1** *col.* **vinho**, cascarrão **2** *fig.* **frio**

brioso *adj.* **1** **pundonoroso**, denodado, digno, nobre, timbroso ≠ **desbrioso**, indigno, desonroso **2** **corajoso**, animoso, audaz, valente ≠ **medroso**, cobarde, receoso

brisa *n.f.* **1** **aragem**, bafagem, sopro, viração, assopro ≠ **ventania**, rajada, rabanada, furacão, buzaranha, tufão, ciclone, baforada **2** [REG.] **embate**

britânico *adj.,n.m.* **bretão**

britar *v.* **fragmentar**, triturar, quebrar, moer, partir, romper, esmilhar

broca *n.f.* **1** **pua** **2** **nica** [REG.], soco **3** **fístula**, chaga **4** **mentira**, patranha, peta, logro ≠ **verdade**, sinceridade

brocar *v.* **furar**, perfurar, terebrar, broquear

brocha *n.f.* **prego**, tacha

brochado *adj.* TIP. (livro) **costurado**, cosido

brochura *n.f.* **1** **folheto** **2** TIP. **brochagem**

bródio *n.m.* **comezaina**, patuscada, festança, regalório, brequefesta, pândega *col.*, bambochata *col.*, rapioca *col.*, taina [REG.]

bronca *n.f.* **1** *col.* **desentendimento**, desavença, contenda, divergência, dissensão ≠ **acordo**, entendimento, concordância **2** *col.* **escândalo**, fita, escarcéu *fig.*, bomba *fig.*

bronco *adj.* **1** **tosco**, grosseiro, lorpa, obtuso, rude, rústico, rombo *fig.*, peco *fig.,pej.*, tapado *fig.,pej.* ≠ **civilizado**, bem-educado, polido *fig.* **2** **ignorante**, inculto, estúpido ≠ **inteligente**, culto

bronquial *adj.2g.* **brônquico**

bronquice *n.f.* **ignorância**, obtusidade, burrice, estupidez ≠ **instrução**, erudição, saber

bronquite *n.f.* MED. **catarro**

bronzeado *adj.* **1** **bronze**, brônzeo **2** **amorenado**, tisnado, trigueiro, queimado *col.* ≠ **descorado**, esbranquiçado, pálido ▪ *n.m.* **bronze** [BRAS.]

bronzear *v.* **amorenar**, escurecer, abronzear, queimar *col.*, torrar *fig.*

broquel *n.m.* **1** **escudo**, égide **2** *fig.* **proteção**, defesa, abrigado, apoio ≠ **desprotegido**, vulnerável, desabrigado

brota *n.f.* **1** ICTIOL. **abrótea**, ricardo **2** BOT. **broto**, gomo, rebento

brotar *v.* **1** BOT. **desabrochar**, grelar, abotoar, rebentar, abrolhar, germinar, desabrolhar ≠ **mirrar**, murchar, fenecer, desflorescer **2** **nascer**, jorrar, manar, borbotar, gorgolhar, dimanar, emanar, irromper, pulular, romper, surdir ≠ **desaparecer**, extinguir-se, esgotar-se **3** **mostrar-se**, distinguir-se, realçar, sobressair, evidenciar-se, avultar, revelar-se, salientar-se ≠ **desacreditar**, desprestigiar, desautorizar, borrar *fig.* **4** **gerar**, produzir, criar, conceber

broto *n.m.* 1 BOT. **gomo**, grelo, rebento, renovo 2 [BRAS.] **adolescente**, jovem 3 [BRAS.] **namorada**, namorado

brotoeja *n.f.* MED. **cobrelo** *col.*

brucelose *n.f.* MED. **febre-de-malta**

bruma *n.f.* 1 **nevoeiro**, cerração, neblina, caligem 2 *fig.* **obscuridade**, sombra, escuridão ≠ **claridade**, iluminação, nitescência 3 *fig.* **mistério**, incerteza, dúvida, enigma, vago ≠ **certeza**, clarividência, evidência, certo

brumoso *adj.* 1 **nebuloso**, nevoento, brumal, enevoado, nublado ≠ **desanuviado**, aberto, descerrado 2 **indeterminado**, vago, incerto, duvidoso ≠ **claro**, certo, exato

brunideira *n.f.* **engomadeira**

brunidura *n.f.* **polimento**, lustre, polidura

brunir *v.* 1 **engomar**, passar, alisar 2 **polir**, lustrar, açacalar ≠ **despolir**, deslustrar, embaciar

bruno *adj.* 1 **escuro**, moreno, pardo 2 *fig.* **triste**, infeliz, acabrunhado, abatido, taciturno ≠ **alegre**, contente, feliz 3 *fig.* **sombrio**, lúgubre, infausto

brusca *n.f.* BOT. **gilbardeira**, gilbarbeira

brusco *adj.* 1 **áspero**, rude, ríspido, severo, desagradável, arrebatado, seco ≠ **suave**, sereno, brando 2 **imprevisto**, inesperado, súbito, repentino ≠ **previsível**, calculado, desejado, esperado

brutal *adj.2g.* 1 **bárbaro**, feroz, desumano, atroz, beluíno, protervo, impiedoso ≠ **humano**, bondoso, piedoso, bom, compassivo 2 **grosseiro**, rude, cruel, desumano, bruto, inumano, selvagem, feroz ≠ **civilizado**, educado, cortês, polido *fig.* 3 **descomunal**, desconforme, espantoso, desproporcionado, grandioso ≠ **proporcionado**, apropriado, razoável, mediano

brutalidade *n.f.* 1 **violência**, brutidade, contundência, impetuosidade ≠ **paz**, tranquilidade, serenidade, sossego 2 **bestialidade**, bestice, bestidade, bestearia, atrocidade, maldade, desumanidade, barbaridade, bruteza, brutidade, brutidão, cavalidade, alarvada, couce *fig.* ≠ **humanidade**, bondade, piedade, benevolência

brutalizar *v.* **brutificar**, embrutecer, estupidificar, bestificar, bestializar ≠ **civilizar**, educar, instruir, desembrutecer

brutamontes *n.2g.2n.* **bruto**, alarve, selvagem, bertoldo, grosseirão *fig.*, mastodonte *fig.*, javardo *pej.*, burgesso *pej.*, paquiderme *fig.,pej.*, brutitates [REG.], zopeiro [REG.], zopo [REG.]

brutificar *v.* **brutalizar**, embrutecer, estupidificar, bestificar, bestializar ≠ **civilizar**, educar, instruir, desembrutecer

bruto *adj.* 1 **grosseiro**, rude, alapoado, rústico *pej.*, abroeirado *fig.* ≠ **civilizado**, educado, cortês, polido *fig.* 2 **bárbaro**, selvagem, feroz, desumano, atroz, beluíno, bravo, animal *pej.* ≠ **humano**, bondoso, piedoso, bom, compassivo 3 **descomunal**, desconforme, espantoso, desproporcionado, grandioso ≠ **proporcionado**, apropriado, razoável, mediano ■ *n.m.* 1 **alimária**, bestiola 2 ORNIT. **gaivota**, gaivota-de-bico-de-cana

bruxa *n.f.* 1 **feiticeira**, mágica, maga, saga, estriga, estrige, carocha *col.* 2 **vidente**, sibila, profetisa, adivinha 3 ICTIOL. **cação**, gata, pata-roxa, pintarroxa 4 ICTIOL. **xara**, arreganhada, lixa-pau, xara-preta, xara-branca

bruxaria *n.f.* **feitiçaria**, sortilégio, feitiço, encantamento, bruxedo, macumba, magia, salga, mandinga, ensalmo, prestigiação

bruxedo *n.m.* **feitiçaria**, sortilégio, bruxaria, feitiço, encantamento, macumba, magia, salga, mandinga, ensalmo, prestigiação, salgação, tangomangro

bruxo *n.m.* 1 **feiticeiro**, mágico, mago, embruxador, mandingueiro 2 **curandeiro**, benzedeiro, abençoadeiro, enxota-diabos *col.* 3 **ocultista**

bruxulear *v.* 1 **oscilar** 2 (luz da lamparina) **tremeluzir**, tremular, lampejar, piscar, cintilar, fulgurar

bucal *adj.2g.* **oral**

bucha *n.f.* 1 **tampão**, bujão 2 *fig.* **logro**, patranha, engano, espiga, prejuízo ■ *n.2g. col.* **gordo**, botija *fig.*, pantufo *col.*, lapouço [REG.]

bucho *n.m.* 1 (animais) **estômago** 2 **bandulho**, bojo, panturra, barriga *col.*, pança *col.*, fole *col.*, búzera *col.*, morca [REG.]

buço *n.m.* 1 **penugem**, lanugem, felpa 2 ZOOL. **cachorro**, cacho

bucólica *n.f.* LIT. **écloga**

bucólico *adj.* 1 **campestre**, pastoril, rústico, arcádio ≠ **urbano**, citadino 2 **simples**, puro, singelo, natural, ingénuo, inocente, naïf, casto *fig.*, bom-serás *col.* ≠ **malicioso**, manhoso, astuto, finório

bucolismo *n.m.* **inocência**, pureza, candura ≠ **malícia**, manha, astúcia

budista *n.2g.* **nirvanista**

bué *adv. col.* **muito**, demasiado, bastante, imenso, altamente ≠ **pouco**

buereré *adv. col.* **muitíssimo**, altamente, bastante ≠ **pouco**, nada

bufa *n.f.* 1 *col.* **bufo** 2 [*pl.*] **suíças**

bufão *n.m.* 1 **bobo**, truão, bufo, histrião, jogral, polichinelo, arlequim *fig.*, títere *col.* 2 **fanfarrão**, bravateador, blasonador, bravatão, bravateiro, arrotador *fig.*

bufar *v.* 1 **soprar**, assoprar, bafar, arquejar, aflar, suflar 2 *fig.* **vangloriar-se**, alardear, blasonar, ostentar, jactar-se, campear, galrar, gabar-se, gloriar-se, inchar *fig.*, bazofiar ≠ **humildar**, recatar, ocultar

bufarinheiro *n.m.* **quinquilheiro**, zângano

bufete *n.m.* 1 aparador 2 papeleira, secretária 3 cocktail

bufo *n.m.* 1 *col.* bufa 2 **bobo**, truão, histrião, jogral, polichinelo, arlequim *fig.*, títere *col.* 3 *col.* **delator**, denunciador, revelador, chibo *col.*, sujão *col.* 4 ORNIT. **corujão**, pássaro-da-morte 5 ICTIOL. **masca-tabaco**, papa-tabaco ■ *adj.* 1 **jovial**, engraçado, prazenteiro, alegre ≠ **triste**, taciturno, lúgubre 2 **burlesco**, farsante, cómico, ridículo, irrisório, grotesco

bugalho *n.m.* 1 BOT. **noz-de-galha**, bugalha 2 BOT. **erva-isqueira**

bugia *n.f.* **velinha**

bugiar *v.* **trambicar**, trombicar

bugiaria *n.f.* 1 **macaquice**, gaifona, monice 2 **quinquilharia**, bugiganga 3 **ninharia**, niquice, nada, futilidade, migalhice, minúcia, coisica, ridicularia, farfalhada *fig.*, quiqueriqui *fig.*, avo *fig.*, tuta e meia *col.*, nica *col.*, caganifância *col.* ≠ **importância**, utilidade, valor, transcendência, relevância, interesse, aquela

bugiganga *n.f.* **quinquilharia**, brinquinho, bagatela, bufarinha, bugiaria, chinesada

bugio *n.m.* ZOOL. **barbado**, guariba [BRAS.]

buinho *n.m.* BOT. **bunho**, vime

buir *v.* 1 **desgastar**, puir, gastar ≠ **conservar**, preservar 2 **polir**, alisar, açacalar, esbarbar ≠ **despolir**

bujarrona *n.f. fig.* **afronta**, ofensa, ultraje, impropério, insulto, agravo, enxovalho, brecha ≠ **desagravo**, desafronta, explicação

bulha *n.f.* 1 **ruído**, atroada, atrupido, rumor, barulho, traquinada, tagarelice, estrupido, inglesia, estrompido, restolheira, carpido, banzé *col.*, cagaçal *col.*, espalhafato, esterroada *fig.*, marulho *fig.*, marulhada *fig.*, restolhada *fig.*, senzala *fig.*, langará [REG.], estrupício [BRAS.] ≠ **silêncio**, paz, sigilo, sopor, silente *poét.*, blackout *fig.* 2 **confusão**, caos, trapalhada, desordem, babel, badanal, alvoroço, tumulto, charivari, assuada, zaragata, espalhafato, rebuliço, chinfrim, sarrafusca *col.*, sarapatel *fig.*, feira *fig.*, pé de vento *fig.*, tropel *fig.* ≠ **ordem**, organização, arrumação, arranjo

bulhar *v.* **brigar**, batalhar, contender, altercar, debater, disputar, discutir, rixar, pelejar *fig.*, pelear [BRAS.] ≠ **pacificar**, tranquilizar, apaziguar

bulhento *adj.* **turbulento**, desordeiro, agitado, inquieto, chinfrineiro, arruaceiro, disputador, tavanês ≠ **quieto**, calmo, pacífico

bulício *n.m.* 1 **sussurro**, murmúrio, rumor, ruído, burburinho ≠ **berro**, grito, brado 2 **agitação**, alteração, desassossego, desordem, rebuliço, tumulto, motim, espalhafato, alvorotamento, deus-nos-acuda ≠ **calmaria**, serenidade, sossego, tranquilidade

buliçoso *adj.* 1 **agitado**, mexediço, irrequieto, inquieto, movediço ≠ **imóvel**, parado, cessante, estático 2 **ativo**, vivo, enérgico, dinâmico, movimentado ≠ **preguiçoso**, indolente, lento, vagaroso 3 **travesso**, traquinas, rabino *col.* ≠ **sossegado**, ajuizado, bem-comportado 4 **bulhento**, turbulento, desordeiro, agitado, inquieto, chinfrineiro, arruaceiro, disputador, tavanês ≠ **quieto**, calmo, pacífico

bulir *v.* 1 **mexer-se**, agitar-se, mover-se, revolver-se, movimentar-se ≠ **paralisar**, parar, estacar, imobilizar 2 **oscilar**, saracotear, balançar ≠ **parar**, cessar, fixar, imobilizar, estacar

bumba *interj.* (estrondo de pancada ou queda) **zás!**, pumba!

bunda *n.f. col.* **nádegas**, rabo, cu *vulg.*, bumbum [BRAS.]

bundo *n.m.* 1 **quimbundo** 2 ORNIT. **janda**

buraca *n.f.* **cova**

buraco *n.m.* 1 **orifício**, furo, abertura, forame 2 **cova**, cavidade, fossa 3 **toca**, lura, loca, lora, lorga, taloca [REG.] 4 *fig.* **casebre**, pardieiro, toca *pej.* 5 *fig.* **falha**, lacuna, deficiência, omissão, hiato

burburinho *n.m.* 1 **sussurro**, murmúrio, rumor, ruído, bulício ≠ **berro**, grito, brado 2 **confusão**, caos, trapalhada, desordem, babel, badanal, alvoroço, tumulto, charivari, assuada, zaragata, espalhafato, rebuliço, chinfrim, sarrafusca *col.*, sarapatel *fig.*, feira *fig.*, pé de vento *fig.*, tropel *fig.* ≠ **ordem**, organização, arrumação, arranjo 3 **rumor**, estrupido, inglesia, estrompido, restolheira, espalhafato, banzé *col.*, cagaçal *col.*, esterroada *fig.*, marulho *fig.*, marulhada *fig.*, restolhada *fig.*, senzala *fig.*, langará [REG.], estrupício [BRAS.] ≠ **silêncio**, paz, sigilo, sopor, silente *poét.*, blackout *fig.*

burel *n.m.* 1 **picote** 2 *fig.* **luto**, nojo

burgau *n.m.* 1 **cascalho**, seixo, rebo, calhau, burgo, bichouro [REG.] 2 ZOOL. **burrié**, borrelho, búzio, caramujo

burgo *n.m.* 1 **paço** 2 **arrabalde**, subúrbio, arredores, redondezas 3 **cascalho**, seixo, rebo, calhau, burgau

burguês *adj.,n.m.* 1 *pej.* **vulgar**, trivial, ordinário, comum, prosaico, corriqueiro ≠ **distinto**, singular, notável, insigne 2 *pej.* **materialista**, conformista ≠ **imaterialista**

burguesia *n.f.* **burguesismo**, mediocracia

burguesismo *n.m.* **burguesia**, mediocracia

buril *n.m.* **cinzel**, escopro

burilar *v.* 1 **entalhar**, gravar 2 *fig.* (estilo literário) **trabalhar**, apurar

burla *n.f.* 1 **fraude**, embuste, trapaça, defraudação, engano, vigarice, ludíbrio, logro, intrujice, fulheira, embaçadela, tolã *col.*, encabadela *col.* 2 **zombaria**, escárnio, gracejo, motejo, chança, chasco, chufa ≠ **respeitabilidade**, considerabilidade

burlado *adj.* 1 **enganado**, defraudado, trapaceado, logrado, comido *col.* ≠ **respeitado**, considerado 2 **roubado**, furtado, gamado *col.*

burlão *adj.,n.m.* **enganador**, trapaceiro, embusteiro, falacioso, burlista, defraudador, vigarista, burlador, burloso ≠ **honesto**, correto, decente, verdadeiro

burlar *v.* 1 **ludibriar**, iludir, enganar, lograr, fraudar, vigarizar, blefar, codilhar *fig.*, aguiar [REG.] ≠ **desiludir**, desenganar 2 **escarnecer**, motejar, zombar, apodar, mofar, chasquear, zingrar ≠ **respeitar**, considerar, prezar, estimar

burlesco *adj.* **cómico**, bufo, ridículo, irrisório, grotesco, arlequinesco ≠ **sério**, grave, sisudo

burnus *n.m.2n.* **albornoz**

burocrático *adj.* **oficial**

burra *n.f.* 1 **jumenta**, asna 2 *col.* **bicicleta**, velocípede 3 **pé-de-meia**, poupança, economias 4 **fortuna**, riqueza 5 **cofre**, arca, cacifre

burricada *n.f.* 1 **jericada**, jumentada, asnada, burrada 2 *fig.* **asneira**, burrice, disparate, idiotice, parvoíce, tolice, caloirice, parvoiçada, patavinice, sendeira *col.*, torresmada [REG.] ≠ **juízo**, acerto, esperteza

burrice *n.f.* 1 **asneira**, disparate, idiotice, parvoíce, tolice, bertoldice, burragem, burricada *fig.* ≠ **juízo**, acerto, esperteza 2 **teimosia**, casmurrice, teima, birra, obstinação ≠ **flexibilidade**, plasticidade, maleabilidade 3 **amuo**, mau-humorado, enfado, carrancudo

burrico *n.m.* **burrinho**, burreco

burrié *n.m.* ZOOL. **burgau**, borrelho, búzio, caramujo

burrinho *n.m.* 1 **burrico**, burreco 2 ICTIOL. **godião**, maragota, chalrão

burriqueiro *n.m.* **asneiro**, arrieiro

burro *n.m.* 1 ZOOL. **asno**, jumento, jerico, cavalgadura 2 *fig.* **asno**, grosseiro, estúpido, ignorante, jerico *pej.* ≠ **conhecedor**, perito, sabedor 3 ICTIOL. **bodião**, maragota, chalrão 4 *ant.,gír.* **pai-velho** ■ *adj.* **teimoso**, bronco, estúpido, imbecil, besta, ignorante ≠ **esperto**, inteligente, sagaz

bus *n.m.* **autocarro**, buscado

busca *n.f.* 1 **procura**, pesquisa, investigação, cata, indagação, demanda 2 **examinação**, exame, revista

buscado *adj.* 1 **procurado** 2 **rebuscado** *fig.*, estudado, afetado ≠ **natural**, simples 3 **autocarro**, bus

buscar *v.* 1 **procurar**, catar, diligenciar, esgaravatar 2 **investigar**, pesquisar, indagar, explorar, esquadrinhar, inquirir, procurar, cavar *fig.*, sondar *fig.* 3 **idear**, imaginar, fantasiar, criar 4 **dirigir-se**, encaminhar-se, demandar, orientar-se ≠ **afastar-se**, distanciar-se, desviar-se

busílis *n.m.2n.* **dificuldade**, obstáculo, embaraço, estorvo, nó ≠ **facilidade**, desembaraço

bússola *n.f. fig.* **guia**, norte, orientação, rumo, direção ≠ **desorientação**, desnorteado

busto *n.m.* **torso**, peito

bute *n.m. col.* **pé**, pontapé ■ *interj.* **vamos!**

buzina *n.f.* 1 **corneta**, cláxon 2 **búzio** 3 *fig.* **pregoeiro**, porta-voz

buzinada *n.f.* **cornetada**, apitadela

buzinar *v.* 1 **apitar**, abuzinar 2 **importunar**, maçar *fig.*, incomodar, aturdir ≠ **agradar**, deliciar

búzio *n.m.* 1 ZOOL. **burgau**, borrelho, caramujo, trombeta 2 **mergulhador** 3 **corneta**, trombeta ■ *adj.* **baço**, opaco, turvo, fosco, embaciado ≠ **límpido**, transparente, claro

C

cá *adv.* **aqui**, neste lugar, para aqui, entre nós

cã *n.f.* **1** **branca**, neve *fig.* **2** *fig.* **velhice**, vetustez, antiguidade, ancianidade, caruncho, senectude, canície ≠ **juventude**, mocidade, adolescência, primavera, aurora

cabaça *n.f.* **1** BOT. **calabaça** **2** BOT. **cabaceira**, abóbada-cabaça **3** BOT. **abóbora** **4** **pingente**, penduricalho

cabaceira *n.f.* BOT. **abóbora-cabaça**, cabaça

cabaço *n.m.* **1** BOT. **cabaceiro**, abóbada-cabaça **2** **garabano** [REG.] **3** ICTIOL. **santo-antónio**, ruivo, cabra, bacamarte, bêbedo **4** *vulg.* **hímen** **5** *fig.,vulg.* **virgindade**, pureza, pudicícia, inocência, castidade, honra *ant.*

cabal *adj.2g.* **1** **completo**, acabado, perfeito, pleno ≠ **imperfeito**, incompleto **2** **rigoroso**, severo, exigente ≠ **impreciso**, incorreto **3** **satisfatório**, suficiente, adequado ≠ **insatisfatório**, insuficiente

cabala *n.f.* **1** **ocultismo** **2** *fig.* **intriga**, maquinação, conluio, conjuração, conspiração, complô, cambalacho, trama, tramoia *col.* ≠ **correção**, verdade, boa-fé

cabalista *n.2g.* **ocultista**

cabalístico *adj. fig.* **misterioso**, obscuro, oculto, secreto, enigmático ≠ **revelado**, descoberto, evidente

cabalmente *adv.* **completamente**, absolutamente, inteiramente, perfeitamente, plenamente ≠ **parcialmente**

cabana *n.f.* **barraca**, choupana, choça, tugúrio, barga, cochovelho, furda [REG.] ≠ **casarão**, mansão, casão, convento *fig.*

cabaré *n.m.* **boîte**, café-concerto

cabaz *n.m.* **cesto**, gigo, canastrel

cabe *n.m.* **1** **ardil**, astúcia, manha, sagacidade ≠ **honestidade**, correção, sinceridade **2** **oportunidade**, ensejo, azo, ocasião, cabimento ≠ **desaproveitamento**, perda, desperdício

cabeça *n.f.* **1** **bola** *col.*, cachimónia *col.*, capacete *col.*, cachola *col.*, carola *col.*, tola *col.*, mona *col.*, pinha *col.*, canhola *col.*, caxamola *col.*, caixa-dos-pirolitos *col.*, doida *col.*, matrola *col.*, chola *col.*, caco *fig.*, cuca [BRAS.] **2** *col.* **memória**, lembrança, recordação, cachimónia *col.* ≠ **esquecimento**, lapso, falha, omissão **3** (dicionário, enciclopédia) **palavra-guia** **4** *fig.* **inteligência**, razão, raciocínio, compreensão, casco, cérebro ≠ **irracionalidade**, estupidez **5** *fig.* **juízo**, siso, tino, sensatez, cachimónia *col.* ≠ **desatino**, insensatez **6** *col.* **sumidade** *fig.*, capacidade, crânio *fig.* ≠ **pacóvio**, estúpido **7** **princípio**, começo ≠ **fim**, termino, cabeiro **8** (região) **capital**, metrópole ■ *n.2g.* **1** **dirigente**, chefe, líder, cabecilha **2** **autor**, criador, inventor

cabeçada *n.f.* **1** **marrada**, topetada, buca, turra *col.*, coca [REG.] **2** **cabresto**, barbicacho, cabeção **3** *fig.* **erro**, asneira, engano, desacerto ≠ **acerto**, correção **4** (encadernação) **cabeceira**

cabeçalho *n.m.* **1** **título**, epígrafe **2** **travesseiro**, almofada, cabeceira **3** **timão**

cabeção *n.m.* **cabresto**, barbicacho, cabeçada

cabecear *v.* (ao dormitar) **escabecear**, descair, pingar, inclinar-se

cabeceira *n.f.* **1** **travesseiro**, almofada, cabeçalho, cabeçal **2** **frente**, dianteira ≠ **posterior**, traseira **3** (encadernação) **cabeçada** **4** **ponta**, extremidade **5** (rio) **nascente**, fonte, origem

cabecilha *n.2g.* **1** **dirigente**, chefe, líder, cabeça **2** MIL. **caudilho**, chefe, comandante

cabeço *n.m.* **1** **cume**, cimo, viso, juga, cocuruto *fig.* **2** **outeiro**, colina, montículo, penela, cerro, mamelão, morro, cabeçorro, caramoiço

cabeçorra *n.f. col.* **torga** *fig.,col.*

cabeçudo *adj.* **1** **cabeçorra** *col.*, capitado, capitoso **2** *fig.* **teimoso**, casmurro, obstinado, testudo, capitoso, orelhudo ≠ **aberto**, flexível, maleável

cabedal *n.m.* **1** **couro** **2** **capital**, dinheiro, fortuna, riqueza, bens, posses ≠ **pobreza**, miséria **3** *fig.* **força**, poder **4** *col.* **corpo**, físico, estrutura

cabedelo *n.m.* GEOG. **alfaque**

cabeleira *n.f.* **1** **encabeladura**, cabeludo, cabeladura, cabelugem, coma, juba *col.*, crina *fig.* ≠ **careca**, pelada **2** **peruca**, chinó, chorina, capachinho *col.* **3** **juba**, crina, coma **4** *col.* **embriaguez**, bebedeira, ebriedade, bico, canjica, borracheira *col.*, piela *col.*, bruega *col.*, cardina *col.*, carraspana *col.* ≠ **sobriedade**, abstemia **5** ORNIT. **capuchinho**, jacobino

cabelo *n.m.* **pelo**, fio, cabeleiro [REG.]

cabeludo *adj.* **1** **veloso**, sedeúdo **2** **peludo**, guedelhudo, peloso, viloso, verçudo, berçudo *fig.*

caber *v.* **1** **concernir**, pertencer, competir, cumprir, tomar, tocar ≠ **descaber** **2** (em sorte) **calhar**, tocar

cabida *n.f.* **1** **lugar**, entrada **2** **oportunidade**, ensejo, azo, ocasião, cabe ≠ **desaproveitamento**, perda, desperdício **3** **acolhimento**, acolhida, aceitação, admissão, aderência ≠ **rejeição**, desaprovação

cabide *n.m.* **1** **forquilha**, cruzeta **2** **bengaleiro**

cabidela *n.f.* 1 *col.* cabimento 2 *fig.* **oportunidade**, ensejo, azo, ocasião, cabe ≠ **desaproveitamento**, perda, desperdício 3 CUL. **abatis**[BRAS.]

cabido *adj.* **oportuno**, apropriado, convinhável, favorável ≠ **desaproveitado**, perdido, desperdiçado

cabimento *n.m.* 1 **lugar**, entrada 2 **oportunidade**, ensejo, azo, ocasião, cabe ≠ **desaproveitamento**, perda, desperdício 3 **acolhimento**, acolhida, aceitação, admissão, aderência ≠ **rejeição**, desaprovação

cabina *n.f.* 1 **cubículo**, cochicho, cortiço *fig.* 2 (navio) **camarote** 3 (avião) **carlinga**

cabisbaixo *adj.* 1 **desamimado**, abatido, deprimido, desalentado ≠ **animado**, contente, feliz 2 *fig.* **envergonhado**, vexado, humilhado ≠ **orgulhoso**, brioso, altivo 3 *fig.* **arrependido**, pesaroso, contrito

cabo *n.m.* 1 **extremo**, extremidade, fim, ponta, termo 2 **cauda**, rabo 3 **amarra**, corda, calabre 4 **pega**, pegadouro, punho, asa 5 **réstia** 6 GEOG. **promontório** 7 MIL. **chefe**, comandante, caudilho

cabotagem *n.f.* NÁUT. **costeagem**, costeio, costeamento

cabotar *v.* **costear**

cabouco *n.m.* 1 **fosso**, vala, cova 2 **sapata**

cabouqueiro *n.m.* 1 **cavador** 2 **mineiro**, pedreiro 3 **pioneiro**

cabo-verde *adj.,n.2g.* **cabo-verdiano**

cabo-verdiano *adj.,n.m.* **cabo-verde**

cabra *n.f.* 1 ZOOL. **chiba**, chibarra, cabrita, cabrinha 2 ZOOL. (inseto aquático) **alfaiate**, joaninha 3 ICTIOL. **ruivo**, cabrinha, bacamarte, bêbedo, cabaço 4 *vulg.* (mulher) **vaca** *pej.,vulg.* 5 [REG.] **embriaguez**, bebedeira, ebriedade, bico, canjica, borracheira *col.*, piela *col.*, bruega *col.*, cabeleira *col.*, cardina *col.*, carraspana *col.* ≠ **sobriedade**, abstemia 6 [BRAS.] **mestiço**, mulato, caboco[BRAS.], cabrocha[BRAS.]

cabrão *n.m.* 1 ZOOL. **bode**, cabro, hirco 2 *vulg.* **cornudo** *vulg.*, chifrudo *vulg.*, galhudo *col.* 3 *vulg.* **sacana** *col.*, patife, espertalhão, finório ≠ **honesto**, justo

cabreiro *n.m.* **pastor**, zagal, pegureiro

cabresto *n.m.* **cabeçada**, barbicacho, cabeção

cabril *n.m.* **curral**, aprisco, redil ■ *adj.2g.* 1 **agreste**, áspero, rude ≠ **suave**, macio 2 **alcantilado**, íngreme, escabroso ≠ **plano**, liso

cabrilha *n.f.* **bimbarra**

cabriola *n.f.* 1 **cambalhota**, pirueta, pinote, reviravolta 2 *fig.* **reviramento**, reviralho, mudança, transformação 3 *col.* (mulher) **libertina**, mundana, devassa, dissoluta, cabra *vulg.*

cabriolar *v.* 1 **cambalhotar**, piruetar ≠ **imobilizar**, parar, cessar 2 **saltar**, pular ≠ **imobilizar**, parar, cessar

cabrita *n.f.* 1 ZOOL. **cabrinha**, chiba 2 **graça**, pirraça, gracejo ≠ **seriedade**, retidão 3 *col.* **amuo**, pirraça, birra, mau humor ≠ **bom-humor**, contente, alegre 4 *vulg.* (mulher) **libertina**, mundana, devassa, dissoluta, cabra *vulg.*, cabriola *col.* 5 **catapulta** 6 [REG.] **embriaguez**, bebedeira, ebriedade, bico, canjica, borracheira *col.*, piela *col.*, bruega *col.*, cabeleira *col.*, cardina *col.*, carraspana *col.* ≠ **sobriedade**, abstemia 7 [REG.] **alboroque**, alborque

cabrito *n.m.* 1 ZOOL. **chibarro**, chibéu, chibato, chibo 2 ICTIOL. **caboz**, lula, marachomba, peixe-escama, alcabol, alcabroz 3 *col.* **vómito**, vomitado, lançado

cabrum *adj.2g.* ZOOL. **cápreo**, caprum, caprídeo, caprino

cábula *n.f.* 1 *gír.* **copianço** *col.*, apontamento, cabulice 2 *fig.* (fugir ao trabalho ou a uma obrigação) **ardil**, manha, artimanha, mândria ■ *n.2g.* **gazeteiro** ■ *adj.2g.* **ardiloso**, astuto, manhoso, finório ≠ **correto**, justo, honesto

cabular *v.* **mandriar**, gazetear, vadiar ≠ **trabalhar**, labutar, laborar

caca *n.f.* 1 *infant.* **excremento**, fezes, cocó *col.* 2 *col.* **imundície**, porcaria, sujeira, sujidade ≠ **asseio**, limpeza

caça *n.f.* 1 **caçada**, monteada 2 *fig.* **perseguição**, investigação, procura, busca, encalço, cossa *col.*

cacada *n.f.* 1 *col.* **cacaria**, futricada, tarecada, caqueirada, cacareco 2 *col.* **imundície**, porcaria, sujeira, sujidade ≠ **asseio**, limpeza

caçada *n.f.* 1 **monteada** 2 *fig.* **perseguição**, perseguimento, investigação, procura, busca, encalço

caçador *n.m.* 1 **veador**, monteiro 2 **predador** ■ *adj.* **caçadeiro** ≠ **caçado**, apanhado

cação *n.m.* 1 ICTIOL. **bruxa**, carraça, cascarra, chião, leitão, melga, papoila, pata-roxa, pique, melca 2 [BRAS.] *col.* **prostituta**, meretriz, michela *col.*, rameira *pej.*, colareja *fig.,pej.*

caçapo *n.m.* 1 ZOOL. *col.* **láparo** *col.* 2 *fig.* **bazulaque**, botija *fig.*, tarreco[REG.]

caçar *v.* 1 **apanhar**, agarrar, recolher, tomar, pescar *fig.* ≠ **libertar**, soltar, desprender 2 *fig.* **perseguir**, procurar, buscar, investigar

cacareco *n.m.* **cacaria**, futricada, tarecada, caqueirada, cacos, cacaréus, caçada *col.*

cacarejar *v.* 1 (galinhas e aves de canto) **cantar**, gaguear[REG.] 2 *fig.* **tagarelar**, parolar, palavrear, linguarejar, papaguear, taralhar, chilrear *fig.*, palrar *fig.*, beldar[REG.] ≠ **calar**, silenciar, emudecer, entuchar

cacarejo *n.m.* *fig.* **tagarelice**, garrulice, falatório, taramelagem, palratório ≠ **discrição**, recato, privacidade

cacaréu *n.m.* **cacaria**, futricada, tarecada, caqueirada, cacada *col.*

cacaria *n.f.* **cacareco**, futricagem, tarecada, caqueirada, cacos, cacada *col.*

caçarola *n.f.* 1 **caçoula**, tacho, panela, guisadeira [REG.] 2 ASTRON. (com maiúscula) **Ursa Maior**, Carro de David

cacau *n.m.* 1 BOT. **cacaueiro**, cacauzeiro, cacueiro 2 *col.* **dinheiro**, ouro *fig.*, cabedal *fig.*, bagaço *fig.*, metal *fig.,col.*, guita *col.*, pastel *col.*, carcanhol *gír.*, pasta *col.*, pingo *col.*, bagalho *col.*, bagalhoça *col.*, massaroca *col.*, milho *col.*, pataco *col.*, pecúnia *col.*, teca *col.*, chelpa *col.*, bago *col.*, grana [BRAS.] *col.*, tutu [BRAS.]

cacaual *n.m.* **cacauzeiral**, cacauzal

cacaueiro *n.m.* BOT. **cacau**, cacauzeiro, cacueiro

cacetada *n.f.* **pancada**, mocada, paulada, cipoada

cacete *n.m.* 1 **moca**, maça, pau, cipó, porrete, toco, clava, cacheira, estadulho 2 **pancada**, cacetada, mocada, paulada, cipoada ■ *adj.2g.* [BRAS.] **maçador**, impertinente, aborrecido, chato, maçante, carraça *fig.* ≠ **interessante**, divertido, estimulante

cacetear *v.* 1 **espancar**, bater, maçar 2 [BRAS.] **aborrecer**, maçar, importunar, seringar *fig.* ≠ **interessar**, estimular, divertir

cachaça *n.f.* [BRAS.] **aguardente**, canjica, tafiá, cana, pinga [BRAS.], mandureba [BRAS.] *col.*, gororobinha [BRAS.] *col.*, azeite [BRAS.] ■ *n.2g.* [BRAS.] **bebedor**, alcoólatra, ébrio, beberrão, borrachão *col.*, bebedolas *col.*, esponja *col.* ≠ **abstémio**, abstinente

cachaço *n.m.* 1 ANAT. **cerviz**, nuca, pescoço, toutiço, cogote, galinheiro *col.*, gorja *col.*, pescoceira *col.*, cacho *ant.* 2 (boi) **gacho** 3 **cachação**, cachaçada 4 ZOOL. **varrão**, varrasco, barrote, barrão 5 *col.* **arrogância**, altivez, soberba, soberbia ≠ **humildade**, simplicidade, modéstia, singeleza

cachada *n.f.* AGRIC. **alqueive**

cachamorra *n.f.* **moca**, porrete, cacheira, cachaporra, clava, maça, cassetete

cachão *n.m.* **jorro**, golfada, borbotão, borbulhão, gorgolão

cachaporra *n.f.* **cacete**, cachamorra, maça, moca, porrete, cacheira, clava

cachear *v.* 1 **encaracolar**, enrolar, anelar, ondear ≠ **alisar**, esticar, alongar 2 (arroz) **espigar**, grelar, germinar 3 (aves) **machear** 4 **apalpar**, tatear

cachimbar *v.* 1 **fumar**, pitar [BRAS.] 2 **desfrutar**, gozar, fruir ≠ **desprezar**, desperdiçar, desaproveitar 3 **enganar**, iludir, lograr, intrujar ≠ **esclarecer**, elucidar 4 [BRAS.] **ponderar**, meditar, refletir, considerar, circunspecionar ≠ **desprezar**, desconsiderar, desatender

cachimónia[AO] ou **cachimônia**[AO] *n.f.* 1 **cabeça**, bola *col.*, cachola *col.*, carola *col.*, tola *col.*, mona *col.*, pinha *col.*, caco *fig.*, cuca [BRAS.] 2 *col.* **juízo**, siso, tino, sensatez, cabeça *fig.* ≠ **desatino**, insensatez 3 *col.* **memória**, lembrança, recordação, cabeça *fig.* ≠ **esquecimento**, lapso, falha, omissão

cachinada *n.f.* **casquinada**, rinchada *fig.*

cachinar *v.* **escarnecer**, caçoar, troçar, cascalhar *fig.*

cacho *n.m.* 1 BOT. **racimo** 2 ZOOL. **cachorro**, buço 3 **anel**, caracol, velo *fig.* 4 **bocado**, pedaço, porção, pinhoca 5 ANAT. *ant.* **cerviz**, nuca, pescoço, cachaço, toutiço, cogote, galinheiro *col.*, gorja *col.*, pescoceira *col.*

cachoeira *n.f.* **cascata**, catarata, catadupa, encachoeiramento, itupava [BRAS.], piririca [BRAS.]

cachola *n.f.* 1 *col.* **cabeça**, bola *col.*, cachimónia *col.*, carola *col.*, tola *col.*, mona *col.*, pinha *col.*, cataluna *col.*, bestunto *col.*, caco *fig.*, cuca [BRAS.] 2 [REG.] **sarrabulho**, cacholeira [REG.]

cachopa *n.f.* **menina**, moça, rapariga, catraia *col.*

cachopo *n.m.* 1 **rapaz**, moço, rapazinho, garoto, catraio *col.* 2 *fig.* **dificuldade**, obstáculo, impedimento, abrolho *fig.* ≠ **facilidade**, acessibilidade

cachorra *n.f.* 1 ZOOL. **cadela**, perra, pocha [REG.] 2 ICTIOL. **albacora**, atum-de-galha-comprida, atum-voador, judeu, alvacora 3 *col.* **embriaguez**, bebedeira, ebriedade, bico, canjica, borracheira *col.*, piela *col.*, bruega *col.*, cabeleira *col.*, cardina *col.*, carraspana *col.* ≠ **sobriedade**, abstemia

cachorro *n.m.* 1 ZOOL. **buço**, perro, cacho 2 CUL. **cachorro-quente** 3 ARQ. **mísula**, consola 4 **escora** 5 *fig.,pej.* **canalha**, patife, biltre, vil, velhaco ≠ **honesto**, justo

cacifo *n.m.* 1 **cofre**, caixa, gaveta, guarda-volume [BRAS.] 2 **cubículo**, recanto 3 (jogo da bola) **buraco**

cacimba *n.f.* 1 **chuvisco**, borriço, borrifos, borraceiro, zimbro, orvalho *col.* 2 **cisterna**, reservatório

cacimbo *n.m.* **chuvisco**, borriço, borrifos, borraceiro, zimbro, orvalho *col.*

cacique *n.m.* **mandachuva**, mandante, chefe, dirigente, magnata, tutu [BRAS.]

caco *n.m.* 1 **fragmento**, pedaço, caqueiro, vasaréu [REG.] 2 **cabeça**, bola *col.*, cachimónia *col.*, cachola *col.*, carola *col.*, tola *col.*, mona *col.*, pinha *col.*, cuca [BRAS.] 3 [*pl.*] **cacaria**, futricada, tarecada, caqueirada, caçada *col.*

caço *n.m.* 1 (colher) **concha**, gadanha 2 **frigideira**

caçoada *n.f.* 1 *col.* **troça**, chacota, zombaria, escárnio, chacoteação, chincalhação, bexiga *col.*, derriça *col.*, pepineira *fig.* ≠ **respeito**, consideração 2 **brincadeira**, pilhéria, graça, piada, chiste, facécia, motejo, chalaça, gracejo, galhofa ≠ **seriedade**, sisudez, gravidade

caçoar *v.* **troçar**, zombar, escarnecer, motejar, derriçar, mangar *col.* ≠ **respeitar**, considerar, estimar, prezar

cacofonia *n.f.* **dissonância**, cacófato ≠ **sonância**, harmonia

cactoAO *n.m.* ⇒ **cato**dAO

cada *det.,pron.indef.* todo, qualquer ≠ **nenhum**

cadafalso *n.m.* **patíbulo**

cadastro *n.m.* **1** **censo**, recenseamento **2** **registo**, relação, inventário, lista

cadáver *n.m.* **corpo**, morto

cadavérico *adj.* **chupado**, esquelético, desfigurado, lívido, macilento, mortuoso, cadaveroso ≠ **gordo**, nutrido, nédio

cadeado *n.m.* **loquete**, aloquete, embude

cadeia *n.f.* **1** **corrente**, algema, grilhão, grilheta **2** **sucessão**, série, encadeamento, enfiada **3** **prisão**, cárcere, calabouço, presídio, masmorra, cativeiro, gaiola *col.*, chilindró *col.*, choça *col.*, choldra *gír.*, chena [REG.]

cadeira *n.f.* **1** **assento**, cátedra **2** **disciplina**, cátedra **3** [*pl.*] ANAT. **ancas**, quadris, cruzes

cadeirão *n.m.* **poltrona**

cadeirinha *n.f.* **1** **andilhas** **2** ORNIT. **chapim**, chapim-real, mejengra, malha-ferreiro, patachim, chincharravelho

cadela *n.f.* **1** ZOOL. **perra**, cachorra, bicha *col.* **2** *pej.* (mulher) **libertina**, mundana, devassa, dissoluta, cabra *vulg.*

cadelo *n.m.* ZOOL. **buço**, cachorro, perro, cacho ■ *adj.* **velhaco**

cadência *n.f.* **1** **ritmo**, compasso ≠ **descompasso**, arritmia **2** *fig.* **vocação**, propensão, queda, pendor *fig.*, inclinação *fig.*

cadenciado *adj.* **compassado**, numeroso, cadente, rítmico ≠ **arrítmico**, desacompassado

cadenciar *v.* **compassar**, ritmar

cadente *adj.2g.* **1** **compassado**, cadencioso, cadenciado, rítmico ≠ **arritmo**, descompassado **2** **decadente**, descendente ≠ **ascendente**

cadernal *n.m.* **talha**

caderneta *n.f.* **1** **livrete** **2** **fascículo**

caderno *n.m.* **bloco**, sebenta

cadete *n.m.* *fig.* **janota**, peralta, casquilho, taful, dândi, estouradinho, franchinote

cadilho *n.m.* **1** (calçado) **atilho**, cadarço [BRAS.] **2** **problema**, preocupação, ralação, apoquentação, consumição ≠ **calma**, despreocupação

cadimo *adj.* **1** **destro**, hábil, ágil, talentoso ≠ **desajeitado**, inábil **2** **mestre**, perito, exercitado, versado, conhecedor ≠ **inexperiente**, desconhecedor, ignorante **3** **frequente**, habitual, usual, regular, rotineiro, costumado ≠ **irregular**, infrequente, desabituado **4** **matreiro**, ardiloso, manhoso, esperto, finório, sagaz ≠ **ingénuo**, puro, natural, inocente

cadinho *n.m.* **crisol**

caduca *n.f.* ANAT. **decídua**, páreas, secundinas

caducar *v.* **1** **prescrever**, expirar, acabar, terminar, desusar, cair, transtempar ≠ **validar**, viger, valer **2** **extinguir-se**, perder-se, esgotar-se, desaparecer ≠ **iniciar**, principiar, encetar, começar **3** **decair**, declinar, decrescer, diminuir ≠ **aumentar**, ascender, crescer **4** **envelhecer**, encanecer *fig.*, enrugar *fig.*

caducidade *n.f.* **decadência**, decrepitude, senilidade, velhice, caduquice, decrepidez ≠ **juventude**, mocidade, primavera *fig.*, aurora *fig.*

caduco *adj.* **1** **fraco**, velho, enfraquecido, gasto ≠ **novo**, recente **2** **decadente**, decrépito, decrescente, caideiro, morredoiro ≠ **crescente**, progressivo **3** **transitório**, passageiro, temporário, efémero, fugaz, momentâneo ≠ **permanente**, duradouro, ininterrupto

café *n.m.* **1** **cafetaria**, botequim **2** **expresso**, cafezinho *col.*, cimbalino [REG.], bica [REG.]

cafeína *n.f.* QUÍM. **teína**

cafeteira *n.f.* **café**, botequim

cafezal *n.m.* **cafeeiral**, cafezeiral, cafeal

cafezeiro *n.m.* BOT. **cafeeiro**

cafreal *adj.2g.* *pej.* **bárbaro**, selvagem, feroz, desumano, atroz, beluíno, protervo, impiedoso ≠ **humano**, bondoso, piedoso, bom, compassivo

cagaçal *n.m.* **1** *col.* **porcaria**, sujeira, imundície, lixeira, monturo, borrada ≠ **asseio**, limpeza, higiene, mundícia **2** *col.* **barulheira**, vozearia, gritaria, vociferação, algazarra, bulha, estardalhaço, chinfrim, alarido, azoada, grazinada, vasqueiro *col.*, berreiro *col.*, escarcéu *fig.*, zurrada *fig.*, tourada *fig.* ≠ **silêncio**, paz, calada, sopor, blackout *fig.*

cagaço *n.m.* *col.* **medo**, susto, pavor, temor ≠ **coragem**, ânimo, valor, denodo, ardimento

cagada *n.f.* **1** *cal.* **cagadela** **2** *cal.* **borrada** *fig.*, borracheira, cacaborrada *col.*, sujeira *fig.* **3** *cal.* **porcaria**, sujeira, imundície, lixeira, monturo, borrada ≠ **asseio**, limpeza, higiene, mundícia

cágado *n.m.* **1** ZOOL. **sapo-concho** **2** *fig.* **lorpa**, preguiçoso, indolente, vagareza *col.* ≠ **ligeireza**, habilidoso **3** ORNIT. **moleiro**, mandrião, medonho, saragoça

caganeira *n.f.* *col.* **diarreia**

cagar *v.* **1** *cal.* **defecar**, evacuar, borrar, descomer *col.*, obrar *col.* ≠ **obstipar** **2** *fig.,cal.* **sujar**, manchar, enodoar, emporcalhar, borrar ≠ **limpar**, desenodoar, desenxovalhar **3** *fig.,cal.* **desprezar**, enxovalhar, desrespeitar, desonrar ≠ **respeitar**, acatar, venerar, estimar

cagarola *adj.,n.2g.* *col.* **medricas**, maricas, lingrinhas *col.*, caguinchas *col.*, coninhas *vulg.*, bunda-mole [BRAS.] *col.* ≠ **corajoso**, audaz, valente, animoso

caiação *n.f.* **branqueamento**, caio, caiadela, albificação, branqueio, branqueadura ≠ **escurecimento**, enegrecimento, escuridão, obumbração

caiada *n.f.* ORNIT. **chasco-branco**, cualvo, rabalva, chasco-do-rego

caiadela *n.f.* **branqueamento**, caio, caiação, albificação, branqueio, branqueadura, caleadela ≠ **escurecimento**, enegrecimento, escuridão, obumbração

caiador *n.m.* caieiro

caiar *v.* **1 branquejar**, branquear, embranquecer, alvejar, alvorecer, dealbar, encanecer, alvorejar, argentar ≠ **enegrecer**, escurecer, denegrir **2** *fig.* **disfarçar**, encobrir, simular, dissimular, camuflar, mascarar *fig.* ≠ **descobrir**, revelar, demonstrar, mostrar, desmascarar

cãibra *n.f.* MED. **breca** *col.*, cambras, algospasmo, câmara *col.*

caibro *n.m.* vara

caída *n.f.* **1 queda**, tombo, baque, boléu, trambolhão, cambalhota *fig.* **2 declive**, quebrada, descida, vertente, resvalo, ladeira ≠ **subida**, aclive, elevação, ascensão **3** *fig.* **declínio**, declinação, decadência, derriba *fig.*, ruína *fig.* ≠ **crescimento**, desenvolvimento, florescimento

caído *adj.* **1** *fig.* **triste**, nostálgico, melancólico, prostrado, acabrunhado, abatido, desalentado, desanimado, bruno *fig.*, banzo [BRAS.], banzeiro [BRAS.] ≠ **animado**, entusiasmado, motivado, alegre, garrido, vivaço, desentorpecido *fig.* **2** *fig.* **vencido**, derrotado, rendido ≠ **vitorioso**, triunfante **3** *fig.* **apaixonado**, enamorado, babado *fig.* ■ *n.m.pl.* **restos**, desperdícios, sobejos, sobras, babados, crescidos

caim *n.m.* **1 fratricida 2** *fig.* **brutal**, bárbaro, feroz, desumano, atroz, beluíno, protervo, impiedoso ≠ **humano**, bondoso, piedoso, bom, compassivo

caimão *n.m.* ZOOL. **alqueimão**, galinha-sultana

caimento *n.m.* **1 declive**, quebrada, descida, vertente, resvalo, ladeira, caída ≠ **subida**, aclive, elevação, ascensão **2** *fig.* **abatimento**, nostalgia, melancolia, prostração, acabrunhamento, tristeza, desalento, desânimo ≠ **animação**, entusiasmo, motivação, alegria, vivacidade **3** *fig.* **declínio**, declinação, decaimento, derribamento *fig.*, ruína *fig.* ≠ **crescimento**, desenvolvimento, florescimento

cair *v.* **1 tombar**, esborrachar-se, esparrar-se, estatelar-se, estampar-se *col.* ≠ **levantar-se**, erguer-se **2 desabar**, ruir, aluir, derruir, esbarrondar, desmoronar ≠ **erigir**, erguer, edificar, levantar **3 diminuir**, descer, minguar, baixar ≠ **crescer**, aumentar, subir **4 desvalorizar-se**, depreciar-se, aniquilar-se, abater-se, esmorecer, curvar-se *fig.* ≠ **valorizar-se**, realçar-se, elevar-se **5 prescrever**, expirar, acabar, terminar, desusar, transtempar ≠ **validar**, viger, valer **6 ludibriar**, iludir, enganar, lograr, fraudar, vigarizar, codilhar *fig.* ≠ **desiludir**, desenganar **7** (chamada telefónica) **interromper-se**

cais *n.m.2n.* **desembarcadouro**, embarcadouro, porto, gare, embarque

caixa *n.f.* **1 cofre**, cacifro, gaveta, arca, burra **2 estojo**, boceta, caixeta **3 recipiente**, recetáculo, caixote **4 fundos**, economias, poupança **5** MEC. **carroçaria 6** JORN. *gír.* **furo**, cacha

caixão *n.m.* **urna**, esquife, féretro, tumba, ataúde, salgadeira *gír.*

caixeiro *n.m.* **1 balconista**, vendedor **2 caixoteiro**

caixilharia *n.f.* caixilhame

caixilho *n.m.* **moldura**, quadro, chassis

caixote *n.m.* **recipiente**, recetáculo, caixa

cajadada *n.f.* **pancada**, mocada, cacetada, cipoada

cajado *n.m.* **bordão**, bastão, cacete, pau

caju *n.m.* BOT. **cajueiro**, acaju, acajueiro, anacardeiro, anacardo, anacárdio

cajueiro *n.m.* BOT. **caju**, acaju, acajueiro, anacardeiro, anacardo

cala *n.f.* **1 calada**, silêncio **2** (no fruto) **abertura**, buraco, calado, caladura, orifício **3** GEOG. **enseada**, calheta, angra **4** (corda) **calamento**

calaboiço *n.m.* **enxovia**, cadeia, masmorra, estarim, jaça *col.*, chilindró *col.*, xadrez [BRAS.] *col.*

calabouço *n.m.* **enxovia**, cadeia, masmorra, estarim, jaça *col.*, chilindró *col.*, xadrez [BRAS.] *col.*

calabrês *adj.* calábrico

calacear *v.* **mandriar**, preguiçar, madracear, vadiar ≠ **trabalhar**, labutar, laborar

calaceiro *adj.,n.m.* **1 preguiçoso**, indolente, mandrião, ocioso, engrunhido ≠ **trabalhador**, laborioso, ativo, diligente **2 vadio**, vagabundo, banaboia

calada *n.f.* **silêncio**, sopor, sigilo, paz ≠ **barulho**, rumor, atroada, vozeria, vozeada, rastolhada *fig.*, esterroamento *fig.*

calado *adj.* **1 discreto**, reservado, retraído, tácito, taciturno, quieto, sossegado, secreto ≠ **extrovertido**, falador, comunicador, aberto **2 silencioso**, emudecido, tácito, boquisseco *fig.* ≠ **barulhento**, ruidoso, estrondoso ■ *n.m.* (no fruto) **abertura**, buraco, cala, caladura, orifício

calafate *n.m.* petintal

calafetação *n.f.* calafetagem, calafeto, calafetamento

calafetagem *n.f.* calafetação, calafeto, calafetamento

calafetar *v.* **vedar**, fechar, tapar, estancar ≠ **abrir**, destapar

calafrio *n.m.* **arrepio**, horripilação, calefrio, chucho [BRAS.]

calamidade *n.f.* **catástrofe**, adversidade, desgraça, flagelo, mal, desgraceira *col.*

calamitoso *adj.* **desastroso**, funesto, infausto, fatal, trágico *fig.* ≠ **afortunado**, sortudo, feliz

cálamo *n.m.* **1 tubo 2 cana**, colmo **3** *fig.* (para escrever) **pena 4** *fig.,poét.* **flauta**, cana *fig.*, frauta *poét.*

calandra *n.f.* ORNIT. **calhandra**, cochicho, cotovia, laverca, carreirola

calandrar *v.* (tecidos, papel) **lustrar**, acetinar, ondear

calão *n.m.* **1** (linguagem) **geringonça** **2** **telhão** ■ *adj.,n.m. col.* **preguiçoso**, indolente, mandrião, ocioso, vadio, vagabundo ≠ **trabalhador**, laborioso, ativo, diligente

calar *v.* **1** **silenciar**, emudecer, entuchar ≠ **falar**, proferir, dizer **2** **ocultar**, dissimular, suprimir, encobrir, omitir ≠ **revelar**, divulgar, contar, confessar **3** **convencer**, persuadir, mover, induzir ≠ **dissuadir**, desaconselhar, demover, desconvencer, despersuadir **4** **nivelar**, aplanar, complanar, igualar ≠ **desnivelar**, escadear, escalar

calar-se *v.* **silenciar**, emudecer, entuchar ≠ **falar**, pronunciar-se

calcada *n.f.* **briga**, combate, luta, pancadaria, sopa de urso *fig.*, comida de urso *col.* ≠ **paz**, sossego, tranquilidade

calçada *n.f.* **1** **ladeira**, encosta, clivo ≠ **plano**, chã, chapada **2** **empedrado**, calceta

calçadeira *n.f.* **calçador**

calcadela *n.f.* **pisadela**, calcadura, calcão, calcamento

calçado *n.m.* **sapato** ■ *adj.* **empedrado**

calcanhar *n.m.* (calçado) **talão**, tacão

calcar *v.* **1** **pisar**, espezinhar, trilhar, acalcanhar, esmagar, premer, prensar, chinar, assopear *col.* **2** **contundir**, moer, macerar, esmagar, triturar, esmagachar **3** **amachucar**, amassar, machucar, amolgar, achatar ≠ **desamassar**, desamolgar, alisar, esticar **4** *fig.* **vexar**, humilhar, oprimir, espezinhar *fig.*, acalcanhar *fig.* ≠ **prestigiar**, estimar, considerar, valorizar, venerar, acatar **5** *fig.* **desprezar**, desconsiderar, postergar, conculcar, atropelar *fig.* ≠ **respeitar**, acatar, venerar, estimar, considerar, valorizar **6** *fig.* **desobedecer**, desrespeitar, transgredir, infringir ≠ **obedecer**, respeitar, cumprir **7** *fig.* **reprimir**, refrear, sopear, comprimir *fig.* ≠ **desenfrear**, exceder, libertar

calçar *v.* **1** **pôr**, enfiar, encatrafiar ≠ **descalçar** **2** **vestir**, enfiar, pôr, colocar, usar ≠ **despir**, tirar **3** **calcetar**, empedrar **4** **segurar**, firmar, apoiar, sustentar **5** **ajustar-se**, adaptar-se, adequar-se

calcês *n.m.* NÁUT. **garcês**

calceta *n.f.* **1** **grilheta** **2** **empedrado**, calçada ■ *n.m.* **forçado**, grilheta

calcetamento *n.m.* **empedramento**, apedramento

calcetar *v.* **empedrar**, calçar ≠ **desempedrar**, descalcetar

calceteiro *n.m.* **empedrador**

calcinação *n.f.* QUÍM. **ustulação**, adustão, ustão *ant.*

calcinado *adj.* **1** **queimado**, carbonizado **2** *fig.* **inflamado**, agitado, perturbado, exaltado, arrebatado ≠ **calmo**, tranquilo, sereno, sossegado

calcinar *v.* **1** **queimar**, cauterizar, adurir, causticar **2** *fig.* **abrasar**, arder, afoguear ≠ **resfriar**, arrefecer, desaquecer **3** *fig.* **excitar**, inflamar, agitar, exaltar, arrebatar ≠ **acalmar**, tranquilizar, serenar, sossegar

calco *n.m.* **cópia**, decalque, imitação, reprodução, calque

calço *n.m.* **1** **cunha**, calce **2** **socalco**, geio [REG.]

calcorreada *n.f.* **1** **caminhada**, andada, marcha, tirada, estiraço, esticão *col.* **2** **estafa**, cansaço, fadiga ≠ **vigor**, energia, força, vivacidade

calcorrear *v.* **andarilhar**, percorrer, andar, palmilhar, marchar ≠ **parar**, cessar, imobilizar

calçudo *adj.* ORNIT. **plumípede**

calculado *adj.* **1** **suposto**, presumido, imaginado, previsto **2** **intencional**, deliberado, premeditado, planeado

calculador *adj.,n.m.* **1** **calculista**, contador **2** **interesseiro**, calculista, previdente, ambicioso ≠ **altruísta**, humanitário, filantropo

calcular *v.* **1** **contar**, computar, determinar, orçar, avaloar, medir, contabilizar **2** **conjeturar**, estimar, esmar, supor **3** **imaginar**, conceber, inventar, criar **4** **prever**, predizer, prognosticar, pressagiar

calculável *adj.2g.* **previsível**, estimável, avaliável ≠ **incalculável**, imprevisível

calculista *adj.,n.2g.* **1** **calculador**, financeiro *col.* **2** **interesseiro**, calculador, previdente, ambicioso ≠ **altruísta**, humanitário, filantropo

cálculo *n.m.* **1** **cômputo**, conta, contabilidade, estimativa, avaliação, tenteio, computação **2** *fig.* **conjetura**, suposição, previsão, prognóstico, hipótese **3** *fig.* **plano**, desígnio, propósito **4** MED. **pedra**, concreção

calda *n.f.* **1** **xarope** **2** [REG.] **sova**, surra, tunda, tareia, zurzidela, chegançо *col.*, coça *fig.* **3** [*pl.*] **estância termal**, termas

caldeação *n.f.* **mistura**, têmpera, caldeamento

caldeamento *n.m.* **caldeação**, mistura, têmpera

caldear *v.* **misturar**, fundir, amalgamar, mestiçar, mesclar, entremear, juntar ≠ **separar**, isolar, destacar

caldeira *n.f.* GEOG. **cratera**

caldeirada *n.f. fig.* **misturada**, mistifório, salsada, embrulhada, confusão, salgalhada *col.*, miscelânea *fig.* ≠ **ordem**, organização, arrumação

caldeirão *n.m.* MÚS. **fermata**

caldeirinha *n.f.* ORNIT. **chapim**, chapim-real, cachapim, mejengra, patachim, chincharravelho, semeia-o-linho

caldeu *adj.* **caldaico**

caldo *adj.* **quente**, cálido, ardente, candente, incandescente, canicular ≠ **frio**, gélido, gelado

cale *n.f.* 1 **caleira**, calha, algeroz, quelha, agueiro 2 **canal**, rego, calha

caleche *n.f.* **caleça**

caledónio[AO] ou **caledônio**[AO] *adj.,n.m.* **escocês**

calefação[dAO] *n.f.* **aquecimento**, aquentamento, aquecedela

calefacção[aAO] *n.f.* ⇒ **calefação**[dAO]

caleira *n.f.* 1 **algeroz**, caleiro, quelha, calha 2 **telha**

caleiro *n.m.* **caleira**, algeroz, quelha, calha

caleja *n.f.* **viela**, quelha, ruela, beco, canelha [REG.]

calejado *adj.* 1 **caloso**, duro, rugoso, cauterizado *fig.* ≠ **macio**, suave, liso 2 *fig.* **experiente**, experimentado, traquejado, prático, habituado ≠ **inexperiente**, desabituado, verde *fig.* 3 *fig.* **insensível**, endurecido, empedernido *fig.*, inflexível *fig.* ≠ **sensível**, emotivo, impressionável 4 *fig.* **matreiro**, manhoso, astuto, finório, espertalhão, sagaz ≠ **correto**, honesto, verdadeiro, sincero

calejar *v.* 1 *fig.* **habituar-se**, acostumar-se, praticar ≠ **desabituar** 2 *fig.* **endurecer**, insensibilizar-se, curtir, empedernir, embotar *fig.* ≠ **emocionar-se**, comover-se, sensibilizar-se

calendário *n.m.* **anuário**, reportório, almanaque, folhinha, cronónimo

calendarista *n.2g.* **computista**

calha *n.f.* 1 **quelha**, cale, caleira, algeroz, agueiro *col.* 2 **canal** [REG.], rego, cale 3 **carril**

calhamaço *n.m.* 1 *fig.* **alfarrábio**, cartapácio, cartapaço, bacamarte *fig.* 2 **canhamaço**

calhambeque *n.m. col.* **carripana**, zambeque, lata, caranguejola *fig.* ≠ **carrão** *col.*

calhandra *n.f.* ORNIT. **calandra**, cochicho, cotovia, laverca, carreirola

calhar *v.* 1 **coincidir**, acontecer, acertar ≠ **desencontrar** 2 **convir**, caber, ajustar, encaixar, satisfazer ≠ **desconvir**, desajustar 3 (em sorte) **caber**, tocar

calhau *n.m.* **cascalho**, seixo, rebo, burgau, burgo

calheta *n.f.* GEOG. **angra**, enseada, golfo, baía, abra, recôncavo

calibrador *n.m.* **padrão**

calibragem *n.f.* **calibração**

calibrar *v.* **aferir**, cotejar, comparar, confrontar

calibre *n.m.* 1 **diâmetro** 2 **tamanho**, volume, dimensão, vulto 3 *fig.* **qualidade**, classe, marca, valor, importância

caliça *n.f.* 1 **terriça**, caliço 2 *col.* **cascalho** *col.*, trocos

cálice *n.m.* 1 **cálix** 2 *fig.* **humilhação**, sofrimento, dor, agonia, tormento ≠ **alívio**, bálsamo, consolo, desapoquentação

caliço *n.m.* **caliça**, terriça

cálido *adj.* 1 **quente**, caldo, ardente, candente, incandescente ≠ **frio**, gélido, gelado 2 *fig.* **inflamado**, fogoso, entusiasmado, exaltado, arrebatado ≠ **calmo**, tranquilo, sereno, sossegado 3 *fig.* **matreiro**, manhoso, astuto, finório, espertalhão, sagaz ≠ **correto**, honesto, verdadeiro, sincero

califa *n.m.* **chefe**, miramolim, miralmuminim

caligrafar *v.* **escrever**, redigir, compor

caligrafia *n.f.* **escrita**, letra

calinada *n.f.* **palermice**, patetice, tolice, bobice, idiotice, pacovice, asneira, asnice, burrice, bacorada *fig.*, cavalada *col.* ≠ **esperteza**, argúcia, finura, astúcia, sagacidade, perspicuidade, subtileza, vivacidade, fineza, acuidade, olho *fig.*

calino *adj.,n.m. col.* **pacóvio**, palerma, parvo, idiota, ridículo, ingénuo, pateta, tanso, badana *col.*, trouxa *col.*, zé *col.*, provinciano *pej.*, babanca [REG.] ≠ **inteligente**, esperto, astuto, perspicaz, sagaz ■ *adj.* [REG.] **quente**, caldo, cálido, ardente, candente, incandescente ≠ **frio**, gélido, gelado

calista *n.2g.* **pedicuro**, quiropodista

calisto *adj.* **azarento**, caipora [BRAS.]

cálix *n.m.* **cálice**

calma *n.f.* 1 **calor**, canícula, soalheira, ardor, quentura 2 **bonança**, quietude, calmeiro, quietação ≠ **tormenta**, tempestade, temporal, procela 3 **tranquilidade**, placidez, sossego, paz, serenidade *fig.* ≠ **agitação**, desassossego, tumulto, desordem

calmante *adj.,n.m.* **lenitivo**, sedativo, tranquilizante, acinético, paregórico, temperante, abirritante, acinésico, drunfo *cal.*

calmar *v.* 1 **acalmar**, serenar, sossegar, tranquilizar ≠ **agitar**, mexer, abalar 2 **bater**, desancar, espancar, golpear, sovar, surrar, finfar *col.* ≠ **defender**, proteger, resguardar

calmaria *n.f.* 1 **calor**, canícula, soalheira, ardor, quentura 2 **bonança**, quietude, quietação ≠ **tormenta**, tempestade, temporal, procela, trambuzana

calmo *adj.* 1 **quente**, calmoso, caldo, ardente, candente, incandescente ≠ **frio**, gélido, gelado 2 **quieto**, sereno, tranquilo, sossegado, ameno, bonançoso, brando, quedo, plácido ≠ **agitado**, perturbado, inquieto, agoniado, triquetraz *col.*

calo *n.m.* 1 MED. **calosidade**, endurecimento, ceratose 2 MED. **crosta** 3 *fig.* **insensibilidade**, indiferença, desinteresse, apatia ≠ **interesse**, empenho, ânimo 4 *fig.* **experiência**, prática, hábito, treino ≠ **inexperiência**, verdura *fig.*

caloiro *n.m. fig.* **novato**, aprendiz, principiante, iniciante, cascabulho ≠ **experiente**, perito

calor *n.m.* 1 **canícula**, calma, soalheira, quentura 2 *fig.* **entusiasmo**, animação, fervor, paixão, veemência, vivacidade ≠ **desânimo**, desinteresse, apatia 3 *fig.* **veemência**, intensidade, força, energia, ímpeto ≠ **fraqueza**, frouxidão, moleza **4** *fig.* **ira**, indignação, agastamento, fúria ≠ **calma**, serenidade, tranquilidade, pacífico

calorífero *adj.* **calorífico**, quente ≠ **esfriante** ▪ *n.m.* **radiador**, irradiador, aquecedor, esquentador

calorífico *adj.* **calorífero**, quente, calefator ≠ **esfriante** ▪ *n.m.* **radiador**, irradiador, aquecedor, esquentador

caloroso *adj.* **1 afetuoso**, carinhoso, meigo, terno, suave ≠ **hostil**, inamistoso, agressivo, ameaçador **2 veemente**, vivaz, enérgico, ativo, entusiasta, ardoroso ≠ **indiferente**, passivo, apático

calosidade *n.f.* MED. **calo**, endurecimento, tilose

caloso *adj.* **calejado**, duro, rugoso ≠ **macio**, suave, liso

calote *n.m.* **1** *col.* **dívida**, calacre, cão *col.*, cauri *col.*, piteira [REG.], seixo [BRAS.] *col.* **2 calota**

caloteiro *adj.,n.m.* **canzeiro**, caurineiro *col.*, seixeiro [BRAS.] *col.*, taboqueiro [BRAS.] ≠ **pagador**, cumpridor

caluanda *adj.,n.2g.* **luandense**

calúnia *n.f.* **difamação**, detração, maledicência, falsidade, impostura, blasfémia ≠ **consideração**, deferência, respeito

caluniador *adj.,n.m.* **difamador**, maldizente, injuriador, detrator, má-língua, desprestigiador ≠ **respeitador**

caluniar *v.* **difamar**, injuriar, detrair, ofender, maldizer, assetar *fig.*, atassalhar *fig.* ≠ **considerar**, respeitar, estimar

calunioso *adj.* **difamatório**, injurioso, difamante, maldizente, detraente, desprestigiante ≠ **respeitoso**, estimado, considerável

calva *n.f.* **1 careca**, pelada ≠ **cabeludo**, cabeleira, encabeladura, juba *col.* **2 clareira**, limpa, claro, chapada, pelada

calvário *n.m.* **1** RELIG. (com maiúscula) **gólgota** **2** *fig.* **sofrimento**, provação, martírio, gólgota, aflição, paixão ≠ **felicidade**, prazer, bem-estar, contentamento **3** *fig.* **dificuldades**, trabalhos ≠ **facilidade**, ventura

calvície *n.f.* MED. **acomia**, alopecia, peladura, calvez, atricose, atriquia ≠ **hipertricose**

calvo *adj.* **1 careca**, escalvado, descabelado, glabro, pelado ≠ **peludo**, peloso, guedelhudo, viloso **2** (terreno) **rapado**, escalvado ≠ **cultivado**, amanhado **3** *fig.* **evidente**, manifesto, patente ≠ **discreto**, sóbrio, disfarçado

cama *n.f.* **leito**, quente, tálamo, ninho *col.*, pildra *col.*, jaça *col.*, piano *col.*, sorna *col.*, camarote *col.*

camada *n.f.* **1 andar**, estrato, faixa **2 sedimento**, estrato, depósito **3 revestimento**, demão **4 categoria**, classe, casta, grupo

camafeu *n.m. col.,pej.* **estafermo** *pej.*

camaleão *n.m. fig.,pej.* **vira-casaca**, polichinelo, ventoinha *fig.*, arlequim *fig.*, cata-vento *fig.*, veleta *fig.*

camão *n.m.* ORNIT. **alqueimão**, galinha-sultana

câmara *n.f.* **1 aposento**, quarto, alcova, cela, recâmara **2** MED. **cãibra**, algospasmo, breca *col.*

camarada *n.2g.* **companheiro**, parceiro, colega, amigo, condiscípulo, confrade, sócio, matalote, compincha *col.* ≠ **inimigo**, adversário, rival, oponente

camaradagem *n.f.* **companheirismo**, fraternidade, convívio, solidariedade, contubérnio, sodalício, familiaridade ≠ **inimizade**, hostilidade, malquerença, aversão

camarão *n.m.* **gancho**

camarário *adj.* **municipal**

camarata *n.f.* **dormitório**

camarate *n.m.* BOT. **baldoeira**, carrega-besta

camarção *n.m.* **1** [REG.] **charneca**, gândara, mato, brenha **2 duna**, médão, medo

camareira *n.f.* **1 aia**, açafata, cuvilheira, camarista **2** (quartos de hotel, camarotes de barcos, etc.) **arrumadora** **3** BOT. **alface-do-monte**, tripa-de-ovelha

camareiro *n.m.* **1 aio**, servidor, cuvilheiro, escudeiro, camarista **2** (quartos de hotel, camarotes de barcos, etc.) **arrumador** **3 bacia**, bacio, vaso, vaso de noite, defecador, urinol, doutor *col.*, penico *col.*, pote *col.*, bispote *col.* **4 camaroeiro**

camarilha *n.f.* **pandilha**

camarim *n.m.* **camarote**, gabinete, camarinha, cabina

camarinha *n.f.* **1** BOT. **camarinheira** **2 camarote**, gabinete, cabina **3 gotícula**

camaroeiro *n.m.* **camareiro**

camarote *n.m.* **camarim**, gabinete, camarinha, cabina

cambada *n.f.* **1 enfiada**, fiada, cambulhada **2** *fig.,pej.* **corja**, malta, gatunagem, aquadrilhamento, jolda, cáfila *fig.*, rancho *pej.*, súcia [REG.] *pej.*

cambado *adj.* **1 torto**, inclinado, tombado ≠ **reto**, direito **2 cambaio**, zambro, cambeta, canejo ≠ **reto**, direito

cambaio *adj.* **1 cambado**, cambeta, cambão, zambro, canejo, bichento [BRAS.] ≠ **reto**, direito **2** *fig.* **trôpego**

cambalacho *n.m.* **1** (negócio, transação) **fraude**, logro, trapaça, ardil, engano ≠ **honestidade**, legalidade **2 intriga**, maquinação, conluio, conjuração, conspiração, complô, trama, enredo, tramoia *col.*, cabala *fig.* ≠ **correção**, verdade, boa-fé

cambalear *v.* **1 bambolear**, vacilar, cambetear, oscilar, tremelicar, gingar ≠ **parar**, cessar, imobilizar, fixar, estabilizar **2** *fig.* **vacilar**, hesitar, oscilar *fig.* ≠ **determinar**, decidir

cambaleio *n.m.* **oscilação**, bamboleio, meneio, saracoteio ≠ **imobilidade**, estabilidade, fixidez

cambalhota *n.f.* 1 **cabriola**, pirueta, reviravolta, viravolta, vira-cu *col.*, cambaluz [REG.] 2 *fig.* **queda**, tombo, baque, boléu, trambolhão, caída

cambapé *n.m.* 1 **rasteira**, gambérria, sancadilha, cambadela, sacalinha, calço [BRAS.] 2 *fig.* **cilada**, armadilha, ardil, estratagema, tramoia *col.*, treta *fig.*

cambar *v.* 1 **cambalear**, entortar ≠ **endireitar** 2 **curvar**, inclinar-se, pender, propender ≠ **endireitar**, entesar

cambiar *v.* 1 **trocar**, permutar, comutar, mudar, escambar, alborcar, variar ≠ **destrocar**, manter, guardar, conservar 2 (moeda de um país) **trocar**, converter

câmbio *n.m.* 1 **troca**, permuta, permutação, comutação, escâmbio, alborque, alboroque, substituição ≠ **imutabilidade**, destroca 2 ECON. **conversão** 3 ECON. **ágio**

cambista *n.2g.* **rebatedor**

cambota *n.f.* **cabriola**, pirueta, reviravolta, viravolta, vira-cu *col.*, cambalhota [BRAS.]

cambrar *v.* **abobadar**

cameleira *n.f.* BOT. **camélia**, japoneira, rosa-do--japão, roseira-do-japão

camélia *n.f.* BOT. **cameleira**, japoneira, rosa-do--japão

camelice *n.f.* **palermice**, patetice, tolice, bobice, idiotice, pacovice, asneira, asnice, asneirão, burrice, baboquice, basbaquice, calinada, cavalada *col.* ≠ **esperteza**, argúcia, finura, astúcia, sagacidade, perspicuidade, subtileza, vivacidade, fineza, acuidade, olho *fig.*

camelo *n.m.* 1 *col.* **palerma**, idiota, lorpa, pacóvio, tolo, estúpido, patego, parvo, basbaque, pateta, babuíno *fig.,pej.*, paspalho *pej.*, babaca [BRAS.] ≠ **cabeça** *col.*, crânio *fig.* 2 **calabre**

camilha *n.f.* **canapé**, coxim

caminhada *n.f.* **marcha**, andada, estirada, calcorreada, tirada, esticão *col.*

caminhante *adj.2g.* **ambulante**, caminhador, caminheiro ■ *n.2g.* 1 **peão**, transeunte, passante 2 **viandante**, caminheiro, viageiro, passageiro, andarilho, aldeagante [REG.]

caminhar *v.* 1 **andar**, mover-se, ir, jornadear, marchar, passear, trilhar, aldeagar [REG.] ≠ **parar**, imobilizar, cessar 2 *fig.* **progredir**, avançar, marchar, evoluir, prosseguir ≠ **regredir**, recuar, retroceder, estagnar

caminheiro *adj.* 1 **ambulante**, caminhante 2 **andeiro**, caminhador, andarengo ■ *n.m.* 1 **caminhador**, andarilho, passante 2 **recoveiro**

caminho *n.m.* 1 **carreiro**, trilho, vereda, atalho, senda, carrilheira [REG.] 2 **itinerário**, percurso, via, trajeto, trajetória, senda *fig.* 3 **rumo**, direção, destino, rota 4 *fig.* **meio**, procedimento, modo, forma

caminho-de-ferro *n.m.* **via-férrea**

camioneta *n.f.* **caminheta**

camisa *n.f.* **envoltório**, invólucro, revestimento

camisa-de-vénus[aAO] *n.f.* ⇒ **camisa de vénus**[dAO]

camisa de vénus[dAO] ou **camisa de vênus**[AO] *n.f.* **preservativo**, defensivo, defesa, camisinha *col.*

camiseta *n.f.* 1 **blusa**, chambre 2 **t-shirt** [BRAS.]

camisinha *n.f.* *col.* **preservativo**, defensivo, defesa, camisa de vénus

camomila *n.f.* BOT. **margaça-das-boticas**, marcela, margaça, matricária

camoniano *n.m.* **camonianista**

campa *n.f.* 1 **campainha**, sino, sineta, chocalho, cincerro, tintinábulo 2 **jazigo**, sepulcro, sepultura, tumba, túmulo 3 **laje**

campainha *n.f.* 1 **sineta**, chocalho, sino, cincerro, campa, tintinábulo 2 MED. *col.* **úvula** 3 *fig.* **coscuvilheiro**, mexeriqueiro, bisbilhoteiro, intriguista, intrigante, linguareiro, furão *fig.* ≠ **discreto**, desinteressado, calado, recatado

campanário *n.m.* 1 **torre** 2 *fig.* **aldeia**, freguesia, localidade, lugar

campanha *n.f.* 1 MIL. **acampamento** 2 **tripulação**, companha, equipagem, marinhagem 3 *fig.* **batalha**, guerra, combate, peleja 4 [REG.] **campina**, planície, várzea, chã

campanudo *adj.* 1 **campanulado**, campaniforme 2 *fig.* (discurso, estilo) **empolado**, pomposo, bombástico, extravagante, enfático *pej.* ≠ **sóbrio**, discreto

campanulado *adj.* **campanado**, campaniforme

campar *v.* 1 **ostentar**, sobressair, brilhar *fig.*, campear *fig.* 2 **aproveitar**, lucrar ≠ **desaproveitar**, desperdiçar 3 **acampar**

campeador *adj.,n.m.* **lidador**, combatente, guerreiro, lutador

campeão *n.m.* 1 **vencedor**, recordista, ganhador ≠ **perdedor**, vencido, derrotado 2 *fig.* **defensor**, mantenedor, protetor ≠ **atacante**, agressor, invasor

campeche *n.m.* 1 BOT. **campecheiro** 2 BOT. (madeira) **pau-de-campeche**

campeonato *n.m.* DESP. **competição**, certame, concurso, prova

campestre *adj.2g.* **campesino**, camponês, campino, agreste, rústico, rural, agrário ≠ **citadino**, urbano ■ *n.m.* **camponês**, aldeão, campesino, campino, rústico, campónio *pej.* ≠ **citadino**, urbano

campina *n.f.* 1 **planície**, várzea, chã, planura, campanha [REG.] 2 **descampado**, ermo, escampado

campino *n.m.* 1 **camponês**, aldeão, campesino, campestre, rústico, campónio *pej.* ≠ **citadino**, urbano 2 [REG.] **pastor**, zagal, pegureiro ■ *adj.* **campesino**, camponês, campestre, agreste, rústico, rural, agrário ≠ **citadino**, urbano

campo *n.m.* 1 **agra**, raso 2 **aldeia** ≠ **cidade** 3 **área**, espaço, extensão, superfície 4 MIL. **acampamento** 5 CIN., TV, FOT. **plano**, quadro 6 *fig.* **área**, domínio, âmbito, esfera *fig.*, terreno *fig.* 7 *fig.* **partido**, fação, bando, bandeira *fig.*, alcateia *fig.*, seita *col.* 8 *fig.* **ensejo**, azo, ocasião, oportunidade

camponês *n.m.* **campestre**, aldeão, campesino, campino, rústico, campónio *pej.* ≠ **citadino**, urbano ■ *adj.2g.* **campesino**, campestre, campino, agreste, rústico, rural, agrário ≠ **citadino**, urbano

campónioAO ou **campônio**AO *n.m. pej.* **camponês**, aldeão, campesino, campino, campestre, rústico ≠ **citadino**, urbano ■ *adj.2g. pej.* **campesino**, campestre, campino, camponês, agreste, rústico, rural, agrário ≠ **citadino**, urbano

camuflagem *n.f.* **disfarce**, dissimulação, fingimento, paliação, capote *fig.*, contrafação *fig.* ≠ **desmascaramento**, revelação, exibição, descoberta, mostra

camuflar *v.* **encobrir**, esconder, disfarçar, dissimular, ocultar, mascarar, mimetizar ≠ **apresentar**, expor, exibir, mostrar

cana *n.f.* 1 *fig.* **flauta**, cálamo *fig.,poét.*, frauta *poét.* 2 **bambu** 3 **bengala**, cacete, guabirola [BRAS.] *col.* 4 **aguardente**, canjica, tafiá, cachaça [BRAS.], mandureba [BRAS.] *col.*

canada *n.f.* 1 **pancada**, bambuada, paulada 2 **azinhaga**, carreiro, córrego, corgo 3 (antiga medida) **tagra**

cana-de-açúcar *n.f.* BOT. **cana-sacarina**

canadiana *n.f.* 1 **muleta** 2 **tenda**

canadiano *adj.,n.m.* **canadense**

canal *n.m.* 1 **estreito** 2 **cano**, tubo, calha, aqueduto, cale 3 [*pl.*] **via**, meio, ducto, modo 4 (rio) **veio**, curso, veia, álveo, leito 5 TV, RÁD. **emissora** 6 [REG.] **canavial** 7 (encadernação) **goteira**, canelura

canalha *n.f.* 1 *pej.* **ralé**, corja, enxurro, gentalha, escoalha *col.,pej.*, cachorrada *pej.* 2 **criançada**, miudagem, canalhada ■ *adj.,n.2g. pej.* **desprezível**, infame, miserável, ordinário, safado, bandalho, calhorda, brejeiro, ribaldo, sevandija, vil, velhaco, futre, patife, biltre, salafrário *col.*, pulha *col.* ≠ **correto**, honesto, justo, respeitável

canalhice *n.f.* 1 **vileza**, aviltamento, infâmia, ignomínia, abjeção, indignidade, mesquinhez, torpeza, vilania, ignobilidade, bandalheira, torpidade, picardia, cachorrice, canalhismo, calhordice, degradação *fig.*, baixaria [BRAS.], molecagem [BRAS.] ≠ **nobreza**, altivez, decoro, dignidade, distinção, magnanimidade, grandeza, hombridade, elevação *fig.* 2 **garotice**, canalhada

canalização *n.f.* **encanamento**, tubagem

canalizador *n.m.* **picheleiro**, encanador [BRAS.]

canalizar *v.* 1 **encanar**, conduzir, dirigir, direcionar 2 **encaminhar**, orientar, guiar

canapé *n.m.* **camilha**, marquesa

canaria *n.f.* **tubagem**, canotaria

canário *n.m.* 1 ICTIOL. **bodião**, canário-do-mar, peixe-rei, papagaio 2 *fig.* **rouxinol**

canastra *n.f.* **giga**

canastro *n.m.* 1 **corpo**, tronco 2 [REG.] **espigueiro**

canavês *n.m.* **canaveira**

canavial *n.m.* **caniçal**

canção *n.f.* **cantiga**, ária, cantar, trova, cântico, canto, hino, motete

cancela *n.f.* **portelo**, cancelo, portal, porteira, portão [BRAS.]

cancelamento *n.m.* **anulação**, obliteração, canceladura, eliminação, invalidação ≠ **validação**, autorização, aprovação

cancelar *v.* 1 **anular**, abolir, invalidar ≠ **autorizar**, aprovar, validar 2 (termo, registo, escrita) **inutilizar**, obliterar, riscar, trancar 3 (processo) **fechar**

cancelo *n.m.* 1 **portelo**, cancela, portal, porteira, portão [BRAS.] 2 **bardo**, curral, redil, malhada, aprisco

câncer *n.m.* 1 ZOOL. (inseto) **alfinete**, bicha-amarela, travela, bicha-galo 2 [BRAS.] MED. **cancro**, carcinoma, cirro, carango *gír.* 3 ASTROL., ASTRON. (com maiúscula) **Caranguejo**

canceroso *adj.* 1 **carcinomatoso** 2 *fig.,pej.* **pervertido**, miserável, corrosivo, maligno, desprezível, abjeto ≠ **correto**, escrupuloso, decente

cancioneiro *n.m.* **romanceiro**

cancro *n.m.* MED. **carcinoma**, cirro, carango *gír.*, câncer [BRAS.]

candeeiro *n.m.* **candil**, lampião, lampadário

candeia *n.f.* 1 **candil**, lucerna, luminária, lamparina, lanterna 2 **vela** 3 BOT. **capuz-de-fradinho**

candeio *n.m.* **fogaréu**, facho, facha

candelabro *n.m.* 1 **lustre**, candeeiro, lampadário, lampião 2 **serpentina**, castiçal 3 BOT. **cato-candelábrico**

candelária *n.f.* BOT. **beijos-de-freira**, candeias, orelha-de-lebre, pica-nariz, balária

candente *adj.2g.* 1 **quente**, caldo, ardente, cálido, incandescente ≠ **frio**, gélido, gelado 2 *fig.* **ardente**, arrebatado, ardoroso, fogoso, entusiasmado, exaltado, inflamado ≠ **calmo**, tranquilo, sereno, sossegado

candidatar *v.* **apresentar**, propor

candidatar-se *v.* 1 **oferecer-se**, propor-se, apresentar-se ≠ **renunciar**, abdicar, desistir 2 *fig.* **arriscar-se**, aventurar-se, expor-se

candidato *n.m.* **pretendente**, postulante, pretendedor, aspirante, proponente

cândido *adj.* **1 alvo**, branco, imaculado ≠ **maculado**, escuro **2** *fig.* **inocente**, puro, virgíneo, casto, branco ≠ **impuro**, adulterado, corrompido **3** *fig.* **ingénuo**, singelo, simples, inocente, natural, bucólico ≠ **corrompido**, degenerado, viciado, contaminado *fig.*

candonga *n.f.* **1 adulação**, lisonja, sabujismo, bajulice, prazenteio, rapapés, graxa *col.*, candonguice *fig.*, manteiga *fig.*, engraxadela *fig.*, genuflexão *fig.*, incensação *fig.*, ciganice *pej.* ≠ **censura**, crítica, desagrado, repugnância, exclusão, reprovação **2 contrabando**, candonguice, mercado negro, tráfico, fraude

candongueiro *n.m.* **contrabandista**, muambeiro, embusteiro, intrujão, burlão, trapaceiro ≠ **honesto**, justo ■ *adj.* **1 impostor**, enganador, falso, mentiroso, burlão, trapaceiro ≠ **honesto**, verdadeiro, correto, escrupuloso **2 lisonjeador**, lisonjeiro, servil, adulador, subserviente, lambe-botas, lambedor, engraxador *fig.*, manteigueiro *col.*, graxista *col.*, puxa-saco [BRAS.] ≠ **crítico**, depreciador, censurador, reprovador

candura *n.f.* **1 alvura**, candidez, candor **2** *fig.* **inocência**, pureza, virgindade *fig.* ≠ **impureza 3 ingenuidade**, credulidade, simplicidade, singeleza, angelismo *pej.* ≠ **corrupção**, vício

caneca *n.f.* **púcaro**, coco [REG.]

caneco *n.m.* **1 jarro 2 canarim** ■ *adj.* **embriagado**, ébrio, enfrascado, bicudo, tocado *col.*, grogue *col.*, pingado *col.* ≠ **sóbrio**, abstémico

caneiro *n.m.* **1 cano 2 rego**, dique

canejo *adj.* **1 canino 2 cambaio**, zambro, cambado, zambeta [BRAS.] ≠ **reto**, direito

canela *n.f.* **1** *col.* **perna**, tíbia **2 canilha 3** BOT. **caneleira 4** BOT. **rapazinhos**

canelada *n.f.* **canelão**

caneladura *n.f.* ARQ. **canelura**

canelar *v.* **1 acanelar 2 acanalar**, estriar

caneleira *n.f.* **1** BOT. **canela 2** (mais usado no plural) **greva**

canelo *n.m.* **ferradura**

canelura *n.f.* **1** ARQ. **caneladura 2** (encadernação) **goteira**, canal

caneta *n.f.* **porta-penas**

canforeira *n.f.* BOT. **alcanforeiro**, cinamomo, alcânfora *col.*

canga *n.f.* **1 jugo 2** *fig.* **domínio**, opressão, sujeição, tirania, jugo *fig.* ≠ **insubmissão**, insubordinação, desobediência

cangaceiro *n.m.* [BRAS.] **malfeitor**, salteador, ladrão, bandoleiro, facínora, criminoso, pistoleiro, escroque, canalha *pej.* ≠ **honesto**, notável, respeitador

cangaço *n.m.* **1 burusso**, bagaço, canganho, graúlho, baganha, cango **2** [BRAS.] **banditismo**, bandoleirismo

cangalhada *n.f.* **cacareco**, futricada, tarecada, caqueirada, cacos, cacada *col.*

cangalheiro *n.m.* **1 almocreve**, recoveiro **2** *col.* **defunteiro**

cangalho *n.m.* **pinhoca**, canzil, canil

canhamaço *n.m.* **calhamaço**

cânhamo *n.m.* BOT. **liamba**, pango, cofo, cânave

canhão *n.m.* **peça**

canhenho *n.m.* **1 caderno**, bloco **2** *fig.* **memória**, lembrança, recordação ■ *adj.* **canhoto**, esquerdino, esquerdo, canhestro ≠ **destro**

canhestro *adj.* **1 canhoto**, esquerdino, esquerdo, canhenho, canho, sinistro ≠ **destro 2 desajeitado**, desastrado, bronco, tosco ≠ **habilidoso**, experiente

canho *adj.* **canhoto**, esquerdino, esquerdo, canhenho, canhestro, sinistro ≠ **destro**

canhonear *v.* **bombardear**, esbombardear, bombear, acanhoar, acanhonear

canhoneira *n.f.* **bombardeira**

canhoneiro *adj.* **artilhado**

canhoto *adj.* **1 esquerdino**, esquerdo, canhenho, canhestro, sinistro ≠ **destro 2 desajeitado**, desastrado, inábil, bronco, canhestro ≠ **hábil**, competente, engenhoso ■ *n.m.* **1 esquerda** ≠ **direita**, dextra **2 acha**, lenha **3** *col.* (com maiúscula) **Demónio**, Diabo, Satanás, Belzebu, Maligno, Carocho *col.*

canibal *n.2g.* **1 antropófago**, andrófago **2 patife**, safado, vil, sacana *col.* ≠ **honesto**, notável, respeitador

canibalesco *adj.* **antropofágico**

canibalismo *n.m.* **1 antropofagia**, androfagia **2** *fig.* **ferocidade**, fereza, feridade, selvajaria, crueldade, desumanidade, sanha, barbaridade ≠ **humanidade**, bondade, piedade, benevolência

caniçada *n.f.* **sebe**, sebada

caniçal *n.m.* **canavial**

canície *n.f.* *fig.* **velhice**, vetustez, antiguidade, ancianidade, caruncho, senectude ≠ **juventude**, mocidade, adolescência, primavera, aurora

caniço *n.m.* **espigueiro**

canicular *adj.2g.* **quente**, calmoso, caldo, ardente, candente, incandescente ≠ **frio**, gélido, gelado

canil *n.m.* **canzil**, cangalho, pinhoca

canino *adj.* **1** *fig.* **maligno**, mordaz, acerado *fig.* ≠ **benigno**, agradável, afável **2** (fome) **insaciável**, ávido, sôfrego ≠ **saciável**, contentável ■ *n.m.* ANAT. **presa**

canja *n.f.* [REG.] **embriaguez**, bebedeira, ebriedade, bico, canjica, borracheira *col.*, piela *col.*, bruega *col.*, cabeleira *col.*, cardina *col.*, carraspana *col.* ≠ **sobriedade**, abstemia

canjirão *n.m.* 1 **jarro**, jarra 2 **canastrão** *fig.*

cano *n.m.* 1 **tubo**, canudo, canal, calha, bica 2 **goteira**, biqueira, algeroz, caleira, calha, quelha, agueiro 3 **aqueduto**, acéquia ■ *adj.* (raramente usado) **branco**, encanecido, grisalho, alvo

canoa *n.f.* 1 NÁUT. **piroga**, almadia, tone, ubá 2 **banheira**, tina

cânone *n.m.* 1 **preceito**, regra, norma, exemplo, modelo 2 **catálogo**, lista, rol, relação, elenco, nomenclatura

canonicato *n.m.* **conezia**

canonização *n.f.* 1 *fig.* **glorificação**, apoteose, enaltecimento 2 **consagração**, sagração

canonizar *v.* 1 **santificar**, sagrar 2 *fig.* **consagrar**, glorificar 3 *fig.* **elogiar**, louvar, enaltecer, gabar, celebrar ≠ **condenar**, criticar, censurar, acapitular

canoro *adj.* **harmónico**, harmonioso, melodioso, sonoro, suave, musical, dulcíssono, dulcissonante ≠ **desarmónico**, desarmonioso, dissonante, desagradável

cansaço *n.m.* 1 **fadiga**, canseira, estafa, esfalfamento, esgotamento, fraqueza, lassidão, afronta, moedeira, anelação, abatimento *fig.* ≠ **energia**, força, vigor, robustez 2 *fig.* **enfastiamento**, enfado, aborrecimento, tédio, fastio ≠ **interesse**, empenho, motivação

cansado *adj.* 1 **fatigado**, estafado, esfalfado, esgotado, fraco, lasso, defesso, afobado [BRAS.] ≠ **enérgico**, vigoroso, dinâmico, ativo 2 **aborrecido**, enfastiado, entediado, fastidioso ≠ **interessado**, motivado, empenhado

cansar *v.* 1 **afadigar**, esfalfar, estafar, fatigar, enfraquecer, moer *fig.* ≠ **vigorizar**, fortalecer, dinamizar, estimular, ativar 2 *fig.* **importunar**, enfadar, fartar, aborrecer, enfastiar, molestar, fatigar, causticar *fig.*, moer *fig.* ≠ **agradar**, interessar, satisfazer, motivar

cansar-se *v.* 1 **fatigar-se**, afadigar-se, esfalfar-se, alquebrar-se 2 **empenhar-se**, esforçar-se 3 **saturar-se**, fartar-se, enjoar-se *fig.*

cansativo *adj.* 1 **fatigante**, extenuante, trabalhoso, esgotante, estafante ≠ **vigorante**, fortificante, energético, ativante 2 **fastidioso**, fatigante, aborrecido, enfadonho, maçador, estopante *fig.* ≠ **interessante**, estimulante, motivante

canseira *n.f.* 1 **fadiga**, cansaço, estafa, esfalfamento, esgotamento, fraqueza, lassidão, afronta, moedeira, abatimento *fig.* ≠ **energia**, força, vigor, robustez 2 **esforço**, trabalho, trabalheira, lide, faina, labuta ≠ **repouso**, descanso, sossego 3 **preocupação**, afã, cuidado, inquietação, apreensão ≠ **despreocupação**, tranquilidade, serenidade *fig.*

cantábrico *adj.* 1 **cântabro**, cantábrio 2 **basco** 3 **biscainho** 4 **vasconço**, êuscaro

cantadeira *n.f.* 1 **cantora**, vocalista, cantatriz 2 ORNIT. **cotovia**, marreca, rangedeira

cantador *n.m.* **cantor**, vocalista

cantante *adj.2g.* **harmónico**, harmonioso, melodioso, sonoro, suave, musical ≠ **desarmónico**, desarmonioso, dissonante, desagradável

cantar *v.* 1 **entoar**, cantarolar, trautear, melodiar ≠ **desentoar**, destoar, desafinar 2 (em verso ou em prosa) **celebrar**, enaltecer, exaltar, proclamar, recitar, poetar 3 *col.* **retorquir**, replicar 4 [BRAS.] **seduzir**, encantar ■ *n.m.* 1 **canto** 2 **cantiga**, ária, trova, cântico, canto, hino, motete

cantareira *n.f.* **poial**

cântaro *n.m.* **bilha**, jarro, pote

cantarolar *v.* **trautear**, gargantear, musicar, solfejar, cantarejar ≠ **desentoar**, destoar, desafinar

cantata *n.f.* *col.* **lábia**, léria, paleio, palavreado, treta, fraseado, conversa *fig.*, garganta *fig.*, cantiga *fig.,col.*, galra *col.*, música *col.*, prosa *col.*

canteira *n.f.* **pedreira**

canteiro *n.m.* 1 **tabuleiro**, talhão, alegrete, leira, alfobre 2 **baixete**, poial 3 **malhal**, baixete

cântico *n.m.* 1 **cantiga**, ária, cantar, trova, canção, canto, hino, motete 2 LIT. **poema**, ode, canto

cantiga *n.f.* 1 **canção**, ária, cantar, trova, cântico, canto, hino, motete 2 *fig.,col.* **lábia**, léria, paleio, palavreado, treta, fraseado, conversa *fig.*, garganta *fig.*, cantata *col.*, galra *col.*, música *col.*, prosa *col.*

cantilena *n.f.* 1 **ladainha**, lengalenga, aranzel, melopeia 2 *col.* **lábia**, léria, paleio, palavreado, treta, fraseado, conversa *fig.*, garganta *fig.*, cantiga *fig.,col.*, galra *col.*, música *col.*, prosa *col.*

cantina *n.f.* **refeitório**, cenáculo

canto *n.m.* 1 **aresta**, esquina, ângulo, cotovelo, ponta, quina 2 **cantiga**, ária, cantar, trova, canção, cântico, hino, motete 3 LIT. **poema**, ode, cântico

cantoneira *n.f.* **guarda-louça**

cantor *n.m.* 1 **cantador**, vocalista, cantadeiro 2 *fig.* **poeta**, vate, bardo, trovador

cantoria *n.f.* **canto**

canudo *n.m.* 1 **tubo**, cano 2 *col.* **diploma**, carta 3 *col.* **contrariedade**, contratempo, desventura, obstáculo, infortúnio, dificuldade, impedimento, entrave ≠ **desimpedimento**, desatravancamento, desobstrução, desempeço, desempacho 4 *col.* **logro**, prejuízo, patranha, engano, deceção, espiga *fig.*

cânula *n.f.* **tubo**, canudo

canzoada *n.f.* 1 **cainça**, cainçalha, cainçada 2 *fig.* **canalha**, bandalho, futre, safado, patife, infame, velhaco, biltre, pulha *col.*, brejeiro ≠ **notá-**

vel, honesto, respeitador **3** *fig.* **corja**, malta, gatunagem, aquadrilhamento, jolda, cambada *fig.,pej.*, cáfila *fig.*, rancho *pej.*, súcia [REG.] *pej.*

cão *n.m.* **1** ZOOL. **perro**, au-au *infant.*, cachorro [BRAS.] **2** *col.* **calote**, borla ■ *adj.* **branco**, encanecido, grisalho, alvo

caos *n.m.2n.* **confusão**, trapalhada, desordem, babel, badanal, alvoroço, tumulto, charivari, assuada, zaragata, espalhafato, rebuliço, chinfrim, sarrafusca *col.*, sarapatel *fig.*, feira *fig.*, pé de vento *fig.*, tropel *fig.* ≠ **ordem**, organização, arrumação, arranjo

caótico *adj.* **confuso**, desordem, balbúrdia, babelesco, badanal, trapalhada ≠ **ordem**, organização, arrumação, arranjo

capa *n.f.* **1 manto 2 encadernação 3 invólucro**, envelope, sobrescrito, envoltório **4 cobertura**, coberta, revestimento, resguardo **5** *fig.* **aparência**, aspeto, fisionomia, fachada *fig.*, ar *fig.* **6** [BRAS.] **castração**, capadura, capação, castramento, emasculação

capacete *n.m. col.* **cabeça**, cachimónia *col.*, bola *col.*, cachola *col.*, carola *col.*, tola *col.*, mona *col.*, pinha *col.*, caco *fig.*, cuca [BRAS.]

capachinho *n.m.* **peruca**, chinó, chorina, cabeleira

capacho *n.m. fig.* **bajulador**, lambe-botas, sabujo *fig.*, engraxador *fig.*, carneiro *fig.*, graxista *col.,pej.* ≠ **crítico**, depreciador, censurador, reprovador

capacidade *n.f.* **1 lotação**, espaço, cubagem, cubicagem **2 aptidão**, habilidade, inteligência, competência, idoneidade, talento, habilitação ≠ **incompetência**, incapacidade, inaptidão **3 sumidade** *fig.*, crânio *fig.*, cabeça *col.* ≠ **pacóvio**, estúpido

capacitar *v.* **1 habilitar** ≠ **incapacitar**, inabilitar **2 compreender**, entender, captar, abranger, alcançar *fig.*, conceber *fig.* ≠ **incapacitar**, inabilitar **3 convencer**, persuadir, induzir, mover ≠ **dissuadir**, demover

capacitar-se *v.* **1 convencer-se**, persuadir-se **2 habilitar-se**

capado *n.m.* **cresto**

capadócio *n.m. gír.* **palerma**, pateta, idiota, lorpa, pacóvio, tolo, estúpido, patego, parvo, basbaque, babuíno *fig.,pej.*, banana *pej.*, paspalho *pej.*, bate-orelha *fig.*, babaca [BRAS.] ≠ **cabeça** *col.*, crânio *fig.*

capanga *n.m.* [BRAS.] **guarda-costas**, segurança, anjo da guarda, sombra, anjo-custódio, jagunço [BRAS.]

capar *v.* **castrar**, emascular, infecundar, esterilizar

capataz *n.m.* **principal**, encarregado, feitor, abegão, maioral, manajeiro, olheiro

capaz *adj.2g.* **1 competente**, apto, eficiente, hábil, destro, suficiente, profissional ≠ **incompetente**, incapaz, inábil **2 conveniente**, adequado, apropriado, adaptado, próprio, oportuno ≠ **inconveniente**, impróprio, inadequado **3 honesto**, honrado, sério, leal, correto ≠ **mentiroso**, desleal, traiçoeiro

capazmente *adv.* **bem**, cabalmente, competentemente, devidamente, convenientemente, satisfatoriamente ≠ **indevidamente**, inconvenientemente, impropriamente

capcioso *adj.* **ardiloso**, manhoso, arguto, caviloso, fraudulento, sofístico, enganoso ≠ **honesto**, íntegro, leal, reto

capela *n.f.* **1 igrejola**, igrejinha, igrejário **2 ermida**, orada **3 grinalda**

capelista *n.f.* **armarinho** [BRAS.] ■ *n.2g.* **quinquilheiro**, armarinheiro [BRAS.]

capelo *n.m.* **1 capuz**, cuculo, coca, capucho **2 touca 3 doutorado**

capim *n.m.* **relva**, grama, erva

capinha *n.m.* TAUR. **bandarilheiro**, capeador, toureiro, furta-capa

capitação *n.f.* **rateação**, rateamento, rateio

capital *adj.2g.* **1 primordial**, essencial, principal, fundamental, primário, importante, cardeal, vital *fig.* ≠ **secundário**, acessório, auxiliar **2 grave**, mortal, sério ≠ **insignificante**, leve, irrelevante, cagativo *cal.* ■ *n.f.* **1 metrópole**, sede, cabeça **2 maiúscula**, versal, caixa alta ≠ **minúscula**, caixa baixa ■ *n.m.* **fundos**, haveres, valores, bens, fortuna, pecúlio

capitalismo *n.m.* **plutocracia**

capitalista *n.2g. fig.* **rico**, ricaço, possidente, plutocrata, banqueiro *fig.*, argentário *fig.*, fúcaro *ant.* ≠ **pobre**, humilde, mendigo, pelintra ■ *adj.2g.* **financiador**

capitalizar *v.* **acumular**, juntar, adicionar, reunir ≠ **descapitalizar**, perder, gastar

capitanear *v.* **chefiar**, governar, dirigir, comandar, conduzir, mandar, acaudilhar, liderar ≠ **obedecer**, acatar, cumprir, submeter-se

capitão *n.m.* **cabeça**, cabecilha, caudilho

capitato *adj.* **capitado**

capitel *n.m.* **cabecel**

capitólio *n.m. fig.* **glória**, triunfo, sucesso, êxito, vitória ≠ **derrota**, perda, insucesso

capitulação *n.f.* **1** MIL. **rendição**, entrega ≠ **resistência**, luta, defensiva **2 cedência**, transigência, concessão, permissão, autorização, licença ≠ **recusa**, rejeição **3 sujeição**, submissão, obediência, jugo *fig.* ≠ **comando**, chefia, direção

capitular *v.* **1 render-se**, submeter-se, entregar-se, sujeitar-se, subjugar-se ≠ **resistir**, enfrentar, encarar **2 ceder**, anuir, transigir, consentir, aprovar, concordar ≠ **desacordar**, desaprovar **3 combinar**, acordar, concertar, ajustar ≠ **desacordar**, desconcertar, desmanchar, desfazer ■ *adj.2g.* **versal**, maiúsculo ≠ **minúsculo**

capítulo *n.m.* **1 parágrafo 2** BOT. **calátide**

capoeira *n.f.* 1 galinheiro, poleiro, ripado 2 tipoia *pej.*, sege 3 matagal, mata, mato, sarça, mateira, matorral, balsedo, enxara *ant.*

capota *n.f.* tejadilho

capote *n.m. fig.* disfarce, dissimulação, fingimento, embuço *fig.*, rebuço *fig.* ≠ sinceridade, honestidade, verdade, retidão

caprichar *v.* aprimorar, timbrar, apurar-se, esmerar, exceder ≠ descuidar, descurar, desmazelar, desdeixar

capricho *n.m.* 1 birra, aferro, cisma, obstinação, mania, pertinácia, veneta, sestro, capricheira, mimalhice, paladar *fig.* ≠ flexibilidade, plasticidade, maleabilidade 2 arbitrariedade, arbítrio, voluntariedade 3 bizarria, veleidade, originalidade, excentricidade, extravagância *pej.* ≠ discrição, modéstia, recato 4 esmero, aprimoramento, aplicação, apuro, perfeição ≠ desleixo, desmazelo, descuido 5 brio, pundonor, honra, orgulho, dignidade ≠ desonra, vergonha, opróbio

caprichoso *adj.* 1 teimoso, obstinado, birrento, pertinaz ≠ flexível, maleável, meneável 2 extravagante, excêntrico, bizarro, insólito ≠ discreto, modesto, sóbrio 3 requintado, aprimorado, esmerado, apurado, perfeito ≠ desleixado, desmazelado, descuidado

caprino *adj.* ZOOL. cápreo, caprum, caprídeo, cabrum

cápsula *n.f.* 1 recetáculo, recipiente 2 carica *col.* 3 FARM. hóstia

captar *v.* 1 alcançar, conseguir, agarrar, apanhar, colher, conciliar ≠ perder, falhar, fracassar 2 (água) recolher, conduzir, intercetar ≠ desperdiçar, desaproveitar, esbanjar 3 cativar, chamar, atrair, prender *fig.* ≠ repulsar, afastar, afugentar, repelir 4 compreender, entender, capacitar, abranger, alcançar *fig.*, conceber *fig.* ≠ incapacitar, inabilitar, desentender 5 granjear, conquistar, ganhar, obter, atrair ≠ perder, falhar, fracassar

captor *adj.,n.m.* capturador, apreensor, captador, apresador ≠ libertador, emancipador, livrador, redentor, salvador

captura *n.f.* 1 apreensão, apresamento, aprisionamento, tomada, presa, tomadia ≠ devolução, reenvio, reposição, restituição 2 prisão, cadeia, cárcere, calabouço, presídio, masmorra, cativeiro, gaiola *col.*, chilindró *col.*, choça *col.*

capturar *v.* prender, apreender, aprisionar, deter, tomar, segurar, pegar ≠ soltar, libertar, emancipar, descativar

capturável *adj.2g.* apreensível, tomado, preso, aprisionável ≠ incapturável, liberto, solto

capucho *n.m.* 1 RELIG. franciscano 2 capuz, capelo, coca, cuculo

capuz *n.m.* capucho, capelo, coca, cuculo

caquéctico[aAO] *adj.* ⇒ **caquético**[dAO]

caqueirada *n.f.* 1 *col.* bordoada, pancada, arrochada, caibrada, fangueirada, ripada 2 *col.* soco, bofetada, tapa, lambada, estalo *col.*, chapada *col.*, bolachada *col.*, solha *col.*

caquético[dAO] *adj.* 1 envelhecido, desgastado, debilitado, enfraquecido ≠ vigoroso, forte, robusto 2 senil, decrépito, xexé *col.*

caquexia *n.f.* envelhecimento, marasmo, mela *fig.*, abatimento *fig.* ≠ força, vigor, robustez, firmeza

caqui *n.m.* [BRAS.] BOT. diospiro, diospireiro, alperceiro-do-japão, caquizeiro

cara *n.f.* 1 face, rosto, fisionomia, semblante, caraça, focinho *col.*, fuça *col.*, tromba *col.*, ventas *fig.,col.*, cronha [REG.] 2 aparência, aspeto, figura, presença, fachada *fig.* 3 *fig.* atrevimento, audácia, desaforo, ousadia, descaramento, impudência, insolência, lata *fig.* ≠ sobriedade, respeito, comedimento, seriedade ■ *n.m.* [BRAS.] indivíduo, sujeito, beltrano, sicrano, couso, tipo *col.*, fulano *col.*, caramelo *col.*

carabina *n.f.* clavina *col.*, cravina *col.*

carabineiro *n.m.* clavineiro *col.*

caraça *n.f.* 1 máscara, carranca, careta 2 fisionomia, rosto, face, semblante, focinho *col.*, fuça *col.*, tromba *col.*, ventas *fig.,col.* 3 *fig.* carantonha, carão, cariz *col.* ■ *interj.* [*pl.*] *col.* (exprime admiração, impaciência, irritação, etc.) caramba!, bolas!, puxa!, porra!, arre!, diabo!

caracará *n.m.* [BRAS.] ORNIT. carrapateiro, carancho

caracol *n.m.* 1 espiral, hélice, voluta, rosca 2 anel, cacho, velo *fig.* 3 ANAT. cóclea

carácter[AO] ou **caráter**[AO] *n.m.* 1 letra, marca, símbolo, sinal, impressão, cunho *fig.*, tipo *fig.*, traço *fig.* 2 índole, temperamento, vocação, natureza, compleição, cariz, génio 3 firmeza, energia, resolução, ânimo ≠ fraqueza, moleza, frouxidão

característica[AO] ou **caraterística**[AO] *n.f.* apanágio, distintivo, particularidade, atributo

característico[AO] ou **caraterístico**[AO] *adj.* 1 particular, próprio, específico, típico, peculiar, especial, exclusivo, singular, único ≠ universal, geral, genérico, abrangente 2 marcante, distintivo, diferente, inconfundível ≠ banal, incaracterístico, confundível, vulgar ■ *n.m.* apanágio, distinção, particularidade, atributo, diferenciação ≠ banalidade, vulgaridade, confundibilidade

caracterizador[AO] ou **caraterizador**[AO] *adj.,n.m.* 1 caracterizante 2 CIN., TEAT., TV maquilhador

caracterizar[AO] ou **caraterizar**[AO] *v.* 1 determinar, qualificar, indicar, assinalar, especializar, especificar ≠ indeterminar 2 descrever, representar, exprimir, narrar, desenhar *fig.*, fotografar *fig.* 3 distinguir, diferenciar, extremar, individualizar, singularizar, salientar, evidenciar ≠ **banalizar**, vulgarizar, aburguesar *fig.,pej.*

caraíba *adj.,n.2g.* caribe

caralho *n.m. vulg.* **pénis**, falo, pila *col.*, balado *col.,vulg.* ▪ *interj. vulg.* **porra!**, foda-se! *vulg.*

caramanchão *n.m.* **tópia**, caramanchel, camaranchão

caramba *interj. col.* **bolas!**, diabo!, puxa!, arre!, porra!, caraças! *col.*

carambola *n.f.* **1** BOT. **caramboleira**, caramboleiro **2** *fig.* **embuste**, dolo, trapaça, engano, logro, mentira, cavilação, carambolice, tramoia *col.* ≠ **honestidade**, verdade, sinceridade **3** ORNIT. **tarambola**, pildra, pildra-preta, dourada, marinho, marinho-branco, tordeira-do-mar

caramboleiro *n.m.* **1** BOT. **carambola**, caramboleira **2** **embusteiro**, trapaceiro, batoteiro, mentiroso, tratante, impostor, falso ≠ **honesto**, justo

caramelo *n.m.* **1** **picareta**, carapeto **2** **rebuçado**, confeito, pastilha, pirulito, bala [BRAS.], dropes [BRAS.] **3** **carambina**, sincelo [REG.] **4** *col.* **indivíduo**, sujeito, tipo, beltrão, sicrano, fulano *col.*, cara [BRAS.]

caramujo *n.m.* ZOOL. **burgau**, borrelho, búzio, burrié

caranguejeira *n.f.* BOT. **carangueja**, rainha-cláudia

caranguejo *n.m.* **1** ZOOL. **pilado**, caranguejo-mouro **2** **carangueja**

caranguejola *n.f.* **1** ZOOL. **carangueja** **2** *fig.* **geringonça**, engenhoca **3** *fig.* **jangada** **4** *fig.* **carripana** *col.*, zambeque, calhambeque *col.*

carantonha *n.f.* **1** **carranca**, careta, carão, cenho, micterismo, focinheira, sobrecenho, visagem, cariz *col.* **2** **esgar**, trejeito, momice, careta

carão *n.m.* **1** **carranca**, careta, carantonha, cenho, micterismo, focinheira, sobrecenho, visagem, cariz *col.* **2** [BRAS.] **ralhete**, descompostura, advertência, admoestação, censura, repreensão, reprimenda, ralho, pito [BRAS.] ≠ **elogio**, louvor, aplauso

carapau *n.m.* **1** ICTIOL. **chicharro** *col.*, jaquinzinho *col.*, carapau branco **2** *col.* **magricela**, esqueleto *fig.*, caveira *fig.* ≠ **gordo**, botija *fig.*, bucha *col.*, pantufo *col.*

carapeto *n.m.* **1** BOT. **espinho** **2** **caramelo**, picareta **3** HER. **carapeteiro**

carapinha *n.f.* **lã**

carapuça *n.f.* **1** **barrete**, carapuço, gorro, gorra, gangorra, mitra *col.*, alvada *ant.*, garruço [REG.] **2** *fig.* **insinuação**, alusão, remoque, indireta *col.*

carapuço *n.m.* **1** **barrete**, carapuça, gorro, gorra, mitra *col.*, garruço [REG.] **2** ORNIT. **toutinegra**, felosa-real, fulecra, picança, tutinegra, tutinegra-real, picanço-barreteiro, cascarrolho, tutinegro

caravana *n.f.* **1** **roulotte** **2** **cáfila** **3** **excursão**, rancho

caravela *n.f.* **1** **gorjeta**, gratificação, emolumento, convide [REG.] **2** **chocalho**

carboneto *n.m.* QUÍM. **carbite**

carbonífero *adj.* **carbónico**

carbonização *n.f.* **queima**

carbonizado *adj.* **calcinado**, queimado

carbonizar *v.* **queimar**, cauterizar, calcinar, incinerar, torrar *fig.*

carbúnculo *n.m.* MED., VET. **antraz**, lobão

carburador *n.m.* **carbonador**

carburante *n.m.* **1** **combustível** **2** *fig.* **alimento**, comida, sustento, comer, cucha

carburar *v.* **funcionar**, trabalhar, carbonar

carcaça *n.f.* **arcaboiço**, esqueleto, armação, casco, estrutura

carcás *n.m.* **coldre**, aljava *ant.*

carcela *n.f.* **1** **braguilha**, portinhola **2** (encadernação) **lombada**

carcerário *adj.* **prisional**

cárcere *n.m.* **prisão**, cadeia, calabouço, presídio, masmorra, cativeiro, gaiola *col.*, chilindró *col.*, choça *col.*, joldra *gír.*

carcereiro *n.m.* **chaveiro**, aferrolhador, aljubeiro, cadeeiro, masmorreiro, guarda

carcinoma *n.m.* **1** MED. **cancro**, cirro, carcinose, carango *gír.*, câncer [BRAS.] **2** MED. **epitelioma**

carcoma *n.m.* **1** ZOOL. **caruncho**, relógio-da-morte, verrumão **2** **podridão**, caruncho, putrefação

carcomer *v.* **1** *fig.* **corroer**, roer, morder, consumir, devorar, erodir, ratar, escarvar *fig.* **2** *fig.* **arruinar**, destruir, gastar, aluir, arrasar, estragar, danificar ≠ **recuperar**, restaurar, salvar

carcomido *adj.* **1** **carunchoso**, carunchento, corroído, consumido, desgastado, ratado, roído, limado **2** *fig.* **destruído**, arruinado, gasto, estragado, danificado ≠ **recuperado**, restaurado, salvo

carda *n.f.* **1** **badalhoca**, cardina **2** **prego**

cardação *n.f.* **cardadura**, cardagem

cardador *n.m.* **escarduçador**, emborrador

cardal *n.m.* **cemitério**, campo-santo, fossário, sepulcrário

cardar *v.* **1** **desenriçar**, desenredar, destrinçar, desemaranhar, desenlear ≠ **enriçar**, emaranhar, enredar **2** *col.* **roubar**, furtar, extorquir, surripiar, subtrair ≠ **devolver**, entregar, dar **3** **repreender**, censurar, exprobrar, admoestar ≠ **elogiar**, louvar, aplaudir

cardeal *adj.2g.* **primordial**, essencial, principal, fundamental, primário, importante, capital, cardinal, vital *fig.* ≠ **secundário**, acessório, auxiliar ▪ *n.m.* **1** RELIG. **purpurado** **2** ORNIT. **peto** **3** ORNIT. **pisco-chilreiro**, dom-fafe **4** ICTIOL. **imperador**, melo **5** BOT. **cardealina**

cárdeno *adj.,n.m.* **azul-violeta**, cárdeo

cardíaco *adj.* **1** **pectoral** **2** **cardial**, cárdico ▪ *n.m.* **cardiopata**

cardina *n.f.* 1 **carda**, badalhoca 2 *col.* **embriaguez**, bebedeira, ebriedade, bico, canjica, borracheira *col.*, piela *col.*, bruega *col.*, cabeleira *col.*, carraspana *col.* ≠ **sobriedade**, abstemia

cardinal *adj.2g.* 1 **primordial**, essencial, principal, fundamental, primário, importante, capital, cardeal, vital *fig.* ≠ **secundário**, acessório, auxiliar 2 (cor) **apurpurado**, avermelhado ■ *n.m.* (cor) **avermelhado**

cardinalado *n.m.* **cardinalato**

cardiograma *n.m.* MED. **eletrocardiograma**

cardo *n.m.* BOT. **cardo-asnil**, cardo-azul, cardo-cardador, cardo-coroado, cardo-de-coalho, cardo-coalhador, cardo-de-ouro, cardo-estrelado, cardo-morto, cardo-sanguinho, cardo-do-visco

cardume *n.m. fig.* **montão**, ajuntamento, bando, aglomeração, multidão, magote

careca *n.f.* **calva**, pelada ≠ **cabeludo**, cabeleira, encabeladura, juba *col.* ■ *n.2g.* **calvo** ■ *adj.2g.* 1 **calvo**, descabelado, escalvado, glabro, pelado ≠ **peludo**, peloso, guedelhudo, viloso 2 BOT. (pêssego) **calvo** 3 (pneu) **liso**

carecer *v.* **necessitar**, precisar, requerer ≠ **desnecessitar**

carecido *adj.* **necessitado**, carente, precisado, destituído, pobre, desremediado

carecimento *n.m.* **carência**, falta, precisão, necessidade, míngua, privação, inexistência, pobreza ≠ **abundância**, riqueza, fartura, suficiência

careiro *adj.* **explorador**, caro

carência *n.f.* **carecimento**, falta, precisão, necessidade, míngua, privação, inexistência, pobreza ≠ **abundância**, riqueza, fartura, suficiência, abastamento, afluência

carente *adj.* **necessitado**, carecido, precisado

carepa *n.f.* 1 **caspa** 2 **fagulha**, faísca, chispa, centelha 3 **felpa**, lanugem 4 [REG.] **chuvisco**, borrifos, caropa [REG.], morrinha [REG.]

carepento *adj.* **casposo**, caspento, careposo

carestia *n.f.* 1 **encarecimento**, alta, subida, careza ≠ **baixa**, redução, queda 2 *fig.* **carência**, falta, escassez, míngua ≠ **abundância**, fartura, abastança

careta *n.f.* 1 **carranca**, carantonha, carão, cenho, micterismo, focinheira, sobrecenho, visagem, cariz *col.* 2 **máscara**, caraça, carranca ■ *adj.2g.* [BRAS.] **convencional**, tradicional, conservador ≠ **moderno**, avançado, atual

carga *n.f.* 1 **carregamento**, frete, fardo ≠ **descarga** 2 **peso**, ónus, carrego, fardo *fig.* ≠ **leveza**, alívio 3 **acervo**, montão, pilha, ajuntamento, carrada 4 MIL. **assalto**, avançada, investida, arremetida, ataque ≠ **retirada**, fuga 5 *fig.* **responsabilidade**, encargo, cargo, obrigação, incumbência ≠ **irresponsabilidade**

cargo *n.m.* 1 **ocupação**, função, ministério, ofício, múnus, posto, lugar, exercício, serviço 2 **incumbência**, função, encargo, tarefa, trabalho 3 **responsabilidade**, encargo, obrigação, incumbência, compromisso, carga *fig.* ≠ **irresponsabilidade**

cariar *v.* **apodrecer**, corromper, estragar, deteriorar-se ≠ **preservar**, conservar, manter

carica *n.f. col.* **cápsula**

caricato *adj.* 1 **cómico**, risível, jocoso, ridículo, anedótico, ridiculoso ≠ **sério**, grave, sisudo 2 **burlesco**, cómico, grotesco, bufo, irrisório ≠ **sério**, grave, sisudo

carícia *n.f.* **afago**, carinho, festa, blandícia, mimo, meiguice ≠ **sevícia**, ofensa

caridade *n.f.* 1 **bondade**, benevolência, generosidade, indulgência, benignidade, humanidade *fig.* ≠ **malquerença**, malevolência, malvadez, perversidade 2 **compaixão**, piedade, bondade, misericórdia, comiseração, clemência, humanidade *fig.* ≠ **desumanidade**, malevolência 3 **beneficência**, bem-fazer, benefício, filantropia ≠ **descaridade**, inconsciência

caridoso *adj.* 1 **compassivo**, clemente, piedoso, misericordioso, bondoso, humano ≠ **desumano**, desalmado, desapiedado, descaroável, descaritativo 2 **generoso**, benevolente, benéfico, indulgente, bom, humanitário ≠ **desumano**, malicioso, malquerente, malévolo 3 **esmoler**

carimbar *v.* 1 **selar**, timbrar, sigilar 2 *fig.* **assinalar**, marcar, timbrar ≠ **desmarcar** 3 *fig.* **autenticar**, certificar, atestar, legalizar ≠ **invalidar**, anular 4 *col.* **reprovar**, chumbar *gír.*, estampar *gír.* ≠ **aprovar**, passar *col.*

carimbo *n.m.* 1 **rubricador**, sinete, selo 2 **timbre**, marca, selo, chancela

carinho *n.m.* 1 **afeto**, afeição, amizade, amor, ternura, bafo *fig.* ≠ **descarinho**, desafeto, desamor 2 **afago**, festa, blandícia, mimo, meiguice, apaparicamento *fig.* ≠ **sevícia**, ofensa 3 **dedicação**, zelo, desvelo, esmero ≠ **desleixo**, incúria, descuido, negliência

carinhoso *adj.* **afetuoso**, amoroso, meigo, terno, suave, caroável, malgável [REG.] ≠ **descarinhoso**, insensível, indiferente

carioca *adj.,n.2g.* **fluminense**

carisma *n.m.* **magnetismo** *fig.*, fascínio, sedução, encanto

caritativo *adj.* 1 **compassivo**, clemente, piedoso, misericordioso, bondoso, humano ≠ **desumano**, desalmado, desapiedado 2 **generoso**, benevolente, benéfico, indulgente, bom, humanitário, daimoso [REG.] ≠ **desumano**, malicioso, malquerente, malévolo 3 **esmoler**

carito *n.m.* BOT. **feijão-fradinho**, feijão-carito, chícharo

cariz *n.m.* 1 **aparência**, aspeto, figura, presença, fachada *fig.* 2 **índole**, carácter, natureza, temperamento, vocação, compleição **3** *col.* **carão**, carranca, careta, carantonha, cenho, micterismo, focinheira, sobrecenho, visagem

carlinga *n.f.* **1** NÁUT. **pia** **2** (avião) **cabina**

carlota *n.f.* BOT. **cerieira**, ceriosa

carma *n.m. col.* **destino**, fado

carmelita *adj.2g.* RELIG. **carmelitano**

carmesim *adj.2g.,n.m.* **encarnado**, carmíneo, carmim, vermelho-vivo, vermelho, rubro

carmim *n.m.* **rubor**, encarnado, vermelho ■ *adj.* **encarnado**, carmíneo, carmesim, vermelho-vivo, vermelho, rubro, nacarino

carminar *v.* **1** **ruborizar**, avermelhar, purpurear, purpurizar **2** **carmear**, carpear

carmíneo *adj.* **encarnado**, carmesim, carmim, vermelho-vivo, vermelho, rubro

carmona *n.f.* **cremona**

carnação *n.f.* **1** **carnadura** **2** **carne**, chicha *col.*

carnal *adj.2g.* **1** **cárneo** **2** **sensual**, sexual, libidinoso, concupiscente, luxurioso, lascivo, animal *fig.* ≠ **casto**, pudico, puro *fig.* **3** (parentesco) **consanguíneo**

carnalidade *n.f.* **concupiscência**, lascívia, luxúria, sensualidade, voluptuosidade ≠ **castidade**, pureza, pudicícia

carnaval *n.m.* **1** (com maiúscula) **Entrudo** **2** **folia**, folguedo, divertimento **3** **excesso**, orgia *fig.*

carnavalesco *adj.* **1** **burlesco**, grotesco, bufo, cómico, ridículo, irrisório ≠ **sério**, grave, sisudo **2** *fig.* **excessivo**, exagerado, descomedido, demasiado ≠ **moderado**, comedido, sóbrio

carne *n.f.* **1** **carnação**, chicha *col.* **2** **matéria**, corporalidade, corporeidade **3** **consanguinidade**, parentesco

carneira *n.f.* **1** [BRAS.] ZOOL. **ovelha** **2** BOT. **abóbora-carneira** **3** *col.* **embriaguez**, bebedeira, ebriedade, bico, canjica, borracheira *col.*, piela *col.*, bruega *col.*, cabeleira *col.*, cardina *col.*, carraspana *col.* ≠ **sobriedade**, abstemia

carneiro *n.m.* **1** ZOOL. **velígero** **2** MIL. **aríete** **3** **ossário**, sepultura, jazigo, túmulo, sepulcro **4** *fig.* **bajulador**, lambe-botas, sabujo *fig.*, engraxador *fig.*, capacho *fig.*, graxista *col.,pej.* ≠ **crítico**, depreciador, censurador, reprovador

cárneo *adj.* **carnal**

carniça *n.f.* **carnificina**, chacina, carnagem, morticínio, mortandade, matança ≠ **salvamento**

carniçaria *n.f.* **1** **talho**, açougue **2** **carnificina**, chacina, carnagem, morticínio, mortandade, matança ≠ **salvamento**

carniceiro *adj.* **1** **carnívoro**, carniçal **2** *fig.* **cruel**, feroz, carnífice, sanguinário *fig.*, lobal *fig.* ≠ **bondoso**, benévolo, humano ■ *n.m.* **açougueiro**, cortador, talhante, talhador, magarefe

carnificina *n.f.* **carniça**, chacina, carnagem, morticínio, mortandade, matança ≠ **salvamento**

carnívoro *adj.* **carniceiro**, creatófago

carnoso *adj.* **carnudo**, polposo, suculento

carnudo *adj.* **1** **musculado**, musculoso, fevroso ≠ **enfezado**, raquítico **2** **carnoso**, polposo, suculento, polpudo ≠ **descarnado** **3** **gordo**, espesso, nédio, roliço *fig.* ≠ **magro**, descarnado, franzino

caro *adj.* **1** **dispendioso**, custoso, alto, pesado, puxado *col.* ≠ **barato**, económico, módico, baixo, fácil **2** **estimado**, querido, apreciado, dileto, prezado, amado ≠ **desprezado**, desconsiderado **3** **desejado**, pretendido, disputado ≠ **indesejado** ■ *adv.* **dispendiosamente**

carocha *n.f.* **1** ZOOL. **barata** **2** *col.* **prisca**, beata **3** *col.* **mentira**, balela, patranha, conto, peta, galga *col.*, batata *col.* **4** *col.* **feiticeira**, bruxa, mágica, maga, saga, estriga, estrige

carocho *n.m.* **1** ZOOL. **besoiro** **2** ICTIOL. **lixa**, pailona **3** *col.* (com maiúscula) **Demónio**, Diabo, Satanás, Belzebu, Maligno, Canhoto *col.* ■ *adj.* **escuro**, negro, preto, trigueiro ≠ **claro**, branco, alvo

caroço *n.m.* **1** **carolo**, corunha [REG.] **2** *col.* **dinheiro**, trocos, ouro *fig.*, cabedal *fig.*, bagaço *fig.*, metal *fig.,col.*, guita *col.*, pastel *col.*, cascalho *col.*, carcanhol *gír.*, pasta *col.*, cacau *col.*, pingo *col.*, bagalho *col.*, bagalhoça *col.*, pataco *col.*, pecúnia *col.*, teca *col.*, bago *col.*, grana [BRAS.] *col.*, tutu *infant.*

carola *n.m.* **coroa**, tonsura ■ *adj.,n.2g.* **1** **beato**, rezadeiro ≠ **descrente**, irreligioso, incrédulo **2** **entusiasta**, apaixonado, caloroso, fanático, furioso ≠ **desapaixonado**, indiferente, desinteressado ■ *n.f. col.* **cabeça**, bola *col.*, cachimónia *col.*, capacete *col.*, cachola *col.*, tola *col.*, mona *col.*, pinha *col.*, caco *fig.*, cuca [BRAS.]

carolice *n.f.* **1** **santimónia**, carolismo, beatice *pej.* **2** **fanatismo**, paixão

carolo *n.m.* **1** **sabugo**, carrilho **2** **cascudo**, castanha, coque, croque, coscorrão, chapeleta, despertativo, pinhão *col.* **3** **galo** *col.*, tolontro **4** **caroço**, corunha [REG.]

carpelo *n.m.* BOT. **macrosporofilo**, folhelho

carpideira *n.f.* **1** *ant.* **choradeira**, pranteadeira **2** *fig.* **lamúria**, choradeira, pranteadeira, queixume, caramunha ≠ **contentamento**, alegria, júbilo

carpido *n.m.* **1** **pranto**, choro, lamento, lamentação, lamúria, queixume ≠ **contentamento**, alegria, júbilo **2** **barulho**, ruído, rumor, bulha, espalhafato, estrupido, banzé *col.*, cagaçal *col.*, esterroada *fig.*, senzala *fig.*, estrupício [BRAS.] ≠ **silêncio**, paz, sigilo, sopor, silente *poét.* **3** ORNIT. **areeiro**, borrelho, maçarico

carpinteirar *v.* **marceneirar**, carpintejar

carpinteiro *n.m.* ZOOL. **verrumão**, bicho-carpinteiro, carcoma, caruncho

carpir *v.* 1 **chorar**, prantear, lamentar, deplorar ≠ **alegrar-se**, contentar-se, jubilar 2 **mondar**, arrancar, limpar, capinar [BRAS.] ≠ **plantar**, cultivar, semear, abacelar

carpir-se *v.* **lastimar-se**, lamuriar-se, afligir-se, arrepelar-se

carpo *n.m.* 1 ANAT. **pulso**, munheca, punho 2 BOT. **fruto**

carraça *n.f.* 1 ZOOL. **carrapato**, ixode 2 ICTIOL. **cação**, bruxa, cascarra, chião, leitão, melga, papoila, pata-roxa, pique 3 *fig.* **maçador**, maçante, seca, lapa, melga *col.*, cola *col.*, narcótico *fig.*

carraço *n.m.* BOT. **tojo**

carrada *n.f.* 1 **carga** 2 **acervo**, montão, enxurrada, carga, catadupa *fig.* 3 [REG.] **embriaguez**, bebedeira, ebriedade, bico, canjica, borracheira *col.*, piela *col.*, bruega *col.*, cardina *col.*, carraspana *col.* ≠ **sobriedade**, abstemia

carranca *n.f.* 1 **carantonha**, careta, carão, cenho, micterismo, focinheira, sobrecenho, visagem, torvamento, cariz *col.* 2 **máscara**, caraça, careta

carrancudo *adj.* 1 **sisudo**, cenhoso, trombudo, mal-encarado, acarrancado, arrabinado, sombrio *fig.* ≠ **risonho**, sorridente, alegre 2 **mal-humorado**, amuado, trombudo, zangado, amazorrado, embesoirado ≠ **bem-humorado**, animado, contente 3 (tempo) **sombrio**, escuro ≠ **aberto**, claro

carrão *n.m.* 1 **churrião** 2 **carroção** [BRAS.]

carrapata *n.f.* 1 ZOOL. **carraça**, ixode 2 *fig.* **dificuldade**, complicação, embaraço, embrulhada, estorvo, óbice, sarilho *col.* ≠ **facilidade**, desembaraço 3 *fig.* **intriga**, enredo, mexerico, coscuvilhice, enzonice ≠ **discrição**, recato, desinteresse, privacidade 4 *col.* **embriaguez**, bebedeira, ebriedade, bico, canjica, borracheira *col.*, piela *col.*, bruega *col.*, cardina *col.*, carraspana *col.* ≠ **sobriedade**, abstemia

carrapateiro *n.m.* 1 BOT. **rícino** 2 ORNIT. **caracará** [BRAS.], carancho

carrapato *n.m.* 1 ZOOL. **carraça**, ixode 2 *fig.* **batoque**, bazulaque, tortulho, trolho *col.*, odre *col.*, botija *fig.*, pipa *fig.,pej.*, tarraco [REG.] 3 *fig.* **maçador**, impertinente, aborrecido, maçante, carraça, chato *col.* ≠ **estimulante**

carrapicho *n.m.* 1 **carapito** 2 *col.* **capricho**, birra, teima, teimosia, obstinação, pertinácia, caturrice, embirração, porfia, turra *fig.* ≠ **flexibilidade**, plasticidade, maleabilidade 3 [BRAS.] BOT. **barbadinho**, trevo-do-campo, amor-do-campo, carrapicheiro [BRAS.]

carrapito *n.m.* 1 **cocuruto** 2 **cornicho**, cornico, corninho 3 ORNIT. **trepadeira**, trepadeira-azul, pica-pau-cinzento, engarradeira, alhorca, descedeira

carrasca *n.f.* BOT. **queiró**, mongariça, quebra-panelas

carrascão *adj.* (vinho) **rascante**

carrasco *n.m.* 1 BOT. **carrasqueira**, carracho 2 **algoz**, verdugo, açoutador

carraspana *n.f. col.* **embriaguez**, bebedeira, ebriedade, bico, canjica, borracheira *col.*, piela *col.*, bruega *col.*, cardina *col.*, carrega [REG.] ≠ **sobriedade**, abstemia

carrasqueira *n.f.* 1 BOT. **carrasco** 2 **cacete**, pau, toco, cipó 3 BOT. **valenciana**

carrear *v.* 1 **acarrejar** 2 **acarretar**, ocasionar, provocar, causar ≠ **resultar**, provir, advir 3 **levar**, conduzir, trazer, aduzir, transportar ≠ **desencaminhar**, desviar 4 **acumular**, juntar, reunir ≠ **dispersar**, espalhar, desunir

carregado *adj.* 1 **cheio**, pesado, repleto, completo, acarretado, abarrotado *fig.* ≠ **vazio**, descarregado 2 (tempo) **sombrio**, escuro ≠ **aberto**, claro 3 (céu) **coberto**, encoberto ≠ **descoberto**, aberto 4 **sisudo**, cenhoso, trombudo, mal-encarado, sombrio *fig.* ≠ **risonho**, sorridente, alegre 5 (cor) **forte** ≠ **fraco**, leve 6 (atmosfera, ambiente) **tenso**, pesado ≠ **leve**

carregador *n.m.* 1 **afretador** 2 **faquino**, moço de fretes, carrejão, portador, mariola

carregamento *n.m.* 1 **carga**, frete, fardo ≠ **descarga** 2 *fig.* **opressão**, peso, gravame, pesadume

carregar *v.* 1 **carretear**, transportar, suportar, levar, carguejar ≠ **descarregar** 2 **encher**, amontoar, cobrir, acumular, sobrecarregar, saturar, impregnar ≠ **aliviar**, retirar 3 **atacar**, acometer, avançar, investir, lançar-se ≠ **defender**, proteger, abrigar 4 **exagerar**, acentuar, aumentar ≠ **reduzir**, diminuir 5 **transferir**, passar 6 **insistir**, persistir, perseverar, repisar *fig.* ≠ **desistir** 7 (tempo) **cobrir**, anuviar, escurecer ≠ **desanuviar**, clarear 8 (pouco usado) **imputar**, atribuir, pôr, referir

carregar-se *v.* 1 **encher-se**, cobrir-se 2 **enublar-se**, encobrir, anuviar-se, entroviscar-se, turbar-se

carrego *n.m.* 1 **peso**, ónus, fardo ≠ **leveza**, alívio 2 *col.* **responsabilidade**, encargo, cargo, obrigação, incumbência ≠ **irresponsabilidade**

carregoso *adj.* 1 **pesado**, carregado ≠ **vazio**, descarregado 2 **incómodo**, difícil, árduo ≠ **fácil**, simples

carreira *n.f.* 1 **caminho**, trilho, vereda, atalho, senda, carril 2 **percurso**, trajeto, rota, trajetória *fig.* 3 **percurso** *fig.* 4 **fileira**, alinhamento, fiada, fila, correnteza, renque

carreiro *n.m.* **caminho**, trilho, vereda, atalho, senda, carril

carreta *n.f.* 1 **carroça**, carriola 2 **camião**

carreteiro *n.m.* 1 **condutor**, carretão 2 **carregador**, portador

carretel *n.m.* 1 **bobine**, carrinho, carrete 2 **molinete**

carretilha *n.f.* **cortilha**, cortadeira, recortilha

carreto *n.m.* 1 **carregamento**, carga, transporte, carretagem, carreação, carrejo 2 **frete**, recado, tarefa, incumbência 3 *fig.* **encargo**, responsabilidade, cargo, obrigação, incumbência ≠ **irresponsabilidade**

carriça *n.f.* 1 ORNIT. **carriço**, carricinha, esconderijeira, escondrigueira, forneirinha *col.* 2 [BRAS.] ORNIT. **corruíra**, garrincha, garriça [BRAS.]

carril *n.m.* 1 **rodeira**, rego, rodado, relheira 2 (comboios, carros elétricos, etc.) **trilho**, calha 3 **caminho**, trilho, vereda, atalho, senda

carrilar *v.* 1 **encarrilar** 2 *fig.* **endireitar**, encarrilar, engrenar

carrilho *n.m.* 1 *fig.* **bochecha**, face 2 **sabugo**, carolo 3 [*pl.*] **queixos**

carrinho *n.m.* 1 **carriola** 2 **bobina**, carretel, carrete 3 *ant.* **grilheta**, calceta, manilha

carripana *n.f. col.* **carriola**, zambeque, calhambeque, bate-latas, caranguejola *fig.* ≠ **carrão** *col.*

carro *n.m.* 1 **automóvel**, veículo, viatura, popó *infant.* 2 **carruagem**, vagão

carroça *n.f.* 1 **carreta**, carriola 2 *fig.* **molengão** *col.*, pastelão *pej.*, bambalhão *pej.*, cataplasma *fig.,pej.*

carroceiro *n.m.* **carreteiro** ■ *adj. fig.,pej.* **malcriado**, garoto, grosseirão, javardolas, ordinário

carruagem *n.f.* 1 **diligência**, trem, tipoia 2 **vagão**, carro

carta *n.f.* 1 **epístola**, missiva, bilhete 2 **mapa**, planta 3 (jogo) **luca** *col.* 4 **diploma**, canudo *col.* 5 **certificado**, certidão, escrito, cédula, alvará 6 ICTIOL. **areeiro** 7 [*pl.*] **baralho**

cartada *n.f.* 1 **jogada**, talha, lance 2 *fig.* **jogada**

cartaginês *adj.,n.m.* **cartaginense**, púnico, pénico, peno

cartão *n.m.* 1 **papelão** 2 **bilhete de visita**, cartão de visita

cartapácio *n.m.* **alfarrábio**, cartapaço, calhamaço *fig.*, bacamarte *fig.*

cartaxo *n.m.* ORNIT. **chasco**

cartaz *n.m.* **placar**, cartel, papeleta, poster

carteira *n.f.* 1 **bolsa** 2 **escrivaninha**, secretária, banca 3 **bilheteira** 4 **porta-cartas**

carteirista *n.2g.* **ladrão**, gatuno, larápio ≠ **honesto**, justo

carteiro *n.m.* **correio**, distribuidor, estafeta

cartel *n.m.* 1 **provocação**, desafio, repto 2 **cartaz**, dístico, anúncio, rótulo, legenda 3 **coligação**, liga, confederação

cartela *n.f.* **cártula**

cartilha *n.f.* 1 **á-bê-cê**, bê-á-bá, silabário *fig.* 2 RELIG. **catecismo**

cartola *n.f.* 1 *col.* **recomendação**, cunha, pedido, empenho, pistolão *fig.*, tarraxa *fig.* 2 [REG.] **embriaguez**, ebriedade, bico, canjica, borracheira *col.*, piela *col.*, bruega *col.*, cabeleira *col.*, cardina *col.*, carraspana *col.* ≠ **sobriedade**, abstemia

cartonar *v.* **encadernar**, empastar

cartório *n.m.* **arquivo**

cartucheira *n.f.* **patrona**, canana

cartucho *n.m.* 1 **embrulho** 2 INFORM. **tinteiro** 3 **munição**

cartuxo *adj.,n.m.* **cartusiano**

caruma *n.f.* **branza**, bica, sama, chamiça, arguiço [REG.], pruma [REG.], garavalha [REG.], maravalha [REG.], sargaço [REG.], agulheta [REG.], feno [REG.], cisca [REG.]

caruncho *n.m.* 1 ZOOL. **carcoma**, relógio-da-morte, verrumão 2 **podridão**, carcoma, putrefação 3 *fig.* **velhice**, vetustez, antiguidade, ancianidade, bolor, senectude, canície ≠ **juventude**, mocidade, adolescência, primavera, aurora

carunchoso *adj.* 1 **carcomido**, carunchento, corroído, consumido, desgastado, ratado, roído, limado 2 *fig.* **velho**, usado, gasto, estragado, danificado ≠ **recuperado**, restaurado, salvo

carvalha *n.f.* BOT. **carvalheira**

carvalheira *n.f.* BOT. **carvalha**

carvalho *n.m.* BOT. **carvalho-alvarinho**, carvalho-anão, carvalho-negral, carvalho-cerquinho

carvão *n.m.* **tição**

carvoeiro *n.m.* ORNIT. **pisco-ferreiro**, rabirruivo, rabo-ruço, rabo-ruivo, rabeta, rabisca, ferreiro, ferrugento, mineiro

casa *n.f.* 1 **edifício**, prédio, residência, vivenda, habitação, lar, domicílio, fogo, moradia, teto *fig.* 2 **divisão** 3 **família** 4 **firma**, empresa 5 **bens**, património, fortuna, haveres, propriedade 6 (encadernação) **entrenervo**

casaca *n.f. col.* **descompostura**, repreensão, ralhete, advertência, admoestação, censura, reprimenda, ralho, escalda-rabo *col.*, carão [BRAS.] ≠ **elogio**, louvor, aplauso ■ *n.m.* **patrão**, chefe, empregador, dono, amo

casacão *n.m.* **sobretudo**, reguingote

casaco *n.m.* 1 **blazer**, paletó [BRAS.] 2 **jaqueta**, jaleca, rabona, véstia

casado *adj.* 1 **consorciado** ≠ **divorciado**, separado, solteiro 2 *fig.* **unido**, junto, ligado, pegado ≠ **separado**, desligado, desunido 3 *fig.* **combinado**, harmonizado, conciliado, acertado, ajustado ≠ **inadequado**, desajustado, desacertado ■ *n.m.pl.* **cônjuges**

casadouro *adj.* **núbil**, casável, viripotente

casal *n.m.* 1 **par**, parelha, díade 2 **lugarejo**, póvoa, vilar, povo, recesso, terriola *pej.* 3 **granja**, quintão

casalar *v.* 1 (macho e fêmea) **cruzar** 2 **emparelhar**, irmanar, juntar, reunir, unir, ajuntar ≠ **separar**, desunir, desligar

casamenteiro *adj.* **matrimonial**, nupcial, prónubo, conubial

casamento *n.m.* 1 DIR. **matrimónio**, conjúgio ≠ **divórcio** 2 **núpcias**, enlace, consórcio, conúbio, união, bodas, casório *col.*, nó *col.*, conjungo *col.* ≠ **divórcio**, separação, desunião, celibato 3 *fig.* **enlace**, união, associação, aliança ≠ **separação**, desunião, desaliança 4 *fig.* **combinação**, harmonia, conjugação, união ≠ **inadequação**, desajuste, desacerto

casão *n.m.* **casarão**, convento *fig.* ≠ **choupana**, choça, casinhola, casota, tugúrio, covil, buraco *fig.*

casar *v.* 1 **desposar**, esposar, matrimoniar, unir, conjungir, consorciar ≠ **divorciar**, separar, descasar 2 *fig.* **combinar**, conciliar, condizer, enlaçar, concordar, harmonizar ≠ **desajustar**, desarticular, desacertar

casarão *n.m.* 1 **casão**, convento *fig.* ≠ **choupana**, choça, casinhola, casota, tugúrio, covil, buraco *fig.* 2 **barracão**, barracório

casar-se *v.* 1 **desposar-se**, esposar-se, anagalhar-se *fig.* ≠ **divorciar-se**, separar-se 2 *fig.* **harmonizar-se**, conciliar-se, condizer 3 *fig.* **adaptar-se**, ajustar-se, acomodar-se, moldar-se, quadrar

casável *adj.2g.* **casadouro**, núbio

casca *n.f.* 1 **invólucro**, revestimento, crosta 2 ICTIOL. **bêbedo**, bergela, ruivo, cabrinha 3 *fig.* **aparência**, exterioridade, fachada, superfície ≠ **essência**, substrato, interior 4 *fig.* **bebedor**, bêbedo, alcoólatra, ébrio, beberrão, borrachão *col.*, bebedolas *col.*, esponja *col.* ≠ **abstémio**, abstinente

cascalhar *v.* 1 *fig.* **gargalhar**, casquinar, rir 2 *fig.* **cachinar**, gozar, troçar, zombar, rir

cascalheira *n.f.* 1 **cascalhada**, cascabulhagem 2 *fig.* **farfalheira** *col.*, pieira, ronqueira *col.*

cascalho *n.m.* 1 **calhau**, seixo, rebo, burgau, burgo 2 *fig.* **insignificância**, ninharia, niquice, nada, futilidade, migalhice, minúcia, coisica, ridicularia, babugem *fig.*, avo *fig.*, tuta e meia *col.*, nica *col.*, caganifância *col.* ≠ **importância**, utilidade, valor, transcendência, relevância, interesse 3 *fig.* **restos**, sobras, sobejos 4 *fig.* **escumalha** *fig.,pej.*, borra *fig.*, escória *pej.*, ralé *pej.*, enxurro *fig.,pej.* ≠ **elite**, escol, nata *fig.* 5 *col.* **trocos**, caliça, cobres

cascão *n.m.* 1 **cascarrão** 2 **crosta**, bostela, côdea

cascar *v.* 1 **descascar**, pilar, decorticar 2 **censurar**, criticar, descompor, repreender, abordoar, descascar *fig.* ≠ **elogiar**, louvar, aplaudir, felicitar 3 **bater**, sovar, afinfar *col.* ≠ **defender**, proteger, resguardar

cascaria *n.f.* **fustalha**

cascata *n.f.* **cachoeira**, catarata, cachão, catadupa, freicha [REG.]

cascavel *n.m.* 1 **guizo** 2 *fig.* **bagatela**, insignificância, banalidade, ninharia, niquice, nada, futilidade, migalhice, minúcia, coisica, ridicularia, babugem *fig.*, avo *fig.*, tuta e meia *col.*, nica *col.*, caganifância *col.* ≠ **importância**, utilidade, valor, transcendência, relevância, interesse ▪ *n.f.* 1 ZOOL. **cobra-cascavel** 2 [BRAS.] *fig.,pej.* **víbora**, bisca, cobra

casco *n.m.* 1 **unha** 2 **arcaboiço**, esqueleto, armação, carcaça, estrutura 3 (vinho ou outro líquido) **vasilha** 4 **capacete** 5 **casca** 6 *fig.* **inteligência**, razão, raciocínio, compreensão, cabeça, cérebro ≠ **irracional**, estupidez

cascudo *n.m.* 1 **carolo**, castanha, coque, croque, coscorrão, chapeleta, pinhão *col.* 2 ICTIOL. **uacari**, acari ▪ *adj.* **cascoso**, casquento, couraçado

caseação *n.f.* **caseado**

casebre *n.m.* 1 **pardieiro**, casalejo, casitéu, toca *fig.,pej.* 2 **choupana**, choça, casinholo, casota, tugúrio, covil, buraco *fig.* ≠ **casarão**, mansão, casão, convento *fig.*

caseiro *adj.* 1 **doméstico**, familiar, íntimo 2 **simples**, modesto, singelo, despretensioso, desafetado ≠ **sofisticado**, afetado ▪ *n.m.* 1 **feitor**, quinteiro, rendeiro, granjeiro 2 **inquilino**, arrendatário, locatário, rendeiro ≠ **senhorio**, proprietário, dono, alugador

caserna *n.f.* MIL. **aquartelamento**

casimira *n.f.* **caxemira**

casinha *n.f. col.* **casa de banho**, quarto de banho, wc, banheiro [BRAS.]

casmurro *adj.,n.m.* 1 **teimoso**, obstinado, intransigente, inflexível, importuno, pertinaz, birrento, ferrenho *fig.* ≠ **flexível**, maleável 2 **sorumbático**, tristonho, macambúzio, taciturno ≠ **alegre**, divertido, brincalhão, gaiteiro *fig.*

caso *n.m.* 1 **acontecimento**, ocorrência, facto, sucesso, evento 2 **circunstância**, condição, conjuntura, situação 3 **casualidade**, possibilidade, hipótese, acaso, eventualidade 4 (tribunal) **causa**, demanda 5 (relação amorosa) **aventura**, ligação, amorio 6 **história**, anedota, conto, narrativa

casório *n.m. col.* **casamento**, núpcias, enlace, consórcio, conúbio, união, boda, nó *col.*, conjungo *col.* ≠ **divórcio**, separação, desunião, celibato

casota *n.f.* **casebre**, choupana, choça, casinhota, tugúrio, covil, buraco *fig.* ≠ **casarão**, mansão, casão, convento *fig.*

caspa *n.f.* **carepa**

casqueiro *n.m.* **costaneira**, falheiro

casquilho *adj.,n.m.* **garrido**, janota, faceiro, taful, catita, aprumado *fig.*, pimpante, pinoca *col.*, títere *col.*, almofadinha [BRAS.] ≠ **deselegante**, desajeitado, desairoso, desgracioso

casquinada *n.f.* **cachinada**, rinchada *fig.*

casquinar *v.* **1** *fig.* **gargalhar**, cascalhar, rir **2** *fig.* cachinar, caçoar, gozar, troçar, zombar, rir, cascalhar *fig.*

casquinha *n.f.* **1 película 2 plaqué 3 boana**

cassar *v.* **1** (licença, mandato, etc.) **anular**, revogar, invalidar, abolir ≠ **validar**, confirmar **2** (documento, publicação) **apreender**, recolher, privar, confiscar ≠ **devolver**, retribuir **3** NÁUT. *ant.* **cacear**

cássia *n.f.* BOT. **canafístula**, cassiafístula

casta *n.f.* **1 espécie**, género, raça, família, classe, categoria, grupo **2** *fig.* **geração**, raça, linhagem, genealogia, família, estirpe *fig.* **3** *fig.* **natureza**, qualidade, espécie, tipo

castanha *n.f.* **cascudo**, carolo, coque, croque, coscorrão, chapeleta, pinhão *col.*

castanhal *n.m.* **souto**, castinçal

castanheira *n.f.* **1** BOT. **castinceira 2** ORNIT. **negrinha**, ferreirinha, ferrugenta, pretinha, serrana

castanheiro *n.m.* NÁUT. (mais usado no plural) **castanha**

castanho *adj.* (cor) **marrom**, chocolate

castanholas *n.f.pl.* MÚS. **castanhetas**

castelã *n.f.* BOT. **casteloa**, labrusca, trincadeira

castelão *n.m.* **casteleiro**, alcaide ■ *adj.* **casteleiro**

casteleiro *adj.,n.m.* **castelão**

castelhano *adj.,n.m.* **espanhol**

castelo *n.m.* **1 fortaleza**, castro, forte, alcácer **2** *fig.* **acumulação**, cúmulo, monte, acervo, pilha, montão

castiçal *n.m.* **lumieira**, palmatória

castiço *adj.* **1 genuíno**, puro, autêntico, verdadeiro ≠ **falso**, artificial, simulado **2** (estilo) **vernáculo**, natural ≠ **adulterado**, impuro **3** *col.* **peculiar**, particular, próprio, especial ≠ **generalizado**, geral, universal **4** *col.* **engraçado**, divertido, piadético, humorístico ≠ **desengraçado**, desenxabido, sério

castidade *n.f.* **1 continência**, pureza, abstinência, pudicícia, platonismo **2 pureza**, pudor, inocência, candura *fig.* ≠ **impureza**, adulteração

castificar *v.* **purificar**

castigar *v.* **1 punir**, condenar, corrigir, apenar, justiçar, sancionar, penalizar, ensinar *fig.* ≠ **absolver**, perdoar, remir, desculpar **2 repreender**, admoestar, animadvertir, escarmentar, ensaboar *fig.*, zurzir *fig.* ≠ **elogiar**, louvar, aplaudir, felicitar **3 emendar**, corrigir, apurar, expurgar, aperfeiçoar, limar *fig.* ≠ **piorar**, agravar, prejudicar, deteriorar

castigar-se *v.* **punir-se**, penitenciar-se

castigo *n.m.* **1 punição**, pena, coima, corretivo, condenação, lição *fig.* ≠ **absolvição**, perdão, desculpa, remição, relevamento **2 reprimenda**, admoestação, repreensão, correção, ensaboadela *fig.*, esfrega *fig.*, lição *fig.* ≠ **elogio**, louvor, aplauso **3 emenda**, correção, aperfeiçoamento, aprimoramento, melhoramento, castigação ≠ **piora**, agravamento, prejuízo, deterioração

casto *adj.* **1** *fig.* **puro**, inocente, virgíneo, cândido, branco ≠ **impuro**, adulterado, corrompido **2** *fig.* **inocente**, singelo, simples, ingénuo, natural, bucólico ≠ **corrompido**, degenerado, viciado, contaminado *fig.* **3 imaculado**, limpo, puro ≠ **maculado**

castração *n.f.* **1 emasculação**, esterilidade, capa [BRAS.] **2** *fig.* **repreensão**, descompostura, ralhete, advertência, admoestação, censura, reprimenda, ralho, carão [BRAS.] ≠ **elogio**, louvor, aplauso

castrar *v.* **1 capar**, infecundar, emascular **2** *fig.* **reprimir**, atrofiar, impedir, limitar ≠ **estimular**, apoiar

castro *n.m.* **castelo**, citânia, crasto, cristelo, cividade *ant.*

casual *adj.2g.* **fortuito**, eventual, acidental, esporádico, episódico, ocasional ≠ **frequente**, assíduo, continuado

casualidade *n.f.* **acaso**, eventualidade, possibilidade, hipótese, acidente, caso, contingência, adrego, acidência ≠ **incontingência**

casualmente *adv.* **acaso**, talvez, quiçá, eventualmente, possivelmente, acidentalmente, porventura

casuístico *adj. fig.* **minucioso**, meticuloso, detalhado, pormenorizado, particularizado ≠ **generalista**, universal, abrangente

casulo *n.m.* **1** BOT. **cápsula**, célula, invólucro **2** ZOOL. (construído por insetos) **alvéolo**, célula

catabolismo *n.m.* BIOL. **desassimilação**

cataclismo *n.m.* **1 catástrofe**, desastre, devastação, sinistro, desgraça, hecatombe *fig.* **2** *fig.* **convulsão**, terramoto

catacumba *n.f.* **cripta**, mortuária, carneiro

catadupa *n.f.* **1 cachoeira**, catarata, cachão, cascata, freicha [REG.] **2** *fig.* **acervo**, montão, carrada, carga, enxurrada

catadura *n.f.* **1 índole**, disposição, temperamento, carácter, natureza, génio, humor **2 aparência**, aspeto, figura, presença, cariz, fachada *fig.*, ar *fig.*

catalisador *n.m. fig.* **incentivo**, estímulo, dinamização, alimento, fomento, impulsão, incitamento, injeção ≠ **desincentivo**, desencorajamento

catalogação *n.f.* **inventariação**, classificação, organização

catalogar *v.* **1 inventariar**, arrolar, relacionar, arquivar ≠ **desordenar**, desorganizar, transtornar **2** *fig.* **classificar**, etiquetar, rotular, qualificar, fichar [BRAS.] ≠ **desordenar**, desorganizar, transtornar

catálogo *n.m.* **inventário**, elenco, lista, rol, índice, nomenclatura, pauta, tabela, relação

catana *n.f.* 1 **terçado**, sabre, chifarote, alfange 2 *fig.* **repreensão**, censura, descompostura, admoestação, reprimenda, exprobração ≠ **elogio**, louvor, felicitação, aprovação

catapereiro *n.m.* BOT. **pereiro**, escalheiro-preto, escambroeiro, pilriteiro-negro

cataplasma *n.f.* 1 FARM. **papada** 2 *fig.,pej.* **molengão** *col.*, frouxo, carroça *fig.*, pastelão *pej.*, bambalhão *pej.*

catapultar *v.* 1 *fig.* **promover**, estimular, impulsionar, dinamizar, fomentar, incitar, alimentar, injetar ≠ **desincentivar**, desencorajar, desanimar 2 *fig.* **promover**, elevar, ascender, subir, trepar ≠ **despromover**, regredir, rebaixar

catar *v.* 1 **espulgar** 2 **espiolhar** *fig.*, esmiuçar *fig.*, escarafunchar *fig.* 3 **examinar**, procurar, pesquisar, investigar, observar, ver 4 **escolher**, selecionar, optar 5 **acatar**, obedecer, respeitar, cumprir ≠ **desacatar**, desobedecer, desrespeitar ■ *n.m.* **récua**, récova

catarata *n.f.* **cachoeira**, catadupa, cachão, cascata, freicha [REG.]

catarro *n.m.* 1 FISIOL. **coriza**, defluxo, rinite, catarrão 2 MED. **bronquite**

catarse *n.f.* 1 (da emoção) **purificação**, limpeza, purgação 2 MED. **evacuação**

catar-se *v.* 1 **acautelar-se**, precatar-se, precaver-se 2 (ave) **espenicar-se**

catástrofe *n.f.* **cataclismo**, desastre, devastação, sinistro, desgraça, hecatombe *fig.*

catastrófico *adj.* **calamitoso**, desastroso, dramático, devastador, sinistro

cata-vento *n.m.* 1 **ventoinha**, veleta, anemoscópio, zingamocho 2 *fig.* **ventoinha**, vira-casaca, veleta, arlequim, camaleão *pej.*

catecismo *n.m.* RELIG. **cartilha**

catecúmeno *n.m. fig.* **novato**, aprendiz, principiante, noviço, iniciado ≠ **experiente**, perito

cátedra *n.f.* 1 **assento**, cadeira 2 **disciplina**, cadeira

catedral *n.f.* **sé**

catedrático *n.m.* (ensino superior) **lente** *ant.*

categoria *n.f.* 1 **classe**, grupo, espécie, ordem, camada, naipe 2 **carácter**, natureza, qualidade, valor, marca, predicamento, distinção, gabarito *fig.* 3 **escalão**, posição, grau, hierarquia, nível, graduação *fig.*

categorial *adj.2g.* **abstrato**, conceptual

categórico *adj.* 1 **decisivo**, imperativo, perentório, terminante, impreterível ≠ **discutível**, duvidoso, questionável 2 **claro**, explícito, definido, preciso, manifesto, notório, patente ≠ **impreciso**, indeterminado, vago, inexato

categorizado *adj.* 1 **classificado**, catalogado, ordenado, organizado ≠ **desordenado**, desorganizado, misturado, baralhado 2 **abalizado**, ilustre, distinto, eminente, autorizado, respeitável, bem-conceituado, importante ≠ **desrespeitado**, desconsiderado, desautorizado, desacreditado

categorizar *v.* 1 **classificar**, catalogar, ordenar, arrumar, qualificar, organizar ≠ **desordenar**, desorganizar, misturar, baralhar 2 **revelar**, salientar, sobressair, ressaltar, destacar ≠ **ocultar**, esconder, disfarçar

catequese *n.f.* 1 RELIG. **catequização**, doutrina, evangelização ≠ **descatequização**, desevangelização 2 *fig.* **doutrinação**, ensino, instrução

catequização *n.f.* 1 RELIG. **doutrina**, catequese, evangelização ≠ **descatequização**, desevangelização 2 **aliciação**, persuasão

catequizar *v.* 1 **doutrinar**, missionar, ensinar, evangelizar ≠ **descatequizar**, desevangelizar 2 *fig.* **aliciar**, convencer

caterva *n.f.* **multidão**, magote, tropa, ajuntamento, formigueiro, enxame *fig.*, esquadrão *fig.*, exército *fig.*

catinga *n.f.* 1 **fedor**, fétido, fartum, morrinha [BRAS.] ≠ **odor**, aroma, cheiro, fragrância 2 **bodum**, hircismo 3 BOT. **catinga-branca**, catinga-de-bode ■ *n.m.* [BRAS.] **avarento**, mesquinho, sovina, forreta, somítico ≠ **gastador**, dissipador, esbanjador, perdulário

catita *adj.2g.* **elegante**, airoso, janota, bem-posto ≠ **deselegante**, desajeitado, desairoso, desgracioso ■ *n.2g.* 1 **garrido**, casquilho, peralta, janota, faceiro, taful, peralvilho, pimpão, aprumado *fig.*, pinoca *col.*, títere *col.* ≠ **deselegante**, desajeitado, desairoso, desgracioso 2 [BRAS.] ZOOL. **camundongo**

cativação *n.f.* 1 **captura**, dominação, sujeição 2 **retenção**, conservação, guarda

cativante *adj.2g.* **fascinante**, sedutor, encantador, atraente, interessante ≠ **desinteressante**, repelente, repugnante

cativar *v.* 1 **aprisionar**, capturar, prender, deter ≠ **libertar**, soltar 2 **avassalar**, captar, escravizar, subjugar, sujeitar, dominar 3 **aliciar**, atrair, encantar, fascinar, render, seduzir ≠ **desinteressar**, repelir, repugnar 4 **reter**, guardar, conservar, deter

cativar-se *v.* 1 **prender-se**, sujeitar-se 2 **afeiçoar-se**, encantar-se, enamorar-se

cativeiro *n.m.* 1 **prisão**, cadeia, cárcere, calabouço, presídio, masmorra, gaiola *col.*, chilindró *col.*, choça *col.*, choldra *gír.* 2 **escravidão**, servidão, sujeição, submissão, catividade 3 *fig.* **domínio**, opressão, sujeição, tirania, jugo, canga ≠ **insubmissão**, insubordinação, desobediência

cativo *adj.* 1 **preso**, encarcerado, aprisionado, prisioneiro, detido ≠ **liberto**, solto, livre 2 *fig.* **fascinante**, seduzido, encantado, atraído, interessado ≠ **desinteressado** 3 ECON. **retido**, hipotecado, penhorado ■ *n.m.* 1 **preso**, prisioneiro, refém, recluso, detido 2 **escravo**, servidor, servo

catodAO ou **cacto**AO *n.m.* BOT. **cardo-asnil**, cardo-azul, cardo-coroado, cardo-corredor, cardo-estrelado

catolicidade *n.f.* 1 **catolicismo** 2 **universalidade**

catolicismo *n.m.* **catolicidade** ≠ **anticatolicismo**

católico *adj.* 1 RELIG. ≠ **anticatólico** 2 *fig.,col.* **bem-disposto**, são, perfeito, saudável ≠ **doente**, débil, enfermo 3 **universal**, geral, total ≠ **individual**, particular

catraia *n.f.* 1 **rapariga**, cachopa, pequena, garota, moça 2 [BRAS.] **meretriz**, prostituta, michela *col.*, marafona *cal.*, rameira *pej.*, colareja *fig.,pej.*, cação [BRAS.] 3 [REG.] **taberna**, bodega, tasca, lojeca, botequim, baiuca, biboca, betesga, futrica, locanda, tasco *col.*, chafarnica *col.*

catraio *n.m. col.* **rapaz**, gaiato, moço, miúdo, garoto, cachopo, ganapo [REG.]

catrapiscar *v.* 1 *col.* **cortejar**, derriçar, namorar 2 *col.* **compreender**, perceber, entender, capacitar, abranger, alcançar *fig.*, conceber *fig.* ≠ **incapacitar**, inabilitar, desentender

catre *n.m.* **grabato**, enxerga

catulo *n.m.* 1 ORNIT. **caturro**, larro, tarrantana 2 **cabeça**, bola *col.*, cachimónia *col.*, capacete *col.*, cachola *col.*, carola *col.*, tola *col.*, mona *col.*, pinha *col.*, caco *fig.*, cuca [BRAS.]

caturra *adj.2g.* 1 *fig.* **teimoso**, casmurro, obstinado, testudo, embirrento, opiniático, capitoso, orelhudo, cabeçudo *fig.* ≠ **aberto**, flexível, maleável 2 **retrógrado**, obsoleto, ultrapassado, antiquado, fóssil *fig.,pej.*, esturrado *fig.* ≠ **inovador**, moderno, progressista, avançado ■ *n.2g.* **teimoso**, casmurro

caturrice *n.f.* **capricho**, birra, teima, teimosia, obstinação, pertinácia, embirração, porfia, batalhação, turra *fig.* ≠ **flexibilidade**, plasticidade, maleabilidade

caução *n.f.* DIR. **fiança**, penhor, garantia, fiadoria, fidejussória, satisfação, segurança, arras

caucasiano *adj.* (divisão étnica) **branco**, caucásico

caucionante *adj.,n.m.* **caucionário**

caucionar *v.* **afiançar**, garantir, assegurar, abonar, acautelar, precaver

cauda *n.f.* 1 **rabo**, cabo, apêndice, côa, cola, coda *ant.* 2 **retaguarda**, traseira, fim, coice ≠ **dianteira**, frente

caudal *n.m.* **torrente**, débito, enxurrada

caudaloso *adj.* 1 **torrencial**, diluvial, diluvioso 2 *fig.* **abundante**, rico, copioso, farto, opulento ≠ **pobre**, miserável

caudilho *n.m.* 1 **cacique**, mandachuva, tutu [BRAS.] 2 MIL. **chefe**, comandante, cabo, adail *ant.*

caule *n.m.* BOT. **haste**, pedúnculo, pé, talo, estípite

caulino *n.m.* **caulim**

causa *n.f.* 1 **motivo**, razão, explicação, porquê, fundamento, base 2 **origem**, fonte, proveniência, germe *fig.*, semente *fig.*, mãe *fig.* 3 **agente**, gerador, autor, motor, móvel, móbil 4 **demanda**, processo, litígio, pleito, ação

causador *adj.,n.m.* **originador**, gerador, motivador, ocasionador, provocador, fermentador *fig.*, frontal *fig.*

causal *adj.2g.* **motivador**, gerador, provocador, originador, ocasionador ■ *n.f.* 1 **motivo**, razão, explicação, porquê, fundamento, base 2 **origem**, fonte, proveniência, germe *fig.*, semente *fig.*, mãe *fig.*

causar *v.* **acarretar**, produzir, originar, motivar, provocar, ocasionar, trazer, surtir, acarrear, gerar, parir *fig.*

causativo *adj.* 1 **motivador**, gerador, provocador, originador, ocasionador 2 GRAM. **factitivo**

causídico *n.m.* 1 **advogado**, defensor 2 **jurista**, jurisconsulto, jurisperito 3 **rábula**, leguleio *fig.*, pegas *col.,pej.*

causticação *n.f. fig.* **importunação**, consumição, aborrecimento, enfado, tédio, fastio ≠ **interesse**, empenho, motivação

causticar *v.* 1 **cauterizar** 2 *fig.* **importunar**, maçar, molestar, apoquentar, aborrecer, incomodar, enfadar, cansar *fig.*, atanazar *fig.*, enjoar *fig.* ≠ **interessar**, motivar, empenhar

causticidade *n.f. fig.* **mordacidade**, ironia, dicacidade, sarcasmo ≠ **benevolência**, indulgência, complacência

cáustico *adj.,n.m.* (substância) **corrosivo**, cauterizante, ácido, abrasivo ■ *adj.* 1 *fig.* **sarcástico**, mordente, mordaz, irónico, satírico, democrítico ≠ **benévolo**, indulgente, complacente 2 *fig.* **importuno**, maçador, insuportável, molesto, fastiento ■ *n.m.* FARM. **vesicatório**

cautela *n.f.* 1 **prevenção**, precaução, prudência, resguardo, cuidado ≠ **imprudência**, descuido, precipitação, imoderação, negligência 2 **senha**, caução 3 (bilhete de lotaria) **décimo**, gasparinho [BRAS.] ■ *interj.* (exclamação de advertência) **cuidado!**, alerta!, tate!, olho!, atenção!

cautelar *adj.2g.* **preventivo**, previdente, cuidadoso, prudente, cauteloso, acautelatório ≠ **imprudente**, descuidado, desleixado, negligente ■ *v.* **prevenir**, resguardar, precaver ≠ **descuidar**, precipitar

cauteloso *adj.* **preventivo**, previdente, cuidadoso, prudente, cautelar ≠ **imprudente**, descuidado, desleixado, negligente, descautelado

cautério *n.m.* 1 **pirótico**, cáustico, vesicatório 2 *fig.* **castigo**, corretivo, ensino, lição *fig.*

cauterização *n.f.* **calcinação**, combustão, queima, ustão

cauterizar *v.* 1 **causticar** 2 **queimar**, calcinar, combustar 3 *fig.* **sanificar**, sanear, sarar, curar

cauto *adj.* 1 **prevenido**, acautelado, cauteloso, prudente, antevidente, calculoso *fig.* ≠ **imprevidente**, imprudente, desacautelado 2 **desconfiado**, receoso, suspeitoso, ressabiado ≠ **confiante**, positivo, seguro

cava *n.f.* 1 **cavação**, cavadela, escavação 2 **cavada** 3 **cova**, buraco, cavidade, concavidade, abertura 4 **fosso**, vala 5 (vestuário) **cavado** 6 (vestuário) **decote** 7 (salário diário) **jorna**, jornal

cavaca *n.f.* **acha**, estilha, lasca, garaveto, maravalha

cavaco *n.m.* 1 **acha**, estilha, cavaca, lasca, garaveto 2 **cavaqueira**, falatório, parlatório, diálogo, conversa, lero-lero [BRAS.], papo [BRAS.] *col.*, bate-papo [BRAS.] 3 MÚS. **cavaquinho**, rajão

cavada *n.f.* 1 **cavação**, cavadela, escavação 2 **cava**

cavado *adj.* 1 **profundo**, fundo, cavo, cavernoso 2 **côncavo**, covo 3 **decotado**, degolado *fig.*, desgargalado *fig.* ■ *n.m.* 1 **cava** 2 **cova**, buraco, cavidade, concavidade, abertura 3 (vestuário) **cava**

cavador *n.m.* **cabouqueiro**, cavão

cavadora *n.f.* **escavadora**

cavala *n.f.* ICTIOL. **sarda**

cavalar *adj.2g.* 1 **equino**, equídeo, hípico 2 *fig.* **desmesurado**, excessivo, enorme, desmedido, brutal ≠ **mínimo**, pequenino, reduzido ■ *v.* **cavalgar**, montar, galopar, cavalear

cavalaria *n.f.* 1 **equitação**, picaria 2 *fig.* **façanha**, proeza, feito, valentia

cavalariça *n.f.* 1 **estrebaria**, estábulo 2 **cocheira**

cavaleiro *n.m.* 1 **equícola**, montador, ginete, cavalgador, cavalgante 2 **nobre**, valente, cavalheiro, bravo ≠ **vil**, biltre, miserável

cavalgadura *n.f.* 1 **besta**, quadrúpede, azémola, montaria [BRAS.] 2 *fig.* **estúpido**, ignorante, alimária, burro ≠ **sábio**, sabedor, erudito

cavalgar *v.* 1 **cavalar**, montar, galopar, cavaleirar 2 **galgar**, saltar, transpor, passar 3 **subir**, trepar, grimpar

cavalheiresco *adj.* 1 **cavalheiro**, cavalheiroso 2 **distinto**, brioso, nobre, notável, delicado, atencioso, cortês ≠ **grosseiro**, indelicado, mal-educado, descortês, rude

cavalheiro *n.m.* 1 **notável**, gentil-homem *fig.* 2 **cavaleiro** ■ *adj.* **distinto**, brioso, nobre, notável, delicado, atencioso, cortês ≠ **grosseiro**, indelicado, mal-educado, descortês, rude

cavalicoque *n.m.* **rocim**, pileca *col.*

cavalinho *n.m.* 1 ZOOL. **potro**, poldro 2 ORNIT. **peto-real**, cavalo-rinchão, rinchão, cardeal, piadeiro, pica-pau-verde, passa-fomes

cavalo *n.m.* 1 **equídeo**, corcel, palafrém, ginete 2 DESP. **plinto** 3 FÍS. **cavalo-vapor** 4 FARM., QUÍM. *gír.* **heroína**

cavalo-das-bruxas *n.m.* ZOOL. **libélula**, libelinha, donzelinha, tira-olhos

cavalo-marinho *n.m.* 1 ICTIOL. **hipocampo**, peixe-pau, juliana 2 ZOOL. **hipopótamo**

cavaquear *v.* **conversar**, conversalhar, palestrar

cavaqueio *n.m.* **cavaqueira**, cavaco, falatório, parlatório, diálogo, conversa, lero-lero [BRAS.], papo [BRAS.] *col.*, bate-papo [BRAS.]

cavaqueira *n.f.* **cavaqueio**, cavaco, falatório, parlatório, diálogo, conversa, lero-lero [BRAS.], papo [BRAS.] *col.*, bate-papo [BRAS.]

cavaquinho *n.m.* MÚS. **cavaco**, rajão

cavar *v.* 1 **escavar**, sachar, minar, revolver, encavar, vazar 2 *fig.* **investigar**, buscar, averiguar, procurar 3 **fugir**, pirar, escapar, esgueirar-se, safar-se ≠ **permanecer**, ficar, manter-se

cave *n.f.* 1 **rés-do-chão**, subsolo, baixos, loja, porão [BRAS.] ≠ **sótão**, águas-furtadas, sobrecâmara 2 **adega** 3 **frasqueira**, botelharia *ant.* 4 **subterrâneo**

caveira *n.f. fig.* **esqueleto**, magricela, carapau *col.* ≠ **gordo**, botija *fig.*, bucha *col.*, pantufo *col.*

caverna *n.f.* **gruta**, antro, cova, subterrâneo, fojo, espelunca, furna, aljube

cavername *n.m. col.* **esqueleto**, ossada

cavernoso *adj.* 1 **cavo**, profundo, cavado, fundo 2 (som) **cavo**, rouco

cavidade *n.f.* **cova**, buraco, concavidade, encavo, abertura, oco, forame

cavilha *n.f.* 1 **tarraxa** 2 **cravelha**

cavilhação *n.f.* NÁUT. **cavilhame**

cavo *adj.* 1 **cavado**, profundo, cavernoso, fundo 2 **oco**, vazio, escavado, vácuo, vão ≠ **cheio**, completo, recheado 3 (som) **rouco**, cavernoso

cebola *n.f.* 1 BOT. **esquila** 2 *fig.* **mandrião**, preguiceiro, madraço, ocioso, pachola ≠ **trabalhador**, agenciador, zé *col.*, furão *fig.*

cebolinho *n.m.* BOT. **cebolo**

ceco *n.m.* ANAT. **cego**

cedência *n.f.* 1 **concessão**, transigência ≠ **intransigência** 2 **transmissão**, entrega, cessão, delegação

ceder *v.* 1 **deixar**, largar, abandonar ≠ **retomar**, retornar, recuperar 2 **renunciar**, desistir, abdicar ≠ **aceitar**, assumir, tomar 3 **transigir**, adjudicar, entregar, transferir, trasmudar, trespassar, dar 4 **conceder**, condescender, contemporizar, deferir, dar, conformar, transigir, dispensar, agachar-se *fig.* ≠ **opor-se**, contestar, negar, refutar 5 **render-se**, submeter-se, sucumbir, arriar, agachar-se *fig.* ≠ **resistir**, subsistir 6 **abrandar**, afrouxar, diminuir, remitir ≠ **aumentar**, intensificar

cediço *adj.* 1 **estagnado**, fermentado, podre, putrefacto, corrupto, deteriorado, estragado ≠ **preservado**, conservado, mantido 2 *fig.* **conhecido**, sabido, corriqueiro, trivial, vulgar ≠ **desconhecido**, invulgar, incógnito

cedido *adj.* 1 **doado**, transferido 2 **emprestado** ≠ **devolvido**

cedo *adv.* **depressa**, presto, rapidamente, repentinamente ≠ **lentamente**, vagarosamente, paulatinamente

cédula *n.f.* 1 **certificado**, certidão, escrito, carta, alvará 2 **apólice** 3 **bilhete** 4 ECON. **dinheiro**, nota, papel-moeda 5 **apontamento**, nota

cefalalgia *n.f.* MED. **cefaleia**, cefalgia

cefaleia *n.f.* MED. **cefalalgia**

cefálico *adj.* **cerebral**

cefo *n.m.* ZOOL. **gunga**

cegamente *adv.* 1 **inconscientemente**, irrefletidamente, indeliberadamente ≠ **conscientemente**, refletidamente, deliberadamente 2 **completamente**, totalmente, inteiramente, incondicionalmente ≠ **parcialmente**, desigualmente, incompletamente

cegar *v.* 1 **enceguecer**, encegueirar, vendar *fig.* ≠ **descegar** 2 [BRAS.] **embotar**, desafiar, rebotar 3 *fig.* **alucinar**, desvairar, enlouquecer, transtornar, perturbar ≠ **desenlouquecer** 4 *fig.* **deslumbrar**, fascinar, encantar, maravilhado, inebriar ≠ **desencantar**, desiludir, desenganar

cegarrega *n.f.* **barulho**, confusão, ruído, rumor, bulha, espalhafato, estrupido, banzé *col.*, cagaçal *col.*, esterroada *fig.*, senzala *fig.*, estrupício [BRAS.] ≠ **silêncio**, paz, sigilo, sopor, silente *poét.*

cegar-se *v.* 1 **enceguecer**, encegueirar 2 *fig.* **enfurecer-se**, irar-se

cego *adj.* 1 **invisual** ≠ **visual** 2 *fig.* **deslumbrado**, fascinado, encantado, maravilhado, inebriado ≠ **desencantado**, desiludido, desenganado 3 *fig.* **ignorante**, analfabeto, incapaz, insciente ≠ **culto**, perito, ciente, conhecedor ■ *n.m.* 1 **invisual** 2 ANAT. **ceco**

cegonha *n.f.* 1 (engenho) **picota**, picanço, burra, zangarilho, cegonho, late [REG.], gastalho [REG.] 2 *fig.,pej.* **velhaco**, cínico, fingido, beatão, fariseu *pej.* ≠ **honesto**, justo 3 *col.* **embriaguez**, bebedeira, ebriedade, bico, canjica, borracheira *col.*, piela *col.*, bruega *col.*, cardina *col.*, carraspana *col.* ≠ **sobriedade**, abstemia

cegueira *n.f.* 1 MED. **ablepsia** 2 *fig.* **ignorância**, analfabetismo, incapacidade, insciência ≠ **sabedoria**, cultura, saber, conhecimento 3 *fig.* **fanatismo**, fascinação, paixão, veneração ≠ **desinteresse**, desprezo, desapego, indiferença

cegueta *adj.,n.2g.* **pitosga**

ceifa *n.f.* 1 **sega**, segada, segadura, messe ≠ **plantação**, sementeira 2 *fig.* **mortandade**, carnificina, chacina, carnagem, morticínio, carniça, matança ≠ **salvamento**

ceifar *v.* 1 **segar**, foiçar, esfouçar ≠ **plantar**, semear 2 *fig.* **matar**, abater, degolar, exterminar

ceifeira *n.f.* (máquina de ceifar) **segadeira**

ceifeiro *n.m.* **segador**, segão, ceifador, ceifão ■ *adj.* **segador**

ceitil *n.m. fig.* **insignificância**, bagatela, ninharia, niquice, nada, farelório, futilidade, migalhice, minúcia, cousica, ridicularia, farfalhada *fig.*, babugem *fig.*, avo *fig.*, tuta e meia *col.*, nica *col.*, caganifância *col.* ≠ **importância**, utilidade, valor, transcendência, relevância, interesse

cela *n.f.* 1 (aposento em convento) **cubículo** 2 **aposento**, quarto, alcova, câmara, recâmara 3 (penitenciária) **célula** 4 ZOOL. **alvéolo**, célula, casulo

celebração *n.f.* **comemoração**, festa

celebrado *adj.* 1 **comemorado**, festejado 2 **célebre**, afamado, famoso, ilustre, notável, insigne ≠ **desconhecido**, ignoto, ignorado 3 **cantado**, exaltado, solenizado, enaltecido, glorificado ≠ **desprezado**, desvalorizado, menosprezado, desconsiderado

celebrante *adj.,n.2g.* **celebrador**, oficiador ■ *n.m.* RELIG. **oficiante**, celebrador

celebrar *v.* 1 **comemorar**, festejar, lembrar 2 (acordo ou contrato) **efetivar**, realizar, formalizar, oficializar ≠ **descumprir**, transgredir, violar, infringir 3 **cantar**, decantar, engrandecer, exaltar, comemorar, enaltecer, glorificado ≠ **desprezar**, desvalorizar, menosprezar, desconsiderar 4 RELIG. **oficiar**, dizer, rezar

célebre *adj.2g.* 1 **celebrado**, afamado, famoso, conhecido ≠ **desconhecido**, ignoto, ignorado 2 **notável**, insigne, ilustre, respeitado ≠ **desrespeitado**, desconsiderado, desprezado 3 **extravagante**, excêntrico, bizarro, insólito ≠ **discreto**, modesto, sóbrio

celebridade *n.f.* 1 **fama**, notoriedade, notabilidade, nome, renome, nomeada, reputação, brilho *fig.* ≠ **anonimato**, ignoto, desconhecimento 2 **personalidade**, notabilidade, vulto *fig.*, sumidade *fig.* ≠ **desconhecido**, anónimo

celebrizar *v.* 1 **festejar**, comemorar 2 **notabilizar**, distinguir, afamar ≠ **vulgarizar**, banalizar, popularizar

celebrizar-se *v.* **notabilizar-se**, distinguir-se, afamar-se, salientar-se

celeiro *n.m.* **granel**, tulha, rilheiro

celerado *adj.* **malvado**, desalmado, delinquente, malfeitor ≠ **correto**, honesto, justo ■ *n.m.* **facínora**, criminoso, malfeitor, malvado ≠ **correto**, honesto, justo

célere *adj.2g.* **veloz**, rápido, ligeiro, alado, precípite, alígero, alípede, esquipado, pojante, remeiro, voador *fig.* ≠ **lento**, vagaroso, pausado, moroso, arrastado, espaçado, pesadão, quedo, retardão, retardativo, ronceiro, tardador, vagarento, malheiro, passeiro, remansado, cunctatório, alonso *col.*, sonolento *fig.*, anhoto *ant.*, sapoila [REG.], remanchão [REG.]

celeridade *n.f.* **rapidez**, velocidade, ligeireza, presteza, pressa, aguça *ant.* ≠ **lentidão**, morosidade, vagareza *col.*

celeste *adj.2g.* 1 **celestial**, ultraterrestre, célico ≠ **terreno** 2 **sobrenatural**, extranatural 3 **divino**, divinal, supremo 4 *fig.* **perfeito**, excelente, sublime, magnífico, magistral, exímio ≠ **imperfeito**, defeituoso, incompleto

celestial *adj.2g.* 1 **celeste**, ultraterrestre ≠ **terreno** 2 **divino**, divinal, supremo

celestino *adj.* (cor) **cerúlo**, azul, azul-celeste

celeuma *n.f.* 1 **vozearia**, bulha, algazarra, alvoroço, barulho, ruído, alarido, gritaria, zerichia [REG.] ≠ **silêncio**, paz, calada, emudecimento, sopor 2 **discussão**, controvérsia, contenda, altercação, disputa, debate, certame, peleja *fig.* ≠ **acordo**, entendimento, assentimento

celha *n.f.* **pestana**, cílio

celíaco *adj.* **intestinal**, entérico

celibatário *adj.* **solteiro**, inupto, ínubo ■ *n.m.* **solteiro**

celsitude *n.f.* **alteza**, elevação, sublimidade, grandeza, altura

celso *adj.* **excelso**, sublime, elevado, alto, superior

celta *adj.,n.2g.* **céltico** ■ *n.m.* **gaélico**

céltico *adj.,n.m.* **celta**

célula *n.f.* 1 (penitenciária) **cela** 2 ZOOL. **alvéolo**, cela, casulo 3 BOT. **cápsula**, casulo, invólucro

celular *adj.2g.* **prisional**, penitenciário ■ *n.m.* [BRAS.] **telemóvel**

cem *num.card.* 1 **centena**, cento 2 *fig.* **muitos** ≠ **poucos**

cemitério *n.m.* **campo-santo**, cardal, fossário, sepulcrário

cena *n.f.* 1 **palco**, proscénio 2 **palco**, teatro 3 TEAT. **cenário**, quadro, panorama 4 **acontecimento**, situação, ocorrência, passagem, caso, facto, cenário 5 **disputa**, zanga, escarcéu *fig.*

cenáculo *n.m.* **refeitório**, cantina

cenário *n.m.* 1 TEAT. **cena**, quadro, panorama 2 **acontecimento**, situação, ocorrência, passagem, caso, facto, cena ■ *adj.* **cenatório**

cendrado *adj.* **cinzento**, acinzentado, pardo, cinerício, cinza

cenho *n.m.* **carantonha**, careta, carão, carranca, micterismo, focinheira, sobrecenho, visagem, cariz *col.*

cénico[AO] ou **cênico**[AO] *adj.* **teatral**, teátrico

ceno *n.m.* 1 **lodaçal**, lamaçal, charco, cenagal, tremedal, pântano, atasqueiro, atoladeiro [REG.], lavajo [REG.], chapaçal [REG.], chapaceiro [BRAS.] 2 **carantonha**, careta, carão, carranca, micterismo, focinheira, sobrecenho, visagem, cariz *col.*

cenóbio *n.m.* **convento**, mosteiro

cenobismo *n.m.* **monaquismo**, monacato, conventualidade, cenobitismo

cenobita *n.2g.* 1 **monge**, frade 2 *fig.* **anacoreta**, eremita, solitário, monge

censo *n.m.* **recenseamento**, cadastro

censor *n.m.* **crítico**, verberador, criticador, observador, censurador, admoestador, fiscal *fig.* ≠ **aprovador**, elogiador, adulador, gabador, canonizador *fig.*, mesureiro *fig.*, turibulário *fig.*, turificador *fig.*

censura *n.f.* 1 **crítica**, reprovação, condenação, reparo, cheganço *col.*, ferroada *fig.* ≠ **adulação**, lisonja, prazenteio, abajoujamento, candonga, graxa *col.*, engraxadela *fig.* 2 **repreensão**, admoestação, advertência, descompostura, reprimenda, exprobração, chega, sarabanda *col.*, esfrega *fig.*, lição *fig.* ≠ **elogio**, louvor, felicitação, aprovação, abono *fig.*

censurador *adj.,n.m.* **crítico**, censor, verberador, criticador, admoestador, fiscal *fig.* ≠ **elogiador**, louvador, panegirista, lisonjeiro, adulatório, bajulatório, blandicioso, predicatório

censurar *v.* 1 **criticar**, desaprovar, reprovar, julgar, condenar, arrefertar ≠ **admitir**, aprovar, aceitar 2 **repreender**, admoestar, castigar, animadvertir, escarmentar, ensaboar *fig.*, zurzir *fig.* ≠ **elogiar**, louvar, aplaudir, felicitar, adular, zumbeirar, apajear *fig.*, pajear *fig.*, turibular *fig.*, turificar *fig.*, ensaboar *fig.*

censurável *adj.2g.* **condenável**, criticável, culpável, repreensível, reprovável ≠ **louvável**, elogiável, irrepreensível, incensurável

centavo *n.m.* (parte da unidade monetária) **centésimo**, cêntimo

centelha *n.f.* 1 **faísca**, chispa, faúlha, fagulha 2 *fig.* **clarão**, fulgor, revérbero, esplendor, brilho 3 *fig.* **inspiração**, talento, inteligência, génio, chispa

centena *n.f.* MAT. **cento**, centenar, centúria

centenar *adj.2g.* **secular**, centenário ■ *n.m.* MAT. **cento**, centúria

centenário *adj.* 1 **secular**, centenar 2 **centicular**

centésimo *n.m.* (parte da unidade monetária) **centavo**, cêntimo

cêntimo *n.m.* (parte da unidade monetária) **centésimo**, centavo

cento *n.m.* **centena**, cem

centopeia *n.f.* ZOOL. **lacraia**, centípeda

central *adj.2g.* 1 **medial** 2 *fig.* **primordial**, principal, fundamental, fulcral, essencial, primário, importante, capital, cardeal, vital *fig.* ≠ **secundário**, acessório, auxiliar ■ *n.f.* **sede**

centralismo *n.m.* POL. **centralização** ≠ **descentralização**

centralização *n.f.* POL. **centralismo** ≠ **descentralização**

centralizador *adj.* **centralista**, unificador ▪ *n.m.* **centralista**

centralizar *v.* **concentrar**, centrar, unificar, juntar, reunir, agrupar ≠ **desconcentrar**, dispersar, espalhar, alastrar, difundir, irradiar, esborralhar, viçar *fig.*, entornar *fig.*

centralizar-se *v.* **convergir**, concentrar-se, reunir-se

centrar *v.* **concentrar**, centralizar, unificar, juntar, reunir, agrupar ≠ **desconcentrar**, dispersar, espalhar

centrar-se *v.* **concentrar-se**, centralizar-se, convergir, fixar-se ≠ **dispersar-se**

centrífugo *adj.* **axífugo** ≠ **centrípeto**, axípeto

centrípeto *adj.* **axípeto** ≠ **centrífugo**, axífugo

centro *n.m.* **1 meio 2 sociedade**, clube, grémio, associação **3 núcleo**, imo, íntimo, âmago, foco, interior *fig.*, fundo, coração *fig.*, eixo *fig.*, gema *fig.*, medula *fig.* ≠ **superfície**, exterior

centuplicar *v. fig.* **multiplicar**, aumentar, avolumar, pluralizar

centúria *n.f.* **1** MAT. **cento**, centenar **2 século**

centúrio *n.m.* **centurião**

cepilho *n.m.* **maçaneta**

cepticismoaAO *n.m.* ⇒ **ceticismo**dAO

cépticoaAO *adj.,n.m.* ⇒ **cético**dAO

ceptroaAO *n.m.* ⇒ **cetro**dAO

cera *n.f.* ANAT. **cerume**

cerâmica *n.f.* **olaria**

cerar *v.* **lacrar**, selar ≠ **deslacrar**, desselar

cerca *n.f.* **vedação**, sebe, muro, cercado, cerrado, tapada, valado, chouseira ▪ *adv.* (pouco usado) **proximamente**, próximo, perto, quase, contiguamente

cercado *adj.* **rodeado**, sitiado, vedado, fechado, cerqueiro ▪ *n.m.* **vedação**, sebe, muro, cerca, cerrado, tapada, valado, choussa, chousseira, chousura

cercadura *n.f.* **1 orla**, bordadura, ourela, friso, rodeamento, tarja, bainha, guarnição **2 cerca**, vedação, sebe, muro, cercado, cerrado, tapada, valado

cercania *n.f.* **arredor**, vizinhança, imediação, proximidade, redor, arrabalde, subúrbio

cercar *v.* **1 murar**, sitiar, assediar, cingir, vedar, muralhar, amantelar, valar *fig.* ≠ **desmurar**, descercar **2 rodear**, tornear, abraçar, circuitar, abranger, circundar, abarcar, bloquear, acercar, cintar, contornar, envolver ≠ **descintar**, descingir **3** *fig.* **constranger**, importunar, molestar, assediar

cercar-se *v.* **rodear-se**, acompanhar-se

cerce *adj.2g.* **cérceo**, raso, rente, rés ▪ *adv.* **rés**, rente, próximo

cerceadura *n.f.* **1 cercadura**, cerceamento, cerceio **2** [*pl.*] **aparas**

cercear *v.* **1 aparar**, aguarentar, decotar, espontar, fanar **2 reduzir**, diminuir, encurtar, abreviar, minorar ≠ **aumentar**, crescer, acrescentar **3** *fig.* **restringir**, coartar, limitar, delimitar, circunscrever, balizar ≠ **expandir**, estender, desbalizar

cerco *n.m.* **1** MIL. **sítio**, assédio, bloqueio ≠ **desbloqueio**, descerco **2 circuito**, volta, círculo, circo, roda

cerda *n.f.* **1 crina 2** (pelo) **seda**

cerdo *n.m.* ZOOL. **porco**, cocho, suíno, chico *col.*, borrão [REG.]

cereal *adj.2g.* **cerealífero**, panífero *poét.*

cerebral *adj.2g.* **intelectual**, mental

cérebro *n.m.* **1** *fig.* **juízo**, siso, tino, sensatez, cabeça, cachimónia *col.* ≠ **desatino**, insensatez **2** *fig.* **inteligência**, razão, raciocínio, compreensão, casco, cabeça ≠ **irracional**, estupidez **3** *fig.* **centro**, núcleo, coração

cerefólio *n.m.* BOT. **cerefolho**

cerejeira *n.f.* BOT. **cerdeira**

cerejo *n.m.* BOT. **loureiro-real**, louro-cerejo, vinhático-das-ilhas

cerieiro *n.m.* BOT. **cerieira**

cerimóniaAO ou **cerimônia**AO *n.f.* **1 culto**, rito, liturgia **2 solenidade**, comemoração, ato **3 etiqueta**, rito, protocolo, praxe, formalidade, ritual, cerimonial ≠ **informalismo 4 acanhamento**, embaraço, constrangimento, inibição ≠ **desembaraço**, desinibição, desenvoltura

cerimonial *adj.2g.* **cerimonioso**, protocolar, solene, formal ≠ **informal**, descerimonioso ▪ *n.m.* **1 etiqueta**, rito, protocolo, praxe, formalidade, ritual, cerimónia ≠ **informalismo 2 protocolo 3 ritual**

cerimoniar *v.* **solenizar**, festejar, celebrar

cerimonioso *adj.* **1 cerimonial**, protocolar, solene, formal, cerimoniático ≠ **informal**, descerimonioso **2 mesureiro**, cumprimentador **3 cortês**, delicado, polido, mesureiro, fino ≠ **grosseiro**, rude, indelicado, ordinário

cerne *n.m.* **1 núcleo**, imo, íntimo, âmago, foco, centro, fundo, interior *fig.*, coração *fig.*, eixo *fig.*, gema *fig.*, medula *fig.* ≠ **superfície**, exterior **2** BOT. **durame**

ceroso *adj.* **céreo**

cerqueiro *adj.* **envolvente**, circundante, rodeado, vedado, fechado, sitiado

cerrado *n.m.* **vedação**, sebe, muro, cerca, cercado, tapada, valado, chousa ▪ *adj.* **1 fechado**, inacessível, impedido, tapado, obstruído ≠ **aberto**, acessível, desobstruído, franqueável 2 **compacto**, espesso, denso, frondoso, maciço ≠ **ralo**, raro 3 **escuro**, carregado, nublado, tenebroso, sombrio ≠ **aberto**, desanuviado, claro 4 **implacável**, rigoroso, obstinado, inflexível, duro *fig.* ≠ **flexível**, maleável, condescendente

cerramento *n.m.* **encerramento**, fechamento, conclusão, fim, remate, acabamento, terminação, desfecho ≠ **abertura**, começo, início, princípio

cerrar *v.* 1 **fechar**, encerrar ≠ **abrir** 2 **vedar**, tapar, obstruir, impedir, travar ≠ **desimpedir**, desobstruir 3 **ajuntar**, apertar, unir, juntar ≠ **desunir**, desapertar, separar 4 **terminar**, concluir, findar, acabar, ultimar ≠ **iniciar**, começar, principiar, exordiar 5 **ocultar**, encobrir, esconder, tapar ≠ **desencobrir**, mostrar, revelar, exibir

cerrar-se *v.* 1 **fechar-se** 2 **acabar**, terminar, concluir-se 3 **adensar-se**, concentrar-se 4 **cobrir-se**, escurecer, nublar-se 5 **emudecer** 6 **cicatrizar-se**

cerro *n.m.* **outeiro**, colina, montículo, cômoro, penela, cabeço, mamelão, morro

certa *n.f.* **certeza**, evidência

certame *n.m.* 1 **combate**, desafio, briga, contenda, disputa, liça, luta, pugna 2 **discussão**, debate, controvérsia, contestação, celeuma, contenda, altercação, disputa, peleja *fig.* ≠ **acordo**, entendimento, assentimento 3 **concurso**, competição 4 **exposição**, mostra, exibição

certamente *adv.* 1 **seguramente**, decerto, decididamente, naturalmente, terminantemente, categoricamente ≠ **possivelmente**, provavelmente, potencialmente 2 **realmente**, verdadeiramente, deveras

certar *v.* 1 **combater**, pelejar, guerrear, lutar, pugnar 2 **discutir**, disputar, altercar, argumentar, porfiar, contender, debater, pleitear, batalhar ≠ **acordar**, entender, assentir 3 **concorrer**, competir

certeiro *adj.* 1 **certo**, exato, preciso, perfeito, rigoroso ≠ **inexato**, impreciso 2 **adequado**, apropriado, acertado, ajustado ≠ **desadequado**, inapropriado, desacertado, desajustado

certeza *n.f.* 1 **convicção**, firmeza, asseveração, segurança, crença ≠ **insegurança**, hesitação, dúvida, indecisão, enleamento *fig.* 2 **evidência**, verdade, certa, veracidade, infalibilidade, exatidão, justeza, realidade ≠ **inexatidão**, impreciso, incerteza 3 **estabilidade**, firmeza, segurança ≠ **instabilidade**, desequilíbrio, insegurança

certidão *n.f.* **certificado**, cédula, carta, escrito, alvará

certificação *n.f.* 1 **atestação**, reconhecimento, autenticação 2 **asseveração**, confirmação, afirmação, certeza, comprovação

certificado *n.m.* **certidão**, cédula, carta, escrito, alvará ■ *adj.* **asseverado**, confirmado, assegurado, afirmado, comprovado

certificador *adj.,n.m.* **atestador**, certificante, autenticador, comprovador

certificar *v.* 1 **atestar**, autenticar, reconhecer, confirmar, afirmar 2 **assegurar**, asseverar, afirmar

certificar-se *v.* **verificar**, assegurar-se, averiguar, convencer-se

certificativo *adj.* **comprovativo**, autenticativo, certificatório

certo *adj.* 1 **verdadeiro**, autêntico, real, genuíno, vero, exato ≠ **falso**, errado, enganoso 2 **certeiro**, exato, preciso, perfeito, rigoroso ≠ **inexato**, impreciso 3 **correto**, incontestável, indiscutível, indubitável, positivo, inequívoco, inegável ≠ **duvidoso**, discutível, contestável, dubitável ■ *pron.indef.* **um**, algum, qualquer, determinado ■ *adv.* 1 **certamente**, seguramente, decerto, decididamente, naturalmente, terminantemente, categoricamente ≠ **dubiamente**, indecisamente 2 **corretamente**, exatamente, precisamente, rigorosamente ≠ **imprecisamente**, erradamente, incorretamente

cerúleo *adj.* (cor) **celestino**, azul, azul-celeste

cerveja *n.f.* **loura** *col.*

cervical *adj.2g.* **traqueliano**

cervino *adj.* **cerval**

cerviz *n.f.* ANAT. **cachaço**, nuca, pescoço, toutiço, cogote, galinheiro *col.*, gorja *col.*, cacho *ant.*, pescócia [REG.]

cervo *n.m.* ZOOL. **veado**

cerzir *v.* **passajar**, pontear

césar *n.m.* **imperador**

cesariana *n.f.* MED. **histerotomia**

cesarismo *n.m.* **despotismo**, autocracia, absolutismo

cessação *n.f.* 1 **extinção**, acabamento, supressão, dissolução, cessamento ≠ **continuação**, prosseguimento, prolongamento 2 **fim**, termo, conclusão ≠ **início**, princípio, começo 3 **interrupção**, suspensão, paragem, descontinuação ≠ **continuação**, prosseguimento, prolongamento

cessão *n.f.* 1 **concessão**, transigência ≠ **intransigência** 2 **transmissão**, transferência, entrega, delegação, cedência

cessar *v.* 1 **acabar**, terminar, findar, expirar, passar, concluir ≠ **iniciar**, começar, principiar 2 **parar**, quedar, estacionar, imobilizar, paralisar, sobrestar ≠ **continuar**, prosseguir, seguir 3 **deixar**, largar, soltar ≠ **retomar**, recuperar, continuar 4 **suspender**, interromper, descontinuar, intermitir ≠ **continuar**, prosseguir, seguir

cesta *n.f.* **alcofa**

cestão *n.m.* jangada, balsa
cesto *n.m.* alcofa, cabaz
cesura *n.f.* **1** corte, golpe, incisão **2** cicatriz
cesurar *v.* lancetar, golpear, cortar, incisar
ceticismodAO *n.m.* **1** descrença, incredulidade, dúvida, pirronismo, desconfiança, suspeita ≠ crença, confiança, certeza **2** FIL. acatalepsia
céticodAO *adj.,n.m.* **1** incrédulo, descrente, desconfiado, duvidador, descrido, eleático ≠ crente, confiante, anticético **2** FIL. pirrónico, acataléptico
cetim *n.m.* **1** lustrilho **2** *fig.* macieza
cetrodAO *n.m.* **1** autoridade **2** realeza
céu *n.m.* **1** ASTROL. firmamento, abóbada celeste, alturas, páramo, éter, azul *fig.*, cúpula *fig.* **2** paraíso, olimpo **3** tempo, atmosfera, ar **4** RELIG. Paraíso, Éden **5** RELIG. Bem-aventurança, Empíreo **6** RELIG. Providência ■ *interj.* [*pl.*] (exprime dor, espanto ou surpresa) credo!, puxa! [BRAS.]
ceva *n.f.* **1** engorda, cevadura **2** cevado
cevadeira *n.f.* **1** alforge, embornal, bornal **2** farnel, fardel, bornal
cevadilha *n.f.* BOT. espirradeira, loendro, landro, loendreiro, aloendro
cevado *n.m.* **1** cevão **2** *fig.* gordo, botija *fig.*, bucha *col.*, pantufo *col.* ≠ magricela, esqueleto *fig.*, caveira *fig.* ■ *adj.* **1** farto, cheio, nutrido, saciado, embuchado, empanturrado ≠ esfomeado, ávido, faminto, alazeirado **2** lambuzado, sujo ≠ limpo, asseado
cevadura *n.f.* **1** engorda, ceva **2** carnificina, carniça, chacina, carnagem, morticínio, mortandade, matança ≠ salvamento **3** pilhagem, saque, furto, roubo
cevar *v.* **1** engordar, engrossar, anafar, nutrir, rechonchar ≠ emagrecer, desengordar **2** nutrir, alimentar, sustentar ≠ desnutrir **3** saciar, satisfazer, fartar, embuchar, empanturrar **4** enriquecer, opulentar, prosperar, crescer ≠ empobrecer **5** (armadilha) iscar, engodar
cevar-se *v.* **1** saciar-se, satisfazer-se **2** enriquecer
chá *n.m.* **1** BOT. chazeiro **2** infusão, tisana **3** merenda, lanche **4** repreensão, chega, motejo, raspanete, descompostura, desanda, reprimenda, figo *fig.* ≠ elogio, aplauso, louvor
chã *n.f.* **1** planície, várzea, campina, planura, chapada, campanha [REG.] **2** planalto, altiplano, esplanada, planada, planura, rechã, meseta **3** pojadouro
chacal *n.m. fig.* explorador
chacim *n.m.* ZOOL. *ant.* porco, cocho, suíno, cerdo, chico *col.*, borrão [REG.]
chacina *n.f.* carnificina, carniça, cevadura, carnagem, morticínio, mortandade, matança, sangueira, charqueada ≠ salvamento
chacinar *v.* **1** esquartejar, dissecar, cortar **2** caçar, apanhar, predar **3** massacrar, escochar [REG.]
chacota *n.f.* troça, caçoada, zombaria, escárnio, judiaria, motejo, mofa, achincalhação, bexiga *col.* ≠ respeito, consideração
chacotear *v.* escarnecer, motejar, zombar, apodar, troçar, mofar, chasquear, ridicularizar, zingrar ≠ respeitar, considerar, prezar, estimar
chafariz *n.m.* fontanário
chafurda *n.f.* porqueira, pocilga, chavascal, enxurdeiro, cortelho, chiqueiro, alfeire, chafurdeiro, enxudreira
chafurdar *v.* **1** atolar, enlamear, enlodar, enxurdar, bafurdar **2** *fig.* perverter-se, corromper-se, atascar-se ≠ regenerar, reabilitar, corrigir
chaga *n.f.* **1** ferida, úlcera *col.* **2** *fig.* maçador, chato *col.*, porre [BRAS.] **3** *fig.* aflição, angústia, tribulação, agonia ≠ serenidade, bem-estar, tranquilidade **4** *fig.* mágoa, desgosto, tristeza, amargura, sofrimento ≠ felicidade, regozijo, contentamento, prazer **5** *fig.* pecha, defeito, imperfeição **6** BOT. chagueira, capuchinha
chagar *v.* **1** ferir, ulcerar **2** *fig.* molestar, importunar, aborrecer, atormentar, incomodar, transtornar ≠ agradar, deleitar, entreter, divertir **3** *fig.* ofender, machucar, melindrar, magoar ≠ respeitar, honrar, considerar, estimar
chaguento *adj.* ulcerado, lazarento, chagado, pustuloso, alazarado, broquento *fig.*
chalaça *n.f.* piada, picuinha, pilhéria, graçola, broma, brinco, gracejo, bisca *fig.*, laracha *col.*
chalaceador *adj.,n.m.* galhofeiro, gracejador, brincalhão, pilheriador, chalacista, chalaceiro
chalacear *v.* galhofar, gracejar, brincar, gingar [REG.]
chalado *adj. col.* amalucado, adoidado, chalupa
chaleira *adj.,n.2g.* [BRAS.] *col.* lisonjeador, lisonjeiro, servil, adulador, subserviente, lambe-botas, lambedor, engraxador *fig.*, manteigueiro *col.*, graxista *col.*, puxa-saco [BRAS.] ≠ crítico, depreciador, censurador, reprovador
chama *n.f.* **1** flama, lavareda, fogo **2** luz, resplendor, brilho, claridade ≠ escuridão, obscuridade **3** *fig.* ardor, veemência, entusiasmo, fervor, calor, vigor ≠ apatia, desinteresse **4** chamariz, atração, chamamento
chamada *n.f.* **1** convocação, chamamento, invocação **2** observação, nota, manda **3** apelo, pedido, chamamento **4** telefonema
chamamento *n.m.* **1** apelo, pedido, chamada, chamadoiro **2** convocação, chamada, invocação **3** *fig.* aspiração, vocação, desejo
chamar *v.* **1** convocar, evocar, invocar, avocar, convidar **2** atrair, puxar, trazer ≠ afugentar, repelir, espantar **3** reclamar, clamar, exigir, reivindicar **4** denominar, intitular, apelidar, nomear **5** nomear, designar, escolher, eleger

chamariz *n.m.* atrativo, chama, negaça, isca *fig.*, engodo *fig.*

chamar-se *v.* **1 denominar-se**, designar-se, apelar-se **2 dizer-se**, intitular-se, cognominar-se

chambão *n.m.* **1 presunto**, lacão [REG.], larcão [REG.] **2 pernil**, canelo, lacão [REG.] **3 chambã** ▪ *adj.* **grosseiro**, mal-educado, malcriado, rude, tosco, achavascado, desmazelado ≠ **bem-educado**, delicado

chambre *n.m.* **1 roupão**, quimono **2 blusa**

chamejar *v.* **1 arder**, flamejar, chamuscar, queimar, fogachar ≠ **apagar**, extinguir **2 brilhar**, cintilar, faiscar, resplandecer, rutilar, afuzilar, fulgurar, dardejar *fig.* ≠ **embaciar**, ofuscar, ensombrar

chaminé *n.f.* **1 lareira**, calorífero, fogão, lar, fuminé [REG.] **2 ventilador**

chamorro *adj.* **tosquiado**

chamusca *n.f.* **cresta**, chamuscadela, chamuscadura

chamuscar *v.* **crestar**, tostar, torrar

chamuscar-se *v.* **1 queimar-se 2** *fig.* **sofrer**

chamusco *n.m.* **1 brasido 2 cresta**, chamuscadela

chanca *n.f.* **1 tamanco**, soco, enxaravia *ant.*, taroca [REG.] **2 abarca**, sandália, sanca [REG.]

chança *n.f.* **1 presunção**, vaidade, jactância, ostentação, gala, bazófia *fig.* ≠ **discrição**, simplicidade, sobriedade, despojamento, recato, modéstia **2 zombaria**, escárnio, gracejo, motejo, troça, mofa, burla, chasco, chufa ≠ **respeitabilidade**, considerabilidade

chance *n.f.* **oportunidade**, ocasião, ensejo, a-‑tempo

chancela *n.f.* **carimbo**, marca, selo, sinete, rubrica, timbre

chancelar *v.* **1 autenticar**, certificar **2 selar**, carimbar, sinetar, timbrar **3 assinar**, firmar, registar **4 confirmar**, subscrever, aprovar

chaneza *n.f.* **1 planura**, lhanura, plaino **2** *fig.* **lhaneza**, singeleza, simplicidade, ingenuidade, candura *fig.*

chanfana *n.f.* CUL. **sarrabulho**, sarrabulhada, sarapatel

chanfradura *n.f.* **1 bisel**, chanfro **2 corte**, entalhe, incisão

chantagem *n.f.* **1** BOT. **tanchagem**, chinchagem **2 chantadura**, chantoeira

chantria *n.f.* **chantrado**

chão *n.m.* **1 solo**, terra **2 terreno**, campo **3 pavimento**, sobrado, piso, soalho ▪ *adj.* **1 plano**, liso, raso, reto, direito, chato, nivelado ≠ **curvo**, sinuoso, ondulado, torto **2 simples**, prosaico, singelo ≠ **rebuscado** *fig.,pej.*, empolado, apurado **3** *fig.* **despretensioso**, desafetado, modesto, lhano, franco ≠ **afetado**, pretensioso, presunçoso **4** *fig.* **sincero**, franco, claro, aberto, verdadeiro, honesto ≠ **falso**, simulado, fingido

chapa *n.f.* **1 placa**, lâmina, folha, tabla **2 forma**, molde, cunho **3** FOT. **negativo 4** *fig.* **trivialidade**, lugar-comum, banalidade ≠ **originalidade**, singularidade, unicidade ▪ *n.2g.* [BRAS.] *col.* **amigo**, companheiro, camarada ≠ **inimigo**, adversário, rival

chapada *n.f.* **1 planície**, várzea, campina, planura, chã, campanha [REG.] **2 clareira**, pelada **3 clareira**, limpa, calva, claro, pelada **4** *col.* **bofetada**, soco, tapa, lambada, estalo *col.*, bolachada *col.*, solha *col.*

chapar *v.* **1 chapear**, laminar, lamelar **2 pregar**, fixar, pespegar **3 estampar**, cunhar, marcar

chaparro *n.m.* BOT. **sobreiro**, chaparreiro

chapar-se *v.* **1 estatelar-se 2** (cavalo) **pranchear**

chapear *v.* **1 laminar**, chapar, lamelar **2 achatar**, aplanar

chapeleta *n.f.* **1 chapelinho 2 ricochete 3 cascudo**, castanha, coque, croque, coscorrão, charolo, pinhão *col.*

chapéu *n.m.* **1 sombreiro**, testo *col.* **2 cobertura**, abrigo, resguardo

chapéu-de-chuva[aAO] *n.m.* ⇒ **chapéu de chuva**[dAO]

chapéu de chuva[dAO] *n.m.* **guarda-chuva**, chuço *col.*

chapéu-de-sol[aAO] *n.m.* ⇒ **chapéu de sol**[dAO]

chapéu de sol[dAO] *n.m.* **guarda-sol**, sombreiro, chapeirão [BRAS.]

chapim *n.m.* **1 patim 2 plinto**, dado, peanha, soco, pé, embasamento, base **3** ORNIT. **caldeirinha**, chapim-real, cachapim, mejengra, malha-ferreiro, patachim, chincharravelho, semeia-o-milho, semeia-o-linho, batachim, semimi, chinchão **4** ORNIT. **chapim-azul**, chapim-carvoeiro, chapim-de-‑poupa, chincha-de-poupa, poda-a-vinha, faça-a-‑poda, papa-abelhas, menjengra, pinta-caldeira, pássaro-do-linho, pinta-ferreira, fradisco [REG.], vira-bosta [BRAS.]

chapinhar *v.* **chapejar**, borrifar, esparrinhar, chapiscar, bachicar [REG.]

charada *n.f.* **adivinha**, enigma, mistério, quebra-‑cabeça

charadista *n.2g.* **enigmatista**, decifrador

charanga *n.f.* **fanfarra**, charamela

charão *n.m.* **laca**

charco *n.m.* **1 poça**, abafeira, aguaçal, pântano **2 atoleiro**, lamaçal, brejo, lodaçal, lavajo [REG.]

charivari *n.m.* **confusão**, pandemónio, desordem, barafunda, algazarra, desarrumação, balbúrdia, caos, salsada, embrulhada, miscelânea, embaralhação, mixórdia, bandalhismo, chinfrim, amálgama *fig.*, salada *fig.*, babilónia *fig.*, salgalhada *col.*, bagunça [BRAS.] ≠ **ordem**, organização, arrumação, arranjo

charlar *v.* cavaquear, conversalhar, conversar, palestrear

charlatanear *v.* **intrujar**, enganar, lograr, burlar, ludibriar, trapacear, futricar

charlatanice *n.f.* **impostura**, intrujice, vigarice, logro, charlatanaria, engano ≠ **honestidade**, verdade, sinceridade

charlatão *n.m.* **impostor**, burlão, intrujão, falso, logrador, embusteiro ≠ **honesto**, justo

charme *n.m.* **sedução**, encanto, fascinação, atração *fig.* ≠ **desilusão**, deceção, desinteresse

charmoso *adj.* **sedutor**, encantador, fascinador, interessante, atraente ≠ **desiludido**, dececionado, desinteressado

charneca *n.f.* **gândara**, mato, landa, camarção [REG.]

charneco *n.m.* ORNIT. **rabilongo**, pega-azul, carricinha-de-rabo, quissarro, rabo-de-foguete, viúva-alegre

charneira *n.f.* **dobradiça**, gonzo, gínglimo, bisagra *ant.*

charola *n.f.* **1 andor**, andas **2** ARQ. **deambulatório**

charro *adj.* **grosseiro**, mal-educado, malcriado, ordinário, rude, tosco ≠ **bem-educado**, delicado

charrua *n.f.* **1 arado 2** *fig.* **agricultura**, lavoura, lavra, cultura

chasco *n.m.* **1 zombaria**, escárnio, gracejo, motejo, mofa, caçoada, chança, burla, chufa ≠ **respeitabilidade**, consideração, estima **2** ORNIT. **cartaxo**, borra, chasco-preto, pardinha

chateado *adj.* **1** *col.* **aborrecido**, maçado, entediado, enfadado, fastiado ≠ **divertido**, alegre, deleitado, satisfeito **2** *col.* **irritado**, zangado, enervado, inflamado *fig.* ≠ **calmo**, sossegado, paciente **3** *col.* **triste**, melancólico, nostálgico, desconsolado, esplenético *fig.* ≠ **alegre**, feliz, contente, satisfeito

chatear *v.* **1** *col.* **aborrecer**, importunar, maçar, enfadar, amolar [BRAS.], cacetear [BRAS.] ≠ **interessar**, estimular, divertir **2** [BRAS.] **agachar-se**, abaixar-se, acocorar-se

chatear-se *v. col.* **aborrecer-se**, maçar-se, irritar-se

chateza *n.f. fig.* **vulgaridade**, insipidez, trivialidade, mediocridade

chatice *n.f. col.* **aborrecimento**, maçada *fig.*, estopada *fig.*, chumaço *gír.* ≠ **contentamento**, alegria, deleite, satisfação

chato *adj.* **1 plano**, liso, raso, reto, direito, espalmado, nivelado ≠ **curvo**, sinuoso, ondulado, torto **2 baixo**, rasteiro, rente ≠ **alto**, elevado **3** *col.* **aborrecido**, maçador, impertinente, importuno, molesto ≠ **agradável**, deleitante ■ *n.m. col.* **maçador**, maçante, seca, lapa, melga *col.*, cola *col.*, narcótico *fig.*

chauffeur *n.2g.* **motorista**, condutor, chofer

chavalo *adj.,n.m. col.* **miúdo**, jovem, catraio, puto *cal.*

chavão *n.m.* **1 modelo**, tipo, molde, forma **2 estribilho**, bordão **3 lugar-comum**, chapa *fig.*, clichê [BRAS.] *fig.*

chavascal *n.m.* **1 silvado**, moitedo, mata, sarça, charavascal, chavasqueira **2 pocilga**, chafurdeira, chiqueiro *fig.*

chave *n.f.* **1 cúpula 2** (sinal gráfico) **chaveta**, clave **3** *fig.* **solução**, explicação, decifração

chaveiro *n.m.* **1 claviculário**, guarda-chaves **2 carcereiro 3 despenseiro**

chaveta *n.f.* (sinal gráfico) **chave**, clave

chefe *n.m.* **1 dirigente**, líder, principal, superior, cabeça, patriarca ≠ **subordinado**, subalterno, inferior **2 diretor**, administrador, gerente ≠ **empregado**, funcionário **3 patrão**, dono ≠ **empregado**, funcionário **4** MIL. **caudilho**, cabecilha, comandante

chefia *n.f.* **1 comando**, liderança, direção, chefatura, capitania ≠ **submissão**, dependência, subordinação, obediência **2 direção**, gerência, administração ≠ **submissão**, dependência, subordinação, obediência

chefiar *v.* **comandar**, liderar, encabeçar, presidir, governar, dirigir, acaudelar, caudilhar ≠ **submeter-se**, sujeitar-se, subordinar-se

chega *n.f.* **repreensão**, admoestação, advertência, descompostura, reprimenda, exprobração, censura, sarabanda *col.*, esfrega *fig.*, lição *fig.* ≠ **elogio**, louvor, felicitação, aprovação ■ *interj.* (indica exasperação ou ordem de cessação) **basta!**, para!

chegada *n.f.* **1 vinda**, regresso, advento, chegamento ≠ **partida**, abalada, abaladela, abaladura, abalamento, abalo **2 aproximação**, entrada, acesso, abordo **3** (embarcação) **abordagem**, acostagem, abordo

chegado *adj.* **próximo**, perto, junto, contíguo ≠ **distante**, afastado

chegânço *n.m.* **1** *col.* **repreensão**, admoestação, advertência, descompostura, reprimenda, exprobração, censura, chega, sarabanda *col.*, esfrega *fig.*, lição *fig.* ≠ **elogio**, louvor, felicitação, aprovação **2 sova**, surra, tunda, tareia, zurzidela, coça *fig.*, calda [REG.], carregadeira [REG.]

chegar *v.* **1 vir**, advir, regressar ≠ **partir**, sair **2 aproximar**, acercar, aconchegar, abeirar, avizinhar, coser, encostar, apropinquar ≠ **afastar**, distanciar **3 alcançar**, atingir, conseguir, obter ≠ **perder**, falhar **4 bater**, sovar, cascar, desancar, surrar ≠ **defender**, proteger, resguardar

chegar-se *v.* **1 aproximar-se**, acercar-se ≠ **afastar-se**, desapartar-se **2 tocar**, cingir-se, abarbar **3 resolver-se**

cheia *n.f.* 1 **inundação**, alagamento, enchente, undação, aluvião, crescente 2 *fig.* **invasão**, incursão

cheio *adj.* 1 **repleto**, completo, apinhado, pejado, preenchido, fordo ≠ **vazio**, oco 2 **compacto**, espesso, denso, frondoso, maciço ≠ **ralo**, raro 3 **carregado**, atestado, repleto, completo, abarrotado *fig.* ≠ **vazio**, oco 4 **farto**, saciado, nutrido, cevado, embuchado, empanturrado ≠ **esfomeado**, ávido, faminto 5 **sobrecarregado**, assoberbado, atarefado, azafamado, saturado *fig.* ≠ **livre**, disponível, desocupado

cheira *n.2g. col.* **intrometediço**

cheirar *v.* 1 **farejar** 2 **intrometer-se**, bisbilhotar, mexericar, coscuvilhar 3 **pesquisar**, indagar, inquirir, procurar 4 **perfumar**, rescender, odorizar 5 **agradar**, impressionar 6 **compreender**, entender, perceber

cheirete *n.m.* **fedor**, pitada, cheirum, fedentina, fétido, malina *col.* ≠ **aroma**, odor, perfume, cheiro

cheirinho *n.m.* 1 **perfume**, essência 2 **amostra**

cheiro *n.m.* 1 **odor**, olor 2 **aroma**, odor, perfume, olor, eflúvio, bálsamo, fragrância ≠ **fedor**, fétido, pestilência *fig.* 3 **faro**, olfato 4 **fedor**, pitada, cheirum, fedentina, fétido, malina *col.* ≠ **aroma**, odor, perfume 5 *fig.* **suspeita**, palpite, pressentimento, intuição, feeling 6 *fig.* **reputação**, fama, nomeada, nome 7 [*pl.*] **essências aromáticas**

cheiroso *adj.* **aromático**, odorífico, odorífero, oloroso, odoroso, perfumado, balsâmico ≠ **fétido**, fedorento, malcheiroso, inodoro, inolente, pestilencial

cheque *n.m.* 1 **rescrição** 2 *fig.* **perigo**, risco, ameaça ≠ **segurança**, proteção 3 *fig.* **desaire**, contrariedade, contratempo, desventura, obstáculo, infortúnio, revés, impedimento, entrave ≠ **desimpedimento**, desatravancamento, desobstrução, desempeço, desempacho 4 **checo**

cherne *n.m.* ICTIOL. **pardilho**

cheta *n.f. col.* **chavo**, vintém, tostão

chi *n.m. col.* **abraço**, chi-coração

chiada *n.f.* 1 **chiadeira**, chio, estridor, guincho, rangido, chia, chiadura 2 *fig.* **barulheira**, vozearia, gritaria, vociferação, algazarra, estardalhaço, chinfrim, alarido, azoada, grazinada, berreiro *col.*, vasqueiro *col.*, cagaçal *col.*, escarcéu *fig.*, zurrada *fig.*, tourada *fig.* ≠ **silêncio**, paz, calada, sopor

chiar *v.* 1 **guinchar**, ranger 2 *fig.* **lastimar-se**, queixar-se, chorar-se, clamar, lamuriar-se, reclamar, choramigar ≠ **conformar-se**, aceitar, concordar

chibança *n.f.* **jactância**, presunção, chibantice, fanfarrice, pimponice, bravata, gabarolice, prosápia *fig.* ≠ **modéstia**, humildade, simplicidade

chibar *v.* **fanfarronar**, chibantear, bravatear, blasonar, alardear, gargantear, jactar-se, bazofiar, bufar, arrotar *fig.* ≠ **recatar**, resguardar, despojar

chibata *n.f.* **vergasta**, verdasca, junco, vara, badine

chibatar *v.* 1 **chibatear**, vergastar, verdascar, fustigar 2 **castigar**, açoitar, punir, vergastar *fig.*, fustigar *fig.*

chibato *n.m.* ZOOL. **cabrito**, chibo, chibarro

chibo *n.m.* ZOOL. **cabrito**, chibato, chibarro

chicharro *n.m.* ICTIOL. *col.* **carapau**, carapau branco

chichi *n.m. col.* **urina**, águas, mija, pipi *infant.*

chico *n.m.* 1 ZOOL. *col.* **porco**, cocho, suíno, cerdo, chino *col.*, borrão [REG.] 2 (antiga moeda portuguesa) **cruzado** ■ *adj.* **pequeno**, baixo, diminuto, reduzido, curto ≠ **alto**, elevado, grande

chicotada *n.f.* 1 **lategada**, relhada, zimbradura 2 *fig.* **incentivo**, estímulo, dinamização, alimento, fomento, impulsão, incitamento, injeção ≠ **desincentivo**, desencorajamento 3 *fig.* **reprimenda**, repreensão, ralhete, advertência, admoestação, censura, descompostura, ralho, carão [BRAS.] ≠ **elogio**, louvor, aplauso

chicote *n.m.* **azorrague**, látego, açoite, habena *poét.*, ripeiro [REG.]

chicotear *v.* **açoitar**, vergastar, zurzir, fustigar, flagelar

chieira *n.f.* 1 **chiadeira**, chiada, chio, estridor, guincho, rangido 2 **presunção**, vaidade, jactância, ostentação, gala, bazófia *fig.* ≠ **discrição**, simplicidade, sobriedade, despojamento, recato, modéstia

chifrar *v.* **marrar**, escornar

chifre *n.m.* **corno**, chavelho, haste, gaipa, gaita *col.*, guampa [BRAS.]

chila *n.f.* BOT. **gila**, abóbora-chila, chila-caiota, gila-caiota, cucúrbita

chilindró *n.m.* **enxovia**, cadeia, masmorra, estarim, calabouço, jaça *col.*, xadrez [BRAS.] *col.*, choldra *gír.*

chilique *n.m. col.* **desmaio**, síncope, desfalecimento, fanico, badagaio, treco

chilreada *n.f.* **chilreio**, chilro, gorjeio, trinado, gralhada

chilrear *v.* 1 **gorjear**, pipilar, papear, gazear 2 *fig.* **tagarelar**, parolar, palavrear, badalar, linguajar, linguarejar, papaguear, blaterar, cacarejar *fig.*, palrar *fig.* ≠ **calar**, silenciar, emudecer, entuchar

chilreio *n.m.* 1 **chilro**, gorjeio, trinado, gralhada, chalreada, chilrido, pipilo 2 (nas crianças) **chilreada**, gorjeio

chim *n.2g.* **chinês**, china, chino *col.* ■ *adj.2g.* **chinês**, chino *col.*

chimpanzé *n.m.* ZOOL. **jocó**

china *n.2g.* **chim**, chinês

chinela *n.f.* **pantufa**, babucha, cofo, chulipa

chinês *n.m.* **chino**, china, chim ■ *adj.* **chino**, chim

chinesice *n.f.* 1 **chinesada**, esquisitice, bizantinice, bizantinismo 2 **quinquilharia**, bugiganga, brinquinho, bagatela, bufarinha, bugiaria

chinfrim *n.m.* **confusão**, balbúrdia, pandemónio, desordem, barafunda, algazarra, desarrumação, caos, salsada, embrulhada, miscelânea, baralhada, mixórdia, bandalheira, chinfrineira, amálgama *fig.*, salada *fig.*, babilónia *fig.*, salgalhada *col.*, bagunça [BRAS.] ≠ **ordem**, organização, arrumação, arranjo ■ *adj.2g.* 1 **turbulento**, agitado, inquieto, chinfrineiro, irrequieto, mofino, tavanês ≠ **quieto**, calmo, pacífico 2 **reles**, grosseiro, desprezível, abjeto, canalha, ordinário, ignóbil, vulgar, indigno, sórdido, sujo, nojento, decadente ≠ **delicado**, educado, cortês, atencioso, fino, elegante, encantador, polido

chino *n.m.* 1 ZOOL. **cobaio**, porquinho-da-índia, rato-chino 2 ZOOL. *col.* **porco**, cocho, suíno, cerdo, chico *col.*, borrão [REG.], friamo [REG.] 3 **chinês**, china, chim ■ *adj.* **chinês**, chim

chinó *n.m.* **capachinho**, peruca, cabeleira, chorina, crescente

chio *n.m.* **chiadeira**, chiada, chieira, estridor, guincho, rangido, chilido

chiolas *n.f.pl.* **andas**

chique *adj.2g.* 1 **elegante**, requintado, janota, fino, esmerado, sécio, apurado *fig.* ≠ **deselegante**, desapurado, descuidado 2 **formoso**, lindo, bonito, catita, gracioso ≠ **feio**, disforme, horripilante ■ *n.m.* **elegância**, requinte, finura ≠ **deselegância**, desapuro, descuido

chiqueiro *n.m.* 1 **porqueira**, pocilga, chavascal, enxurdeiro, cortelho, chafurda, alfeire, furdão 2 *fig.* **pocilga**, chavascal, chafurda, cloaca

chispa *n.f.* 1 **faísca**, centelha, faúlha, fagulha, choina 2 *fig.* **talento**, inspiração, inteligência, génio, centelha

chispar *v.* 1 **faiscar**, chamejar, fulgurar 2 *col.* **agastar-se**, encolerizar-se ≠ **acalmar-se**, tranquilizar-se 3 *col.* **fugir**, bazar, disparar, safar-se, sumir, abalar, pildrar *col.* ≠ **ficar**, permanecer, estar

chispe *n.m.* **pezunho**

chiste *n.m.* **piada**, picuinha, pilhéria, graçola, broma, brinco, gracejo, bisca *fig.*, laracha *col.*

chistoso *adj.* **engraçado**, jocoso, humorista, divertido, piadético ≠ **desengraçado**, desenxabido, sério, dessalgado *fig.,pej.*

choca *n.f. col.* **manga**

choça *n.f.* 1 **choupana**, casinhola, casota, tugúrio, covil, palhar, buraco *fig.* ≠ **casarão**, mansão, casão, convento *fig.* 2 (carvão) **sobro** 3 *col.* **prisão**, cadeia, cárcere, calabouço, presídio, masmorra, cativeiro, gaiola, chilindró, choldra *gír.*

chocadeira *n.f.* **incubadora**

chocalhar *v.* 1 **agitar**, mexer, sacudir, vascolejar, chacoalhar ≠ **parar**, estagnar, imobilizar 2 **divulgar**, espalhar, vulgarizar, propalar, revelar, desvendar, assoalhar *fig.* ≠ **calar**, silenciar, ocultar, esconder

chocalheiro *adj.* **linguareiro**, indiscreto, intriguista, tagarela, bisbilhoteiro ≠ **discreto**, recatado, modesto

chocalhice *n.f.* **coscuvilhice**, bisbilhotice, mexerico, intriga, enredo, onzenice ≠ **discrição**, recato, desinteresse, privacidade

chocalho *n.m.* 1 **cincerro**, arjoz 2 *fig.* **linguareiro**, falador, gárrulo, tagarela, palrador, bisbilhoteiro

chocante *adj.2g.* **perturbante**, impressionante, estonteante

chocar *v.* 1 **esbarrar**, chofrar 2 **incubar**, empolhar 3 *fig.* **planear**, premeditar, tencionar 4 **apodrecer**, fermentar, corromper-se, deteriorar-se, estragar-se ≠ **preservar**, conservar, manter 5 **ofender**, escandalizar, melindrar, magoar, suscetibilizar, ferir *fig.* ≠ **respeitar**, considerar 6 **perturbar**, transtornar, abalar, incomodar *fig.*

chocar-se *v.* 1 **ofender-se**, escandalizar-se, indignar-se 2 **embater**, esbarrar-se

choco *adj.* 1 **podre**, estragado, deteriorado, fermentado, apodrecido, choquiço ≠ **fresco**, conservado 2 (bebida) **fermentado** 3 *col.* **inerte**, preguiçoso, indolente, passivo ≠ **ativo**, diligente, dinâmico ■ *n.m.* **incubação**, germinação, chocagem

chocolate *n.m.* **cacau** ■ *adj.inv.* (cor) **castanho**, marrom

choldra *n.f.* 1 *col.* **salgalhada**, mixórdia, miscelânea, trapalhada, choldraboldra, amálgama *fig.* ≠ **ordem**, organização, arrumação, arranjo 2 *col.* **corja**, malta, clique, populaça *pej.*, súcia *pej.*, rancho *pej.*, ralé *pej.*, canalha *pej.*, cambada *fig.,pej.* 3 *gír.* **prisão**, cadeia, cárcere, calabouço, presídio, masmorra, cativeiro, gaiola, chilindró, choça *col.*

choninha *n.2g.* 1 *col.* **imbecil**, parvo, palerma, idiota, tolo ≠ **conhecedor**, entendedor, erudito, sábio, sabedor 2 *col.* (homem) **maricas** *cal.*, maninelo, samicas *col.*, tetas *col.*, paneleiro *col.,pej.*, invertido *col.,pej.*, bicha *pej.*, mulhericas *pej.*, pederasta *pej.*, puto [BRAS.] *vulg.*, veado [BRAS.] *pej.,vulg.* ≠ **heterossexual**

choque *n.m.* 1 **colisão**, embate, encontrão, abalroação, abalroamento, impacto 2 **comoção**, abalo, impacto, perturbação, concussão ≠ **tranquilidade**, calma, sossego 3 **conflito**, luta, refrega

choradeira *n.f.* 1 **pranto**, carpido, lamúria, choro, lágrima, ganideira, chora 2 (pouco usado) **carpideira**, pranteadeira 3 ORNIT. **galispo**, abibe, abecoinha, galeirão, pendre, verdizela

chorado *adj.* **pedinchado**, implorado

chorão *n.m.* **1** **choramigas**, choramingador, carpidor, choramigador, chorina, chorinhas, pranteador, chorinca, berrão, chorinquento **2** [BRAS.] ORNIT. **cigarra**, papa-capim, coleiro **3** BOT. **salgueiro-chorão**, monco-de-peru

chorar *v.* **1** **prantear**, lacrimar, lacrimejar, carpir ≠ **sorrir** **2** **lastimar**, deplorar, lamentar, lamuriar, gemer, queixar-se ≠ **regozijar-se**, contentar-se, alegrar-se **3** **destilar**, gotejar, pingar

chorar-se *v.* **lamentar-se**, queixar-se, lamuriar-se, caramunhar

choro *n.m.* **1** **pranto**, carpido, berreiro, plangor, chorinco, ai-ai ≠ **sorriso** **2** **lamentação**, lamento, lamúria, queixa, gemido ≠ **alegria**, contentamento, felicidade

choroso *adj.* **1** **lacrimoso**, plangente, elegíaco *fig.* ≠ **sorridente**, risonho **2** **lastimoso**, magoado, sentido, triste, pesaroso, desgostoso, flente ≠ **alegre**, feliz, contente

chorrilho *n.m.* **série**, enfiada, sucessão, fieira

chorudo *adj.* **1** *col.* **gordo**, adiposo, obeso ≠ **magro**, delgado, chupado, definhado **2** *col.* **rendoso**, proveitoso, valioso, lucrativo, vantajoso ≠ **prejudicial**, danoso **3** *col.* **importante**, fundamental, essencial, substancial *fig.* ≠ **insignificante**, secundário, acessório

chorume *n.m.* **1** **gordura**, banha, unto, pingo, pingue, axúngia, enxúndia **2** **sugo** [REG.] **3** *fig.* **opulência**, substância, abundância, fortuna, riqueza ≠ **pobreza**, penúria, miséria

choupana *n.f.* **casebre**, cabana, barraco, choça, casinhola, casota, tugúrio, covil, buraco *fig.*, copé [BRAS.] ≠ **casarão**, mansão, casão, convento *fig.*

choupo *n.m.* BOT. **álamo**, alambra, choupo-branco, choupo-negro, faia-branca

chover *v.* **1** **derramar**, lançar **2** *fig.* **causar**, produzir, manar, provir, sobrevir

chucha *n.f.* **1** **mama** *col.*, teta **2** **chupeta**, chuchadeira, chupadouro **3** **alimento**, comida, comer, sustento, carburante *fig.* **4** *fig.* **mangação**, troça, desfrute, gozo, zombaria, caçoada, chuchadeira *col.* ≠ **respeito**, consideração, apreço

chuchadeira *n.f.* **1** **chucha**, chupeta, chupadoiro **2** *col.* **mangação**, troça, desfrute, gozo, zombaria, caçoada ≠ **respeito**, consideração, apreço

chuchar *v.* **1** **chupar**, sugar, mamar, sorver **2** *col.* **apanhar**, receber, levar *col.*

chula *n.f.* **enxó**

chulé *n.m. col.* **bodum**, hircismo ≠ **aroma**, odor, perfume

chulear *v.* **alinhavar**, apontear

chulice *n.f.* **1** **grosseria**, má-criação, ordinarice, indelicadeza, descortesia, chularia ≠ **cortesia**, educação, delicadeza, polidez **2** *col.* **exploração**, ladroeira, mamadeira *fig.*

chulo *adj.* **grosseiro**, baixo, vulgar, ordinário, reles, rústico *pej.* ≠ **educado**, cortês, delicado, polido ▪ *n.m. col.,pej.* **rufia**, proxeneta, azeiteiro *col.*, corretor *col.*, alcoviteiro *ant.*, cafetão [BRAS.]

chumaçar *v.* **enchumaçar**, estofar, acolchoar, almofadar, achumaçar

chumaço *n.m.* **1** **almofada**, forra, enchido **2** **compressa**, parche **3** **volume** **4** **inchaço**, papo, bojadura **5** *gír.* **chatice** *col.*, importunação, aborrecimento, maçada *fig.*, estopada *fig.* ≠ **contentamento**, alegria, deleite, satisfação **6** **caruma** [REG.]

chumbada *n.f.* **1** *gír.* **chatice** *col.*, importunação, aborrecimento, maçada *fig.*, estopada *fig.* ≠ **contentamento**, alegria, deleite, satisfação **2** *gír.* **reprovação**, exclusão ≠ **aprovação**

chumbado *adj.* **1** (dente) **tapado**, obturado **2** *gír.* **reprovação**, exclusão ≠ **aprovação** **3** *col.* **embriagado**, ébrio, enfrascado, bêbedo, tocado, grogue, pingado ≠ **sóbrio**, abstémico

chumbar *v.* **1** **obturar**, tapar, encher, rechear, preencher, ocupar ≠ **abrir**, destapar, descobrir **2** *gír.* **reprovar**, excluir, gatar, raposar ≠ **aprovar**, passar *col.* **3** *col.* **embriagar**, embebedar, beber, emborrachar, beberricar, alcoolizar, decilitrar *col.* ≠ **desembriagar**, desembebedar

chumbo *n.m.* **1** QUÍM. **saturno** **2** *gír.* **reprovação**, exclusão, gata, raposa **3** [BRAS.] **tiro**

chunga *adj.2g. col.,pej.* **reles**, ordinário

chungoso *adj.* **1** *col.,pej.* **ordinário**, reles **2** *col.,pej.* **maçador**, chato, enfadonho, importuno, aborrecido, embicador *col.* ≠ **agradável**, aprazível

chupa-chupa *n.m.* **1** **pirulito** **2** [BRAS.] BOT. **caapiá**

chupado *adj.* **magro**, delgado, definhado, fino, seco ≠ **gordo**, adiposo, obeso

chupar *v.* **1** **sorver**, sugar, absorver, chuchar, esgotar, exaurir, libar **2** **alcançar**, conseguir, lograr, auferir, obter, ganhar ≠ **perder**, desistir **3** *fig.* **esgotar**, gastar, consumir, dissipar ≠ **poupar**, economizar **4** *fig.* **extorquir**, apanhar, roubar, defraudar, subtrair, furtar ≠ **devolver**, restituir, entregar **5** *fig.* **comer**, papar, ingerir, consumir **6** **emagrecer**, mirrar

chupar-se *v.* **definhar**, emagrecer

chupeta *n.f.* **chucha**, chuchadeira, chupadeira, pepa *infant.*

chupista *adj.,n.2g. pej.* **parasita**, explorador, comedor, arrimadiço, vampiro *fig.*, bicão [BRAS.]

churro *adj.* **1** **churdo** **2** **queimado**, tostado, torrado, dourado

chusma *n.f.* **1** **tripulação**, equipagem **2** **coro** *fig.* **3** **multidão**, rancho, bando, malta, grupo **4** **montão**, ajuntamento, bando, aglomeração, multidão, magote, amontoado, cardume *fig.*

chutar *v.* **pontapear**, rematar

chuto *n.m.* **1** **pontapé** **2** *col.* (droga) **injeção**

chuva *n.f.* 1 **água** ≠ **seca**, estiagem 2 [BRAS.] **embriaguez**, ebriedade, bebedeira, borracheira *col.*, piela *col.*, bruega *col.*, cabeleira *col.*, cardina *col.*, carraspana *col.*, cabra [REG.] ≠ **sobriedade**, abstemia

chuvada *n.f.* **aguaceiro**, bátega, chuveiro, chuvarada, carga de água, salseirada, saraivada, zamborrada [REG.], zurvanada [REG.]

chuveiro *n.m.* 1 **duche** 2 **aguaceiro**, bátega, carga de água, salseirada, saraivada, zamborrada [REG.]

chuviscar *v.* **morrinhar**, molinhar, borrifar, borriçar, librinar, cacimbar, orvalhar *col.*, peneirar *fig.*, merujar [REG.], nebrinar [BRAS.]

chuvisco *n.m.* **chuvinha**, borrifos, borriço, librina, molinha, borraça, meruge, orvalho *col.*, molhe-molhe *col.*, meruja [REG.], morrinha [REG.], chuvisqueiro [BRAS.]

chuvoso *adj.* **pluvioso**, nimboso, austrífero, chovedio

cia *n.f.* ORNIT. **lavandisca**, escrevedeira, sombria, petinha, cião, patinha

ciado *adj.* **ciumento**, cioso, zeloso ≠ **indiferente**, desinteressado

cianeto *n.m.* QUÍM. **prussiato**

cianídrico *adj.* QUÍM. **prússico**

cianose *n.f.* MED. **cianopatia**

ciar *v. ant.* **ciumar**, zelar

cibo *n.m.* 1 **biscato**, cibalho, cigalho, cibato 2 **pedaço**, bocado, fragmento, porção, fração, faneco, peça, torrão, migalha, tico [BRAS.] ≠ **todo**, soma, totalidade, globalidade

cicatriz *n.f.* 1 **estigma**, cesura 2 *fig.* **ressentimento**, rancor, animosidade

cicatrização *n.f.* **cura**

cicatrizar *v.* 1 (ferida) **curar**, sanar, encarnar, fechar, carquejar, casquejar, encourar 2 *fig.* **desvanecer**, dissipar, extinguir, perder ≠ **guardar**, recordar

cícero *n.m.* 1 **orador** 2 TIP. **quadratim**

cicerone *n.2g.* **guia**, orientador

ciciar *v.* 1 **rumorejar**, sussurrar, murmurar, murmurejar, bichanar, besoirar, surdinar, zumbir *fig.* ≠ **bradar**, berrar, bradejar, clamar, gritar 2 **segredar**, cochichar, confidenciar, murmurar, sussurrar ≠ **revelar**, divulgar

cicio *n.m.* **murmúrio**, rumorejo, sussurro, ciciamento, bulício, burburinho, balbuciadela, meio-tom, bisbilho [BRAS.] ≠ **brado**, berro, bramido, grito, troada

cíclico *adj.* **periódico**, frequente ≠ **aperiódico**

ciclismo *n.m.* DESP. **velocipedismo**

ciclista *n.2g.* DESP. **velocipedista**, estradista

ciclo *n.m.* 1 **período** 2 **etapa**

ciclomotor *n.m.* **motorizada**

ciclone *n.m.* METEOR. **furacão**, tufão, tornado, torvelinho ≠ **anticiclone**

ciclóstomos *n.m.pl.* ZOOL. **ágnatos**, agnatóstomos

cicuta *n.f.* BOT. **cegude**, ansarinha-malhada, embude, abioto

cidadão *adj.,n.m.* **citadino**, urbanita ≠ **campesino**, campestre, rústico

cidade *n.f.* 1 **urbe**, cividade *ant.* 2 **centro**, baixa

cidadela *n.f.* 1 **fortaleza**, fortificação 2 MIL. **reduto**, baluarte, propugnáculo

cidreira *n.f.* BOT. **erva-cidreira**, cidrão

ciência *n.f.* 1 **conhecimento**, saber, sabedoria, ilustração ≠ **desconhecimento**, ignorância 2 **instrução**, cultura, erudição ≠ **ignorância**, incultura

ciente *adj.2g.* 1 **conhecedor**, sabedor, sábio, douto, erudito ≠ **ignorante**, desconhecedor, inculto 2 **informado**, esclarecido, inteirado, cônscio ≠ **desinformado**, incônscio

cientificar *v.* 1 **informar**, avisar, participar, noticiar, comunicar, inteirar ≠ **ocultar**, encobrir, omitir, guardar 2 **certificar**, atestar, asseverar

científico *adj.* 1 **rigoroso**, preciso, exato ≠ **empírico**, impreciso, inexato 2 ≠ **anticientífico**

cifra *n.f.* 1 **algarismo**, número 2 **quantidade**, quantia 3 **importe**, importância, totalidade, soma, súmula, quantia, montante 4 **rubrica** 5 **zero** 6 **código**, signo, símbolo

cifrar *v.* 1 *fig.* **resumir**, reduzir, abreviar, condensar, sintetizar, somar, epilogar ≠ **estender**, ampliar, aumentar 2 **compendiar**, recopilar, copilar, coligir

cifrar-se *v.* **limitar-se**, reduzir-se

cigana *n.f.* [BRAS.] ORNIT. **catingueiro**

ciganagem *n.f. pej.* **trapaça**, logro, engano, tratantada, burla, embuste, impostura, escroqueria, ciganaria, ciganada ≠ **honestidade**, seriedade, probidade

ciganice *n.f.* 1 *pej.* **traficância** 2 *pej.* **trapaça**, logro, engano, tratantada, burla, embuste, impostura, enrolação [BRAS.] *col.* ≠ **honestidade**, seriedade, probidade 3 *pej.* **pedinchice**, choradinho *col.*

cigano *adj.,n.m.* 1 **gitano**, zíngaro 2 *pej.* **trapaceiro**, embusteiro, batoteiro, caramboleiro, burlão, lograd0r, trafulha, trapalhão, vigarista ≠ **honesto**, justo, verdadeiro ■ *n.m. pej.* **vadio**, boémio, borguista, estroina, estúrdio, valdevinos, vagabundo

cigarra *n.f.* [BRAS.] ORNIT. **chorão**, papa-capim

cigarreiro *n.m.* ORNIT. **peneireiro**, lagarteiro, derrabando, sapoléu, rabanho

cigarro *n.m.* 1 **paivante** *col.* 2 [REG.] **gafanhoto**

cilada *n.f.* 1 **espera**, emboscada 2 **ardil**, emboscada, artifício, engano, logro, embuste, armadilha *fig.*, traição *fig.*, ratoeira *fig.*

cilhar *v.* **cingir**, apertar, cintar, atar, amarrar ≠ **soltar**, desapertar, descingir, alargar

ciliciar-se *v.* 1 **mortificar-se** 2 **penitenciar-se**

cilício *n.m. fig.* **mortificação**, penitência, tortura, expiação ≠ **imortificação** ■ *adj.,n.m.* **ciliciense**, cílice, ciliciano

cilindrar *v.* **esmagar**, comprimir, triturar, moer

cilíndrico *adj.* **redondo**, roliço ≠ **plano**, liso, chato

cilindro *n.m.* **rolo**

cílio *n.m.* ANAT. **pestana**, celha

cima *n.f.* **cume**, alto, cumeeira, cimeira, auge, topo ≠ **base**, sopé, falda, aba

cimalhas *n.f.pl.* GRAM. **trema**, ápice

cimbre *n.m.* **cambota**, simples, gambota, cofragem

cimeira *n.f.* 1 **cume**, alto, cumeeira, auge, topo ≠ **base**, sopé, falda, aba 2 **elmo**, gálea

cimeiro *adj.* **superior**, elevado, subido ≠ **baixo**, inferior

cimentar *v.* 1 **argamassar**, betumar ≠ **descimentar** 2 *fig.* **consolidar**, fortalecer, fortificar ≠ **enfraquecer**, debilitar 3 *fig.* **fundamentar**, estabelecer, alicerçar, firmar, basear, fundar

cimento *n.m. fig.* **fundamento**, alicerce, base, sustentáculo, apoio, suporte

cimério *adj.* **tenebroso**, obscuro, lúgubre, infernal, abismal *fig.*

cimitarra *n.f.* **alfange**

cimo *n.m.* **cume**, alto, cumeeira, cimeira, auge, topo, cocuruto *fig.* ≠ **base**, sopé, falda, aba

cinamomo *n.m.* BOT. **canforeiro**, caneleira, alcanforeira, alcanfor, cânfora

cinca *n.f. fig.* **erro**, gralha, falha, engano, cincada

cincar *v.* 1 **falhar**, errar, desacertar, enganar-se, faltar 2 [REG.] **esgotar**

cinco *n.m.* **quinto**

cindir *v.* 1 **cortar**, separar, dividir, partir ≠ **unir**, juntar 2 *fig.* **desavir**, incompatibilizar, indispor ≠ **conciliar**, compatibilizar

cine *n.m.* **cinema**

cinéfilo *adj. col.* **elegante**, esbelto, garboso, bem-parecido, bem-apessoado ≠ **deselegante**, desleixado, desarranjado, desarrumado

cinegético *adj.* **venatório**

cinema *n.m.* 1 **cinematógrafo** *ant.* 2 **cinemateca** 3 (indústria produtora) **cinematografia**

cinemática *n.f.* FÍS. **cinética**

cinematografia *n.f.* (indústria produtora) **cinema**

cinematógrafo *n.m.* 1 **animatógrafo** 2 *ant.* **cinema**

cinéreo *adj.* **cinzento**, acinzentado, cendrado, pardo, cinza

cingir *v.* 1 **abraçar**, enlaçar, enlear, estreitar, encintar, correar ≠ **desabraçar** 2 **cercar**, envolver, rodear, circundar, tornear, bloquear, circuitar, cintar ≠ **descercar**, descingir 3 **enfaixar**, envolver, citar ≠ **descintar**, desenfaixar 4 *fig.* **restringir**, reprimir, coartar, limitar, delimitar, circunscrever, balizar ≠ **expandir**, estender, desbalizar

cingir-se *v.* 1 **apertar-se**, abraçar-se, agarrar-se 2 *fig.* **limitar-se**, restringir-se, ater-se 3 **encostar-se**, coser-se, colar-se 4 **aproximar-se**, chegar-se

cínico *adj.* 1 **desavergonhado**, descarado, impudente, indecente, obsceno, imoral, impudico, vergonhoso ≠ **decente**, decoroso, digno 2 **sarcástico**, irónico, cáustico, mordaz, satírico ≠ **sério**, reservado, grave

cinismo *n.m.* 1 **impudência**, descaramento, atrevimento, desfaçatez, impudor, depravação, insolência, desavergonhamento ≠ **decência**, decoro, dignidade 2 **sarcasmo**, ironia, causticidade, mordacidade, sátira ≠ **seriedade**, reservado, gravidade

cinquenta *n.m.* **quinquagésimo**

cinta *n.f.* 1 **cinto**, faixa 2 **cintura** 3 (vestuário) **cós**, faixa, cintura 4 ARQ. **filete**, anel

cintar *v.* 1 **enfaixar**, envolver, cingir ≠ **descintar**, desenfaixar, desespartilhar 2 **cingir**, envolver, rodear, circundar, tornear, bloquear, circuitar, cercar ≠ **descercar**, descingir

cintilação *n.f.* 1 **tremulação**, fulguração, fagulhação, faiscação 2 *fig.* **esplendor**, fulgor, fulguração, brilho, revérbero

cintilante *adj.2g.* 1 **brilhante**, luminoso, resplandecente, fulgurante, centelhante, faiscante, estrelante, fuzilante 2 **fascinante**, deslumbrante, encantador, feiticeiro, mágico ≠ **repugnante**, abominável, repelente

cintilar *v.* 1 **brilhar**, fulgurar, resplandecer, reluzir, tremeluzir, fuzilar, faiscar, lampejar, coriscar, centelhar, esfuzilar, fagulhar 2 **irradiar**, espelhar, dardejar

cinto *n.m.* 1 **cinta**, faixa, zona 2 (vestuário) **cós**, faixa, cintura

cintura *n.f.* 1 **cinta**, petrina, percinta 2 **cós**, faixa, zona, cerca

cinturão *n.m.* MIL. **boldrié**, talabarte, talim

cinza *n.f.* 1 *fig.* **dor**, luto, mortificação, aniquilamento ≠ **alegria**, felicidade, contentamento 2 [*pl.*] **restos mortais**, despojos ■ *adj.2g.* **cinzento**, acinzentado, pardo, cinéreo, cendrado ■ *n.m.* **cinzento**

cinzeiro *n.m.* BIOL. **oídio**, poeira-da-vinha, poeiro

cinzel *n.m.* **buril**, escopro

cinzelar *v.* 1 **esculpir**, lavrar, burilar 2 *fig.* **aprimorar**, esmerar, aperfeiçoar ≠ **desaprimorar**

cinzento *adj.* **cinza**, acinzentado, pardo, cinéreo, cendrado, cris, grisalho, borralhento ■ *n.m.* **cinza**

cio *n.m.* **1** **cainço**, lua *col.* **2** *fig.* **luxúria**, lascívia, concupiscência, sensualidade, voluptuosidade ≠ **castidade**, pureza, pudicícia
cioso *adj.* **1** **ciumento**, zeloso ≠ **desinteressado**, indiferente **2** **cuidadoso**, diligente, zeloso, atencioso ≠ **desatencioso**, desleixado **3** **invejoso**, ínvido *poét.*
cipó *n.m.* **1** BOT. **liana**, icipó **2** **moca**, maça, pau, cacete, porrete, toco, clava, cacheira
cipreste *n.m.* **1** BOT. **acipreste** **2** *fig.* **tristeza**, mágoa, desgosto, pesar, amargura *fig.* ≠ **alegria**, felicidade, júbilo, regozijo **3** *fig.* **morte**, luto, nojo, crepe, desenlace
ciranda *n.f.* **crivo**, joeira, peneira
cirandar *v.* **1** **joeirar**, peneirar, crivar, cernir, acirandar **2** *fig.* **seranzar** *col.*
circo *n.m.* **1** **anfiteatro**, coliseu, corro, arena **2** **círculo** **3** **circuito**
circuitar *v.* **1** **envolver**, cercar, rodear, circundar, tornear, bloquear, cingir, cintar ≠ **descercar**, descingir **2** **rodear**, tornear, circundar **3** **circular**, girar
circuito *n.m.* **1** **contorno**, cerco, perímetro **2** **circunferência** **3** **volta**, giro, cuicuição
circulação *n.f.* **1** **giro**, volta **2** ECON. **distribuição** **3** **difusão**, propagação, transmissão, veiculação **4** **trânsito** **5** **trafego**, tráfico
circulado *adj.* **abrangido**, rodeado, cercado, circundado
circulante *adj.2g.* **rolante**, giratório, circulatório
circular *v.* **1** **rodear**, tornear, circundar, cercar, orlar **2** **girar**, rodopiar, rotar **3** **andar**, transitar, passar, circuitar ■ *adj.2g.* **1** **redondo**, esférico, cilíndrico, orbicular **2** **rotatório**, giratório, circulatório ■ *n.f.* **comunicação**, aviso, participação
circulatório *adj.* **rolante**, giratório, circulante
círculo *n.m.* **1** **disco** **2** **anel**, aro, argola, arco **3** **assembleia** **4** **clube**, grémio, associação, sociedade, centro **5** **circo** **6** **área**, âmbito, domínio, extensão
circuncisão *n.f. fig.* **repreensão**, admoestação, reprimenda, sabatina, tosquia, censura ≠ **elogio**, louvor, aplauso, aprovação
circundante *adj.2g.* **envolvente**, circunstante, rodeador, circunjacente, amplexivo
circundar *v.* **1** **rodear**, circuitar, girar, tornear **2** **cingir**, cercar, envolver, circular, rodear, tornear, bloquear, circuitar, cintar ≠ **descercar**, descingir
circunferência *n.f.* **periferia**, contorno, circuito, âmbito, perímetro
circunflexão *n.f.* **arqueação**, dobradura, curvatura ≠ **endireitamento**, desdobramento
circunflexo *adj.* **arqueado**, curvo, curvado, dobrado ≠ **endireitado**, desdobrado, desencurvado
circunjacente *adj.2g.* **circunvizinho**, adjacente, contíguo, próximo, vizinho ≠ **afastado**, distante
circunlocução *n.f.* **perífrase**, circunlóquio, rodeio
circunlóquio *n.m.* **perífrase**, circunlocução, rodeio
circunscrever *v.* **1** **abranger**, conter, encerrar, incluir ≠ **excluir**, excetuar **2** **localizar**, situar, encontrar, achar **3** **restringir**, limitar, delimitar, reduzir, confinar, balizar *fig.* ≠ **desbalizar**, expandir, estender
circunscrever-se *v.* **limitar-se**, restringir-se, confinar-se
circunscrição *n.f.* **1** **demarcação**, delimitação, limitação, confinamento **2** **área**, âmbito
circunscrito *adj.* **1** **restrito**, demarcado, definido, delimitado, balizado, limitado, delineado, estremado ≠ **desbalizado**, desmarcado, expandido **2** **localizado**, situado
circunspeção[AO] ou **circunspecção**[AO] *n.f.* **1** **austeridade**, seriedade, gravidade, discrição, sobriedade, sisudez, ponderação ≠ **euforia** *fig.*, exaltação, entusiasmo **2** **ponderação**, cautela, sensatez, moderação, cuidado, precaução, atenção, prudência, madureza *fig.* ≠ **imprudência**, insensatez, imoderação, negligência
circunspecto[AO] ou **circunspeto**[AO] *adj.* **1** **austero**, sério, grave, discreto, ponderado, sóbrio, sisudo, cordato, cordo *ant.* ≠ **extrovertido**, desinibido, eufórico *fig.* **2** **ponderado**, cauteloso, considerado, sensato, moderado, cuidadoso, precaucionado, atento, prudente, maduro *fig.* ≠ **imprudente**, insensato, imoderado, negligente
circunstância *n.f.* **1** **motivo**, caso, causa, razão **2** **contexto**, conjuntura, situação, estado, condição **3** **ocasião**, momento, altura
circunstancial *adj.2g.* **formal**, solene, protocolar, cerimonial, cerimonioso, convencional ≠ **informal**, descerimonioso
circunstanciar *v.* **pormenorizar**, particularizar, detalhar, minudenciar, minudar, esmiuçar *fig.* ≠ **generalizar**, universalizar
circunstante *adj.2g.* **circunjacente**, rodeante, envolvente, ambiente ■ *n.2g.* **1** **assistente**, presente, testemunha **2** [*pl.*] **espectadores**, auditório, assistência, assembleia, plateia, público
circunvagar *v.* **1** **circunvoar** **2** **errar**, vaguear, divagar, vagabundear, farandolar ≠ **dirigir-se**, encaminhar-se, guiar-se
circunvalação *n.f.* **1** **fosso**, vala **2** **barreira**
circunvalar *v.* **murar**, cercar, sitiar, assediar, cingir, vedar, muralhar, valar *fig.* ≠ **desmurar**, descercar
circunvalar-se *v.* **defender-se**

circunvizinho *adj.* **circunjacente**, adjacente, contíguo, próximo, vizinho, cercão, circum-adjacente ≠ **afastado**, distante

circunvolução *n.f.* **rotação**, circundação, circulação, giro, revolução

círio *n.m.* **1 tocha**, brandão, lume **2 romaria**

cirro *n.m.* BOT. **gavinha**

cirurgia *n.f.* **operação**

cirurgião *n.m.* **operador**

cisão *n.f.* **1 corte**, separação, fissão, fragmentação ≠ **união**, junção, ligação **2** *fig.* **dissidência**, desinteligência, divergência, desarmonia, desacordo, discordância ≠ **entendimento**, acordo, concordância

cisar *v.* **1 cortar**, separar, cercear, fissurar, fragmentar ≠ **unir**, juntar, ligar **2 aparar**, desbastar

cisco *n.m.* **1 ciscalho 2 lixo**, sujidade, despejo, imundície **3 argueiro**

cisma *n.f.* **1 preocupação**, apreensão, apoquentação, ralação ≠ **despreocupação**, tranquilidade, sossego *fig.* **2 birra**, mania, capricho, aferro, obstinação, pertinácia, veneta, sestro, apancamento, paladar *fig.*, encucação [BRAS.] ≠ **flexibilidade**, plasticidade, maleabilidade

cismar *v.* **1 planear**, arquitetar, conceber, idear, congeminar *col.*, ruminar *fig.* **2 ensimesmar-se 3 refletir**, matutar, meditar, pensar, remorder, encucar [BRAS.] *col.*

cismático *adj.* **1 pensativo**, meditabundo, reflexivo, ensimesmado, congeminante, congeminativo, banzativo [BRAS.] **2 apreensivo**, receoso, preocupado, inquieto, desassossegado ≠ **despreocupado**, sossegado, tranquilo **3 teimoso**, obstinado, maníaco, birrento, pertinaz, apancadado ≠ **flexível**, maleável, meneável ▪ *n.m.* **1 cismador**, pensador **2 teimoso**, maníaco

cissiparidade *n.f.* BIOL. **fissiparidade**

cissura *n.f.* **fenda**, fissura, corte, greta, fisga

cisterna *n.f.* **poço**, algibe, cacimba

cístico *adj.* **vesical**

cistite *n.f.* MED. **urocistite**

cita *n.f.* **citação**, referência, menção ≠ **supressão**, omissão

citação *n.f.* **1 cita**, menção, referência ≠ **supressão**, omissão **2** DIR. **intimação**, notificação

citadino *adj.,n.m.* **cidadão**, urbano ≠ **campesino**, campestre, rústico

citar *v.* **1 mencionar**, referir, aludir ≠ **omitir**, suprimir **2** DIR. **intimar**, notificar, chamar, avisar, convocar

ciúme *n.m.* **1 inveja**, cobiça, ambição, avidez **2 zelos**, rivalidade, desconfiança, ferruncho *col.*, avareza *fig.*

ciumento *adj.* **cioso**, zeloso, ciado, enciumado, caneleiro ≠ **indiferente**, desinteressado

cívico *adj.* **1** ≠ **anticívico 2 público**, comum ▪ *n.m.* **guarda**, polícia

cividade *n.f. ant.* **cidade**, metrópole, urbe

civil *adj.2g.* **1 laico**, leigo, secular ≠ **eclesiástico**, religioso, caciz **2 delicado**, civilizado, sociável, educado, polido, afável, atencioso, cortês ≠ **grosseiro**, rude, mal-criado, indelicado, incivil, descortês **3 urbano**, citadino **4 cível**

civilidade *n.f.* **cortesia**, delicadeza, educação, polidez, urbanidade *fig.* ≠ **incivilidade**, grosseria, má-criação, indelicadeza, selvagismo, rustiquez *fig.*

civilização *n.f.* **1 cultura 2 desenvolvimento**, evolução, progresso ≠ **subdesenvolvimento**, atraso

civilizado *adj.* **1 delicado**, civil, sociável, educado, polido, afável, atencioso, cortês ≠ **grosseiro**, rude, mal-criado, indelicado, incivil, descortês **2 progressivo**, culto, instruído ≠ **improgressivo**, recessivo

civilizador *adj.,n.m.* **educador**, instrutor, professor

civilizar *v.* **1 educar**, instruir, doutrinar, ensinar, ilustrar **2 polir** *fig.*, humanizar, domesticar, policiar ≠ **embrutecer**, estupidificar, emparvecer, abestiar, abrutalhar, abrutar, abrutecer

civilizável *adj.2g.* **1 educável**, doutrinável, ensinável **2 domesticável**, policiável ≠ **estupidificante**

civilmente *adv.* **1 delicadamente**, educadamente, atenciosamente, afavelmente ≠ **grosseiramente**, indelicadamente, incivilmente, charramente **2 secularmente**

civismo *n.m.* **educação**, respeito, polidez, cortesia ≠ **incivismo**, desrespeito, anticivismo

clã *n.m.* **tribo**

clamar *v.* **1 vociferar**, bradar, gritar, exclamar, apregoar, vozear ≠ **silenciar**, calar **2 protestar**, reclamar, reivindicar, queixar-se ≠ **aceitar**, concordar, acatar **3 implorar**, exorar, suplicar, invocar

clamor *n.m.* **1 brado**, berro, grito, vozearia **2 protesto**, bradado, grito, voz, brado **3 gritaria**, algazarra, alarido, vozearia, berraria, gritada ≠ **silêncio**, paz, calada, sopor **4 súplica**, imploração, rogo, exoração

clamoroso *adj.* **1 queixoso**, lamentoso, lamuriante, gemebundo ≠ **satisfeito**, deleitado, agradado **2 gritante**, berrador, vociferante ≠ **silenciador 3 escandaloso**, chocante, indigno

clandestinidade *n.f.* **1 ilegalidade**, fraudulência, ilicitude ≠ **legalidade**, licitude **2 secretismo**

clandestino *adj.* **1 oculto**, furtivo, secreto, encoberto, escondido, conventicular ≠ **descoberto**, exposto, público, notório **2 ilegal**, fraudulento, ilícito ≠ **legal**, lícito

clara *n.f.* **1** (ovo) **albume 2 clareira**, limpa, calva, claro, chapada **3** ANAT. **esclerótica**, albugínea, córnea opaca

claraboia[dAO] *n.f.* lucerna, olho-de-boi, lumieira, óculo, cupulim, arbóis [REG.]

clarabóia[aAO] *n.f.* ⇒ **claraboia**[dAO]

claramente *adv.* 1 **luminosamente** 2 **nitidamente**, evidentemente, visivelmente, distintamente, palpavelmente, patentemente ≠ **indistintamente**, vagamente, obscuramente, indeterminadamente, indefinidamente 3 **declaradamente**, abertamente, rasgadamente, francamente, sinceramente ≠ **disfarçadamente**, fingidamente 4 **lucidamente**

clarão *n.m.* 1 **fulgor**, esplendor, luzeiro, brilho ≠ **escuridão**, obscuridade, negrume 2 **raio** 3 *fig.* **indício**, indicação, vislumbre, mostra, sinal, prenúncio, anúncio, sintoma

clarear *v.* 1 **aclarar**, clarificar, alvejar, desobscurecer, descobrir, aboar ≠ **obscurecer**, escurecer, escurentar, abaçanar, abacinar, abrumar, obumbrar, turvar, entenebrecer, afumar, enoitar, enevoar *fig.*, obnubilar *fig.* 2 **patentear**, esclarecer, elucidar, explicar, alumiar ≠ **confundir**, baralhar *fig.*, obscurecer

clareira *n.f.* **calva**, limpa, clara, claro, chapada

clarete *adj.,n.m.* (vinho) **palhete**

clareza *n.f.* 1 **claridade**, alvura ≠ **escuridade**, escuro 2 **transparência**, limpidez, nitidez, perspicuidade ≠ **opacidade**, escuridade 3 **percetibilidade**, compreensibilidade, entendimento ≠ **confusão**, ambiguidade

claridade *n.f.* 1 **clareza**, alvura ≠ **escuridade**, escuro 2 **cintilação**, brilho, fulgor, flamância, fulgência, fulguração, nitescência, radiância, resplandecência, resplendor, luz *fig.* ≠ **deslustre**, embaciamento

clarificação *n.f.* **esclarecimento**, explicação, aclaração, elucidação, diafanização, iluminação *fig.* ≠ **obscurecimento**, confundibilidade

clarificar *v.* 1 **aclarar**, clarear, alvejar, desobscurecer ≠ **obscurecer**, escurecer 2 **esclarecer**, elucidar, explicar, patentear, alumiar, aclarar ≠ **confundir**, baralhar *fig.*, obscurecer

clarificar-se *v.* 1 **aclarar-se**, clarear 2 **esclarecer-se**, desobscurecer-se *fig.*

clarividente *adj.2g.* 1 **prudente**, sensato, previdente, ajuizado, preventivo, cuidadoso ≠ **imprudente**, descuidado, desleixado, negligente 2 **penetrante**, perscrutador

claro *adj.* 1 **luminoso**, luzente, luzidio, lustroso, cintilante, resplandecente ≠ **escuro**, sombrio, obscuro 2 **cintilante**, radioso, radiante, reluzente, esplendente, resplandecente, flamante, fulgente, fúlgido, fulgurante, rútilo, florescente *fig.* ≠ **fosco**, baço, embaciado, mate 3 **compreensível**, inteligível, evidente, óbvio, manifesto, nítido ≠ **incompreensível**, inevidente, opaco, obscuro *fig.* 4 **límpido**, transparente, puro, cristalino ≠ **opaco**, turvo ▪ *n.m.* 1 **intervalo**, espaço, vão 2 **clareira**, limpa, clara, calva, chapada ▪ *adv.* **claramente**, com clareza ▪ *interj.* **certamente!**

classe *n.f.* 1 **categoria**, grupo, espécie, ordem, camada, naipe *fig.* 2 **aula** 3 **turma** 4 **secção** 5 **espécie**, género, raça, família, casta, categoria, grupo 6 **qualidade**, marca, valor, importância, gabari *fig.*, calibre *fig.* 7 **distinção**, requinte, elegância ≠ **deselegância**, vulgaridade

clássico *adj.* 1 **modelar**, exemplar, referencial 2 **sóbrio**, simples, discreto, modesto, despojado, despretensioso ≠ **vistoso**, aparatoso, espalhafatoso, extravagante 3 **habitual**, frequente, usual, costumeiro ≠ **inabitual**, inesperado, inusitado

classificação *n.f.* 1 **distribuição**, ordenação, repartição, categorização 2 (concurso, exame, etc.) **nota**, pontuação *gír.*

classificado *adj.* 1 **selecionado**, notado 2 **organizado**, fichado [BRAS.] 3 **importante**, confidencial, secreto ▪ *n.m.* **anúncio**

classificador *n.m.* **separador**

classificar *v.* 1 **qualificar**, identificar, categorizar, catalogar *fig.* 2 **ordenar**, organizar, arrumar, coordenar ≠ **desordenar**, desarrumar, desorganizar

claudicante *adj.2g.* 1 **coxeante** 2 **hesitante**, vacilante, indeciso, duvidoso, incerto, irresoluto ≠ **determinado**, certo, decidido, resoluto

claudicar *v.* 1 **coxear**, mancar, manquejar, manquitar, manquecer 2 *fig.* **fraquejar**, hesitar, vacilar, duvidar ≠ **determinar**, resolver, decidir

claustro *n.m.* **convento**, cenóbio, mosteiro, crasta

cláusula *n.f.* 1 **aditamento**, codicilo, exceção, ressalva 2 **condição**, imposição, exigência 3 **artigo**, item 4 **remate**, fim, conclusão, encerramento

clausulado *adj.* 1 **vinculado** 2 **enclausurado**, encerrado, fechado ≠ **descerrado**, aberto

clausular *v.* 1 **preceituar**, prescrever 2 **enclausurar**, fechar, encerrar ≠ **descerrar**, abrir 3 **limitar**, demarcar ≠ **alargar**, dilatar, distender 4 **ultimar**, acabar, terminar, concluir

clausura *n.f.* 1 **encerramento**, enclausura, enclaustramento 2 *fig.* **reclusão**, recolhimento, isolação

clava *n.f.* **moca**, maça, pau, cipó, porrete, toco, cachaporra, cacheira

clave *n.f.* 1 ((sinal gráfico)) **chaveta**, chave 2 **tecla**

clavecino *n.m.* MÚS. **cravo**

claviculário *n.m.* **guarda-chaves**, claveiro

clemência *n.f.* 1 **indulgência**, condescendência, complacência, benevolência, tolerância ≠ **crueldade**, malevolência, desumanidade 2 **brandura**, amenidade, suavidade ≠ **severidade**, austeridade, rigor

clemente *adj.2g.* 1 **indulgente**, complacente, benévolo, condescendente, compreensivo ≠ **cruel**, malévolo, desumano 2 **compassivo**, bondoso, brando, bom, benigno ≠ mau, malvado, perverso, cruel

clerezia *n.f.* clero

clerical *adj.2g.* eclesiástico, sacerdotal ≠ anticlerical

clérigo *n.m.* 1 eclesiástico, levita 2 padre, sacerdote 3 ICTIOL. rodovalho, parrachos, solhas 4 ORNIT. papa-figos, figo-louro, flecha, bartolomeu, marelante

clero *n.m.* clerezia

cliché[AO] ou **clichê**[AO] *n.m.* 1 *fig.* lugar-comum, chavão, estribilho, bordão *fig.*, chapa *fig.* 2 FOT. matriz

cliente *n.2g.* 1 DIR. constituinte, cometente 2 freguês, comprador ≠ comerciante, negociante, lojista 3 frequentador, habitué

clientela *n.f.* freguesia

clima *n.m.* ambiente, meio

clímax *n.m.* 1 auge, culminância, zina, pino *fig.*, apogeu *fig.*, zénite *fig.*, coronal *fig.* 2 orgasmo

clinicar *v.* medicar

clínico *n.m.* médico, terapeuta

clister *n.m.* irrigação, enteróclise, lavagem, enema, cristel *col.*

cloaca *n.f.* *fig.* pocilga, chavascal, chafurda, chiqueiro

clorídrico *adj.* QUÍM. *ant.* muriático

clube *n.m.* círculo, grémio, associação, sociedade, centro

côa *n.f.* 1 coação, coada 2 cauda, cabo, apêndice, rabo, cola 3 [REG.] erário, tesoiro, cofre

coabitação *n.f.* concúbito

coabitar *v.* comorar, conviver

coação[1][dAO] *n.f.* imposição, constrangimento, coerção, compressão *fig.* ≠ liberdade, arbítrio

coação[2] *n.f.* côa, coadura

coacção[aAO] *n.f.* ⇒ **coação**[1][dAO]

coactivo[aAO] *adj.* ⇒ **coativo**[dAO]

coacusado[dAO] *n.m.* corréu

co-acusado[aAO] *n.m.* ⇒ **coacusado**[dAO]

coada *n.f.* 1 coação, côa 2 barrela, decoada, cenrada, desemborro

coadjutor *n.m.* auxiliar, coadjuvante, assistente, ajudante, adjunto, colaborador

coadjuvação *n.f.* ajuda, auxílio, assistência, colaboração

coadjuvante *adj.,n.2g.* auxiliar, assistente, ajudante, adjunto, colaborador

coadjuvar *v.* ajudar, auxiliar, assistir, socorrer, segundar, colaborar, cooperar

coadunar *v.* 1 unir, unificar, integrar, incorporar ≠ desunir, desintegrar 2 harmonizar, conciliar, conformar, adaptar, compor *fig.* ≠ desarmonizar, desconformar, desadaptar

coadunar-se *v.* adequar-se, conformar-se, ajustar-se, harmonizar-se

coadunável *adj.2g.* harmonizável, conciliável, compatível ≠ desarmonioso, inconciliável

coagir *v.* constranger, compelir, coatar, forçar, obrigar, violentar, impelir *fig.* ≠ desobrigar, eximir, dispensar, liberar

coagulação *n.f.* solidificação, coalhadura, coalhamento ≠ liquefação, derretimento

coagulador *n.m.* ZOOL. abomaso, coalheira

coagular *v.* 1 coalhar, solidificar, congelar ≠ descoagular, derreter, liquefazer 2 *fig.* atulhar, obstruir, obturar, entupir, opilar ≠ desobstruir, desentupir, desentulhar, desopilar

coagular-se *v.* coalhar

coágulo *n.m.* 1 coalho, coagulação, calombo 2 coagulante, coalho

coalhada *n.f.pl.* BOT. pútega

coalhar *v.* coagular, solidificar, congelar, acoalhar ≠ descoagular, derreter, liquefazer

coalhar-se *v.* coagular, talhar-se

coalho *n.m.* 1 coágulo, coagulação, calombo 2 coalheira

coalizão *n.f.* coligação, aliança, liga, confederação

coar *v.* 1 filtrar, peneirar, escoar, passar 2 (metais) vazar, verter, lançar, fundir

coarctação[AO] *n.f.* ⇒ **coartação**[AO]

coarctar[AO] *v.* ⇒ **coartar**[AO]

coar-se *v.* 1 esgueirar-se, escapar-se, fugir, sumir-se 2 introduzir-se, infiltrar-se, penetrar

coartação[AO] ou **coarctação**[AO] *n.f.* 1 restrição, limitação 2 aperto, contração 3 coartada

coartar[AO] ou **coarctar**[AO] *v.* restringir, cercear, limitar, delimitar, circunscrever, balizar, reduzir ≠ expandir, estender, desbalizar

coassociado[dAO] *n.m.* consócio

co-associado[aAO] *n.m.* ⇒ **coassociado**[dAO]

coativo[dAO] *adj.* constrangedor, coercivo, opressivo ≠ libertador, arbitrário

coautor[dAO] *n.m.* colaborador

co-autor[aAO] *n.m.* ⇒ **coautor**[dAO]

coautoria[dAO] *n.f.* compaternidade

co-autoria[aAO] *n.f.* ⇒ **coautoria**[dAO]

coaxar *v.* (rã) grasnar

cobaia *n.f.* ZOOL. chino, porquinho-da-índia, rato-chino, cávia

cobarde *adj.,n.2g.* 1 medroso, receoso, poltrão, fraco, pusilânime, timorato, atormentadiço ≠ corajoso, destemido, bravo, valente 2 desleal, traiçoeiro, infiel, falso, mentiroso ≠ correto, justo, honesto 3 acanhado, tímido, envergonhado, mole, timorato, atado *fig.* ≠ extrovertido, comunicativo, expansivo

cobardia *n.f.* 1 **medo**, desvalor, poltronaria, fraqueza, pusilanimidade, cobardice, fugeca *col.* ≠ **coragem**, destemor, braveza, valentia, abalançamento 2 **deslealdade**, traição, infidelidade, falsidade, mentira ≠ **correção**, justeza, honestidade 3 **acanhamento**, timidez, vergonha, moleza, atamento *fig.* ≠ **extroversão**, comunicatividade, expansividade

coberta *n.f.* 1 **cobertura**, cobrimento 2 **colcha**, manta, cobertor 3 *fig.* **proteção**, abrigo, capa, guarida, cobertura ≠ **desproteção**, desabrigo 4 **dissimulação**, disfarce, fingimento, artifício ≠ **verdade**, realidade

coberto *adj.* 1 **tapado**, encoberto ≠ **descoberto**, exposto 2 MIL. **defendido**, resguardado, protegido ≠ **desprotegido** 3 **disfarçado**, dissimulado, encoberto, oculto 4 (céu) **nublado**, encoberto, anuviado, enevoado, toldado ≠ **desnublado**, aberto, desanuviado, limpo 5 (fêmea) **prenhe**, grávida, pejada *col.*, buchuda [BRAS.] ■ *n.m.* 1 **alpendrado**, telheiro, cabanal [REG.] 2 **cobertura** 3 **abrigo**

cobertor *n.m.* **colcha**, manta, coberta

cobertura *n.f.* 1 **coberta**, cobrimento, coberteira 2 **teto**, telhado 3 **proteção**, abrigo, capa, guarida, coberta ≠ **desproteção**, desabrigo 4 [*pl.*] ORNIT. **tectrizes**

cobiça *n.f.* **inveja**, ambição, ganância, avidez, concupiscência ≠ **desambição**, desinteresse, desapego

cobiçar *v.* **ambicionar**, apetecer, desejar, invejar, namorar, anelar *fig.* ≠ **desinteressar-se**, desapegar-se

cobiçoso *adj.* **ambicioso**, invejoso, ganancioso, ávido, desejoso, suspirante ≠ **desambicioso**, desinteressado, desapegado

cobra *n.f.* 1 ZOOL. **serpente** 2 **quebradeira** 3 **copla** 4 *fig.* **víbora**, bisca, cascavel [BRAS.] *pej.* 5 *col.* **embriaguez**, ebriedade, bebedeira, borracheira *col.*, piela *col.*, bruega *col.*, cabeleira *col.*, cardina *col.*, carraspana *col.*, cabra [REG.] ≠ **sobriedade**, abstemia

cobrador *n.m.* **recebedor**, coletor, cobrancista ≠ **pagador**

cobrança *n.f.* **cobro**, arrecadação, recebimento, coleta ≠ **pagamento**

cobrão *n.m. col.* **cobrelo**

cobrar *v.* 1 **arrecadar**, coletar, recolher, receber ≠ **pagar** 2 **receber**, recuperar, colher, retomar, recobrar ≠ **perder** 3 **ganhar**, obter, haver, conseguir, alcançar, granjear, apanhar, adquirir ≠ **perder**

cobre *n.m.* 1 **vénus** *ant.* 2 [*pl.*] *col.* **trocos**, cascalho, caliça

cobrição *n.f.* 1 **cobrimento**, cobertura 2 (quadrúpedes) **coito**, padreação

cobrir *v.* 1 **tapar**, ocultar, esconder, velar, revestir, encobrir ≠ **descobrir**, expor 2 **adornar**, alindar, enfeitar, arrear 3 **atapetar**, tapeçar 4 **abrigar**, proteger, resguardar ≠ **desproteger**, desabrigar 5 **abafar**, agasalhar, enroupar, tapar 6 **encher**, recamar, preencher ≠ **esvaziar**, desocupar 7 **abranger**, alcançar, abarcar, atingir, compreender, incluir ≠ **excluir** 8 **exceder**, ultrapassar, superar, traspor 9 (animais) **padrear**, castiçar, copular, acasalar

cobrir-se *v.* 1 **tapar-se** 2 **encher-se** 3 **agasalhar-se** 4 **nublar-se**, toldar-se, encobrir 5 **proteger-se**, resguardar-se

cobro *n.m.* 1 **cobrança**, arrecadação, recebimento, coleta ≠ **pagamento** 2 **fim**, termo ≠ **início**, princípio 3 **recuperação**, restabelecimento, convalescença

coca *n.f.* 1 **cocaína** 2 **capucho**, capelo, capuz, cuculo 3 **espantalho**, bate-bate 4 *col.* **papão** *fig.*, ogro, coco, papa-figos [BRAS.], boitatá [BRAS.] *col.* 5 [REG.] **cabeçada**, marrada, topetada, turra *col.* 6 **embriaguez**, ebriedade, bebedeira, borracheira *col.*, piela *col.*, bruega *col.*, cabeleira *col.*, cardina *col.*, carraspana *col.*, cabra [REG.] ≠ **sobriedade**, abstemia

coça *n.f.* 1 **esfregadela**, esfrega, fricção 2 *fig.* **sova**, surra, tunda, tareia, zurzidela, chegança *col.*, calda [REG.]

cocaína *n.f.* **coca**

cocar *v.* **espreitar**, espiar, vigiar

cocção *n.f.* **cozedura**, cozimento

cócegas *n.f.pl.* 1 **fornicoques** *col.*, titilamento, titilação, prurido 2 *fig.* **desejo**, tentação, vontade, impulso, comichão, fornicoques *col.* ≠ **desinteresse**, abnegação, desapego 3 **impaciência**, inquietação, pressa, ansiedade ≠ **paciência**, calma, serenidade, tranquilidade

coceira *n.f.* **prurido**, comichão, formigueiro

coche *n.m.* 1 **carruagem**, berlinda, sege 2 **pedaço**, bocado

cocheira *n.f.* **cavalariça**

cocheiro *n.m.* **boleeiro**, automedonte, auriga *ant.*

cochichar *v.* 1 **ciciar**, segredar, murmurar, sussurrar, mussitar, papear, rumorejar ≠ **berrar**, gritar, bramir, bradar, bramar 2 **segredar**, sussurrar, murmurar, ciciar, confidenciar ≠ **revelar**, divulgar

cochicho *n.m.* 1 **segredinho** 2 **sussurro**, murmúrio, rumor, ruído, bulício, cochichada ≠ **berro**, grito, brado 3 **cochicholo**, casinhola 4 ORNIT. **calandra**, calhandra

coco *n.m.* 1 **copra** 2 [REG.] **púcaro**, caneca 3 *col.* **papão**, ogre, coca, papa-figos [BRAS.]

cocó[AO] ou **cocô**[AO] *n.m. col.* **excremento**, fezes, caca *infant.* ■ *adj.,n.2g. col.* **pipi** *pej.*, janota, casquilho, garrido, faceiro, taful, peralvilho, catita, pimpão, peralta, títere *col.*, aprumado *fig.* ≠ **deselegante**, desajeitado, desairoso, desgracioso

cocuruto *n.m.* **1** **carrapito**, carrapicho **2** *fig.* **cume**, cimo, alto, cumeeira, cimeira, auge, topo ≠ **base**, sopé, falda, aba

coda *n.f. ant.* **rabo**, cauda, cabo, apêndice, côa, cola

côdea *n.f.* **1** **casca**, crusta, crosta ≠ **miolo**, interior **2** **pão** **3** *fig.* **nódoa**, mácula, mancha, laivo **4** *fig.* **insignificância**, bagatela, ninharia, niquice, nada, farelório, futilidade, migalhice, minúcia, ridicularia, farfalhada *fig.*, babugem *fig.*, avo *fig.*, tuta e meia *col.*, nica *col.*, caganifância *col.* ≠ **importância**, utilidade, valor, transcendência, relevância, interesse ■ *n.m.* **pobretão**, miserável, pelintra, pilão *col.* ≠ **rico**, ricaço, capitalista *fig.*

codicilo *n.m.* **aditamento**, cláusula, exceção, ressalva

codificar *v.* **1** **reunir**, compilar, coligir **2** INFORM. **encriptar**

código *n.m.* **1** **regulamento** **2** **cifra**, signo, símbolo **3** **palavra-chave**, senha

codorniz *n.f.* ORNIT. **calcaré**, calquiré, calhota, cotorniz, carcolé, paspalhás, carcalhota, tem-te-lá

coeficiente *n.m.* **1** **grau**, nível, índice **2** MAT. **cofator**

coelheira *n.f.* (vaso de barro) **lura**

coelho *n.m.* **1** ZOOL. **láparo** *col.*, caçapo *col.* **2** **lombelo** [REG.]

coerção *n.f.* **imposição**, constrangimento, coação, compressão *fig.* ≠ **liberdade**, arbítrio

coercivo *adj.* **constrangedor**, coativo, opressivo ≠ **libertador**, arbitrário

coerência *n.f.* **1** **congruência**, acordo, harmonia, lógica, conformidade, concordância, coesão, uniformidade, consonância ≠ **incoerência**, desarmonia, desconcordância, discrepância **2** **conexão**, ligação, união, nexo, concatenação ≠ **desconexão**, desunião

coerente *adj.2g.* **1** **coeso**, conexo, unido, ligado ≠ **desconexo**, desligado, desunido **2** **lógico**, nexo, racional ≠ **ilógico**, irracional **3** **conforme**, concordante, congruente, harmónico, lógico, coeso, consonante ≠ **incoerente**, desarmónico, dissonante

coesão *n.f.* **1** **conexão**, nexo, ligação, união, concatenação, coerência ≠ **desconexão**, desunião, incoesão **2** **congruência**, coerência, acordo, harmonia, lógica, conformidade, concordância, uniformidade, consonância ≠ **incoerência**, desarmonia, desconcordância, discrepância

coeso *adj.* **1** **coesão**, conexo, unido, ligado ≠ **desconexo**, desligado, desunido **2** **conforme**, concordante, congruente, harmónico, lógico, coerente, consonante ≠ **incoerente**, desarmónico, dissonante

coetâneo *adj.* coevo, contemporâneo

coevo *adj.,n.m.* **contemporâneo**, coetâneo

coexistência *n.f.* **concomitância**, simultaneidade ≠ **incoexistência**

coexistente *adj.2g.* **concomitante**, simultâneo ≠ **incoexistente**

coexistir *v.* coincidir

cofiar *v.* **afagar**, amimar, ameigar, acarinhar, apaparicar

cofre *n.m.* **1** **caixa**, cacifo, gaveta, arca, burra **2** **tesouro**, erário, côa [REG.] **3** **caixa-forte**, casa-forte

cogitação *n.f.* **meditação**, consideração, ponderação, reflexão, cogitar

cogitar *v.* **1** **meditar**, refletir, pensar, matutar, cuidar, ponderar, assisar **2** **imaginar**, idear, conceber, criar ■ *n.m.* **meditação**, consideração, ponderação, reflexão, cogitação

cognição *n.f.* **conhecimento**, aprendizagem, entendimento

cognome *n.m.* **1** **epíteto** **2** **apelido**, sobrenome **3** **alcunha**, titulatura, cognominação

cognominar *v.* **1** **epitetar** **2** **apelidar**, denominar, nomear, intitular, sobrenomear **3** **alcunhar**, sobrenomear, crismar *fig.*

cogulo *n.m.* **demasia**, excesso, crescente, acoguladura, cuculo *col.*

cogumelo *n.m.* BOT. **fungo**, boleto

coibir *v.* **reprimir**, sofrear, impedir, limitar, obstar, coartar ≠ **estimular**, apoiar

coibir-se *v.* **1** **conter-se**, reprimir-se, refrear-se, abster-se, moderar-se **2** **dispensar**, privar-se, prescindir, abster-se

coicear *v.* **escoicear**, pinotear

coifa *n.f.* **1** *ant.* **crespina** **2** **invólucro**, envoltório **3** BOT. **pileorriza** **4** BOT. **caliptra**, trunfa

coim *n.m.* ORNIT. **galispo**, abibe, abecoinha, abetoninha, galeirão, pendre, verdizela

coima *n.f.* **1** **multa** **2** **castigo**, punição, pena **3** **transgressão**, infração, contravenção, violação

coimar *v.* **1** **multar** **2** **castigar**, punir, sancionar ≠ **absolver**, perdoar, remir, desculpar **3** **censurar**, repreender ≠ **elogiar**, louvar, felicitar

coimbrão *adj.,n.m.* **conimbricense**, conimbrigense

coina *n.f.* [REG.] **coanha**

coincidência *n.f.* **1** **simultaneidade**, sincronismo, tautocronismo, isocronismo **2** **acaso**, casualidade, eventualidade, contingência, adrego ≠ **incontingência**

coincidente *adj.2g.* **simultâneo**, sincrónico, tautócrono, isócrono

coincidir *v.* **1** **ocorrer**, acontecer, calhar, suceder **2** **concordar**, acertar, convir, concorrer ≠ **divergir** *fig.*, desencontrar-se

coio *n.m. ant.* seixo, calhau, cascalho, rebo, burgau, burgo ■ *adj.* reles, ordinário, baixo, vulgar, grosseiro ≠ educado, polido, cortês

coisa *n.f.* 1 ente, ser, substância 2 objeto, peça 3 facto, realidade, existência ≠ irreal, inexistência 4 negócio, interesse 5 circunstância, motivo, caso 6 assunto, questão, tema, matéria 7 mistério, enigma, incógnita, segredo 8 [*pl.*] obrigações 9 [*pl.*] interesses, negócios, ocupações, atividades 10 [*pl.*] valores, bens, haveres, riquezas

coiso *n.m.* indivíduo, sujeito, beltrano, sicrano, tipo *col.*, fulano *col.*, caramelo *col.*

coitadinho *adj.* 1 *irón.* feliz, venturoso ≠ infeliz, desgraçado 2 *col.,pej.* coitado, chifrudo *vulg.*, cornudo *vulg.*

coitado *adj.* desventurado, desafortunado, desditoso, infeliz, desgraçado ≠ feliz, contente, afortunado ■ *n.m.* 1 miserável, desgraçado, pobre, infeliz ≠ felizardo, afortunado 2 *col.,pej.* coitadinho, chifrudo *vulg.*, cornudo *vulg.*

coitar *v.* 1 proibir, vedar, obstar, impedir ≠ permitir, consentir, autorizar 2 *ant.* molestar, magoar, afligir 3 *ant.* desgraçar

coito *n.m.* 1 cópula, concúbito 2 *ant.* couto ■ *adj. ant.* cozido

cola *n.f.* 1 grude 2 visco 3 rabo, cauda, cabo, apêndice, côa, coda *ant.* 4 BOT. coleira ■ *n.2g. col.* maçador, maçante, impertinente, aborrecido, lapa, chato, narcótico *fig.* ≠ estimulante

colaboração *n.f.* 1 cooperação, participação, coadjuvação, contributo ≠ indiferença, apatia 2 ajuda, auxílio, socorro, assistência, apoio ≠ desapoio, desauxílio

colaborador *adj.* cooperante, participante, coadjuvante, contribuinte ≠ indiferente, apático ■ *n.m.* 1 parceiro, cúmplice 2 coautor

colaborar *v.* cooperar, participar, contribuir, coadjuvar ≠ desajudar, dificultar, complicar

colação *n.f.* 1 colagem 2 conferência, discurso, palestra 3 comparação, confronto, cotejo, paralelo, símile

colada *n.f.* GEOG. desfiladeiro, garganta, estreito, portela, colo

colagem *n.f.* colação

colapso *n.m. fig.* crise, decadência, ruína, derrocada ≠ desenvolvimento, crescimento, fortalecimento

colar *n.m.* 1 fio, corrente, cadeia 2 gola, colarinho ■ *v.* fixar, pegar, grudar, aderir, aglutinar ≠ descolar, despegar

colarinho *n.m.* gola, colar

colar-se *v.* 1 aderir, pegar-se 2 *fig.* encostar-se, coser-se, cingir-se 3 *fig.* seguir, reproduzir 4 *col.* agarrar-se, perseguir, atrelar-se

colateral *adj.2g.* paralelo, lateral

colcha *n.f.* 1 coberta, manta, cobertor 2 tapeçaria

coldre *n.m.* carcás, aljava *ant.*

coleção[dAO] *n.f.* 1 coletânea, compilação 2 conjunto, agrupamento, ajuntamento, grupo

colecção[aAO] *n.f.* ⇒ **coleção**[dAO]

coleccionador[aAO] *n.m.* ⇒ **colecionador**[dAO]

coleccionar[aAO] *v.* ⇒ **colecionar**[dAO]

colecionador[dAO] *n.m.* compilador, coletor, colecionista

colecionar[dAO] *v.* compilar, coligir, reunir, juntar, ajuntar ≠ dispersar, desfazer

colecta[aAO] *n.f.* ⇒ **coleta**[dAO]

colectânea[aAO] *n.f.* ⇒ **coletânea**[dAO]

colectar[aAO] *v.* ⇒ **coletar**[dAO]

colectável[aAO] *adj.2g.* ⇒ **coletável**[dAO]

colectivamente[aAO] *adv.* ⇒ **coletivamente**[dAO]

colectividade[aAO] *n.f.* ⇒ **coletividade**[dAO]

colectivo[aAO] *n.m.* ⇒ **coletivo**[dAO]

colector[aAO] *n.m.* ⇒ **coletor**[dAO]

colega *n.2g.* companheiro, camarada, confrade ≠ adversário, rival, opositor

coleira *n.f.* 1 goleira 2 BOT. cola 3 ORNIT. borrelho

cólera *n.f.* 1 ira, fúria, furor, sanha, raiva, braveza, iracúndia, agastamento ≠ calma, serenidade, tranquilidade 2 indignação, revolta, exaltação, irritação, impetuosidade ≠ compreensão, indulgência, tolerância 3 MED. cólera-asiática, cólera-morbo, mordexim

colérico *adj.* 1 enfurecido, irado, iroso, furibundo, furioso, raivoso, danado, bramoso, assovinado *fig.*, dardejante *fig.* ≠ calmo, sereno, tranquilo 2 (doença) ≠ anticolérico

coleta[dAO] *n.f.* 1 contribuição, quota 2 cobro, arrecadação, recebimento, cobrança ≠ pagamento 3 peditório

coletânea[dAO] *n.f.* 1 antologia, compilação, crestomatia, florilégio *fig.* 2 coleção

coletar[dAO] *v.* tributar, taxar, arrecadar, cobrar

coletável[dAO] *adj.2g.* tributável, cobrável, decimável

colete *n.m.* espartilho

coletivamente[dAO] *adv.* juntamente, conjuntamente ≠ separadamente, isoladamente

coletividade[dAO] *n.f.* 1 sociedade, comunidade 2 clube, grémio, associação, sociedade, centro, círculo

coletivo[dAO] *n.m.* clube, associação, grémio, círculo

coletor[dAO] *n.m.* 1 cobrador, recebedor 2 colecionador, compilador

colheita *n.f.* apanha, safra, recolta, messe, recolhida, colha, colhimento

colher *n.f.* 1 cocharra 2 colherada 3 ORNIT. rabilongo, fradinho ■ *v.* 1 apanhar, recolher ≠ plantar, cultivar 2 receber, tomar, recolher ≠ devolver, restituir, repor 3 **atropelar** 4 **atingir**, alcançar, obter, conseguir ≠ **falhar**, errar 5 **tomar**, adquirir 6 **surpreender**, espantar, apanhar 7 **depreender**, inferir, deduzir, concluir

colibri *n.m.* ORNIT. **beija-flor**, chupa-flor, pica-flor, suga-flor, vicilino

cólica *n.f.* [*pl.*] *fig.* **receio**, aflição, medo, temor ≠ **coragem**, valentia, braveza

colidir *v.* **chocar**, embater, abalroar, bater, encontrar, esbarrar

coligação *n.f.* 1 **aliança**, liga, confederação, associação, cartel, união 2 **intriga**, maquinação, conluio, conjuração, conspiração, complô, cambalacho, trama *fig.*, cabala *fig.*, tramoia *col.* ≠ **boa-fé**, verdade, correção

coligar *v.* **confederar**, aliar, associar, ligar, unir

coligir *v.* 1 **compilar**, colecionar, respigar, compendiar, recolher ≠ **separar**, dispersar, desagregar 2 **juntar**, reunir, agrupar, agregar ≠ **separar**, dispersar, desagregar 3 **deduzir**, inferir, concluir, depreender

colimar *v.* **visar**, mirar, apontar

colina *n.f.* **outeiro**, montículo, cerro, cômoro, penela, cabeço, mamelão, morro

colisão *n.f.* 1 **choque**, embate, encontrão, impacto, esbarro 2 **luta**, conflito, rixa, briga, contenda, disputa 3 **discordância**, discórdia, divergência, discrepância, desacordo, desarmonia ≠ **entendimento**, acordo, concordância 4 **contrariedade**, contratempo, desventura, obstáculo, infortúnio, dificuldade, impedimento, entrave ≠ **desimpedimento**, desatravancamento, desobstrução, desempeço, desempacho

coliseu *n.m.* **anfiteatro**, circo, corro, arena

colmado *n.m.* **palhal**, palhoça, choça, choupana, palhote

colmar *v.* 1 **elevar**, sublimar, altear ≠ **baixar**, descer 2 **sublimar**, exaltar, enaltecer, engrandecer, glorificar ≠ **depreciar**, desprezar, desvalorizar 3 **rematar**, completar, acabar ≠ **principiar**, iniciar

colmatar *v.* 1 **atulhar**, atupir, cerrar, encher, entupir, tapar 2 **corrigir**, emendar, retificar, aperfeiçoar ≠ **piorar**, agravar, prejudicar, deteriorar

colmeal *n.m.* **enxameal**, apiário, algariça [REG.]

colmeia *n.f.* **cortiço**, alveário, algariça [REG.]

colmilho *n.m.* ANAT. (animal) **canino**, presa

colmo *n.m.* **moliço**

colo *n.m.* 1 **regaço** 2 **gargalo** 3 ANAT. **cólon** 4 GEOG. **portela**, desfiladeiro, estreito, garganta, colada

colocação *n.f.* 1 **emprego**, trabalho, profissão, ocupação, ofício, cargo ≠ **desemprego**, desocupação 2 **posição**, lugar, situação, condição *ant.* 3 **disposição**, arranjo, localização, distribuição 4 **venda**, comercialização ≠ **compra**, aquisição

colocar *v.* 1 **pousar**, pôr, situar, dispor, instalar, assestar 2 **capitalizar**, aplicar 3 **empregar**, contratar, meter, instalar ≠ **desempregar**, exonerar, demitir, destituir

colofónia[AO] ou **colofônia**[AO] *n.f.* **breu**

colombo *n.m.* BOT. **calumba**

cólon *n.m.* ANAT. **colo**

colónia[AO] ou **colônia**[AO] *n.f.* POL. **possessão**, dependência, domínio, protetorado ≠ **metrópole**

colonizador *n.m.* **povoador**, colono

colonizar *v.* 1 **povoar** ≠ **emancipar**, descolonizar, autonomizar, independentizar 2 *fig.* **invadir**, dominar, conquistar, subjugar ≠ **emancipar**, descolonizar, autonomizar, independentizar

colono *n.m.* **povoador**, colonizador

coloquial *adj.2g.* (linguagem) **informal**, familiar ≠ **formal**

coloquialidade *n.f.* (de linguagem) **familiaridade**, informalidade ≠ **formalidade**

colóquio *n.m.* 1 **conversa**, palestra, conversação, abocamento, bate-papo [BRAS.] 2 **conferência**, palestra, discurso

coloração *n.f.* **colorido**, cor, tonalidade, pigmentação, tintura, tinção ≠ **descoloração**

colorar *v.* **colorir**, colorear, corar, tingir, pintar ≠ **descolorir**, descorar, despintar

colorido *n.m.* 1 **coloração**, cor, tonalidade, pigmentação, tintura, tinção, cromatismo, cromia ≠ **descoloração** 2 **brilho**, viveza, vivacidade ≠ **desbrilho** ■ *adj.* 1 **pintado**, tinto ≠ **descolorido**, pálido *fig.* 2 **brilhante**, vivo, expressivo, alegre, pitoresco

colorir *v.* 1 **colorar**, corar, tingir, pintar, cromatizar, colorizar ≠ **descolorir**, descorar 2 **animar**, avivar, alegrar 3 *fig.* **disfarçar**, encobrir, dissimular

colorir-se *v.* **corar**, ruborizar-se

colossal *adj.2g.* 1 **agigantado**, titanesco, monstruoso, gigantesco, desmedido, enorme ≠ **pequeno**, minúsculo, microscópico, anão 2 **vastíssimo**, imenso, incomensurável, desmesurável ≠ **mensurável**, limitado 3 **extraordinário**, prodigioso, surpreendente, espantoso, maravilhoso, fenomenal *fig.* ≠ **banal**, comum, ordinário, vulgar

colosso *n.m.* **gigante**, titã ≠ **anão**, pigmeu *fig.*

columbino *adj.* *fig.* **cândido**, ingénuo, inocente, puro ≠ **falso**, fingido, dissimulado

coluna *n.f.* 1 ARQ. **pilar** 2 *fig.* **sustentáculo**, amparo, apoio, esteio, arrimo ≠ **desapoio**, desamparo

colusão *n.f.* **conluio**, conivência, maquinação, conspiração, trama *col.*

colza *n.f.* BOT. **couve-nabiça**

coma *n.f.* 1 **encabeladura**, cabeludo, cabeladura, cabeleira, juba *col.*, clina *fig.* 2 (árvore) **copa** 3 [*pl.*]

aspas ▪ *n.m. fig.* **insensibilidade**, imobilidade, apatia, estagnação ≠ **mobilidade**

comadre *n.f.* **1 madrinha 2 parteira**, obstetriz, aparadeira *col.* **3 coscuvilheira**, bisbilhoteira, mexeriqueira, intriguista, linguareira, campainha *fig.*

comadrice *n.f.* **coscuvilhice**, mexerico, intriga, enredo ≠ **discrição**, recato, desinteresse, privacidade

comandante *n.m.* **chefe**, cabo, cabecilha, caudilho

comandar *v.* **1 chefiar**, dirigir, capitanear, liderar ≠ **obedecer**, cumprir, acatar **2** *fig.* **mandar**, dominar, obrigar, ordenar ≠ **obedecer**, cumprir, acatar

comando *n.m.* **mando**, chefia, autoridade ≠ **submissão**, dependência, subordinação, obediência

comarcão *adj.* **confinante**, limítrofe, contérmino, fronteiro, vizinho, contíguo, confim, comarqueiro ≠ **afastado**, distante

comba *n.f.* **vale**

combalir *v.* **1 abalar**, abater, comover, emocionar, deprimir ≠ **animar**, alegrar, alentar **2 alterar**, deteriorar, corromper, aluir, estragar, decompor ≠ **conservar**, preservar

combate *n.m.* **1 batalha**, peleja, luta, lide, pugna, discrime, liça, recontro, prélio, refrega, gládio ≠ **paz**, armistício, concórdia **2** *fig.* **conflito**, contenda, luta, disputa, briga, rixa, requesta ≠ **acordo**, concordância, harmonia **3** *fig.* **antagonismo**, incompatibilidade, oposição ≠ **concordância**, acordo

combatente *adj.2g.* **lutador**, batalhador, pelejador, lidador, opugnador ▪ *n.2g.* **lutador**, guerreiro, pelejador, lidador, opugnador ▪ *n.m.* ORNIT. **pavão-do-mar**

combater *v.* **1 lutar**, pelejar, batalhar, brigar, certar, gladiar, guerrear, lidar, militar, pugnar, pelear, arietar ≠ **pacificar 2 contestar**, disputar, atacar, adversar, contradizer, contrariar, debater, discutir, impugnar ≠ **aceitar**, concordar, condescender, ceder **3** (dificuldade, obstáculo, doença, perigo ou mal) **debelar**, repelir, vencer, afastar, derrotar, atacar, contraminar *fig.*

combater-se *v.* **lutar**, pelejar, bater-se, entrebater-se, digladiar-se

combatividade *n.f.* **agressividade**, belacidade, fogosidade, pugnacidade ≠ **pacificidade**

combativo *adj.* **1 belicoso**, agressivo, pugnaz, concertante ≠ **pacífico 2 fogoso**, arrebatado, impetuoso ≠ **sereno**, tranquilo, sossegado

combinação *n.f.* **1 acordo**, pacto, contrato, convenção, ajuste, concerto, conchavo, mão-posta, congregação, união, arranjo ≠ **desacordo**, desajuste, desarranjo **2 disposição**

combinado *adj.* **1 acordado**, planeado, concertado, convencionado, arranjado ≠ **desacordado**, desarranjado **2 agrupado**, ligado, associado ≠ **desagrupado**, desassociado ▪ *n.m.* **1 acordo**, pacto, contrato, convenção, ajuste, concerto, conchavo, mão-posta, congregação, união, arranjo ≠ **desacordo**, desajuste, desarranjo **2 conjunto**, agrupamento, grupo

combinar *v.* **1 acordar**, ajustar, concertar, coincidir, avir, conciliar, concordar, condizer, aliar, pactuar ≠ **desacordar**, desconcertar **2 agrupar**, ajuntar, associar, dispor, juntar, ligar, reunir, unir ≠ **separar**, desagrupar, desassociar

combinar-se *v.* **conformar-se**, harmonizar-se, betar

comboiar *v.* **escoltar**, acompanhar, seguir

comboio *n.m.* **1 trem** [BRAS.] **2 caravana**, cáfila

combustão *n.f.* **1 calcinação**, cauterização, queima, ustão **2 efervescência 3** *fig.* **conflagração**, sobreexcitação, guerra

combustível *adj.2g.* **inflamável**, incendiável, adustível, combustivo ≠ **ininflamável**, anticombustível ▪ *n.m.* **1 carburante 2** *fig.* **causa**, origem, motivo, razão

começar *v.* **principiar**, iniciar, encetar, estrear, inaugurar, nascer, abrir ≠ **acabar**, terminar, finalizar, findar

começo *n.m.* **1 início**, princípio, primórdio, entrança, exórdio *fig.*, limiar *fig.*, arrebol *fig.* ≠ **fim**, término **2 origem**, causa, fundamento, motivo, razão, base, nascedoiro **3** [*pl.*] **princípios**, primórdios ≠ **fim**, término **4** [*pl.*] **ensaios**, experiências

comedias *n.f.pl.* **alimentos**, comedorias, comida

comedido *adj.* **discreto**, sóbrio, moderado, prudente, ponderado ≠ **exagerado**, excessivo, descomedido, abusivo

comedimento *n.m.* **ponderação**, moderação, sobriedade, prudência, sensatez, discrição ≠ **imprudência**, insensatez, imoderação, desbunde [BRAS.] *col.*

comedir *v.* **1 moderar**, refrear, conter, reprimir ≠ **exceder**, extravasar, abusar **2 adequar**, adaptar, ajustar

comedir-se *v.* **moderar-se**, conter-se, compassar-se, reportar-se

comedor *adj.* **1 glutão**, comilão, guloso, lambão, alambazado, alarve ≠ **parco**, frugal, sóbrio **2 chupista**, parasita, explorador, comedeiro **3 concussionário**

comedoria *n.f.* **1 extorsão**, usurpação, comedeira **2** [*pl.*] **alimentos**, comedias, comida

comemoração *n.f.* **celebração**, lembrança, festejo, memoração, festa

comemorar *v.* **1 recordar**, memorar, ementar, alembrar *col.* ≠ **esquecer**, olvidar **2 solenizar**, festejar, celebrar, memorar

comemorativo *adj.* **memorativo**, recordativo

comenda *n.f.* **condecoração**, agraciamento, crachá
comensal *n.2g.* **conviva**, contubernal
comentador *n.m.* **1** **escoliasta** **2** **crítico**, intérprete
comentar *v.* **1** **anotar**, notar **2** **criticar**, analisar, interpretar, elucidar
comentário *n.m.* **1** **observação**, nota, anotação, glosa **2** **análise**, crítica, interpretação, escólio, elucidário, exegese, comentação
comer *v.* **1** **alimentar-se**, nutrir-se, papar **2** **omitir**, deixar, suprimir ≠ **acrescentar**, aumentar **3** *fig.* **dissipar**, consumir, esbanjar, desperdiçar, gastar **4** *col.* (pancada) **apanhar** ■ *n.m.* **alimento**, comida, cucha, sustento, carburante *fig.*
comercial *adj.2g.* **mercantil** ■ *n.m.* (automóvel) **utilitário**
comercialização *n.f.* **venda** ≠ **compra**, aquisição
comerciante *n.m.* **negociante**, contratador, lojista ≠ **comprador**, freguês, cliente
comerciar *v.* **negociar**, mercadejar, transacionar, tratar, ferrejar *fig.*, traficar *ant.*
comércio *n.m.* **1** **mercado** **2** **tráfico**, negócio, negociação, mercancia **3** **permuta**, permutação, escambo, troca **4** **convivência**, contacto, relações, trato
comer-se *v. fig.* **afligir-se**, amofinar-se, roer-se, mortificar-se, ralar-se
comes *n.m.pl.* **comidas**, alimentos
comestível *adj.2g.* **tragável**, edível, vesco, comível, comestivo ≠ **incomestível** ■ *n.m.pl.* **víveres**, vitualhas, mantimentos, alimentos
cometer *v.* **1** (ato condenável) **perpetrar**, executar, realizar, praticar **2** **confiar**, encarregar, entregar, delegar, incumbir ≠ **desencarregar**, dispensar, desincumbir **3** **acometer**, atacar, assaltar, atentar ≠ **defender**, proteger **4** **propor**, oferecer, presentar, sugerir
cometer-se *v.* **arriscar-se**, aventurar-se, expor-se
cometida *n.f.* **ataque**, investida, assalto, agressão, cometimento, arremetida ≠ **defesa**
cometimento *n.m.* **ataque**, investida, assalto, agressão, cometida, arremetida ≠ **defesa**
comezaina *n.f.* **patuscada**, festança, regalório, brequefeste, bródio, jantarada *col.*, pândega *col.*, bambochata *col.*, rapioca *col.*, taina [REG.]
comezinho *adj.* **1** *fig.* **banal**, simples, trivial, corriqueiro, comum ≠ **extraordinário**, excecional, raro **2** *fig.* **compreensível**, entendível, simples, trival, fácil ≠ **incompreensível**, complicado, difícil **3** *fig.* **despretensioso**, simples, discreto, modesto, despojado, sóbrio ≠ **vistoso**, aparatoso, espalhafatoso, extravagante
comichão *n.f.* **1** **prurido**, coceira, safreira, rapeira, uredo, formigamento, formigueiro **2** *fig.* **desejo**, tentação, vontade, impulso, cócegas, fornicoques *col.* ≠ **desinteresse**, abnegação, desapego
comichar *v.* **prurir**
comício *n.m.* **assembleia**
cómico[AO] ou **cômico**[AO] *adj.* **1** **anedótico**, risível, caricato, humorístico ≠ **sério**, grave, sisudo **2** **burlesco**, bufo, ridículo, irrisório ≠ **sério**, grave, sisudo ■ *n.m.* **comediante**, humorista, histrião ≠ **dramático**
comida *n.f.* **alimento**, comer, sustento, carburante *fig.*, paparoca *col.*
comido *adj.* **1** **ingerido**, engolido **2** **alimentado**, nutrido **3** *col.* **enganado**, defraudado, trapaceado, logrado, burlado ≠ **respeitado**, considerado **4** **gasto**, safado, usado, velho, estragado, danificado ≠ **recuperado**, restaurado, salvo
comilão *adj.,n.m.* **glutão**, guloso, lambão, alambazado, alarve, esgorjado, papão *fig.,col.* ≠ **frugal**, parco ■ *n.m.* **1** *fig.* **interesseiro**, logrão, pechincheiro, questuário, mercenário, condutício ≠ **altruísta**, filantropo, humanitário **2** *fig.* **trapaceiro**, enganador, embusteiro, burlista, defraudador, vigarista ≠ **honesto**, justo, verdadeiro
cominação *n.f.* **ameaça**, intimidação
cominar *v.* **1** **ameaçar**, intimidar **2** **condenar**, castigar ≠ **perdoar**, absolver
cominativo *adj.* **penal**, cominatório
cominho *n.m.* BOT. **alcaravia**
comiseração *n.f.* **compaixão**, piedade, bondade, misericórdia, caridade, clemência, humanidade *fig.* ≠ **desumanidade**, malevolência
comiserar *v.* **lastimar**, compadecer, amiserar, apiedar, condoer ≠ **desumanizar**
comiserar-se *v.* **compadecer-se**, condoer-se, compungir-se
comissão *n.f.* **1** **incumbência**, cargo, tarefa, mandato, missão, mister **2** **gratificação**, pagamento, percentagem, prémio **3** **junta**, comité, delegação
comissário *n.m.* **delegado**
comissionar *v.* **confiar**, encarregar, entregar, delegar, incumbir ≠ **desencarregar**, dispensar, desincumbir
comisso *n.m.* DIR. **pena**, multa
comissura *n.f.* **1** **sutura** **2** **abertura**, fenda, orifício, brecha, fresta, frincha, greta, racha
comité[AO] ou **comitê**[AO] *n.m.* **junta**, comissão, delegação
comitente *n.2g.* **constituinte**
comitiva *n.f.* **séquito**, cortejo, companhia, corte, equipagem, acompanhamento, trem
como *conj.* **1** **visto que**, porque, uma vez que **2** **conforme**, segundo, consoante **3** **na qualidade de**, enquanto ■ *adv.* **1** **de maneira que**, do jeito que, de modo que **2** **quanto**, a que ponto, quão

comoção *n.f.* 1 **emoção**, perturbação, abalo, agitação, desassossego, transtorno, frémito, choque ≠ **calma**, assossego, tranquilidade 2 **enternecimento**, compaixão, piedade ≠ **insensibilidade**, indiferença 3 **pena**, pesar, tristeza, mágoa ≠ **alegria**, contentamento 4 **motim**, revolução, tumulto, alvoroço, revolta, insurreição ≠ **apaziguamento**, pacificação, serenidade

comodidade *n.f.* 1 **conforto**, bem-estar, regalo, cómodo ≠ **mal-estar**, desconforto, incómodo 2 **oportunidade**, facilidade, vau *fig.* 3 [*pl.*] **meios**, recursos

comodismo *n.m. pej.* **egoísmo**, exclusivismo, solipsismo ≠ **altruísmo**, filantropia, humanismo

comodista *adj.,n.2g. pej.* **egoísta**, egocêntrico ≠ **altruísta**, filantropo, humanitário ■ *n.2g. pej.* **egoísmo**, exclusivismo, solipsismo ≠ **altruísmo**, filantropia, humanismo

cómodo[AO] ou **cômodo**[AO] *adj.* 1 **agradável**, confortável, fácil, folgado, conchegativo ≠ **difícil**, penoso, duro 2 **adequado**, próprio, oportuno, conveniente, apropriado, razoável ≠ **inadequado**, impróprio, inoportuno, inconveniente ■ *n.m.* 1 **conforto**, bem-estar, regalo, comodidade ≠ **mal-estar**, desconforto, incómodo 2 **emprego**, ocupação, trabalho, profissão, ofício, cargo ≠ **desemprego**, desocupação 3 **compartimento**, aposento, divisão

comorar *v.* coabitar

comovedor *adj.* **comovente**, emocionante, impressionante, tocante, enternecedor ≠ **insensível**, indiferente, apático

comovente *adj.2g.* **comovedor**, emocionante, impressionante, tocante, enternecedor ≠ **insensível**, indiferente, apático

comover *v.* **emocionar**, enternecer, comocionar, impressionar, abalar, alvoriçar ≠ **descomover**, empedernir *fig.*

comover-se *v.* 1 **emocionar-se**, impressionar-se, sensibilizar-se 2 **apiedar-se**, compadecer-se, amolecer-se 3 **enternecer-se**, derreter-se *fig.*

comovido *adj.* **emocionado**, impressionado, abalado, enternecido, apiedado ≠ **insensível**, empedernido *fig.*, inflexível *fig.*

compactação *n.f.* INFORM. (de ficheiros ou dados) compressão

compactar *v.* **condensar**, comprimir, adensar, apertar ≠ **alargar**, aumentar, dilatar

compacto *adj.* 1 **comprimido**, condensado ≠ **alargado**, dilatado 2 **espesso**, denso, cheio, basto, maciço ≠ **ralo**, raro

compadecer *v.* **comover**, amiserar, apiedar, condoer, lastimar ≠ **desumanizar**

compadecer-se *v.* 1 **condoer-se**, apiedar-se, comiserar-se, doer-se, lastimar 2 **tolerar**, admitir, permitir, suportar 3 **conformar-se**, harmonizar-se, conciliar-se

compadre *n.m.* 1 **padrinho** 2 **cúmplice**, conivente, comparsa *fig.* 3 **parceiro**, camarada, companheiro, sócio

compadrio *n.m.* 1 **compadrice** 2 *fig.* **intimidade**, favoritismo, familiaridade, nepotismo, compadrado 3 *fig.* **conivência**, cumplicidade

compaginar *v.* **encadear**, juntar, ligar, unir

compaginar-se *v.* **coadunar-se**, conformar-se, harmonizar-se

compaixão *n.f.* **caridade**, piedade, bondade, misericórdia, comiseração, clemência, dó, compadecimento, amerceamento, humanidade *fig.* ≠ **descompaixão**, imisericórdia, malevolência

companha *n.f.* 1 **tripulação**, campanha, equipagem, marinhagem 2 **companhia**, acompanhamento ≠ **isolamento**, solidão

companheirismo *n.m.* **camaradagem**, contubérnio, convívio, sodalício, amizade ≠ **inimizade**, rivalidade

companheiro *n.m.* 1 **acompanhante** 2 **parceiro**, camarada, compadre, sócio 3 **colega** 4 **condiscípulo**, colega, com-aluno 5 **amante**, cultor, amásio *pej.* ■ *adj.* **acompanhante**, concomitante ≠ **desacompanhado**, sozinho

companhia *n.f.* 1 **consórcio**, associação, corporação, parceria, centro, círculo, grémio 2 **séquito**, cortejo, comitiva, corte, equipagem, acompanhamento, trem 3 **convivência**, companheirismo, convívio, solidariedade, contubérnio, sodalício, familiaridade ≠ **inimizade**, hostilidade, malquerença, aversão 4 **companha**, acompanhamento ≠ **isolamento**, solidão

comparação *n.f.* **confrontação**, confronto, cotejo, paralelo, símile, colação, comparança *col.*

comparado *adj.* 1 **confrontado**, comparável, semelhante, cotejável 2 **parecido**, semelhante, idêntico, análogo, paralelo, correspondente

comparar *v.* **confrontar**, cotejar, conferir, equiparar, assemelhar, paragonar

comparar-se *v.* **equiparar-se**, igualar-se, ombrear-se, competir, rivalizar, comensurar-se

comparativamente *adv.* **analogamente**, relativamente

comparável *adj.2g.* **confrontado**, semelhante, cotejável, equiparável

comparecer *v.* **apresentar-se**, ir ≠ **faltar**

comparecimento *n.m.* **comparência** ≠ **ausência**, falta

comparência *n.f.* **comparecimento**, comparecência ≠ **ausência**, falta

comparsa *n.2g.* 1 **figurante** 2 *fig.* **cúmplice**, conivente, compadre

comparte *adj.,n.2g.* **participante**, cúmplice

compartícipante *adj.2g.* **compartícipe**

compartícipar *v.* **quinhoar**, compartilhar, contribuir

compartilhar *v.* 1 **participar**, partilhar, associar-se, coparticipar 2 **quinhoar**, comparticipar

compartimento *n.m.* 1 **divisão**, dependência, cómodo, repartimento 2 **escaninho**

compartir *v.* **compartilhar**, repartir, partilhar, distribuir, dividir, quinhoar ≠ **agregar**, agrupar, juntar

compassado *adj.* **cadenciado**, ritmado, rítmico ≠ **descompassado**, arrítmico

compassar *v.* 1 **calcular**, medir, avaliar, computar 2 **cadenciar**, ritmar ≠ **descompassar**

compassivo *adj.* **clemente**, caritativo, piedoso, misericordioso, bondoso, comiserador, compadecedor, humano ≠ **descompassivo**, desalmado, desapiedado, incompassivo

compasso *n.m.* 1 *fig.* **cadência**, ritmo ≠ **arritmia**, descompasso 2 *fig.* **medida**, regra 3 *col.* **bússola**

compatibilidade *n.f.* **congraçamento**, harmonia, conciliabilidade ≠ **desarmonia**, inconcialiabilidade

compatibilizar *v.* **conciliar**, harmonizar, congraçar, avir, coadunar ≠ **desconciliar**, desarmonizar, desavir, desincompatibilizar

compatível *adj.2g.* **harmonizável**, conciliável, compossível ≠ **incompatível**, inconciliável

compatriota *adj.,n.2g.* **concidadão**, conterrâneo, patrício, compatrício ≠ **estrangeiro**

compelido *adj.* 1 **obrigado**, forçado, imposto ≠ **desobrigado**, livre 2 **empurrado**, impelido ≠ **puxado**

compelir *v.* 1 **obrigar**, forçar, coagir, constranger, impor, violentar ≠ **desobrigar**, eximir, dispensar, liberar 2 **empurrar**, impelir ≠ **puxar**, atrair

compendiar *v.* 1 **compilar**, coligir, colecionar, respigar, recolher ≠ **separar**, dispersar, desagregar 2 **abreviar**, resumir, sintetizar, sumariar, epitomar, recopilar, condensar ≠ **aumentar**, alargar, dilatar

compêndio *n.m.* 1 **resumo**, sinopse, sumário, epítome, suma, epílogo 2 **sumário** 3 **manual**

compenetração *n.f.* 1 **concentração** ≠ **desconcentração** 2 **convicção**, persuasão, convencimento ≠ **hesitação**, indecisão, vacilação *fig.*

compenetrado *adj.* 1 **concentrado** ≠ **desconcentrado** 2 **convencido**, persuadido, convicto, certo ≠ **hesitante**, indeciso, vacilante *fig.*

compenetrar *v.* 1 **convencer**, persuadir ≠ **desconvencer**, despersuadir 2 **arreigar**

compenetrar-se *v.* 1 **convencer-se**, persuadir-se 2 **compreender**

compensação *n.f.* 1 **contrapartida**, recompensa, indemnização, retribuição, contrabalanço, contrapeso *fig.*, paga *fig.* 2 **igualdade**, equilíbrio, equidade ≠ **desigualdade** 3 **lucro**, ganho ≠ **perda**, prejuízo

compensador *adj.* 1 **vantajoso**, proveitoso, lucrativo, profícuo ≠ **desvantajoso**, prejudicial 2 **reparatório** ■ *n.m.* **regulador**

compensar *v.* 1 **equilibrar**, contrapesar, equiponderar, contrabalançar *fig.* ≠ **desequilibrar** 2 **indemnizar**, remunerar, recompensar, retribuir, ressarcir, reparar 3 **substituir**, suprir, mudar, trocar ≠ **manter**, permanecer

compensar-se *v.* 1 **equilibrar-se**, equivaler 2 **indemnizar-se**, ressarcir-se, cobrar-se

competência *n.f.* 1 **aptidão**, habilitação, capacidade, proficiência, mestria, idoneidade, envergadura *fig.* ≠ **inaptidão**, incapacidade, incompetência 2 **alçada**, atribuição, jurisdição 3 *col.* **notabilidade**, autoridade, craque, expoente *fig.*, ás *fig.* ≠ **imbecil**, parvo, ignorante, néscio

competente *adj.2g.* 1 **apto**, habilitado, idóneo, capaz, suficiente ≠ **inapto**, incapaz, inabilitado 2 **próprio**, adequado, acertado, oportuno, conveniente ≠ **impróprio**, inadequado, desoportuno, desacertado

competição *n.f.* 1 **concorrência**, rivalidade, emulação, antagonismo ≠ **cooperação**, aliança 2 **luta**, porfia, disputa, desafio 3 DESP. **prova**, concurso, certame

competidor *adj.,n.m.* 1 **concorrente**, émulo, competitivo 2 **adversário**, rival, antagonista, opositor, émulo ≠ **aliado**, colaborador, cooperante

competir *v.* 1 **concorrer**, contender, emular, combater, lutar, rivalizar, medir-se 2 **pertencer**, incumbir, caber, tocar ≠ **descaber** 3 **cumprir**

compilação *n.f.* **coleção**, coletânea, repositório, recolheita, antologia, seleta, florilégio *fig.*

compilador *n.m.* 1 **colecionador**, coletor 2 **rapsodista**

compilar *v.* **coligir**, colecionar, respigar, compendiar, recolher ≠ **separar**, dispersar, desagregar

compincha *n.2g.* *col.* **companheiro**, camarada

compita *n.f.* **concorrência**, rivalidade, emulação, antagonismo ≠ **cooperação**, ajuda

complacência *n.f.* 1 **benquerença**, benevolência, bem-querer, caridade, indulgência, beneficência, estima, afeto, amizade, amor, dignação ≠ **malquerença**, malevolência, desprezo, incomplacência 2 **agrado**, satisfação, gosto, prazer, contentamento ≠ **desagrado**, insatisfação, desgosto

complacente *adj.2g.* 1 **bondoso**, benévolo, caridoso, compassivo, generoso, benéfico, bom, clemente, humanitário ≠ **desumano**, desalmado, desapiedado, impio **2 obsequioso**, cortês, amável, gentil ≠ **grosseiro**, rude, indelicado, mal-criado

compleição *n.f.* **1 constituição**, carnadura, organismo **2 temperamento**, índole, carácter, génio, natureza **3 organização**

complementar *adj.2g.* **suplementar**, adicional, completivo, complementário ≠ **dispensável**, desnecessário, supérfluo ■ *v.* **1 suplementar**, completar ≠ **dispensar 2 completar**, concluir, rematar, terminar ≠ **começar**, iniciar

complementaridade *n.f.* **1 subsidiariedade**, reforço, apoio **2 corroboração**, confirmação, subsidiariedade

complemento *n.m.* **1 suplemento**, aditivo ≠ **desnecessidade**, superfluidade **2 acabamento**, remate, conclusão, consumação, perfazimento ≠ **princípio**, começo, início **3 ornamento**, acessório, adorno

completamente *adv.* **1 totalmente**, integralmente, inteiramente, plenamente ≠ **parcialmente 2 absolutamente**, perfeitamente, totalmente

completar *v.* **1 complementar**, concluir, rematar, terminar ≠ **começar**, iniciar **2 preencher**, acrescentar, atestar, encher ≠ **retirar**, esvaziar

completar-se *v.* **1 rematar-se**, concluir-se **2 decorrer**, transcorrer, passar

completas *n.f.pl.* RELIG. (Catolicismo) **completório**

completivo *adj.* **suplementar**, adicional, complementar ≠ **dispensável**, desnecessário, supérfluo

completo *adj.* **1 absoluto**, integral, total, pleno, inteiro ≠ **parcial**, incompleto **2 perfeito**, inteiro *fig.* ≠ **imperfeito**, lacunar **3 terminado**, acabado, concluído, realizado, rematado ≠ **inacabado**, incompleto **4 cumprido**, satisfeito ≠ **insatisfeito 5 cheio**, preenchido, repleto, apinhado, pejado ≠ **vazio**, oco ■ *n.m.* **todo**, total, totalidade, integralidade ≠ **parcialidade**, parte

complexado *adj.* PSIC. **inibido**, constrangido, intimidado, acanhado ≠ **desinibido**, vivo, desenvolto

complexidade *n.f.* **complicação**, sofisticação, dificuldade, complexidão ≠ **facilidade**, simplicidade, incomplexidade

complexo *adj.* **complicado**, intrincado, difícil, emaranhado ≠ **fácil**, desintrincado, simples ■ *n.m.* **conjunto**, complexão

complicação *n.f.* **1 dificuldade**, quê, embaraço, impedimento, óbice, cavalo de batalha ≠ **facilidade**, desembaraço, desimpedimento **2 confusão**, complexo, obscuridade *fig.* ≠ **clareza**, facilidade

complicado *adj.* **difícil**, complexo, dédaleo, espinhoso *fig.*, bicudo *fig.* ≠ **fácil**, simples, acessível

complicar *v.* **1 confundir**, emaranhar, envolver, implicar, enredar *fig.* ≠ **esclarecer**, elucidar, clarificar **2 embaraçar**, intricar, misturar ≠ **desintricar**, desenredar **3 dificultar**, embaraçar, encrencar, complexificar ≠ **simplificar**, facilitar, desencrencar

complô *n.m.* **intriga**, maquinação, conluio, conjuração, conspiração, cambalacho, enredo, trama *fig.*, tramoia *col.*, cabala *fig.* ≠ **correção**, verdade, boa-fé

componente *adj.2g.* **constituinte**, integrante ■ *n.m./f.* **1 elemento**, constituinte **2 ingrediente**

compor *v.* **1 formar**, constituir, confecionar, fazer ≠ **desformar**, desfazer, destruir **2** (obra) **produzir**, escrever, conceber **3 coordenar**, organizar, arranjar ≠ **descoordenar**, desarranjar, desordenar **4 arranjar**, consertar, corrigir, reparar, endireitar *fig.* ≠ **estragar**, danificar **5** *fig.* **harmonizar**, conciliar, congraçar, avir, coadunar ≠ **desconciliar**, desarmonizar, desavir

compor-se *v.* **1 consistir**, constituir-se, formar-se, constar, compreender **2 conformar-se**, resignar-se, aceitar-se **3 recompor-se**, restabelecer-se, refazer-se **4 melhorar**, ajeitar-se, arranjar-se

comportamento *n.m.* **conduta**, procedimento, porte, proceder, atitude

comportar *v.* **1 permitir**, admitir, suportar ≠ **proibir 2 conter 3 compreender**, abranger **4 padecer**, sofrer, tolerar, suportar ≠ **reagir**, resistir

comportar-se *v.* **1 portar-se**, proceder, agir, haver-se, conduzir-se **2 funcionar 3 reagir**

comportável *adj.2g.* **1 admissível**, tolerável, sofrível, suportável, aceitável ≠ **inadmissível**, inaceitável, intolerável **2 compatível**, conciliável, harmonizável ≠ **incompatível**, inconciliável

composição *n.f.* **1 constituição**, organização, compostura, contextura, contexto, disposição, formação ≠ **desorganização 2 estrutura 3 obra 4 redação**

compósito *adj.* **heterogéneo**, mesclado ≠ **homogéneo**, uniforme

compositor *n.m.* **1 autor 2** TIP. **tipógrafo 3** DIR. **medianeiro**

compossuidor *n.m.* **compossessor**

compostas *n.f.pl.* BOT. **asteráceas**, lactucáceas, cinaráceas, sinantéreas *ant.*

composto *adj.* **1 constituído**, formado, feito, organizado **2 arrumado**, ordenado ≠ **desarrumado**, desordenado **3 arranjado**, consertado, corrigido, reparado ≠ **estragado**, danificado **4** *fig.* **circunspecto**, sóbrio, refletido, prudente, comedido ≠ **irrefletido**, imprudente, descomedido **5** *fig.* **modesto**, recatado, discreto, sóbrio, simples ≠ **exagerado**, extravagante, excêntrico **6** *fig.* **conciliado**, ajeitado, ajustado, combinado ≠ **desconciliado**, desajeitado, desajustado ■ *n.m.* **combinação**, conjunto

compostura *n.f.* 1 **arranjo**, conserto, correção, reparação ≠ **estrago**, dano 2 **porte**, postura, atitude 3 **vestuário** 4 **composição**, constituição, organização, estrutura, contextura 5 **mistura**, mixórdia, mescla

compota *n.f.* geleia

compra *n.f.* 1 **aquisição**, merca ≠ **venda** 2 **suborno**, peita

comprador *adj.,n.m.* **cliente**, freguês ≠ **comerciante**, negociante, vendedor

comprar *v.* 1 **adquirir**, alcançar, mercar ≠ **comercializar**, negociar, vender 2 **subornar**, peitar, corromper *fig.*

comprazer *v.* 1 **agradar**, deleitar, satisfazer, contentar ≠ **desagradar**, desgostar, descontentar 2 **conceder**, transigir, condescender, contemporizar, deferir, dar, conformar, ceder, dispensar, agachar-se *fig.* ≠ **opor-se**, contestar, negar, refutar ■ *n.m.* **complacência**

comprazer-se *v.* **deliciar-se**, deleitar-se

comprazimento *n.m.* 1 **agrado**, satisfação, gosto, prazer, contentamento ≠ **desagrado**, insatisfação, desgosto 2 **congratulação**, regozijo, satisfação, alegria ≠ **tristeza**, desgosto, infelicidade

compreender *v.* 1 **abranger**, incluir, abarcar, alcançar, conter, envolver ≠ **excluir** 2 **apreender**, entender, perceber, assimilar, captar, penetrar *fig.* ≠ **desentender**, desassimilar

compreendido *adj.* 1 **entendido**, percebido, apreendido, assimilado, captado ≠ **desentendido**, desassimilado 2 **incluído**, abrangido, abarcado, alcançado, contido, envolvido, englobado ≠ **excluído** 3 **comprometido**, implicado, envolvido ≠ **descomprometido**, desimplicado

compreensão *n.f.* 1 **entendimento**, perceção, inteleção, discernimento, apreensão, assimilação ≠ **desentendimento**, incompreensão 2 **indulgência**, benevolência, bondade, benignidade, condescendência, tolerância ≠ **intolerância**, malevolência, desprezo

compreensível *adj.2g.* **inteligível**, atingível, acessível, apercetível, claro, evidente, transparente *fig.* ≠ **inatingível**, inacessível, opaco, obscuro *fig.*

compreensivo *adj.* **indulgente**, complacente, benévolo, condescendente ≠ **cruel**, malévolo, desumano

compressa *n.f.* **chumaço**, apósito, lingueta

compressão *n.f.* 1 INFORM. **compactação** ≠ **descompressão**, expansão 2 *fig.* **opressão**, coação, repressão, pressão, constrangimento, contragosto ≠ **desopressão**, incoerção, liberdade

compressivo *adj. fig.* **repressivo**, opressivo, pidesco, esmagador, sufocante, reprimidor ≠ **desopressor**, libertativo

compresso *adj.* 1 **comprimido**, apertado, estreitado ≠ **alargado**, dilatado 2 **achatado**, amolgado, espalmado

compressor *adj.* **compressório**, comprimente, premente ≠ **dilatante**

comprido *adj.* 1 **extenso**, longo ≠ **curto**, pequeno 2 **alto**, grande, elevado, subido ≠ **baixo**, pequeno 3 *fig.* **extenso**, cansativo

comprimento *n.m.* 1 **distância**, lonjura, compridão, compridez 2 **tamanho**, grandeza

comprimido *adj.* 1 **compactado** ≠ **dilatado**, distendido 2 **apertado**, estreitado, achatado ■ *n.m.* FARM. **pastilha**, pílula, drageia

comprimir *v.* 1 **apertar**, prensar, esmagar, apremer, premir, atravincar ≠ **dilatar**, distender 2 *fig.* **oprimir**, reprimir, coibir, confranger, mortificar, refrear, sufocar ≠ **libertar**, desoprimir 3 *fig.* **afligir**, confranger, mortificar, atormentar, contristar ≠ **alegrar**, contentar, desapoquentar

comprimir-se *v.* **encolher-se**, contrair-se, apertar-se

comprometedor *adj.* **traiçoeiro**, falso, fingido, malicioso ≠ **correto**, verdadeiro, justo, honesto

comprometer *v.* 1 **responsabilizar**, empenhar, obrigar, entalar *fig.* ≠ **desresponsabilizar** 2 (perigo, dano, vergonha) **sujeitar**, expor, colocar

comprometer-se *v.* 1 **prometer**, responsabilizar-se, obrigar-se 2 **expor-se**, sujeitar-se, arriscar-se, encravelhar-se 3 **incriminar-se**

comprometido *adj.* 1 **implicado**, culpado, envolvido, compreendido ≠ **descomprometido**, desimplicado, livre 2 *fig.* **embaraçado**, envergonhado, vexado

comprometimento *n.m.* **compromisso**, prometimento, promessa, entendimento, empenho, obrigação, responsabilidade ≠ **desimpedido**, desobrigação

compromisso *n.m.* 1 **acordo**, ajuste, contrato, convenção, combinação, pacto ≠ **desacordo**, desajuste 2 **obrigação**, prometimento, promessa, entendimento, empenho ≠ **desimpedido**, desobrigação

comprovação *n.f.* 1 **confirmação**, verificação, corroboração, constatação, fundamentação, testemunho ≠ **negação**, impugnação, contradição 2 **prova**, comprovativo

comprovador *adj.* **confirmador**, corroborante, comprovante, comprovativo, provatório, comprobatório ≠ **negativo**, discutível

comprovante *adj.2g.* 1 **confirmador**, corroborante, comprovador, comprovativo, conteste ≠ **negativo**, discutível 2 **documento**, prova ■ *n.m.* [BRAS.] **recibo**, comprovativo, fatura

comprovar *v.* 1 **testemunhar**, provar, atestar ≠ **negar**, refutar, desmentir 2 **confirmar**, corroborar, testificar, testemunhar, verificar ≠ **negar**, refutar, desmentir **3 demonstrar**, evidenciar, provar, patentear, mostrar ≠ **confundir**, obscurecer

comprovativo *adj.* **1 confirmador**, corroborante, comprovante, comprovador ≠ **negativo**, discutível **2 fortificante**, corroborante, refetivo, revigorante, reanimador, robustecedor, tonificante, vigorante, vitalizador

compulsar *v.* **1 compelir**, obrigar, forçar, coagir, constranger, violentar, impor ≠ **desobrigar**, eximir, dispensar, liberar **2 folhear**, consultar, examinar, manusear

compulsivo *adj.* **coercivo**, forçado, imposto, obrigado ≠ **desobrigado**, livre

compulsório *adj.* **coercivo**, forçado, imposto, obrigatório ≠ **desobrigatório**, livre

compunção *n.f.* RELIG. **contrição**, pungimento, penitência, arrependimento, compungimento

compungir *v.* **1 apoquentar**, angustiar, atormentar, agoniar, atribular, molestar, pungir, acabrunhar, amofinar, consternar, dilacerar, ralar *fig.*, flagelar, consumir *fig.*, supliciar *fig.* ≠ **aliviar**, desapoquentar, sossegar **2 emocionar**, comover, comocionar, impressionar, abalar ≠ **descomover**, empedernir *fig.*

compungir-se *v.* **1 compadecer-se**, doer-se **2 arrepender-se**

computação *n.f.* **cálculo**, cômputo, conta, contabilidade, estimativa, avaliação, tenteio

computador *n.m.* **1** INFORM. **ordenador**, cérebro eletrónico **2 calculador**

computar *v.* **contar**, calcular, determinar, orçar, avaliar, medir

computável *adj.2g.* **calculável**, determinável, avaliável ≠ **incomputável**

cômputo *n.m.* **cálculo**, computação, conta, contabilidade, estimativa, avaliação, tenteio

comum *adj.2g.* **1 semelhante**, idêntico, análogo, parecido, paralelo, correspondente ≠ **diferente**, diverso **2 geral**, universal, genérico, global ≠ **próprio**, particular, único, singular, específico **3 habitual**, usual, rotineiro, corriqueiro, frequente, regular ≠ **desabituado**, infrequente, irregular **4 abundante**, copioso, farto, numeroso ≠ **escasso**, insuficiente **5** *fig.,pej.* **ordinário**, grosseiro, vulgar, reles, baixo ≠ **delicado**, educado, cortês, atencioso, fino, elegante, encantador, polido ■ *n.m.* **generalidade**, maioria, globalidade, universalidade

comummente *adv.* **vulgarmente**, usualmente, habitualmente ≠ **irregularmente**, desabitualmente

comuna *n.f.* (subdivisão do território francês) **concelho**, município

comunal *adj.2g.* **concelhio**, municipal

comungar *v.* **1** *fig.* **participar**, partilhar, compartir **2** *fig.* **perfilhar**, adotar, abraçar, associar-se

comunhão *n.f. fig.* **harmonia**, acordo, uniformidade, união, consonância ≠ **desarmonia**, discórdia, dissonância

comunicabilidade *n.f.* **sociabilidade**, transmissibilidade ≠ **incomunicabilidade**, insociabilidade

comunicação *n.f.* **1 relação**, correspondência **2 mensagem**, informação, aviso, anúncio, participação, notícia, recado **3 transmissão 4 comunhão**, convivência, convívio, familiaridade, contubérnio, companheirismo, trato ≠ **inimizade**, hostilidade, malquerença, aversão **5 acesso**, via, passagem, caminho

comunicado *n.m.* **aviso**, informação, participação, notificação

comunicante *adj.2g.* **1 transmissor 2 comungante** ≠ **incomunicante**

comunicar *v.* **1 informar**, participar, avisar, notificar, transmitir, dizer, falar, declarar ≠ **desinformar 2 passar**, transmitir, transferir **3 relacionar-se**, exprimir-se, corresponder-se, falar **4** (coisas) **conduzir**, dar, ligar, unir, aproximar-se, tocar

comunicar-se *v.* **1 transmitir-se**, propagar-se, passar **2 espalhar-se**, estender-se

comunicativo *adj.* **1 expansivo**, franco, extrovertido, entusiasta ≠ **envergonhado**, acanhado, tímido, abatatado *fig.* **2 contagioso**, epidémico, infecioso ≠ **imunológico 3** *fig.* **afável**, atencioso, cortês, civilizado, sociável, educado, polido, delicado, conversativo ≠ **grosseiro**, rude, mal-criado, indelicado, incivil, descortês

comunicável *adj.2g.* **expansivo**, franco, extrovertido, entusiasta ≠ **envergonhado**, acanhado, tímido

comunidade *n.f.* **1 comunhão 2 coletividade**, sociedade, grupo **3 Estado 4 concordância**, identidade, conformidade, harmonia, convergência ≠ **desconcordância**, desarmonia, discrepância **5** BIOL. **biocenose**

comunismo *n.m.* POL. **bolchevismo** ≠ **anticomunismo**

comunista *adj.,n.2g.* POL. **bolchevique**, bolchevista ≠ **anticomunista**

comutação *n.f.* **1 permutação**, troca, substituição, mudança, escaibo *ant.* **2** GRAM. **metátese**

comutador *adj.* **comutativo**, permutador, substituinte, trocador

comutar *v.* **1 permutar**, trocar, cambiar, mudar, substituir **2** DIR. **atenuar**, minorar, reduzir, diminuir, suavizar ≠ **aumentar**, agravar

comutativo *adj.* **comutador**, permutador, substituinte, trocador

cona *n.f. vulg.* **vulva**, passarinha *vulg.*, pito *vulg.*, rata *vulg.*, grila *vulg.*, crica *vulg.*

conatural *adj.2g.* BIOL. **congénito**, inato, ingénito

concatenação *n.f.* 1 **encadeamento**, encadeação, ligação, conexão, relação, associação, catenação, concatenamento 2 **conexão**, ligação, união, nexo, coerência ≠ **desconexão**, desunião

concatenar *v.* **encadear**, ligar, relacionar, associar

concatenar-se *v.* **ligar-se**, encadear-se, articular-se

concavar *v.* **escavar**

concavidade *n.f.* **cavidade**, depressão, cova, buraco, reentrância, côncavo, concha ≠ **convexidade**, relevo, protuberância

côncavo *adj.* **escavado**, cavado, vazado, covo ≠ **tapado**, coberto ■ *n.m.* **concavidade**, depressão, cova, buraco, reentrância ≠ **convexidade**, relevo, protuberância

conceber *v.* 1 **gerar**, criar, procriar, germinar 2 **engravidar**, emprenhar, alcançar *col.*, pejar *col.* ≠ **abortar**, perder 3 **imaginar**, pensar, idear, inventar, formar 4 **construir**, planear, elaborar, dimensionar 5 *fig.* **perceber**, alcançar, entender, compreender, abranger ≠ **desentender**, inabilitar

concebível *adj.2g.* **conceptível**, admissível, crível, possível, plausível, aceitável, pensável, imaginável ≠ **inconceptível**, inadmissível, impossível, inaceitável

conceção[dAO] ou **concepção**[AO] *n.f.* 1 BIOL. **geração**, criação, conceição, concebimento ≠ **aborto** 2 **perceção**, entendimento, conhecimento, compreensão, concebimento ≠ **desentendimento**, desconhecimento, incompreensão 3 **conceito**, ideia, noção, concebimento 4 **elaboração**, concebimento, projeto, plano, arquitetação

concedente *adj.,n.2g.* **outorgante**, concessor, dador

conceder *v.* 1 **dar**, outorgar, deferir, atribuir, acordar, conferir ≠ **desacordar**, recusar, negar 2 **permitir**, consentir, autorizar, anuir, facultar, aceder ≠ **recusar**, proibir, impedir 3 **transigir**, ceder, tolerar, permitir, deferir ≠ **negar**, proibir

conceição *n.f.* **conceção**, geração, concebimento

conceito *n.m.* 1 **noção**, conceção, ideia, imagem 2 **juízo**, opinião, parecer, apreciação 3 **reputação**, fama 4 **máxima**, sentença, moralidade

conceituado *adj.* 1 **avaliado**, considerado, respeitado, apreciado, julgado ≠ **desconsiderado**, desrespeitado 2 **acreditado**, afamado, reputado, bem-visto ≠ **desacreditado**, malvisto, mal-afamado

conceituar *v.* **avaliar**, considerar, ajuizar, analisar, qualificar, classificar, julgar, conceitualizar

conceituoso *adj.* 1 **sentencioso**, judicioso, aforístico, aforismático 2 **espirituoso**, gracioso

concelhio *adj.* **concelheiro**, municipal

concelho *n.m.* **município**

concentração *n.f.* 1 **convergência**, centralização, conglobação 2 *fig.* **meditação**, reflexão, ensimesmamento, recolhimento

concentrado *adj.* 1 **centralizado**, convergente 2 *fig.* **atento**, imerso, pensativo, cuidadoso, direcionado ≠ **distraído**, alheado, imprecatado, despassarado *col.*, despistado *col.*, esgrouviado *col.*, abstrato *fig.*, aéreo *fig.*

concentrar *v.* 1 **centralizar**, juntar, reunir, centrar ≠ **divergir**, desviar 2 **focar**, focalizar ≠ **desfocar**

concentrar-se *v.* 1 **abstrair-se**, absorver-se, abismar-se, meditar 2 **preocupar-se**, ocupar-se 3 **centralizar-se**, convergir, reunir-se, aglomerar-se, acumular-se

concêntrico *adj.* GEOM. **homocêntrico**

concepção[AO] *n.f.* ⇒ **conceção**[dAO]

conceptáculo[AO] *n.m.* ⇒ **concetáculo**[dAO]

conceptivo[AO] *adj.* ⇒ **concetivo**[dAO]

conceptual[AO] ou **concetual**[AO] *adj.2g.* **nocional**, categorial

concernente *adj.2g.* **referente**, atinente, pertencente, relativo, respeitante, tocante

concernir *v.* 1 **respeitar**, pertencer, tocar 2 **referir-se**, aludir, mencionar

concertação *n.f.* **conciliação**, harmonização, acordo, harmonia, conformidade, concordância, uniformidade, consonância ≠ **desacordo**, desarmonização, discordância, discrepância

concertadamente *adv.* **acordadamente**, combinadamente

concertado *adj.* 1 **preparado**, arranjado, composto 2 **planeado**, combinado, estudado, arquitetado, congeminado 3 **combinado**, planeado, acordado, convencionado, arranjado ≠ **desacordado**, desarranjado 4 **marcado**, determinado, estabelecido 5 **confrontado**, cotejado, comparado, acareado 6 **modesto**, recatado, discreto, sóbrio, simples, composto *fig.* ≠ **exagerado**, extravagante, excêntrico 7 **sereno**, tranquilo, pacífico ≠ **agitado**, turbulento 8 **favorável**, propício, vantajoso, oportuno, conveniente ≠ **desfavorável**, desvantajoso

concertar *v.* 1 **preparar**, tratar, arranjar, ajustar, combinar 2 **conciliar**, harmonizar, congraçar, avir, compatibilizar ≠ **desconciliar**, desarmonizar, desavir 3 **enfeitar**, ornar, alindar, arrear, adereçar 4 **conferir**, cotejar, comparar, confrontar, equiparar

concertista *n.2g.* MÚS. **solista**

concerto *n.m.* 1 MÚS. **harmonia** 2 **combinação**, acordo, pacto, ajuste, aliança, convenção, avença, entendimento ≠ **desacordo**, desajuste, desavença, desentendimento 3 **ordem**, arrumação, arranjo, compostura, ajustamento, composição, reparação **4 comparação**, confronto, cotejo, paralelo, símile, colação

concessão *n.f.* **1 cedência**, doação, outorga, cessão ≠ **desacordo**, recusa, negação **2 autorização**, permissão, consentimento, deferimento, condescendência, licença, adjudicação ≠ **recusa**, proibição, impedimento **3 privilégio 4 favor**, mercê, graça, cortesia

concessor *n.m.* **concedente**, dador, outorgante

concetáculo[dAO] ou **conceptáculo**[AO] *n.m.* **recetáculo**, recipiente, recetor

concetivo[dAO] ou **conceptivo**[AO] *adj.* **compreensível**, inteligível, acessível, entendível, percetível ≠ **incompreensível**, inacessível

concha *n.f.* **1 couraça**, casca, carapaça **2** (balança) **cuia 3 concavidade**, cavidade, depressão, cova, buraco, reentrância, côncavo ≠ **convexidade**, relevo, protuberância

conchego *n.m.* **1 conforto**, comodidade, bem-estar, cómodo, aconchego ≠ **mal-estar**, desconforto, incómodo **2 abafo**, agasalho, aconchego, quentura *fig.* **3 amparo**, arrimo, proteção, protetor, refúgio, encosto *fig.*, aconchego ≠ **desapoio**, desamparo

concidadão *n.m.* **compatriota**, conterrâneo, patrício, compatrício ≠ **estrangeiro**

conciliábulo *n.m.* **1 conventículo**, corrilho **2 intriga**, maquinação, conluio, conjuração, conspiração, complô, trama, enredo, conventículo, tramoia *col.*, cabala *fig.* ≠ **correção**, verdade, boa-fé

conciliação *n.f.* **1 concordância**, concertação, harmonização, acordo, harmonia, lógica, conformidade, uniformidade, consonância ≠ **desacordo**, desarmonização, discordância, discrepância **2 combinação**, acordo, pacto, ajuste, aliança, convenção, avença, entendimento ≠ **desacordo**, desajuste, desavença, desentendimento

conciliador *adj.,n.m.* **pacificador**, harmonizador, concertador, apaziguador, aplacador, congraçador, aquietador ≠ **desarmonizador**, desconcertador, desinquietador *col.*

conciliar *v.* **1 harmonizar**, compatibilizar, conformar, adaptar, coadunar, compor *fig.* ≠ **desarmonizar**, desconformar, desadaptar **2 combinar**, acordar, ajustar, concertar, coincidir, avir, concordar, condizer, aliar, pactuar, benquistar ≠ **desacordar**, desconcertar **3 captar**, conseguir

conciliatório *adj.* **amigável**, amistoso, apaziguador, pacificador, harmonizador ≠ **desarmonizador**, violento, agressivo

conciliável *adj.2g.* **harmonizável**, compatível, consociável ≠ **incompatível**, inconciliável

concílio *n.m.* **1** RELIG. (Igreja Católica) **sínodo 2** [*pl.*] RELIG. (Igreja Católica) **cânones**

concisão *n.f.* **1 precisão**, exatidão, justeza, aticismo ≠ **imprecisão**, indeterminação **2 brevidade**, laconismo, condensação *fig.* ≠ **prolixidade**, difusão, redundância

conciso *adj.* **1 exato**, preciso, justo ≠ **impreciso**, inexato **2 breve**, sucinto, curto, abreviado, lacónico, resumido ≠ **prolixo**, difuso, redundante, extenso

concitação *n.f.* **instigação**, incitação, excitação, induzimento, aliciação, suscitação, atiçamento *fig.*, fustigação *fig.* ≠ **repressão**, coibição

concitar *v.* **1 agitar**, amotinar, provocar, suscitar, insurgir ≠ **acalmar**, apaziguar, pacificar **2 excitar**, instigar, incitar, animar, estimular ≠ **desanimar**, desencorajar

concitar-se *v.* **irritar-se**, enfurecer-se

conclamar *v.* **vociferar**, bradar, gritar, exclamar, apregoar, vozear ≠ **silenciar**, calar

conclave *n.m. fig.* **assembleia**, conselho

concludente *adj.2g.* **convincente**, decisivo, procedente, categórico, terminante, imperatório, perentório, decretório ≠ **inconcludente**, indecisivo, hesitante, irresoluto

concluir *v.* **1 acabar**, terminar, cerrar, desfechar, epilogar, ultimar, fechar, findar, finalizar, completar, rematar, arrabeirar *fig.*, atrapar [REG.] ≠ **iniciar**, começar, principiar, encetar **2 ajustar**, conchavar, assentar ≠ **desajustar**, desconchavar **3 deduzir**, inferir, depreender, coligir, colher

conclusão *n.f.* **1 remate**, final, acabamento, desfecho, fim, terminação, termo, perfazimento, fecho *fig.* ≠ **início**, começo, princípio, encetadura **2 dedução**, ilação, inferência, consequência **3 efeito**, resultado, consequência, desfecho, corolário, sequela, consectário, fruto

conclusivo *adj.* **final**, definitivo, liquidante ≠ **inconclusivo**, inicial, anteprimeiro

concluso *adj.* **findo**, ultimado, concluído, terminado, cerrado, finalizado, completado, rematado ≠ **iniciado**, começado, principiado, encetado

concomitância *n.f.* **coexistência**, simultaneidade ≠ **incoexistência**

concomitante *adj.2g.* **1 coexistente**, simultâneo **2 acompanhante**, companheiro ≠ **desacompanhado**, sozinho **3 acessório**, secundário, auxiliar ≠ **primordial**, principal, fundamental, essencial

concordância *n.f.* **1 conciliação**, consonância, concertação, harmonização, harmonia, acordo, lógica, conformidade, uniformidade ≠ **desacordo**, desarmonização, discordância, discrepância, desfasagem **2 aprovação**, acordo, consentimento, confirmação, anuência, aquiescência, beneplácito, licença, autorização ≠ **desaprovação**, desacordo, interdição, proibição, veto

concordante *adj.2g.* 1 **aprovado**, acordante, conforme, consentido, confirmador, anuente, autorizado, uníssono *fig.* ≠ **desaprovado**, desacordante, interdito, proibido 2 **conforme**, coerente, congruente, harmónico, lógico, coeso, consonante ≠ **incoerente**, desarmónico, dessoante, desconcordante, dissonoro 3 **simultâneo**, sincrónico, tautócrono, isócrono

concordar *v.* **combinar**, acordar, ajustar, concertar, coincidir, avir, conciliar, condizer, aliar, pactuar ≠ **desacordar**, desconcertar, objetar

concorde *adj.2g.* 1 **conforme**, apropriado, coerente, concordante, consentâneo ≠ **desconforme**, discordante 2 **harmónico**, condizente, proporcionado, coerente, cônsono, coesivo *fig.* ≠ **desarmónico**, desproporcionado

concórdia *n.f.* 1 **paz**, harmonia ≠ **guerra**, desarmonia 2 **acordo**, pacto, contrato, convenção, liança, ajuste, concerto, conchavo, mão-posta, congregação, união, arranjo ≠ **desacordo**, desajuste, desarranjo

concorrência *n.f.* 1 **afluência**, afluxo, enchente, concurso ≠ **dispersão**, separação 2 **competição**, disputa, rivalidade, competitividade, emulação ≠ **cooperação**, aliança

concorrente *adj.2g.* 1 **adversário**, opositor, competidor, rival, émulo ≠ **aliado**, parceiro, cúmplice 2 **simultâneo**, sincrónico, tautócrono, isócrono ≠ **assíncrono** ■ *n.2g.* 1 **candidato**, pretendente 2 **competidor**, participante, rival, opositor, emulador ≠ **aliado**, parceiro, cúmplice

concorrer *v.* 1 **afluir**, convergir, confluir, congregar-se ≠ **dispersar**, afastar 2 **competir**, rivalizar, disputar, emular ≠ **aliar**, conciliar 3 **contribuir**, ajudar, cooperar, colaborar ≠ **desajudar**, dificultar, complicar

concorrido *adj.* **frequentado**, movimentado, animado ≠ **infrequentado**

concreção *n.f.* 1 **concretização**, materialização, concreto ≠ **abstração** 2 **solidificação**, petrificação ≠ **liquidificação** 3 **solidez**, consistência, firmeza ≠ **inconsistência**, moleza 4 MED. **cálculo**, pedra

concretização *n.f.* 1 **realização**, execução 2 **concreção**, concreto, materialização ≠ **abstração**

concretizar *v.* 1 **realizar**, executar 2 **materializar**, substantificar, corporizar, corporificar ≠ **abstratizar** 3 **provar**, demonstrar, fundamentar

concretizável *adj.2g.* **realizável**, executável, exequível, efetivável

concreto *adj.* 1 **verdadeiro**, real ≠ **falso**, irreal 2 **consistente**, corpóreo, material, duro, maciço, espesso ≠ **inconsistente**, mole, raro 3 **determinado**, preciso, definido, objetivo, claro ≠ **impreciso**, indeterminado, indefinido ■ *n.m.* 1 **verdadeiro**, realidade ≠ **falsidade**, irrealidade 2 **concretização**, materialização, concreção ≠ **abstração** 3 [BRAS.] **betão**

concubina *n.f.* 1 **companheira** 2 **amante**, amiga, comborça, manceba, amásia *pej.*, barregã *ant.*, franjosca [REG.] *pej.* 3 (num harém) **favorita**, predileta, preferida

concubinato *n.m.* **amancebamento**, mancebia, amasio, amigação, contubérnio, comborçaria, concubinagem

concupiscência *n.f.* 1 **lascívia**, luxúria, sensualidade, carnalidade, voluptuosidade, lubricidade, cio *fig.* ≠ **castidade**, pureza, pudicícia 2 **inveja**, ambição, ganância, avidez ≠ **desambição**, desinteresse, desapego

concupiscente *adj.2g.* **sensual**, sexual, libidinoso, carnal, luxurioso, lascivo, animal *fig.* ≠ **casto**, pudico, puro *fig.*

concurso *n.m.* 1 **afluência**, afluxo, enchente, concorrência ≠ **dispersão**, separação 2 **competição**, certame, campeonato, prova

concussão *n.f.* 1 **comoção**, abalo, choque, impacto, deturbação ≠ **tranquilidade**, calma, sossego 2 *fig.* **peculato**, extorsão, usurpação

concussionário *adj.,n.m.* **concussor**, peculador, comedor

condado *n.m.* **gau**

condão *n.m.* 1 **dom**, graça, faculdade, virtude, qualidade, dote *fig.* 2 **prerrogativa**, regalia, privilégio, direito, apanágio *fig.*

conde *n.m.* 1 **condesso** *pej.* 2 (baralho de cartas) **valete**

condecoração *n.f.* **comenda**, agraciamento, venera, crachá, fitinha *col.*

condecorado *adj.,n.m.* **agraciado**, honorificado

condecorar *v.* 1 **agraciar**, medalhar, galardoar, premiar, honrar 2 **nobilitar**, exaltar, ilustrar, engrandecer, sublimar ≠ **depreciar**, desprezar 3 **realçar**, distinguir, salientar, relevar ≠ **ocultar**, encobrir, esconder

condenação *n.f.* 1 **sentença**, pena, multa, danação *fig.* 2 **reprovação**, censura, desaprovação, anátema, condenamento, reprimenda ≠ **elogio**, louvor, felicitação, aprovação

condenado *adj.* **obrigado**, forçado, constrangido, contrafeito ≠ **independente**, autónomo, livre ■ *n.m.* **réprobo**, precito, facínora

condenar *v.* 1 **sentenciar**, julgar, decidir 2 **punir**, castigar, corrigir, apenar, sancionar, penalizar, ensinar *fig.* ≠ **absolver**, perdoar, remir, desculpar 3 **obrigar**, constranger, forçar, impelir *fig.* ≠ **livrar**, autonomizar, independentizar 4 **proibir**, impedir, interditar, interdizer ≠ **permitir**, autorizar 5 **rejeitar**, recusar, negar ≠ **aceitar**, concordar, conceder 6 **criticar**, desaprovar, reprovar, julgar, censurar ≠ **admitir**, aprovar, aceitar 7 **anatematizar**

condenável *adj.2g.* 1 **reprovável**, castigável, punível ≠ **perdoável**, desculpável 2 **repreensível**, censurável, indesculpável, criticável ≠ **louvável**, meritório, laudável, irrepreensível 3 **abominável**, detestável, execrável ≠ **admirável**, apreciável, considerável

condensação *n.f.* 1 **liquefação** ≠ **gaseificação**, vaporização, ebulição, volatilização 2 *fig.* **concisão**, laconismo, brevidade ≠ **prolixidade**, difusão, redundância 3 **resumo**, síntese, sinopse, sumário, epítome, suma, compêndio, epílogo

condensado *adj.* 1 **liquefeito** ≠ **volatilizado** 2 *fig.* **resumido**, sintetizado, sintético, abreviado ≠ **dilatado**, aumentado 3 *fig.* **amontoado**, aglomerado, acumulado, empilhado ≠ **desaglomerado**, desamontoado ■ *n.m.* **resumo**, síntese, sinopse, sumário, epítome, suma, compêndio, epílogo

condensar *v.* 1 **espessar**, engrossar, adensar 2 **liquefazer** ≠ **gaseificar**, vaporizar, volatilizar 3 **amontoar**, aglomerar, acumular, empilhar ≠ **desaglomerar**, desamontoar 4 *fig.* **resumir**, sintetizar, abreviar ≠ **dilatar**, aumentar

condensar-se *v.* 1 **adensar-se**, engrossar, espessar-se 2 **liquefazer-se** ≠ **vaporizar-se**

condescendência *n.f.* **indulgência**, clemência, complacência, benevolência, tolerância, transigência, condescendimento ≠ **crueldade**, malevolência, desumanidade

condescendente *adj.2g.* **indulgente**, complacente, benévolo, clemente, compreensivo, amenista, comprazedor ≠ **cruel**, malévolo, desumano

condescender *v.* 1 **aquiescer**, anuir, consentir, permitir, tolerar, aceitar, aprovar, acordar, concordar, assentir, aceder, aderir ≠ **discordar**, desaprovar, desconsentir 2 **transigir**, conceder, ceder, contemporizar, deferir, dar, conformar, dispensar, agachar-se *fig.* ≠ **opor-se**, contestar, negar, refutar

condesso *n.m. pej.* **conde**

condestável *n.m.* **estribeiro-mor**, condestabre

condição *n.f.* 1 **contexto**, conjuntura, situação, estado, circunstância 2 **cláusula**, requisito, imposição, exigência 3 *ant.* **categoria**, classe, grupo, espécie, ordem, camada, naipe *fig.*

condicionado *adj.* **sujeito**, dependente, subordinado, limitado, circunscrito ≠ **independente**, incondicionado, ilimitado

condicional *adj.2g.* **sujeito**, dependente, subordinado, limitado, circunscrito ≠ **independente**, incondicionado, ilimitado

condicionalidade *n.f.* **contingência**, relatividade, eventualidade, possibilidade, hipótese, caso, acidentalidade, adrego, acaso, incerteza, causalidade ≠ **incontingência**

condicionar *v.* 1 **regular**, ajustar, afinar ≠ **desregular**, desajustar, desafinar 2 **determinar**, influenciar, influir 3 **contextualizar**, contextuar 4 PSIC. (reflexos condicionados) **provocar**, criar, estimular

condigno *adj.* **devido**, merecido, justo, digno ≠ **indevido**, desmerecido, injusto, indigno

condimentar *v.* 1 **temperar**, apaladar, sazonar, acondimentar ≠ **destemperar**, dessazonar 2 **adubar** 3 *fig.* **apimentar**, amostardar

condimento *n.m.* 1 **tempero**, condimentação 2 **adubo**

condir *v.* (medicamentos) **preparar**, manipular, temperar, confecionar, confeiçoar

condiscípulo *n.m.* **colega**, camarada, companheiro, coaluno

condizente *adj.2g.* **harmónico**, proporcionado, coerente, cônsono, adequado, adaptado, ajustado, combinado, condicente, coesivo *fig.* ≠ **desarmónico**, desproporcionado

condizer *v.* **combinar**, acordar, ajustar, concertar, coincidir, avir, conciliar, concordar, aliar, pactuar ≠ **desacordar**, desconcertar

condoer *v.* 1 **comover**, compadecer, amiserar, apiedar, lastimar ≠ **desumanizar**, empedernir *fig.* 2 **contristar**, penalizar, desgostar, entristecer ≠ **alegrar**, contentar

condoer-se *v.* **compadecer-se**, doer-se, comiserar-se, apiadar-se, lastimar

condolência *n.f.* 1 **compaixão**, piedade, dó, misericórdia, comiseração, clemência, condoimento, humanidade *fig.* ≠ **desumanidade**, malevolência 2 [*pl.*] **pêsames**, sentimentos

condomínio *n.m.* **copropriedade**

condómino[AO] ou **condômino**[AO] *n.m.* **coproprietário**

condução *n.f.* 1 **orientação**, guia, direção, conduta 2 **governo** 3 [BRAS.] **transporte**, porte

conducente *adj.2g.* **tendente**

conduta *n.f.* 1 **condução**, guia 2 **tubo**, canal 3 **procedimento**, atitude, comportamento, ação, atuação, modo, prática

conduto *n.m.* 1 **tubo**, canudo, canal, calha, bica, cano 2 **via** 3 **meio** 4 *col.* **presigo**

condutor *adj.* 1 **transmissor** 2 **levador** ■ *n.m.* 1 **motorista**, automobilista 2 **diretor**, dirigente, guia, piloto *fig.* 3 **levador**, encaminhador

conduzir *v.* 1 **acompanhar**, levar 2 **dirigir**, orientar, guiar, encaminhar 3 **transportar**, levar 4 **gerir**, comandar, governar, reger, capitanear 5 (veículo) **dirigir**, guiar 6 (animais) **guiar** 7 (notícia, informação) **transmitir**, comunicar, passar

conduzir-se *v.* **comportar-se**, portar-se, proceder, haver-se, viver, agir

conectivoAO ou **conetivo**AO *adj.* **conjuntivo**, acoplado ≠ **desacoplado**, separado

conexão *n.f.* 1 **dependência**, ligação, subordinação, conotação ≠ **independência**, autonomia 2 **nexo**, ligação, união, coerência, concatenação, compaginação ≠ **desconexão**, desunião 3 **analogia**, assemelhação, semelhança, conformidade, afinidade, parecença, comparação, símile, vizinhança *fig.* ≠ **diferença**, assimetria, diversidade 4 **afinidade**, relação, ligação, vínculo ≠ **separação**, rutura, divergência 5 **enlace**

conexo *adj.* 1 **coeso**, coerente, unido, ligado ≠ **desconexo**, desligado, desunido 2 **lógico**, nexo, racional ≠ **ilógico**, irracional 3 **dependente**, ligado, subordinado ≠ **independente**, autónomo

confeçãodAO ou **confecção**AO *n.f.* 1 **preparação**, fabricação, composição 2 **acabamento**, remate, conclusão, arrematação, finalização ≠ **iniciação**, começo 3 **pronto-a-vestir**

confecçãoAO *n.f.* ⇒ **confeção**dAO

confeccionarAO *v.* ⇒ **confecionar**dAO

confecionardAO ou **confeccionar**AO *v.* 1 **preparar**, executar, fazer, fabricar 2 (medicamentos) **preparar**, manipular, temperar, condir 3 (vestuário) **fabricar**, manufaturar 4 **organizar**, compor, elaborar ≠ **desorganizar**, descompor

confederação *n.f.* **aliança**, liga, coligação, associação, cartel, união

confederar *v.* **aliar**, federar, coligar, coalizar, ligar

confederar-se *v.* **associar-se**, coligar-se, unir-se

confeição *n.f.* **mescla**, mistura, amálgama *fig.*

confeitaria *n.f.* **doçaria**, pastelaria, biscoutaria

confeiteiro *n.m.* **pasteleiro**, doceiro

conferência *n.f.* 1 **verificação**, confirmação 2 **confrontação**, confronto, cotejo, comparação 3 **colóquio**, palestra, discurso

conferenciar *v.* **conversar**, conversalhar, palestrar, discorrer, cavaquear

conferente *n.2g.* **conferencista**, palestrador, orador ▪ *adj.2g.* **verificador**, examinador, confirmador

conferir *v.* 1 **verificar**, confirmar, controlar 2 **conceder**, outorgar, dar, deferir, atribuir, acordar ≠ **desacordar**, recusar, negar 3 **cotejar**, confrontar, concertar, comparar, equiparar

confessar *v.* **revelar**, reconhecer, admitir, declarar, professar, desembuchar *col.* ≠ **desconfessar**, renegar

confessar-se *v.* 1 **declarar-se**, assumir-se 2 **desabafar**, abrir-se

confesso *adj.* 1 **confitente** 2 **reconhecido**, declarado, admitido ≠ **negado**, desconfessado 3 **convertido** ▪ *n.m.* 1 *col.* **confissão** 2 RELIG. **monge**, frade, cenobita

confessor *n.m.* 1 **penitencieiro** 2 **mártir**

confiado *adj.* 1 **esperançado**, atido, confiante ≠ **desesperançado**, desanimado 2 **entregue**, emprestado 3 *col.* **atrevido**, descarado, insolente, desvergonhado, petulante ≠ **modesto**, envergonhado

confiança *n.f.* 1 **segurança**, firmeza, resolução, fidúcia, certeza, convicção, aplomb, atença ≠ **insegurança**, incerteza 2 **crença**, fé, fiúza ≠ **descrença**, ceticismo, incredulidade 3 **crédito**, reputação, fama, credibilidade ≠ **descrédito**, desautorização 4 **animo**, vontade, coragem, otimismo ≠ **desânimo**, pessimismo 5 *col.* **ousadia**, atrevimento, audácia, coragem, despejo, insolência, arrojo *fig.* ≠ **vergonha**, timidez, modéstia, comedimento 6 *col.* **familiaridade**, intimidade ≠ **formalidade**

confiante *adj.2g.* 1 **esperançado**, atido, confiado ≠ **desesperançado**, desanimado 2 **animado**, otimista, entusiasmado, positivo *fig.* ≠ **desanimado**, pessimista, catastrofista

confiar *v.* 1 **acreditar**, crer ≠ **descrer**, negar, renegar 2 **transmitir**, entregar, depositar, consignar, cometer, remeter, passar, comunicar 3 **revelar**, confessar ≠ **ocultar**, omitir, esconder

confiar-se *v.* 1 **entregar-se** 2 **acreditar**, fiar-se

confiável *adj.2g.* 1 **leal**, fiel, direito, honesto, sincero, verdadeiro ≠ **desleal**, infiel, desonesto, falso 2 **fidedigno**, insuspeito, verdadeiro ≠ **suspeito**, duvidoso, falso

confidência *n.f.* 1 **segredo**, resguardo, revelação, confissão ≠ **indiscrição**, inconfidência, divulgação, dessegredo 2 **confiança**, crédito ≠ **desconfiança**, descrédito

confidencial *adj.2g.* **secreto**, sigiloso, reservado, confidencioso ≠ **público**, notório

confidenciar *v.* **segredar**, cochichar, ciciar, murmurar, sussurrar ≠ **revelar**, divulgar

confidente *adj.,n.2g.* **depositário**, íntimo

configuração *n.f.* **forma**, figura, feitio, formato, aparência

configurar *v.* 1 **figurar**, formar, conformar ≠ **desfigurar**, deformar 2 **caracterizar**

confim *adj.2g.* **confinante**, limítrofe, contérmino, fronteiro, vizinho, contíguo, comarcão ≠ **afastado**, distante ▪ *n.m.pl.* **fronteiras**, limites, raias

confinante *adj.2g.* **limítrofe**, comarcão, contérmino, fronteiro, vizinho, contíguo, confim, confrontante, finítimo ≠ **afastado**, distante

confinar *v.* 1 **limitar**, circunscrever, restringir, delimitar, comarcar, reduzir, confrontar, balizar *fig.* ≠ **desbalizar**, expandir, estender 2 **tocar**, roçar, aproximar, avizinhar ≠ **distanciar**, afastar

confinar-se *v.* 1 **limitar-se**, circunscrever-se, restringir-se, ficar-se 2 **encantoar-se**, isolar-se, encerrar-se

confirmação *n.f.* 1 **afirmação**, declaração, asserção 2 **ratificação**, corroboração, comprovação, aprovação, sanção ≠ **negação**, refutação, contestação 3 **apoio**, suporte, ajuda 4 RELIG. **crisma**, consagração

confirmar *v.* 1 **asseverar**, afirmar, assegurar, assertar, certificar ≠ **hesitar**, duvidar 2 **certificar**, atestar, comprovar, provar, testemunhar, autenticar, reconhecer 3 **ratificar**, corroborar, comprovar, aprovar, sancionar ≠ **negar**, refutar, contestar 4 RELIG. **crismar**

confirmar-se *v.* 1 **verificar-se**, comprovar-se, realizar-se, cumprir-se 2 RELIG. **crismar-se**

confirmativo *adj.* **abonatório**, asseverativo, corroborante

confirmatório *adj.* **abonatório**, asseverativo, corroborativo

confiscação *n.f.* **apreensão**, arresto, penhorar

confiscar *v.* **apreender**, arrestar, penhorar

confisco *n.m.* **apreensão**, arresto, penhora

confissão *n.f.* 1 **confesso** *col.* 2 **reconhecimento**, declaração, admissão ≠ **negação**, rejeição 3 **confidência**, segredo, resguardo, revelação ≠ **indiscrição**, inconfidência, divulgação 4 **crença**, fé, fiúza ≠ **descrença**, ceticismo, incredulidade

confitente *adj.,n.2g.* **confesso**

conflagração *n.f.* 1 **incêndio**, combustão, fogo 2 *fig.* **guerra**, conflito ≠ **paz** 3 *fig.* **rebelião**, desordem, conflito, revolução, revolta ≠ **paz** 4 *fig.* **exaltação**, arrebatamento, paixão, fogueira, ardor

conflagrar *v.* 1 **incendiar**, queimar, combustar ≠ **apagar**, extinguir 2 **agitar**, amotinar, revolucionar, revoltar, alvoraçar, convulsionar *fig.* ≠ **serenar**, pacificar, apaziguar, acalmar

conflagrar-se *v.* 1 **irritar-se** 2 **revolucionar-se**

conflito *n.m.* 1 **discórdia**, antagonismo, oposição, desacordo, choque ≠ **consonância**, comunhão, acordo 2 **guerra**, conflagração ≠ **paz** 3 **desordem**, sarilho, sarrabulho, disputa, altercação

conflituoso *adj.* 1 **discordante**, antagónico, opositivo, desacordante ≠ **consonante**, comungante, acordante 2 **desordeiro**, briguento, rixoso, arruaceiro, turbulento ≠ **calmo**, respeitador, pacificador

confluência *n.f.* **convergência**, junção, concorrência ≠ **disjunção**, divergência

confluente *adj.2g.* 1 (curso de água) **afluente** 2 (linha, rua) **convergente** ≠ **divergente** 3 (interesse, opinião) **convergente**, concordante ≠ **divergente**, discordante ■ *n.m.* **afluente**

confluir *v.* 1 **afluir**, desaguar, desembocar 2 **convergir**, encaminhar-se, dirigir-se

conformação *n.f.* 1 **configuração**, constituição, estrutura, disposição 2 *fig.* **resignação**, abdicação, desistência, cedimento ≠ **resistência**, persistência 3 **sujeição**, submissão, obediência, subordinação ≠ **resistência**, insubmissão, desobediência, insubordinação 4 **acordo**, conciliação, harmonização, harmonia, concertação, concordância, uniformidade, consonância ≠ **desacordo**, desarmonização, discordância, discrepância

conformado *adj.* **resignado**, acomodado, paciente, abdicado, sacrificado *fig.* ≠ **inconformado**, impaciente

conformar *v.* 1 **adaptar**, adequar, acomodar, ajustar, moldar ≠ **desadaptar**, desajustar 2 **formar**, configurar ≠ **deformar** 3 **conciliar**, compatibilizar, adaptar, coadunar, harmonizar, compor *fig.* ≠ **desarmonizar**, desconformar, desadaptar 4 **condescender**, concordar, anuir, aquiescer, consentir, permitir, tolerar, aceitar, aprovar, acordar, assentir, aceder, aderir ≠ **discordar**, desaprovar, desconsentir 5 **resignar-se**, acomodar-se, abdicar, sacrificar *fig.*

conformar-se *v.* 1 **resignar-se**, aceitar 2 **conciliar-se**, avir-se 3 **acomodar-se**, adaptar-se, ajustar-se, adequar-se 4 **submeter-se**, ceder 5 **concordar**, assentir, condescender

conforme *adj.2g.* 1 **semelhante**, idêntico, análogo, parecido, paralelo, correspondente ≠ **diferente**, diverso 2 **adaptado**, apropriado, adequado, acomodado, ajustado, moldado ≠ **desadaptado**, desajustado 3 *fig.* **resignado**, acomodado, paciente, abdicado, sacrificado *fig.* ≠ **inconformado**, impaciente ■ *conj.* **como**, consoante, segundo

conformidade *n.f.* **semelhança**, identidade, analogia, parecença, correspondência, paralelismo *fig.* ≠ **diferença**, dissimilitude

conformismo *n.m.* 1 ≠ **anticonformismo** 2 *pej.* **passividade**, inatividade, indiferença ≠ **atividade**, dinamismo 3 RELIG. **anglicanismo**

confortado *adj.* 1 **fortalecido**, reanimador, revigorante, tonificante ≠ **enfraquecido**, debilitado 2 **agasalhado**, enroupado, aconchegado, tapado, abaetado 3 **consolado**, animado, entusiasmado ≠ **desconsolado**, desanimado

confortar *v.* 1 **fortalecer**, fortificar, reanimar, revigorar ≠ **enfraquecer**, debilitar 2 **consolar**, animar, entusiasmar ≠ **desconsolar**, desanimar

confortável *adj.2g.* **agradável**, cómodo, aconchegado ≠ **desagradável**, desconfortável

conforto *n.m.* 1 **comodidade**, bem-estar, regalo, cómodo, confortação, confortamento ≠ **mal-estar**, desconforto, incómodo 2 **ajuda**, auxílio, socorro, assistência, apoio ≠ **desapoio**, desauxílio

confrade *n.m.* 1 (confraria, irmandade) **irmão**, confreire 2 (na mesma profissão) **colega**, camarada, companheiro ≠ **adversário**, rival, opositor 3 **companheiro**, camarada, parceiro, colega, amigo, condiscípulo, sócio, matalote, compincha *col.* ≠ **inimigo**, adversário, rival, oponente

confrangedor *adj.* **angustiante**, aflitivo, premente *fig.*

confranger *v.* 1 **apertar**, contrair, constringir ≠ **desconfranger**, descontrair 2 **afligir**, angustiar, atormentar, agoniar, atribular, consternar, martirizar, consumir *fig.* ≠ **desapoquentar**, tranquilizar, sossegar, desagoniar 3 **vexar**, humilhar, oprimir, espezinhar *fig.*, acalcanhar *fig.*, esmigalhar *fig.* ≠ **prestigiar**, estimar, considerar, valorizar, venerar, acatar

confranger-se *v.* 1 **apertar-se**, descontrair-se, contrair-se 2 **contorcer-se**, torcer-se 3 **angustiar-se**, atormentar-se

confraria *n.f.* **irmandade**, liga, congregação, ordem, sodalício

confraternização *n.f.* **comunhão**, convívio, convivência, familiaridade, contubérnio, contacto, trato ≠ **enclausura**, recolhimento, isolação

confraternizar *v.* **conviver**, fraternizar, comungar ≠ **desirmanar**

confrontação *n.f.* 1 **comparação**, confronto, cotejo, paralelo, símile, colação 2 **conflito**, choque, antagonismo, oposição, desacordo, discórdia, acareação ≠ **consonância**, comunhão, acordo 3 [*pl.*] **estremas** 4 [*pl.*] *fig.* **caracteres**, sinais

confrontar *v.* 1 **comparar**, cotejar, conferir, equiparar, assemelhar 2 **confinar**, circunscrever, restringir, delimitar, reduzir, limitar, balizar *fig.* ≠ **desbalizar**, expandir, estender 3 **defrontar**, enfrentar, encarar, arrostar, afrontar, colacionar

confrontar-se *v.* **deparar-se**, defrontar

confronte *adj.2g.* 1 **defrontante** 2 **confrontado**, confinado, delimitado, demarcado, balizado, limitado, delineado, circunscrito ≠ **desbalizado**, desmarcado, expandido

confronto *n.m.* 1 **confrontação**, comparação, cotejo, paralelo, símile, colação, enfrentamento 2 **conflito**, choque, confrontação, oposição, disputa ≠ **consonância**, comunhão, acordo

confundido *adj.* 1 **misturado**, trocado, baralhado, desordenado ≠ **categorizado**, ordenado, organizado 2 **perturbado**, agitado, inquieto ≠ **calmo**, sereno 3 **envergonhado**, acanhado, vexado, tímido ≠ **expansivo**, extrovertido, franco, entusiasta

confundir *v.* 1 **misturar**, fundir, amalgamar, mestiçar, mesclar, entremear, juntar ≠ **separar**, isolar, destacar 2 **tomar**, misturar, enganar-se, equivocar ≠ **distinguir**, identificar 3 *fig.* **baralhar**, perturbar, desordenar, desorientar, estontear, obscurecer, atordoar ≠ **esclarecer**, clarificar, elucidar, aclarar 4 **atrapalhar**, perturbar, abarrancar, assarapantar, atabalhoar, desnortear *fig.*, desorientar *fig.*, engodilhar *fig.* ≠ **orientar**, guiar, nortear *fig.* 5 *fig.* **humilhar**, envergonhar, vexar, desprestigiar, desacreditar, depreciar ≠ **prestigiar**, acreditar, considerar, respeitar 6 *fig.* **amaldiçoar**, praguejar, condenar ≠ **glorificar**, exaltar, louvar

confundir-se *v.* 1 **atrapalhar-se**, desorientar-se 2 **enganar-se**, errar, equivocar-se 3 **baralhar-se**, misturar-se, acambulhar-se

confusão *n.f.* 1 **caos**, barulho, trapalhada, desordem, balbúrdia, babel, badanal, alvoroço, tumulto, zaragata, espalhafato, rebuliço, alvoriço, chinfrim, fula-fula, sarrafusca *col.*, sarapatel *fig.*, feira *fig.*, pé de vento *fig.*, tropel *fig.* ≠ **ordem**, organização, arrumação, arranjo 2 **perturbação**, perplexidade, hesitação, desorientação, dúvida ≠ **determinação**, certeza 3 **vergonha**, vexame, timidez, acanhamento, inibição ≠ **extroversão**, comunicatividade, expansividade, desinibição

confuso *adj.* 1 **misturado**, desordenado, trocado, baralhado ≠ **categorizado**, ordenado, organizado 2 **indeterminado**, obscuro, impreciso, indefinido ≠ **concreto**, determinado, claro, preciso 3 **perplexo**, desconcertado, atrapalhado, atabalhoado, desorientado, engadanhado *fig.* ≠ **imperturbável**, tranquilo, orientado 4 **envergonhado**, embaraçado, vexado, acanhado, inibido ≠ **extrovertido**, comunicativo, expansivo, desinibido

congelação *n.f.* 1 **solidificação**, congelo ≠ **liquefação**, descongelação 2 **imobilização**, paralisação, encalhe *fig.* ≠ **desmobilização**

congelado *adj.* 1 **solidificado** ≠ **liquefeito**, derretido, descongelado 2 **regelado**, gélido, glacial ≠ **cálido**, ardente, abrasador

congelador *adj.* **regelador**, gelador, congelante, resfriador ≠ **cálido**, ardente, abrasador ▪ *n.m.* **geladeira**, arca

congelamento *n.m.* 1 **solidificação**, congelação ≠ **liquefação**, descongelação 2 *fig.* **estabilização**, preservação, consolidação, conservação ≠ **desestabilização**, deterioração, estrago

congelar *v.* 1 **gelar**, regelar, encaramelar, gear, enregelar, solidificar, coagular, coalhar, encarapinhar ≠ **descoagular**, derreter, liquefazer, fundir 2 **solidificar**, endurecer, petrificar, coalhar ≠ **fundir**, derreter, liquefazer 3 (preços, salários) **fixar**, estabilizar, imobilizar, bloquear ≠ **aumentar**, desbloquear, descongelar 4 (capitais depositados) **embargar**, tolher

congelar-se *v.* 1 **gelar** 2 **solidificar-se**, encaramelar-se

congelo *n.m.* 1 **solidificação**, congelação ≠ **liquefação**, descongelação 2 **embargo**

congeminar *v.* 1 *col.* **pensar**, matutar, cismar, meditar, imaginar, planear, idear, conceber, arquitetar, ruminar *fig.* 2 **multiplicar**, pluralizar 3 **irmanar**, fraternizar, conviver, comungar ≠ **desirmanar**

congénereAO ou **congênere**AO *adj.2g.* **idêntico**, igual, conforme ≠ **diferente**, desigual

congénitoAO ou **congênito**AO *adj.* **1** BIOL. **inato**, conatural, congenial **2 apropriado**, adequado, ajustado, próprio, conveniente ≠ **desapropriado**, desadequado, desajustado, impróprio

congestão *n.f.* **1** MED. **fluxo**, fluxão *ant.* **2** *fig.* **afluxo**, afluência, enchente ≠ **dispersão**, separação **3** *fig.* **aglomeração**, acumulação, congestionamento, amontoação ≠ **dispersão**, separação

congestionado *adj.* **1** MED. **apoplético**, apoplético [BRAS.] ≠ **antiapoplético 2 afogueado**, rubro, corado, enrubescido ≠ **pálido**, descorado **3** *fig.* **aglomerado**, acumulado, apinhado, amontoado ≠ **disperso**, separado **4** (trânsito) **engarrafado** ≠ **desimpedido**, livre

congestionamento *n.m.* **1 aglomeração**, acumulação, congestão, amontoação ≠ **dispersão**, separação **2** (trânsito) **engarrafamento** ≠ **desimpedimento**

congestionar *v.* **1** (sangue) **acumular-se**, aglomerar-se, amontoar-se ≠ **dispersar**, circular **2** *fig.* **enrubescer**, ruborizar, corar, afoguear ≠ **empalidecer**, descorar **3** (trânsito) **engarrafar-se** ≠ **desimpedir**, desobstruir

conglobar *v.* **1 acumular**, conglomerar, amontoar, ajuntar, empilhar ≠ **dispersar**, espalhar **2 concentrar**, centralizar, juntar, reunir, centrar ≠ **divergir**, desviar **3 resumir**, sintetizar, abreviar, compendiar, sumariar, epitomar, recopilar, condensar ≠ **aumentar**, alargar, dilatar

conglobar-se *v.* **enovelar-se**, enrolar-se

conglomerado *adj.* **acumulado**, amontoado, ajuntado, empilhado ≠ **disperso**, espalhado ■ *n.m.* **1 conglomeração**, ajuntamento, aglomeração, amontoação, empilhamento ≠ **dispersão**, espalhamento **2 fusão**, junção, união, reunião ≠ **desunião**, separação

conglomerar *v.* **1 acumular**, conglobar, amontoar, ajuntar, empilhar ≠ **dispersar**, espalhar **2 juntar-se**, unir-se, fundir-se, reunir-se ≠ **desunir-se**, separar-se

conglutinação *n.f.* **aderência**, adesão, aglutinação, ligação, solda *fig.* ≠ **desprendimento**, descolamento, separação

conglutinar *v.* **aglutinar**, aderir, grudar, colar, apegar, soldar, ligar ≠ **desprender**, descolar, separar

conglutinar-se *v.* **unir-se**, juntar-se, pegar-se, aglutinar-se, aderir

congosta *n.f.* **viela**, azinhaga, córrego

congraçar *v.* **1 apaziguar**, pacificar, serenar, tranquilizar ≠ **agitar**, perturbar, abalar **2 reconciliar**, amistar, recompor, harmonizar, conciliar, sanear ≠ **desavir**, incompatibilizar, desarmonizar, desconcertar, desconciliar

congraçar-se *v.* **conciliar-se**, harmonizar-se, entender-se, reconciliar-se

congratulação *n.f.* **1 felicitação**, cumprimento, saudação **2 prazer**, regozijo, júbilo, satisfação ≠ **desgosto**, tristeza **3** [*pl.*] **felicitações**, parabém

congratular *v.* **felicitar**, gratular, cumprimentar, celebrar ≠ **censurar**, desprezar, reprovar

congratular-se *v.* **regozijar-se**, rejubilar, exultar ≠ **entristecer-se**

congregação *n.f.* **1 assembleia**, reunião, conselho **2 ajuntamento**, união **3 confraria**, liga, irmandade, ordem, sodalício **4 combinação**, acordo, pacto, contrato, convenção, ajuste, concerto, conchavo, mão-posta, união, arranjo ≠ **desacordo**, desajuste, desarranjo

congregado *adj.* **junto**, unido, reunido, agrupado, congregante ≠ **separado**, disperso

congregar *v.* **1 agregar**, juntar, associar, conglutinar, reunir, ligar, unir ≠ **desagregar**, separar, desligar **2 convocar**, chamar, reunir

congregar-se *v.* **unir-se**, concorrer

congresso *n.m.* **1 conferência 2 colóquio**, simpósio, conferência

congruência *n.f.* **1 coerência**, acordo, harmonia, lógica, conformidade, concordância, coesão, uniformidade, consonância, congruidade ≠ **incoerência**, desarmonia, desconcordância, discrepância **2 conveniência**, adequação, adaptação, acomodação ≠ **inconveniência**, inadaptação, inadequação

congruente *adj.2g.* **1 coerente**, concordante, conforme, harmónico, lógico, coeso, consonante, consentâneo ≠ **incoerente**, desarmónico, dissonante **2 conveniente**, adequado, apropriado, acomodado, adaptado, consentâneo ≠ **inconveniente**, inadaptado, inadequado

conhecedor *adj.* **ciente**, sabedor, sábio, douto, perito, erudito, enfronhado *fig.* ≠ **ignorante**, desconhecedor, inculto ■ *n.m.* **sabedor**, entendedor, erudito, sábio, perito ≠ **imbecil**, parvo, palerma, idiota, tolo

conhecer *v.* **1 saber**, aprender, entender, dominar ≠ **ignorar**, desconhecer, desaprender **2 avaliar**, julgar, apreciar, aquilatar *fig.* **3** (pessoa) **encontrar**, apresentar **4 distinguir**, reconhecer, diferenciar, discernir, discriminar ≠ **confundir**, misturar, baralhar **5** (indivíduo) **apreciar**, compreender, julgar

conhecido *adj.* **1 sabido**, falado, público, notório, cógnito ≠ **desconhecido**, ignoto, incógnito, aforrado **2 comum**, habitual, trivial, banal, vulgar ≠ **extraordinário**, excecional, raro **3 celebrado**, afamado, famoso, célebre ≠ **desconhecido**, ignoto, ignorado **4** (local) **frequentado**, movimentado, animado, concorrido ≠ **infrequentado**

conhecimento *n.m.* 1 **ciência**, saber, agnição, erudição ≠ **ignorância**, desconhecimento 2 **entendimento**, compreensão, inteligência, perceção, consciência ≠ **ignorância**, desconhecimento 3 **noção**, ideia 4 **informação**, notícia, informe, esclarecimento ≠ **desinformação** 5 **experiência**, prática, exercício ≠ **inexperiência** 6 **gratificação**, pagamento, percentagem, prémio, comissão 7 **recibo**, comprovativo 8 [*pl.*] **saber**, instrução, bulas 9 [*pl.*] **perícia** 10 [*pl.*] **relações**

cónicoAO ou **cônico**AO *adj.* **coniforme**

conimbricense *adj.,n.2g.* **coimbrão**, conimbrigense

conivência *n.f.* 1 **cumplicidade**, compadrio *fig.* 2 **conluio**, colusão, maquinação, conspiração, trama *col.*

conivente *adj.2g.* 1 **cúmplice**, compadre, comparsa *fig.* ≠ **inconivente** 2 **conluiado**, colusório, conspirado, tramado, urdido, maquinado, cozinhado *fig.*

conjeturaAO ou **conjectura**AO *n.f.* 1 **presunção**, suposição, pressuposto, hipótese, suspeita, cálculo *fig.* 2 **prognostico**, previsão, previdência, predefinição, antecipação, antevisão

conjeturalAO ou **conjectural**AO *adj.2g.* **hipotético**, presumível, suposto, estocástico

conjeturarAO ou **conjecturar**AO *v.* **presumir**, supor, prever, pressentir, futurar, antever, suspeitar

conjeturávelAO ou **conjecturável**AO *adj.2g.* **hipotético**, presumível, suposto

conjugação *n.f.* 1 **junção**, ligação, reunião ≠ **separação**, divisão 2 **combinação**, união, ligação, junção, integração ≠ **separação**, divisão 3 **analogia**, conexão, afinidade, assemelhação, semelhança, conformidade, parecença, comparação, símile, vizinhança *fig.* ≠ **diferença**, assimetria, diversidade

conjugado *adj.* 1 **combinado**, unido, ligado, junto, integrado ≠ **separado**, dividido 2 **relacionado** 3 (verbo) **flexionado**

conjugal *adj.2g.* **matrimonial**

conjugar *v.* **unir**, ligar, reunir, combinar, integrar ≠ **separar**, dividir

cônjuge *n.m.* **consorte**, companheiro

conjunção *n.f.* 1 **combinação**, união, ligação, junção, integração ≠ **separação**, divisão 2 **conjuntura**, oportunidade, ocasião, contexto, situação, circunstância ≠ **desconjuntura**

conjuntamente *adv.* **juntamente**, concomitantemente, associadamente, cumulativamente, copulativamente, globalmente

conjuntar *v.* **ajuntar**, juntar, congregar, ligar, reunir, integrar ≠ **desconjuntar**, separar, desmanchar

conjunto *adj.* 1 **junto**, ligado, unido, combinado, integrado, agrupado, agregado ≠ **separado**, dividido, desmanchado 2 **próximo**, perto, junto, contíguo, chegado ≠ **distante**, afastado ■ *n.m.* 1 **soma**, total, todo ≠ **unidade** 2 **coleção**, coletânea, grupo 3 **equipa**, turma, grupo, agrupamento 4 (de música) **banda**, grupo, agrupamento

conjuntura *n.f.* 1 **conjunção**, oportunidade, ocasião, contexto, situação, circunstância, congeminência *col.* ≠ **desconjuntura** 2 (ossos) **articulação**, juntura

conjuração *n.f.* 1 **complô**, conluio, maquinação, intriga, conspiração, cambalacho, conjura, trama *fig.*, tramoia *col.*, cabala *fig.* ≠ **correção**, verdade, boa-fé 2 **aliança**, liga, confederação, associação, cartel, união, coligação 3 **esconjuro**, exorcismo, conjuro

conjurado *n.m.* 1 **conspirador**, conspirante, maquinador, tramador, golpista *fig.*, urdidor *fig.* 2 **exorcista**, esconjurador, conjurador

conjurar *v.* 1 **conspirar**, tramar, maquinar, projetar, planear, intrigar 2 (ameaça) **afastar**, desviar, evitar, prevenir, esconjurar ≠ **provocar**, motivar, suscitar

conjurar-se *v.* **unir-se**, combinar-se, associar-se, concertar-se, coligar-se, conluiar-se, mancomunar-se, acomunar-se

conjuro *n.m.* **conjuração**, exorcismo, esconjuro

conluiado *adj.* **conivente**, colusório, conspirado, tramado, urdido, maquinado, cozinhado *fig.*

conluiar *v.* 1 **conspirar**, tramar, maquinar, projetar, planear, intrigar 2 **enganar**, iludir, ludibriar, lograr, fraudar, vigarizar, codilhar *fig.* ≠ **desiludir**, desenganar

conluio *n.m.* **complô**, conjuração, maquinação, intriga, conspiração, cambalacho, trama *fig.*, tramoia *col.*, cabala *fig.*, cachinha [REG.] ≠ **correção**, verdade, boa-fé

conotação *n.f.* 1 **dependência**, subordinação, conexão, ligação ≠ **independência**, autonomia 2 FIL. **compreensão**

conquanto *conj.* **embora**, ainda que, se bem que, posto que

conquista *n.f.* 1 **tomada**, expugnação 2 **consecução**, aquisição, obtenção, conseguimento ≠ **insucesso**, falha, perda 3 *fig.* **sedução**, encanto, fascinação, charme, atração *fig.* ≠ **desilusão**, deceção, desinteresse

conquistador *adj.,n.m.* **sedutor**, galanteador, fascinador, cortejador, matador, dom-joão, namoradeiro ■ *n.m.* 1 **subjugador**, dominador, invasor, expugnador ≠ **subjugado**, dominado, subordinado 2 **vencedor**, triunfador ≠ **derrotado**, perdedor 3 **aventureiro**, dom-quixote

conquistar *v.* 1 **subjugar**, avassalar, submeter, sujeitar, tomar, domar, expugnar, dominar, prear ≠ **sujeitar-se**, submeter-se, render-se **2 adquirir**, obter, alcançar, ganhar ≠ **perder**, falhar **3** *fig.* **seduzir**, cativar, encantar, atrair, fascinar ≠ **desiludir**, dececionar, desinteressar

consagração *n.f.* **1** RELIG. (Catolicismo) **crisma**, confirmação **2** RELIG. **sagração**, glorificação **3 homenagem**, tributo **4** (a uma atividade, causa, ideia) **dedicação**, entrega, devoção, empenho **5 validação**, legitimação, confirmação, certificação **6 sanção**, reconhecimento, aprovação

consagrado *adj.* **1 bento**, sagrado **2 reconhecido**, considerado, aplaudido, aclamado ≠ **desconsiderado**, desprezado **3 ratificado**, sancionado, aprovado, validado ≠ **invalidado**, desaprovado **4 dedicado**, entregue, devoto, empenhado **5** *fig.* **iniciado**, aprendiz, principiante, noviço, novato, catecúmeno ≠ **experiente**, calejado, idóneo, versado, perito

consagrar *v.* **1 sagrar** ≠ **profanar**, desconsagrar **2 oferecer**, sacrificar, imolar **3 homenagear**, aclamar, preitear, venerar, aplaudir ≠ **desprezar**, desconsiderar **4 oferecer**, dedicar, entregar, dar **5 sancionar**, ratificar, validar, aprovar ≠ **invalidar**, desaprovar **6 reservar**, votar, destinar, devotar

consagrar-se *v.* **1 aplicar-se**, dedicar-se, devotar--se, entregar-se **2 notabilizar-se**, celebrizar-se **3 sagrar-se**, confirmar-se

consanguíneo *adj.* (parentesco) **carnal**

consanguinidade *n.f.* **parentesco**, sanguinidade, carne

consciência *n.f.* **1 conhecimento**, compreensão, inteligência, perceção, entendimento ≠ **ignorância**, desconhecimento **2 honradez**, retidão, sinceridade, probidade, honestidade, integridade *fig.* ≠ **desonestidade**, falsidade, fraude **3 cuidado**, escrúpulo, esmero, atenção, meticulosidade ≠ **desleixo**, descuido, negligência

consciencializar *v.* **mentalizar**, convencer, conscientizar

consciencioso *adj.* **escrupuloso**, honesto, probo, reto, íntegro *fig.* ≠ **falso**, desonroso, mentiroso

consciente *adj.2g.* **1 ciente**, cônscio, criterioso, consciencial **2 conhecedor**, informado, sabedor ≠ **desconhecedor**, desinformado **3 consciencioso**, responsável, cumpridor ≠ **irresponsável**, inconsequente **4 lúcido** *fig.*

conscrição *n.f.* **alistamento**

conscrito *adj.* **alistado**, recrutado

consecução *n.f.* **obtenção**, aquisição, conquista, conseguimento, alcançamento ≠ **insucesso**, falha, perda

consecutivamente *adv.* **sucessivamente**, seguidamente

consecutivo *adj.* **1 sucessivo**, ininterrupto, imediato, seguido, subsecutivo ≠ **descontínuo**, interrupto **2 resultante**, consequente, conseguinte

conseguinte *adj.2g.* **resultante**, consequente, consecutivo

conseguir *v.* **alcançar**, adquirir, arranjar, conquistar, obter, haver, agenciar, auferir, ganhar, abichar, abispar, abiscoitar *fig.*, abiscoutar *fig.* ≠ **perder**, fracassar, renunciar

conselheiro *n.m.* **aconselhador**, consultor, guia, orientador, mentor, alvitrador, exortador

conselho *n.m.* **1 parecer**, alvitre, sugestão, opinião, exortação, consulta, consultação, voz *fig.* **2 juízo**, prudência, siso, tino, sensatez ≠ **imprudência**, desatino, insensatez **3 deliberação**, determinação, resolução **4 assembleia**, reunião, congregação

consenso *n.m.* **assentimento**, anuência, consentimento, acordo, aprovação, unanimidade, beneplácito, aquiescência ≠ **desacordo**, divergência, oposição, contestação, contravapor *fig.*

consentâneo *adj.* **1 coerente**, concordante, conforme, harmónico, lógico, coeso, consonante, congruente ≠ **incoerente**, desarmónico, dissonante **2 conveniente**, adequado, apropriado, acomodado, adaptado, congruente ≠ **inconveniente**, inadaptado, inadequado

consentimento *n.m.* **1 assentimento**, anuência, acordo, aprovação, unanimidade, beneplácito, aquiescência, sim ≠ **desacordo**, divergência, oposição **2 permissão**, autorização, licença, aprovação ≠ **desautorização**, desaprovação, reprovação

consentir *v.* **1 aquiescer**, anuir, condescender, permitir, tolerar, aceitar, aprovar, acordar, concordar, assentir, aceder, aderir ≠ **discordar**, desaprovar, desconsentir **2 permitir**, propiciar, desimpedir, deixar, facultar ≠ **impedir**, proibir, negar, recusar

consequência *n.f.* **1 efeito**, resultado, conclusão, desfecho, corolário, sequela, consectário, fruto **2 ilação**, conclusão, dedução, inferência **3** *fig.* **importância**, relevância, valor, alcance, consideração, peso ≠ **insignificância**, irrelevância, desconsideração

consequente *adj.2g.* **1 deducional**, conclusivo **2 resultante**, sequente, derivado, consecutivo **3 coerente**, congruente, lógico, coeso, racional ≠ **incoerente**, incongruente, ilógico ■ *n.m.* MAT. **tese**

consequentemente *adv.* **concludentemente**, naturalmente

consertar *v.* **1 reparar**, arranjar, restaurar, reconstituir, recuperar, refazer, correger *ant.* ≠ **estragar**, danificar, destruir **2** (roupa) **compor**, remendar, arranjar **3 corrigir**, emendar, remediar, retocar ≠ **estragar**, alterar, adulterar

conserto *n.m.* 1 **reparação**, arranjo, restauro, reconstituição, recuperação, refazimento ≠ **estrago**, danificação, destruição 2 **remendo**, emenda, correção, retoque ≠ **estrago**, alteração, adulteração

conserva *n.f.* enlatado

conservação *n.f.* 1 **preservação**, manutenção, sustentação, sustento ≠ **deterioração**, estrago, dano 2 **congelação**, solidificação, preservação ≠ **deterioração**, estrago, dano

conservador *adj.* **convencional**, tradicional, careta [BRAS.] ≠ **moderno**, avançado, atual ■ *n.m.* 1 **protetor**, zelador, mantenedor, defensor 2 **retrógrado**, reacionário, tradicionalista, direitista ≠ **progressista**, inovador, vanguardista ■ *adj.,n.m.* RELIG. **fundamentalista**, integrista

conservar *v.* 1 **preservar**, manter, sustentar ≠ **deteriorar**, estragar, danificar 2 **reter**, lembrar, recordar, reviver ≠ **esquecer**, olvidar, deslembrar 3 **manter**, guardar, preservar, cuidar ≠ **perder**, destruir, corromper, estragar, abastardar

conservar-se *v.* 1 **manter-se**, preservar-se, guardar-se ≠ **perder-se**, destruir-se, estragar-se 2 **continuar**, durar, ficar, permanecer, resistir, viver

consideração *n.f.* 1 **ponderação**, reflexão, apreciação, estimação, meditação ≠ **imponderação**, irreflexão 2 **raciocínio**, pensamento, reflexão 3 **motivo**, razão, causa, fundamento, base 4 **deferência**, respeito, estima, veneração, apreço, esguardo ≠ **desprezo**, desrespeito, desconsideração, zomba 5 **importância**, monta, peso, valimento, valor ≠ **insignificância**, desvalor 6 [*pl.*] **comentários**, observações

considerado *adj.* 1 **ponderado**, refletido, apreciado, estimado, meditado ≠ **imponderado**, irrefletido 2 **respeitado**, deferente, estimado, venerado, apreciado, esguardado ≠ **desprezado**, desrespeitado, desconsiderado

considerando *n.m.* **argumento**, motivo, razão, causa, fundamento, base

considerar *v.* 1 **observar**, atentar, olhar, mirar ≠ **desperceber**, ignorar 2 **julgar**, achar, reputar 3 **estudar**, examinar, apreciar 4 **ponderar**, calcular, meditar, pensar, refletir 5 **respeitar**, estimar, venerar, apreciar, esguardar ≠ **desprezar**, desrespeitar, desconsiderar, escarnir, escarninhar

considerar-se *v.* **julgar-se**, achar-se, reputar-se, crer-se, ter-se, ajuizar-se, avaliar-se, apreciar-se

considerável *adj.2g.* 1 **notável**, respeitável, apreciável, estimável, venerável, acatável, contemplável ≠ **desprezável**, desdenhável 2 **avultado**, grande, enorme, vultoso ≠ **insignificante**, pequeno, ínfimo 3 **importante**, fundamental, essencial, substancial *fig.* ≠ **insignificante**, secundário, acessório

consideravelmente *adv.* **muito**, bastante, notavelmente ≠ **pouco**, insuficientemente

consignar *v.* 1 **entregar**, confiar, transmitir, depositar, cometer, remeter, passar, comunicar 2 **afirmar**, asseverar, declarar, mencionar, referir ≠ **omitir**, ocultar

consignatário *n.m.* **depositário**

consistência *n.f.* 1 **dureza**, rijeza, solidez, firmeza ≠ **mole**, flácido, fofo 2 **espessura**, densidade, corpo ≠ **ralo**, leve 3 *fig.* **realidade** 4 *fig.* **crédito**, credibilidade, fundamento

consistente *adj.2g.* 1 **firme**, rijo, sólido, duro, forte ≠ **mole**, fraco, frágil 2 (líquido) **espesso**, denso, viscoso 3 *col.* **substancial**, alimentar 4 *fig.* **constante**, estável, duradouro ≠ **inconstante**, instável 5 *fig.* **coerente**, congruente, lógico, coeso, racional ≠ **incoerente**, incongruente, ilógico 6 *fig.* **credível**, verosímil, provável, crível ≠ **inverosímil**, incrível

consistir *v.* 1 **constar**, compor-se, comportar, compreender, abranger, constituir 2 **residir**, fundar-se, basear-se, apoiar-se

consoante *prep.* **segundo**, conforme, de acordo com ■ *conj.* **como**, conforme, segundo

consoar *v.* **rimar**, consonar

consociar *v.* 1 **associar**, unir, reunir, ajuntar, aliar ≠ **desassociar**, dissociar 2 **conciliar**, harmonizar, concordar, unanimar, compor *fig.* ≠ **desconciliar**, desarmonizar, desavir

consócio *n.m.* 1 **coassociado** 2 **colega**, companheiro

consola *n.f.* ARQ. **mísula**, cachorro

consolação *n.f.* 1 **conforto**, alívio, lenitivo, refrigério, bem-estar, bálsamo *fig.*, confortativo *fig.* ≠ **desconforto**, aflição, desconsolo 2 **prazer**, gosto, deleite, satisfação, agrado, contentamento ≠ **insatisfação**, desagrado, desprazer

consolado *adj.* 1 **confortado**, aliviado, lenitivo, balsâmico *fig.* ≠ **desconfortado**, aflito, desconsolado, inconsolado 2 **regalado**, contente, agradado, deleitado, aprazido, satisfeito ≠ **insatisfeito**, desagradado, desprazido 3 **saciado**, satisfeito, regalado, deleitado ≠ **desconsolado**, insatisfeito

consolador *adj.,n.m.* **confortador**, animador, alivioso

consolar *v.* 1 **confortar**, reconfortar, acalentar, revigorar, animar ≠ **desconsolar**, desanimar, afligir 2 **satisfazer**, agradar, contentar, alegrar, rejubilar ≠ **desagradar**, desgostar, descontentar

consolar-se *v.* 1 **resignar-se**, conformar-se 2 **satisfazer-se** 3 *col.* **regalar-se**

consolidação *n.f.* 1 **estabilização**, preservação, conservação, avigoramento ≠ **desestabilização**, deterioração, estrago 2 **cicatrização**

consolidado *adj.* 1 **consistente**, sólido, firme, estável ≠ **instável**, fraco 2 **garantido**, seguro, certo ≠ **incerto**, inseguro, instável

consolidar *v.* 1 **solidificar**, fortalecer, firmar, fortificar, cimentar *fig.* ≠ **amolecer**, molificar 2 **corroborar**, confirmar, validar, comprovar, vivificar, roborar 3 **cicatrizar**, sarar 4 **estabilizar**, fixar, estabelecer ≠ **desestabilizar**, abalar

consolidar-se *v.* 1 **estabelecer-se**, impor-se, fortalecer-se 2 **endurecer**, sedimentar-se

consolo *n.m.* 1 **conforto**, alívio, lenitivo, refrigério, bem-estar, bálsamo *fig.* ≠ **desconforto**, aflição, desconsolo 2 **prazer**, gosto, deleite, satisfação, agrado, contentamento ≠ **insatisfação**, desagrado, desprazer

consonância *n.f.* 1 **conciliação**, concordância, concertação, harmonização, harmonia, acordo, lógica, conformidade, uniformidade ≠ **desacordo**, desarmonização, discordância, discrepância 2 MÚS. **harmonia**, assonância ≠ **desarmonia**, dissonância, desafinação 3 LIT. **rima**, assonância, homocatalexia

consonante *adj.2g.* **conforme**, concordante, congruente, harmónico, cônsono, lógico, coeso, coerente ≠ **incoerente**, desarmónico, dissonante

consorciar *v.* 1 **associar**, reunir, ligar, unir, aliar, combinar, conjugar ≠ **desassociar**, separar, desligar, desunir 2 **casar**, esposar, matrimoniar, unir, conjungir, desposar ≠ **divorciar**, separar, descasar

consórcio *n.m.* 1 **companhia**, associação, corporação, parceria, centro, círculo, grémio 2 **casamento**, enlace, conúbio, união, boda, casório *col.*, nó *col.*, conjungo *col.* ≠ **divórcio**, separação, desunião, celibato

consorte *n.2g.* 1 **companheiro** 2 **cônjuge**, companheiro

conspecto[AO] ou **conspeto**[AO] *n.m.* 1 **observação**, exame, estudo, análise 2 **aspeto**, presença, fisionomia, ar *fig.*

conspicuidade *n.f.* 1 **distinção**, ilustração, notabilidade, nobreza, respeitabilidade, honorabilidade ≠ **ignobilidade**, canalhice 2 **fama**, reputação, renome, crédito, credibilidade, celebridade ≠ **desconhecido**, estranho

conspícuo *adj.* 1 **distinto**, brioso, nobre, notável, delicado, atencioso, cortês ≠ **grosseiro**, indelicado, mal-educado, descortês, rude 2 **austero**, sério, grave, discreto, ponderado, sóbrio, sisudo, respeitável ≠ **alegre**, contente, eufórico *fig.*

conspiração *n.f.* **complô**, conjuração, maquinação, intriga, conluio, cambalacho, trama *fig.*, tramoia *col.*, cabala *fig.* ≠ **correção**, verdade, boa-fé

conspirador *adj.,n.m.* **conjurador**, conspirante, maquinador, tramador, golpista *fig.*, urdidor *fig.*

conspirar *v.* 1 **tramar**, conluiar, maquinar, projetar, planear, intrigar 2 **concorrer**

conspurcação *n.f.* 1 **sujidade**, imundície, porcaria, sujeira ≠ **asseio**, limpeza 2 *fig.* **aviltamento**, desonra, infâmia, maculação, mancha, deslustre, enodoamento

conspurcar *v.* 1 **sujar**, manchar, enodoar, emporcalhar, borrar ≠ **limpar**, desnodoar, desenxovalhar, emundar 2 **aviltar**, desonrar, infamar, macular, manchar, deslustrar 3 **corromper**, perverter, degradar *fig.* ≠ **reabilitar**, recuperar, regenerar

conspurcar-se *v.* **aviltar-se**, corromper-se, desonrar-se

constância *n.f.* 1 **perseverança**, tenacidade, firmeza, permanência, porfia 2 **paciência**, bonomia, pachorra ≠ **impaciência**, alvoroço 3 **continuidade**, regularidade, durabilidade, permanência ≠ **descontinuidade**, irregularidade, instabilidade

constante *adj.2g.* 1 **persistente**, perseverante, firme, pertinaz ≠ **inconstante**, impersistente, acatastático, acatassolado *fig.* 2 **contínuo**, incessante, ininterrupto ≠ **descontínuo**, inconstante 3 **incluído**, mencionado, inscrito, escrito 4 **invariável**, inalterável, fixo, estereotipado *fig.* ■ *n.f.* **dominante**

constar *v.* 1 **dizer-se**, contar-se, saber-se, correr, rosnar-se, rotejar-se [REG.] ≠ **desconhecer-se** 2 **consistir**, compor-se, comportar, compreender, abranger

constatação *n.f.* **confirmação**, verificação, corroboração, comprovação, fundamentação, testemunho ≠ **negação**, impugnação, contradição

constatar *v.* 1 **atestar**, verificar, averiguar, notar 2 **comprovar**, certificar, reconhecer, apurar, demonstrar ≠ **refutar**, contraprovar

constelar *v.* 1 **esmaltar** 2 **divinizar**

consternação *n.f.* **desalento**, angústia, tristeza, dor, desolação, prostração *fig.* ≠ **alento**, ânimo

consternado *adj.* **desolado**, triste, prostrado, abatido, desgostoso ≠ **animado**, entusiasmado

consternar *v.* 1 **desalentar**, desanimar, entristecer, esmorecer, alutar ≠ **animar**, alentar, fortalecer 2 **afligir**, apoquentar, desesperar, angustiar ≠ **desapoquentar**, tranquilizar, sossegar

consternar-se *v.* 1 **afligir-se**, angustiar-se, entristecer-se, desolar-se 2 **abater-se**, desanimar

constipação *n.f.* 1 MED. **resfriado**, resfriamento, catarreira 2 MED. **obstipação**, prisão de ventre

constitucionalidade *n.f.* **legitimidade** ≠ **inconstitucionalidade**, ilegal

constituição *n.f.* 1 **composição**, disposição, organização, estrutura 2 **criação**, fundação, construção, elaboração, composição 3 **compleição**, carnadura, organismo 4 DIR. **instituição** 5 **estatuto**, regulamento, regra

constituinte *adj.2g.* **integrante**, componente ■ *n.m.* **componente** ■ *n.2g.* **outorgante**, outorgador

constituir *v.* 1 **compor**, formar, integrar, constar, consistir 2 **edificar**, estabelecer, fundar, organizar, instituir ≠ **dissolver**, desfazer, desagregar 3 **ser**

constituir-se *v.* 1 **formar-se**, compor-se 2 **tornar-se** 3 **arrogar-se**, assumir

constitutivo *adj.* 1 **integrante**, componente 2 **essencial**, primordial, principal, fundamental, primário, importante, capital, cardeal, vital *fig.* ≠ **secundário**, acessório, auxiliar 3 **característico**, específico, próprio, particular, singular ≠ **universal**, geral, abrangente

constrangedor *adj.* **coativo**, coercivo, opressivo ≠ **libertador**, arbitrário

constranger *v.* 1 **compelir**, obrigar, forçar, coagir, compulsar, violentar, impor ≠ **desobrigar**, eximir, dispensar, liberar 2 **apertar**, cingir, comprimir, premer, pressionar ≠ **soltar**, desapertar, descingir, alargar 3 **inibir**, embaraçar, envergonhar, tolher ≠ **desembaraçar**, desinibir

constranger-se *v.* 1 **obrigar-se**, sujeitar-se, violentar-se 2 **embaraçar-se**, incomodar-se

constrangido *adj.* 1 **pesaroso**, entristecido, desgostoso ≠ **alegre**, contente 2 **forçado**, obrigado, contrafeito, coato, submetido, obstrito, violentado ≠ **desoprimido**, liberado, eximido 3 **acanhado**, inibido, envergonhado, tolhido ≠ **desinibido** 4 **sufocado**, asfixiado, abafado

constrangimento *n.m.* 1 **opressão**, coação, repressão, pressão, compressão ≠ **desopressão**, incoerção, liberdade 2 **insatisfação**, desagrado, descontente ≠ **satisfeito**, agradado, contente 3 **acanhamento**, inibição, embaraço ≠ **desinibição**, desembaraço

constrição *n.f.* **aperto**, opressão, estreitamento, estrangulamento, contração ≠ **desaperto**, descompressão, alargamento

constringir *v.* **apertar**, cingir, contrair, estreitar ≠ **alargar**, dilatar

constringir-se *v.* **comprimir-se**, apertar-se

construção *n.f.* 1 **edificação**, ereção 2 **edifício**, estrutura, obra 3 **composição**, elaboração, formação, conceção 4 **construtura**, estrutura, configuração, compleição, constituição, disposição

construir *v.* 1 **produzir**, fabricar, fazer ≠ **destruir**, desfazer 2 **edificar**, erguer, erigir, arquitetar ≠ **demolir**, destruir, derrubar 3 **compor**, criar, elaborar, conceber, formar 4 **imaginar**, fantasiar, engenhar, arquitetar *fig.*

construtivo *adj.* 1 **criativo**, produtivo, fértil, fecundo ≠ **estéril**, infecundo, improdutivo 2 **positivo**, útil, edificante, proveitoso, benéfico ≠ **negativo**, inútil, infrutífero

construtor *adj.* **edificador**, organizador, planeador ■ *n.m.* **empreiteiro**, mestre de obras

consubstanciar *v.* **unificar**, unir, juntar, ligar, fundir ≠ **separar**, desunir, desligar

consubstanciar-se *v.* 1 **identificar-se** 2 **unir-se**, reunir-se, unificar-se 3 **concretizar-se**, materializar-se

consuetudinário *adj.* **habitual**, usual, rotineiro, corriqueiro, costumado, frequente, regular, costumário ≠ **desabituado**, infrequente, irregular

consulta *n.f.* 1 **referendo** 2 **parecer**, conselho, opinião, aviso 3 **exame**, observação 4 **reflexão**

consultar *v.* 1 **sondar**, informar-se, aconselhar-se, pedir, solicitar, indagar, perguntar 2 **examinar**, ler, observar, perscrutar, compulsar 3 **seguir**, decorrer

consultar-se *v.* 1 **meditar**, refletir 2 **aconselhar-se**

consultor *n.m.* **conselheiro**

consumação *n.f.* **conclusão**, remate, final, acabamento, desfecho, fim, terminação, termo, perfazimento, fecho *fig.* ≠ **início**, começo, princípio, encetadura

consumado *adj.* 1 **concluído**, acabado, realizado, terminado, cerrado, findado, finalizado, rematado ≠ **iniciado**, começado, principiado, encetado 2 **perfeito**, completo, descambado, inteiro *fig.* ≠ **imperfeito**, lacunar 3 **distinto**, abalizado, ilustrado, eminente, qualificado, competente ≠ **indigno**, desprezível, desqualificado, incompetente

consumar *v.* 1 **concluir**, acabar, completar, terminar, cerrar, findar, finalizar, rematar ≠ **iniciar**, começar, principiar, encetar 2 **realizar**, praticar, executar, fazer, efetuar, efeituar 3 **aperfeiçoar**, requintar, melhorar, apurar, otimizar ≠ **estragar**, danificar 4 **coroar**, galardoar, premiar, laurear

consumar-se *v.* 1 **completar-se**, terminar, rematar 2 **realizar-se**, verificar-se 3 **aperfeiçoar-se**

consumição *n.f.* 1 **preocupação**, apreensão, apoquentação, ralação, cisma, mortificação, aflição ≠ **despreocupação**, tranquilidade, sossego *fig.* 2 **desgosto**, mágoa, tristeza, pesar, penar, amargura *fig.* ≠ **alegria**, felicidade, júbilo, regozijo

consumido *adj.* 1 **gasto**, dispendido ≠ **poupado**, económico 2 *fig.* **preocupado**, apreensivo, apoquentado, ralado *col.*, cismático, mortificado ≠ **despreocupado**, tranquilo, sossegado *fig.* 3 *fig.* **abatido**, debilitado, enfraquecido, cansado ≠ **enérgico**, dinâmico, vivo

consumidor *n.m.* **comprador**, cliente, freguês ≠ **comerciante**, negociante ■ *adj.,n.m. col.* **gastador**, dissipador ≠ **poupador**, guardador, aproveitador, avarento, chorina, chuchado *col.*, caipira [REG.]

consumir *v.* 1 **dissipar**, desgastar, absorver, deperder, desvanecer ≠ **preservar**, manter, conservar 2 **usar**, utilizar, servir-se 3 **corroer**, desgastar, roer, erodir, devorar, minar *fig.* ≠ **preservar**, manter, conservar 4 **destruir**, danificar, estragar ≠ **recuperar**, consertar, restaurar 5 **absorver**, ingerir, tomar 6 **comprar**, adquirir, vender 7 **despender**, gastar, desembolsar, expender ≠ **poupar**, economizar 8 *fig.* **mortificar**, afligir, apreender, apoquentar, ralar, cismar, preocupar ≠ **despreocupar**, tranquilizar, sossegar

consumir-se *v.* 1 **afligir-se**, preocupar-se, apoquentar-se, ralar-se, aborrecer-se 2 **destruir-se** 3 **enfraquecer**, debilitar-se, desgastar-se

consumo *n.m.* 1 **emprego**, uso, utilização 2 **gasto**, dispêndio, despesa ≠ **poupança**, economia 3 **ingestão**, deglutição

consumpção[AO] ou **consunção**[AO] *n.f.* 1 (por doença) **definhamento**, desgaste, enfraquecimento, deperecimento, contabescência 2 **sumpção**

conta *n.f.* 1 **cálculo**, cômputo, contabilidade, estimativa, avaliação, tenteio, computação 2 **quantia**, enumeração, total, importância, quantidade 3 **fatura**, recibo, comprovativo 4 **explicação**, justificação, esclarecimento 5 **atribuição**, responsabilidade 6 **conceito**, estima

contabilidade *n.f.* 1 **cálculo**, cômputo, conta, estimativa, avaliação, tenteio, computação 2 (comércio) **deve-haver**

contabilista *n.2g.* **escriturário**, contador, guarda-livros *ant.*

contabilizar *v.* 1 **registar**, inscrever 2 **calcular**, contar, computar, determinar, orçar, avaliar, medir

contactar[AO] ou **contatar**[AO] *v.* **comunicar**, relacionar-se, familiarizar-se

contacto[AO] ou **contato**[AO] *n.m.* 1 **toque**, tato 2 **convivência**, convívio, comunhão, familiaridade, contubérnio, companheirismo, trato ≠ **inimizade**, hostilidade, malquerença, aversão 3 **semelhança**, assemelhação, analogia, conformidade, afinidade, parecença, comparação, símile, vizinhança *fig.* ≠ **diferença**, assimetria, diversidade

contado *adj.* 1 **calculado**, contabilizado, estimado, avaliado, computado, abalançado 2 **atribuído**, imputado 3 **relatado**, participado, narrado, referido

contador *adj.* **calculador**, calculista ■ *n.m.* 1 **calculador**, calculista 2 **contista** 3 **narrador**, historiador 4 **medidor** 5 **contabilista**, escriturário, guarda-livos

contadoria *n.f.* **tesouraria**, pagadoria

contagem *n.f.* **enumeração**, cômputo, conta, resenha, apuramento, cálculo, dinumeração

contagiar *v.* 1 **contaminar**, pegar, infetar, transmitir, gafar, apegar, inçar, epidemiar ≠ **descontaminar**, desinfetar, desinçar, desenxamear 2 *fig.* **propagar**, espalhar, propalar, transmitir 3 *fig.* **corromper**, degenerar, adulterar, estragar, viciar, perverter ≠ **conservar**, preservar

contágio *n.m.* 1 **contaminação**, transmissão, propagação, irradiação, infeção, contagião, apegamento *fig.* ≠ **descontaminação**, desinfeção, purificação 2 **epidemia**, andaço, peste, pestilência 3 *fig.* **corrupção**, degeneração, adulteração, estrago, vício, perversão ≠ **conservação**, preservação

contagioso *adj.* **epidémico**, contagiante, infectuoso, pegadiço, contagional ≠ **intransmissível**, intransitivo

conta-gotas *n.m.2n.* **gotímetro**

contaminação *n.f.* 1 **contágio**, infeção, apegação *fig.* ≠ **descontaminação**, despoluição 2 **poluição** 3 *fig.* **corrupção**, degeneração, adulteração, estrago, vício, perversão ≠ **conservação**, preservação 4 *fig.* **propagação**, transmissão, contágio, irradiação, apegamento, infeção ≠ **descontaminação**, desinfeção, purificação

contaminado *adj.* 1 **infetado**, contagiado 2 (lugar, rio) **poluído** 3 *fig.* **corrompido**, degenerativo, adulterado, estragado, viciado, pervertido ≠ **conservado**, preservado

contaminar *v.* 1 **contagiar**, infetar, infecionar, gafar, eivar, inçar, apeganhar, coinquinar, empestar *fig.* ≠ **descontagiar**, desinfetar, desinficionar 2 **poluir** ≠ **despoluir**, limpar 3 **sujar**, conspurcar, manchar, macular ≠ **limpar**, assear 4 *fig.* **corromper**, degenerar, adulterar, estragar, viciar, perverter ≠ **conservar**, preservar 5 *fig.* **invadir**, apoderar-se, dominar, ocupar

contar *v.* 1 **calcular**, computar, determinar, orçar, avaliar, contabilizar, numerar 2 (tempo) **medir**, marcar, registar 3 **englobar**, incluir, abarcar, integrar, abranger ≠ **desintegrar**, separar 4 **compreender**, comportar 5 **considerar**, ponderar, atentar 6 **esperar**, prever, supor, estimar, imaginar, conjeturar 7 **narrar**, historiar, relatar 8 **importar**, significar, valer, representar ≠ **desvaler** 9 **valer**, custar 10 **figurar**

contarelo *n.m.* 1 **historieta** 2 **mentira**, balela, palão, balona, peta, galga *col.*, batata *col.*

contável *adj.2g.* 1 **calculável**, enumerável, numerável ≠ **incalculável**, inumerável, incontável 2 **narrável** ≠ **inarrável** 3 **considerável**, importante, significativo ≠ **insignificativo**

contemplação *n.f.* 1 **observação**, examinação 2 **meditação**, absorvimento 3 *fig.* **consideração**, respeito, deferência, estima, apreço ≠ **desprezo**, desrespeito, desconsideração 4 **benevolência**, condescendência, contemporização, obséquio, complacência ≠ **intolerância**, malevolência, desconsideração 5 **donativo**

contemplar *v.* 1 **observar**, examinar, mirar 2 **admirar**, apreciar, maravilhar-se 3 **meditar**, refletir, pensar, cismar 4 **imaginar**, idealizar, conceber 5 **conferir**, premiar, galardoar 6 **condescender**, beneficiar, conceder, ceder, contemporizar ≠ **opor-se**, contestar, negar, refutar

contemplativo *adj.* **meditativo**, pensativo, absorto, cismático, meditabundo ■ *n.m.* **devoto**, beato

contemporaneidade *n.f.* **atualidade**, hodiernidade, modernidade ≠ **antiguidade**

contemporâneo *adj.* 1 **presente** ≠ **passado** 2 **hodierno**, atual, coetâneo, equevo, coevo ≠ **passado**, antigo, arcaico ■ *n.m.* **coevo**, coetâneo, equevo

contemporização *n.f.* **transigência**, condescendência, cedência, concessão, temporização ≠ **intransigência**

contemporizador *adj.,n.m.* **transigente**, condescendente, cedente, concedente, temporizador, contemporizante ≠ **intransigente**

contemporizar *v.* **condescender**, transigir, ceder, temporizar, conceder ≠ **opor-se**, negar, recusar

contenção *n.f.* 1 **contenda**, altercação, disputa, litígio, luta, conflito, rixa, desavença ≠ **acordo**, conciliação, concórdia 2 **rivalidade**, concorrência, competição, emulação, antagonismo ≠ **cooperação**, ajuda 3 **moderação**, refreamento, ponderação, prudência, sensatez, epiceia ≠ **imprudência**, insensatez, imoderação

contencioso *adj.* 1 **litigioso**, conflituoso, processivo ≠ **pacificador**, aquietador, conciliador 2 **hesitante**, vacilante, indeciso, duvidoso, incerto, irresoluto ≠ **determinado**, certo, decidido, resoluto

contenda *n.f.* 1 **contenção**, altercação, disputa, litígio, luta, conflito, rixa, desavença ≠ **acordo**, conciliação, concórdia 2 **briga**, combate, escaramuça, rixa, rusga, peleja, pugna, lide, luta, bulha, certame ≠ **paz**, concórdia

contender *v.* 1 **disputar**, altercar, digladiar, litigiar, lutar, decertar, entrebater-se ≠ **acordar**, conciliar 2 **atacar**, agredir

contendor *n.m.* **adversário**, rival, disputador, competidor, antagonista, concorrente, inimigo, opositor, émulo ≠ **aliado**, cúmplice

contenho *n.m.* 1 **aparência**, aspeto, feição, figura, cariz, presença, fachada *fig.*, ar *fig.* 2 **garbo**, porte

contentamento *n.m.* 1 **satisfação**, alegria, agrado, gosto, jubilação, felicidade ≠ **desagrado**, insatisfação, desgosto 2 **prazer**, gosto, deleite, satisfação, agrado, consolo ≠ **insatisfação**, desagrado, desprazer

contentar *v.* **alegrar**, aprazer, agradar, satisfazer, jubilar ≠ **desagradar**, desgostar

contentar-se *v.* 1 **satisfazer-se** ≠ **desagradar-se**, aborrecer-se 2 **alegrar-se** ≠ **entristecer**

contente *adj.2g.* **alegre**, feliz, jovial, satisfeito, divertido, hílare ≠ **triste**, infeliz, dissaborido, esmarrido, ferrugíneo, caído *fig.*, chateado *fig.*, abetumado *fig.*, murcho *fig.*, bruno *fig.*, amargoso *fig.*, hamlético *fig.*, banzo [BRAS.]

contento *n.m.* **agrado**, satisfação, gosto, prazer, contentamento ≠ **desagrado**, insatisfação, desgosto

conter *v.* 1 **incluir**, abranger, encerrar, abarcar, englobar ≠ **excluir** 2 **possuir**, ter 3 **mencionar**, referir 4 **reter**, refrear, dominar, moderar, controlar, embridar, bridar *fig.* ≠ **descontrolar**, exceder

conterrâneo *adj.,n.m.* **concidadão**, compatriota, patrício, compatrício ≠ **estrangeiro**

conter-se *v.* **refrear-se**, controlar-se, dominar-se, reprimir-se, moderar-se, comedir-se, calar-se, embiocar-se

contestação *n.f.* 1 **objeção**, contradição, rebatida, impugnação, denegação, refutação ≠ **aprovação**, consentimento 2 **discussão**, controvérsia, disputa, debate, polémica ≠ **acordo**, concórdia, conformidade

contestante *adj.,n.2g.* **contraditor**, rebatedor, impugnador, refutador ≠ **aprovador**, consenciente

contestar *v.* 1 **contradizer**, contrariar, desmentir 2 **impugnar**, refutar, denegar, contrariar ≠ **aprovar**, consentir 3 **confirmar**, certificar, comprovar, aprovar 4 **altercar**, discutir, debater ≠ **acordar**, conciliar, conformar

contestatário *adj.,n.m.* **opositor**, adversário ≠ **aliado**, cúmplice

contestável *adj.2g.* **discutível**, controverso, questionável, impugnável, refutável, contendível

conteúdo *n.m.* 1 **recheio**, interior 2 **assunto**, teor, matéria 3 **capacidade**, continência 4 LING. **sentido**, significação ■ *adj.* **contido**, inserto, encerrado

contexto *n.m.* 1 **conjuntura**, oportunidade, ocasião, conjunção, situação, circunstância ≠ **desconjuntura** 2 **argumento**, assunto 3 **composição**, compostura, contextura, organização, constituição, disposição, formação ≠ **desorganização**

contido *adj.* **conteúdo**, inserto, encerrado

contiguar *v.* **aproximar**, avizinhar, vizinhar ≠ **distanciar**, afastar

contiguidade *n.f.* **adjacência**, vizinhança, proximidade, imediação, continuidade ≠ **distância**, afastamento

contíguo *adj.* 1 **circunjacente**, adjacente, circunvizinho, próximo, vizinho, comarcão, confinante, afrentado ≠ **afastado**, distante 2 **imediato**

continência *n.f.* 1 **castidade**, pureza, abstinência, pudicícia 2 **ponderação**, moderação, sobriedade, prudência, sensatez, discrição, comedimento ≠

imprudência, insensatez, imoderação **3** **capacidade**, conteúdo

continental *adj.2g.* **metropolitano**

continente *n.m.* **contentor**, recipiente, recetáculo ■ *adj.2g.* **1** **casto**, puro, inocente, virgíneo, cândido, branco ≠ **impuro**, adulterado, corrompido **2** **moderado**, sóbrio, discreto, comedido, prudente, ponderado ≠ **exagerado**, excessivo, descomedido

contingência *n.f.* **condicionalidade**, relatividade, eventualidade, possibilidade, hipótese, caso, acidentalidade, adrego, acaso, incerteza, causalidade ≠ **incontingência**

contingente *adj.2g.* **1** **hesitante**, vacilante, indeciso, duvidoso, incerto, irresoluto ≠ **determinado**, certo, decidido, resoluto **2** **secundário**, acessório, auxiliar ≠ **primordial**, essencial, principal, primário, fundamental, vital ■ *n.m.* **parte**, quinhão, quota, quota-parte

contingentemente *adv.* **casualmente**, fortuitamente, acidentalmente, eventualmente

continuação *n.f.* **1** **prosseguimento**, série, seguimento, prossecução, sucessão, sequência ≠ **fim**, término **2** **duração**, prolongação, prolongamento, subsequência, continuidade ≠ **descontinuação**, interrupção, suspensão **3** **habituação**, hábito, rotina, automatismo **4** **renque**

continuado *adj.* **constante**, contínuo, incessante, sucessivo, ininterrupto ≠ **descontínuo**, inconstante ■ *n.m.* GRAM. (pouco usado) **aposto**

continuador *adj.,n.m.* **seguidor**, prossecutor, prosseguidor

continuamente *adv.* **incessantemente**, constantemente, ininterruptamente, sempre, seguidamente ≠ **ocasionalmente**, raramente, escassamente

continuar *v.* **1** **prosseguir**, seguir, suceder, proceder ≠ **finalizar**, terminar **2** **durar**, prolongar, perpetuar, prorrogar ≠ **descontinuar**, interromper, suspender

continuidade *n.f.* **1** **prosseguimento**, série, seguimento, prossecução, sucessão, sequência ≠ **fim**, término **2** **duração**, prolongação, prolongamento, subsequência, continuação ≠ **descontinuação**, interrupção, suspensão **3** **contiguidade**, vizinhança, proximidade, imediação, adjacência ≠ **distância**, afastamento

contínuo *adj.* **1** **seguido**, incessante, ininterrupto, persistente ≠ **descontínuo**, inconstante **2** **constante**, homogéneo **3** **repetido**, sucessivo **4** **consistente**, consolidado **5** GRAM. **durativo** ■ *n.m.* **1** **auxiliar**, servente **2** **continuum** ■ *adv.* **ininterruptamente**, constantemente, continuadamente, incessantemente, sempre ≠ **ocasionalmente**, raranemente, escassamente

conto *n.m.* **1** **historieta**, narrativa **2** **mentira**, balela, palão, balona, peta, galga *col.*, batata *col.* **3** [*pl.*] **enredos**

conto-da-carochinhaaAO *n.m.* ⇒ **conto da carochinha**dAO

conto da carochinhadAO *n.m. col.* **mentira**, contarelo, conto, peta, batata *col.*

contorção *n.f.* **1** **torção**, estorcimento, torcedura **2** **versão**, volta

contorcer *v.* **1** **torcer**, estorcegar, contrair, escorjar, estorcer, estortegar ≠ **distender**, esticar **2** **dobrar**, arquear ≠ **endireitar**

contorcer-se *v.* **retorcer-se**, torcer-se, contrair--se, escorjar-se, estorcer-se

contornar *v.* **1** **ladear**, circundar, girar, tornear, circuitar, rodear **2** *fig.* **evitar**, esquivar-se, escapar, safar-se, fugir ≠ **enfrentar**, encarar, defrontar **3** *fig.* **aperfeiçoar**, aprimorar, requintar, melhorar, apurar, otimizar ≠ **estragar**, danificar

contorno *n.m.* **1** **perímetro**, orla, limite, periferia, redor **2** **borda**, orla, cairel, ourela, aba, banda, beira, extremidade **3** **sinuosidade**, volta, desvio, meandro

contra *adv.* **desfavoravelmente**, contrariamente, negativamente ≠ **favoravelmente** ■ *n.m.* **inconveniente**, obstáculo, defeito, óbice, dificuldade ≠ **conveniente**, vantagem

contra-ataque *n.m.* **contragolpe**, contraofensiva ≠ **recuo**, retirada

contra-aviso *n.m.* **contraordem**, contramandado, desaviso

contrabaixo *n.m.* **1** **rabecão** **2** **contrabaixista**

contrabalançar *v.* **equilibrar**, contrapesar, equiponderar, compensar *fig.* ≠ **desequilibrar**

contrabandista *n.2g.* **candongueiro**, muambeiro, embusteiro, intrujão, burlão, trapaceiro ≠ **honesto**, justo

contrabando *n.m.* **candonga**, candonguice, mercado negro, tráfico, fraude

contraçãodAO *n.f.* **1** **encolhimento**, retraimento, espasmo, adstringência, crispação, convulsão ≠ **distensão**, dilatação **2** ECON. **recessão**

contracçãoaAO *n.f.* ⇒ **contração**dAO

contraceçãodAO ou **contracepção**AO *n.f.* **anticonceção**

contracenar *v.* **representar**, interpretar, atuar

contracepçãoAO *n.f.* ⇒ **contraceção**dAO

contraceptivoAO *adj.,n.m.* ⇒ **contracetivo**dAO

contracetivodAO ou **contraceptivo**AO *adj.* **anticoncecional** ■ *n.m.* **pílula**, anticoncecional

contractoAO ou **contrato**AO *adj.* **contraído**, retraído, crispante, convulsivo, encolhido ≠ **distensivo**, dilatado

contradança *n.f.* 1 **quadrilha** 2 *fig.* **vicissitude**, vaivém, inconstância, instabilidade ≠ **estabilidade**, segurança

contradição *n.f.* 1 **paradoxo**, antinomia, absurdo ≠ **coerência**, lógica 2 **desmentido**, falsidade, mentira ≠ **verdade**, realidade 3 **incoerência**, discrepância, desarmonia, incongruência ≠ **concordância**, congruência, consonância, acordo 4 **incompatibilidade**, implicação, implicância, resistência ≠ **compatibilidade**, consentimento 5 **objeção**, impugnação, contestação, oposição, discordância, rebatida, refutação, discórdia ≠ **aprovação**, consentimento, afirmação

contradita *n.f.* DIR. **objeção**, contradição, rebatida, impugnação, denegação, refutação ≠ **aprovação**, consentimento

contraditar *v.* **impugnar**, refutar, contestar, objetar, replicar, denegar, contrapontear *fig.* ≠ **aprovar**, consentir

contraditor *adj.,n.m.* **contestante**, rebatedor, impugnador, refutador, contrariador ≠ **aprovador**, consenciente

contraditória *n.f.* 1 **objeção**, contradição, rebatida, impugnação, denegação, refutação ≠ **aprovação**, consentimento 2 **oposição**, choque, confrontação, conflito, disputa ≠ **consonância**, comunhão, acordo

contraditório *adj.* 1 **oposto**, inverso, contrário, antinómico, antirrético ≠ **conforme**, correto, condizente 2 **incompatível**, inconciliável ≠ **conciliável**, compatível, comportável

contradizer *v.* **contestar**, disputar, atacar, adversar, contrariar, debater, discutir, impugnar ≠ **aceitar**, concordar, condescender, ceder

contradizer-se *v.* 1 **desmentir-se**, contrariar-se, desdizer-se, colidir-se, confutar-se 2 **colidir**, discrepar

contraente *adj.,n.2g.* 1 **nubente**, casante, noivo 2 **contratante**, celebrante, estipulante

contrafação[dAO] *n.f.* 1 **falsificação**, imitação, adulteração, viciação, contrafeição ≠ **correção** 2 *fig.* **disfarce**, fingimento, camuflagem, dissimulação, paliação, capote *fig.*, coberta ≠ **exposição**, apresentação, exibição, mostra

contrafacção[aAO] *n.f.* ⇒ **contrafação**[dAO]

contrafazer *v.* 1 **falsificar**, adulterar, imitar, viciar, copiar ≠ **corrigir** 2 **constranger**, compelir, obrigar, forçar, coagir, compulsar, violentar, impor ≠ **desobrigar**, eximir, dispensar, liberar 3 *ant.* **disfarçar**, encobrir, simular, dissimular, camuflar, mascarar *fig.* ≠ **descobrir**, revelar, demonstrar, mostrar, desmascarar

contrafazer-se *v.* 1 **disfarçar-se**, fingir 2 **forçar-se**

contrafeito *adj.* 1 **forçado**, obrigado, constrangido, coato, submetido ≠ **desoprimido**, liberado, eximido 2 **falsificado**, imitado, adulterado, fictício, viciado ≠ **correto**, verdadeiro

contraforte *n.m.* **esporão**, botaréu, entretela

contraído *adj.* 1 (objeto) **encolhido**, reduzido, diminuto ≠ **distensivo**, dilatado 2 (pessoa) **inibido**, tenso, rígido, crispado 3 (doença, hábito) **adquirido**, apanhado ≠ **rejeitado** 4 (compromisso, dívida) **assumido** ≠ **rejeitado**, negado 5 (casamento) **celebrado**

contraindicado[dAO] *adj.* (medicamento, tratamento) **prejudicial**, desaconselhado, contraproducente ≠ **benéfico**, aconselhado

contra-indicado[aAO] *adj.* ⇒ **contraindicado**[dAO]

contraindicar[dAO] *v.* **desaconselhar**, desaprovar, opor-se, proibir ≠ **aprovar**, aconselhar

contra-indicar[aAO] *v.* ⇒ **contraindicar**[dAO]

contrair *v.* 1 **reduzir**, encolher, apertar, arctar ≠ **alargar**, esticar, dilatar 2 **convulsar**, retrair, adstringir, crispar, encolher ≠ **distender**, dilatar 3 (dívida) **fazer**, assumir 4 (casamento) **celebrar** 5 (doença, infeção) **apanhar**, adquirir ≠ **rejeitar** 6 (hábito) **adquirir**, ganhar ≠ **perder**

contrair-se *v.* 1 **apertar-se**, constringir-se, crispar-se 2 **encolher-se** 3 **contorcer-se** 4 **endurecer-se** 5 **limitar-se**

contraordem[dAO] *n.f.* **contra-aviso**, contramandado, desaviso

contra-ordem[aAO] *n.f.* ⇒ **contraordem**[dAO]

contraordenar[dAO] *v.* **contramandar**, desavisar

contra-ordenar[aAO] *v.* ⇒ **contraordenar**[dAO]

contrapartida *n.f.* 1 **compensação**, recompensa, indemnização, retribuição, correspetivo, contrapeso *fig.*, paga *fig.* 2 **equivalência**, correspondência, correlação

contrapesar *v.* 1 **equilibrar**, contrabalançar, equiponderar, compensar *fig.* ≠ **desequilibrar** 2 **confrontar**, cotejar, conferir, equiparar, assemelhar

contrapeso *n.m.* 1 *fig.* **compensação**, recompensa, indemnização, retribuição, paga *fig.* 2 **desconto**, redução, abatimento, dedução ≠ **aumento**, subida 3 *col.* **empecilho**, obstáculo, embaraço, impedimento ≠ **desimpedimento**, desembaraço, enrascadura *col.*

contraplacado *n.m.* **contrafolheado**

contraponto *n.m.* MÚS. **polifonia**, harmonia

contrapor *v.* **contestar**, disputar, atacar, adversar, contradizer, contrariar, debater, discutir, impugnar ≠ **aceitar**, concordar, condescender, ceder

contrapor-se *v.* **opor-se**, contrastar, contradizer

contraposição *n.f.* 1 **comparação**, confronto, cotejo, paralelo, símile, colação, contraposta 2 **objeção**, impugnação, contestação, oposição, discordância, rebatida, refutação, discórdia ≠

aprovação, consentimento **3 resistência**, luta, defensiva ≠ **rendição**, entrega

contraproducente *adj.2g.* contraindicado, desaconselhado ≠ **indicado**, aconselhado, recomendado

contraprovar *v.* **impugnar**, refutar, contestar, objetar, replicar, denegar ≠ **aprovar**, consentir

contra-réplica[aAO] *n.f.* ⇒ **contrarréplica**[dAO]

contrariado *adj.* **1 adversado 2 aborrecido**, maçado, enfadado, desgostoso ≠ **divertido**, alegre, deleitado, satisfeito

contrariar *v.* **1 contradizer**, desdizer, desmentir, pirraçar **2 opor-se**, combater, impedir, estorvar, contra-arrestar ≠ **desimpedir**, facilitar **3 desagradar**, descontentar, desgostar ≠ **agradar**, contentar, alegrar **4 impugnar**, contestar, refutar, denegar, obstar ≠ **aprovar**, consentir

contrariar-se *v.* **1 contradizer-se**, desdizer-se **2 opor-se**, contrapor-se, entrechocar-se *fig.* **3 desgostar-se**

contrariedade *n.f.* **1 contratempo**, desventura, obstáculo, infortúnio, dificuldade, impedimento, entrave, canudo *col.*, abrolhos *fig.* ≠ **desimpedimento**, desatravancamento, desobstrução, desempeço, desempacho **2 aflição**, angústia, tribulação, agonia ≠ **serenidade**, bem-estar, tranquilidade

contrário *adj.* **1 oposto**, inverso, diverso, incompatível, discordante, discorde, contraditório, impróprio, reverso ≠ **coincidente**, uniforme, homogéneo, concordante **2 adverso**, desfavorável, hostil, resistente, antagónico, infenso ≠ **favorável**, harmonioso **3 nocivo**, prejudicial, contraindicado, contraproducente ≠ **benéfico**, aconselhado ■ *n.m.* **1 oposição**, inversão, antagonismo **2 antónimo** ≠ **sinónimo 3 reverso**, oposto, avesso, revés

contrarréplica[dAO] *n.f.* **tréplica**

contra-senha[aAO] *n.f.* ⇒ **contrassenha**[dAO]

contra-senso[aAO] *n.m.* ⇒ **contrassenso**[dAO]

contra-sinal[aAO] *n.m.* ⇒ **contrassinal**[dAO]

contrassenha[dAO] *n.f.* **contrassinal**

contrassenso[dAO] *n.m.* **absurdo**, disparate, desatino, contradição, tolice, heresia *fig.* ≠ **coerência**, lógica, senso, correção

contrassinal[dAO] *n.m.* **1 contrassenha 2** *fig.* **disfarce**, dissimulação, fingimento, camuflagem, paliação, capote *fig.*, contrafação *fig.* ≠ **exposição**, apresentação, exibição, mostra

contrastar *v.* **1 contestar**, disputar, atacar, adversar, contradizer, contrariar, debater, discutir, impugnar ≠ **aceitar**, concordar, condescender, ceder **2 afrontar**, defrontar, arrostar, enfrentar, encarar **3 examinar**, avaliar, apreciar, aquilatar *fig.*

contraste *n.m.* **1 oposição**, confronto, choque, confrontação, conflito, disputa ≠ **consonância**, comunhão, acordo **2 crítico**, analisador, analista, comentador

contratação *n.f.* **combinação**, acordo, compromisso, contrato, pacto ≠ **demissão**, exoneração, despedimento

contratador *n.m.* **1 negociante**, lojista ≠ **comprador**, freguês, cliente **2 arrematante**, licitante **3 assalariador 4 engajador**

contratante *adj.,n.2g.* **contraente**, celebrante

contratar *v.* **1 empregar**, colocar, meter ≠ **desempregar**, exonerar, demitir, destituir **2 ajustar**, acordar, concertar, coincidir, avir, conciliar, concordar, condizer, aliar, pactear ≠ **desacordar**, desconcertar **3 negociar**, comercializar, mercadejar, transacionar, tratar, traficar *ant.*

contratempo *n.m.* **contrariedade**, desventura, obstáculo, infortúnio, dificuldade, impedimento, entrave, canudo *col.*, contravento *fig.* ≠ **desimpedimento**, desatravancamento, desobstrução, desempeço, desempacho

contrato *n.m.* **acordo**, pacto, combinação, convenção, ajuste, concerto, conchavo, mão-posta, congregação, união, arranjo ≠ **desacordo**, desajuste, desarranjo

contratorpedeiro *n.m.* **caça-torpedos**, caça-torpedeiros

contravenção *n.f.* **transgressão**, infração, desobediência, contraversão, violação ≠ **acatamento**, obediência, cumprimento

contraveneno *n.m.* **1** FARM. **antídoto**, alexifármaco **2** BOT. **contrapeçonha**

contraventor *adj.,n.m.* **infrator**, transgressor, violador

contraversão *n.f.* **1 oposição**, inversão, antagonismo, contrário **2 transgressão**, infração, desobediência, contravenção, violação ≠ **acatamento**, obediência, cumprimento

contravolta *n.f.* **reviravolta**

contribuição *n.f.* **1 tributo**, taxa, imposto, quota, cotização, prestação, coleta **2 ajuda**, assistência, colaboração, participação, auxílio, apoio ≠ **desapoio**, desauxílio

contribuinte *adj.* **cooperante**, colaborador ■ *adj.,n.2g.* **tributário**, pagante, contribuidor, contributário

contribuir *v.* **1 tributar-se**, cotizar-se **2 colaborar**, ajudar, cooperar, concorrer ≠ **desajudar**, dificultar, complicar

contributo *n.m.* **1 cooperação**, participação, coadjuvação, colaboração ≠ **indiferença**, apatia **2 auxílio**, ajuda, socorro, assistência, apoio ≠ **desapoio**, desauxílio

contrição *n.f. fig.* **remorso**, arrependimento, pungimento, penitência, culpa

contristar *v.* **1 condoer**, penalizar, desgostar, entristecer ≠ **alegrar**, contentar **2 mortificar**, confranger, afligir, atormentar, comprimir ≠ **alegrar**, contentar, desapoquentar

contristar-se *v.* entristecer-se, penalizar-se, desgostar-se ≠ **alegrar-se**, contentar-se

contrito *adj.* arrependido, pesaroso, repeso, cabisbaixo *fig.*

controlado *adj.* 1 **fiscalizado**, examinado, vigiado, verificado 2 **sereno**, ponderado, comedido, prudente, moderado ≠ **descomedido**, excessivo, exagerado

controlar *v.* 1 **examinar**, submeter 2 **conferir**, verificar, inspecionar, confirmar, fiscalizar 3 **conter**, reter, dominar, moderar, refrear ≠ **descontrolar**, exceder 4 **dominar**, domar, submeter, avassalar, subjugar ≠ **sujeitar-se**, submeter-se, acatar 5 **conduzir**, orientar, encaminhar, dirigir, guiar

controlar-se *v.* **refrear-se**, conter-se, dominar-se, reprimir-se, moderar-se, comedir-se, calar-se

controlo *n.m.* 1 **autodomínio** 2 **verificação**, revisão, exame, fiscalização, inspeção 3 **dominação**, intendência, sujeição, superintendência, jugo *fig.* ≠ **subjugação**, submissão

controvérsia *n.f.* 1 **discussão**, contestação, disputa, debate, polémica ≠ **acordo**, concórdia, conformidade 2 **discussão**, celeuma, contenda, altercação, disputa, debate, certame, peleja *fig.* ≠ **acordo**, entendimento, assentimento

controverso *adj.* 1 **discutido**, debatido, contestado, falado, polémico 2 **duvidoso**, discutível, problemático, questionável ≠ **categórico**, imperativo, perentório

controverter *v.* 1 **objetar**, refutar, contestar, impugnar, replicar, denegar ≠ **aprovar**, consentir 2 **discutir**, disputar, altercar, argumentar, porfiar, contender, debater, pleitear, batalhar ≠ **acordar**, entender, assentir

contudo *conj.* **mas**, porém, todavia, conquanto, no entanto

contumácia *n.f.* 1 **capricho**, birra, teima, teimosia, cisma, caturrice, obstinação, pertinácia, embirração, porfia, turra *fig.* ≠ **flexibilidade**, plasticidade, maleabilidade 2 **revelia**, rebeldia, impenitência

contumaz *adj.2g.* 1 **obstinado**, teimoso, casmurro, testudo, embirrento, opiniático, capitoso, orelhudo, pertinaz, cabeçudo *fig.* ≠ **aberto**, flexível, maleável 2 DIR. **revel**

contundência *n.f.* **violência**, agressividade, dureza, incisividade ≠ **delicadeza**, suavidade, brandura, serenidade

contundente *adj.2g.* 1 **dilacerante**, lesante, pungente, lancinante 2 *fig.* **agressivo**, incisivo, mordaz, cáustico

contundir *v.* 1 **pisar**, calcar, trilhar, esmagar 2 **moer**, triturar, macerar, esmagar 3 *fig.* **afligir**, apoquentar, desesperar, angustiar ≠ **desapoquentar**, tranquilizar, sossegar 4 *fig.* **ofender**, machucar, melindrar, magoar, chagar ≠ **respeitar**, honrar, considerar, estimar

conturbação *n.f.* 1 **alteração**, modificação, mudança, transformação, variação, transtorno, mutação ≠ **tranquilidade**, sossego, serenidade 2 **motim**, desordem, tumulto, agitação, alvoroço, revolta, insurreição ≠ **apaziguamento**, pacificação, serenidade

conturbado *adj.* **perturbado**, agitado, modificado, alterado, transformado, transtornado ≠ **tranquilo**, calmo, sereno

conturbar *v.* 1 **alterar**, modificar, transformar, transtornar, inquietar ≠ **tranquilizar**, sossegar, serenar 2 **agitar**, amotinar, revoltar, alvoraçar, sublevar, convulsionar *fig.* ≠ **serenar**, pacificar, apaziguar, acalmar

contusão *n.f.* 1 MED. **pisadura**, equimose, exsucação, negra 2 **trituração**, mastigação 3 *fig.* **ressentimento**, rancor, animosidade, cicatriz *fig.*

contuso *adj.* **pisado**, calcado, trilhado, esmagado, contundido, amassado

convalescença *n.f.* **recuperação**, restabelecimento, cobro, analepsia

convalescer *v.* **recuperar**, restabelecer-se, recobrar, envalecer ≠ **piorar**, agravar

convenção *n.f.* 1 **acordo**, pacto, contrato, combinado, ajuste, concerto, conchavo, congregação, união, arranjo ≠ **desacordo**, desajuste, desarranjo 2 **convénio**, tratado

convencer *v.* 1 **persuadir**, calar, mover, induzir, capacitar ≠ **dissuadir**, desaconselhar, demover, desconvencer, despersuadir, desmaginar 2 **provar**, evidenciar, demonstrar, patentear, mostrar ≠ **confundir**, obscurecer

convencer-se *v.* 1 **acreditar**, crer, aceitar 2 **persuadir-se**, capacitar-se, compenetrar-se, encabeçar-se

convencido *adj.* 1 **persuadido**, convicto, compenetrado, certo ≠ **hesitante**, indeciso, vacilante *fig.* 2 **presunçoso**, presumido, pretensioso, afetado, fumoso *fig.* ≠ **desafetado**, modesto, despretensioso, franco

convencimento *n.m.* 1 **persuasão**, compenetração, certeza, persuadimento ≠ **hesitação**, indecisão, vacilação *fig.* 2 **presunção**, vaidade, jactância, ostentação, gala, bazófia *fig.* ≠ **discrição**, simplicidade, sobriedade, despojamento, recato, modéstia

convencionado *adj.* **acordado**, ajustado, combinado, planeado, concertado, convencional, arranjado ≠ **desacordado**, desarranjado

convencional *adj.2g.* 1 **acordado**, ajustado, combinado, planeado, concertado, convencionado, arranjado ≠ **desacordado**, desarranjado 2 **formal**, circunstancial, solene, protocolar, cerimonial, cerimonioso ≠ **informal**, descerimonioso 3 comum, banal, simples, trivial, corriqueiro ≠ **extraordinário**, excecional, raro

convencionar *v.* **acordar**, ajustar, concertar, coincidir, avir, conciliar, concordar, condizer, aliar, pactuar ≠ **desacordar**, desconcertar

conveniência *n.f.* **1 adequação**, conformidade, congruência, pertinência, apropriação, acomodação, adaptação, consentaneidade ≠ **inconveniência**, inadaptação, inadequação **2 vantagem**, interesse, proveito, utilidade, pró, benefício ≠ **desvantagem**, desinteresse

conveniente *adj.2g.* **1 vantajoso**, útil, proveitoso, oportuno, favorável, benéfico ≠ **desvantajoso**, prejudicial, desoportuno, inútil, desconveniente **2 necessário**, preciso ≠ **desnecessário** **3 adequado**, decente, apropriado, acomodado, adaptado, congruente ≠ **inconveniente**, inadaptado, inadequado

convénio[AO] ou **convênio**[AO] *n.m.* **1 convenção**, tratado **2 acordo**, pacto, contrato, combinado, ajuste, concerto, conchavo, congregação, união, arranjo ≠ **desacordo**, desajuste, desarranjo

convento *n.m.* **1 mosteiro**, cenóbio, abadia, claustra, freiria, ascetério **2** *fig.* **recolhimento**, reclusão, enclausura, isolação **3** *fig.* **casarão**, casão

conventual *adj.* **monacal**, monastical, claustral, abacial ▪ *adj.,n.m.* **franciscano**, capucho

convergência *n.f.* **1 junção**, reunião, ligação ≠ **separação**, desunião **2 coincidência**, confluência, identidade, conformidade, harmonia, concordância ≠ **desconcordância**, divergência, discrepância **3** FÍS., ÓT. ≠ **divergência**

convergente *adj.2g.* **coincidente**, concordante, confluente, consonante, harmónico ≠ **divergente**, discordante, disperso

convergir *v.* **1 afluir**, concorrer, confluir, dirigir-se, encaminhar-se ≠ **dispersar**, afastar **2 agrupar-se**, congregar-se, concentrar-se, reunir-se ≠ **dispersar**, misturar, espalhar

conversa *n.f.* **1 conversação**, diálogo, palratório, prosa, cavaqueira, palestra, colóquio, abocamento, bate-papo [BRAS.] **2** *fig.* **lábia**, léria, paleio, palavreado, treta, fraseado, cantata *col.*, garganta *fig.*, cantiga *fig.,col.*, galra *col.*, música *col.*, prosa *col.* **3** *fig.* **intrujice**, impostura, vigarice, logro, charlatanice, engano ≠ **honestidade**, verdade, sinceridade

conversação *n.f.* **1 conversa**, diálogo, palratório, prosa, cavaqueira, palestra, colóquio, abocamento, bate-papo [BRAS.] **2 familiaridade**, companheirismo, convívio, convivência, solidariedade, contubérnio, sodalício ≠ **inimizade**, hostilidade, malquerença, aversão

conversador *adj.,n.m.* **falador**, loquaz, tagarela, gárrulo, linguareiro, palrador, discursivo, cavaqueador

conversão *n.f.* **alteração**, modificação, mudança, transformação, reviramento, variação, mutação, convertimento ≠ **conservação**, manutenção, permanência

conversar *v.* **1 cavaquear**, conversalhar, palestrar, discorrer, conferenciar **2** *col.* **namorar**, catrapiscar, cortejar, derriçar

conversível *adj.2g.* **convertível**, transformável, mudável, transmutável ≠ **inconvertível**

converso *adj.* **1** RELIG. **convertido** **2 convertido**, transformado, mudado, inverso ▪ *n.m.* **locutório**, parlatório

converter *v.* **mudar**, transformar, substituir, transmutar, transfigurar, comutar ≠ **permanecer**, conservar, manter

converter-se *v.* **1 mudar-se**, transformar-se, alterar-se, tornar-se **2 aderir**

convertido *adj.* **1** RELIG. **converso** **2 converso**, transformado, mudado, inverso

convertível *adj.2g.* **conversível**, transformável, mudável, transmutável ≠ **inconvertível**

convexidade *n.f.* **abaulamento**, curvatura, bojo ≠ **concavidade**, cavidade, côncavo, depressão

convexo *adj.* **bojudo**, giboso, abaulado, curvado, arqueado, abobadado ≠ **reto**, direito

convicção *n.f.* **certeza**, firmeza, asseveração, segurança, crença, fé ≠ **insegurança**, hesitação, dúvida, indecisão

convicto *adj.* **convencido**, persuadido, compenetrado, seguro, certo ≠ **hesitante**, indeciso, vacilante *fig.*

convidar *v.* **1 invitar** ≠ **desconvidar**, anular, revogar **2 solicitar**, rogar, pedir, perguntar, demandar, convocar **3 provocar**, desafiar, incitar, instigar

convidativo *adj.* **1 convidante** **2 apetitoso**, apetente, atraente, agradável ≠ **desconvidativo**, desagradável, desinteressante, repulsivo

convide *n.m.* [REG.] **gorjeta**, gratificação, emolumento, caravela

convincente *adj.2g.* **concludente**, decisivo, procedente, categórico, terminante, imperatório, perentório, decretório, desarmante, convencedor, suasivo ≠ **inconcludente**, indecisivo, hesitante, irresoluto

convir *v.* **1 apropriar**, adequar, adaptar, acomodar, moldar ≠ **desadaptar**, desajustar **2 servir**, assentar, caber, quadrar, calhar **3 concordar**, aceitar, admitir, concorrer, adicar *col.* ≠ **divergir** *fig.*, desencontrar-se

convite *n.m.* **1 invitação**, convocação, solicitação **2** *fig.* **incitação**, exortação, instigação, excitação, induzimento, aliciação, suscitação, atiçação *fig.*, fustigação *fig.* ≠ **repressão**, coibição **3** *ant.* **festim**, banquete, prândio, festa, refasto *fig.*, regabofe *col.*

conviva *n.2g.* **comensal**, contubernal

convivência *n.f.* 1 **confraternização**, convívio, comunhão, familiaridade, contubérnio, contacto, trato ≠ **enclausura**, recolhimento, isolação 2 **familiaridade**, intimidade, confiança *col.* ≠ **formalidade**

convivente *adj.,n.2g.* **sociável**, cortês, tratável, atencioso, afável ≠ **indelicado**, intratável, grosseiro

conviver *v.* 1 **coabitar**, comorar 2 **irmanar**, fraternizar, congeminar, comungar, lidar ≠ **desirmanar**

convívio *n.m.* **confraternização**, convivência, comunhão, familiaridade, contubérnio, contacto, trato ≠ **enclausura**, recolhimento, isolação

convocação *n.f.* 1 **chamada**, chamamento, apelo, convocatória, emprazamento 2 **invitação**, convite, solicitação

convocar *v.* 1 **chamar**, apelar 2 **solicitar**, rogar, pedir, perguntar, demandar, convidar

convocatória *n.f.* **chamada**, chamamento, apelo, convocação, emprazamento

convolar *v.* **mudar**, passar, alterar ≠ **permanecer**, conservar, manter

convulsão *n.f.* 1 MED. **contração**, retraimento, espasmo, adstringência, crispação, encolhimento, estrebuchamento ≠ **distensão**, dilatação 2 *fig.* **agitação**, abalo, perturbação, conturbação ≠ **tranquilidade**, calma, sossego

convulsar *v.* **contrair**, retrair, adstringir, crispar, encolher ≠ **distender**, dilatar

convulsionar *v. fig.* **agitar**, amotinar, revolucionar, revoltar, alvoraçar, conflagrar ≠ **serenar**, pacificar, apaziguar, acalmar

convulsivo *adj.* 1 **turbulento**, revolucionário, trémulo, agitado ≠ **pacífico**, sereno, calmo 2 **espasmódico**

convulso *adj.* **turbulento**, revolucionário, trémulo, agitado ≠ **pacífico**, sereno, calmo

coonestar *v.* 1 **aparentar**, disfarçar, mostrar, revestir-se, fingir, dissimular, simular, camuflar, mascarar *fig.* ≠ **demonstrar**, desmascarar, revelar 2 **reabilitar**

cooperação *n.f.* **colaboração**, participação, coadjuvação, contributo ≠ **indiferença**, apatia

cooperador *adj.,n.m.* **colaborador**, participante, coadjuvante, contribuinte, auxiliador, cooperante ≠ **indiferente**, apático

cooperante *adj.,n.2g.* **colaborador**, participante, coadjuvante, contribuinte, auxiliador, cooperador ≠ **indiferente**, apático

cooperar *v.* **colaborar**, participar, contribuir, coadjuvar, ajudar, assistir, auxiliar ≠ **desajudar**, dificultar, complicar

coopositordAO *n.m.* **competidor**, concorrente, participante, rival, opositor, emulador ≠ **aliado**, parceiro, cúmplice

co-opositoraAO *n.m.* ⇒ **coopositor**dAO

cooptar *v.* **agregar**, associar, admitir, incorporar ≠ **desagregar**

coordenação *n.f.* 1 **estruturação**, organização, constituição, compostura, disposição, ordenação ≠ **desestruturação**, desorganização, desordem, descompostura, incoordenação 2 **orientação**, direção, gestão, comando

coordenada *n.f.* [*pl.*] **indicações**, diretrizes, orientações

coordenador *n.m.* **editor** ■ *adj.* **organizativo**, coordenativo

coordenar *v.* 1 **estruturar**, organizar, constituir, dispor, ordenar ≠ **desestruturar**, desorganizar, desordenar 2 **orientar**, gerir, dirigir, comandar 3 **combinar**, arranjar, compor, conjugar ≠ **desarranjar**, desconjugar

coordenativo *adj.* **coordenador**, organizativo

coorte *n.f. fig.* **multidão**, bando, magote, chusma, tropa, ajuntamento, formigueiro, catrefada, catrefa *col.*, hoste *fig.*, coluvião *fig.*, enxame *fig.*, esquadrão *fig.*, exército *fig.*

copa *n.f.* 1 **copeira** 2 **baixela**, serviço, alfaia, pratas, argentaria, frasca *ant.* 3 *ant.* **taça** 4 [BRAS.] **torneio**, competição, campeonato, taça

copar *v.* **desramar**, encopar, decotar

cópia *n.f.* 1 **transcrição**, transcrito, extrato, translado 2 **reprodução**, imitação, duplicado, apógrafo, duplicata, fac-símile, réplica, retrato 3 **fotocópia** 4 **plágio**, servilismo 5 *fig.* **sósia**, retrato, duplo 6 **abundância**, abastança, afluência, fartura, riqueza ≠ **escassez**, insuficiência

copiador *n.m.* 1 **copista**, escrivão, transcritor, amanuense, escrevente 2 **copiógrafo**

copianço *n.m. col.* **cábula** *gír.*, apontamento, cabulice

copiar *v.* 1 **transcrever**, reproduzir, passar, trasladar 2 **plagiar**, imitar, fingir 3 **imitar**, reproduzir, fac-similar ■ *n.m.* [BRAS.] **alpendroada**, telheiro, coberto, cabanal [REG.]

copioso *adj.* 1 **abundante**, rico, farto, opulento, numeroso, abastoso, caudaloso *fig.* ≠ **pobre**, miserável 2 **prolixo**, extenso, longo, prolongado ≠ **pequeno**, curto, conciso

copista *n.2g.* 1 **escrivão**, escrevente, transcritor, amanuense 2 **plagiador**, imitador, plagiário

copo *n.m.* **manelo**

copropriedadedAO *n.f.* **compropriedade**, condomínio

co-propriedadeaAO *n.f.* ⇒ **copropriedade**dAO

coproprietáriodAO *n.m.* **comproprietário**, condómino, indivisário

co-proprietárioaAO *n.m.* ⇒ **coproprietário**dAO

cópula *n.f.* 1 **ligação**, união, junção, reunião ≠ **separação**, divisão 2 **coito**, concúbito, copulação, foda *vulg.*, fornicação *vulg.*

copulação *n.f.* 1 **coito**, concúbito 2 **ligação**, união, junção, reunião ≠ **separação**, divisão

copular *v.* 1 **acasalar**, castiçar, cobrir, padrear, fornicar *vulg.* 2 **juntar**, irmanar, reunir, ligar, unir ≠ **separar**, desunir

copulativo *adj.* **conectivo**, conexivo, acoplado, conjuntivo ≠ **desacoplado**, separado

coque *n.m.* 1 **carolo**, cascudo, castanha, croque, coscorrão, chapeleta, pinhão *col.* 2 **cozinheiro**, vatel *fig.*

coqueluche *n.f.* 1 MED. **tosse convulsa** 2 *col.* **craque**, ídolo [BRAS.]

coquete *adj.2g.* 1 **vaidoso**, pretensioso, orgulhoso, afetado, fátuo, assoprado *fig.* ≠ **despretensioso**, desafetado, modesto 2 **insinuante**, sedutor, tentador, oferecido *pej.* 3 **inconstante**, volúvel, instável, incerto, variável ≠ **constante**, estável, certo ■ *adj.,n.2g.* **janota**, elegante, garrido, catita, airoso, bem-posto ≠ **deselegante**, desajeitado, desairoso, desgracioso

cor *n.f.* 1 **coloração**, pigmentação ≠ **descoloração**, desbotamento, palidez 2 **tinta**, pigmento, corante 3 *fig.* **aparência**, aspeto, fachada *fig.* 4 *fig.* **disfarce**, pretexto, dissimulação, fingimento, desculpa 5 *ant.* **coração**

coração *n.m.* 1 **cor** *ant.* 2 **peito** 3 **núcleo**, centro, imo, íntimo, âmago, foco, interior *fig.*, fundo, eixo *fig.*, gema *fig.*, medula *fig.* ≠ **superfície**, exterior 4 *fig.* **amor**, afeto, dileção, afeição, querença, benquerença, amizade ≠ **ódio**, malquerença 5 *fig.* **generosidade**, caridade, piedade, compaixão, misericórdia, comiseração, clemência, humanidade *fig.* ≠ **desumanidade**, malevolência 6 *fig.* **sensibilidade**, sensação, sentimento ≠ **insensibilidade**, indiferença, frieza

corado *adj.* 1 **rosado**, afogueado, acerejado ≠ **pálido**, macilento, amarelado, desbotado, desmaiado, lúrido, lívido, sepulcral *fig.* 2 **ruborizado**, encarnado, vermelho, ruborescido 3 *fig.* **envergonhado**, acanhado, vexado, tímido ≠ **expansivo**, extrovertido, franco, entusiasta 4 **dourado**, tostado

coragem *n.f.* **bravura**, intrepidez, ousadia, denodo, audácia, arrojo, afoiteza, ânimo, destemor, valentia, valor, atrevimento, brio, ardimento, desassombro, desembaraço, determinação, destemidez, esforço, galhardia, heroísmo, resolução, alma *fig.*, decisão *fig.*, estômago *fig.*, fígado *fig.* ≠ **temor**, medo, covardia, acobardamento, descoragem, pânico, fraqueza, timidez, poltronaria, pusilanimidade, atemorização ■ *interj.* **ânimo!**, força!

corajoso *adj.* **arrojado**, destemido, ousado, valente, afoito, bravo, audaz, intrépido, andantesco ≠ **cobarde**, medroso, medricas, acobardado, fracalhão, lingrinhas, cagarola *col.*

coral *n.m.* 1 **orfeão**, coro 2 **vermelho**, rubor ■ *n.f.* ZOOL. **cobra-coral**

coralina *n.f.* MIN. **cornalina**, cornéola

corante *n.m.* **tinta**, pigmento, cor, colorante ≠ **descolorante**

corar *v.* 1 **enrubescer**, erubescer, colorar, vermelhecer, rosar-se *fig.* ≠ **descorar**, palidejar, amarelar, amarelecer, desbotar, empalecer, enlividecer, lividescer 2 **colorir**, colorear, tingir, pintar ≠ **descolorir**, descorar 3 (roupa) **branquear** 4 *fig.* **disfarçar**, esconder, encobrir, dissimular, ocultar, mascarar ≠ **apresentar**, expor, exibir, mostrar 5 *fig.* **envergonhar-se**, acanhar-se, inibir-se

corça *n.f.* ZOOL. **cerva**, cassiopeia

corcho *n.m.* 1 [REG.] **cardume** 2 [REG.] **cortiço**

corço *n.m.* ZOOL. **cabrito-montês**, zorlito, gamo

corcova *n.f.* **corcunda**, marreca, bossa, gibosidade, giba *col.*, marrã [REG.]

corcovar *v.* **curvar**, arquear, vergar, dobrar, encurvar, amarrecar

corcunda *adj.* **corcovado**, marreco, geboso ■ *n.f.* **corcova**, marreca, bossa, gibosidade, giba *col.*, marrã [REG.] ■ *n.m.* ICTIOL. **capatão**

corda *n.f.* 1 **cabo**, amarra, cordão, calabre, viúva *col.* 2 **série**, sucessão, cadeia, encadeamento, enfiada

cordame *n.m.* NÁUT. **cordoalha**, massame, cordoagem, cordoada

cordão *n.m.* 1 **cabo**, amarra, calabre, nagalho, viúva *col.* 2 **fileira**, fiada, correnteza, série

cordeiro *n.m.* **anho**, borrego, aninho

cordel *n.m.* **baraço**, cordão, guita, barbante, atilho, negalho

cor-de-rosa *adj.inv.* 1 **rosado**, avermelhado 2 *fig.* **feliz**, alegre, jovial ≠ **triste**, descontente, enfadado

cordial *adj.2g.* 1 *fig.* **sincero**, franco, verdadeiro, correto ≠ **falso**, matraz 2 *fig.* **amistoso**, conciliador, afetuoso, amigável, figulino *fig.* ≠ **hostil** 3 *fig.* **íntimo**, privado, particular ≠ **público** ■ *n.m.* **conforto**, bem-estar, regalo, cómodo, comodidade ≠ **mal-estar**, desconforto, incómodo

cordialidade *n.f.* 1 **afabilidade**, delicadeza, cortesia, educação, simpatia ≠ **indelicadeza**, descortesia 2 **franqueza**, sinceridade, lealdade ≠ **desonestidade**, falsidade

cordialmente *adv.* 1 **francamente**, sinceramente 2 **afetuosamente**, amistosamente, entranhadamente

cordilheira *n.f.* **serrania**, espinhaço *fig.*

coreia *n.f.* 1 **baile**, bailado, dança, bailata 2 MED. **dança-de-são-vito**

coreto *n.m.* **palanque** [REG.]

coreu adj.,n.m. LIT. troqueu

co-réu[aAO] n.m. ⇒ **corréu**[dAO]

corga n.f. 1 regueiro, sulco, valeira 2 azinhaga, carreiro, córrego, congosta

corgo n.m. azinhaga, carreiro, córrego, congosta, quingosta [REG.]

corisco n.m. faísca, raio

corja n.f. bandalho, futre, safado, patife, súcia, infame, velhaco, malta, biltre, brejeiro, pulha col., canalha pej. ≠ notável, honesto, respeitador

cornalina n.f. MIN. coralina, carnéola, cornìola

córneo adj. duro, rijo, firme ≠ mole, fraco

corneta n.f. 1 buzina, trombeta, búzio 2 col. nariz, trombeta ■ n.m. corneteiro

cornija n.f. corónide

corno n.m. 1 chifre, chavelho, haste, gaipa, gaita col., aspa [BRAS.], guampa [BRAS.] 2 MÚS. trompa

coro n.m. 1 orfeão, coral 2 (igreja) balcão

coroa n.f. 1 diadema, auréola 2 fig. monarquia, realeza 3 fig. recompensa, prémio, galardão, palma 4 fig. honra, glória, distinção 5 cume, cimo, alto, cumeeira, cimeira, auge, topo, cocuruto fig. ≠ base, sopé, falda, aba 6 tonsura, cercilho

coroação n.f. 1 coroamento 2 fig. glorificação, enaltecimento, exaltação, apoteose 3 fig. remate, fim, fechamento, conclusão, encerramento, acabamento, terminação, desfecho ≠ abertura, começo, início, princípio

coroar v. 1 fig. premiar, galardoar, agraciar, honrar 2 fig. complementar, concluir, completar, rematar, terminar ≠ começar, iniciar 3 fig. encimar, rematar

corolário n.m. efeito, resultado, conclusão, desfecho, consequência, sequela, consectário, fruto

coronal adj.2g. 1 coronário 2 circular, coroniforme, orbicular 3 principal, essencial, primordial, fundamental, primário, importante, cardeal, vital fig. ≠ secundário, acessório, auxiliar ■ n.m. 1 ANAT. frontal 2 fig. apogeu, auge, clímax, culminância, zina, pino, zénite

coronário adj. 1 coronal 2 fig. flexuoso

corpo n.m. 1 físico, canastro col., cortiço col. 2 defunto, cadáver, morto, falecido 3 grupo, corporação, órgão, associação, companhia 4 consistência, grossura, densidade, encorpamento

corporação n.f. consórcio, associação, companhia, parceria, centro, círculo, grémio

corporal adj.2g. material, físico, corpóreo ≠ imaterial, espiritual

corporalizar v. materializar, corporizar ≠ espiritualizar

corpóreo adj. material, físico, corporal, corporiforme ≠ imaterial, espiritual

corporizar v. materializar, corporalizar ≠ espiritualizar

corpulência n.f. 1 MED. obesidade, adipose 2 grandeza, amplidão, volume, extensão ≠ pequenez

corpulento adj. 1 encorpado, forte, avantajado, robusto, tronchudo, elefantíaco fig.,pej., elefantoide fig. ≠ enfezado, franzino 2 volumoso, grosso ≠ delgado, fino

corpúsculo n.m. partícula, grânulo, argueiro

corra n.f. [REG.] correia, soga

correção[dAO] n.f. 1 retificação, emenda 2 castigo, corretivo, punição, pena 3 exatidão, conformidade, precisão, acerto ≠ imprecisão, inexatidão 4 honestidade, dignidade, honradez, integridade ≠ desonestidade, indignidade

correcção[aAO] n.f. ⇒ **correção**[dAO]

correctivo[aAO] adj.,n.m. ⇒ **corretivo**[dAO]

correcto[aAO] adj. ⇒ **correto**[dAO]

corrector[aAO] adj.,n.m.,n.m. ⇒ **corretor**[1] [dAO]

corrediça n.f. estore

corredio adj. 1 corrediço, escorregadio, deslizante 2 fácil, desimpedido, desobstruído ≠ difícil, obstruído 3 fluente, corrente

corredor n.m. galeria, álea

corredoura n.f. 1 corrida 2 corredouro, passagem, trilho, caminho

correeiro n.m. fig.,pej. grosseirão fig., malcriado

córrego n.m. 1 regueiro, sulco, valeira 2 azinhaga, carreiro, corga, cangosta

correia n.f. 1 soga, corra [REG.] 2 loro

correição n.f. 1 correção, emenda, retificação 2 corregedoria

correio n.m. 1 carteiro 2 correspondência 3 estafeta, paquete fig. 4 fig. anunciador, precursor, mensageiro, mercúrio fig., arauto fig. 5 fig. linguareiro, gárrulo, lambareiro, tagarela

correlação n.f. interdependência, correspondência, conexão ≠ autonomia, independência

correlatar v. correlacionar, corresponder, relacionar, conectar ≠ autonomizar, independentizar

correlativo adj. interdependente, correspondente, conectivo ≠ autónomo, independente ■ n.m. interdependência, correspondência, conexão ≠ autonomia, independência

correlato adj. interdependente, correspondente, conectivo ≠ autónomo, independente

correligionário adj.,n.m. partidário, prosélito, sequaz, adepto ≠ opositor, rival

corrente adj.2g. 1 atual, presente, vigente ≠ passado 2 vulgar, ordinário, trivial, banal, corriqueiro, comum, exotérico, obnóxio, praticado, comezinho fig., terra-a-terra pej. ≠ invulgar, esquisito, raro, desusual, extraordinário, inabitual, inusitado, singular, abracadabrante **3** **expedito**, desembaraçado, diligente, ativo, prático ≠ **embaraçado**, atabalhoado, desorganizado **4** **fácil**, simples, acessível ≠ **difícil**, complicado, complexo ■ *n.f.* **1** **fluxo**, levada, arroio, correnteza **2** (opinião, ideia) **tendência**, movimento **3** **decurso**, duração, continuação **4** **grilhão**, algema, grilheta

correnteza *n.f.* **1** **fluxo**, levada, arroio, corrente **2** **fileira**, alinhamento, fiada, fila, carreira, renque **3** *fig.* **decurso**, continuação, duração **4** *fig.* **desembaraço**, expedição, diligência ≠ **embaraço**, atabalhoamento, desorganização

correr *v.* **1** **acelerar**, apressar-se, despachar-se ≠ **demorar**, atrasar **2** **deslizar**, escorregar **3** **circular**, divulgar-se, propagar-se, difundir **4** **percorrer**, perfazer, visitar **5** (tempo) **passar**, decorrer **6** (touros) **lidar**, toirear

correria *n.f.* **1** **corre-corre**, corrida *col.* **2** **surtida**, assalto, ataque, saltada

correspondência *n.f.* **1** **relação**, ligação, conexão, coesão, concatenação ≠ **incoerência**, desconexão, discrepância **2** **semelhança**, afinidade, similitude, identidade, analogia, parecença, conformidade, paralelismo *fig.* ≠ **diferença**, diversidade **3** **comunicação**, transmissão, relação ≠ **incomunicação** **4** (meios de transporte) **ligação** **5** **correio**

correspondente *adj.2g.* **1** **semelhante**, similar, idêntico, análogo, parecido, paralelo, conforme ≠ **diferente**, dissimilar **2** **simétrico**, homólogo, equivalente ≠ **assimétrico**, irregular **3** **adequado**, conveniente, apropriado, acomodado, adaptado, congruente ≠ **inconveniente**, inadaptado, inadequado ■ *n.2g.* **1** JORN. **enviado especial** **2** **sócio**, parceiro, cúmplice, aliado ≠ **opositor**, rival, adversário, concorrente

corresponder *v.* **1** **adaptar**, adequar, acomodar, ajustar, moldar, convir, condizer ≠ **desadaptar**, desajustar **2** **equivaler**, substituir **3** **retribuir**, pagar, remunerar, gratificar

corresponder-se *v.* **1** **cartear-se**, comunicar-se, escrever-se **2** **retribuir-se**

corretagem *n.f.* **comissão**, salário

corretivodAO *adj.* **reparador**, corretor, corretório ■ *n.m.* **1** **retificação**, emenda **2** **castigo**, punição, pena **3** **repreensão**, ralhete, advertência, admoestação, censura, descompostura, ralho, carão [BRAS.] ≠ **elogio**, louvor, aplauso

corretodAO *adj.* **1** **certo**, exato, perfeito **2** **digno**, honesto, íntegro, decente, escrupuloso **3** **conveniente**, adequado, decente, apropriado, acomodado, adaptado, congruente ≠ **inconveniente**, inadaptado, inadequado

corretor[1] dAO *adj.,n.m.* **revisor**, emendador, broker ■ *n.m.* **repreendedor**, censor

corretor[2] *n.m.* **1** **intermediário**, mediador **2** *col.* **rufia**, proxeneta, azeiteiro *col.*, chulo *col.,pej.*, alcoviteiro *ant.*

corréudAO *n.m.* **coacusado**

corricão *n.m.* ORNIT. **curre-curre**, borrelho

corrida *n.f.* **1** *col.* **correria**, corre-corre, corredura, corredela *col.* **2** TAUR. **tourada**

corrido *adj.* **1** **passado** ≠ **presente** **2** **gasto**, safado, usado, velho, estragado, danificado ≠ **recuperado**, restaurado, novo **3** **expulso**, banido **4** **perseguido**, oprimido **5** **prolongado**, alongado, estendido ≠ **estreitado**, apertado **6** **envergonhado**, embaraçado, vexado, acanhado, inibido ≠ **extrovertido**, comunicativo, expansivo, desinibido

corrigir *v.* **1** **emendar**, retificar, reformar, colmatar, expurgar ≠ **piorar**, agravar, errar, falhar **2** **retificar**, precisar, explicitar ≠ **confundir**, baralhar **3** **melhorar**, aperfeiçoar, apurar, requintar, otimizar ≠ **piorar**, estragar, prejudicar **4** **compor**, arranjar, consertar, reparar, endireitar *fig.* ≠ **estragar**, danificar **5** **temperar**, suavizar, compensar, atenuar ≠ **exagerar**, intensificar, agravar **6** **modificar**, mudar, alterar, transformar ≠ **manter**, preservar **7** **castigar**, infligir, punir, condenar, apenar, justiçar, sancionar, penalizar, ensinar *fig.* ≠ **absolver**, perdoar, remir, desculpar

corrigível *adj.2g.* **remediável**, emendável, retificável, expungível ≠ **irreparável**, irremediável, irrecuperável

corrimão *n.m.* **1** **mainel** **2** **latada**, parreira, bardo

corrimento *n.m.* **1** **secreção**, fluxo, humor, purgação, proflúvio *ant.* **2** **assuada**, apupada, apupo, corrimaça, vaia **3** **vergonha**, vexame, timidez, acanhamento, inibição ≠ **extroversão**, comunicatividade, expansividade, desinibição

corriqueiro *adj.* **habitual**, usual, rotineiro, comum, frequente, regular ≠ **desabituado**, infrequente, irregular

corro *n.m.* **1** **assembleia** **2** **circo**, coliseu, anfiteatro, arena

corroboração *n.f.* **confirmação**, verificação, comprovação, constatação, fundamentação, testemunho ≠ **negação**, impugnação, contradição

corroborar *v.* **1** **certificar**, atestar, comprovar, provar, testemunhar, autenticar, reconhecer ≠ **negar**, recusar **2** **fortificar**, fortalecer, reforçar, enrijar, perder ≠ **enfraquecer**

corroer *v.* **1** **carcomer**, roer, morder, consumir, devorar, erodir, ratar, escarvar *fig.* **2** **danificar**, destruir, gastar, aluir, arrasar, estragar, arruinar ≠ **recuperar**, restaurar, salvar **3** *fig.* **perverter**, viciar, degenerar, adulterar, estragar, corromper ≠ **conservar**, preservar

corroer-se *v.* **1** **consumir-se**, desgastar-se **2** **depravar-se**, desnaturar-se

corroído *adj.* 1 **carunchoso**, carunchento, carcomido, consumido, desgastado, ratado, roído, limado 2 **gasto**, deteriorado, usado, velho, estragado, danificado ≠ **recuperado**, restaurado, novo

corromper *v.* 1 **estragar**, destruir, gastar, aluir, arrasar, arruinar, danificar, apostemar *fig.* ≠ **recuperar**, restaurar, salvar 2 **contagiar**, infetar, contaminar, gafar, eivar, inçar, empestar *fig.* ≠ **descontagiar**, desinfetar, desinfecionar 3 **apodrecer**, cariar, estragar, deteriorar-se ≠ **preservar**, conservar, manter 4 *fig.* **depravar**, perverter, desnaturar, degenerar, adulterar, malinar, corroer *fig.* ≠ **enobrecer**, engrandecer 5 *fig.* **subornar**, comprar, peitar

corromper-se *v.* 1 **estragar-se**, deteriorar-se, apodrecer, afistular-se 2 **perverter-se**, degenerar, depravar-se, viciar-se, impurificar-se, envenenar-se [REG.] *fig.* 3 *fig.* **vender-se**, subornar-se, venalizar-se

corrosão *n.f.* **erosão**, desgaste

corrosivo *adj.,n.m.* **cáustico**, ácido ≠ **anticorrosivo**

corrupçãoAO ou **corrução**AO *n.f.* 1 **decomposição**, putrefação, apodrecimento, deterioração, degradação, podriqueira, corrompimento ≠ **conservação**, preservação 2 **perversão**, depravação, desmoralização, devassidão, dissolução, envilecimento, corruptela ≠ **decência**, decoro 3 **suborno**, compra, peita

corrupio *n.m.* 1 **vira-vento**, ventoinha 2 **rodopio**, giro, rotação, rodeio, volta 3 **remoinho** 4 *fig.* **roda-viva**, azáfama, afã, pressa, poeira, lida, lufa-lufa ≠ **calmaria**, serenidade, sossego

corruptívelAO ou **corrutível**AO *adj.2g.* 1 **deteriorável**, corruptivo, biodegradável, corrompível ≠ **conservável** 2 **subornável**, comprável, venal ≠ **insubornável**, incorruptível, íntegro

corruptoAO ou **corruto**AO *adj.* 1 **estragado**, danificado, destruído ≠ **recuperado**, restaurado, salvo 2 **podre**, putrefacto, apodrecido, deteriorado, estragado ≠ **preservado**, conservado, mantido 3 *fig.* **depravado**, devasso, pervertido, corrompido, cariado *fig.* ≠ **decente**, decoroso 4 *fig.* **subornado**, comprado, venal, gafento *fig.* ≠ **insubornável**, incorruptível, íntegro

corruptorAO ou **corrutor**AO *adj.,n.m.* 1 **deteriorante**, corruptivo ≠ **conservador** 2 **subornador**, comprador, peiteiro ≠ **íntegro**

corsário *n.m.* **pirata**

corso *n.m.* 1 **pirataria** 2 **vagalhão**, baldão 3 (automóveis) **desfile**, cortejo

corta *n.f.* **corte**, talho, golpe, incisão

cortadela *n.f.* **golpe**, corte, incisão, incisura, talho

cortador *adj.* **cortante**, talhante, incisivo ■ *n.m.* 1 **carniceiro**, talhante, magarefe 2 **vindimador**, vindimadeiro

cortante *adj.2g.* 1 **cortador**, talhante, incisivo 2 (vento, frio) **gélido** ≠ **quente** 3 (som) **agudo**, lancinante 4 (tom, modo) **ríspido**, incisivo, autoritário ≠ **suave**, doce

cortar *v.* 1 **fender**, serrar, rachar, escanar 2 **talhar** 3 **trinchar** 4 **ferir**, magoar, lanhar 5 **dividir**, fracionar, segmentar, separar ≠ **juntar**, unir, ligar 6 (vento, temperatura) **gelar**, codejar ≠ **aquecer** 7 **atravessar**, intercetar, impedir, obstar ≠ **desimpedir**, desobstruir 8 **encurtar**, reduzir, abreviar ≠ **alongar**, esticar 9 **suprimir**, riscar, eliminar ≠ **acrescentar**, adicionar 10 **misturar** 11 (jogo de cartas) **dividir**

cortar-se *v.* 1 **ferir-se**, golpear-se 2 *col.* **desistir**, recuar

corte *n.m.* 1 **incisão**, golpe, cortadela, incisura, talho, atalhamento, cortagem 2 **gume**, fio, az 3 **fenda**, abertura, racha, greta 4 **supressão**, redução, eliminação, omissão ≠ **acréscimo**, aumento, adição 5 **interrupção**, suspensão, paragem, descontinuação ≠ **continuar**, prosseguir, prolongar, estender 6 **curral**, bardo, cancelo, redil, malhada, aprisco, encerra [BRAS.] 7 **paço** 8 **séquito**, cortejo, companhia, comitiva, equipagem, acompanhamento, trem 9 *fig.* **galanteio**, namoro, festejo, derrete *col.*

cortejar *v.* 1 **galantear**, namorar, requestar, damejar 2 **cumprimentar**, saudar, mesurar 3 **adular**, lisonjear, bajular, bajoujar, incensar *fig.*, pajear *fig.* ≠ **censurar**, criticar, menosprezar, reprovar

cortejo *n.m.* 1 **galanteio**, namoro, festejo, gracejo 2 **cumprimento**, saudação, mesura, cortesia, reverência 3 **séquito**, corte, companhia, comitiva, equipagem, acompanhamento, trem 4 **procissão** 5 **desfile**, parada

cortelho *n.m.* **pocilga**, chiqueiro, porqueira, chavasqueiro, enxurdeiro, chafurda, alfeire, charravascal

cortês *adj.2g.* **afável**, delicado, polido, mesureiro, fino, distinto, palaciano ≠ **grosseiro**, rude, indelicado, ordinário, achaboucado, achamboado, achavascado, agrosseirado, alambazado, atrouxemouxado

cortesã *n.f.* **odalisca** *fig.*

cortesão *n.m.* **palaciano**, paceiro, áulico ■ *adj.* 1 **palaciano**, obsequiador 2 *fig.* **afável**, delicado, mesureiro, fino, distinto, polido ≠ **grosseiro**, rude, indelicado, ordinário 3 *fig.* **lisonjeador**, adulador, lisonjeiro, bajulador, subserviente, lambe-botas, lambedor, engraxador *fig.*, manteigueiro *col.*, graxista *col.*, puxa-saco [BRAS.] ≠ **crítico**, depreciador, censurador, reprovador

cortesia *n.f.* 1 **delicadeza**, educação, polidez, cerimónia, civilidade, civismo, acatamento, urbanidade *fig.* ≠ **indelicadeza**, incivismo, grosseria 2 **cumprimento**, cortejo, mesura, saudação, reverência 3 [*pl.*] (tourada) **saudações**, cumprimentos, respeitos

córtex *n.m.* **cortiça**, súber, corcha

cortiça *n.f.* **córtex**, súber, corcha, córtice

corticeira *n.f.* **escorço**

cortiço *n.m.* 1 **colmeia**, alveário, algariça [REG.] 2 *fig.* **cubículo**, cochicho, cabine 3 *col.* **corpo**, canastro, físico

cortina *n.f.* 1 **cortinado**, véu 2 **fileira**, renque, alinhamento, fiada, fila, carreira, correnteza

cortinado *n.m.* **cortina**, véu, reposteiro

cortinar *v.* **ocultar**, esconder, disfarçar, dissimular, encobrir, velar, mascarar ≠ **apresentar**, expor, exibir, mostrar

coruja *n.f.* 1 ORNIT. **bebe-azeite**, coruja-das-torres 2 ORNIT. **coruja-de-arribação**, coruja-do-mato, toupeirão ■ *adj.2g.* **notívago**, lucífugo, noctâmbulo, noturno ≠ **diurno**

corujão *n.m.* ORNIT. **bufo**

coruscante *adj.2g.* **fulgurante**, cintilante, brilhante, reluzente, relampejante ≠ **fosco**, mate, embaciado

corvelo *n.m.* ORNIT. **milhafre**, gralha

corvina *n.f.* ICTIOL. **viúva**

corvino *adj.,n.m.* 1 **corvense** 2 **mirandense**

corvo *n.m.* 1 ORNIT. **gralha**, grelha 2 ARQ. **modilhão**

cós *n.m.2n.* 1 (vestuário) **cinta**, faixa, cintura 2 *col.* **mealheiro**

coscorão *n.m.* 1 **filhó**, cosco 2 **coscoro**, crosta

coscuvilhar *v.* **bisbilhotar**, intrigar, mexericar, onzenar, alcovitar, fofocar [BRAS.] *col.* ≠ **discretear**, desinteressar

coscuvilheiro *adj.,n.m.* **bisbilhoteiro**, mexeriqueiro, bisbilhoteira, intriguista, linguareiro, furão *fig.*, campainha *fig.*

coscuvilhice *n.f.* **bisbilhotice**, mexerico, intriga, enredo, onzenice ≠ **discrição**, recato, desinteresse, privacidade

coser *v.* 1 **costurar**, unir, juntar, prender ≠ **descoser**, descosturar 2 (ferida, operação) **fechar**, suturar ≠ **abrir** 3 **encostar**, aproximar, acercar, aconchegar, abeirar, avizinhar, apropinquar ≠ **afastar**, distanciar 4 *fig.* **encher**, crivar, cobrir

coser-se *v.* 1 *fig.* **encostar-se**, juntar-se, agarrar-se, cingir-se 2 **guardar-se**

cosido *adj.* 1 **costurado**, unido 2 **encostado**, aproximado, acercado, aconchegado, abeirado ≠ **afastado**, distanciado ■ *n.m.* **costura**, sutura

cosmético *adj.* 1 ≠ **anticosmético** 2 *fig.* **superficial**, supérfluo, ligeiro, frívolo ≠ **profundo**, consistente 3 *fig.* **decorativo**, ornamental, adornado, enfeitado

cósmico *adj.* **universal**

cosmógrafo *n.m.* **uranógrafo**, astrónomo

cosmonauta *n.2g.* **astronauta**

cosmopolita *adj.2g.* **orbícola**, internacional

cosmopolitismo *n.m.* **universalismo**

cosmos *n.m.* 1 **universo** 2 **mundo**

costa *n.f.* 1 **litoral**, beira-mar, ribamar, praia, marinha 2 **encosta**, declive, ladeira, rampa, arrampadoiro 3 **costela** 4 [*pl.*] **lombo** *col.*, dorso, costado *col.*

costado *n.m.* 1 *col.* **costas**, lombo, dorso 2 **flanco**, lado 3 *fig.* **responsabilidade**, encargo, cargo, obrigação, incumbência ≠ **irresponsabilidade** 4 *fig.* **consciência**, retidão, sinceridade, probidade, honestidade, integridade *fig.* ≠ **desonestidade**, falsidade, fraude

costeira *n.f.* [REG.] **encosta**, ladeira, declive, rampa, vertente

costela *n.f.* 1 **costa**, aduela *fig.* 2 (armadilha para pássaros) **boiz**, brete, costilha 3 *fig.* **raça**, estirpe 4 **origem**, fonte, proveniência, germe *fig.*, semente *fig.*, mãe *fig.*

costumado *adj.* 1 **habitual**, usual, frequente, regular, rotineiro, consueto ≠ **irregular**, infrequente, desabituado 2 **acostumado**, adaptado, afeito, habituado ≠ **desacostumado**, desabituado ■ *n.m.* **costume**, hábito, uso, tradição

costumar *v.* **acostumar**, habituar, afazer, usar, avezar, soer *ant.* ≠ **desacostumar**, desabituar

costume *n.m.* 1 **hábito**, prática, rotina, continuação, costumagem, chara, costumança 2 **uso**, tradição 3 **traje**, vestimenta, entraje 4 **maneira**, voga, uso

costumeiro *adj.* **habitual**, usual, frequente, regular, rotineiro ≠ **irregular**, infrequente, desabituado

costura *n.f.* 1 **cosido**, sutura, cosedura 2 **bainha** 3 **sutura**, cicatriz 4 **juntura** 5 *fig.* **cicatriz**

costurar *v.* 1 **coser**, suturar 2 *fig.* **ligar**, unir, juntar ≠ **separar**, dividir

costureira *n.f.* **modista**

costureiro *n.m.* 1 **alfaiate**, modisto 2 **estilista**, criador ■ *adj.,n.m.* ANAT. **sartório**

cota *n.f.* 1 **nota**, anotação, apontamento, referência, citação 2 **prestação**, quota-parte, quota, contribuição 3 **quinhão**, quota, parcela, porção 4 *col.* **meia-idade**, velho

cotação *n.f.* 1 **preço**, valor 2 **avaliação**, apreciação 3 *fig.* **conceito**, consideração, reputação, apreço, fama ≠ **desconsideração**, desrespeito 4 *fig.* **importância**, valor, apreço ≠ **desvalor**, desapreço

cotado *adj.* **afamado**, conceituado, considerado, apreciado, estimado ≠ **desconsiderado**, desrespeitado

cotão *n.m.* **lanugem**, cotanilho, tomento

cotar *v.* **1** **taxar**, fixar **2** **apreciar**, avaliar, classificar, orçar

cote *n.m.* **mó**

cotejar *v.* **confrontar**, comparar, conferir, equiparar, concertar, calibrar, contrapesar

cotejo *n.m.* **confrontação**, confronto, comparação, paralelo, símile, colação, cotejamento

cotização *n.f.* **contribuição**, tributo, taxa, imposto, quota, prestação, coleta

cotizar *v.* **distribuir**, dividir, repartir, ratear

cotizar-se *v.* **subscrever-se**

coto *n.m.* **toco**, cotoco [BRAS.]

cotovelada *n.f.* **cotovelão**, cutucão [BRAS.]

cotovelo *n.m.* **1** **dobra**, flexuosidade, curva **2** **ângulo** **3** **esquina**, curva

cotovia *n.f.* ORNIT. **cotovia-de-poupa**, caturreira, capatorra, popinha, poupinha, patorra, paspalhuça

coturno *n.m.* **peúga**, meote

couceiro *adj.* **traseiro**, posterior ≠ **dianteiro**, anterior

coudelaria *n.f.* **coudel**

couraça *n.f.* **1** **armadura**, coura **2** **blindagem** **3** **loriga** **4** *fig.* **égide**, resguardo, proteção, defesa

couraçado *adj.* **1** *fig.* **protegido**, defendido, armado, blindado ≠ **desprotegido**, indefeso, desarmado **2** *fig.* **endurecido**, resistente, rijo, forte ≠ **enfraquecido**, fraco **3** *fig.* **insensível**, invulnerável, impassível, impenetrável, indiferente, petroso ≠ **sensível**, vulnerável

couraçar *v.* **blindar**

courela *n.f.* **belga**, jeira, leira, quadrela, olga, leiroto [REG.]

couro *n.m.* **1** *col.* **pele**, derme, couracho **2** *vulg.* **courão**

coutada *n.f.* **1** **couto** **2** **montaria**, tapada

coutar *v.* **vedar**, fechar, tolher, atalhar, tapar, impedir ≠ **abrir**, desimpedir

coutar-se *v.* **refugiar-se**

couto *n.m.* **1** **coutada** **2** *fig.* **abrigo**, refúgio, asilo, guarida, acolheita, valhacouto, alfama *ant.* ≠ **desabrigo**, desamparo, desproteção

cova *n.f.* **1** **buraco**, forame, abertura, vala, fossa, cavouco, fosga [REG.] **2** **escavação**, cava, cavadela, cavadura **3** **cavidade**, buraco, concavidade, encavo, abertura, oco, forame **4** **sepultura**, túmulo, tumba

coval *n.m.* **cova**, vala

covil *n.m.* **1** **toca**, caverna, cávea **2** **casebre**, tugúrio, choça, choupana **3** **alcouce**, lupanar, bordel

covo *adj.* **1** **côncavo**, recôncavo **2** **profundo**, fundo, cavado

coxa *n.f.* **1** **fémur** **2** BOT. **coxa-de-dama**, coxa-de-freira, figueiroa

coxear *v.* **1** **claudicar**, mancar, manquejar, manquitar, emanquecer **2** *fig.* **hesitar**, vacilar, duvidar, titubear, cambalear ≠ **decidir**, determinar, deliberar

coxim *n.m.* **almofada**, almadraque, travesseiro

coxo *adj. fig.* **incompleto**, imperfeito, defeituoso, manco ≠ **perfeito**, completo ■ *adj.,n.m.* **1** **manco**, manquitola, manquitó *col.* **2** **perneta**

cozedura *n.f.* **cocção**, cozimento

cozer *v.* **1** **cozinhar** **2** *fig.* **digerir** **3** *fig.* **suportar**, aguentar, tolerar, sofrer

cozido *adj.* **1** **cocto** **2** (vinho) **fermentado**, levedado ■ *n.m.* **fervido** [BRAS.]

cozimento *n.m.* **1** **cocção**, cozedura **2** **decocto**, decocção **3** **digestão**

cozinhado *adj. fig.* **tramado**, arquitetado, conspirado, urdido, maquinado, colusório, conivente ■ *n.m.* **iguaria**, prato, comida

cozinhar *v.* **1** **cozer** **2** *fig.* **manipular**, adulterar, falsear, viciar **3** *fig.* **conspirar**, tramar, urdir, maquinar, projetar, planear, intrigar

cozinheira *n.f.* **rascoeira** *ant.*

cozinheiro *n.m.* **coque**, vatel *fig.*

crachá *n.m.* **condecoração**, agraciamento, comenda

crânio *n.m.* **1** **cabeça**, bola *col.*, cachimónia *col.*, capacete *col.*, cachola *col.*, carola *col.*, tola *col.*, mona *col.*, pinha *col.*, caco *fig.*, cuca [BRAS.] **2** **sumidade** *fig.*, capacidade, cabeça *col.* ≠ **pacóvio**, estúpido

crápula *n.2g.* **safado**, biltre, patife, brejeiro, canalha *fig.*, pulha *col.* ≠ **notável**, honesto, respeitador ■ *n.f.* **desregramento**, devassidão, libertinagem, dissolução, corrupção ≠ **austeridade**, integridade, probidade, compostura

craque *n.m.* **insolvência** ■ *n.2g.* **1** **notabilidade**, autoridade, expoente *fig.*, ás *fig.*, competência *col.* ≠ **imbecil**, parvo, ignorante, néscio **2** [BRAS.] **ídolo**, coqueluche *col.*

crase *n.f. fig.* **índole**, temperamento, constituição, vocação, natureza, compleição, cariz, génio

crasso *adj.* **1** **espesso**, denso, grosso, maciço, basto, encorpado ≠ **ralo**, raro **2** **cerrado**, denso, cheio, compacto, fechado, frondoso, opaco, frôndeo ≠ **ralo**, raro **3** **opaco**, turvo ≠ **claro**, transparente **4** *fig.* **ordinário**, grosseiro, rude, vulgar, bronco, reles, baixo ≠ **delicado**, educado, cortês, atencioso, fino, elegante, encantador, polido

cratera *n.f.* GEOG. **caldeira**, boca

cravar *v.* **1** **enterrar**, espetar, trespassar, meter, introduzir ≠ **arrancar**, retirar **2** **pregar**, fincar, acravar ≠ **despregar**, desencravar **3** (pedrarias) **engastar**, cravejar, incrustar, embutir, tauxiar, marchetar ≠ **desengastar**, descravejar **4** *fig.* (os olhos) **fixar**, deter, firmar

cravar-se *v.* **1 agarrar-se**, arraigar-se, prender-se, fixar-se **2 enterrar-se**, fincar-se, pregar-se **3 introduzir-se**, penetrar

craveira *n.f.* **bitola**, medida, marca, xeura, padrão, estalão

craveiro *n.m.* BOT. **cravo**, cravinho, cravina, cravelina

cravejar *v.* (pedrarias) **engastar**, cravar, incrustar, embutir, tauxiar, marchetar ≠ **desengastar**, descravejar

cravina *n.f.* **1** BOT. **cravo**, cravinho, craveiro, cravelina **2** *col.* **carabina**, clavina *col.*

cravinho *n.m.* **1** BOT. **cravo**, craveiro, cravina, cravelina **2** BOT. **cravo-da-índia**, cravo-de-cabecinha, cravo-aromático

cravo *n.m.* **1** BOT. **craveiro**, cravinho, cravina, cravelina **2 prego 3 verruga 4** MÚS. **clavecino**

creche *n.f.* **berçário**, infantário, criadouro, jardim-escola, jardim-infantil

credencial *adj.2g.* **recomendatório**, abonatório, garantidor ■ *n.f.* **carta credencial**, recomendação, comprovativo

credibilidade *n.f.* **reputação**, fama, crédito ≠ **descrédito**, desautorização

creditar *v.* **1 garantir**, abonar, afiançar, assegurar ≠ **desabonar**, desacreditar **2** (quantia em conta-corrente) **depositar**, lançar

crédito *n.m.* **1 fé**, crença, fiúza ≠ **descrença**, ceticismo, incredulidade **2 reputação**, confiança, fama, credibilidade ≠ **descrédito**, desautorização **3** (na escrituração comercial) **haver**

credível *adj.2g.* **verosímil**, provável, crível, fiável, consistente *fig.* ≠ **inverosímil**, incrível

credo *n.m.* **1 crença**, fé, fiúza ≠ **descrença**, ceticismo, incredulidade **2 normas**, preceitos, princípios ■ *interj.* (exclamação de espanto ou repulsa) **meu Deus!**, Santo Deus!, jesus!, puxa!, cruzes!, abrenúncio!

credor *adj.* **merecedor**, digno, meritório, benemérito ≠ **indigno**, desmerecedor

credulidade *n.f.* **1 ingenuidade**, inocência, pureza, candura *fig.* ≠ **impureza**, adulteração, corrupção **2 simplicidade**, singeleza, naturalidade ≠ **complexidade**, sofisticação

crédulo *adj.* **1 ingénuo**, puro, inocente, cândido *fig.* ≠ **impuro**, adulterado, corrupto, manhoso **2 simples**, natural, singelo ≠ **complexo**, sofisticado ■ *n.m.* **ingénuo**, simples, inocente, lapantana

cremação *n.f.* **incineração**, cineração

cremalheira *n.f.* **1 roleira 2 gramalheira**, lárias [REG.]

cremar *v.* **incinerar**

creme *n.m.* **1 nata 2 leite-creme 3 pomada 4** *fig.* **escol**, elite, nata, flor ≠ **escumalha** *fig.,pej.*, borra *fig.*, escória *pej.*, ralé *pej.*, enxurro *fig.,pej.* ■ *adj.2g.* **amarelado**, esmarelido

cremona *n.f.* **carmona**

cremoso *adj.* **macio**, suave, veludíneo ≠ **áspero**, rude

crença *n.f.* **1 fé**, fiúza, credo, religião ≠ **descrença**, ceticismo, incredulidade **2 certeza**, firmeza, asseveração, segurança, convicção, fé ≠ **insegurança**, hesitação, dúvida, indecisão **3** *col.* **crendice**, crendeirice, superstição, abusão

crendice *n.f.* **crença** *col.*, crendeirice, superstição, abusão

crente *adj.2g.* **1 piedoso**, religioso, devoto, pio ≠ **ateísta**, descrente, incrédulo, cético **2 convencido**, persuadido, convicto, compenetrado, certo ≠ **hesitante**, indeciso, vacilante *fig.*

crepe *n.m.* **1 fumo**, braçadeira **2** *fig.* **luto**, nojo, cipreste

crepitação *n.f.* **estalido**, estalo, crepitáculo

crepitante *adj.2g.* **estalante**, crepitoso

crepitar *v.* **estalar**, estralejar, pipocar

crepuscular *adj.2g.* **1 crepusculino**, empardecido ≠ **anticrespuscular 2** *fig.* **sombrio**, escuro, lúgubre ≠ **luminoso**, claro **3** *fig.* **indeterminado**, esbatido, vago, indefinido, indeciso ≠ **definido**, nítido, determinado **4** *fig.* **esboçado**

crepúsculo *n.m.* **1 lusco-fusco**, anoitecer, entardecer, noitinha, sobretarde ≠ **amanhecer**, madrugada, aurora, anticrepúsculo **2** *fig.* **ocaso**, decadência, declínio, declinação, ruína, degradação ≠ **aperfeiçoamento**, progresso, melhoramento

crer *v.* **1 acreditar**, credenciar, abonar, fiar-se ≠ **desabonar**, desacreditar, duvidar, increr **2 julgar**, supor, conjeturar, presumir, imaginar, achar **3** (fé) **acreditar** ≠ **apostatar**, renegar, abjurar

crer-se *v.* **1 julgar-se**, presumir-se **2** *ant.* **confiar-se**, fiar-se

crescendo *n.m.* **1** MÚS. ≠ **diminuendo 2 gradação**, progressão, intensificação ≠ **diminuição**, decrescente

crescente *adj.* **progressivo**, gradual, tendencial, gradativo, crescentada ≠ **improgressivo**, diminutivo ■ *n.m.* **1 alfange 2 excesso**, demasia, cogulo, cuculo *col.* **3 chinó**, peruca, cabeleira, chorina, capachinho **4 fermento**, levadura **5** (religião islâmica) **meia-lua** ■ *n.f.* **inundação**, cheia, enchente, alagamento, undação, aluvião

crescer *v.* **1** (seres) **desenvolver-se**, criar-se, medrar, agraudar, adolescer, empubescer ≠ **definhar**, mirrar **2 aumentar**, acrescentar, ascender, avolumar, avultar, engrossar ≠ **diminuir**, reduzir **3** (som) **subir**, aumentar, ampliar ≠ **descer**, diminuir, reduzir **4 prosperar**, opulentar, enriquecer, cevar ≠ **empobrecer** 5 **sobejar**, exceder, sobrar, avondar ≠ **escassear**, rarear, faltar

crescido *adj.* 1 **desenvolvido**, medrado ≠ **definhado**, mirrado 2 **grande**, considerável, avultado, vasto ≠ **pequeno**, diminuto 3 **avançado**, progredido, adiantado ≠ **atrasado**, regredido ■ *n.m.* 1 **adulto** 2 **tumor** 3 [*pl.*] **restos**, sobejos, sobras, desperdícios, babados, caídos

crescimento *n.m.* 1 **desenvolvimento**, medrança, incremento ≠ **definhamento**, mirração, desmedrança *fig.* 2 **aumento**, ampliação, engrandecimento, subida ≠ **diminuição**, descida, decréscimo 3 **expansão**, alargamento ≠ **redução**, restrinção

crespar *v.* **encrespar**, frisar, ouriçar, riçar ≠ **alisar**, esticar

crespo *adj.* 1 **áspero**, rugoso, rude ≠ **suave**, macio, aveludado 2 (cabelo) **eriçado**, encrespado, riçado, cacheado ≠ **liso**, esticado 3 (mar, rio) **agitado**, encapelado, alteroso, picado *fig.* ≠ **calmo**, sereno 4 *fig.* **arrogante**, altivo, insolente, presumido, fanfarrão ≠ **respeitador**, educado, civilizado 5 *fig.* **ameaçante**, assustador, cominador, aterrador, sinistro, temível ≠ **tranquilizador**, tranquilizante ■ *n.m.pl.* **pregas**, rugas, franzidos

cresta *n.f.* 1 **queima**, tostadela, tostadura, crestadura, chamusca, crestamento 2 **saque**, desfalque, roubo, devastação 3 **desgaste**, desbastação, corte, poda, chapoda 4 [REG.] **sova**, surra, tunda, tareia, zurzidela, coça *fig.*, calda [REG.]

crestar *v.* 1 **queimar**, tostar, chamuscar 2 **desfalcar**, saquear, despojar, roubar

crestar-se *v.* **queimar-se**, tostar-se

cresto *n.m.* **capado**, crestão

cretinice *n.f.* **parvoíce**, disparate, idiotice, asneira, tolice, burrice, apsiquismo, burricada *fig.* ≠ **juízo**, acerto, esperteza

cretinismo *n.m. col.* **estupidez**, burrice, idiotice, imbecilidade, obtusidade, cretinice *pej.* ≠ **saber**, erudição, instrução

cretino *adj.* MED. **cretinoide** ■ *adj.,n.m.* **estúpido**, palerma, imbecil, idiota, lorpa, pacóvio ≠ **esperto**, inteligente, sagaz

cria *n.f.* ZOOL. **filhote**, bebé

criação *n.f.* 1 **invenção**, conceção, invento 2 **obra**, produto, trabalho 3 **natureza** 4 **amamentação**, lactação, aleitação 5 **educação**, ensino, instrução

criado *n.m.* **empregado**, serviçal, servente, servidor, servo, fâmulo, cunhado *fig.* ■ *adj.* 1 **concebido**, produzido, engendrado, formulado 2 **estabelecido**, fundado 3 **educado**, instruído ≠ **deseducado**, desinstruído

criador *n.m.* 1 RELIG. (com maiúscula) **Deus**, Altíssimo, Divindade, Incriado, Omnipotente, Senhor, Todo-Poderoso, Pai, Providência 2 **autor**, inventor, fundador, produtor, fabricador *fig.* 3 **fundador**, autor, pai *fig.* 4 (moda) **estilista**, costureiro, desenhador ■ *adj.* **criativo**, fecundante, fecundo, inventivo ≠ **estéril**, desimaginativo, desinteressante

criança *n.f.* 1 **bambino**, catraio, fedelho, miúdo, garoto, infante, menino, pequeno, pirralho, petiz *col.* 2 **filho**, rebento, cria 3 *fig.* **criançola** *pej.*

criancice *n.f.* 1 **infantilidade**, puerilidade, meninice, criançada, parvulez ≠ **velhada**, velharia 2 **leviandade**, imprudência, irreflexão, insensatez, imponderação ≠ **prudência**, reflexão, ponderação, equilíbrio

criançola *n.m. pej.* **criança** *fig.*

criar *v.* 1 **gerar**, conceber, produzir ≠ **extinguir**, eliminar 2 **amamentar**, aleitar, lactar 3 **inventar**, conceber, idealizar 4 **fundar**, estabelecer, instituir 5 **educar**, instruir, ensinar 6 (ferida) **infetar**, contaminar 7 (ave) **nidificar**

criar-se *v.* 1 **nascer**, originar-se, produzir-se 2 **crescer** 3 **alimentar-se**, sustentar-se

criativo *adj.* **construtivo**, produtivo, fértil, fecundo ≠ **estéril**, infecundo, improdutivo ■ *n.m.* **autor**, criador, inventor, fundador, produtor, designer, forjicador, forjador *fig.*, fabricador *fig.*

criatura *n.f.* 1 **ser**, ente 2 **pessoa**, homem, indivíduo, sujeito, dito-cujo *col.* 3 **protegido**, pupilo *fig.*

crime *n.m.* **delito**, infração, transgressão, iniquidade, flagício, malfeitoria, culpa ■ *adj.* **criminal**

criminalidade *n.f.* **delinquência**, submundo, marginalidade

criminosamente *adv.* **culposamente**, criminalmente

criminoso *adj.* 1 **flagicioso** 2 **criminal**, culpável, acusável 3 *fig.* **reprovável**, condenável, repreensível, abominável, censurável ≠ **aceitável**, admissível ■ *n.m.* **delinquente**, culpado, infrator, transgressor

crina *n.f.* 1 **cerda** 2 **crinolina** 3 *fig.* **encabeladura**, cabeleira, cabeladura, coma, cabeludo, juba *col.*

cripta *n.f.* 1 **catacumba**, mortuária, carneiro 2 **gruta**, antro, cova, caverna, fojo, espelunca, furna

críptico *adj.* 1 (mensagem, texto) **codificado**, cifrado ≠ **descodificado**, decifrado 2 *fig.* **misterioso**, hermético, obscuro, oculto, secreto, enigmático ≠ **revelado**, descoberto, evidente

criptogâmico *adj.* BOT. **ananto**, criptógamo ≠ **fanerogâmico**

cris *adj.2g.* 1 **pardacento**, pardo, cinza, cendrado, cinzento, cinéreo 2 **obscuro**, escuro, sombrio ≠ **claro**, luzidio, luminoso

crisântemo *n.m.* BOT. **crisanto** *ant.*

crisanto *n.m.* BOT. *ant.* **crisântemo**

crise *n.f.* 1 **apuro**, perturbação, perigo, risco, golpe, desgraça ≠ **bonança**, ventura, fortuna 2 ataque, acometimento, investida, acesso **3** **falta**, escassez, carência ≠ **abundância**, fartura

crisma *n.m.* RELIG. **confirmação**, consagração

crismar *v.* **1** **confirmar**, consagrar **2** *fig.* **alcunhar**, sobrenomear, cognominar

crismar-se *v.* **1** **cognominar-se**, alcunhar-se **2** RELIG. confirmar-se

crispação *n.f.* **1** **contração**, retraimento, espasmo, adstringência, encolhimento, convulsão, crispamento, crispadura ≠ **distensão**, dilatação **2** **enrugamento**, encarquilhamento, franzimento **3** *fig.* **tensão**, eletricidade ≠ **distensão**, relaxamento, afrouxamento

crispado *adj.* **1** **enrugado**, encarquilhado, franzido **2** **contraído**, retraído, adstringente, encolhido, convulso ≠ **distenso**, dilatado **3** *fig.* **contrafeito**, forçado

crispar *v.* **1** **contrair**, retrair, espasmo, adstringir, encolher, convulsionar ≠ **distender**, dilatar **2** **enrugar**, encarquilhar, franzir **3** **encrespar**, frisar, oiriçar, riçar ≠ **alisar**, esticar

crista *n.f.* **1** **penacho**, coma, pluma **2** **cimo**, cume, alto, cumeeira, cimeira, auge, topo, cocuruto *fig.* ≠ **base**, sopé, falda, aba

cristal *n.m.* **1** MIN. **cristal de rocha** **2** *fig.* **limpidez**, transparência, clareza ≠ **opacidade**

cristalino *adj. fig.* **límpido**, transparente, claro, vítreo ≠ **opaco**, turvo

cristalizado *adj.* **1** **solidificado**, endurecido, acaramelado **2** *fig.* **estagnado**, imobilizado, paralisado ≠ **evoluído**, avançado

cristalizar *v.* **1** (sal) **salinar** **2** (açúcar) **encandilar** **3** *fig.* **estacionar**, fixar, permanecer **4** *fig.* **estagnar**, imobilizar, paralisar ≠ **evoluir**, avançar

cristalizar-se *v. fig.* **fossilizar**, estacionar, imobilizar-se

cristão *adj.* **1** ≠ **anticristão** **2** *fig.* **razoável**, conveniente, adequado, adaptado, próprio ≠ **inconveniente**, impróprio, inadequado

cristelo *n.m.* **castro**, citânia, crasto, castelo, cividade *ant.*

cristianização *n.f.* **evangelização**

cristianizar *v.* **evangelizar**, missionar

cristo *n.m.* **1** RELIG. **Nazareno**, Redentor, Salvador, Messias **2** **crucifixo**

critério *n.m.* **1** **norma**, regra, modo **2** **razão**, raciocínio, reflexão ≠ **irracional**, estupidez **3** **discernimento**, juízo, sensatez, tino, prudência, prumo *fig.* ≠ **insensatez**, imprudência, desatino

criterioso *adj.* **1** **ajuizado**, ponderado, judicioso, prudente, sensato ≠ **imponderado**, irrefletido **2** **ciente**, cônscio, consciente

crítica *n.f.* **1** **recensão** **2** **julgamento**, análise, apreciação, comentário **3** **censura**, reprovação, condenação, desaprovação ≠ **aprovação**, consentimento, aceitação

criticar *v.* **1** **apreciar**, comentar, avaliar, julgar **2** **censurar**, glosar, reprovar, condenar, desaprovar ≠ **aprovar**, consentir, aceitar, prazentear, titilar *fig.*

criticável *adj.2g.* **condenável**, censurável, culpável, repreensível, reprovável ≠ **louvável**, elogiável, irrepreensível, incensurável

criticismo *n.m.* **relativismo**

crítico *adj.* **1** ≠ **anticrítico**, acrítico **2** **negativo**, nocivo, contraproducente, prejudicial ≠ **positiva**, benéfico, aconselhado **3** **difícil**, intrincado, complexo, complicado, emaranhado ≠ **fácil**, desintrincado, simples **4** **arriscado**, perigoso, grave **5** **embaraçado**, atabalhoado, desorganizado ≠ **expedito**, desembaraçado, diligente ■ *n.m.* **analisador**, analista, comentador, contraste, censor, criticante

crivado *adj.* **1** **esburacado**, foraminoso ≠ **tapado**, coberto **2** **atravessado**, furado, perfurado **3** *fig.* **cheio**, atulhado, recheado, repleto, abarrotado ≠ **vazio**, oco

crivar *v.* **1** **joeirar**, peneirar, cirandar, escrivar **2** **esburacar**, esfuracar, lurar ≠ **tapar**, cobrir **3** *fig.* **encher**, cobrir, atulhar, rechear ≠ **esvaziar**, desocupar **4** *fig.* **satirizar**, ridicularizar, bandarilhar ≠ **respeitar**, considerar **5** *fig.* **criticar**, censurar, reprovar, condenar ≠ **aprovar**, aceitar **6** *fig.* **ferir**, machucar, magoar, golpear

crível *adj.2g.* **1** **conceptível**, admissível, possível, plausível, aceitável, pensável, imaginável ≠ **inconceptível**, inadmissível, impossível, inaceitável **2** **verosímil**, provável, credível, consistente *fig.* ≠ **inverosímil**, incrível

crivo *n.m.* **1** **peneira**, joeira, ciranda **2** (confessionário) **ralo** **3** **coador**, passador, ralo

croata *adj.,n.2g.* **croácio**, croaciano

crocante *adj.2g.* **estaladiço**

crocitar *v.* (corvo) **corvejar**

crocito *n.m.* **crás-crás**

crocodilo *n.m. fig.* **traidor**, pérfido, fingido, falso ≠ **honesto**, justo

cromatismo *n.m.* **coloração**, cor, tonalidade, pigmentação, tintura, tinção, colorido ≠ **descoloração**

crónica[AO] ou **crônica**[AO] *n.f.* **1** **anais**, cronografia, história, cronologia **2** **notícia**, artigo **3** **rubrica**

crónico[AO] ou **crônico**[AO] *adj.* **1** **antigo**, enraizado, entranhado, inveterado, arreigado ≠ **momentâneo**, passageiro, transitório, ocasional **2** **permanente**, perseverante, duradouro, ininterrupto ≠ **momentâneo**, passageiro, transitório, ocasional

cronista *n.2g.* **historiador**, cronógrafo, croniqueiro, historiógrafo

cronologia *n.f.* cronografia, crónica, anais, história

cronológico *adj.* temporal ≠ atemporal

cronometrar *v.* **medir**, contar, marcar

croqui *n.m.* **esquisso**, esboço, bosquejo, rascunho

cross *n.m.* DESP. **corta-mato**

crosta *n.f.* **1 crusta 2 bostela**, pústula, cascão, posteja [BRAS.] **3 casca**, invólucro, revestimento **4 côdea**, crusta, casca ≠ **miolo**, interior

cru *adj.* **1 bruto**, natural, inalterado ≠ **trabalhado**, lavrado **2** *fig.* **direto**, rude, claro, espontâneo, crueza ≠ **inibido**, constrangido, acanhado **3** *fig.* **cruel**, atroz, bárbaro, bruto ≠ **clemente**, bondoso, benevolente **4** *fig.* **incipiente**, embrionário ≠ **desenvolvido**

crucial *adj.2g.* **1 cruciforme 2** *fig.* **capital**, terminante, decisivo, essencial ≠ **insignificante**, secundário, acessório **3** *fig.* **difícil**, árduo, duro, crítico ≠ **fácil**, simples

cruciar *v.* **1 crucificar 2** *fig.* **afligir**, angustiar, atormentar, agoniar, atribular, mortificar, consternar, torturar, martirizar, consumir *fig.* ≠ **desapoquentar**, tranquilizar, sossegar

crucificação *n.f.* **1 cruciato**, cruciação, crucifixão **2** *fig.* **martírio**, mortificação, agonia, angustia, consternação, tortura ≠ **desapoquentação**, alívio, sossego

crucificado *adj.,n.m.* **martirizado**, supliciado, mortificado, atormentado, torturado ≠ **desapoquentado**, aliviado, sossegado

crucificar *v.* **1 crucifixar**, cruciar **2** *fig.* **afligir**, angustiar, atormentar, agoniar, atribular, mortificar, consternar, torturar, martirizar, consumir *fig.* ≠ **desapoquentar**, tranquilizar, sossegar

cruciforme *adj.2g.* **1 crucial 2** BOT. **crucífera**

cruel *adj.2g.* **1 feroz**, malvado, impiedoso, violento ≠ **bondoso**, clemente, humano, benévolo **2 bárbaro**, sanguinário, desumano, beluíno, protervo, impiedoso, atroz ≠ **humano**, bondoso, piedoso, bom, compassivo **3 severo**, implacável, rígido, inflexível, intransigente, irredutível ≠ **transigente**, tolerante, indulgente, condescendente **4 pungente**, doloroso, dilacerante, lesante, lancinante

crueldade *n.f.* **1 barbaridade**, sanguinolência, desumanidade, protérvia, impiedade, atrocidade ≠ **humanidade**, bondade, piedade, compassividade **2 severidade**, implacabilidade, rigidez, inflexibilidade, intransigência, irredutibilidade ≠ **transigência**, tolerância, indulgência, condescendência

cruento *adj.* **1 sangrento**, sanguinolento, ensanguentado, sanguentado **2 bárbaro**, sanguinário, desumano, beluíno, protervo, impiedoso, atroz ≠ **humano**, bondoso, piedoso, bom, compassivo, incruento **3 pungente**, doloroso, dilacerante, lesante, lancinante

crueza *n.f.* **1 crueldade**, barbaridade, sanguinolência, desumanidade, protérvia, impiedade, atrocidade ≠ **humanidade**, bondade, piedade, compassividade **2 direto**, rude, claro, espontâneo, cru *fig.* ≠ **inibido**, constrangido, acanhado

crusta *n.f.* **1 crosta 2 côdea**, crosta, casca ≠ **miolo**, interior

cruz *n.f.* **1 crucifixo 2 cruzeiro 3** *fig.* **tormento**, aflição, agonia, sofrimento, dor ≠ **alívio**, bálsamo, consolo, desapoquentação **4** *fig.* **trabalhos 5** [*pl.*] **quadris**, ancas, cadeiras ■ *interj.* [*pl.*] **credo!**, meu Deus!, Santo Deus!, jesus!

cruzada *n.f.* **1 campanha 2** *fig.* **passagem**, travessia

cruzado *adj.* **1 mestiço**, mascate **2** (cheque) **traçado**, barrado ■ *n.m.* **1 expedicionário 2** (antiga unidade monetário do Brasil) **real**

cruzamento *n.m.* **1 interseção**, encruzilhada, ambívio **2 acasalamento**, acasalação

cruzar *v.* **1 atravessar**, intersetar, intercetar, transpor, cortar **2 acasalar**, juntar **3** (cheque) **barrar**, traçar

cruzar-se *v.* **1 deparar-se**, encontrar **2 intersetar-se**, travessar-se, entrecortar-se, intercetar-se **3 benzer-se**

cruzeiro *n.m.* **1 cruz**, crucifixo **2 transepto 3** [BRAS.] ZOOL. (serpente) **urutu**, cotiara, boicoataria

cruzeta *n.f.* **cabide**, forquilha

cu *n.m.* **1** *vulg.* **ânus**, sesso *col.* **2** *vulg.* **nádegas**, rabo, traseiro, posterior, rabiote *col.*, assento *col.*, sim-senhor *col.*, sesso *col.*, culatra *col.*

cuba *n.f.* **balseiro**, dorna, tonel, vasilha ■ *n.m.* [BRAS.] **feiticeiro**, mágico, mago, embruxador, mandingueiro

cubata *n.f.* **senzala**

cúbico *adj.* **cuboide**, cubiforme

cubículo *n.m.* **1 cabina**, cochicho, cubelo, cortiço *fig.* **2** (aposento em convento) **cela**

cubital *adj.2g.* ANAT. (osso) **ulnar**, ulnário, ulnal

cueiro *n.m.* **fralda**, bragueiro, mantilha, faixeiro *col.*, mantéu [REG.]

cuidado *n.m.* **1 cautela**, precaução, prudência ≠ **imprudência**, descuido, imponderação **2 solicitude**, diligência, desvelo, zelo, dedicação ≠ **desatenção**, desleixo, negligência, adormecimento **3 encargo**, responsabilidade, incumbência, dever, obrigação **4 inquietação**, ansiedade, apoquentação, aflição ≠ **alívio** *fig.*, consolo, conforto ■ *adj.* **1 meditado**, pensado, refletido ≠ **impensado**, irrefletido, precipitado **2 imaginado**, fantasiado, idealizado, devaneado **3 perfeito**, aprimorado, esmerado, apurado, requintado ≠ **desleixado**, desmazelado, descuidado **4 propositado**, deliberado, premeditado, pensado ≠ **involuntário**, indeliberado, irrefletido **5 preocupado**, apreensivo, angustiado, inquieto ≠ **tranquilo**, sereno, sossegado ▪ *interj.* (exclamação de advertência) **atenção!**, cautela!, alerta!

cuidadoso *adj.* **1 cauteloso**, precaucioso, prudente ≠ **imprudente**, descuidadoso, imponderado **2 solícito**, desvelado, diligente, zeloso, dedicado ≠ **desatento**, desleixado, negligente **3 preocupado**, ansioso, apreensivo, angustiado, inquieto ≠ **tranquilo**, sereno, sossegado **4 pensativo**, meditativo, refletivo, cogitabundo ≠ **impensado**, irreflexivo, precipitado

cuidar *v.* **1 imaginar**, fantasiar, idealizar, devanear **2 supor**, julgar, conjeturar, presumir, imaginar, achar **3 meditar**, refletir, pensar, matutar, cogitar, ponderar **4 trabalhar**, laborar, labutar ≠ **mandriar**, gazetar, vadiar **5 tratar**, atender ≠ **desatender**, descuidar **6 interessar-se**, preocupar-se ≠ **despreocupar-se**

cujo *pron.rel.* **de que**, de quem, do qual

culatra *n.f. col.* **nádegas**, rabo, traseiro, rabiote *col.*, assento *col.*, sim-senhor *col.*, sesso *col.*, cu *vulg.*

culinária *n.f.* **gastrologia**, gastronomia

culminação *n.f.* **apogeu**, auge, culminância, clímax, pino *fig.*, coronal *fig.*, zénite *fig.*, zineira [REG.]

culminante *adj.2g.* **superior**, sumo, máximo, maior ≠ **inferior**, mínimo

culpa *n.f.* **1 pecado**, falta, erro, falha **2 delito**, crime, infração, transgressão, iniquidade, flagício, malfeitoria **3 remorso**, arrependimento, pungimento, penitência **4 inculpação**, acusação, incriminação

culpabilidade *n.f.* **1 remorso**, arrependimento, pungimento, penitência, culpa **2 inculpação**, acusação, incriminação

culpabilizar *v.* **inculpar**, acusar, incriminar

culpado *adj.* **1 culposo**, responsável, réu ≠ **inocente**, abnóxio **2 comprometido**, implicado, envolvido, compreendido ≠ **descomprometido**, desimplicado ▪ *n.m.* **delinquente**, criminoso, infrator, transgressor

culpando *adj.* **acusado**, incriminado ≠ **inocentado**

culpar *v.* **inculpar**, acusar, incriminar ≠ **desculpar**, descriminalizar

culpar-se *v.* **recriminar-se**, acusar-se, condenar-se

culpável *adj.2g.* **1 incriminável**, acusável ≠ **inculpável 2 condenável**, criticável, censurável, repreensível, reprovável ≠ **louvável**, elogiável, irrepreensível, incensurável

culposo *adj.* **culpado**, responsável, réu ≠ **inocente**, inculposo

cultismo *n.m.* **1 erudição**, ilustração, instrução, sabedoria, cultura ≠ **ignorância**, incultura **2 civilização 3** LIT. **culteranismo**, gongorismo

cultivação *n.f.* **cultivo**, cultura, plantio, plantação

cultivado *adj.* **1 amanhado**, lavrada **2 fertilizado 3 culto**, civilizado, instruído ≠ **ignorante**, inculto

cultivador *n.m.* **agricultor**, lavrador, plantador, cultor

cultivar *v.* **1 amanhar**, lavrar, laborar **2** *fig.* **educar**, instruir, formar, ilustrar **3 interessar-se**, preocupar-se ≠ **desinteressar-se 4 desenvolver**, aperfeiçoar, melhorar, apurar ≠ **piorar**, estragar **5** *fig.* **conservar**, preservar, manter ≠ **eliminar**, extinguir

cultivável *adj.2g.* **arável**, agricultável, lavradio ≠ **incultivável**, árido

cultivo *n.m.* **cultivação**, cultura, plantio, plantação, abacelamento

culto *adj.* **1 cultivado**, ilustrado, instruído, erudito, sabedor ≠ **ignorante**, inculto **2 esmerado**, aprimorado, apurado ≠ **desleixado**, desmazelado, descuidado **3 civilizado**, instruído, progressivo ≠ **improgressivo**, recessivo ▪ *n.m.* **1 liturgia**, rito **2** *fig.* **adoração**, devoção, veneração, admiração, amorismo ≠ **desprezo**, desdém, desconsideração

cultor *n.m.* **1 agricultor**, lavrador, cultivador **2 adorador**, venerador, admirador, devoto ≠ **desprezador**, despeitador, conculcador **3 amante**, companheiro, amásio *pej.* **4** *fig.* **sequaz**, sectário, partidário, satélite

cultuar *v. fig.* **adorar**, venerar, admirar, homenagear ≠ **desprezar**, desdenhar, desconsiderar

cultura *n.f.* **1 agricultura**, lavoura, lavra, arada, charrua *fig.* **2 erudição**, ilustração, instrução, sabedoria, cultismo ≠ **ignorância**, incultura

cultural *adj.2g.* **civilizacional**

culturismo *n.m.* **musculação**, body-buiding

cume *n.m.* **1 cimo**, alto, cumeeira, cimeira, auge, topo, alcandor, ápex, coruta, cocuruto *fig.* ≠ **base**, sopé, falda, aba **2 apogeu**, auge, culminância, clímax, zina, pino *fig.*, coronal *fig.*, zénite *fig.*

cumeada *n.f.* **cumeeira**, alto, cimo, cume, cimeira, auge, topo, somada, cocuruto *fig.* ≠ **base**, sopé, falda, aba

cumeado *adj.* **encimado**, elevado

cúmplice *adj.* DIR. **conivente**, compadre, comparsa *fig.* ▪ *adj.,n.2g.* **participante**, colaborador, parceiro, aliado ≠ **adversário**, opositor, concorrente, rival

cumplicidade *n.f.* **1 conivência**, compadrio *fig.* **2 camaradagem**, companheirismo, amizade ≠ **inimizade**, rivalidade

cumpridor *adj.* **observante**, respeitador, sério, responsável, consciente, obediente ≠ **irresponsável**, inconsequente ▪ *n.m.* **executor**

cumprimentar *v.* 1 **saudar**, cortejar, mesurar 2 **felicitar**, gratular, congratular, celebrar ≠ **censurar**, desprezar, reprovar

cumprimento *n.m.* 1 **observância**, execução, obediência, seriedade ≠ **irresponsabilidade**, inconsequência 2 **saudação**, cotejo, mesura 3 **elogio**, lisonja, louvor, aplauso ≠ **censura**, desprezo, reprovação 4 [*pl.*] **saudações**, lembranças, recomendações, felicitações

cumprir *v.* 1 **executar**, obedecer, observar ≠ **desobedecer**, descumprir 2 **satisfazer**, realizar, executar 3 **sujeitar-se**, submeter-se, subjugar-se ≠ **resistir**, enfrentar, encarar 4 **completar**, atingir, perfazer 5 **desempenhar**, observar 6 **caber**, pertencer, competir, concernir, tomar, tocar ≠ **descaber** 7 **convir**, valer

cumprir-se *v.* 1 **realizar-se**, verificar-se 2 **findar**

cumulação *n.f.* **aglomeração**, amontoamento, acumulação, congestionamento, amontoação ≠ **dispersão**, separação

cumular *v.* 1 **aglomerar**, amontoar, acumular, congestionar ≠ **dispersar**, separar 2 **encher**, atestar, acrescentar, preencher ≠ **retirar**, esvaziar

cumulativamente *adv.* **conjuntamente**, juntamente, concomitantemente, associadamente

cumulativo *adj.* **aglomerado**, amontoado, acumulativo, congestionado ≠ **disperso**, separado

cúmulo *n.m.* 1 **aglomeração**, amontoamento, acumulação, congestionamento, amontoação ≠ **dispersão**, separação 2 **acréscimo**, aumento, adição ≠ **supressão**, redução, eliminação 3 **apogeu**, auge, culminância, clímax, zina, pino *fig.*, coronal *fig.*, zénite *fig.* 4 **absurdo**, disparatado, irracional

cunco *n.m.* [REG.] **caçoula**, escudela

cuneiforme *adj.2g.* **cuneal**, cuneano

cunha *n.f.* 1 **calço**, calce, fendeleira, atochador 2 *fig.* **recomendação**, pedido, empenho, pistolão, tarraxa, cartola *col.*, empenhoca *col.*

cunhado *adj.* 1 **amoedado** 2 *fig.* **criado**, empregado, serviçal, servente, servidor, servo, fâmulo

cunhal *n.m.* **esquina**, curva, aresta, canto, cotovelo, ângulo

cunhar *v.* 1 **amoedar**, acunhar, monetizar 2 *fig.* **criar**, inventar 3 *fig.* **recomendar**, interceder

cunho *n.m.* 1 **impressão**, marca, símbolo, sinal, letra, carácter, tipo *fig.*, traço *fig.* 2 *fig.* **marca**, sinal, distintivo, selo 3 *fig.* **carácter**, índole, temperamento, vocação, natureza, compleição, cariz, génio 4 *fig.* **qualidade**, classe, categoria, marca, valor, importância, calibre *fig.*

cupidez *n.f.* **cobiça**, inveja, ambição, ganância, avidez, concupiscência ≠ **desambição**, desinteresse, desapego

cúpido *adj.* **cobiçoso**, ambicioso, invejoso, ganancioso, ávido, desejoso ≠ **desambicioso**, desinteressado, desapegado

cúpula *n.f.* 1 ARQ. **zimbório** 2 **abóbada** 3 *fig.* **céu**, firmamento, alturas, páramo, azul 4 *fig.* **direção**, chefia, comando 5 BOT. **carapulo**, cápsula, invólucro

cura *n.f.* 1 **recuperação**, restabelecimento, convalescença, cobro 2 **tratamento**, terapia, terapêutica 3 **curtimento** 4 *fig.* **remédio**, solução, recurso ■ *n.m.* 1 **pároco**, prior 2 **padre**, sacerdote

curado *adj.* 1 **sarado**, recuperado, restabelecido, são, cicatrizado 2 **defumado**

curador *n.m.* [BRAS.] **curandeiro**, benzedeiro, barbeiro, abençoadeiro, benzedor, bruxo, saludador, mata-sãos

curandeiro *n.m.* **benzedeiro**, barbeiro, abençoadeiro, benzedor, bruxo, saludador, mata-sãos, milongueiro, ensalmador, ensalmeiro, curador [BRAS.]

curar *v.* 1 **recuperar**, convalescer, restabelecer-se, recobrar ≠ **piorar**, agravar 2 **pensar**, tratar 3 **sarar**, guarecer 4 **defumar** 5 **salgar** 6 **cicatrizar**, sanar, encarnar, fechar

curar-se *v.* 1 **restabelecer-se**, sarar, recuperar, sanar-se, resguardar-se 2 **emendar-se**, corrigir-se, desentortar-se *fig.*

curativo *n.m.* 1 **penso** 2 **medicação**, tratamento, remédio, terapia

curável *adj.2g.* **sanável**, cicatrizável, tratável

curial *adj.2g. fig.* **adequado**, conveniente, decente, apropriado, acomodado, adaptado, congruente ≠ **inconveniente**, inadaptado, inadequado

curiosidade *n.f.* 1 **indiscrição**, bisbilhotice, inconveniência, intromissão ≠ **discrição**, recato, desinteresse, privacidade, descuriosidade 2 **raridade**, preciosidade, cimélio 3 **amadorismo** ≠ **profissionalismo**

curioso *adj.* 1 **indiscreto**, bisbilhoteiro, inconveniente, intrometido *fig.*, afuroador *fig.* ≠ **discreto**, recatado, desinteressante, privado 2 **zeloso**, cuidadoso, diligente ≠ **desleixado**, descuidadoso 3 **interessante**, singular, estranho, esquisito, original, raro, invulgar, admirável ≠ **vulgar**, banal, desinteressante ■ *n.m.* 1 **estudioso**, cultor ≠ **indiferença** 2 **amador** ≠ **profissional**

curral *n.m.* **corte**, bardo, cancelo, redil, malhada, aprisco, curro, presepe

currículo *n.m.* 1 **curriculum vitae** 2 **curso**, corrida 3 **atalho**, carreira, trilho, vereda, senda, carril

curro *n.m.* 1 **curral**, corte, bardo, cancelo, redil, malhada, aprisco 2 [BRAS.] **garanhão**

cursar *v.* 1 **estudar** 2 **frequentar**, ir, participar, andar 3 **percorrer**, viajar, correr 4 **alcançar**, atingir 5 **suportar**, passar, aguentar 6 (vento) **so-**

prar **7** (sangue) **escorrer**, derramar, deslizar, correr, fluir

curso *n.m.* **1** (água) **corrente**, fluxo **2 distância**, duração **3 decurso**, seguimento, correr **4** *fig.* **rumo**, evolução, caminho, trajeto

cursor *n.m.* **andarilho**, calcorreador, papa-léguas

curtição *n.f.* **1 curtidura 2** *col.* **divertimento**, folia, folguedo, brincadeira, curtimenta

curtido *adj.* **1 endurecido**, curado, queimado **2** calejado *fig.*, experimentado, suportado **3** *col.* **divertido**, recreativo, interessante, desenfadadiço

curtimento *n.m.* **curtume**, curtição

curtir *v.* **1** (couros ou peles) **adubar**, preparar **2 demolhar 3 calejar**, endurecer, enrijar **4** *fig.* **suportar**, padecer, sofrer, passar, aguentar ≠ **reagir**, resistir **5** *fig.* **alimentar 6** *col.* **gozar**, desfrutar, deleitar, fruir

curto *adj.* **1** (em tamanho) **pequeno**, baixo, diminuto, reduzido ≠ **alto**, elevado, grande **2** (em duração) **breve** ≠ **longo 3 breve**, sucinto, conciso, abreviado, lacónico, resumido ≠ **prolixo**, difuso, redundante, extenso

curva *n.f.* **1 volta**, sinuosidade, meandro **2 arco**

curvado *adj.* **1 arqueado**, curvo, circunflexo, dobrado ≠ **endireitado**, desdobrado, desencurvado **2** *fig.* **subjugado**, reprimido, dominado, oprimido

curvar *v.* **1 arquear**, dobrar, inclinar, flexionar, alcatruzar, derrengar [REG.] ≠ **endireitar**, desencurvar **2** *fig.* **submeter**, sujeitar, subjugar ≠ **resistir**, enfrentar, encarar **3** *fig.* **humilhar**, vexar, oprimir, espezinhar *fig.*, acalcanhar *fig.* ≠ **prestigiar**, estimar, considerar, valorizar, venerar, acatar

curvar-se *v.* **1 baixar-se**, arquear-se, dobrar-se, debruçar-se, arcar-se, corcovar-se **2** *fig.* **humilhar-se**, vergar-se, ceder, obedecer, resignar-se, inclinar-se, submeter-se

curvatura *n.f.* **arqueação**, dobradura, circunflexão, alombamento, envergamento, curvidade ≠ **endireitamento**, desdobramento

curvilíneo *adj.* **abaulado**, recurvo ≠ **reto**, direito

curvo *adj.* **1 arqueado**, circunflexo, curvado, dobrado ≠ **endireitado**, desdobrado, desencurvado **2 dobrado**, inclinado, abaulado ≠ **reto**, direito **3 sinuoso**, ondulante, flexuoso, tortuoso, meandroso, arrevesso ≠ **reto**, direito

cúspide *n.f.* **1 ápice**, ponta, bico, vértice **2 ferrão**, aguilhão **3 cume**, píncaro, alto, cumeeira, cimeira, auge, topo, cocuruto *fig.* ≠ **base**, sopé

cuspido *adj.* **1 conspurcado**, sujo, imundo ≠ **limpo 2** *fig.* **difamado**, injuriado, ultrajado, anavalhado, abocanhado ≠ **respeitado**, considerado

cuspir *v.* **1 salivar 2 lançar**, expelir, soltar **3 arrojar**, arremessar, atirar, deitar, lançar, expelir ≠ **recolher**, apanhar, guardar **4 vomitar**, desengolir, bolçar, golfar, lançar, arrevessar, devolver *col.* ≠ **engolir**, ingerir **5 exprobrar**, desprezar, censurar, repreender ≠ **elogiar**, louvar, felicitar **6 insultar**, ultrajar, difamar ≠ **respeitar**, considerar

cuspo *n.m.* **saliva**, esputo, cuspinha, bisga *cal.*

custa *n.f.* **1 despesa**, custo, dispêndio **2 esforço**, trabalho, trabalheira, lide, faina, labuta ≠ **repouso**, descanso, sossego **3** [*pl.*] (em processo judicial) **despesas**

custar *v.* **1 importar**, valer, montar **2 demandar**, pedir, solicitar, rogar, perguntar, convidar **3 necessitar**, precisar, carecer ≠ **desnecessitar 4 despender**, gastar, desembolsar, expender ≠ **poupar**, economizar **5 compadecer**, amiserar, apiedar, condoer, lastimar, comover ≠ **desumanizar**

custeamento *n.m.* **meneio**, custeio

custear *v.* **subsidiar**, subvencionar, financiar

custo *n.m.* **1 quantia**, importância, totalidade, valor, importe, montante, preço **2** *fig.* **dificuldade**, esforço, trabalho ≠ **facilidade**, desembaraço, desimpedimento

custódia *n.f.* **1 proteção**, guarda, escolta, segurança, cuidado **2 prisão**, detenção, retenção

custodiar *v.* **1 guardar**, proteger, defender, escoltar, conservar, vigiar **2 aprisionar**, deter, reter

custódio *adj.* **defensor**, protetor

custoso *adj.* **1 caro**, dispendioso, alto, pesado, oneroso, puxado *col.* ≠ **barato**, económico, módico, baixo, fácil **2** *fig.* **difícil**, penoso, duro ≠ **fácil**, cómodo

cutâneo *adj.* **epidérmico**

cutelo *n.m.* **violência**, severidade

cútis *n.f.2n.* **epiderme**, cutícula, tez

D

dação *n.f.* **1** doação **2** pagamento, entrega **3** restituição, devolução

daco *n.m.* **1** dácio **2** ZOOL. mosca-da-oliveira

dádiva *n.f.* **1** **presente**, brinde, prenda **2** **oferta**, donativo, doação

dadivar *v.* **1** **presentear**, brindar, obsequiar, ofertar **2** **doar**, ofertar

dadivoso *adj.* **1** **presenteador**, dador, doador, concessor **2** **generoso**, caridoso, bom, bondoso ≠ **desumano**, desalmado, despiedado

dado *n.m.* **1** ARQ. **plinto**, peanha, soco, pé, embasamento, base **2** **informação**, elemento ■ *adj.* **1** **oferecido**, entregue, presenteado, ofertado, facultado **2** **gratuito**, grátis **3** **afável**, sociável, amistoso, agradável, tratável, cortês ≠ **desagradável**, rude, grosseiro **4** **propenso**, inclinado, predisposto **5** **determinado**, particular

dador *adj.,n.m.* **1** **concessor**, doador, dadivoso, obsequiador **2** **outorgador**, doador **3** **doador**

daltonismo *n.m.* discromatopsia

dama *n.f.* senhora

damasco *n.m.* BOT. **alperce**, alperche

damasqueiro *n.m.* BOT. **alperceiro**, alpercheiro, albricoqueiro

damasquinagem *n.f.* **tauxia**, marchetado

damasquinar *v.* **embutir**, tauxiar

damo *n.m.* *col.* **namorado**, amante, enamorado, amásio *pej.*

danação *n.f.* **1** (doença) **raiva**, hidrofobia **2** **fúria**, ira, cólera, furor, raiva ≠ **serenidade**, tranquilidade, calma **3** **maldição**, danamento, imprecação, praga **4** *fig.* **condenação**, pena, castigo, multa, sentença ≠ **absolvição**, perdão, absolvimento **5** *fig.* **perversão**, corrupção, degeneração, crueldade, malvadez ≠ **bondade**, generosidade **6** *fig.* **estrago**, dano, prejuízo ≠ **conservação**, preservação

danado *adj.* **1** **hidrófobo**, raivoso **2** *fig.* **perverso**, malévolo, cruel ≠ **bondoso**, generoso **3** *col.* **expedito**, desembaraçado, diligente, ativo, prático ≠ **embaraçado**, atabalhoado, desorganizado **4** *col.* **atrevido**, malandro, insolente ≠ **respeitoso**, atencioso

danar *v.* **1** *fig.* **perverter**, corromper, degenerar **2** **condenar**, punir, castigar, multar, sentenciar ≠ **absolver**, perdoar **3** **estragar**, danificar, prejudicar ≠ **conservar**, preservar **4** **irritar**, enfurecer, embravecer ≠ **tranquilizar**, acalmar

danar-se *v. fig.* **desesperar-se**, irritar-se, enraivar-se, zangar-se, derramar-se, derrancar-se, desamistar-se ≠ **acalmar-se**, tranquilizar-se

dança *n.f.* **1** **baile**, bailado, bailata, coreia **2** *fig.* **agitação**, correria, tumulto, azáfama ≠ **calmaria**, sossego

dançante *adj.2g.* **bailarino**, bailadeiro, dançarino, bailarim, dançador, saltarelo

dançar *v.* **1** **bailar**, baiar, regambolear **2** **oscilar**, baloiçar, vacilar, agitar, mover-se, librar ≠ **parar**, cessar, fixar, imobilizar, estabilizar **3** **girar**, rodar, circular, rodopiar, tornear ≠ **parar**, cessar, fixar, imobilizar, estabilizar **4** **saltar**, pular ≠ **imobilizar**, parar, cessar **5** [BRAS.] **falhar**

dançarino *n.m.* **bailador**, dançante, bailarino, bailante, dançador, saltarelo

danificação *n.f.* **1** **dano**, avaria, desarranjo, estrago, pane ≠ **reparação**, arranjo, restauro **2** **ruína**, estrago, deterioração, prejuízo, degeneração ≠ **recuperação**, regeneração, preservação

danificador *adj.,n.m.* **destruidor**, demolidor

danificar *v.* **1** **danar**, avariar, desarranjar, estragar, esmoucar, calamocar *fig.* ≠ **reparar**, arranjar, restaurar **2** **arruinar**, estragar, deteriorar, prejudicar, degenerar ≠ **recuperar**, regenerar, preservar

daninho *adj.* **nocivo**, prejudicial, danoso, mau, ruim, terrível ≠ **benéfico**, saudável, benévolo

dano *n.m.* **1** **mal**, malefício, nocividade, malfeitoria, estropício ≠ **benefício**, bem, benevolência **2** **estrago**, deterioração, ruína, prejuízo, degeneração, desproveito, calamocada *fig.* ≠ **recuperação**, regeneração, preservação

danoso *adj.* **nocivo**, prejudicial, danífico, mau, ruim, terrível ≠ **benéfico**, saudável, benévolo

dantes *adv.* **antes**, antigamente, outrora, anteriormente, precedentemente ≠ **depois**, futuramente, posteriormente

dantesco *adj.* **aterrador**, horrível, horroroso, medonho, pavoroso, terrível, apavorante, assustado

dar *v.* **1** **oferecer**, entregar, colocar, conceder, transferir **2** **legar**, outorgar, doar, ofertar **3** **consagrar**, empregar, votar **4** **fornecer**, vender, trocar, ceder **5** **confiar**, remeter, entregar, depositar, consignar, cometer, passar **6** **apresentar**, colocar, fornecer **7** **realizar**, organizar, promover, fazer **8** **transmitir**, apresentar **9** **prescrever**, ministrar **10** **ensinar**, lecionar ≠ **aprender** **11** **atribuir**, impor **12** **causar**, suscitar, sugerir, provocar, determinar **13 aplicar**, bater, sovar, surrar **14 conferir**, imprimir, atribuir, imputar **15 considerar**, atribuir, supor **16 bater**, embater, chocar **17 bastar**, chegar **18 descobrir**, encontrar ≠ **esconder**, ocultar

dardejar *v.* **1** *fig.* **brilhar**, cintilar, faiscar, irradiar, reluzir ≠ **embaciar**, deslustrar, enturvar, empanar *fig.* **2 arremessar**, expelir, lançar, projetar, arrojar, desferir, emitir, vibrar

dardo *n.m.* **1 venábulo 2 ferrão**, aguilhão, cúspide **3** *fig.* **farpa**, alfinetada, dentada

dar-se *v.* **1 relacionar-se**, familiarizar-se, tratar-se **2 adaptar-se**, ajustar-se **3 acontecer**, ocorrer, realizar-se

data *n.f.* **1 dádiva**, donativo, doação **2** *fig.* **dose**, porção **3** *fig.* **sova**, tareia, pancada

datado *adj.* **ultrapassado**, antiquado, desatualizado, desusado ≠ **inovador**, moderno, progressista, avançado

datar *v.* **1 assinalar**, determinar **2 começar**, existir ≠ **terminar**, extinguir

datável *adj.2g.* **identificável** ≠ **inidentificável**

dealbação *n.f.* **branqueação**, branqueamento, albificação, branqueio, branqueadura ≠ **escurecimento**, enegrecimento, escuridão, obumbração

dealbar *v.* **1 branquejar**, branquear, embranquecer, calear, alvejar, alvorecer, encanecer, alvorejar, argentar ≠ **enegrecer**, escurecer, denegrir **2** *fig.* **purificar**, castificar ■ *n.m.* **início**, começo, princípio, primórdio, exórdio *fig.*, limiar *fig.* ≠ **fim**, término

deambulação *n.f.* **1 caminhada**, passeio **2 digressão**

deambular *v.* **1 caminhar**, passear, flanar **2 errar**, vaguear, divagar, vagabundear, circunvagar ≠ **dirigir-se**, encaminhar-se, guiar-se

deambulatório *adj. fig.* **desnorteado**, erradio, transviado, perdido ■ *n.m.* **charola**

deão *n.m.* **decano**, adaião *ant.*

debaixo *adv.* **inferiormente**, sob ≠ **superiormente**

debalde *adv.* **inutilmente**, vãmente, embalde, baldadamente

debandada *n.f.* **1 retirada**, dispersão, corre-corre, tresmalho **2 desarranjo**, desorganização, desordem ≠ **ordem**, organização

debandar *v.* **dispersar**, destroçar, retirar, tresmalhar

debate *n.m.* **1 discussão**, contestação, disputa, controvérsia, polémica ≠ **acordo**, concórdia, conformidade **2 contenção**, contenda, altercação, disputa, litígio, luta, conflito, peleja, rixa, desavença ≠ **acordo**, conciliação, concórdia

debater *v.* **1 discutir**, contestar, disputar, controverter ≠ **acordar**, concordar, conformar **2 contender**, altercar, disputar, lutar, pelejar, rixar ≠ **acordar**, conciliar, concordar

debater-se *v.* **agitar-se**, bracejar, estrebuchar, escabujar, barafustar, entrebater-se

debatido *adj.* **discutido**, tratado, deliberado, ventilado *fig.*

debelação *n.f.* **destruição**, repressão, extinção, aniquilação

debelar *v.* **1 vencer**, dominar, derrotar, superar ≠ **perder**, sujeitar-se **2 destruir**, reprimir, extinguir, aniquilar

debicar *v.* **1** *fig.* **petiscar**, lambiscar, paparicar, codear, pastinhar *col.* **2** *col.* **caçoar**, troçar, zombar, escarnecer, motejar, derriçar, mangar ≠ **respeitar**, considerar, estimar, prezar

débil *adj.2g.* **1 fraco**, frágil, franzino, ténue ≠ **forte**, robusto, consistente **2 frouxo**, chocho, brando, mole ≠ **firme**, rígido **3 diminuto**, escasso, insignificante, deficiente, exíguo ≠ **suficiente**, indeficiente, bastante **4 atrasado**, retardado ≠ **desenvolvido**, avançado

debilidade *n.f.* **1 fraqueza**, fragilidade, enlanguescência ≠ **robustez**, força **2 frouxidão**, brandura, moleza ≠ **firmeza**, rigidez

debilitação *n.f.* **enfraquecimento**, abatimento, debilidade, languidez, fraqueza, elanguescência ≠ **fortalecimento**, robustecimento

debilitar *v.* **1 abater**, desalentar, desanimar, prostrar, esmorecer ≠ **animar**, alentar, encorajar **2 enfraquentar**, fraquejar, elanguescer, quebrar, diminuir, atenuar, afracar, atonizar, anemiar *fig.* ≠ **fortalecer**, robustecer, avigorar, consolidar, enfortecer

debilitar-se *v.* **enfraquecer-se**, fraquejar, desfalecer, esmorecer, alanguidar-se, sangrar-se ≠ **revigorar**

débito *n.m.* **1 dívida**, deve ≠ **crédito 2 caudal**, torrente, enxurrada

debochado *adj.* **1 devasso**, corrupto, libertino, canalha, crapuloso, dissoluto ≠ **regrado**, bem-comportado, moralizador **2** [BRAS.] **trocista**, zombeteiro, brincalhão, divertido, galhofeiro, caçoador, chanceiro, derrisório, xingador ≠ **respeitado**, considerado, prezado, estimado

debochar *v.* **1 corromper**, perverter, depravar, desmoralizar, viciar, devassar ≠ **respeitar**, considerar **2** [BRAS.] **escarnecer**, zombar, gracejar, caçoar, ludibriar ≠ **respeitar**, considerar, prezar, estimar

deboche *n.m.* **1 devassidão**, corrupção, libertinagem, canalhice, dissolução ≠ **respeito**, virtude, honra **2** [BRAS.] **troça**, zombaria, brincadeira, divertimento, galhofa ≠ **respeito**, consideração, estimação

debruar v. 1 abainhar, orlar, afitar, acairelar 2 fig. ornar, enfeitar, recamar, lavrar 3 fig. apurar, ornar, aperfeiçoar, adornar, avivar

debruçado adj. inclinado, curvado, dobrado ≠ endireitado, reto

debruçar v. 1 inclinar, curvar, dobrar ≠ endireitar 2 fig. humilhar, vexar, oprimir, espezinhar fig., acalcanhar fig., esmigalhar fig. ≠ prestigiar, estimar, considerar, valorizar, venerar, acatar

debruçar-se v. 1 pender 2 inclinar-se, dobrar-se, curvar-se, proclinar-se

debrum n.m. 1 fita, cairel, orla 2 bainha, costura, dobra, orla

debulhadora n.f. descascador, malhadeira, escarolador

debulhar v. 1 descascar, desbulhar, desfolhar, esfolhar 2 esbagoar, debagar, degranar, descarolar

debutar v. estrear-se, iniciar-se, inaugurar

debuxar v. 1 esboçar, delinear, esquiçar, bosquejar 2 representar, figurar 3 planear, delinear, traçar 4 retratar, reproduzir

debuxar-se v. representar-se, apresentar-se, delinear-se, surgir

debuxo n.m. esboço, risco, rascunho, delineação, delineamento, borrão, bosquejo, diagrama, esquisso

década n.f. 1 (unidades) dezena 2 (dias) dezena, decêndio 3 (anos) decénio

decadência n.f. 1 declinação, declínio, derribamento fig., ruína fig. ≠ crescimento, desenvolvimento, florescimento 2 enfraquecimento, abatimento, afrouxamento, diminuição 3 humilhação, depreciação, abaixamento, aviltamento, desvalorização 4 caducidade, prescrição ≠ vigência

decadente adj.2g. 1 declinado, declinatório, ruinoso, derribado ≠ crescido, desenvolvido, florescido 2 enfraquecido, abatido, afrouxado 3 humilhado, depreciado, abaixado, aviltado, desvalorizado, abaratado fig., barateado fig. 4 caduco, prescrito ≠ vigente

decaída n.f. 1 tombo, queda 2 decadência, declinação, declínio, derribamento fig., ruína fig. ≠ crescimento, desenvolvimento, florescimento

decaído adj. 1 tombado, inclinado, pendente ≠ levantado, erguido 2 decrépito, caduco, decadente, envelhecido ≠ vivaço, vigoroso 3 arruinado, empobrecido ≠ enriquecido, abastado, adinheirado, bem-sucedido, dinheiroso

decair v. 1 baixar, diminuir, reduzir ≠ aumentar, subir 2 pender, declinar, debruçar-se 3 fig. empobrecer 4 fig. estragar-se, deteriorar-se

decalcar v. 1 calcar 2 imitar, copiar

decalque n.m. 1 calco 2 fig. imitação, cópia

decano n.m. deão

decantação n.f. transvasamento, trasfego, transvase, trasfega

decantar v. 1 trasfegar, transvasar 2 celebrar, cantar, engrandecer, exaltar, comemorar, enaltecer, glorificado ≠ desprezar, desvalorizar, menosprezar, desconsiderar

decapitação n.f. decepamento, degolação, descabeçamento, guilhotinamento

decapitar v. degolar, decepar, descabeçar

deceção[dAO] ou **decepção**[AO] n.f. 1 logro, engano, intrujice, embuste, barrete col., codilho fig., deslize fig. 2 desilusão, desgosto, dissabor, insatisfação ≠ contentamento, alegria, satisfação 3 desapontamento, desencanto, desengano, desilusão, frustração ≠ satisfação, regozijo

dececionado[dAO] ou **decepcionado**[AO] adj. desapontado, desencantado, desenganado, desiludido, frustrado ≠ satisfeito, encantado

dececionar[dAO] ou **decepcionar**[AO] v. desiludir, desapontar, desencantar, frustrar ≠ satisfazer, regozijar

decência n.f. 1 conformidade, consonância, concertação, harmonização, uniformidade ≠ discrepância, desarmonização 2 compostura, decoro, comedimento, discrição ≠ indecência, indiscrição, amoralismo, salácia, obscenidade 3 dignidade, cavalheirismo, pundonor, nobreza, decoro, probidade ≠ desbrio, desonra, indignidade

decénio[AO] ou **decênio**[AO] n.m. (anos) década, decenário

decente adj.2g. 1 conveniente, adequado, apropriado, próprio, adaptado ≠ inconveniente, desadequado, impróprio 2 limpo, asseado ≠ sujo, imundo 3 honesto, direito, sincero, verdadeiro, leal ≠ desonesto, falso, desleal 4 decoroso, digno, respeitável, íntegro ≠ indecoroso, indigno, obsceno

decepamento n.m. decapitação, descabeçamento, degoladura

decepar v. 1 amputar, mutilar, cortar ≠ enxertar 2 decapitar, degolar, descabeçar 3 derrubar, destruir, arrasar 4 fig. interromper, parar ≠ continuar, prosseguir 5 fig. desunir, separar, desagregar, dividir ≠ juntar, reunir, congregar 6 fig. abater, derrubar

decepção[AO] n.f. ⇒ **deceção**[dAO]

decepcionado[AO] adj. ⇒ **dececionado**[dAO]

decepcionar[AO] v. ⇒ **dececionar**[dAO]

decerto adv. certamente

decesso n.m. óbito, morte, falecimento, passamento, defunção

decididamente adv. definitivamente, terminantemente, decisivamente, determinadamente, resolutamente, absolutamente, inegavelmente, desassombradamente

decidido *adj.* 1 **definido**, assente, determinado, acordado ≠ **indefinido**, pendente 2 **resoluto**, inabalável, firme, seguro, anhanguera [BRAS.] *fig.* ≠ **hesitante**, vacilante, inseguro 3 **arrojado**, audaz, destemido, ousado ≠ **acanhado**, tímido, envergonhado

decidir *v.* 1 **resolver**, determinar, assentar, dispor 2 **deliberar**, opinar, estatuir, julgar 3 **sentenciar**, ajuizar

decidir-se *v.* 1 **resolver-se**, determinar-se 2 **optar**, escolher

decifração *n.f.* 1 **deciframento**, solução, descodificação, explicação, chave *fig.* ≠ **codificação** 2 **compreensão**, interpretação, perceção

decifrar *v.* 1 **interpretar**, compreender, perceber 2 **adivinhar**, solucionar, descodificar, explicar ≠ **codificar**

decifrável *adj.2g.* 1 **interpretável**, percetível, compreensível ≠ **ininteligível**, avasconçado 2 **descodificável** ≠ **codificável**

décima *n.f.* 1 **dízima**, dízimo 2 **tributo**, contribuição, taxa, imposto, quota, cotização, prestação, coleta

decimar *v.* **dizimar**

décimo *n.m.* 1 **dízimo**, dízima 2 (bilhete de lotaria) **cautela**

décimo primeiro *num.ord.* **undécimo** ■ *adj.* **onzeno**

décimo terceiro *num.ord.* **trezeno**

decisão *n.f.* 1 **deliberação**, resolução, determinação, reboração *ant.* 2 **sentença**, juízo 3 *fig.* **coragem**, determinação, firmeza ≠ **hesitação**, vacilação *fig.*

decisivamente *adv.* **decididamente**, definitivamente, indubitavelmente, perentoriamente, determinadamente

decisivo *adj.* 1 **deliberativo**, decisório, decretório, resolutivo, determinante ≠ **pendente**, irresoluto 2 **terminante**, definitivo, perentório, resolutivo, indubitável, categórico ≠ **discutível**, contestável, duvidoso

decisório *adj.* **deliberativo**, decretório, resolutivo ≠ **pendente**, irresoluto

declamação *n.f.* 1 **recitação**, récita 2 *fig.* **arenga**, palavrório, verborreia *pej.*

declamador *adj.,n.m.* **recitador**, declamante

declamar *v.* 1 **recitar**, dizer, pronunciar 2 **invetivar**, increpar, vociferar

declamativo *adj.* **declamatório**, enfático, pomposo, solene

declamatório *adj.* 1 **declamativo**, enfático, pomposo, solene 2 (estilo) **empolado**, pomposo, bombástico, extravagante, enfático *pej.* ≠ **sóbrio**, discreto

declaração *n.f.* 1 **afirmação**, asserção 2 **depoimento**, testemunho, deposição, prova 3 **manifesto**, exposição

declarado *adj.* 1 **patenteado**, exposto, comprovado 2 **confessado**, revelado 3 **claro**, evidente, explícito ≠ **obscuro** *fig.*, disfarçado

declarante *adj.,n.2g.* **depoente**, atestante

declarar *v.* 1 **afirmar**, asseverar 2 **notificar**, decretar, proclamar 3 **anunciar**, noticiar

declarar-se *v.* 1 **manifestar-se**, aparecer, enunciar-se 2 **abrir-se**, manifestar-se, revelar-se, assumir-se

declarativo *adj.* **afirmativo**, assertivo, declaratório

declaratório *adj.* **afirmativo**, assertivo, declarativo

declinação *n.f.* 1 (raramente usado) **inclinação**, declive, descida 2 **enfraquecimento**, abatimento, afrouxamento, diminuição, quebra ≠ **aumento**, intensificação 3 **rejeição**, recusa, desaprovação ≠ **aceitação**, aprovação 4 **decadência**, declínio, derribamento *fig.*, ruína *fig.* ≠ **crescimento**, desenvolvimento, florescimento

declinar *v.* 1 **afastar-se**, desviar-se, tirar ≠ **aproximar-se**, acercar-se 2 **inclinar-se**, debruçar-se, pender, decair ≠ **endireitar** 3 **diminuir**, enfraquecer, afrouxar, quebrar ≠ **aumentar**, intensificar 4 **recusar**, rejeitar, desaprovar ≠ **aceitar**, aprovar 5 **evitar**, desviar, escapar, fugir ≠ **encarar**, enfrentar 6 **enunciar**, enumerar

declínio *n.m.* 1 **inclinação**, descida, declive 2 **decadência**, declinação, derribamento *fig.*, ruína *fig.* ≠ **crescimento**, desenvolvimento, florescimento 3 **enfraquecimento**, abatimento, afrouxamento, diminuição, quebra ≠ **aumento**, intensificação 4 **empobrecimento**, pauperização ≠ **enriquecimento**

declive *n.m.* 1 **pendor**, ladeira, encosta, costa, rampa, declividade 2 **trainel** 3 **descida**, inclinação, declínio 4 *fig.* **propensão**, tendência, disposição, vocação, queda, habilidade, jeito ≠ **inabilidade**, inaptidão, incapacidade ■ *adj.2g.* 1 **inclinado**, declivoso, vertente 2 *fig.* **decadente**, declinado, ruinoso, derribado ≠ **crescido**, desenvolvido, florescido

decompor *v.* 1 **separar**, dividir, desagrupar ≠ **juntar**, formar, congregar 2 **modificar**, alterar, transformar, transfigurar ≠ **manter**, guardar 3 **analisar**, examinar, esmiuçar, dissecar 4 **corromper**, apodrecer, deteriorar, estragar ≠ **conservar**, preservar

decompor-se *v.* 1 **separar-se**, dividir-se, desagrupar-se, desagregar-se ≠ **juntar-se**, formar-se, congregar-se 2 **modificar-se**, alterar-se, transformar-se, transfigurar-se ≠ **manter-se**, guardar-se, conservar-se

decomposição *n.f.* 1 **apodrecimento**, putrefação, putrescência, podridão, corrupção 2 **análise**, exame, dissecção, esmiuçamento *fig.* 3 *fig.* **deterioração**, estrago, dano ≠ **preservação**, conservação, manutenção

decoração *n.f.* 1 **ornamentação**, embelezamento, alindamento 2 **memorização** ≠ **esquecimento**

decorar *v.* 1 **ornamentar**, enfeitar, adornar, alindar, embelezar 2 **memorizar**, encerebrar, registar ≠ **esquecer**, olvidar

decorativo *adj.* **ornamental**

decoro *n.m.* 1 **honestidade**, direito, sinceridade, verdade, lealdade ≠ **desonestidade**, falsidade, deslealdade 2 **compostura**, decência, comedimento, discrição ≠ **excesso**, indiscrição, indecência 3 **dignidade**, cavalheirismo, pundonor, nobreza, decência, probidade ≠ **desbrio**, desonra, indignidade

decoroso *adj.* 1 **honesto**, direito, sincero, verdadeiro, leal ≠ **desonesto**, falso, desleal 2 **decente**, digno, respeitável, íntegro ≠ **indecente**, indigno

decorrência *n.f.* 1 (tempo) **decurso** 2 **consequência**, resultância, derivação

decorrente *adj.2g.* 1 **decursivo** 2 **consequente**, resultante, subsequente

decorrer *v.* 1 (tempo) **passar**, escoar, discorrer, entrecorrer 2 **resultar**, inferir-se 3 **dar-se**, originar-se, realizar-se 4 **suceder**, ocorrer, acontecer

decorrido *adj.* **passado**, sucedido, vencido, volvido, findo, acabado

decorticação *n.f.* **descasca**, descascamento, descascadura

decotar *v.* 1 **cavar**, esgorjar 2 **cortar**, aparar, podar, desmochar, francear, descoruchar 3 *fig.* **eliminar**, cortar

decotar-se *v.* **despeitorar-se**, degotar-se *col.*

decote *n.m.* **cava**, cavado

decrépito *adj.* 1 **velho**, cadivo, coroca [BRAS.] ≠ **novo**, jovem 2 **arruinado**, acabado, gasto ≠ **novo**, recente

decrepitude *n.f.* 1 **caducidade**, velhice, decadência, senilidade 2 **envelhecimento**, inveteração, senescência

decrescença *n.f.* **decrescimento**, diminuição, redução, minguante ≠ **crescente**, progressivo

decrescência *n.f.* **decrescimento**, diminuição, redução, minguante ≠ **crescente**, progressivo

decrescente *adj.2g.* 1 **declinante**, minguante, reduzido, diminuto ≠ **crescido**, progressivo 2 **decadente**, declinado, ruinoso, derribado ≠ **crescido**, desenvolvido, florescido

decrescer *v.* 1 **baixar**, enfraquecer, abater, ceder ≠ **crescer** 2 **diminuir**, minguar, reduzir, empequenecer, empequenitar ≠ **aumentar**, graduar

decrescimento *n.m.* **decrescença**, diminuição, redução, minguante ≠ **crescente**, progressivo

decréscimo *n.m.* **diminuição**, descida, quebra, queda ≠ **acréscimo**, aumento, subida

decretação *n.f.* **promulgação**, publicação

decretar *v.* 1 **promulgar**, publicar 2 *fig.* **determinar**, ordenar, impor, sentenciar

decreto *n.m.* 1 **edito** 2 *fig.* **desígnio**, vontade, intenção

decretório *adj.* **decisivo**, decisório, definitivo, imperativo, perentório, terminante ≠ **pendente**, irresoluto

decuplicar *v.* **decuplar**

decurso *n.m.* 1 **duração**, passagem 2 **curso**, percurso, trajeto 3 **giro** ■ *adj.* **passado**, sucedido, vencido, volvido, findo, acabado

dedaleira *n.f.* BOT. **abeloira**, digital, erva-dedal, tróculos, alacoques [REG.]

dédalo *n.m.* 1 **labirinto**, encruzilhada 2 **complicação**, confusão, embaraço, emaranhamento, emaranhado, enredo ≠ **facilidade**, desembaraço, desimpedimento ■ *adj.* **flóreo**, florido

dedicação *n.f.* 1 **abnegação**, renúncia, devoção, sacrifício 2 **consagração**, entrega 3 **afeto**, apreço, consideração, respeito ≠ **desrespeito**, desafeto 4 **adesão** 5 **dedicatória**

dedicado *adj.* 1 **abnegado**, devoto, sacrificado, renunciado 2 **afeiçoado**, apegado, afetuoso ≠ **desafeiçoado**, indiferente

dedicar *v.* 1 **consagrar**, oferecer, prestar, tributar, dar 2 **destinar**

dedicar-se *v.* 1 **aplicar-se**, empenhar-se 2 **consagrar-se**, entregar-se, destinar-se

dedicatória *n.f.* **dedicação**

dedilhar *v.* 1 **pontear**, tanger 2 **tamborilar** 3 **tocar**, vibrar

dedo *n.m.* 1 *fig.* **aptidão**, habilitação, capacidade, proficiência, mestria, idoneidade, envergadura *fig.* ≠ **inaptidão**, incapacidade, incompetência 2 *fig.* **pouco**, bocado ≠ **muito**, bastante

dedução *n.f.* 1 **subtração**, diminuição, redução, abatimento ≠ **aumento**, acréscimo 2 **ilação**, inferência, conclusão, depreensão 3 **consequência**, conclusão, resultado

dedutivo *adj.* **ilativo**, conclusivo, deducional, deducente ≠ **intuitivo**

deduzir *v.* 1 **inferir**, concluir, depreender, coligir 2 **subtrair**, descontar, abater, diminuir ≠ **aumentar**, acrescer 3 **enumerar**, narrar

defecação *n.f.* 1 MED. **evacuação**, dejeção, descarga 2 *fig.* **depuração**, purificação, acrisolamento, limpeza

defeçãodAO ou **defecção**AO *n.f.* 1 **desaparecimento**, sumiço, descaminho ≠ **aparecimento**, aparição, surgimento 2 **abandono**, desistência, deserção ≠ **persistência**, perseverança **3 apostasia**, abjuração, renúncia **4 rebelião**, revolta, insurreição, sublevação

defecar *v.* **1 evacuar**, expelir, obrar *col.*, fraguear [REG.] **2 depurar**, acrisolar, purificar

defecar-se *v.* **definhar**, emagrecer, definhar-se, adelgaçar-se, afrazinar-se, secar ≠ **engordar**

defecção[AO] *n.f.* ⇒ **defeção**[dAO]

defectivo[AO] *adj.* ⇒ **defetivo**[dAO]

defeito *n.m.* **1 imperfeição**, defetividade, incorreção, falha ≠ **perfeição**, impecabilidade *fig.* **2 deformidade**, deficiência **3 mancha**, mácula, sombra *fig.* **4 vício 5 inconveniente**, impróprio, desadequado ≠ **conveniente**, próprio

defeituoso *adj.* **imperfeito**, falto, incompleto, irregular, anormal ≠ **perfeito**, completo, impecável, abaldeirado [BRAS.], abaldeiro [BRAS.]

defendente *adj.,n.2g.* **defensor**, sustentante, mantenedor, protetor

defender *v.* **1 proteger**, auxiliar, socorrer, amparar, antemurar ≠ **desamparar**, desproteger **2 desculpar**, perdoar, absolver ≠ **castigar**, punir, açoitar **3 proibir**, impedir, interditar, vedar ≠ **permitir**, consentir, autorizar **4 lutar**, propugnar

defender-se *v.* **1 escudar-se**, pleitear, resistir, afortalezar-se **2 abrigar-se**, resguardar-se **3 justificar-se**

defensável *adj.2g.* **defendível**, sustentável ≠ **indefensável**, indefensível

defensivo *adj.* **protetório**, galeato *fig.* ■ *n.m.* **preservativo**, defesa, camisa de vénus, camisinha *col.*

defensor *adj.,n.m.* **protetor**, abrigador, propugnador ■ *n.m.* **1 assertor**, paladim **2** DIR. **advogado**, causídico, patrono

defensório *adj.* **defesa**, proteção

deferência *n.f.* **1 acatamento**, respeito, atenção, cortesia, decoro, mesura, reverência, consideração ≠ **desacato**, desconsideração **2 condescendência**, complacência, indulgência, transigência, tolerância ≠ **crueldade**, malevolência, desumanidade

deferente *adj.2g.* **1 acatador**, respeitador, atencioso, cortês, decoroso, reverente ≠ **desrespeitador**, irreverente **2 condescendente**, complacente, indulgente, transigente, tolerante ≠ **inflexível**, intransigente, implacável

deferido *adj.* **outorgado**, concedido, aprovado, despachado ≠ **indeferido**, desaprovado

deferimento *n.m.* **consentimento**, anuência, concessão, aprovação ≠ **indeferimento**, desaprovação

deferir *v.* **1 despachar 2 conceder**, aceitar, anuir, outorgar, condescender, conferir, ceder, aprovar ≠ **desaprovar**, rejeitar

defesa *n.f.* **1 proteção**, amparo, guarda, defensão **2 contestação 3 justificação**, alegação, argumentação **4 proibição**, impedimento, interdição ≠ **autorização**, permissão, aprovação **5 abrigo**, anteparo, vedação **6 defesivo 7** [*pl.*] **chifres**, cornos, galhos, chavelhos, pontas, gaipas, gaitas *col.*

defeso *adj.* **interdito**, proibido, negado, vedado, inconcesso ≠ **consentido**, permitido

defetivo[dAO] ou **defectivo**[AO] *adj.* **imperfeito**, defeituoso, falto, incorreto ≠ **perfeito**, impecável

deficiência *n.f.* **1 lacuna**, falta, carência **2** MED. **insuficiência**, défice **3 imperfeição**, fraqueza, falha, defeito ≠ **perfeição**, impecabilidade *fig.*

deficiente *adj.2g.* **1 falto**, lacuna, carente, escasso ≠ **excessivo**, abundante **2 imperfeito**, fraco, falho, defeitoso ≠ **perfeito**, impecável

definhado *adj.* **1 ralado**, mortificado, atormentado, apoquentado ≠ **sossegado**, aliviado, serenado **2 magro**, delgado, chupado, fino, seco ≠ **gordo**, adiposo, obeso **3 debilitado**, enfraquecido, abatido, débil, lânguido, fraco, acanaveado *fig.* ≠ **fortalecido**, robustecido

definhamento *n.m.* **1 extenuação**, prostração, enfraquecimento, debilidade ≠ **fortalecimento**, robustecimento **2 decadência**, declinação, derribamento *fig.*, ruína *fig.* ≠ **crescimento**, desenvolvimento, florescimento

definhar *v.* **1 emagrecer**, adelgaçar, secar, contabescer, estalicar ≠ **engordar 2 ralar**, mortificar, atormentar, apoquentar ≠ **sossegar**, aliviar, serenar, desmortificar **3 debilitar**, enfraquecer, abater, languidescer, fragilizar, extenuar, deperecer ≠ **fortalecer**, robustecer **4 decair**

definhar-se *v.* **1 enfraquecer**, languescer, depauperar-se, amorrinhar-se *fig.*, amortizar-se *fig.*, dessorar-se *fig.* **2 decair**, declinar

definição *n.f.* **1 significado**, sentido, significação **2 aceção**

definido *adj.* **1 determinado**, delimitado, assente, fixo, decidido, decretado ≠ **indeterminado**, indefinido, indecidido **2 preciso**, exato, concreto, certo, frisante ≠ **inexato**, impreciso **3 claro**, nítido ≠ **obscuro** *fig.*, opaco, desfocado **4 explicado**, ambíguo, confuso

definir *v.* **1 explicar**, esclarecer, elucidar, aclarar ≠ **obscurecer**, complicar **2 limitar**, circunscrever, restringir, confinar, reduzir, confrontar, balizar *fig.* ≠ **desbalizar**, expandir, estender **3 fixar**, estabelecer, determinar ≠ **indeterminar 4 decretar**, deliberar, decidir, resolver **5 afirmar**, asseverar

definir-se *v.* **revelar-se**, retratar-se, caracterizar-se

definitivamente *adv.* **decididamente**, decisivamente, terminantemente, irreversivelmente

definitivo *adj.* **1 decisivo**, concludente, absoluto, categórico, irrevogável, terminante ≠ **contestá-**

vel, discutível 2 **ultimado**, acabado, concluído, final ≠ **principiado**, iniciado, desflorado *fig.*

definível *adj.2g.* **explicável**, elucidativo

deflagração *n.f.* 1 **combustão**, ustão, queima 2 **estouro**, explosão, rebentamento 3 **propagação**, difusão

deflagrar *v.* **combustar**, queimar, inflamar

deflectirAO ou **defletir**AO *v.* 1 **inclinar**, dobrar, curvar ≠ **endireitar** 2 **desviar**, derivar

deflexão *n.f.* **desvio**, derivação

defluir *v.* **correr**, manar, derivar, escorrer, escoar

deflúvio *n.m.* **defluxão**, escoamento, defluência

defluxão *n.f.* 1 **deflúvio**, escoamento, defluência 2 **defluxo**, coriza, estilicídio

defluxo *n.m.* 1 MED. **rinite**, coriza, defluxeira 2 **defluxão**, coriza, estilicídio

deformação *n.f.* 1 **amorfia**, amorfismo, dismorfose 2 **alteração**, modificação, mutabilidade, desfiguração, transfiguração ≠ **conservação**, preservação, manutenção

deformador *adj.,n.m.* **modificador**, alterador, transfigurador ≠ **conservador**, preservador

deformar *v.* **desfigurar**, desformar, transfigurar, desfear, desnaturar, distorcer ≠ **conservar**, preservar

deforme *adj.2g.* 1 **deformado**, alterado, modificado, transfigurado, disforme ≠ **conservado**, preservado 2 **repelente**, disforme, maljeitoso

deformidade *n.f.* **malformação**, disformidade, desfiguração, defeito, informidade

defraudação *n.f.* **usurpação**, espoliação, fraude, dolo, esbulho

defraudamento *n.m.* **usurpação**, espoliação, fraude, dolo, esbulho

defraudar *v.* 1 **usurpar**, espoliar, despojar, despossar, esbulhar ≠ **devolver**, entregar 2 **burlar**, adulterar, lograr, enganar, iludir

defrontar *v.* 1 **frontear** 2 **arrostar**, enfrentar, encarar, entestar, confrontar, afrontar ≠ **esconder**, fugir, esquivar-se

defrontar-se *v.* **afrontar-se**, confrontar-se, encarar

defronte *adv.* **diante**

defumadouro *n.m.* **fumeiro**

defumar *v.* 1 **fumegar**, esfumear 2 **curar**, secar 3 **aromatizar**, perfumar, incensar

defunção *n.f.* **óbito**, morte, falecimento, passamento, decesso

defunto *n.m.* **cadáver**, falecido, finado, morto ■ *adj.* 1 **falecido**, morto, finado, extinto 2 *fig.* **esquecido**, olvidado ≠ **lembrado**, recordado

degelar *v.* 1 **descongelar**, derreter, desenregelar, desnevar, descoagular ≠ **gelar**, congelar 2 **aquecer**, animar, entusiasmar, encorajar ≠ **desanimar**, arrefecer *fig.*, esfriar *fig.*

degelo *n.m.* **descongelação**, fusão, derretedura, descoagulação, descoalho ≠ **congelamento**

degeneração *n.f.* 1 **degenerescência**, definhamento, decadência, declinação, deterioração, retrogradação ≠ **conservação**, preservação 2 *fig.* **corrupção**, depravação, perversão ≠ **decência**, decoro, moralidade 3 *fig.* **abastardamento**, rebaixamento

degenerado *adj.* 1 **estragado**, alterado, deteriorado, definhado ≠ **conservado**, preservado 2 **corrompido**, depravado, perverso ≠ **correto** 3 **abastardado**

degenerar *v.* 1 **adulterar-se**, alterar-se, modificar-se ≠ **conservar**, manter, preservar 2 **depravar-se**, corromper, degradar-se, avilanar, descambar *fig.* ≠ **regenerar**, reformar

degenerescência *n.f.* 1 **degeneração**, definhamento, decadência, declinação, deterioração, retrogradação ≠ **conservação**, preservação 2 **decadência**, declinação, declínio, derribamento *fig.*, ruína *fig.* ≠ **crescimento**, desenvolvimento, florescimento

deglutição *n.f.* **ingestão**

deglutir *v.* **engolir**, ingerir, ingurgitar

degolação *n.f.* **decapitação**, decepamento, descabeçamento, degola

degolar *v.* 1 **decapitar**, decepar, descabeçar 2 **matar** 3 *fig.* **decotar**, eliminar, cortar

degradação *n.f.* 1 **desgaste**, deterioração, estrago ≠ **conservação**, preservação 2 **destituição**, demissão, exoneração, deposição ≠ **admissão** 3 *fig.* **depravação**, corrupção, perversão, aviltamento ≠ **decência**, decoro, moralidade 4 GEOG. **erosão**, desgaste 5 QUÍM. **despolimerização**

degradado *adj.* 1 **destituído**, demitido, exonerado ≠ **admitido** 2 **danificado**, estragado, deteriorado, desgastado ≠ **conservado**, preservado 3 *fig.* **aviltado**, pervertido, corrupto, depravado ≠ **decente**, decoroso, moral ■ *n.m.* **demissionário**

degradante *adj.2g.* 1 **desgastante**, deteriorante, estragador ≠ **conservante**, preservador 2 *fig.* **aviltador**, perversor, corruptor, depravador ≠ **moralizador**

degradar *v.* 1 **exautorar**, privar 2 QUÍM. **despolimerizar** 3 *fig.* **danificar**, estragar, deteriorar ≠ **conservar**, preservar 4 *fig.* **rebaixar**, aviltar, degenerar, perverter ≠ **moralizar**, corrigir, desavacalhar *col.*

degrau *n.m.* 1 **grau**, escalão, categoria, nível, fase 2 *fig.* **trampolim**

degredado *adj.,n.m.* **desterrado**, exilado, expatriado, proscrito ≠ **repatriado**

degredar *v.* **desterrar**, exilar, expatriar, deportar, banir, expulsar ≠ **repatriar**

degredo *n.m.* expatriação, deportação, proscrição, banimento, exílio, desterro, expulsão ≠ repatriação

degustação *n.f.* prova, delibação

degustar *v.* provar, saborear, experimentar, delibar

deia *n.f.* deusa, diva

deidade *n.f.* divindade, diva, deusa, númen

deificação *n.f.* **1** endeusamento, divinização, teose **2** apoteose, glorificação, exaltação, sublimação ≠ desprezo, desconsideração, humilhação

deificado *adj.* **1** divinizado, endeusado **2** exaltado, adorado

deificar *v.* **1** endeusar, divinizar **2** *fig.* exaltar, glorificar, sublimar, apoteosar ≠ desprezar, desconsiderar, humilhar

deitado *adj.* **1** estendido, jacente, decumbente **2** lançado, arremessado

deitar *v.* **1** acamar ≠ levantar, erguer **2** estender, jazer **3** atirar, lançar **4** (odor, perfume) exalar, soltar, lançar, libertar **5** (culpa, defeito, erro) atribuir, imputar, referir, pôr **6** vomitar, desengolir, bolçar, golfar, lançar, arrevessar, devolver *col.* **7** verter, derramar, despejar, entornar **8** colocar, pôr, deixar **9** dar, gerar, criar, produzir **10** lançar, arremessar, atirar, arrojar **11** misturar, adicionar ≠ separar, dividir **12** aplicar, colocar **13** começar, iniciar, principiar ≠ findar, terminar **14** importar **15** expelir, botar, lançar, libertar **16** supurar, arrebentar

deitar-se *v.* **1** amagar-se, estender-se, acostar-se **2** acometer **3** abalançar-se, lançar-se, atirar-se

deixa *n.f.* legado, transmissão, herança *fig.*

deixado *adj.* **1** desprendido, indiferente, despegado, alheio **2** desacostumado, desafeito, desabituado, destreinado ≠ habituado, acostumado **3** abandonado, largado, desamparado

deixar *v.* **1** separar, apartar **2** soltar, largar ≠ prender, reter **3** abandonar, largar ≠ guardar, manter **4** desistir, renunciar, abdicar, resignar ≠ insistir, perseverar **5** desviar, derivar **6** consentir, permitir, propiciar, desimpedir, facultar ≠ impedir, proibir, negar, recusar **7** abster-se, privar-se **8** legar, dar, transmitir, testar **9** omitir, ocultar ≠ revelar, mencionar

deixar-se *v.* consentir, permitir, admitir ≠ negar, recusar

dejeção[dAO] *n.f.* **1** MED. evacuação, defecação, descarga, jato **2** *fig.* abatimento, prostração, depressão ≠ entusiasmo, vivacidade, alegria

dejecção[aAO] *n.f.* ⇒ **dejeção**[dAO]

dejectar[aAO] *v.* ⇒ **dejetar**[dAO]

dejecto[aAO] *n.m.* ⇒ **dejeto**[dAO]

dejejum *n.m.* dejejuadouro, desjejua, mata-bicho *col.*

dejetar[dAO] *v.* **1** evacuar, defecar, obrar *col.* **2** expelir, expulsar, lançar, deitar

dejeto[dAO] *n.m.* **1** MED. evacuação, defecação, descarga, jato **2** dejeção, excremento, fezes, necessidades

delação *n.f.* **1** acusação, denúncia, denunciação, revelação, criminação ≠ defesa **2** devolução

delamber-se *v.* **1** lamber-se **2** *fig.* afetar-se, amaneirar-se, requebrar-se **3** *fig.* regozijar-se, rejubilar-se, alegrar-se

delambido *adj.,n.m.* afetado, presumido, amaneirado, empolado ≠ desempolado, simples, acessível

delapidar *v.* **1** desempedrar **2** esbanjar, dissipar, estragar, desbaratar, desperdiçar, malbaratar ≠ poupar, amealhar, aproveitar, economizar

delatar *v.* denunciar, acusar, malsinar ≠ inocentar, ilibar

delator *adj.,n.m.* denunciante, acusador, acusa-pilatos, acusa-cristos *col.*, sicofanta *fig.*, alcaguete [BRAS.] *col.*, fuzileiro [BRAS.] *col.*

delatório *adj.* acusatório, arguitivo, denunciador

delegação *n.f.* cedência, entrega, cessão, transmissão

delegado *n.m.* **1** representante, agente, enviado **2** comissário

delegar *v.* **1** transmitir, investir **2** encarregar, confiar, comissionar, cometer, entregar, incumbir ≠ desencarregar, dispensar, desincumbir

deleitação *n.f.* prazer, regalo, deleite, gozo, gosto *fig.* ≠ desgosto, enfado, aborrecimento

deleitamento *n.m.* prazer, regalo, deleite, gozo, gosto *fig.* ≠ desgosto, enfado, aborrecimento

deleitar *v.* deliciar, encantar, agradar, aprazer, comprazer, arrebatar, lisonjear ≠ desagradar, desaprazer, desencantar

deleitar-se *v.* deliciar-se, recrear-se, apascentar-se, comprazer-se

deleite *n.m.* voluptuosidade, delícia, gosto, volúpia, regalo, prazer, gozo, deleitação, contentamento, consolo, consolação, doçura *fig.* ≠ desgosto, enfado, desprazer, dissabor

deleitoso *adj.* deleitável, agradável, aprazível, ameno, voluptuoso, prazenteiro, delicioso ≠ desgostoso, enfadado, desprazível, desagradável

deletério *adj.* **1** destruidor, destrutivo, mortal, nocivo, pernicioso, mortífero, ftártico ≠ benéfico, saudável, benévolo **2** nocivo, prejudicial, danoso, mau, ruim, terrível ≠ benéfico, saudável, benévolo **3** *fig.* corruptor, desmoralizador, nefasto

delével *adj.2g.* expungível, extinguível, eliminável, apagável ≠ permanente, definitivo, duradouro

delfim *n.m.* 1 *ant.* (jogo de xadrez) **bispo** 2 ZOOL. **golfinho**, toninha, germão, porco-marinho, tonina

delgado *adj.* 1 **fino**, estreito, adelgaçado ≠ **grosso**, espesso 2 **magro**, esguio, descarnado, franzino, chupado, definhado, abaquetado ≠ **gordo**, carnudo

deliberação *n.f.* **resolução**, decisão, propósito, resultado, vontade ≠ **irresolução**, indeliberação

deliberadamente *adv.* 1 **resolutamente**, pensadamente, refletidamente ≠ **hesitantemente** 2 **propositadamente**, intencionalmente ≠ **acidentalmente**, involuntariamente

deliberado *adj.* 1 **intencional**, propositado ≠ **acidental**, involuntário, desintencional 2 **discutido**, analisado, debatido, refletido 3 **resolvido**, assente, determinado ≠ **irresolvido**, indeterminado

deliberar *v.* 1 **decidir**, determinar, resolver, assentar, opinar, julgar ≠ **indeterminar** 2 **votar** 3 **ponderar**, considerar, refletir, discutir, premeditar

delicadeza *n.f.* 1 **fragilidade**, debilidade, fraqueza ≠ **robustez**, força 2 **suavidade**, doçura, brandura, ternura ≠ **rudeza**, aspereza, brutalidade 3 **perfeição**, requinte, primor, mestria ≠ **imperfeição**, defeito 4 **suscetibilidade**, sensibilidade, melindre, passibilidade ≠ **insensibilidade**, indiferença, frieza 5 **mimo**, carinho, meiguice 6 **cortesia**, afabilidade, civilidade, distinção, educação, gentileza ≠ **grosseria**, má-criação, rudeza, incivilidade 7 **cuidado**, atenção, zelo ≠ **descuido**, desatenção

delicado *adj.* 1 **frágil**, débil, fraco ≠ **robusto**, forte 2 **suscetível**, sensível, melindroso, passível, comichoso *fig.*, cosquilhoso *fig.* ≠ **insensível**, indiferente, frio 3 **perfeito**, requintado, primoroso, esmerado ≠ **imperfeito**, defeituoso 4 **cortês**, afável, civil, distinto, educado, gentil, maneiroso ≠ **grosseiro**, malcriado, rude, incivil, boçal, bruto, abrutado, chabouco [REG.], alóbrogo *fig.*, zoupeiro [REG.], zoupo [REG.] 5 **cuidadoso**, atencioso, zeloso ≠ **descuidoso**, desatencioso 6 **espinhoso**, difícil, complicado ≠ **fácil**, acessível

delícia *n.f.* **voluptuosidade**, deleite, gosto, volúpia, regalo, prazer, gozo, deleitação, contentamento, consolo, consolação, doçura *fig.* ≠ **desgosto**, enfado, desprazer, dissabor

deliciar *v.* **deleitar**, encantar, agradar, aprazer, comprazer, arrebatar, lisonjear ≠ **desagradar**, desaprazer, desencantar

deliciar-se *v.* 1 **deleitar-se**, recrear-se, apascentar-se, comprazer-se 2 **encantar-se**, maravilhar-se

delicioso *adj.* 1 **agradável**, deleitoso, aprazível, ameno, voluptuoso, prazenteiro, fruitivo ≠ **desgostoso**, enfadado, desprazível, desagradável 2 **saboroso**, excelente, gostoso, apetitoso ≠ **desenxabido**, insosso, insípido, dessaborido

delimitação *n.f.* 1 **demarcação**, circunscrição, limitação, confinamento 2 **fixação** 3 **restrição**, limitação, reserva, coartação

delimitador *adj.* **demarcativo**, limitativo, delimitativo, circunscritivo ■ *n.m.* **demarcador**

delimitar *v.* **restringir**, circunscrever, demarcar, limitar, reduzir, confinar, estremar, balizar *fig.* ≠ **desbalizar**, expandir, estender

delimitativo *adj.* **restritivo**, demarcativo, definitivo, circunscritivo, limitativo, delineativo

delineação *n.f.* 1 **demarcação**, limitação, delimitação, confinamento, circunscrição 2 **esboço**, risco, rascunho, debuxo, delineamento, borrão, bosquejo, diagrama, esquisso, diágrafo

delineamento *n.m.* 1 **demarcação**, limitação, delimitação, confinamento, circunscrição 2 **esboço**, risco, rascunho, debuxo, delineação, borrão, bosquejo, diagrama, esquisso

delinear *v.* 1 **delimitar**, limitar, circunscrever, restringir, demarcar, confinar, balizar *fig.* ≠ **desbalizar**, expandir, estender 2 **esboçar**, traçar, esquiçar, debuxar, arcaboiçar, bosquejar 3 **projetar**, planear, arquitetar, conceber 4 *fig.* **idear**, imaginar, inventar

delinquência *n.f.* 1 **delito**, crime, transgressão, infração, iniquidade, flagício, malfeitoria, culpa 2 **criminalidade**, marginalidade, submundo

delinquente *adj.,n.m.* **criminoso**, culpado, malfeitor, transgressor, infrator

delinquir *v.* **pecar**, transgredir, infringir

delíquio *n.m. fig.* **desmaio**, síncope, vágado, desfalecimento, fanico *col.*, chilique *col.*

delir *v.* 1 **desgastar**, desfazer, derreter, destruir, dissolver 2 *fig.* **apagar**, desvanecer, esbater, dissipar

delirante *adj.2g.* 1 *fig.* **arrebatado**, alheado, extasiado, enlevado 2 *fig.* **extravagante**, insensato, descabelado, alucinado

delirar *v. fig.* **desvairar**, exaltar-se, tresvariar, disparatar, devanear, ensandecer, enlouquecer

delírio *n.m.* 1 **exaltação**, entusiasmo, êxtase, arrebatamento 2 *fig.* **alucinação**, devaneio, loucura, amenomania

delito *n.m.* **delinquência**, crime, transgressão, infração, iniquidade, flagício, malfeitoria, culpa

delituoso *adj.* **criminoso**, culposo

delonga *n.f.* **dilação**, demora, atraso, retardamento, lentidão, perlonga, vagar ≠ **aceleração**, ligeireza, prontidão

delongar *v.* **dilatar**, demorar, atrasar, retardar, perlongar, adiar ≠ **acelerar**, aligeirar, prontar

delongar-se *v.* **prolongar-se**, demorar-se, atrasar-se ≠ **acelerar-se**, antecipar-se, adiantar-se

deluzir-se *v.* 1 **apagar-se**, embaciar-se, desdourar-se 2 *fig.* **deslustrar-se**, desdourar-se, desvidrar-se

demais *adv.* 1 **ademais**, aliás 2 **muito**, excessivamente, bastante, demasiadamente ≠ **ligeiramente** ■ *det.,pron.dem.* **outros**, outras, restantes

demanda *n.f.* 1 **pedido**, reclamação, requerimento, requisição 2 **pergunta**, pedido, questão ≠ **resposta** 3 **busca**, procura, diligência 4 **litígio**, processo, causa, pleito, ação 5 **disputa**, debate, discussão, contestação, controvérsia ≠ **acordo**, concórdia, conformidade

demandar *v.* 1 **rumar**, dirigir-se, encaminhar-se 2 **pedir**, reclamar, requerer, requisitar 3 **perguntar**, pedir, questionar ≠ **responder** 4 **disputar**, debater, discutir, contestar ≠ **acordar**, concordar, conformar

demão *n.f.* 1 **camada**, revestimento 2 **retoque**, emenda, remendo 3 **ajuda**, auxílio

demarcação *n.f.* 1 **delimitação**, circunscrição, limitação, confinamento 2 **limites**, termo 3 *fig.* **separação**, distinção, diferenciação

demarcado *adj.* 1 **delimitado**, definido, circunscrito, limitado, delineado, restrito 2 **separado**, dividido

demarcar *v.* 1 **delimitar**, circunscrever, estremar, restringir, limitar, reduzir, confinar, determinar, amalhoar, balizar *fig.* ≠ **desbalizar**, expandir, estender 2 **assinalar**, apontar, indicar 3 **definir**, precisar, determinar, discriminar ≠ **indeterminar**

demasia *n.f.* 1 **excesso**, crescente, créscimo, cogulo, cuculo *col.* 2 **troco**, retorno 3 *fig.* **desregramento**, abuso, imoderação

demasiado *adj.* 1 **supérfluo**, excedente, excessivo, descomedido, imoderado, nímio ≠ **controlado**, comedido 2 *fig.* **imoderado**, desregrado ■ *adv.* **muito**, demasiadamente, excessivamente, exageradamente ≠ **pouco**, insuficientemente

demência *n.f.* 1 **alienação**, insânia, loucura, alheamento, amência ≠ **sanidade**, lucidez 2 *fig.* **insensatez**, loucura, cegueira, doidice, desvairo, maluqueira ≠ **sensatez**, tino, juízo

dementação *n.f.* **enlouquecimento**, demência, alheamento, insanidade ≠ **sanidade**, lucidez

demente *adj.2g.* 1 **alienado**, insano, louco, alheado ≠ **lúcido** *fig.* 2 **insensato**, imbecil, louco, doido, desvairado, tonto, maluco, cego *fig.* ≠ **sensato**, atinado, ajuizado ■ *n.2g.* **doido**, louco, insensato

demérito *n.m.* **desmerecimento**, desconsideração, desconceito, descrédito ≠ **consideração**, mérito ■ *adj.* **desmerecido**, desconsiderado, indigno, desmérito ≠ **considerado**, digno

demissão *n.f.* 1 **renúncia**, cessação, abandono, desistência, afastamento ≠ **persistência**, perseverança, aferro 2 **exoneração**, despedimento, deposição, destituição ≠ **contratação**, admissão, compromisso

demissionário *adj.* **demitente**

demisso *adj.* **demitido**, despedido, exonerado, destituído ≠ **admitido**, contratado

demissório *adj.* **demissor**

demitir *v.* **exonerar**, destituir, despedir, licenciar, despor ≠ **contratar**, admitir

demitir-se *v.* 1 **despedir-se**, exonerar-se, riscar-se 2 **renunciar**, abdicar, desistir

demiurgo *n.m. fig.* **criador**

Demo *n.m.* **Demónio**, Diabo, Satanás, Belzebu, Maligno, Canhoto *col.*, Carocho *col.*

democracia *n.f.* **vulgocracia**, democratismo ≠ **antidemocracia**, antidemocratismo, autoritarismo, despotismo, tirania, absolutismo

democrata *adj.2g.* **democrático**, popular ≠ **tirânico**, prepotente, despótico, iliberal, autoritário, absolutista, antidemocrata

democrático *adj.* **democrata**, popular ≠ **antidemocrático**

democratizar *v.* **popularizar**

demográfico *adj.* **populacional**, démico

demolhar *v.* **dessalgar**, dessar, curtir

demolição *n.f.* **destruição**, derribamento, abatimento, desmoronamento, queda ≠ **construção**, edificação, ereção

demolidor *adj.* **indiscutível**, incontestável, indubitável, inequívoco, inegável ≠ **contestável**, discutível, duvidoso ■ *adj.,n.m.* **destruidor**, assolador, devastador, arrasador, aniquilador ≠ **construtor**, edificador

demolir *v.* 1 **derribar**, destruir, arrasar, derrubar ≠ **construir**, edificar 2 **aniquilar**, destruir, arruinar ≠ **reforçar**, revigorar 3 *fig.* **desacreditar**, subverter

demoníaco *adj.* **diabólico**, satânico, luciferino ■ *n.m.* **possesso**, endemoninhado, energúmeno *ant.*

demónio[AO] ou **demônio**[AO] *n.m.* 1 *fig.* **mafarrico** 2 (com maiúscula) **Demo**, Diabo, Satanás, Belzebu, Maligno, Canhoto *col.*, Carocho *col.*, Porco-sujo *col.*, Mafarrico *col.*, cão-tinhoso *col.*, chavelhudo *col.*, diacho *col.*

demonstração *n.f.* 1 **prova** 2 **manifestação**, indício, prova, sinal, testemunho 3 **estratagema**, artimanha, ardil 4 **simulação**, engano, fingimento, disfarce, logro ≠ **verdade**, realidade, facto 5 **exemplificação**

demonstrar *v.* 1 **ensinar**, mostrar, explicar 2 **mostrar**, indicar, apresentar, apontar 3 **revelar**, manifestar, expressar, emitir ≠ **omitir**, ocultar, silenciar

demonstrativo *adj.* **convincente**, persuasivo, justificativo, compenetrado, seguro, certo ≠ **hesitante**, indeciso, vacilante *fig.*
demora *n.f.* **dilação**, delonga, atraso, retardamento, lentidão, perlonga, vagar ≠ **aceleração**, ligeireza, prontidão
demorado *adj.* **dilatado**, delongado, atrasado, retardado, lento, perlongado, vagaroso, diferido ≠ **acelerado**, ligeiro, pronto
demorar *v.* **1 dilatar**, paliar, atrasar, retardar, perlongar, adiar, enremissar ≠ **acelerar**, aligeirar, prontar **2 deter**, reter, prender **3 habitar**, permanecer
demorar-se *v.* **1 arrastar-se** *fig.*, tardar, deter-se, protrair-se **2 ficar**, residir, permanecer
demostrar *v.* **1 ensinar**, mostrar, explicar, demonstrar **2 mostrar**, indicar, apresentar, apontar, demonstrar **3 revelar**, manifestar, expressar, emitir, demonstrar ≠ **omitir**, ocultar, silenciar
demótico *adj.* **popular**
demover *v.* **1 dissuadir**, desaconselhar, desconvencer, despersuadir ≠ **persuadir**, convencer, mover **2 remover**, afastar, desviar, deslocar
demover-se *v.* **deslocar-se**, mover-se
dendê *n.m.* BOT. **dendezeiro**, palmeira-andim, palmeira-dendém, palmeira-do-azeite, andim
denegação *n.f.* **1 indeferimento**, recusa, rejeição, negação ≠ **autorização**, permissão, deferimento, consentimento **2 contestação**, objeção, contradição, rebatida, impugnação, refutação ≠ **aprovação**, consentimento
denegar *v.* **1 negar**, indeferir, recusar, refusar, renegar, rejeitar ≠ **autorizar**, permitir, deferir, consentir **2** *fig.* **desmentir**, obstar, contrariar, refutar ≠ **aceitar**, consentir
denegrir *v.* **1 escurecer**, enegrecer, enfuscar, tisnar, obscurecer, anegrar ≠ **aclarar**, desobscurecer, desentenebrecer **2** *fig.* **difamar**, infamar, desacreditar, detrair, manchar, macular ≠ **considerar**, respeitar, estimar
dengosamente *adv.* **1 afetadamente 2 impertinentemente 3 amaneiradamente**
dengoso *adj.* **1 requebrado**, delambido, afetado, amaneirado, empolado, presumido ≠ **desempolado**, simples, acessível **2 manhoso**, astuto, matreiro, finório, espertalhão, sagaz ≠ **correto**, honesto, verdadeiro, sincero **3 efeminado** *pej.*, adamado, inviril, fraldisqueiro *pej.*, maricas *pej.* ≠ **viril**, masculino
dengue *adj.2g.* **1 presumido**, delambido, afetado, amaneirado, empolado, requebrado ≠ **desempolado**, simples, acessível **2 afeminado** *pej.*, adamado, fraldiqueiro *pej.*, inviril, maricas *pej.* ≠ **viril**, masculino ■ *n.m.* **denguice**, requebro, derrengo
denguice *n.f.* **1 requebro**, afetação, empoleação, presunção **2 capricho**, birra, cisma, obstinação, mania, pertinácia, veneta, sestro, paladar *fig.* ≠ **flexibilidade**, plasticidade, maleabilidade
denodado *adj.* **corajoso**, forte, valente, intrépido, destemido, brioso, bravo, esforçado, valoroso ≠ **cobarde**, medroso, poltrão, pusilânime
denodar *v.* **1 desatar**, desfazer, desvencilhar ≠ **enodar**, atar **2 desembaraçar**, desenredar, desenvencilhar, desprender
denodo *n.m.* **1 desenvoltura**, desembaraço, agilidade, vivacidade ≠ **acanhamento**, timidez, apatia **2 valentia**, ânimo, intrepidez, coragem, audácia, bravura, esforço, bizarria, arrojo *fig.* ≠ **cobardia**, timidez, acanhamento **3 valor**, brio, distinção, galhardia ≠ **desvalor**, desbrio
denominação *n.f.* **designação**, nome
denominado *adj.* **designado**, chamado
denominar *v.* **designar**, nomear, chamar, intitular
denotação *n.f.* **1** LING., FIL. ≠ **conotação 2 designação**, indicação, marca, indício, sinal
denotar *v.* **1 indicar**, mostrar, demonstrar, revelar ≠ **esconder**, encobrir, ocultar **2 anunciar**, antecipar, prenunciar
denotativo *adj.* **1** LING., FIL. ≠ **conotativo 2** LING. **referencial 3 indicativo**, designativo, denotador
densar *v.* **condensar**, adensar, espessar, engrossar ≠ **diluir**
densidade *n.f.* **1 espessura**, consistência, corpo, compacidade ≠ **ralo**, leve **2** *fig.* **intensidade**, força, profundidade ≠ **superficialidade**, simplicidade
densificar *v.* **condensar**, comprimir, adensar, compactar ≠ **descomprimir**, expandir, dilatar
denso *adj.* **1 cerrado**, espesso, compacto, frondoso, maciço ≠ **ralo**, raro **2** *fig.* **intenso**, profundo, forte ≠ **superficial**, simples
dentada *n.f.* **1 mordedura**, trincadela, ferradela, atassalhadura, mossegão **2** *fig.* **farpa**, alfinetada, dardo
dentadura *n.f.* **1 dentição**, odontíase, odontose **2 placa**
dentar *v.* **1 morder**, trincar, ferrar, amorsegar, chincar, tarrincar [REG.] **2 dentear**, dentelar **3 recortar**, chanfrar
dentear *v.* **1 dentar 2 recortar**, chanfrar
dentição *n.f.* **dentadura**, odontíase, odontose
dentista *n.2g.* **estomatologista**, odontologista, arranca-dentes *pej.*, tira-dentes *col.*
dentro *adv.* **interiormente**, adentro ≠ **exteriormente**, fora
dentuça *n.f.* **denteira** *col.*, dentola *col.* ■ *n.2g.* **dentolas**, dentudo
dentuço *n.m.* **1 dentolas**, dentudo **2** ICTIOL. **cascarra**, chião, chona, chonão, perna-de-moça

denúncia *n.f.* 1 **denunciação**, delação, malsinação 2 **declaração**, comunicação, publicação 3 (de um acordo ou tratado) **renegação** 4 **sinal**, presságio, indício, sintoma

denunciação *n.f.* 1 **denúncia**, delação, malsinação 2 **declaração**, comunicação, publicação

denunciador *adj.,n.m.* 1 **denunciante**, delator, acusador, bufo *col.* 2 **revelador**, indicativo

denunciante *adj.,n.2g.* **denunciador**, delator, acusador, entregador, bufo *col.*

denunciar *v.* 1 **delatar**, acusar, malsinar ≠ **defender**, inocentar 2 (de um acordo ou tratado) **extinguir**, anular, renegar, encerrar 3 **indicar**, revelar

denunciar-se *v.* 1 **manifestar-se**, revelar-se, abrir-se 2 **trair-se**, comprometer-se, incriminar-se, acusar-se

denunciativo *adj.* 1 **denunciatório**, delatório, acusatório, acusativo 2 **revelador**, indicativo

denunciatório *adj.* **denunciativo**, delatório, acusatório

denunciável *adj.2g.* **delatável**, acusável

deparar *v.* 1 **achar**, encontrar, avistar, atinar, topar 2 **apresentar**, aparecer

deparar-se *v.* 1 **encarar**, esbarrar, tropeçar 2 **achar-se**, adregar-se

departamento *n.m.* **secção**, divisão, setor, repartição, serviço

departir *v.* **repartir**, dividir, distribuir, separar, distinguir, estremar, desaquinhoar ≠ **juntar**, reunir

depauperação *n.f.* 1 **empobrecimento**, decaída, ruína *fig.* ≠ **enriquecimento**, opulência, prosperidade 2 **enfraquecimento**, abatimento, debilidade, languidez, fraqueza, extenuação ≠ **fortalecimento**, robustecimento

depauperar *v.* **empobrecer**, arruinar, desenriquecer, decair *fig.* ≠ **enriquecer**, opulentar, prosperar

depenado *adj.* 1 **deplumado**, depenicado ≠ **emplumado** 2 *col.* **teso**, fanado, duro [BRAS.]

depenar *v.* 1 **deplumar**, depenicar, desemplumar 2 *fig.* **extorquir**, espoliar, chupar, subtrair

dependência *n.f.* 1 **sujeição**, subordinação, submissão, obediência ≠ **independência**, insubordinação, mancipação 2 **conexão**, ligação, correlação ≠ **desconexão** 3 **vício** 4 (firma) **filial**, sucursal 5 POL. **colónia**, possessão, domínio ≠ **metrópole**

dependente *adj.2g.* 1 **sujeito**, subordinado, submisso, obediente ≠ **independente**, insubordinado, absoluto, anticonformista 2 **viciado** 3 **conectado**, ligado, correlativo ≠ **desconectado**

depender *v.* 1 **sujeitar**, subordinar, submeter, obedecer ≠ **independentizar**, autonomizar 2 **viciar** 3 **conectar**, ligar, correlacionar ≠ **desconectar** 4 **resultar**, decorrer, derivar ≠ **originar**

dependurar *v.* **pendurar**, suspender, pender, fixar

dependurar-se *v.* 1 **suspender-se**, pender 2 **elevar-se** 3 *fig.,col.* **aproveitar-se** *pej.* 4 *fig.,col.* **enforcar-se**, estrangular-se

depenicar *v.* 1 **deplumar**, depenar, desemplumar 2 **debicar**, lambiscar, peticar [REG.]

depilar *v.* **pelar**, escabelar

depilatório *adj.,n.m.* **ectilótico**, epilatório

deploração *n.f.* **lamentação**, choro, lamento, pranto, lamúria, queixume ≠ **contentamento**, alegria, júbilo

deplorar *v.* **chorar**, carpir, prantear, lamuriar, lamentar ≠ **alegrar-se**, contentar-se, jubilar

deplorar-se *v.* **queixar-se**, lamentar-se, lastimar-se, amiserar-se, desgraciar-se

deplorável *adj.2g.* 1 **lamentável**, doloroso, miserável, triste, deplorando 2 **precário**, instável, inconstante 3 **detestável**, horrível, condenável, abominável, execrável ≠ **louvável**, apreciável, formidável

depoente *adj.2g.* GRAM. **médio-passivo** ■ *adj.,n.m.* **declarante**

depoimento *n.m.* **deposição**, declaração, prova, testemunho

depois *adv.* **posteriormente**, seguidamente, ulteriormente, após, logo ≠ **antes**, anteriormente

depor *v.* 1 **desistir**, renunciar, abdicar, resignar, deixar ≠ **insistir**, perseverar 2 **exonerar**, destituir, despedir, demitir ≠ **contratar**, admitir 3 **declarar**, testemunhar, afirmar, expor, dizer ≠ **ocultar**, omitir 4 **soltar**, largar, deixar, desasir ≠ **pegar**, tomar 5 **depositar**, colocar, pôr ≠ **levantar**

depor-se *v.* **assentar**, depositar-se

deportação *n.f.* **expatriação**, degredo, proscrição, banimento, exílio, desterro ≠ **repatriação**

deportado *adj.,n.m.* **desterrado**, exilado, expatriado, proscrito, degredado ≠ **repatriado**

deportar *v.* **desterrar**, exilar, expatriar, degredar, banir ≠ **repatriar**

deposição *n.f.* 1 **destituição**, demissão, exoneração, degradação ≠ **admissão** 2 **abdicação**, resignação, desistência, cessão, conformação ≠ **resistência**, persistência 3 **depoimento**, declaração, prova, testemunho

depositar *v.* 1 **confiar**, entregar, transmitir, consignar, cometer, remeter, passar, comunicar 2 **guardar**, conservar, proteger, preservar ≠ **abandonar**, deixar

depositário *n.m.* 1 **consignatário** 2 **confidente**, íntimo

depositar-se *v.* **assentar**, depor-se

depósito *n.m.* 1 **armazenagem** 2 **armazém**, reservatório 3 **sedimento**, resíduo, borra 4 (veículo) **reservatório**

deposto *adj.* **destituído**, demitido, exonerado ≠ **admitido**

depravação *n.f. fig.* **degradação**, corrupção, perversão, aviltamento, desregramento, devassidão, imoralidade, amoralidade ≠ **decência**, decoro, moralidade

depravado *adj.* 1 *fig.* **degradado**, corrupto, perverso, aviltado, imoral ≠ **decente**, decoroso, moralista 2 **libertino**, licencioso, devasso, desregrado, dissoluto, vicioso, fescenino ≠ **regrado**, bem-comportado, moralizador

depravar *v.* 1 *fig.* **corromper**, perverter, desnaturar, degenerar, adulterar, corroer *fig.* ≠ **enobrecer**, engrandecer 2 **estragar**, danificar, prejudicar, deteriorar ≠ **conservar**, consertar, preservar 3 **adulterar**, alterar, modificar ≠ **conservar**, manter, preservar

depravar-se *v.* **degenerar-se**, perverter-se, corromper-se, avilanar-se

deprecação *n.f.* 1 **prece**, pedido, petição, suplicação, súplica, rogativa, rogo 2 DIR. **deprecada**, rogatória

deprecada *n.f.* DIR. **deprecação**, rogatória, precatória

deprecante *adj.,n.2g.* **suplicante**, implorante, pedinte

deprecar *v.* **suplicar**, implorar, imprecar, rogar, pedir, orar, expostular

depreciação *n.f.* 1 **desvalorização**, diminuição, redução ≠ **valorização**, aumento 2 *fig.* **menosprezo**, humilhação, rebaixamento, aviltamento, desvalorização, desgabo, deslouvor ≠ **consideração**, engrandecimento

depreciar *v.* 1 **desvalorizar**, diminuir, reduzir ≠ **valorizar**, aumentar 2 *fig.* **desdenhar**, desprezar, desconsiderar, humilhar, desacreditar, desvalorizar, desairar ≠ **considerar**, respeitar, enaltecer

depreciativo *adj.* 1 **rebaixado**, diminutivo, redutivo ≠ **valorativo**, aumentativo 2 **pejorativo**, desdenhativo, desprezativo, dislogístico, detrativo ≠ **melhorativo**

depredação *n.f.* 1 **pilhagem**, espoliação, esbulho, dolo, defraudação, expilação ≠ **devolução**, restituição 2 **devastação**, ruína, assolação, destruição ≠ **conservação**, preservação

depredar *v.* 1 **pilhar**, espoliar, esbulhar, defraudar, expilar ≠ **devolver**, restituir 2 **devastar**, arruinar, assolar, estruir ≠ **conservar**, preservar

depreender *v.* 1 **perceber**, compreender, conhecer, absorver ≠ **desentender** 2 **deduzir**, concluir, inferir, induzir, coligir

depressa *adv.* **rapidamente**, velozmente, aceleradamente, apressadamente, ligeiramente, presto, cedinho, toste *ant.* ≠ **lentamente**, vagarosamente, devagar

depressão *n.f.* 1 **diminuição**, redução, decréscimo ≠ **aumento**, acréscimo 2 **achatamento**, rebaixamento, amolgadela ≠ **elevação** 3 **cavidade**, concavidade, cova, buraco, reentrância, côncavo, concha, fóssula, fóvea ≠ **convexidade**, relevo, protuberância 4 *fig.* **enfraquecimento**, abatimento, debilidade, debilitação, languidez, fraqueza, deprimência ≠ **fortalecimento**, robustecimento

depressivo *adj.* **deprimente**, depresso, neura ≠ **antidepressivo**

deprimente *adj.2g.* **depressivo**, depresso, neura

deprimido *adj. col.* **abatido**, desalentado, desanimado, prostrado, infeliz ≠ **animado**, entusiasmado, feliz

deprimir *v.* 1 **abater**, abaixar, enfraquecer ≠ **fortalecer**, fortificar 2 **reduzir**, diminuir, decrescer, minguar ≠ **aumentar**, acrescentar, graduar 3 **desencorajar**, desanimar, desalentar, prostrar, abater ≠ **animar**, entusiasmar 4 **humilhar**, vexar, menosprezar, oprimir, espezinhar *fig.*, acalcanhar *fig.*, esmigalhar *fig.* ≠ **prestigiar**, estimar, considerar, valorizar, venerar, acatar

depuração *n.f.* **purificação**, acrisolamento, limpeza, defecação *fig.*

depurar *v.* **purificar**, expurgar, purgar, limpar, mundificar, estomentar *fig.* ≠ **sujar**, contaminar

depurativo *adj.,n.m.* **purificativo**, expurgatório, purgativo, mundificante, depuratório ≠ **sujador**, contaminador

deputado *n.m.* **representante**, parlamentar

deputar *v.* **encarregar**, delegar, confiar, comissionar, cometer, entregar, incumbir ≠ **desencarregar**, dispensar, desincumbir

derisão *n.f.* **irrisão**, zombaria, escárnio, derrisão, troça, mofa, motejo ≠ **respeito**, consideração

derisório *adj.* 1 **ridículo**, irrisório, escarninho, trocista, zombeteiro ≠ **respeitado**, considerado 2 **insignificante**, irrisório, reles ≠ **significante**, importante

deriva *n.f.* **abatimento**

derivação *n.f.* 1 **desvio**, afastamento, divagação 2 **proveniência**, origem, aparecimento, surgimento 3 (via rodoviária ou ferroviária) **ramal**, ramificação

derivado *adj.* 1 **desviado**, afastado, divagado 2 **oriundo**, originário, proveniente, provindo, enraçado 3 **inferido**, deduzido, concluído, depreendido, coligido

derivar *v.* 1 **desviar**, deflectir, mudar 2 **afastar**, apartar, correr, desabeirar 3 **extrair**, deduzir, retirar, recolher 4 (líquido) **correr**, fluir, manar, escorrer, escoar 5 **provir**, originar-se, proceder

derivar-se *v.* **originar-se**, provir, resultar

derivativo *adj.* **revulsivo**, revulsório, derivatório ■ *n.m.* **entretimento**, divertimento, diversão, passatempo, distração ≠ **aborrecimento**, tédio, preocupação

derme *n.f.* HISTOL. **pele**, derma, cório, couro *col.*

derradeiro *adj.* **último**, final, extremo, terminal ≠ **inicial**, primeiro

derrama *n.f.* (imposto municipal ou paroquial) **finta**

derramado *adj.* **1 coletado**, fintado **2 vertido**, entornado, espalhado, efuso, extravasado, espargido **3** *col.* **hidrófobo**, danado, raivoso

derramamento *n.m.* **1 derrame**, entorna, extravasação **2 difusão**, propagação, disseminação, espargimento **3** *col.* **hidrófobia**, raiva, sanha

derramar *v.* **1 expelir**, deitar, transudar **2 desramar**, copar **3 verter**, entornar, espalhar **4 coletar**, fintar **5 exalar**, propagar, disseminar, espargir **6 desramar**, desgalhar, mondar, escamondar[REG.]

derramar-se *v.* **danar-se**, irritar-se, enraivar-se, zangar-se, desesperar-se, derrancar-se ≠ **acalmar-se**, tranquilizar-se

derrapagem *n.f.* **escorregamento**, deslize, resvalo

derrapar *v.* **1 escorregar**, resvalar, deslizar **2** *fig.* **escorregar**, errar, deslizar

derreado *adj.* **curvado**, vergado, arqueado, alquebrado, ajoujado ≠ **endireitado**, reto

derreamento *n.m.* **curvatura**, inclinação, arqueação, vergadura, derreadela

derrear *v.* **1 curvar**, inclinar, arquear, vergar, alancar **2 extenuar**, prostrar, debilitar, enfraquecer, esmorecer ≠ **animar**, alentar, encorajar **3** *fig.* **desacreditar**, depreciar, desconsiderar, menosprezar, deslustrar ≠ **acreditar**, considerar, estimar

derrear-se *v.* **1 curvar-se**, inclinar-se **2 cansar-se**, esbodegar-se, extenuar-se

derreter *v.* **1 liquefazer**, descoagular, fundir, deliquar, deliquescer, coliquar ≠ **solidificar**, congelar, coalhar, regelar, gear, encaramelar, acaramelar *fig.* **2** *fig.* **consumir**, dissipar, desperdiçar, despender, malbaratar ≠ **poupar**, economizar **3** *fig.* **emocionar**, comover, enternecer, comocionar, impressionar, abalar ≠ **descomover**, empedernir *fig.*

derreter-se *v.* **1 liquefazer-se**, delir-se **2** *fig.* **dissipar-se**, desfazer-se **3** *fig.* **comover-se**, enternecer-se, amolentar-se, emocionar-se, mover-se, palpitar *fig.* **4** *fig.* **apaixonar-se**, enamorar-se, engalriçar-se, embeiçar-se *col.* ≠ **desapaixonar-se**

derretimento *n.m.* **1 afetação**, requebro, empoleação, presunção **2 liquefação**, descongelamento ≠ **solidificação**, congelação, congelo **3 emoção**, perturbação, abalo, comoção ≠ **sossego**, calma, tranquilidade

derribamento *n.m.* **1 desabamento**, desmoronamento, queda, derrubamento, demolição ≠ **construção**, edificação **2** *fig.* **ruína**, declínio, declinação ≠ **crescimento**, desenvolvimento, florescimento

derribar *v.* **1 derrubar**, desmantelar, demolir, abater, destruir, arrasar ≠ **construir**, edificar **2 destruir**, aniquilar, reprimir, extinguir **3 prostrar**, desalentar, desanimar, abater, esmorecer ≠ **animar**, alentar, encorajar **4** *fig.* **arruinar**, estragar, deteriorar, prejudicar, degenerar ≠ **recuperar**, regenerar, preservar **5** *fig.* **demitir**, destituir, exonerar **6** *fig.* **subjugar**, dominar, vencer ≠ **perder**

derriçar *v.* **1 desenriçar**, desemaranhar, desenredar, desembaraçar, estrinçar ≠ **enriçar**, enredar **2 troçar**, chacotear, caçoar, escarnecer, mofar, motejar, achincalhar, zombar, zombetear ≠ **respeitar**, considerar **3 contender**, altercar, discutir, questionar ≠ **acordar**, conciliar **4** *col.* **galantear**, namorar, cortejar, damejar, requestar

derriçar-se *v.* **derreter-se** *fig.*, amolentar-se

derriço *n.m.* **1 maçada** *fig.*, aborrecimento, enfado, estopada *fig.* ≠ **ânimo**, entusiasmo **2 impertinência**, inconveniência, despropósito, atrevimento **3** *col.* **chacota**, troça, caçoada, zombaria, escárnio, judiaria, motejo, mofa, achincalhação, bexiga *col.* ≠ **respeito**, consideração **4** *col.* **namoro**, galanteio, festejo, gracejo, cortejo

derrocada *n.f.* **1 esbarrondamento**, derrocamento, desmoronamento, derrubada, desabamento, desmantelamento, desabe, esborralhada ≠ **edificação**, construção **2** *fig.* **destruição**, ruína, assolação, devastação ≠ **conservação**, preservação

derrocar *v.* **1 demolir**, desmoronar, derrubar, desmantelar, abater, destruir, arrasar, derribar ≠ **construir**, edificar **2** *fig.* **humilhar**, vexar, menosprezar, oprimir, espezinhar *fig.*, acalcanhar *fig.*, esmigalhar *fig.* ≠ **prestigiar**, estimar, considerar, valorizar, venerar, acatar

derrogação *n.f.* **abolição**, revogação, anulação, ab-rogação

derrogar *v.* **revogar**, anular, abolir, ab-rogar

derrogatório *adj.* **anulatório**

derrota *n.f.* **1 insucesso**, azar, fracasso, malogro ≠ **sucesso**, triunfo, sorte **2 desastre**, desgraça, calamidade **3 destroço**, ruína, aniquilamento **4 desbaratamento**, debandada, dispersão ≠ **agrupamento**, ajuntamento **5** NÁUT. **rumo**, rota, roteiro

derrotado *adj.* **1 vencido**, batido, desfeito, perdedor, sucumbido ≠ **vitorioso**, vencedor, triunfante **2** *fig.* **prostrado**, desanimado, desalentado ≠ **animado**, entusiasmado **3** *fig.* **arruinado**, destruído, devastado ■ *n.m.* **1 perdedor 2 ganhador**, vencedor

derrotar *v.* 1 **vencer**, ganhar, bater ≠ **perder** 2 **destruir**, aniquilar, exterminar ≠ **conservar**, preservar 3 **destroçar**, desbaratar, dispersar, esfugentar 4 *fig.* **cansar**, fatigar, enfadar, estafar, fartar ≠ **descansar**, tranquilizar 5 *fig.* **convencer**, persuadir, induzir, capacitar ≠ **dissuadir**, desaconselhar, demover, desconvencer, despersuadir 6 *fig.* **destruir**, arruinar, devastar, assolar

derrotar-se *v.* arruinar-se, desbaratar-se, perder-se

derrotismo *n.m.* **negativismo**, pessimismo ≠ **otimismo**, positivismo

derrotista *adj.,n.2g.* **pessimista**, negativista ≠ **otimista**, positivista

derrubado *adj.* 1 **caído**, deitado, inclinado, abaixado ≠ **levantado**, erguido 2 *fig.* **abatido**, enfraquecido, desanimado, debilitado, prostrado ≠ **fortalecido**, vigorado, enérgico 3 *fig.* **destruído**, aniquilado, exterminado

derrubar *v.* 1 **derribar**, desmoronar, tombar, arriar, derruir ≠ **levantar**, erguer 2 *fig.* **destruir**, aniquilar, exterminar, arruinar 3 *fig.* **enfraquecer**, abater, desanimar, debilitar, prostrar ≠ **fortalecer**, vigorar 4 *fig.* **destituir**, exonerar, despedir, demitir ≠ **contratar**, admitir

desabafar *v.* 1 **destapar**, arejar, ventilar ≠ **tapar**, cobrir 2 **arejar**, desafrontar, desafogar, refrescar ≠ **abafar**, asfixiar, sufocar, abochornar, afogar 3 *fig.* **exteriorizar**, confessar, confidenciar, desafogar, despeitorar ≠ **conter**, esconder

desabafo *n.m.* 1 **desafogo**, alívio, desabafamento ≠ **abafadura**, abafadela, abafação, abafamento, sufocação, asfixia, sufocamento, abafeira, abafo 2 *fig.* **exteriorização**, confissão, confidência ≠ **contenção**

desabamento *n.m.* **aluimento**, desmoronamento, derrocada, queda, desabe, desmantelamento, desprendimento, esbarrocamento ≠ **edificação**, construção

desabar *v.* 1 **cair**, tombar ≠ **levantar** 2 **desmoronar-se**, ruir, derrocar, aluir, desabalroar, esborrar ≠ **edificar**, construir

desabe *n.m.* **aluimento**, desmoronamento, derrocada, queda ≠ **edificação**, construção

desabitado *adj.* 1 **desocupado**, vago, livre ≠ **ocupado**, habitado 2 **devoluto** ≠ **habitado** 3 **deserto**, despovoado ≠ **habitado**, povoado

desabitar *v.* 1 **despovoar**, desolar ≠ **povoar** 2 **desocupar**, abandonar ≠ **habitar**, ocupar

desabituado *adj.* **desacostumado**, desafeito, deixado ≠ **acostumado**, habituado, treito

desabituar *v.* **descostumar**, desavezar, desafazer ≠ **acostumar**, avezar, habituar

desabonar *v.* **desautorizar**, desvalorizar, desacreditar, depreciar, desprestigiar ≠ **prestigiar**, estimar, apreciar

desabono *n.m.* **descrédito**, depreciação, desfavor, desprezo, desvalorização ≠ **prestígio**, estima, apreciação

desabotoar *v.* 1 **desapertar**, abrir ≠ **abotoar**, fechar 2 (flor) **desabrochar**, abrir ≠ **fechar**, mirrar

desabotoar-se *v.* 1 **desafogar-se** 2 *fig.* **desabafar**, abrir-se, desafogar, desembuchar *col.*, desemprenhar *fig.*

desabrido *adj.* 1 **áspero**, rude, rugoso ≠ **suave**, macio, veludíneo 2 **violento**, agressivo ≠ **pacífico**, harmonizador 3 **tempestuoso**, furioso, violento, agitado, tumultuoso ≠ **pacífico**, sereno, tranquilo, sossegado

desabrigar *v.* 1 **desamparar**, desproteger, abandonar, desacoutar ≠ **abrigar**, proteger, resguardar, acoitar 2 **descobrir**, desagasalhar, destapar ≠ **cobrir**, tapar

desabrigo *n.m. fig.* **desamparo**, abandono, desarrimo, desproteção ≠ **abrigo**, proteção, resguardo, abrigada, alcova *fig.*, alfama *ant.*

desabrimento *n.m.* 1 **grosseria**, rudeza, incivilidade, insolente, ruralidade *fig.* ≠ **delicadeza**, cortesia, civilidade, polidez 2 **insolência**, atrevimento, audácia, coragem, despejo, ousadia, arrojo *fig.* ≠ **vergonha**, timidez, modéstia, comedimento

desabrochamento *n.m.* **desabotoamento**, desabotoadura, abertura ≠ **fecho**

desabrochar *v.* 1 **desabotoar**, desapertar, abrir, descerrar ≠ **fechar**, cerrar 2 (flor) **abrir-se**, desabotoar ≠ **fechar**, mirrar

desabrochar-se *v. fig.* **soltar-se**, abrir-se

desabusado *adj.* 1 **petulante**, atrevidaço, atrevidote, descarado, insolente ≠ **vergonhoso**, tímido, modesto, comedido 2 **desenganado**, desiludido, desencantado ≠ **enganado**, iludido

desabusar *v.* 1 **desenganar**, desiludir, desencantar ≠ **enganar**, iludir, envisgar, engazopar *col.* 2 **esclarecer**, clarificar, alumiar, explicitar ≠ **confundir**, baralhar *fig.*, obscurecer

desacatamento *n.m.* **desacato**, desrespeito, desveneração, descortesia, insubordinação, irreverência, afronta ≠ **consideração**, acato, reverência

desacatar *v.* 1 **desobedecer**, desrespeitar, desprezar, menosprezar, desvenerar, menoscabar ≠ **respeitar**, obedecer 2 **afrontar**, insultar, ofender, vexar, irreverenciar, desconjurar ≠ **respeitar**, considerar

desacato *n.m.* 1 **desacatamento**, desrespeito, desveneração, descortesia, insubordinação, irreverência, afronta ≠ **consideração**, acato, reverência 2 **maldade**, crueldade, atrocidade, impiedade, desumanidade ≠ **humanidade**, bondade, piedade, benevolência

desacautelar *v.* **desleixar**, descuidar, descurar, negligenciar ≠ **cuidar**, esmerar-se, atentar

desacautelar-se *v.* **descuidar-se**, desprevenir-se, desprecatar-se, desprecaver-se, desaperceber-se ≠ **acautelar-se**, abarreirar-se

desaceleração *n.f.* **abrandamento**, redução, diminuição, atenuação ≠ **aceleração**, aceleramento, apressuramento

desacelerar *v.* **abrandar**, reduzir, diminuir, atenuar ≠ **acelerar**, apressurar, apressar

desacertar *v.* **1 falhar**, errar, cincar ≠ **acertar**, atingir **2 desordenar**, desarranjar, desmanchar ≠ **ordenar**, arranjar

desacerto *n.m.* **1 falha**, erro, descuido, desatino ≠ **acerto**, correção **2 tolice**, idiotice, parvoíce, disparate, asneira ≠ **acerto**, correção

desaclimatar *v.* **desacostumar**, desavezar, desafazer, desabituar ≠ **acostumar**, habituar, vezar

desacomodar *v.* **1 desempregar**, exonerar, destituir, despedir, demitir ≠ **contratar**, admitir **2 incomodar**, inquietar, importunar, perturbar ≠ **agradar**, satisfazer

desacomodar-se *v.* **incomodar-se**, inquietar-se, desassossegar-se

desacompanhado *adj.* **1 sozinho**, solitário, só ≠ **acompanhado 2 abandonado**, desprotegido, desamparado ≠ **acompanhado**, protegido

desacompanhar *v.* **1 desamparar**, desproteger, abandonar, deixar ≠ **proteger**, acompanhar, amparar **2 discordar**, desaprovar, divergir, dessentir ≠ **aprovar**, consentir, apoiar

desaconchegar *v.* **1 desconchegar**, desaproximar, afastar, desunir ≠ **aproximar**, unir **2 desacomodar** ≠ **acomodar**

desaconselhado *adj.* **contraindicado**, contraproducente, prejudicial ≠ **benéfico**, aconselhado

desaconselhar *v.* **1 contraindicar**, desaprovar, opor-se, proibir ≠ **aprovar**, aconselhar **2 dissuadir**, demover, despersuadir, desaferrar, desconvencer ≠ **convencer**, persuadir, mover

desacordado *adj.* **1 desmaiado**, inconsciente, desfalecido, inanimado ≠ **consciente 2 esquecido**, inconsiderado, olvidado ≠ **lembrado**, considerado **3 discordante**, oposto, diverso, incompatível, discorde, contraditório ≠ **concordante**, coincidente, confluente, consentâneo

desacordar *v.* **1 discordar**, desaprovar, desconsentir ≠ **concordar**, consentir, condescender, aprovar **2 desafinar**, desarmonizar, destoar, dissonar ≠ **afinar**, harmonizar, consonar

desacorde *adj.2g.* **1 discordante**, discorde, divergente, oposto ≠ **convergente**, consentâneo **2 dissonante**, desarmónico, desafinado, destoante ≠ **afinado**, harmonizado, cônsono ■ *n.m.* **dissonância**, desarmonia, desafinação ≠ **harmonia**, assonância, consonância

desacordo *n.m.* **1 discórdia**, desaprovação, desconsentimento, divergência, diferendo ≠ **concordância**, consentimento, condescendência, aprovação **2 desafinação**, desarmonização, dissonância ≠ **afinação**, harmonização, consonância **3 desmaio**, inconsciência, desfalecimento ≠ **consciência**

desacostumar *v.* **desabituar**, desavezar, desafazer ≠ **acostumar**, avezar, habituar, afazer, treinar *fig.*

desacreditado *adj.* **1 desconsiderado**, desautorizado, desrespeitado, desabonado ≠ **acreditado**, abonado, respeitado **2 depreciado**, menosprezado, malfalado, desqualificado ≠ **afamado**, prestigiado, reconhecido, bem-conceituado

desacreditar *v.* **1 difamar**, desconceituar, desconsiderar, desonrar ≠ **prestigiar**, valorizar, considerar **2 depreciar**, menosprezar, malfalar, desqualificar ≠ **afamar**, prestigiar, reconhecer

desactivar[aAO] *v.* ⇒ **desativar**[dAO]

desactualizado[aAO] *adj.* ⇒ **desatualizado**[dAO]

desadaptado *adj.,n.m.* **desacostumado**, desafeito, desabituado ≠ **acostumado**, afeito, habituado, atreito, vezeiro

desadaptar *v.* **desajustar**, estranhar, desajeitar ≠ **adaptar**, ajustar, adequar, amoldar, caber

desadorar *v.* **1 menosprezar**, desprezar, desvalorizar, desconsiderar ≠ **considerar**, valorizar, engrandecer **2 detestar**, odiar, repudiar, abominar ≠ **adorar**, amar, gostar **3 revoltar-se**, indignar-se, irritar-se, enfurecer-se, encolerizar-se ≠ **acalmar-se**, apaziguar-se **4 vociferar**, bradar, gritar, exclamar, apregoar, vozear ≠ **silenciar**, calar

desadornar *v.* **desenfeitar**, desataviar, desornar, desengrinaldar, desalinhar *fig.* ≠ **enfeitar**, adornar, ornar, ornamentar, adereçar, ataviar, guarnecer, paramentar, arrear, embrincar, honestizar, invencionar, adubar *fig.,ant.*, sazonar *fig.*

desadorno *n.m.* **1 desatavio**, desenfeite, simplicidade, singeleza ≠ **atavio**, adorno, enfeite, ataviamento, embelezamento, ornato, ornamento, paramento, exornação, corregimento, adubo *fig.,ant.*, recamo *fig.* **2 desalinho**, desarranjo, descuido ≠ **arranjo**, cuidado, esmero

desafectação[aAO] *n.f.* ⇒ **desafetação**[dAO]

desafectado[aAO] *adj.* ⇒ **desafetado**[dAO]

desafecto[aAO] *adj.,n.m.* ⇒ **desafeto**[dAO]

desaferrolhar *v.* **soltar**, libertar, descancelar, desapeirar ≠ **aferrolhar**, fechar, tranquear

desaferrolhar-se *v.* **1 desprender-se 2 livrar-se**, libertar-se

desafetação[dAO] *n.f.* **naturalidade**, simplicidade, despretensão, singeleza, lhaneza, modéstia ≠ **afetação**, presunção, vaidade

desafetado[dAO] *adj.* **despretensioso**, natural, simples, singelo, sincero, modesto ≠ **pretensioso**, afetado, vaidoso, chançudo

desafeto[dAO] *adj.* 1 **desafeiçoado**, desapegado ≠ **afeiçoado**, apegado 2 **hostil**, contrário, adverso, oposto, adversário, inimigo, rival ≠ **aliado**, cúmplice, amigo ▪ *n.m.* **desafeição**, desamor, desapego ≠ **afeição**, amor, apego, tagaté

desafiar *v.* 1 **espicaçar**, incitar, estimular, avivar, despertar ≠ **comedir**, abrandar, moderar 2 **convidar**, provocar, incitar, instigar ≠ **acalmar**, apaziguar 3 **enfrentar**, afrontar, arrostar, encarar, entestar, confrontar, acaroar, carear ≠ **esconder**, fugir, esquivar-se 4 **questionar**, perguntar

desafinação *n.f.* 1 **desafinamento** 2 MÚS. **dissonância**, desarmonia, discordância, desentoação ≠ **consonância**, harmonia 3 *fig.* **desacordo**, desarmonia, discórdia, discordância ≠ **concordância**, harmonia 4 **desarranjo**, desequilíbrio, alteração ≠ **arranjo**, conservação

desafinado *adj.* 1 MÚS. **dissonante**, desarmónico, discordante, desentoado ≠ **consonante**, harmónico 2 *fig.* **desacordante**, desarmónico, discordante ≠ **concordante**, harmónico 3 **desregulado**, desequilibrado, desajustado ≠ **arranjado**, regulado, equilibrado

desafinar *v.* 1 **destoar**, desarmonizar, dessoar ≠ **consonar**, afinar 2 **desequilibrar**, desarranjar, desregular ≠ **arranjar**, equilibrar 3 **destoar**, contrastar, discrepar ≠ **ajustar**, combinar 4 *fig.* **zangar-se**, irritar-se, afinar *col.* 5 *fig.* **disparatar**, despropositar, desatinar ≠ **atinar**, ajuizar

desafio *n.m.* 1 **provocação**, repto, instigação 2 **incitação**, estímulo, impulso 3 **duelo**, luta, combate, peleja 4 (entre cantadores) **despique** 5 **jogo**, competição, partida, prova

desafogado *adj.* 1 **desembaraçado**, desatravancado, desimpedido ≠ **entulhado**, atravancado, obstruído 2 **amplo**, arejado, espaçoso, vasto ≠ **abafado**, acanhado, afogado 3 **aliviado**, amenizado, suavizado ≠ **agravado**, endurecido

desafogar *v.* 1 **aliviar**, amenizar, suavizar ≠ **agravar**, endurecer 2 **desembaraçar**, desatravancar, desimpedir ≠ **entulhar**, atravancar, obstruir 3 **desapertar**, abrir, soltar ≠ **fechar**, apertar 4 **desabafar**, confessar, confidenciar, exteriorizar ≠ **conter**, esconder

desafogo *n.m.* 1 **desabafo**, confissão, confidência, exteriorização ≠ **contenção** 2 **alívio**, amenidade, suavidade ≠ **gravidade**, endurecimento 3 **desembaraço**, desatravancamento, desimpedimento ≠ **entulho**, atravancamento, obstrução

desaforado *adj.* 1 **libertino**, corrupto, devasso, canalha, crapuloso, dissoluto ≠ **respeitador**, virtuoso, honesto 2 **atrevido**, desenvergonhado, petulante, insolente ≠ **educado**, comedido, respeitador

desaforamento *n.m.* **insolência**, atrevimento, audácia, coragem, despejo, ousadia, arrojo *fig.* ≠ **vergonha**, timidez, modéstia, comedimento

desaforar *v.* 1 **isentar**, desobrigar, eximir 2 **desatinar**, desavergonhar, despropositar

desaforar-se *v.* **desatinar**, despropositar ≠ **atinar**, atremar *col.*

desaforo *n.m.* 1 **escândalo**, fita, escarcéu *fig.*, bomba *fig.*, bronca *col.* 2 **insolência**, atrevimento, audácia, coragem, despejo, ousadia, arrojo *fig.* ≠ **vergonha**, timidez, modéstia, comedimento

desafortunado *adj.* **desfavorecido**, infeliz, miserável, desgraçado, inditoso ≠ **feliz**, venturoso, abençoado

desafronta *n.f.* **desagravo**, desforra, revindicta, vingança, desenxovalho *fig.* ≠ **agravo**, afronta

desafrontar *v.* 1 **desagravar**, reabilitar, desforrar, vingar, desenxovalhar *fig.* ≠ **agravar**, afrontar 2 **aliviar**, livrar, atenuar ≠ **agravar**, endurecer 3 **arejar**, desabafar, desafogar, refrescar ≠ **abafar**, asfixiar

desafrontar-se *v.* 1 **desoprimir-se**, aliviar-se, desafogar-se 2 **desagravar-se**, vingar-se, desforçar-se, despicar-se

desagasalhado *adj.* 1 **descoberto**, destapado, desenroupado, desamparado ≠ **coberto**, enroupado 2 **desabrigado**, desalojado, desacomodado ≠ **alojado**, acomodado 3 *fig.* **desabrigado**, desprotegido, desamparado ≠ **protegido**, amparado

desagasalhar *v.* 1 **descobrir**, destapar, desenroupar ≠ **cobrir**, enroupar 2 **desabrigar**, desalojar, desacomodar ≠ **alojar**, albergar

desagasalhar-se *v.* 1 **desabrigar-se** 2 **descobrir-se**, desabafar-se

desaglomerar *v.* **desagregar**, desamontoar, desacumular, desempilhar, desajuntar, dispersar, espalhar ≠ **agregar**, acumular, amontoar, empilhar

desagradar *v.* **desgostar**, descontentar, aborrecer, desaprazer, dessaber, destoar *fig.* ≠ **gostar**, agradar, satisfazer, contentar

desagradável *adj.2g.* 1 **desaprazível**, aborrecido, displicente, enfadonho, amargo *fig.* ≠ **agradável**, aprazível 2 (indivíduo) **antipático**, rude, ríspido ≠ **simpático**, agradável 3 **repugnante**, asqueroso, nojento, repelente ≠ **agradável**, aprazível 4 **feio**, desengraçado, desformoso, horrendo, horroroso ≠ **bonito**, formoso

desagrado *n.m.* 1 **desprazer**, desgosto, repugnância, displicente ≠ **prazer**, gosto 2 **rudeza**, aspereza, rispidez, dureza, acerbidade ≠ **doçura**, serenidade

desagravamento *n.m.* **atenuação**, abrandamento, redução, diminuição ≠ **aceleração**, apressuramento

desagravar *v.* 1 **desforrar**, reabilitar, vingar, desenxovalhar *fig.* ≠ **agravar**, afrontar 2 **atenuar**, abrandar, suavizar, reduzir, diminuir ≠ **acelerar**, apressurar

desagravo *n.m.* **desafronta**, reabilitação, desforra, revindicta, vingança, desenxovalho *fig.* ≠ **agravo**, afronta

desagregação *n.f.* **decomposição**, desunião, separação, fragmentação, desincorporação, desmembramento, dissociação ≠ **agregação**, composição, união, junção

desagregar *v.* **decompor**, desunir, separar, fragmentar, desincorporar, desmembrar, dissociar ≠ **agregar**, compor, unir, juntar

desagrilhoar *v.* **desacorrentar**, libertar, soltar, desprender ≠ **acorrentar**, prender

desaguar *v.* 1 **desembocar**, afluir, confluir ≠ **nascer**, começar 2 **enxugar**, secar, desensopar ≠ **ensopar**, encharcar

desaguisado *n.m.* **desavença**, mal-entendido, discórdia, contenda, altercação, rixa, perlenda ≠ **acordo**, conciliação, concórdia

desaire *n.m.* 1 **deselegância**, desleixo, descuido, desmazelo, negligência, incúria ≠ **elegância**, cuidado, zelo, esmero 2 **desgraça**, insucesso, infortúnio, revés ≠ **sucesso**, fortuna 3 **vergonha**, vexame, desonra, descrédito, constrangimento ≠ **mérito**, honra 4 **inconveniência**, despropósito, inadequação ≠ **adequação**, apropriação, entrosagem *fig.*

desajeitado *adj.* **desastrado**, aselha, estouvado, inábil, lorpa, bronco, acanhotado, imperito, desjeitoso, estrafalário, enchamboado, laparoto, assapado, mal-asado, ambílevo, trengo *col.*, esgaivotado *col.*, zambana *col.*, ambiesquerdo *fig.*, despassarinhado [REG.], escolhambado [BRAS.] *col.* ≠ **cuidadoso**, hábil, destro

desajeitar *v.* **desarranjar**, deformar, desmanchar, desordenar, desarrumar ≠ **ajeitar**, alinhar, arrumar

desajudar *v.* 1 **desamparar**, desproteger, desfavorecer, desauxiliar ≠ **amparar**, proteger, auxiliar 2 **sobrecarregar**, estorvar, prejudicar, embaraçar, empecer, dificultar, atrapalhar ≠ **ajudar**, aliviar, facilitar

desajustado *adj.* 1 **desapropriado**, desadequado, desenquadrado, impróprio, inconveniente ≠ **apropriado**, adequado, próprio, conveniente 2 (peça) **desencaixado**, desregulado, desconchavado ≠ **arranjado**, regulado 3 PSIC. (pessoa) **inadaptado**

desajustamento *n.m.* 1 **desajuste**, desencaixe, desunião ≠ **ajustamento**, encaixe 2 **desnivelamento** ≠ **nivelamento** 3 PSIC. **inadaptação**, desinserção, desadaptação ≠ **adaptação**, inserção

desajustar *v.* 1 **desordenar**, desarranjar, deformar, desmanchar, desarrumar ≠ **ajeitar**, alinhar, arrumar 2 **despegar**, desligar, separar, descolar ≠ **apegar**, ligar, unir 3 **desencaixar**, desunir ≠ **ajustar**, encaixar

desajuste *n.m.* **desajustamento**, desencaixe, desunião ≠ **ajuste**, ajustamento, encaixe

desalegrar *v.* **entristecer**, desgostar, penalizar, contristar ≠ **alegrar**, contentar

desalentar *v.* **desanimar**, esmorecer, desencorajar, abater, consternar, desconfortar, debilitar ≠ **animar**, encorajar, alentar, entusiasmar

desalento *n.m.* **desânimo**, prostração, esmorecimento, desencorajamento, abatimento, consternação, desconforto, debilitação, desmoralização ≠ **ânimo**, encorajamento, alento, entusiasmo

desalgemar *v.* **soltar**, desprender, libertar ≠ **algemar**, prender

desalinhar *v.* 1 *fig.* **desarranjar**, desordenar, deformar, desmanchar, desarrumar ≠ **ajeitar**, alinhar, arrumar 2 *fig.* **desenfeitar**, desataviar, desornar, desadornar ≠ **enfeitar**, adornar

desalinho *n.m.* 1 **desarranjo**, desordenação, deformação, desamanho ≠ **alinho**, arrumação 2 **descuido**, desarranjo, desleixo, negligência ≠ **cuidado**, arranjo, zelo, esmero 3 **perturbação**, conturbação, desordem

desalmado *adj.* **perverso**, desnaturado, celerado, desumano, feroz, impiedoso, malvado, cruel ≠ **caridoso**, compassivo, humano, piedoso

desalmar *v.* **desumanizar**, desnaturar, empedernir *fig.* ≠ **humanizar**, acaridar

desalojamento *n.m.* **despejo** ≠ **alojamento**

desalojar *v.* 1 **desaquartelar**, expulsar, desanichar, desaposentar, desninhar ≠ **alojar**, hospedar, aquartelar 2 **expulsar**, afastar ≠ **acomodar**, acolher

desamamentar *v.* **desmamar**, ablactar, desleitar, desquitar [REG.] *col.*, vedar [REG.]

desamar *v.* 1 **aborrecer**, entediar, enfadar, maçar ≠ **animar**, entusiasmar 2 **odiar**, detestar, repudiar, abominar ≠ **adorar**, amar, gostar

desamarrar *v.* 1 **desprender**, soltar, desatar ≠ **atar**, amarrar 2 *fig.* **dissuadir**, demover, despersuadir, desaferrar, desconvencer ≠ **convencer**, persuadir, mover 3 NÁUT. **desancorar**, desaferrar

desamarrotar *v.* 1 **alisar**, endireitar, desenrugar, desenrodilhar ≠ **amarrotar**, enrugar, abolsar 2 **desamolgar**, desamassar, endireitar, alisar ≠ **amolgar**, amassar, abolar

desamolgar *v.* **desamarrotar**, desamassar, endireitar, alisar ≠ **amolgar**, amassar

desamontoar *v.* **desagregar**, desaglomerar, desacumular, desempilhar, desajuntar, dispersar, espalhar ≠ **agregar**, acumular, amontoar, apilhar, acervar, acastelar, acaramular, acavalar, carretar, aglomerar, apinhar, condensar, emedar, superpor, entesourar

desamor *n.m.* 1 **desafeição**, desafeto, desapego ≠ **afeição**, amor, apego 2 **desdém**, indiferença, insensibilidade, frieza, aversão ≠ **simpatia**, amabilidade, afabilidade 3 **maçada** *fig.*, aborrecimento, tédio, enfado, estopada *fig.* ≠ **ânimo**, entusiasmo

desamparado *adj.* 1 **desabrigado**, desprotegido, abandonado, desassistido, desagasalhado *fig.* ≠ **protegido**, amparado 2 **isolado**, só, solitário, ermo ≠ **acompanhado** 3 **desagasalhado**, destapado, desenroupado, descoberto ≠ **coberto**, enroupado, agasalhado

desamparar *v.* **desabrigar**, desproteger, abandonar, desajudar ≠ **abrigar**, proteger, resguardar, valer

desamparar-se *v.* 1 **desagarrar-se**, desapoiar-se 2 **desequilibrar-se**, desestribar-se *fig.*

desamparo *n.m.* 1 **desabrigo**, abandono, desarrimo, desproteção, desajuda, derrelicção ≠ **abrigo**, proteção, resguardo 2 **penúria**, miséria, pobreza ≠ **fortuna**, opulência

desancar *v.* 1 **bater**, espancar, sovar, chegar, golpear, surrar, desquadrilhar ≠ **defender**, proteger, resguardar 2 *fig.* **criticar**, censurar, desaprovar, reprovar, julgar, condenar ≠ **aprovar**, elogiar, louvar

desancorar *v.* NÁUT. **desamarrar**, desaferrar

desanda *n.f.* 1 *col.* **descompostura**, repreensão, ralhete, advertência, admoestação, censura, ralho, carão [BRAS.] ≠ **elogio**, louvor, aplauso 2 *col.* **sova**, surra, tunda, tareia, zurzidela, coça *fig.*, chegançо *col.*, calda [REG.]

desandar *v.* 1 **recuar**, retroceder, voltar ≠ **avançar**, progredir 2 **piorar**, agravar, degradar, deteriorar, declinar, decair ≠ **aperfeiçoar**, melhorar 3 **desatarraxar**, desaparafusar, desenroscar ≠ **atarraxar**, aparafusar

desanexação *n.f.* **desunião**, separação, desvinculação, cissão ≠ **aproximação**, junção, anexação, adjunção

desanexar *v.* **desunir**, separar, desmembrar, cisão, desvinculação ≠ **aproximar**, juntar, anexar, adjungir

desanexo *adj.* **desanexado**, desunido, separado, desligado, desvinculado ≠ **anexado**, anexo, junto, adido, agregado, apenso

desanichar *v.* 1 **desaninhar**, desalojar, expulsar, desapossar ≠ **alojar**, hospedar 2 **desempregar**, destituir, exonerar, despedir, demitir ≠ **contratar**, admitir 3 *fig.* **descobrir**

desanimado *adj.* 1 **desalentado**, desconsolado, abatido, prostrado, infeliz, desmoralizado, deprimido *col.*, amarroado *fig.* ≠ **animado**, entusiasmado, feliz 2 **medroso**, covarde, poltrão, fraco, pusilânime, timorato ≠ **corajoso**, destemido, bravo, valente

desanimador *adj.,n.m.* **desalentador**, desencorajador, desmoralizador, desconfortante, desesperador, descoroçoador, descoroçoante ≠ **alentador**, encorajador, entusiasmante, estimuloso, aguçador, fomentativo, acerante, animante, galvanizante *fig.*, aguilhoador *fig.*, seminal *fig.*, tónico *fig.*

desanimar *v.* **desencorajar**, desmoralizar, desincentivar, desalentar, quebrantar, abater, desesperançar, deprimir, prostrar, desinfluir, amarroar *fig.* ≠ **animar**, entusiasmar, encorajar, afoito, aferroar *fig.*, aguçar *fig.*, aguilhoar *fig.*, alancear *fig.*, atiçar *fig.*, beliscar *fig.*, morder *fig.*, mordicar *fig.*, pungir *fig.*, agulhar *fig.*

desânimo *n.m.* **desalento**, prostração, esmorecimento, desencorajamento, abatimento, consternação, desconforto, debilitação ≠ **ânimo**, encorajamento, alento, entusiasmo, alma *fig.*

desanuviado *adj.* 1 (céu) **limpo**, aberto, desnublado, escampo ≠ **nublado**, encoberto, coberto, enevoado 2 (pessoa) **tranquilo**, aliviado, sereno ≠ **preocupado**, perturbado, apreensivo

desanuviar *v.* 1 (céu) **clarear**, aclarar, limpar, desobscurecer, desassombrar, desenevoar, desembrumar, desembruscar, descarregar-se ≠ **encobrir**, obscurecer, toldar *fig.*, anuviar 2 **serenar**, tranquilizar, desassombrar *fig.* ≠ **apoquentar**, preocupar, perturbar

desapaixonado *adj.* 1 **indiferente**, desinteressado, frio, insensível ≠ **apaixonado**, enamorado, interessado 2 **imparcial**, isento, neutral, insuspeito ≠ **parcial**, faccioso, sectário *fig.* 3 **calmo**, sereno, tranquilo, sossegado, brando, quedo, plácido ≠ **agitado**, perturbado, inquieto

desapaixonar *v.* 1 **distrair**, animar, entreter, confortar *fig.* ≠ **aborrecer**, entediar, enfadar 2 **acalmar**, apaziguar, serenar, tranquilizar ≠ **agitar**, perturbar, inquietar

desapaixonar-se *v.* 1 ≠ **apaixonar-se**, enamorar-se, engalriçar-se, embeiçar-se *col.*, derreter-se *fig.* 2 **tranquilizar-se**, acalmar-se, aquietar-se ≠ **inquietar-se**, agitar-se

desaparafusar *v.* **desatarraxar**, desandar, desenroscar ≠ **atarraxar**, aparafusar

desaparecer *v.* 1 **ausentar-se**, afastar-se, retirar-se, descampar ≠ **permanecer**, ficar 2 **ocultar-se**, encobrir-se, esconder-se ≠ **aparecer**, surgir 3 **morrer**, falecer, expirar, sucumbir, findar, fenecer, espichar *col.*, esticar *col.* ≠ **nascer**, viver

desaparecido *adj.,n.m.* 1 **perdido**, sumido ≠ **aparecido** 2 **roubado**, extraviado ≠ **recuperado**, recobrado 3 **morto**, falecido, corpo, defunto 4 **fugitivo**, desertor

desaparecimento *n.m.* 1 **ausência**, desaparição, falta ≠ **permanência**, presença 2 **descaminho**, sumiço, extravio, perda ≠ **achamento**, descoberta

desaparelhar *v.* 1 **desguarnecer**, desequipar, esvaziar, desarmar, desarrear ≠ **aparelhar**, equipar 2 NÁUT. **desarmar**, desmantelar

desaparição *n.f.* **ausência**, desaparecimento, falta ≠ **permanência**, presença

desapegado *adj.* 1 **desafeiçoado**, desligado ≠ **apegado**, afeiçoado, devotado 2 **desinteressado**, indiferente, desprendido, displicente ≠ **interessado**, empenhado 3 **separado**, desunido, desligado ≠ **junto**, unido

desapegar *v.* 1 **despegar**, desprender, arrancar, desgrudar, soltar, desunir, largar ≠ **pegar**, prender, atar 2 **desafeiçoar-se**, desprender-se ≠ **afeiçoar-se**

desapegar-se *v.* 1 **soltar-se**, desaferrar-se 2 **desafeiçoar-se**, desaferrar-se, despegar-se ≠ **afeiçoar-se**, aferrar-se

desapego *n.m.* 1 **indiferença**, desdém, insensibilidade, frieza, desapreço ≠ **simpatia**, amabilidade, afabilidade 2 **desinteresse**, abnegação, desapropriação *fig.* ≠ **interesse**, empenho, forcejo 3 **desafeição**, desamor, desafeto, desapegamento ≠ **afeição**, amor, apego

desaperceber *v.* 1 **desprover** ≠ **abastecer**, prover 2 **desguarnecer**, desemparelhar, desequipar, esvaziar ≠ **aparelhar**, equipar

desaperceber-se *v.* **desacautelar-se**, descuidar-se, desprevenir-se, desprecatar-se, desprecaver-se ≠ **acautelar-se**, prevenir-se, precatar-se

desaperrar *v.* **desengatilhar**, desarmar, armar ≠ **engatilhar**

desapertar *v.* 1 **desabotoar**, abrir, desacolchetar, desenculatrar ≠ **abotoar**, fechar, abrochar 2 **soltar**, livrar, libertar ≠ **prender**, fixar 3 **aliviar**, acalmar, sossegar, desoprimir ≠ **angustiar**, inquietar, oprimir, agraviar *col.*

desapertar-se *v.* 1 **desunir-se** 2 **desoprimir-se**, aliviar-se, desafogar-se

desaperto *n.m.* 1 **folga**, descanso 2 **desafogo**, desopressão, alívio ≠ **aperto**, dificuldade

desapiedadamente *adv.* **desalmadamente**, cruelmente

desapiedado *adj.* **impiedoso**, desumano, cruel, desnaturado, celerado, feroz, perverso, malvado, despiedoso ≠ **caridoso**, compassivo, humano, piedoso

desapiedar *v.* **insensibilizar**, endurecer, empedernir *fig.* ≠ **apiedar**, sensibilizar

desapiedar-se *v.* **desumanizar-se**, desnaturar-se ≠ **humanizar-se**, acaridar-se, apiedar-se, compadecer-se

desaplicação *n.f.* **negligência**, descuido, incúria, desleixo ≠ **cuidado**, arranjo, zelo, esmero

desaplicar *v.* 1 **desviar**, distrair ≠ **empregar** 2 **retirar**, tirar ≠ **aplicar**, empregar

desapoiado *adj.* **desprotegido**, desamparado, desacompanhado, abandonado ≠ **protegido**, acompanhado

desapoiar *v.* 1 **desproteger**, desencostar, abandonar, desamparar ≠ **proteger**, acompanhar 2 **desencostar**, desarrimar ≠ **encostar**, arrimar 3 **discordar**, reprovar, desaprovar, desconsentir ≠ **concordar**, aprovar, consentir

desapoio *n.m.* **desarrimo**, desproteção, desamparo, abandono ≠ **proteção**, amparo

desapontado *adj.* 1 **dececionado**, desiludido, desencantado, desenganado, frustrado ≠ **satisfeito**, encantado 2 **contrariado**, maçado, enfadado, desgostoso, aborrecido ≠ **divertido**, alegre, deleitado, satisfeito

desapontamento *n.m.* 1 **deceção**, desencanto, desengano, desilusão, frustração ≠ **satisfação**, regozijo 2 **desilusão**, frustração, desgosto, dissabor, insatisfação ≠ **contentamento**, alegria, satisfação

desapontar *v.* **desiludir**, dececionar, desencantar, frustrar ≠ **satisfazer**, regozijar

desapontar-se *v.* **desiludir-se**, desencantar-se, frustrar-se, desabusar-se

desapoquentar *v.* **tranquilizar**, acalmar, aliviar, sossegar, aquietar ≠ **apoquentar**, transtornar, perturbar

desapossamento *n.m.* **expropriação**, despojo, espoliação, esbulho

desapossar *v.* **expropriar**, esbulhar, espoliar, privar, despojar, desapropriar ≠ **empossar**, apossar

desaprazer *v.* **desgostar**, descontentar, aborrecer, desagradar, dessaber, destoar *fig.* ≠ **gostar**, agradar, satisfazer, contentar

desapreciar *v.* **desdenhar**, desprezar, desconsiderar, humilhar, amesquinhar ≠ **considerar**, respeitar, enaltecer, estimar

desapreço *n.m.* **desdém**, desprezo, desamor, menosprezo, desestima, desconsideração ≠ **apreço**, estima, consideração

desaprender *v.* **desensinar**, desestudar, dessaber ≠ **aprender**, aletradar

desapropriação *n.f.* 1 **expropriação**, despojo, espoliação, esbulho 2 *fig.* **desinteresse**, abnegação, desapego ≠ **interesse**, empenho

desapropriado *adj.* 1 **inadequado**, descabido, inoportuno, inconveniente ≠ **adequado**, conveniente, apropriado 2 **expropriado**, despojado, espoliado, esbulhado, desapossado

desapropriar *v.* **expropriar**, esbulhar, espoliar, privar, despojar, desapossar ≠ **empossar**, apossar

desapropriar-se *v.* **1 renunciar**, desistir **2 privar-se**, abster-se, abnegar

desaprovação *n.f.* **discórdia**, desacordo, reprovação, censura, condenação, rejeição, desconsentimento, improbação ≠ **concordância**, consentimento, condescendência, aprovação

desaprovar *v.* **1 discordar**, desconsentir ≠ **concordar**, consentir, condescender, aprovar **2 criticar**, censurar, condenar, reprovar, desancar *fig.* ≠ **aprovar**, elogiar, louvar

desaproveitado *adj.* **1 esbanjado**, desperdiçado, gasto, dissipado ≠ **poupado**, amealhado, aproveitado, económico **2 abandonado**, inútil, baldio, inculto ≠ **útil**, aproveitado ■ *n.m.* **esbanjador**, perdulário, gastador, pródigo, dissipador ≠ **avarento**, mesquinho, sovina, forreta

desaproveitamento *n.m.* **1 desperdício**, dissipação, esbanjamento, gasto ≠ **poupança**, aproveitamento, economicidade **2** (escolar) **insucesso** ≠ **adiantamento**, avanço

desaproveitar *v.* **desperdiçar**, dissipar, esbanjar, desbaratar, malbaratar ≠ **poupar**, amealhar, aproveitar, economizar

desaproximar *v.* **distanciar**, afastar, separar, apartar ≠ **aproximar**, achegar, juntar

desaprumar *v.* **inclinar**, pender, curvar, descair, desempinar ≠ **endireitar**, aprumar, desencurvar

desaprumar-se *v.* **desviar-se**, inclinar-se

desaprumo *n.m.* **inclinação**, desalinho, desvio ≠ **endireitamento**, alinhamento

desapurado *adj.* **descuidado**, desalinhado, desaprimorado, desarranjado, desleixado ≠ **cuidado**, aprimorado, arranjado

desapuro *n.m.* **descuido**, desalinho, desprimor, desarranjo, desleixo ≠ **cuidado**, primor, arranjo

desaquartelar *v.* **desalojar**, expulsar ≠ **alojar**, acomodar, abarracar, aquartelar, acasernar

desarborizar *v.* **desflorestar**, desertificar ≠ **florestar**, arborizar

desarmado *adj.* **1 desmontado**, desfeito, desmanchado ≠ **montado**, armado **2** *fig.* **desprevenido**, desacautelado ≠ **prevenido**, acautelado **3** *fig.* **carente**, necessitado, precisado

desarmamento *n.m.* **desaparelhamento**, desarmação

desarmar *v.* **1 desguarnecer**, desequipar, esvaziar, desaparelhar ≠ **aparelhar**, equipar **2 desengatilhar**, desaperrar, armar ≠ **engatilhar** **3** NÁUT. **desaparelhar**, desmantelar **4** (bomba) **desativar** **5 aplacar**, amenizar, mitigar, aliviar, atenuar ≠ **agravar**, acentuar, aumentar **6 frustrar**, baldar, inutilizar, anular, impedir ≠ **facilitar**, desimpedir **7 desanimar**, deprimir, desalentar, prostrar, desmoralizar, quebrantar, abater, desencorajar ≠ **animar**, entusiasmar, encorajar

desarmonia *n.f.* **1 dissonância**, desacorde, desafinação ≠ **harmonia**, assonância, consonância, acento **2 discórdia**, desaprovação, desconsentimento, divergência, desacordo, discordância ≠ **concordância**, consentimento, condescendência, aprovação **3 desproporção**, assimetria, desequilíbrio ≠ **proporção**, simetria, equilíbrio

desarmónico[AO] ou **desarmônico**[AO] *adj.* **dissonante**, desacorde, desafinado, destoante ≠ **afinado**, harmonizado, cônsono

desarmonizar *v.* **1 destoar**, desafinar, dessoar, discordar ≠ **consonar**, afinar **2** *fig.* **perturbar**, indispor, malquistar, desavir ≠ **reconciliar**, harmonizar

desarmonizar-se *v.* **desavir-se**, discordar, desviar-se, diferir, discrepar, dissidir, desencontrar-se, desquadrar-se, divergir *fig.* ≠ **concordar**, harmonizar-se

desarranjar *v.* **1 perturbar**, baralhar, desordenar, confundir, transtornar ≠ **orientar**, nortear *fig.* **2 desconsertar**, avariar, escangalhar ≠ **arranjar**, consertar, compor, açacalar **3 desmanchar**, desalinhar, deformar, desordenar, desarrumar ≠ **ajeitar**, alinhar, arrumar **4 embaraçar**, estorvar, prejudicar, sobrecarregar, empecer, dificultar, atrapalhar ≠ **ajudar**, aliviar, facilitar

desarranjar-se *v.* **1 transtornar-se** **2 desacomodar-se** **3 desavir-se**, desentender-se, indispor-se, incompatibilizar-se ≠ **conciliar-se** **4 desconcertar-se**, avariar-se

desarranjo *n.m.* **1 desalinho**, desordenação, desarranjamento, deformação, desconserto ≠ **alinho**, arrumação **2 perturbação**, transtorno, baralhada, desordenação, confusão ≠ **orientação**, norteação **3 avaria**, dano, danificação, estrago, pane ≠ **reparação**, arranjo, restauro, açacaladura **4 desperdício**, dissipação, esbanjamento, gasto, desaproveitamento ≠ **poupança**, aproveitamento, economicidade **5** *col.* **aborto**, móvito, desmancho *col.*

desarreigar *v.* **1 extirpar**, desenraizar, arrancar, extrair ≠ **enraizar**, arreigar **2 destruir**, aniquilar, extinguir, eliminar ≠ **manter**, conservar, preservar

desarriscar *v.* **1 desobrigar**, isentar, livrar **2 apagar**, eliminar, riscar

desarrolhar *v.* **1 destapar**, destampar, descobrir, abrir ≠ **cobrir**, tapar, arrolhar **2** [BRAS.] (gado) **espalhar**

desarrumação *n.f.* **confusão**, desordem, desalinho, balbúrdia, caos, embrulhada, salsada, baralhada, bagunça [BRAS.] ≠ **ordem**, organização, arrumação, arranjo, acondicionamento

desarrumado *adj.* **1 confuso**, desordenado, desalinhado, caótico ≠ **ordenado**, organizado, arrumado, arranjado, acondicionado **2 desleixado**, descuidado, desalinhado, desaprimorado, desarranjado, desaprumado ≠ **cuidado**, arranjado, aprimorado, ajeitado *fig.*

desarrumar *v.* **1 desarranjar**, desalinhar, deformar, desordenar, desmanchar ≠ **ajeitar**, alinhar, arrumar, acondicionar **2** *fig.* **desempregar**, desocupar, exonerar, destituir, despedir, demitir ≠ **contratar**, admitir

desarticulação *n.f.* **1 desconjuntamento**, desconexão, desligamento, desunião ≠ **conexão**, união, articulação **2** *fig.* **fragmentação**, decomposição, desmembramento, separação, desincorporação, dissociação ≠ **agregação**, composição, junção, união

desarticular *v.* **1** MED. **luxar**, deslocar, desconjuntar, desengonçar **2 desconjuntar**, desmanchar, desmembrar, decompor, desincorporar ≠ **agregar**, compor, juntar, unir

desarvorado *adj.* **1 desaparelhado**, desguarnecido, desequipado, esvaziado, desarmado ≠ **aparelhado**, equipado **2 desmantelado**, desconjuntado, desarranjado ≠ **mantelado**, conjuntado **3** NÁUT. **desmastreado** ≠ **mastreado**

desarvorar *v.* **1 abater**, arriar, derrubar, tombar ≠ **levantar**, erguer **2 desaparelhar**, desequipar, esvaziar, desarmar, desguarnecer ≠ **aparelhar**, equipar **3** NÁUT. **desmastrear** ≠ **mastrear 4 abalar**, bazar *col.*

desasado *adj.* **1 derreado**, prostrado, abatido, fraco ≠ **ativo**, enérgico **2** *fig.* **desajeitado**, desastrado, aselha, estouvado, inábil, lorpa, bronco ≠ **cuidadoso**, hábil, destro **3** *fig.* **impróprio**, desadequado, desapropriado, inconveniente, desajeitado ≠ **apropriado**, adequado, próprio, conveniente

desassimilar *v.* **diferenciar** ≠ **assemelhar**

desassociar *v.* **1 dissolver**, desagregar, desvincular ≠ **agregar**, vincular **2 desunir**, desligar, separar, afastar ≠ **aproximar**, juntar

desassombrar *v.* **1 desanuviar**, tranquilizar, serenar ≠ **apoquentar**, preocupar, perturbar **2 iluminar**, clarear ≠ **obscurecer**, escurecer

desassombro *n.m.* **1 coragem**, intrepidez, ousadia, denodo, audácia, arrojo, afoiteza, bravura, destemor, valentia, valor, atrevimento, brio, ardimento, desembaraço, destemidez, heroísmo, alma *fig.*, decisão *fig.*, estômago *fig.*, fígado *fig.* ≠ **temor**, covardia, medo, pânico, fraqueza, timidez **2 franqueza**, sinceridade, lealdade ≠ **desonestidade**, falsidade **3 confiança**, firmeza, resolução, fidúcia, certeza, convicção, segurança ≠ **insegurança**, incerteza

desassorear *v.* **1 desarear** ≠ **ensorear 2 desimpedir**, desobstruir, franquear ≠ **fechar**, obstruir

desassossegado *adj.* **1 irrequieto**, impaciente, excitado ≠ **calmo**, sereno, paciente **2 inquieto**, sobressaltado, receoso, preocupado, perturbado ≠ **calmo**, descontraído

desassossegar *v.* **alvoroçar**, inquietar, perturbar, agitar, alborotar ≠ **acalmar**, descontrair, sossegar, desafreimar

desassossego *n.m.* **1 inquietação**, sobressalto, receio, preocupação, perturbação, alboroto, ansiamento ≠ **calmaria**, descontração, tranquilidade, aliviação, aliviamento, refolgo, aléu *fig.* **2 agitação**, alvoroço, impaciência, excitação ≠ **calmaria**, serenidade, paciência

desastrado *adj.* **1 deselegante**, desajeitado, desairoso, desgracioso ≠ **elegante**, gracioso, janota, abonecado, almiscarado *fig.* **2 desajeitado**, aselha, estouvado, inábil, lorpa, bronco, astroso ≠ **cuidadoso**, hábil, destro **3 disparatado**, despropositado, insensato, tolo, inepto

desastre *n.m.* **1 acidente**, sinistro, desgraça, tragédia *fig.* **2 desgraça**, insucesso, infortúnio, revés, desaire ≠ **sucesso**, fortuna **3 fiasco**, falhanço, insucesso, malogro, fracasso, barraca *fig.*, rata [BRAS.] ≠ **sucesso**, êxito, triunfo, vitória

desastroso *adj.* **calamitoso**, sinistro, funesto, luctífero, macaco *fig.* ≠ **afortunado**, venturoso, feliz

desatabafar *v.* **1 desabafar**, desafrontar, desafogar, refrescar, arejar ≠ **abafar**, asfixiar **2 desafogar**, desoprimir, aliviar

desatacar *v.* **1 desatar**, desfazer, deslaçar ≠ **atar**, laçar **2 desapertar**, abrir, desbotoar ≠ **abotoar**, fechar **3** (dispositivo de fogo) **descarregar 4 despejar**, esvaziar, descarregar ≠ **encher**, preencher

desatar *v.* **1 desenlaçar**, desfazer, deslaçar, soltar, desatilhar, desdar, desliar ≠ **atar**, laçar **2 desprender**, libertar, soltar, largar ≠ **prender**, fixar **3 prorromper 4** *fig.* **decidir**, resolver, solucionar, desenredar, destrinçar ≠ **complicar**, embaraçar

desatarraxar *v.* **desaparafusar**, desandar, desenroscar ≠ **atarraxar**, aparafusar

desatar-se *v.* **soltar-se**, desprender-se, desenlaçar-se, deslaçar-se, desligar-se, desamarrar-se ≠ **prender-se**, enlaçar-se, ensilvar-se

desataviar *v.* **desenfeitar**, desadornar, desornar, desalinhar *fig.* ≠ **enfeitar**, adornar

desatavio *n.m.* **desadorno**, desenfeite, simplicidade, singeleza ≠ **atavio**, adorno, enfeite

desatemorizar *v.* **encorajar**, entusiasmar, estimular, excitar, animar, alentar, instigar, acalorar, aguilhoar *fig.* ≠ **desanimar**, desencorajar, desalentar, deprimir

desatenção *n.f.* **1 distração**, alheamento, abstração, desconcentração ≠ **atenção**, concentração **2 desconsideração**, indelicadeza, incivilidade, impolidez, descortesia, descuido, grosseria ≠ **consideração**, acatamento, cortesia

desatender *v.* 1 **indeferir**, denegar ≠ **atender**, deferir 2 **desconsiderar**, desrespeitar, descortejar, desfeitear, desprezar, subestimar ≠ **considerar**, acatar, respeitar

desatentar *v.* 1 **desviar**, desfitar ≠ **olhar**, mirar 2 **distrair-se**, desconcentrar-se, alhear-se ≠ **atentar**, concentrar-se

desatento *adj.* **distraído**, alheado, aéreo, abstrato, absorto, descuidado ≠ **atento**, concentrado

desaterrar *v.* 1 **aplanar**, nivelar, complanar, igualar ≠ **desnivelar**, escadear, escalar 2 **escavar**, sachar, minar, revolver, escarvar, vazar, desbarrancar ≠ **aterrar**

desaterro *n.m.* **escavação**, desbarrancamento, desbarranco

desatinado *adj.* **louco**, estouvado, desacertado, desbolado ≠ **ajuizado**, atinado, refletido

desatinar *v.* **despropositar**, disparatar, desvairar, alucinar, enlouquecer *fig.* ≠ **ajuizar**, atinar

desatino *n.m.* **desvario**, loucura, disparate, desacerto, doidice, alucinação, desatinação ≠ **juízo**, tino

desativar[dAO] *v.* (bomba) **desarmar**

desatolar *v.* 1 **desenlamear**, desenlodar, deslodar, desempegar ≠ **atascar**, atolar 2 *fig.* **regenerar**, recuperar, reabilitar

desatordoar *v.* **reanimar**, desaturdir ≠ **atordoar**, entontecer

desatracar *v.* 1 NÁUT. **desaferrar**, desamarrar, desancorar, desabordar ≠ **aferrar**, ancorar, atracar 2 **desprender**, libertar, soltar, largar ≠ **prender**, fixar

desatravancar *v.* **desembaraçar**, desimpedir, desafogar, desatrancar, desatravessar ≠ **entulhar**, atravancar, obstruir

desatrelar *v.* **soltar**, libertar, desprender, largar ≠ **prender**, fixar

desatrelar-se *v.* 1 **destravar-se**, desengatar-se 2 **desligar-se** 3 **desprender-se**, desafeiçoar-se

desatualizado[dAO] *adj.* **ultrapassado**, antiquado, desusado, batido *col.* ≠ **moderno**, atualizado

desautorizar *v.* **desacreditar**, desconceituar, desconsiderar, desprestigiar, desonrar ≠ **prestigiar**, valorizar, considerar

desautorizar-se *v.* **rebaixar-se**, dedignar-se, desprestigiar-se ≠ **elevar-se**, valorizar-se

desavença *n.f.* **contenda**, contenção, altercação, disputa, litígio, luta, conflito, rixa, dissensão, inimizade, arrenegada, desconciliação, perlenga ≠ **acordo**, conciliação, concórdia

desavergonhado *adj.* 1 **indecente**, impudente, obsceno, imoral, impudico, vergonhoso, estanhado *fig.* ≠ **decente**, decoroso, digno 2 **insolente**, descarado, atrevido, desabusado, petulante ≠ **vergonhoso**, tímido, modesto, comedido 3 **malcriado**, grosseiro, indelicado, mal-educado ≠ **bem-educado**, cavalheiro, delicado, cortês

desavindo *adj.* **discordante**, indisposto, zangado, incompatibilizado, enrixado, inimizado ≠ **concordante**, concorde, compatibilizado

desavir *v.* **discordar**, indispor, zangar, incompatibilizar, inimizar, desamistar, desamigar ≠ **concordar**, compatibilizar

desavir-se *v.* 1 **indispor-se**, desentender-se, incompatibilizar-se, desarranjar-se, enreixar ≠ **conciliar-se** 2 **discordar**, desarmonizar-se, desviar-se, diferir, discrepar, dissidir, desencontrar-se, desquadrar-se, divergir *fig.* ≠ **concordar**, harmonizar-se

desbaratamento *n.m.* 1 **derrota**, debandada, dispersão ≠ **agrupamento**, ajuntamento 2 **dissipação**, desaproveitamento, esbanjamento, gasto, desperdício ≠ **poupança**, aproveitamento, economicidade

desbaratar *v.* 1 **desperdiçar**, dissipar, esbanjar, desaproveitar, malbaratar ≠ **poupar**, amealhar, aproveitar, economizar 2 **destroçar**, derrotar, dispersar, afugentar, aniquilar ≠ **reunir**, reunificar, revigorar 3 **destruir**, estragar, danificar, arruinar, beneficiar, baratar

desbarato *n.m.* 1 **dissipação**, desaproveitamento, esbanjamento, gasto, desperdício ≠ **poupança**, aproveitamento, economicidade 2 **destroço**, derrota, aniquilamento ≠ **vitória**, triunfo 3 **ruína**, estrago, destruição, destroço ≠ **conservação**, preservação

desbastar *v.* 1 **desengrossar**, adelgaçar, polir, limar, aparar, arralentar ≠ **alargar**, engrossar 2 **desbravar** 3 **polir**, aperfeiçoar, afinar, apurar, limar *fig.* ≠ **piorar**, agravar, estragar

desbaste *n.m.* 1 **corte**, aparamento, desbastamento 2 **desengrosso** 3 **monda**

desbloquear *v.* 1 **desimpedir**, desobstruir ≠ **fechar**, isolar 2 **descercar**, desmurar ≠ **cercar**, murar, sitiar 3 ECON. (capitais) **desembargar**, descongelar 4 **resolver**, decidir, solucionar, desenredar, destrinçar ≠ **complicar**, embaraçar 5 **libertar**, soltar, destravar, desencravar ≠ **travar**, parar, encravar

desbocado *adj.* 1 **desenfreado**, destravado ≠ **freado**, travado 2 *fig.* **destravado**, inconveniente, desaforado, grosseiro, impudico, deslinguado ≠ **pudico**, educado, comedido

desbocamento *n.m.* **deslinguamento**, descaramento, impudência, desaforo, insolência, desvergonha ≠ **comedimento**, decoro, pudicícia

desbocar *v.* **descarar**, desaforar, desvergonhar ≠ **comedir**, moderar

desbordar *v.* 1 (rio) **transbordar**, extravasar, sair 2 **transbordar**, extravasar 3 **exceder-se**, ultrapassar, superar, extrapolar, despassar ≠ **comedir**, moderar

desbotado *adj.* 1 **descorado**, pálido, apagado, amarelado, descolorado, desmaiado, embaçado, baço, mate ≠ **colorido**, vivo, brilhante, garrido, iluminado, pintalgado, folclórico *pej.* 2 **desvanecido**, apagado, abatido, desmaiado ≠ **corado**, saudável

desbotar *v.* 1 **empalidecer**, botar, descorar, desmaiar, desmerecer, despintar-se ≠ **avivar**, colorir, corar 2 *fig.* **amortecer**, desvanecer, apagar, abater, desmaiar ≠ **corar**, avivar

desbragado *adj.* 1 **destravado**, inconveniente, desaforado, grosseiro, impudico, indecoroso, descomedido, desbocado *fig.* ≠ **pudico**, educado, comedido 2 **dissoluto**, libertino, licencioso, desregrado, depravado, devasso ≠ **regrado**, moderado, prudente, discreto, comedido, refletido, sensato

desbragamento *n.m.* 1 **descaramento**, impudência, desaforo, insolência, desvergonha, desbocamento ≠ **comedimento**, decoro, pudicícia 2 **insolência**, atrevimento, audácia, coragem, despejo, ousadia, arrojo *fig.* ≠ **vergonha**, timidez, modéstia, comedimento

desbragar *v. fig.* **descarar**, desaforar, desvergonhar ≠ **comedir**, moderar

desbravamento *n.m.* arroteamento

desbravar *v.* 1 AGRIC. **arrotear**, esmoutar, desbastar, debouçar, cachar [REG.] 2 **explorar**, bater, percorrer 3 *fig.* **amansar**, domar, domesticar ≠ **embravecer**, enfurecer 4 **civilizar**, humanizar, policiar, domesticar, polir *fig.* ≠ **embrutecer**, estupidificar, emparvecer

desbunda *n.f.* 1 *col.* **divertimento**, farra, pândega, patuscada ≠ **aborrecimento**, tédio, enfado 2 *col.* **excesso**, descomedimento, desmando, desregramento ≠ **comedimento**, moderação 3 *col.* **loucura**, exagero, extravagância ≠ **comedimento**, moderação

desbundar *v.* 1 *col.* **divertir-se**, distrair-se, patuscar, pandegar ≠ **aborrecer-se**, entediar-se, enfadar-se 2 *col.* **descomedir-se**, exceder, desmandar-se, desregrar ≠ **comedimento**, moderação

desburocratizar *v.* **simplificar** ≠ **burocratizar**, complicar

descabelada *n.f.* **despautério**, disparate, tolice, despropósito, desconchavo, absurdo, incoerente ≠ **lógico**, coerente, congruente

descabelado *adj.* 1 **careca**, calvo, escalvado, glabro, pelado ≠ **peludo**, peloso, guedelhudo, viloso 2 (cabelo) **desgrenhado**, despenteado, revolto ≠ **penteado** 3 *fig.* **furioso**, enfurecido, irado, iroso, furibundo, raivoso, danado, debacado ≠ **calmo**, sereno, tranquilo 4 *fig.* **excessivo**, extravagante, descomedido, exagerado, desmedido, indiscreto ≠ **moderado**, comedido, discreto 5 *fig.* **despropositado**, disparatado, absurdo, descabido ≠ **propositado**, conveniente

descabelar *v.* 1 (cabelo) **arrepelar**, escarpelar, arrancar, tirar 2 (cabelo) **desgrenhar**, despentear ≠ **pentear**, toucar

descabelar-se *v.* 1 **desgrenhar-se**, despentear-se, esguedelhar-se, destoucar-se 2 **arrepelar-se**

descabido *adj.* 1 **despropositado**, desapropriado, disparatado, absurdo, descabelado *fig.*, desassazonado *fig.* ≠ **propositado**, conveniente 2 **imerecido**, indevido, injusto, malfeito *fig.* ≠ **merecido**, justo

descaída *n.f.* 1 **declinação**, declínio, derribamento *fig.*, ruína *fig.* ≠ **crescimento**, desenvolvimento, florescimento 2 **lapso**, indiscrição, descuido, gafe, deslize ≠ **correção**, exatidão

descair *v.* 1 **inclinar**, pender, curvar, desaprumar ≠ **endireitar**, aprumar, desencurvar 2 **abrandar**, afroixar, diminuir, remitir ≠ **aumentar**, intensificar 3 **desfalecer**, esmorecer, desalentar ≠ **revigorar**, fortalecer 4 **descambar** *fig.*, degenerar, desgradar

descalabro *n.m.* 1 **dano**, prejuízo, desgraça 2 **ruína**, derrocada, queda, derrota, decadência

descalçar *v.* 1 **tirar**, despir, retirar, desenfiar, desacunhar ≠ **calçar**, colocar, pôr 2 **desempedrar** ≠ **empedrar**, calcetar, calçar

descalcificação *n.f.* MED. **desossificação** ≠ **calcificação**, ossificação, osteose

descalço *adj.* 1 **desempedrado** ≠ **empedrado**, calcetado, calçado 2 *fig.* **desprevenido**, desacautelado, desarmado ≠ **prevenido**, acautelado

descambar *v.* 1 **descair**, tombar, declinar 2 *fig.* **degenerar**, desagradar, descarrilar

descambar-se *v.* **sair-se**

descaminhar *v.* 1 **desviar**, desencarreirar, descarrilar ≠ **encaminhar**, encarreirar 2 **extraviar**, perder, transviar ≠ **encaminhar** 3 *fig.* **perverter**, extraviar, depravar, degenerar, corromper ≠ **regenerar**, reformar

descaminho *n.m.* 1 **extravio**, sumiço, desaparecimento, perda ≠ **achamento**, descoberta 2 **contrabando**, fraude 3 (dinheiro, bens alheiros) **desvio**, roubo, extravio

descamisada *n.f.* **esfolhada**, desfolhada, desfolho, escarpelada, descasca [REG.]

descampado *adj.* **escampado**, desabitado ■ *n.m.* **campina**, ermo, escampado

descansado *adj.* 1 **repousado**, relaxado ≠ **cansado**, fatigado, sobrecarregado 2 **vagaroso**, pausado, lento, moroso, demoroso ≠ **acelerado**, rápido, célere 3 **despreocupado**, tranquilo, sereno, calmo, flauteado ≠ **desassossegado**, tumultuado, inquieto

descansar *v.* 1 **repousar**, relaxar, desfadigar ≠ **cansar**, fatigar, afadigar, afanar, esforçar, lidar, remar, trabucar, sobrecarregar 2 **apoiar**, assentar, firmar, pousar, encostar ≠ **desapoiar**, desencostar **3** **tranquilizar**, despreocupar, serenar, acalmar ≠ **desassossegar**, tumultuar, inquietar **4** **dormir**, repousar, chonar *col.*, sornar *col.*, nanar *infant.* ≠ **acordar**, despertar

descanso *n.m.* **1** **repouso**, sossego, paz ≠ **desassossego**, inquietação **2** **vagar**, lentidão, morosidade, demora ≠ **acelerar** **3** **sono** **4** **apoio**, suporte

descaracterizar[AO] ou **descaraterizar**[AO] *v.* **1** **disfarçar**, mascarar, esconder, encobrir, dissimular, ocultar ≠ **apresentar**, expor, exibir, mostrar **2** **banalizar**, trivializar, familiarizar, generalizar, popularizar, promulgar, vulgarizar ≠ **singularizar**, particularizar, especializar, especificar

descaracterizar-se[AO] ou **descaraterizar-se**[AO] *v.* **desmaquilhar-se**

descaradamente *adv.* **insolentemente**, atrevidamente, desavergonhadamente, despudoradamente, irreverentemente, desaforadamente, descabeladamente ≠ **envergonhadamente**, timidamente

descarado *adj.* **insolente**, atrevido, desavergonhado, petulante, desabusado, desaforado, desfaçado, escarolado *fig.*, deslarado [REG.], cara de pau [BRAS.] *col.* ≠ **vergonhoso**, tímido, modesto, comedido

descaramento *n.m.* **insolência**, atrevimento, desavergonhamento, petulância, desabuso, desaforo ≠ **vergonha**, timidez, modéstia, comedimento

descarga *n.f.* **1** **descarregamento** ≠ **carga**, carregamento **2** **desarrisca** **3** MED. **evacuação**, defecação, jato

descargo *n.m.* **1** **exoneração**, desobrigação, desoneração, isenção ≠ **obrigação**, compromisso **2** **quitação** **3** **desculpa**, perdão, absolvição, remição ≠ **punição**, pena, condenação, corretivo

descarnado *adj.* **magro**, seco, franzino, entresilhado, escanifrado *col.*, esquelético *fig.* ≠ **gordo**, nédio, carnudo, roliço *fig.*

descarnar *v.* **1** **esburgar** **2** **escavar**, descascar, pilar **3** **emagrecer**, escaveirar, entresilhar, escanifrar *col.* ≠ **engordar**, engrossar

descarnar-se *v.* **emagrecer**, afranzinar-se, desengordar, dessecar, diminuir, mirrar, secar ≠ **engordar**, engrossar, rechonchar

descaroçar *v.* **1** **explicar**, deslindar, esclarecer **2** [REG.] **pormenorizar**, circunstanciar, detalhar ≠ **generalizar**

descarregamento *n.m.* **descarrega** ≠ **carga**, carregamento

descarregar *v.* **1** **desembaraçar**, livrar-se **2** **aliviar**, desoprimir, livrar ≠ **apoquentar**, transtornar, perturbar **3** **despejar**, esvaziar, desatacar ≠ **encher**, preencher **4** **evacuar**, expelir, expulsar **5** (arma) **disparar**, desfechar **6** (arma) **desatacar** **7** INFORM. **transferir**

descarrego *n.m.* **1** **exoneração**, desobrigação, desoneração, isenção ≠ **obrigação**, compromisso **2** **quitação** **3** **desculpa**, perdão, absolvição, remição ≠ **punição**, pena, condenação, corretivo

descarreirar *v.* **desviar**, descaminhar, descarrilar ≠ **encaminhar**, encarreirar

descarrilar *v.* **1** **desviar**, descaminhar, descarreirar ≠ **encaminhar**, encarreirar **2** *fig.* **descambar**, degenerar, desagradar **3** *fig.* **disparatar**, despropositar, desatinar, variar ≠ **atinar**, ajuizar, acadimar [REG.]

descartar *v.* **livrar-se**, desembaraçar-se, desenvencilhar-se, libertar-se

descartar-se *v. fig.* **livrar-se**, desembaraçar-se, libertar-se

descarte *n.m.* **1** **rejeição**, recusa, enjeitamento, repúdio *fig.* ≠ **aceitação**, aprovação **2** *fig.* **evasiva**, subterfúgio, escapatória, pretexto, desculpa

descasar *v.* **1** **divorciar**, separar, anular ≠ **casar**, desposar, consorciar, matrimoniar, unir, conjungir **2** (animais acasalados) **desacasalar**, separar ≠ **acasalar**, juntar **3** **desemparelhar**, desirmanar, apartar, separar, desunir

descasar-se *v.* **divorciar-se** ≠ **casar-se**, matrimoniar-se, consorciar-se, prender-se *fig.*

descasca *n.f.* **1** **debulha** **2** *fig.* **descompostura**, repreensão, ralhete, advertência, admoestação, censura, ralho, descascadela, carão [BRAS.] ≠ **elogio**, louvor, aplauso **3** [REG.] **esfolhada**, desfolhada, desfolho, escarpelada, descamisa, escafulada [REG.]

descascador *adj.,n.m.* **debulhadora**, malhadeira, escarolador, descascadeira, debulhador, debulhadeira

descascar *v.* **1** **desbulhar**, debulhar, desfolhar, esfolhar, destonar, escabulhar, escodear, estonar **2** *fig.* **repreender**, criticar, descompor, censurar, cascar ≠ **elogiar**, louvar, aplaudir, felicitar **3** *fig.* **limpar**, desenodoar, desenxovalhar ≠ **sujar**, manchar, enodoar, conspurcar, emporcalhar, borrar **4** *fig.* **polir**, alisar, igualar, limar, aplainar, desbastar **5** *fig.* **sovar**, espancar, bater, chegar, golpear, surrar ≠ **defender**, proteger, resguardar **6** **descamar**

descendência *n.f.* **1** **progenitura**, sucessão, prole, posteridade, derivação *fig.* **2** **filhação**

descendente *adj.2g.* **1** **descensional**, decrescente, descente ≠ **ascensional**, ascendente **2** **originário**, oriundo, procedente, vindo, proveniente **3** (maré) **vazante** ■ *n.2g.* **1** **filho**, fruto, herdeiro, sucessor, rebento *fig.* **2** [*pl.*] **prole**, progénie **3** [*pl.*] **vindouros**, posteridade, netos *fig.* ≠ **antepassados**

descender *v.* **1** **proceder**, provir, derivar, originar-se **2** **baixar**, descer, decair, declinar ≠ **ascender**, erguer, levantar

descentralizar *v.* **desconcentrar**, descentrar ≠ **centralizar**, reunir

descentrar *v.* **decentralizar**, desconcentrar ≠ **centralizar**, reunir

descer *v.* 1 **baixar**, decair, declinar, descender, cair, destrepar, abaixar ≠ **subir**, elevar, crescer, ascender, altear, atrepar *col.* 2 **inclinar**, pender, curvar, descair ≠ **endireitar**, aprumar, desencurvar 3 **desmontar**, apear ≠ **montar**, subir 4 **rebaixar-se**, humilhar-se, aviltar-se, envilecer-se 5 **proceder**, emanar, provir, advir, originar-se 6 (temperatura) **baixar**, diminuir, arrefecer, destemperar ≠ **aumentar**, subir, aquecer 7 (preço) **baixar**, reduzir ≠ **aumentar**, subir 8 (avião) **baixar**, diminuir ≠ **subir**

descercar *v.* **descingir**, descintar ≠ **cingir**, cercar, rodear, cintar, circuitar

descercar-se *v.* **libertar-se**, soltar-se, descingir--se ≠ **confinar**, limitar

descerrar *v.* 1 **destapar**, descobrir, abrir, descarapuçar, destampar, revelar ≠ **cobrir**, tapar 2 **patentear**, franquear, mostrar, revelar ≠ **ocultar**, esconder, omitir 3 *fig.* **inaugurar**

descida *n.f.* 1 **descensão**, descimento, arriamento, descenso, descendimento ≠ **ascendimento**, ascensão, subida 2 **declive**, inclinação, encosta, enfesto, resvalo, vertente ≠ **subida** 3 **abaixamento**, diminuição, decréscimo, queda ≠ **elevação**, subida 4 MED. *col.* **prolapso**, queda 5 *fig.* **desvalorização**, decadência ≠ **valorização** 6 **decadência**, declínio, ruína, queda ≠ **ascensão**, progressão

descingir *v.* 1 **alargar**, desapertar, desatar, afrouxar, soltar ≠ **prender**, atar, apertar 2 **descercar**, descintar ≠ **cingir**, cercar, rodear, cintar, circuitar, abarcar

descingir-se *v.* 1 **desapertar-se**, desprender-se, desunir-se, soltar-se ≠ **cingir-se**, apertar-se 2 **desoprimir-se**, aliviar-se, desafogar-se

desclassificação *n.f.* **desautorização**, descrédito, desconsideração, desprestígio, desonra ≠ **prestígio**, valorização, consideração

desclassificado *adj.* 1 (de concurso ou competição) **excluído**, desqualificado, eliminado ≠ **classificado**, qualificado 2 **desautorizado**, descreditado, desconsiderado, desprestigio, desonroso ≠ **prestigiado**, valorizado, considerado

desclassificar *v.* 1 **eliminar**, excluir, desqualificar ≠ **classificar**, qualificar 2 **desautorizar**, descreditar, desconsiderar, desprestigiar, desonrar ≠ **prestigiar**, valorizar, considerar

descoagulação *n.f.* **liquefação**, derretimento ≠ **solidificação**, coagulação

descoagulamento *n.m.* **liquefação**, derretimento ≠ **solidificação**, coagulação

descoagular *v.* **liquefazer**, derreter, dissolver, fundir, descoalhar ≠ **coalhar**, solidificar

descoberta *n.f.* 1 **achamento**, achado, descobrimento, achada 2 **criação**, invenção, invento, conceção 3 **solução**, achado

descoberto *adj.* 1 **destapado**, visível, exposto, desrebuçado ≠ **coberto**, tapado 2 **sabido**, divulgado, revelado, conhecido ≠ **encoberto**, omitido, escondido 3 **criado**, inventado, achado 4 MIL. **desprotegido**, indefeso, vulnerável ≠ **amparado**, resguardado

descobridor *adj.,n.m.* 1 **explorador**, deparador 2 **revelador**, denunciador

descobrimento *n.m.* **achamento**, achado, descoberta

descobrir *v.* 1 **achar**, encontrar 2 **mostrar**, patentear, expor, exibir ≠ **esconder**, encobrir, ocultar, abornalar, absconder, abstruir, acafelar *fig.* 3 **avistar**, discernir, perceber, distinguir, divisar 4 **denunciar**, delatar, malsinar ≠ **defender** 5 (atmosfera) **clarear**, aclarar, alvejar, desobscurecer, clarificar ≠ **obscurecer**, escurecer 6 (sol) **romper**, despontar, raiar, nascer, surgir

descobrir-se *v.* 1 **desbarretar-se** 2 **revelar-se**, abrir-se, desvendar-se

descodificação *n.f.* **decifração**, interpretação, adivinha

descodificar *v.* **decifrar**, interpretar, adivinhar

descolagem *n.f.* 1 ≠ **aterragem**, aterrissagem, decolagem [BRAS.] 2 **descolamento**, desafixação ≠ **fixação**, colagem

descolar *v.* 1 **despegar**, desafixar, desgarrar, desgrudar, desunir, soltar ≠ **pegar**, afixar 2 [BRAS.] **obter**, dar, arranjar ≠ **perder**, renunciar 3 (avião) **levantar**, decolar [BRAS.] ≠ **aterrar**

descolorar *v.* **descolorir**, descorar, desbotar, destingir ≠ **colorar**, corar, tingir, pintar

descolorido *adj.* **desbotado**, descorado, pálido *fig.* ≠ **colorido**, pintado, tinto

descolorir *v.* 1 **descolorar**, descorar, desbotar, destingir, descolorizar ≠ **colorar**, corar, tingir, pintar 2 **empobrecer**, desvigorar, enfraquecer, desvigorizar ≠ **vigorar**, fortalecer

descomedido *adj.* 1 **demasiado**, excessivo, excedente, supérfluo, imoderado, nímio ≠ **controlado**, comedido 2 **disparatado**, desapropriado, despropositado, descabido, absurdo, descabelado *fig.* ≠ **propositado**, conveniente

descomedimento *n.m.* 1 **excesso**, desmandamento, desregramento, desbunda *col.*, desmedida *fig.* ≠ **comedimento**, moderação, abstinência 2 **insolência**, grosseria, desaforo, descaramento, desvergonha, desbocamento ≠ **comedimento**, respeito, delicadeza

descomedir-se *v.* **exceder-se**, desmedir-se, descontrolar-se, disparatar, demasiar-se, desmesurar-se ≠ **comedir-se**, moderar-se

descompassado *adj.* 1 **arrítmico**, desmarcado, irregular ≠ **cadenciado**, ritmado, rítmico 2 **desmedido**, desmesurado, enorme, excessivo, grandíssimo ≠ **comedido**, mesurado

descompassar *v.* 1 **desproporcionar**, desigualar, desconformar 2 **exceder**, ultrapassar, descomedir ≠ **comedir**, moderar

descompensar *v.* **descontar**, deduzir, abater ≠ compensar

descompor *v.* 1 **desordenar**, desarranjar, desarrumar, desalinhar ≠ **ordenar**, organizar 2 **alterar**, mudar, modificar ≠ **manter**, conservar, preservar 3 **desfigurar**, deformar, transformar ≠ **manter**, conservar, preservar 4 **repreender**, condenar, censurar, cascar, descascar *fig.*, fubecar [BRAS.] ≠ **elogiar**, louvar, aplaudir, felicitar 5 **injuriar**, insultar, ofender ≠ **respeitar**, estimar

descompor-se *v.* 1 **desarranjar-se** 2 **perturbar-se**, transtornar-se 3 **descomedir-se**, exceder-se, demasiar-se, desenfrear-se *fig.*, desmesurar-se *fig.* ≠ **conter-se**, moderar-se

descompostura *n.f.* 1 **desarranjo**, desordenação, desalinho ≠ **alinho**, arrumação 2 **indecência**, indiscrição, indecoroso, descomedido, inconveniente ≠ **compostura**, decência, comedimento 3 **reprimenda**, repreensão, censura, admoestação, exprobração, discurso *col.*, chegadela *fig.*, espinafração [BRAS.] *col.*, fubecada [BRAS.] ≠ **elogio**, louvor, felicitação, aprovação

descomprazer *v.* 1 **desagradar**, descontentar, desgostar ≠ **agradar**, contentar, satisfazer 2 **discordar**, desaprovar, desconsentir ≠ **aceitar**, condescender, concordar

descomprimir *v.* INFORM. **descompactar**, expandir ≠ **compactar**, comprimir

descomprometido *adj.* (pessoa) **livre**, desimpedido ≠ **comprometido**, envolvido

descomunal *adj.2g.* 1 **extraordinário**, incomum, invulgar ≠ **comum**, vulgar 2 **enorme**, imenso, gigantesco, assoberbante, babilónico *fig.* ≠ **pequeno**, diminuto, mínimo, exíguo

desconceituar *v.* **difamar**, desacreditar, desconsiderar, desonrar ≠ **prestigiar**, valorizar, considerar

desconcentração *n.f.* 1 **desatenção**, alheamento, abstração, distração ≠ **atenção**, concentração 2 **decentralização**, descentramento ≠ **centralização**, reunião

desconcentrado *adj.* 1 **desviado**, descentrado, afastado 2 **distraído**, desatento, alheado, aéreo, abstrato, absorto ≠ **atento**, concentrado 3 **disperso**, espalhado

desconcentrar *v.* 1 **descentralizar**, descentrar ≠ **centralizar**, reunir 2 **dispersar**, espalhar, dissipar, disseminar 3 **distrair**, desatentar, alhear ≠ **atentar**, concentrar, abstrair

desconcertado *adj.* 1 **descomposto**, desacertado, inconveniente ≠ **acertado**, conveniente 2 **disparatado**, descomedido, inconveniente ≠ **ajuizado**, atinado 3 **embaraçado**, perturbado, desorientado, confuso

desconcertante *adj.2g.* **desconcertador**, desorientador, perturbador, transtornador, desnorteante ≠ **tranquilizador**, orientador

desconcertar *v.* 1 **desarranjar**, desmanchar, desalinhar, deformar, desordenar, desarrumar, descompor ≠ **ajeitar**, alinhar, arrumar 2 **desafinar**, desarmonizar, dessoar, destoar ≠ **consonar**, afinar 3 **discordar**, discrepar, divergir, dissentir, desaguisar ≠ **concordar**, aceitar 4 **atrapalhar**, estorvar, transtornar, desnortear, embaraçar ≠ **orientar**, nortear

desconcertar-se *v.* 1 **desconjuntar-se**, desmanchar-se, descompor-se 2 **desorientar-se**, atarantar-se, atordoar-se, desnortear-se *fig.*, desarvorar-se [BRAS.] 3 **desavir-se**, agastar-se, desaguisar-se, desainar-se

desconcerto *n.m.* 1 **desarranjo**, desmancho, desalinho, deformação, desordenação, desarrumação, descomposto ≠ **arranjo**, alinho, arrumação 2 **atrapalhação**, estorvo, transtorno, desnorteio, embaraço, confusão ≠ **orientação**, norteio 3 **dissonância**, desarmonia, desafinação ≠ **consonância**, harmonia 4 **desconchavo**, disparate, tolice, despropósito, despautério, absurdo, incoerente ≠ **lógico**, coerente, congruente 5 **discórdia**, desaprovação, desconsentimento, divergência ≠ **concordância**, consentimento, condescendência, aprovação

desconchavar *v.* 1 **desmontar**, desmanchar, desligar, desarticular, desconjuntar, decompor, desmembrar, desincorporar, desencadernar ≠ **agregar**, compor, juntar, unir 2 **disparatar**, despropositar, desatinar, asnear, intemperar, necear ≠ **atinar**, ajuizar 3 *fig.* **malquistar**, indispor, inimizar, entroviscar *fig.* ≠ **conciliar**, aliar

desconchavar-se *v.* 1 **desmanchar-se**, desarticular-se, desconjuntar-se, descompor-se 2 **desavir-se**, divergir, discrepar

desconchavo *n.m.* **desconcerto**, disparate, tolice, despropósito, despautério, absurdo, incoerente ≠ **lógico**, coerente, congruente

desconciliar *v.* **desarmonizar**, desavir, desacordar, desconcertar, desconformar ≠ **harmonizar**, compatibilizar, acordar, conciliar

desconexão *n.f.* 1 **desunião**, desligadura ≠ **conexão**, ligação, união, nexo 2 **incoerência**, incoesão, desarticulação, desorganização ≠ **coerência**, congruência, coesão

desconexo *adj.* 1 **desunido** ≠ **conexo**, ligado, unido 2 **incoerente**, confuso, desarticulado, desorganizado, desordenado ≠ **coerente**, congruente, ordenado

desconfiado *adj.* 1 **apreensivo**, receoso, prevenido, ressabiado, espantadiço, suspeitoso, cauto, cismado [BRAS.] ≠ **confiante**, seguro, firme 2 **tímido**, esquivo, escorraçado, arisco *fig.* ≠ **ousado**, audaz, determinado

desconfiança *n.f.* 1 **suspeita**, dúvida, receio, incerteza, barrunto ≠ **confiança**, certeza 2 **ciúme**, rivalidade, zelos, ferruncho *col.*, avareza *fig.*

desconfiar *v.* 1 **suspeitar**, duvidar, recear, temer, barruntar ≠ **confiar**, crer 2 **conjeturar**, presumir, supor, prever, pressentir, futurar, antever

desconforme *adj.2g.* 1 **diverso**, desigual, desproporcionado ≠ **igual**, conforme 2 **grandioso**, enorme, descomunal ≠ **pequeno**, diminuto

desconformidade *n.f.* 1 **discórdia**, desaprovação, desconsentimento, divergência, desacordo, discordância ≠ **concordância**, consentimento, condescendência, aprovação 2 **desproporção**, desigualdade ≠ **proporção**, igualdade

desconfortar *v.* 1 **desassossegar**, afligir, inquietar, perturbar, agitar ≠ **acalmar**, descontrair, sossegar 2 **desanimar**, desencorajar, desconsolar, deprimir, desalentar, prostrar, desmoralizar, quebrantar, abater ≠ **animar**, entusiasmar, encorajar

desconfortável *adj.2g.* 1 **incómodo**, desaconchegado, desagradável ≠ **agradável**, cómodo, aconchegado 2 **desalentador**, desanimador ≠ **animador**, alentador

desconforto *n.m.* 1 **descomodidade**, incómodo, desconchego ≠ **comodidade**, conforto 2 **desalento**, prostração, esmorecimento, desencorajamento, abatimento, consternação, desânimo, debilitação ≠ **ânimo**, encorajamento, alento, entusiasmo

descongelação *n.f.* 1 **liquefação** ≠ **solidificação**, congelação 2 (de glaciar) **desgelo**, fusão, derretimento ≠ **solidificação**, congelação 3 (de dinheiro) **desbloqueamento** ≠ **congelação**

descongelado *adj.* 1 **liquefeito** ≠ **solidificado**, congelado 2 (de glaciar) **derretido** ≠ **solidificado**, congelado 3 (de dinheiro) **desbloqueado** ≠ **congelado**

descongelar *v.* 1 **liquefazer** ≠ **solidificar**, congelar 2 (de glaciar) **desgelar**, fundir, derreter ≠ **solidificação**, congelação 3 (de dinheiro) **desbloquear**, desembargar ≠ **congelar**, bloquear

descongestionamento *n.m.* **desobstrução**, desimpedimento, desempacho ≠ **congestionamento**, obstrução

descongestionar *v.* 1 **desintumescer**, desentupir, desobstruir ≠ **entupir**, obstruir 2 **aliviar**, desoprimir, alijar, descarregar ≠ **sobrecarregar**, assoberbar 3 **desobstruir**, desimpedir, desempachar ≠ **congestionar**, obstruir

desconhecer *v.* 1 **ignorar**, estranhar ≠ **conhecer**, identificar 2 **esquecer**, olvidar ≠ **lembrar**, recordar 3 **desaprovar**, rejeitar, recusar ≠ **aceitar**, aprovar 4 **desagradecer** ≠ **agradecer**

desconhecer-se *v.* **estranhar-se**

desconhecido *adj.* 1 **ignorado**, ignoto, incógnito, anónimo ≠ **público**, conhecido, famoso, decantado *fig.* 2 **ingrato**, desagradável ■ *n.m.* **estranho**, estrangeiro ≠ **conhecido**

desconhecimento *n.m.* 1 **ignorância**, escuro ≠ **conhecimento** 2 **ingratidão**, desagradecimento, tirania *col.*, patada *fig.*

desconjugar *v.* **desligar**, desunir, separar ≠ **juntar**, unir

desconjunção *n.f.* **desunião**, fenda ≠ **união**, ligação

desconjuntamento *n.m.* **desarticulação**, desconexão, desligamento, desunião ≠ **conexão**, união, articulação

desconjuntar *v.* 1 MED. **luxar**, deslocar, desarticular, desengonçar 2 **desarticular**, desmanchar, desmembrar, decompor, desincorporar, descadeirar, escarcavelar *col.* ≠ **agregar**, compor, juntar, unir

desconjuntar-se *v.* 1 **desmanchar-se**, desarticular-se, desconchavar-se, descompor-se, desunir-se, desarcar-se 2 *fig.* **arruinar-se**, desfazer-se

desconsagrar *v.* **profanar** ≠ **sagrar**, consagrar

desconsertado *adj.* **estragado**, desarranjado, danificado ≠ **reparado**, concertado

desconsertar *v.* 1 **estragar**, desarranjar, danificar, avariar, destrincar ≠ **reparar**, concertar 2 **descoser**, desmanchar ≠ **coser**

desconsideração *n.f.* **desdém**, desprezo, desamor, menosprezo, desestima, desapreço, desrespeito ≠ **apreço**, estima, consideração

desconsiderado *adj.* 1 **desacreditado**, desautorizado, desrespeitado, desabonado, desvalorizado ≠ **acreditado**, abonado, respeitado 2 **desprezado**, desdenhado, desrespeitado, maltratado, menosprezado, rejeitado, renegado ≠ **admirado**, apreciado, louvado, elogiado, celebrado

desconsiderar *v.* 1 **desacreditar**, desautorizar, desrespeitar, desabonar, desvalorizar ≠ **acreditar**, abonar, respeitar 2 **desprezar**, desdenhar, desrespeitar, maltratar, menosprezar, rejeitar, renegar ≠ **admirar**, apreciar, louvar, elogiar, sobredoirar *fig.*

desconsiderar-se *v.* **desprestigiar-se**, desacreditar-se ≠ **prestigiar-se**, acreditar-se, valorizar-se

desconsolação *n.f.* **tristeza**, mágoa, desgosto, pesar, desconsolo ≠ **contentamento**, alegria, satisfação

desconsolado *adj.* 1 **desalentado**, desanimado, abatido, prostrado, infeliz, deprimido *col.* ≠ **animado**, entusiasmado, feliz 2 **desgostoso**, descontente, aborrecido, desaprazível ≠ **agradável**, satisfeito, contente 3 **insípido**, desenxabido, sem-sabor, insosso, desgostoso, chochinho ≠ **saboroso**, gostoso

desconsolar *v.* **entristecer**, magoar, desgostar, pesar, afligir ≠ **contentar**, alegrar, satisfazer

desconsolo *n.m.* 1 **tristeza**, mágoa, desgosto, pesar ≠ **contentamento**, alegria, satisfação 2 **insatisfação**, descontentamento ≠ **satisfação**

descontar *v.* 1 **descompensar**, deduzir, abater, extrair, subtrair ≠ **compensar**, acrescentar, adicionar 2 *fig.* **desprezar**, desvalorizar, minimizar ≠ **contar**, valorizar

descontentamento *n.m.* **insatisfação**, tristeza, aborrecimento, dissabor, desprazer, desgosto, desagrado, pesar ≠ **satisfação**, agrado, contentamento

descontentar *v.* **desgostar**, desagradar, aborrecer, desaprazer, dessaber, destoar *fig.* ≠ **gostar**, agradar, satisfazer, contentar

descontente *adj.2g.* 1 **desanimado**, desalentado, abatido, prostrado, infeliz, desconsolado, deprimido *col.* ≠ **animado**, entusiasmado, feliz 2 **contrariado**, aborrecido, maçado, enfadado, tédio ≠ **divertido**, alegre, deleitado, satisfeito 3 **aborrecido**, insatisfeito, desgostoso, desaprazível ≠ **agradável**, satisfeito, contente

descontinuar *v.* **interromper**, suspender, parar, interpolar, intermitir, cessar ≠ **continuar**, prosseguir

descontinuidade *n.f.* **interrupção**, descontinuação, suspensão, interpolação, intermissão, cessação, paragem ≠ **continuação**, prosseguimento

descontínuo *adj.* **interrompido**, intermitente, interpolado, interrupto, incontínuo ≠ **continuado**, consecutivo, ininterrupto, incessante, perpétuo, perene, áfio, alterno

desconto *n.m.* 1 (de preço ou quantia) **redução**, abatimento, promoção ≠ **aumento**, subida 2 **dedução**, subtração 3 **ágio**, juro

descontração[dAO] *n.f.* 1 **relaxamento**, distensão, afrouxamento ≠ **tensão**, contração, adstringência 2 **desembaraço**, à-vontade, desenvoltura, lata *fig.* ≠ **acanhamento**, tensão, timidez

descontracção[aAO] *n.f.* ⇒ **descontração**[dAO]

descontraído *adj.* 1 **relaxado**, distenso, afrouxado ≠ **tenso**, contraído 2 **informal**, simples, familiar ≠ **formal**, cerimonioso

descontrair *v.* 1 **relaxar**, afrouxar, distender ≠ **contrair** 2 **desinibir**, desembaraçar ≠ **acanhar**, inibir

descontrolado *adj.* **desorientado**, desnorteado, desgovernado, desequilibrado, desarvorado ≠ **controlado**, equilibrado

descontrolar *v.* **desorientar**, desnortear, desgovernar, desequilibrar, desarvorar ≠ **controlar**, equilibrar

descontrolo *n.m.* **desorientação**, desnorteio, desgoverno, desequilíbrio, desarvoramento ≠ **controlo**, equilíbrio, equilibração

desconvir *v.* **advir**, discordar, indispor, zangar, incompatibilizar, inimizar ≠ **concordar**, compatibilizar

descoordenação *n.f.* **desarranjo**, desorganização, desordem, descontrolo ≠ **coordenação**, ordem, organização

descoordenar *v.* **desorganizar**, desarranjar, desarrumar, descontrolar, desordenar ≠ **coordenar**, ordenar, organizar

descorado *adj.* 1 **desbotado**, descolorido, amarelento, pálido *fig.* ≠ **colorido**, pintado, tinto 2 **esquecido**, olvidado ≠ **relembrado**, retido

descorar *v.* 1 **empalidecer**, botar, desbotar, desmaiar ≠ **avivar**, colorir, corar 2 **esquecer**, olvidar ≠ **memorizar**, registar, encerebrar

descoroçoar *v.* 1 **acobardar-se**, amedrontar-se 2 **desanimar**, desencorajar, deprimir, desalentar, prostrar, desmoralizar, quebrantar, abater ≠ **animar**, entusiasmar, encorajar

descortesia *n.f.* **desacato**, desrespeito, grosseria, indelicadeza, incivilidade, irreverência, afronta ≠ **consideração**, acato, reverência

descortinar *v.* 1 **avistar**, enxergar, descobrir, divisar 2 *fig.* **mostrar**, patentear, revelar ≠ **esconder**, ocultar

descortino *n.m.* **perspicácia**, argúcia, sagacidade, acuidade, penetração *fig.* ≠ **incapacidade**, obtusidade

descoser *v.* 1 **desfazer**, desmanchar ≠ **coser**, alfaiatar 2 **desconjuntar**, desmanchar, desmembrar, decompor, desarticular ≠ **agregar**, compor, juntar, unir 3 **desunir**, separar ≠ **ligar**, juntar 4 *col.* **divulgar**, espalhar, vulgarizar

descoser-se *v.* 1 **confessar**, abrir-se 2 **dizer** 3 **desfazer-se**, desmanchar-se

descosido *adj.* 1 **desmanchado**, desfeito ≠ **cosido** 2 *fig.* **desorganizado**, desordenado, desconjuntado ≠ **organizado**, ordenado

descravar *v.* 1 **despregar**, arrancar, desencravar ≠ **pregar**, fincar 2 (pedrarias) **desengastar**, descravejar, desmontar ≠ **cravar**, engastar, cravejar, incrustar, embutir, tauxiar, marchetar 3 (olhos) **desfitar**, desviar, desatentar, despregar *fig.* ≠ **olhar**, mirar

descravejar *v.* 1 **despregar**, descravar, arrancar ≠ **pregar**, fincar 2 (pedrarias) **desengastar**, descravar, desmontar ≠ **cravar**, engastar, cravejar, incrustar, embutir, tauxiar, marchetar

descreditar *v.* **desautorizar**, desclassificar, desconsiderar, desprestigiar, desonrar ≠ **prestigiar**, valorizar, considerar

descrédito *n.m.* **desmerecimento**, desconsideração, desconceito, desmérito, desonra, desautorização, desvalor, destronação *fig.*, destronização *fig.* ≠ **consideração**, mérito

descrença *n.f.* **1 irreligiosidade**, irreligião, impiedade, incredulidade ≠ **religiosidade**, religião *fig.*, crença **2 ceticismo**, incredulidade, dúvida, pirronismo, desconfiança, suspeita ≠ **crença**, confiança, certeza

descrer *v.* **apostatar**, renegar, arrenegar, negar ≠ **crer**, acreditar

descrever *v.* **1 narrar**, contar, relatar **2** (linhas, curvas, etc.) **traçar**, percorrer

descrição *n.f.* **1 narração**, explicação, exposição **2 enumeração**, relação

descriminar *v.* **1 absolver**, inocentar ≠ **culpar 2 justificar**, desculpar, perdoar ≠ **castigar**, punir **3 legalizar**

descritível *adj.2g.* **narrável**, explicável ≠ **indiscritível**

descritivo *adj.* **explicativo**, expositivo, narrativo

descrito *adj.* **1 escrito**, redigido **2 narrado**, contado, exposto **3 enumerado**, relatado

descruzar *v.* **destraçar**, desencruzar ≠ **cruzar**, travessar

descuidado *adj.* **1 desatento**, distraído, alheado, aéreo, abstrato, absorto ≠ **atento**, concentrado **2 desleixado**, desalinhado, desmazelado, desaprimorado, desarranjado, desapurado, descurado, descurioso ≠ **cuidado**, aprimorado, arranjado **3 irrefletido**, imprudente, precipitado ≠ **refletido**, ponderado **4 desprevenido**, desprecavido, negligente, desguarnecido ≠ **prevenido**, previdente, cauteloso

descuidar *v.* **1 descurar**, desleixar, desalinhar, desmazelar, desaprimorar, desarranjar ≠ **cuidar**, aprimorar, arranjar **2 desprevenir**, desprecaver, negligenciar, desguarnecer ≠ **prevenir**, acautelar

descuidar-se *v.* **1 desleixar-se**, desprevenir-se, desacautelar-se, descurar-se **2 distrair-se**, desatentar, relaxar-se **3 esquecer-se**, olvidar-se

descuido *n.m.* **1 desleixo**, desalinho, desmazelo, negligência, incúria ≠ **cuidado**, zelo, esmero **2 esquecimento**, olvido ≠ **memória**, lembrança, recordação **3 erro**, lapso, falha, omissão ≠ **correção**, exatidão

desculpa *n.f.* **1 absolvição**, perdão, remição, indulgência, indulto, exculpação ≠ **castigo**, punição, corretivo, condenação **2 pretexto**, escusa, justificação

desculpar *v.* **1 absolver**, perdoar, remitir, indulgenciar, indultar ≠ **castigar**, punir, corrigir, condenar **2 pretextar**, escusar, justificar

desculpar-se *v.* **justificar-se**, escusar-se, pretextar

desculpável *adj.2g.* **perdoável**, justificável ≠ **imperdoável**, indesculpável, condenável

descurar *v.* **descuidar**, negligenciar, desleixar, desalinhar, desmazelar, desaprimorar, desarranjar, deszelar ≠ **cuidar**, aprimorar, arranjar

desdém *n.m.* **1 desapreço**, desprezo, desamor, menosprezo, desestima, desconsideração ≠ **apreço**, estima, consideração **2 arrogância**, altivez, soberba, orgulho, sobranceria *fig.* ≠ **humildade**, modéstia, simplicidade

desdenhar *v.* **1 desprezar**, desconsiderar, desrespeitar, maltratar, menosprezar, rejeitar, renegar ≠ **admirar**, apreciar, louvar, elogiar **2 troçar**, zombar, caçoar, mofar, motejar, derriçar, mangar *col.* ≠ **respeitar**, considerar, estimar, prezar

desdenhar-se *v.* **dedignar-se**, desprezar-se, rebaixar-se

desdenhoso *adj.* **altivo**, orgulhoso, soberbo, arrogante, sobranceiro *fig.* ≠ **humilde**, modesto, simples

desdentado *adj.* **anodonte**

desdita *n.f.* **1 infortúnio**, desventura, azar, mofina, galinha *col.* ≠ **sorte**, acerto, felicidade, ventura, estrelinha *fig.* **2 desventura**, infortúnio, infelicidade, contrariedade, adversidade, obstáculo, dificuldade, impedimento, entrave, canudo *col.* ≠ **desimpedimento**, desatravancamento, desobstrução, desempeço, desempacho

desditoso *adj.* **desventurado**, infeliz, infortunado, malfadado, desafortunado, desgraçado, azarado ≠ **feliz**, ditoso, sortudo, venturoso

desdizer *v.* **1 contradizer**, contestar, disputar, atacar, adversar, contrariar, debater, discutir, impugnar ≠ **aceitar**, concordar, condescender, ceder **2 desmentir**, negar, refutar ≠ **comprovar**, provar, atestar, testemunhar

desdizer-se *v.* **contradizer-se**, desmentir-se, retratar-se, desconfessar

desdobrar *v.* **1 estender**, abrir, esticar ≠ **dobrar**, encolher **2 desenrolar**, desembrulhar ≠ **enrolar**, embrulhar **3 separar**, dividir, fragmentar ≠ **juntar**, reunir **4 explicar**, analisar, patentear, revelar

desdobrar-se *v.* **1 desenvolver-se**, desenrolar-se **2 manifestar-se 3 prolongar-se**, estender-se, alargar-se, continuar, devolver-se **4 desfazer-se**, desmanchar-se **5 dividir-se**, repartir-se, seccionar-se **6 suceder-se**

desdobrável *adj.2g.* **decomponível**, extensível

desdramatizar *v.* **acalmar**, suavizar, aligeirar, atenuar, aliviar ≠ **dramatizar**, teatralizar *fig.,pej.*

deseducar *v.* **embrutecer**, estupidificar, asselvajar ≠ **educar**, ensinar

desejado *adj.* 1 **pretendido**, cobiçado, ambicionado, apetecido, invejado, namorado ≠ **desinteressado**, desapegado 2 **ansiado**, bem-recebido ≠ **indesejado**, mal-recebido

desejar *v.* 1 **apetecer**, querer, pretender ≠ **desistir**, enjeitar, recusar 2 **cobiçar**, apetecer, ambicionar, invejar, namorar, anelar *fig.* ≠ **desinteressar-se**, desapegar-se 3 **pretender**, aspirar, sonhar, suspirar ≠ **renunciar**, abdicar, desistir, resignar

desejável *adj.2g.* 1 **apetitivo**, tentador, sedutor, atraente ≠ **indesejável** 2 **cobiçável**, ambicionável, invejável, namorável, almejável

desejo *n.m.* 1 **apetite**, apetência, vontade, anseio ≠ **inapetência** 2 **aspiração** *fig.*, ambição, intenção, anseio, vontade, disposição

desejoso *adj.* **ávido**, cobiçoso, ambicioso, almejante, suspiroso, famulento, sôfrego *fig.* ≠ **desinteressado**, indiferente

deselegância *n.f.* 1 **desleixo**, desaire, descuido, desmazelo, negligência, incúria ≠ **elegância**, cuidado, zelo, esmero 2 **descortesia**, indelicadeza, desconsideração, grosseria, incivilidade ≠ **cortesia**, civilidade, delicadeza, deferência 3 **inconveniência**, despropósito, inadequação, impróprio ≠ **conveniência**, próprio 4 **incorreção**, deslize, gaffe, impropriedade ≠ **correção**, retificação

deselegante *adj.2g.* **desajeitado**, desairoso, desgracioso ≠ **gracioso**, airoso

desemalar *v.* **desembalar**, desempacotar, desembrulhar ≠ **embalar**, empacotar, embrulhar

desemaranhar *v.* 1 **destrinçar**, desenredar, desenlear, desfazer ≠ **enredar**, enlear 2 *fig.* **esclarecer**, clarificar, decifrar ≠ **obscurecer**, enredar *fig.*

desembaciar *v.* 1 **desembaçar**, limpar ≠ **embaciar** 2 **desempanar** ≠ **embaciar**

desembalar *v.* **desempacotar**, desemalar, desembrulhar, desencaixotar, desenfardar ≠ **embalar**, empacotar, embrulhar

desembaraçado *adj.* 1 **desimpedido**, desatravancado, desafogado ≠ **entulhado**, atravancado, obstruído 2 **expedito**, diligente, ativo, prático, danado *col.* ≠ **embaraçado**, atabalhoado, desorganizado

desembaraçar *v.* 1 **desimpedir**, desatravancar, desafogar ≠ **entulhar**, atravancar, obstruir, abster 2 **desenredar**, denodar, desenvencilhar, desprender, extricar 3 **livrar**, descartar, desenvencilhar, libertar

desembaraçar-se *v.* **soltar-se**, livrar-se, aforrar-se

desembaraço *n.m.* 1 **desenvoltura**, agilidade, soltura, ligeireza, presteza, leveza, facilidade ≠ **dificuldade**, morosidade, engasgamento *fig.* 2 **coragem**, intrepidez, ousadia, denodo, audácia, arrojo, afoiteza, destemor, valentia, determinação, heroísmo, resolução, alma *fig.*, estômago *fig.*, fígado *fig.* ≠ **temor**, covardia, medo, pânico, fraqueza, timidez

desembaralhar *v.* 1 **ordenar**, classificar, organizar, arrumar ≠ **desordenar**, desorganizar 2 **desenredar**, desembaraçar, denodar, desenvencilhar, desprender

desembarcadouro *n.m.* **embarque**, cais, porto, embarcadouro

desembarcar *v.* **apear**, descer

desembargador *n.m.* (Tribunal da Relação) **juiz**

desembargar *v.* 1 **despachar**, expedir 2 *fig.* **desembaraçar**, desimpedir, desempachar, despachar ≠ **entulhar**, atravancar, obstruir

desembargo *n.m.* **despacho**, sentença

desembestar *v.* 1 (com besta) **arremessar**, atirar, disparar, despedir 2 **agalopar** 3 **escabrear**, exaltar-se, irritar-se, insurgir-se, rebelar-se ≠ **acalmar-se**

desembestar-se *v.* **enfurecer-se**, irritar-se, encolerizar-se, irar-se, zangar-se ≠ **acalmar-se**, tranquilizar-se

desembocadura *n.f.* **foz**, confluência

desembocar *v.* 1 **desaguar**, confluir, afluir ≠ **nascer**, começar 2 **terminar**, dar ≠ **começar**

desembolsar *v.* **despender**, gastar, pagar ≠ **poupar**, economizar

desembolso *n.m.* **despesa**, gasto, dispêndio, consumo ≠ **poupança**

desembotar *v.* 1 **afiar**, aguçar, amolar ≠ **embotar**, rebotar 2 **espertar**, desentorpecer, desembaraçar, desentolher, desemperrar, desenferrujar *fig.* ≠ **entorpecer**, tolher

desembraiar *v.* **desengatar** ≠ **engatar**

desembravecer *v.* **amansar**, aplacar, serenar, acalmar, apaziguar, abonançar, desenraivar ≠ **agitar**, perturbar

desembrenhar *v. fig.* **desembaraçar**, desprender, denodar, desenredar ≠ **embaraçar**

desembriagar *v.* **desembebedar**, desemborrachar ≠ **embebedar**, embriagar, emborrachar, alcoolizar

desembrulhar *v.* 1 **desempacotar**, desemalar, desembalar, desencaixotar, desenfardar, desempapelar, desentrouxar ≠ **embalar**, empacotar, embrulhar, entroixar 2 **desdobrar**, desenrolar ≠ **enrolar**, embrulhar 3 *fig.* **esclarecer**, aclarar, elucidar, explicar, deslindar ≠ **baralhar**, confundir

desembrulhar-se *v.* **desanuviar-se**, desenublar, entreabrir-se, esclarecer, limpar, clarificar-se, destoldar-se *fig.* ≠ **anuviar-se**, nublar-se, obumbrar-se

desembrutecer *v.* **educar**, ensinar, instruir, civilizar, polir *fig.* ≠ **embrutecer**, deseducar, estupidificar, asselvajar, abarbarizar

desembruxar *v.* **desenfeitiçar**, desencantar ≠ **embruxar**, enfeitiçar

desembuçar *v.* **1 destapar**, descobrir, desencobrir ≠ **tapar**, cobrir, embuçar **2 mostrar**, revelar, patentear, exibir, manifestar ≠ **esconder**, omitir, ocultar

desembuchar *v.* **1 desimpedir**, desembaraçar, desafogar ≠ **entulhar**, atravancar, obstruir **2** *col.* **confessar**, exteriorizar, confidenciar, desafogar, desabafar *fig.* ≠ **conter**, esconder

desemburrar *v.* **1 instruir**, desasnar ≠ **embrutecer**, bestificar **2 polir** *fig.*, educar, ensinar, instruir, civilizar ≠ **embrutecer**, deseducar, estupidificar, asselvajar **3 desbastar**, polir, aperfeiçoar, afinar, apurar, limar *fig.* ≠ **piorar**, agravar, estragar

desemoldurar *v.* **desencaixilhar**, desenquadrar ≠ **emoldurar**, encaixilhar

desempacotar *v.* **desembrulhar**, desemalar, desembalar, desencaixotar, desenfardar ≠ **embalar**, empacotar, embrulhar

desempanado *adj.* **1** (veículo) **reparado** ≠ **avariado**, pane **2 desembaciado** ≠ **embaciado 3 franco**, sincero, verdadeiro, lhano ≠ **falso**, simulado

desempanar *v.* **1** *fig.* **desembaciar** ≠ **embaciar 2 reparar**, regularizar, resolver ≠ **avariar**

desemparceirar *v.* **desemparelhar**, descasalar, desirmanar, separar, apartar ≠ **juntar**, unir

desemparelhar *v.* **desemparceirar**, desirmanar, desacasalar, separar, desunir, apartar ≠ **juntar**, unir

desempatar *v.* **1 desigualar** ≠ **empatar**, igualar **2 decidir**, resolver, desembaraçar, desimpedir, solucionar

desempate *n.m.* **decisão**, resolução, solução

desempecer *v.* **desembaraçar**, desempecilhar, desemaranhar, desatravancar, desenredar, desimpedir, desobstruir, livrar ≠ **empecer**, estorvar, obstruir

desempecilhar *v.* **desembaraçar**, desempecer, desemaranhar, desatravancar, desenredar, desimpedir, desobstruir, livrar ≠ **empecer**, estorvar, obstruir

desempeço *n.m.* **1 desembaraço**, desatravancamento, desimpedimento, desafogo, desobstrução, desestorvo ≠ **entulho**, atravancamento, obstrução **2 alívio**, desopressão, desafogo, desaperto ≠ **aperto**, dificuldade

desempedernir *v.* **1 amolecer**, desempedrar, embrandecer, suavizar, ameigar ≠ **endurecer**, empedernir **2** *fig.* **abrandar**, afrouxar, diminuir, remitir ≠ **aumentar**, agravar **3** *fig.* **enternecer**, sensibilizar, comover, compadecer ≠ **endurecer**

desempedrar *v.* **1 descalcetar**, descalçar, despavimentar ≠ **calcetar**, calçar **2 desempedernir**, amolecer, embrandecer, suavizar, ameigar ≠ **endurecer**, empedernir

desempenar *v.* **endireitar**, aprumar, desencurvar ≠ **encurvar**

desempenhar *v.* **1 resgatar**, recuperar, reaver ≠ **empenhar**, penhorar, hipotecar **2 cumprir**, executar, exercer, realizar **3** CIN., TEAT., TV **representar**, interpretar

desempenhar-se *v.* **desendividar-se** ≠ **endividar-se**, encalacar-se

desempenho *n.m.* **1 resgate**, recuperação ≠ **empenho**, penhora, hipoteca **2 cumprimento**, execução, exercício, realização **3 atuação**, comportamento **4** CIN., TEAT., TV **representação**, interpretação

desempeno *n.m.* **1** *fig.* **aprumo**, elegância, esbelteza, garbo **2** *fig.* **agilidade**, ligeireza, desenvoltura, soltura, presteza, leveza, facilidade ≠ **lentidão**, morosidade, dificuldade

desemperrar *v.* **desenferrujar**, desembaraçar, desempenar ≠ **enferrujar**, empenar

desempestar *v.* **desinfetar**, esterilizar, descontaminar, sanificar ≠ **infetar**, empestar, contaminar

desempilhar *v.* **1 desamontoar**, desaglomerar, desacumular, desagregar, desajuntar, dispersar, espalhar ≠ **agregar**, acumular, amontoar, empilhar, encastelar, entesourar, glomerar, acavalar **2 desarranjar**, desalinhar, desarrumar, desordenar, desmanchar ≠ **ajeitar**, alinhar, arrumar

desempoado *adj.* **1 limpo**, desempoeirado ≠ **empoeirado 2** *fig.* **despretensioso**, modesto, simples, franco, desafetado ≠ **pretensioso**, afetado

desempoar *v.* **1 desempoeirar** ≠ **empoeirar 2** *fig.* **desemproar**, humilhar ≠ **ensoberbecer**

desempoeirado *adj.* **1 limpo**, desempoado ≠ **empoeirado 2** *fig.* **despretensioso**, modesto, simples, franco, desafetado ≠ **pretensioso**, afetado **3** *fig.* **desinibido**, desenvolto, despachado, desenrascado ≠ **acanhado**, timido

desempoeirar *v.* **1 desempoar** ≠ **empoeirar 2** *fig.* **desemproar**, humilhar ≠ **ensoberbecer**

desempregado *adj.* **desocupado**, descolocado ≠ **empregado**, ocupado, colocado

desempregar *v.* **exonerar**, destituir, despedir, demitir, depor ≠ **contratar**, admitir

desemprego *n.m.* **desocupação** ≠ **emprego**, ocupação, trabalho, profissão, ofício, cargo

desemproar *v.* **humilhar**, desempoeirar *fig.*, desempoar *fig.* ≠ **ensoberbecer**

desencabeçar *v.* **dissuadir**, despersuadir, afastar, demover, desconvencer ≠ **convencer**, persuadir, induzir

desencabrestar *v. fig.* desenfrear-se ≠ encabrestar

desencabrestar-se *v. fig.* desenfrear-se, desordenar-se

desencadeamento *n.m.* **começo**, aparecimento, início, princípio ≠ **desfecho**, fim, término

desencadear *v.* **1** **desprender**, soltar, desligar, desacorrentar ≠ **encadear**, acorrentar, atar **2** **atiçar**, excitar, provocar, estimular ≠ **desmotivar**, desinteressar

desencadear-se *v.* **sobrevir**, ocorrer, suceder

desencadernar-se *v. fig.* **desataviar-se**, desarrear-se

desencaixar *v.* **1** **desembrulhar**, desemalar, desembalar, desempacotar, desenfardar ≠ **embalar**, empacotar, embrulhar **2** **deslocar**, desviar, transferir **3** **desconjuntar**, desmanchar, desarticular, desmembrar, decompor, desincorporar, desmalhetar ≠ **agregar**, compor, juntar, unir **4** **disparatar**, despropositar, desatinar, asnear, destemperar, necear ≠ **atinar**, ajuizar

desencaixar-se *v.* **desengonçar-se**, desconjuntar--se, desarticular-se, desconchavar-se

desencaixe *n.m.* **desconjunção**, desmancha, desarticulação, desmembramento, decomposição, desincorporação ≠ **agregação**, composição, junção, união, encaixo

desencaixilhar *v.* **desemoldurar**, desenquadrar ≠ **emoldurar**, encaixilhar

desencaixotar *v.* **desembrulhar**, desemalar, desembalar, desempacotar, desenfardar ≠ **embalar**, empacotar, embrulhar

desencalacrar *v.* **desentalar**, desencravelhar, desentralhar ≠ **entalar**, encalacrar

desencalhar *v.* **1** **desimpedir**, desatravancar, desembaraçar, desobstruir ≠ **entulhar**, atravancar, obstruir **2** *fig.* **resolver**, despachar, decidir ≠ **encalhar**, empatar *fig.*

desencaminhado *adj.* **1** **desviado**, transviado, desencarreirado, desencarrilado ≠ **encaminhado**, orientado **2** *fig.* **pervertido**, depravado, corrupto, desmoralizado ≠ **decente**, decoroso, moral

desencaminhar *v.* **1** **desviar**, desencarreirar, descarrilar, transviar ≠ **encaminhar**, encarreirar, orientar **2** **extraviar**, perder, transviar ≠ **encaminhar** **3** *fig.* **perverter**, extraviar, depravar, degenerar, corromper ≠ **regenerar**, reformar

desencantado *adj.* **1** **desapontado**, desenganado, desiludido, frustrado, dececionado, desabusado ≠ **satisfeito**, encantado, maravilhado, inebriado **2** **encontrado**, achado, descoberto ≠ **escondido**, oculto

desencantamento *n.m.* **1** **desenfeitiçamento**, desencantação ≠ **enfeitiçamento** **2** **desapontamento**, desengano, desilusão, frustração, deceção, desabuso ≠ **satisfação**, encanto, deslumbramento, inebriação

desencantar *v.* **1** **desenfeitiçar**, desembruxar ≠ **enfeitiçar**, embruxar, encantar **2** **encontrar**, achar, descobrir ≠ **esconder**, ocultar, acantoar **3** **desiludir**, desapontar, dececionar, frustrar ≠ **satisfazer**, regozijar

desencanto *n.m.* **desapontamento**, desengano, desilusão, frustração, deceção, desabuso ≠ **satisfação**, encanto, deslumbramento, inebriação

desencapotar *v.* **1** **destapar**, descobrir, desencobrir ≠ **tapar**, cobrir, encapotar **2** *fig.* **desvendar**, revelar ≠ **esconder**, encobrir **3** *fig.* **mostrar**, revelar, patentear, exibir, manifestar, desembuçar ≠ **esconder**, omitir, ocultar

desencapotar-se *v. fig.* **revelar-se**, mostrar-se, abrir-se

desencaracolar *v.* **1** (cabelo) **desanelar**, esticar, alisar ≠ **anelar**, encaracolar **2** **desenrolar**, desdobrar ≠ **enrolar**, embrulhar **3** **desenriçar**, desemaranhar, desenredar, desembaraçar ≠ **enriçar**, enredar

desencarceramento *n.m.* **libertação**, desaferrolhamento *fig.* ≠ **encarceramento**, prisão, agrilhoamento

desencarcerar *v.* **1** **libertar**, excarcerar, soltar ≠ **encarcerar**, aprisionar, agrilhoar **2** (viatura sinistrada) **libertar**, soltar, desprender

desencardir *v.* **1** **limpar**, lavar, purificar, descasquear, desencascar, desensurrar, descasquejar ≠ **sujar**, encardir, embostear **2** **branquear**, embranquecer, branquejar, alvejar, alvorecer, dealbar, encanecer, alvorejar, argentar ≠ **enegrecer**, escurecer, denegrir, encardir

desencarquilhar *v.* **desenrugar**, desengelhar, desenrodilhar, desfranzir, alisar ≠ **enrugar**, engelhar, franzir

desencarreirar *v.* **desviar**, desencaminhar, desencarrilar, transviar ≠ **encaminhar**, encarreirar, orientar

desencartar *v.* (carta, diploma, licença) **destituir**

desencasquetar *v.* **dissuadir**, despersuadir, afastar, demover, desconvencer ≠ **convencer**, persuadir, induzir

desencharcar *v.* **1** **desatascar**, desatolar, atolar **2** **enxugar**, secar, desensopar, dessecar, escorrer ≠ **encharcar**, ensopar **3** *fig.* **regenerar**, recuperar, reabilitar, desatolar ≠ **afundar**

desencher *v.* **despejar**, esvaziar, vazar ≠ **encher**, ocupar

desencobrir *v.* **descobrir**, destapar, desembuçar, descerrar ≠ **cobrir**, encobrir, tapar, ocultar

desencontrar *v.* **discordar**, discrepar, divergir, dissentir ≠ **concordar**, aceitar, acordar

desencontrar-se *v.* **divergir**, discrepar, discordar-se ≠ **concordar**

desencontro *n.m.* 1 **descoincidência**, discrepância, disparidade ≠ **coincidência**, equivalência 2 **discrepância**, divergência, desacerto, desconformidade, discordância, afastamento ≠ **conformidade**, consonância, concertação, harmonização

desencorajamento *n.m.* **desalento**, desincentivo, descoroçoamento, prostração, esmorecimento, abatimento, consternação, desconforto, debilitação ≠ **encorajamento**, incitamento, incitação, acoroçoamento, impulsão, instigação, rebate, alor, impulso *fig.*, atiçamento *fig.*

desencorajar *v.* **desanimar**, deprimir, desalentar, prostrar, desmoralizar, quebrantar, abater ≠ **animar**, encorajar, entusiasmar, afervorar, concitar, impulsionar, fomentar, açular *fig.*, aferventar *fig.*, assovelar *fig.*, encender *fig.*, espevitar *fig.*, alcaparrar *fig.*

desencostar *v.* **desarrimar** ≠ **encostar**, abordar

desencostar-se *v.* 1 **desarrimar-se** 2 **endireitar-se** ≠ **encostar-se**, suster-se, sustentar-se

desencravar *v.* 1 **despregar**, arrancar, descravar ≠ **pregar**, fincar 2 *fig.* **desencalacrar**, desenrascar, desentalar, desencrencar ≠ **encravar**, encrencar, enrascar, entalar

desencrespar *v.* **desencarapinhar**, desencarapelar, desenriçar, alisar, esticar ≠ **encarapinhar**, acarapinhar, encarapelar, enriçar

desencrespar-se *v.* 1 **acalmar-se**, serenar, tranquilizar-se, desanuviar, aplacar ≠ **agitar-se**, encrespar-se, eriçar-se *fig.* 2 (mar) **desencapelar-se**

desencurralar *v.* **desalojar**, expulsar, desencantoar, soltar ≠ **encurralar**, encerrar, prender

desendividar *v.* **desonerar**, desobrigar, quitar ≠ **onerar**, obrigar, impor

desenervar *v.* 1 **acalmar**, tranquilizar, aliviar, sossegar, aquietar, desapoquentar ≠ **apoquentar**, transtornar, perturbar 2 **revigorar**, tonificar, fortalecer, robustecer ≠ **enfraquecer**, debilitar

desenevoar *v.* 1 (céu) **desanuviar**, aclarar, limpar, desobscurecer, desassombrar, clarear, desenfarruscar ≠ **encobrir**, obscurecer, enuviar, toldar *fig.* 2 **serenar**, tranquilizar, desassombrar ≠ **apoquentar**, preocupar, perturbar

desenfadamento *n.m.* 1 **divertimento**, distração, entretimento, diversão, passatempo, distraimento ≠ **aborrecimento**, tédio, enfado 2 **serenidade**, tranquilidade, sossego, calma ≠ **agitação**, irritação, aborrecimento, enfado

desenfadar *v.* **divertir**, distrair, entreter, alegrar, recrear, desenfastiar ≠ **aborrecer**, entediar, enfadar

desenfadar-se *v.* 1 **divertir-se**, recrear-se ≠ **aborrecer-se**, enfastiar-se, enfadar-se, enojar-se, atediar 2 **descansar**, repousar

desenfado *n.m.* 1 **divertimento**, distração, entretimento, diversão, passatempo ≠ **aborrecimento**, tédio, enfado 2 **serenidade**, tranquilidade, sossego, calma ≠ **agitação**, irritação, aborrecimento, enfado

desenfaixar *v.* **desprender**, desapertar, descintar, soltar ≠ **enfaixar**, envolver, cingir

desenfaixar-se *v.* **desapertar-se**, soltar-se, desunir-se

desenfardar *v.* 1 **desempacotar**, desemalar, desembrulhar, desencaixotar, desenbalar ≠ **embalar**, empacotar, embrulhar 2 *fig.* **mostrar**, patentear, revelar, descortinar ≠ **esconder**, ocultar

desenfarruscar *v.* 1 **limpar**, desenegrecer, clarear ≠ **enfarruscar**, mascarrar, enfelujar 2 (céu) **desanuviar**, desenevoar, aclarar, limpar, desobscurecer, desassombrar, clarear ≠ **encobrir**, obscurecer, toldar *fig.*, anuviar

desenfastiar *v.* 1 **desenjoar** ≠ **enfastiar**, enjoar 2 *fig.* **divertir**, distrair, entreter, alegrar, recrear, desenfadar ≠ **aborrecer**, entediar, enfadar

desenfeitar *v.* **desadornar**, desataviar, desornar, desafeitar, desalinhar *fig.* ≠ **enfeitar**, adornar, afestoar, agrinaldar

desenfeitar-se *v.* **desadornar-se**, desornar-se, desafeitar-se ≠ **enfeitar-se**, adornar-se

desenfeitiçar *v.* **desembruxar**, desencantar ≠ **embruxar**, enfeitiçar

desenferrujado *adj.* 1 (metal) **desoxidado** ≠ **oxidado**, enferrujado 2 *fig.* **desemperrado**, desentorpecido, desentolhido, desembotado, desembaraçado ≠ **entorpecido**, tolhido, emperrado

desenferrujar *v.* 1 **desoxidar** ≠ **oxidar**, enferrujar 2 *fig.* **desemperrar**, desentorpecer, desentolher, desembotar, desembaraçar ≠ **entorpecer**, tolher, emperrar 3 *fig.* **instruir**, exercitar, ilustrar, polir, ensinar, estupidificar ≠ **embrutecer**

desenferrujar-se *v. fig.* **desembaraçar-se**, livrar-se, soltar-se

desenfiar *v.* 1 **desfiar**, desengranzar, soltar, abagoar [REG.] ≠ **enfiar**, engranzar 2 **desenfileirar**, desalinhar ≠ **enfileirar**, alinhar 3 **tirar**, despir, retirar, descalçar ≠ **calçar**, colocar, pôr

desenfiar-se *v.* **soltar-se**, desprender-se

desenfileirar *v.* **desenfiar**, desalinhar ≠ **enfileirar**, alinhar

desenfreado *adj.* 1 **desbocado**, destravado, desaforido, desembestado ≠ **freado**, travado 2 *fig.* **arrebatado**, desaforado, imoderado, desregrado, descontrolado, desvairado, desapoderado, desencabrestado ≠ **controlado**, refreado, moderado 3 *fig.* **descomedido**, demasiado, excessivo, excedente, supérfluo, imoderado ≠ **controlado**, comedido

desenfrear *v.* 1 **destravar** ≠ **frear**, travar 2 *fig.* **arrebatar**, atrever, desaforar, desregrar, descontrolar, desvairar ≠ **controlar**, refrear, moderar

desenfrear-se *v. fig.* **descomedir-se**, exceder-se, desregrar-se, desordenar-se, desmandar-se ≠ **conter-se**, refrear-se, reprimir-se, moderar-se

desenfunar-se *v.* **desensoberbecer-se** ≠ **enfunar-se**, ensoberbecer-se, envaidecer-se

desenganado *adj.* **1** **desiludido**, desencantado, desapontado, frustrado, dececionado, desabusado ≠ **satisfeito**, encantado, maravilhado, inebriado **2** **sincero**, verdadeiro, honesto, fiel, direito, leal ≠ **desleal**, infiel, desonesto, falso

desenganar *v.* **1** **desengodar** *fig.*, desembarrilar *fig.* ≠ **enganar**, fraudar, adregar, aldrabar, baldar, ludibriar, ilusionar, intrujar, lograr, fintar, falsear, mentir, vigarizar, trapacear, deludir, baldrocar, emburrar, empalmar, endrominar, espigar, falcatruar, imposturar, mistificar, sofisticar, trampear, embarretar *col.*, empanzinar *col.*, encabar *col.*, engazupar *col.*, flautear *col.*, indrominar *col.*, ciganar *pej.*, empandeirar *fig.*, marimbar *fig.*, enlousar *fig.*, enliçar *fig.*, capear *fig.*, engrazular [REG.], engrupir [BRAS.] *gír.*, tapear [BRAS.] *col.* **2** **desiludir**, dececionar, desencantar, frustrar, desapontar ≠ **satisfazer**, regozijar **3** **esclarecer**, clarificar, elucidar ≠ **baralhar**, confundir **4** (doente) **condenar**

desenganar-se *v.* **desiludir-se**, desencantar-se, desabusar-se, desapontar-se, desbabar-se

desenganchar *v.* **desprender**, soltar, libertar, desengatar ≠ **enganchar**, engatar, prender, ligar

desengano *n.m.* **1** **desapontamento**, desencantamento, desilusão, frustração, deceção, desabuso ≠ **satisfação**, encanto, deslumbramento, inebriação **2** **franqueza**, sinceridade, lealdade, escarmenta ≠ **desonestidade**, falsidade, engano, baldroca, carambolice, dolo, embaçadela, engrolo, logração, trapaça, cangarilhada, alicantina, empulhação, escavadela, puia, entretenimento, empandeiramento, encavacação, escabadela *col.*, baratim *col.*, peça *fig.*, armadilha *fig.*, alçapão *fig.*, esfoladela *fig.*, alquime *fig.*, ciganagem *pej.*

desengarrafar *v.* **1** **desenfrascar** ≠ **engarrafar**, enfrascar **2** *fig.* **desimpedir**, desobstruir, desbloquear, desatravancar, desembaraçar ≠ **obstruir**, atravancar, impedir

desengasgar *v.* **desentalar**, desembuchar ≠ **entalar**, embatucar, embuchar *fig.*

desengatar *v.* **1** **desenganchar**, desprender, separar, desligar, desunir, desacoplar ≠ **enganchar**, engatar, prender **2** **desatrelar**, desprender, soltar ≠ **engatar**, atrelar

desengate *n.m.* **separação**, desligamento, desunião ≠ **engate**, atamento, união

desengatilhar *v.* **desaperrar**, desarmar, armar ≠ **engatilhar**

desengomar *v.* (seda) **decruar**, lavar

desengonçado *adj.* **1** **desarticulado**, desmanchado, desmembrado, decomposto, desincorporado, desconjuntado ≠ **agregar**, compor, juntar, unir **2** **desajeitado**, desastrado, aselha, estouvado, inábil, lorpa, bronco ≠ **cuidadoso**, hábil, destro

desengonçar *v.* **1** **desarticular**, desconjuntar, desmanchar, desmembrar, decompor, desincorporar, desquiciar ≠ **agregar**, compor, juntar, unir **2** MED. **luxar**, deslocar, desconjuntar, desarticular

desengonçar-se *v.* **desconjuntar-se**, desarticular-se, desmanchar-se, desquiciar-se

desengonço *n.m.* **1** **desconjuntamento**, desconexão, desligação, desunião, desarticulação ≠ **conexão**, união, articulação **2** MED. **luxação**, deslocamento, desconjuntamento, desarticulação

desengordurar *v.* **desensebar** ≠ **ensebar**, engordurar

desengraçar *v.* **antipatizar**, birrar, detestar, embirrar, ojerizar ≠ **simpatizar**, engraçar, gostar

desengrandecer *v.* **amesquinhar**, rebaixar, depreciar, menoscabar, deprimir, aviltar, apoucar, diminuir ≠ **engrandecer**, exaltar, sublimar, soberanizar *fig.*

desengravatado *adj.* (estilo) **informal**, simples, familiar ≠ **formal**, cerimonioso

desengrossar *v.* **1** **desbastar**, adelgaçar, limar, aparar ≠ **alargar**, engrossar **2** **desinchar**, desavolumar, desintumescer ≠ **inchar**, intumescer, entufar

desenhador *n.m.* **1** **desenhista**, debuxador **2** (moda) **estilista**, criador, costureiro **3** (cartoons) **cartoonista**, autor

desenhar *v.* **1** **traçar**, delinear, esboçar, alinhavar **2** *fig.* **descrever**, representar, caracterizar, retratar, figurar **3** *fig.* **conceber**, idear, projetar, imaginar, planear

desenhar-se *v.* **1** **destacar-se**, relevar-se, evidenciar-se **2** **aparecer**, mostrar-se **3** **transparecer**, revelar-se, manifestar-se **4** **esboçar-se**

desenhista *n.2g.* **desenhador**, debuxante

desenho *n.m.* **1** **traçado**, plano, esboço, delineação, debuxo, bosquejo **2** **intento**, intenção, vontade, decreto *fig.*

desenjoar *v.* **1** **desenfastiar**, desenojar, desengulhar ≠ **enfastiar**, enjoar, agoniar **2** *fig.* **divertir**, distrair, entreter, alegrar, recrear, desenfadar, desenfastiar ≠ **aborrecer**, entediar, enfadar

desenlaçar *v.* **1** **desatacar**, desfazer, deslaçar, desatar ≠ **atar**, laçar **2** **desenredar**, desemaranhar, destrinçar, desenlear, desfazer ≠ **enredar**, enlear **3** *fig.* **resolver**, decidir, solucionar, desenredar, destrinçar ≠ **complicar**, embaraçar

desenlaçar-se *v.* **desligar-se**, desprender-se, soltar-se ≠ **enlaçar-se**, prender-se

desenlace *n.m.* **1** *fig.* **desfecho**, epílogo, resultado, solução, resolução, desenredo, desate, desentrecho **2** *fig.* **solução**, explicação, chave **3** *fig.* **morte**, luto, nojo, crepe, cipreste

desenlear *v.* **1** **desenredar**, desemaranhar, destrinçar, desenlaçar, desfazer ≠ **enredar**, enlear **2** *fig.* (livrar de apuros) **livrar**, desenvencilhar, descartar, libertar, desenrascar, safar, salvar ≠ **embaraçar**, entalar

desenleio *n.m.* **desembaraço**, soltura, libertação ≠ **preso**, ligado

desenobrecer *v. fig.* **aviltar**, rebaixar, depreciar, menoscabar, deprimir, amesquinhar, apoucar, diminuir ≠ **engrandecer**, exaltar, sublimar, soberanizar *fig.*

desenojar *v.* **desenfastiar**, desenjoar ≠ **enfastiar**, enjoar

desenovelar *v.* **1** **desenrolar**, desnovelar, desembrulhar ≠ **enrolar**, embrulhar **2** *fig.* **descobrir**, esclarecer, explicar, resolver, solucionar, desenredar, solver, perscrutar, penetrar, separar

desenquadrar *v.* **desencaixilhar**, desemoldurar ≠ **emoldurar**, encaixilhar

desenraivar *v.* **amansar**, aplacar, serenar, acalmar, apaziguar, abonançar, desembravecer ≠ **agitar**, perturbar, irar

desenraivar-se *v.* **abrandar-se**, serenar, desengrilar-se *col.* ≠ **enraivecer**, encolerizar-se

desenraizar *v.* **extirpar**, desarreigar, arrancar, extrair ≠ **enraizar**, arreigar

desenrascado *adj.* **desinibido**, desenvolto, despachado, desembaraçado, desempoeirado *fig.* ≠ **acanhado**, tímido

desenrascar *v.* **1** **desembaraçar**, desenredar, denodar, desenvencilhar, desprender ≠ **embaraçar**, entalar **2** *fig.* (livrar de apuros) **livrar**, desenvencilhar, descartar, libertar, desenlear, safar, salvar ≠ **embaraçar**, entalar, encravilhar *fig.* **3** *fig.* **remediar**, alveitarar, emendar, reparar

desenrascar-se *v.* **desencalacrar-se**, desencrencar-se, desenredar-se ≠ **encalacrar-se**

desenredar *v.* **1** **desemaranhar**, desembaraçar, desenlear, desenlaçar, deslindar, desempastar, desmalhar ≠ **emaranhar**, embaraçar, enredar **2** **resolver**, solucionar, decidir ≠ **enredar** **3** **explicar**, esclarecer, descobrir, clarificar, desvendar ≠ **obscurecer**, enredar *fig.* **4** *fig.* (livrar de apuros) **livrar**, desenvencilhar, descartar, libertar, desenlear, safar, salvar ≠ **embaraçar**, entalar

desenredar-se *v.* **desenrascar-se**, desencrencar-se, desencalacrar-se ≠ **encalacrar-se**

desenredo *n.m.* **1** *fig.* **desfecho**, epílogo, resultado, solução, resolução **2** *fig.* **solução**, explicação, chave

desenregelar *v.* **1** **descongelar**, derreter, desnevar, descoagular ≠ **gelar**, congelar **2** *fig.* **aquecer**, animar, entusiasmar, encorajar ≠ **desanimar**, arrefecer *fig.*, esfriar *fig.*

desenregelar-se *v.* **1** **desentorpecer-se** **2** **degelar**, derreter-se, liquefazer-se **3** *fig.* **aquecer-se**, entusiasmar-se, animar-se

desenriçar *v.* **1** **desemaranhar**, desenredar, desenlear, desfazer, destrinçar ≠ **enredar**, enlear **2** **desencrespar**, desencarapelar, desencarapinhar, alisar, esticar ≠ **encarapinhar**, encarapelar, enriçar

desenrijar *v.* **1** **amolecer**, amolentar, molificar, desinteiriçar ≠ **endurecer**, enrijar **2** **abrandar**, atenuar, suavizar, reduzir, diminuir ≠ **acentuar**, intensificar

desenrodilhar *v.* **desenrugar**, desengelhar, desamarrotar, desencarquilhar, desfranzir, alisar ≠ **enrugar**, engelhar, franzir

desenrolar *v.* **estender**, esticar, alisar, desdobrar, desencaracolar, desenrodilhar, desenroscar ≠ **enrolar**, enrodilhar, enroscar

desenrolar-se *v.* **1** **desdobrar-se**, desenovelar-se, desenfaixar-se, desenrodilhar-se **2** **prolongar-se**, desdobrar-se

desenroscar *v.* **1** **estender**, esticar, alisar, desdobrar, desencaracolar, desenrodilhar, desenrolar, desembramar ≠ **enrolar**, enrodilhar, enroscar **2** **desatarraxar**, desaparafusar, desandar ≠ **atarraxar**, aparafusar

desenroscar-se *v.* **1** **estender-se**, estirar-se **2** **desenrodilhar-se**, desenrolar-se

desenrugar *v.* **desenrodilhar**, desengelhar, desamarrotar, desencarquilhar, desfranzir, alisar, desencortiçar, desencoscorar *col.* ≠ **enrugar**, engelhar, franzir

desensarilhar *v. fig.* **desenredar**, destrinçar, desemaranhar, desenlaçar, desfazer ≠ **enredar**, enlear

desensombrar *v.* **1** **aclarar**, clarear, desassombrar, iluminar ≠ **assombrar**, ensombrar **2** (céu) **desanuviar**, aclarar, limpar, desobscurecer, desenevoar, clarear, desenfarruscar ≠ **encobrir**, obscurecer, toldar *fig.*, anuviar **3** *fig.* **alegrar**, desentristecer ≠ **entristecer**

desentaipar *v.* **1** **mostrar**, patentear, expor, revelar ≠ **esconder**, encobrir **2** *fig.* **desembaraçar**, desimpedir, desobstruir ≠ **entulhar**, atravancar, obstruir **3** *fig.* **libertar**, soltar, destravar, desencravar ≠ **travar**, parar, encravar **4** **desafrontar**

desentalar *v.* **1** **desprender**, libertar, soltar, largar, desimprensar ≠ **prender**, fixar **2** **desengasgar**, desembuchar ≠ **entalar**, embatucar, embuchar *fig.* **3** *fig.* (livrar de apuros) **livrar**, desenvencilhar, desencrencar, descartar, libertar, desenlear, safar, salvar ≠ **embaraçar**, entalar

desentalar-se *v.* **desprender-se**, soltar-se

desentediar *v.* **divertir**, distrair, entreter, alegrar, recrear, desenfastiar, desenfadar ≠ **aborrecer**, entediar, enfadar

desentender *v.* ≠ **entender**, compreender, perceber

desentender-se *v.* **desavir-se**, discordar, inimistar-se, discrepar, descompadrar-se ≠ **concordar**

desentendido *adj.,n.m.* **incompreendido**, mal-entendido ≠ **compreendido**, entendido

desentendimento *n.m.* **1 estupidez**, burrice, idiotice, imbecilidade, obtusidade, cretinice *pej.* ≠ **saber**, erudição, instrução, inteligência **2 desavença**, contenção, altercação, disputa, litígio, luta, conflito, rixa, dissensão, inimizade, contenda, desconversação ≠ **acordo**, conciliação, concórdia

desenterrado *adj.* **1 retirado**, desencovado, dessoterrado ≠ **enterrado**, soterrado **2** (cadáver) **exumado 3** *fig.* (assunto, tema) **recuperado**, lembrado, revivido, recordado ≠ **esquecido**, olvidado

desenterrar *v.* **1 retirar**, desencovar, dessoterrar ≠ **enterrar**, soterrar **2** (cadáver) **exumar**, dessepultar ≠ **enterrar**, sepultar, inumar **3** *fig.* (assunto, tema) **recuperar**, lembrar, reviver, recordar ≠ **esquecer**, olvidar **4** *fig.* **descobrir**, encontrar

desenterro *n.m.* **exumação**, desenterramento

desentesar *v.* **1 afrouxar**, deslassar, enfraquecer, esbambear, aluxar ≠ **entesar**, enrijar **2 amolecer**, desempedrar, embrandecer, suavizar, ameigar ≠ **endurecer**, empedernir **3** *fig.* **humilhar**, rebaixar, depreciar, envergonhar, vexar, desprestigiar, desacreditar ≠ **prestigiar**, acreditar, considerar, respeitar

desentorpecer *v.* **destorpecer**, reanimar, desentolher, desenferrujar, desemperrar, desadormentar, destolher, desengrunhir *col.* ≠ **entorpecer**, tolher

desentorpecer-se *v.* **revigorar**, rejuvenescer, restaurar-se ≠ **enfraquecer**, entorpecer-se, combalir-se, alquebrar

desentorpecimento *n.m.* **1 desemperro**, espreguiçamento, desemperramento ≠ **entorpecimento**, tolhimento, torpor **2 alento**, animação, força, vigor ≠ **enfraquecimento**, debilidade, fraqueza

desentortar *v.* **endireitar**, aprumar, desencurvar ≠ **inclinar**, desaprumar, pender, entortar

desentrançar *v.* **desfazer**, desenlaçar, desmanchar, desprender, soltar, desnastrar ≠ **entrançar**, entrelaçar

desentranhar *v.* **1 estripar**, destripar, desventrar, desviscerar, esbandulhar, separar ≠ **esventrar**, eviscerar **2 desengolfar**, extrair, desentesourar *fig.*

desentranhar-se *v.* **desabafar**, desafogar, expandir-se, abrir-se ≠ **fechar-se**, retrair-se *fig.*

desentravar *v.* **1 livrar**, desempecer, soltar, libertar, facilitar ≠ **dificultar**, complicar **2 desimpedir**, desatravancar, desafogar, desembaraçar ≠ **entulhar**, atravancar, obstruir **3 destravar**, desencravar, soltar, libertar ≠ **travar**, parar, encravar

desentulhar *v.* **desimpedir**, desatravancar, desembaraçar, desobstruir, limpar, desempoçar ≠ **entulhar**, impedir, embaraçar

desentulho *n.m.* **desobstrução**, desatravancamento, desbarranco, socavado ≠ **entulho**, atravacamento, barranco *fig.*

desentupir *v.* **1 desimpedir**, desatravancar, desobstruir, desembaraçar ≠ **impedir**, obstruir, embaraçar **2** *col.* **desembuchar**, desafogar, exteriorizar, confidenciar, confessar, desabafar *fig.* ≠ **conter**, esconder

desenvencilhar *v.* **desprender**, desatar, separar, soltar, libertar ≠ **prender**, fixar

desenvolto *adj.* **1 desinibido**, despachado, desenrascado, desempoeirado *fig.* ≠ **acanhado**, tímido **2 travesso**, traquinas, turbulento, irrequieto ≠ **sossegado**, comportado, tranquilo **3** (uso de linguagem) **depravado**, indecente, impúdico, libertino ≠ **moderado**, refletido, equilibrado

desenvoltura *n.f.* **1 desembaraço**, agilidade, soltura, ligeireza, presteza, leveza, facilidade ≠ **lentidão**, morosidade, dificuldade **2 desinibição**, ardidez, desenrascanço *col.*, desempoeirado *fig.* ≠ **acanhamento**, timidez **3 atrevimento**, insolência, desplante, audácia, despejo, ousadia, arrojo *fig.* ≠ **vergonha**, timidez, modéstia, comedimento

desenvolver *v.* **1 crescer**, medrar, fortalecer, espigar *fig.* ≠ **decrescer**, desmedrar, marmar **2 aumentar**, ampliar ≠ **diminuir**, reduzir **3 melhorar**, incrementar, aperfeiçoar ≠ **piorar**, agravar **4 propagar**, expandir **5 expor**, explicar, explanar ≠ **encurtar**, abreviar **6 desembrulhar**, desempacotar, desemalar, desembalar, desencaixotar, desenfardar ≠ **embalar**, empacotar, embrulhar **7** (motor) **trabalhar**, render, puxar

desenvolver-se *v.* **1 crescer**, engradecer, engraecer ≠ **diminuir 2 progredir**, desenrolar-se, evoluir, avançar ≠ **regredir**, retroceder, estagnar-se, arremansar-se **3 aumentar**, ampliar-se ≠ **diminuir 4 desinibir-se**, desacanhar-se, desembotar-se, desemperrar-se *fig.*, desencolher-se *fig.* ≠ **inibir-se**, acanhar-se, abisonhar-se

desenvolvido *adj.* **1 aumentado**, ampliado, expandido, acrescentado ≠ **diminuído**, reduzido **2 crescido**, grande, espigado *fig.* ≠ **atrofiado**, pequeno, tolheito **3 adiantado**, avançado ≠ **atrasado**, subdesenvolvido **4 instruído**, culto, sabedor ≠ **ignorante**, inculto **5** (estudo) **aprofundado**, investigado, extenso ≠ **superficial**, breve

desenvolvimento *n.m.* **1 progresso**, evolução, desenrolamento ≠ **atraso**, subdesenvolvimento **2**

crescimento, aumento, medrio ≠ **atrofia**, encolhimento, diminuição **3 propagação**, aumento ≠ **diminuição 4 elaboração**, exposição, composição **5** (estudo) **aprofundamento**, investigação, extensão ≠ **superficialidade**, brevidade

desenxabido *adj.* **1 sensaborão**, desengraçado, monótono ≠ **animado**, vivo, engraçado **2 insípido**, desconsolado, sem-sabor, insosso ≠ **saboroso**, gostoso

desenxovalhar *v.* **1 limpar**, assear, mundificar, lavar ≠ **sujar**, enodar, emporcar **2** *fig.* **desafrontar**, desagravar, reabilitar, recuperar, retomar ≠ **enxovalhar** *fig.*, desonrar, deslustrar

desequilibrado *adj.* **1 desgravitado** ≠ **equilibrado 2 irrefletido**, imoderado, insensato, instável ≠ **ponderado**, sensato, refletido ■ *adj.,n.m.* PSIC. **demente**, doido, maluco, louco, alienado ≠ **são**, equilibrado

desequilibrar *v.* **1 desestabilizar**, desigualar ≠ **equilibrar**, nivelar **2 enlouquecer**, alienar, alucinar, dementar, desmiolar, desvairar ≠ **desenlouquecer**

desequilíbrio *n.m.* PSIC. **demência**, doidice, maluquice, loucura, alienação ≠ **sanidade**, equilíbrio

deserção *n.f.* **abandono**, desistência, defeção, evasão, transfúgio ≠ **permanência**, continuidade

deserdação *n.f.* **1 exerdação 2 abandono**, desamparo, desfavor ≠ **amparo**

deserdar *v.* **1 exerdar**, privar **2** *fig.* **desfavorecer**, desamparar, abandonar ≠ **favorecer**, amparar

desertar *v.* **1 despovoar**, desabitar ≠ **povoar**, habitar **2 desamparar**, deixar, abandonar ≠ **acompanhar**, amparar **3 fugir**, retirar-se, escapar, transfugir ≠ **ficar**, permanecer, manter-se

desértico *adj.* **1 árido**, estéril, seco **2 despovoado**, desabitado ≠ **povoado**, habitado

deserto *adj.* **1 despovoado**, desabitado, desfrequentado ≠ **povoado**, habitado **2 inóspito**, desaprazível, inospitaleiro ≠ **aprazível**, hospitaleiro **3 desamparado**, abandonado, deixado ≠ **acompanhado**, amparado ■ *n.m.* **1 ermo**, descampado, páramo **2 solidão**, isolamento, ermo *fig.* ≠ **acompanhamento**

desertor *n.m.* **1** MIL. **fugitivo 2 trânsfuga**, traidor ■ *adj.* **evadido**, fugitivo, prófugo

desesperação *n.f.* **1 aflição**, desespero, exasperação, desesperança, desconsolação ≠ **consolação**, esperança **2 contrariedade**, contratempo, obstáculo, infortúnio, dificuldade, impedimento, entrave, canudo *col.* ≠ **desimpedimento**, desatravancamento, desobstrução, desempeço, desempacho **3 cólera**, impetuosidade, exaltação, indignação ≠ **tolerância**, indulgência, calma

desesperado *adj.* **1 aflito**, exasperado, desesperançado, desconsolado ≠ **consolado**, esperançado **2 encarniçado**, renhido **3 obstinado**, persistência, teimosia, renitência ≠ **tolerância**, aceitação

desesperança *n.f.* **desesperação**, desconsolação, desespero, exasperação, aflição ≠ **consolação**, esperança

desesperançar *v.* **desanimar**, desalentar, desmoralizar, deprimir, prostrar, quebrantar, abater ≠ **animar**, entusiasmar, esperançar

desesperante *adj.2g.* **desanimador**, desalentador, desmoralizador, deprimente, quebrantador, desesperativo ≠ **animador**, entusiasmante, esperançoso

desesperar *v.* **1 desanimar**, desalentar, desmoralizar, deprimir, prostrar, quebrantar, abater ≠ **animar**, entusiasmar, esperançar **2 afligir**, desassossegar, inquietar, perturbar, agitar ≠ **acalmar**, descontrair, sossegar **3 encolerizar**, enraivecer, exasperar, enfurecer, embravecer, exacerbar, inflamar, irritar, abespinhar, irar, encarniçar, agastar ≠ **acalmar**, apaziguar

desesperar-se *v.* **1 encolerizar-se**, irritar-se, frender, morder-se, danar-se *fig.* **2 afligir-se**, atormentar-se, morder-se

desespero *n.m.* **aflição**, desesperação, exasperação, desesperança, desconsolação ≠ **consolação**, esperança

desfaçatez *n.f.* **insolência**, atrevimento, despudor, descaramento, impudência, desfaçamento, arrojo *fig.* ≠ **vergonha**, timidez, modéstia, comedimento

desfalcar *v.* **1 defraudar**, apanhar, roubar, extorquir, subtrair, furtar, chupar *fig.* ≠ **devolver**, restituir, entregar **2 dissipar**, desperdiçar, esbanjar, desbaratar, malbaratar, desaproveitar ≠ **poupar**, amealhar, aproveitar, economizar **3** *fig.* **prejudicar**, lesar, danar

desfalcar-se *v.* **1 privar-se**, abster-se **2 prejudicar-se**

desfalecer *v.* **1 desmaiar**, fanicar *col.* **2 enfraquecer**, debilitar, abater, languidescer, fragilizar, extenuar ≠ **fortalecer**, robustecer **3 esmorecer**, desalentar, abater, desanimar, prostrar, decair ≠ **animar**, alentar, encorajar

desfalecimento *n.m.* **1 desmaio**, síncope, vágado, esvaecimento, delíquio *fig.*, fanico *col.*, chilique *col.* **2 fraqueza**, enfraquecimento, abatimento, debilidade, languidez, esvaecimento, desfalecência, desvigoramento ≠ **fortalecimento**, robustecimento

desfalque *n.m.* **1** (dinheiro) **desvio**, alcance, desfalcamento **2 abatimento**, diminuição, quebra, redução ≠ **acréscimo**, aumento, crescimento, adição

desfasamento *n.m.* **1 divergência**, desaprovação, desconsentimento, discórdia ≠ **concordância**, consentimento, condescendência, aprovação **2 discrepância**, disparidade, desacerto, desconformidade, afastamento, discordância ≠ **conformidade**, consonância, concertação, harmonização 3 **incompatibilidade**, implicação, desencontro, resistência ≠ **compatibilidade**, consentimento

desfavor *n.m.* 1 **descrédito**, depreciação, desabono, desprezo, desvalorização ≠ **prestígio**, estima, apreciação 2 **malquerença**, desgraça, desprezo 3 (mau serviço) **desserviço**, prejuízo

desfavorável *adj.2g.* **prejudicial**, adverso, desvantajoso, contrário ≠ **favorável**, vantajoso

desfavorecer *v.* **desajudar**, desproteger, desamparar, desauxiliar, prejudicar ≠ **amparar**, proteger, auxiliar, agraciar

desfavorecido *n.m.* **enjeitado** ■ *adj.* 1 **desajudado**, desprotegido, desamparado, desauxiliado, prejudicado ≠ **amparado**, protegido, auxiliado 2 **baixo**, desafortunado ≠ **afortunado**

desfazer *v.* 1 **destruir**, danificar, estragar ≠ **conservar**, preservar 2 **desmanchar**, desalinhar, deformar, desconchavar, desconsertar, desarranjar ≠ **ajeitar**, alinhar, arranjar 3 **desorganizar**, desordenar, desarrumar, desarranjar ≠ **ordenar**, organizar 4 **quebrar**, despedaçar, partir, fragmentar, franger, atorçoar 5 **desunir**, desligar, separar ≠ **unir**, juntar 6 **dispersar**, espalhar, expandir ≠ **congregar**, juntar 7 **dissolver**, derreter, diluir 8 **revogar**, anular, dissolver, invalidar ≠ **aprovar**, autorizar 9 **dissipar**, desvanecer, desaparecer, destruir, extinguir 10 **explicar**, esclarecer, resolver 11 **refutar**, argumentar, contestar, impugnar ≠ **aceitar**, consentir 12 **amesquinhar**, rebaixar, depreciar, menoscabar, deprimir, aviltar, apoucar, diminuir ≠ **engrandecer**, exaltar, sublimar, soberanizar *fig.* 13 **terminar**, acabar, findar, cancelar, extinguir ≠ **formar**, instituir, fundar

desfazer-se *v.* 1 **desmanchar-se**, desconjuntar-se 2 **dissipar-se**, derreter-se *fig.* 3 **terminar** 4 **transformar-se** 5 **desapoderar-se**, desapossar-se

desfear *v.* 1 **afear**, desformar, desaprimorar, desformosear, desproporcionar, deturpar, desfigurar, enfear ≠ **embelezar**, alindar, aformosear, acasquilhar, acatitar 2 **deformar**, desfigurar, desformar, transfigurar, desnaturar, distorcer ≠ **conservar**, preservar 3 **deturpar**, desvirtuar, malsinar, perverter

desfechar *v.* 1 **disparar**, atirar, alvejar, descarregar, desengatilhar 2 (golpe ou pancada) **desferir**, aplicar, atirar, dar 3 **abrir**, descerrar ≠ **fechar**, cerrar 4 **concluir**, terminar, cerrar, acabar, epilogar, ultimar, fechar, findar, finalizar, completar, rematar ≠ **iniciar**, começar, principiar, encetar

desfechar-se *v.* **disparar-se**

desfecho *n.m.* 1 **conclusão**, remate, final, acabamento, fim, terminação, termo, perfazimento, fecho *fig.* ≠ **início**, começo, princípio, encetadura 2 **desenlace** *fig.*, epílogo, resultado, solução, resolução, desenredo

desfeita *n.f.* **desconsideração**, ofensa, desprezo, desdém, menosprezo, desapreço, desrespeito ≠ **apreço**, estima, consideração

desfeitear *v.* **insultar**, ofender, injuriar, ultrajar, afrontar, molestar, desconsiderar, menosprezar ≠ **apreciar**, estimar, considerar

desfeito *adj.* 1 **desmontado**, desarmado, desmanchado, delido ≠ **montado**, armado 2 **desfigurado**, deformado, adulterado, distorcido, transfigurado ≠ **configurado**, formado 3 **anulado**, invalidado, caducado, neutralizado ≠ **validado**, aprovado, ratificado 4 **derrotado**, acabado, prostrado, abatido ≠ **revigorado**, animado 5 (temporal) **impetuoso**, violento, intenso ≠ **calmo**, sereno

desferir *v.* 1 (golpe ou pancada) **desfechar**, aplicar, atirar, dar 2 **levantar**, alçar, erguer ≠ **baixar**, decair 3 NÁUT. *ant.* **soltar**, largar, desferrar, desfraldar ≠ **prender**, recolher, colher, amarrar

desferrar *v.* NÁUT. **soltar**, largar, desfraldar, desferir *ant.* ≠ **prender**, recolher, colher, amarrar

desferrolhar *v.* **soltar**, libertar, descancelar ≠ **aferrolhar**, fechar

desfiar *v.* 1 **esfiapar**, desfibrar, esfarpar, franjar 2 *fig.* **esmiuçar**, examinar, analisar, dissecar 3 *fig.* (com minúcia) **relatar**, pormenorizar, descrever, explicar, expor

desfiguração *n.f.* **transformação**, deformação, deturpação, transfiguração ≠ **formação**, configuração

desfigurado *adj.* 1 (forma) **alterado**, mudado, modificado ≠ **conservado**, mantido, preservado 2 (fisionomia) **desfeito**, deformado, adulterado, distorcido, transfigurado ≠ **configurado**, formado 3 (facto) **deturpado**, adulterado, desvirtuado, pervertido, falseado, malsinado, envenenado *fig.* ≠ **conservado**, mantido, preservado

desfigurar *v.* 1 **afear**, desformar, desaprimorar, desformosear, desproporcionar, deturpar ≠ **embelezar**, alindar, aformosear 2 (forma) **alterar**, mudar, modificar ≠ **conservar**, manter, preservar 3 (fisionomia) **desfazer**, deformar, adulterar, distorcer, transfigurar ≠ **configurar**, formar 4 (facto) **deturpar**, adulterar, desvirtuar, perverter, falsear, malsinar, envenenar *fig.* ≠ **conservar**, manter, preservar

desfigurar-se *v.* **transformar-se**, transtornar-se, demudar-se

desfilada *n.f.* **desfile**

desfiladeiro *n.m.* 1 GEOG. **garganta**, colada, estreito, portela, colo 2 *fig.* **complicação**, confusão, embaraço, emaranhamento, emaranhado, enredo ≠ **facilidade**, desembaraço, desimpedimento

desfilar *v.* 1 **suceder-se**, seguir-se, prosseguir 2 (cão) **desferrar** ≠ **filar**, aferrar

desfile *n.m.* 1 **desfilada** 2 **marcha**, cortejo

desfloração *n.m.* (mulher) **desvirginamento**, desfloramento

desflorar *v.* 1 **desenflorar**, desvirgar, esflorar ≠ **florescer**, enflorar, florear 2 **encetar**, iniciar, começar, principiar ≠ **terminar**, concluir 3 *fig.* (mulher) **desvirginar**, desvirtuar, desonrar *col.*

desflorestação *n.m.* **desarborização**, desflorestamento ≠ **arborização**, florestação

desfolha *n.f.* **desfolhação**, desfolhadura, desfolhamento, desfoliação

desfolhada *n.f.* **esfolhada**, descamisada, desfolho, escapelada, descasca [REG.], desmantadela [REG.]

desfolhar *v.* **desbulhar**, debulhar, descascar, esfolhar, escarapelar, esfolhaçar, desencamisar

desfolho *n.m.* **esfolhada**, desfolhada, descamisada, descapelada, escarpelada, descasca [REG.]

desforço *n.m.* **desafronta**, desforra, revindicta, vingança, desagravo, desforçamento, desenxovalho *fig.* ≠ **agravo**, afronta

desforra *n.f.* 1 **desafronta**, desforço, revindicta, vingança, desagravo, desenxovalho *fig.* ≠ **agravo**, afronta, insulto, injúria, ultraje, convício, abuso, desfeita, provocação, doesto, escarro *fig.*, bujarrona *fig.*, pedrada *fig.*, xingação [BRAS.] 2 **recuperação**, compensação

desforrar *v.* **desagravar**, vingar, despicar, desenxovalhar *fig.* ≠ **agravar**, afrontar

desforrar-se *v.* **desafrontar-se**, vingar-se, desagravar-se, reenvidar-se ≠ **agravar-se**, ofender-se

desfraldar *v.* 1 NÁUT. **soltar**, largar, desferrar, despregar, desferir *ant.* ≠ **prender**, recolher, colher, amarrar 2 **desenrolar**, desembrulhar, desdobrar ≠ **enrolar**, embrulhar

desfraldar-se *v.* **agitar-se**, mexer-se, mover-se

desfrisar *v.* 1 **alisar**, esticar ≠ **frisar**, ondear, riçar 2 **despentear**, desgrenhar, desguedelhar ≠ **pentear**, alisar 3 **destoar**, desarmonizar, desquadrar, desconformar ≠ **consonar**, conformar, enquadrar

desfruir *v.* **gozar**, desfrutar, fruir, usufruir ≠ **desagradar**, desaprazer, desgostar, descontentar

desfrutar *v.* 1 **gozar**, desfruir, fruir, usufruir ≠ **desagradar**, desaprazer, desgostar, descontentar 2 **zombar**, troçar, caçoar, chacotear ≠ **respeitar**, considerar, estimar

desfrute *n.m.* 1 **gozo**, fruição, usufruição, satisfação, desfrutação ≠ **desagrado**, desgosto, descontentamento 2 **zombaria**, gozo, escárnio, gracejo, motejo, mofa, caçoada, chança, burla, chufa ≠ **respeitabilidade**, consideração, estima

desgarrado *adj.* 1 **extraviado**, desencarreirado, desencaminhado, descarrilado, desviado, perdido ≠ **encaminhado**, encarreirado 2 **sozinho**, desacompanhado, desamparado, só ≠ **acompanhado**, companheiro, concomitante 3 *fig.* **libertino**, depravado, licencioso, devasso, desregrado, dissoluto, vicioso ≠ **regrado**, bem-comportado, moralizador

desgarrar *v.* 1 (navio) **desviar** 2 **extraviar**, desencarreirar, desencaminhar, descarrilar, desviar, perder ≠ **encaminhar**, encarreirar

desgarrar-se *v.* 1 (embarcação) **desviar-se**, apartar-se 2 **afastar-se**, tresmalhar-se, separar-se 3 **extraviar-se**, perder-se

desgarre *n.m.* 1 **audácia**, desembaraço, desplante, ousadia, atrevimento, arrojo, destemor, valentia, determinação, heroísmo, resolução, alma *fig.*, estômago *fig.*, fígado *fig.* ≠ **temor**, covardia, medo, pânico, fraqueza, timidez 2 **elegância**, esbeltez, garbo, aprumo, desempeno *fig.*

desgastado *adj.* 1 (material) **corroído**, deteriorado, usado, velho, estragado, danificado, gasto, erodido *fig.* ≠ **recuperado**, restaurado, novo 2 (roupa) **gasto**, velho, coçado, deteriorado ≠ **novo**, recente 3 (pessoa) **cansado**, abatido, consumido *fig.* ≠ **revigorado**, fortalecido

desgastante *adj.2g.* **cansativo**, arrasante, estafante ≠ **reconfortante**, revigorante, vitalizante

desgastar *v.* 1 **dissipar**, consumir, absorver, deperder, desvanecer, destruir, esmorecer ≠ **preservar**, manter, conservar 2 **cansar**, debilitar, afadigar, esfalfar, estafar, fatigar, enfraquecer, moer *fig.* ≠ **vigorizar**, fortalecer, dinamizar, estimular, ativar

desgastar-se *v.* **arruinar-se**, estragar-se, destruir--se ≠ **conservar-se**, manter-se

desgaste *n.m.* 1 **dissipação**, consumição, absorção, deperecimento, desvanecimento, destruição, esmorecimento, desaparecimento ≠ **preservação**, manutenção, conservação 2 **presunção**, vaidade, orgulho, jactância, ostentação, gala, bazófia *fig.* ≠ **discrição**, simplicidade, sobriedade, despojamento, recato, modéstia

desgostar *v.* **descontentar**, desagradar, aborrecer, desaprazer, dessaber, destoar *fig.* ≠ **gostar**, agradar, satisfazer, contentar

desgostar-se *v.* 1 **desagradar** ≠ **agradar**, satisfazer-se 2 **aborrecer-se**, entediar-se, enfadar-se ≠ **divertir-se**, recrear-se 3 **melindrar-se**, ofender--se, magoar-se

desgosto *n.m.* 1 **desprazer**, desagrado, repugnância, displicente, aversão ≠ **prazer**, gosto 2 **tristeza**, mágoa, pesar, desconsolação, desconsolo ≠ **contentamento**, alegria, satisfação

desgostoso *adj.* 1 **desalentado**, desanimado, infeliz, abatido, prostrado, desconsolado, penalizado, deprimido *col.* ≠ **animado**, entusiasmado, feliz 2 **aborrecido**, maçado, enfadado, entediado, enfastiado, contrariado ≠ **divertido**, alegre, deleitado, satisfeito 3 **insípido**, desenxabido, sem-sabor, insosso, desconsolado, dissaboroso ≠ **saboroso**, gostoso

desgovernação *n.f.* 1 (má administração) **desgoverno**, malversação, desadministração 2 **desordem**, desregramento, desenfreamento ≠ **ordem**, método 3 **desorientação**, desnorteio, desgoverno, desequilíbrio, desarvoramento ≠ **controlo**, equilíbrio 4 **desperdício**, dissipação, esbanjamento, gasto, desaproveitamento ≠ **poupança**, aproveitamento, economicidade

desgovernado *adj.* 1 (má administração) **malversado**, malgovernado 2 **desorientado**, desnorteado, descontrolado, desequilibrado, desarvorado ≠ **controlado**, equilibrado 3 **gastador**, perdulário, esbanjador, pródigo, dissipador ≠ **avarento**, mesquinho, sovina, forreta

desgovernar *v.* 1 (má administração) **malversar**, malgovernar, desadministrar 2 **esbanjar**, desperdiçar, dissipar, estragar, desbaratar, malbaratar ≠ **poupar**, amealhar, aproveitar, economizar 3 **desencaminhar**, transviar, desencarreirar, descarrilar, desviar ≠ **encaminhar**, encarreirar, orientar

desgovernar-se *v.* **desregrar-se**, descontrolar-se

desgoverno *n.m.* 1 (má administração) **desgovernação**, malversação 2 **desorientação**, desnorteio, desgovernação, desequilíbrio, desarvoramento ≠ **controlo**, equilíbrio 3 **desordem**, desregramento, desenfreamento ≠ **ordem**, método 4 **desperdício**, dissipação, esbanjamento, gasto, desaproveitamento ≠ **poupança**, aproveitamento, economicidade

desgraça *n.f.* 1 **desastre**, revés, infortúnio, desaire, insucesso ≠ **sucesso**, fortuna 2 **calamidade**, desastre, derrota, adversidade, tragédia *fig.* 3 **malquerença**, desfavor, desprezo

desgraçado *adj.* 1 **desventurado**, infeliz, infortunado, malfadado, desafortunado, desditoso, azarado ≠ **feliz**, ditoso, sortudo, venturoso 2 **miserável**, pobre, mesquinho ≠ **abundante**, rico, opulento 3 **lastimável**, deplorável, doloroso, miserável 4 **funesto**, calamitoso ■ *n.m.* **miserável**, coitado, pobre, infeliz ≠ **felizardo**, afortunado

desgraçar *v.* 1 **arruinar**, prejudicar, danificar, desgraciar ≠ **conservar**, preservar, salvar 2 **prejudicar**, desfavorecer, privar ≠ **permitir**, facilitar, proporcionar

desgraçar-se *v.* **perder-se**, arruinar-se

desgraduar *v.* **degradar**

desgranar *v.* **alisar**, endireitar, desenrugar, esticar ≠ **amarrotar**, enrugar

desgrenhado *adj.* 1 **despenteado**, desguedelhado, revolto, desmelenado ≠ **penteado**, alisado 2 (tempo) **tempestuoso**, furioso, violento, agitado, tumultuoso, desagradável ≠ **pacífico**, sereno, tranquilo, sossegado

desgrenhar *v.* **despentear**, desfrisar, desgadelhar ≠ **pentear**, alisar

desgrudar *v.* **despegar**, desafixar, desgarrar, descolar, desunir, soltar ≠ **pegar**, afixar

desguarnecer *v.* 1 **desenfeitar**, desataviar, desornar, desadornar, desagaloar, desalinhar *fig.* ≠ **enfeitar**, adornar 2 **desprover**, desaperceber ≠ **abastecer**, prover, fornir 3 **desmobilar** ≠ **mobilar**

desguedelhar *v.* **despentear**, desfrisar, desgrenhar ≠ **pentear**, alisar

desiderato *n.m.* **aspiração**, vocação, desejo, chamamento *fig.*

desidratar *v.* **secar**, anidrizar ≠ **hidratar**

designação *n.f.* 1 **indicação**, distinção 2 **denominação**, nome, qualificação 3 **significação** 4 **nomeação**, escolha, indicação

designadamente *adv.* **nomeadamente**, particularmente, especialmente ≠ **universalmente**, geralmente

designar *v.* 1 **apontar**, assinalar, indicar 2 **significar**, representar 3 **nomear**, escolher, eleger, indicar 4 **determinar**, definir, estabelecer, fixar ≠ **desmarcar**

designativo *adj.* **indicativo**, significativo, característico, designador ≠ **insignificativo**

desígnio *n.m.* 1 **intento**, intenção, propósito, vontade 2 **projeto**, plano

desigual *adj.2g.* 1 **diferente**, díspar, dissemelhante, distinto, diverso ≠ **igual**, semelhante, cômpar 2 **variável**, inconstante, volúvel, irregular, mutável ≠ **constante**, invariável 3 **desproporcionado**, desconforme, desequilibrado ≠ **proporcional**, equilibrado 4 **injusto**, iníquo, desirmão ≠ **justo**, équo

desigualar *v.* **diferenciar**, distinguir, estremar, desnivelar, balizar *fig.* ≠ **igualar**, semelhar, abarbar, agermanar

desigualdade *n.f.* 1 **diferença**, disparidade, dissemelhança, distinção, diversidade ≠ **igualdade**, semelhança 2 **variedade**, inconstância, irregularidade, mutabilidade, instabilidade, volubilidade *fig.* ≠ **constância**, invariabilidade, segureza 3 (terreno) **escabrosidade**, irregularidade, acidentado, desnivelamento ≠ **regularidade**, nivelamento 4 **injustiça**, iniquidade ≠ **justiça**, equidade

desigualmente *adv.* 1 **desquilibradamente**, desproporcionadamente, irregularmente ≠ **igualmente**, equilibradamente 2 **parcialmente** ≠ **igualmente**

desiludido *adj.,n.m.* **dececionado**, desencantado, desapontado, desenganado, frustrado, desabusado ≠ **satisfeito**, encantado, maravilhado, inebriado

desiludir *v.* 1 **desenganar**, desfantasiar 2 **dececionar**, desapontar, desencantar, frustrar, desenganar, desabusar ≠ **satisfazer**, regozijar

desiludir-se *v.* **desencantar-se**, desenganar-se, frustrar-se

desilusão *n.f.* **deceção**, desencanto, desengano, desapontamento, frustração ≠ **satisfação**, regozijo

desimaginar *v.* 1 **esquecer**, olvidar ≠ **lembrar**, recordar 2 **dissuadir**, despersuadir, afastar, demover, desconvencer ≠ **convencer**, persuadir, induzir

desimaginar-se *v.* **dissuadir-se**, despersuadir-se, descapacitar-se ≠ **persuadir**, marralhar

desimpedido *adj.* 1 **descomprometido**, desembaraçado, desobrigado, livre, desembargado ≠ **comprometido**, obrigado 2 *fig.* (pessoa) **livre**, descomprometido ≠ **comprometido**, envolvido

desimpedimento *n.m.* **desobstrução**, desempeço, desempacho, desembaraço ≠ **impedimento**, obstrução, congestionamento

desimpedir *v.* 1 **desobstruir**, desembaraçar, desatravancar, desempachar, desempecer ≠ **empecer**, estorvar, obstruir, abarreirar *fig.* 2 **facilitar**, alhanar, libertar ≠ **impedir**, dificultar

desincentivar *v.* **desanimar**, desencorajar, desalentar, desmoralizar, deprimir, prostrar, quebrantar, abater ≠ **animar**, entusiasmar, encorajar, agarrochar *fig.*

desincentivo *n.m.* **desalento**, desencorajamento, prostração, esmorecimento, abatimento, consternação, desconforto, debilitação ≠ **incentivo**, estímulo, estimulação, fomento, encorajamento, fustigação *fig.*, chicotada *fig.*, empurrão *fig.*, alimento *fig.*, mostarda *fig.*, acicate *fig.*, acúleo *fig.*, aguilhão *fig.*, aguilhoamento *fig.*

desinchação *n.f.* **detumescência**, desavolumamento ≠ **inchaço**, intumescência

desinchar *v.* 1 **desintumescer**, desavolumar ≠ **inchar**, intumescer, entufar, achaparrar *fig.* 2 **desinflamar** 3 *fig.* **aviltar**, rebaixar, depreciar, menoscabar, deprimir, amesquinhar, apoucar, diminuir, desenobrecer ≠ **engrandecer**, exaltar, sublimar, soberanizar *fig.*

desinchar-se *v.* **desintumescer** ≠ **inchar-se**, empapuçar-se, achaparrar-se *fig.*

desinclinar *v.* **aprumar**, endireitar, desencurvar ≠ **inclinar**, pender, curvar, descair, desaprumar

desincorporar *v.* **decompor**, desunir, separar, fragmentar, desanexar, desmembrar, dissociar, desagregar ≠ **agregar**, compor, unir, juntar, adunar

desinência *n.f.* 1 GRAM. **terminação** 2 **extremidade**, fim, terminação, termo ≠ **início**, princípio

desinfeção AO ou **desinfecção** AO *n.f.* **esterilização**, descontaminação, saneamento ≠ **infeção**, contaminação

desinfectante aAO *adj.,n.m.* ⇒ **desinfetante** dAO

desinfectar aAO *v.* ⇒ **desinfetar** dAO

desinfestar *v.* **desinçar**, desinfetar, extinguir, expurgar ≠ **infestar**, encher

desinfetante dAO *adj.,n.m.* **antissético** ≠ **infetante**

desinfetar dAO *v.* 1 **esterilizar**, desempestar, descontaminar, sanificar ≠ **infetar**, empestar, contaminar 2 **purificar**, sanear 3 *col.* **retirar-se**, sair, sumir, desaparecer ≠ **aparecer**, vir

desinflamar *v.* 1 **desinchar** ≠ **inchar** 2 *fig.* **acalmar**, suavizar, aligeirar, atenuar, aliviar ≠ **inflamar**, assanhar, exacerbar *fig.*

desinflamar-se *v.* **desinchar** ≠ **inflamar-se**

desinformação *n.f.* **desconhecimento**, ignorância ≠ **conhecimento**, informação

desinibido *adj.* **desenvolto**, despachado, desembaraçado, desenrascado, desempoeirado *fig.* ≠ **acanhado**, tímido

desinibir *v.* 1 **descontrair**, soltar ≠ **acanhar**, inibir 2 **animar**, encorajar, estimular, alentar, incentivar, excitar ≠ **desanimar**, abater, desencorajar, desmoralizar

desinquietação *n.f. col.* **inquietação**, sobressalto, receio, preocupação, perturbação, desassossego, ansiedade ≠ **calmaria**, descontração, tranquilidade

desinquietar *v.* 1 **inquietar**, importunar, alvoroçar, perturbar, agitar, desassossegar ≠ **acalmar**, descontrair, sossegar 2 (para o mal) **desafiar**, induzir, instigar, aliciar ≠ **dissuadir**, desaconselhar

desinquieto *adj.* **travesso**, traquinas, turbulento, irrequieto, desenvolto, buliçoso ≠ **sossegado**, comportado, tranquilo

desintegração *n.f.* **desagregação**, decomposição, fragmentação ≠ **agregação**, composição, incorporação

desintegrar *v.* **desagregar**, decompor, fragmentar ≠ **agregar**, compor, incorporar

desintegrar-se *v.* **desagregar-se**, decompor-se, separa-se, dissociar-se ≠ **agregar-se**, juntar-se

desinteligência *n.f.* 1 **discórdia**, desaprovação, desconsentimento, divergência, desentendimento, dissensão, discrepância ≠ **concordância**, consentimento, condescendência, aprovação 2 **inimizade**, aversão, malquerença, hostilidade ≠ **aliança**, pacto

desinteressado *adj.* 1 **indiferente**, desapegado, desafeiçoado ≠ **afeiçoado**, apegado, interessado 2 **desapaixonado**, indiferente, frio, insensível ≠ **apaixonado**, enamorado, interessado, febril *fig.* 3 **imparcial**, isento, incorruptível, neutro, equânime ≠ **parcial**, faccioso **4 generoso**, abnegado, desprendido, altruísta ≠ **egoísta**, interesseiro

desinteressante *adj.2g.* **trivial**, banal, vulgar ≠ **interessante**, singular, invulgar

desinteressar-se *v.* **desmotivar-se**, distanciar-se *fig.* ≠ **interessar-se**

desinteresse *n.m.* **1 desapego**, abnegação, desapropriação *fig.* ≠ **interesse**, empenho, acendimento *fig.*, ascensão *fig.* **2 generosidade**, abnegação, altruísmo ≠ **egoísmo**, interesse

desintoxicar *v.* **desenvenenar** ≠ **envenenar**, intoxicar

desintrincar *v.* **destrinçar**, desemaranhar, desenredar, desenlear, desfazer ≠ **enredar**, enlear

desintumescer *v.* **desinchar**, desavolumar ≠ **inchar**, intumescer, entufar

desinvestir *v.* **exonerar**, destituir, despedir, demitir ≠ **contratar**, admitir

desipotecar *v.* **resgatar**, recuperar, reaver, desempenhar ≠ **hipotecar**, penhorar, empenhorar

desirmanar *v.* **desemparceirar**, desemparelhar, desacasalar, separar, desunir, apartar ≠ **juntar**, unir, copular, emparelhar

desistência *n.f.* **renúncia**, renunciação, cessação, abandono, afastamento ≠ **persistência**, perseverança, porfia, afinco, teima, teimosia, birra, casmurrada, casmurrice, embirração, renitência, mania, perneta, pertinácia, obstinação, perseguição, cenreira *col.*, teimice *col.*, turra *fig.*, finca-pé *fig.*, tenacidade *fig.*

desistente *adj.2g.* **cessante**, renunciante ≠ **persistente**, perseverante, acérrimo

desistir *v.* **renunciar**, depor, abdicar, resignar, deixar, cessar, abandonar ≠ **insistir**, perseverar

desjejua *n.f.* **dejejuadoiro**, dejejum, parva, mata-bicho *col.*

desjejum *n.m.* **dejejuadouro**, dejejua, quodório, mata-bicho *col.*

deslaçar *v.* **1 desatar**, desfazer, desenlaçar, desatacar ≠ **atar**, laçar **2 desprender**, soltar, libertar ≠ **prender**, apertar

deslacrar *v.* **desselar**, descerrar ≠ **lacrar**

deslassar *v.* **1 afrouxar**, lassar, alargar, desapertar, relaxar **2 amolecer**, desfazer-se

deslavado *adj.* **1 descorado**, desbotado, pálido, apagado, amarelado, descolorado, desmaiado, embaçado, baço, mate ≠ **colorido**, vivo, brilhante, garrido, iluminado, pintalgado, folclórico *pej.* **2** *fig.* **petulante**, descarado, atrevido, desavergonhado, insolente, desabusado, desaforado ≠ **vergonhoso**, tímido, modesto, comedido **3 insípido**, desenxabido, sem-sabor, insosso, desgostoso, desconsolado ≠ **saboroso**, gostoso

deslavamento *n.m.* **1 descoramento**, desbotamento, palidez, apagamento, amarelecimento, descoloração, desmaio ≠ **coloração** **2** *fig.* **petulância**, descaramento, atrevimento, desavergonhamento, insolência, desabuso, desaforo ≠ **vergonha**, timidez, modéstia, comedimento

deslavar *v.* **empalidecer**, botar, descorar, desmaiar, desbotar ≠ **avivar**, colorir, corar

desleal *adj.2g.* **1 infiel**, pérfido, traidor, traiçoeiro, atraiçoador, inconfidente ≠ **leal**, fiel **2 falso**, simulado, fingido ≠ **verdadeiro**, honesto, sincero, franco

deslealdade *n.f.* **infidelidade**, perfídia, traição, atraiçoamento, aleivosia, inconfidência ≠ **lealdade**, fidelidade

desleixado *adj.* **descuidado**, desalinhado, desaprimorado, desarranjado, desapurado, desmazelado, abandalhado, desidioso, esmalmado [REG.] ≠ **cuidado**, aprimorado, arranjado

desleixar *v.* **descurar**, desalinhar, desmazelar, desaprimorar, desarranjar, descuidar, negligenciar ≠ **cuidar**, aprimorar, arranjar

desleixar-se *v.* **desmazelar-se**, descuidar-se, descurar-se, relaxar-se ≠ **cuidar-se**

desleixo *n.m.* **1 descuido**, desalinho, desmazelo, negligência, incúria, desmazelamento ≠ **cuidado**, zelo, esmero **2 frouxidão**, brandura, moleza, indolência, languidez ≠ **firmeza**, rigidez

desligado *adj.* **1** (aparelho) **apagado** ≠ **ligado**, acionado **2 separado**, desunido ≠ **junto**, unido **3** (pessoa) **aéreo**, distraído, abstrato, alheio, ausente, desatento, pensativo, alheado, absorto ≠ **aborrecido**, entediado, preocupado

desligadura *n.f.* **desconexão**, desunião ≠ **nexo**, ligação, união, conexão

desligar *v.* **1** (aparelho) **apagar** ≠ **ligar**, acionar **2 desatacar**, desfazer, deslaçar, desenlaçar, desatar ≠ **atar**, laçar **3 separar**, desunir, desjuntar, afastar, descompaginar ≠ **juntar**, unir, aderir, encambulhar **4** *fig.* **desobrigar**, isentar, eximir, dispensar ≠ **obrigar** **5 distrair-se**, alhear-se, abstrair-se ≠ **concentrar-se**

desligar-se *v.* **1 desatar-se**, desunir-se, desvincular-se ≠ **unir**, ligar-se, aderir **2 separar-se**, desincorporar-se **3** *fig.* **desobrigar-se**, livrar-se, desencarregar-se ≠ **obrigrar-se**, encarregar-se

deslindar *v.* **1 desenredar**, desembaraçar, desenlear, desenlaçar, desintrincar, desemaranhar, destrinçar ≠ **emaranhar**, embaraçar, enredar **2 investigar**, apurar, averiguar, inquirir, devassar, examinar, indagar **3 explicar**, esclarecer, elucidar, aclarar ≠ **obscurecer**, complicar **4 discriminar**, diferenciar, distinguir, discernir ≠ **indeterminar** **5 demarcar**, delimitar, estremar, circunscrever, restringir, limitar, reduzir, confinar, balizar *fig.* ≠ **desbalizar**, expandir, estender

deslizamento *n.m.* **escorregamento**, deslize, resvalo, derrapagem, resvalamento

deslizante *adj.2g.* **escorregadio**, resvaladio

deslizar *v.* 1 **escorregar**, resvalar, derrapar, patinar 2 **passar**, correr, decorrer 3 *fig.* **errar**, escorregar, derrapar

deslize *n.m.* 1 **escorregamento**, deslizamento, resvalo, derrapagem 2 *fig.* **lapso**, indiscrição, descuido, gafe, descaída ≠ **correção**, exatidão

deslocação *n.f.* 1 **remoção**, mudança, transferência 2 **afastamento**, desvio, distanciamento ≠ **aproximação** 3 MED. **luxação**, deslocamento, desconjuntamento, desarticulação, desengonço 4 **viação**

deslocado *adj.* 1 **removido**, mudado, transferido, atópico 2 **impróprio**, desajustado, desapropriado, inconveniente ≠ **próprio**, acertado, ajustado 3 **desambientado**, inadaptado ≠ **ambientado**, adaptado 4 MED. **luxado**, desconjuntado, desarticulado, desengonçado

deslocamento *n.m.* 1 **remoção**, mudança, transferência 2 **afastamento**, desvio, distanciamento ≠ **aproximação** 3 MED. **luxação**, desconjuntamento, desarticulação, desengonço

deslocar *v.* 1 **remover**, mudar, transferir 2 **afastar**, desviar, distanciar ≠ **aproximar** 3 MED. **luxar**, desarticular, desconjuntar, desengonçar

deslocar-se *v.* 1 **mover-se**, ir, demover-se, transumir-se 2 **desmanchar-se**, desarticular-se, desconjuntar-se, descompor-se ≠ **articular-se**

deslumbrado *adj.* 1 **ofuscado**, encandeado, embaciado ≠ **desembaciado** 2 **maravilhado**, fascinado, arrebatado, encantado ≠ **indiferente**, aborrecido, entediado

deslumbramento *n.m.* 1 **obcecação**, vertigem, ofuscação, maravilha, fascinação, esplendor, encanto, deslumbre, cegueira, assombro, alucinação, sedução 2 **ofuscação**, encandeamento, embaciamento ≠ **desembaciamento** 3 *fig.* **maravilha**, fascinação, arrebatamento, encanto, feeria ≠ **indiferença**, aborrecimento, tédio

deslumbrante *adj.2g.* 1 **ofuscante**, deslumbrativo 2 **maravilhoso**, fascinante, arrebatante, encantador, flamífero ≠ **indiferente** 3 **sumptuoso**, luxuoso, ostentoso, magnificente ≠ **simples**, modesto

deslumbrar *v.* 1 **ofuscar**, embaciar, encandear, translumbrar ≠ **desembaciar** 2 *fig.* **fascinar**, seduzir, maravilhar, arrebatar, assombrar, encantar ≠ **desencantar**, desiludir

desmagnetização *n.f.* desimanação

desmagnetizar *v.* desimanar

desmaiado *adj.* 1 **inconsciente**, desfalecido, inanimado, desacordado ≠ **consciente** 2 **descorado**, pálido, apagado, amarelado, descolorado, desbotado, embaçado, baço, mate ≠ **colorido**, vivo, brilhante, garrido, iluminado, pintalgado, folclórico *pej.* 3 (som) **sumido**, apagado, desvanecido, murcho *fig.* ≠ **intenso**, forte 4 **esmorecido**, enfraquecido, abatido, desfalecido *fig.* ≠ **revigorado**, fortalecido

desmaiar *v.* 1 **desbotar**, descorar, botar, empalidecer ≠ **avivar**, colorir, corar 2 **desfalecer**, esvair-se, desacordar *col.* 3 **desanimar**, esmorecer, desalentar, descair, desfalecer ≠ **revigorar**, fortalecer

desmaio *n.m.* 1 MED. **síncope**, inconsciência, desacordo, desfalecimento, desbotadura, apsiquia, desconsciência, chilique *col.*, fanico *col.*, delíquio *fig.* ≠ **consciente** 2 **desânimo**, esmorecimento, desalento, descaimento, desfalecimento ≠ **ânimo**, fortalecimento

desmamar *v.* **desamamentar**, desaleitar, ablactar, desquitar [REG.] *col.*, vedar [REG.]

desmame *n.m.* MED. **ablactação**, desaleitação, desaleitamento

desmanchar *v.* 1 **desfazer**, desalinhar, deformar, desconchavar, desconsertar ≠ **ajeitar**, alinhar, repor 2 **desarrumar**, desalinhar, desajeitar, desordenar, desarar *fig.* ≠ **arrumar**, alinhar, ajeitar 3 **deslocar**, desconjuntar, desarticular ≠ **articular**, colocar 4 **destruir**, inutilizar, estragar, desfazer ≠ **preservar**, conservar 5 MED. **abortar** 6 (animais) **esquartejar**, espostejar

desmanchar-se *v.* 1 **desconjuntar-se**, desarticular-se, deslocar-se, descompor-se ≠ **articular-se** 2 **desfazer-se**, derreter-se *fig.* 3 **descomedir-se**, exceder-se ≠ **comedir-se**, conter-se

desmancho *n.m.* 1 **desordem**, confusão, desalinho, desarranjo, balbúrdia, caos, debandada, descoordenação, bagunça [BRAS.] ≠ **ordem**, organização, arrumação, arranjo 2 **descontrolo**, desnorteio, desgoverno, desequilíbrio, desarvoramento, desorientação ≠ **controlo**, equilíbrio 3 **aborto** *col.*, desarranjo, móvito

desmando *n.m.* 1 **desobediência**, insubordinação, infração, transgressão, contravenção ≠ **acatamento**, obediência, cumprimento 2 **excesso**, descomedimento, desregramento, exagero, desbunda *col.* ≠ **comedimento**, moderação

desmantelado *adj.* 1 **desconjuntado**, desarvorado, desarranjado, desconfeito ≠ **mantelado**, conjuntado 2 NÁUT. **desmastreado** ≠ **mastreado** 3 **desmoronado**, desabamento, arruinado, demolido, derribado ≠ **conservado**, consertado

desmantelamento *n.m.* 1 **desarranjo**, desalinho, desordenação, deformação ≠ **alinho**, arrumação 2 **derrocada**, derrocamento, desmoronamento, derrubada, desabamento, esbarrondamento, desabe ≠ **edificação**, construção

desmantelar *v.* 1 **demolir**, destruir, arrasar, derrubar, derribar, abater, aluir, derrocar, arruinar ≠ **construir**, edificar 2 NÁUT. **desaparelhar**, desarmar 3 **desmanchar**, desconjuntar, desarticular, deslocar ≠ **articular**, colocar

desmantelar-se *v.* 1 **desmoronar-se**, esboroar-se, aluir, derruir, desabar 2 **desconjuntar-se**, desarticular-se, deslocar-se, descompor-se, desmanchar-se ≠ **articular-se**

desmarcar *v.* 1 **desbalizar** ≠ **demarcar**, estremar, assinalar, marcar 2 **descomedir-se**, exagerar ≠ **comedir**, moderar 3 (compromisso, encontro) **cancelar**, anular, desconvocar ≠ **combinar**, marcar

desmascarar *v.* **desvendar**, descobrir, demonstrar, mostrar, revelar ≠ **disfarçar**, encobrir, simular, camuflar

desmazelado *adj.* **desleixado**, descuidado, desalinhado, desaprimorado, desarranjado, desaprumado, desarrumado, negligente, desmanchadão *col.* ≠ **cuidado**, arranjado, aprimorado

desmazelar *v.* **desleixar-se**, descuidar-se

desmazelo *n.m.* **desleixo**, desalinho, descuido, negligência, incúria, descautela, descuramento ≠ **cuidado**, zelo, esmero

desmedido *adj.* 1 **excessivo**, extraordinário, extravagante, descomedido, exagerado, indiscreto, desabalado ≠ **moderado**, comedido, discreto 2 **imenso**, enorme, colossal, descomunal ≠ **comedido**, diminuto

desmedir-se *v.* **exorbitar**, desregrar-se, exceder-se, desmesurar-se *fig.* ≠ **conter-se**, regrar-se, moderar-se

desmembrado *adj.* **separado**, desagregado, despegado, partido, desunido, desfeito, repartido, desarreigado ≠ **unido**, junto, ligado, agarrado

desmembramento *n.m.* **separação**, desmembração, desagregação, desarticulação, repartição, divisão, estroncamento ≠ **agregação**, unificação, junção

desmembrar *v.* 1 **amputar**, mutilar 2 **desconjuntar**, desmanchar, desarticular, decompor, desincorporar, dividir, repartir ≠ **agregar**, compor, juntar, unir

desmembrar-se *v.* **separar-se**, desconjuntar-se, desunir-se, desagregar-se, descompor-se ≠ **unir-se**, agregar-se, juntar-se

desmemoriado *adj.* **esquecido**, desacordado, desmiolado *fig.* ≠ **lembrado**, recordado

desmemoriar *v.* **esquecer**, olvidar, descorar ≠ **lembrar**, recordar

desmentido *adj.* 1 **falso**, perjuro, erróneo ≠ **verdadeiro**, verídico 2 **contestado**, contraditado, recusado, negado, contradito ≠ **aceite**, corroborado, confirmado ■ *n.m.* 1 **contestação**, contradita, recusa, negação ≠ **aceitação**, corroboração, confirmação 2 **contradição**, falsidade, mentira ≠ **verdade**, realidade 3 **retratação**, abjuração, palinódia *fig.*

desmentir *v.* 1 **contestar**, contradizer, recusar, negar ≠ **aceitar**, corroborar, confirmar 2 *fig.* **destoar**, desarmonizar, desquadrar, desconformar, desfrisar ≠ **consonar**, conformar, enquadrar

desmerecer *v.* 1 **depreciar**, desconsiderar, desvaliar, rebaixar, menoscabar, menosprezar, deslustrar ≠ **valorizar**, estimar, considerar 2 **desbotar**, botar, descorar, desmaiar, empalidecer ≠ **avivar**, colorir, corar

desmerecimento *n.m.* **desmérito**, desconsideração, desconceito, descrédito, desautorização ≠ **consideração**, mérito

desmesura *n.f.* **indelicadeza**, incivilidade, desconsideração, impolidez, descortesia, descuido, grosseria ≠ **consideração**, acatamento, cortesia, polidez

desmesuradamente *adv.* **excessivamente**, desmedidamente, exageradamente, demasiadamente, muito ≠ **pouco**, insuficientemente

desmesurado *adj.* **desmedido**, descompassado, enorme, excessivo, grandíssimo ≠ **comedido**, mesurado

desmesurar *v.* **exceder**, desmedir, descontrolar, demasiar, descomedir-se ≠ **comedir**, moderar

desmesurar-se *v. fig.* **descomedir-se**, exceder-se, desregrar-se, desmedir-se, exorbitar ≠ **conter-se**, regrar-se, moderar-se

desmiolado *adj.* 1 *fig.* **esquecido**, desacordado, desmemoriado ≠ **lembrado**, recordado 2 *fig.* **desajuizado**, desassisado, desatilado, descabeçado, insensato, irresponsável, imprudente ≠ **ajuizado**, atinado, assisado, sensato, prudente ■ *n.m.* **louco**, doido, maluco ≠ **são**, equilibrado

desmiolar *v.* **enlouquecer**, alienar, alucinar, dementar, desequilibrar, desvairar ≠ **desenlouquecer**

desmistificar *v.* **desmascarar**, descobrir, demonstrar, mostrar, revelar, desvendar ≠ **disfarçar**, encobrir, simular, camuflar

desmobilar *v.* **desguarnecer** ≠ **mobilar**

desmonetização *n.f.* **desamoedação**

desmonetizar *v.* **desamoedar**

desmontar *v.* 1 **descavalgar**, apear ≠ **montar**, cavalgar 2 **decompor**, desagrupar, desmembrar, dividir, separar ≠ **juntar**, formar, congregar 3 (máquina) **desarmar**, desmantelar, desmanchar, desaparelhar ≠ **aparelhar**, armar 4 (pedrarias) **desengastar**, descravejar, descravar ≠ **cravar**, engastar, cravejar, incrustar, embutir, tauxiar, marchetar 5 **abater**, derruir, arrasar ≠ **conservar**, preservar 6 (intriga) **desfazer**, desconstruir 7 **demitir**, destituir, despedir, depor, exonerar ≠ **contratar**, admitir

desmonte *n.m.* 1 **descavalgamento**, apeamento ≠ **montada**, cavalgamento 2 **desmoronamento**, derrocamento, derrocada, derrubada, desabamento, esbarrondamento, desabe ≠ **edificação**, construção 3 **decomposição**, desagregação, desmembramento, desunião, separação, fragmentação, desincorporação, dissociação ≠ **agregação**, composição, união, junção

desmoralização *n.f.* **1 desânimo**, desalento, prostração, esmorecimento, desencorajamento, abatimento, consternação, desconforto, debilitação ≠ **ânimo**, encorajamento, alento, entusiasmo **2 perversão**, corrupção, imoralidade, desregramento, devassidão, desedificação, degradação *fig.* ≠ **decência**, decoro, moralidade

desmoralizado *adj.,n.m.* **1 pervertido**, depravado, corrupto *fig.*, desencaminhado *fig.* ≠ **decente**, decoroso, moral **2 desalentado**, desanimado, desconsolado, abatido, prostrado, deprimido *col.* ≠ **animado**, entusiasmado

desmoralizador *adj.,n.m.* **1 perversor**, corruptor, depravador, aviltador, desedificador ≠ **moralizador 2 desalentador**, desanimador, desencorajador, esmorecedor, descoroçoador ≠ **alentador**, encorajador, entusiasmante

desmoralizar *v.* **1 perverter**, extraviar, danar, depravar, degenerar, corromper, desencaminhar *fig.* ≠ **regenerar**, reformar **2 desanimar**, deprimir, desalentar, prostrar, desencorajar, quebrantar, abater ≠ **animar**, entusiasmar, encorajar

desmoralizar-se *v.* **1 desanimar-se**, desalentar-se, descoroçoar ≠ **animar-se**, alentar-se **2 depravar-se**, perverter-se, corromper-se

desmoronamento *n.m.* **derrocada**, derrocamento, desmantelamento, derrubada, desabamento, esbarrondamento, desabe, derruimento ≠ **edificação**, construção

desmoronar *v.* **demolir**, destruir, arrasar, derrubar, derribar, abater, aluir, derrocar, arruinar, desmantelar ≠ **construir**, edificar

desmoronar-se *v.* **aluir**, esboroar-se, cair, derruir-se, desabar, esbarrocar, desmantelar-se, esbarrondar-se, esborralhar-se, lacar [REG.]

desmotivado *adj.* **1 indiferente**, desinteressado, abnegado, desprendido ≠ **egoísta**, interesseiro **2 injustificado**, infundado, imotivado, improcedente ≠ **justificado**, motivado

desmotivar *v.* **desinteressar**, abnegar, desprender-se ≠ **interessar-se**

desnaturado *adj.* **1 impiedoso**, desumano, cruel, desapiedado, celerado, feroz, perverso, malvado ≠ **caridoso**, compassivo, humano, piedoso **2 degenerado**

desnaturalização *n.f.* **1 desnacionalização**, desnaturação ≠ **nacionalização**, naturalização **2 alteração**, adulteração, modificação ≠ **manter**, conservar

desnaturalizar *v.* desnacionalizar ≠ **nacionalizar**, naturalizar

desnaturar *v.* **1 adulterar**, deformar, modificar, mudar ≠ **manter**, preservar **2 desumanizar**, desalmar, endurecer, empedernir *fig.* ≠ **humanizar**, sensibilizar **3 corromper** *fig.*, perverter, degenerar, adulterar, corroer *fig.*, depravar *fig.* ≠ **enobrecer**, engrandecer

desnecessário *adj.* **dispensável**, inútil, supérfluo, escusado ≠ **necessário**, útil, complementar, preciso

desnecessidade *n.f.* **inutilidade**, superfluidade, dispensabilidade ≠ **necessidade**, utilidade, complementaridade, precisão

desnecessitar *v.* **escusar**, prescindir, dispensar ≠ **necessitar**, precisar, carecer

desnervar *v.* **amansar**, aplacar, serenar, acalmar, apaziguar, abonançar, desenraivar ≠ **enervar**, irritar, perturbar

desnível *n.m.* **desnivelamento**, acidente

desnivelado *adj.* **1 acidentado**, escadeado ≠ **nivelado 2 inclinado**, declivoso, vertente, declive **3 desalinhado**, torto ≠ **endireitado**, ordenador

desnivelamento *n.m.* **desnível**, acidente

desnivelar *v.* **1 escadear** ≠ **nivelar**, afagar **2 diferençar**, distinguir, desigualar, estremar ≠ **igualar**, assemelhar

desnorteado *adj.* **1 desorientado**, desgovernado, desequilibrado, descontrolado, desarvorado ≠ **controlado**, equilibrado **2** *fig.* **desequilibrado**, desvairado, destrambelhado, maluco, tolo, tonto, desaustinado, desobstinado ≠ **sensato**, equilibrado, ponderado

desnorteamento *n.m.* **desorientação**, desnorteio, desgoverno, desequilíbrio, desarvoramento, descontrolo ≠ **controlo**, equilíbrio

desnortear *v.* **1 desorientar**, descontrolar, desgovernar, desequilibrar, desarvorar, descomandar ≠ **controlar**, equilibrar, orientar **2** *fig.* **atrapalhar**, estorvar, transtornar, desconcertar, embaraçar, perturbar ≠ **orientar**, nortear

desnortear-se *v.* **1 desorientar-se**, despistar-se *fig.* ≠ **orientar-se**, nortear-se, guiar-se **2** *fig.* **atrapalhar-se**, aparvalhar-se, atarantar-se

desnudar *v.* **1 despir**, desenfiar, desenfronhar, desenroupar, desentrapar, desenvergar *col.* ≠ **vestir**, enfiar, envergar **2 descobrir**, mostrar, desvendar, patentear, revelar ≠ **obscurecer**, encobrir, enredar *fig.* **3 escalvar**

desnudo *adj.* **nu**, despido, desnudado ≠ **vestido**

desnutrição *n.f.* **emagrecimento**, desengrossamento ≠ **engorda**

desnutrido *adj.* **subalimentado**, subnutrido, malnutrido ≠ **alimentado**, nutrido

desnutrir *v.* **emagrecer**, desengordar, diminuir ≠ **engordar**

desobedecer *v.* **1 desacatar**, desrespeitar, recalcitrar, demandar, insubordinar, rebelionar ≠ **respeitar**, obedecer **2 descumprir**, transgredir, infringir, violar, contravir ≠ **cumprir**, obedecer, acatar, aguardar

desobediência *n.f.* **1** **desacato**, desrespeito, recalcitração, demando, insubmissão, rebeldia ≠ **respeito**, obediência **2** **transgressão**, infração, violação, contravenção ≠ **cumprimento**, obediência, acatamento

desobediente *adj.,n.2g.* **insubmisso**, insubordinado, indisciplinado, desrespeitador, recalcitrante, revoltado ≠ **respeitador**, obediente

desobriga *n.f.* **1** (obrigação, função) **desobrigação**, isenção, escusa, desoneração, derrisca ≠ **obrigação** **2** (dívida) **quitação**

desobrigar *v.* **1** (obrigação, função) **isentar**, absolver, desonerar, eximir, dispensar, aliviar, livrar, descometer ≠ **obrigar** **2** (dívida) **quitar**, remitir, exonerar, desonerar ≠ **obrigar**

desobrigar-se *v.* **desencarregar-se**, desincumbir-se, livrar-se, desencomendar-se ≠ **encarregar-se**, incumbir-se

desobstrução *n.f.* **desempacho**, desimpedimento, desatravancamento, desembaraço, desestorvo, desengarrafamento *fig.* ≠ **impedimento**, atravancamento, obstrução, entrave, agrura *fig.*

desobstruir *v.* **desimpedir**, desatravancar, desempecilhar, desopilar, desembaraçar, livrar, desentulhar, debloquear, desatafulhar ≠ **impedir**, obstruir, estorvar, empecer

desobstrutivo *adj.* **desobstruente** ≠ **impeditivo**, obstrutivo

desocupação *n.f.* **1** **vaga**, despejamento ≠ **ocupação** **2** **desemprego** ≠ **emprego**, ocupação, trabalho, profissão, ofício, cargo **3** **ócio**, ociosidade, descanso, vagabundagem, vadiagem, malandrice, flauteio ≠ **atividade**, dinamismo, labor, trabalho

desocupado *adj.* **1** **vago**, vagante, vazio ≠ **ocupado** **2** **desempregado** ≠ **empregado**, ocupado, colocado **3** **ocioso**, vadio, vagabundo, malandro ≠ **afanado**, laborioso, afanoso, azafamado

desocupar *v.* **1** **desempregar**, destituir, despedir, demitir, depor, exonerar ≠ **contratar**, admitir **2** **vagar**, despejar ≠ **ocupar**

desocupar-se *v.* **desembaraçar-se**, livrar-se

desofuscar *v.* **clarear**, aclarar, limpar, desanuviar, desobscurecer, desassombrar ≠ **encobrir**, obscurecer, anuviar, toldar *fig.*

desolação *n.f.* **1** **estrago**, dano, danificação, deterioração ≠ **conservação**, preservação **2** **ruína**, devastação, destruição, assolação, depredação ≠ **conservação**, preservação **3** **isolamento**, desamparo, solidão, abandono ≠ **amparo**, apoio, arrimo **4** **aflição**, consternação, angústia, desalento ≠ **acalmia**, sossego

desolado *adj.* **1** **consternado**, triste, prostrado, abatido, desgostoso ≠ **animado**, entusiasmado **2** **solitário**, abandonado, desamparado ≠ **amparado**, apoiado, arrimado

desolador *adj.,n.m.* **consternador**, triste, contristador, entristecedor ≠ **animador**, entusiasmante

desolar *v.* **1** **devastar**, arruinar, assolar, destruir, depredar ≠ **conservar**, preservar **2** **entristecer**, afligir, consternar, desconsolar ≠ **aliviar**, animar **3** **despovoar**, desabitar ≠ **povoar**

desoneração *n.f.* **desobrigação**, desobriga, exoneração, isenção, escusa ≠ **obrigação**

desonerar *v.* **1** (obrigação, função) **isentar**, absolver, desobrigar, eximir, dispensar, aliviar, livrar ≠ **obrigar** **2** (dívida) **quitar**, remitir, exonerar, desobrigar ≠ **obrigar** **3** **aliviar**, livrar, desenvencilhar, desembaraçar ≠ **impedir**, obstruir, embaraçar

desonestar *v.* **difamar**, desonrar, injuriar, infamar ≠ **prestigiar**, valorizar, considerar

desonestidade *n.f.* **1** **falsidade**, insinceridade, mentira, deslealdade ≠ **honestidade**, sinceridade, veracidade **2** **impudência**, impropriedade, obscenidade, indecoro, escabrosidade *fig.* ≠ **decoro**, comedimento, pudicícia

desonesto *adj.* **1** **falso**, insincero, mentiroso, desleal ≠ **honesto**, sincero, verídico **2** **impudico**, impróprio, obsceno, indecoroso, vergonhoso, escabroso *fig.* ≠ **decoroso**, comedido, pudico

desonra *n.f.* **descrédito**, desmerecimento, desconsideração, desconceito, desmérito, desautorização, vexame, vergonha, opróbrio, deslustre *fig.*, mancha *fig.* ≠ **consideração**, mérito, crédito, honra

desonrado *adj.* (pessoa) **descreditado**, desmerecido, desconsiderado, desconceituado, desautorizado, vexador, deslustrador ≠ **considerado**, merecido, creditado, honrado

desonrar *v.* **1** **descreditar**, desmerecer, desconsiderar, desconceituar, desautorizar, vexar, viltar, envergonhar *fig.*, deslustrar *fig.*, manchar *fig.* ≠ **considerar**, merecer, creditar, honrar **2** *col.* (mulher) **desvirginar**, deflorar, desvirtuar

desonroso *adj.* **1** **aviltante**, degradante, ignominioso, vilipendioso ≠ **honroso**, dignificante **2** **indecente**, indigno, imoral, indecoroso, vergonhoso, amoral ≠ **digno**, honroso, respeitoso

desopilação *n.f.* **1** **desobstrução**, desimpedimento, desempacho ≠ **congestionamento**, obstrução **2** (preocupação, tristeza, tensão, etc.) **alívio**, desopressão, descarga, relaxe, alegrar ≠ **opressão**, sobrecarga, preocupação

desopilar *v.* **1** **desobstruir**, desimpedir, desempachar ≠ **congestionar**, obstruir **2** (preocupação, tristeza, tensão, etc.) **aliviar**, desoprimir, descarregar, relaxar, alegrar ≠ **oprimir**, sobrecarregar, preocupar

desopressão *n.f.* **alívio**, desempeço, desafogo, desaperto ≠ **aperto**, dificuldade

desoprimir *v.* 1 **aliviar**, alijar, desafogar, desapertar, descarregar, desajoujar *fig.* ≠ **sobrecarregar**, assoberbar, oprimir 2 **libertar**, livrar, soltar ≠ **prender**, oprimir

desorbitar *v.* exorbitar

desordeiro *adj.,n.m.* **turbulento**, arruaceiro, rixoso, bulhento, chinfrineiro, disputador, inquieto, tavanês, alvoroçador, revoltador, motineiro, bulhão, bailão, trinca-fortes, tranca-ruas, anarquizante, volteiro *ant.*, cicateiro [REG.], bagunceiro [BRAS.] ≠ **quieto**, calmo, pacífico

desordem *n.f.* 1 **desarrumação**, desalinho, desarranjo, confusão, desorganização, desconcerto, desmaranho [REG.] ≠ **arrumação**, alinho, aprumo 2 **confusão**, caos, trapalhada, barulho, balbúrdia, babel, badanal, alvoroço, tumulto, zaragata, espalhafato, rebuliço, chinfrim, abaderna, sarrafusca *col.*, sarapatel *fig.*, feira *fig.*, barrilada *fig.*, bambá *fig.*, fubá [BRAS.], baderna [BRAS.] ≠ **ordem**, organização, arrumação, arranjo 3 **motim**, conturbação, tumulto, agitação, alvoroço, revolta, insurreição ≠ **apaziguamento**, pacificação, serenidade

desordenadamente *adv.* 1 **atropeladamente**, confusamente, desorganizadamente, descoordenadamente, desarticuladamente, estouvadamente, atabalhoadamente ≠ **arrumadamente**, ordenadamente 2 **tumultuariamente**, conturbadamente, tumultuosamente ≠ **pacificamente**, calmamente 3 **irregularmente**, descompassadamente ≠ **compassadamente**, regularmente

desordenado *adj.* 1 **desarrumado**, desalinhado, desarranjado, confuso, desorganizado, desconcertado, babélico *fig.* ≠ **arrumado**, alinhado, aprumado 2 **irregular**, descompassado ≠ **compassado**, regular 3 **desconexo**, incoerente, desarticulado, desorganizado, confuso ≠ **coerente**, congruente, ordenado

desordenar *v.* 1 **confundir**, baralhar, desarranjar, desorganizar, descompor, desconcertar, desarrumar ≠ **arranjar**, arrumar, ordenar 2 **amotinar**, revoltar, anarquizar, subverter, sublevar *fig.* ≠ **desencorajar**, pacificar, apaziguar

desordenar-se *v.* 1 **desenfrear-se**, descomedir-se 2 **desarranjar-se**

desorganização *n.f.* **desarrumação**, desalinho, desarranjo, confusão, desordem, desconcerto, dessistema ≠ **arrumação**, alinho, aprumo

desorganizado *adj.* 1 **desarrumado**, desalinhado, desarranjado, confuso, desordenado, desconcertado, bagunçado [BRAS.] ≠ **arrumado**, alinhado, aprumado 2 **desconexo**, incoerente, desarticulado, desordenado, confuso ≠ **coerente**, congruente, ordenado

desorganizar *v.* 1 **confundir**, baralhar, desarranjar, desordenar, descompor, desconcertar, desarrumar, estrambelhar [REG.] ≠ **arranjar**, arrumar, ordenar 2 **dissolver**, desmembrar, dispersar, desagregar, desmanchar ≠ **formar**, constituir

desorganizar-se *v.* **descompor-se**, destrambelhar-se, desordenar

desorientação *n.f.* 1 **desnorteio**, descontrolo, desgoverno, desequilíbrio, desarvoramento, despistamento *fig.* ≠ **controlo**, equilíbrio 2 **insensatez**, desvairo, loucura, cegueira, doideira, maluqueira ≠ **sensatez**, tino, juízo

desorientado *adj.* 1 **desnorteado**, descontrolado, desgovernado, desequilibrado, desarvorado, estramontado ≠ **controlado**, equilibrado 2 **insensato**, desvairado, imbecil, louco, doido, tonto, maluco, cego *fig.* ≠ **sensato**, atinado, ajuizado

desorientar *v.* 1 **desnortear**, descontrolar, desgovernar, desequilibrar, desarvorar ≠ **controlar**, equilibrar 2 *fig.* **atrapalhar**, embaraçar, perturbar, desconcertar, transtornar, estorvar ≠ **desembaraçar**, facilitar 3 *fig.* **desvairar**, alucinar, disparatar, despropositar, enlouquecer *fig.* ≠ **ajuizar**, atinar

desorientar-se *v.* 1 **desnortear-se**, despistar-se *fig.* ≠ **orientar-se**, nortear-se 2 **atrapalhar-se**, atarantar-se, embaraçar-se

desossar *v. col.* **espancar**, desancar, bater, golpear, sovar, surrar ≠ **defender**, proteger, resguardar

desova *n.f.* **postura**, desovamento

desovar *v.* 1 **ovar** 2 *fig.,col.* **parir**, aliviar *col.*

desoxidar *v.* **oxigenar** ≠ **oxidar**, enferrujar

desoxigenar *v.* **desoxidar** ≠ **oxidar**, enferrujar

despachado *adj.* 1 **resolvido**, concluído, decidido 2 **deferido**, concedido, aprovado, outorgado ≠ **indeferido**, desaprovado 3 **desinibido**, desenvolto, desenrascado, desembaraçado, desempoeirado *fig.* ≠ **acanhado**, tímido 4 **expedito**, diligente, desembaraçado, ativo, prático, danado *col.* ≠ **embaraçado**, atabalhoado, desorganizado 5 *col.* **morto**, assassinado

despachante *n.2g.* **expedidor**, despachador

despachar *v.* 1 **decidir**, concluir, resolver, solucionar 2 **nomear**, designar, eleger, escolher 3 **expedir**, mandar, enviar, remeter 4 *col.* **desfechar** 5 **aviar**, atender 6 *col.* **matar**, assassinar

despachar-se *v.* **aviar-se**, acelerar-se, apressurar-se ≠ **demorar-se**, retardar-se

despacho *n.m.* 1 **resolução**, deliberação, decisão 2 **nomeação**, designação, eleição, escolha 3 **telegrama**

desparasitar *v.* **desinfetar**, limpar

despassarado *adj. col.* **distraído**, desatento, alheado, aéreo, abstrato, absorto, descuidado, despistado, esgrouviado, distante *fig.* ≠ **atento**, concentrado ■ *n.m. col.* **cabeça no ar**, despistado

despautério *n.m.* **despropósito**, desconchavo, descabelada, disparate, tolice, absurdo, incoerente ≠ **lógico**, coerente, congruente

despedaçamento *n.m.* 1 **retalhamento** 2 **dilaceração**, divulsão, laceração

despedaçar *v.* 1 **partir**, dilacerar, quebrar, fragmentar, escassilhar, frangalhar, escadraçar [REG.] 2 *fig.* **confranger**, lancinar, pungir, afligir, atormentar, alegrar

despedaçar-se *v.* 1 **partir-se**, quebrar-se 2 **desfazer-se**, derreter-se *fig.*

despedida *n.f.* 1 **despedimento**, adeus 2 *fig.* **conclusão**, remate, final, desfecho, fim, desenlace, termo, fecho ≠ **início**, começo, princípio, encetadura

despedimento *n.m.* 1 **despedida**, adeus 2 **demissão**, exoneração, deposição, destituição ≠ **contratação**, admissão, compromisso 3 **arremesso**, lançamento

despedir *v.* 1 **licenciar**, demitir, destituir, depor, exonerar ≠ **contratar**, admitir 2 **arremessar**, lançar, atirar 3 **enviar**, expedir, mandar, remeter ≠ **receber** 4 **aviar**, despachar 5 **soltar**, exalar, emanar, deitar 6 **partir**, sair, retirar-se, ir-se ≠ **voltar**, regressar, vir

despedir-se *v.* **demitir-se**, exonerar-se

despegar *v.* 1 **desligar**, separar, desajustar, descolar, desagarrar ≠ **apegar**, ligar, unir 2 (trabalho) **suspender**, largar, deixar, abandonar, cessar ≠ **retomar**, voltar

despegar-se *v.* 1 **desprender-se**, descolar-se, desgrudar-se ≠ **prender-se** 2 **desafeiçoar-se**, desprender-se ≠ **afeiçoar-se**, prender-se *fig.*

despego *n.m.* **desinteresse**, desafeição, desafeto, desamor, desapego ≠ **afeição**, amor, apego

despeitado *adj.* **melindrado**, ressentido, zangado, magoado, despeitoso

despeitar *v.* 1 **vexar**, oprimir, humilhar ≠ **respeitar**, estimar 2 **irritar**, melindrar, magoar, ressentir, zangar

despeitar-se *v.* 1 **melindrar-se**, ressentir-se, ofender-se 2 **zangar-se**, irritar-se, encolerizar-se ≠ **acalmar-se**, amansar-se

despeito *n.m.* **ressentimento**, mágoa, melindre, rancor, irritação

despejado *adj.* 1 **vazio**, vagante, vago ≠ **ocupado** 2 **desocupado**, evacuado, vago ≠ **ocupado**, habitado 3 *col.* **impudente**, descarado, insolente, atrevido, desavergonhado, petulante, desabusado, desaforado ≠ **vergonhoso**, tímido, modesto, comedido

despejar *v.* 1 **esvaziar**, vagar, desborcar ≠ **ocupar** 2 **desocupar**, evacuar, vacar ≠ **ocupar**, habitar 3 **abrir**, desatravancar, desobstruir, desimpedir, libertar ≠ **fechar**, obstruir 4 **largar**, soltar, desalforjar

despejar-se *v.* desavergonhar-se

despejo *n.m.* 1 **esvaziamento**, vaziamento 2 **desocupação**, evacuação, vaga ≠ **ocupação**, habitação 3 **lixo**, dejeto 4 **insolência**, atrevimento, descaramento, desavergonhamento, petulância, desabuso, desaforo ≠ **vergonha**, timidez, modéstia, comedimento 5 **desenvoltura**, facilidade, agilidade, soltura, naturalidade, desacanhamento ≠ **lentidão**, morosidade, dificuldade

despender *v.* 1 **gastar**, desembolsar, consumir, pagar ≠ **poupar**, economizar 2 **empregar** 3 *fig.* **dar** 4 *fig.* **espalhar**, soltar

despenhadeiro *n.m.* 1 **precipício**, alcantil, esbarrondadeiro, faial, resvaladouro, ribanceira 2 *fig.* **perigo**, risco, desgraça

despenhamento *n.m.* **despenho**, queda

despenhar *v.* 1 **precipitar**, cair, jogar, resvalar 2 **derrubar**, prostrar 3 *fig.* **arruinar**, abismar

despenhar-se *v.* **precipitar-se**, arrojar-se, derribar-se

despenho *n.m.* 1 **despenhamento**, queda, despenhão 2 **despenhadeiro**, alcantil, esbarrondadeiro, faial, resvaladouro, ribanceira, precipício, resvaladeiro 3 *fig.* **ruína**, perdição

despensa *n.f.* **celário**, ucharia

despenseiro *n.m.* **ecónomo**, chaveiro, arquitriclino, uchão

despenteado *adj.* 1 (cabelo) **desgrenhado**, descabelado, revolto ≠ **penteado** 2 *fig.* **desleixado**, descuidado, desalinhado, desaprimorado, desarranjado, desaprumado ≠ **cuidado**, arranjado, aprimorado

despentear *v.* (cabelo) **desgrenhar**, descabelar, engadelhar, esgrouviar, estopetar ≠ **pentear**

desperceber *v.* **desaperceber**, desentender, desatentar ≠ **perceber**, entender, assimilar

despercebido *adj.* 1 **desatento**, distraído, desacautelado ≠ **atento**, concentrado 2 **ignorado**, desdenhado, obscurecido

desperdiçado *adj.* **esbanjado**, desaproveitado, gasto, dissipado, subaproveitado ≠ **poupado**, amealhado, aproveitado, económico ■ *n.m.* **esbanjador**, perdulário, gastador, pródigo, dissipador ≠ **avarento**, mesquinho, sovina, forreta

desperdiçar *v.* **desaproveitar**, dissipar, esbanjar, desbaratar, malbaratar ≠ **poupar**, amealhar, aproveitar, economizar

desperdício *n.m.* 1 **esbanjamento**, desbaratamento, dissipação, gasto, desaproveitamento, bota-fora, deseconomia ≠ **poupança**, aproveitamento, economicidade 2 **perda**, desaproveitamento ≠ **aproveitamento** 3 [*pl.*] **restos**, sobras, sobejos, despojos

despersuadir *v.* **dissuadir**, desencabeçar, afastar, demover, desconvencer, desencasquetar, desaconselhar ≠ **convencer**, persuadir, induzir

despertador *adj. fig.* **estimulador**, provocador, incentivador, espertador ≠ **inibidor**

despertar *v.* 1 **acordar**, espertar ≠ **adormecer** 2 *fig.* **causar**, provocar, motivar, originar 3 *fig.* **estimular**, provocar, incentivar, ativar ≠ **inibir**

desperto *adj.* 1 **acordado**, esperto ≠ **adormecido** 2 **atento**, vigilante, observador, cuidadoso ≠ **desatento**

despesa *n.f.* **gasto**, desembolso, dispêndio, consumo ≠ **poupança**

despiciendo *adj.* **desprezível**, desdenhável, menosprezível ≠ **apreciável**, considerável

despido *adj.* 1 (pessoa) **nu**, desnudo, desnudado, denudado ≠ **vestido** 2 (árvore) **desfolhado**, esfolhoso 3 (lugar) **desocupado**, vazio, vago ≠ **ocupado**, tomado 4 (estilo) **simples**, despojado, desornado, sóbrio

despigmentação *n.f.* **descoloração**, embranquecimento ≠ **pigmentação**, coloração

despique *n.m.* 1 **desafronta**, desagravo, desforra, revindicta, vingança, desenxovalho *fig.* ≠ **agravo**, afronta 2 **desafio**, rivalidade, luta, confronto, competição 3 (entre cantadores) **desafio**

despir *v.* 1 **desnudar**, desenfiar, desenfronhar, desenroupar, desentrapar, desvestir, desenvergar *col.* ≠ **vestir**, enfiar, envergar 2 **retirar**, tirar, desenfiar ≠ **calçar**, colocar, pôr 3 **largar**, deixar, abandonar, livrar-se ≠ **prender-se**

despir-se *v.* 1 **desnudar-se**, desenroupar-se, desenfarpelar-se ≠ **vestir-se**, abaetar-se, enroupar-se, agasalhar-se, abarretar-se 2 **despojar-se**

despistar *v.* 1 **enganar**, iludir, ludibriar ≠ **clarificar**, esclarecer 2 *fig.* **desorientar**, desnortear, desgovernar, desequilibrar, desarvorar, despolarizar ≠ **controlar**, equilibrar

despiste *n.m. fig.* **desorientação**, desnorteio, desgoverno, desequilíbrio, desarvoramento ≠ **controlo**, equilíbrio

desplante *n.m.* **descaramento**, atrevimento, ousadia, petulância, desabuso, desaforo, insolência, desgarro ≠ **vergonha**, timidez, modéstia, comedimento

despojamento *n.m.* 1 **modéstia**, simplicidade, singeleza, sobriedade, recato ≠ **esplendor**, sumptuosidade, pompa, vaidade 2 **renúncia**, abstinência, desapego, desinteresse ≠ **interesse**, apego

despojar *v.* 1 **desapossar**, expropriar, espoliar, esbulhar, privar, desapropriar, desvalijar, evencer ≠ **empossar**, apossar 2 **tirar**, despir, desnudar, descobrir ≠ **cobrir**, revestir 3 **roubar**, furtar, extorquir, surripiar, subtrair, cardar *col.* ≠ **devolver**, entregar, dar

despojar-se *v.* 1 **renunciar**, deixar, desapoderar-se, desapossar-se 2 **despir-se**

despojo *n.m.* 1 **espólio**, presa 2 [*pl.*] **restos**, sobras, sobejos, desperdícios

despolarizar *v. fig.* **desorientar**, desnortear, desgovernar, desequilibrar, desarvorar, despistar ≠ **controlar**, equilibrar

despoletar *v.* 1 (sentido original) **travar**, desarmar 2 *fig.* **anular**, travar, impedir 3 *fig.* (uso generalizado) **desencadear**, provocar, atiçar

despolir *v.* **deslustrar**, desenvernizar, desvidrar ≠ **polir**, lustrar, brunir, cendrar, abrilhantar, envernizar

despoluir *v.* **descontaminar**, desinfetar, limpar ≠ **poluir**, contaminar

desponsório *n.m.* **esposório**, esponsais, esponsálias

despontar *v.* 1 **espontar**, embotar, descabeçar 2 **começar**, surgir, nascer, principiar ≠ **terminar**, concluir, findar 3 (sol) **nascer**, surgir, raiar, emergir, alvejar, rasgar, romper

desportista *n.2g.* **atleta** ≠ **antidesportista**

desportivo *adj.* 1 ≠ **antidesportivo** 2 (estilo) **informal**, confortável ≠ **formal**, cerimonioso

desporto *n.m.* **divertimento**, recreio, passatempo, entretenimento, diversão

desporto-rei *n.m.* DESP. **futebol**, bola *col.*

desposar *v.* **casar**, esposar, matrimoniar, unir, conjungir, consorciar ≠ **divorciar**, separar, descasar

desposar-se *v.* **casar-se**, matrimoniar-se, esposar-se, prender-se *fig.* ≠ **divorciar-se**, descasar-se

déspota *n.2g.* **tirano**, opressor, autocrata, ditador ≠ **democrata**, liberal ■ *adj.* **tirânico**, tirano, prepotente, iliberal, arbitrário, autoritário, imperativo, procústeo *fig.* ≠ **democrata**, liberal

despótico *adj.* **tirânico**, tirano, prepotente, iliberal, arbitrário, autoritário, imperativo, ditatorial, antepotente, procustiano *fig.* ≠ **democrata**, liberal

despotismo *n.m.* 1 **tirania**, absolutismo, autoritarismo, autocracia, ditadura ≠ **democracia**, liberalismo 2 **prepotência**, iliberalidade ≠ **liberalidade**

despovoação *n.f.* **despovoamento**, desertificação ≠ **povoação**, repovoação

despovoado *adj.* **deserto**, desabitado, depopulado, ermal ≠ **habitado**, povoado

despovoamento *n.m.* **despovoação**, ermamento ≠ **povoação**, repovoação, repovoamento

despovoar *v.* 1 **desabitar**, desolar, depopular, ermar ≠ **povoar** 2 *fig.* **desguarnecer**

desprazer *v.* **desagradar**, descontentar, aborrecer, desgostar, dessaber, destoar *fig.* ≠ **gostar**, agradar, satisfazer, contentar ■ *n.m.* **dissabor**, desgosto, tristeza, aborrecimento, insatisfação, descontentamento, desagrado, pesar ≠ **satisfação**, agrado, contentamento

desprazimento *n.m.* **dissabor**, desgosto, tristeza, aborrecimento, insatisfação, descontentamento, desagrado, pesar ≠ **satisfação**, agrado, contentamento

desprecaver *v.* **desprevenir**, desacautelar, descuidar, desguarnecer ≠ **prevenir**, acautelar

desprecaver-se *v.* **desprecatar-se**, desprevenir-se, descuidar-se, desaperceber-se ≠ **prevenir-se**, cuidar-se

desprecavido *adj.* **desprevenido**, desacautelado, descuidado, desguarnecido ≠ **prevenido**, acautelado

despregado *adj.* **desprendido**, desatado, separado, solto, liberto ≠ **preso**, fixo, afixo

despregar *v.* **1 descravar**, arrancar, desencravar ≠ **pregar**, fincar **2 estender**, desenrolar, esticar, estirar **3** NÁUT. **soltar**, largar, desferrar, desfraldar, desferir *ant.* ≠ **prender**, recolher, colher, amarrar **4** *fig.* (olhos) **desfitar**, desviar, desatentar, descravar ≠ **olhar**, mirar

desprender *v.* **1 desatar**, libertar, soltar, largar, desligar, deslaçar, desapor ≠ **prender**, fixar, atar, afivelar **2** (voo) **desferir**, voar, partir ≠ **aterrar**, pousar

desprender-se *v.* **1 soltar-se**, desajoujar-se **2 isentar-se 3 desafeiçoar-se**, desapegar-se ≠ **afeiçoar-se**, prender-se *fig.*

desprendido *adj.* **1 solto**, liberto, desatado, desligado, deslaçado ≠ **preso**, fixo, atado **2** *fig.* **abnegado**, altruísta, desinteressado, generoso ≠ **egoísta**, interesseiro **3** *fig.* **desinteressado**, alheio, indiferente, despegado, deixado **4** *fig.* **independente**, livre, dessujeito ≠ **dependente**, preso

desprendimento *n.m.* **1 desabamento**, aluimento, desmoronamento, derrocada, queda, desabe, desmantelamento ≠ **edificação**, construção **2** *fig.* **alheamento**, desinteresse, desapego, desafeto ≠ **interesse**, apego **3 generosidade**, abnegação, altruísmo ≠ **egoísmo**, interesse **4** *fig.* **independência**, liberdade ≠ **dependência**

despreocupação *n.f.* **calma**, sossego, tranquilidade, serenidade, imperturbabilidade, bem-bom ≠ **preocupação**, inquietação, apreensão, cisma, ralação, apoquentação, consumição

despreocupado *adj.* **calmo**, sossegado, tranquilo, sereno, imperturbável ≠ **preocupado**, inquieto, apreensivo, cismático, ralado, apoquentado, consumido

despreocupar *v.* **acalmar**, sossegar, tranquilizar, serenar ≠ **preocupar**, inquietar, apreender, cismar, ralar, apoquentar, consumir

despreocupar-se *v.* **sossegar-se**, tranquilizar-se ≠ **preocupar-se**, afligir-se, apoquentar-se, consumir-se *fig.*

desprestigiar *v.* **desacreditar**, desautorizar, desconsiderar, desrespeitar, desabonar, desvalorizar, desvirtuar, exautorar ≠ **acreditar**, abonar, respeitar

desprestigiar-se *v.* **desacreditar-se**, desautorizar-se ≠ **prestigiar-se**

despretensão *n.f.* **desafetação**, modéstia, simplicidade, naturalidade, singeleza, lhaneza ≠ **afetação**, presunção, vaidade

despretensioso *adj.* **desafetado**, natural, simples, singelo, sincero, modesto ≠ **pretensioso**, afetado, vaidoso, pedantesco, precioso, delambido, franduno, espanéfico *col.*, peneirento *col.,pej.*, enfático *pej.*, delicodoce *pej.*, alambicado *fig.*

desprevenção *n.f.* **imprevidência**, imprecaução, descuido, improvidência, desprecaução ≠ **prevenção**, precaução

desprevenido *adj.* **1 desacautelado**, incauto, desprovido, descurado, negligenciado, desleixado, desprecatado ≠ **atento**, acautelado, prevenido **2 desprovido**, desabastecido, provado ≠ **provido**, abastecido

desprevenir *v.* **desacautelar**, desprover, descurar, negligenciar, desleixar, desavisar ≠ **atentar**, acautelar, prevenir

desprevenir-se *v.* **descuidar-se**, desaperceber-se, desprecatar-se, desprecaver-se ≠ **prevenir-se**, cuidar-se

desprezar *v.* **1 desobedecer**, desrespeitar, desacatar, menosprezar, desvenerar, menoscabar, desdenhar ≠ **respeitar**, obedecer **2 desconsiderar**, desatender, rejeitar, ignorar, recusar ≠ **aceitar**, escutar, atender

desprezar-se *v.* **1 rebaixar-se**, dedignar-se, humilhar-se, achincalhar-se **2 envergonhar-se**, apejar-se

desprezável *adj.2g.* **desdenhável**, miserável, vil ≠ **considerável**, notável, respeitável, estimável

desprezível *adj.2g.* **desdenhável**, abjeto, vil, miserável, ignóbil, menosprezível, contemptível, à-toa, abjeto [BRAS.] ≠ **considerável**, notável, respeitável, apreciável, estimável

desprezo *n.m.* **desdém**, desapreço, desamor, menosprezo, desestima, desconsideração, desrespeito, bombarato, contempto, dedignação ≠ **apreço**, estima, consideração

desprimor *n.m.* **descortesia**, desrespeito, grosseria, indelicadeza, incivilidade, irreverência ≠ **consideração**, acato, reverência

desprimoroso *adj.* **1 imperfeito**, incompleto ≠ **perfeito**, completo **2 descortês**, incivil, desrespeitoso, indelicado, irreverente ≠ **considerado**, delicado, cortês

desproporção *n.f.* **1 desconformidade**, desarmonia, disformidade ≠ **conformidade**, harmonia **2 desigualdade**, diferença, disparidade ≠ **proporcionalidade**, igualdade, equilíbrio

desproporcionado *adj.* **desigual**, diferente, díspar ≠ **proporcional**, desigualdade, equilibrado

desproporcional *adj.2g.* **1 desconforme**, desarmónico, disforme ≠ **conforme**, harmónico **2 desigual**, diferente, díspar ≠ **proporcional**, desigualdade, equilibrado

desproporcionar *v.* **1 desconformar**, desarmonizar, disformar ≠ **conformar**, harmonizar **2 afear** *fig.*, deturpar, desfigurar

desproporcionar-se *v.* **descomedir-se**, exceder-se ≠ **moderar-se**, comedir-se, conter-se

despropositado *adj.* **1 inadequado**, descabido, inoportuno, inconveniente, desapropriado ≠ **adequado**, conveniente, apropriado **2 disparatado**, imprudente, descomedido, descabelado, descabido, desconcertado ≠ **ajuizado**, atinado

despropósito *n.m.* **disparate**, descomedimento, descabelamento, absurdo, desatino, imprudência, desarrazoamento, descabimento, descambação, descambadela, destampatório *col.*, despreparo *fig.* ≠ **propósito**, conveniência, juízo, tino

desproteção[dAO] *n.f.* **desamparo**, desarrimo, abandono, desabrigo, desajuda ≠ **proteção**, abrigo, resguardo, aconchego, achego, conchego, desagasalho

desprotecção[aAO] *n.f.* ⇒ **desproteção**[dAO]

desproteger *v.* **desamparar**, desabrigar, abandonar, desajudar ≠ **abrigar**, proteger, resguardar, valer, abroquelar *fig.*

desproteger-se *v.* **descobrir-se**, desguarnecer-se, desabrigar-se ≠ **proteger-se**, resguardar-se

desprotegido *adj.* **desabrigado**, desamparado, abandonado, desvalido, desfavorecido, desagasalhado *fig.* ≠ **protegido**, amparado, abrigado

desprover *v.* **desguarnecer**, desaperceber ≠ **abastecer**, prover, fornir

desprovido *adj.* **1 desguarnecido**, desapercebido, carenciado ≠ **abastecido**, provido, fornido **2 desprevenido**, incauto, desacautelado, descurado, negligenciado, desleixado ≠ **atento**, acautelado, prevenido

desprovimento *n.m.* **1 desapercebimento** ≠ **abastecimento**, provisão, fornecimento **2 carência**, escassez, insuficiência ≠ **suficiência**, abundância, abastança

despudor *n.m.* **desfaçatez**, descaramento, atrevimento, insolência, impudência, desvergonha, sem-pudor ≠ **vergonha**, timidez, modéstia, comedimento

desqualificação *n.f.* **1** (em prova, concurso, torneio, etc.) **desclassificação**, exclusão ≠ **qualificação**, classificação **2 descrédito**, desprestígio, desconsideração, desconceito, desmérito, desonra, desautorização, desmerecimento ≠ **consideração**, mérito, prestígio

desqualificado *adj.* **1** (em prova, concurso, torneio, etc.) **desclassificado**, excluído ≠ **qualificado**, classificado **2 descreditado**, desprestigiado, desconsiderado, desconceituado, desmerecido, desonrado, desautorizado ≠ **considerado**, merecido, prestigiado

desqualificar *v.* **1** (em prova, concurso, torneio, etc.) **desclassificar**, excluir ≠ **qualificar**, classificar **2 desacreditar**, desprestigiar, desconsiderar, desconceituar, desmerecer, desonrar, desautorizar ≠ **considerar**, merecer, prestigiar **3 inabilitar**, incapacitar, inutilizar, desabilitar ≠ **capacitar**, habilitar

desquitação *n.f.* **divórcio**, separação, desquite, descasamento ≠ **casamento**, matrimónio, consórcio, conúbio

desquitar *v.* **1 separar**, divorciar, descasar ≠ **casar**, matrimoniar, consorciar, desposar, esposar **2 compensar**, recompensar **3** *fig.* **deixar**, abandonar, separar-se **4** *col.* **desmamar**, desamamentar, ablactar, desleitar, destetar

desquitar-se *v.* **1 separar-se 2 renunciar**, afastar-se **3 desforrar-se**

desquite *n.m.* **1** [BRAS.] DIR. **divórcio**, separação, descasamento ≠ **casamento**, matrimónio, consórcio, conúbio **2 desforra**, desagravo, desafronta, revindicta, vingança, desenxovalho *fig.* ≠ **agravo**, afronta

desregrado *adj.* **1 descomedido**, imoderado, exagerado, descontrolado, irregular, desmoderado ≠ **controlado**, comedido **2 desordenado**, desarranjado, desarrumado, desorganizado, desajeitado ≠ **ordenado**, arranjado, organizado **3 esbanjador**, perdulário, gastador, pródigo, dissipador ≠ **avarento**, mesquinho, sovina, forreta **4 dissoluto**, depravado, licencioso, devasso, libertino, vicioso ≠ **regrado**, bem-comportado, moralizador

desregramento *n.m.* **1 descomedimento**, imoderação, abuso, exagero, descontrolo, irregularidade ≠ **controlo**, comedimento, moderação **2 desordenação**, desarranjo, desarrumação, desorganização ≠ **ordenação**, arranjo, organização **3 libertinagem**, corrupção, devassidão, canalhice, dissolução, deboche ≠ **respeito**, virtude, honra

desregrar *v.* **1 desordenar**, desarranjar, desarrumar, desorganizar ≠ **ordenar**, arranjar, organizar **2 descomedir-se**, abusar, exagerar, descontrolar ≠ **controlar**, comedir, moderar

desregrar-se *v.* **exceder-se**, desmandar-se, descomedir-se, destemperar-se, exorbitar *fig.* ≠ **conter-se**, moderar-se, reprimir-se

desrespeitar *v.* **desacatar**, desobedecer, desprezar, menosprezar, desvenerar, menoscabar ≠ **respeitar**, obedecer

desrespeito *n.m.* **1 desacato**, desacatamento, insubordinação, irreverência, afronta, desveneração, descortesia ≠ **consideração**, acato, reverência **2 desprezo**, desdém, desapreço, desamor, menosprezo, desestima, desconsideração ≠ apreço, estima, consideração

desrespeitoso *adj.* **desrespeitador**, insubordinador, irreverencioso, afrontador ≠ **respeitador**, reverenciador, acatador

desresponsabilizar *v.* **ilibar** ≠ **responsabilizar**, comprometer

dessacralização *n.f.* **profanação**, desconsagração ≠ **sacralização**, consagração

dessacralizar *v.* **profanar**, desconsagrar ≠ **sacralizar**, consagrar

dessalgar *v.* **dessar**, dessalar ≠ **salgar**

dessar *v.* **dessalgar**, dessalar ≠ **salgar**

dessecar *v.* **1 enxugar**, secar, desensopar, desencharcar, escorrer ≠ **encharcar**, ensopar **2 ressequir**, mirrar, esmarrir **3 insensibilizar**, desumanizar, desalmar, endurecer, empedernir *fig.* ≠ **humanizar**, sensibilizar

desselar *v.* **deslacrar**, descerrar ≠ **lacrar**

dessensibilização *n.f.* **1** MED. **anestesia**, insensibilidade **2 insensibilidade**, indiferença, alheamento, frigidez, endurecimento *fig.* ≠ **sensibilização**

dessensibilizar *v.* **1** MED. **anestesiar**, insensibilizar **2 insensibilizar**, alhear, endurecer ≠ **sensibilizar**

desserviço *n.m.* (mau serviço) **desfavor**, prejuízo

dessincronizado *adj.* (no tempo) **desajustado** ≠ **sincronizado**

dessincronizar *v.* **desajustar** ≠ **sincronizar**

dessoldar *v.* **separar**, despegar, desligar, desunir ≠ **soldar**, unir, ligar

dessulfurar *v.* **desenxofrar** ≠ **sulfurar**

destacado *adj.* **1 solto**, isolado, desunido, desmembrado, desagrupado ≠ **unido**, agrupado, preso **2 saliente**, evidente, realçado, ressaltado, relevado ≠ **escondido**, oculto

destacar *v.* **1 enviar**, expedir, mandar **2 separar**, afastar, desunir, desmembrar, desagrupar, isolar, soltar ≠ **unir**, agrupar, ligar **3 salientar**, evidenciar, realçar, ressaltar, relevar, enfatizar ≠ **esconder**, ocultar

destacar-se *v.* **1 separar-se**, desprender-se ≠ **juntar-se 2 distinguir-se**, salientar-se, sobrelevar, sobressair

destacável *adj.2g.* **separável**, desunível, isolável ≠ **unificável**, ligável

destapado *adj.* **descoberto**, visível, exposto, destampado ≠ **coberto**, tapado

destapar *v.* **destampar**, desarrolhar, descobrir, abrir, desbatocar, desrolhar, desenrolhar ≠ **cobrir**, tapar, arrolhar

destaque *n.m.* **realce**, saliência, evidência, importância, relevo, distinção, avivamento, visibilidade ≠ **insignificância**, irrelevância

destarte *adv.* **assim**

destemido *adj.* **corajoso**, arrojado, ousado, valente, afoito, bravo, audaz, intrépido ≠ **cobarde**, medroso, medricas, cagarola *col.*

destemor *n.m.* **bravura**, intrepidez, coragem, ousadia, denodo, audácia, arrojo, afoiteza, ânimo, valentia, valor, atrevimento, brio, desassombro, determinação, destemidez, esforço, galhardia, heroísmo, resolução, destimidez, estômago *fig.*, fígado *fig.* ≠ **temor**, covardia, medo, pânico, fraqueza, timidez, atemorizamento

destemperadamente *adv.* **1 disparatadamente 2 desafinadamente**

destemperado *adj.* **1 desenxabido**, insulso, insípido, sem-sabor, insosso, desgostoso, desconsolado ≠ **saboroso**, gostoso, temperado, apurado **2** MÚS. (instrumento musical) **desafinado**, dissonante, desarmónico ≠ **afinado**, harmónico, consonante **3** (tinta, vinho, molho) **aguado 4** *fig.* **disparatado**, despropositado, desapropriado, absurdo, descabelado *fig.* ≠ **propositado**, conveniente **5** *fig.* **desregrado**, descomedido, imoderado, exagerado, descontrolado, insensato ≠ **controlado**, comedido

destemperar *v.* **1 dessaborar**, dessazonar ≠ **condimentar**, temperar **2** (tinta, vinho, molho) **aguar 3** MÚS. (instrumento musical) **desafinar**, dissonar, desarmonizar ≠ **afinar**, harmonizar, consoar **4** (intestinos) **desarranjar 5** *fig.* **disparatar**, despropositar, desapropriar, desarrazoar, desconcertar, desentoar, destampar, desvairar ≠ **convir 6 desorganizar**, desarranjar, desarrumar, desordenar ≠ **organizar**, arranjar

destemperar-se *v.* **1 desafinar-se 2 descomedir-se**, desmandar-se, exceder-se, desregrar-se, exorbitar *fig.* ≠ **conter-se**, moderar-se, reprimir-se

destempero *n.m.* **1 desenxabidez**, insulsez, insipidez ≠ **tempero 2** MÚS. (instrumento musical) **desafinação**, dissonância, desarmonização ≠ **afinação**, harmonização **3 desregramento**, descomedimento, imoderação, exagero, descontrolo, insensatez ≠ **controlo**, comedimento **4 disparate**, despropósito, desapropriamento, absurdez, descabelamento *fig.* ≠ **propósito**, conveniência **5** MED. *col.* **diarreia**, apocrisia, borra, caganeira, ligeira, resolução, soltura

desterrado *adj.* **exilado**, expatriado, deportado, degredado, ablegado ≠ **repatriado**

desterrar *v.* **1 exilar**, expatriar, degredar, deportar, banir, expulsar, ablegar ≠ **repatriar 2 afastar**, afugentar, apartar, distanciar, arredar ≠ **aproximar**, achegar, atrair **3 desenterrar** ≠ **enterrar**

desterrar-se *v. fig.* isolar-se, afastar-se, distanciar-se

desterro *n.m.* 1 **expatriação**, deportação, proscrição, banimento, exílio, degredo, expulsão ≠ **repatriação** 2 *fig.* **ermo**, deserto ≠ **povoação**

destilação *n.f.* **exsudação**, gotejamento, transpiração

destilador *n.m.* **alambique**

destilar *v.* 1 **exsudar**, transpirar, suar 2 **insinuar**, infundir, instilar *fig.* 3 **gotejar**, pingar, estilar, ressumbrar

destinação *n.f.* 1 **destino**, fim, termo 2 **aplicação**, finalidade, utilidade, emprego, uso, serventia ≠ **inutilidade** 3 **marcação**

destinar *v.* 1 **reservar**, designar, determinar, aplicar ≠ **reter** 2 **resolver**, decidir, deliberar, estabelecer

destinar-se *v.* 1 **dirigir-se**, ir 2 **dedicar-se**, entregar-se, consagrar-se 3 **propor-se** 4 **preparar-se**

destinatário *n.m.* 1 ≠ **remetente** 2 LING. **recetor**, alocutário ≠ **emissor**, destinador, locutor, falante 3 *fig.* **alvo**, objeto

destino *n.m.* 1 **fatalidade**, fado, predestinação 2 **fado**, sorte, fortuna, fadário, buena-dicha, sina *col.*, carma *col.* 3 **aplicação**, emprego, uso, finalidade, utilidade, serventia ≠ **inutilidade** 4 **rumo**, direção, caminho

destituição *n.f.* **demissão**, despedimento, deposição, exoneração ≠ **contratação**, admissão, compromisso

destituído *adj.* 1 **demitido**, despedido, exonerado, demisso ≠ **admitido**, contratado 2 **carecido**, carente, precisado, necessitado, pobre

destituir *v.* 1 **exonerar**, demitir, despedir, depor, licenciar ≠ **contratar**, admitir 2 **privar**, abster, desprover ≠ **dar**, fornecer

destoar *v.* 1 **desafinar**, desarmonizar, dessoar ≠ **consonar**, afinar 2 **discordar**, divergir ≠ **condizer** 3 *fig.* **desgostar**, desagradar, descontentar, aborrecer, desaprazer, dessaber ≠ **gostar**, agradar, satisfazer, contentar

destorcer *v.* 1 **endireitar**, desenrolar ≠ **torcer** 2 *fig.* **disfarçar**, desconversar, desviar

destrambelhado *adj.* 1 *col.* **desorganizado**, desarranjado, desarrumado, desordenado ≠ **organizado**, arranjado 2 *col.* **disparatado**, descomedido, despropositado, desapropriado, absurdo, descabelado *fig.* ≠ **propositado**, conveniente 3 *col.* **desnorteado**, desorientado, desgovernado, desequilibrado, descontrolado, desalvorado ≠ **controlado**, equilibrado 4 *col.* **desvairado**, amalucado, desequilibrado, tolo, tonto ≠ **sensato**, equilibrado, ponderado ■ *n.m. col.* **louco**, doido, maluco ≠ **são**, equilibrado

destrambelhamento *n.m.* 1 **desorientação**, desnorteio, desnorteamento, desgoverno, desequilíbrio, desarvoramento, descontrolo ≠ **controlo**, equilíbrio 2 **maluqueira**, desvairo, loucura, cegueira, doidice, insensatez ≠ **sensatez**, tino, juízo

destrambelhar *v.* **disparatar**, alucinar, desvairar, despropositar, enlouquecer *fig.*, desorientar *fig.* ≠ **ajuizar**, atinar

destrambelho *n.m.* 1 *col.* **desordem**, desarranjo, desalinho, confusão, desorganização, desconcerto, desarrumação ≠ **ordem**, alinho, aprumo 2 *col.* **disparate**, despropósito, descomedimento, descabelamento, absurdo, desatino, imprudência, descabimento, descarrilamento *fig.* ≠ **propósito**, conveniência, juízo, tino 3 *col.* **desorientação**, desnorteio, desnorteamento, desgoverno, desequilíbrio, desarvoramento, descontrolo ≠ **controlo**, equilíbrio 4 *col.* **maluqueira**, desvairo, loucura, cegueira, doidice, insensatez ≠ **sensatez**, tino, juízo

destrançar *v.* **desentrançar**, desmanchar, soltar ≠ **entrançar**, trançar

destravado *adj.* 1 **desenfreado**, desbocado ≠ **freado**, travado 2 *fig.* **desbocado**, insolente, inconveniente, desaforado, grosseiro, impudico ≠ **pudico**, educado, comedido 3 *fig.* **desvairado**, amalucado, desequilibrado, tolo, tonto ≠ **sensato**, equilibrado, ponderado

destravar *v.* 1 **desenfrear** ≠ **frear**, travar 2 *col.* **soltar-se**, desbocar-se 3 *col.* **desvairar**, alucinar, disparatar, despropositar, variar, enlouquecer *fig.*, desorientar *fig.* ≠ **ajuizar**, atinar 4 *col.* (animais) **defecar**, evacuar

destreza *n.f.* 1 **agilidade**, jeito, desenvoltura, ginástica, dexteridade, desempeno *fig.* ≠ **desajeitamento**, inaptidão 2 **sagacidade**, perspicácia, astúcia, finura ≠ **estupidez**, bronquice, burrice

destrinça *n.f.* 1 (com minúcia) **discriminação**, separação, distinção 2 **esclarecimento**, desenredo, solução

destrinçar *v.* 1 **desenredar**, desenlear, desembaraçar 2 (com minúcia) **expor**, mostrar, patentear, apresentar 3 **individualizar**, discriminar, distinguir

destro *adj.* 1 **direito** ≠ **canhoto**, esquerdino, esquerdo, canhenho, canhestro, sinistro 2 **ágil**, desembaraçado, desenvolto, despachado, ligeiro ≠ **desajeitado**, inibido 3 **hábil**, perito, engenhoso, jeitoso, talentoso ≠ **desajeitado**, inábil 4 **astuto**, sagaz, hábil

destrocar *v. col.* (dinheiro) **trocar**

destroçar *v.* 1 **desbaratar**, derrotar, dispersar, afugentar, aniquilar ≠ **reunir**, reunificar, revigorar 2 **arruinar**, devastar, destruir, despedaçar 3 *fig.* **dilacerar**, atormentar

destroço *n.m.* 1 **desbarato**, derrota, aniquilação 2 **ruína**, devastação, destruição 3 [*pl.*] **escombros**, ruínas, restos

destronado *adj.* (monarca, governante) **deposto**, destituído, destronizado

destronar *v.* 1 **depor**, destronizar, desentronizar, descoroar ≠ **entronizar** 2 (na preferência) **substituir** 3 *fig.* **humilhar**, vexar, desprestigiar, rebaixar, menosprezar, oprimir, espezinhar *fig.*, acalcanhar *fig.*, esmigalhar *fig.* ≠ **prestigiar**, estimar, considerar, valorizar, venerar, acatar

destronizar *v.* **depor**, destronar, desentronizar ≠ entronizar

destruição *n.f.* 1 **exterminação**, eliminação, deleção, liquidação *fig.* 2 **ruína**, estrago, dano, perda, devastação 3 **aniquilação**, fulminação

destruído *adj.* 1 **exterminado**, eliminado, liquidado *fig.* 2 **arruinado**, estragado, danificado, devastado, derrubado *fig.* 3 *fig.* **transtornado**, perturbado

destruidor *adj.* **demolidor**, assolador, destrutor, aniquilador, arrasador, arruinador, exterminador, devastador, destroçador, roaz, abatedor *fig.* ■ *n.m.* 1 **eversor** 2 **contratorpedeiro**, caça-torpedos

destruir *v.* 1 **arruinar**, devastar, assolar, disperder 2 **desfazer**, desarmar 3 **demolir**, desmoronar, arrasar, derrubar, derribar, abater, aluir, derrocar, arruinar, desmantelar ≠ **construir**, edificar 4 **aniquilar**, exterminar, eliminar 5 **extinguir**, suprimir, neutralizar 6 *fig.* **transtornar**, perturbar

destrutivo *adj.* **demolidor**, assolador, destrutor, aniquilador, arrasador, arruinador, exterminador, devastador ≠ **construtivo**, edificante, edificativo

destrutor *adj.,n.m.* **demolidor**, assolador, destruidor, aniquilador, arrasador, arruinador, exterminador, devastador

desumanidade *n.f.* 1 **crueldade**, desalmamento, feridade, maldade, despiedade, sevícia, inumanidade ≠ **humanidade**, sensibilidade 2 **barbaridade**, atrocidade, ferocidade, impiedade, barbaria, sevícia ≠ **bondade**, piedade, benevolência, humanidade

desumano *adj.* **bárbaro**, atroz, cruel, sanguinário, beluíno, protervo, impiedoso, diro *ant.* ≠ **humano**, bondoso, piedoso, bom, compassivo

desunhar *v.* **fatigar**, cansar

desunhar-se *v.* 1 **cansar-se**, afadigar-se, enfadar-se, esbodegar-se, derrear-se, esfalfar-se, estafar-se, estourar-se, maçar-se, afobar-se [BRAS.] ≠ **repousar**, descansar 2 **desembaraçar-se**, aviar-se, desenvencilhar-se *fig.*, desenferrujar-se *fig.*

desunião *n.f.* 1 **separação**, divisão, desvinculação, cisão, desacasalamento, desemparelhamento ≠ **junção**, anexação, adjeção, aglutinação 2 *fig.* **discórdia**, desacordo, desarmonia, divergência, discordância ≠ **acordo**, concordância, harmonia

desunir *v.* 1 **separar**, dividir, desvincular, cisar, desligar, desachegar, desadunar, disjungir ≠ **juntar**, anexar, aglutinar, ajuntar, unar 2 **desmembrar**, desmanchar, desarticular, desconjuntar, desligar, decompor, desmontar, desincorporar, esconjuntar ≠ **agregar**, compor, juntar, unir 3 *fig.* **desarmonizar**, discordar, indispor, malquistar, dissidiar ≠ **aliar**, unir, ligar

desusado *adj.* 1 **ultrapassado**, antiquado, desatualizado, datado ≠ **inovador**, moderno, progressista, avançado 2 **extraordinário**, invulgar, insólito, incomum, excecional, desabitual ≠ **vulgar**, trivial

desuso *n.m.* **descostume**, desábito, desabituação ≠ **uso**, costume, hábito, afazimento, habituação, sistema, tradição, estatuto, maneira, rotineira, senda *fig.*

desvairado *adj.* 1 **tresloucado**, alucinado, amalucado, desequilibrado, tolo, tonto, destrambelhado *col.* ≠ **sensato**, equilibrado, ponderado 2 **exaltado**, indignado, irritado ≠ **inalterado**, calmo 3 **desnorteado**, desorientado, desgovernado, desequilibrado, descontrolado, desarvorado ≠ **controlado**, equilibrado 4 **contraditório**, incongruente, incoerente, dissonante ≠ **coerente**, congruente, lógico, consonante 5 **surpreendente**, delirante, frenético 6 **variado**, sortido, eclético ■ *n.m.* **estroina**, valdevinos, doidivanas

desvairamento *n.m.* 1 **delírio**, alucinação, exaltação, loucura 2 **desorientação**, desnorteio, desnorteamento, desgoverno, desequilíbrio, desarvoramento, descontrolo ≠ **controlo**, equilíbrio

desvairar *v.* 1 **alucinar**, desatinar, entontecer, tresloucar, atontar-se, enlouquecer *fig.* ≠ **ajuizar**, atinar 2 **irritar**, enfurecer, exasperar ≠ **acalmar**, serenar 3 **iludir**, enganar, corromper, perverter, desencaminhar ≠ **desiludir**, desenganar

desvairar-se *v.* **disparatar**, despropositar, desatinar, devanear, variar, desassisar-se ≠ **atinar**

desvairo *n.m.* **alucinação**, loucura, exaltação, desvairamento ≠ **acalmia**

desvalido *adj.* **desabrigado**, desprotegido, abandonado, desagasalhado *fig.* ≠ **protegido**, amparado ■ *adj.,n.m.* **miserável**, desgraçado, coitado, pobre, infeliz ≠ **felizardo**, afortunado

desvalor *n.m.* 1 **descrédito**, desconsideração, desconceito, desmérito, desonra, desautorização, desmerecimento ≠ **consideração**, mérito 2 **cobardia**, medo, poltronaria, fraqueza, pusilanimidade ≠ **coragem**, destemor, braveza, valentia

desvalorização *n.f.* **menosprezo**, humilhação, rebaixamento, aviltamento, desvaliação, depreciação *fig.* ≠ **consideração**, engrandecimento

desvalorizador *adj.,n.m.* **depreciador**, menosprezador, humilhador, rebaixador, aviltador ≠ **respeitador**, reverenciador

desvalorizar *v.* **desdenhar**, desprezar, desconsiderar, humilhar, desacreditar, subvalorizar, depreciar *fig.* ≠ **considerar**, respeitar, enaltecer

desvalorizar-se *v.* **depreciar-se**, inferiorizar-se, cair, subvalorizar-se ≠ **valorizar-se**

desvanecer *v.* **1 dissipar**, extinguir, apagar, desaparecer **2 frustrar**, desencantar, dececionar, desiludir ≠ **satisfazer**, regozijar **3 envaidecer**, ensoberbecer, regozijar, ufanar ≠ **envergonhar** **4 esmorecer**, desalentar, desanimar, prostrar, abater, frouxar ≠ **animar**, alentar, encorajar

desvanecer-se *v.* **1 desaparecer**, dissipar-se **2 desbotar**, desmaiar, empalidecer, descorar-se **3 envaidecer-se**, vangloriar-se, ensoberbecer-se

desvanecido *adj.* **1 dissipado**, extinguido, apagado, desaparecido, desfeito **2 desmaiado**, desbotado, apagado, abatido ≠ **corado**, saudável **3 envaidecido**, ensoberbecer, regozijado, ufanado ≠ **envergonhado**

desvanecimento *n.m.* **1 esmorecimento**, desalento, desânimo, abatimento, afrouxamento, prostração *fig.* ≠ **animação**, alento, encorajamento **2 vaidade**, orgulho, presunção, envaidecimento, regozijo

desvantagem *n.f.* **1** (assunto, competição) **inferioridade**, desigualdade ≠ **superioridade**, supremacia **2 atraso** **3 prejuízo**, inconveniente, dano ≠ **benefício**, conveniente

desvantajoso *adj.* **inconveniente**, prejudicial, desfavorável, maléfico ≠ **benéfico**, favorável, vantajoso

desvão *n.m.* **1 águas-furtadas**, sótão, sobrecâmara, baixo ≠ **cave**, subsolo, rés-do-chão, loja **2 recanto**, esconderijo, escaninho, recesso, repartimento

desvario *n.m.* **1 desatino**, loucura, disparate, desacerto, doudice, alucinação, desvariamento ≠ **juízo**, tino **2 extravagância**, exagero, loucura, excesso ≠ **comedimento**, moderação

desvelado *adj.* **1 vigilante**, acordado, desperto ≠ **descansado**, dormente **2 extremoso**, cuidadoso, zeloso, atencioso ≠ **descuidado**, desleixado, negligente **3** (sem véu) **descoberto**, destapado ≠ **coberto**, velado **4 manifesto**, claro, patente ≠ **oculto**, escondido **5 revelado**, contado, conhecido ≠ **ocultado**, omitido

desvelar *v.* **1 velar**, vigiar ≠ **dormir**, descansar **2** (sem véu) **descobrir**, destapar ≠ **cobrir**, velar **3 desembaciar**, limpar, desembaçar ≠ **embaciar** **4 clarificar**, elucidar, explicar, patentear, alumiar, aclarar, esclarecer ≠ **confundir**, baralhar *fig.*, obscurecer **5 manifestar**, mostrar, patentear ≠ **ocultar**, esconder **6 revelar**, contar, conhecer ≠ **ocultar**, omitir

desvelar-se *v.* **esforçar-se**, esmerar-se, empenhar-se

desvelo *n.m.* **1 vigilância**, despertar ≠ **descanso**, dormida **2 zelo**, atenção, cuidado ≠ **descuido**, desleixo, negligência **3 afeto**, apreço, afeição ≠ **desamor**, desapego, indiferença

desvendar *v.* **1 destapar** ≠ **tapar** **2 manifestar**, mostrar, patentear, desvelar ≠ **ocultar**, esconder **3 descobrir**, solucionar, resolver, deslindar **4 revelar**, contar, conhecer, desvelar ≠ **ocultar**, omitir

desvendar-se *v.* **1 descobrir-se** **2 manifestar-se**, patentear-se, mostrar-se **3 revelar-se**, abrir-se

desventrar *v.* **estripar**, desvisceral, eviscerar

desventura *n.f.* **infortúnio**, infelicidade, contrariedade, adversidade, desdita, dificuldade, impedimento, entrave ≠ **felicidade**, acerto, sorte, ventura

desventurado *adj.,n.m.* **desventuroso**, infeliz, desditoso, desgraçado, infortunado, adverso, belisário ≠ **feliz**, felizardo, sortudo, venturoso

desviado *adj.* **1 remoto**, afastado, longe, distante ≠ **perto**, próximo **2 separado**, desligado **3 desencaminhado**, transviado, desencarreirado, desencarrilado ≠ **encaminhado**, orientado

desviar *v.* **1 afastar**, distanciar, demover, derivar, apartar ≠ **aproximar**, chegar **2 mudar**, direcionar **3 extraviar**, desencaminhar ≠ **encaminhar** **4** (com subtileza ou fraude) **subtrair**, furtar, surripiar, roubar ≠ **devolver**, restituir **5 dissuadir**, demover, despersuadir, desaferrar, desconvencer, desaconselhar ≠ **convencer**, persuadir, mover

desviar-se *v.* **1 afastar-se**, distanciar-se, aberrar-se, difratar-se **2 evitar**, fugir, esquivar-se **3 divergir**, discordar, discrepar ≠ **concordar**

desvincular *v.* **1 desligar**, desatar, libertar, desprender, desassociar, desagregar ≠ **associar**, atar, ligar **2** (obrigação, função) **desobrigar**, absolver, desonerar, eximir, dispensar, aliviar, livrar, isentar ≠ **obrigar**

desvio *n.m.* **1 afastamento**, derivação, desencaminhamento, deslocação, digresso, diversão **2 inclinação**, desaprumo **3 volta**, sinuosidade, curva **4 atalho**, vereda, carreiro **5** (dinheiro, bens alheios) **extravio**, descaminho, roubo, furto ≠ **devolução**, restituição **6** (documentos) **desaparecimento**, sumiço **7 deslize**, erro, falha ≠ **correção**, acerto **8 evasiva**, subterfúgio, escapatória, rodeio **9 desvão**, recanto

desvirtuação *n.f.* **deturpação**, adulteração, modificação, alteração, desfiguração, malsinação ≠ **conservação**, manutenção, preservação

desvirtuamento *n.m.* **deturpação**, adulteração, modificação, alteração, desfiguração, malsinação ≠ **conservação**, manutenção, preservação

desvirtuar *v.* **1 desprestigiar**, desprezar, desrespeitar, desautorizar, desconsiderar, desabonar, desvalorizar, desacreditar, exautorar ≠ **acredi-**

tar, abonar, respeitar **2 deturpar**, adulterar, perverter, falsear, malsinar, alterar, modificar, envenenar *fig.* ≠ **conservar**, manter, preservar **3** (mulher) **desvirginar**, desflorar, desonrar *col.* **4 desonrar**, descreditar, vexar, envergonhar *fig.*, deslustrar *fig.*, manchar *fig.* ≠ **honrar**, creditar, merecer, homenagear

desvirtuar-se *v.* **depravar-se**, viciar-se, corromper-se

desviscerar *v.* **desventrar**, eviscerar, estripar

detalhado *adj.* **minucioso**, pormenorizado, aprofundado, discriminado, individuado, especificado, particularizado, preciso ≠ **superficial**, geral, ligeiro

detalhar *v.* **1 minuciar**, pormenorizar, aprofundar, discriminar, individualizar, especificar, particularizar, precisar ≠ **generalizar 2** (de serviços militares) **distribuir 3 planear**, delinear, projetar, traçar

detalhe *n.m.* **1 minúcia**, pormenor, profundidade, particularidade, precisão, filigrana *fig.* ≠ **superficialidade**, generalidade, ligeireza **2** (de serviços militares) **distribuição**

detectar[AO] *v.* ⇒ **detetar**[AO]

detença *n.f. ant.* **demora**, dilação, lentidão, vagar, delonga ≠ **aceleração**, rapidez, brevidade

detenção *n.f.* **1 demora**, dilação, lentidão, vagar, delonga, detença *ant.* ≠ **aceleração**, rapidez, brevidade **2** DIR. **posse 3** DIR. **prisão**, aprisionamento, encarceramento ≠ **libertação**

detentor *n.m.* **1 dono**, titular, possuidor, possessor **2 depositário**

deter *v.* **1 sustar**, parar, bloquear, barrar ≠ **deixar**, fluir **2** (sentimento, opinião, etc.) **suspender**, conter, refrear, segurar ≠ **libertar**, soltar **3 demorar**, alongar, retardar, delongar, prolongar ≠ **adiantar**, acelerar **4 aprisionar**, capturar, prender, cativar, encarcerar ≠ **libertar**, soltar

detergente *adj.2g.* **abluente**, detersório, abstergente ■ *n.m.* MED. **abstergente**

deterioração *n.f.* **1 estrago**, ruína, dano ≠ **conservação**, preservação **2 degeneração**, agravamento, decadência, declinação, definhamento, degenerescência, retrogradação ≠ **conservação**, preservação

deteriorado *adj.* **1 estragado**, arruinado, danificado, degenerado ≠ **recuperado**, regenerado, preservado **2** (alimento) **estragado** ≠ **fresco 3** (situação, saúde) **agravado**, piorado ≠ **melhorado**

deteriorar *v.* **1 estragar**, arruinar, danificar, degenerar ≠ **recuperar**, regenerar, preservar **2** (alimentos, produtos) **adulterar**, alterar, estragar **3** (situação, saúde) **agravar**, piorar ≠ **melhorar**

deteriorar-se *v.* **1 estragar-se**, corromper-se, danificar-se **2 complicar-se**, agravar-se

determinação *n.f.* **1 resolução**, decisão, deliberação ≠ **indecisão**, irresolução **2 segurança**, firmeza ≠ **hesitação**, insegurança **3** (de instância superior) **prescrição**, ordem **4 fixação**, demarcação, precisão **5 coragem**, intrepidez, bravura, ousadia, denodo, audácia, arrojo, afoiteza, ânimo, valentia, valor, atrevimento, brio, desassombro, destemor, destemidez, esforço, galhardia, heroísmo, resolução, estômago *fig.*, fígado *fig.* ≠ **temor**, covardia, medo, pânico, fraqueza, timidez

determinado *adj.* **1 demarcado**, delimitado **2 definido** ≠ **indefinido 3 decidido**, perseverante, resoluto ≠ **hesitante**, indeciso ■ *pron.indef.* **certo**, algum, um

determinante *adj.2g.* **1 determinador 2 decisivo**, decisório, decretório, resolutivo, deliberativo ≠ **pendente**, irresoluto ■ *n.m.* **motivo**, causa, razão

determinar *v.* **1 delimitar**, demarcar, circunscrever, estremar, restringir, limitar, reduzir, confinar, balizar *fig.* ≠ **desbalizar**, expandir, estender **2 precisar**, definir, indicar **3 fixar**, marcar, estabelecer ≠ **desmarcar**, descombinar, indeterminar **4 diferençar**, distinguir, discriminar **5 resolver**, decidir, deliberar **6 ordenar**, prescrever, decretar **7 ocasionar**, causar, motivar, provocar **8 persuadir**, convencer, induzir, mover **9** MAT. (a solução) **achar**, encontrar

determinar-se *v.* **1 decidir-se**, deliberar-se, dispor-se, resolver-se **2 assentar**

determinativo *adj.* **decisivo**, definitivo, concludente, absoluto, categórico, terminante ≠ **indefinido**, indeterminado

determinável *adj.2g.* **definível** ≠ **indefinível**, indeterminável

determinismo *n.m.* ≠ **casualismo**, indeterminismo

deter-se *v.* **1 parar**, sustar **2 demorar-se**, alongar-se, delongar-se ≠ **apressar-se**, despachar-se **3 reprimir-se**, conter-se, dominar-se, controlar-se ≠ **exceder-se**, descomedir-se **4 concentrar-se**

detestação *n.f.* **abominação**, antipatia, aversão, repulsa, ódio, execração, horror ≠ **adoração**, gosto, apreciação

detestar *v.* **abominar**, antipatizar, repulsar, odiar, execrar, horrorizar ≠ **adorar**, gostar, apreciar, estimar

detestável *adj.2g.* **1 abominável**, antipático, repulsivo, odiável, execrável, horrível, abominando, abominoso ≠ **adorável**, gostável, apreciável, aprazível **2 insuportável**, intolerável, inaturável, indigerível *fig.* ≠ **suportável**, tolerável

detetar[AO] ou **detectar**[AO] *v.* **descobrir**, revelar, encontrar, assinalar ≠ **ocultar**, omitir, esconder

detido *adj.* **1 retardado**, demorado, atrasado ≠ **adiantado**, avançado **2 parado**, quieto **3 retido**, abaganhado *col.* ≠ **liberto**, solto **4 intercetado** ■ *n.m.* **prisioneiro**, preso, refém, recluso, cativo

detonação *n.f.* estampido, estouro, tiro

detonar *v.* 1 explodir, estalar, rebentar, fulminar 2 ribombar, estrondear

detração[dAO] *n.f.* difamação, depreciação, maledicência, murmuração, calúnia, bota-abaixo *fig.* ≠ elogio, louvor

detracção[aAO] *n.f.* ⇒ **detração**[dAO]

detractor[aAO] *adj.,n.m.* ⇒ **detrator**[dAO]

detrás *adv.* 1 atrás ≠ adiante, avante 2 depois, seguidamente, ulteriormente, posteriormente, após, logo ≠ antes, anteriormente

detrator[dAO] *adj.,n.m.* difamador, caluniador, maldizente, maledicente, murmurador, depreciador, aguarentador ≠ elogiador, louvador

detrimento *n.m.* prejuízo, dano, danificação, quebra, perda, brecha *fig.* ≠ benefício, vantagem, ganho

detrito *n.m.* resíduo

deturpação *n.f.* adulteração, desvirtuação, modificação, alteração, desfiguração, malsinação ≠ conservação, manutenção, preservação

deturpar *v.* 1 desfear, afear, desformar, desaprimorar, desformosear, desproporcionar, desfigurar ≠ embelezar, alindar, aformosear 2 desvirtuar, adulterar, perverter, falsear, malsinar, alterar, modificar, envenenar *fig.* ≠ conservar, manter, preservar 3 corromper, viciar, debochar, perverter, depravar, desmoralizar, devassar ≠ respeitar, considerar

deus *n.m.* 1 divo 2 RELIG. (com maiúscula) Altíssimo, Criador, Divindade, Incriado, Omnipotente, Senhor, Todo-Poderoso, Pai, Providência

deusa *n.f.* 1 deia, diva 2 *fig.* divindade, deidade, beldade, diva

devagar *adv.* 1 vagarosamente, lentamente, morosamente, au ralenti ≠ acelaradamente, rapidamente 2 gradualmente, progressivamente, paulatinamente, exponencialmente 3 lentamente, suavemente ≠ abruptamente, bruscamente

devanear *v.* 1 fantasiar, sonhar, magicar, divagar, entressonhar 2 meditar 3 divagar, perambular, discorrer, vaguear *fig.* 4 delirar, desvairar, disparatar, desatinar

devaneio *n.m.* 1 fantasia, sonho, quimera, divagação, congeminação, devaneação, entressonho *fig.* 2 delírio, desvario, disparate, desatino

devassa *n.f. ant.* sindicância, inquérito

devassado *adj.* 1 investigado, processado 2 (propriedade privada) franqueado, esbaluartado, aberto

devassar *v.* 1 invadir, penetrar 2 publicar, divulgar, propagar 3 corromper, perverter, depravar, degenerar, debochar ≠ engrandecer, enobrecer 4 averiguado, investigado, indagar

devassar-se *v.* perverter-se, relaxar-se, prostituir-se, estragar-se

devassidão *n.f.* perversão, depravação, desmoralização, corrupção, dissolução, envilecimento, libertinagem ≠ decência, decoro, moralidade

devasso *adj.* libertino, licencioso, dissoluto, desregrado, debochado, imoral, salaz, impudico ≠ decente, decoroso ■ *n.m.* pervertido, corrupto *fig.*

devastação *n.f.* assolação, ruína, destruição, depredação, derrocada *fig.*, vendaval *fig.*, depopulação *fig.* ≠ conservação, preservação

devastado *adj.* destruído, arruinado, arrasado, depredado, talado ≠ conservado, preservado

devastador *adj.,n.m.* assolador, arrasador, destruidor, talador

devastar *v.* assolar, arruinar, depredar, destruir, arrasar, derrotar *fig.* ≠ conservar, preservar

deve *n.m.* ECON. (contabilidade) débito, despesa

dever *v.* 1 prestar, dar 2 reconhecer, agradecer 3 precisar, necessitar 4 tencionar ■ *n.m.* 1 obrigação, incumbência, encargo, preceito, devido, dívida ≠ desobrigação 2 ditame, imperativo 3 [*pl.*] trabalhos, exercícios, tarefas

deveras *adv.* verdadeiramente, realmente, seriamente

devesa *n.f.* tapada, souto

devidamente *adv.* corretamente, convenientemente ≠ indevidamente, impropriamente, inconvenientemente

devido *adj.* 1 necessário, obrigatório, indispensável 2 merecido, justo, apropriado, adequado ≠ desmerecido, inadequado ■ *n.m.* obrigação, dever, compromisso

devir *v.* 1 transformar-se, tornar-se 2 suceder, acontecer

devoção *n.f.* 1 piedade, religiosidade 2 afeição, afeto, veneração, dedicação ≠ desprezo, desdém, desconsideração

devolução *n.f.* restituição, delação, reenvio, reposição, apódose

devoluto *adj.* vago, desocupado, livre ≠ ocupado, habitado

devolver *v.* 1 restituir, reenviar, recambiar ≠ tomar 2 retribuir, recompensar, corresponder 3 conceder, dar 4 rejeitar, declinar, recusar ≠ aceitar, concordar 5 (direito, propriedade) transferir, passar 6 *col.* vomitar, bolçar, golfar, lançar, arrevessar, desengolir

devolvido *adj.* 1 restituído, reenviado, recambiado ≠ tomado 2 decorrido, volvido

devorar *v.* 1 tragar, engolir, abocanhar, lamber 2 consumir, destruir, devastar, assolar ≠ conservar, manter 3 roer, corroer 4 cobiçar, apetecer, desejar 5 afligir, angustiar, atormentar, inquietar ≠ acalmar, serenar 6 (afronta, dor, etc.) suportar, aguentar, engolir *fig.*

devotação *n.f.* veneração, dedicação, afeto, afeição, devotamento ≠ **desprezo**, desdém, desconsideração
devotado *adj.* dedicado, abnegado, altruísta ≠ **egoísta**, indiferente
devotar *v.* consagrar, dedicar, tributar, destinar, oferecer
devotar-se *v.* votar-se, dedicar-se, entregar-se, consagrar-se
devoto *adj.* **1** piedoso, religioso, crente, pio ≠ **ateísta**, descrente, incrédulo, cético **2** **dedicado**, entregue, consagrado, empenhado ■ *n.m.* **1** **beato**, rezador, contemplativo, rezão [REG.] **2** **adorador**, venerador, admirador, cultor ≠ **desprezador**, despeitador, conculcador
dextra *n.f.* **direita** ≠ **esquerda**, canhoto
dezena *n.f.* **1** (unidades) **década** **2** (dias) **década**, decêndio
dia *n.m.* **1** **tempo** **2** **atualidade**, momento **3** [*pl.*] **vida**, existência **4** [*pl.*] **época**
dia-a-dia *n.m.* **quotidiano**, diário
diabetes *n.f.2n.* MED. **glicosúria**, melitúria, dextrosúria
diabo *n.m.* **1** **espírito**, alma **2** *col.* **traquinas**, diabrete, mafarrico *fig.*, demonete *fig.* **3** (com maiúscula) **Demo**, Demónio, Satanás, Belzebu, maligno, zarapelho, canhoto *col.*, carocho *col.*, porco-sujo *col.*, mafarrico *col.*, dialho *col.*, anhangá [BRAS.] ■ *interj.* (indica raiva, impaciência, contrariedade) **caramba!** *col.*, porra! *vulg.*
diabólico *adj.* **1** **demoníaco**, satânico, luciférico, belzebútico, diabrino ≠ **divino**, deífico, celeste **2** **malvado**, perverso, mau ≠ **bondoso**, benévolo **3** **infernal**, insuportável, terrível ≠ **suportável**, tolerável **4** **terrível**, funesto **5** **travesso**, turbulento, irrequieto, diabril, amarotado ≠ **bem-comportado**, ajuizado **6** **intolerável**
diabrete *n.m.* **1** **demonete** **2** *col.* **traquinas**, diabólico, mafarrico *fig.*, demonete *fig.*, demonico *fig.*
diabrura *n.f.* **1** **maldade**, judiaria **2** **traquinada**, travessura, tropelia *col.* **3** TIP. *gír.* **gralha**
diácono-chefe *n.m.* RELIG. **arcediago**, arquidiácono
diacrítico *adj.* MED. **patognomónico**
diadema *n.m.* **coroa**, auréola
diáfano *adj.* **1** **translúcido**, transparente ≠ **opaco** **2** **límpido**, transparente, cristalino, claro ≠ **obscuro**, sombrio **3** **delicado**, fino ≠ **espesso**, grosso
diagnose *n.f.* **1** MED. **diagnóstico** **2** BIOL. **descrição**
diagnóstico *n.m.* MED. **diagnose**
diagonal *n.f.* **soslaio**, obliquidade, esguelha, través, viés ■ *adj.2g.* **oblíquo**, inclinado, transversal
diagrama *n.m.* **bosquejo**, delineamento, delineação, rascunho, borrão, debuxo, esboço, esquisso
dialecto[aAO] *n.m.* ⇒ **dialeto**[dAO]
dialeto[dAO] *n.m.* **linguajar**
diálise *n.f.* MED. **hemodiálise**
dialogante *adj.2g.* **aberto**, recetivo ≠ **preconceituoso**, arrogante
dialogar *v.* **conversar**
diálogo *n.m.* **1** **conversa**, interlocução **2** **fala**
diamante *adj.* **duro**, rijo ≠ **mole**
diamantino *adj.* **1** **adiamantino** **2** **duro**, rijo ≠ **mole** **3** *fig.* **precioso**, magnífico, brilhante ≠ **insignificante**, desinteressante, fruste **4** *fig.* **puro**, nobre, íntegro ≠ **corrupto**, desonesto
diametral *adj.2g.* **transversal**
diametralmente *adv. fig.* **absolutamente**, completamente, inteiramente, perfeitamente
diâmetro *n.m.* **calibre**
Diana *n.f. poét.* **Lua**
diante *adv.* **adiante**, defronte, avante ≠ **atrás**, detrás
dianteira *n.f.* **1** **frente**, cabeceira, rosto, testeira ≠ **traseira**, retaguarda **2** **vanguarda**, avançada
dianteiro *adj.* **anterior** ≠ **posterior**, traseiro ■ *n.m.* DESP. (futebol) **avançado**, atacante, ponta de lança
diapasão *n.m.* **1** MÚS. **tom** **2** MÚS. (instrumento) **tipótono**, alamiré, afinador, tonário **3** *fig.* **medida**, padrão, referência
diário *adj.* **quotidiano**, dia-a-dia, dial
diarreia *n.f.* MED. **apocrisia**, resolução, soltura *col.*, caganeira *col.*, borra *col.*, ligeira *col.*, destempero *col.*, correnção *ant.*, afitamento *ant.*, zoura [REG.], caseira [BRAS.]
diástole *n.f.* GRAM. **éctase**
diatermia *n.f.* MED. **eletrotermia**
diatómico[AO] ou **diatômico**[AO] *adj.* QUÍM. **biatómico**
diatribe *n.f.* **invetiva**, injúria, catilinária, crítica
dica *n.f.* **1** *col.* **novidade**, notícia, nova **2** *col.* **achega**
dicar *v.* **dedicar**, consagrar, oferecer
dicção[AO] ou **dição**[AO] *n.f.* **1** **locução** **2** **expressão**, vocábulo, palavra
dicionário *n.m.* **vocabulário**, tira-teimas *col.*
dicionarista *n.2g.* **lexicógrafo**
dicotomia *n.f.* **bifurcação**, forqueadura, ramificação ≠ **junção**, união, ligação
dicotómico[AO] ou **dicotômico**[AO] *adj.* BOT. **bifurcado**
didacta[aAO] *n.2g.* ⇒ **didata**[dAO]
didáctico[aAO] *adj.* ⇒ **didático**[dAO]
didactologia[AO] ou **didatologia**[AO] *n.f.* **pedagogia**
didascálico *adj.* **metodológico**, didático
didata[dAO] *n.2g.* **professor**, docente, instrutor
didático[dAO] *adj.* **metodológico**, didascálico, didáscalo

diérese *n.f.* 1 GRAM. **hiato** 2 GRAM. **trema**, cimalhas, ápices

dieta *n.f.* 1 **regime**, abstinência, resguardo 2 **jejum**, abstinência

difamação *n.f.* **calúnia**, detração, maledicência, falsidade, impostura, blasfémia ≠ **consideração**, deferência, respeito

difamar *v.* **caluniar**, infamar, injuriar, detrair, ofender, maldizer, desafamar, assetear *fig.*, atassalhar *fig.* ≠ **considerar**, respeitar, estimar

difamatório *adj.* **calunioso**, injurioso, difamante, maldizente, detraente ≠ **respeitoso**, estimado, considerável

diferença *n.f.* 1 **dissemelhança**, disparidade, desigualdade, distinção, diversidade, diferenciação ≠ **igualdade**, semelhança 2 **divergência**, disparidade, discrepância ≠ **conformidade**, concordância 3 **transformação**, alteração, modificação, mudança ≠ **manutenção**, preservação 4 **transtorno**, incómodo, desarranjo 5 MAT. **resto** 6 **excesso**, sobra, demasia 7 **troco**, excesso, retorno, torna, demasia

diferençar *v.* 1 **distinguir**, discriminar, discernir, desnivelar, determinar, diferenciar 2 **notar**

diferençar-se *v.* **distinguir-se**, desigualar-se, diferenciar-se, desidentificar-se ≠ **assemelhar-se**, parecer-se, igualar-se

diferenciação *n.f.* **dissemelhança**, disparidade, desigualdade, distinção, diversidade, dissimilação ≠ **igualdade**, semelhança

diferenciado *adj.* **distinto**, discriminado ≠ **indiferenciado**, indiscriminado

diferenciar *v.* **distinguir**, discriminar, discernir, desnivelar, determinar, diferençar, diversificar

diferenciar-se *v.* **distinguir-se**, desigualar-se, diferençar-se ≠ **assemelhar-se**, parecer-se, igualar-se

diferendo *n.m.* 1 **desacordo**, desconsentimento, desaprovação, divergência, discórdia ≠ **concordância**, consentimento, condescendência, aprovação 2 **oposição**, antagonismo ≠ **concordância**, harmonia

diferente *adj.2g.* 1 **dissemelhante**, díspar, desigual, distinto, diverso, dessemelhante [BRAS.] ≠ **igual**, semelhante, símil 2 [BRAS.] *col.* **desavindo**

diferentemente *adv.* **distintamente**, discriminadamente, diversamente, irregularmente

diferido *adj.* 1 **adiado**, posposto, protelado, delongado, retardado, dilatado, espaçado 2 **demorado**, delongado, atrasado, retardado, lento, perlongado, vagaroso, dilatado ≠ **acelerado**, ligeiro, pronto

diferimento *n.m.* **adiamento**, protelação, retardação, alongamento, procrastinação, prorrogação, protraimento, remissa

diferir *v.* 1 **adiar**, posposto, protelar, procrastinar, delongar, retardar, dilatar, espaçar 2 **demorar**, delongar, atrasar, retardar ≠ **acelerar**, aligeirar, apressar 3 **discordar**, divergir, discrepar, desconcordar, desacordar ≠ **concordar**, condescender, aceitar

difícil *adj.2g.* 1 **custoso**, trabalhoso, árduo, penoso, pesado, espinhoso *fig.*, laborioso *fig.* ≠ **fácil**, ligeiro, suportável 2 **complicado**, problemático, intricado, arrevesado, obscuro *fig.*, bicudo *fig.* ≠ **fácil**, claro, entendível 3 **perigoso**, arriscado, duvidoso, tremido 4 **embaraçoso**, incómodo 5 **doloroso**, penoso 6 **exigente**, rigoroso 7 **intransitável**, dévio, impraticável, inviável ■ *n.m.* **dificuldade**, complicação ≠ **facilidade**, simplicidade

dificílimo *adj.* **complicadíssimo**

dificuldade *n.f.* 1 **complicação**, complexidade, arduidade, dente de coelho ≠ **facilidade**, simplicidade 2 **obstáculo**, impedimento, objeção, estorvo ≠ **desimpedimento**, desobstrução 3 **aperto**, apuro, pressa, tornilho *fig.*, sufoco [BRAS.] *col.* 4 **transtorno**, incómodo 5 **repugnância**, relutância, repulsa ≠ **simpatia**, inclinação

dificultação *n.f.* **complicação**

dificultar *v.* 1 **embaraçar**, impedir, estorvar, atravancar ≠ **desembaraçar**, desimpedir 2 **complicar**, complexificar, atrapalhar, alabirintar *fig.* ≠ **facilitar**, simplificar, alhanar, aplanar *fig.*

dificultar-se *v.* **recusar-se**, negar-se, resistir ≠ **aceder**, anuir

dificultoso *adj.* **custoso**, difícil, trabalhoso, árduo, penoso, pesado, espinhoso *fig.*, laborioso *fig.* ≠ **fácil**, ligeiro, suportável

difundir *v.* 1 **espalhar**, disseminar, irradiar 2 **divulgar**, propagar, espalhar, disseminar, vulgarizar, dilatar

difusão *n.f.* 1 **espalhamento**, disseminação, irradiação 2 **derramamento** 3 **divulgação**, propagação, espalhamento, vulgarização, disseminação 4 **prolixidade**, redundância, exuberância ≠ **concisão**, laconismo, condensação, brevidade

difusivo *adj.* 1 **divulgável**, propagável 2 **prolixo**, difuso, redundante, extenso ≠ **breve**, sucinto, lacónico, resumido

difuso *adj.* 1 **disseminado**, espalhado, divulgado, difundido 2 **prolixo**, redundante, extenso ≠ **breve**, sucinto, lacónico, resumido

difusor *adj.,n.m.* 1 **irradiador** 2 **vulgarizador**, divulgarizador, espalhador, disseminador, propagador

digerir *v.* 1 **esmoer**, cozer *fig.* 2 (após estudo e reflexão) **assimilar**, compreender, apreender ≠ **desentender** 3 **tolerar**, suportar, aguentar, aturar

digerível *adj.2g.* 1 **digestível** ≠ **indigerível**, indigesto 2 *fig.* **compreensível**, assimilável ≠ **incom-**

preensível 3 *fig.* suportável, tolerável, aturável ≠ insuportável, intolerável

digestão *n.f.* 1 cozimento 2 reflexão, meditação 3 aceitação, sujeição, resignação 4 pepsia 5 QUÍM. maceração

digestivo *adj.* eupéptico, estomacal, concoctivo, digestor ≠ antidigestivo

digesto *adj.* 1 ≠ indigesto, indigerível 2 compreendido, assimilado, percebido, digerido ≠ incompreendido 3 suportado, tolerado, aturado, aceite ≠ intolerado 4 DIR., HIST. (com maiúscula) Pandectas

digitado *adj.* 1 teclado 2 digitiforme

digital *n.f.* BOT. dedaleira, erva-dedal, abeloura, tróculos

digitar *v.* 1 (número de telefone) marcar 2 INFORM. teclar

digitiforme *adj.2g.* digitado

dígito *n.m.* (entre 0 e 9) algarismo

digladiação *n.f.* combate, luta, peleja, lide, pugna, discrime, liça, recontro, gládio

digladiar *v.* 1 esgrimir, espadeirar, gladiar 2 contender, disputar, altercar, discutir, litigar, lutar ≠ acordar, conciliar

dignamente *adv.* honradamente, honestamente, decorosamente, condignamente, decentemente ≠ indignamente, indecentemente

dignar-se *v.* condescender, conceder, querer, servir-se ≠ dedignar-se

dignidade *n.f.* 1 honraria, título 2 respeitabilidade, honorabilidade, venerabilidade 3 decência, gravidade, decoro, compostura ≠ indecência, indecoro 4 nobreza, hombridade, magnanimidade, conspicuidade, decoro, grandeza *fig.* ≠ baixeza, indignidade 5 pundonor, honra, brio, probidade ≠ desbrio, desonra, indignidade

dignificar *v.* enobrecer, honrar, elevar, glorificar ≠ desonrar, humilhar, abatatar *fig.*

digno *adj.* 1 merecedor, credor, benemérito, dino *ant.* ≠ desmerecedor, indigno 2 honrado, respeitável, nobre, magnânimo ≠ vil, mesquinho, desprezível 3 conforme, apropriado, adequado, conveniente, ajustado ≠ inadequado, inconveniente 4 apto, habilitado, capaz ≠ inapto, inabilitado

digressão *n.f.* 1 tournée 2 passeio, excursão, ambulação, giravolta *col.* 3 (de um assunto em conversa, discussão) divagação, desvio, parêntesis *fig.*, excursão *fig.* 4 LIT. écbase

digressivo *adj.* 1 divergente, desviante ≠ aproximativo 2 (de um assunto em conversa, discussão) divagante, desviante

digresso *n.m.* afastamento, digressão, desvio, divergência ≠ aproximação ■ *adj.* afastado, desviado ≠ aproximado

dilação *n.f.* adiamento, deferimento, prorrogação, procrastinação, protelação, retardação, alongamento, protraimento, remissa, demora, delonga, dilatação

dilaceração *n.f.* tortura, aflição, laceração, consumição, mortificação ≠ alívio, tranquilidade

dilacerante *adj.2g.* 1 despedaçador, dilacerador 2 torturante, aflitivo, lacerante, consumidor, mortificante, pungente *fig.*, apunhalante *fig.* ≠ aliviador, tranquilizador

dilacerar *v.* 1 (com violência) despedaçar, rasgar 2 torturar, afligir, lacerar, consumir, mortificar, pungir *fig.* ≠ aliviar, tranquilizar

dilapidação *n.f.* dissipação, desaproveitamento, esbanjamento, gasto, desperdício, desbaratamento, desarranjo ≠ poupança, aproveitamento, economicidade

dilapidar *v.* 1 destruir, arruinar, estragar, arrasar ≠ construir, edificar, erigir, elevar 2 dissipar, desaproveitar, esbanjar, gastar, desperdiçar, desbaratar, desarranjar ≠ poupar, aproveitar, economizar

dilatação *n.f.* 1 ampliação, aumento, ensancha *fig.* ≠ redução, diminuição 2 alargamento, expansão, amplitude ≠ encurtamento, abreviação 3 incremento, desenvolvimento 4 distensão 5 adiamento, deferimento, prorrogação, procrastinação, protelação, retardação, alongamento, protraimento, remissa, demora, delonga, dilação ≠ adiantamento, antecipação

dilatado *adj.* 1 aumentado, ampliado ≠ reduzido, diminuído 2 alargado, expandido, amplo, largo ≠ encurtado, abreviado 3 distendido 4 adiado, posposto, protelado, delongado, retardado, diferido, espaçado

dilatar *v.* 1 aumentar, ampliar ≠ reduzir, diminuir 2 alargar, expandir, ampliar ≠ encurtar, abreviar 3 distender, inchar, avolumar 4 divulgar, propagar, espalhar, disseminar, vulgarizar, difundir 5 adiar, prorrogar, protelar, procrastinar, delongar, retardar, diferir, espaçar, demorar ≠ adiantar, antecipar

dilatar-se *v.* 1 crescer, aumentar, amplificar-se ≠ diminuir 2 distender-se 3 demorar-se, delongar-se, alargar-se ≠ apressar-se, despachar-se

dilatável *adj.2g.* 1 ampliável, expansivo 2 prorrogável, adiável, diferível

dilatório *adj.* moratório, retardador, frustratório

dileção[dAO] *n.f.* preferência, predileção, afeição, estima, eleição, paixão

dilecção[aAO] *n.f.* ⇒ **dileção**[dAO]

dilecto[aAO] *adj.* ⇒ **dileto**[dAO]

dilema *n.m.* dúvida, hesitação, indecisão, problema, impasse

diletante *adj.,n.m.* 1 melómano, musicómano 2 amador

diletantismo *n.m.* **1** **melomania**, musicomania **2** **amadorismo**

dileto[dAO] *adj.* **preferido**, predileto, eleito

diligência *n.f.* **1** **zelo**, esmero, cuidado, desvelo, solicitude, dedicação ≠ **desatenção**, desleixo, negligência **2** **urgência**, prontidão, pressa ≠ **vagar** **3** **busca**, investigação, pesquisa

diligenciar *v.* **esforçar-se**, empenhar-se, aplicar-se, intentar, forcejar, trabalhar ≠ **descuidar-se**, negligenciar

diligente *adj.2g.* **1** **zeloso**, cuidadoso, solícito, dedicado ≠ **desatento**, desleixado, negligente **2** **ativo**, aplicado, expedito ≠ **apático**, pachorrento **3** **atento**, desperto **4** **pronto**, rápido ≠ **lento**, moroso

dilucidar *v.* **esclarecer**, elucidar, aclarar, explicar, lucidar ≠ **obscurecer**, complicar, confundir

diluir *v.* **1** **dissolver**, misturar, delir **2** **abrandar**, suavizar, atenuar ≠ **intensificar**, acentuar

diluir-se *v.* **1** **dissolver-se**, fluidificar-se **2** **esbater-se**, enfraquecer **3** **suavizar-se** **4** **rarefazer-se**

diluvial *adj.2g.* **torrencial**

diluviano *adj.* **torrencial**

dilúvio *n.m.* **abundância**

dimanação *n.f.* **procedência**, derivação, proveniência, emanação

dimanar *v.* **1** **brotar**, fluir, manar, correr **2** **provir**, originar-se, proceder, emanar, resultar

dimensão *n.f.* **1** **extensão**, tamanho, proporção **2** **medida**, tamanho, comensuração **3** **volume**, grandeza **4** *fig.* **importância**, valor

diminuendo *n.m.* **1** MÚS. ≠ **crescendo** **2** MAT. **aditivo**

diminuição *n.f.* **1** **decrescimento**, minoração, merma, míngua, decremento ≠ **aumento**, subida, acréscimo, acrescente, acrescimento **2** **abatimento**, baixa, corte, dedução ≠ **aumento**, acréscimo **3** **quebra**, interrupção, intervalo, suspensão ≠ **continuação**, prolongação **4** MAT. **subtração** ≠ **adição**, soma

diminuidor *adj.,n.m.* **redutor**, abaixador ≠ **aumentador** ■ *n.m.* MAT. **subtrativo**

diminuir *v.* **1** **encurtar**, reduzir, abreviar, encolher ≠ **aumentar**, alongar, ampliar **2** MAT. **subtrair**, deduzir ≠ **adicionar**, somar **3** **enfraquecer**, enfraquentar, debilitar, fraquejar, elanguescer, quebrar, atenuar, afracar ≠ **fortalecer**, robustecer, avigorar **4** **abrandar**, reduzir, desacelerar, atenuar ≠ **acelerar**, apressurar, apressar **5** **rebaixar** *fig.*, deprimir, apoucar, amesquinhar ≠ **elevar**, engrandecer **6** **rarear**, escassear, enrarecer **7** **gastar-se**, estragar-se, perder-se **8** **amortecer** **9** **emagrecer**, desengordar, desnutrir ≠ **engordar**

diminuto *adj.* **1** **pequeno**, reduzido, diminuído, mínimo ≠ **grande**, aumentado, enorme, acrescido **2** **escasso**, raro, pouco, insignificante ≠ abundante, fato, excessivo **3** **breve**, curto, conciso ≠ **longo**, extenso

dinâmico *adj.* **ativo**, enérgico, diligente, empreendedor, vigoroso ≠ **inativo**, indolente, ocioso, cansado, estoirado, madraço, indiligente, marralheiro, molengueiro, ignavo, molanqueirão, lêsmia, lesmento *fig.*

dinamismo *n.m.* **atividade**, ação, energia, diligência, vigor, vitalidade ≠ **cansaço**, indolência, lassidão, fraqueza, languidez, molícia, tibieza, langor, mangona, rebimba, ronceirice, mandriagem, marralharia, tardeza, morrinhice, hipocinesia, moquenquice, desídia, pânria *col.*

dinamizar *v.* **ativar**, impulsionar, estimular, desestagnar, promover, movimentar, catalisar *fig.*

dinasta *n.2g.* **soberano**, monarca, rei, potentado, regente

dinheiro *n.m.* **1** **cacau** *col.*, ouro *fig.*, cabedal *fig.*, bagaço *fig.*, metal *fig.,col.*, guita *col.*, pastel *col.*, carcanhol *gír.*, pasta *col.*, pingo *col.*, bagalho *col.*, bagalhoça *col.*, massaroca *col.*, milho *col.*, pataco *col.*, pecúnia *col.*, teca *col.*, bago *col.*, gimbo *gír.*, grana [BRAS.] *col.*, tutu [BRAS.] **2** **cédula**, nota, papel-moeda, moeda **3** **numerário**, quantia, verba **4** **riqueza**, bens, cabedal, fortuna, capital, posses ≠ **pobreza**, miséria

diocese *n.f.* **bispado**, patriarcado

dionisíaco *adj.* **bacanal**, báquico

dipétalo *adj.* BOT. **bipétalo**

diploma *n.m.* **1** **carta**, canudo *col.* **2** **decreto**, lei

diplomacia *n.f.* **1** **circunspeção**, discrição **2** **subtileza**, finura, delicadeza, habilidade **3** **astúcia**, habilidade, esperteza, destreza

diplomado *adj.,n.m.* **formado**, graduado

diplomar *v.* **formar**

diplomata *n.2g.* **embaixador**

diplomático *adj.* **discreto**, reservado, cortês, circunspecto, habilidoso, distinto, elegante, fino

dipnoico[dAO] *adj.* ICTIOL. **pneumobrânquio** ■ *n.m.pl.* ICTIOL. **dipneustas**, dipneus

dipnóico[aAO] *adj.,n.m.pl.* ⇒ **dipnoico**[dAO]

dípode *adj.2g.* **bípede**

díptero *adj.* (inseto) **bialado**

dique *n.m.* **1** **rego**, caneiro **2** **doca** **3** *fig.* **obstáculo**, estorvo, impedimento, embaraço, atravancamento ≠ **desimpedimento**, desobstrução

direção[dAO] *n.f.* **1** **sentido**, lado, rumo, endireito, enfrontes **2** **rumo**, caminho, destino, rota, orientação ≠ **desorientação**, desnorteado **3** **indicação**, endereço **4** **administração**, governo **5** **administração**, gerência, chefia ≠ **submissão**, dependência, subordinação, obediência **6** **coordenação**, orientação, gestão, comando **7** **critério**, norma

direcção[aAO] *n.f.* ⇒ **direção**[dAO]

directiva[aAO] *n.f.* ⇒ **diretiva**[dAO]

directo[aAO] *adj.,adv.* ⇒ **direto**[dAO]

director[aAO] *adj.,n.m.* ⇒ **diretor**[dAO]

directoria[aAO] *n.f.* ⇒ **diretoria**[dAO]

directório[aAO] *adj.,n.m.* ⇒ **diretório**[dAO]

directriz[aAO] *n.f.* ⇒ **diretriz**[dAO]

direita *n.f.* dextra ≠ esquerda, canhoto

direito *adj.* 1 **reto** 2 **liso**, plano ≠ **torto**, curvo, adunco 3 **aprumado**, vertical, ereto ≠ **horizontal** 4 **íntegro**, justo, imparcial, honesto, equável ≠ **injusto**, parcial 5 **leal**, franco, sincero ≠ **falso**, simulado, mentiroso ■ *n.m.* 1 **autoridade**, poder 2 **faculdade** 3 **prerrogativa** ≠ **dever** 4 **jurisprudência** 5 **imposto**, contribuição, taxa, tributo ■ *adv.* 1 **diretamente** 2 **francamente**, abertamente, claramente, diretamente

diretiva[dAO] *n.f.* **instrução**, norma, ordem, indicação, diretriz

direto[dAO] *adj.* 1 **direito**, reto ≠ **curvo**, torto 2 **claro**, espontâneo, aberto, franco, honesto ≠ **cauteloso**, tortuoso, vago 3 **imediato** 4 *fig.* **evidente**, claro, manifesto ≠ **obscuro**, confuso 5 *fig.* **formal**, absoluto ■ *adv.* 1 **diretamente**, direitinho 2 **ininterruptamente**, continuadamente ≠ **descontinuadamente**

diretor[dAO] *adj.* **dirigente**, guia ■ *n.m.* 1 **administrador**, gerente, chefia 2 **mentor**, guia, orientador, conselheiro

diretoria[dAO] *n.f.* **direção**, gerência, administração

diretório[dAO] *adj.* **dirigente**, guia ■ *n.m.* **comissão**, conselho

diretriz[dAO] *n.f.* **instrução**, norma, ordem, indicação, diretiva

dirigente *n.2g.* **chefe**, líder, cabecilha, cabeça

dirigir *v.* 1 **orientar**, virar 2 **encaminhar**, enviar, encarreirar, orientar ≠ **desencaminhar**, desencarreirar, desviar 3 **enviar**, endereçar, remeter, expedir 4 **administrar**, governar, gerir 5 **dizer**, proferir, endereçar 6 **guiar**, orientar 7 **voltar**, virar 8 **conduzir**, guiar

dirigir-se *v.* 1 **encaminhar-se**, buscar, convergir 2 **consagrar-se** 3 **virar-se**, volver-se, voltar-se

dirimente *adj.2g.* 1 **decisivo**, terminante, definitivo, perentório, resolvente, categórico ≠ **discutível**, contestável, duvidoso 2 **atenuante** ≠ **agravante**

dirimir *v.* 1 **anular**, extinguir, dissolver, suprimir 2 **decidir**, determinar, resolver, assentar 3 **clarificar**, esclarecer, elucidar, explicar, patentear, alumiar, aclarar ≠ **confundir**, obscurecer, baralhar *fig.*

discente *adj.2g.* **aluno**, estudante, escolar, estudantil, discípulo ≠ **professor**, docente, instrutor, lecionador

discernimento *n.m.* 1 **juízo**, critério, siso, tino, visão, capacidade, clarividência, tato *fig.* ≠ **insensatez**, desatino 2 **apreciação**, escolha 3 **distinção**, discriminação, separação ≠ **indistinção**, indiscriminação

discernir *v.* 1 **distinguir**, discriminar, diferençar, separar 2 **avaliar**, apreciar, medir 3 **julgar**, decidir

disciplina *n.f.* 1 **cadeira**, matéria 2 **condicionamento**, restrição ≠ **liberdade** 3 **obediência**, subordinação, acatamento, respeito, submissão ≠ **indisciplina**, desobediência 4 **autoridade**, superioridade 5 **castigo**, mortificação, reprimenda, lição *fig.* ≠ **elogio**, louvor 6 [*pl.*] (para açoitar) **correias**

disciplinado *adj.* 1 **obediente**, subordinado, acatado, respeitado, submisso ≠ **indisciplinado**, desobediente 2 **metódico**, sistemático, ordenado, arranjadeiro ≠ **desordenado**

disciplinador *adj.,n.m.* **disciplinante**, enfreador *fig.*

disciplinar *v.* 1 **controlar**, subordinar ≠ **revoltar**, indisciplinar 2 **corrigir**, endireitar *fig.* 3 **castigar**, zurzir, açoitar, vergastar

disciplinar-se *v.* 1 **acoitar-se** ≠ **indisciplinar-se**, insubordinar-se 2 **flagelar-se**, penitenciar-se, açoitar-se

discípulo *n.m.* 1 **aluno**, estudante, escolar, estudantil, discente, aprendiz, educando, pupilo ≠ **professor**, docente, instrutor, lecionador 2 **sectário**, partidário

disco *n.m.* **círculo**

discordância *n.f.* 1 **divergência**, desacordo, desarmonia, oposição, discórdia, diferendo ≠ **concordância**, consentimento, condescendência, aprovação 2 **contradição**, incompatibilidade, incoerência, incongruência ≠ **compatibilidade**, congruência, consonância 3 **disparidade**, descoincidência, desencontro, discrepância ≠ **coincidência**, equivalência 4 MÚS. **desafinação**, desarmonia, dissonância ≠ **consonância**, harmonia

discordante *adj.2g.* 1 **divergente**, desacordante, desarmónico, oposto, discrepante, diferente, descondizente, desencontrado ≠ **concordante**, consentâneo, condescendente 2 **contraditório**, incompatível, incoerente, incongruente ≠ **compatível**, congruente, consonante 3 **desproporcionado**, diferente, díspar, desigual ≠ **proporcional**, igual, equilibrado 4 MÚS. **dissonante**, desarmónico, desafinado ≠ **consonante**, harmónico

discordar *v.* 1 **divergir**, desacordar, desarmonizar, opor, diferir, dissentir ≠ **concordar**, consentir, condescender, aprovar 2 **desproporcionar**, diferir, desigualar ≠ **proporcionar**, igualar, equilibrar 3 **incompatibilizar**, contradizer, desavir ≠ **compatibilizar**, harmonizar 4 MÚS. **desafinar**, desarmonizar, dissonar ≠ **consoar**, harmonizar

discorde *adj.2g.* 1 **divergente**, desacordante, desarmónico, oposto, discordante, diferente ≠ **concordante**, consentâneo, condescendente 2 **contraditório**, incompatível, incoerente, incongruente ≠ **compatível**, congruente, consonante **3 desproporcionado**, diferente, díspar, desigual ≠ **proporcional**, igual, equilibrado **4** MÚS. **dissonante**, desarmónico, desafinado ≠ **consonante**, harmónico

discórdia *n.f.* **1 divergência**, desacordo, desarmonia, oposição, discordância, diferendo, divisão, descomposição, desinteligência, cizânia *fig.* ≠ **concordância**, consentimento, condescendência, aprovação **2 desconcórdia**, desarmonia, desavença, desunião, luta ≠ **concórdia**, conciliação, acordo, harmonia

discorrer *v.* **1 derramar-se**, difundir-se, correr, espalhar-se **2 vaguear**, errar, vagar ≠ **dirigir-se**, encaminhar-se, guiar-se **3** (tempo) **decorrer**, escoar, passar **4 raciocinar**, pensar, discursar **5 divagar**, perambular, devanear, vaguear *fig.* **6 falar**, discursar, dissertar **7 observar**

discoteca *n.f.* **fonoteca**

disco voador *n.m.* **óvni**

discrepância *n.f.* **1 disparidade**, diferença, descoincidência, desencontro, discordância ≠ **coincidência**, equivalência, semelhança **2 divergência**, desacordo, desarmonia, oposição, discórdia, diferendo, discordância ≠ **concordância**, consentimento, condescendência, aprovação

discrepante *adj.2g.* **1 desproporcionado**, diferente, díspar, desigual, diverso ≠ **proporcional**, igualdade, equilibrado, semelhante **2 divergente**, desacordante, desarmónico, oposto, discordante, diferente ≠ **concordante**, consentâneo, condescendente

discretamente *adv.* **1 despercebidamente**, sorrateiramente ≠ **visivelmente**, claramente **2 prudentemente**, cautelosamente, moderadamente, mesuradamente, sabiamente, providencialmente ≠ **imprudentemente**, leviamente **3 levemente**, ligeiramente ≠ **muito**, bastante

discretivo *adj.* **discernente**, distintivo, discriminativo, separativo

discreto *adj.* **1 circunspecto**, sóbrio, ponderado, reservado, sério, grave, sisudo ≠ **extrovertido**, desinibido, eufórico *fig.* **2 modesto**, recatado, simples, clássico, sóbrio, despojado, despretensioso ≠ **vistoso**, aparatoso, espalhafatoso, extravagante **3 confiável**, fidedigno, insuspeito, leal ≠ **suspeito**, desleal **4 leve**, brando, ténue ≠ **forte**, intenso **5 independente**, distinto, separado **6** MAT. **desconexo**, descontínuo ≠ **contínuo**

discrição *n.f.* **1 circunspeção**, sobriedade, ponderação, reserva, seriedade, gravidade, sisudez ≠ **extroversão**, desinibição, euforia *fig.* **2 modéstia**, recato, simplicidade, sobriedade, despojamento, despretensão ≠ **aparato**, espalhafato, extravagância, alarde, alardeamento, bizarria, estardalhaço, arrotação *fig.*, estadeação, estendal *fig.* **3 discernimento**, prudência, sensatez ≠ **insensatez**, desatino **4 segredo**, reserva, sigilo ≠ **inconfidência**, revelação, indiscrição, abelhudice

discricionário *adj.* **1 ilimitado**, arbitrário ≠ **condicionado**, limitado **2 caprichoso**

discriminação *n.f.* **1 destrinça**, separação, distinção **2 discernimento**, distinção, separação ≠ **indistinção**, indiscriminação **3 segregação**, marginalização, elitismo ≠ **integração**, indiscriminação

discriminadamente *adv.* **1 separadamente 2 minuciosamente**, meticulosamente, cuidadosamente, especificadamente **3 distintamente**

discriminado *adj.* **1 distinto**, separado, diferenciado, destrinçado **2** (produto, fatura) **detalhado**, especificado **3 marginalizado**, segregado ≠ **integrado**, indiscriminado

discriminar *v.* **1 diferenciar**, distinguir, destrinçar, discernir **2** (produto, fatura) **detalhar**, especificar **3 marginalizar**, segregar ≠ **integrar**, indiscriminar

discriminativo *adj.* **discernente**, distintivo, diferente, discriminatório, discriminante, discriminador

discursar *v.* **1 discorrer**, falar, dissertar, prelecionar **2 raciocinar**, pensar, discorrer **3 explicar**, analisar, tratar, expor

discursivo *adj.* **1 dedutivo**, demonstrativo, deducional, ilativo ≠ **intuitivo**, axiomático **2 falador**, palrador, loquaz, tagarela, conversador, linguareiro

discurso *n.m.* **1 dissertação**, comunicação, conferência, exposição **2 elocução**, fala, elóquio **3** LING. **fala 4** LING. **texto 5 oração 6** *col.* **palavreado**, léria, paleio, lábia, treta, fraseado, cantata, galra, música, prosa, garganta *fig.*, cantiga *fig.,col.* **7** *col.* **reprimenda**, repreensão, censura, admoestação, exprobração, descompostura ≠ **elogio**, louvor, felicitação, aprovação

discussão *n.f.* **1 debate**, altercação, disputa **2 polémica**, controvérsia, celeuma, certame, contestação ≠ **acordo**, entendimento **3 altercação**, briga, arenga, contenda, desinteligência, parlenga ≠ **conciliação**, entendimento

discutido *adj.* **debatido**, analisado

discutir *v.* **1 debater**, altercar, disputar, contestar, escaramuçar ≠ **acordar**, conciliar, conformar **2 examinar**, analisar **3 questionar**, interrogar **4 contestar**, impugnar, contrapor, atacar, contradizer ≠ **aceitar**, concordar, ceder

discutível *adj.2g.* **contestável**, problemático, questionável, polémico, litigável, duvidoso, opinativo, combatível, contrariável ≠ **indiscutível**, inquestionável

disfarçado *adj.* **1 mascarado**, embuçado, rebuçado, camuflado, embiocado **2 encoberto**, oculto, coberto, dissimulado, reservado, assolapado ≠ **exposto**, visível **3 falso**, simulado, fingido, enganador ≠ **franco**, genuíno

disfarçar *v.* **1 mascarar**, embuçar, rebuçar, camuflar, travestir **2 encobrir**, ocultar, cobrir, dissimular, reservar ≠ **expor**, mostrar, descobrir **3 simular**, falsear, fingir, enganar, dissimular

disfarçar-se *v.* **dissimular**, embuçar-se, transformar-se, travestir-se

disfarce *n.m.* **1 dissimulação**, fingimento, falsidade, engano, caiadura *fig.* ≠ **franqueza**, genuinidade **2 artifício**, engano, fingimento **3 máscara**

disformar *v.* **deformar**, desfigurar, transfigurar, desfear, desnaturar, distorcer ≠ **conservar**, preservar

disforme *adj.2g.* **1 desproporcionado**, enorme, descomunal, desconforme ≠ **pequeno**, proporcionado **2 deformado**, deforme, alterado, modificado, transfigurado ≠ **conservado**, preservado

disformidade *n.f.* **1 desproporção**, enormidade, descomunalidade, desconformidade ≠ **pequenez**, proporção **2 monstruosidade**, aberração, deformidade, aleijão *fig.*

disjunção *n.f.* **separação**, desunião, divisão ≠ **união**, ligação, junção

disjuntar *v.* **separar**, desunir, dividir ≠ **unir**, ligar, juntar, carrear *fig.*

disjuntivo *adj.* **separativo** ≠ **conectivo**, conjuntivo

disjunto *adj.* **1 separado**, desunido, dividido ≠ **unido**, ligado, junto **2 distinto**

díspar *adj.2g.* **dissemelhante**, diferente, desigual, distinto, diverso ≠ **igual**, semelhante

disparado *adj.* **1 assestado**, desferido **2 atrevido**, ousado, descarado, desavergonhado, desabusado, desaforado ≠ **inibido**, tímido, modesto, comedido **3 veloz**, desenfreado ≠ **lento**, moroso, vagaroso ■ *adv.* **velozmente**, desenfreadamente, desembestadamente ≠ **lentamente**, vagarosamente

disparar *v.* **1** (arma) **descarregar**, desfechar **2 arrojar**, arremessar, lançar, atirar **3 correr**, desembestar, desabalar **4** (gado) **dispersar-se**, tresmalhar-se

disparatado *adj.* **despropositado**, desapropriado, descomedido, descabido, absurdo, descabelado *fig.* ≠ **propositado**, conveniente

disparatar *v.* **despropositar**, desconchavar, desatinar, asnear, destemperar, necear, parvoeirar, doudejar ≠ **atinar**, ajuizar

disparate *n.m.* **despautério**, despropósito, descabelada, desconchavo, tolice, absurdo, patacoada, asneirada, tontaria, pachochada, borregada *fig.* ≠ **juízo**, tino, sensatez, discernimento

disparidade *n.f.* **1 dissemelhante**, diferente, desigual, distinto, diverso, díspar ≠ **igual**, semelhante **2 divergência**, desacordo, desarmonia, oposição, discórdia, diferendo ≠ **concordância**, consentimento, condescendência, aprovação

disparo *n.m.* **tiro**, estoiro, atirada

dispêndio *n.m.* **1 despesa**, gasto, desembolso, consumo ≠ **poupança 2 prejuízo**, dano, perda ≠ **ganho**, lucro

dispendioso *adj.* **caro**, custoso, oneroso, alto, pesado, puxado *col.* ≠ **barato**, económico, módico, baixo, fácil

dispensa *n.f.* (obrigação, função) **desobrigação**, desobriga, exoneração, isenção, escusa ≠ **obrigação**

dispensado *adj.* **1** (obrigação, função) **desobrigado**, exonerado, isento, escusado, eximido ≠ **obrigado 2 demitido**, despedido, exonerado, demisso, destituído, empandeirado *fig.* ≠ **admitido**, contratado

dispensar *v.* **1 desobrigar**, isentar, eximir, licenciar, escusar **2 dar**, conceder, dedicar, prestar, conferir **3 emprestar**, ceder

dispensar-se *v.* **1 eximir-se**, desobrigar-se **2 abster-se**, privar-se

dispensável *adj.2g.* **desnecessário**, escusado, supérfluo, prescindível ≠ **complementar**, suplementário, adicional, acessório

dispepsia *n.f.* MED. **indigestão**, apepsia

dispersão *n.f.* **1 disseminação**, espalhamento ≠ **concentração**, acumulação, aglomeração **2 debandada**, corre-corre, confusão, retirada, tresmalho **3 desbaratamento**, dissipação, desaproveitamento, esbanjamento, gasto, desperdício ≠ **poupança**, aproveitamento, economicidade

dispersar *v.* **1 disseminar**, espalhar, difundir ≠ **concentrar**, acumular **2 desbandar**, retirar, tresmalhar **3 destroçar**, derrotar, desbaratar, afugentar, aniquilar ≠ **reunir**, reunificar, revigorar **4 dissipar**, desfazer

dispersar-se *v.* **1 espalhar-se**, disseminar-se **2** (luz) **decompor-se**

disperso *adj.* **1 disseminado**, espalhado, difundido ≠ **concentrado**, acumulado, aglomerado **2 separado**, dividido ≠ **junto**, reunido **3 desbaratado**, derrotado, destroçado, afugentado, aniquilado ≠ **reunido**, reunificado, revigorado **4 debandado**, retirado, tresmalhado

displicência *n.f.* **1 desprazer**, desgosto, tristeza, desagrado, aborrecimento, descontentamento, insatisfação, pesar, dissabor ≠ **satisfação**, agrado, contentamento **2 tédio**, sensaboria, aborrecimento, monotonia, enfado, cantochão *fig.*, fabordão *fig.* ≠ **contentamento**, júbilo, satisfação **3 indiferença**, desinteresse, alheamento, desapego ≠ **interesse**, empenho **4 indolência**, preguiça

displicente *adj.2g.* **1 desaprazível**, desagradável, aborrecido, enfadonho, amargo *fig.* ≠ **agradável**, aprazível **2 desinteressado**, indiferente, alheado, desapegado ≠ **interessado**, empenhado

disponibilidade *n.f.* **1 desocupação**, ocioso ≠ **ocupação**, indisponibilidade **2 recetividade**, flexibilidade, adaptabilidade ≠ **inflexibilidade**, inadaptabilidade

disponível *adj.2g.* **1 desocupado**, ocioso, livre, desembaraçado ≠ **ocupado**, indisponível **2 livre**, desocupado, vago, vazio ≠ **ocupado**, tomado

dispor *v.* **1 conciliar**, harmonizar, coincidir, acertar, aguisar ≠ **desarmonizar**, desconciliar **2 resolver**, estabelecer, decidir, deliberar **3** (lei) **regulamentar**, determinar, normalizar ≠ **desregulamentar** **4 mandar**, ordenar, dirigir **5 persuadir**, induzir, convencer, mover, capacitar ≠ **dissuadir**, desaconselhar, demover, desconvencer, despersuadir **6 aplicar**, empregar, administrar **7 plantar**, transplantar **8 arrumar**, arranjar, organizar, ordenar ≠ **desarrumar**, desajeitar, desorganizar **9 colocar**, pôr **10 planear**, traçar, preparar, programar **11 servir-se**, utilizar-se **12 ter**, possuir ≠ **necessitar**, precisar, carecer **13** (bens) **alienar** **14** (de alguma coisa) **desfazer-se**, livrar-se, desmanchar-se ≠ **guardar**, conservar

dispor-se *v.* **1 propor-se** **2 resolver-se**, decidir-se, determinar-se, deliberar-se **3 dedicar-se**, entregar-se, consagrar-se

disposição *n.f.* **1 arrumação**, organização, ordenação, arranjo, arranjamento, distribuição ≠ **desarrumação**, desorganização **2 temperamento**, catadura, índole, carácter, natureza, génio, humor **3 tendência**, propensão, vocação, queda, habilidade, jeito, declive *fig.* ≠ **inabilidade**, inaptidão, incapacidade **4 intenção**, vontade, ambição, anseio, desejo, aspiração *fig.* **5 utilização**, emprego, uso, aplicação **6 prescrição**, preceito, ordem, regulamento, disposto, determinação, regra

dispositivo *adj.* **regulamentar**, prescritivo, preceituador, determinativo ■ *n.m.* **mecanismo**, arranjo, aparelho, engenho, peça

disposto *adj.* **1 arranjado**, organizado, ordenado, arrumado, distribuído ≠ **desarranjado**, desorganizado, desarrumado **2 preparado**, organizado, pronto **3 propenso**, inclinado *fig.* **4 determinado**, decisivo, estabelecido, deliberado, resolvido **5 apto**, habilitado, idóneo, capaz, suficiente, competente ≠ **inapto**, incapaz, inabilitado **6 sujeito**, predisposto **7 plantado** ■ *n.m.* **prescrição**, preceito, ordem, regulamento, disposição, determinação, regra

disputa *n.f.* **1 discussão**, debate, altercação, contestação, contenda, disceptação **2 luta**, competição, desafio, porfia, páreo *fig.*

disputado *adj.* **1 discutido**, debatido, contestado, altercado **2 pretendido**, desejado, caro ≠ indesejado **3 competido**, lutado, desafiado, porfiado, batalhado **4 cortejado**

disputar *v.* **1 lutar**, competir, desafiar, porfiar **2 discutir**, debater, contestar, altercar

disputável *adj.2g.* **contestável**, discutível, problemático, questionável, polémico, litigável ≠ **indiscutível**, inquestionável

dissabor *n.m.* **1 desgosto**, mágoa, descontentamento, aborrecimento, tristeza, desprazer, insatisfação, desagrado, pesar ≠ **satisfação**, agrado, contentamento **2 contratempo**, contrariedade, obstáculo, infortúnio, dificuldade, impedimento, entrave, canudo *col.* ≠ **desimpedimento**, desatravancamento, desobstrução, desempeço, desempacho

dissecação *n.f.* **1 autópsia**, necroscopia, necrotomia, anatomização **2** (com minúcia, rigor) **exame**, análise, anatomia *fig.*

dissecar *v.* **1** (órgãos ou partes de órgãos) **cortar**, retalhar, anatomizar **2 cortar**, dividir **3** (com minúcia, rigor) **examinar**, analisar, anatomizar

dissector *n.m.* ANAT., MED. **escalpelo**, bisturi

dissemelhança *n.f.* **desigualdade**, diferença, disparidade, distinção, diversidade ≠ **igualdade**, semelhança

dissemelhante *adj.2g.* **diferente**, dissímil, desigual, díspar, distinto, diverso ≠ **igual**, semelhante

dissemelhar *v.* **diferenciar**, desigualar, distinguir, estremar, desnivelar, balizar *fig.* ≠ **igualar**, semelhar, dessemelhar [BRAS.]

disseminação *n.f.* **1** BOT. **dispersão** **2 divulgação**, propagação, espalhamento, vulgarização, difusão, derramamento

disseminar *v.* **1 dispersar**, espalhar, irradiar, difundir **2 derramar**, propagar **3 divulgar**, propagar, espalhar, difundir, vulgarizar, dilatar

disseminar-se *v.* **difundir-se**, dispersar-se, propagar-se, espalhar-se

dissenção *n.f.* **1 divergência**, desavença, discrepância, desacordo, desarmonia, oposição, discórdia, diferendo, discordância ≠ **concordância**, consentimento, condescendência, aprovação **2 contraste**, discrepância, diferença, descoincidência, desencontro, discordância, disparidade ≠ **coincidência**, equivalência, semelhança

dissentimento *n.m.* **divergência**, desavença, discrepância, desacordo, desarmonia, oposição, discórdia, diferendo, discordância ≠ **concordância**, consentimento, condescendência, aprovação

dissentir *v.* **divergir**, discordar, diferir, desacordar, desarmonizar, opor ≠ **concordar**, consentir, condescender, aprovar

dissertação *n.f.* **1 tese** **2 discurso**, comunicação, conferência, exposição

dissertar *v.* discursar, discorrer, falar, prelecionar

dissidência *n.f.* 1 **divergência**, desavença, discrepância, desacordo, desarmonia, oposição, discórdia, diferendo, discordância ≠ **concordância**, consentimento, condescendência, aprovação 2 (matéria religiosa ou política) **separação**, cisão

dissidente *adj.2g.* **divergente**, discordante, desacordante, desarmónico, oposto, discrepante, diferente, separatista ≠ **concordante**, consentâneo, condescendente ■ *n.2g.* **faccionário**

dissídio *n.m.* **divergência**, desavença, discrepância, desacordo, desarmonia, oposição, discórdia, diferendo, discordância, dissidência, dissenso ≠ **concordância**, consentimento, condescendência, aprovação

dissilábico *adj.* GRAM., LIT. **dissílabo**, bissílabo

dissílabo *adj.,n.m.* GRAM., LIT. **dissilábico**, bissílabo

dissimetria *n.f.* **assimetria**, desproporção, desigualdade, desarmonia ≠ **simetria**, igualdade, semelhança

dissimétrico *adj.* 1 **assimétrico**, desproporcionado, desigual, desarmónico ≠ **simétrico**, igual, semelhante 2 **dissemelhante**, diferença, desigualdade, disparidade, distinção, diversidade ≠ **igualdade**, semelhança

dissimilitude *n.f.* **dissemelhança**, diferença, disparidade, distinção, diversidade, desigualdade ≠ **igualdade**, semelhança

dissimulação *n.f.* 1 **disfarce**, fingimento, falsidade, engano, assimulação 2 **ocultação**, encobrimento, simulação ≠ **descobrimento**, revelação

dissimulado *adj.* 1 **encoberto**, oculto, coberto, disfarçado, reservado ≠ **exposto**, visível 2 **fingido**, disfarçado, falso, enganador ≠ **franco**, genuíno 3 **manhoso**, astuto, matreiro, finório, espertalhão, sagaz ≠ **correto**, honesto, verdadeiro, sincero

dissimulador *adj.,n.m.* **fingido**, dissimulado, falso, enganador ≠ **franco**, genuíno

dissimular *v.* 1 **simular**, falsear, fingir, enganar, disfarçar 2 **encobrir**, ocultar, cobrir, disfarçar, reservar, capuchar *fig.* ≠ **expor**, mostrar, descobrir 3 **calar**, omitir, reservar, ocultar ≠ **revelar**, contar, mencionar

dissipação *n.f.* 1 **desaparecimento**, desvanecimento, dispersão, evaporação ≠ **aparecimento**, surgimento 2 **desperdício**, gasto, desbaratamento, desaproveitamento, esbanjamento, delapidação ≠ **poupança**, aproveitamento, economicidade 3 **devassidão**, depravação, desmoralização, corrupção, dissolução, envilecimento, libertinagem, perversão ≠ **decência**, decoro, moralidade

dissipar *v.* 1 **disseminar**, espalhar, difundir, dispersar, derramar ≠ **concentrar**, acumular, reunir 2 **desfazer**, desvanecer, desaparecer, destruir, extinguir ≠ **manter**, conservar 3 **desperdiçar**, desaproveitar, esbanjar, desbaratar, malbaratar ≠ **poupar**, amealhar, aproveitar, economizar

dissipar-se *v.* 1 **espalhar-se**, evaporar-se, desfazer-se 2 **desaparecer**, desvanecer-se

dissociação *n.f.* **desagregação**, decomposição, desincorporação, desmembramento, fragmentação, desunião, separação ≠ **agregação**, composição, união, junção

dissociar *v.* 1 **desagregar**, decompor, desincorporar, desmembrar, fragmentar, desunir, separar ≠ **agregar**, compor, unir, juntar 2 QUÍM. **decompor**, dissolver

dissociar-se *v.* **desagregar-se**, desassociar-se, desintegrar-se, desunir-se ≠ **agregar-se**, juntar-se

dissociável *adj.2g.* **desagregável**, decomponível, fragmentável, desunível, separável ≠ **componível**, unível, aliável

dissolução *n.f.* 1 **dissolvência**, decomposição, desagregação, descondensação ≠ **indissolução**, composição, agregação 2 (organização, sociedade) **extinção**, fim, término 3 (acordo, contrato) **anulação**, cessação 4 (domínio, poder) **enfraquecimento**, debilidade 5 **devassidão**, depravação, desmoralização, corrupção, envilecimento, libertinagem, perversão ≠ **decência**, decoro, moralidade 6 **ruína**, destruição, aniquilação ≠ **conservação**, preservação

dissoluto *adj.* 1 **dissolvido**, desfeito, liquefeito, decomposto ≠ **sólido**, concentrado 2 **devasso**, licencioso, libertino, desregrado, debochado, imoral, salaz, impudico, frascário, abargantado ≠ **decente**, decoroso

dissolúvel *adj.2g.* **solúvel**, decomponível ≠ **indissolúvel**

dissolvência *n.f.* **dissolução**, decomposição, desagregação ≠ **agregação**, composição

dissolvente *adj.2g.* 1 **solvente**, diluente, diluidor 2 **corruptor**, pervertedor, perversor, degradante ■ *n.m.* **diluente**, diluidor

dissolver *v.* 1 **diluir**, liquefazer, delir, desfazer, descondensar, exsolver 2 **desfazer**, desagregar, desligar, dissipar ≠ **agregar**, juntar 3 (acordo, contrato) **anular**, cessar, cancelar ≠ **formar**, instituir 4 **devassar**, depravar, desmoralizar, corromper, perverter ≠ **moralizar** 5 **dispersar**, desmembrar, desmanchar, desarticular, decompor, desincorporar, desconjuntar ≠ **agregar**, compor, juntar, unir

dissonância *n.f.* 1 MÚS. **desafinação**, desarmonia, discordância, difonia, destom ≠ **consonância**, harmonia 2 **desacordo**, discórdia, discordância, desarmonia, desafinação *fig.* ≠ **concordância**, harmonia 3 **desproporção**, incoerência, desequilíbrio, disparidade ≠ **proporção**, equilíbrio

dissonante *adj.2g.* 1 **desarmónico**, desacorde, desafinado, destoante, ábsono, anarmónico, antimelódico, malsonante ≠ **afinado**, harmonizado, cônsono 2 **discordante**, divergente, desarmónico, desacordante, oposto, discrepante, diferente ≠ **concordante**, consentâneo, condescendente 3 **desarmonioso**, discordante, desproporcional ≠ **harmonioso**, proporcional

dissonar *v.* **destoar**, desarmonizar, desafinar, desacordar ≠ **consonar**, harmonizar, afinar

díssono *adj.* **desarmónico**, desacorde, desafinado, destoante, ábsono ≠ **afinado**, harmonizado, cônsono

dissuadir *v.* **desaconselhar**, demover, despersuadir, desaferrar, desconvencer ≠ **convencer**, persuadir, mover

dissuasão *n.f.* **despersuasão**, demovimento, afastamento ≠ **convicção**, indução, persuasão, sugestão

distância *n.f.* 1 **intervalo**, espaço, distanciamento ≠ **aproximação**, proximidade 2 **intervalo**, interrupção, pausa, lapso ≠ **continuação** 3 **separação**, afastamento, apartamento ≠ **aproximação**, adjacência 4 **desprendimento**, desapego, frieza, indiferença ≠ **proximidade**, apego, afeição 5 **lonjura**, longitude, extensão ≠ **contiguidade**, confinidade

distanciamento *n.m.* 1 **separação**, afastamento, distância, apartamento ≠ **aproximação** 2 **desprendimento**, frieza, desapego, indiferença ≠ **proximidade**, apego, afeição

distanciar *v.* 1 **separar**, afastar, apartar ≠ **aproximar** 2 **espaçar**, intercalar ≠ **aproximar** 3 *fig.* **desprender**, desapegar, desinteressar ≠ **aproximar**, apegar, afeiçoar

distanciar-se *v.* 1 **afastar-se**, alongar-se, demarcar-se 2 **atrasar-se**, demorar-se 3 *fig.* **desinteressar-se**, desmotivar-se ≠ **interessar-se**

distante *adj.2g.* 1 **longínquo**, afastado, remoto, apartado, desconvizinho ≠ **próximo**, perto 2 *fig.* **distraído**, desatento, alheado, aéreo, abstrato, absorto, descuidado, despistado, esgrouviado, despassarado *col.* ≠ **atento**, concentrado 3 *fig.* **frio**, reservado, insensível, indiferente, desapaixonado ≠ **apaixonado**, enamorado, interessado

distar *v.* 1 **distanciar**, afastar ≠ **aproximar** 2 **diferir**, divergir, diversificar, diferençar, distinguir

distender *v.* 1 **estender**, estirar, esticar, alongar, espraiar ≠ **encolher**, contrair 2 **desenvolver** 3 **dilatar**, inchar, avolumar

distensão *n.f.* **afrouxamento**, relaxamento ≠ **tensão**

distenso *adj.* 1 **afrouxado**, relaxado ≠ **tenso** 2 **dilatado**, inchado, avolumado ≠ **desinchado**, desavolumado 3 **estirado**, estendido, esticado, alongado, espraiado ≠ **encolhido**, contraído

distensor *adj.,n.m.* 1 **dilatador** 2 **estirador**, estendedor, esticador

dístico *n.m.* 1 LIT. **parelha** 2 **letreiro**, rótulo, legenda 3 HER. **divisa**, lema, emblema ▪ *adj.* BOT. **disticado**

distinção *n.f.* 1 **diferenciação**, dissemelhança, disparidade, desigualdade, diversidade ≠ **igualdade**, semelhança 2 **prerrogativa**, exceção, privilégio, regalia, direito 3 **honra**, mérito, valor ≠ **desonra**, desmérito 4 **elegância**, requinte, refinamento, finura ≠ **deselegância**, grosseria, rudeza 5 **superioridade**, excelência

distinguir *v.* 1 **identificar**, reconhecer 2 **perceber**, notar, reconhecer, diferenciar, estabelecer ≠ **identificar**, igualar 3 **preferir**, eleger, escolher, selecionar 4 **separar**, discriminar, especificar, marcar ≠ **misturar**, juntar, reunir 5 **caracterizar**, individualizar, particularizar ≠ **generalizar** 6 **enobrecer**, engrandecer, honrar, qualificar ≠ **desnobrecer** *fig.*

distinguir-se *v.* 1 **assinalar-se**, abalizar-se, afirmar-se 2 **diferenciar-se**, diferençar-se, desigualar-se ≠ **assemelhar-se**, parecer-se, igualar-se

distintivo *adj.* **marcante**, característico, diferente, inconfundível ≠ **banal**, incaracterístico, confundível, vulgar ▪ *n.m.* 1 **sinal**, marca, carácter, selo, símbolo, cunho *fig.* 2 **emblema**, insígnia, bandeira, lema, divisa, dragão

distinto *adj.* 1 **diferente**, díspar, desigual, dissemelhante, diverso ≠ **igual**, semelhante 2 **separado**, discriminado, diferenciado, destrinçado 3 **claro**, percetível, nítido, inteligível ≠ **confuso**, indistinto 4 **notável**, eminente, consagrado, ilustre, extremado ≠ **medíocre**, ordinário 5 **elegante**, educado, fino, seleto ≠ **deselegante**, grosseiro, ordinário, vulgar

distorção *n.f.* **deformação**

distorcer *v.* 1 **alterar**, mudar ≠ **manter**, preservar 2 (imagem, som) **deformar** 3 (facto, verdade) **deturpar**, adulterar, desvirtuar, perverter, falsear, malsinar, alterar, modificar, envenenar *fig.* ≠ **conservar**, manter, preservar

distorcido *adj.* 1 (imagem, som) **deformado** 2 (facto, verdade) **deturpado**, adulterado, desvirtuado, pervertido, falseado, malsinado, alterado, modificado, envenenado *fig.* ≠ **conservado**, mantido, preservado

distração[dAO] *n.f.* 1 **entretenimento**, divertimento, diversão, brincadeira, derivativo, espalho *col.* ≠ **aborrecimento**, tédio, preocupação 2 **desatenção**, alheamento, abstração, desconcentração ≠ **atenção**, concentração 3 **digressão**, desvio 4 **esquecimento**, irreflexão, descuido 5 **separação**

distracção[aAO] *n.f.* ⇒ **distração**[dAO]

distraído *adj.* 1 **absorto**, abstrato, alheio, ausente, desatento, pensativo, alheado ≠ **aborrecido**, entediado, preocupado **2 esquecido**, descuidado, irrefletido

distrair *v.* **1 desconcentrar**, desatentar, alhear ≠ **atentar**, concentrar, abstrair **2 divertir**, entreter, recrear, alegrar ≠ **aborrecer**, entediar, preocupar **3 separar**

distrair-se *v.* **1 alhear-se**, descuidar-se, abstrair-se, desligar ≠ **concentrar-se 2 divertir-se**, recrear-se, entreter-se, folgar, desaborrecer-se

distrate *n.m.* (contrato) **anulação**, dissolução, rescisão, rescindência

distribuição *n.f.* **1 repartição**, divisão, partilha **2 disposição**, arranjo, arrumação, organização, ordenação ≠ **desarrumação**, desorganização **3 classificação**, ordenação, repartição, categorização **4** ECON. **circulação**

distribuidor *n.m.* **1 repartidor**, partidor, divisor **2 carteiro**, correio, estafeta ■ *adj.* **dispensador**, partidor, repartidor, divisor

distribuir *v.* **1 partilhar**, repartir, dividir, dispartir **2 espalhar**, disseminar **3 classificar**, ordenar, repartir, categorizar **4 dispor**, arranjar, arrumar, organizar, ordenar ≠ **desarrumar**, desorganizar

distribuível *adj.2g.* **divisível**, repartível, partilhável

distributivo *adj.* **1 segmentável** ≠ **global 2 equitativo 3** GRAM. **segregativo**, partitivo

distrito *n.m.* **competência**, alçada, jurisdição

disturbar *v.* **perturbar**, transtornar, inquietar, importunar, apoquentar, desarmonizar ≠ **harmonizar**, sossegar, aliviar

distúrbio *n.m.* **1 perturbação**, agitação, inquietação, desassossego, comoção, emoção, alteração ≠ **calma**, sossego, tranquilidade **2 desordem**, alvoroço, motim, tumulto, sublevação, zaragata, revolta, revolução, alvoroto ≠ **ordem**, pacificação, sossego

dita *n.f.* **felicidade**, ventura, satisfação, fortuna, contentamento ≠ **infelicidade**, desventura

ditado *adj.* **1 prescrito 2 inspirado**, sugerido ■ *n.m.* **adágio**, provérbio, aforismo, anexim, rifão, prolóquio, máxima, sentença, dito

ditador *n.m.* **tirano**, déspota, opressor, autocrata ≠ **democrata**, liberal

ditadura *n.f.* **absolutismo**, despotismo, tirania, autoritarismo, autocracia ≠ **democracia**, liberalismo

ditame *n.m.* **1 imperativo**, dever **2 impulso**, inspiração **3 ordem**, doutrina, regra **4 aviso**, advertência, conselho

ditar *v.* **1 prescrever**, impor, determinar **2** *fig.* **inspirar**, sugerir, lembrar

ditatorial *adj.2g.* **tirânico**, tirano, prepotente, iliberal, arbitrário, autoritário, imperativo, despótico, procustiano *fig.* ≠ **democrata**, liberal

ditirambo *n.m.* **elogio**, exaltação, louvor, engrandecimento ≠ **menosprezo**, pejorativo

dito *n.m.* **1 expressão**, declaração **2 adágio**, provérbio, aforismo, anexim, rifão, prolóquio, máxima, sentença, ditado **3 mexerico**, boato, atoada, voz, bacorejo, sussurro, diz-que-diz--que, rumor *fig.*, eco *fig.*, ruído *fig.*, toada *fig.*, zunzum *fig.* ■ *adj.* **mencionado**, referido, citado, aludido, pronunciado, proferido

dito-cujo *n.m. col.* **sujeito**, fulano, indivíduo, tipo, criatura

ditoso *adj.* **1 bem-aventurado**, afortunado, feliz, próspero, venturoso, fortunoso ≠ **infeliz**, desventurado, desgraçado **2 fértil**, fecundo, abençoado ≠ **infértil**

diurético *adj.* **mictório**, urético ≠ **antidiurético**

diurno *n.m.* **diurnal** ■ *adj.* ≠ **noturno**

diva *n.f.* **1 deusa**, deia **2** *fig.* **divindade**, deidade, beldade, deusa

divagação *n.f.* **1 diversão**, evagação **2** (de um assunto em conversa, discussão) **digressão**, desvio, parêntese *fig.*, excursão *fig.* **3 episódio**

divagar *v.* **1 vaguear**, errar, vagabundear, vagar, deambular, perambular ≠ **dirigir-se**, encaminhar--se, guiar-se **2** (de um assunto em conversa, discussão) **digressionar**, desviar, extravagar, excursar *fig.* **3 devanear**, fantasiar, discorrer, digressionar, perambular

divergência *n.f.* **1 afastamento**, desvio, digressão, digresso ≠ **aproximação 2 discordância**, desacordo, desarmonia, oposição, diferendo, discordo, departimento *fig.* ≠ **concordância**, consentimento, condescendência, aprovação **3** FÍS., ÓT. ≠ **convergência**

divergente *adj.2g.* **1 digressivo**, desviante, afastador, divaricado ≠ **aproximativo 2 discordante**, desacordante, oposto, discrepante, desarmónico, diferente ≠ **concordante**, consentâneo, condescendente **3** FÍS., ÓT. ≠ **convergente**

divergir *v.* **1 afastar-se**, desviar-se, separar-se, apartar-se, divaricar ≠ **aproximar-se 2** *fig.* **discordar**, desacordar, desarmonizar, opor, diferir, dissentir ≠ **concordar**, consentir, condescender, aprovar

diversamente *adv.* **diferentemente**, variamente ≠ **igualmente**, invariavelmente

diversão *n.f.* **1 afastamento**, derivação, desvio, desencaminhamento, deslocação, digresso **2** *fig.* **entretenimento**, divertimento, distração, passatempo, recreio, derivativo, alegrório *col.* ≠ **aborrecimento**, tédio, preocupação **3 finta**, distração

diversidade *n.f.* **1 variedade**, multiplicidade ≠ **homogeneidade**, uniformidade **2 diferença**, dissemelhança, desigualdade, disparidade, distinção ≠ **igualdade**, semelhança, equabilidade **3** BIOL. **biodiversidade**

diversificação *n.f.* variação ≠ homogeneização, uniformização

diversificar *v.* 1 variar ≠ homogeneizar, uniformar, equalizar 2 **diferenciar**, diferençar, discriminar, discernir, desnivelar, determinar, distinguir

diverso *adj.* 1 **diferente**, dissemelhante, díspar, desigual, distinto ≠ **igual**, semelhante 2 **discordante**, divergente, desacordante, desarmónico, oposto, discrepante, diferente, outro, distinto ≠ **concordante**, igual, semelhante ■ *pron.indef.pl.* **muitos**, vários, alguns

divertido *adj.* 1 **alegre**, deleitado, satisfeito, bem-disposto, engraçado ≠ **aborrecido**, maçado, enfadado, entediado, aborrido *ant.* 2 **recreativo**, distrativo, diversivo, diversório 3 **distraído**, absorto, abstrato, alheio, ausente, desatento, pensativo, alheado ≠ **aborrecido**, entediado, preocupado 4 **desviado**

divertimento *n.m.* 1 **desporto**, recreação, passatempo, entretenimento, diversão 2 **distração**, diversão, entretenimento, brincadeira, alegrão *col.* ≠ **aborrecimento**, tédio, estopada, aborrimento *ant.*

divertir *v.* 1 **entreter**, distrair, recrear, alegrar ≠ **aborrecer**, entediar, aborrir *ant.* 2 **distrair**, desviar, fintar

divertir-se *v.* **distrair-se**, recrear-se, entreter-se, folgar

dívida *n.f.* 1 **débito**, calote *col.* 2 **obrigação**, incumbência, encargo, preceito, devido, dever ≠ **desobrigação** 3 **reconhecimento**, gratidão 4 *fig.* **pecado**, culpa

dividendo *n.m.* [*pl.*] (sobretudo financeiras) **vantagens**, lucros, ganhos ≠ **prejuízos**, danos, perdas

dividido *adj.* 1 **separado**, desunido, desligado ≠ **junto**, ligado 2 **repartido**, partilhado, distribuído, aduado 3 **discordante**, desacordante, oposto, discrepante, desarmónico, diferente ≠ **concordante**, consentâneo, condescendente

dividir *v.* 1 **repartir**, distribuir 2 **demarcar**, delimitar, estremar, circunscrever, restringir, limitar, reduzir, confinar, balizar *fig.* ≠ **desbalizar**, expandir, estender 3 **separar**, desunir, desligar ≠ **juntar**, ligar 4 **desavir**, indispor, zangar, incompatibilizar, inimizar ≠ **concordar**, compatibilizar

dividir-se *v.* 1 **ramificar-se**, separar-se 2 **divergir** *fig.*, discordar, discrepar, dissentir ≠ **concordar**

divinal *adj.2g.* 1 **celestial**, divino, supranatural, encantador, perfeito, sublime 2 **bonito**, lindo, maravilhoso

divindade *n.f.* 1 **deidade**, diva, deusa, númen 2 (com maiúscula) **Deus**, Criador, Altíssimo, Incriado, Omnipotente, Senhor, Todo-Poderoso, Pai, Providência 3 *fig.* **beldade**, deidade, odalisca, diva, deusa

divinização *n.f.* exaltação, santificação, sublimação

divinizar *v.* 1 **deificar**, endeusar 2 *fig.* **exaltar**, glorificar, louvar, venerar, bendizer ≠ **praguejar**, condenar, amaldiçoar

divino *adj.* 1 **sobrenatural**, divinal, celeste, celestial, deífico, divo, etéreo, supremo 2 **deífico**, celestial, celeste, divinal ≠ **diabólico**, demoníaco, satânico, luciferino 3 *fig.* **sublime**, perfeito, encantador, admirável, extraordinário, magnífico, excelso, excelente, superior, raro, singular ≠ **vulgar**, ordinário, comum ■ *n.m.* **divindidade**

divisa *n.f.* 1 **lema**, máxima, sentença 2 HER. **dístico**, lema, bandeira, dragão, insígnia, emblema 3 MIL. **insígnia** 4 **raia**, demarcação, fronteira, marca, limitação

divisão *n.f.* 1 **repartição**, partilha, distribuição, departição, aquinhoamento 2 **demarcação**, delimitação, circunscrição, limitação, confinamento, divisória 3 **compartimento**, dependência, cómodo, repartimento 4 **divergência**, discórdia, desacordo, desarmonia, oposição, discordância, diferendo ≠ **concordância**, consentimento, condescendência, aprovação

divisar *v.* 1 **avistar**, descortinar, enxergar 2 **distinguir**, discernir, perceber, descobrir, avistar 3 **delimitar**, circunscrever, demarcar, estremar, restringir, limitar, reduzir, confinar, determinar, balizar *fig.* ≠ **desbalizar**, expandir, estender

divisível *adj.2g.* 1 **divíduo**, divisivo ≠ **indivisível** 2 **distribuível**, repartível, partilhável

diviso *adj.* 1 **separado**, desunido, desligado, dividido ≠ **junto**, ligado 2 **repartido**, partilhado, distribuído, dividido

divisória *n.f.* 1 **demarcação**, delimitação, circunscrição, limitação, confinamento, divisão 2 **tapume**, tabique

divisório *adj.* **separador**, divisor, separatório

divo *adj.* **sobrenatural**, divinal, celeste, celestial, deífico, etéreo, supremo ■ *n.m.* **deus**

divorciado *adj.* 1 **desligado**, desunido, afastado, separado ≠ **ligado**, unido 2 **separado**, descasado ≠ **casado**, consorciado

divorciar *v.* 1 **separar**, descasar ≠ **casar**, consorciar 2 *fig.* **desligar**, desunir, afastar, separar ≠ **ligar**, unir

divorciar-se *v.* **descasar-se** ≠ **casar-se**, matrimoniar-se, consorciar-se, prender-se *fig.*

divórcio *n.m.* 1 **separação**, descasamento ≠ **casamento**, consórcio 2 **desacordo**, desavença, discrepância, divergência, desarmonia, oposição, discórdia, diferendo, discordância ≠ **concordância**, consentimento, condescendência, aprovação

divulgação *n.f.* **difusão**, propagação, espalhamento, vulgarização, disseminação

divulgador *adj.,n.m.* **vulgarizador**, difusor, espalhador, disseminador, propagador

divulgar *v.* **difundir**, propagar, espalhar, disseminar, vulgarizar, dilatar, alvissarar, achocalhar *fig.*

divulgar-se *v.* **popularizar-se**, vulgarizar-se, disseminar-se, espalhar-se, correr

divulsão *n.f.* 1 **arranque** 2 **dilaceração**, laceração, despedaçamento

dixe *n.m.* 1 **adorno**, enfeite, atavio ≠ **desadorno**, desenfeite, desatavio 2 **brinquedo**, brinco, joguete

dizer *v.* 1 **expor**, afirmar, declarar, transmitir, comentar 2 **proferir**, enunciar, falar ≠ **omitir**, calar 3 **garantir**, assegurar ≠ **desgarantir** 4 **recitar**, declamar, pronunciar 5 **aconselhar**, recomendar ≠ **dissuadir**, desaconselhar 6 **ordenar**, determinar, mandar 7 (missa) **celebrar**, rezar 8 **combinar**, condizer, adequar-se 9 **alegar**, argumentar 10 **interessar**, convir, importar ≠ **desconvir** ■ *n.m.* **expressão**, dito

dizer-se *v.* 1 **intitular-se**, chamar-se, apelidar-se 2 **considerar-se**, julgar-se, imaginar-se, acreditar-se

dízima *n.f.* **décima**, dízimo

dizimação *n.f.* **aniquilação**, arrasamento, devastação, hecatombe ≠ **conservação**, preservação

dizimar *v.* 1 **destruir**, exterminar, aniquilar, arrasar, devastar ≠ **conservar**, preservar 2 **dissipar**, desperdiçar, desaproveitar, esbanjar, desbaratar, malbaratar ≠ **poupar**, amealhar, aproveitar, economizar

dízimo *n.m.* **décima**, dízima

dó *n.m.* 1 **compaixão**, piedade, bondade, misericórdia, comiseração, clemência, caridade, humanidade *fig.* ≠ **desumanidade**, malevolência 2 **luto**, nojo, crepe *fig.*, cipreste *fig.*, cinza *fig.*

doação *n.f.* **dádiva**, donativo, oferta, legado, outorga, dom, deixa

doador *adj.,n.m.* **dador**, outorgador

doar *v.* **legar**, dar, outorgar, ofertar

dobadoira *n.f.* 1 **meadeira** 2 *col.* **afã**, azáfama, roda-viva, barafunda 3 **dobadeira**

dobar *v.* 1 **enovelar**, enrolar ≠ **desdobar**, desenovelar 2 *col.* **rodopiar**, voltear, corrupiar

doble *adj.* 1 **dobrado**, duplicado, duplo ≠ **desdobrado** 2 *fig.* **hipócrita**, falso, fingido, traiçoeiro, dúplice, enganador, bifronte, velhaco ≠ **honesto**, verdadeiro, correto

dobra *n.f.* **prega**, vinco, ruga, refego, festo, plica, dobradura

dobrada *n.f.* CUL. **tripas**

dobradiça *n.f.* 1 **charneira**, gonzo, gínglimo, bisagra *ant.* 2 [*pl.*] (corpo humano) **articulações**

dobradiço *adj.* **flexível**, maleável, dobrável ≠ **inflexível**, indobrável

dobrado *adj.* 1 **curvado**, curvo, torto, inflexo ≠ **endireitado**, reto 2 **duplicado**, doble, duplo ≠ desdobrado 3 (cinema, televisão) **dublado** [BRAS.] 4 *fig.* **hipócrita**, falso, fingido, traiçoeiro, dúplice, enganador, bifronte, velhaco ≠ **honesto**, verdadeiro, correto ■ *n.m.* MÚS. **marcha**

dobrar *v.* 1 **virar** 2 **curvar**, encurvar, entortar, infletir, inclinar, fletir ≠ **endireitar**, retificar 3 **enrolar** 4 **voltar** 5 **duplicar** ≠ **desdobrar** 6 **modificar** 7 **demover**, dissuadir, persuadir ≠ **sugestionar**, influenciar, mover, instigar 8 (sinos) **tocar**, bater, soar

dobrar-se *v.* 1 **ceder** 2 **aumentar**, multiplicar 3 **humilhar-se**, rebaixar-se, joelhar-se *fig.*, zumbir-se *fig.*, vergar *fig.*

dobre *adj.* 1 **dobrado**, duplicado, duplo ≠ **desdobrado** 2 **fingido**, falso, hipócrita, traiçoeiro, dúplice, enganador, bifronte, velhaco ≠ **honesto**, verdadeiro, correto

dobro *n.m.* **duplicação**, duplo ■ *num.mult.* **duplo**

doca *n.f.* 1 **marina** 2 **estaleiro** 3 **dique**

doçaria *n.f.* **confeitaria**, pastelaria, biscoitaria

doce *adj.2g.* 1 **açucarado**, adoçado, meloso, melífluo, mélico, sacarino, dulcífluo, dulçoroso ≠ **amargo**, amargado, agre, agro 2 **meigo**, suave, afetuoso ≠ **áspero** 3 **encantador**, agradável, terno ≠ **desagradável**, horrível ■ *n.m.* **gulodice**, guloseima

docência *n.f.* **ensino**, magistério, professorado

docente *adj.2g.* **professoral** ■ *n.2g.* **professor**, didata, instrutor, mestre, lecionador ≠ **aluno**, estudante, aprendiz, discente

dócil *adj.2g.* 1 **obediente**, submisso, subordinado, sujeito ≠ **independente**, insubordinado, indócil, rebelde 2 **flexível**, maleável, cabresteiro ≠ **inflexível**

docilidade *n.f.* **mansidão**, suavidade, doçura, brandura, afabilidade, amenidade ≠ **bravo**, feroz

documentado *adj.* 1 **comprovado**, fundamentado, justificado 2 **esclarecido**, explicado, justificado

documentar *v.* 1 **comprovar**, fundamentar, justificar 2 **esclarecer**, explicar, justificar

documento *n.m.* 1 **demonstração**, manifestação, testemunho, prova, exemplo 2 **escrito**, atestado, declaração, certificado 3 INFORM. **ficheiro**

doçura *n.f.* 1 **dulçor** 2 *fig.* **suavidade**, brandura, meiguice, lenidade, mansidão, ternura, amenidade ≠ **aspereza**, desagradado, rispidez, rudeza, agrestia, agrestice, agrestidade, agror 3 *fig.* **prazer**, agrado, deleite, satisfação, gosto, contentamento ≠ **desagrado**, insatisfação, desgosto 4 [*pl.*] **doces**, doçarias, guloseimas 5 [*pl.*] *fig.* **regalos**, prazeres, mimos

doença *n.f.* 1 PATOL. **enfermidade**, mal, moléstia 2 **alteração**, perturbação 3 **obsessão**, mania, vício

doente *adj.2g.* 1 **enfermo**, afetado, achacoso, apodrido *fig.* ≠ **saudável**, robusto, forte 2 **débil**, fraco, combalido ≠ **robusto**, forte 3 **desanimado**, desalentado, triste, desconsolado, abatido, prostrado, infeliz, desmoralizado, deprimido *col.* ≠ **animado**, entusiasmado, feliz ■ *n.2g.* **paciente**, enfermo ■ *adj.,n.m. col.* **fanático**, apaixonado, maníaco

doentio *adj.* 1 **débil**, fraco, combalido ≠ **robusto**, forte 2 **mórbido**, insalubre, patológico, maligno, malsão, morboso ≠ **saudável** 3 *fig.* **mau**, condenável ≠ **bom**

doer *v.* **magoar**, molestar

doer-se *v.* 1 **apiedar-se**, condoer-se, compungir-se, compadecer-se, enternecer-se 2 **queixar-se**, lamentar-se, lamuriar-se, caramunhar 3 **arrepender-se**, arrepelar-se, compungir-se, reconsiderar-se

dogmático *adj.* 1 ≠ **antidogmático** 2 **sentencioso**, imperativo 3 **autoritário**, perentório, categórico ≠ **tolerante**, flexível

dogmatizar *v.* 1 **pontificar** 2 *fig.* **preconizar**

dogue *n.m.* (raça de cão) **grand danois**

doidejar *v.* 1 **disparatar**, desatinar, asnear, nececar, zarelhar, ventoinhar *fig.* ≠ **atinar**, ajuizar 2 **brincar**, foliar, folgar, galhofar, jogar

doidice *n.f.* 1 **loucura**, desvario, disparate, desacerto, desatino, alucinação, doidaria ≠ **juízo**, tino 2 **disparate**, tolice, despautério, despropósito, descabelada, desconchavo, absurdo, patacoada, aluamento ≠ **lógico**, coerente, congruente 3 **exagero**, excentricidade, extravagância, loucura ≠ **modéstia**, sobriedade

doidivanas *n.2g.* 1 **maluco**, tresloucado, estarola, doido, louco, zaranza, estouvanado, cabeça de vento *col.* 2 **palerma**, pateta, idiota, lorpa, pacóvio, tolo, estúpido, patego, parvo, babuíno *fig.,pej.*, banana *pej.*, paspalho *pej.*, alvorário [REG.], babaca [BRAS.] ≠ **conhecedor**, entendedor, erudito, sábio, sabedor

doido *adj.* 1 **eufórico**, alegre, animado ≠ **triste**, desgostoso 2 **exagerado**, exaltado, arrebatado ≠ **modesto**, sóbrio ■ *adj.,n.m.* **louco**, demente, alienado, mentecapto, maluco, desmiolado *fig.* ≠ **atinado**, ajuizado

doído *adj.* 1 **dolorido**, magoado, dorido 2 **ofendido**, sentido, sensibilizado, queixoso, ressentido, melindrado

dolência *n.f.* 1 **mágoa**, tristeza ≠ **alegria** 2 **dor**, aflição, lástima

dolente *adj.2g.* 1 **magoado**, triste ≠ **alegre** 2 **doloroso**, aflitivo, lastimoso

dólmen *n.m.* ARQ. **anta**, orca [REG.], arcainha [REG.]

dolo *n.m.* 1 **má-fé**, falsidade, deslealdade 2 **fraude**, embuste, patranha 3 **astúcia**, ardil, manha 4 **engano**, traição, fraude

dolorido *adj.* 1 **dorido**, doído, magoado, condoído 2 **ressentido**, pesaroso, sensibilizado, queixoso, sensível, melindrado, ofendido

doloroso *adj.* 1 **dorial** 2 **amargurado**, angustiado, aflitivo, pungente *fig.* ≠ **prazeroso**, agradável

doloso *adj.* **fraudulento**, enganador, enganoso, artificioso, falso ≠ **correto**, honesto, verdadeiro

dom *n.m.* 1 **dádiva**, donativo, oferta, legado, outorga, doação, deixa 2 **qualidade**, talento, aptidão

domador *adj.,n.m.* **domesticador**, amansador, subjugador, dominador

domar *v.* 1 **domesticar**, amansar, subjugar, dominar 2 **dominar**, dessubjugar, subjugar, sujeitar, acarneirar, servilizar, jugular, sobpear *fig.*, encabrestar *fig.* 3 **refrear**, conter, reprimir

domável *adj.2g.* 1 **domesticável**, amansável, dominável, subjugável 2 **dominável**, sujeitável, subjugável 3 **refreável**, reprimível

domesticado *adj.* 1 **domado**, amansado, subjugado, dominado, caparoeiro 2 **civilizado**, sociável, culto ≠ **rude**, grosseiro

domesticar *v.* 1 **domar**, amansar, subjugar, dominar 2 **docilizar** 3 **civilizar**, socializar, educar, instruir

domesticar-se *v.* 1 **amansar-se** 2 **sujeitar-se**, subjugar-se

doméstico *adj.* **caseiro**, familiar, íntimo ■ *n.m.* **empregado**, criado ≠ **patrão**, empregador, chefe

domiciliado *adj.* **morador**, residente

domiciliar *v.* **acolher**, alojar

domiciliar-se *v.* **habitar**, morar, residir, viver

domicílio *n.m.* 1 **residência**, habitação, alojamento, morada, lar, pousadia 2 **morada**

dominação *n.f.* 1 **domínio** 2 **império**, soberania 3 **domínio**, predomínio, preponderância, supremacia

dominância *n.f.* **preponderância**, predomínio, supremacia

dominante *adj.2g.* 1 **predominante**, principal 2 **influente**, preponderante ■ *n.f.* **constante**

dominar *v.* 1 **subjugar**, sujeitar, submeter, avassalar 2 **refrear**, conter, reprimir, controlar 3 **preponderar** *fig.*, prevalecer

dominar-se *v.* 1 **vencer-se** 2 **conter-se**, reprimir-se, refrear-se, comedir-se ≠ **exceder-se**, descomedir-se

dominativo *adj.* **dominante**, predominante, principal

domingueiro *adj.* 1 **dominical**, domingal 2 **festivo**, alegre, garrido, vistoso

domínio *n.m.* 1 **dominação**, apoderamento 2 **propriedade**, posse 3 **império**, poder 4 **especialidade** 5 **influência**, atribuição, competência, foro

domo *n.m.* ARQ. zimbório, cúpula

dona *n.f.* 1 proprietária 2 dama, senhora 3 governanta

donairoso *adj.* garboso, elegante, gracioso, esbelto, loução, donoso ≠ deselegante, desleixado

donativo *n.m.* 1 dádiva, doação, oferta, legado, outorga, dom, deixa 2 esmola

donde *adv.* daí

dondo *adj.* 1 [REG.] brando, mole 2 [REG.] lustroso, nédio

doninha *n.f. col.* embriaguez, ebriedade, bebedeira, bico, canjica, borracheira *col.*, piela *col.*, bruega *col.*, cabeleira *col.*, cardina *col.*, carraspana *col.* ≠ sobriedade, abstemia

dono *n.m.* 1 amo, senhor 2 proprietário, senhorio

donzel *adj.* 1 ingénuo, inocente, simples, cândido *fig.*, angélico *fig.* ≠ impuro, adulterado, corrompido 2 puro, casto, virginal, virgíneo

donzela *n.f.* 1 *ant.* virgem 2 mesa de cabeceira

dor *n.f.* 1 sofrimento, pesar ≠ bem-estar, prazer 2 condolência, dó, compaixão, piedade, bondade, misericórdia, comiseração, clemência, caridade, humanidade *fig.* ≠ desumanidade, malevolência 3 dolência, aflição, lástima, mágoa, desgosto, amargura ≠ alegria, felicidade 4 arrependimento, ressentimento, mágoa, melindre, rancor

doravante *adv.* futuramente

dorido *adj.* 1 dolorido, doído, magoado 2 *fig.* dolorido, magoado, consternado, pesaroso, sentido

dormência *n.f.* 1 sonolência, modorra 2 entorpecimento, inércia 3 *fig.* quietude, paz, sossego 4 *fig.* insensibilidade, apatia

dormente *adj.2g.* 1 adormecido, sonolento, modorrento, amodorrado 2 entorpecido, estagnado, inerte, parado ≠ ativo, enérgico 3 fixo, quieto, imóvel ≠ móvel 4 *fig.* sereno, calmo ■ *n.m.* (via-férrea) chulipa, travessa

dormida *n.f.* 1 repouso, descanso, sono 2 pousada, pouso, pernoitamento, pernoite [BRAS.]

dormideira *n.f.* sonolência, modorra, dormência

dorminhoco *adj.* napeiro, dorminhão, dormidor, ninheiro [REG.]

dormir *v.* repousar, descansar, nanar *infant.* ≠ velar, desvelar, vigiar ■ *n.m.* sono, descanso ≠ insónia, vela, vigília, agripnia, espertina, insonolência, vigia *fig.*

dormitar *v.* 1 escardecer, escadelecer, cochilar [BRAS.] 2 *fig.* descansar

dormitório *n.m.* camarata, dormidouro

dorna *n.f.* cuba, tonel, balseiro, tinalha

dorsal *adj.2g.* costal, lombar

dorso *n.m.* 1 ANAT. costas, lombo *col.* 2 lombo

dose *n.f.* porção, quinhão, quantidade

dossel *n.m.* 1 sobrecéu, esparavel 2 *fig.* cobertura

dotação *n.f.* verba

dotado *adj.* talentoso, provido, prendado *col.*, munido *fig.*

dotar *v.* 1 munir, fornecer, prover, abastecer ≠ desprover, despojar 2 favorecer, atribuir, prendar

dote *n.m. fig.* qualidade, talento, aptidão, dom

dourada *n.f.* 1 BOT. loureira 2 ICTIOL. palmeta, safata, breca, bica, douradinha 3 ORNIT. douradinha, marinho, tarambola, tordeira-do-mar

douradinha *n.f.* 1 BOT. alfrocheiro 2 ORNIT. dourada, marinho, tarambola, tordeira-do-mar, tordeiro 3 ICTIOL. palmeta, safata, breca, bica, dourada

dourado *adj.* 1 auricolor, aleonado, áureo 2 tostado, queimado, aloirado ■ *n.m.* 1 douradura 2 ICTIOL. pimpão, peixe-vermelho, peixe-dourado, peixe-da-china, serasmão

dourar *v.* 1 realçar, abrilhantar *fig.* 2 *fig.* disfarçar, atenuar, encobrir, esconder ≠ expor, mostrar, demonstrar

dourar-se *v.* 1 iluminar-se ≠ escurecer 2 resplandecer, brilhar, cintilar, flamejar, fulgir 3 embelezar-se, aformosear-se, alindar-se, enfeitar-se

douto *adj.* conhecedor, sabedor, sábio, ciente, erudito, perito ≠ ignorante, desconhecedor, inculto

doutor *n.m.* 1 professor, docente, didata, instrutor, lecionador ≠ aluno, estudante, aprendiz, discente 2 doutorado, capelo 3 bacharel, licenciado 4 médico 5 *col.* sabichão, doutoraço 6 *col.* bacia, bacio, vaso, vaso de noite, defecador, urinol, camareiro, penico *col.*, pote *col.*, bispote *col.*

doutorado *adj.* borlado ■ *n.m.* 1 doutor, capelo 2 [BRAS.] doutoramento

doutoral *adj.2g. fig.* sentencioso, pedante, petulante, pretensioso ≠ modesto, humilde, simples

doutorar *v.* encapelar

doutorice *n.f. pej.* arrogância, presunção

doutrina *n.f.* 1 norma, regra, preceito 2 saber, erudição, instrução, sabedoria ≠ ignorância, desconhecimento 3 norma, disciplina 4 opinião, convicção, crença 5 RELIG. catequização, catequese, evangelização ≠ descatequização, desevangelização

doutrinação *n.f.* 1 doutrinamento, ensino, instrução 2 *fig.* catequese, catequização, evangelização ≠ descatequização, desevangelização

doutrinal *adj.2g.* 1 doutrinário 2 instrutivo, educativo, morigerador

doutrinar *v.* 1 ensinar, instruir, lecionar 2 catequizar, missionar, ensinar, evangelizar ≠ descatequizar, desevangelizar

doutrinário *adj.* doutrinal

doze *n.m.* duodécimo
draconiano *adj. fig.* **severo**, rígido, rigoroso, duro, drástico ≠ **tolerante**, compassivo, flexível
dragão *n.m.* **1** drago **2** **emblema**, insígnia, bandeira, lema, divisa **3** *col.* (futebol) **portista**, andrade *pej.* **4** VET. (no cavalo) **catarata**
drago *n.m.* **1** dragão **2** BOT. **dragoeiro**, sangue-de-dragão, sangue-de-drago
dragoeiro *n.m.* BOT. **drago**, sangue-de-dragão, sangue-de-drago
drama *n.m.* **desgraça**, desastre, calamidade, catástrofe, tragédia *fig.*
dramático *adj.* **1** **desastroso**, desgraçado, calamitoso, catastrófico, trágico *fig.* **2** **teatral** **3** *fig.* **comovente**, pungente, tocante, emocionante ≠ **indiferente**
dramatizar *v.* **1** **teatralizar**, episodiar **2** **teatralizar** *fig.,pej.* ≠ **desdramatizar**, acalmar, suavizar, aligeirar, atenuar, aliviar
dramaturgia *n.f.* dramatologia
drástico *adj.* **1** **enérgico**, intenso, forte ≠ **moderado**, fraco **2** **radical**, violento, rigoroso, intenso ≠ **fraco**, frouxo, calmo ■ *n.m.* FARM. **purgante**, laxante
drenagem *n.f.* **1** (no organismo) **escoamento** **2** (em terrenos) **gaivagem**, escoamento
drenar *v.* **1** (no organismo) **escoar** **2** (em terrenos) **sanjar**, escoar
dreno *n.m.* draino
driblar *v.* **1** DESP. **fintar**, enganar, iludir **2** *fig.* **fintar**, enganar, negacear, iludir
droga *n.f.* **1** **medicamento**, remédio, fármaco **2** **estupefaciente**, narcótico, excitante **3** **bagatela**, insignificância, ninharia, niquice, nada, farelório, futilidade, migalhice, minúcia, ridicularia, farfalhada *fig.*, babugem *fig.*, avo *fig.*, tuta e meia *col.*, nica *col.*, caganifância *col.* ≠ **importância**, utilidade, valor, transcendência, relevância, interesse
drogar *v.* **1** medicar **2** dopar
dualismo *n.m.* **1** dualidade **2** RELIG. **zoroastrismo**, mazdeísmo, diteísmo
dúbio *adj.* **1** **duvidoso**, incerto ≠ **certo**, claro **2** **indefinido**, ambíguo, indefinível, vago ≠ **definido**, preciso **3** **indeciso**, vacilante, hesitante ≠ **resoluto**, decidido, determinado
dubitativo *adj.* **duvidoso**, aporético, cético ≠ **determinativo**, definitivo
ducentésimo *n.m.* duzentos
duche *n.f.* chuveiro
dúctil *adj.2g.* **1** **elástico**, flexível, maleável, manejável ≠ **inflexível** **2** *fig.* **dócil**, maleável, flexível, adaptável ≠ **inflexível**, intransigente, rígido *fig.*
ductilidade *n.f.* **1** **elasticidade**, flexibilidade, maleabilidade, maneabilidade ≠ **inflexibilidade** **2** *fig.* **docilidade**, maleabilidade, flexibilidade, adaptabilidade ≠ **inflexibilidade**, intransigência, rigidez *fig.*
duelo *n.m.* **1** **desafio**, luta, lide **2** **combate**, batalha **3** **torneio**, justa
dueto *n.m.* MÚS. duo
dulcificar *v.* **1** **adoçar**, açucarar, edulcorar, nectarizar *fig.* ≠ **amargar**, azedar **2** *fig.* **abrandar**, suavizar, atenuar, amenizar, mitigar, edulcorar, açucarar ≠ **intensificar**, agravar
duna *n.f.* **camarção**, médão, medo
duo *n.m.* **1** MÚS. **dueto** **2** **dueto**, par
duodécimo *num.ord.* **décimo segundo** ■ *n.m.* **doze**
duplamente *adv.* duplicadamente
duplicação *n.f.* **1** **dobro**, duplo **2** **repetição**
duplicado *adj.* **dobrado**, duplo, repetido ■ *n.m.* **cópia**, reprodução, traslado, duplicata, repetição
duplicar *v.* **1** **repetir**, reproduzir **2** **dobrar** ≠ **desdobrar** **3** **aumentar**, crescer, engrandecer ≠ **diminuir**
duplicata *n.f.* **cópia**, reprodução, traslado, duplicado, repetição
dúplice *adj.2g.* **1** **duplo**, duplicado, dobrado, doble, dobre ≠ **desdobrado** **2** **fingido**, falso, dissimulado, hipócrita ≠ **honesto**, verdadeiro, correto
duplicidade *n.f. fig.* **falsidade**, dissimulação, fingimento, hipocrisia, má-fé, velhacaria ≠ **honestidade**, verdade, sinceridade
duplo *adj.* **1** **dobrado**, duplicado, dúplice, doble, dobre ≠ **desdobrado** **2** **dúplex** ■ *n.m.* **1** **dobro**, duplicação **2** CIN., TV **substituto** **3** **sósia**, retrato, cópia
dura *n.f.* **durabilidade**, duração, longevidade
durabilidade *n.f.* **dura**, duração, longevidade
duração *n.f.* **1** **tempo**, curso **2** **durabilidade**, longevidade, dura
duradouro *adj.* **estável**, durável, durativo, imortal, perdurável, persistente, resistente, sólido, vivaz, vivedouro, aturadouro, diuturno ≠ **efémero**, curto, breve, fugaz
duramente *adv.* **1** **severamente**, rispidamente, rigidamente, desamoravelmente ≠ **meigamente**, afetuosamente, amavelmente **2** **cruelmente**, rudemente, asperamente ≠ **delicadamente**, suavemente **3** **rijamente**
durante *adj.2g.* **estável**, durável, durativo, aturadoiro, imortal, persistente, resistente, sólido, vivaz, vivedoiro, perdurante, vivace ≠ **efémero**, curto, breve, fugaz
durar *v.* **1** **conservar-se**, preservar-se, manter-se ≠ **estragar**, deteriorar, danificar **2** **resistir**, persistir, permanecer **3** **viver**, existir ≠ **morrer**, desaparecer
durável *adj.2g.* **duradouro**, estável, durativo, imortal, perdurável, persistente, resistente, sólido, vivaz, vivedouro ≠ **efémero**, curto, breve, fugaz

dureza *n.f.* 1 **consistência**, firmeza, rijeza, solidez, firmidão ≠ **moleza**, flacidez 2 **insensibilidade**, rudeza, aspereza, incivilidade, rispidez, frieza ≠ **delicadeza**, sensibilidade 3 **vigor**, força, robustez ≠ **fraqueza**, moleza

duro *adj.* 1 **rijo**, firme, sólido, consistente, forte ≠ **mole**, fraco, frágil, maleável 2 *fig.* **áspero**, frio, ríspido ≠ **doce**, tolerante, compassivo 3 *fig.* **penoso**, molesto, laborioso, custoso, difícil ≠ **fácil**, suportável 4 *fig.* **rigoroso**, severo, autoritário, rígido ≠ **dócil**, brando, tolerante 5 *fig.* **forte**, vigoroso, resistente ≠ **mole**, fraco 6 *fig.* **cruel**, violento, desumano, bárbaro, impiedoso, descaridoso ≠ **piedoso**, bondoso, compassivo 7 [BRAS.] *col.* **teso** ■ *adv.* **intensamente**, arduamente

dúvida *n.f.* 1 **incerteza**, desconfiança ≠ **certeza**, certo 2 **hesitação**, irresolução, indecisão, perplexidade, entredúvida, flutuosidade *fig.*, dubitação *ant.* ≠ **resolução**, decisão 3 **receio**, desconfiança, suspeição, suspeita ≠ **certeza**, fé, crença 4 **dificuldade**, problema 5 **escrúpulo**, hesitação, indecisão

duvidar *v.* 1 **questionar**, contestar ≠ **aceitar**, conformar 2 **hesitar**, vacilar, oscilar, titubear ≠ **decidir**, determinar, deliberar 3 **desconfiar**, suspeitar, recear, temer ≠ **confiar**, crer

duvidoso *adj.* 1 **contestável**, discutível, problemático, questionável, polémico, litigável, controvertível ≠ **indiscutível**, inquestionável 2 **hesitante**, vacilante, oscilante, titubeante, ancípite *fig.* ≠ **decidido**, determinante, deliberante 3 **arriscado**, perigoso 4 **impróprio**, inconveniente, inadequado ≠ **próprio**, conveniente

duzentos *n.m.* **ducentésimo**

dúzia *n.f.* **dozena**

E

e *conj.* 1 **mais** 2 **mas**, porém, contudo
ébano *n.m.* BOT. **guiacana**, guiaca, pau-ferro
ebonite *n.f.* QUÍM. **ebanite**, vulcanite
ébrio *adj.,n.m.* 1 **embriagado**, bêbado, bêbedo, alcoólatra ≠ **sóbrio**, abstémio 2 *fig.* **exaltado**, perturbado, transtornado 3 *fig.* **apaixonado**
ebulição *n.f. fig.* **inquietação**, agitação, excitação, exaltação, fervura *fig.*, fervência *fig.*, efervescência *fig.*
ebúrneo *adj.* **alvo**, elefantino, amarfinado, branco, albuginado, ebóreo
eclesiástico *adj.* **canónico**, clerical ■ *n.m.* **sacerdote**, clérigo
eclipsar *v.* 1 **obscurecer**, ofuscar, encobrir, esconder, tapar, ocultar ≠ **deseclipsar** 2 *fig.* **exceder**, sobrepujar, apoucar
eclipsar-se *v.* 1 **desaparecer**, sumir-se, ausentar-se, fugir 2 **esconder-se**, ocultar-se
eclipse *n.m.* 1 *fig.* **obscurecimento**, afrouxamento 2 *fig.* **ausência**, desaparecimento
eclodir *v.* 1 **surgir**, aparecer, irromper 2 **desabrochar**, nascer, rebentar
écloga *n.f.* LIT. **bucólica**, idílio, pastoral, pastorela, égloga
eclosão *n.f.* 1 **desenvolvimento**, germinação, crescimento 2 **aparecimento**, surgimento 3 **desabrochamento**, rebentamento
eco *n.m.* 1 **ressonância** 2 **fama**, glória, repercussão, celebridade 3 **rumor**, ruído 4 **repetição**, imitação, reprodução 5 **espelho**, imagem, reflexo 6 **adesão**, resposta 7 **lembrança**, recordação, memória, vestígio 8 **boato**, rumor
ecoar *v.* 1 **ressoar**, repercutir-se, reproduzir-se, assonar 2 **repetir**, reproduzir
ecologia *n.f.* **mesologia**, etologia
ecologista *n.2g.* **ambientalista**
economia *n.f.* 1 **administração**, gestão 2 **poupança** ≠ **dissipação**, esbanjamento 3 [*pl.*] **pé-de-meia**, poupança
económico[AO] ou **econômico**[AO] *adj.* 1 **poupado**, parcimonioso ≠ **esbanjador**, gastador 2 **barato**, módico, baixo ≠ **caro**, alto, custoso, dispendioso 3 **agarrado**, avaro, somítico ≠ **esbanjador**, gastador
economizar *v.* **poupar**, forrar, amealhar, amontoar, reservar, juntar, condutar *ant.* ≠ **esbanjar**, dissipar
ecónomo[AO] ou **ecônomo**[AO] *n.m.* 1 **mordomo** 2 **despenseiro**
ecumenicidade *n.f.* **generalidade**, universalidade
ecuménico[AO] ou **ecumênico**[AO] *adj.* **geral**, universal
edema *n.m.* MED. **hidropisia**
éden *n.m.* 1 **paraíso** 2 RELIG. (com maiúscula) **Paraíso**
edição *n.f.* **tiragem**
edificação *n.f.* 1 **construção** ≠ **demolição**, destruição, derruição 2 **edifício**, prédio, obra 3 **aperfeiçoamento** 4 **instrução**, esclarecimento, elucidação
edificante *adj.2g.* 1 **construtivo** 2 **edificativo**, moralizador ≠ **desedificante**, desedificativo 3 **educativo**, instrutivo, esclarecedor
edificar *v.* 1 **construir**, erigir, erguer, levantar ≠ **demolir**, destruir 2 **criar**, fundar, instituir 3 **esclarecer**, elucidar, instruir
edificativo *adj.* 1 **construtivo** 2 **edificante**, moralizador ≠ **desedificante**, desedificativo 3 **educativo**, instrutivo, esclarecedor
edifício *n.m.* **edificação**, casa, prédio, imóvel
edil *n.m.* **vereador**
edilidade *n.f.* **vereação**
edital *n.m.* **édito**
editar *v.* **publicar**, editorar
édito *n.m.* **edital**
editora *n.f.* **editorial**
editorar *v.* **editar**, publicar
editorial *n.f.* **editora**
edredão *n.m.* **acolchoado** [BRAS.]
educação *n.f.* 1 **instrução**, ensino 2 **civilidade**, polidez, delicadeza, cortesia, urbanidade ≠ **deseducação**, indelicadeza
educado *adj.* 1 **instruído**, ensinado ≠ **inculto**, sáfio 2 **polido**, cortês, delicado, bem-criado, bem-educado, bem-ensinado, gentil ≠ **mal-ensinado**, indelicado, grosseirão, insolente, deselegante, chambão, labrego, arrieirado *pej.*, cafona [BRAS.] *col.,pej.*
educador *adj.,n.m.* **pedagogo**, professor, mestre, instrutor, precetor, educacionista ≠ **deseducador**
educando *n.m.* **aluno**, pupilo, colegial
edução *n.f.* **dedução**, extração
educar *v.* 1 **ensinar**, instruir, formar 2 **polir**, refinar ≠ **deseducar** 3 (animais) **adestrar** 4 **habituar**, acostumar, aclimar ≠ **deseducar**, desabituar 5 **cultivar**, criar

educativo *adj.* instrutivo, pedagógico, educacional ≠ deseducativo

edulcorante *n.m.* adoçante

eduzir *v.* extrair, deduzir, tirar

efabulação *n.f.* fabulação

efabular *v.* 1 fabular 2 inventar, fantasiar

efebo *n.m.* adolescente, rapaz, mancebo, púbere, moço

efectivaçãoaAO *n.f.* ⇒ **efetivação**dAO

efectivamenteaAO *adv.* ⇒ **efetivamente**dAO

efectivaraAO *v.* ⇒ **efetivar**dAO

efectividadeaAO *n.f.* ⇒ **efetividade**dAO

efectivoaAO *adj.* ⇒ **efetivo**dAO

efectuaçãoaAO *n.f.* ⇒ **efetuação**dAO

efectuaraAO *v.* ⇒ **efetuar**dAO

efectuar-seaAO *v.* ⇒ **efetuar-se**dAO

efeito *n.m.* 1 consequência, resultado, fruto 2 concretização, execução, realização, cumprimento 3 intenção, intuito 4 objetivo, finalidade, destino, fim 5 eficácia, eficiência, poder ≠ ineficácia, ineficiência 6 impressão, sensação

efemeridade *n.f.* transitoriedade

efemérides *n.f.pl.* diário

efémeroAO ou **efêmero**AO *adj.* transitório, passageiro, breve, momentâneo, fátuo, fugaz, fluxível ≠ permanente, constante, duradouro, estável ■ *n.m.* ZOOL. efémera

efeminação *n.f.* damice

efeminado *adj.* 1 adamado, amaricado, amulherado, maninelo, mulherico *col.,pej.*, mulherengo *pej.* ≠ másculo 2 *fig.* brando, delicado, fraco, mole

efeminar *v.* 1 afeminar, efeminizar, amaricar, emascular, amulherar, adamar, amulherengar ≠ masculinizar 2 *fig.* amolecer, amolengar, enfraquecer

efeminar-se *v.* amulherar-se, amaricar-se, amolecer-se *fig.*

efeminizar *v.* 1 efeminar, amaricar, emascular, afemear ≠ masculinizar 2 *fig.* amolecer, amolengar, enfraquecer

eferente *adj.2g.* condutor, transportador

efervescência *n.f. fig.* inquietação, agitação, excitação, exaltação, fervura *fig.*, fervência *fig.*, ebulição *fig.*, fervedouro *fig.*

efervescente *adj.2g.* 1 *fig.* agitado, buliçoso, inquieto, exaltado, excitado, tempestuoso ≠ calmo, sereno 2 *fig.* irascível, irritável

efervescer *v. fig.* agitar-se

efetivaçãodAO *n.f.* concretização, realização

efetivamentedAO *adv.* realmente, verdadeiramente

efetivardAO *v.* realizar, concretizar

efetividadedAO *n.f.* 1 realidade, existência 2 efetivação, permanência, exercício, atividade

efetivodAO *adj.* 1 real, incontestável, concreto, existente, verdadeiro ≠ virtual 2 definitivo, permanente, estável ≠ provisório, temporário, transitório

efetuaçãodAO *n.f.* execução, realização

efetuardAO *v.* fazer, executar, realizar, cumprir, efetivar

efetuar-sedAO *v.* realizar-se, cumprir-se, acontecer, ocorrer

eficácia *n.f.* eficiência, efeito, poder ≠ ineficácia, ineficiência

eficaz *adj.2g.* 1 eficiente, infalível ≠ ineficaz, ineficiente 2 útil 3 convincente, persuasivo 4 capaz, produtivo ≠ incapaz, inoperante

eficiência *n.f.* 1 eficácia, efeito, poder ≠ ineficiência, ineficácia 2 competência, eficácia ≠ incompetência, ineficácia

eficiente *adj.2g.* 1 eficaz, infalível ≠ ineficiente, ineficaz 2 competente, capaz ≠ incompetente, incapaz

efígie *n.f.* imagem, retrato, representação, figura

efluente *adj.2g.* dimanante, procedente

efusão *n.f.* 1 derramamento, escoamento, espalhamento 2 *fig.* entusiasmo, fervor

efusivamente *adv.* expansivamente, fervorosamente

efusivo *adj.* 1 expansivo, comunicativo ≠ fechado, reservado 2 afetuoso, fervoroso, caloroso

égide *n.f.* amparo, proteção, defesa, salvaguarda

egipcíaco *adj.,n.m.* egípcio, egipciano, egiptano

egípcio *adj.,n.m.* egipcíaco, egipciano, egiptano

ego *n.m.* autoestima

egocêntrico *adj.* egoísta

egocentrismo *n.m.* egoísmo, egolatria ≠ alocentrismo, altruísmo

egoísmo *n.m.* egocentrismo, amor-próprio ≠ altruísmo, alocentrismo

egoísta *adj.,n.2g.* egocêntrico, interesseiro, egoístico, ególatra, filaucioso ≠ altruísta, desinteressado

egolatria *n.f.* autolatria, autofilismo, egotismo, narcisismo

egotismo *n.m.* autolatria, autofilia, egolatria, narcisismo

egotista *n.2g.* vaidoso

egrégio *adj.* 1 insigne, nobre, famoso, ilustre, distinto, eminente, excelente 2 admirável, notável, abalizado, afamado

égua *n.f.* 1 (animal) beroba [BRAS.] 2 *col.* embriaguez 3 [BRAS.] *vulg.* prostituta

eira *n.f.* terreiro, malhadouro, calcadouro, eirado

eirado *n.m.* terraço, varanda, soteia, eira, coberta, açoteia, terreiro, terrado, malhadoiro

eis *adv.* vede, vejam, vê

eito *n.m.* 1 talhão 2 fileira

eivar *v.* 1 contaminar, infetar, viciar, manchar 2 rachar, fender, falhar

eivar-se *v.* 1 enfraquecer, decair 2 apodrecer, azougar-se, sorvar-se

eixo *n.m.* 1 axe, áxis 2 (jogo) saltinvão 3 *fig.* apoio, sustentáculo 4 *fig.* essência, centro, fulcro

ejaculação *n.f.* derramamento, emissão, expulsão, jato

ejacular *v.* 1 expelir, emitir, derramar, soltar 2 proferir 3 vir-se *cal.*

ejeção[dAO] *n.f.* evacuação, expulsão, dejeção

ejecção[aAO] *n.f.* ⇒ **ejeção**[dAO]

ejectar[aAO] *v.* ⇒ **ejetar**[dAO]

ejector[aAO] *n.m.* ⇒ **ejetor**[dAO]

ejetar[dAO] *v.* 1 expelir, lançar, projetar 2 dejetar, expulsar

ejetor[dAO] *n.m.* expulsor

elaboração *n.f.* 1 composição, preparo, fabrico 2 confeção, preparação 3 produção

elaborador *adj.,n.m.* organizador, produtor

elaborar *v.* 1 confecionar, produzir, fazer, executar 2 organizar, preparar, compor, dispor 3 conceber, idear, forjicar

elação *n.f.* 1 altivez, arrogância, orgulho, soberba 2 elevação, magnitude, sublimidade

élan *n.m.* 1 impulso, ímpeto 2 entusiasmo 3 inspiração

elanguescente *adj.2g.* 1 fraco, debilitado 2 lânguido, voluptuoso

elanguescer *v.* enfraquecer, debilitar-se, languir

elar *v.* ligar, unir, juntar

elasticidade *n.f.* agilidade, flexibilidade, maleabilidade ≠ rigidez

elástico *adj.* 1 flexível, extensível, maleável, fléxil ≠ fixo, rígido 2 volúvel

electividade[aAO] *n.f.* ⇒ **eletividade**[dAO]

electrão[aAO] *n.m.* ⇒ **eletrão**[dAO]

electricidade[aAO] *n.f.* ⇒ **eletricidade**[dAO]

eléctrico[aAO] *adj.,n.m.* ⇒ **elétrico**[dAO]

electrizante[aAO] *adj.2g.* ⇒ **eletrizante**[dAO]

electrizar[aAO] *v.* ⇒ **eletrizar**[dAO]

eléctrodo[aAO] *n.m.* ⇒ **elétrodo**[dAO]

electromagnete[aAO] *n.m.* ⇒ **eletromagnete**[dAO]

elefante *n.m.* arranca-pinheiros

elefantíase *n.f.* MED. paquidermia

elefantino *adj.* 1 elefântico 2 ebúrneo, ebóreo

elegância *n.f.* 1 donaire, garbo, graça, graciosidade, guapice, louçania, esbelteza, airosia, catitice ≠ deselegância 2 amabilidade, gentileza, delicadeza ≠ deselegância 3 distinção, requinte, sofisticação, classe, galhardia, chiquismo, verniz *fig.* ≠ deselegância

elegante *adj.2g.* 1 esbelto, gracioso, lindo, belo, garboso, bizarraço, venusto, gazil [REG.] ≠ deselegante, desgracioso, inelegante 2 requintado, seleto, distinto, fino, flórido *fig.* 3 gentil, delicado, cortês ≠ deselegante, descortês

eleger *v.* escolher, nomear, preferir, adotar

elegia *n.f.* 1 treno 2 lamentação, queixume

elegível *adj.2g.* selecionável ≠ inelegível

eleição *n.f.* 1 escolha, opção 2 preferência, predileção

eleito *adj.* escolhido, nomeado, preferido, designado, elegido

eleitor *adj.,n.m.* votante

elementar *adj.2g.* 1 rudimentar, simples, fácil ≠ complicado 2 essencial, fundamental, básico ≠ secundário, dispensável, auxiliar

elemento *n.m.* 1 constituinte, componente 2 indivíduo 3 meio ambiente, ambiente, ambiência 4 recurso, meio 5 [*pl.*] princípios, rudimentos

elencar *v.* listar, catalogar

elenco *n.m.* 1 índice, índex 2 lista, catálogo, rol 3 súmula

eletividade[dAO] *n.f.* escolha

eletrão[dAO] *n.m.* FÍS. negatrão ≠ positrão

eletricidade[dAO] *n.f. fig.* dinamismo, energia

elétrico[dAO] *adj.* 1 *fig.* vertiginoso, rapidíssimo 2 *fig.* agitado, enervado, nervoso ■ *n.m.* bonde [BRAS.]

eletrizante[dAO] *adj.2g. fig.* excitante, entusiasmante

eletrizar[dAO] *v. fig.* entusiasmar, exaltar, excitar, arrebatar, inflamar

elétrodo[dAO] *n.m. fig.* eletródio

eletromagnete[dAO] *n.m.* eletroíman

elevação *n.f.* 1 ascensão, subida, ascenso, ascendimento, alamento, alteação ≠ descida, abaixamento 2 monte, colina, outeiro 3 promoção, ascensão, subida ≠ deposição, descida 4 dignidade, grandeza, importância, magnificência, magnanimidade, nobreza, superioridade, exaltação, sublimidade, celsitude, elação, eminência, alteza ≠ baixeza, degradação 5 ARQ. alçado

elevado *adj.* 1 alto, alevantado, fastigioso ≠ baixo 2 digno, distinto, eminente 3 grandioso, nobre, soberbo, sublime ≠ inferior, medíocre 4 exagerado, excessivo, exorbitante 5 alteroso, forte, picoso

elevador *adj.,n.m.* 1 ascensor 2 levantador

elevar *v.* 1 levantar, erguer, altear, alçar, alar, arvorar, guindar, alcantilar ≠ baixar, descer, abaixar 2 construir, erigir, edificar 3 elogiar, encarecer, engrandecer, enlevar, entronizar, enobrecer, exaltar, louvar, realçar, exalçar, excelsar, sublimar, soberanizar, embandeirar *fig.*, disferir *fig.*, sobredourar *fig.* ≠ humilhar, rebaixar, desengrandecer, inferiorizar, achincalhar, arrasar, achinelar *fig.*, amarfanhar *fig.*, aniquilar *fig.*, arrombar *fig.*, calcar *fig.*, debruçar *fig.*, derrocar *fig.*, desentesar *fig.*, encouchar *fig.*, prostrar *fig.* 4 **aumentar**, crescer, subir 5 **promover**

elevar-se *v.* 1 **levantar-se**, erguer-se, alçar-se, guindar-se, alcantilar-se, altanar-se, engarupar-se, amontar, alar-se *fig.*, engrimpar-se 2 **subir** 3 **crescer** 4 **aumentar** 5 **dignificar-se**, enaltecer-se, gigantear, sobalçar-se ≠ **humilhar-se**, desengrimpar-se, prosternar-se, menosprezar-se, prostrar-se *fig.*, rastejar *fig.*

elícito *adj.* **aliciado**, atraído, seduzido

elidir *v.* **suprimir**, omitir, eliminar, cortar, expungir

elidível *adj.2g.* **eliminável**, suprimível

eliminação *n.f.* **supressão**, exclusão, expulsão, corte, anulação, omissão, elisão

eliminar *v.* 1 **suprimir**, anular, excluir, expulsar, banir, cortar, amputar, riscar, tirar, esponjar *fig.* ≠ **deseliminar** 2 **matar** 3 **excretar**

eliminatório *adj.* **seletivo**, eliminador, supressor, neutralizador, supressivo

elipse *n.f.* **supressão**

elípticoAO ou **elítico**AO *adj.* **oblongo**

elisão *n.f.* **eliminação**, supressão

elixir *n.m. fig.* **panaceia**, filtro, amavio

elmo *n.m.* **gálea**, capelina, cimeira, capacete

elo *n.m.* 1 **anel**, fuzil, argola 2 BOT. **gavinha** 3 *fig.* **união**, laço, vínculo, ligação

elocução *n.f.* 1 **enunciação**, expressão, dicção 2 **estilo**

elogiador *adj.,n.m.* **lisonjeiro**, elogista, gabador, louvador, panegirista, adulativo, encomiador ≠ **crítico**, trocista, escarnecedor, mangador, achincalhante, troçador, admonitor, advertir, repreensor, caçoísta, abalizador *fig.*, chufista

elogiar *v.* **aplaudir**, enaltecer, exaltar, louvar, gabar, celebrar, vitoriar, elevar, incensar, encomiar, louvaminhar, panegiricar, preconizar ≠ **censurar**, criticar, acoimar, admoestar, adoestar, advertir, alfinetar *fig.*

elogio *n.m.* **loa**, panegírico, louvaminha, gabo, enaltecimento, aplauso, apologia, encómio, louvor, magnificação, gabaço [REG.] ≠ **censura**, repreensão, raspanete, admoestação, advertência, advertimento, admonitório, recado *col.*, sermão *col.*, aceleradela *col.*, zeribanda *col.*, chá *fig.*

elogioso *adj.* **lisonjeiro**, predicatório, laudatório, laudatício, adulatório, bajulatório, blandicioso ≠ **injurioso**, admoestatório, afrontoso, apasquinado, difamante, insultante, invetivo

eloquência *n.f.* **facúndia**, facundidade, oratória, verbo, retórica, tribuna, elóquio, doctiloquia

eloquente *adj.2g.* 1 **convincente**, expressivo, bem-falante, persuasivo, altíloquo, altiloquente, crisóstomo ≠ **ineloquente** 2 **orador**

el-rei *n.m. ant.* **rei**

elucidação *n.f.* **explicação**, esclarecimento, aclaração, exposição, dilucidação, dilucidamento

elucidar *v.* **esclarecer**, explicar, explanar, informar, dilucidar, inteirar

elucidário *n.m.* **comentário**, guia

elucidativo *adj.* **esclarecedor**, explicativo, informativo

elucubração *n.f.* 1 **vigília**, serão 2 **meditação**, reflexão

ema *n.f.* ORNIT. **avestruz**, nhandu, nandu

emaçar *v.* 1 **empacotar** 2 **embrulhar**

emadeiramento *n.m.* **madeiramento**, travejamento

emagrecer *v.* 1 **adelgaçar**, esgalgar, desainar, emaciar ≠ **engordar** 2 *fig.* **reduzir**, diminuir

emagrecimento *n.m. fig.* **enfraquecimento**, definhamento, depauperamento

emalar *v.* **embalar**, empacotar, entrouxar

emalhar *v.* **enredar**

emanação *n.f.* 1 **origem**, proveniência, procedência 2 **eflúvio**, exalação, odor, vapor

emanar *v.* 1 **provir**, originar, sair, proceder, manar, brotar 2 **exalar**, evolar-se, disseminar-se

emancipação *n.f.* **autonomização**, independência, libertação, desacorrentamento *fig.*, desagrilhoamento *fig.*

emancipado *adj.* **independente**, liberto, livre

emancipador *adj.,n.m.* **libertador**

emancipar *v.* **libertar**

emanquecer *v.* **manquejar**, coxear, claudicar

emaranhado *adj.* 1 **enredado**, enleado, embaraçado, enovelado ≠ **desemaranhado**, desenredado, solto 2 **complicado**, intrincado, confuso, entrecambado ≠ **simples** ■ *n.m.* **confusão**, desordem, labirinto *fig.*

emaranhar *v.* 1 **enredar**, embaraçar, enriçar, ensarilhar, enovelar, embaralhar ≠ **desemaranhar**, desenredar, soltar 2 **confundir**, complicar, intricar ≠ **simplificar**

emaranhar-se *v.* 1 **enredar-se**, enlear-se, prender-se, envencilhar-se, enfeixar-se 2 **complicar-se**, embaralhar-se *fig.* 3 **atrapalhar-se**, embaraçar-se

embaçar *v.* 1 **embaciar**, ofuscar, foscar, marear 2 **amuar**, embarrilar, encavacar, entupir 3 **desorientar**, confundir, embatucar 4 **burlar**, enganar, iludir, lograr, embair, engazupar

embaciado *adj.* **baço**, fosco, vidroso

embaciar *v.* 1 **embaçar**, toldar, turvar, ofuscar ≠ **desembaciar** 2 *fig.* **desonrar**, macular, manchar

embainhar *v.* **abainhar** ≠ **desembainhar**

embair *v.* **enganar**, iludir, lograr, intrujar, embaçar, engodar, engrampar, embelecar, enviscar, engranzar, engrolar, embaucar

embaixada *n.f.* 1 **comissão**, deputação 2 **missão**, incumbência

embaixador *n.m.* **emissário**, enviado, mensageiro, núncio

embala *n.f.* **senzala**

embalado *adj.* 1 **baloiçado**, acalentado 2 **empacotado**, acondicionado, encaixotado 3 *col.* **acelerado**

embalador *adj.,n.m.* 1 **acalentador** 2 **enganador**, sedutor 3 **acondicionador**, embalante, empacotador

embalagem *n.f.* **acondicionamento**, empacotamento, encaixotamento, enfardamento

embalar *v.* 1 **acalentar**, ninar, balançar, baloiçar 2 **acondicionar**, empacotar, emalar, encaixotar, enfardar, enfardelar, empalhar ≠ **desembalar**, desencaixotar 3 *fig.* **enganar**, iludir, seduzir 4 *fig.* **acelerar**, impulsionar

embalar-se *v.* **balançar-se**

embalo *n.m.* 1 **baloiço**, balanço 2 [BRAS.] **ímpeto**, impulso

embalsamar *v.* **aromatizar**, perfumar

embandeirar *v.* 1 **abandejar**, engalhardetar, abandeirar ≠ **desembandeirar** 2 *fig.* **festejar** 3 *fig.* **enaltecer**, lisonjear

embaraçado *adj.* 1 **emaranhado**, enredado, aréu ≠ **desembaraçado**, desemaranhado 2 **confuso**, complicado, embarrilado *col.*, abatocado *col.*, embatocado *fig.* ≠ **simples** 3 **envergonhado**, acanhado, encafifado [BRAS.] ≠ **desembaraçado**, expedito

embaraçante *adj.2g.* 1 **confuso**, difícil, embaraçador 2 **impeditivo**

embaraçar *v.* 1 **atravancar**, obstruir, empecer, atalhar, atar, embarrancar, obstar, pear, pejar, atrambolhar, engalhar *fig.*, engodilhar *fig.* ≠ **desembaraçar**, desimpedir, desempeçar 2 **emaranhar**, enredar, enlear, embaralhar ≠ **desembaraçar**, desemaranhar 3 **complicar**, atrapalhar, confundir, dificultar, empatar, estorvar, impedir, entralhar *fig.* 4 **perturbar**, desnortear, incomodar, tolher 5 *col.* **engravidar**, emprenhar

embaraçar-se *v.* 1 **embarbascar-se** *fig.* 2 **atrapalhar-se** 3 *col.* **engravidar**

embaraço *n.m.* 1 **impedimento**, obstrução, obstáculo, entrave, embargo, óbice, empacho, nó, pejamento, peia, atoleiro, atrapalhação, barbicacho, estorvo, aperto, atalho, barranco, bico, busílis, dúvida, entorpecimento, entaladela, entalação, apuro, enredo, enleio, empeno, empecilho, encrenca *col.*, enrascada *col.*, tropeço *fig.*, trambolho *fig.*, trampalho [REG.], travanca [BRAS.] 2 **atrapalhação**, perturbação, hesitação, pejo, atoladela *fig.* ≠ **desembaraço**, à-vontade 3 **dificuldade**, complicação, impasse, inibitória, embrulho *fig.*, rascada *fig.* 4 *col.* **gravidez**, prenhez 5 *col.* **menstruação**, mênstruo, cataménio

embaraçoso *adj.* **difícil**, dificultoso, espinhoso, incómodo, confuso

embaratecer *v.* **baratear**, abaratar ≠ **encarecer**

embarcação *n.f.* **barco**, navio, vela, nave, batel, barca, nau

embarcadouro *n.m.* **cais**, gare, porto

embarcar *v.* **cair**, ser enganado

embargamento *n.m.* **impedimento**, obstáculo, embargo

embargante *adj.2g.* **impeditivo**, embargador

embargar *v.* 1 **impedir**, interditar, suspender, interromper ≠ **desembargar**, desimpedir 2 **arrestar**, reter ≠ **desembargar** 3 **reprimir**, conter 4 **estorvar**, obstar, tolher, obstruir, dificultar, embaraçar, atalhar

embargo *n.m.* 1 **impedimento**, empecilho, empacho, obstáculo, tolhimento, estorvo, embaraço, embargamento ≠ **desembargo**, desimpedimento 2 **detenção**, proibição, interdição

embarque *n.m.* 1 **embarcamento**, embarcação ≠ **desembarque** 2 **embarcadouro**

embarrancar *v.* 1 **atravancar**, embaraçar, estorvar, abarrancar, atalhar ≠ **desembarrancar**, desembaraçar 2 **encalhar**, esbarrar, estacar, atascar-se, atolar-se, esbarrar-se ≠ **desembarrancar**, desatascar-se

embarrancar-se *v.* **atolar-se**, atascar-se

embarreirar *v.* 1 **abrigar-se** 2 **subir**, trepar

embarreirar-se *v.* 1 **abrigar-se** 2 **subir**, trepar

embarricar *v.* 1 **embarrilar** 2 **barricar** 3 **esconder**, ocultar

embarrilar *v.* 1 **envasilhar**, encascar, embarricar 2 **atrapalhar**, embaraçar, embaçar, confundir 3 **ludibriar**, iludir, enganar, lograr, engazupar 4 (trânsito) **congestionar**

embasbacado *adj.* **atónito**, estupefacto, basbaque, boquiaberto, estacado, pasmado, surpreso, surpreendido, admirado, abestalhado, desqueixolado *fig.*

embasbacar *v.* **espantar**, assombrar, estupefazer, pasmar, siderar

embasbacar-se *v.* **pasmar**, assombrar-se, espantar-se

embate *n.m.* 1 **choque**, impacto, colisão, pancada, topada, encontrão, abalroada, percussão 2 **oposição**, resistência, reação

embater *v.* **chocar**, colidir, esbarrar, encontrar, dar, topar, entrebater, entrechocar

embatocar *v.* 1 **arrolhar**, batocar 2 *fig.* **atrapalhar**, embaraçar

embebedar *v.* 1 **embriagar**, emborrachar, etilizar, inebriar, empiteirar ≠ **desembebedar** 2 *fig.* **atordoar**, aturdir, adormentar, entontecer, estontear, alucinar

embebedar-se *v.* **embriagar-se**, alcoolizar-se, inebriar-se, enfrascar-se *col.*, emborrachar-se *col.*, encarrascar-se *col.*, encarraspanar-se *col.* ≠ **desembebedar-se**, desenfrascar-se

embeber *v.* 1 **ensopar**, absorver, impregnar, molhar, sorver, encharcar, empapar, humedecer, imbuir, embeberar, repassar 2 **cravar**, enterrar, introduzir, meter, fincar

embeber-se *v.* 1 **ensopar-se**, repassar-se, imbuir-se 2 **introduzir-se**, penetrar, engolfar-se, embrenhar-se 3 **concentrar-se**, entregar-se 4 **enlevar-se**

embebido *adj.* 1 **ensopado**, impregnado, imerso 2 *fig.* **absorto**, suspenso, extasiado

embeiçar *v.* **cativar**, encantar, seduzir, enlevar, simpatizar

embeiçar-se *v. col.* **enamorar-se**, apaixonar-se, cativar-se

embelezador *adj.,n.m.* **ornamentador**

embelezamento *n.m.* 1 **alindamento**, aformoseamento 2 **adorno**, ornato, atavio, enfeite

embelezar *v.* 1 **alindar**, aformosear, enfeitar, ornamentar, ornar, ataviar, adornar, abrilhantar, exornar, embelecer ≠ **desformosear**, desfear, afear 2 **encantar**, cativar, enlevar

emberiza *n.f.* ORNIT. **verdelhão**

embevecer *v.* **enlevar**, cativar, arrebatar, inebriar, extasiar

embevecimento *n.m.* **encanto**, êxtase, enleio, encantamento, arrebatamento, admiração, enlevo

embezerrar *v.* 1 **amuar**, emburrar, embuzinar, embesoirar, entourar [REG.] 2 **teimar**, casmurrar, embirrar, encarrancar, entoirar, obstinar-se

embicar *v.* 1 **esbarrar**, bater, chocar 2 **encalhar**, estacar, empeçar 3 **rumar**, dirigir-se, encaminhar-se, endereçar-se 4 **embirrar**, teimar, casmurrar 5 **antipatizar**, implicar

embirra *n.f.* 1 **mania**, teima, obstinação, casmurrice, caturrice 2 **implicância**, antipatia, aversão

embirração *n.f.* 1 **mania**, teima, obstinação, casmurrice, caturrice, empeiticação [BRAS.] 2 **implicância**, antipatia, aversão

embirrar *v.* 1 **insistir**, teimar, ateimar, obstinar, porfiar 2 **antipatizar**, implicar, peganhar

embirrativo *adj.* 1 **teimoso**, birrento, embirrento 2 **antipático**

embirrento *adj.* 1 **teimoso**, birrento, embirrativo 2 **antipático**

emblema *n.m.* 1 **figura**, símbolo, insígnia, divisa, distintivo, ex-líbris 2 **alegoria** 3 **atributo**

emblemático *adj.* 1 **representativo**, exemplar 2 **simbólico**

embocadura *n.f.* 1 **bocal** 2 **estuário**, foz 3 *fig.* **inclinação**, tendência, vocação, queda, propensão, jeito

embocar *v.* 1 **enfrear**, abocar 2 **entrar**, adentrar

embodegar *v.* **emporcalhar**, sujar, embodalhar, enlambuzar, lambuzar

embolar *v.* 1 **empolar**, enrolar 2 [BRAS.] **engalfinhar-se**, brigar

êmbolo *n.m.* **pistão**

embolsar *v.* 1 **arrecadar**, cobrar, receber 2 **reembolsar**, pagar, indemnizar

embolso *n.m.* 1 **pagamento** 2 **recebimento**

embonecar *v.* **enfeitar**, adornar, alindar, ornar

embora *conj.* **conquanto**, apesar de, ainda que

emborcar *v.* 1 **despejar**, entornar 2 *col.* **engolir**, empinar

embornalar *v.* **arrecadar**, amealhar, guardar, alforjar, economizar, poupar

emborrachar *v.* **embebedar**, embriagar, inebriar, alcoolizar

emboscada *n.f.* 1 **espreita**, tocaia, insídia, espera 2 **ardil**, cilada, traição

emboscado *adj.* **oculto**, escondido

emboscar *v.* **esconder**, ocultar, embaular

emboscar-se *v.* **ocultar-se**, camuflar-se, mimetizar-se

embotado *adj.* 1 **rombo**, gasto, rombudo ≠ **afiado**, aguçado 2 *fig.* **insensível**, anestesiado

embotamento *n.m.* **torpor**, cansaço, hebetismo, embotadura

embotar *v.* 1 **rebotar**, botar 2 *fig.* **insensibilizar** 3 *fig.* **debilitar**, enfraquecer, afrouxar

embotar-se *v.* 1 *fig.* **debilitar-se**, enfraquecer 2 *fig.* **insensibilizar-se**, empedernir

embraiar *v.* **engatar**, embrear ≠ **desembraiar**

embrandecer *v.* 1 **abrandar**, amolecer, amaciar, adoçar ≠ **endurecer** 2 **comover**, enternecer, mover ≠ **endurecer**

embrandecer-se *v.* 1 **abrandar** 2 **enternecer-se**

embranquecer *v.* 1 **branquear**, alvear, caiar 2 *fig.* **envelhecer**, encanecer

embravecer *v.* 1 **enfurecer**, assanhar, irritar, exaltar ≠ **desembravecer**, serenar 2 **encapelar**, encrespar, agitar

embravecer-se *v.* 1 **enfurecer-se**, irritar-se, irar-se 2 **encapelar-se**, encrespar-se

embravecimento *n.m.* **enfurecimento**, exaltação, fereza, ferocidade, fúria, furor, ira, irritação, cólera, braveza ≠ **desembravecimento**, apaziguamento

embrenhado *adj. fig.* **concentrado**

embrenhar *v.* **esconder**, ocultar, enfronhar

embrenhar-se *v.* 1 *fig.* **absorver-se**, concentrar-se, dedicar-se, engolfar-se, enfronhar-se 2 **adentrar-se**, penetrar, meter-se, entranhar-se, mergulhar *fig.*

embriagado *adj.* 1 **ébrio**, alcoolizado, bêbedo, bêbado, temulento, grosso *col.*, orvalhado *col.*, troviscado *col.*, biritado [BRAS.], pinguço [BRAS.] ≠ **sóbrio**, abstémico 2 *fig.* **tonto**, atordoado, aturdido 3 *fig.* **extasiado**, entusiasmado, enlevado

embriagar *v.* 1 **embebedar**, emborrachar, alcoolizar, inebriar, empiteirar, engrossar *col.* ≠ **desembriagar**, desembebedar 2 *fig.* **alucinar**, atordoar, entontecer, estontear 3 *fig.* **enlevar**, entusiasmar, exaltar, maravilhar, extasiar

embriagar-se *v.* 1 **embebedar-se**, alcoolizar-se, inebriar-se, enfrascar-se *col.*, emborrachar-se *col.*, encartolar *col.* 2 *fig.* **extasiar-se**, inebriar-se, enlevar-se, maravilhar-se, entusiasmar-se

embriaguez *n.f.* 1 **bebedeira**, borracheira, embriagamento, ebriedade, inebriamento, temulência, pifão, embebedamento, perua *col.*, piteira *col.*, gata *col.*, torcida *col.*, grossura *col.*, raposada *col.*, raposeira *col.*, rosca *col.*, touca *col.*, vinhaça *col.*, cabeleira *col.*, pinga *col.*, bruega *col.*, cardina *col.*, carraspana *col.*, cegonha *col.*, carrocha *col.*, égua *col.*, vinho *fig.*, verniz [REG.], ganso [BRAS.] 2 *fig.* **entusiasmo**, enlevo, êxtase, enlevação

embrião *n.m.* 1 **feto** 2 *fig.* **início**, princípio, começo

embrionário *adj. fig.* **rudimentar**, inicial

embrulhada *n.f.* 1 **trapalhada**, confusão, desordem, salsada, mistifório, misturada, mixórdia, alhada, embrulhamento, encamisada, garabulha, cambulha, cipoal, rolo [BRAS.], langará [REG.] 2 **logro**, aldravice 3 **intriga**, enredo, novelo *fig.*

embrulhado *adj.* 1 **empacotado**, embalado, empanado ≠ **desembrulhado**, desempacotado 2 **complicado**, difícil ≠ **simples**, fácil

embrulhar *v.* 1 **empacotar**, embalar, entrouxar, enfardelar ≠ **desembrulhar**, desempacotar 2 **dobrar**, enrolar 3 **agasalhar**, enroupar, envolver 4 **atrapalhar**, baralhar, complicar, dificultar, embaraçar, desordenar, confundir, enredar 5 **enganar**, iludir, ludibriar, lograr, intrigar, trapacear, prejudicar 6 **enjoar**, nausear, engulhar

embrulhar-se *v.* **envolver-se**, cobrir-se, enrolar-se

embrulho *n.m.* 1 **pacote**, maço, volume, trouxa, rolo, invólucro, envoltório 2 **logro**, ludíbrio, engano, briga, encavacadela 3 **confusão**, embrulhada, enredo, intriga 4 **náusea**, enjoo, engulho

embrutecer *v.* **estupidificar**, bestificar, asselvajar, abrutecer ≠ **desembrutecer**

embruxar *v.* **enfeitiçar**, encarochar ≠ **desembruxar**, desenfeitiçar

embuçado *adj.* 1 **tapado**, coberto, encoberto ≠ **desembuçado**, destapado 2 **escondido**, oculto ≠ **desembuçado**, claro

embuçar *v.* 1 **rebuçar**, encobrir ≠ **desembuçar**, destapar 2 **disfarçar**, dissimular ≠ **desembuçar**, revelar

embuçar-se *v.* 1 **cobrir-se** 2 **embiocar-se** 3 **disfarçar-se**, ocultar-se

embuchado *adj.* 1 **empanzinado**, enfartado, empanturrado, cheio, mal-disposto, pesado 2 *fig.* **embatucado**, ensovacado 3 *fig.* **amuado**, encavacado

embuchar *v.* 1 **comer**, empanzinar, fartar, saciar, engolir 2 *fig.* **ensovacar** 3 *fig.* **amuar**, embezerrar

embuço *n.m.* 1 **rebuço**, bioco 2 *fig.* **disfarce**, dissimulação, fingimento, máscara

embude *n.m.* 1 **ferrolho**, aloquete, cadeado 2 **funil** 3 BOT. **cegude**, timbó, cicuta, embudo, cigude

emburrar *v.* 1 **embrutecer**, estupidificar, emburrecer 2 **amuar**, embezerrar, emburricar, trombejar *col.* ≠ **desemburrar**, desamuar 3 **empancar**, emperrar

embuste *n.m.* **ardil**, logro, impostura, velhacaria, invencionice, manha, mentira, patranha, fraude, trampolina, trapaça, truania, truanice, velhacada, intrujice, falsidade, burla, cilada, embaimento, embeleco, embromação, embustice, endrómina, engano, dolo, enredo, pantomina *fig.*, pabulagem [BRAS.]

embustear *v.* **enganar**, lograr, iludir, embair, enredar, imposturar, mentir, embelecar

embusteiro *adj.,n.m.* **impostor**, intrujão, mentiroso, falso, hipócrita, trapaceador, burlão, falsário, tratante, insidioso, engrolador, embaidor, patranhento, engrampador *fig.*, enliçador *fig.*

embutido *adj.* 1 **cravado**, incrustado, engastado 2 **marchetado**, tauxiado

embutir *v.* 1 **engastar**, entalhar, incrustar, marchetar, atauxiar, cravar, encaixar ≠ **desembutir**, desengastar 2 *fig.* **impingir**, inculcar

eme *n.m.* **mê**

emenda *n.f.* 1 **correção**, alteração, melhoria, quinau 2 **regeneração**, mudança 3 **acrescento**, remendo, conserto, reparo 4 **lição**, exemplo, escarmento

emendar *v.* 1 **corrigir**, alterar, reparar, modificar 2 **acrescentar**, aumentar 3 **restaurar**, consertar, remendar, retificar, fujicar [BRAS.] 4 **regenerar**

emendar-se *v.* 1 **retificar-se**, corrigir-se 2 **regenerar-se**, corrigir-se, endireitar-se, arrepender-se, remediar-se

ementa *n.f.* 1 **sumário**, resumo 2 **cardápio**, menu, lista 3 **rol**, lista

ementar *v.* 1 **anotar**, apontar, assentar 2 **relembrar**, lembrar, memorar 3 **mencionar**, nomear

ementário *n.m.* agenda

emergência *n.f.* 1 aparecimento, surgimento ≠ imergência 2 incidente, ocorrência, imprevisto 3 BOT. excrescência, saliência

emergente *adj.2g.* 1 decorrente, procedente, proveniente, resultante, ocorrente 2 fortuito, inesperado

emergir *v.* 1 aparecer, assomar, surgir, despontar ≠ imergir 2 elevar-se, subir 3 sobressair, destacar-se, patentear-se 4 acontecer, resultar, advir

emérito *adj.* 1 jubilado, aposentado, reformado 2 abalizado, distinto, douto, notável, perito, insigne, sábio

emersão *n.f.* aparecimento, surgimento ≠ imersão

emerso *adj.* aparecido, assomado, surgido

emigração *n.f.* expatriação ≠ imigração

emigrado *n.m.* 1 emigrante 2 refugiado, exilado, foragido, proscrito

emigrante *adj.,n.2g.* emigrado ≠ imigrante

emigrar *v.* expatriar-se, exilar-se ≠ imigrar

eminência *n.f.* 1 proeminência, protuberância, saliência 2 outeiro, elevação, cerro 3 *fig.* sublimidade, superioridade, excelência, sumidade, fastígio

eminente *adj.2g.* 1 alto, elevado, subido, sobressaído ≠ baixo 2 *fig.* distinto, ilustre, notável, excelente, abalizado ≠ medíocre, inferior

eminentemente *adv.* altamente, muito, sobremaneira

emissão *n.f.* 1 irradiação, expulsão, projeção, ejaculação 2 enunciação

emissário *n.m.* enviado, mensageiro, representante, delegado, embaixador

emissor *adj.* emitente, emissório ■ *n.m.* 1 radiodifusor 2 GRAM. destinador ≠ recetor, destinatário

emitente *adj.,n.2g.* emissor, transmissor

emitir *v.* 1 lançar, projetar, soltar, expelir, irradiar, exalar, ejacular 2 enviar, expedir, mandar 3 proferir, transmitir, exprimir, produzir, publicar

emoção *n.f.* 1 alvoroço, perturbação, agitação, abalo, desordem, motim, alvoroto ≠ calma 2 comoção, enternecimento ≠ frieza, indiferença

emocional *adj.2g.* 1 comovedor, emocionante 2 emotivo, afetivo

emocionante *adj.2g.* comovente, comovedor, chocante, impressionante

emocionar *v.* comover, impressionar, perturbar, abalar

emoldurar *v.* 1 encaixilhar, emoldar, tarjar ≠ desemoldurar, desencaixilhar 2 adornar, enfeitar, ornar

emoliente *adj.2g.* amolecedor, demulcente

emolumento *n.m.* 1 ganho, lucro, proveito, benesse 2 retribuição, gratificação

emotivo *adj.* 1 emocionante, comovente, chocante 2 emocional, afetivo 3 sensível, impressionável, emocionável ≠ inemotivo, insensível

emouquecer *v.* ensurdecer

empacotamento *n.m.* acondicionamento, embalagem, enfardamento ≠ desempacotamento

empacotar *v.* embalar, embrulhar, enfardar, emalar, enfardelar, entrouxar, empacar, acondicionar ≠ desempacotar, desembalar, desembrulhar

empada *n.f. fig.* maçador, importuno

empadão *n.m.* CUL. pastelão

empalar *v.* enfiar, espetar ≠ desempalar, desenfiar

empalhação *n.f.* 1 empalhamento 2 *fig.* pretexto, subterfúgio

empalhar *v.* 1 empalheirar 2 encanastrar 3 embalsamar 4 *col.* entreter, empatar, retardar

empalidecer *v.* 1 desbotar, empalecer, descorar, amarelar, amarelecer 2 *fig.* enfraquecer, atenuar-se

empanar *v.* 1 embaciar, embaçar 2 encobrir, obscurecer, esconder, enevoar, ofuscar, velar, tapar, toldar, disfarçar 3 deslustrar, manchar, macular, desacreditar 4 avariar-se, danificar-se

empancar *v.* 1 suster, vedar, represar 2 emperrar, emburrar

empandeirar *v.* 1 inflar, enfunar 2 ludibriar, enganar, lograr, embair 3 empanzinar, enfartar, empanturrar, empachar 4 gastar, esbanjar, dissipar 5 matar, assassinar

empanturrar *v.* empanzinar, enfartar, fartar, encher, atulhar, empachar, ingurgitar ≠ desempanturrar

empanturrar-se *v.* 1 enfartar-se, empanzinar-se, abarrotar-se, atafulhar-se, encher-se, atestar-se, entourir[REG.] 2 *fig.* ensoberbecer-se, empavonar-se, envaidecer-se, enfatuar-se

empanzinar *v.* 1 empanturrar, enfartar, fartar, encher, atulhar, empachar, abarrotar ≠ desempanturrar 2 enganar, ludibriar, iludir, lograr, empandeirar ≠ desenganar

empapar *v.* 1 ensopar, absorver, impregnar, molhar, sorver, encharcar, embeber, humedecer, imbuir, embeberar, repassar 2 *fig.* engodar, seduzir 3 *fig.* imbuir, incutir

empapelar *v.* 1 embrulhar 2 forrar 3 agasalhar, apaparicar

empapelar-se *v.* agasalhar-se

empapuçar *v.* enrugar ≠ alisar

emparceirar *v.* 1 emparelhar, irmanar, acamaradar, agregar ≠ desemparelhar, desirmanar 2 igualar 3 unir, associar, juntar, ligar, ajuntar

emparceirar-se *v.* emparelhar-se, associar-se, agregar-se
emparcelar *v.* parcelar, fracionar
empardecer *v.* entardecer, escurecer, crepusculizar
emparedar *v.* enclausurar, murar, entaipar, enclaustrar, clausurar ≠ **desemparedar**
emparelhado *adj.* **1** **emparceirado**, jungido ≠ **desemparelhado**, desemparceirado **2** **equiparado**, igualado **3** **junto**, associado
emparelhar *v.* **1** **emparceirar**, irmanar ≠ **desemparelhar**, desirmanar **2** **equiparar**, igualar, nivelar ≠ **desigualar**, desnivelar **3** **acasalar**, casar, jungir, juntar, unir, ligar ≠ **separar**
emparvecer *v.* **aparvalhar**, emparvoar, apatetar, emparvoecer
empastar *v.* **1** **empapar**, emassar **2** **empastelar**, arrastar
empastelar *v.* **empastar**, arrastar
empata *n.2g. pej.* **maçador**, estorvo, empecilho
empatado *adj.* **1** **suspenso**, interrompido, parado, paralisado **2** **ocupado**, retardado **3** **confiscado**, embargado **4** **igualado**, ex æquo
empatar *v.* **1** **embargar**, estorvar, impedir, interromper, suspender, sustar, tolher, embaraçar, demorar, atalhar, empeçar, obstar, engonçar ≠ **despachar** **2** **aplicar**, empregar, ocupar **3** **igualar**, nivelar ≠ **desempatar**
empate *n.m.* **1** **embaraço**, obstáculo, obstrução, empacho, estorvo, embargo **2** **irresolução**, indecisão ≠ **desempate**, resolução **3** **atraso**, demora **4** **igualdade** **5** **paralisação**, imobilização
empatia *n.f.* intropatia
empeçar *v.* **1** **embaraçar**, enredar, estorvar, empecer, dificultar, emaranhar **2** [BRAS.] **começar**, iniciar
empecilho *n.m.* **obstáculo**, estorvo, estorvilho, óbice, trambolho, enguiço, embaraço, dificuldade, travanca, pespego, embrechado, barbilho, empeço, impedimento, entropeço
empeço *n.m.* **obstáculo**, estorvo, empecilho, estorvilho, óbice, trambolho, enguiço, embaraço, dificuldade, travanco, pespego, embrechado, barbilho, impedimento
empedernido *adj.* **1** **pétreo**, duro **2** *fig.* **inflexível**, insensível, desumano, cruel
empedernir *v.* **1** **petrificar**, empedernecer, empedrar **2** *fig.* **insensibilizar**, endurecer, desumanizar ≠ **enternecer**, amercear, compadecer, amiserar, amolecer *fig.*
empedernir-se *v. fig.* **endurecer**, desumanizar-se, empedernecer-se ≠ **compadecer-se**, condoer-se, amercear-se, amiserar-se
empedrado *adj.* **1** calcetado **2** **endurecido** **3** *fig.* **insensível**, inflexível ▪ *n.m.* **empedramento**, calçada
empedrar *v.* **1** **calcetar**, apedrar, calçar, lajear, encascalhar **2** **insensibilizar-se**, petrificar-se, empedernir-se
empena *n.f.* **1** **empenamento**, empeno **2** **oitão**, hasteal
empenar *v.* **1** **entortar**, torcer, deformar, dobrar, curvar, vergar, enjambrar ≠ **desempenar**, desentortar **2** **emplumar**
empenar-se *v.* **1** **deformar-se**, curvar-se, torcer-se, entortar-se **2** **enfeitar-se**, alindar-se, ataviar-se
empenhado *adj.* **1** **penhorado** ≠ **desempenhado** **2** **endividado** ≠ **desempenhado** **3** **dedicado**
empenhamento *n.m.* **1** **hipoteca**, empenho **2** **endividamento** **3** **dedicação**, empenho, interesse **4** **compromisso**, promessa
empenhar *v.* **1** **hipotecar**, penhorar ≠ **desempenhar**, resgatar **2** **endividar** ≠ **desempenhar** **3** **comprometer** **4** **dedicar**, aplicar, empregar
empenhar-se *v.* **1** **esforçar-se**, trabalhar, aplicar-se, diligenciar **2** **endividar-se**
empenho *n.m.* **1** **hipoteca**, empenhamento ≠ **desempenho**, resgate **2** **endividamento**, dívida **3** **compromisso**, promessa, obrigação **4** **dedicação**, interesse, empenhamento, zelo
empeno *n.m.* **1** **empenamento**, empena ≠ **desempeno** **2** **impedimento**, estorvo, embaraço, dificuldade, obstáculo, berbicacho, óbice
emperrar *v.* **1** **encravar**, entravar, estacar, parar, empacar, apedar *fig.* ≠ **desemperrar**, desencravar **2** **dificultar**, atrapalhar, impedir, obstar **3** **teimar**, obstinar-se
empertigado *adj.* **1** **direito**, teso, ereto **2** **altivo**, altaneiro, soberbo, orgulhoso, envaidecido, vaidoso ≠ **humilde**, desempertigado
empertigar *v.* **1** **endireitar**, aprumar, entesar ≠ **curvar**, dobrar **2** *fig.* **envaidecer**, ensoberbecer, ensoberbar ≠ **desempertigar**
empertigar-se *v.* **1** **endireitar-se** **2** *fig.* **ensoberbecer**, envaidecer-se ≠ **desempertigar-se**
empesa *n.f.* **empesadura**, espremedura
empestar *v.* **1** **contaminar**, contagiar, infetar, infecionar, apestar, inficionar ≠ **desempestar**, desinfetar **2** **corromper**, depravar, viciar, desmoralizar
empilhamento *n.m.* **acumulação**, amontoação, amontoamento, pilha ≠ **desempilhamento**
empilhar *v.* **acumular**, amontoar, aglomerar, apinhar ≠ **desempilhar**, desamontoar
empinado *adj.* **1** **erguido**, direito, elevado ≠ **desempinado**, desaprumado **2** **alcantilado**, escarpado, íngreme **3** *col.* **decorado**, memorizado

empinar *v.* 1 **levantar**, erguer, alçar, aprumar, elevar, endireitar ≠ **baixar** 2 *col.* **emborcar**, engolir 3 *col.* **decorar**, fixar, aprender
empinar-se *v.* **erguer-se**, cabrear, empinhocar-se
empino *n.m.* 1 **levantamento** 2 *fig.* **orgulho**, soberba, altivez
empiricamente *adv.* **praticamente**
empírico *adj.* **percecionado**, experienciado, experimental, intuitivo, imediato ■ *n.m.* **curandeiro**
empirismo *n.m.* **charlatanismo**
emplastrar *v.* 1 **achatar**, espalmar 2 **revestir**
emplastro *n.m.* 1 **cataplasma** 2 *fig.* **importuno**, maçador, parasita
emplumar *v.* **empenachar**, empenar ≠ **desemplumar**, depenar, desplumar
emplumar-se *v.* 1 *fig.* **enfeitar-se** 2 *fig.* **pavonear-se**, vangloriar-se, ufanar-se
empoar *v.* **polvilhar**, empoeirar, enfarinhar
empobrecer *v.* 1 **depauperar** ≠ **enriquecer** 2 **enfraquecer**, exaurir, depauperar, esgotar, arruinar, estragar
empobrecimento *n.m.* 1 **penúria**, indigência ≠ **enriquecimento** 2 **depauperamento**, enfraquecimento, esgotamento
empola *n.f.* **bolha**, ampola, fula, folecha, folipa
empolado *adj.* 1 **inchado**, embolado ≠ **desempolado** 2 **pomposo**, pretensioso, afetado, vaidoso ≠ **simples**, sóbrio
empolar *v.* 1 **inchar**, intumescer, avolumar, inflar, turgir, enfolar, enfolechar ≠ **desempolar**, desinchar 2 *fig.* **enfatuar**, ensoberbecer, apavesar ≠ **desempolar** 3 **exagerar**, agravar, intensificar
empolar-se *v.* 1 **inchar**, intumescer 2 **encapelar-se**, encrespar-se 3 **ensoberbecer-se**
empoleirar *v.* 1 **elevar**, empinocar 2 *fig.* **exaltar**
empoleirar-se *v.* **encarrapitar-se**, alcandorar-se, trepar, subir, elevar-se, empinocar-se
empolgado *adj.* 1 **apanhado**, agarrado 2 *fig.* **entusiasmado**, arrebatado
empolgante *adj.2g.* **arrebatador**, cativante, excitante, impressionante, extasiante, atraente
empolgar *v.* 1 **agarrar**, apanhar, prender, segurar ≠ **desempolgar**, soltar 2 **aferrar**, arpoar, ferrar 3 **arrebatar**, entusiasmar, extasiar, absorver, emocionar, comover, apoderar-se, ocupar, apossar-se, atrair, dominar, cativar ≠ **desempolgar**, desentusiasmar
emporcalhar *v.* 1 **sujar**, emporcar, manchar, besuntar, embostar, embostelar, ensaburrar, badalhocar *pej.* ≠ **limpar** 2 *fig.* **difamar**, enxovalhar, deslustrar, enlamear ≠ **dignificar**
emporcalhar-se *v.* 1 **sujar-se**, enodoar-se, ajavardar-se *col.* 2 **aviltar-se**, degradar-se
empório *n.m.* **bazar**
empossar *v.* **investir**, apossar ≠ **desempossar**
empossar-se *v.* **apoderar-se**, assenhorear-se
emprazamento *n.m.* 1 **citação**, convocação, intimação, notificação, assinação 2 *ant.* **enfiteuse**, aforação
emprazar *v.* 1 **convocar**, intimar, citar 2 **desafiar**, instigar, intimidar, reptar 3 **embaraçar**, estorvar, empatar 4 **aforar**, enfiteuticar
empreendedor *adj.* **ativo**, laborioso, trabalhador, diligente, arrojado, cometedor, fura-bolos *col.* ≠ **inativo**
empreender *v.* 1 **tentar**, intentar, resolver, delinear, interprender 2 **executar**, realizar 3 **cismar**
empreendimento *n.m.* 1 **projeto**, realização, entrepresa, empresa, cometimento 2 **cisma**, preocupação
empregado *adj.* **usado**, utilizado ■ *n.m.* **funcionário**, subordinado
empregador *n.m.* **patrão** ■ *adj.* **patronal**
empregar *v.* 1 **aplicar**, utilizar, usar, colocar 2 **dedicar**, ocupar, consumir, despender, gastar, investir 3 **contratar** ≠ **despedir**
empregar-se *v.* 1 **assalariar-se**, contratar-se 2 **dedicar-se**, aplicar-se
emprego *n.m.* 1 **aplicação**, uso, utilização 2 **cargo**, ocupação, colocação, ofício, posto, trabalho
empregue *adj.2g.* **aplicado**, utilizado
empreitada *n.f.* **contrato**, tarefa, empreita
empreitar *v.* **ajustar**, contratar
empreiteiro *n.m.* **contratista**, mestre de obras, tarefeiro
emprenhar *v.* **engravidar**, conceber, gravidar, prenhar, alcançar *col.*, pejar *col.*
empresa *n.f.* 1 **realização**, projeto, empreendimento 2 **firma**, companhia 3 **intento**, tentativa, desígnio
empresar *v.* 1 **represar**, açudar 2 **apresar**, reter
empresário *n.m.* **gerente**, gestor
emprestar *v.* **atribuir**, dar, imprimir, conferir ≠ **retirar**
empréstimo *n.m.* **mútuo**
emproado *adj.* **altivo**, arrogante, desdenhoso, insolente, orgulhoso, presumido, pretensioso, soberbo, vaidoso ≠ **desemproado**, modesto
emproar *v.* 1 **aproar**, proejar, proar, aproejar 2 **ensoberbecer**, envaidecer
emproar-se *v.* **envaidecer-se**, ensoberbecer-se, pavonear-se
empunhadura *n.f.* **punho**
empunhar *v.* **agarrar**, segurar, tomar, asir, suster ≠ **desempunhar**, largar
empurrão *n.m.* 1 **encontrão**, safanão, repelão, empurro, empuxão, empuxo, trompaço, trompada, tranco, sacão 2 **estímulo**, incentivo, impulso

empurrar *v.* 1 **impelir**, impulsionar, empuxar 2 **impingir**

emudecer *v.* **calar**, silenciar, extinguir

emulação *n.f.* 1 **estímulo**, brio, incitamento, incentivo 2 **competição**, concorrência, disputa

emular *v.* 1 **competir**, disputar, rivalizar, porfiar 2 **estimular**, fomentar 3 **imitar**

émuloAO ou **êmulo**AO *adj.,n.m.* 1 **adversário**, rival, emulador, antagonista, opositor, contendente 2 **competidor**, concorrente

emurchecer *v.* 1 **murchar**, esmirrar-se, murchecer, mirrar, secar ≠ **revigorar** 2 *fig.* **entristecer**, fenecer ≠ **animar**

emurchecer-se *v.* 1 **murchar** 2 **entristecer-se**

emurchecimento *n.m.* **estiolamento**, fenecimento

enaltecer *v.* **exaltar**, elogiar, gabar, louvar, engrandecer, enobrecer, celebrar, glorificar, elevar, nobilitar, encomiar ≠ **aviltar**, amesquinhar, desprezar, humilhar, acabrunhar, acanalhar

enamorado *adj.* **apaixonado**, encantado, enrabichado, bajoujo, enfeitiçado *fig.*, babado *fig.*, derretido *fig.*, amorado [REG.]

enamorar *v.* **apaixonar**, cativar, encantar, enlevar, seduzir, enfeitiçar *fig.*

enamorar-se *v.* **apaixonar-se**, cativar-se, encantar-se

enastrar *v.* **entrançar**, entrelaçar, entretecer, encanastrar ≠ **desenastrar**, desentrançar

encabar *v.* 1 **encabeirar**, encaixar ≠ **desencabar** 2 *col.* **ludibriar**, lograr, enganar

encabeçado *adj.* 1 **encimado** 2 **liderado**, dirigido 3 **metido**, encaixado

encabeçar *v.* 1 **começar**, iniciar, encabeirar ≠ **acabar**, terminar 2 **chefiar**, dirigir, liderar 3 **convencer**, persuadir ≠ **dissuadir**

encabrestar *v. fig.* **sujeitar**, dominar, subjugar

encabritar-se *v.* 1 **empinar-se**, alçar-se, erguer-se 2 *fig.* **enfurecer-se**, abespinhar-se

encabulado *adj.* **acanhado**, envergonhado, constrangido

encabular *v.* **acanhar**, envergonhar, constranger

encadeado *adj.* **ligado**, preso, sujeito

encadeamento *n.f.* 1 **cadeia**, sequência, encadeação 2 **conexão**, ligação, concatenação ≠ **desencadeamento**, separação

encadear *v.* 1 **unir**, ligar, juntar ≠ **desarticular** 2 **relacionar**, associar, concatenar 3 **organizar**, estruturar 4 **acorrentar**, agrilhoar ≠ **desprender**, soltar 5 **prender**, sujeitar 6 **cativar**, ligar

encadear-se *v.* **ligar-se**, unir-se, articular-se, concatenar-se, conectar-se, acolchetar-se

encadernação *n.f.* 1 **capa** 2 *col.* **vestuário**, traje, fatiota

encadernar *v.* 1 ≠ **desencadernar** 2 *col.* **vestir**

encafuar *v.* **esconder**, ocultar, meter, fechar, enfurnar, encafurnar

encaixar *v.* 1 **encaixotar**, emboitar ≠ **desencaixar**, desencaixotar 2 **encasar** 3 **empregar**, colocar 4 **convir**, quadrar 5 **introduzir**, inserir 6 **ajustar-se**, adaptar-se

encaixar-se *v.* 1 **meter-se**, colocar-se, inserir-se, introduzir-se 2 **ajustar-se**, adequar-se

encaixe *n.m.* 1 **encasamento**, engaste ≠ **desencaixe** 2 **ranhura** 3 **juntura**, ligação, união ≠ **desencaixe**, desunião 4 **introdução**, colocação ≠ **desencaixe** 5 *col.* **articulação**

encaixilhar *v.* **emoldurar**, moldurar, enquadrar ≠ **desencaixilhar**, desenquadrar

encaixotamento *n.m.* **embalagem**, encaixamento, acondicionamento ≠ **desencaixotamento**

encaixotar *v.* 1 **encaixar**, embalar ≠ **desencaixotar** 2 *col.* **enterrar**, sepultar

encalacradela *n.f.* **entaladela**, aperto, dificuldade, rascada, encalacração

encalacrar *v.* 1 **encravar**, entalar, embaraçar, comprometer, encalamoucar ≠ **desencalacrar**, safar 2 **endividar**

encalacrar-se *v.* 1 **enrascar-se**, encravar-se 2 **endividar-se**, empenhar-se, arruinar-se

encalar *v.* **encalir**, entalir

encalço *n.m.* 1 **pista**, vestígio, rasto, peugada, esteira, pegada 2 **perseguição**, acossamento

encalecer *v.* **calejar**, endurecer

encalhado *adj. fig.* **imobilizado**, parado

encalhamento *n.m.* **encalhação**, encalhe ≠ **desencalhamento**

encalhar *v.* 1 **imobilizar-se**, parar ≠ **desencalhar** 2 **empatar**, suspender ≠ **desencalhar**, despachar

encalhe *n.m.* 1 (embarcação) **encalhação** 2 *fig.* **paralisação**, imobilização, estase ≠ **desencalhe** 3 *fig.* **estagnação** 4 *fig.* **impedimento**, empate, obstrução, obstáculo, embaraço, encalhação

encalvecer *v.* **escalvar**

encaminhado *adj.* 1 **levado**, conduzido ≠ **desencaminhado**, transviado 2 **ativado** 3 *fig.* **orientado**, guiado ≠ **desencaminhado**

encaminhamento *n.m.* **andamento**, rumo, orientação, direcionamento ≠ **desencaminhamento**

encaminhar *v.* 1 **guiar**, dirigir, conduzir, destinar, endereçar, enviar ≠ **desencaminhar**, desviar 2 **orientar**, persuadir, aconselhar, induzir ≠ **desencaminhar**, desorientar

encaminhar-se *v.* 1 **dirigir-se**, conduzir-se, ir 2 **resolver-se**, decidir-se, dispor-se 3 *fig.* **endireitar-se**

encamisada *n.f.* 1 **mascarada**, folia, disfarce, complicação, arriosca 2 **embrulhada**, dificuldade

encamisar *v.* **revestir**, envolver, cobrir, tapar

encanação *n.f.* canalização, encanamento, tubagem

encanamento *n.m.* canalização, encanação, tubagem

encanar *v.* **1** canalizar, enfiar **2** prender, aprisionar **3** [REG.] curar, sarar

encanastrar *v.* **1** acanastrar **2** entrançar, entrelaçar, entretecer ≠ desencanastrar

encandear *v.* **1** cegar, ofuscar **2** *fig.* estontear, entontecer, alucinar, fascinar

encandear-se *v.* **1** ofuscar-se **2** *fig.* deslumbrar-se

encanecer *v.* **1** embranquecer, branquear, alvejar, nevar **2** agrisalhar, ruçar, envelhecer

encanecido *adj.* **1** embranquecido, grisalho **2** antigo, velho **3** envelhecido, debilitado, enfraquecido **4** experiente, experimentado, inveterado

encantado *adj.* **1** fantástico, mágico **2** maravilhado, fascinado, deslumbrado, deliciado

encantador *adj.* adorável, delicioso, formoso, belo, deslumbrante, esplêndido, maravilhoso, magnífico, sedutor, atraente, cativante, arrebatador, surpreendente, aliciente ■ *n.m.* feiticeiro, mágico, mago, bruxo

encantamento *n.m.* **1** feitiço, bruxaria, feitiçaria, bruxedo **2** sedução, tentação, enlevo, êxtase, satisfação, encanto, encantação ≠ desencantamento, desencanto **3** fascinação, maravilha, encanto ≠ desencantamento

encantar *v.* **1** enfeitiçar ≠ desencantar, desenfeitiçar **2** atrair, cativar, extasiar, fascinar, maravilhar, seduzir, arrebatar, deleitar, deliciar, deslumbrar, enlevar, magnetizar, entusiasmar, enamorar ≠ desencantar, desiludir

encantar-se *v.* maravilhar-se, alegrar-se, enlevar-se

encanto *n.m.* **1** feitiço, bruxaria, feitiçaria, bruxedo, encantamento, encantação **2** fascinação, sedução, tentação, enlevo, admiração, arroubo, arrebatamento, enleio, magia, magnetismo, pasmo ≠ desencanto, desencantamento **3** atrativo, atração, beleza

encapar *v.* **1** embrulhar, revestir ≠ desencapar **2** encobrir, esconder, ocultar, disfarçar, dissimular ≠ mostrar

encapelado *adj.* (mar) picado, alteroso, agitado

encapelar *v.* **1** (mar) agitar, encrespar, levantar, embravecer, erguer, acapelar, encarapelar ≠ acalmar, serenar **2** doutorar

encapelar-se *v.* agitar-se, encrespar-se, embravecer-se, estuar

encapotar *v.* **1** embrulhar, encapar ≠ desencapotar **2** esconder, ocultar, sonegar, disfarçar, dissimular ≠ mostrar, evidenciar

encapotar-se *v.* disfarçar-se, cobrir-se, embuçar-se, encangotar

encapuzar *v.* encarapuçar

encapuzar-se *v.* **1** encarapuçar-se, acarapuçar-se **2** embuçar-se, disfarçar-se

encaracolado *adj.* anelado, espiral, circinal

encaracolar *v.* frisar, ondear, grifar, riçar, enrolar, encaramujar, encanudar, anelar ≠ desencaracolar, alisar, esticar

encaracolar-se *v.* enrolar-se, anelar-se, torcer-se, enroscar-se

encarado *adj.* visto, examinado, considerado

encarapinhar *v.* **1** frisar, encrespar, riçar, encaracolar, acarapinhar, encarapelar ≠ desencarapinhar, desencrespar **2** congelar, encaramelar

encarapinhar-se *v.* encrespar-se

encarapuçar *v.* **1** encapuzar, encapuchar, acarapuçar, encarolar ≠ desencarapuçar **2** [REG.] encaroçar, grumar, engrumar

encarapuçar-se *v.* **1** embarretar-se **2** disfarçar-se, embuçar-se

encarar *v.* **1** observar, fitar, mirar, olhar, topar **2** afrontar, arrostar, defrontar, afrentar ≠ evitar, ignorar **3** analisar, estudar, examinar, ponderar, considerar

encarceração *n.f.* prisão, reclusão, detenção, encarceramento ≠ desencarceramento, libertação, desalgemamento *fig.*

encarceramento *n.m.* prisão, reclusão, detenção, encarceração ≠ desencarceramento, libertação

encarcerar *v.* **1** prender, deter, aprisionar, engaiolar, enjaular, aferrolhar, encerrar ≠ desencarcerar, libertar, soltar **2** enclausurar, isolar

encarcerar-se *v.* **1** enclausurar-se, isolar-se **2** encerrar-se, trancar-se, fechar-se **3** ocultar-se, esconder-se

encardido *adj.* sujo, imundo, codegueiro ≠ desencardido, lavado

encardir *v.* sujar, enxovalhar ≠ desencardir

encardumar *v.* **1** acardumar **2** *fig.* reunir, aglomerar

encarecer *v.* **1** subir, elevar ≠ abaratar, embaratecer, desencarecer **2** elogiar, enaltecer, gabar, louvar, exaltar, exalçar, engrandecer ≠ criticar, difamar, abocanhar, aboquejar, boquejar *fig.*

encarecimento *n.m.* **1** carestia, inflação, aumento ≠ embaratecimento **2** enaltecimento, exaltação, louvor, engrandecimento ≠ crítica, censura **3** empenho, instância, interesse

encargo *n.m.* **1** responsabilidade, dever, obrigação, incumbência **2** cargo, emprego, função, ocupação **3** tributo, ónus, imposto **4** fardo, peso, carga, maçada

encarnação *n.f.* **consubstanciação**, personificação

encarnado *adj.,n.m.* **vermelho**, escarlate ■ *adj.* **corado**, rubicundo, rubro, rutilante

encarnar *v.* **1 consubstanciar**, humanar, humanizar **2 cicatrizar 3 avermelhar**, ruborizar **4 engordar**, cevar

encarniçado *adj.* **1 cruel**, feroz, furioso, implacável, raivoso, sanguinário **2 vermelho**, inflamado, avermelhado, afogueado

encarniçamento *n.m.* **1 pertinácia**, insistência, obstinação, aferro, teimosia **2 furor**, ferocidade, fúria, crueldade, sanha

encarniçar *v.* **açular**, acirrar, excitar, incitar, provocar, assanhar

encarniçar-se *v.* **1 enraivecer-se**, enfurecer-se **2 obstinar-se**, teimar

encaroçar *v.* **1 grumar**, engrumar **2 intumescer**, inturgescer

encarquilhado *adj.* **1 enrugado**, engelhado ≠ **desencarquilhado**, desenrugado **2 murcho**, ressequido

encarquilhar *v.* **enrugar**, engelhar, rugar, corrugar, encorrear, encoscorar ≠ **desencarquilhar**, desenrugar, alisar

encarrapitar *v.* **empoleirar**, alcandorar, encocurutar

encarrapitar-se *v.* **empoleirar-se**, alcandorar-se, trepar, encocurutar-se

encarregado *adj.* **incumbido**, responsabilizado, encarregue ■ *n.m.* **zelador**, vigia, capataz

encarregar *v.* **1 delegar**, incumbir, cometer, encargar, responsabilizar ≠ **desencarregar**, desobrigar **2 carregar**, sobrecarregar, onerar, oprimir

encarregar-se *v.* **incumbir-se**, responsabilizar--se

encarrego *n.m.* **1 obrigação**, tarefa, ocupação, incumbência, cargo, encargo **2 opressão**, gravame, ónus

encarrilar *v.* **1 carrilar**, encarrilhar ≠ **descarrilar**, desencarrilar **2 encarreirar**, encaminhar, ensinar, dirigir ≠ **descarrilar 3 acertar**, atinar, acostumar-se ≠ **descarrilar**

encartado *n.m.* **diplomado**, perito

encartar *v.* **diplomar** ≠ **desencartar**

encarvoar *v.* **1 mascarrar**, encarvoejar, encarvoiçar, enfarruscar **2 enegrecer**, escurecer, denegrir **3 macular**, manchar, sujar

encasquetar *v.* **1 convencer**, persuadir, capacitar, encabeçar, impingir, encacholar *col.* ≠ **desencasquetar**, dissuadir **2 decorar**, fixar, memorizar

encasquetar-se *v.* **obstinar-se**, teimar, convencer-se

encastoar *v.* **1 acastoar 2 engastar**, cravar, embutir, encravar, encaixar ≠ **desencastoar**, desengastar

encastrado *adj.* **encaixado**, embutido

encastrar *v.* **embutir**, cravar, encastoar, encaixar, engastar ≠ **desencastoar**, desengastar

encavacar *v.* **1 afinar**, amuar, embatucar, embezerrar, encordoar, embirrar, abespinhar-se, encatramonar-se [REG.] **2 envergonhar**, embaraçar, embaçar, encalistar

encefalalgia *n.f.* MED. **cefaleia**

encefálico *adj.* **cefálico**

encefalite *n.f.* MED. **cefalite**.

encefalopatia *n.f.* MED. **encefalia**

encenação *n.f.* **1 montagem 2 afetação**, fingimento, invenção

encenar *v.* **simular**, fingir

encender *v.* **1 acender**, incendiar, incender, afoguear, inflamar, avermelhar **2** *fig.* **excitar**, incitar, entusiasmar, estimular

encerado *n.m.* **oleado**

encerar *v.* **olear**

encerrado *adj.* **1 fechado**, trancado ≠ **aberto 2 concluído**, terminado **3 incluído**, compreendido

encerramento *n.m.* **1 fecho**, fechamento ≠ **abertura 2 reclusão**, recolhimento, clausura, retiro, encerro **3 conclusão**, fim, termo, finalização

encerrar *v.* **1 prender**, enclausurar, encurralar, clausurar, encasular, encelar ≠ **soltar**, libertar **2 fechar**, cerrar ≠ **abrir 3 acabar**, concluir, rematar, terminar ≠ **começar**, iniciar **4 abarcar**, abranger, albergar, compreender, conter, incluir, abrigar **5 guardar**, conservar, esconder, ocultar

encerrar-se *v.* **1 fechar-se**, trancar-se **2 clausurar-se**, isolar-se, emparedar-se *fig.*, entaipar-se *fig.* **3 limitar-se**, restringir-se

encetar *v.* **1 começar**, iniciar, principiar ≠ **concluir**, terminar **2 estrear**, experimentar

encharcadiço *adj.* **alagadiço**, pantanoso, estagnado

encharcado *adj.* **1 alagado**, ensopado **2 pantanoso**, paludoso **3** *col.* **bêbedo**, embriagado

encharcar *v.* **1 molhar**, ensopar, embeber, empapar, impregnar **2 alagar**, inundar, empantanar, apaular ≠ **desencharcar**, secar, enxugar

encharcar-se *v.* **1 ensopar-se**, molhar-se **2 inundar-se**, alagar-se **3** *col.* **embriagar-se**, embebedar--se

enchente *adj.2g.* **crescente** ■ *n.f.* **1 cheia**, inundação, aluvião, alagamento **2 afluência**, multidão, concorrência **3 abundância**, fartura, cópia

encher *v.* **1 ocupar**, preencher, cobrir, abranger, atufar ≠ **esvaziar 2 saciar**, fartar, abarrotar, atestar, apinhar, apojar *fig.* **3 sobrecarregar**, cumular, atulhar, assoberbar **4 infundir**, inspirar, suscitar **5 aborrecer**, irritar

encher-se *v.* **1 cobrir-se 2 reunir**, acumular, avolumar **3** *col.* **fartar-se**, cansar-se, aborrecer-se **4 atafulhar-se**, abarrotar-se, coroar-se *fig.* **5 satisfazer-se**, empanturrar-se, saciar-se, fartar-se **6 enriquecer**, locupletar-se

enchido *adj.* **cheio**, pleno

enchimento *n.m.* **1 recheio 2 abundância**, cópia **3 plenitude**, repleção **4 enfartamento**, abarrotamento, enfarte, fartação

enchouriçar *v.* **1 encrespar**, ouriçar, eriçar, achouriçar **2 envaidecer 3 engrossar**, espessar

enchouriçar-se *v.* **1 engrossar 2 irritar-se**, encrespar-se, abespinhar-se **3 envaidecer-se**, enfatuar-se

enchumaçar *v.* **estofar**, acolchoar, almofadar

enchumaço *n.m.* **1 almofada**, forra, enchido **2 compressa**, parche **3 volume 4 inchaço**, papo, buzilhão **5** *gír.* **chatice** *col.*, importunação, aborrecimento, maçada *fig.*, estopada *fig.* ≠ **contentamento**, alegria, deleite, satisfação

encíclico *adj.* **circular**, orbicular

encimado *adj.* **1 rematado**, coroado **2 elevado**, alçado

encimar *v.* **1 rematar**, coroar, encumear **2 elevar**, alçar, guindar ≠ **baixar**

enclaustrar *v.* **enclausurar**, murar, entaipar, emparedar, clausurar, encerrar ≠ **desenclaustrar**, desemparedar

enclausurado *adj.* **1 preso**, encerrado **2 isolado**, enclaustrado, emparedado

enclausurar *v.* **1 prender**, aprisionar, clausurar, encarcerar, enclaustrar, entaipar, claustrar ≠ **libertar**, soltar **2 isolar**, afastar, encarcerar

enclausurar-se *v.* **1 fechar-se**, encerrar-se, trancar-se, encafuar-se **2 isolar-se**, esconder-se

enclavinhar *v.* **enganchar**, entrelaçar, enlaçar, cruzar ≠ **desenclavinhar**, desentrelaçar

encoberta *n.f.* **1 abrigo**, esconderijo, refúgio, asilo, valhacouto, escondedouro, escaninho **2 subterfúgio**, pretexto, expediente, evasiva **3 ardil**, cilada, manha **4 disfarce**

encoberto *adj.* **1 oculto**, escondido, eclipsado ≠ **descoberto 2 disfarçado**, dissimulado, escondido, oculto, incógnito, embuçado ≠ **declarado**, revelado **3 enigmático**, envolto, misterioso **4 enevoado**, nublado, enublado, anuviado ≠ **limpo**

encobridor *adj.,n.m.* **1 escondedor**, ocultador, acoitador **2 recetador**

encobrimento *n.m.* **ocultação**, disfarce

encobrir *v.* **1 esconder**, ocultar, tapar, velar, capear, paliar, toldar, acobertar, atabafar ≠ **desencobrir**, descobrir, destapar **2 dissimular**, disfarçar, ofuscar, mascarar, embuçar ≠ **revelar**, mostrar **3 toldar-se**, carregar-se, anuviar, nublar-se ≠ **desanuviar 4 guardar**, recetar

encobrir-se *v.* **esconder-se**, ocultar-se

encolerizar *v.* **enfurecer**, exasperar, agastar, zangar, irritar, encarniçar, danar, arrufar, enxofrar, enraivecer, irar ≠ **desencolerizar**, serenar, amansar

encolerizar-se *v.* **enfurecer-se**, irar-se, zangar-se, irritar-se, assanhar-se, afreimar-se

encolha *n.f.* **acanhamento**, encolhimento, retraimento, timidez ≠ **à-vontade**, desinibição

encolher *v.* **1 encurtar**, reduzir, estreitar, diminuir ≠ **alargar**, aumentar **2 contrair**, retrair ≠ **distender**, estender, esticar **3 refrear**, reprimir, restringir

encolher-se *v.* **1 contrair-se**, enconchar-se, alcachinar-se **2 retrair-se**, acanhar-se **3 resignar-se 4 esconder-se**

encolhido *adj.* **1 contraído**, retraído **2** *fig.* **tímido**, acanhado, retraído

encolhimento *n.m.* **1 encurtamento**, contração ≠ **desencolhimento 2 acanhamento**, timidez, encolha, pusilanimidade, pejo, retraimento **3 submissão**, cobardia

encomenda *n.f.* **pedido**, solicitação, encomendação

encomendação *n.f.* **1 pedido**, solicitação, encomenda **2 recomendação**, advertência

encomendar *v.* **1 encarregar**, incumbir, entregar **2 recomendar**, confiar, comissionar

encómio[AO] ou **encômio**[AO] *n.m.* **apologia**, panegírico, louvor, gabo, elogio, aplauso, exaltação ≠ **censura**, repreensão

encontrado *adj.* **1 visto**, descoberto **2 junto**, aproximado, ligado **3 contrário**, oposto, incompatível

encontrão *n.m.* **puxão**, topada, safanão, colisão, trancão, sacão, choque, empuxão, empurrão, embate, embarração, atracão *col.*

encontrar *v.* **1 deparar**, topar **2 reaver**, recuperar ≠ **perder 3 achar**, descobrir **4 abalroar**, chocar, bater, colidir, embater, esbarrar, marrar **5 obter**, alcançar

encontrar-se *v.* **1 situar-se**, estar, localizar-se **2 estar**, achar-se **3 reunir-se 4 juntar-se**, unir-se

encontro *n.m.* **1 reunião**, agrupamento **2 rendez-vous 3 ligação**, junção, união **4 choque**, colisão, embate, encontrão, empurrão, topada **5 briga**, disputa, luta **6 compensação**, liquidação

encorajamento *n.m.* **estímulo**, instigação, alento, animação, ânimo, desatemorizamento ≠ **desencorajamento**, desânimo

encorajar *v.* **animar**, estimular, alentar, reanimar, acoroçoar, instigar ≠ **desencorajar**, desalentar, desanimar

encorpado *adj.* 1 **alentado**, corpulento, forte, robusto, sólido, mociço *ant.,col.* 2 **consistente**, espesso, grosso

encorpar *v.* 1 **engrossar** ≠ **desencorpar**, adelgaçar 2 **crescer**, robustecer, fornir 3 **ampliar**

encorrilhado *adj.* **amarrotado**, amassado, enrugado

encorrilhar *v.* 1 **enrugar**, encarquilhar, engelhar, amarrotar 2 **murchar**, envelhecer

encosta *n.f.* **ladeira**, vertente, subida, rampa, aba, lado, descida, declive, costeira, arrampadouro, quebrada

encostar *v.* 1 **apoiar**, acostar, associar, apoiar-se, entestar, fincar ≠ **desencostar** 2 **aproximar**, chegar, juntar, unir, achegar ≠ **desencostar**, separar 3 **estacionar** ≠ **desencostar** 4 **abandonar** 5 [BRAS.] **bater**, castigar

encostar-se *v.* 1 **apoiar-se**, coser-se *fig.*, amouroar [REG.] 2 **tocar** 3 **recostar-se**, reclinar-se, repimpar-se 4 *col.* **preguiçar**, mandriar 5 **servir-se**, aproveitar-se, usar

encosto *n.m.* 1 **espaldar**, recosto, encostamento, reclinatório, refastelamento, acosto 2 **apoio**, esteio, amparo, arrimo, proteção, anteparo, sustentáculo 3 **encosta** 4 *col.* **amante**

encovado *adj.* 1 **oculto**, escondido 2 **abatido**

encovar *v.* 1 **enlurar**, acovar 2 **enterrar** 3 **esconder**, ocultar, amoutar 4 **armazenar**, enceleirar, aceleirar 5 **embatucar**

encovar-se *v.* 1 **esconder-se**, sumir-se 2 **afundar-se**, enterrar-se

encrava *n.f.* **encravação**, encravadura, encravadela, encravamento ≠ **desencravamento**

encravação *n.f.* 1 **encravadura**, encrava, encravadela, encravamento ≠ **desencravamento** 2 *fig.* **entaladela**, entalação, dificuldade, aperto 3 *fig.* **mentira**, logro, logração, engano, manha, peta

encravado *adj.* 1 **cravado**, pregado 2 **embutido**, encaixado 3 *col.* **entalado**

encravamento *n.m.* 1 **encravadura**, encrava, encravadela, encravação ≠ **desencravamento** 2 **dificuldade**, aperto, entaladela

encravar *v.* 1 **cravar**, fixar, enterrar, espetar ≠ **desencravar** 2 **engastar**, embutir, encaixar 3 *col.* **encrencar**, enrascar, entalar ≠ **desencravar**, desenrascar, desentalar 4 **embair**, enganar, encalacrar, lograr 5 **emperrar**, obstruir, entupir-se ≠ **desencravar**

encrenca *n.f. col.* **dificuldade**, problema, complicação, entaladela, aperto

encrencado *adj.* **complicado**

encrespado *adj.* 1 (cabelo) **frisado**, ondulado, carapinho, carapinhudo ≠ **desencrespado**, alisado 2 (mar) **agitado**, revolto, escarceado ≠ **calmo**, sereno 3 **irritado**, exasperado ≠ **calmo**, sereno

encrespar *v.* 1 **eriçar**, crespar, riçar, crespir, encarapinhar, encalamistrar ≠ **desencrespar** 2 **engelhar**, franzir, enrugar, encaracolar, frisar ≠ **desencrespar**, alisar 3 **encapelar**, agitar, encarneirar, ensoberbecer

encrespar-se *v.* 1 **irritar-se**, zangar-se, encolerizar-se, aborrecer-se, exasperar-se, hirtar-se, abespinhar-se, hispar-se, ouriçar-se *fig.*, engalispar-se *fig.*, hispidar-se [BRAS.], encachiar-se *fig.*, engrelar *fig.* 2 **encapelar-se**, estuar 3 **hispidar-se** 4 **arrepiar-se**, ouriçar-se

encrostar *v.* **encoscorar**, encodear ≠ **desencrostar**

encruado *adj.* 1 **duro**, endurecido 2 *fig.* **insensível**, endurecido, empedernido

encruamento *n.m.* 1 **endurecimento** 2 **crueza** 3 **recrudescimento**, agravamento, recrudescência

encruar *v.* 1 **endurecer**, encruecer, enrijar ≠ **amolecer** 2 **dificultar**, emperrar, empatar, retardar, adiar ≠ **acelerar**, facilitar 3 **fortalecer** ≠ **enfraquecer** 4 **empedernir**, encruentar, calejar *fig.* 5 **encarniçar**, enfurecer, exacerbar, exasperar, indignar, irritar

encrudelecer *v.* 1 **encrudescer**, encruecer 2 **irritar**, enfurecer, assanhar

encruecer *v.* **irritar**, enfurecer, encruentar, exasperar, encrudelecer, encarniçar, embravecer, encruar, enervar

encruzilhada *n.f.* **cruzamento**, entroncamento, cômpito

encruzilhar *v.* 1 **encruzar**, cruzar, traçar 2 **atravessar**, cruzar, encruzar

encubar *v.* 1 **envasilhar**, cubar 2 *fig.* **esconder**, ocultar

encurralado *adj.* **fechado**, cercado

encurralar *v.* 1 **acurralar**, encortelhar, apriscar ≠ **desencurralar** 2 **encantoar**, arrincoar, encerrar, cercar, sitiar, embetesgar, empocilgar ≠ **desencurralar**

encurtamento *n.m.* **abreviação**, encolhimento, redução, resumo, diminuição, abreviamento, contração

encurtar *v.* **abreviar**, reduzir, restringir, acanhar, diminuir, encolher, apertar, estreitar, limitar, cercear, atalhar, resumir, minuir ≠ **alongar**, ampliar, aumentar

encurvamento *n.m.* **curvatura**, encurvadura, arqueamento

encurvar *v.* 1 **curvar**, recurvar, arquear, acurvar, acorcovar, enconcar ≠ **desencurvar**, endireitar 2 *fig.* **humilhar**, vexar, dobrar, torcer, vergar

encurvar-se *v.* **curvar-se**, arquear-se, dobrar-se, enconcar-se

endecha *n.f.* **romancilho**

endemia *n.f.* **andaço**

endémicoAO ou **endêmico**AO *adj.* **indígena**, nativo

endemoninhar *v.* **enfurecer**, enraivecer, endiabrar, excitar ≠ **desendemoninhar**, desencolerizar

endereçamento *n.m.* **envio**, encaminhamento, endereçagem

endereçar *v.* 1 **sobrescritar** 2 **expedir**, enviar, remeter, dirigir, mandar, encaminhar

endereço *n.m.* **destino**, direção

endeusamento *n.m.* 1 **divinização**, deificação, apoteose ≠ **desendeusamento** 2 **altivez**, presunção, orgulho, soberba 3 **enlevo**, êxtase

endeusar *v.* 1 **divinizar**, deificar, adeusar ≠ **desendeusar** 2 **envaidecer**, ensoberbecer 3 **enlevar**, extasiar

endeusar-se *v.* 1 **divinizar-se** 2 **arroubar-se**, enlevar-se

endiabrado *adj.* 1 **endemoninhado**, possesso, energúmeno 2 **infernal**, terrível, medonho 3 **irrequieto**, travesso, traquinas 4 **furioso**, enraivecido, danado

endinheirado *adj.* **rico**, ricaço, abonado, milionário, opulento, apatacado, chelpudo *col.* ≠ **teso**

endireita *n.2g. col.* **alcatraz**, algebrista

endireitar *v.* 1 **empertigar**, aprumar, entesar, descurvar, desentortar, desenviesar, destorcer ≠ **entortar**, dobrar, curvar, acavaletar, arcar, arcuar, arquejar, corcovar, acurvar, alombar, concurvar, aviesar 2 **engrilar** 3 **levantar**, erguer, alçar, aprumar, elevar, empinar ≠ **baixar** 4 **arrumar**, compor, arranjar, atinar, preparar 5 **alinhar**, aplanar, acertar 6 **encaminhar** 7 *fig.* **emendar**, corrigir ≠ **corromper**

endireitar-se *v.* 1 **entesar-se**, aprumar-se, engravitar-se, engrilar-se 2 **emendar-se**, corrigir-se, regenerar-se

endívia *n.f.* BOT. **escarola**, chicarola, escariola, chicória-crespa, chicória-brava, endiva, almeirão, chicória, chicória-de-café

endividar *v.* **penhorar**, cativar, empenhar

endividar-se *v.* **empenhar-se**, encalacrar-se

endógeno *adj.* **endogénico** ≠ **exógeno**

endoidecer *v.* **enlouquecer**, endoidar, amalucar, adoudar, tresloucar, desorientar, ensandecer, desatinar, desajuizar, esmaniar ≠ **desenlouquecer**, desensandecer

endossado *n.m.* **endossatário**

endossante *adj.,n.2g.* **endossador**

endossar *v.* 1 **transferir**, transmitir 2 **apoiar**, defender

endosso *n.m.* **endossamento**, pertence

endovenoso *adj.* **intravenoso**

endrominar *v.* **burlar**, intrujar, ludibriar, enganar, trapacear

endurecer *v.* 1 **enrijar**, endurentar, enrijecer, arrijar, empedernir, entesar, calejar, curtir, encordoar, enresinar, coscorar, enrilhar ≠ **amolecer**, molificar, afofar, abalofar, releixar 2 **insensibilizar**, empedernir 3 **robustecer**, fortalecer, fortificar ≠ **amolecer**, enfraquecer

endurecimento *n.m.* 1 **enrijamento**, induração, enduração, enduro 2 **calo**, calosidade 3 **obstinação**, tenacidade, teima, pertinácia 4 **insensibilidade**

enegrecer *v.* 1 **escurecer**, ofuscar, encarvoar, tisnar, sombrear, enfuscar, anuviar, anegrejar ≠ **clarear**, desenlutar-se 2 *fig.* **enlutar**, entristecer 3 *fig.* **caluniar**, denegrir, desacreditar, desonrar, difamar, infamar, toldar, deslustrar

enegrecimento *n.m.* 1 **escuridão**, negrura, escurecimento, abacinamento, entenebrecimento 2 *fig.* **difamação**, calúnia

energética *n.f.* **espiritualismo**

energia *n.f.* 1 **vigor**, força, potência, vida, nervo *fig.*, rasgo *fig.* 2 **coragem**, determinação, firmeza, denodo, ralé *col.*, febra *fig.* 3 **eficácia**

enérgico *adj.* 1 **ativo**, dinâmico ≠ **cansativo**, extenuativo, fatigante, estafante, esgotante, depauperante 2 **vigoroso**, poderoso, forte, barbiteso *fig.* ≠ **fraco** 3 **firme** ≠ **fraco**

energúmeno *n.m.* 1 **endemoninhado**, possesso, endiabrado 2 *fig.* **boçal**, ignorante

enervação *n.f.* **fraqueza**, esgotamento, prostração, extenuação, enervamento, debilitação, debilidade, abatimento, enfraquecimento

enervado *adj.* 1 **nervoso**, alterado, preocupado, impaciente, irritado, excitado, entroviscado *fig.* ≠ **calmo**, sereno, tranquilo 2 **abatido**, extenuado, exausto, enfraquecido, fraco

enervamento *n.m.* 1 **nervosismo**, excitação, irritação 2 **fraqueza**, esgotamento, prostração, extenuação, enervação, debilitação, debilidade, abatimento, enfraquecimento

enervante *adj.2g.* 1 **irritante** 2 **excitante** 3 **debilitante**

enervar *v.* 1 **excitar**, irritar, exacerbar, apoquentar ≠ **acalmar**, serenar 2 **enfraquecer**, deprimir, debilitar, afrouxar

enervar-se *v.* **irritar-se**, encolerizar-se, impacientar-se, enfurecer-se, agitar-se, excitar-se

enevoado *adj.* 1 **enublado**, toldado, nublado, nubiloso ≠ **aberto**, desanuviado, claro 2 **turvo**, embaciado ≠ **límpido**, transparente, claro 3 **obscuro**

enevoar *v.* 1 **anuviar**, toldar, nublar, embrumar, esfuminhar ≠ **abrir**, desanuviar, clarear 2 **embaciar**, turvar 3 **obscurecer**, sombrear 4 **difamar**, entristecer, deslustrar, desluzir

enevoar-se *v.* 1 **turvar-se**, entroviscar-se, entabuar-se *fig.* 2 **perturbar-se**

enfadamento *n.m.* 1 **tédio**, fastio, enfado 2 **agastamento**, zanga, consumição, aborrecimento, mal-estar, assanho, arrufo, anojo, amuo, amofinação, burrão *fig.*

enfadar *v.* 1 **enfastiar**, entediar, enojar *fig.* ≠ **desenfadar**, distrair 2 **aborrecer**, importunar, incomodar, indispor, agastar, amolar, consumir, desagradar, arrenegar, atormentar, azoar, desprazer, indignar, irritar, molestar, zangar, aborrir, amaçar *fig.*

enfadar-se *v.* **entediar-se**, aborrecer-se, maçar-se, cansar-se, enjoar *fig.*

enfado *n.m.* 1 **tédio**, fastio, enfadamento ≠ **desenfado**, distração, divertimento 2 **agastamento**, zanga, consumição, aborrecimento, mal-estar, assanho, arrufo, anojo, amuo, amofinação, burrão *fig.*

enfadonho *adj.* 1 **aborrecido**, fastidioso, desagradável, fatigante, impertinente, importuno, incómodo, indigesto, cansativo, irritante, maçador, monótono, enfastiadiço, enfastiante, enfastioso, aperreador, azoinante, flagelativo *fig.* ≠ **interessante**, agradável 2 **pesado**, trabalhoso, custoso

enfaixar *v.* **faixar**, embrulhar, cingir

enfardamento *n.m.* **embalagem**, empacotamento ≠ **desenfardamento**, desempacotamento

enfardar *v.* **embrulhar**, empacotar, embalar, empacar, entrouxar ≠ **desenfardar**

enfarinhar *v.* **emoleirar**, apolvilhar

enfarpelar *v.* **vestir**, enroupar ≠ **desenfarpelar**, despir

enfarruscar *v.* 1 **emborralhar** 2 **mascarrar**, encarvoejar, encarvoiçar, encarvoar, enegrecer, tisnar 3 *fig.* **amuar**, zangar

enfarruscar-se *v.* 1 **sujar-se** 2 *fig.* **nublar-se**, enuviar-se 3 *fig.* **amur**

enfartado *adj.* **empanzinado**, empanturrado, cheio, farto, pesado, entouriçado

enfartamento *n.m.* 1 **empanturramento**, enchimento, enfarte, afrontação 2 **obstrução**, ingurgitamento, enfarte

enfartar *v.* 1 **empanturrar**, empanzinar, fartar, encher, ingurgitar, saciar ≠ **desenfartar**, desempanturrar 2 **inchar**, intumescer 3 **entupir**, obstruir, entulhar

enfarte *n.m.* 1 **empanturramento**, enchimento, enfartamento 2 **obstrução**, ingurgitamento, enfartamento

ênfase *n.f.* **destaque**, realce, relevo

enfastiado *adj.* **entediado**, aborrecido ≠ **desenfastiado**

enfastiar *v.* 1 **entediar**, enfadar, atediar, enojar, enjoar, cansar ≠ **desenfastiar** 2 **aborrecer**, maçar, molestar, desagradar ≠ **desenfastiar**, distrair

enfastiar-se *v.* **entediar-se**, aborrecer-se, maçar-se, enfadar-se, cansar-se, fartar-se, enjoar *fig.* ≠ **desenfastiar-se**, desenfadar-se

enfático *adj.* **empolado**, exagerado, pomposo, solene, afetado, epidíctico ≠ **natural**, simples

enfatuado *adj.* **arrogante**, soberbo, vaidoso, convencido, presumido, concho, empáfio, conchudo *fig.* ≠ **simples**, comedido, despretensioso

enfatuar *v.* **envaidecer**, presumir, ensoberbecer

enfatuar-se *v.* **envaidecer-se**, vangloriar-se, gabar-se, inchar-se *fig.*, encristar-se *fig.*, engramponar-se *fig.*, afofar-se *ant.*

enfeirar *v.* **feirar**

enfeitar *v.* 1 **adornar**, ornamentar, ornar, decorar, embelezar, aformosear, alindar, adereçar, ataviar, assear, engalanar, engrinaldar, afeitar, recamar, alfenar *fig.* ≠ **desenfeitar**, desadornar, desataviar 2 *cal.* **trair**, atraiçoar, enganar, cornear *vulg.*, encornar *vulg.*

enfeitar-se *v.* **adornar-se**, arranjar-se, alindar-se, ataviar-se, apilarar-se, adereçar-se, paramentar-se, enfestar-se

enfeite *n.m.* **adorno**, recamo, ornato, louçainha, gala, enfeitamento, atavio, rebique, lavor, ornamento

enfeitiçado *adj.* 1 **embruxado** 2 *fig.* **encantado**, fascinado, seduzido

enfeitiçar *v.* 1 **embruxar**, mandingar ≠ **desenfeitiçar**, desembruxar 2 *fig.* **encantar**, fascinar, seduzir, arrebatar, atrair, cativar

enfeixar *v.* 1 **enfardelar**, entrouxar, embrulhar ≠ **desenfeixar**, desenfardelar 2 **agrupar**, juntar, reunir, amalgamar

enfermar *v.* **adoecer**, adoentar-se, achacar-se, enfraquecer, debilitar-se, combalir-se ≠ **desenfermar**

enfermiço *adj.* **doentio**, achacadiço, achacado

enfermidade *n.f.* 1 **doença**, moléstia, achaque, indisposição, mal, camarço *col.* 2 **mania**, vício

enfermo *n.m.* **paciente**, doente, achacado

enferrujado *adj.* 1 **ferrugento**, eruginoso, rubiginoso ≠ **desenferrujado**, desoxidado 2 *fig.* **entorpecido**, emperrado ≠ **desenferrujado**, desentorpecido

enferrujamento *n.m.* 1 **oxidação** 2 *fig.* **entorpecimento**

enferrujar *v.* 1 **oxidar** ≠ **desenferrujar**, desoxidar 2 **entorpecer**, embotar ≠ **desenferrujar**, desentorpecer

enferrujar-se *v.* 1 **oxidar-se** 2 *fig.* **decair**, envelhecer, decrepitar-se 3 *fig.* **emperrar**, engargantar-se

enfesta *n.f.* 1 **cumeada**, picoto, pico, cumeeira, alto, cume, cimo 2 **auge**, fastígio, assomada

enfestar *v.* 1 **enfeitar**, engalanar 2 [BRAS.] **aborrecer**, enfastiar, entediar

enfeudar *v.* avassalar, submeter, sujeitar ≠ desenfeudar

enfeudar-se *v.* sujeitar-se, submeter-se

enfezado *adj.* 1 atrofiado, raquítico, mirrado, desmedrado, entanguido ≠ desenvolvido 2 acanhado, pequeno 3 aborrecido, irritado, zangado, triste

enfezar *v.* 1 definhar, mirrar, enchousar ≠ desenfezar, desenvolver 2 agastar, amofinar, exasperar, impacientar, encolerizar, irritar, irar, enfrenesiar

enfezar-se *v.* afranzinar-se, mirrar, definhar, anãzar-se, engoiar-se, entanguir-se

enfiada *n.f.* 1 fiada, fieira, sarta 2 fileira, fila, renque

enfiado *adj.* 1 enfileirado 2 envergonhado, vexado 3 lívido, pálido, perturbado, trémulo, assustado

enfiamento *n.m.* 1 fileira, fila, renque, enfiada, enfiação, enfiadura 2 palidez, lividez, desmaio, amarelidão *col.* 3 vexame

enfiar *v.* 1 enfileirar, engranzar, encadear, ensartar ≠ desenfiar, desengranzar, desfiar, abagoar[REG.] 2 vestir, calçar ≠ despir, tirar 3 beber, emborcar, entornar 4 introduzir, espetar, empurrar, meter ≠ tirar 5 atravessar, trespassar 6 encaminhar-se, dirigir-se, ir, meter-se 7 empalidecer, descorar, assustar-se, envergonhar-se, encabular, encafifar

enfiar-se *v.* 1 entrar, meter-se, atravessar 2 esconder-se 3 vexar-se, confranger-se

enfileirar *v.* alinhar, enfiar, arregimentar ≠ desenfileirar, desalinhar

enfim *adv.* finalmente, por fim

enfiteuse *n.f.* DIR. aforamento, emprazamento, fateusim, prazo

enfiteuta *n.2g.* emprazador, foreiro

enfoque *n.m.* 1 focagem, enfocação 2 perspetivação, abordagem

enforcado *adj.* 1 estrangulado, dependurado, colgado *ant.* 2 dilapidado, malbaratado, esbanjado 3 falido, encalacrado

enforcamento *n.m.* 1 estrangulamento, forca 2 *col.* casamento

enforcar *v.* 1 forcar 2 estrangular, asfixiar, colgar 3 cabular, gazetear

enforcar-se *v.* 1 estrangular-se 2 *fig.* sacrificar-se 3 *fig.,col.* casar-se

enformar *v.* encorpar, crescer, desenvolver-se

enfraquecer *v.* 1 debilitar, fragilizar, depauperar, exaurir, extenuar, quebrantar, quebrar, afracar, desvigorar, enfraquentar, entibiar, abater, combalir, atenuar, consumir, afrouxar, ananicar, alquebrar, inanir, enfrouxecer, desquebrar[REG.] ≠ fortalecer, vigorizar, estimular, aceirar, tonificar 2 desanimar, desalentar ≠ animar, alentar 3 atenuar ≠ intensificar, aumentar

enfraquecer-se *v.* debilitar-se, fragilizar-se, desenrijar-se, agalgar-se *fig.* ≠ fortalecer-se

enfraquecimento *n.m.* 1 debilidade, fraqueza, extenuação, esfalfamento, debilitamento, debilitação, prostração, inanição, enervação, languidez, depauperação, abatimento, analose, fragilização ≠ fortalecimento, vigor 2 desânimo, desalento ≠ ânimo, alentar 3 atenuação, redução ≠ intensificação, aumento

enfrascado *adj.* 1 engarrafado 2 *col.* embebedado, bêbedo, embriagado, ébrio

enfrascar *v.* 1 engarrafar ≠ desengarrafar 2 embeber, impregnar 3 embebedar, embriagar 4 enredar, envolver

enfrascar-se *v.* 1 embebedar-se, embriagar-se, avinhar-se 2 embeber-se

enfrentar *v.* encarar, defrontar, arrostar

enfunar *v.* 1 inchar, encher, empandinar, inflar, tufar, bojar, apandar, bolsar ≠ desenfunar, desinchar 2 envaidecer, ensoberbecer, envaidar ≠ desenfunar

enfunar-se *v.* 1 entufar-se, inchar 2 *fig.* ensoberbecer-se, envaidecer-se 3 *fig.* amuar, irritar-se

enfurecer *v.* enraivecer, encolerizar, exaltar, danar, irritar, irar, embravecer, escabrear, encarniçar, assanhar, enfuriar ≠ desenfurecer, desencolerizar, serenar

enfurecer-se *v.* encolerizar-se, irar-se, zangar-se, irritar-se, debacar, encrudescer-se

enfurecido *adj.* 1 furioso, colérico, arrenegado *col.* ≠ sereno, tranquilo 2 (mar) agitado, revolto ≠ sereno, tranquilo

enfurecimento *n.m.* fúria, exaltação, cólera, irritação ≠ desenfurecimento

engaiolar *v.* prender, encarcerar, enclausurar, encerrar, enjaular ≠ desengaiolar, soltar

engajamento *n.m.* 1 alistamento 2 ajuste 3 aliciação, aliciamento, angariação

engajar *v.* 1 contratar, empregar ≠ desengajar, descontratar 2 aliciar, seduzir, subornar 3 alistar, arrolar

engalanar *v.* adornar, ornamentar, enfeitar, ornar, aformosear, embelezar, ataviar, agalanar

engalfinhar *v.* agarrar, apanhar

enganado *adj.* 1 errado, equivocado 2 burlado, trapaceado, aldrabado, bigodeado 3 atraiçoado, traído

enganador *adj.,n.m.* embusteiro, mentiroso, traiçoeiro, ardiloso, trapaceiro, fraudulento, enganoso, falsário, impostor, embaucador, embelecador, embromador[BRAS.] ≠ desenganador, franco

enganar *v.* 1 **burlar**, lograr, ludibriar, embair, embustear, endrominar, encravar, defraudar, falcatruar, engrampar, fraudar, aldravar, embaçar, fintar, bigodear, engrolar, imposturar, batotar, embarrilar *col.*, embrulhar *fig.*, enrascar *fig.*, empandeirar *fig.*, carambolar *fig.*, capear *fig.*, engazupar *col.*, mamar *col.*, engrazular [REG.], embromar [BRAS.] ≠ **desenganar** 2 **iludir**, falsear, embalar *fig.* ≠ **desenganar** 3 **atraiçoar**, trair

enganar-se *v.* 1 **equivocar-se**, errar, confundir-se ≠ **acertar** 2 **iludir-se**

enganchar *v.* **prender**, engatar, enlaçar, espetar, segurar ≠ **desenganchar**, desprender

enganchar-se *v.* 1 **agarrar-se**, prender-es 2 **enlaçar-se**

engano *n.m.* 1 **erro**, desacerto, equívoco, lapso, quiproquó, gato, abusão, equivocação, enganação 2 **ardil**, armadilha, embuste, logração, logro, fraudulência, insídia, impostura, fraude, vigarice, finta, falsidade, falcatrua, esparrela, baldroca, velhacaria, treta, trampolina, manganilha, puia, cacha, burla, cambapé, garatusa, alicantina, embeleco, embaimento, cilada, embaçadela, cavilação, cambalacho, cangarilhada, dolo, tramoia *col.*, trama *col.*, brete *fig.*, boiz *fig.*, anzol *fig.* 3 **devaneio**, ilusão, miragem *fig.* ≠ **desengano**, desilusão 4 **traição**, infidelidade

enganoso *adj.* 1 **falso**, enganador, doloso, falacioso, fraudulento, frauduloso ≠ **desenganador**, franco 2 **ilusório**, artificioso, falaz, delusório

engarrafado *adj.* (trânsito) **congestionado**, bloqueado

engarrafamento *n.m.* 1 **engarrafagem** 2 (trânsito) **congestionamento**, entupimento, obstrução

engarrafar *v.* 1 **enfrascar**, embotelhar, embotijar, engarrafonar ≠ **desengarrafar** 2 *fig.* **obstruir**, entupir, congestionar

engasgado *adj.* 1 **sufocado**, entalado 2 *fig.* **atrapalhado**, embatucado

engasgar *v.* 1 **asfixiar**, sufocar, embuchar ≠ **desengasgar**, desbuchar 2 *fig.* **atrapalhar**, embatucar, enlear ≠ **desengasgar**

engasgar-se *v.* 1 **entalar-se**, sufocar, engasgalhar-se 2 *fig.* **atrapalhar-se**, gaguejar, embaraçar-se, perturbar-se 3 *fig.* **embatucar**, embuchar, calar-se

engastar *v.* 1 **cravar**, encravar, embutir, entalhar, encastoar, encaixar, enxerir, marchetar, tauxiar ≠ **desengastar**, descravar 2 **intercalar**, entressachar

engaste *n.m.* **cravação**, embutido, encaixe, encravação, encarna

engatar *v.* 1 **enganchar**, prender, atrelar, engatilhar, juntar, ligar, unir, acoplar, conexar ≠ **desengatar**, desenganchar 2 **embraiar** 3 *col.* **seduzir**, conquistar 4 **errar**, enganar-se, gatar

engate *n.m.* 1 **embraiagem**, embreagem [BRAS.] 2 *col.* **arranjinho**, paquera [BRAS.]

engatilhar *v.* 1 **aperrar** ≠ **desengatilhar** 2 **aprontar**, compor, preparar

engatinhar *v.* 1 **gatinhar** 2 **trepar** 3 *fig.* **principiar**

engelha *n.f.* **prega**, ruga, encorrilha, gelha

engelhado *adj.* 1 **amarrotado** ≠ **desengelhado**, desamarrotado 2 **enrugado**, encarquilhado ≠ **desengelhado**, desenrugado

engelhar *v.* 1 **encarquilhar**, enrugar, amarrotar, avelar ≠ **desengelhar**, desenrugar, desencarquilhar 2 **murchar**, secar, ressecar

engelhar-se *v.* 1 **enrugar-se**, encarquilhar-se, amarrotar-se, escarambar-se, encorrilhar-se, corrugar-se, vincar-se, encorricar 2 **murchar**, secar, mirrar, encolher-se

engendrar *v.* 1 **conceber**, gerar, originar 2 **causar**, ocasionar, originar, produzir 3 **engenhar**, imaginar, idear, inventar, arquitetar, astuciar

engenho *n.m.* 1 **habilidade**, talento, subtileza, veia, arte, agudeza, astúcia, capacidade, destreza 2 **ardil**, estratagema 3 **maquinismo**, aparelho, máquina 4 **invenção**, invento, inventiva 5 **nora**, cegonha 6 **génio**

engenhoca *n.f.* 1 **geringonça**, maquinismo 2 **ardil**, artimanha, armadilha, tramoia *col.*

engenhoso *adj.* 1 **inventivo**, industrioso, imaginoso, talentoso, habilidoso, hábil, destro, inteligente, esperto ≠ **desengenhoso**, desajeitado, inábil 2 **arguto**, artificioso, astuto 3 **rebuscado**, amaneirado, estudado

engessar *v.* **gessar**, rebocar

englobar *v.* 1 **abranger**, abarcar, conglobar 2 **aglomerar**, conglomerar, reunir, juntar, ajuntar ≠ **desenglobar**, desaglomerar

engodar *v.* 1 **cevar**, iscar, atrair ≠ **desengodar** 2 **aliciar**, seduzir, enganar, engrampar, embelecar, lograr, atrair, embair ≠ **desengodar**, desenganar

engodo *n.m.* 1 **isca**, ceva, negaça 2 **chamariz**, atrativo, aliciação, visco *fig.* 3 **lisonja**, adulação

engolir *v.* 1 **deglutir**, comer, beber, absorver, consumir, devorar, ingerir, sorver, embuchar, tragar, engulipar ≠ **desengolir**, vomitar 2 **aguentar**, suportar, sofrer, gramar 3 **consumir**, dissipar, gastar 4 **disfarçar**, calar, dissimular, esconder, ocultar 5 *col.* **acreditar**, crer

engomar *v.* 1 **brunir**, passar 2 **adular**, lisonjear, ensoberbecer 3 **colar**, fechar 4 **abrochar**, agomar, gomar, abotoar, abrolhar

engonço *n.m.* 1 **gonzo**, dobradiça 2 *col.* **articulação**

engonha *n.f.* [REG.] **preguiça**, lazeira ■ *n.2g.* [REG.] **mandrião**, preguiçoso

engorda *n.f.* **ceva**

engordar *v.* 1 **cevar**, anafar, nutrir ≠ **emagrecer** 2 *fig.* **medrar**, prosperar, engrossar 3 *fig.* **enriquecer**, locupletar-se

engordurar *v.* **besuntar**, untar, ensebar, enlambuzar ≠ **desengordurar**

engraçado *adj.* 1 **divertido**, espirituoso, agradável, alegre, cómico, humorístico 2 **jovial**, airoso, gracioso, bonito, facecioso ≠ **desengraçado**, feio 3 **galante**, gentil, simpático

engraçar *v.* 1 **simpatizar**, gostar ≠ **desengraçar**, antipatizar 2 **realçar**, salientar 3 **troçar**, ridicularizar

engrandecer *v.* 1 **ampliar**, amplificar, aumentar, dilatar, avolumar, acrescentar, alargar, avultar, elevar, engrossar ≠ **diminuir**, reduzir 2 **crescer**, medrar, prosperar, subir, elevar-se 3 **celebrar**, enaltecer, encarecer, exaltar, enobrecer, gabar, glorificar, honrar, louvar, magnificar, sublimar, exalçar, lisonjear ≠ **desprezar**, desvalorizar, menosprezar, desconsiderar

engrandecer-se *v.* 1 **afamar-se**, celebrizar-se, glorificar-se, enobrecer-se, ilustrar-se 2 **elevar-se**

engrandecimento *n.m.* 1 **alargamento**, ampliação, aumento, crescimento, amplificação, dilatação ≠ **redução**, encurtamento 2 **elevação**, honorificência, glorificação, exaltação, encarecimento ≠ **desprezo**, desvalorização, menosprezo, amesquinhamento

engravatar-se *v. fig.* **enfeitar-se**, engalanar-se

engravidar *v.* **conceber**, gravidar, emprenhar, pejar *col.*

engraxadela *n.f. fig.* **lisonja**, bajulação, adulação

engraxador *adj.,n.m.* 1 **limpa-botas**, engraxa *col.* 2 **adulador**, bajulador, lisonjeador, manteigueiro *col.*, chaleira [BRAS.], engraxate [BRAS.]

engraxar *v. fig.* **adular**, bajular, lisonjear, apajar *fig.*

engrenagem *n.f.* 1 **endentação** 2 **organização**

engrenar *v.* 1 **endentar**, entrosar ≠ **desengrenar** 2 **relacionar**, engranzar, ligar 3 **começar**, iniciar

engrossar *v.* 1 **espessar**, encorpar, adensar, condensar, embastecer, entouçar, inspissar ≠ **desengrossar**, adelgaçar, abaquetar, ralentar 2 **aumentar**, avolumar, engrandecer, enriquecer, engordar *fig.* ≠ **desengrossar**, restringir 3 **adubar**, fertilizar 4 **embriagar**, embebedar 5 [BRAS.] **adular**, bajular, galantear, lisonjear, engraxar *fig.*, chaleirar

engrossar-se *v.* 1 **espessar-se**, adensar-se 2 **aumentar**, avolumar 3 **embebedar-se**, embriagar-se

enguia *n.f.* ICTIOL. **eiró**, iró, irós

enguiçar *v.* 1 **agourar**, azarar, encalistar, engalinhar ≠ **desenguiçar** 2 **avariar**, encrencar, emperrar ≠ **desenguiçar**

enguiço *n.m.* 1 **mau-olhado**, agouro, feitiço, quebranto, enguiçamento 2 **empecilho**, obstáculo 3 **avaria**, desarranjo, desconcerto 4 **estafermo**, ordinário, mostrengo, enxalmo *col.* 5 **infortúnio**, macaca, azar, infelicidade, caiporismo

engulho *n.m.* 1 **enjoo**, náusea, nojo, engulhamento 2 **repugnância**, asco, antolho 3 **tentação**, ânsia, desejo

enigma *n.m.* 1 **incógnita**, xis, mistério, esfinge, arcano 2 **adivinha**, charada, adivinhação

enigmático *adj.* 1 **misterioso**, indecifrável, insondável 2 **incompreensível**, ambíguo, obscuro, nebuloso, duvidoso

enjaular *v.* **aprisionar**, encarcerar, engaiolar, prender ≠ **desenjaular**, soltar

enjeitado *adj.* 1 **recusado**, rejeitado 2 **abandonado**, desprezado ■ *n.m.* **exposto**, desprotegido

enjeitar *v.* 1 **rejeitar**, recusar, refusar, desaceitar, refugar, ariscar 2 **abandonar**, desprezar, repelir, repudiar 3 **condenar**, reprovar 4 **expor**

enjoado *adj.* 1 **nauseado**, repugnado, agoniado, mal-disposto, indisposto 2 **entediado**, farto, enfadado, aborrecido, impaciente 3 **mal-humorado**, desagradável

enjoar *v.* 1 **nausear**, agoniar, engulhar, marear, emarear ≠ **desenjoar** 2 **repugnar**, enojar 3 **aborrecer**, enfastiar, entediar, causticar ≠ **desenjoar**, distrair

enjoativo *adj.* 1 **nauseabundo**, repugnante ≠ **desenjoativo** 2 **aborrecido**, fastidioso

enjoo *n.m.* 1 **náusea**, engulho, mareação, enjoamento, má-disposição, agonia *col.* ≠ **desenjoo** 2 **enfado**, tédio, entejo, aborrecimento ≠ **desenfado**, divertimento 3 **repugnância**, nojo, repulsão, enojo, asco

enlaçamento *n.m.* **laço**, nexo, enlace, conexão, união ≠ **desenlaçamento**, desenlace, ablaqueação

enlaçar *v.* 1 **laçar**, prender, atar ≠ **desenlaçar**, desprender, ablaquear 2 **abraçar**, cingir, apertar, enlear, entrelaçar, envolver ≠ **desenlaçar**, desprender 3 **atrair**, cativar, prender 4 **ligar**, combinar, unir, relacionar

enlaçar-se *v.* 1 **prender-se** 2 **enroscar-se**, abraçar-se 3 **casar-se**

enlace *n.m.* 1 **enlaçamento**, enlaçadura, enleio ≠ **desenlace**, desenlaçamento 2 **união**, concatenação, combinação 3 **ligação**, elo, vínculo, nó, encadeamento, nexo, conexão 4 **abraço**, amplexo 5 **casamento**, matrimónio

enlamear *v.* 1 **enlodar**, manchar, enodoar, sujar ≠ **desenlamear**, desenlodar 2 *fig.* **deslustrar**, conspurcar, macular, enxovalhar, aviltar, vilipendiar

enlamear-se *v.* 1 **sujar-se** 2 *fig.* **desonrar-se**, aviltar-se, deslustrar-se

enlatado *n.m.* **conserva**

enlear *v.* 1 **atar**, amarrar, ligar, prender, enlaçar ≠ **desenlear**, desatar 2 **enredar**, envolver, implicar ≠ **desenlear**, desenredar 3 **acanhar**, atrapalhar, embaraçar, embatucar, perturbar 4 **cativar**, encantar, enlevar

enlevar *v.* **extasiar**, deleitar, arrebatar, elevar, fascinar, absorver, deliciar, arroubar, encantar, embevecer, embriagar *fig.* ≠ **desenlevar**, desencantar, desiludir

enlevar-se *v.* **extasiar-se**, maravilhar-se, embevecer-se, arrebatar-se, arroubar-se, encantar-se

enlevo *n.m.* **êxtase**, encantamento, pasmo, maravilha, fascinação, enlevamento, enleio, encanto, deleite, arroubo, assombro, arroubamento, arrebatamento, alheação, embevecimento, transporte, transportamento

enliçar *v.* 1 **tecer**, tramar, urdir ≠ **desenliçar**, destramar, destecer 2 **enredar**, enlaçar, envolver, enlear, prender ≠ **desenliçar**, desenredar 3 **burlar**, enganar, lograr, fraudar, tapear

enlodar *v.* 1 **atolar**, enlamear, enlodaçar, contaminar ≠ **desenlodar**, desenlamear 2 **aviltar**, envilecer, deslustrar, conspurcar, macular

enlouquecer *v.* **endoidecer**, endoidar, amalucar, adoidar, tresloucar, ensandecer, desatinar, alhear, aluar, desorientar *fig.*, desnortear *fig.* ≠ **desenlouquecer**, desensandecer

enlouquecimento *n.m.* **desvairamento**, dementação, loucura, ensandecimento

enlutado *adj.* 1 **anojado** 2 **pesaroso**, contristado 3 **escuro**, negro, fúnebre, tenebroso, caliginoso

enlutar *v.* 1 **enegrecer**, escurecer, obscurecer, entenebrecer, toldar ≠ **desenlutar** 2 **afligir**, angustiar, consternar, entristecer ≠ **desenlutar**

enobrecedor *adj.* **honroso**, nobilitante, dignificante

enobrecer *v.* 1 **nobilitar**, afidalgar, nobrecer ≠ **desenobrecer**, vilescer 2 **distinguir**, dignificar, honrar, exaltar, engrandecer ≠ **desenobrecer**, aviltar, abandalhar 3 **aformosear**, enriquecer, adornar, decorar, ornar

enobrecimento *n.m.* **dignificação**, engrandecimento, celebridade

enojado *adj.* 1 **enjoado**, nauseado 2 **aborrecido**, enfadado

enojar *v.* 1 **anojar**, enjoar, nausear ≠ **desenojar**, desanojar 2 **entediar**, enfastiar, enfadar ≠ **desenfastiar**, desenfadar 3 **aborrecer**, incomodar, molestar

enojar-se *v.* 1 **nausear-se**, repugnar-se 2 **enfadar-se**, aborrecer-se

enojo *n.m.* 1 **náusea**, enjoo, agonia, enojamento 2 **enfado**, enfadamento, tédio, aborrecimento 3 **asco**, nojo, repugnância, repulsa 4 **pesar**, tristeza, luto

enologista *n.2g.* enólogo

enólogo *n.m.* enologista

enómetro[AO] ou **enômetro**[AO] *n.m.* pesa-vinho

enorme *adj.2g.* 1 **colossal**, descomunal, desmedido, gigantesco, grandíssimo, monumental, ciclópeo *fig.* ≠ **microscópico**, pequeno 2 **desmesurado**, desproporcionado, excessivo, extraordinário 3 **grave**, horrível, tremendo, monstruoso, atroz

enormidade *n.f.* 1 **desproporção**, desmesura, desproporcionalidade 2 **horror**, barbaridade, atrocidade, crueldade, monstruosidade

enovelamento *n.m. fig.* **mistura**, confusão, enredo, amalgamento

enovelar *v.* 1 **anovelar**, enrolar, enroscar, embramar ≠ **desenovelar** 2 *fig.* **atrapalhar**, emaranhar, enredar, embaraçar, confundir, intrigar ≠ **desenovelar**, desemaranhar

enovelar-se *v.* 1 **enrolar-se**, embrulhar-se 2 **misturar-se**, mesclar-se, emaranhar-se

enquadramento *n.m.* 1 **emolduramento** ≠ desenquadramento 2 **caixilho** 3 **contexto** 4 **integração**

enquadrar *v.* 1 **emoldurar**, encaixilhar, encaixar ≠ **desenquadrar**, desencaixilhar 2 **cercar**, envolver 3 **ajustar**, adaptar, adequar ≠ **desenquadrar**, desajustar

enquadrar-se *v.* 1 **integrar-se**, inserir-se, caber 2 **adequar-se**, ajustar-se, quadrar-se

enqueijar *v.* coalhar

enquistar *v.* endurecer

enquistar-se *v.* 1 **endurecer**, inteiriçar-se 2 **estagnar**, arremansar-se 3 **encaixar-se**

enraivecer *v.* **agastar**, enfurecer, encolerizar, exasperar, impacientar, irar, enraivar, danar, desesperar, desapacientar ≠ **desenraivecer**, sossegar, amansar

enraivecer-se *v.* **irritar-se**, zangar-se, enfurecer-se, encolerizar-se, remorder-se

enraizar *v.* **arraigar**, arreigar, fixar, inveterar ≠ **desenraizar**, desarreigar

enramalhetar *v.* **enramilhetar**, enramar, enramalhar

enrascada *n.f.* 1 *col.* **embrulhada**, entaladela, aperto, embaraço, complicação, alhada, dificuldade 2 *col.* **fraude**, logro, falcatrua, arriosca

enrascadela *n.f.* 1 *col.* **embrulhada**, entaladela, aperto, embaraço, complicação, alhada, dificuldade, embrechada, enroscadela 2 *col.* **fraude**, logro, falcatrua, falcatruíce, arriosca

enrascar *v.* 1 **atrapalhar**, dificultar, complicar, emaranhar, embaraçar, encravelhar, encalacrar ≠ **desenrascar** 2 **atraiçoar**, enganar, lograr, enredar ≠ **desenrascar**

enrascar-se *v.* **encalacrar-se**, encravar-se ≠ **desenrascar-se**, safar-se

enredar *v.* 1 **emaranhar**, entretecer, entrelaçar, enlear ≠ **desenredar**, desemaranhar 2 *fig.* **complicar**, dificultar, confundir, embaraçar, encalacrar, envolver, entalar ≠ **desenredar**, resolver 3 *fig.* **intrigar**, comprometer, implicar, alcovitar, entreplicar *col.*

enredar-se *v.* 1 **emaranhar-se**, enlear-se, prender-se, envencilhar-se, encambulhar-se, empeçar-se 2 *fig.* **envolver-se**, implicar-se, enliçar-se

enredo *n.m.* 1 **complicação**, confusão, meada, salsada, labirinto, nó, trapalhada, dificuldade, alhada, embrulhada, embaraço, ensalsada *fig.* 2 **ardil**, cilada, maquinação, logro, marosca, artifício, cabala, chicana, endrómina, trama *col.*, tramoia *col.* 3 **intriga**, mexerico, meandro, maranha, urdimenta, caramilho, ditinho, enliçamento, novelo *fig.* 4 **trama**, intriga, entrecho

enregelamento *n.m.* **congelamento**, congelação, resfriamento ≠ **desenregelamento**, descongelamento

enregelar *v.* 1 **congelar**, gelar, regelar, enfriar, resfriar, engaranhar [REG.], entanguecer ≠ **desenregelar**, descongelar, aquecer 2 *fig.* **paralisar**, petrificar 3 *fig.* **desanimar**, desalentar, intimidar

enriçado *adj.* **eriçado**, emaranhado, ouriçado, riçado ≠ **desenriçado**, desemaranhado

enricar *v.* 1 **opulentar**, enriquecer ≠ **empobrecer** 2 **valorizar**, melhorar, desenvolver, engrandecer, enobrecer ≠ **empobrecer** 3 **adornar**, ornar, abrilhantar, aformosear ≠ **empobrecer** 4 **dotar**, povoar

enriçar *v.* **eriçar**, emaranhar, ouriçar, riçar ≠ **desenriçar**, desemaranhar

enrijecer *v.* **endurecer**, enrijar, robustecer ≠ **amolecer**, atibiar

enriquecer *v.* 1 **opulentar**, enricar ≠ **desenriquecer**, empobrecer 2 **valorizar**, melhorar, desenvolver, engrandecer, enobrecer ≠ **empobrecer** 3 **adornar**, ornar, abrilhantar, aformosear ≠ **empobrecer** 4 **dotar**, povoar

enriquecimento *n.m. fig.* **melhoria**, desenvolvimento, adição, engrandecimento ≠ **empobrecimento**

enrodilhar *v.* 1 **enrolar**, torcer ≠ **desenrodilhar**, desenrolar 2 **amarrotar**, amachucar ≠ **desenrodilhar**, alisar 3 **emaranhar**, enredar, embaraçar ≠ **desenrodilhar**, desemaranhar 4 **complicar**, intrincar ≠ **simplificar** 5 **atrapalhar**, embaraçar 6 **entalar**, enredar, embrulhar, envolver ≠ **livrar**

enrodilhar-se *v.* 1 **torcer-se**, enrolar-se 2 **amarrotar-se** 3 **enroscar-se**

enrolar *v.* 1 **arrolar**, enrodilhar, enroscar, enovelar, engrenhar ≠ **desenrolar**, desenrodilhar, desroscar 2 **embrulhar**, envolver 3 **complicar**, enredar, enrodilhar *fig.* 4 *fig.* **enganar**, ludibriar, confundir, levar 5 *fig.* **esconder**, ocultar

enroscar *v.* 1 **enrolar**, enrodilhar, envolver, enlear ≠ **desenroscar**, desenrolar 2 **apertar**

enroscar-se *v.* 1 **enovelar-se**, enrolar-se, dobrar-se, encolher-se, enrodelar-se 2 **enlear-se**, enlaçar-se, agarrar-se, abraçar-se

enroupar *v.* **vestir**, revestir, entrajar, agasalhar, abaetar ≠ **desenroupar**, despir, denudar

enrouquecimento *n.m.* **rouquidão**, chiadoiro

enrubescer *v.* **ruborizar**, corar, avermelhar, afoguear, rubescer, rosar, empurpurecer ≠ **desenrubescer**

enrubescimento *n.m.* **rubor**, ruborização, escandecimento ≠ **desenrubescimento**

enrugado *adj.* **amarrotado**, engelhado, engorovilhado ≠ **desenrugado**, desengelhado

enrugamento *n.m.* **encarquilhamento**, enrugação, arrugamento

enrugar *v.* **engelhar**, rugar, encorrilhar, encarquilhar, amarrotar, amarfanhar, arrugar, amarfalhar, franzir, vincar, enrodilhar, encrespar, crispar, arrufar ≠ **desenrugar**, alisar, esticar, desrugar

ensaboadela *n.f. fig.* **reprimenda**, repreensão, sarabanda *col.*, sabonete *col.*, ensinadela *col.*, ensaboamento, ensaboadura

ensaboar *v.* 1 *fig.* **repreender**, censurar, ralhar 2 *fig.* **adular**, louvaminhar, lisonjear

ensacamento *n.m.* **ensaca**, ensacagem ≠ **desensacamento**

ensacar *v.* 1 **enfardar**, enfardelar ≠ **desensacar** 2 **arrecadar**, entesourar, guardar 3 *fig.* **apertar**, encurralar, encantonar

ensaiar *v.* 1 **experimentar**, testar 2 **praticar**, exercitar, treinar 3 **preparar**, estudar, afinar 4 **tentar**, empreender

ensaiar-se *v. col.* **hesitar**, vacilar

ensaio *n.m.* 1 **experiência**, prova, teste, exame 2 **tentativa**, ensaiamento, tentâmen 3 *col.* **reprimenda**, repreensão 4 *col.* **sova**, tareia

ensandecer *v.* **enlouquecer**, endoidecer, tresloucar, dementar, emparvoecer, aloucar, desvairar, endoudar, endoudecer, reloucar, enloucar, tarar, amentar ≠ **desensandecer**, desenlouquecer

ensanduichado *adj. fig.* **entalado**

ensanguentado *adj.* **sanguinolento**, sangrento

ensanguentar *v.* 1 **ensanguinhar** 2 **avermelhar** 3 **macular**, nodoar

ensaque *n.m.* **ensaca**, ensacamento, ensacagem ≠ **desensacamento**

ensarilhar *v.* **emaranhar**, enredar, sarilhar, embaraçar, confundir, envolver, misturar, intrigar ≠ **desensarilhar**, desenredar

enseada *n.f.* **ancoradouro**, calheta, recôncavo, golfo, cala, angra, anco, abra, baía

ensebar *v.* 1 **engordurar**, untar ≠ **desensebar**, desengordurar 2 **enodoar**, manchar, conspurcar, emporcalhar, denegrir

ensejo *n.m.* **oportunidade**, aberta, vez, vau, vagar, sazão, cabe, azo, ansa, ocasião, campo, conjuntura, hora, lance, maré, momento

ensimesmar-se *v.* **fechar-se** *fig.*, concentrar-se, recolher-se

ensinadela *n.f.* 1 *col.* **reprimenda**, repreensão, sarabanda *col.*, sabonete *col.*, ensaboadela *col.*, ensaboamento, ensaboadura, amansadela 2 *col.* **lição**

ensinado *adj.* 1 **instruído**, educado 2 **domesticado** *fig.*, adestrado 3 **transmitido**

ensinamento *n.m.* 1 **ensino**, instrução, ensinança 2 **preceito**, norma, mandamento, doutrina 3 **lição**, exemplo

ensinar *v.* 1 **lecionar**, doutrinar 2 **instruir**, educar ≠ **desensinar** 3 **indicar**, mostrar 4 **treinar**, adestrar 5 **explicar**, esclarecer 6 **admoestar**, castigar, bater

ensino *n.m.* 1 **instrução**, educação 2 **amestramento**, treino 3 **castigo**, admoestação, repreensão, ensinamento

ensoberbecer *v.* 1 **envaidecer**, orgulhecer, empavonar, ufanar, engrandecer, empolar, enrufar, empavesar *fig.* ≠ **desensoberbecer**, desentonar 2 **encapelar**, encrespar, agitar

ensoberbecer-se *v.* 1 **orgulhar-se**, envaidecer-se, ufanar-se, enfatuar-se, entonar-se, emproar-se, empertigar-se, inchar-se *fig.*, enfunar-se *fig.*, intumescer *fig.*, tufar-se *fig.*, empantufar-se *fig.* 2 **encapelar-se**, encrespar-se

ensombrar *v.* 1 **sombrear**, assombrear, assombrar, enturvar, escurecer, obscurecer, ofuscar, entenebrecer ≠ **desensombrar**, clarear 2 **entristecer** ≠ **desensombrar**, alegrar

ensonado *adj.* **sonolento**, assonorentado, ensonorentado, soporoso, estremunhado, modorro, sonorento *col.*, pisqueiro [REG.] ≠ **acordado**, desperto, desvelado

ensopado *adj.* **encharcado**, empapado ≠ **seco**

ensopar *v.* 1 **encharcar**, empapar, alagar, embeber, molhar ≠ **secar** 2 CUL. **guisar**, refogar

ensopar-se *v.* **molhar-se**, encharcar-se

ensurdecedor *adj.* **barulhento**, atroador, atroante

ensurdecer *v.* 1 **emouquecer**, ensurdar, amoucar ≠ **desensurdecer** 2 **abafar**, amortecer 3 **aturdir**, estontear, atordoar, atroar

ensurdecimento *n.m.* **surdez**, mouquidão, ensurdecência, emouquecimento ≠ **desensurdecimento**

entabular *v.* 1 **começar**, iniciar, principiar, encetar, estabelecer 2 **preparar**, ordenar, dispor

entaipar *v.* **emparedar**, enclausurar, encarcerar, clausurar, encerrar, cerrar, prender ≠ **desentaipar**, libertar

entala *n.f.* **dificuldade**, sarilho, rascada, espiga, entaladela, enrascadela, embaraço, comprometimento, apuro, aperto, afronta, aflição, enrascada *col.*

entalação *n.f.* 1 **entaladela**, entalanço ≠ **desentalação** 2 *fig.* **dificuldade**, sarilho, rascada, espiga, entala, enrascadela, embaraço, comprometimento, apuro, aperto, afronta, aflição, enrascada *col.*

entaladela *n.f.* 1 **trilhamento**, entalão, apertão 2 **dificuldade**, sarilho, rascada, espiga, entala, enrascadela, embaraço, comprometimento, apuro, aperto, afronta, aflição, enrascada *col.*

entalado *adj.* 1 **trilhado**, espremido, entrasgado [REG.] ≠ **desentalado** 2 **engasgado**, embuchado ≠ **desentalado** 3 *fig.* **comprometido**, enredado, encalacrado

entalar *v.* 1 **prender**, entaliscar ≠ **desentalar**, soltar, desentaliscar 2 **trilhar**, apertar, ensardinhar, ensanduichar *fig.*, engrunhar [REG.], entabocar [BRAS.] ≠ **desentalar**, soltar 3 **encalacrar**, encravar, encravelhar, enrascar, comprometer, embaraçar, encaravelhar ≠ **desentalar**, desenrascar

entalar-se *v.* 1 **atravessar-se**, agarrar-se 2 **engasgar-se** 3 **trilhar-se**, entaliscar-se 4 *fig.* **comprometer-se**, atrapalhar-se, encalacrar-se

entalha *n.f.* **talha**, corte, entalhadura, entalhamento, entalhe, chanfradura, ensamblamento, ensambladura

entalhamento *n.m.* **talha**, corte, entalhadura, entalha, entalhe, chanfradura

entalhar *v.* **esculpir**, lavrar, cinzelar, gravar, embutir, cravar, chanfrar, ensamblar

entalhe *n.m.* **talha**, corte, entalhadura, entalhamento, entalha, chanfradura, crena, entredente

entalho *n.m.* **talha**, corte, entalhadura, entalhamento, entalha, chanfradura

entanto *adv.* **entrementes**, entretanto

então *adv.* 1 **nessora** 2 **nesse caso**

entaramelar *v.* 1 **titubear**, tartamudear ≠ **desentaramelar** 2 **enredar**, emaranhar

entaramelar-se *v.* 1 *fig.* **embaraçar-se**, complicar-se 2 *fig.* **enredar-se**

entardecer *v.* **anoitecer**, escurecer, alpardecer [REG.]

ente *n.m.* 1 **ser**, coisa, entidade, substância 2 **indivíduo**, pessoa

enteado *n.m.* **não-filho** [REG.] ■ *adj. fig.* **desprotegido**, desfavorecido

entediar *v.* **enfadar**, enfastiar, atediar, enojar, enjoar, cansar, enfarar ≠ **desentediar**, desenfadar, desenfastiar

entender *v.* 1 **compreender**, perceber, apreender, alcançar, atingir ≠ **desentender** 2 **pensar**, julgar, cuidar, achar, supor, ajuizar, crer 3 **tencionar**, pretender 4 **interpretar** 5 **inferir**, deduzir, concluir ■ *n.m.* **entendimento**, opinião, pensamento, interpretação, juízo, parecer

entender-se *v.* 1 **harmonizar-se**, concertar-se, combinar 2 **dar-se**, relacionar-se 3 **avir-se**, lidar, haver-se 4 **concordar**

entendido *adj.* 1 **compreendido**, percebido ≠ **desentendido** 2 **certo**, acertado, combinado, assente ■ *adj.,n.m.* **versado**, perito, conhecedor, sabedor, sábio, douto, experiente, hábil

entendimento *n.m.* 1 **inteligência**, razão, raciocínio 2 **opinião**, parecer 3 **compreensão**, discernimento, perceção 4 **acordo**, combinação, ajuste 5 **pensamento**, mente, ideia, cabeça 6 **concordância**, conformidade ≠ **desentendimento** 7 **interpretação**, significação, sentido

entenebrecer *v.* 1 **escurecer**, obscurecer, sombrear, anuviar, enublar, turvar, entenebrar, entrevar, enevoar, anoitecer, toldar, perturbar ≠ **desentenebrecer**, clarear 2 *fig.* **enlutar**, entristecer ≠ **alegrar**

enteralgia *n.f.* MED. **enterodinia**

entérico *adj.* **intestinal**

enternecer *v.* 1 **abrandar**, amolecer, embrandecer, molificar, amansar ≠ **desenternecer** 2 **comover**, apiedar, compungir, condoer, sensibilizar, impressionar ≠ **desenternecer**, empedernir

enternecer-se *v.* **comover-se**, sensibilizar-se, compadecer-se, embrandecer-se, condoer-se

enternecimento *n.m.* 1 **ternura**, meiguice, brandura 2 **compaixão**, piedade, dó

enterrado *adj.* 1 **sepultado** ≠ **desenterrado** 2 *fig.* **terminado** 3 *fig.* **esquecido**

enterramento *n.m.* **inumação**, sepultamento, saimento, exéquias, enterro, enterração, sepultura, funeral ≠ **desenterramento**, exumação

enterrar *v.* 1 **sepultar**, inumar ≠ **desenterrar**, exumar 2 **soterrar** 3 **cravar**, espetar, introduzir, meter, atanchar 4 *fig.* **atrapalhar**, embatucar 5 **encerrar**, enclausurar, esconder, ocultar ≠ **revelar**, mostrar 6 *fig.* **desacreditar**, comprometer, atolar *fig.*

enterro *n.m.* 1 **inumação**, enterramento, sepultamento, enterração, soterramento ≠ **desenterro**, exumação 2 **funeral**, exéquias, saimento

entesar *v.* 1 **retesar**, empertigar, endireitar, estirar, esticar, atesar, tesar 2 **endurecer**, enrijar, enrijecer, fortalecer ≠ **amolecer**, relaxar

entesar-se *v.* 1 **retesar-se**, enrijar-se 2 **entonar-se**, ensoberbar-se

entesourar *v.* **arrecadar**, amontoar, ajuntar, guardar, conservar, amouxar, apedoirar ≠ **esbanjar**, dissipar

entidade *n.f.* 1 **ser**, coisa, ente, substância 2 **indivíduo**, pessoa 3 **instituição**, sociedade, associação, grémio

entoação *n.f.* **modulação**, inflexão, tom, entonação, entoamento

entoar *v.* 1 **ensoar** 2 (melodia) **executar** 3 **solfejar** 4 **proferir**, enunciar 5 **dirigir**, orientar 6 **atinar**

entomologia *n.f.* **insectologia**

entonação *n.f.* **modulação**, inflexão, tom, entoação

entontecer *v.* 1 **estontear**, atontar, entontar, atordoar, azoar, aturdir, arvoar, estontecer, ourar, zonzear 2 **desvairar**, endoidar, enlouquecer, desassisar, desjuizar

entontecimento *n.m.* 1 **tontura**, estonteamento, arvoamento, atordoamento 2 **enlouquecimento**, loucura

entornar *v.* 1 **despejar**, derramar, verter, vazar, extravasar, emborcar, efundir, deitar, virar 2 **difundir**, espalhar, espargir 3 **desperdiçar**, prodigalizar, dissipar 4 *col.* **beber**, emborcar

entornar-se *v.* 1 **virar-se**, derramar-se, desborcar-se 2 *col.* **embriagar-se**, embebedar-se

entorpecer *v.* 1 **adormentar**, adormecer ≠ **desentorpecer** 2 **afrouxar**, enfraquecer, entibiar, desanimar, desfalecer, desalentar ≠ **desentorpecer**, reanimar, reavivar, animar, desentibiar, acalorar *fig.*

entorpecido *adj.* 1 **dormente**, adormecido, insensível ≠ **desentorpecido** 2 **enfraquecido**, adormentado *fig.* ≠ **desentorpecido** 3 **desanimado**, desalentado, desencorajado ≠ **desentorpecido**, animado, acalorado *fig.*

entorpecimento *n.m.* 1 **inação**, paralisia, torpor, dormência, adormecimento ≠ **desentorpecimento**, reanimação 2 **apatia**, indiferença, frouxidão, inércia, marasmo, lassidão ≠ **desentorpecimento**, reanimação

entorse *n.f.* **torcedura**, torção, estorcegão, estortegadura

entortar *v.* 1 **curvar**, dobrar, empenar, torcer, recurvar, retorcer, arquear, envesgar, corcar ≠ **desentortar**, endireitar 2 *fig.* **perverter**, arruinar ≠ **desentortar**, endireitar 3 *col.* **embriagar-se**, embebedar-se

entortar-se *v.* 1 **torcer-se**, encurvar-se 2 *col.* **embriagar-se**, embebedar-se

entrada *n.f.* 1 **chegada**, aproximação ≠ **saída**, afastamento 2 **introdução**, penetração 3 **acesso**, admissão, ingresso 4 **acolhimento**, recebimento 5 **porta**, portão, pórtico, passagem, ádito 6 **átrio**, vestíbulo 7 **orifício**, abertura, boca 8 **foz**, embocadura 9 **início**, princípio, começo 10 **aperitivo**, antepasto 11 **investida**, ataque, invasão 12 **oportunidade**, ensejo, ocasião

entrado *adj.* 1 **admitido** 2 (idade) **entradote** *col.*, avançado 3 *col.* **embriagado**, tocado 4 [BRAS.] **ousado**, confiado

entradote *adj. col.* (idade) **entrado**, avançado

entrançado *n.m.* entrelaçamento, entrançadura, entrançamento ■ *adj.* 1 entrelaçado, enastrado 2 confuso, emaranhado, enleado, enredado

entrançar *v.* 1 entrelaçar, encanastrar, entretecer, trançar, enastrar, encambar ≠ desentrançar, destrançar 2 [BRAS.] vadiar, vagabundear, vagabundar

entranha *n.f.* 1 víscera 2 [*pl.*] coração, âmago, íntimo

entranhado *adj.* 1 penetrado, introduzido 2 arreigado, enraizado, inveterado 3 íntimo, profundo, entranhável

entranhar *v.* 1 introduzir, inserir, mergulhar, cravar, penetrar, profundar ≠ desentranhar 2 arreigar, arraigar, inveterar, enraizar

entranhar-se *v.* 1 infiltrar-se, penetrar 2 embrenhar-se, adentrar-se, penetrar, meter-se, mergulhar *fig.* 3 dedicar-se, devotar-se, entregar-se

entrapar *v.* 1 enfarrapar ≠ desentrapar 2 emplastrar ≠ desentrapar, desemplastrar

entrar *v.* 1 ingressar ≠ sair 2 introduzir-se, penetrar, meter-se, encaixar-se 3 começar, principiar 4 incluir-se 5 invadir 6 desaguar, desembocar 7 atravessar, transpor, ultrapassar

entravamento *n.m.* 1 travejamento, vigamento 2 obstáculo, entrave

entravar *v.* emperrar, atravancar, embaraçar, dificultar, estorvar, impedir, obstruir, sustar, pear, travar, empecer ≠ desentravar, desembaraçar, desimpedir

entrave *n.m.* impedimento, obstáculo, estorvo, embaraço, dificuldade, obstrução, trambelho, peia *fig.*, travão *fig.*

entreaberta *n.f.* fenda, fresta, greta, intervalo, abertura

entreaberto *adj.* semiaberto, soaberto

entreabrir *v.* 1 soabrir, descerrar 2 (flor) desabrochar 3 (tempo) desanuviar-se, aclarar-se

entreacto[aAO] *n.m.* ⇒ **entreato**[dAO]

entreato[dAO] *n.m.* entrecena, intermédio

entrecho *n.m.* intriga, enredo, urdidura, contextura, trama *col.*, teia *fig.*

entrechoque *n.m.* 1 embate, encontro, colisão 2 oposição

entrecortar *v.* 1 dividir, cortar 2 *fig.* interromper

entrecruzar-se *v.* cruzar-se, misturar-se

entrega *n.f.* 1 transmissão, cessão, transferência, outorgamento, outorga 2 rendição, capitulação 3 consagração, dedicação 4 traição, perfídia 5 denúncia, delação 6 entalação, enrascadela, comprometimento, apuro, aperto, encalacração 7 pagamento, dação

entregar *v.* 1 dar, passar, doar, ceder, outorgar ≠ receber 2 denunciar, delatar, atraiçoar, trair 3 devolver, restituir 4 ceder, vender 5 confiar

entregar-se *v.* 1 dedicar-se, devotar-se, empenhar-se, aplicar-se, consagrar-se, botar-se *col.* 2 render-se, submeter-se, sujeitar-se, resignar-se ≠ resistir, lutar 3 abandonar-se, dar-se, render-se, resignar-se, ceder 4 encomendar-se, confiar-se

entregue *adj.2g.* 1 dado, cedido, entregado 2 devolvido, restituído 3 absorto, ocupado, aplicado 4 confiado 5 dedicado, devotado 6 [BRAS.] cansado, exausto

entrelaçado *adj.* 1 enlaçado, entrançado ≠ desentrelaçado, desenlaçado 2 emaranhado, enleado, enredado ≠ desemaranhado, desenredado ■ *n.m.* entrelaçamento

entrelaçamento *n.m.* entrançado, entrelaçado, enlaçamento, cruzamento, entretecedura, entretecimento

entrelaçar *v.* 1 entrançar, enlaçar, entretecer, encanastrar, trançar, enredar, cruzar, enastrar, tecer, enredear, entear *fig.* ≠ desentrelaçar, desentrançar, desenastrar 2 confundir, misturar, mesclar

entrelaçar-se *v.* 1 entretecer-se, entrançar-se 2 entrecruzar-se, misturar-se

entrelinha *n.f.* 1 faia 2 comentário

entrelinhar *v.* 1 espacejar, faiar, intervalar ≠ desentrelinhar 2 comentar, anotar

entreluzir *v.* 1 bruxulear, transluzir 2 entrever, entremostrar, perceber

entremear *v.* 1 intercalar, interpolar, entressachar, interpor, entremeter, intermediar 2 intervalar, alternar 3 misturar, mesclar, entressemear

entremeio *n.m.* intervalo, interpolação, intermédio

entrementes *adv.* entretanto

entremez *n.m.* farsa

entrepor *v.* intercalar, interpor, entremeter

entrepósito *n.m.* 1 armazém, trapiche, entreposto 2 empório, feitoria, entreposto

entreposto *n.m.* 1 armazém, trapiche, entrepósito 2 empório, feitoria, entrepósito

entretanto *adv.* entrementes, emmentes

entretecer *v.* 1 entrançar, encanastrar, entrelaçar, enredar, enlear, sobretecer 2 inserir, introduzir, incluir, entremear, entremeter, intercalar 3 tramar, urdir, tecer

entretecer-se *v.* entrelaçar-se, entrançar-se

entretela *n.f.* 1 entreforro 2 (muro) contraforte

entretém *n.m. col.* entretenimento, distração, passatempo, entretenga [REG.]

entretenimento *n.m.* 1 divertimento, passatempo, recreio, recreação, ocupação, entretimento, distração, brincadeira, entretenga [REG.] 2 logro, engano

entreter *v.* 1 **distrair**, divertir, recrear, ocupar 2 **retardar**, reter, deter, impedir 3 **iludir**, enganar 4 **conservar**, manter, alimentar 5 **aliviar**, abrandar, mitigar, paliar, suavizar

entreter-se *v.* 1 **divertir-se**, distrair-se 2 **deter-se**, demorar-se

entretido *adj.* 1 **distraído**, divertido 2 **absorto**, pensativo

entretimento *n.m.* **divertimento**, passatempo, recreio, recreação, ocupação, entretenimento, distração, brincadeira, entretenga [REG.]

entrevação *n.f.* **paralisia**, anervia, aneuria, imobilidade, entrevecimento, entrevamento

entrevado *adj.,n.m.* **paralítico**

entrevar *v.* 1 **escurecer**, obscurecer, entenebrecer, toldar, entrevecer 2 **paralisar**, tolher, entorpecer

entrevar-se *v.* **paralisar-se**

entrever *v.* 1 **prever**, antever, visionar, pressentir 2 **divisar**, vislumbrar, lobrigar

entrever-se *v.* **ver-se**, avistar-se

entrevista *n.f.* **encontro**

entrincheirar *v.* **barricar**, abarreirar, abaluartar, atrincheirar, entranqueirar, envalar ≠ **desentrincheirar**

entrincheirar-se *v.* **fortificar-se**, refugiar-se, entranqueirar-se

entristecer *v.* 1 **contristar**, desolar, desconsolar, desgostar, angustiar, afligir, penalizar, melancolizar ≠ **alegrar**, desentristecer 2 **escurecer**, nublar-se, anuviar-se, toldar-se ≠ **desanuviar-se**, clarear 3 **murchar**, estiolar, emurchecer

entristecer-se *v.* 1 **afligir-se**, contristar-se, penalizar-se, ensombrar-se *fig.* ≠ **alegrar-se**, desencarrancar-se, desentristecer-se 2 *fig.* **anuviar-se**, nublar-se 3 **murchar**, estiolar, emurchecer

entristecimento *n.m.* **melancolia**, desolação, amargura, tristeza, ensombramento ≠ **alegria**, contentamento

entronar *v.* 1 **entronizar** ≠ **destronar**, desentronizar 2 *fig.* **engrandecer**, enaltecer, exaltar, sublimar, exalçar, elogiar, elevar ≠ **humilhar**, abater

entroncado *adj.* **espadaúdo**, refeito, corpulento, atronchado [REG.]

entroncamento *n.m.* **articulação**, cruzamento, encruzilhada

entroncar *v.* 1 **engrossar**, entronquecer, robustecer 2 **inserir-se**, convergir

entroncar-se *v.* **implantar-se**, ligar-se, reunir-se, fixar-se, inserir-se

entronização *n.f.* 1 **entronizamento** ≠ **desentronização**, destronamento 2 *fig.* **enaltecimento**, engrandecimento, exaltação

entronizar *v.* 1 **entronar** ≠ **destronar**, desentronizar 2 *fig.* **engrandecer**, enaltecer, exaltar, sublimar, exalçar, elogiar, elevar ≠ **humilhar**, abater

entrosar *v.* 1 **endentar**, engrenar, encaixar, engranzar ≠ **desengrenar** 2 **ajustar**, adaptar, ambientar, aclimatar ≠ **desadaptar** 3 **ordenar**, organizar

Entrudo *n.m.* **Carnaval**

entufar *v.* 1 **inchar**, tufar, intumescer, entumecer 2 *fig.* **enfatuar**, envaidecer

entufar-se *v.* **envaidecer-se**, ensoberbecer-se, ufanar-se

entulhar *v.* 1 **atravancar**, obstruir, atupir, atulhar, entupir, empachar ≠ **desentulhar**, desobstruir 2 **abarrotar**, enfartar, empanturrar 3 **amontoar**, armazenar, acumular

entulho *n.m.* **escombros**, destroço

entumecer *v.* **intumescer**, inchar, inturgescer, tumescer ≠ **desintumescer**, desinchar, desentumecer

entupido *adj.* 1 **tapado**, obstruído ≠ **desentupido**, desobstruído 2 **cheio**, abarrotado 3 *fig.* **embatucado**, emudecido

entupir *v.* 1 **obstruir**, entulhar, atulhar, tapar, embaraçar, encher, atuir [REG.] ≠ **desentupir**, desobstruir 2 *fig.* **emudecer**, embaçar, embatucar

entupir-se *v.* 1 **obstruir-se**, tapar-se, fechar-se 2 **encher-se**, entulhar-se, atulhar-se 3 **embatucar**

entusiasmado *adj.* **animado**, encorajado, estimulado ≠ **desencorajado**

entusiasmar *v.* 1 **animar**, empolgar, encorajar, estimular, excitar, motivar, apaixonar ≠ **desanimar**, desencorajar 2 **arrebatar**, encantar, deleitar, extasiar

entusiasmar-se *v.* 1 **animar-se**, empolgar-se, excitar-se, motivar-se, inflamar-se 2 **interessar-se**, apaixonar-se 3 **arrebatar-se**

entusiasmo *n.m.* 1 **regozijo**, excitação, veemência, exaltação, emoção, animação, ânimo, arrebite, efusão *fig.*, empolgamento *fig.* ≠ **circunspeção**, sisudeza 2 **paixão**, arrebatamento, admiração, ardor ≠ **indiferença** 3 **estro**, inspiração

entusiasta *n.2g.* **admirador**, apaixonado, dedicado, aficionado

entusiástico *adj.* **ardente**, arrebatado, caloroso, delirante, fogoso, veemente, vivo ≠ **neutro**, insípido

enumeração *n.f.* 1 **narração**, exposição 2 **inventário** 3 **conta**, cômputo, contagem

enumerar *v.* 1 **contar**, numerar, relacionar, aquadrelar, dinumerar 2 **narrar**, relatar, descrever, expor, recontar

enunciação *n.f.* 1 **declaração**, expressão, exposição, manifestação 2 **asserção**, tese

enunciado *adj.* **expresso**, exposto, declarado, anunciado

enunciar *v.* **expor**, expressar, exprimir, declarar, dizer, anunciar, manifestar, pronunciar

enunciativo *adj.* **declarativo**, expressivo

envaidecer *v.* **ensoberbecer**, orgulhar, enfatuar, entufar, enfunar, envaidar, ufanar, apavonar

envaidecer-se *v.* **orgulhar-se**, ufanar-se, apavonar-se, enfatuar-se, vangloriar-se, inchar-se, ensoberbecer-se, abalofar-se *fig.* ≠ **desempoar-se** *fig.*

envaidecimento *n.m.* **desvanecimento**, orgulho, vaidade

envasar *v.* 1 **envasilhar** 2 **enlodar**, atascar, atolar, enlamear ≠ **desenvasar**, desatascar 3 ARQ. **embasar**

envasilhar *v.* **engarrafar**, enfrascar, engarrafonar, embarrilar, encascar, envasar ≠ **desenvasilhar**

envelhecer *v.* **avelhentar**, envelhentar, avelar, caducar, acarunchar, decrepitar, bolorecer *fig.* ≠ **rejuvenescer**, emeninecer

envelhecimento *n.m.* **ancianidade**, mela *fig.* ≠ **rejuvenescimento**

envelope *n.m.* **sobrescrito**

envenenado *adj.* 1 **intoxicado**, contaminado 2 *fig.* **pervertido**, corrompido 3 *fig.* **deturpado**, distorcido

envenenador *adj.,n.m.* **peçonhento**

envenenamento *n.f.* 1 **intoxicação**, intoxicamento, toxicose, contaminação ≠ **desintoxicação** 2 *fig.* **corrupção**, dissolução

envenenar *v.* 1 **apeçonhentar**, empeçonhar, intoxicar, empeçonhentar, peçonhentar ≠ **desenvenenar** 2 **corromper**, perverter 3 **adulterar**, deturpar, distorcer

enveredar *v.* 1 **guiar**, encarrilar, encaminhar 2 **encaminhar-se**, seguir, dirigir-se

envergadura *n.f.* 1 **importância**, dimensão, peso, vulto 2 **competência**, capacidade, talento 3 **estatura**, figura 4 *col.* **vestuário**, fatiota

envergar *v.* 1 **vergar**, curvar, encurvar 2 **vestir**, trajar, usar ≠ **desenvergar**, despir

envergonhado *adj.* 1 **tímido**, acanhado 2 **humilhado**, vexado

envergonhar *v.* 1 **acanhar**, intimidar, embaçar, encavacar, encalistrar, abisonhar, atomatar *fig.* 2 **deslustrar**, aviltar, humilhar, vexar

envergonhar-se *v.* 1 **acanhar-se**, embaçar, encavacar, abisonhar-se 2 **lamentar**, recriminar-se

envernizamento *n.m.* **polimento**, lustre

envernizar *v.* 1 **polir**, lustrar ≠ **desenvernizar**, despolir, deslustrar 2 **disfarçar**, camuflar

envernizar-se *v.* 1 **polir-se** 2 *col.* **embebedar-se**, embriagar-se

enviado *n.m.* 1 **emissário**, mensageiro, portador 2 **representante**, embaixador

enviar *v.* 1 **remeter**, endereçar, expedir, despachar 2 **deputar**, delegar, incumbir 3 **mandar**, encaminhar 4 **atirar**, lançar, arremessar

enviar-se *v.* **arremessar-se**, arremeter

envidar *v.* 1 **solicitar**, convidar 2 **empenhar**, empregar 3 **desafiar**, provocar

envide *n.m.* 1 (jogo) **desafio** 2 **convite** ■ *n.f.* **embiga**

envidraçado *adj.* **vidrado**

envidraçar *v.* **embaciar**, vidrar, empanar

enviesado *adj.* 1 **oblíquo** 2 **torto**, torcido, acambado 3 **estrábico**, vesgo 4 **arrevesado**, torto, difícil

enviesar *v.* **entortar**, envesgar, esguelhar, obliquar, enesgar, enviusar

envinagrar *v.* 1 **avinagrar**, azedar, acetificar 2 *fig.* **irritar**, acirrar

envio *n.m.* **despacho**, remessa, enviamento, expedição

enviusar *v.* **entortar**, envesgar, esguelhar, obliquar, enesgar, enviesar

enviuvar *v. fig.* **privar**, despojar

envolta *n.f.* 1 **faixa**, ligadura, envoltura 2 **confusão**, mistura, misturada, baralhada, amalgamamento 3 **tumulto**, desordem, refrega

envolto *adj.* 1 **envolvido**, embrulhado, enrolado 2 **cingido**, enlaçado 3 **circundado**, rodeado 4 **toldado**, turvo, encoberto 5 **confundido**, confuso 6 **misturado**, amalgamado

envolvente *adj.2g.* 1 **envolvedor**, circundante, enleador, enleante, ampletivo, invaginante 2 **abrangente**, global, globalizante 3 **cativante**, atraente, aliciante, sedutor, encantador

envolver *v.* 1 **embrulhar**, enrolar 2 **rodear**, circundar, cercar, cingir, contornar 3 **misturar**, mesclar, confundir, baralhar, anaçar 4 **abarcar**, abranger, atingir, compreender, conter, encerrar, incluir 5 **implicar**, acarretar 6 **encobrir**, ocultar, esconder, dissimular, disfarçar, emantilhar 7 **enredar**, enlear, embaraçar 8 **cativar**, atrair, seduzir

envolver-se *v.* 1 **embrulhar-se**, enrolar-se, enroscar-se, cobrir-se 2 **imiscuir-se**, intrometer-se, entremeter-se, interferir, ingerir-se 3 **ligar-se**, relacionar-se, meter-se *col.*, enrolar-se *col.* 4 **implicar-se**, meter-se

envolvido *adj.* 1 **coberto** 2 **embrulhado**, enrolado 3 **rodeado**, cercado, cingido 4 **incluído**, abrangido, contido 5 **implicado**, acarretado

envolvimento *n.m.* 1 **empenhamento**, implicação 2 **caso**, ligação, aventura

enxada *n.f. fig.* **ofício**, profissão, mister, ganha-pão

enxadrezar *v.* axadrezar, escaquear, enxaquetar ≠ desxadrezar
enxambrar *v.* enxugar, enxumbrar
enxame *n.m.* 1 colmeia, abelhal, abelheira 2 *fig.* multidão, abundância, caterva, tropel, profusão
enxamear *v.* 1 abundar, pulular, formigar, inçar 2 aglomerar-se, amontoar-se, apinhar-se
enxaqueca *n.f.* MED. hemicrania, hemialgia
enxara *n.f. ant.* charneca, matagal
enxerga *n.f.* 1 enxergão, almadraque, xergão 2 catre, grabato *ant.*
enxergar *v.* 1 avistar, lobrigar, vislumbrar, ver, descortinar, distinguir, divisar, entrever 2 entender, perceber, inferir 3 pressentir, adivinhar
enxertar *v.* inserir, incluir, introduzir, enxerir
enxertia *n.f.* AGRIC. enxerto, enxertadura
enxerto *n.m.* 1 AGRIC. enxertia, enxertadura 2 *col.* sova, tareia, pancada
enxó *n.f.* chula, sula
enxofrar *v. fig.* arreliar, irritar, encolerizar ≠ desenxofrar, desagastar
enxofrar-se *v. fig.* zangar-se, irritar-se, agastar-se, abespinhar-se, enfurecer-se, arrufar-se, arreliar-se
enxota-moscas *n.m.2n.* moscadeiro, mosqueiro
enxotar *v.* afugentar, espantar, sacudir, repelir, escorraçar, expulsar, expelir
enxoval *n.m.* pateta, pacóvio, asno
enxovalhar *v.* 1 emporcalhar, sujar, manchar, enodoar ≠ desenxovalhar, limpar 2 amarrotar, amarfanhar, amachucar ≠ alisar, endireitar 3 aviltar, desacreditar, desonrar, difamar, macular, deslustrar ≠ desenxovalhar, dignificar 4 injuriar, afrontar, insultar, ofender, descompor ≠ desenxovalhar, desafrontar
enxovalhar-se *v.* 1 sujar-se, emporcalhar-se 2 desonrar-se, desacreditar-se, aviltar-se, abandalhar-se, enlamear-se *fig.* 3 amarrotar-se, amarfanhar-se
enxovalho *n.m.* 1 insulto, injúria, calúnia, afronta, apepinação *col.* ≠ desenxovalho, desafronta 2 desonra, vergonha, humilhação, ignomínia, desfeita, descrédito, enxovalhamento, acalcanhamento *fig.* ≠ desenxovalho, dignificação
enxovia *n.f.* calabouço, prisão, masmorra, cadeia, cárcere, ergástulo
enxugamento *n.m.* enxugo, secagem
enxugar *v.* secar ≠ molhar
enxugar-se *v.* secar-se, limpar-se ≠ molhar-se
enxugo *n.m.* 1 enxugamento, secagem, seca, dessecação, dessecamento 2 enxugadouro, secadouro
enxurrada *n.f.* 1 enxurro, aguaça, jorro, torrente, chorreira 2 chorrilho, abundância
enxuto *adj.* 1 seco, escorrido ≠ molhado 2 *fig.* parco, vazio 3 *fig.* magro, seco ≠ gordo, obeso
enzima *n.f.* BIOL. fermento, diástase
eoo *adj.,n.m.* oriental
epicamente *adv.* heroicamente
épico *adj.* 1 heroico, epopeico 2 homérico, maravilhoso, sublime, grandíloquo ≠ prosaico
epicurismo *n.m.* 1 sensualidade, voluptuosidade, luxúria 2 devassidão, libertinagem
epicurista *adj.,n.2g.* 1 epicureu, epicúrio 2 sensual, voluptuoso
epidemia *n.f.* flagelo, mal, peste, contágio, pandemia, andaço
epidémicoAO ou **epidêmico**AO *adj.* contagioso ≠ antiepidémico
epiderme *n.f.* cutícula, cútis, pele, película, superfície, tez
epigónioAO ou **epigônio**AO *n.m.* 1 descendente, epígono 2 seguidor, sucessor, continuador, discípulo, epígono
epígono *n.m.* 1 descendente, epigónio 2 seguidor, sucessor, continuador, discípulo, epigónio
epigrafar *v.* intitular, denominar
epígrafe *n.f.* 1 inscrição 2 mote
epigrama *n.m.* sátira, crítica, sarcasmo, alfinetada *fig.*
epigramático *adj.* satírico, mordaz, sarcástico
epilepsia *n.f.* MED. gota-coral
epílogo *n.m.* 1 peroração ≠ prefácio, prólogo 2 desenlace, fecho, conclusão, desfecho, término
episcopado *n.m.* bispado, diocese
episcopal *adj.2g.* pontifício, bispal
episodiar *v.* dramatizar
episódico *adj.* 1 esporádico, ocasional ≠ constante, permanente 2 casual, incidental 3 acessório, secundário
episódio *n.m.* circunstância, evento, incidente, ocorrência, acontecimento
epístola *n.f.* carta, missiva, correspondência
epíteto *n.m.* 1 alcunha, apelido, cognome, antonomásia, agnome, sobrenome, nome, apodo, denominação 2 impropério, vitupério, ultraje
epítome *n.m.* abreviação, sinopse, sumário, súmula, suma, recopilação, condensação, resumo
época *n.f.* 1 quadra, temporada, estação, quartel 2 período, fase 3 era, idade
epopeico *adj.* épico, grandioso, heroico
equação *n.f.* identidade, igualdade
equacionar *v.* avaliar, analisar
equidade *n.f.* imparcialidade, igualdade, justiça, integridade, fair play
equídeo *adj.* cavalar ■ *n.m.* cavalo, potro
equilateral *adj.2g.* GEOM. equilátero

equilátero adj. GEOM. equilateral

equilibrado adj. 1 estável, equipendente ≠ desequilibrado, instável 2 compensado, contrabalançado ≠ desequilibrado 3 ajuizado, criterioso, imparcial, justo, ponderado, prudente, razoável, sensato ≠ desequilibrado, insensato, aluado *fig.* 4 harmonioso

equilibrar v. 1 contrabalançar, equiponderar, librar, harmonizar, proporcionar, compensar, tentear, igualar ≠ desequilibrar, instabilizar 2 aguentar, sustentar

equilibrar-se v. segurar-se, manter-se, aguentar-se *col.*

equilíbrio n.m. 1 harmonia, coerência, simetria ≠ desequilíbrio, desarmonia 2 ponderação, sensatez, comedimento ≠ desequilíbrio 3 igualdade, concordância, equipendência ≠ desequilíbrio

equilibrista n.2g. acrobata, funâmbulo

equimose n.f. exsucação, negra, pisadura, contusão

equino adj. cavalar, hípico ■ n.m. ZOOL., BOT. ouriço

equipa n.f. grupo, formação, equipe, turma, time [BRAS.], esquadra [BRAS.]

equipagem n.f. 1 comitiva, séquito, cortejo 2 tripulação

equipamento n.m. 1 apetrechamento 2 petrechos

equipar v. 1 apetrechar, aprestar, prover, munir, abastecer, guarnecer, fornecer ≠ desequipar, desprover 2 armar, tripular, enxarciar

equiparação n.f. igualação, igualdade, paralelo

equiparar v. igualar, comparar, confrontar

equiparável adj.2g. comparável, igualável

equipar-se v. 1 vestir-se 2 preparar-se 3 abastecer-se

equitação n.f. cavalaria, picaria

equitativo adj. imparcial, justo, reto

equivalência n.f. equipolência, paridade

equivalente adj.2g. igual, equipolente

equivaler v. corresponder

equivocação n.f. confusão, erro, engano, equívoco

equivocado adj. enganado, errado

equivocar v. enganar, confundir ≠ desequivocar, esclarecer

equivocar-se v. 1 enganar-se, errar 2 confundir-se, baralhar-se

equívoco adj. 1 ambíguo, anfibológico ≠ claro, inequívoco 2 impreciso, indefinido ≠ preciso 3 dúbio, duvidoso, suspeito ≠ inequívoco ■ n.m. 1 mal-entendido, confusão, engano, equivocação, erro, quiproquó 2 ambiguidade 3 trocadilho, calemburgo

era n.f. época, período, idade, tempo

erário n.m. tesouro, fisco

ereção[dAO] n.f. 1 elevação, levantamento 2 edificação, construção ≠ demolição 3 instituição, criação, fundação, estabelecimento

erecção[aAO] n.f. ⇒ **ereção**[dAO]

erecto[aAO] adj. ⇒ **ereto**[dAO]

eremita n.2g. anacoreta, solitário, monge, ermitão, asceta, ermita ■ n.m. ZOOL. casa-alugada, casa-roubada, paguro, bernardo-eremita

eremitério n.m. ermo, descampado

eremítico adj. 1 ascético, contemplativo 2 solitário, ermo

ereto[dAO] adj. 1 direito, aprumado 2 elevado, levantado, erguido 3 hirto, teso, endurecido 4 túrgido, tumescente 5 altivo

ergástulo n.m. cadeia, calabouço, cárcere, enxovia, masmorra, prisão, enxova

ergo n.m. FÍS. erg

erguer v. 1 alçar, levantar, elevar, içar, altear, arvorar, alçapremar *fig.* ≠ baixar, acaçapar, acachapar 2 endireitar, levantar, aprumar, empinar 3 construir, edificar, erigir ≠ demolir 4 *fig.* fundar, instituir, estabelecer 5 *fig.* animar, alentar, exaltar, guindar ≠ desanimar, desalentar 6 *col.* (a videira) empar, envidilhar

erguer-se v. 1 levantar-se, altear-se, elevar-se ≠ baixar-se, agachar-se, acaçapar-se 2 aparecer, assomar, surgir 3 *fig.* revoltar-se, amotinar-se, sublevar-se

erguida n.f. 1 empa, envidilha 2 levantamento

erguido adj. 1 levantado, elevado, alçado, subido ≠ baixado 2 edificado, erigido, construído ≠ demolido 3 altaneiro 4 alto, sublime, eminente 5 hasteado

eriçado adj. 1 encrespado, arrepiado 2 espetado, hirto

eriçar v. encrespar, riçar, arriçar, ouriçar, arrepiar, levantar, enouriçar ≠ desencrespar, desriçar, desenriçar

erigir v. 1 construir, edificar, erguer 2 criar, fundar, instituir, estabelecer 3 alçar, elevar, levantar, arvorar

ermida n.f. capela, igrejário, igrejinha, orada

ermita n.2g. anacoreta, solitário, monge, ermitão, asceta

ermitão n.m. anacoreta, solitário, monge, eremita, asceta, ermita

ermo adj. 1 despovoado, desabitado, deserto ≠ habitado, povoado 2 desacompanhado, só, solitário ■ n.m. 1 descampado, deserto, desterro 2 retiro 3 solidão

erosão n.f. corrosão, desgaste

erosivo adj. corrosivo, erodente, destruidor

erótico adj. lascivo, lúbrico, sensual, amativo

erotismo *n.m.* **sensualidade**, lubricidade, pimenta *fig.*

erradicação *n.f.* 1 **desarreigamento**, extirpação, arrancamento, desenraizamento ≠ **radicação**, enraizamento, arraigamento 2 **eliminação**

erradicar *v.* 1 **arrancar**, desarraigar, extirpar 2 **eliminar**, aniquilar, suprimir

erradio *adj.* 1 **vagabundo**, errante 2 **desnorteado**, transviado, desgarrado 3 **nómada**, deambulatório, inconstante, andejo ≠ **fixo**, sedentário

errado *adj.* 1 **enganado**, equivocado ≠ **certo** 2 **incorreto**, inadequado ≠ **correto**, adequado

errante *adj.2g.* 1 **vadio**, vagabundo, errático, erradio, errabundo 2 **nómada**, ambulante, andante ≠ **fixo**, sedentário 3 **vacilante**, incerto, inconstante

errar *v.* 1 **enganar-se**, equivocar-se, desacertar ≠ **acertar**, desenganar-se 2 **falhar**, cincar, desencanar *fig.* ≠ **acertar** 3 **vaguear**, vagabundear, vagamundear, divagar, amoinar, bandarrear, bandurrear

errata *n.f.* **corrigenda**, emenda

erro *n.m.* 1 **engano**, equívoco, lapso, quiproquó, gato, abusão, equivocação, escorregadela, desacerto, descuido, falta, cinca *fig.*, raia *col.* ≠ **acertamento**, acerto, atino 2 **inexatidão**, incorreção ≠ **exatidão**, correção 3 **desregramento**, desvirtude

erróneo[AO] ou **errôneo**[AO] *adj.* **desacertado**, errado, incorreto, falso

error *n.m.* **culpa**, erro

erudição *n.f.* **sapiência**, saber, sabedoria, conhecimento, instrução ≠ **ignorância**

erudito *adj.* **culto**, douto, letrado, instruído, sábio, lido, multíscio ≠ **ignorante**, ignaro

erupção *n.f.* 1 **explosão** 2 **exantema**

erva *n.f.* 1 *col.* **marijuana**, maconha, haxixe 2 [BRAS.] BOT. **mate**, congonha, erva-mate

erva-alheira *n.f.* BOT. **alheira**

ervaçal *n.m.* **pastagem**

erva-cidreira *n.f.* BOT. **cidreira**, melissa, citronela

ervanário *n.m.* **herbanário**, herbário

ervedal *n.m.* **ervascal**

erviço *n.m.* **porco**, suíno

ervilha *n.f.* BOT. **ervilheira**

esbaforido *adj.* 1 **ofegante** 2 **apressado**, apressurado

esbanjador *adj.,n.m.* **perdulário**, gastador, dissipador, estragador, degastador, despendedor, desperdiçador, pródigo, largueador, malbaratador, manirroto, estafador, alagador *fig.*, aurívoro *fig.* ≠ **poupado**, económico, somítico, mísero, migalheiro, vilão, harpagão, forra-gaitas *col.*, tenaz *fig.*, judeu *pej.*, judio *pej.*, fomenica [REG.], muquirana [BRAS.]

esbanjamento *n.m.* **dissipação**, dilapidação, prodigalidade ≠ **economia**, poupança

esbanjar *v.* **desperdiçar**, dissipar, dilapidar, desbaratar, malbaratar, estafar, consumir, prodigar, esbaldir [REG.] ≠ **poupar**, economizar

esbarrar *v.* 1 **abalroar**, chocar, colidir, embater, encontrar-se, encalhar, embicar, estacar, tropeçar, roçar, embarrar, deter-se 2 **deparar-se**, topar 3 [BRAS.] **arremessar**, atirar

esbarrar-se *v.* 1 **embater**, chocar, colidir, espatifar-se 2 **topar**, deparar 3 **cotovelar-se**, atropelar-se

esbater *v.* 1 **atenuar**, suavizar, esmaecer, diminuir, graduar ≠ **avivar**, realçar 2 **arredondar**, adoçar 3 **desbastar**

esbater-se *v.* **enfraquecer**, suavizar-se, atenuar-se, desvanecer-se

esbatido *adj.* **suavizado**, desmaiado, atenuado ≠ **avivado**, realçado

esbeltar *v.* **embelezar**

esbeltar-se *v.* **embelezar-se**

esbelto *adj.* **airoso**, gracioso, jeitoso, elegante, garboso ≠ **deselegante**, pesado

esboçado *adj.* 1 **delineado**, tracejado, rascunhado, adumbrado 2 **planeado**, projetado, alinhavado 3 **principiado**

esboçar *v.* 1 **delinear**, esquissar, tracejar, debuxar, bosquejar, traçar, adumbrar 2 **planear**, projetar, alinhavar, idealizar, arregrar 3 **entremostrar**

esboço *n.m.* 1 **delineamento**, debuxo, bosquejo, traçado, esquisso, delineação, rascunho, borrão, alinhavo, croquis 2 **resumo**, sinopse, síntese, apanhado 3 **rudimento** 4 **princípio** 5 **projeto**, plano, esquema

esbodegado *adj.* 1 **exausto**, cansado, derreado 2 **estragado**, escangalhado, espatifado 3 **mole**, indolente 4 **desleixado**, desmazelado, negligente

esbodegar *v.* 1 **cansar**, estafar, derrear, enfraquecer 2 **deteriorar**, escangalhar, espatifar, estragar 3 **amolecer**, espapaçar 4 [BRAS.] **dissipar**, gastar

esbodegar-se *v.* 1 **enfraquecer** 2 **espapaçar-se**, amolecer 3 **cansar-se**, fatigar-se

esbofetear *v.* **bofetear**, estampilhar, socar, esmurrar

esboroamento *n.m.* 1 **esfarelamento** 2 **queda**, desmoronamento, ruína, esterroada, destruição, desmantelo, esboroo

esboroar *v.* 1 **esmigalhar**, pulverizar, esfarelar, esfarinhar, desenterroar 2 **desmoronar**, desmantelar, derrubar, desfazer, esbarrondar, esterroar, desterroar, estorroar

esboroar-se *v.* 1 **esfarelar-se**, esfarinhar-se, desboroar-se 2 **desfazer-se**, desmoronar-se, arruinar-se, desmantelar-se

esborrachado *adj.* **achatado**, esmagado, espalmado, pisado

esborrachar *v.* 1 **esmagar**, achatar, espalmar, pisar 2 **esmurrar**, rebentar, esborraçar, amachucar

esborrachar-se *v.* 1 **esmagar-se**, espalmar-se 2 **estatelar-se**, estampar-se, esparrar-se, escarrapachar-se, espalhar-se *col.*

esborratar *v.* **borrar**, borratar, esborretar, esborretear, sujar, manchar

esbracejar *v.* **estrebuchar**, bracejar, gesticular, escabujar

esbranquiçado *adj.* 1 **alvadio**, alvacento, brancal, branquicento, entrebranco, alvação, abrancaçado [REG.] 2 **desbotado**, deslavado, desmaiado 3 **descorado**, pálido 4 **grisalho**, ruço

esbranquiçar *v.* **embranquecer**, descorar, alvacentar, branquir ≠ **denegrecer**, afumar

esbugalhado *adj.* (olho) **arregalado**

esbugalhar *v.* 1 **esboroar**, esmigalhar, esmiuçar, pulverizar 2 **arregalar**, escancarar, abrir

esbulhador *adj.,n.m.* **ladrão**, usurpador, despojador, espoliador

esbulhar *v.* 1 **desapossar**, despojar, desapropriar, usurpar, desapoderar, espoliar, roubar, privar 2 **descascar**, debulhar, escorchar, escascar *col.*

esbulho *n.m.* 1 **descasque** 2 **expropriação**, usurpação, saque, roubo, furto, espoliação, despojo, despojamento, pilhagem

esburacar *v.* **esfuracar**, furar, buracar

escabeche *n.m.* 1 **zaragata**, vozearia, altercação, desordem, banzé 2 **disfarce**, artifício

escabelo *n.m.* **banco**, supedâneo, escano

escabrosidade *n.f.* 1 **aspereza**, irregularidade, rugosidade 2 **dificuldade**, complicação, obstáculo 3 **indecência**, imoralidade

escabroso *adj.* 1 **acidentado**, irregular, pedregoso 2 **escarpado**, fragoso, íngreme 3 **árduo**, áspero, crépido, dificultoso, duro, difícil ≠ **fácil**, simples 4 **inconveniente**, indecoroso, vergonhoso, indecente ≠ **decoroso**, decente

escachar *v.* 1 **fender**, rachar 2 **escanchar**, escancarar, escarrachar, esgarranchar 3 **separar**, apartar

escada *n.f.* **escaleira**

escala *n.f.* 1 **assalto** 2 **empório** 3 **porto** 4 **estadia** 5 **paragem** 6 **categoria**, classe, hierarquia 7 **sucessão**, série 8 **gama** 9 **turno**, vez, plantão 10 **graduação**, grau

escalabitano *adj.,n.m.* **santareno**

escalada *n.f.* 1 **ascensão**, subida, escalamento 2 **aumento**, intensificação

escalamento *n.m.* **ascensão**, subida, escalada

escalão *n.m.* 1 **degrau** 2 **grau**

escalar *v.* 1 **trepar**, subir, atingir, galgar ≠ **descer**, desgalgar 2 **assaltar**, roubar, saquear 3 **assolar**, arruinar, destruir 4 **golpear**, acutilar

escalavrar *v.* 1 **deteriorar**, estragar, danificar, deformar, arruinar 2 **esfolar**, escoriar, ferir, arranhar, golpear, magoar 3 **esbocelar**, esborcinar, esbeiçar

escalda *n.f.* **escaldadela**, queimadela, escaldão

escaldadela *n.f.* 1 **queimadela**, escalda, escaldão, queimadura, escaldadura 2 **correção**, repreensão, reprimenda, lição, castigo, descompostura

escaldado *adj.* 1 **queimado** 2 **receoso**, escarmentado 3 **experimentado**

escaldadura *n.f.* 1 **queimadela**, escalda, escaldão, queimadura, escaldadela 2 **correção**, repreensão, reprimenda, lição, castigo, descompostura

escaldante *adj.2g.* 1 **ardente**, fervente 2 *fig.* **polémico**, controverso

escaldar *v.* 1 **queimar**, abrasar ≠ **refrescar** 2 **ressecar**, secar 3 *fig.* **castigar**, escarmentar 4 *fig.* **avivar**, excitar, inflamar, irritar

escalfar *v.* [REG.] **esfalfar**, fatigar

escalo *n.m.* ICTIOL. **ruivaco**, robalo, robalinho, pica, escalho, boga, bordalo

escalonamento *n.m.* 1 **graduação** 2 **agrupamento**

escalonar *v.* 1 **escadear** 2 **graduar**, ordenar

escalonar-se *v.* **organizar-se**, dispor-se, colocar-se

escalpelar *v.* 1 **escalpelizar**, dissecar 2 *fig.* **analisar**, examinar

escalpelizar *v.* 1 **escalpelar**, dissecar 2 *fig.* **analisar**, examinar

escalpelo *n.m.* 1 **bisturi** 2 *fig.* **análise**, investigação, crítica

escama *n.f.* **crosta**, crusta

escamado *adj. fig.* **irritado**, zangado

escamar *v.* 1 **descamar**, esfolar, amanhar 2 **irritar**, zangar, ressabiar

escamar-se *v.* **irritar-se**, zangar-se, encolerizar-se, exaltar-se

escamoso *adj.* **escameado**, escamento, escamífero, escamígero

escamoteação *n.f.* **empalmação**, escamotação, escamoteio, furto, roubo

escamotear *v.* **surripiar**, furtar, roubar, larapiar, empalmar, palmar

escamoteio *n.m.* **empalmação**, escamotação, escamoteação, furto, roubo

escancarado *adj.* 1 **aberto** ≠ **fechado**, cerrado 2 **descoberto**, manifesto, patente, evidente, claro ≠ **escondido**, oculto

escancarar *v.* 1 **abrir**, escarcalhar[REG.] ≠ **fechar**, cerrar 2 **franquear** 3 **mostrar**, patentear, manifestar
escandalizado *adj.* **chocado**, indignado, chofrado
escandalizar *v.* **chocar**, indignar, ofender, melindrar, agravar, suscetibilizar
escandalizar-se *v.* **chocar-se**, indignar-se, melindrar-se, ofender-se
escândalo *n.m.* 1 **indignação**, ofensa, melindre 2 **escarcéu**, cena
escandaloso *adj.* **depravado**, imoral, indecoroso, indigno, injurioso, ofensivo, pernicioso, vergonhoso
escangalhar *v.* 1 **desconjuntar**, desfazer, desmantelar, desmanchar, desarranjar, dispersar, esbandalhar, estrangalhar 2 **arruinar**, destruir, estragar, partir, quebrar, romper
escanhoar *v.* **barbear**, rapar
escanhoar-se *v.* **barbear-se**
escaninho *n.m.* **recanto**, vão, recôndito, escondedoiro, esconso, andanhos[REG.]
escantado *adj.* **escanteado**, escantudo
escantear *v.* **descantear**, descantar
escantilhão *n.m.* **modelo**, padrão
escanzelado *adj.* **escanifrado**, magríssimo, escanelado ≠ **gordo**, anafado
escapar *v.* 1 **escapulir-se**, fugir, desaparecer, retirar-se, evadir-se, sumir, escoar-se 2 **livrar-se**, salvar-se, safar-se 3 **sobreviver**, permanecer, resistir
escaparate *n.m.* 1 **montra**, vitrina 2 **redoma** 3 **cantoneira** 4 **escapadela**, escapatória, subterfúgio
escapar-se *v.* 1 **fugir**, escapulir, esgueirar-se, evadir-se 2 **salvar-se**, safar-se, livrar-se, libertar-se 3 **esquivar-se**, furtar-se, evitar 4 **escoar-se**
escapatória *n.f.* **evasiva**, subterfúgio, refúgio, pretexto, fugida, escapula, escapadela, efúgio, desculpa, artimanha, escusa
escape *adj.* **salvo**, isento, livre, safo, escapo ■ *n.m.* **fuga**, evasão, escapadela, escapamento, saída, escapula, salvatério, salvação, refúgio, escapatória
escapula *n.f.* **escapadela**, saída, fuga, evasão, escapatória, escape
escápula *n.f.* 1 ANAT. **omoplata** 2 *fig.* **apoio**, amparo, segurança, arrimo, esteio
escapulir *v.* **fugir**, escapar, escamugir-se, esgueirar-se, pisgar-se *col.*, escafeder-se *col.*
escapulir-se *v.* **fugir**, escapar-se, evadir-se, esgueirar-se, pisgar-se *col.*, escafeder-se *col.*, escorçomelar-se *col.*
escaqueirar *v.* **escacar**, despedaçar, quebrar, partir, esmigalhar, escavacar
escarafunchar *v.* 1 **esgaravatar**, esgravatar, escaravelhar, esgaravunhar, esgarafunchar 2 **remexer**, revolver 3 **bisbilhotar**, investigar, esquadrinhar, procurar, pesquisar, indagar
escaramuça *n.f.* **desavença**, briga, conflito, contenda, guerrilha
escaravelho *n.m.* ZOOL. **bicho-carpinteiro**, estercoreiro, esfervelho, bosteiro, besouro, escarabeu
escarcéu *n.m.* 1 **vagalhão** 2 **alvoroço**, barulho 3 **zaragata**, cena, tormenta, estardalhaço, alarido, escândalo
escarlate *adj.,n.m.* **vermelho**, encarnado
escarnecer *v.* 1 **troçar**, zombar, caçoar, mangar, mofar, motejar, galhofar, achincalhar, chasquear, bigodear, zingrar, escarniar, ridiculizar 2 **burlar**, iludir, ludibriar
escarnecimento *n.m.* **troça**, mofa, zombaria, motejo, mangação, escárnio, chacota, caçoada
escarninho *adj.* **irónico**, sarcástico, trocista, zombeteiro, escarnecedor
escárnio *n.m.* 1 **troça**, zombaria, mofa, mangação, matraca *fig.*, motejo, sarcasmo, surriada, chacota, judiaria, caçoada, irrisão, chocarrice 2 **desprezo**, menosprezo, achincalhe
escarpa *n.f.* **alcantil**, talude, rampa, lomba, encosta, declive, ladeira
escarpado *adj.* 1 **abrupto**, alcantilado, íngreme, clivoso, ladeirento, confragoso 2 *fig.* **árduo**, difícil, escabroso, impraticável
escarranchado *adj.* **escanchado**, montado
escarranchar *v.* **escanchar**, escarrapachar
escarrapachado *adj.* 1 **escanchado**, escarranchado 2 **estatelado**
escarrapachar *v.* 1 **escarranchar**, escanchar 2 **pespegar**, impingir
escarrapachar-se *v.* 1 **esparramar-se**, refastelar-se 2 **estatelar-se**, estampar-se, esparrar-se, esborrachar-se, espalhar-se *col.*
escarrar *v.* 1 **expetorar**, escupir, espuir, cuspinhar, gosmar 2 *fig.* **desembolsar**, pagar 3 *fig.* **dizer**, desembuchar, vociferar
escarro *n.m.* 1 **expetoração**, escarradura 2 **mancha**, nódoa 3 *fig.* **porcaria**, caçurro[REG.] 4 *fig.* **afronta**, injúria, insulto, ultraje, deslustro
escassamente *adv.* **pouco**, minguadamente, diminutamente, fracamente, pobremente, raramente ≠ **muito**, bastante
escassear *v.* **faltar**, rarear, falhar, minguar ≠ **abundar**, sobejar, formigar, abondar[REG.]
escassez *n.f.* 1 **falta**, míngua, insuficiência, carência, penúria, pouquidão, rareza, raleira, desprovimento, curteza ≠ **abundância**, fartura, abada, demasia, exabundância 2 *fig.* **mesquinhez**, sovinice, tacanharia

escasso *adj.* 1 **pouco**, parco, raro, diminuto ≠ abundante, copioso, exabundante 2 **desprovido**, falto, carente, minguado 3 **acanhado**, exíguo, insuficiente, apertado, limitado 4 **avarento**, avaro, mesquinho, mísero, somítico, sovina

escatologia *n.f.* coprologia

escatológico *adj.* excrementício, nauseabundo, nojento

escava *n.f.* escavação, ablaqueação, cava

escavação *n.f.* 1 **escava**, ablaqueação, cava, desaterro, desaterramento 2 **cova**, depressão, buraco, fosso 3 **pesquisa**, investigação

escavacar *v.* 1 **despedaçar**, estilhaçar, fragmentar, quebrar, partir, espedaçar, esbandalhar, destruir, cavacar 2 *fig.* **debilitar**, alquebrar 3 *fig.* **envelhecer**, avelhentar

escavador *n.m.* 1 **cabouqueiro**, cavador 2 **investigador**, pesquisador

escavar *v.* 1 **cavar**, escarvar, aprofundar, fossar, ablaquear, ocar, vazar, sacholar, esgaivar, furacar 2 **esquadrinhar**, investigar, pesquisar, cascabulhar *fig.*

esclarecedor *adj.* **elucidativo**, informativo

esclarecer *v.* 1 **elucidar**, clarificar, explicar, aclarar, deslindar, desambiguar, desaranhar *fig.* ≠ **confundir**, baralhar, embaralhar, achatar, assalganhar, balburdiar, entaramelar, enrevesar, embarrilar *col.* 2 **instruir**, ensinar, informar

esclarecer-se *v.* 1 **informar-se**, instruir-se, ilustrar-se 2 **enobrecer-se**, ilustrar-se 3 **clarificar-se**, elucidar-se, resolver-se, desempoeirar-se *fig.* ≠ **confundir-se**, equivocar-se, atropelar-se *fig.*, entaramelar-se *fig.*

esclarecido *adj.* 1 **clarificado**, elucidado, explicado, desvendado 2 **informado**, instruído ≠ **ignorante** 3 **afamado**, distinto, douto, erudito, ilustre, ínclito

esclarecimento *n.m.* 1 **elucidação**, explicação, dilucidação, aclaração, explanação, explicitação, aclaramento, desembrulho *fig.*, desenredamento *fig.* 2 **anotação**, comentário 3 **enobrecimento**

esclavagista *adj.,n.2g.* **esclavista**, escravista

esclerose *n.f.* MED. **fibrose**

escoamento *n.m.* **escoadura**, esvaziamento, vazão

escoar *v.* 1 **escorrer**, verter, coar, filtrar, vazar 2 **vender**, distribuir

escoar-se *v.* 1 **escorrer**, despejar-se, vazar-se ≠ **encher-se**, abarrotar-se 2 **decorrer**, passar, transcorrer 3 **esgotar-se**, esvair-se, esvaziar-se 4 **escapar-se**, fugir 5 **sumir-se**, desaparecer

escócia *n.f.* ARQ. **nacela**

escol *n.m.* **elite**, nata *fig.*, creme *fig.*, flor *fig.*

escola *n.f.* 1 **colégio**, academia 2 **ideário**, doutrina, sistema, teoria 3 **saber**, sabedoria, experiência 4 **seguidores**, imitadores, apreciadores

escolar *n.2g.* **aluno**, discípulo, estudante

escolástico *n.m.* **aluno**, estudante, discípulo

escolha *n.f.* 1 **seleção**, escolhimento 2 **opção** 3 **preferência**, predileção, gosto 4 **eleição**

escolher *v.* 1 **selecionar** 2 **preferir** 3 **eleger** 4 **optar** 5 **marcar**, assinalar

escolhido *adj.* 1 **eleito**, selecionado, apurado, escolheito, filtrado *fig.* 2 **preferido**, predileto

escolho *n.m.* 1 **recife**, restinga, abrolho, parcel, cachopo 2 *fig.* **dificuldade**, revés, obstáculo

escoliasta *n.2g.* **anotador**, comentador, explicador

escólio *n.m.* **comentário**, explicação, anotação, interpretação

escolta *n.f.* 1 **séquito**, comitiva 2 **acompanhante**, companhia

escoltar *v.* **acompanhar**, comboiar, guardar, resguardar

escombros *n.m.pl.* **destroços**, ruínas

esconder *v.* 1 **encobrir**, ocultar, encapotar, fechar, guardar, resguardar, encovar, enterrar, tapar, cobrir, sumir, velar, absconder, cachar, alapar, calar, amocar, amochilar, abalçar, amoitar, enlocar, esconsar, enrustir [BRAS.] *col.* ≠ **mostrar**, revelar 2 **disfarçar**, dissimular, camuflar, mascarar ≠ **revelar**, patentear

esconderijo *n.m.* **recanto**, vão, escaninho, recôndito, esconso, refúgio, cafua, encoberta, coio

esconder-se *v.* 1 **ocultar-se**, anonimar-se 2 **desaparecer**, eclipsar-se 3 **refugiar-se**, abrigar-se 4 **disfarçar-se**, mascarar-se

escondidas *n.f.pl.* **esconde-esconde**

escondido *adj.* **oculto**, escuso, furtivo, recôndito, abstruso, secreto, abscôndito, disfarçado, acantoado, enrustido [BRAS.] *col.*

esconjuração *n.f.* 1 **maldição**, praga, esconjuro, abominação 2 **exorcismo**, conjuro

esconjurar *v.* 1 **exorcizar**, exorcismar 2 **amaldiçoar**, arrenegar 3 **afastar**, evitar

esconjuro *n.m.* 1 **maldição**, praga, esconjuração, abominação, adjuração 2 **exorcismo**, conjuro

escopo *n.m.* **intuito**, desígnio, projeto, objetivo, mira, intento, ideal, fim, propósito, alvo, fito

escopro *n.m.* **cisel**

escora *n.f.* 1 **espeque**, esteio, forção 2 **botaréu**, contraforte 3 *fig.* **apoio**, amparo, proteção, arrimo, ajuda, auxílio

escorado *adj.* 1 **amparado**, sustentado, firme 2 **confiado**, esperançado, protegido

escoramento *n.m.* **amparo**, apoio, estribamento

escorar *v.* 1 **especar**, estear, estacar, estaquear 2 **apoiar**, amparar, estribar, suportar, sustentar, suster, firmar

escorar-se *v.* 1 **firmar-se**, apoiar-se, sustentar-se 2 *fig.* **basear-se**, fundamentar-se, estribar-se, firmar-se

escória *n.f. pej.* **escumalha** *pej.*, ralé *pej.*, gentalha *pej.*, vasa *pej.*, refugo *pej.*, canalha *pej.*, enxurro *pej.*, escuma *pej.*, borra *pej.*, arraia-miúda *pej.*, fezes *pej.* ≠ **elite**, escol, nata *fig.*

escoriação *n.f.* **esfoladura**, ferimento, esfoladela, arranhão, arranhadura, escalavradura, escalavro

escoriar *v.* 1 **esfolar**, arranhar, agatanhar, ferir, escorificar 2 **purificar**, escoimar, limpar

escorpião *n.m.* 1 ZOOL. **lacrau**, alacraia [REG.] 2 ICTIOL. **peixe-aranha**, aranha

escorraçado *adj.* 1 **expulso**, afugentado, rejeitado 2 **arredio**, desconfiado, arisco

escorraçar *v.* **afugentar**, expulsar, enxotar, rejeitar, correr, desprezar, esfoguetear *col.*, estrefegar *col.*

escorregadela *n.f.* 1 **deslizamento**, escorregamento, escorregadura, resvaladura 2 **lapso**, descuido, erro, deslize, inadvertência, resvalo, leviandade, falta, raia

escorregadio *adj.* 1 **deslizante**, escorregável, resvaladio, lúbrico, escorregadiço, corriento 2 (situação, assunto) **delicado**, melindroso, complexo

escorregamento *n.f.* 1 **deslizamento**, escorregadela, escorrego 2 **lapso**, descuido, erro, deslize, inadvertência, resvalo, leviandade, falta, raia, escorregadela

escorregão *n.m.* **escorrega**

escorregar *v.* 1 **deslizar**, derrapar, resvalar 2 **decorrer** 3 **errar**

escorreito *adj.* 1 **perfeito** 2 **sadio**, são 3 **correto**, apurado, ajuizado

escorrer *v.* 1 **escoar** 2 **correr**, gotejar, pingar, fluir, verter

escorropichar *v.* **escorripichar**, esgotar, escorrichar

escoteiro *adj.* 1 **desacompanhado**, sozinho, só 2 **ágil**, veloz, lépido, leve ■ *n.m.* **explorador**, pioneiro

escova *n.f.* 1 **escovadela** 2 *col.* **peta**, mentira, loa

escovar *v.* 1 *col.* **bater**, espancar, zurzir 2 *col.* **repreender**, admoestar, censurar 3 *col.* **adular**, bajular, louvaminhar

escravatura *n.f.* **servidão**, cativeiro, sujeição, escravidão, escravaria

escravidão *n.m.* **servidão**, cativeiro, sujeição, escravatura, escravaria

escravismo *n.m.* **esclavagismo**

escravizar *v.* 1 **submeter**, tiranizar, avassalar, agrilhoar, subjugar, dominar, acorrentar, sujeitar ≠ **descravizar**, libertar 2 *fig.* **encantar**, enlevar, cativar, seduzir

escravo *n.m.* **cativo**, servo, prisioneiro, sujeito, subjugado, dependente

escrevente *n.2g.* **amanuense**, copista, escriba, escrivão, escriturário

escrever *v.* 1 **grafar** 2 **redigir**, compor, registar

escrever-se *v.* **corresponder-se**, cartear-se

escrevinhar *v.* **rabiscar**, garatujar

escriba *n.m.* 1 **amanuense**, copista, escrevente, escrivão 2 **escrevinhador**, escrevedor, rabiscador *pej.*

escrínio *n.m.* 1 **escrivaninha** 2 **guarda-joias**, porta-joias, cofre, estojo

escrita *n.f.* 1 **escritura**, escrevedura 2 **estilo** 3 **letra**, caligrafia 4 (contabilidade) **escrituração**

escrito *adj.* 1 **grafado** 2 **redigido** 3 **predestinado** 4 **evidente**, manifesto ■ *n.m.* **bilhete**, carta, missiva

escritor *n.m.* 1 **autor**, literato, plumitivo, escrevinhador *pej.*, escrevedor *pej.*, escriba *pej.* 2 **ficcionista**

escritório *n.m.* 1 **escrivaninha**, escrínio 2 **gabinete**

escritura *n.f.* 1 **escrita** 2 **caligrafia**, letra 3 **escrito**

escrituração *n.f.* (contabilidade) **escrita**

escriturar *v.* 1 **escrever**, lavrar, registar, lançar 2 **contratar**, combinar

escriturário *n.m.* **amanuense**, copista, escriba, escrivão, escrevente

escrivaninha *n.f.* **carteira**, escrínio, escritório, secretária

escrivão *n.m.* 1 **amanuense**, copista, escriba, escrevente, escriturário 2 **notário**, tabelião

escrofuloso *adj.* **estrumoso**, alporquento ≠ **antiescrofuloso**

escrúpulo *n.m.* 1 **cuidado**, consciência, esmero, atenção, meticulosidade ≠ **desleixo**, descuido, negligência 2 **remorso** 3 **dúvida**, hesitação 4 *col.* **repugnância**, asco, nojo

escrupuloso *adj.* 1 **consciencioso**, cuidadoso, zeloso ≠ **inescrupuloso** 2 **meticuloso**, minucioso, miúdo, rigoroso, coca-bichinhos, coca-minhocas, metodista, argueireiro *fig.* 3 **íntegro**, reto ≠ **falso**, desonroso, mentiroso

escrutinar *v.* **perscrutar**, pesquisar, escrutar

escrutínio *n.m.* **averiguação**, investigação, indagação

escudar *v.* **proteger**, defender, amparar, sustentar, firmar, broquelar *fig.*

escudar-se *v.* **defender-se**, resguardar-se, proteger-se

escudela *n.f.* **malga**, tigela

escudo *n.m. fig.* **proteção**, abrigo, salvaguarda, égide, defesa, arrimo, amparo, arnês *fig.*, adarga *fig.*, broquel *fig.*
esculpir *v.* **entalhar**, cinzelar, gravar, lavrar, talhar, imprimir, inscrever, entretalhar, esculturar
escultor *n.m.* **esculpidor**, estatuário, cinzelador, gravador
escultura *n.f.* **1 estátua**, estatueta **2 estatuária**
escultural *adj.2g.* **1 escultórico**, escultório **2 modelar**, perfeito, harmonioso
escuma *n.f.* **1 espuma 2 baba 3** *pej.* **escumalha** *pej.*, ralé *pej.*, gentalha *pej.*, vasa *pej.*, refugo *pej.*, canalha *pej.*, enxurro *pej.*, escória *pej.*, borra *pej.*, arraia-miúda *pej.*, fezes *pej.* ≠ **elite**, escol, nata *fig.*
escumadeira *n.f.* **espumadeira**
escumalha *n.f.* **1 jorra 2** *fig.,pej.* **ralé** *pej.*, escuma *pej.*, gentalha *pej.*, vasa *pej.*, refugo *pej.*, canalha *pej.*, enxurro *pej.*, escória *pej.*, borra *pej.*, arraia-miúda *pej.*, fezes *pej.* ≠ **elite**, escol, nata *fig.*
escumar *v.* **1 espumar**, espumaçar, babar **2 agitar-se**, excitar-se, enfurecer-se, ferver *fig.*
escuna *n.f.* **goleta**
escurecer *v.* **1 obscurecer**, enegrecer, escurentar, denegrir, turvar, obnubilar, afumar, turbar, foscar, obumbrar, abacinar, abadanar, caliginar, ebanizar, enoitecer ≠ **clarear**, iluminar, candear **2 esconder**, ocultar, velar **3 anuviar**, toldar, embrumar ≠ **desanuviar**, destoldar **4 anoitecer** ≠ **amanhecer**, clarear **5 entristecer**, deslustrar
escuridade *n.f.* **1 obscuridade**, negrura, negrume, trevas, escureza, escuro, escuridão, noute ≠ **claridade**, luz **2 melancolia**, tristeza, abatimento **3 opacidade**, incompreensibilidade
escuridão *n.f.* **1 obscuridade**, negrura, negrume, trevas, escureza, escuro, escuridade ≠ **claridade**, luz **2 cegueira 3 ignorância**, desconhecimento **4 melancolia**, tristeza, abatimento **5 opacidade**, incompreensibilidade
escuro *adj.* **1 negro**, preto ≠ **claro**, alabástrico **2 sombrio**, obscuro, desalumiado **3 encoberto**, nublado, toldado, carregado, cerrado, brumoso ≠ **claro**, aberto **4 turvo** ≠ **límpido 5 ilícito**, suspeito, escuso **6 obscuro**, duvidoso ≠ **claro**, transparente **7 ambíguo**, confuso, enigmático, misterioso, incompreensível, ininteligível, complicado **8 tristonho**, triste, soturno, lúgubre ■ *n.m.* **1 escuridão**, negrume, noite, sombra, trevas ≠ **claridade**, luz **2 desconhecimento**, ignorância
escusa *n.f.* **1 desculpa**, justificação **2 evasiva**, pretexto, subterfúgio, evitação, evitamento **3 dispensa**
escusado *adj.* **1 desnecessário**, dispensável, escuso, inútil, supérfluo ≠ **necessário**, útil **2 dispensado**, eximido, desobrigado **3 indeferido**, recusado
escusar *v.* **1 desculpar**, perdoar, justificar, tolerar **2 dispensar**, isentar, prescindir, eximir **3 evitar**, poupar
escusar-se *v.* **1 negar-se**, recusar-se, esquivar-se **2 dispensar-se**, desobrigar-se **3 desculpar-se**
escuso *adj.* **1 dispensado 2 indeferido**, recusado **3 oculto**, recôndito, escondido **4 duvidoso**, ilícito, suspeito
escuta *n.2g.* **1 vigia**, atalaia, esculca **2 espia**, espião **3** *col.* **escuteiro**
escutar *v.* **1 ouvir**, atentar **2 acatar**, seguir, atender **3 espionar**, espiar **4 auscultar**
esdrúxulo *adj.* **1** GRAM. **proparoxítono 2** *fig.* **extravagante**, esquisito, excêntrico, estapafúrdio
esfacelamento *n.m.* **1 gangrena 2 destruição**, despedaçamento, ruína, estrago, esfacelo
esfacelar *v.* **1 gangrenar 2 despedaçar**, desmantelar, desfazer, destruir, desmanchar, inutilizar, arruinar, esbagaçar
esfacelo *n.m.* **1 gangrena 2 destruição**, despedaçamento, ruína, estrago, esfacelamento
esfaimar *v.* **esfomear**, esfaimear ≠ **saciar**, desafaimar
esfalfado *adj. col.* **estafado**, extenuado, exausto
esfalfamento *n.m.* **estafamento**, exaustão, fadiga
esfalfar *v.* **1 estafar**, fatigar, extenuar, moer, cansar, debilitar, arrebentar, estrompar *col.* **2** (um animal) **estazar**, exaurir
esfalfar-se *v.* **cansar-se**, esgotar-se, afadigar-se, extenuar-se, esbofar-se
esfanicar *v.* **despedaçar**, esfrangalhar, esfarripar, esmigalhar, esbandalhar, estrancilhar
esfaquear *v.* **anavalhar**, golpear, retalhar, cortar, acuchilar
esfarelar *v.* **desfazer**, esboroar, desfarelar, esfarinhar, esmigalhar, esfacelar
esfarrapado *adj.* **1 rasgado**, roto **2 andrajoso**, maltrapilho, entrapado **3 desconexo**, desordenado, incoerente
esfarrapar *v.* **1 rasgar**, farrapar **2 despedaçar**, atassalhar, espedaçar, espatifar, romper, lacerar
esfarripar *v.* **esfiapar**, desfiar, desmanchar, esfiar, esfiampar
esfera *n.f.* **1 bola**, globo **2 âmbito 3 domínio**, setor, área, campo **4 meio**, ambiente, círculo **5 classe**, categoria
esfericidade *n.f.* **redondeza**, rotundidade
esférico *adj.* **1 redondo**, reboludo, globoso **2 gordo**, redondo
esfiapar *v.* **desfiar**, esfiar
esfinge *n.f.* **enigma**, mistério
esfíngico *adj.* **enigmático**, misterioso, impenetrável

esfola *n.f.* 1 **esfoladura**, esfolamento, esfoladela 2 **arranhadela**, arranhadura, escoriação ▪ *n.m.* **penhorista**, prestamista

esfolar *v.* 1 **despelar**, escorchar 2 **arranhar**, escoriar, ferir, agadanhar 3 *col.* **explorar**, extorquir

esfolhar *v.* **desfolhar**, descamisar, debulhar

esfoliar *v.* 1 **exfoliar** 2 **esfolhear**

esfomeado *adj.* **faminto**, esfaimado, famélico, esganado *col.*, eslazeirado [REG.] ≠ **saciado**, alimentado

esfomear *v.* **esfaimar**, afomear ≠ **saciar**

esforçado *adj.* 1 **forte**, enérgico, vigoroso ≠ **fraco** 2 **corajoso**, intrépido, destemido, arrojado ≠ **cobarde**, pusilânime 3 **aplicado**, diligente, trabalhador

esforçar *v.* 1 **alentar**, animar, encorajar, estimular, vigorar ≠ **desanimar**, enfraquecer 2 **comprovar**, confirmar, corroborar ≠ **desmentir** 3 **aumentar**, avolumar, fortalecer, reforçar, robustecer, fortificar

esforçar-se *v.* **empenhar-se**, trabalhar, dedicar-se, aplicar-se, diligenciar, lutar

esforço *n.m.* 1 **ânimo**, coragem, valor, bravura, valentia 2 **energia**, força 3 **dificuldade**, custo, sacrifício 4 **diligência**, zelo

esfrangalhar *v.* **esfarrapar**, despedaçar, espatifar, rasgar, romper, estrançar, espandongar

esfrega *n.f.* 1 **fricção**, esfregação, esfregadura, esfregamento 2 **canseira**, trabalhão, faina 3 *col.* **repreensão**, admoestação, censura, ensaboadela 4 *col.* **tunda**, sova, surra, tareia, tempera, tosa *col.*, coça *col.*

esfregar *v.* 1 **friccionar**, roçar, lustrar, atritar 2 *col.* **bater**, espancar, sovar, maltratar

esfregar-se *v.* **coçar-se**, friccionar-se, roçar-se

esfriamento *n.m.* 1 **arrefecimento**, resfriamento ≠ **aquecimento**, aquentamento 2 **esmorecimento**

esfriar *v.* 1 **arrefecer**, resfriar, refrescar, refentar, gelar, refecer, enfriar, entibiar ≠ **aquecer**, aquentar, esquentar, acalentar 2 *fig.* **acalmar**, afrouxar, amortecer, desanimar, desalentar, enfraquecer, esmorecer, descoroçoar

esfumar *v.* 1 **enegrecer**, escurecer, sombrear, esfumaçar, esfumarar 2 **atenuar**, esbater, esboçar

esfumar-se *v.* **dissipar-se**, desaparecer, evolar-se, esvaecer-se, evaporar-se

esfuziante *adj.2g.* 1 **radiante** 2 **cintilante**, sibilante

esfuziar *v.* 1 **assobiar**, sibilar, silvar, zumbir, zunir, soprar 2 **rastilhar** *fig.*

esgaçar *v.* 1 **esgarçar**, rasgar, gretar 2 **desfiar-se**, desfibrar-se

esgadanhar *v.* **esgatanhar**, arranhar, agadanhar

esgalgado *adj.* 1 **escanzelado**, chupado, magro, escanifrado 2 **faminto**, famélico

esgalgar *v.* **adelgaçar**, emagrecer, definhar, escanzelar

esgalha *n.f.* 1 **escádea**, esgalho 2 **galho**, esgalho

esgalhar *v.* **desgalhar**, desramar, estroncar, escanhotar, podar, decotar, esnocar

esgalho *n.m.* 1 **escádea**, esgalha 2 **galho**, esgalha 3 **divisão**, ramificação

esgana *n.f.* 1 **estrangulação**, esganação, asfixia 2 (cão) **funga**, monquilho 3 **fome**, gana

esganação *n.f.* 1 **estrangulação**, esgana, asfixia, esganadura 2 **avidez**, gana, sofreguidão, açoramento 3 **avareza**

esganado *adj.* 1 **sufocado**, estrangulado 2 **esfomeado** 3 **avarento**, sovina 4 **sôfrego**

esganar *v.* **estrangular**, sufocar, afogar, enforcar

esganar-se *v.* **estrangular-se**, enforcar-se

esganiçado *adj.* 1 **estridente**, aflautado, gasguita, atiplado 2 **esguio**, escanifrado

esganiçar-se *v.* 1 **guinchar** 2 **falsetear**

esgar *n.m.* **careta**, trejeito, gaifona, visagem, carantonha, momice, caranchona

esgaravatar *v.* 1 **escarafunchar**, esgravatar, escaravelhar, esgaravunhar, esgarafunchar 2 **remexer**, revolver 3 **bisbilhotar**, investigar, esquadrinhar, procurar, pesquisar, indagar

esgarçar *v.* 1 **rasgar**, gretar, escarçar 2 **desfiar-se**, desfibrar-se, esfiampar-se

esgargalar *v.* **decotar**

esgatanhar *v.* **arranhar**, agatanhar, agadanhar

esgazeado *adj.* 1 **esbugalhado**, espavorido 2 **esbaforido**, ofegante 3 **deslavado**, desmaiado

esgazear *v.* **arreguilar**

esgotado *adj.* **extenuado**, exausto, depauperado, exaurido, bombardeado [BRAS.]

esgotamento *n.m.* **exaustão**, extenuação, depauperamento, cansaço, estafa, esgotadura, exinanição

esgotante *adj.2g.* **exaustivo**, extenuante, estafante, cansativo

esgotar *v.* 1 **secar**, esvaziar 2 **exaurir**, haurir, gastar, consumir 3 **extenuar**, estafar, cansar, depauperar, fatigar

esgotar-se *v.* 1 **acabar**, terminar 2 **secar**, estancar-se 3 **consumir-se**, gastar-se 4 **esvaziar-se** 5 **extenuar-se**, cansar-se 6 **limitar-se**, restringir-se

esgoto *n.m.* **escoamento**, esgotamento, esgotadura

esgravatar *v.* 1 **escarafunchar**, esgaravatar, escaravelhar, esgaravunhar, esgarafunchar 2 **remexer**, revolver 3 **bisbilhotar**, investigar, esquadrinhar, procurar, pesquisar, indagar

esgrimir *v.* 1 (armas brancas) **manejar**, brandir 2 **agitar**, vibrar, brandir

esgrimista *n.2g.* **atirador**, digladiador, espada

esgrouviado *adj.* 1 **escanzelado**, magro, esguio, escanifrado, esgrouvinhado 2 **despenteado**, desgrenhado ≠ **penteado** 3 **distraído**, aéreo
esguedelhado *adj.* **descabelado**, desgrenhado, desguedelhado, esgrouviado ≠ **penteado**
esguedelhar *v.* **despentear**, desgrenhar, desguedelhar ≠ **pentear**
esgueirar *v.* **surripiar**, subtrair, tirar, desviar
esgueirar-se *v.* **escapulir-se**, fugir, retirar-se, sumir-se, coar-se, pirar-se *col.*, pisgar-se *col.*, cavar *col.*
esguelha *n.f.* **viés**, través, soslaio, obliquidade, diagonal
esguichar *v.* **jorrar**, espadanar, espipar
esguiche *n.m.* 1 **jato**, jorro, repuxo, zicho, esguichada, esguichadela, esguicho, espadanada 2 **bisnaga**, seringa, esguicho
esguicho *n.m.* 1 **jato**, jorro, repuxo, zicho, esguichada, esguichadela, esguiche 2 **bisnaga**, seringa, esguiche
esguio *adj.* 1 **estreito**, longo, afunilado 2 **adelgaçado**, amagrado, descadeirado ≠ **gordo**, obeso
eslavo *adj.* **eslávico**, eslavónico
esmaecer *v.* 1 **esbater**, desbotar, desmaiar, esmaiar 2 **esmorecer**, enfraquecer, empalidecer, desvanecer-se, apagar-se
esmaecimento *n.m.* 1 **descoramento**, esbatimento 2 **esmorecimento**, desvanecimento, enfraquecimento, desmaio
esmagado *adj.* 1 **achatado**, comprimido 2 *fig.* **vencido**, abatido
esmagador *n.m.* **triturador**, compressor ■ *adj.* 1 **convincente**, indiscutível, irrefutável, irrespondível, irretorquível 2 **opressivo**, cruel, pungente, aflitivo
esmagamento *n.m.* 1 **esmagadela**, esmagadura, pisadura, calcadura, esmagação 2 **aniquilação**, arrasamento
esmagar *v.* 1 **esmigalhar**, triturar, macerar, moer 2 **aniquilar**, arrasar, cilindrar, derrotar, vencer 3 **amassar**, comprimir, achatar, calcar, esborrachar, pisar, prensar 4 **escravizar**, oprimir, tiranizar 5 **afligir**, ralar, angustiar
esmaltar *v.* 1 **matizar**, variegar 2 **adornar**, aformosear, embelezar, enfeitar 3 **abrilhantar**, dignificar, enaltecer, realçar, ilustrar
esmalte *n.m.* 1 **ornamento**, adorno, ornato 2 **brilho**, esplendor, realce, lustre
esmerado *adj.* 1 **cuidadoso**, apurado, acurado 2 **perfeito**, primoroso
esmeralda *n.f.* MIN. **prásino**
esmeraldino *adj.* **esverdeado**, verde
esmerar *v.* **aperfeiçoar**, apurar, polir, refinar ≠ **desleixar**
esmerar-se *v.* 1 **exceder-se**, ultrapassar-se, superar-se, caprichar 2 **aperfeiçoar-se**, apurar-se
esmeril *n.m. fig.* **aperfeiçoamento**, apuramento, polimento
esmerilador *adj.,n.m.* **polidor**, esmerilhador
esmerilar *v.* 1 **polir**, despolir, esmerilhar, foscar 2 *fig.* **aperfeiçoar**, apurar 3 *fig.* **investigar**, pesquisar, esquadrinhar
esmero *n.m.* 1 **perfeição**, apuro, primor 2 **cuidado**, asseio, limpeza, elegância, alinho, requinte
esmigalhar *v.* 1 **esmagar**, triturar, macerar, moer, farinar 2 **despedaçar**, espedaçar, fragmentar, fraturar, esfacelar, esfarelar, estilhaçar, esmiuçar, esmiunçar, migalhar, quebrar, esmiolar, desboroar 3 *fig.* **oprimir**, esmagar
esmiuçar *v.* 1 **esfarelar**, esboroar, esmigalhar, retalhar, minudenciar, pulverizar, dividir, desmiudar 2 **analisar**, investigar, pesquisar, escarnar *fig.*, espenicar *fig.*, argueirar *fig.* 3 **explicar**, pormenorizar, particularizar
esmo *n.m.* **estimativa**, conjetura, estimação
esmola *n.f.* 1 **ajuda**, auxílio 2 **óbolo**, oferta, donativo, doação 3 **graça**, favor 4 *col.* **sova**, tareia, surra, tunda, pancada
esmolar *v.* **mendigar**, pedir, implorar
esmoler *adj.* 1 **esmolador** 2 **caridoso**, caritativo, generoso ■ *n.2g.* [BRAS.] **mendigo**, pedinte, esmoleiro
esmorecer *v.* 1 **desalentar**, desanimar, descoroçoar ≠ **alentar**, animar 2 **amortecer**, afrouxar, definhar, enfraquecer, murchar, deprimir, entibiar 3 **desmaiar**, desfalecer, esvaecer
esmorecido *adj.* 1 **abatido**, desalentado, desanimado, triste ≠ **alentado**, animado 2 **atenuado**, enfraquecido
esmorecimento *n.m.* 1 **desânimo**, desalento, desanimação ≠ **alento**, ânimo 2 **desmaio**, desfalecimento, esvaecimento 3 **enfraquecimento**, abatimento
esmurraçar *v.* **esmurrar**, socar
esmurrado *adj.* 1 **socado** 2 **estragado**, danificado
esmurrar *v.* 1 **socar**, soquear, esmurraçar, apunhar 2 **espancar**, maltratar, sovar 3 **danificar**, estragar
esófago *n.m.* **golelha** *col.*
esotérico *adj.* 1 **oculto**, secreto, hermético 2 **misterioso**, estranho
espaçado *adj.* 1 **intervalado**, interpolado ≠ **compacto**, desentrelinhado 2 **lento**, longo, vagaroso, duradouro 3 **adiado**, prorrogado
espaçar *v.* 1 **intervalar**, espacejar, espacear 2 **alargar**, ampliar, ensanchar, amplificar 3 **estender**, demorar, prolongar, dilatar, alongar 4 **adiar**, delongar, prorrogar, procrastinar

espacejar *v.* 1 **espaçar**, intervalar, faiar, entrelinhar 2 **prorrogar**, adiar

espaço *n.m.* 1 **área**, zona, lugar, sítio, campo, extensão 2 **capacidade**, cabimento 3 **decurso**, duração, intervalo, tempo, trecho, termo

espaçoso *adj.* 1 **amplo**, extenso, grande, largo, vasto ≠ **estreito**, pequeno 2 **lento**, pausado, vagaroso

espada *n.f.* **frâmea** ■ *n.m.* 1 TAUR. **matador** 2 DESP. **esgrimista** 3 *col.* **perito**, sabedor ■ *n.2g.* **especialista**, barra

espadachim *n.m.* 1 **esgrimista**, duelista, espadeiro 2 **brigão**, pendenciador, provocador, contendor, rufião

espadarte *n.m.* ICTIOL. **peixe-serra**, raposo, peixe-agulha, agulha, serra

espadaúdo *adj.* **encorpado**, entroncado, corpulento, vigoroso

espadeirada *n.f.* **espadagada**, catanada, cutilada, sabrada

espadeirar *v.* **espadagar**, espaldeirar

espadeiro *n.m.* 1 **esgrimista**, espadachim 2 **alfageme** 3 BOT. **espadeira**, espadal

espadela *n.f.* 1 **tasquinha** 2 NÁUT. **esparrela** 3 [BRAS.] **bolina**

espadelar *v.* (o linho) **estomentar**, tascar, tasquinhar, espadar, espadanar, desarestar

espádua *n.f.* ANAT. **ombro**

espairecer *v.* 1 **distrair-se**, divertir-se, entreter-se, recrear-se 2 **desanuviar**, arejar

espalda *n.f.* 1 **ombro**, espádua 2 **espaldar**

espaldar *n.m.* **espalda**, respaldar, respaldo

espalha *n.m.* **estarola**, falador, doidivanas, estroina

espalhada *n.f.* 1 **balbúrdia**, falatório, bulício, espalhafato, estardalhaço 2 **jactância**, ostentação, gabarolice, fantastiquice

espalhado *adj.* 1 **disperso**, esparso, difuso 2 **desarrumado** 3 **alargado**, distanciado, intervalado 4 **divulgado**, difundido, publicado, vulgarizado

espalhafato *n.m.* 1 **balbúrdia**, falatório, bulício, espalha, estardalhaço, espalhado, escândalo, confusão, desordem 2 **ostentação**, jactância

espalhafatoso *adj.* 1 **espampanante**, espaventoso, extravagante, aparatoso 2 **barulhento**, ruidoso

espalhanço *n.m. col.* **fracasso**, estenderete

espalhar *v.* 1 **disseminar**, dispersar, derramar, alastrar, espargir, esparzir, distribuir ≠ **concentrar**, juntar, reunir 2 **difundir**, divulgar, propalar, publicar, emitir, apregoar, alastrar 3 **soltar**, desprender

espalhar-se *v.* 1 **alastrar-se**, difundir-se, espraiar-se, propagar-se, estender-se, disseminar-se, difluir 2 **atrapalhar-se** 3 **esparramar-se**, refastelar-se 4 *col.* **estatelar-se**, cair 5 *col.* **fracassar**, espetar-se, estampar-se

espalmado *adj.* **chato**, plano ≠ **atortumelado**

espalmar *v.* 1 **aplanar**, achatar, alisar, esmagar 2 **abrir**, estender

espanador *n.m.* **espanejador**

espanar *v.* 1 **espanejar**, espoar 2 **agitar**, sacudir

espancamento *n.m.* **agressão**, sova, surra, tunda, apaleação

espancar *v.* 1 **agredir**, bater, desancar, sovar, surrar, tosar, malhar, zurzir, apalear, bumbar, desasar, calmorrear, esbordoar, zimbrar, acajadar, zular *col.* 2 **afugentar**, repelir, afastar

espanejar *v.* 1 **espanar**, espoar 2 **agitar**, sacudir

espanhol *adj.* **hispano**, hispaniense ■ *n.m.* 1 **castelhano** 2 ORNIT. **abelharuco**

espanholada *n.f.* **exageração**, fanfarrice, fanfarronada, jactância, prosápia

espanholado *adj.* **acastelhanado**

espanholar *v.* **espanholizar**

espantadiço *adj.* 1 **assustadiço**, medroso 2 **fugidio**, arisco

espantado *adj.* 1 **atónito**, boquiaberto, surpreendido, surpreso, pasmado, maravilhado, suspenso, bestificado 2 **assustado**, estarrecido

espantalho *n.m. pej.* **estafermo** *pej.*, paspalho *pej.*

espantar *v.* 1 **admirar**, surpreender, abismar, alvoroçar, maravilhar, pasmar 2 **assombrar**, assustar, amedrontar, apavorar, assarapantar, atemorizar, aterrar, espavorir, esgazear, azabumbar 3 **afugentar**, afastar, enxotar, desviar

espantar-se *v.* 1 **admirar-se**, surpreender-se, pasmar 2 **assustar-se**, atemorizar-se, espaventar-se

espanto *n.m.* 1 **desassossego**, perturbação, inquietação, medo, temor, susto, terror, alvoroço, espavento 2 **assombro**, assombramento, admiração, pasmo, suspensão, surpresa, estupefação 3 **maravilha**

espantoso *adj.* 1 **admirável**, assombroso, extraordinário, formidável, maravilhoso, encantatório 2 **inaudito**, inconcebível, incrível, surpreendente, enorme, imenso 3 **horrível**, horroroso, medonho

espargal *n.m.* **espargueira**

espargimento *n.m.* 1 **aspersão**, barrufo 2 **derramamento**, difusão, dispersão, efusão

espargir *v.* 1 **aspergir**, borrifar, salpicar, esparrinhar, esparzir, despargir 2 **disseminar**, difundir, dispersar, alastrar, espalhar 3 **derramar**, entornar, verter, lançar, irradiar

espargo *n.m.* BOT. **aspargo**, aspárago, corruda

esparramar *v.* 1 **derramar**, entornar 2 **dispersar**, debandar, espalhar, esparralhar, separar 3 **desalinhar**, desordenar

esparramar-se *v.* 1 **estatelar-se**, cair, esparralhar-se 2 **refastelar-se**, espalhar-se, escarrapachar-se, repoltrear-se, esparralhar-se, repatanar-se 3 **derramar-se**

esparrela *n.f.* 1 **cilada**, logração, engano, langará, burla, arriosca, armadilha, arapuca, logro 2 NÁUT. **espadela**

esparrinhar *v.* **aspergir**, borrifar, salpicar, desparzir, esparzir, despargir

esparso *adj.* 1 **dispersado**, disperso, disseminado, espalhado ≠ **reunido**, concentrado 2 **derramado**, entornado 3 **difundido**, propagado 4 **avulso**, solto

espartano *adj.,n.m.* **esparciata**, lacedemónio ■ *adj. fig.* **austero**, rígido, rigoroso, severo

espartilho *n.m.* **justilho**

esparto *n.m.* BOT. **alfa**, esparteira

esparzir *v.* 1 **aspergir**, borrifar, salpicar, esparrinhar, espargir, despargir 2 **disseminar**, difundir, dispersar, alastrar, espalhar 3 **derramar**, entornar, verter, lançar, irradiar

espasmo *n.m.* **êxtase**, rapto, arroubo, arroubamento

espatifar *v.* 1 **destruir**, destroçar, despedaçar, arrebentar, escangalhar, dilacerar, esfarrapar, estrancilhar, estragar, lacerar, esfrangalhar, rasgar, retalhar, esbandalhar, espedaçar 2 **consumir**, dissipar, esbanjar, estourar, malbaratar

espaventar *v.* **amedrontar**, assustar, atemorizar, assombrar, espavorir, sobressaltar

espaventar-se *v.* 1 **assustar-se**, espantar-se 2 **ostentar**, exibir, engalanar-se, pavonear-se 3 **envaidecer-se**, ensoberbecer-se, inchar

espavento *n.m.* 1 **sobressalto**, espanto, susto, assombro 2 **aparato**, ostentação, pompa, luxo, gala

espaventoso *adj.* 1 **aparatoso**, deslumbroso, espetacular, imponente, soberbo 2 **luxuoso**, pomposo, espalhafatoso 3 **horrível**, horroroso, medonho, espantoso

espavorecer *v.* **apavorar**, assustar, amedrontar, atemorizar, aterrorizar, despavorir, espavorizar, aterrar, espantar

espavorido *adj.* **aterrorizado**, apavorado, pávido, esgazeado, assustado, sarapantão *col.*

espavorir *v.* **apavorar**, assustar, amedrontar, atemorizar, aterrorizar, espavorecer, espavorizar, aterrar, espantar

especado *adj.* 1 **direito**, firme 2 **parado**, apalermado

especar *v.* 1 **escorar**, estear, sustentar, segurar, suster, apoiar, amparar 2 **estacar**, parar

especial *adj.2g.* 1 **característico**, típico, peculiar ≠ **universal**, geral, genérico, abrangente 2 **adequado**, próprio, específico 3 **exclusivo**, particular 4 **distinto**, excelente, notável, superior ≠ **comum**, vulgar 5 **invulgar**, raro, singular, único ≠ **comum**, vulgar

especialidade *n.f.* 1 **particularidade** ≠ **generalidade** 2 **pormenorização** 3 **profissão**, ramo

especialista *adj.,n.2g.* **perito**, entendedor

especialização *n.f.* **particularização**, diferenciação

especializado *adj.* 1 **próprio**, exclusivo 2 **individualizado**, personalizado

especializar *v.* **distinguir**, caracterizar, especificar, particularizar, singularizar ≠ **generalizar**

especializar-se *v.* 1 **aperfeiçoar-se**, esmerar-se 2 **diplomar-se**

especialmente *adv.* **particularmente**, nomeadamente, sobretudo

especiaria *n.f.* **condimento**, adubo, espécie

espécie *n.f.* 1 **sorte**, tipo 2 **condição**, género, qualidade, natureza, índole 3 **especiaria**, condimento

especificação *n.f.* **discriminação**, pormenorização, individuação, indicação, enumeração

especificadamente *adv.* **designadamente**, discriminadamente, minuciosamente, pormenorizadamente, circunstanciadamente, especificamente

especificado *adj.* **distinto**, discriminado, pormenorizado, detalhado

especificar *v.* 1 **particularizar**, distinguir, individualizar, individuar, especializar, descrever ≠ **generalizar** 2 **determinar**, enumerar, indicar, mencionar

específico *adj.* **característico**, particular, singular, próprio, exclusivo, especial ≠ **geral**, genérico

espécime *n.m.* **exemplo**, tipo, prova, modelo, exemplar, amostra, padrão, espécimen

espécimen *n.m.* **exemplo**, tipo, prova, modelo, exemplar, amostra, padrão, espécime

especiosidade *n.f.* 1 **ilusão**, engano 2 **graça**, beleza, perfeição, gentileza, donaire, formosura

especioso *adj.* 1 **aparente**, ilusório, enganoso 2 **delicado**, mimoso, formoso, gracioso, sedutor, belo

espectacularaAO *adj.2g.* ⇒ **espetacular**dAO

espectáculoaAO *n.m.* ⇒ **espetáculo**dAO

espectadorAO ou **espetador**AO *adj.,n.m.* 1 **assistente**, observador, testemunha 2 [*pl.*] **assistência**, público, auditório

espectralAO *adj.2g.* ⇒ **espetral**AO

espectroAO *n.m.* ⇒ **espetro**AO

especulação *n.f.* **exame**, estudo, pesquisa, investigação

especulador *adj.,n.m.* 1 **investigador**, observador, esquadrinhador, escarnador *fig.* 2 **teórico**, teorizador, pensador

especular *v.* 1 raciocinar, meditar, conjeturar 2 pesquisar, investigar, inquirir ■ *adj.2g.* diáfano, transparente

especulativa *n.f.* teoria

especulativo *adj.* 1 teórico, investigativo ≠ prático 2 interesseiro

espéculo *n.m.* MED. dioptro

espelhar *v.* 1 refletir, retratar, traduzir, mostrar, irradiar, brilhar 2 polir, alisar, lustrar

espelhar-se *v.* 1 revelar-se, patentear-se, retratar-se 2 mirar-se, rever-se

espelho *n.m.* 1 escudete 2 *fig.* exemplo, modelo 3 *fig.* imagem, reflexo, representação

espelunca *n.f.* 1 caverna, cova, furna, antro 2 alfurja

espeque *n.m.* 1 escora, estaca, finca, suporte, estronca, esteio 2 *fig.* apoio, proteção, amparo

espera *n.f.* 1 expectação, expectativa, esperança 2 demora, delonga, dilação, adiamento 3 emboscada, cilada

esperado *adj.* 1 aguardado, provável, previsto, expectável ≠ inesperado, imprevisto, abrupto, inopino, sobrevindo, súbito, surpreendente 2 desejado

esperança *n.f.* expectativa, espera, expectação

esperançado *adj.* confiante, crente

esperançar *v.* animar, alentar

esperançar-se *v.* confiar

esperançoso *adj.* confiante, prometedor, promissor, risonho

esperar *v.* 1 aguardar, atender 2 acreditar, confiar, crer 3 contar, prever 4 desejar, apetecer

esperma *n.m.* sémen

espermacete *n.m.* QUÍM. cetina

espermatófitas *n.f.pl.* BOT. espermáfitas, espermatófitos, fanerógamas

espermatófitos *n.m.pl.* BOT. espermáfitas, espermatófitas, fanerogâmicas

espermatozoide[dAO] *n.m.* 1 BIOL. espermatozoário, zoosperma 2 BOT. anterozoide

espermatozóide[aAO] *n.m.* ⇒ **espermatozoide**[dAO]

espernear *v.* 1 pernear, contorcer-se, torcer-se, debater-se, espernegar 2 *fig.* rabujar, revoltar-se

espertalhão *adj.,n.m.* finório, matreiro, melro, meninó, velhaquete, ratão, meco, passarão, magano, machacaz, ladino, espertalhaço, bilontra, macacão, malacueco, sabido, velhaco, marau, astuto, gabiru, merlim, águia *fig.*, gajo *pej.*

espertar *v.* 1 despertar, acordar ≠ adormecer 2 estimular, excitar, espevitar, animar, avivar, atear, aguilhoar, aguçar ≠ desanimar, desincentivar

esperteza *n.f.* 1 vivacidade, penetração, prontidão, viveza, arrebito, alacridade, azougamento 2 astúcia, argúcia, agudeza, sagacidade, habilidade, malícia, manha, ladinice

espertina *n.f.* vigília, insónia

esperto *adj.* 1 acordado, desperto ≠ adormecido, modorrento 2 inteligente, fino, arguto, perspicaz, astuto 3 vivo, enérgico, ativo 4 finório, espertalhão

espessar *v.* 1 engrossar, encorpar, adensar, condensar, embastecer ≠ desengrossar, adelgaçar 2 escurecer, cerrar ≠ clarear

espesso *adj.* 1 compacto, denso, grosso, adensado ≠ ralo, raro 2 opaco, denso, acampto 3 ramoso, frondoso, copado 4 cerrado, impenetrável

espessura *n.f.* 1 grossura, espessidão, crassidade, bastidão, bastura, encorpamento, encorpadura 2 profundidade 3 densidade, consistência ≠ fluidez 4 opacidade

espetacular[dAO] *adj.2g.* admirável, aparatoso, escandaloso, espaventoso, grandioso, sensacional, surpreendente, vistoso, espetaculoso

espetáculo[dAO] *n.m.* 1 cena, perspetiva, visão, panorama 2 assombro, assombramento, espanto 3 escândalo, cena

espetadela *n.f.* 1 picada, espetada, picadela, cutucada 2 *col.* entalação, espetanço, entaladela, entalão

espetanço *n.m.* 1 encalacração, esticanço, entaladela, entalação, espetadela, estenderete 2 logro, logração, arriosca, engano

espetar *v.* 1 trespassar, traspassar, perfurar, cravar, picar, chuçar, furticar [BRAS.] 2 pespegar, impingir 3 *fig.* comprometer, prejudicar, encalacrar, entalar 4 *fig.* pungir, torturar

espetar-se *v.* 1 picar-se, ferir-se 2 *fig.* comprometer-se, entalar-se, encalacrar-se 3 *col.* bater, embater, esbarrar 4 *col.* fracassar, espalhar-se

espeto *n.m.* 1 aguço 2 complicação, incómodo, contratempo, maçada, aborrecimento, espiga *fig.* 3 espetanço, estenderete

espetral[AO] ou **espectral**[AO] *adj.2g.* fantástico, fantasmagórico

espetro[AO] ou **espectro**[AO] *n.m.* 1 fantasma, aparição, visonha, visão, aventesma 2 ilusão, aparência

espevitado *adj.* desembaraçado, esperto, vivo

espevitar *v.* 1 esmorraçar 2 *fig.* estimular, excitar, avivar, atiçar, despertar, espertar, atear, arrebitar

espevitar-se *v.* 1 zangar-se, irritar-se, respingar 2 *fig.* arrebitar-se, abusar, soltar-se

espezinhar *v.* 1 pisar, esmagar, calcar, conculcar, apatanhar, peguinhar 2 humilhar, desprezar, oprimir, mortificar, vexar, acabrunhar

espia *n.2g.* 1 sentinela, olheiro, atalaia, vigia, esculca 2 espião, espiador

espião *n.m.* espia, espiador, araponga [BRAS.]

espiar *v.* 1 **espionar**, espreitar, vigiar 2 **aguardar**, esperar

espicaçar *v.* 1 **picar**, bicar, apicaçar 2 *fig.* **acirrar**, aguilhoar, alfinetar, excitar, incitar, estimular, instigar, provocar, assovelar, ferroar, animar, afincoar, assovinar 3 *fig.* **afligir**, atormentar, ferir, magoar, mortificar, torturar, pungir, ralar

espichel *n.m.* **espinel**, espinhel

espiciforme *adj.2g.* **espicilar**, espiculado, espigoso

espiga *n.f.* 1 **cume**, cumeeira, cumeada 2 **contratempo**, transtorno, maçada, aborrecimento, embaraço, entalação 3 **logro**, prejuízo, perda, bucha *fig.*, carambolim *fig.* 4 (na unha) **respigão**, espigão

espigado *adj.* 1 **grelado** 2 **crescido**, desenvolvido

espigadote *adj. col.* **alto**, crescido

espigão *n.m.* 1 **cumeada**, cumeeira, cimo, cume 2 ARQ. **botaréu**, escora 3 **ferrão**, pua, espigo, espículo

espigar *v.* 1 **germinar**, grelar 2 **desenvolver**, medrar ≠ **definhar** 3 **sobressair**, altear-se, irromper 4 **lograr**, enganar, entalar

espigo *n.m.* 1 **ferrão**, pua, espigão, espículo 2 **grelo**

espigueiro *n.m.* 1 **canastro**, caniço, tulha, caixão, cafua 2 *fig.* **viveiro**, enxame, multidão

espiguilha *n.f.* 1 **pontilha** 2 **espigueta**, espícula 3 ARQ. **rendilha**

espinafre *n.m.* 1 **armolão** [BRAS.] 2 **escanifre**, magrizela

espingarda *n.f.* **fuzil**, escopeta *col.*, canhoeira [REG.], canhota [REG.]

espingardear *v.* **fuzilar**, arcabuzar, escopetear

espinha *n.f.* 1 **cumeada**, espinhaço 2 **dificuldade**, obstáculo, estorvo, espinho

espinhaço *n.m.* 1 **dorso**, costas, costado 2 **cumeada**, cumeeira, espinha

espinhar *v.* 1 **ferir**, picar, pungir 2 **encolerizar**, irritar, agastar, incomodar

espinhar-se *v.* **irritar-se**, zangar-se, agastar-se, abespinhar-se

espinhel *n.m.* **espinel**, espichel

espinho *n.m.* 1 **pico**, acúleo 2 **pua**, aguilhão, ponta 3 ICTIOL. **esgana-gata**, peixe-espinho 4 *fig.* **aflição**, tormento, dor, pesar 5 *fig.* **dissabor**, problema, dificuldade

espinhoso *adj.* 1 *fig.* **árduo**, difícil, dificultoso, doloroso, duro, penoso, penível 2 *fig.* **delicado**, embaraçoso, constrangedor, melindroso

espinotear *v.* 1 **saltar**, pular, corcovear, retoiçar 2 *fig.* **barafustar**, encolerizar-se, esbravejar

espiolhar *v.* 1 **despiolhar**, catar 2 **averiguar**, pesquisar, analisar, esquadrinhar, investigar, indagar, esmiuçar

espionagem *n.f.* **espiagem**, espreita, espreitança

espionar *v.* 1 **espiar**, espreitar, vigiar, atalaiar, pombear [BRAS.] 2 **investigar**, observar

espira *n.f.* **rosca**

espiráculo *n.m.* 1 **respiradouro** 2 **alento**, sopro

espiral *adj.2g.* **espiriforme**, enroscado, encaracolado

espírita *adj.,n.2g.* **espiritista**, espirita

espiritar *v.* 1 **endemoninhar**, endiabrar 2 **incitar**, excitar, estimular, compelir, animar, avivar 3 **inspirar**, incutir, insuflar

espiritista *adj.,n.2g.* **espírita**, espirita

espírito *n.m.* 1 RELIG. **alma** 2 **espetro**, fantasma, abantesma 3 **dom**, inspiração 4 **mente**, pensamento, cabeça 5 **inteligência**, raciocínio, entendimento, razão 6 **consciência**, alma 7 **intenção**, motivo 8 **opinião** 9 **álcool** 10 **traço**, característica

Espírito Santo *n.m.* RELIG. **paracleto**, paráclito

espiritual *adj.2g.* 1 **imaterial**, incorpóreo ≠ **material** 2 **místico**, ascético

espiritualidade *n.f.* 1 **religiosidade**, misticismo 2 **insubstancialidade**, imaterialidade

espiritualizar *v.* 1 **imaterializar**, desmaterializar 2 **destilar** 3 **animar**, espertar, estimular, excitar, reanimar

espiritualizar-se *v.* 1 **desmaterializar-se** 2 **embriagar-se**, embebedar-se

espiritualmente *adv.* **mentalmente**

espirituoso *adj.* 1 **gracioso**, humorístico, engraçado 2 **alcoólico**

espirradeira *n.f.* BOT. **cevadilha**, oleandro, eloendro, aloendro, adelfa, loendro, dafnite

espirrar *v.* 1 **espilrar** *col.* 2 **crepitar**, estalar 3 **esguichar**, jorrar, esparrinhar, borrifar 4 *fig.* **recalcitrar**, respingar, rezingar, abespinhar-se, agastar-se, encolerizar-se, exasperar-se, irritar-se, ofender-se

espirro *n.m.* 1 **esternutação**, espilro *col.* 2 **esguicho** 3 **crepitação**, estalido

esplendente *adj.2g.* 1 **luzente**, resplandecente, brilhante, esplendecente ≠ **embaçado**, embaciado 2 **esplendoroso**, formoso, belo

esplêndido *adj.* 1 **brilhante**, luzidio, luminoso, luzente, reluzente, esplendoroso ≠ **baço**, embaciado 2 **admirável**, deslumbrante, encantador, grandioso, inexcedível 3 **pomposo**, sumptuoso, ostentoso 4 **magnífico**, monumental, soberbo, sublime, excelente ≠ **execrável**, horrível, péssimo

esplendor *n.m.* 1 **fulgor**, resplendor, resplandecência, refulgência, fulgência, esplendidez 2 sumptuosidade, opulência, pompa, magnificência, grandeza, luxo, estadão **3** **beleza**, deslumbramento

esplendoroso *adj.* **1** **brilhante**, deslumbrante, esplêndido ≠ **apagado**, ténue **2** **radioso**, resplandecente ≠ **apagado**, pálido

esplénicoAO ou **esplênico**AO *adj.* **lienal**

espoar *v.* **espanar**, espenujar

espojar *v.* **1** **despojar**, desapossar **2** **espojinhar**

espojar-se *v.* **rebolar-se**, espolinhar-se

espoleta *n.f.* **1** **disparador** **2** **escorva**

espoliação *n.f.* **defraudação**, desfalque, esbulho, expropriação

espoliar *v.* **desapossar**, expropriar, esbulhar, despojar, defraudar, extorquir, roubar, pilhar, depredar, fraudar

espólio *n.m.* **1** **despojo**, esbulho, espoliação **2** **herança**

espongiário *n.m.* ZOOL. **esponja**, heterozoário, porífero

esponja *n.f.* **1** ZOOL. **espongiário**, heterozoário, porífero **2** *col.* **bêbedo**, beberrão

esponjoso *adj.* **1** **fungoso** **2** **poroso**, absorvente **3** **fofo**

esponsal *adj.2g.* **matrimonial**, nupcial, esponsalício ■ *n.m.pl.* **núpcias**, esposório, desponsório

espontaneamente *adv.* **1** **naturalmente**, instintivamente, facilmente **2** **voluntariamente**, livremente

espontaneidade *n.f.* **1** **naturalidade**, facilidade ≠ **afetação**, artificialidade **2** **voluntariedade**

espontâneo *adj.* **1** **voluntário** **2** **natural**, sincero, verdadeiro, simples ≠ **afetado**, artificial

espontar *v.* **1** **aparar**, podar **2** **despontar**, nascer

espora *n.f.* **1** **butuca**, acicate **2** **estímulo**, incitamento, incentivo **3** BOT. **esporeira** **4** (aves) **espinhela**

esporádico *adj.* **1** **acidental**, casual, fortuito, raro, isolado, ocasional, episódico ≠ **constante**, permanente **2** **disperso**, espalhado

esporão *n.m.* **1** **dique** **2** ARQ. **contraforte** **3** (cereais) **cravagem**

esporar *v.* **estimular**, aguilhoar, espicaçar, acicatar, excitar, incitar, instigar, animar, esporear

esporear *v.* **1** **butucar** **2** *fig.* **estimular**, aguilhoar, espicaçar, acicatar, excitar, incitar, instigar, animar, esporar

esposa *n.f.* **cônjuge**, consorte, mulher, companheira, senhora *col.*, patroa *col.*

esposar *v.* **1** **desposar**, casar ≠ **divorciar** **2** **ligar**, unir ≠ **afastar** **3** **amparar**, suster **4** **aceitar**, abraçar, defender, perfilhar

esposo *n.m.* **cônjuge**, consorte, marido, companheiro

espraiar *v.* **1** **alastrar**, alargar, alongar, estender, expandir, dilatar, distender, circunfundir ≠ **confinar**, limitar **2** **distrair**, divertir, espairecer

espraiar-se *v.* **1** **estender-se**, dilatar-se, difundir-se, expandir-se, propagar-se, grassar **2** *fig.* **divagar**, alongar-se, alargar-se, desenvolver

espreguiçar *v.* **despertar**, acordar

espreguiçar-se *v.* **1** **desentorpecer-se**, estirar-se **2** **expandir-se**, espraiar-se

espreita *n.f.* **1** **vigilância**, espionagem, olhadela, observação, atalaia, vigia, espreitadela **2** **emboscada**, cilada, ardil

espreitar *v.* **1** **espiar**, espionar, vigiar, cucar, atalaiar, observar **2** **investigar**, perscrutar, estudar, analisar, indagar, pesquisar, sondar **3** **aguardar**, atentar, esperar

espremedura *n.f.* **compressão**, apertadela, espremedela

espremer *v.* **1** **premer**, premir, comprimir, apertar, dessubstanciar **2** *fig.* **apoquentar**, oprimir **3** *fig.* **forçar**, obrigar **4** *fig.* **esgotar**

espremer-se *v.* **contorcer-se**

espuma *n.f.* **1** **escuma** **2** **baba**

espumadeira *n.f.* **escumadeira**

espumante *adj.2g.* **1** **espumoso**, escumoso, espumejante, espumífero **2** *fig.* **excitado**, raivoso, furioso ■ *n.m.* **champanhe**, espumoso

espumar *v.* **1** **escumar**, espumejar **2** *fig.* **excitar-se**, irar-se, ferver *fig.*

espumoso *adj.* **escumante**, escumoso, espumador, espumento, espumígero, espúmeo ■ *n.m.* **champanhe**, espumante

esquadrão *n.m.* **1** **az** **2** *fig.* **multidão**, legião, chusma, caterva, bando, enxame, falange *fig.*

esquadrar *v.* **esquadriar**, esquadrejar, falquejar

esquadria *n.f.* **1** **esquadro**, acuta, salta-regra, suta **2** *fig.* **ordem**, regularidade, simetria

esquadrilha *n.f.* **flotilha**

esquadrinhamento *n.m.* **busca**, investigação

esquadrinhar *v.* **investigar**, pesquisar, indagar, perscrutar, bisbilhotar, escarafunchar, espiolhar, buscar, revistar

esquadro *n.m.* **corta-mão**, esquadria, acuta, salta-regra, suta

esqualidez *n.f.* **1** **imundície**, sujidade, desasseio, desalinho, esqualor **2** **sordideza**, torpeza **3** **magreza**, palidez

esquálido *adj.* **1** **imundo**, sujo, desleixado, desalinhado ≠ **limpo**, asseado **2** **abjeto**, repugnante, vil, sórdido **3** **lívido**, macilento, fraco

esquartejamento *n.m.* **espostejamento**, retalhamento

esquartejar *v.* **1** **espostejar**, despedaçar, retalhar, dilacerar, lacerar, espedaçar, espartejar **2** *fig.* **desacreditar**, difamar, desonrar

esquecer *v.* 1 **olvidar**, deslembrar, omitir ≠ **lembrar**, recordar 2 **desprezar**, descurar, abandonar ≠ **interessar-se**, velar
esquecer-se *v.* 1 **olvidar-se**, desacordar-se ≠ **lembrar-se**, recordar-se 2 **distrair-se**, descuidar-se 3 **enlevar-se**, absorver-se
esquecido *adj.* 1 **olvidado** ≠ **lembrado**, recordado 2 **desmemoriado**, esquecediço, cabeça de vento, cabeça-leve 3 **abandonado**, desprezado
esquecimento *n.m.* 1 **olvido**, oblívio ≠ **lembrança**, recordação 2 **omissão**, falha, lapso 3 **desprezo**, indiferença, abandono 4 **adormecimento**, entorpecimento
esquelético *adj. fig.* **escanzelado**, magríssimo, descarnado, cadavérico, escaveirado ≠ **anafado**, gordo
esqueleto *n.m.* 1 **ossatura**, ossada, orgada [REG.] 2 **armação**, arcaboiço, carcaça 3 **esboço**, delineamento, plano
esquema *n.m.* 1 **resumo**, súmula, sinopse, esboço, síntese 2 **representação**, diagrama, gráfico 3 **plano**, intenção
esquemático *adj.* **abreviado**, sinóptico, sintético, resumido
esquematizar *v.* **projetar**, planear, delinear
esquentar *v.* 1 **aquecer**, aquentar, encalmar ≠ **arrefecer**, esfriar 2 *fig.* **acalorar**, animar, entusiasmar, excitar 3 *fig.* **encolerizar**, enfurecer, irritar, zangar, irar, enfuriar ≠ **acalmar**
esquentar-se *v.* 1 **acalorar-se**, aquecer 2 *fig.* **irritar-se**, exaltar-se, acirrar-se
esquerda *n.f.* **sinistra**, sestra ≠ **direita**
esquerdino *adj.* **canhoto**, esquerdo, canhenho ≠ **destro**
esquerdista *adj.,n.2g.* POL. **comunista**, socialista
esquerdo *adj.* 1 **sinistro**, sestro ≠ **direito** 2 **canhoto**, canho, esquerdino, canhenho ≠ **destro** 3 **atravessado**, oblíquo, torcido 4 **desajeitado**, desastrado, mal-jeitoso 5 **incómodo**, desagradável, constrangedor
esquife *n.m.* **féretro**, tumba, caixão, ataúde, catre
esquila *n.f.* 1 BOT. **cila** 2 **chocalho** 3 [REG.] **tosquia**
esquina *n.f.* **ângulo**, quina, cunhal, cotovelo, aresta, canto, ponta
esquinar *v.* 1 **enviesar** 2 **facetar**, lapidar 3 **fugir**, escapar-se, esgueirar-se
esquírola *n.f.* **lâmina**, lasca
esquisitice *n.f.* 1 **excentricidade**, extravagância, singularidade 2 **niquice**, impertinência, mania
esquisito *adj.* 1 **invulgar**, raro, incomum 2 **delicado**, requintado, primoroso 3 **estranho**, excêntrico, exótico, extravagante, bizarro, espiclondrífico 4 **niquento**, impertinente, maníaco, rabugento
esquisso *n.m.* **croqui**, esboço, bosquejo
esquiva *n.f.* **desvio**, finta
esquivar *v.* 1 **evitar**, furtar-se, fugir, escapar 2 **desprezar**, repelir, repulsar
esquivar-se *v.* 1 **escapar**, fugir, escapulir-se, subterfugir, roubar-se *fig.* 2 **evitar**, furtar-se 3 **negar-se**, recusar-se, eximir-se, baldar-se, descartar-se, escusar-se
esquivo *adj.* 1 **arredio**, fugidio, arisco 2 **intratável**, insociável, dessociável
essa *n.f.* 1 **catafalco** 2 **cenotáfio**
essencial *adj.2g.* 1 **básico**, primário, fundamental, principal, substancial, capital ≠ **secundário**, auxiliar 2 **indispensável**, necessário, preciso, vital ≠ **dispensável**, desnecessário, supervácuo
essencialidade *n.f.* **indispensabilidade**
essencialmente *adv.* **basicamente**, fundamentalmente
estabelecer *v.* 1 **fundar**, instituir, começar, criar ≠ **abolir**, dissolver 2 **determinar**, identificar, indicar 3 **prescrever**, decretar, ordenar 4 **marcar**, fixar, aprazar
estabelecer-se *v.* 1 **formar-se** 2 **fixar-se**, sediar-se, arruar-se, ancorar-se *fig.* 3 **instalar-se**, generalizar-se
estabelecimento *n.m.* 1 **fundação**, criação 2 **determinação**, fixação 3 **instituição** 4 **loja**
estabilidade *n.f.* 1 **firmeza**, solidez, imobilidade, segurança ≠ **instabilidade** 2 **permanência**, constância, persistência ≠ **instabilidade** 3 **imperturbabilidade**, equilíbrio, invariabilidade ≠ **instabilidade**, desequilíbrio
estabilização *n.f.* **fixação**, imobilidade ≠ **desestabilização**
estabilizador *adj.* **equilibrador**, equilibrante ≠ **desestabilizador**
estabilizar *v.* 1 **regularizar**, normalizar ≠ **desestabilizar**, desregular 2 **equilibrar**, fixar, firmar ≠ **desestabilizar**, desequilibrar
estábulo *n.m.* **presépio**, redil, malhada, estala, corte, abegoaria, curral
estaca *n.f.* 1 **palanca**, moirão 2 (planta) **tutor**, arjão 3 **tanchão**, tanchoeira 4 **farpa**
estacão *n.m.* **estacoadela**
estação *n.f.* **quadra**, época, temporada, quartel, período
estacar *v.* 1 **escorar**, estear, estaquear, firmar, amparar 2 **parar**, deter-se, imobilizar-se, sobrestar, suspender, especar-se
estacaria *n.f.* **paliçada**, estacada
estacionamento *n.m.* 1 **paragem**, parada 2 **parqueamento**
estacionar *v.* 1 **deter-se**, parar, permanecer, demorar-se 2 **parquear**, imobilizar
estacionário *adj.* 1 **estacionável** 2 *fig.* **imóvel**, parado, estacional

estacoar *v.* estaquear, estacar

estada *n.f.* 1 estadia, permanência, demora 2 estância

estadia *n.f.* estada, permanência, demora

estádio *n.m.* fase, período, nível

estadista *n.2g.* governante

estado *n.m.* 1 condição 2 situação, realidade 3 pompa, luxo, fausto 4 (com maiúscula) nação, país

estafa *n.f.* 1 esgotamento, extenuação, depauperamento, cansaço, exaustão, esgotadura, pilota, canseira, suadela, estafadela, estafamento 2 maçada, estopada 3 burla, logração, logro, velhacaria, trapaça, fraude, alicantina

estafadela *n.f.* 1 esgotamento, extenuação, depauperamento, cansaço, exaustão, esgotadura, pilota, canseira, suadela, estafa, estafamento 2 maçada, estopada

estafar *v.* 1 afadigar, derrear, cansar, esfalfar, extenuar, fatigar, moer, esbofar ≠ descansar, repousar 2 aborrecer, importunar, maçar, amolar ≠ distrair, divertir 3 esbanjar, dissipar, desperdiçar ≠ poupar, economizar 4 burlar, ludibriar, roubar, trapacear, calotear, gatunar 5 desancar, espancar, deslombar 6 assassinar, matar

estafermo *n.m.* 1 *pej.* basbaque *pej.*, espantalho *pej.*, paspalho *pej.* 2 *pej.* empecilho *pej.*, estorvo *pej.*, encrenque *pej.*, mostrengo *pej.*, pespego *pej.* 3 *pej.* espanta-pardais *fig.*

estafeta *n.2g.* mensageiro, postilhão, portador, correio, estafeteiro

estagiário *n.m.* formando

estágio *n.m.* 1 formação, profissionalização 2 fase, época

estagnação *n.f.* 1 paralisação, empoçamento, marasmo, escalho ≠ desestagnação 2 inércia

estagnado *adj.* 1 parado, estancado 2 paralisado, parado

estagnar *v.* 1 estancar, represar, açudar, empoçar ≠ fluir 2 paralisar, parar, esclerosar *fig.* ≠ progredir, evoluir

estalada *n.f. col.* bofetada, estalo

estaladiço *adj.* crocante

estalagem *n.f.* albergaria, albergue, hospedaria, pousada, alojamento, estau

estalajadeiro *n.m.* albergueiro, hospedeiro, taverneiro, estalageiro

estalão *n.m.* padrão, tipo, modelo, craveira, bitola, medida

estalar *v.* 1 crepitar, pipocar, estalejar 2 partir, rachar, fender-se, abrir-se 3 acabar, desfalecer, morrer 4 detonar, rebentar, arrebentar, explodir, estourar

estalido *n.m.* 1 crepitação, estalo, estalejadura 2 estridor, estrondo

estalo *n.m.* 1 crepitação, estalido 2 estrondo, estouro 3 bofetada, bofetão, estalada

estambre *n.m.* estame

estame *n.m.* 1 filamento, filete 2 estambre

estampa *n.f.* 1 figura, gravura, ilustração 2 perfeição, beleza

estampado *adj.* 1 impresso, publicado 2 patente, evidente, visível 3 embatido, esbarrado

estampar *v.* 1 gravar, imprimir 2 marcar 3 afixar, assentar, pregar, chapar 4 evidenciar, mostrar, ostentar, patentear 5 esbarrar, colidir, embater

estampar-se *v.* 1 imprimir-se, gravar-se 2 revelar-se, mostrar-se 3 *col.* fracassar, espetar-se, espalhar-se

estampido *n.m.* estrépito, trovão, rumor, fragor, estridor, estoiro, estalo, atroada, estrondo

estampilha *n.f.* 1 selo 2 *col.* bofetada, estalada, estalo

estampilhar *v.* 1 selar, franquiar 2 *col.* esbofetear, esmurrar

estancar *v.* 1 vedar, parar 2 esgotar, esvaziar, secar 3 exaurir, esgotar, fatigar 4 açambarcar, monopolizar, reter 5 deter-se, estacar

estância *n.f.* 1 morada, habitação, residência 2 estrofe 3 paragem, permanência, estada 4 ancoradouro, surgidouro 5 recinto, aposento

estanciar *v.* 1 habitar, residir, morar 2 deter-se, descansar, parar

estandardização *n.f.* uniformização, equalização

estandarte *n.m.* 1 bandeira, pendão 2 divisa

estanque *adj.2g.* 1 estagnado, parado ≠ corrente 2 tapado, vedado, calafetado, estancado 3 enxuto, extinto ■ *n.m.* 1 interrupção, paragem, detenção 2 monopólio, estanco 3 estanco, tabacaria

estanqueiro *n.m.* monopolizador

estante *n.f.* atril, suporte

estapafúrdio *adj.* 1 esquisito, estrambólico, excêntrico 2 doidivanas, extravagante, disparatado

estar *v.* 1 achar-se, encontrar-se 2 permanecer, ficar 3 achar, considerar, pensar 4 situar-se, localizar-se 5 consistir, resumir-se, residir

estardalhaço *n.m.* 1 estrondo, ruído 2 ostentação, jactância, aparato, espalhafato 3 burburinho, barulhada, rebuliço, bulha, banzé, escarcéu

estarola *adj.,n.2g.* doidivanas, leviano, estroina ≠ ajuizado

estarrecer *v.* aterrorizar, apavorar, assustar, aterrar, assombrar, espantar

estatelado *adj.* derrubado, estendido

estatelar *v.* estirar, estender

estatelar-se *v.* cair, estender-se, chapar-se, espernegar-se, esparrar-se, espatifar-se, estampar-se *col.*, espalhar-se *col.*, estabacar-se [BRAS.] *col.*

estático *adj.* **imóvel**, parado, hirto

estatismo *n.m.* **imobilidade**, inércia

estatuária *n.f.* **imaginária**, escultura

estatuário *n.m.* **escultor**

estatueta *n.f.* **escultura**

estatuir *v.* **decretar**, determinar, estabelecer, preceituar, regulamentar, ordenar, prescrever, decidir

estatura *n.f.* **1** **corporatura**, figura **2** **importância**, vulto, valor, envergadura, magnitude, grandeza, craveira

estatutário *adj.* **regulamentar**, estatutivo, estatucional

estatuto *n.m.* **1** **regulamento**, regimento, regime, lei **2** **código** **3** **status**, situação, posição **4** **uso**, costume, hábito

estavanado *adj.* **doidivanas**, estroina, valdevinos, estouvado, irrequieto

estável *adj.2g.* **1** **firme**, fixo, assente, seguro ≠ **instável**, inseguro **2** **constante**, invariável, inalterável, permanente ≠ **instável**, variável **3** **duradouro**, durável, constante ≠ **efémero**, inconstante, passageiro, temporário

este *n.m.* GEOG. **oriente**, leste, levante, nascente

estear *v.* **1** **escorar**, especar **2** **auxiliar**, amparar, proteger **3** **apoiar**, basear, fundamentar, firmar

estear-se *v.* **apoiar-se**, firmar-se, segurar-se, amparar-se, arrimar-se

esteio *n.m.* **1** **espeque**, sustentáculo, pilar, forçura, finca, estaca, alicerce, escora **2** *fig.* **amparo**, apoio, auxílio, arrimo, proteção, favor

esteira *n.f.* **1** **sulco**, aguagem, rasto, alheta **2** **rasto**, vestígio, sinal **3** **modelo**, norma, exemplo **4** **rumo**, caminho, direção

esteiro *n.m.* **estuário**

estela *n.f.* **1** **monólito** **2** **baliza** **3** [REG.] **estilha**, farpa

estendal *n.m.* **1** **estendedouro**, enxugadouro, coradouro, secadoiro **2** *fig.* **alarde**, ostentação **3** *fig.* **desarrumação**, confusão

estender *v.* **1** **estirar**, esticar, distender **2** **alongar**, alargar, esfraldar ≠ **encurtar**, encolher **3** **abrir**, desdobrar, desenrolar ≠ **dobrar**, enrolar **4** **prorrogar**, dilatar, prolongar ≠ **antecipar**, adiantar **5** **apregoar**, propagar, difundir, divulgar **6** **derribar**, derrotar, derrubar, estatelar

estender-se *v.* **1** **expandir-se**, espraiar-se, espalhar-se, alastrar, alargar-se, propalar-se, divulgar-se, dilatar-se **2** **alongar-se**, prolongar-se, durar, continuar **3** **estirar-se**, deitar-se **4** **abarcar**, abranger, atingir, alcançar **5** **divagar**, espraiar-se, alongar-se, alargar-se, desenvolver

estenografar *v.* **taquigrafar**

estenografia *n.f.* **taquigrafia**, logografia

estenográfico *adj.* **taquigráfico**, logográfico

esterco *n.m.* **1** **excremento**, trampa *fig.,cal.* **2** **estrume**, adubo **3** **imundície**, porcaria, sujidade, lixo, esterqueiro **4** [REG.] **desordem**, barulho, vozearia, zaragata

estere *n.m.* **estéreo**

estereotipar *v.* **fixar**

estereótipo *n.m.* **cliché**, chavão

estéril *adj.2g.* **1** **infecundo**, infrutífero, improdutivo, infrutuoso ≠ **fértil**, fecundo, produtivo **2** **desprovido**, falho, carecido **3** **vão**, inútil ≠ **vantajoso**, profícuo **4** **assético** ≠ **séptico**

esterilidade *n.f.* **1** **improdutividade**, infertilidade, infecundidade, maninhez, agenesia, atecnia ≠ **fecundidade**, fertilidade **2** **carência**, falta, escassez, penúria **3** MED. **assepsia**

esterilização *n.f.* **1** **desinfeção**, asseptização **2** **estrago**, assolação, destruição **3** **embrutecimento**, paralisação

esterilizar *v.* **1** **desinfetar**, assepsiar **2** **infecundar**, amaninhar, castrar, infertilizar

esterilizar-se *v.* **infertilizar-se**

esterlino *n.m.* **libra**

esternutação *n.f.* **espirro**, espilro *col.*

esternutatório *adj.* **errino**, ptármico

esterqueira *n.f.* **estrumeira**, imundície, sujidade, porcaria, muladar, monturo, alfurja, esterquilínio, esterquice, chiqueiro

estertor *n.m.* **vasca**, agonia, arranco, ânsia, arquejo

estertoroso *adj.* **agonizante**, estertorante

estético *adj.* **agradável**, belo, harmonioso ≠ **inestético**, feio, antiestético

estetoscópio *n.m.* **auscultador**, fonendoscópio

esteva *n.f.* BOT. **cisto**, xara, esteba, estibeira

estevão *n.m.* BOT. **lada**

estiagem *n.f.* **estiada**, seca

estibordo *n.m.* NÁUT. **cisbordo** ≠ **bombordo**

esticão *n.m.* **puxão**, sacão

esticar *v.* **1** **distender**, estender, alongar, estirar, acompridar ≠ **enrolar**, dobrar **2** **retesar**, repuxar, puxar **3** *col.* **prolongar** **4** *col.* **estatelar** **5** *col.* **morrer**, espichar

esticar-se *v.* **1** **endireitar-se** **2** **estender-se** **3** **deitar-se**, recostar-se **4** **espreguiçar-se** **5** **prolongar-se**

estigma *n.m.* **1** **cicatriz** **2** **ferrete**, marca **3** **labéu**, mácula, mancha

estigmatizar *v.* **infamar**, acusar, desvirtuar, censurar, verberar, tachar, condenar

estilha *n.f.* **1** **farpa**, hastilha, lasca, cavaco **2** **fragmento**, estilhaço **3** **dinheiro**

estilhaçar *v.* **despedaçar**, partir, escacar, escaqueirar, pulverizar, espatifar, estilhar

estilhaçar-se *v.* **quebrar-se**, partir-se, despedaçar-se

estilhaço *n.m.* **pedaço**, astilha, racha, lasca, fragmento, estilha, cavaco

estilizar *v.* **aperfeiçoar**, apurar, aprimorar

estilo *n.m.* **classe**, requinte

estiloso *adj. col.* **elegante**, requintado

estima *n.f.* **1 consideração**, apreço, estimação, respeito, conta **2 afeto**, carinho, amizade, afeição ≠ **desprezo**, desdém, menosprezo **3 cálculo**, estimativa, estimação, avaliação, apreciação, cômputo

estimação *n.f.* **1 consideração**, apreço, estima, respeito, conta **2 afeto**, carinho, amizade, afeição ≠ **desprezo**, desdém, menosprezo **3 cálculo**, estimativa, estima, avaliação, apreciação, cômputo

estimado *adj.* **1 apreciado**, querido, considerado **2 avaliado**, calculado

estimar *v.* **1 apreciar**, gostar, prezar, bem-querer, admirar, reverenciar ≠ **desprezar**, desdenhar **2 avaliar**, calcular **3 achar**, julgar, pensar, presumir, supor **4 desejar**, augurar

estimativa *n.f.* **1 cálculo**, apreciação, aproximação, cômputo, avaliação, estima **2 opinião**, parecer, juízo, apreciação

estimável *adj.2g.* **1 apreciável**, distinto, louvável ≠ **desprezável**, menosprezável, depreciável, desacreditável **2 avaliável**

estimulação *n.f.* **instigação**, incitamento, incentivo, impulso, estímulo, excitação, provocação

estimulante *adj.2g.* **1 excitante**, estimuloso, estimulador, excitativo, provocativo, excitatório **2 encorajador**, incentivador ≠ **desalentador 3 excitante**, revigorante, acirrante ■ *n.m.* **estímulo**, incentivo

estimular *v.* **1 ativar**, despertar, espertar, excitar **2 aguilhoar**, espicaçar, esporear, picar, aferretoar, agulhar **3 animar**, encorajar, entusiasmar, incitar, incentivar, instigar, acirrar, acicatar, atiçar, excitar, avivar, impulsionar, ensofregar, espiritar *fig.*, espiritizar *fig.* ≠ **desanimar**, desencorajar, desalentar

estimular-se *v.* **encorajar-se**, animar-se

estímulo *n.m.* **1 incentivo**, incitação, incitamento, impulso, encorajamento, estimulação, cicate *fig.* **2 pua**, aguilhão **3 pundonor**, dignidade, brio **4 excitante**, estimulante

estio *n.m.* **1** (com maiúscula) **verão 2** *fig.* **calor**, canícula

estiolamento *n.m.* **1** BOT. **ensoamento 2** *fig.* **debilidade**, definhamento, enfraquecimento, fraqueza

estiolar *v.* **1 crestar**, assoleimar [REG.] **2** *fig.* **enfraquecer**, atrofiar, debilitar, desfalecer, definhar, agostar ≠ **fortalecer**

estiolar-se *v.* **definhar**, debilitar-se, desfalecer

estipêndio *n.m.* **remuneração**, paga, vencimento, retribuição, salário, ordenado, pagamento, soldada

estipulação *n.f.* **1 ajuste**, contrato **2 condição**, cláusula

estipulado *adj.* **1 estipuloso 2 ajustado**, combinado, convencionado

estipular *v.* **1 determinar**, estabelecer, assentar, convencionar **2 combinar**, ajustar, contratar

estiraçar *v.* **1 estirar**, esticar, repuxar, retesar **2 estatelar**, estender

estiraçar-se *v.* **1 espreguiçar-se**, estirar-se **2 deitar-se**, estender-se

estirar *v.* **1 estender**, esticar, estiraçar, retesar, entesar, repuxar ≠ **encolher 2 alongar**, alargar, dilatar, prolongar, encompridar ≠ **reduzir**, encurtar **3 alinhar**, enfileirar **4 derribar**, estatelar

estirar-se *v.* **1 espreguiçar-se**, estender-se, espichar-se **2 projetar-se 3 deitar-se**

estirpe *n.f.* **1 raiz 2** *fig.* **antepassados**, ascendência, progenitores, avoengos, antigos, maiores, genealogia, antecessores, progénie, origem, avós *fig.*, pais *fig.* ≠ **descendência**, descendentes **3 espécie**, tipo, grupo

estivado *adj.* **cheio**, repleto

estival *adj.2g.* **estivo**, quente ≠ **invernal**, hibernal

estivar *v.* **1 carregar 2 veranear**, estiar

esto *n.m.* **1 preia-mar**, maré-cheia, praia-mar **2 ondulação 3** *fig.* **ardor**, calor, paixão, fervor, ímpeto

estocada *n.f.* **estoqueadura**, espadada

estofar *v.* **acolchoar**, almofadar, enchumaçar, forrar

estofo *n.m.* **1 tecido**, pano, estofa **2** *fig.* **classe**, qualidade, condição, espécie, género, jaez, laia ■ *adj.* **estacionário**, estagnado, parado

estoico[dAO] *adj.* **austero**, firme, grave, rígido, severo, insensível, impassível, imperturbável, inabalável, inquebrantável

estóico[aAO] *adj.* ⇒ **estoico**[dAO]

estomacal *adj.2g.* **1 estomáquico 2 digestivo**

estomagar *v.* **agastar**, irritar, irar, melindrar, magoar, indignar, ofender, escandalizar

estomagar-se *v.* **zangar-se**, melindrar-se, ofender-se, agastar-se

estômago *n.m. fig.* **sangue-frio**, coragem

estónio[AO] ou **estônio**[AO] *adj.,n.m.* **estoniano**, estónico

estonteante *adj.2g.* **alucinante**, perturbante, vertiginoso, enlouquecedor, estonteador, alucinogénio *fig.*

estontear *v.* **entontecer**, atordoar, estontecer, estontar, atontar, aparvalhar, atarantar, perturbar

estopada *n.f.* **maçada**, aborrecimento, frete, amolação, seringação *col.*, seca *col.*, buchada *fig.*

estoquear *v.* estocar

estore *n.m.* corrediça

estória *n.f.* conto, história

estorninho *n.m.* ICTIOL. **corta-ventos**, tordinho, tordo-preto, tornilho, zorral, zorzal

estorricar *v.* **torrar**, tostar, estornicar, esturrinhar, esturricar

estorvar *v.* **1 dificultar**, embaraçar, impedir, desajudar, embargar, frustrar, obstar, interromper, tolher, empecer, empachar, empatar, pear, pejar ≠ **desestorvar**, desimpedir, desembaraçar **2 contrariar**, importunar, incomodar, perturbar

estorvo *n.m.* **impedimento**, incómodo, obstáculo, inconveniência, oposição, pejamento, óbice, pespego, rémora, empeço, entrave, estorvilho, contrariedade, contratempo, estorvamento, dificuldade, empecilho, embargo, embaraço, empachamento, tropeço *fig.*, barreira *fig.*, peia *fig.*, barbilho *fig.*, barranco *fig.*, encrenca *col.*, imporém [REG.], travanca [BRAS.]

estourar *v.* **1 arrebentar**, explodir, rebentar, estalar **2 estafar**, cansar, fatigar **3 estrondear**, bramar, ribombar, troar, estrondar **4 dissipar**, esbanjar, espatifar

estouro *n.m.* **1 estampido**, estrondo, fragor, ribombo **2 explosão**, detonação **3 bofetão**, bofetada, estalo

estouvado *adj.* **1 imprudente**, precipitado, leviano, inconsiderado, desastrado, atabalhoado, destoutiçado, dessisudo ≠ **ajuizado**, sensato, ponderado **2 brincalhão**, folgazão, travesso, agarotado, espalha-brasas

estrabão *adj.* **estrábico**, vesgo, torto, mirolho, vesgueiro, zanago, zerê [BRAS.], zanoio, zanolho, zargo

estrábico *adj.* **estrabão**, vesgo, torto, zarolho, mirolho, vesgueiro

estrabismo *n.m.* MED. **heterotropia**

estraçalhar *v.* **despedaçar**, espatifar, rasgar, retalhar, estracinhar, estraçoar, esmigalhar

estrada *n.f.* **1 rodovia 2 caminho**, via, alfazar **3 direção**, rumo **4** *fig.* **meio**, maneira **5** *fig.* **norma**, rotina

estradar *v.* **1** *fig.* **encaminhar-se**, dirigir-se **2 pavimentar 3 soalhar**, assolhar **4 alcatifar**

estrado *n.m.* **1 supedâneo 2 tablado**

estrafegar *v.* **1 estrangular**, esganar, afogar, sufocar, torcegar **2 despedaçar**, estraçalhar, espedaçar, estraçoar, lacerar **3 trasfegar**, transvasar

estrafego *n.m.* **1 despedaçamento**, laceração, destruição **2 esganação**, estrafega

estragado *adj.* **1 danificado**, inutilizado, arruinado, estuporado *col.* **2 deteriorado**, gasto

estragar *v.* **1 danificar**, inutilizar, avariar, arruinar, escangalhar, estuporar, esbodegar, estrompar **2 deteriorar**, gastar **3 apodrecer**, deteriorar **4 corromper**, perverter, viciar **5 debilitar**, prejudicar **6 esbanjar**, dissipar **7 destruir**, devastar, arrasar, arruinar, assolar

estragar-se *v.* **1 deteriorar-se**, corromper-se, adulterar-se, apodrecer **2 avariar-se**, escangalhar-se, danificar-se, desconsertar-se **3 destruir-se**, arruinar-se **4 perverter-se**, viciar-se, corromper-se, derrancar-se

estrago *n.m.* **1 dano**, deterioração, ruína **2 dissipação**, desperdício, esbanjamento, estragação **3 prejuízo 4** *col.* **despesa**, gasto

estrambólico *adj.* **1 esquisito**, estapafúrdio, estrambótico, estranho, excêntrico, extravagante **2 ridículo**

estrambótico *adj.* **1 esquisito**, estapafúrdico, estrambólico, estranho, excêntrico, extravagante, escalafobético [BRAS.] **2 ridículo**

estramónio[AO] ou **estramônio**[AO] *n.m.* BOT. **erva-dos-feitiços**, zabumba, trombetão, trombeta, figueira-brava, datura, figueira-do-inferno, figueira-do-diabo

estrangeirinha *n.f.* **intriga**, velhacaria, velhacada, tranquibernice, embuste, alicantina, cilada, artimanha, ardil

estrangeirismo *n.m.* **1 barbarismo**, peregrinismo **2 estrangeirice**

estrangeiro *adj.* **estranho**, forasteiro, externo, alienígena, alofilo, franduleiro, brichote *pej.* ≠ **natural**, nacional

estrangulação *n.f.* **1 esganação**, sufocação, esgana, constrição, afogo, estrangulamento **2 estreitamento**, aperto, estritura

estrangulamento *n.m.* **1 esganação**, sufocação, esgana, constrição, afogo, estrangulação **2 estreitamento**, aperto

estrangular *v.* **1 asfixiar**, afogar, abafar, esganar, enforcar, garrotear, estrafegar, sufocar **2 estreitar**, comprimir **3 reprimir**, conter, impedir

estranhamente *adv.* **inesperadamente**, extraordinariamente ≠ **naturalmente**, previsivelmente

estranhamento *n.m.* **admiração**, espanto, estranheza

estranhar *v.* **1 admirar-se**, surpreender-se, assombrar-se **2 fugir**, esquivar-se **3 censurar**, repreender, exprobrar

estranhável *adj.2g.* **1 admirável 2 repreensível**, censurável

estranheza *n.f.* **1 pasmo**, admiração, espanto, surpresa **2 desconfiança 3 esquivança**, esquiveza, esquivez
estranho *adj.* **1 estrangeiro**, forasteiro, externo, alienígena ≠ **natural**, nacional **2 desconhecido**, inabitual, desusado ≠ **conhecido**, habitual **3 esquisito**, anormal, excêntrico **4 singular**, curioso, extraordinário, surpreendente **5 arredio**, esquivo, ressentido
estranja *adj.2g. col.* **estranho**, forasteiro, externo, alienígena ≠ **natural**, nacional
estratagema *n.m.* **subterfúgio**, estratégia, astúcia, manha, ardil, maquinação
estratégia *n.f.* **ardil**, estratagema, habilidade, manha, subterfúgio
estrategicamente *adv.* **ardilosamente**, habilmente, astuciosamente
estratégico *adj.* **ardiloso**, astucioso, manhoso, hábil
estratificação *n.f.* **acamamento**
estratificar *v.* **acamar**
estrato *n.m.* **camada**, faixa
estreante *adj.,n.2g.* **principiante**, debutante, novato
estrear *v.* **1 inaugurar**, encetar **2 iniciar**, principiar, começar, preludiar
estrebaria *n.f.* **cavalhariça**
estrebuchar *v.* **debater-se**, agitar-se, contorcer-se, estorcer-se, bravear
estreia *n.f.* **1 inauguração 2 première**
estreitamente *adv.* **1 intimamente 2 escassamente**, parcamente **3 estritamente**, restritamente, rigorosamente, apertadamente, escrupulosamente
estreitamento *n.m.* **1 diminuição**, estrangulamento, constrição, aperto, redução ≠ **alargamento 2 fortalecimento**, solidificação
estreitar *v.* **1 apertar**, afilar, adelgaçar, estrangular ≠ **alargar**, engrossar **2 diminuir**, reduzir, limitar, encurtar, encolher, cercear, coartar ≠ **alargar**, ampliar **3 atar**, ligar, unir ≠ **afastar**, desunir **4 abraçar**, aconchegar
estreitar-se *v.* **1 apertar**, reduzir-se, encolher, diminuir ≠ **alargar-se 2 restringir-se**, limitar-se **3 intensificar-se 4 aprofundar-se**, fortalecer-se
estreiteza *n.f.* **1 aperto**, estreitura, angustura *fig.* ≠ **largueza 2 escassez**, penúria, carência, privação, necessidade, míngua ≠ **abundância**, fartura, abastança **3 intimidade**, proximidade, familiaridade ≠ **distância**, afastamento **4 ignorância**, pequenez **5 severidade**, rigor, rigidez ≠ **flexibilidade**
estreito *adj.* **1 apertado**, justo, ajustado, acanhado, comprimido, encolhido, abetesgado ≠ **largo**, amplo, folgado **2 delgado**, esguio, fino ≠ **largo**, grosso **3 limitado**, restrito **4 familiar**, unido, íntimo, próximo, cordial **5 rigoroso**, rígido, severo, escrupuloso **6 avaro**, mesquinho, acanhado **7 tacanho**, mesquinho, limitado ■ *n.m.* **desfiladeiro**, garganta
estrela *n.f.* **1 astro 2** *fig.* **sorte**, fortuna, sina, destino, fado, dita **3** *fig.* **guia**, norte **4 asterisco**, estrelinha **5 vedeta**
estrelar *adj.2g.* **sideral** ■ *v.* **1 brilhar**, cintilar, refulgir **2 constelar 3 frigir**, fritar
estrelato *n.m.* **celebridade**, fama
estrelinha *n.f.* **1 asterisco 2** ORNIT. **trepadeira**, felosa, abadejo, esgatinhadeira
estrema *n.f.* **raia**, orla, limite, estremadura, baliza, fronteira
estremadura *n.f.* **raia**, estrema, fronteira, limite, divisória
estremar *v.* **1 delimitar**, demarcar, balizar, abalizar **2 confinar 3 distinguir**, diferenciar, dividir, separar, divisar, apartar **4 assinalar**, realçar, sobressair **5 condensar**, resumir
estreme *adj.2g.* **genuíno**, puro
estremecer *v.* **1 abalar**, abanar, sacudir, vibrar **2 amedrontar-se**, assustar-se, atemorizar-se, aterrar-se, apavorar-se, sobressaltar-se
estremecimento *n.m.* **1 arrepio**, escalafrio, tremor, estremeção, sacudimento, vibração **2 afeto**, carinho
estremenho *adj.* **confinante**, fronteiriço, arraiano, limítrofe
estremunhar *v.* **estrouvinhar**, estrovinhar
estrénuo[AO] ou **estrênuo**[AO] *adj.* **1 valente**, audaz, corajoso, denodado **2 ativo**, diligente, enérgico, zeloso
estrepitar *v.* **retumbar**, atroar, estrondear, rebombar
estrépito *n.m.* **1 estrondo**, estrupido, fragor, estampido, rebombo **2 rumor**, som **3 rangido**, chiada **4 agitação**, tumulto, tropel **5 ostentação**, pompa, solenidade
estrepitoso *adj.* **1 estrondoso**, ruidoso, estouraz **2 aparatoso**, pomposo, sensacional, ostentoso
estria *n.f.* **1 sulco**, meia-cana, canelura **2** ARQ. **listel**, filete
estriar *v.* **sulcar**, canelar, rajar, raiar, riscar, listrar
estribar *v.* **apoiar**, escorar, estear, assentar, basear, encostar, fundamentar, fundar
estribar-se *v.* **1 apoiar-se**, fincar-se, assentar, arrimar-se **2** *fig.* **basear-se**, fundamentar-se, apoiar-se
estribeira *n.f.* (degrau) **estribo**
estribeiro *n.m.* **cavalariço**
estribilho *n.m.* **1 refrão 2 bordão**

estribo *n.m.* 1 apoio, amparo, segurança, encosto, arrimo, fundamento, esteio, ritornelo 2 (degrau) estribeira 3 ARQ. botaréu, contraforte, arcobotante

estridência *n.f.* estridor, sibilância

estridente *adj.2g.* estrídulo, estridoroso, estriduloso, agudo, sibilante, penetrante, estridulante

estrídulo *adj.* estridente, estridoroso, estriduloso, agudo, sibilante, penetrante, guizalhante, chirriante

estriga *n.f.* 1 feiticeira, bruxa, estrige 2 faixa, tira

estrige *n.f.* 1 coruja 2 bruxa, estriga, feiticeira, estria

estrilho *n.m. col.* barafunda, confusão

estripar *v.* esventrar, destripar, deventrar, amanhar

estritamente *adv.* exatamente, precisamente

estrito *adj.* 1 rigoroso, preciso, exato 2 intransigente, rígido 3 restrito, limitado

estro *n.m.* 1 inspiração, musa, veia *fig.*, lira *fig.* 2 cio 3 ZOOL. gusano

estrofe *n.f.* copla, estância

estroina *adj.,n.2g.* 1 doidivanas, estarola, pândego, pagodeiro, estúrdio, valdevinos, altanado, fragateiro, artola, bardino, boémio, borguista, estouvado, espalha, artolas, estabareda [REG.] 2 esbanjador, perdulário, dissipador, gastador ≠ poupado, económico

estroinar *v.* 1 pagodear, artolar, pandegar, farrear, divertir-se, frangalhotear 2 dissipar, esbanjar, gastar

estroinice *n.f.* maluquice, pândega, pagodeira, maluqueira, leviandade, frascaria, borga, boémia, reinata, estúrdia, berzundela [REG.], berzunda [REG.]

estroncar *v.* 1 desmembrar, decepar, destroncar 2 quebrar, partir, desarticular

estrondear *v.* retumbar, ribombar, estrondar, estourar, troar, fragorar, tempestuar

estrondo *n.m.* 1 estrépito, trovão, rumor, fragor, estridor, estoiro, estalo, atroada, estampido, ribombo, rugido 2 estardalhaço, agitação, gritaria, grita, matinada, bulício, alarido 3 ostentação, pompa, solenidade, magnificência, fausto, aparato

estrondoso *adj.* 1 barulhento, estrepitoso, retumbante, ruidoso 2 aparatoso, grandioso, luxuoso, sumptuoso, pomposo, espetacular

estropiado *adj.* mutilado, aleijado

estropiamento *n.m.* 1 mutilação, estropiação 2 deturpação, alteração, adulteração

estropiar *v.* 1 mutilar, desfigurar, aleijar, decepar, deformar 2 esgotar, derrear, extenuar, fatigar 3 deturpar, adulterar, desvirtuar

estrugido *n.m.* 1 CUL. refogado 2 ruído, chiadeira, barulho, barulheira 3 complicação

estrugir *v.* 1 atroar, estrondear, estralejar 2 atordoar, azoinar, abalar 3 refogar

estrumar *v.* 1 adubar, fertilizar, estercar 2 defecar

estrume *n.m.* adubo, fertilizante, esterco

estrupido *n.m.* estrépito, estrondo, estampido, fragor, estropeada

estrutura *n.f.* 1 contextura, disposição, organização 2 construção, edificação 3 armação, arcabouço

estrutural *adj.2g.* 1 fundamental, essencial 2 morfológico

estruturar *v.* organizar, compor ≠ desestruturar, desorganizar

estuante *adj.2g.* 1 ardente, febril, fervente, escaldante 2 agitado, revolto

estuar *v.* 1 abrasar, arder, ferver 2 agitar-se, efervescer *fig.*

estuário *n.m.* foz, embocadura, desaguadoiro, esteiro

estucar *v.* rebocar

estudado *adj.* artificial, artificioso, engenhoso, falso, fingido, afetado, calculado

estudante *n.2g.* aluno, discípulo, escolar, colegial, aulista, académico, escolástico, cursista

estudar *v.* 1 cursar 2 aprender, instruir-se 3 analisar, examinar, observar 4 meditar, refletir 5 ensaiar 6 decorar, memorizar

estúdio *n.m.* atelier, oficina

estudioso *adj.* 1 aplicado, atento, diligente 2 cultor, apreciador, curioso

estudo *n.m.* 1 análise, exame, observação 2 ensaio, esboço 3 investigação, pesquisa, busca 4 dissimulação, disfarce, artifício 5 cuidado, atenção

estufar *v.* CUL. refogar, guisar

estugar *v.* 1 acelerar, apressar, aligeirar, atabular 2 estimular, incitar, instigar

estultice *n.f.* imbecilidade, ineptidão, parvoíce, estupidez, estultícia

estulto *adj.* insensato, imbecil, estúpido, néscio, parvo, pateta, idiota, tolo, inepto, asno, basbaque ≠ sensato, inteligente

estupefação[dAO] *n.f.* 1 adormecimento, entorpecimento 2 pasmo, admiração, espanto, estupor, embaçamento

estupefacção[aAO] *n.f.* ⇒ **estupefação**[dAO]

estupefaciente *adj.2g.* 1 entorpecente, estupefactivo 2 assombroso, pasmoso ■ *n.m.* narcótico, droga

estupefacto[AO] ou **estupefato**[AO] *adj.* 1 entorpecido 2 atónito, boquiaberto, espantado, pasmado, surpreendido, surpreso, varado, admiradíssimo, aturdido, embasbacado, maravilhado

estupendo *adj.* 1 **admirável**, maravilhoso, extraordinário, fantástico, formidável, assombroso, espantoso, surpreendente, pasmoso 2 **colossal**, grandioso, descomunal

estupidamente *adv.* **nesciamente**, parvamente, tolamente, bestialmente

estupidez *n.f.* **imbecilidade**, idiotice, estultícia, tarouquice, tontice, asnice, burrice, camelice, disparate, asneira, desengano, hebetismo, tolice, estolidez

estupidificar *v.* **embrutecer**, bestificar, emparvecer, estupidecer, alabregar

estúpido *adj.,n.m.* 1 **imbecil**, néscio, estulto, burro, asno, asinino, lerdo, obtuso, tanso, tacanho, parvo, palerma, pasmado, bobo, burrego *fig.*, cepo *fig.*, animalaço *fig.,pej.* 2 **boçal**, bronco, bruto, besta, grosseiro, alarve, rude, rústico ≠ **delicado** 3 **atónito**, espantado

estupor *n.m.* 1 **entorpecimento**, imobilidade, adormecimento, torpor, estupefação 2 **pasmo**, assombro, admiração

estuporar *v.* 1 **estupefazer**, assombrar 2 **arruinar**, destruir, estragar

estuporar-se *v.* 1 **estragar-se** 2 **irritar-se**, zangar-se 3 **aviltar-se**, envilecer-se

estuprar *v.* **violar**, violentar

estupro *n.m.* **violação**

estúrdia *n.f.* **estroinice**, pândega, paródia, travessura, boémia, bandarrice, extravagância

esturjão *n.m.* ICTIOL. **esturgião**, esturião, solho, solho-rei

esturrar *v.* 1 **queimar**, esturricar, torrar, tostar, chisnar 2 **exaltar-se**, irritar-se

esturro *n.m.* **torrefação**

esvaecer *v.* 1 **aniquilar**, apagar, delir, desfazer, dissipar, desvaecer, evaporar, esvanecer 2 **esmorecer**, enfraquecer 3 **desfalecer**, desmaiar, esvair-se

esvaecer-se *v.* 1 **volatilizar-se**, evaporar-se, evolar-se, dissipar-se 2 **enfraquecer-se**, esbater-se, desaparecer 3 **esmorecer**, afrouxar, desanimar

esvair *v.* **dissipar**, esvaecer, desvanecer, evaporar, exaurir

esvair-se *v.* 1 **desmaiar**, desfalecer, esvaecer, enfanicar-se 2 **esgotar-se**, desfazer-se, terminar 3 **dissipar-se**, desvanecer-se 4 **esbater-se** 5 **escoar-se**

esvaziamento *n.m.* 1 **despejo** ≠ **enchimento** 2 **desocupação**

esvaziar *v.* 1 **despejar**, vazar, vaziar, achicar, desembaular ≠ **encher**, acogular, abarrotar, apojar *fig.* 2 **desocupar**, evacuar ≠ **encher**, ocupar 3 **esgotar**, exaurir

esventrar *v.* **estripar**, eviscerar, destripar

esverdeado *adj.* **verdoengo**, glauco, esverdinhado, esmeraldino, garço

esverdear *v.* **verdejar**, esmeraldear, verdear

esvoaçar *v.* 1 **adejar**, esvoejar, voejar, avoaçar, revolitar 2 **flutuar**, volutear, drapejar

etapa *n.f.* **período**, estádio, fase

etéreo *adj.* 1 **puro**, sublime, elevado 2 **celeste**, celestial, divino

eterizar *v.* **anestesiar**, insensibilizar

eterizar-se *v.* **evaporar-se**, volatilizar-se, subtilizar-se, sublimar-se, exalar-se

eternal *adj.2g.* 1 **perpétuo**, imortal, imortalizado, imperecível, perene, eterno 2 **imutável**, inalterável, invariável 3 **infindável**, interminável, perdurável 4 **constante**, incessante, contínuo, duradouro, ininterrupto, permanente ≠ **efémero**, passageiro, transitório 5 **desmedido**, enorme

eternamente *adv.* **sempre**, continuamente, incessantemente, perpetuamente, constantemente

eternar *v.* **imortalizar**, perpetuar, eternizar

eternidade *n.f.* 1 **além-mundo**, além-túmulo, além 2 **imortalidade**, perpetuidade, infinidade, evo

eternizar *v.* **perpetuar**, eternar, imortalizar

eternizar-se *v.* **perpetuar-se**

eterno *adj.* 1 **perpétuo**, imortal, imortalizado, imperecível, perene, eternal 2 **imutável**, inalterável, invariável 3 **infindável**, interminável, perdurável, eviterno 4 **constante**, incessante, contínuo, duradouro, ininterrupto, permanente ≠ **efémero**, passageiro, transitório 5 **desmedido**, enorme

ética *n.f.* 1 **moral** 2 **deontologia**

ético *adj.* **moral**

etilizar *v.* **embebedar**, embriagar, alcoolizar

etimologia *n.f.* GRAM. **origem**, génese, derivação

etíope *adj.2g.* **etiópico**, etiopês, etiópio, abissínio, abessim

etiópico *adj.* **etíope**, abissínio, etiopês, etiópio

etiqueta *n.f.* 1 **letreiro**, rótulo 2 **regra**, estilo, praxe 3 **protocolo**

etiquetagem *n.f.* **rotulagem**, rotulação

etiquetar *v.* **rotular**

etmoide[dAO] *n.m.* ANAT. **cribriforme**

etmóide[aAO] *n.m.* ⇒ **etmoide**[dAO]

étnico *adj.* 1 **gentílico**, rácico, racial 2 *ant.* **idólatra**, pagão

etrusco *adj.,n.m.* **tirreno**, tirrénio

Eucaristia *n.f.* **missa**

eufónico[AO] ou **eufônico**[AO] *adj.* **harmonioso**, melodioso, suave

euforia *n.f.* 1 **entusiasmo**, exaltação 2 **bem-estar**, calma

eufórico *adj.* **alegre**, entusiástico, exaltado, satisfeito
eugenia *n.f.* **eugenismo**, hominicultura
eugenismo *n.m.* **eugenia**, hominicultura
eunuco *adj.* **1** **castrado**, capado, semíviro **2** **estéril**
eupéptico *adj.* **digestivo**
euro-asiático *adj.* **eurasiático**, eurásio
evacuação *n.f.* **1** **expulsão**, despejo **2** **defecação**, dejeção
evacuar *v.* **1** **desocupar**, despejar, esvaziar, expulsar **2** **defecar**, dejetar, obrar *col.*, cagar *cal.*
evadido *adj.* **fugitivo**
evadir *v.* **escapar**, evitar, furtar-se, desviar
evadir-se *v.* **1** **escapar-se**, fugir, escapulir-se, desaparecer **2** **abstrair-se**, alhear-se
evanescente *adj.2g.* **efémero**, passageiro
evangelho *n.m.* **boa-nova**
evangélico *adj.* **1** ≠ **antievangélico** **2** **bondoso**, carinhoso, caritativo, meigo, beneficente
evangelista *n.2g.* **evangelizador**
evangelização *n.f.* **doutrinação**, pregação
evangelizador *adj.* **evangelizante** ■ *n.m.* **evangelista**
evangelizar *v.* **apostolar**, apostolizar, doutrinar, missionar, sermonear
evaporação *n.f.* **1** **volatilização** **2** *fig.* **desaparecimento**, dissipação
evaporar *v.* **1** **condensar**, evaporizar **2** *fig.* **desaparecer**, dissipar
evaporar-se *v.* **1** **eterizar-se**, volatilizar-se, sublimar-se, exalar-se, evolar-se, esvaecer-se **2** **desvanecer-se**, dissipar-se, esvair-se, desfazer-se **3** **desaparecer**
evasão *n.f.* **1** **fuga**, fugida, escapada, escape, escapula **2** **subterfúgio**, evasiva, pretexto, efúgio
evasiva *n.f.* **subterfúgio**, escapatória, evasão, rodeio, pretexto, efúgio, torcedura *fig.*
evasivo *adj.* **1** **ambíguo**, vago, equívoco ≠ **claro**, preciso **2** **argucioso**, subtil
evento *n.m.* **1** **circunstância**, episódio, incidente, ocorrência, acontecimento **2** **sucesso**, êxito **3** ZOOL. **resfolegadouro**
eventração *n.f.* **desventração**, evisceração, exenteração
eventual *adj.2g.* **1** **acidental**, casual, contingencial, fortuito, incerto, ocasional ≠ **frequente**, assíduo, continuado **2** **duvidoso**, possível, variável
eventualidade *n.f.* **1** **casualidade**, acaso, coincidência, imprevisto, contingência, adrego **2** **hipótese**, possibilidade
eventualmente *adv.* **casualmente**, contingentemente, fortuitamente
evidência *n.f.* **1** **certeza**, clareza **2** **prova**
evidenciar *v.* **provar**, comprovar, demonstrar, mostrar, patentear, salientar ≠ **esconder**, ocultar
evidenciar-se *v.* **1** **distinguir-se**, sobressair, destacar-se **2** **manifestar-se**, patentear-se
evidente *adj.2g.* **1** **claro**, patente, visível, manifesto, óbvio ≠ **inevidente**, incerto, duvidoso **2** **convincente**, incontestável, indiscutível, indubitável, inegável, inequívoco, irrefutável ≠ **contestável**, questionável, refutável, discutível
eviscerar *v.* **esventrar**, estripar, esviscerar
evitar *v.* **1** **esquivar-se**, furtar-se, livrar-se, escapar ≠ **procurar**, aproximar-se **2** **impedir**, precaver, obstar, privar, prevenir **3** **resguardar**, poupar, defender
evitável *adj.2g.* **escusável** ≠ **inevitável**
evo *n.m.* **imortalidade**, perpetuidade, infinidade, eternidade
evocação *n.f.* **lembrança**, recordação
evocar *v.* **1** **invocar**, chamar, avocar **2** **lembrar**, relembrar, recordar, reproduzir **3** **esconjurar**
evocativo *adj.* **recordativo**, evocatório
evocatório *adj.* **recordativo**, evocativo
evolar-se *v.* **1** **desaparecer**, desvanecer-se, esvaecer-se, evaporar-se, dissipar-se **2** **elevar-se**
evolução *n.f.* **desenvolvimento**, progresso, avanço ≠ **involução**
evolucionar *v.* **evoluir**, progredir, modificar, mudar, transformar-se, evolver ≠ **estagnar**, parar, involuir
evolucionista *n.2g.* **transformista**
evoluir *v.* **progredir**, evolucionar, modificar, mudar, desenvolver-se, transformar-se, evolver ≠ **estagnar**, parar, involuir
evolver *v.* **evoluir**, progredir, modificar, mudar, transformar-se, evolucionar ≠ **estagnar**, parar, involuir
evulsão *n.f.* **avulsão**, extração, arrancamento
evulsivo *adj.* **extrativo**
exação[dAO] *n.f.* **1** **exatidão**, pontualidade, regularidade **2** **desvelo**, cuidado, perfeição, exigência
exacção[aAO] *n.f.* ⇒ **exação**[dAO]
exacerbação *n.f.* **1** **agravamento**, aumento **2** **irritação**, exasperação
exacerbar *v.* **1** **agravar**, avivar, acerar, aumentar ≠ **atenuar**, melhorar, diminuir **2** **irritar**, exasperar, enervar, encolerizar, assanhar ≠ **acalmar**, apaziguar
exacerbar-se *v.* **agravar-se**, piorar
exactamente[aAO] *adv.* ⇒ **exatamente**[dAO]
exactidão[aAO] *n.f.* ⇒ **exatidão**[dAO]
exacto[aAO] *adj.* ⇒ **exato**[dAO]
exactor[aAO] *n.m.* ⇒ **exator**[dAO]

exagerado *adj.* 1 desproporcionado 2 excessivo, demasiado

exagerar *v.* 1 aumentar, amplificar, ampliar, agigantar, engrandecer, desproporcionar 2 elogiar, encarecer, exalçar

exagerar-se *v.* descomedir-se, exceder-se ≠ refrear-se, moderar-se, abster-se

exagero *n.m.* exageração, amplificação, aumento, hipérbole, americanada *pej.*

exalação *n.f.* 1 emanação 2 vapor, cheiro, eflúvio, baforeira

exalar *v.* 1 expelir, lançar, emitir, emanar, deitar, espalhar 2 soltar, desprender, libertar, manifestar

exalar-se *v.* dissipar-se, esvair-se, evolar-se, esvaecer-se, desvanecer-se, volatilizar-se

exaltação *n.f.* 1 louvor, glorificação, exalçamento, engrandecimento, elevação, encómio 2 irritação, enfurecimento, fúria, ira, cólera ≠ calma, serenidade 3 entronização 4 excitação ≠ calma, serenidade

exaltado *adj.* 1 levantado, elevado 2 excessivo, exagerado 3 furioso, colérico, irritado, nervoso, enervado ≠ calmo, sereno 4 excitado, descontrolado ≠ calmo, sereno

exaltar *v.* 1 aclamar, elogiar, enaltecer, engrandecer, glorificar, louvar, exalçar, sublimar ≠ depreciar, amesquinhar 2 elevar, alçar, erguer ≠ baixar 3 irritar, agastar, enfurecer ≠ acalmar, serenar 4 excitar, entusiasmar ≠ acalmar, serenar

exaltar-se *v.* 1 irritar-se, exasperar-se 2 inflamar-se, intensificar-se 3 vangloriar-se, jactar-se, ensoberbecer-se, envaidecer-se

exame *n.m.* 1 análise, estudo, investigação, compulsação 2 inspeção, revista, vistoria 3 teste, prova

examinador *adj.,n.m.* analisador, avaliador, argumentante

examinar *v.* 1 analisar, observar, averiguar, estudar, perlustrar, escabichar 2 avaliar, testar, interrogar 3 observar, ver, comirar

exangue *adj.2g.* 1 esvaído 2 desmaiado, desfalecido, inanimado 3 débil, exausto, fraco, enfraquecido, extenuado 4 pálido, desbotado, descorado

exânime *adj.2g.* 1 exangue, desmaiado, desfalecido, exanimado 2 morto, falecido, defunto

exantema *n.m.* MED. erupção

exarar *v.* 1 escrever, registar, lavrar 2 entalhar, gravar, lavrar, inscrever

exasperação *n.f.* irritação, exacerbação, exaspero, exaltação, cólera

exasperar *v.* 1 acirrar, assanhar, arreliar, azedar, enfurecer, encolerizar, desesperar, enraivecer, exacerbar, irritar, exaltar, zangar ≠ acalmar, mitigar 2 agravar, intensificar, avivar ≠ abrandar, atenuar

exaspero *n.m.* irritação, exacerbação, exasperação, exaltação, cólera

exatamente[dAO] *adv.* precisamente, estritamente, rigorosamente, cuidadosamente, aquemeneres

exatidão[dAO] *n.f.* 1 correção, rigor, precisão, justeza, perfeição 2 pontualidade, observância, exação

exato[dAO] *adj.* 1 preciso, rigoroso, certíssimo, correto, justo, matemático, chapadinho, chapado ≠ inexato, impreciso, incorreto, errado 2 impecável, perfeito 3 fiel, igual, textual

exator[dAO] *n.m.* cobrador, coletor

exaurir *v.* 1 esgotar, exaustar, extenuar, depauperar 2 consumir, desperdiçar, esbanjar, dissipar 3 esvaziar, ensecar

exaurir-se *v.* 1 esgotar-se, consumir-se, dissipar-se 2 secar 3 esvaziar-se 4 debilitar-se

exaustação *n.f.* esgotamento, exaustão

exaustão *n.f.* esgotamento, extenuação, exaustação, depauperação, estafa

exaustar *v.* 1 esgotar, exaurir, extenuar, depauperar 2 consumir, desperdiçar, esbanjar, dissipar 3 esvaziar, ensecar

exaustivo *adj.* 1 cansativo, esgotante, fatigante, depauperante, estafante 2 pormenorizado, detalhado, profundo

exausto *adj.* extenuado, cansado, esgotado, estafado, fatigado ≠ inexausto, descansado

exautoração *n.f.* 1 desautorização, desautoração 2 degradação

exautorar *v.* 1 desautorizar, desprestigiar, destituir, desautorar 2 degradar, depreciar, desprezar

exceção[dAO] *n.f.* 1 exclusão 2 prerrogativa, privilégio

excecional[AO] ou **excepcional**[AO] *adj.2g.* 1 extraordinário, anormal, atípico ≠ normal, comum, usual 2 original, singular, único 3 excêntrico, extravagante 4 excelente, notável, brilhante

excedente *adj.2g.* 1 remanescente, supérfluo, supernumerário 2 sobressalente ▪ *n.m.* sobejo, excesso, resto, sobra

exceder *v.* superar, ultrapassar, vencer, suplantar, pujar, desmoderar, transmontar

exceder-se *v.* 1 descomedir-se, abusar, desmoderar-se, desmarcar-se ≠ comedir-se, moderar-se, conter-se 2 esmerar-se, apurar-se, caprichar 3 enfurecer-se, exasperar-se, irritar-se, inviperar-se ≠ acalmar-se, tranquilizar-se

excelência *n.f.* superioridade, sublimidade

excelente *adj.2g.* 1 admirável, brilhante, distinto, magnífico, notável, ótimo, perfeito, boníssimo ≠ péssimo, mau, horrível 2 bom, bondoso, generoso ≠ mau 3 famoso, ilustre, exímio ≠ desconhecido, ignorado

excelso *adj.* 1 altíssimo, alto, elevado, sublime 2 excelente, magnificente, magnífico, maravilhoso, admirável ≠ péssimo, mau, horrível 3 ilustre, egrégio, insigne ≠ banal, trivial, vulgar

excentricidade *n.f.* extravagância, singularidade, originalidade, esquisitice ≠ normalidade, banalidade

excêntrico *adj.* extravagante, original, singular, esquisito, estapafúrdio, funambulesco *fig.* ≠ comum, habitual, familiar

excepção[aAO] *n.f.* ⇒ **exceção**[dAO]

excepcional[AO] *adj.2g.* ⇒ **excecional**[AO]

excepto[aAO] *prep.* ⇒ **exceto**[dAO]

exceptuar[aAO] *v.* ⇒ **excetuar**[dAO]

excerto *adj.* extraído, colhido, tirado ■ *n.m.* fragmento, extrato, parte, passagem

excessivo *adj.* 1 demasiado, desmesurado, descomunal, desmedido, exagerado, descomedido 2 imenso, enorme 3 sobejante, remanescente, supérfluo, excedente

excesso *n.m.* 1 demasia, superfluidade, sobejidão ≠ carência, falta 2 imoderação, intemperança, descomedimento, abuso ≠ moderação, comedimento 3 exagero, exageração 4 redundância 5 sobejo, excedente, sobra 6 desmando, desregramento 7 [*pl.*] violências, crueldades

exceto[dAO] *prep.* salvo, fora, menos

excetuar[dAO] *v.* isentar, dispensar, excluir, livrar ≠ incluir

excisão *n.f.* extração, ablação, amputação, extirpação

excitação *n.f.* 1 agitação, exaltação, excitamento, espertamento ≠ calma, serenidade 2 irritação, exasperação 3 estímulo, incitamento, impulso, instigação, provocação 4 animação, entusiasmo, arrebitaço

excitado *adj.* 1 agitado, inquieto, sobressaltado, irrequieto ≠ calmo, sereno 2 exaltado, irritado ≠ calmo, sereno 3 entusiasmado, animado ≠ desanimado, desalentado

excitante *adj.2g.,n.m.* estimulante

excitar *v.* 1 estimular, avivar, inflamar, acirrar, ativar, açular, aguilhoar, atiçar, incitar, impelir, assanhar, picar, reprurir, apetitar *fig.* 2 agastar, encolerizar, enervar, irritar ≠ acalmar, serenar 3 alvoroçar, exaltar ≠ acalmar, serenar 4 animar, alentar, encorajar ≠ desanimar, desencorajar 5 concitar, agitar

excitar-se *v.* 1 animar-se, entusiasmar-se, avivar-se 2 agitar-se, perturbar-se, inquietar-se 3 enervar-se, irritar-se, exaltar-se, inflamar-se, esbarruntar

exclamação *n.f.* interjeição

exclamar *v.* clamar, bradar, gritar, vociferar

exclamativo *adj.* admirativo, exclamatório

excludente *adj.2g.* eliminatório

excluído *adj.* retirado, expulso, rejeitado, excluso ≠ incluído, abrangido ■ *n.m.* pariá *fig.*

excluir *v.* 1 eliminar, omitir, excetuar, banir, rejeitar, afastar, retirar, tirar, expulsar ≠ incluir, considerar, abranger 2 reprovar, chumbar ≠ aprovar, admitir 3 discriminar, marginalizar, segregar

excluir-se *v.* 1 marginalizar-se, afastar-se 2 inutilizar-se

exclusão *n.f.* 1 eliminação, omissão, exceção, exclusiva, expulsão ≠ inclusão, abrangimento 2 discriminação, marginalização 3 reprovação ≠ aprovação

exclusiva *n.f.* eliminação, omissão, exceção, exclusão, expulsão ≠ inclusão

exclusivamente *adv.* exclusive, unicamente, puramente

exclusividade *n.f.* exclusivismo, exclusivo

exclusivismo *n.m.* 1 exclusividade, exclusivo 2 intolerância

exclusivo *adj.* 1 eliminador ≠ inclusivo 2 privativo, restrito, particular, pessoal, individual 3 especial, único, absoluto ■ *n.m.* monopólio, privilégio

excluso *adj.* retirado, expulso, rejeitado, excluído ≠ incluído, abrangido

excomungado *adj.* amaldiçoado, maldito, odiado

excomungar *v.* 1 anatematizar ≠ desexcomungar 2 amaldiçoar, esconjurar ≠ bendizer

excomunhão *n.f.* 1 anátema, anatematismo ≠ desexcomunhão 2 esconjuro, maldição

excreção *n.f.* expulsão, evacuação, eliminação, excreto

excremento *n.m.* 1 fezes, esterco, trampa *cal.* 2 sujidade, imundície

excrescência *n.f.* 1 saliência, elevação 2 tumefação, tumor, tumescência 3 excesso, superfluidade, demasia

excrescer *v.* 1 intumescer, inchar, entumecer 2 exceder, ultrapassar

excretar *v.* segregar, expelir, evacuar

excruciar *v.* atormentar, martirizar, torturar, afligir, cruciar, lancinar, escarnificar

excruciar-se *v.* atormentar-se, afligir-se, martirizar-se

excursão *n.f.* 1 passeio, expedição, jornada 2 digressão, dissertação, divagação 3 incursão, invasão

excursionista *n.2g.* digressionista, turista, viajante, excursor

excurso *n.m.* 1 passeio, expedição, jornada 2 digressão, dissertação, divagação

execração *n.f.* 1 **horror**, ódio, detestação, aversão, abominação ≠ **adoração**, admiração 2 **imprecação**, maldição, praga

execrando *adj.* **abominável**, detestável, horrendo, horroroso, execrável

execrar *v.* 1 **odiar**, detestar, abominar, desadorar ≠ **adorar**, gostar 2 **amaldiçoar**, esconjurar, renegar, anatematizar ≠ **bendizer**

execução *n.f.* 1 **realização**, concretização, aviamento 2 **cumprimento** 3 **habilidade**, competência

executado *adj.* **cumprido**, efetuado, realizado, feito

executante *n.2g.* 1 **executador**, realizador, fazedor 2 **músico**, instrumentista

executar *v.* 1 **efetuar**, fazer, praticar, realizar, cumprir, aviar, concretizar 2 **interpretar**, representar, cantar, tocar

executável *adj.2g.* **exequível**, realizável, efetuável

executivo *adj.* 1 **executor** 2 **ativo**, eficaz, enérgico, decisivo, resoluto ■ *n.m.* 1 **governo**, administração 2 **gestor**, administrador

executor *adj.* **executivo** ■ *n.m.* 1 **cumpridor**, efetuador 2 **carrasco**, verdugo, algoz 3 **testamenteiro**

exegese *n.f.* **comentário**, interpretação, explicação, crítica

exegeta *n.2g.* **intérprete**, comentarista

exegética *n.f.* **explicação**, investigação, pesquisa

exegético *adj.* **explicativo**, expositivo, interpretativo

exemplar *adj.2g.* **modelar**, edificativo ■ *n.m.* 1 **exemplo**, modelo, padrão, paradigma, tipo 2 **cópia**, reprodução

exemplificar *v.* **ilustrar**

exemplificativo *adj.* **ilustrativo**

exemplo *n.m.* 1 **modelo**, exemplar, padrão, paradigma, tipo 2 **lição** 3 **abonação** 4 **adágio**, provérbio, ditado, anexim, rifão

exéquias *n.f.pl.* **funeral**, enterro

exequibilidade *n.f.* **viabilidade**, possibilidade ≠ **inexequibilidade**

exequível *adj.2g.* **executável**, possível, praticável, viável ≠ **inexequível**, inexecutável, irrealizável

exercer *v.* **executar**, fazer, praticar, exercitar, usar

exercício *n.m.* 1 **prática**, uso 2 **desempenho** 3 **exercitação**, movimentação

exercitar *v.* 1 **praticar**, treinar, adestrar 2 **exercer** 3 **cultivar**, desenvolver

exercitar-se *v.* **treinar-se**, praticar, adestrar-se

exército *n.m.* *fig.* **multidão**, magote

exibição *n.f.* 1 **apresentação**, exposição, amostra 2 **ostentação**, alarde

exibicionista *n.2g.* **fiteiro**, semostrador

exibir *v.* 1 **expor**, mostrar, patentear, apresentar ≠ **esconder**, ocultar 2 **ostentar**, alardear

exigência *n.f.* 1 **instância** 2 **imposição**, requisito, reivindicação

exigente *adj.2g.* **rigoroso**, escrupuloso

exigir *v.* 1 **impor**, obrigar, intimar, ordenar 2 **carecer**, necessitar, precisar 3 **requerer** ≠ **dispensar**

exiguidade *n.f.* 1 **pequenez**, estreiteza ≠ **largueza** 2 **modicidade**, parcimónia, escassez, insuficiência

exíguo *adj.* 1 **pequeno**, diminuto, acanhado, limitado, estreito, apertado, minguado ≠ **largo**, amplo 2 **insuficiente**, escasso ≠ **suficiente**, bastante

exilado *adj.,n.m.* **expatriado**, desterrado, degredado, deportado, proscrito, êxul

exilar *v.* 1 **expatriar**, deportar, degredar, desterrar, banir 2 *fig.* **afastar**, apartar

exile *adj.2g.* **exíguo**, mesquinho, pobre

exílio *n.m.* 1 **desterro**, expatriação, deportação, proscrição, ostracismo, degredo, banimento 2 **retiro**, afastamento 3 **solidão**, isolamento

exímio *adj.* **distinto**, eminente, excelente, insigne, magnífico, notável, habilíssimo, perfeito

eximir *v.* **isentar**, desobrigar, dispensar, livrar, absolver, escusar, exonerar ≠ **obrigar**, sujeitar

eximir-se *v.* 1 **esquivar-se**, recusar-se 2 **desobrigar-se**, exonerar-se

exir *v. ant.* **provir**, derivar, descender, sair

existência *n.f.* 1 **vida** 2 **presença** 3 **duração** 4 **ente**, entidade 5 [*pl.*] ECON. **stock**

existente *adj.2g.* **atual**, presente, real ≠ **inexistente**

existir *v.* 1 **viver** 2 **haver** 3 **subsistir**, durar 4 **ser** 5 **estar**

êxito *n.m.* 1 **sucesso**, triunfo ≠ **fracasso** 2 **consequência**, resultado, efeito

êxodo *n.m.* **emigração**, saída

exógeno *adj.* **exogéneo** ≠ **endógeno**

exoneração *n.f.* 1 **dispensa**, desobriga, isenção, evacuação, desobrigação 2 **demissão**, destituição, deposição ≠ **contratação**, nomeação

exonerar *v.* 1 **desobrigar**, dispensar, isentar, aliviar, absolver, remir, eximir ≠ **obrigar**, exigir 2 **demitir**, desempregar, destituir, despedir ≠ **contratar**, nomear, empregar

exonerar-se *v.* 1 **demitir-se**, despedir-se 2 **desobrigar-se**, eximir-se, libertar-se

exorbitância *n.f.* 1 **arbitrariedade**, abuso 2 **excesso**, imoderação, demasia, exagero, exageração, exorbitação

exorbitante *adj.2g.* **demasiado**, desmedido, elevado, enorme, exagerado, excessivo, imoderado

exorbitar *v.* 1 **desorbitar** 2 **exagerar**, exceder, exuberar, abusar, ultrapassar, transgredir

exorcismo *n.m.* **conjuração**, conjuro, esconjuro, esconjuração, demonifúgio

exorcista *adj.,n.2g.* **esconjurador**, enxota-diabos

exorcizar *v.* **esconjurar**, exorcismar, conjurar

exortação *n.f.* 1 **incitação**, incitamento 2 **advertência**, conselho 3 **admoestação**

exortar *v.* 1 **encorajar**, incitar, animar, estimular, persuadir ≠ **desanimar**, desencorajar, desalentar 2 **admoestar**, advertir

exortativo *adj.* **incitador**, exortatório

exortatório *adj.* **incitador**, exortativo

exotérico *adj.* **comum**, vulgar, banal, trivial

exoterismo *n.m.* **trivialidade**, banalidade

exótico *adj.* 1 **estranho**, forasteiro 2 **esquisito**, estrambólico, excêntrico, extravagante

exotismo *n.m.* **estrangeirismo**

expandir *v.* 1 **dilatar**, alargar, ampliar ≠ **diminuir**, comprimir 2 **crescer**, desenvolver 3 **difundir**, divulgar, espalhar, propagar 4 **desabafar**, expor ≠ **conter**, retrair

expandir-se *v.* 1 **espalhar-se**, aumentar, dilatar-se, alargar-se, difundir-se, propagar-se, prolongar-se 2 **desenvolver-se**, evoluir 3 **desabafar**, despeitorar-se

expansão *n.f.* 1 **alargamento**, dilatação, ampliação, expansibilidade ≠ **contração**, retraimento 2 **desenvolvimento**, crescimento 3 **difusão**, propagação 4 **desabafo**

expansivo *adj.* **comunicativo**, alegre, entusiasta, divertido, franco ≠ **fechado**, reservado

expatriação *n.f.* 1 **desterro**, exílio, deportação, proscrição, ostracismo, degredo, banimento 2 **emigração** ≠ **imigração**

expatriado *adj.,n.m.* 1 **desterrado**, exilado, proscrito, êxule, despatriado 2 **emigrado**

expatriar *v.* **exilar**, deportar, desterrar, degredar, banir, despatriar

expatriar-se *v.* 1 **exilar-se**, desterrar-se, foragir-se 2 **emigrar**

expectação[AO] ou **expetação**[AO] *n.f.* 1 **esperança** 2 **expectativa**, espera

expectar[AO] ou **expetar**[AO] *v.* **esperar**

expectativa[AO] ou **expetativa**[AO] *n.f.* **expectação**, espera

expectoração[AO] *n.f.* ⇒ **expetoração**[AO]

expectorante[AO] *adj.2g.* ⇒ **expetorante**[AO]

expectorar[AO] *v.* ⇒ **expetorar**[AO]

expedição *n.f.* 1 **despacho**, envio, expediência ≠ **recebimento** 2 **remessa**, despacho 3 **desembaraço**, diligência, agilidade, prontidão, presteza ≠ **lentidão**, morosidade

expedidor *adj.,n.m.* **emissor**, remetente

expediente *adj.2g.* **expedito**, desembaraçado, diligente, despachado, pronto ▪ *n.m.* 1 **iniciativa**, rasgo, resolução, desembaraço 2 **recurso**, remédio, subterfúgio 3 **despacho**, saída

expedir *v.* 1 **despachar**, enviar, remeter, endereçar, mandar, aviar ≠ **receber** 2 **promulgar**, emitir 3 **lançar**, expulsar, soltar, expelir

expedito *adj.* **ágil**, desembaraçado, desenvolto, despachado, diligente, hábil, ligeiro, rápido, aguçoso ≠ **vagaroso**, lento, tardo, detençoso

expelir *v.* 1 **arremessar**, atirar, arrojar, expedir 2 **expulsar**, afastar, enxotar 3 **bradar**, vociferar

expender *v.* 1 **expor**, explicar, apresentar 2 **despender**, gastar

expensas *n.f.pl.* **despesas**, gastos, custas, custos

experiência *n.f.* 1 **experimentação**, experimento 2 **ensaio**, prova, teste, exame, tentativa 3 **prática**, traquejo, calo *fig.* 4 **saber**

experiente *adj.2g.* **experimentado**, versado, entendido, perito, prático, calejado, traquejado, bamba, acutilado *fig.* ≠ **inexperiente**, despreparado

experimenta *n.f.* **experimentação**, experiência, experimento

experimentação *n.f.* **experiência**, experimento

experimentado *adj.* **experiente**, versado, entendido, perito, prático, calejado, traquejado ≠ **inexperiente**

experimentador *adj.,n.m.* **ensaiador**

experimental *adj.2g.* **empírico**, prático

experimentalmente *adv.* **praticamente**

experimentar *v.* 1 **ensaiar**, testar, tentar, ensejar 2 **provar** 3 **sentir**, experienciar 4 **passar**, sofrer, suportar

experimentar-se *v.* **adestrar-se**, exercitar-se, treinar-se

expetoração[AO] ou **expectoração**[AO] *n.f.* **catarro**, escarro

expetorante[AO] ou **expectorante**[AO] *adj.2g.* **anacatártico**

expetorar[AO] ou **expectorar**[AO] *v.* 1 **escarrar**, cuspilhar 2 *fig.* **vociferar**

expiação *n.f.* 1 **castigo**, pena, penitência 2 **remissão**, perdão, reparação 3 **purificação**

expiar *v.* 1 **remir**, pagar, redimir 2 **reparar**

expiração *n.f.* **prescrição**, termo, terminação, vencimento, acabamento

expirar *v.* 1 **morrer**, perecer, fenecer, falecer 2 **acabar**, terminar, prescrever 3 **exalar**, bafejar, respirar

explanação *n.f.* **explicação**, exposição, ilustração

explanar *v.* **aclarar**, explicar, elucidar, esclarecer, comentar, expor, ilustrar ≠ **complicar**, intricar
expletivo *adj.* **enfático**, redundante
explicação *n.f.* 1 **esclarecimento**, explanação, elucidação, dilucidação, aclaração, exposição 2 **justificação**, desculpa, motivo 3 **desagravo**, satisfação, desafronta, reparação 4 **lição**, lecionação
explicar *v.* 1 **esclarecer**, explanar, elucidar, dilucidar, aclarar, expor, enuclear *fig.* ≠ **complicar**, intricar 2 **justificar**, desculpar 3 **expressar**, significar, afirmar, exprimir, declarar 4 **lecionar**, ensinar, instruir
explicar-se *v.* 1 **justificar-se**, desculpar-se 2 **exprimir-se**, expressar-se
explicativo *adj.* **elucidativo**, esclarecedor
explicável *adj.2g.* **compreensível** ≠ **inexplicável**
explicitamente *adv.* **claramente**, expressamente, abertamente, declaradamente ≠ **implicitamente**
explicitar *v.* **esclarecer**, aclarar, explanar
explícito *adj.* **claro**, declarado, expresso, manifesto, nítido, preciso ≠ **implícito**, inexplícito
explodir *v.* 1 **rebentar**, arrebentar, estourar, estalar, detonar 2 *fig.* **vociferar**, exclamar
exploração *n.f.* **investigação**, indagação, análise, pesquisa, reconhecimento
explorador *adj.,n.m.* 1 **aventureiro**, descobridor 2 **investigador**, observador, pesquisador, escabichador 3 **enganador**, oportunista, esfolador *col.*
explorar *v.* 1 **pesquisar**, investigar, analisar, examinar, buscar 2 **observar**, sondar, perscrutar 3 **desenvolver** 4 **enganar**, extorquir, vampirizar, parasitar, chupar *fig.*
exploratório *adj.* **explorador**, explorativo
explosão *n.f.* **rebentamento**, estampido, estouro, estrondo, tiro, detonação, deflagração
explosivo *adj.* 1 **impulsivo**, impetuoso, intempestivo 2 **perigoso**
expoente *n.2g.* **exponente**, expositor
exponente *n.2g.* **expoente**, expositor
expor *v.* 1 **exibir**, patentear, mostrar ≠ **esconder**, ocultar, alapar, acantoar, amocambar, acasular *fig.* 2 **explicar**, explanar, descrever, revelar 3 **apresentar**, oferecer, propor 4 **submeter**, sujeitar ≠ **proteger**, resguardar 5 **arriscar**, aventurar, comprometer ≠ **proteger**, resguardar 6 **abandonar**, enjeitar
expor-se *v.* 1 **mostrar-se**, exibir-se 2 **descobrir-se**, desabrigar-se 3 **arriscar-se**, desproteger-se 4 **submeter-se**, sujeitar-se
exportação *n.f.* ≠ **importação**
exportar *v.* ≠ **importar**
exposição *n.f.* 1 **exibição**, mostra 2 **explicação**, explanação, elucidação, descrição, narração 3 **submissão**, sujeição
expositivo *adj.* **elucidativo**, esclarecedor, explicativo
expositor *n.m.* 1 **explicador**, explanador 2 **mostruário**, stande
exposto *adj.* 1 **visível**, patente 2 **referido**, apresentado, descrito, narrado ■ *n.m.* 1 **exposição** 2 **enjeitado**
expressamente *adv.* 1 **claramente**, explicitamente, terminantemente 2 **intencionalmente**, propositadamente, declaradamente, determinadamente
expressão *n.f.* 1 **manifestação**, revelação 2 **vivacidade**, animação, expressividade 3 **frase**, sentença, dito 4 **locução** 5 **imagem**, reflexo 6 **personificação** 7 **língua**, idioma
expressar *v.* **exprimir**, manifestar, revelar, significar, dizer, expor, declarar, enunciar ≠ **calar**, esconder, ocultar
expressar-se *v.* **exprimir-se**, explicar-se, comunicar
expressivo *adj.* 1 **claro**, eloquente ≠ **inexpressivo** 2 **enérgico**, vivo ≠ **inexpressivo** 3 **convincente**, significativo ≠ **inexpressivo**
expresso *adj.* 1 **declarado**, escrito, representado, apresentado, referido 2 **categórico**, formal, terminante 3 **claro**, explícito, preciso, patente ≠ **implícito**, escondido ■ *n.m.* **café**, bica [REG.], cimbalino [REG.]
exprimir *v.* **expressar**, manifestar, revelar, significar, dizer, expor, declarar, enunciar ≠ **calar**, esconder, ocultar
exprimir-se *v.* **expressar-se**, explicar-se, comunicar
exprimível *adj.2g.* **explicável**, enunciável, descritível ≠ **inexprimível**, indizível
exprobração *n.f.* **recriminação**, reproche, vituperação, acusação, censura, vitupério, repreensão
exprobrar *v.* **censurar**, reprochar, vituperar, condenar, admoestar, repreender, improperar
expropriação *n.f.* **desapropriação**
expropriar *v.* **desapropriar**, desapossar, esbulhar, espoliar
expugnação *n.f.* **conquista**, tomamento, assalto
expugnar *v.* 1 **assaltar**, conquistar, tomar 2 **debelar**, vencer
expugnável *adj.2g.* **vencível**, acometível, conquistável ≠ **inexpugnável**, invencível
expulsão *n.f.* 1 **irradiação**, ejeção, ejaculação 2 **exclusão**, eliminação, eliciação 3 **excreção**, evacuação 4 **desterro**, exílio, deportação, proscrição, ostracismo, expatriação, banimento

expulsar *v.* 1 **escorraçar**, afugentar, afastar, enxotar 2 **eliminar**, excluir 3 **expelir**, evacuar 4 **banir**, desterrar, expatriar, proscrever

expulso *adj.* 1 **expulsado**, afastado 2 **evacuado**, expelido 3 **expatriado**, desterrado, proscrito

expurgação *n.f.* 1 **expurgo**, purificação, limpeza, emundação 2 **evacuação** 3 **emenda**, correção 4 **crítica**, censura

expurgado *adj.* 1 **limpo** 2 **expulso**

expurgar *v.* 1 **purificar**, limpar, purgar 2 **corrigir**, emendar 3 **aperfeiçoar**, apurar, depurar

expurgo *n.m.* 1 **expurgação**, purificação, limpeza 2 **evacuação** 3 **emenda**, correção 4 **crítica**, censura

exsicação *n.f.* **ressicação**, secação

exsudação *n.f.* 1 **transpiração**, transudação 2 MED. **exsudato**

exsudar *v.* **suar**, transpirar, exsuar, transudar

êxtase *n.m.* **enlevo**, arrebatamento, deslumbramento, arroubamento, enlevação, enleio, arroubo, encantamento, pasmo, suspensão, contemplação, endeusamento

extasiado *adj.* **arrebatado**, encantado, enlevado, extático, absorto

extasiar *v.* **arrebatar**, encantar, deslumbrar, enlevar, arroubar, transportar, entusiasmar

extasiar-se *v.* **maravilhar-se**, enlevar-se, deleitar-se, regozijar-se, embevecer-se, arrebatar-se

extático *adj.* **enlevado**, arrebatado, maravilhado, suspenso, espantado, atónito, boquiaberto, pasmado

extemporaneamente *adv.* 1 **inoportunamente** 2 **repentinamente**, subitamente, intempestivamente, improvisadamente

extemporaneidade *n.f.* **inoportunidade**

extemporâneo *adj.* **inoportuno**, desocasionado ≠ atempado

extensamente *adv.* **extensivamente**, amplamente, largamente, longamente, grandemente, dilatadamente

extensão *n.f.* 1 **vastidão**, amplidão, vasteza 2 **dimensão**, tamanho, grandeza 3 **ampliação**, engrandecimento 4 **duração** 5 **importância**, magnitude, alcance

extensivamente *adv.* **extensamente**, amplamente, largamente, longamente, grandemente, dilatadamente

extensível *adj.2g.* **dilatável**, extensivo, estendível

extensivo *adj.* 1 **amplo**, extenso ≠ **restrito** 2 **estendível**, dilatável

extenso *adj.* 1 **amplo**, grande, imenso, vasto ≠ **pequeno**, reduzido 2 **comprido**, longo ≠ **curto** 3 **duradouro**, demorado 4 **prolixo**, desenvolvido ≠ **breve**, curto

extenuado *adj.* **esgotado**, estafado, cansado

extenuante *adj.2g.* **esgotante**, fatigante, cansativo, estafante

extenuar *v.* 1 **abater**, arrasar, cansar, debilitar, depauperar, derrear, enfraquecer, esfalfar, fatigar, estafar, prostrar, exinanir 2 *fig.* **dissipar**, esgotar, exaurir, gastar 3 *fig.* **atenuar**, diminuir, apoucar

exterior *adj.2g.* 1 **externo** ≠ **interior**, interno 2 **extrínseco**, estranho ≠ **intrínseco**, interno 3 **superficial**, visível, descoberto, manifesto, patente ■ *n.m.* 1 **superfície**, exterioridade ≠ **interior** 2 **aparência**, aspeto 3 **estrangeiro**

exterioridade *n.f.* 1 **exterior**, superfície ≠ **interior**, interioridade 2 *fig.* **hipocrisia**

exteriorização *n.f.* 1 ≠ **interiorização** 2 **exibicionismo**, manifestação

exteriorizar *v.* **manifestar**, revelar, mostrar, patentear, evidenciar, declarar, demonstrar, expor, externar ≠ **ocultar**, esconder

exteriormente *adv.* 1 **externamente** ≠ **interiormente**, internamente, adentro, adedentro *ant.* 2 **aparentemente** ≠ **interiormente**

exterminação *n.f.* **extermínio**, destruição, morticínio, aniquilamento, assolação, expulsão, excídio

exterminar *v.* 1 **aniquilar**, destruir, eliminar, extinguir, extirpar, matar 2 **banir**, desterrar, expatriar, degredar, expulsar

extermínio *n.m.* **exterminação**, destruição, morticínio, aniquilamento, assolação, expulsão, extinção, excídio

externar *v.* **manifestar**, exteriorizar, expor, patentear ≠ **ocultar**, esconder

externo *adj.* 1 **exterior** ≠ **interior**, interno 2 **estrangeiro** ≠ **interno** 3 **aparente**

extinção *n.f.* 1 (fogo) **apagamento** ≠ **adustão**, cauterização 2 **cessação**, dissolução, acabamento 3 (direito, privilégio) **abolição**, supressão 4 **exterminação**, extermínio, extirpação, fim, liquidação, obliteração, destruição, desaparição

extinguir *v.* 1 (fogo) **apagar**, debelar ≠ **acender**, atear 2 **cessar**, dissolver, acabar 3 (direito, privilégio) **abolir**, suprimir, anular 4 **exterminar**, aniquilar, destruir, matar, suprimir, expungir

extinguir-se *v.* 1 **acabar**, cessar 2 **esgotar-se**, consumir-se, desaparecer 3 **apagar-se** 4 **morrer**, fenecer

extinto *adj.* 1 **apagado**, debelado, vencido ≠ **aceso**, ateado, inextinto 2 **abolido**, anulado, dissolvido, suprimido 3 **exterminado**, desaparecido ≠ **inextinto** ■ *adj.,n.m.* **defunto**, finado, morto

extintor *adj.* **apagador**

extirpação *n.f.* 1 **arrancamento**, extração, enucleação 2 **exterminação**, extirpamento, extinção, destruição

extirpar *v.* 1 **arrancar**, desenraizar, erradicar, desarraigar, extrair 2 **abolir**, destruir, exterminar, extinguir
extorquir *v.* **roubar**, subtrair, tirar, espoliar, esfolar *fig.*, depenar *fig.*
extorsão *n.f.* **usurpação**, rapina, concussão, roubo, extorso, apanhia
extra *adj.inv.* 1 **extraordinário** 2 **suplementar** ■ *n.m.* **biscate**
extraçãodAO *n.f.* 1 **arrancamento** 2 MED. **excisão**, evulsão, avulsão 3 **venda**, saída 4 **sorteio** 5 **origem**, ascendência, proveniência
extracçãoaAO *n.f.* ⇒ **extração**dAO
extraconjugal *adj.2g.* **extramatrimonial**, extramarital
extractivoaAO *adj.* ⇒ **extrativo**dAO
extractoaAO *n.m.* ⇒ **extrato**dAO
extrair *v.* 1 **arrancar**, apartar, extirpar 2 **obter**, retirar, sacar, tirar
extrajudicial *adj.2g.* **extrajudiciário**
extrajudiciário *adj.* **extrajudicial**
extranatural *adj.2g.* **sobrenatural**
extraoficialdAO *adj.2g.* **particular**
extra-oficialaAO *adj.2g.* ⇒ **extraoficial**dAO
extraordinário *adj.* 1 **excecional**, anormal, desnatural, extramundano ≠ **ordinário**, comum, normal 2 **singular**, invulgar, raro ≠ **ordinário**, comum, normal 3 **admirável**, espantoso, estupendo, assombroso, fabuloso, fantástico, fenomenal, genial, grandioso, sublime, notável, ilustre, incomparável, insigne, divino ≠ **banal**, comum 4 **enorme**, considerável, excessivo, desmedido, desmesurado, descomunal, monstruoso, colossal 5 **estranho**, excêntrico, insólito, extravagante ≠ **ordinário**, comum, normal 6 **imprevisto**, inesperado ≠ **previsto**, esperado
extraterrestre *adj.,n.2g.* **extraterreno**
extrativodAO *adj.* **ablativo**
extratodAO *n.m.* 1 **fragmento** 2 **excerto**, trecho 3 **resumo**, sinopse 4 **certidão** 5 **essência**, perfume
extravagância *n.f.* 1 **excentricidade**, singularidade, originalidade, esquisitice, celebreira, esdruxularia, esquipação ≠ **normalidade**, banalidade 2 **esbanjamento**, dissipação 3 **disparate**, insensatez, despropósito
extravaganciar *v.* **dissipar**, esbanjar, estroinar
extravagante *adj.2g.* 1 **excêntrico**, singular, original, esquisito, raro, esquipático ≠ **normal**, banal 2 **esbanjador**, dissipador, perdulário, estroina 3 **disparatado**, insensato, despropositado
extravasamento *n.m.* **derramamento**, desbordamento, extravasão, vazão
extravasar *v.* **entornar**, derramar, extraverter, transbordar, trasbordar, vasar, esbordar
extraviado *adj.* **desaparecido**, desviado, desencaminhado, perdido, tresmalhado
extraviar *v.* 1 **perder**, desencaminhar, descaminhar, desviar, transviar 2 *fig.* **perverter**, seduzir, perder, desencaminhar, desgarrar
extraviar-se *v.* 1 **perder-se**, desencaminhar-se, desaparecer, sumir-se, tresmalhar-se 2 *fig.* **perverter-se**, desencaminhar-se, desatremar-se
extravio *n.m.* 1 **descaminho**, sumiço, desaparecimento, perda 2 **desvio**, roubo 3 **perversão**, corrupção
extremamente *adv.* **excessivamente**, extraordinariamente, grandemente, extremadamente
extremar *v.* 1 **distinguir**, assinalar, abalizar 2 **enaltecer**, sublimar, exaltar 3 **condensar**, compendiar, resumir 4 **exagerar**, radicalizar ≠ **moderar**
extremar-se *v.* **assinalar-se**, radicalizar-se
extremidade *n.f.* 1 **cume**, ponta, bico 2 **fim**, termo, extremo, limite 3 **orla**, beira, borda
extremista *adj.,n.2g.* **radical**
extremo *adj.* 1 **afastado**, longínquo, distante, remoto 2 **final**, derradeiro, último 3 **radical**, excessivo, superlativo *fig.* ≠ **moderado**, comedido ■ *n.m.* 1 **extremidade**, fim, final, termo, limite 2 **oposto**, contrário 3 **raia**, borda, beira, orla 4 **apuro**, aperto 5 [*pl.*] **exageros**, excessos
extremoso *adj.* **afetuoso**, apaixonado, carinhoso, dedicado, desvelado, meigo, terno
extrínseco *adj.* 1 **externo**, exterior ≠ **intrínseco**, interno 2 **acidental**, convencional
extrovertido *adj.* **expansivo**, sociável, comunicativo ≠ **introvertido**
exuberância *n.f.* 1 **superabundância** 2 **vigor**, vitalidade 3 **entusiasmo**, animação 4 **intensidade** 5 **verbosidade**, prolixidade
exuberante *adj.2g.* 1 **superabundante**, luxuriante, copioso, excessivo, repleto, exabundante 2 **viçoso**, vigoroso 3 **animado**, vivo, entusiástico 4 **deslumbrante**
exuberar *v.* **superabundar**, abundar, sobejar, exabundar ≠ **escassear**
exúbere *adj.2g.* **desleitado**, desmamado
exular *v.* **exilar-se**, expatriar-se, insular-se
exulceração *n.f. fig.* **pesar**, mágoa, dor, chaga
exulcerar *v.* 1 **escoriar**, esfolar, ulcerar, pungir, magoar 2 *fig.* **desgostar**, torturar, ofender, mortificar, exacerbar
exultação *n.f.* **alegria**, regozijo, satisfação, prazer, contentamento, júbilo
exultante *adj.2g.* **alegre**, contente, jubiloso, satisfeito
exultar *v.* **alegrar-se**, regozijar-se, alvoroçar-se, rejubilar-se
exumação *n.f.* **desenterramento** ≠ **inumação**, enterramento

F

fã *n.2g.* **admirador**, apoiante, entusiasta, apreciador, apaixonado

fábrica *n.f.* **1** **usina** [BRAS.] **2** **fabricação**, fabrico **3** *fig.* **causa**, origem

fabricação *n.f.* **1** **fabrico**, fábrica **2** **construção**, edificação **3** **criação**, produção

fabricante *n.2g. fig.* **autor**, criador

fabricar *v.* **1** **produzir** ≠ **desfabricar**, desfazer **2** **edificar**, construir **3** *fig.* **originar**, provocar, causar **4** *fig.* **engendrar**, forjar, maquinar, arquitetar

fabrico *n.m.* **1** **fabricação** **2** **produção** **3** **criação** **4** **amanho**, cultura

fábula *n.f.* **1** **apólogo** **2** **conto**, ficção, lenda **3** **enredo**, fabulação, intriga

fabulação *n.f.* **enredo**, fábula, intriga

fabular *v.* **1** **fabulizar** **2** **inventar**, imaginar, maquinar **3** **mentir** ■ *adj.2g.* **fabuloso**, lendário, imaginário

fabulário *n.m.* **1** **fabulística** **2** **fabulista**, fabulador

fabulista *n.2g.* **1** **fabulário**, fabulador **2** *fig.* **embusteiro**, inventor, mentiroso, patranheiro, trapaceiro

fabuloso *adj.* **1** **imaginário**, inventado **2** **alegórico**, simbólico **3** **prodigioso**, maravilhoso, incrível, estupendo, grandioso, admirável, extraordinário, façanhoso **4** **mítico**, mitológico, lendário

faca *n.f.* **1** **cuchilho** **2** **corta-papel**

facada *n.f. fig.* **ofensa**, agressão

façanha *n.f.* **1** **proeza**, heroicidade, feito, façanhice **2** **patifaria**, malvadez, perversidade

fação[AO] ou **facção**[AO] *n.f.* **partido**, bando, campo *fig.*, alcateia *fig.*, bandeira *fig.*, seita *col.*

faccionar[AO] ou **facionar**[AO] *v.* **amotinar**, sublevar, revolucionar, alvorotar

facciosismo[AO] ou **faciosismo**[AO] *n.m.* facciosidade, sectarismo, partidarismo

faccioso[AO] ou **facioso**[AO] *adj.* **1** **parcial**, partidário, sectário **2** **sedicioso**, revoltoso

face *n.f.* **1** **cara**, rosto, fisionomia, semblante, caraça, focinho *col.*, fuça *col.*, tromba *col.*, lata *col.*, ventas *fig.,col.* **2** **superfície** **3** **cara** ≠ **reverso** **4** **aspeto**, faceta, característica **5** **fachada**, frontispício **6** **presença**

facécia *n.f.* **gracejo**, graça, pilhéria, chiste, brincadeira, broma, piada

faceira *n.f.* **1** (animais) **queixada** **2** **bochechas** ■ *n.2g.* **1** **brincalhão**, galhofeiro **2** **peralta**, petimetre, casquilho, taful, peralvilho, patarata

faceiro *adj.* **1** **aperaltado**, vistoso, garboso, garrido, enfeitado, engravatado *fig.* **2** **pacóvio**, patarata, simplório, bonachão, bonacheirão

faceta *n.f.* **aspeto**, face, característica

facetar *v.* **1** **lapidar**, talhar, facetear **2** **aprimorar**, aperfeiçoar, polir

facha *n.f.* **1** **facho**, archote, candeio, tocha **2** (arma) **acha** **3** **rosto**, face

fachada *n.f.* **1** **frontispício**, portada **2** ARQ. **frontaria**, fronte **3** **aparência**, aspeto

facho *n.m.* **1** **archote**, tocha **2** **luzeiro**, luz **3** **instigador**, danador **4** [REG.] **roubo**

facial *adj.2g.* **genal**

fácies *n.m.2n.* **fisionomia**, aparência, aspeto, semblante, figura

fácil *adj.2g.* **1** **simples**, claro, compreensível, inteligível ≠ **difícil**, confuso **2** **acessível**, agradável, afável ≠ **difícil**, inacessível, abrolhoso *fig.* **3** **irrefletido**, inconstante, inconsiderado, leviano **4** **provável**, possível ≠ **difícil**, improvável

facilidade *n.f.* **1** **simplicidade** ≠ **dificuldade**, complicação, empache **2** **aptidão**, capacidade ≠ **dificuldade** **3** **espontaneidade** **4** **desembaraço**, ligeireza, prontidão, agilidade, destreza, presteza ≠ **dificuldade** **5** **leviandade**, leveza **6** **simplismo**

facilitação *n.f.* **simplificação** ≠ **dificultação**

facilitador *adj.,n.m.* **1** **simplificador** **2** **condescendente**, indulgente

facilitar *v.* **1** **simplificar** ≠ **dificultar**, abarrancar *fig.* **2** **ajudar**, auxiliar, coadjuvar ≠ **dificultar**, complicar **3** **ceder**, facultar, franquear, proporcionar ≠ **embaraçar**, impedir **4** **arriscar-se**, expor-se

facilitar-se *v.* **prontificar-se**, prestar-se, dispor-se, oferecer-se, franquear-se

facilmente *adv.* **1** **correntemente** ≠ **dificilmente** **2** **irrefletidamente**, levemente, precipitadamente **3** **possivelmente**, provavelmente ≠ **dificilmente**

facínora *adj.,n.2g.* **criminoso**, assassino, celerado, malfeitor, perverso, malvado

fac-símile *n.m.* **1** **isografia** **2** **cópia**, reprodução

factício[AO] ou **fatício**[AO] *adj.* **1** **artificial**, convencional ≠ **natural** **2** **aparente**, falso, enganador ≠ **verdadeiro**, natural

factível *adj.2g.* **exequível**, praticável, viável, possível, realizável ≠ **infactível**, inexequível

facto[AO] ou **fato**[AO] *n.m.* **1** **acontecimento**, caso, ocorrência, evento **2** **circunstância**, situação, estado **3** **evidência**, realidade

factor[aAO] *n.m.* ⇒ **fator**[dAO]

factual *adj.2g.* real, verdadeiro
factura[aAO] *n.f.* ⇒ **fatura**[dAO]
facturar[aAO] *v.* ⇒ **faturar**[dAO]
faculdade *n.f.* 1 **capacidade**, aptidão, dom, talento 2 **propriedade**, qualidade, virtude 3 **poder**, privilégio 4 **licença**, permissão
facultar *v.* 1 **autorizar**, permitir, conceder 2 **auxiliar**, facilitar, proporcionar
facultativo *adj.* **optativo**, opcional ≠ **obrigatório** ▪ *n.m. ant.* **médico**
facundo *adj.* **eloquente**, loquaz, verboso, bem-falante
fadado *adj. col.* **predestinado**
fadar *v.* 1 **predestinar**, destinar 2 **prognosticar**, predizer, vaticinar, auspiciar 3 **dotar**, favorecer, proteger
fadário *n.m.* 1 **fado**, sorte, destino 2 **lida**, fadiga
fadiga *n.f.* 1 **cansaço**, estafa, esbofamento, moimento, quebreira, moição[REG.] ≠ **desfadiga**, descanso 2 **faina**, azáfama, trabalheira, lida, fadário, canseira, afã
fadista *n.2g. pej.* **vadio**, rufia, rufião, desordeiro, rúfio, faia, bordeleiro, arruador
fado *n.m.* 1 **destino**, sorte, fortuna, sina 2 **fatalidade** 3 **oráculo**, profecia, vaticínio, agouro
fagueiro *adj.* 1 **afável**, carinhoso, meigo, suave, terno, amável 2 **agradável**, ameno, brando
fagulha *n.f.* **centelha**, faúlha, faísca, chispa, faúla
faia *n.f.* **entrelinha** ▪ *n.m. col.* **vadio**, rufia, rufião, desordeiro, rúfio, fadistão, bordeleiro, arruador
faial *n.m.* **despenhadeiro**, alcantil
faina *n.f.* 1 **lida**, azáfama, lufa-lufa 2 **ofício**, ocupação, trabalho, labor, emprego, tarefa, quefazer
faísca *n.f.* 1 **centelha**, faúlha, fagulha, chispa, faúla 2 **raio**, descarga, corisco 3 **vivacidade**, brilho, graça
faiscar *v.* 1 **chispar**, faulhar 2 **brilhar**, cintilar, tremeluzir, resplandecer, dardejar, coruscar, relampar, enchamejar
faixa *n.f.* 1 **cinta**, cingidouro, precinta 2 **banda**, tira, fita, bandagem 3 **ligadura**, atadura 4 ARQ. **friso** 5 **zona**, zóster 6 **courela**
fajardo *n.m.* 1 **gatuno**, ladrão 2 **traficante**, dealer, chatinador 3 **intrujão**, troca-tintas
fala *n.f.* 1 **alocução**, discurso 2 **dicção**, locução 3 **tom**, timbre 4 **palavra**, vocábulo
falácia *n.f.* 1 **sofisma**, paralogismo 2 **ardil**, engano, tramoia *col.*, logro 3 **falatório**, vozearia, gritaria, gralhada
falacioso *adj.* 1 **enganador**, ilusório, enganoso, falso 2 **aldravão**, burlão, intrujão, fraudulento
falada *n.f.* 1 **murmuração**, falatório 2 **fala**, discurso
falado *adj.* 1 **dito**, expresso 2 **afamado**, famoso, celebrado, ilustre, notável 3 **reprovado**, comentado, criticado 4 **apalavrado**, convencionado, tratado
falador *adj.,n.m.* 1 **loquaz**, conversador, verboso, tagarela, chalreador, farfalhador 2 **indiscreto**, linguareiro, mexeriqueiro, maldizente
falange *n.f.* **bando**, legião, multidão
falangeta *n.f.* ANAT. **metafalange**
falanginha *n.f.* ANAT. **mesofalange**
falante *adj.2g.* 1 **eloquente**, expressivo 2 **tagarela**
falar *v.* 1 **dizer**, pronunciar, articular, proferir, murmurar 2 **conversar**, tagarelar, cavaquear 3 **discursar** 4 **combinar**, ajustar 5 **versar**, tratar 6 **mencionar**, referir ▪ *n.m.* 1 **fala**, linguagem 2 **fala**, dicção 3 **dialeto** 4 **idioma**, língua
falario *n.m.* **falácia**, vozearia, gritaria, gralhada, palração, falatório
falar-se *v.* **dar-se**, entender-se, tratar-se
falatório *n.m.* 1 **falácia**, vozearia, gritaria, gralhada, palração, falario 2 **conversa**, cavaqueira, conversação 3 **maledicência**, murmuração 4 **locutório**, parlatório
falaz *adj.2g.* 1 **enganador**, fraudulento, ardiloso 2 **ilusório**, quimérico, vão
falcão *n.m.* ORNIT. **francelho**, gavião, milhafre
falcatrua *n.f.* **fraude**, tratantada, trapaça, roubo, logro, gambérria, engano, embuste, cilada, ardil, gatunice
falcatruar *v.* **intrujar**, lograr, enganar, defraudar, iludir, calotear
falcoaria *n.f.* **altanaria**, citraria
falcoeira *n.f.* ORNIT. **galfoeira**
falda *n.f.* 1 (montanha) **sopé**, aba, fralda, base 2 **borda**, margem, beiral, aba, beira, orla, ourela, cairel 3 (roupa) **aba**, fralda
faldistório *n.m.* **facistol**
falecer *v.* 1 **morrer**, perecer, expirar, fenecer, acabar, finar-se, alampar ≠ **nascer**, viver 2 **carecer**, escassear, minguar, faltar, falhar
falecido *adj.,n.m.* **morto**, defunto
falecimento *n.m.* 1 **morte**, óbito, passamento, finamento ≠ **vida** 2 **carência**, privação, míngua, falta
falência *n.f.* 1 **bancarrota**, insolvência, quebra 2 **falha**, falhanço, fracasso
falésia *n.f.* **arriba**, riba, escarpa, ribanceira
falha *n.f.* 1 **fenda**, racha 2 **lasca** 3 **defeito**, imperfeição 4 **falta**, omissão, lacuna 5 **mania**, pancada, tara 6 **falência**, falhanço, fracasso 7 **interrupção**, quebra
falhado *adj.* 1 **fendido**, rachado, estalado 2 **frustrado**, fracassado 3 **falho**, lacunoso 4 **falido**
falhanço *n.m.* **estenderete**, insucesso, malogro, falha, fracasso

falhar *v.* 1 **fender**, lascar, estalar 2 **faltar** 3 **fracassar**, malograr-se, frustrar-se 4 **errar**, cincar, desacertar ≠ **acertar** 5 **escassear**, faltar ≠ **sobejar**

falho *adj.* 1 **desprovido**, destituído, carecido, falto, carecedor ≠ **abundante** 2 **frustrado**, falhado, malogrado 3 **lacunoso** 4 **fendido** 5 **falido**

falido *adj.* **falho**, falto, incompleto

falir *v.* 1 **fracassar**, quebrar, arruinar-se, gorar-se 2 **escassear**, faltar, falhar, minguar

falível *adj.2g.* **defetível**, perdível ≠ **infalível**, indefectível

falo *n.m.* **pénis**

falsa *n.f.* 1 **sótão**, falso 2 **desafinação**, dissonância

falsamente *adv.* **hipocritamente**, pretensamente ≠ **honestamente**, sinceramente

falsário *n.m.* 1 **falsificador** 2 **embusteiro**, traidor, perjuro, impostor, falso, enganador, faiante *col.*

falseamento *n.m.* **deturpação**, adulteração

falsear *v.* 1 **falsificar**, falsar 2 **atraiçoar**, enganar, trair 3 **adulterar**, deturpar, desvirtuar 4 **baldar**, falhar, faltar 5 **desafinar**, desentoar

falsetear *v.* **amesquinhar**, aviltar, rebaixar

falsidade *n.f.* 1 **fingimento**, hipocrisia, impostura, patarata, bigotismo, deslisura, falsídia ≠ **autenticidade**, sinceridade 2 **mentira**, calúnia, inverdade, contraverdade ≠ **verdade** 3 **falsificação**, deturpação

falsificação *n.f.* **deturpação**, adulteração, contrafação, alteração, falsidade

falsificador *adj.,n.m.* **falsário**, adulterador, contrafator, viciador, falsador, falsífico

falsificar *v.* **adulterar**, abastardar, contrafazer, defraudar, falsar

falso *adj.* 1 **inexato**, incerto ≠ **verdadeiro**, exato 2 **fingido**, simulado, dissimulado, hipócrita, falsário, bifronte *fig.* ≠ **verdadeiro**, autêntico 3 **falsificado**, adulterado, contrafeito, imitado, bera ≠ **verdadeiro**, autêntico 4 **mentiroso**, traiçoeiro, traidor, desleal, falsídico, fementido, mendace ≠ **verdadeiro**, leal 5 **suposto**, aparente ≠ **verdadeiro**, real 6 **infundado**, injustificado ≠ **fundado**, justificado

falta *n.f.* 1 **privação**, carência, penúria, escassez, míngua, necessidade, carestia 2 **ausência** 3 **falha**, erro, lapso, engano 4 **imperfeição**, defeito 5 **leviandade** 6 **incumprimento**, claudicação *fig.* 7 **ofensa**, pecado, culpa

faltar *v.* 1 **carecer**, escassear ≠ **fartar**, abastar 2 **falhar** 3 **desrespeitar**, falhar ≠ **cumprir**, respeitar 4 **ausentar-se**, desaparecer ≠ **presenciar** 5 **falecer**, morrer 6 **atraiçoar**, iludir, enganar, falsear

falto *adj.* 1 **desprovido**, falho, necessitado, carecente, carecido, privado 2 **defeituoso**

faltoso *adj.* 1 **ausente**, falto ≠ **presente** 2 **prevaricador**, culpado

fama *n.f.* 1 **reputação**, crédito, conceito 2 **notoriedade**, celebridade, prestígio, renome, nomeada

famélico *adj.* **faminto**, esfaimado, esfomeado, esganado *col.*, eslazeirado [REG.] ≠ **saciado**, alimentado

famigerado *adj.* **célebre**, famoso, ilustre, notável, famígero

família *n.f.* 1 **parentela**, famelga *col.* 2 **geração**, raça, linhagem, genealogia, estirpe *fig.*

familiar *adj.2g.* 1 **íntimo**, particular 2 **acostumado**, afeito 3 **habitual**, usual, vulgar, corrente, comum, conhecido 4 **simples**, singelo, despretensioso 5 **caseiro**, doméstico ■ *n.m.* **parente**

familiaridade *n.f.* 1 **intimidade**, convivência, confiança 2 **informalidade**, à-vontade ≠ **cerimónia**, formalidade

familiarizado *adj.* 1 **habituado**, acostumado, entrosado 2 **íntimo**

familiarizar *v.* 1 **acostumar**, habituar, afazer 2 **generalizar**, vulgarizar

familiarizar-se *v.* 1 **acostumar-se**, habituar-se, adaptar-se 2 **relacionar-se**

familiarmente *adv.* 1 **intimamente** 2 **informalmente**

faminto *adj.* 1 **famélico**, esfaimado, esfomeado, esganado *col.*, eslazeirado [REG.] ≠ **saciado**, alimentado 2 *fig.* **ávido**, cobiçoso, desejoso, sequioso

famoso *adj.* 1 **afamado**, brilhante, célebre, eminente, ilustre, notável ≠ **desconhecido** 2 **admirável**, excelente, grande, grandioso, extraordinário

fanar *v.* 1 **murchar**, secar 2 **amputar**, mutilar, troncar 3 *col.* **roubar**

fanático *adj.,n.m.* 1 **apaixonado**, entusiasta, maníaco, doente *col.* 2 **extremista**, intolerante

fanatismo *n.m.* 1 **intolerância** 2 **facciosismo**, sectarismo 3 **entusiasmo**, cegueira *fig.*, doença *fig.*

fanatizar *v.* **obcecar**

fandango *n.m. fig.* **balbúrdia**, conflito, desordem, briga, bulha, algazarra, tumulto, arruaça

faneca *adj.2g.* **magro**, seco, magricela, magrizela

fanerogâmicas *n.f.pl.* BOT. **espermatófitas**, espermatófitos, espermáfitas

fanfarra *n.f.* 1 **charanga**, musicata 2 **fanfarronada**, valentia, ostentação, fanfarrice

fanfarrão *adj.,n.m.* **gabarola**, alardeador, pimpão, bazofiador, bufão, farsola, valentão, arrogante, chibante, farfalhante, jactancioso, farfantão, ferrabrás, rabulão, rebolão, chamborgas *col.*, espirra-canivetes *col.*, fareleiro *col.*, balandrão [BRAS.] *col.*

fanfarronada *n.f.* **gabarolice**, jactância, paparrotada, parlapatice, presunção, quixotice, roncaria, espanholada, rebolaria, fanfúrria, fanfarronice, fanfarrice, barbata, fanfarria, enfatuação, chibança, bravata, farronca, flostria *col.*, filistria *col.*

fanfarronar *v.* **bazofiar**, fanfarronear, gargantear, fanfarrear, quixotear, bufonear, pimpar, enfatuar-se

fanfarronice *n.f.* **gabarolice**, jactância, paparrotada, parlapatice, presunção, quixotice, roncaria, espanholada, rebolaria, fanfúrria, fanfarronada, fanfarrice, barbata, fanfarria, enfatuação, chibança, bravata, chibantaria, farronca, felustrias [REG.], balandronada [BRAS.]

fanhoso *adj.,n.m.* **1 roufenho 2 nasal**, nasalado

fanico *n.m.* **1 migalha**, cigalho, fatanisco [REG.] **2 desmaio**, síncope, chilique, delíquio, flato **3 biscate 4 prostituição**

fantasia *n.f.* **1 devaneio**, ficção **2 utopia 3 capricho**, extravagância

fantasiar *v.* **1 imaginar**, idear, devanear, idealizar **2 mascarar**, disfarçar

fantasiar-se *v.* **mascarar-se**, disfarçar-se, encaretar-se, travestir-se

fantasioso *adj.* **1 fantástico 2 imaginativo**

fantasma *n.m.* **1 espetro**, aparição, assombração, visonha, visão, avantesma, avejão, visagem [BRAS.] **2 quimera**

fantasmagórico *adj.* **fantástico**, ilusório, imaginário

fantástico *adj.* **1 imaginário**, irreal, fantasioso, aparente, fictício, fingido ≠ **real**, verdadeiro **2 assombroso**, extraordinário, espantoso, estupendo, incrível, cerebrino *fig.* **3 caprichoso**, extravagante

fantochada *n.f.* **ridicularia**, palhaçada, invencionice, embófia, falsidade

fantoche *n.m.* **1 títere**, bonifrate, roberto **2 autómato**, palhaço

faqueiro *n.m.* **cutileiro**

faquir *n.m.* **faqui**

farândola *n.f.* **pandilha**, súcia, farrapagem, farraparia, farandolagem

faraónico[AO] ou **faraônico**[AO] *adj.* **gigante**, grandioso, monumental

farar *v. col.* **farejar**, procurar, apanhar

farda *n.f.* **fardamento**, uniforme, fardamenta

fardamento *n.m.* **uniforme**, farda, fardamenta

fardar *v.* **uniformizar**

fardo *n.m.* **1 pacote**, volume, embrulho, carga **2** *fig.* **peso**, responsabilidade, encargo

farejar *v.* **1 cheirar**, fariscar **2** *fig.* **adivinhar**, pressentir, prever **3** *fig.* **esquadrinhar**, investigar, inspecionar

farejo *n.m.* **farisco**, faro

farelo *n.m. fig.* **insignificância**, ninharia

farfalhar *v.* **1 tagarelar**, palavrear, palrar, parolar, falaciar **2 ostentar**, bravatear, bazofiar

farfalhas *n.f.pl.* **limalha**, aparas

farfalhice *n.f.* **bazófia**, jactância, ostentação, pimponice, fanfarronice, fanfarrice, farfalharia, fanfarrada, farelice, farfância, farromba

farfalhudo *adj.* **1 bombástico**, empolado, pomposo, ostentoso **2 garrido**, vistoso, farfalhoso **3 ruidoso**

farináceo *adj.* **farinhento**, farinhoso

farinheira *n.f.* (enchido) **farinhato**, farinheiro, farinhata

farinheiro *n.m.* **1** (enchido) **farinhato**, farinheira, farinhata **2 azevinho 3 oídio**, míldio

farisaico *adj. fig.* **hipócrita**, falso, fingido, mentiroso, fariseu

farisaísmo *n.m. fig.* **hipocrisia**, fingimento, falsidade

fariseu *n.m.* **1** *col.* **enxergão 2** *fig.* **hipócrita**, falso, fingido, mentiroso, farisaico

farmacêutico *n.m.* **farmaceuta**, boticário *ant.*

farmácia *n.f.* **botica** *ant.*

fármaco *n.m.* **medicamento**, remédio

farmacologia *n.f.* **iamologia**

farmacológico *adj.* **iamológico**

farmacopeia *n.f.* **receituário**, formulário

farnel *n.m.* **merenda**, cevadeira, matula [BRAS.], balaio [BRAS.], almeiro [REG.]

faro *n.m.* **1 olfato**, nariz *fig.* **2 cheiro**, odor, exalação **3 intuição**, perspicácia, instinto **4 farol**, fanal

farofa *n.f.* **1 farófia 2 gabarolice**, bazófia, jactância, fanfarrice, bravata, prosápia, enfunação *fig.* **3 bagatela**, insignificância

farol *n.m.* **1 faro**, fanal **2 rumo**, guia, norte **3 cachucho 4 bazófia**, fita, jactância **5** [*pl.*] **olhos**

farolim *n.m.* **farolete**

farpa *n.f.* **1 bandarilha**, ferro **2 lasca 3 rasgão**, rasgadura **4 farrapo 5** *fig.* **alfinetada**, dardo, dentada

farpado *adj.* **1 bipartido**, fendido **2 roto**, rasgado

farpar *v.* **1 farpear 2 rasgar**, romper, esfarrapar, dilacerar, recortar

farpear *v.* **1 farpar 2 bandarilhar**

farpela *n.f.* **1 fato**, vestimenta, trajo, roupa, vestuário, fatiota, traje **2 barbela 3** [REG.] **farpinha**

farra *n.f.* **divertimento**, paródia, pândega, taina, patuscada, folia, orgia, boa-vai-ela

farrapo *n.m.* **1 trapo**, frangalho **2 andrajo**, frangalho **3 pedaço**, fragmento **4 maltrapilho**, farroupilha, bandalho

farripas *n.f.pl.* **1 grenhas**, repas, falrepas, falripas **2 fiapos**

farrista *n.2g.* **borguista**, estroina, fuzarqueiro [BRAS.] *col.*

farroupo *n.m.* **farroupinho**, marrão

farrusca *n.f.* **1 chanfalho**, tarasca **2 mascarra**, tisna

farrusco *adj.* 1 **mascarrado**, encarvoado, tisnado, enfarruscado, farrusquento 2 **escuro**, negro, enegrecido

farsa *n.f.* 1 **entremez** 2 *fig.* **mentira**, farsada, ilusão, impostura, embuste, burleta

farsante *adj.,n.2g.* 1 **impostor**, intrujão, mentiroso, embusteiro, palhaço, trapaceiro 2 **gracejador**, farsista, farsola, folião, entremezista, brincalhão, comediante, bobo

farsantear *v.* **ridicularizar**, chocarrear

farsola *n.2g.* 1 **gracejador**, farsista, farsante, folião, entremezista, brincalhão, comediante, bobo 2 **fanfarrão**, gabarola, bazófias

fartar *v.* 1 **abarrotar**, empanturrar, atafulhar, encher, repimpar ≠ **esvaziar**, desempanturrar 2 **saciar**, embuchar, cevar, entaleigar 3 **aborrecer**, cansar, enfastiar, saturar

fartar-se *v.* 1 **encher-se**, atafulhar-se, empanturrar-se, ateigar-se, entaleigar-se 2 **satisfazer-se**, saciar-se 3 **cansar-se**, saturar-se 4 **enfadar-se**, aborrecer-se

farte *n.m.* CUL. **fartalejo**, fartem

farto *adj.* 1 **atulhado**, empanturrado, empaturrado, abarrotado ≠ **vazio**, oco 2 **satisfeito**, saciado ≠ **esfomeado**, faminto 3 **profuso**, recheado, repleto, rico, abundante, copioso ≠ **escasso**, parco 4 **saturado**, cansado, esgotado, aborrecido, enfastiado 5 **gordo**, nutrido

fartura *n.f.* 1 **repleção** 2 **abundância**, fartança, cópia, fartadela, abastança, abastamento, ucharia *fig.*, afogadela *fig.* ≠ **carência**, escassez, míngua

fasciculado *adj.* **fascicular**

fascículo *n.m.* 1 **braçada** 2 **caderno**, folheto 3 **gavela**

fascinação *n.f.* 1 **deslumbramento**, arroubamento, encantamento, enlevo, encanto, alucinação, hipnotismo, fascínio, magnetização, atração 2 **feitiço**, feitiçaria, sortilégio

fascinado *adj.* 1 **encantado**, deslumbrado 2 **enfeitiçado**

fascinante *adj.2g.* **atraente**, cativante, deslumbrante, encantador, feiticeiro, sedutor

fascinar *v.* 1 **atrair**, cativar, seduzir, magnetizar, deslumbrar, encandear, cegar, ofuscar, encantar, enlevar 2 **enfeitiçar**

fascínio *n.f.* 1 **deslumbramento**, arroubamento, encantamento, enlevo, encanto, alucinação, hipnotismo, fascinação, magnetização, atração 2 **feitiço**, feitiçaria, sortilégio

fase *n.f.* **período**, época, estágio, etapa, tempo, estádio

fasquia *n.f.* 1 **ripa**, sarrafo 2 *fig.* **meta**

fastidioso *adj.* 1 **aborrecido**, enfadonho, monótono, maçador, aborrecível ≠ **interessante**, desenfastioso 2 **impertinente**, importuno

fastio *n.m.* 1 **inapetência** 2 **repugnância**, nojo, aversão, asco 3 **enfastiamento**, enfado, aborrecimento, tédio, cansaço ≠ **desenfado**, distração, divertimento 4 **enjoo**, náusea

fasto *adj.* 1 **feliz**, próspero 2 **pomposo**, aparatoso ▪ *n.m.* **fausto**, luxo

fataça *n.f.* ICTIOL. **tainha**, tagana, tagarra

fatal *adj.2g.* 1 **inevitável**, decisivo 2 **improrrogável**, inadiável, irrevogável 3 **desastroso**, nefasto, nocivo, prejudicial, sinistro, trágico, funesto 4 **fatídico**, mortal, fatífero

fatalidade *n.f.* 1 **fado**, fatalismo, sorte 2 **infelicidade**, desgraça, calamidade, desastre, infortúnio

fatalismo *n.m.* **fado**, fatalidade, sorte

fatalmente *adv.* 1 **inevitavelmente**, necessariamente, imprescindivelmente, imprescritivelmente ≠ **eventualmente**, provavelmente, talvez 2 **desastrosamente**, tragicamente, dramaticamente, funestamente, sinistramente

fateixa *n.f.* **arpão**, arpéu, ganchorra, fisga, farpão

fatia *n.f.* 1 **talhada**, posta, fatiga [REG.] 2 **pedaço**, bocado 3 **quinhão** 4 *col.* **lasca**, peixão 5 *fig.* **pechincha**

fatídico *adj.* 1 **fatal**, mortal 2 **funesto**, sinistro, trágico, fatiloquente 3 **profético**, augural

fatigante *adj.2g.* 1 **cansativo**, estafante, trabalhoso, extenuante, exaustivo, fadigoso ≠ **repousante** 2 **enfadonho**, fastidioso, incómodo, maçador

fatigar *v.* 1 **cansar**, afadigar, esfalfar, estafar, esgotar, exaurir, extenuar, estrompar *col.* ≠ **descansar**, repousar 2 **enfadar**, enfastiar, aborrecer, maçar, moer ≠ **entusiasmar**, interessar, estimular

fatigar-se *v.* **cansar-se**, extenuar-se, esfalfar-se

fatiota *n.f.* **fato**, vestimenta, trajo, roupa, vestuário, farpela, traje

fato *n.m.* 1 **fatiota**, vestimenta, trajo, roupa, vestuário, farpela, traje, indumentária 2 **rebanho**, manada

fator[dAO] *n.m.* 1 **agente**, autor 2 **causa**, condição, causador

fatuidade *n.f.* 1 **insensatez**, ridicularia, ineptidão, tolice, necedade, disparate, despropósito 2 **presunção**, vaidade, enfatuação, imodéstia, fofice *fig.* ≠ **modéstia**

fátuo *adj.* 1 **imprudente**, insensato, tolo, néscio, estulto ≠ **prudente**, sensato 2 **efémero**, passageiro, transitório ≠ **permanente**, constante, duradouro, estável 3 **petulante**, presumido, presunçoso, pretensioso, vaidoso, fútil ≠ **modesto**, simples

fatura[dAO] *n.f.* 1 **feitura** 2 **recibo**

faturar[dAO] *v.* 1 **enviar**, expedir 2 **fabricar**, fazer

faúlha *n.f.* 1 centelha, fagulha, faísca, chispa, faúla 2 [pl.] bagatelas, ninharias

fausto *adj.* 1 venturoso, afortunado, próspero, ditoso, feliz 2 agradável, festivo, propício ■ *n.m.* 1 esplendor, magnificência, grandiosidade, riqueza, espetacularidade, espetaculosidade 2 luxo, ostentação, alarde, aparato, pompa, jactância, asiatismo *fig.*

faustoso *adj.* luxuoso, pomposo, aparatoso, fastoso, fastuoso

fautor *adj.,n.m.* patrocinador, auxiliador, defendedor, favorecedor, fomentador, promovedor

fautorizar *v.* auxiliar, ajudar, favorecer, apadrinhar, proteger, promover

fava *n.f.* BOT. faveira

faveira *n.f.* BOT. fava, fava-de-bolota

favo *n.m.* alvéolo

favor *n.m.* 1 obséquio, fineza, gentileza 2 graça, mercê, indulto, indulgência 3 vantagem, proveito, interesse 4 ajuda, auxílio, amparo, patrocínio, proteção, socorro, fautoria 5 consideração, crédito 6 parcialidade, preferência 7 carta, missiva

favorável *adj.2g.* 1 benéfico, benigno, bom ≠ desfavorável, prejudicial 2 propício, vantajoso, oportuno, conveniente ≠ desfavorável, adverso, adversativo, alérgico *fig.* 3 benévolo, indulgente

favorecer *v.* 1 ajudar, auxiliar, apoiar, apadrinhar, beneficiar, amparar, proteger, patrocinar, promover, favoniar ≠ desfavorecer, prejudicar, desajudar 2 fadar, prendar 3 elogiar, enaltecer, engrandecer ≠ depreciar, criticar 4 bafejar, obsequiar ≠ desfavorecer 5 corroborar, confirmar ≠ desfavorecer 6 propiciar, fomentar ≠ desfavorecer, inibir

favorecer-se *v.* 1 socorrer-se, valer-se 2 aproveitar-se

favorecido *adj.* 1 protegido, auxiliado ≠ desfavorecido, desprotegido 2 aumentado, realçado ≠ desfavorecido

favoritismo *n.m.* 1 compadrio, nepotismo, proteção, preferência 2 clientelismo

favorito *adj.,n.m.* 1 predileto, preferido, protegido, querido, afilhado 2 apaniguado, valido, favorecido

faxinar *v.* 1 enfeixar 2 estragar, destroçar

faz-de-conta[aAO] *n.m.2n.* ⇒ **faz de conta**[dAO]

faz de conta[dAO] *n.m.2n.* 1 imaginação, fantasia 2 fingimento

fazedor *adj.,n.m.* 1 criador, feitor 2 executante, executor

fazenda *n.f.* 1 quinta 2 bens, haveres, riqueza 3 finanças 4 pano, tecido 5 qualidade, carácter

fazendeiro *n.m.* feitor, rendeiro, quinteiro, caseiro

fazer *v.* 1 confecionar, fabricar, produzir, construir ≠ desfazer, destruir 2 conceber, criar, realizar 3 praticar, cometer 4 tentar, procurar 5 nomear 6 equivaler, igualar, somar 7 expelir 8 causar, provocar, ocasionar 9 fingir, simular

fazer-se *v.* 1 tornar-se, transformar-se, reduzir-se 2 estabelecer-se, espalhar-se 3 *col.* seduzir, galantear, atirar-se 4 fingir-se

fazível *adj.* exequível, executável, praticável, factível ≠ inexequível, inexecutável

faz-tudo *n.2g.2n.* factótum, factoto

fé *n.f.* 1 confiança, crédito, fiúza ≠ desconfiança 2 comprovação, asseveração, prova 3 crença ≠ ceticismo, incredulidade 4 religião

fê *n.m.* efe

fealdade *n.f.* 1 feiura, hediondez ≠ beleza, formosura, lindeza 2 infâmia, indignidade, torpeza

febra *n.f.* 1 fibra, nervo, músculo 2 energia, coragem, ânimo, força, valor, têmpera

febrão *n.m.* camarço *col.*

febre *n.f.* 1 pirexia, temperatura 2 *fig.* ânsia, anseio, desejo, avidez 3 *fig.* exaltação, excitação, frenesim, inquietação, agitação

febre-dos-três-dias *n.f.* MED. dengue

febricitante *adj.2g.* 1 febril 2 *fig.* exaltado, delirante, excitado, arrebatado ≠ calmo, sereno

febril *adj.2g.* 1 febricitante 2 *fig.* agitado, arrebatado, delirante, exaltado ≠ calmo, sereno

febrilidade *n.f.* hipertermia

fecal *adj.2g.* excrementício

fecha *n.f.* 1 final, conclusão 2 data

fechado *adj.* 1 cerrado ≠ aberto, descerrado 2 junto, unido ≠ aberto, separado, afastado 3 tacanho ≠ tolerante, liberal, recetivo 4 obstruído, inacessível, impenetrável ≠ desimpedido, livre, acessível, desobstruído 5 estreito, limitado ≠ amplo, espaçoso, vasto 6 compacto, denso 7 concluído, ultimado 8 calado, reservado, retraído, tímido ≠ extrovertido

fechadura *n.f.* macha *col.*

fechamento *n.m.* encerramento, fecho ≠ abertura

fechar *v.* 1 cerrar ≠ abrir, descerrar 2 tapar, tampar ≠ abrir, destapar 3 juntar, unir ≠ abrir, afastar, desunir 4 obstruir, impedir ≠ abrir, desimpedir, desobstruir 5 aferrolhar, encerrar, enclaustrar, clausurar ≠ abrir, desaferrolhar, desencerrar 6 cicatrizar 7 acabar, concluir, rematar, terminar, findar, ultimar

fechar-se *v.* 1 cerrar-se 2 juntar-se, unir-se 3 encerrar-se, isolar-se 4 retrair-se, conter-se, ensimesmar-se, calar-se ≠ abrir-se, expandir-se 5 terminar, acabar

fecho *n.m.* 1 encerramento, fechamento ≠ abertura, abrimento 2 aldraba, ferrolho 3 *fig.* remate, fim, final ≠ **abertura**, início 4 [REG.] **envelope**, sobrescrito

fécula *n.f.* 1 **amido** *col.* 2 **borra**, sedimento

fecundação *n.f.* 1 **fertilização** 2 **desenvolvimento**, enriquecimento

fecundante *adj.2g.* **fecundativo**, fecundizante, fecundador

fecundar *v.* 1 **fertilizar**, fecundizar, frutificar, espermatizar 2 **desenvolver**, fomentar

fecundidade *n.f.* **fertilidade**, feracidade, fecúndia, fecundez ≠ **esterilidade**

fecundo *adj.* 1 **fértil**, frutífero, produtivo, úbere ≠ **estéril**, infecundo, infértil 2 **abundante**, rico, vasto 3 **inventivo**, criador

fedelho *n.m.* 1 **miúdo**, criança, garoto, menino, crianço, rapazinho, bedelho 2 [REG.] **turíbulo**

feder *v.* 1 **tresandar**, catingar ≠ **aromatizar**, almiscarar 2 **aborrecer**, importunar, enfadar

federação *n.f.* **aliança**, associação, liga, coalizão, união, reunião, sociedade, aliagem, coligação, confederação

federado *adj.,n.m.* **confederado**, associado

federal *adj.* **confederado**, federativo

federar *v.* **confederar**, federalizar, aliar, unir, associar

federativo *adj.* **confederado**, federal

fedor *n.m.* **cheirete**, pivete, malina, fedentina, graveolência, chulé, cheirum, fedorentina, catinga, aca, pitada, fetidez

fedorento *adj.* 1 **fétido**, malcheiroso, infeto, catingoso 2 *col.* **rabugento**

feérico *adj.* 1 **fantástico**, mágico 2 **maravilhoso**, deslumbrante, encantador, esplendoroso

feição *n.f.* 1 **configuração**, forma, feitio, figura 2 **modo**, jeito, maneira 3 **índole**, temperamento, carácter 4 **disposição**, génio 5 [*pl.*] **fisionomia**, semblante, fácies

feijão *n.m.* 1 BOT. **feijoeiro** 2 **faveco** *col.* 3 (videira) **feijoa**

feijoada *n.f. fig.* **confusão**, embrulhada, trapalhada, balbúrdia

feijoeiro *n.m.* BOT. **feijão**

feio *adj.* 1 **desengraçado**, mal-parecido, disforme, desproporcionado, hediondo, anestético ≠ **bonito**, lindo, formoso, perfeito 2 *fig.* **indecente**, indecoroso, vergonhoso, vil, torpe, desonesto 3 *fig.* **insuportável**, insofrível ≠ **suportável**

feira *n.f.* 1 **mercado** 2 *fig.* **balbúrdia**, confusão, algaravia, desordem, gritaria, vozearia

feirante *n.2g.* **feirão**

feirão *n.m.* 1 **feirante** 2 [REG.] **feiroto**

feirar *v.* **enfeirar**

feita *n.f.* 1 **vez**, ocasião 2 **obra**, ato, ação

feital *n.m.* **fetal**, felgueira, fieiteira

feitiçaria *n.f.* 1 **sortilégio**, feitiço, bruxaria, bruxedo, mandinga, macumba, magia, coisa-ruim, benzedura 2 *fig.* **sedução**, graça, fascinação, enlevo, encanto, encantamento

feiticeira *n.f.* **maga**, bruxa, mágica, estrige

feiticeiro *n.m.* **mago**, bruxo, mágico, enfeitiçador, macumbeiro [BRAS.] ■ *adj.* **agradável**, aprazível, fascinante, encantador, sedutor

feiticismo *n.m.* **fetichismo**

feitiço *n.m.* 1 **sortilégio**, feitiçaria, bruxaria, bruxedo, mandinga, macumba, magia, tangromangro 2 **amuleto**, fetiche 3 *fig.* **sedução**, graça, fascinação, enlevo, encanto, encantamento ■ *adj.* 1 **artificial**, fictício, fingido, simulado 2 **falso**, postiço

feitio *n.m.* 1 **forma**, configuração, conformação, feição 2 **talhe** 3 **temperamento**, índole, génio, têmpera, carácter 4 **modo**, jeito, maneira 5 **qualidade**

feito *adj.* 1 **formado**, constituído, composto 2 **executado**, realizado, operado 3 **concluído**, pronto, acabado, consumado, decidido, assente, resolvido 4 **adulto**, maduro, amadurecido, desenvolvido, crescido 5 **conivente**, conluiado ■ *n.m.* 1 **proeza**, façanha 2 **lance** 3 **ação**, ato, obra, empresa

feitor *n.m.* 1 **autor**, fabricante, criador, fazedor, fator 2 **administrador**, gestor 3 **fazendeiro**, rendeiro, caseiro

feitoria *n.f.* **entreposto**, empório

feitura *n.f.* 1 **elaboração**, construção, produção, execução, fatura, fazedura 2 **trabalho**, obra, resultado, produto

feiura *n.f.* **fealdade**, hediondez ≠ **beleza**, formosura

feixe *n.m.* 1 **molho**, braçado, braçada, gavela, paveia, lio, fascículo, atado, faxina, maço 2 **conjunto**, grupo, acervo

fel *n.m.* 1 FISIOL. **bílis**, bile 2 *fig.* **amargo**, amargura, travo, amargor, amarume 3 *fig.* **agastamento**, aziúme, azedum 4 *fig.* **animosidade**, aversão, rancor, ódio

felgueira *n.f.* 1 **fetal**, feital, feteira 2 BOT. **dentebrura**, dentebrum, feto-macho

felicidade *n.f.* 1 **contentamento**, satisfação, bem-estar, bem-aventurança, alegria, prazer, céu-aberto, felícia, nirvana ≠ **infelicidade**, tristeza 2 **sorte**, ventura, dita ≠ **infelicidade**, azar, infortúnio 3 [*pl.*] **prosperidade**, sucesso, êxito

felicitação *n.f.* 1 **congratulação** 2 [*pl.*] **parabéns**, congratulações, cumprimentos

felicitar *v.* 1 **saudar**, cumprimentar, congratular, aplaudir 2 **bem-aventurar**, afortunar, aditar

felicitar-se *v.* **congratular-se**, regozijar-se

felino *adj.* 1 **gatesco** 2 *fig.* **ágil**, ligeiro 3 **sensual** 4 *fig.* **dissimulado**, traiçoeiro, falso, hipócrita, fingido ■ *n.m.* **felídeo**

feliz *adj.2g.* 1 **alegre**, contente, satisfeito, bem-aventurado, radiante, venturoso, risonho, próspero ≠ **infeliz**, triste 2 **ditoso**, afortunado, felizardo ≠ **infeliz**, desafortunado, azarado 3 **bendito**, abençoado ≠ **maldito** 4 **acertado**, favorável, bom ≠ **infeliz**

felizardo *adj.* **afortunado**, feliz, ditoso, sortudo, felizão *col.* ≠ **infeliz**, azarado

felizmente *adv.* **ditosamente**, prosperamente, afortunadamente ≠ **infelizmente**

felpa *n.f.* 1 **felpo**, pelúcia, pelo, floco 2 **penugem** 3 **lanugem**, carepa

felpudo *adj.* 1 **felpado**, felpo 2 **lanudo** 3 **cabeludo**, peludo

fêmea *n.f.* 1 *pej.* **mulher**, moça 2 *pej.* **amante**, barregã, concubina, manceba 3 *pej.* **prostituta**, meretriz, culatrão *vulg.*, culatrona *vulg.*

feminil *adj.2g.* 1 **feminino**, feminal, femíneo, femeal ≠ **masculino** 2 *fig.* **efeminado**, mulheril ≠ **masculino**, varonil

feminilidade *n.f.* **feminidade** ≠ **masculinidade**

feminino *adj.* **feminil**, feminal, femíneo, fêmeo ≠ **masculino**

fenda *n.f.* **racha**, greta, talisca, rachadela, rachadura, rasgão, fisga, rima, cissura, fresta, hiato, aberta, brecha, fendimento, abertura, frincha, fontela

fender *v.* 1 **rachar**, gretar, romper, rasgar, abrir, retalhar, escachar, fendilhar 2 **separar**, apartar, dividir, desunir, destocar 3 **cortar**, sulcar 4 **atravessar**, furar, trespassar, varar

fender-se *v.* 1 **rachar-se**, abrir-se, gretar-se, estalar, escanar-se 2 **dividir-se**, separar-se

fenecer *v.* 1 **falecer**, morrer, expirar, sucumbir, perecer 2 **extinguir-se**, acabar, terminar, findar, acabar-se 3 **murchar**, fanar

fenecimento *n.m.* 1 **acabamento**, fim, termo 2 **morte**, falecimento, desencarnação 3 **extinção**, esgotamento

fenomenal *adj.2g.* 1 **admirável**, espantoso, extraordinário, singular, surpreendente, assombroso, maravilhoso, formidável ≠ **banal**, comum, ordinário, vulgar 2 **descomunal**, enorme, gigantesco

fenómeno[AO] ou **fenômeno**[AO] *n.m.* **maravilha**, prodígio

fera *n.f. fig.* **bárbaro**, cruel, inumano

féretro *n.f.* **tumba**, esquife, ataúde, caixão

fereza *n.f.* **feridade**, ferocidade, crueldade, desumanidade, impiedade, truculência ≠ **mansidão**, brandura

féria *n.f.* 1 **jorna**, paga, salário 2 [*pl.*] **ócio**, descanso

feriar *v.* **descansar**, repoisar, folgar

ferida *n.f.* 1 **ferimento**, golpe, escoriação, chaga, úlcera, lesão, mazela, axe *infant.* 2 *fig.* **desgosto**, dor, mortificação, mágoa 3 *fig.* **agravo**, ofensa, injúria 4 [REG.] **alvado**

ferido *adj.* 1 **magoado**, lesionado, maltratado, atacado, britado 2 *fig.* **ofendido**, ressentido, magoado

ferimento *n.m.* **ferida**, golpe, escoriação, chaga, úlcera, lesão, mazela, axe *infant.*

ferino *adj.* 1 **feroz** 2 *fig.* **cruel**, desumano, perverso, carniceiro

ferir *v.* 1 **magoar**, golpear, atingir, escoriar, lacerar, machucar, lesar, açoitar, agredir 2 **bater**, contundir 3 **tocar**, vibrar, tanger 4 **travar**, entabular 5 **cortar**, sulcar, fender 6 **ofender**, melindrar, molestar, prejudicar 7 **impressionar**

ferir-se *v.* 1 **magoar-se** 2 *fig.* **melindrar-se**, magoar-se, ressentir-se

fermentação *n.f. fig.* **agitação**, ebulição, exaltação, efervescência

fermentar *v.* 1 **alevedar** 2 *fig.* **agitar**, estimular, excitar

fermento *n.m.* 1 **levedadura**, enzima, diástase 2 *fig.* **germe**, origem

fero *adj.* 1 **feroz**, terrível, violento, furioso, ameaçador, bárbaro, brutal, cruel, desumano ≠ **brando**, manso 2 **selvagem**, bravio, indómito ≠ **brando**, manso 3 **sadio**, são, vigoroso, rijo

ferocidade *n.f.* **fereza**, feridade, crueldade, desumanidade, impiedade, truculência, encarniçamento, ferócia ≠ **mansidão**, brandura

feroz *adj.2g.* 1 **ferino** ≠ **brando**, manso 2 **cruel**, desumano, desapiedado, ferino, fero, mau, perverso, raivoso ≠ **brando**, manso 3 **bravio**, bravo, selvagem 4 **terrível**, violento, impetuoso 5 **destemido**, arrojado 6 **espantoso**, tremendo

ferra *n.f.* **ferragem**, marcação

ferradela *n.f.* 1 **mordedela**, dentada 2 **picada**

ferrado *adj.* 1 **obstinado**, teimoso 2 [BRAS.] *col.* **atrapalhado** ■ *n.m.* **balde**

ferradura *n.f.* **canelo**, cornozelo

ferragem *n.f.* **ferra**, marcação

ferramenta *n.f.* **utensílio**, instrumento

ferrão *n.m.* **aguilhão**, espículo, ferreta

ferrar *v.* 1 **ferretear** 2 **cravar**, fixar, enterrar 3 **morder**, adentar 4 **pregar**, impingir 5 NÁUT. **ancorar**, atracar, fundear

ferraria *n.f.* 1 **ferrajaria** 2 **ferro-velho**

ferreira *n.f.* ICTIOL. **ferreiro**, besugo-de-ova

ferreirinha *n.f.* ORNIT. **gaivina**, chapim, negrinha, gavina, cedo-vem

ferreiro *n.m.* 1 ICTIOL. **ferreira**, besugo-de-ova, guiraponga [BRAS.] 2 ORNIT. **pisco-ferreiro**, rabirruivo, rabeta, rabisca, ferrugento, mineiro

ferrenho *adj. fig.* **inflexível**, intransigente, pertinaz, obstinado, resistente, duro, férreo

férreo *adj.* 1 **ferruginoso**, ferroso 2 *fig.* **cruel**, desumano 3 *fig.* **inflexível**, intransigente, pertinaz, obstinado, resistente, duro, ferrenho

ferrete *n.m. fig.* **estigma**, mácula, condenação, infâmia, opróbrio

ferretear *v.* 1 **ferrar** 2 *fig.* **desacreditar**, difamar, infamar, estigmatizar, ferretar 3 *fig.* **afligir**, pungir

ferro *n.m.* 1 NÁUT. **âncora**, pombeira, fateixa 2 **farpa**, bandarilha 3 (instrumento) **ferrete** 4 [*pl.*] **algemas**, grilhões 5 [*pl.*] **prisão**, cárcere

ferroada *n.f.* 1 **picada**, aguilhoada, ferretoada, ferroadela 2 (dor) **pontada**, agulhada 3 *fig.* **censura**, crítica, sátira

ferrolho *n.m.* **aldrava**, fecho, tramelo

ferroso *adj.* **ferruginoso**, férreo

ferro-velho *n.m.* 1 **sucata**, bricabraque 2 **sucateiro**, adelo, adeleiro, zângano

ferrovia *n.f.* **caminho-de-ferro**, via-férrea

ferrugem *n.f.* 1 BOT. **alfonsia**, alforra 2 **rubigem** 3 *fig.* **entorpecimento** 4 *fig.* **ignorância** 5 *fig.* **velhice** 6 *col.* **fuligem**

ferrugento *adj.* 1 **enferrujado**, oxidado, ferruginoso 2 *fig.* **desusado** 3 *fig.* **velho**, antigo, antiquado 4 *fig.* **trôpego**

ferruginoso *adj.* **férreo**, ferroso, ferrugento

fértil *adj.2g.* 1 **fecundo**, frutífero, produtivo, úbere, afrutado *fig.* ≠ **estéril**, infecundo, infértil 2 **produtivo**, inventivo, engenhoso ≠ **improdutivo** 3 **abundante**, copioso, farto, rico ≠ **escasso**, pouco, diminuto

fertilidade *n.f.* 1 **fecundidade**, uberdade ≠ **esterilidade** 2 *fig.* **produtividade** 3 *fig.* **abundância**, fartura, riqueza

fertilização *n.f.* **fecundação**

fertilizante *adj.2g.* **fertilizador**, fecundante ■ *n.m.* **adubo**, esterco, estrume

fertilizar *v.* 1 **fecundar**, fecundizar, frutificar ≠ **descalvar** *fig.* 2 *fig.* **desenvolver**, enriquecer

fervente *adj.2g.* 1 **ebuliente**, fervoroso, borbulhante, escachoante, estuoso 2 *fig.* **ardente**, fervoroso, caloroso 3 *fig.* **tempestuoso**, tormentoso, veemente, violento, vivo

ferver *v.* 1 **aferventar**, fervilhar, ebulir, cachoar, fervorar 2 **arder**, escaldar, queimar 3 *fig.* **pulular**, tumultuar, aglomerar-se, amontoar-se, apinhar-se 4 *fig.* **agitar-se**, animar-se, excitar-se, exaltar-se

fervilhar *v.* 1 **ferventar**, ferver, escachoar, cachoar 2 *fig.* **agitar-se**, mexer-se, traquinar 3 *fig.* **formigar**, pulular, apinhar-se

fervor *n.m.* 1 **ebulição** 2 **ardência**, brasa, abrasamento 3 *fig.* **dedicação**, zelo 4 *fig.* **furor**, violência, fúria 5 *fig.* **agitação**, vivacidade, exaltação, excitação, vigor

fervoroso *adj.* 1 **fervente**, ebuliente, fervescente ≠ **desfervoroso**, frio 2 **caloroso**, ardoroso, dedicado, piedoso 3 **diligente**, zeloso, ativo 4 **veemente**, impetuoso

fervura *n.f.* 1 **ebulição**, fervedura, fervença, fervência, fervida, fervor, fervilhamento 2 *fig.* **excitação**, alvoroço, entusiasmo, exaltação, efervescência

festa *n.f.* 1 **divertimento**, festividade, festejo, funçanata, folguedo, diversão, festim 2 **alegria**, regozijo, júbilo 3 **afago**, carícia, mimo

festança *n.f.* **borga**, pândega, folgança, festarola, regabofe *col.*, festão [BRAS.]

festão *n.m.* 1 **grinalda**, ramilhete 2 [BRAS.] **borga**, pândega, folgança, festarola, regabofe *col.*, festança

festeiro *adj.* 1 **folião** 2 **carinhoso**, meigo, acariciador, afagador, afagoso

festejar *v.* 1 **celebrar**, comemorar, solenizar 2 **saudar**, aplaudir, louvar

festejo *n.m.* 1 **divertimento**, festividade, festa, funçanata, folguedo, diversão, festim 2 **carícia**, afago

festim *n.m.* 1 **divertimento**, festividade, festa, funçanata, folguedo, diversão, festejo 2 **borga**, pândega, bródio, paródia, regabofe *col.*

festival *n.m.* **série**, sucessão, chorrilho

festividade *n.f.* 1 **divertimento**, festa, festejo, funçanata, folguedo, diversão, festim 2 **regozijo**, alegria, júbilo

festivo *adj.* **alegre**, divertido, prazenteiro, domingueiro, ferial ≠ **lúgubre**, triste

fetal *n.m.* **feteira**, feital, felgueira

feteira *n.f.* **fetal**, feital, felgueira

fétido *adj.* 1 **fedorento**, malcheiroso, infeto 2 **podre**, pútrido

feto *n.m.* 1 **embrião** 2 BOT. **filifolha**, fêtão

feudal *adj.2g.* **feudatário**

feudalismo *n.m.* **feudalidade**

feudatário *adj.* 1 **feudal** 2 **vassalo**, súbdito 3 *fig.* **dependente**, subordinado

feudo *n.m.* **tributo**, vassalagem

fêvera *n.f.* 1 **fibra**, nervo, músculo, fevra 2 **energia**, coragem, ânimo, força, valor, têmpera

fezes *n.f.pl.* 1 **sedimento**, borra, depósito 2 **escória** 3 **excrementos** 4 *pej.* **escumalha** *pej.*, ralé *pej.*, gentalha *pej.*, vasa *pej.*, refugo *pej.*, canalha *pej.*, enxurro *pej.*, escuma *pej.*, borra *pej.*, arraia-miúda *pej.*, escória *pej.* ≠ **elite**, escol, nata *fig.*

fiabilidade *n.f.* **confiança**, credibilidade

fiação *n.f.* **fiadura**

fiada *n.f.* **1 fila**, alinhamento, renque, enfileiramento, correnteza, fieira **2 enfiada**, fieira, sarta **3 fiã**

fiado *adj.* **confiante**, crente

fiador *n.m.* **abonador**, avalista, garante, responsável, garantidor, acreditador, assegurador

fialho *n.m.* **fiapo**, farrapo

fiambre *n.m.* **friame**

fiança *n.f.* **1 abonação**, garantia, caução, abono, abonamento, satisdação, fiadoria **2 penhor**, caução **3 segurança**, confiança

fiandeiro *n.m.* **fiadeiro**, fiadoiro

fiapo *n.m.* **farrapo**, fialho

fiar *v.* **1 tramar**, tecer, urdir **2** (dinheiro) **adiantar**, emprestar, abonar, creditar, dar **3 avalizar**, garantir, acreditar, abonar, afiançar, caucionar, autenticar, responsabilizar-se ≠ **desabonar**, desautorizar

fiar-se *v.* **confiar**, acreditar, crer

fiasco *n.m.* **fracasso**, insucesso, malogro, desastre, falhanço, estenderete, barraca *fig.*, rata [BRAS.] ≠ **sucesso**, êxito, triunfo, vitória

fibra *n.f.* **1 músculo**, nervo, fêvera, febra **2 filamento**, fio **3 rijeza**, firmeza **4 coragem**, valor, força, vigor, valentia

fibrila *n.f.* BOT. **radícula**, fibrilha

fibroso *adj.* **filamentoso**

ficar *v.* **1 permanecer**, estar ≠ **sair 2 encontrar-se**, achar-se, situar-se **3 pernoitar**, viver **4 custar 5 ajustar**, condizer, combinar, convir, quadrar, ajustar-se **6 sobejar**, sobrar, restar **7 afiançar**, garantir, prometer **8 parar**, deter-se, quedar-se

ficar-se *v.* **1 desistir**, ceder ≠ **persistir 2 calar-se**, conter-se, conformar-se ≠ **reagir**, ripostar **3 quedar-se**, estacar, parar **4 permanecer**, continuar **5 limitar-se**, circunscrever-se **6 morrer**, falecer

ficção *n.f.* **1 fingimento**, simulação **2 devaneio**, fantasia **3 conto**, fábula, lenda

ficcional *n.2g.* **inventado**, imaginado

ficheiro *n.m.* **fichário**, verbeteiro, classificador

fictício *adj.* **1 fabuloso**, imaginário, irreal, quimérico, fantástico ≠ **real**, verdadeiro **2 aparente**, fingido, simulado, falso, fingidiço ≠ **real**, verdadeiro

fidalgo *n.m.* **aristocrata**, nobre, patrício, sangue-azul, gentil-homem ■ *adj.* **1 aristocrático**, palaciano, nobre **2** *fig.* **distinto**, ilustre, digno, grandioso, valoroso

fidalguia *n.f.* **1 aristocracia**, nobreza, elite, optimacia **2 fidalgaria 3 distinção**, requinte **4 generosidade**, gentileza ≠ **vileza**

fidedigno *adj.* **confiável**, credível

fidelidade *n.f.* **1 lealdade** ≠ **infidelidade**, deslealdade **2 retidão**, probidade, sinceridade, honestidade **3 constância**, perseverança ≠ **infidelidade**, inconstância **4 exatidão**, veracidade ≠ **falsidade**

fidéus *n.m.pl.* **aletria**, letria

fido *adj.* **1 fiel**, leal, sincero, verdadeiro ≠ **infiel**, desleal **2 certo**, constante ≠ **inconstante**

fiel *adj.2g.* **1 leal** ≠ **infiel**, desleal **2 honrado**, honesto, íntegro, insuspeito, sincero, probo ≠ **trapacento**, desonesto **3 certo**, seguro **4 firme**, constante, perseverante **5 exato**, preciso, objetivo, verdadeiro ≠ **inexato**, impreciso **6 crente** ≠ **descrente**, cético

fielmente *adv.* **exatamente**, justamente

fífia *n.f.* **1 desafinação 2 tolice**, calinada

figa *n.f.* **amuleto**, talismã, mascote

figadal *adj.2g.* **1 hepático**, jecoral **2** *fig.* **íntimo**, profundo, intenso

figadeira *n.f.* **1** *col.* **fígado 2** *col.* **hepatite**

fígado *n.m.* **1** CUL. **isca 2** *fig.* **índole**, carácter, génio **3** *fig.* **coragem**, ânimo, valor, energia

fígaro *n.m. col.* **barbeiro**

figueira *n.f.* BOT. **gameleira**

figueiral *n.m.* **figueiredo**

figueiredo *n.m.* **figueiral**

figura *n.f.* **1 configuração**, forma, feitio, feição **2 fisionomia**, aparência, aspeto, semblante, fácies **3 imagem**, vulto **4 desenho**, ilustração, gravura **5 entidade**, personalidade **6 tropo**

figuração *n.f.* **1 representação 2 figura**, forma

figurado *adj.* **1 alegórico**, imitativo **2 metafórico**, simbólico, afigurativo, figural **3 suposto**, hipotético, imaginado, representado

figurão *n.m.* **1 figuro**, figuraço **2 vistão 3** *pej.* **finório**, maganão, espertalhão

figurar *v.* **1 delinear**, desenhar, traçar, representar **2 representar**, simbolizar, afigurar **3 aparentar 4 conceber**, fantasiar, idealizar, imaginar **5 parecer**, representar

figurativo *adj.* **alegórico**, simbólico, representativo

figurino *n.m. fig.* **modelo**, exemplo

figuro *n.m.* **1 figurão**, figuraço **2** *pej.* **desonesto**

fila *n.f.* **1 fileira**, renque, enfiada, ala, bicha, fiada, correnteza, carreira, ordem, série, andana, arreata **2 cara**, semblante

filamentar *adj.2g.* **filamentoso**

filamento *n.m.* **1 fio**, filete **2 fibra 3 filaça**

filamentoso *adj.* **filamentar**, filífero, funicular

filantropia *n.f.* **1 altruísmo**, humanitarismo ≠ **misantropia**, apantropia **2 caridade**, generosidade

filantropo *adj.,n.m.* 1 **altruísta**, humanitário ≠ **misantropo** 2 **caritativo**, desprendido, caridoso
filão *n.m.* **fieira**, veio, veia
filar *v.* 1 **aferrar**, ferrar, morder ≠ **desferrar** 2 **segurar**, agarrar, apanhar, prender, capturar ≠ **soltar**, largar 3 *col.* **roubar** 4 [BRAS.] **espreitar**, observar, ver, cocar
filarmónica[AO] ou **filarmônica**[AO] *n.f.* **musicata**, sol e dó
filatelia *n.f.* **filatelismo**
fileira *n.f.* **renque**, fiada, fieira, fila, fio, linha, enfiada, série, forma, enfiamento, correnteza, cordão, carreira, bicha, az, ala, exército, andaina
filete *n.m.* 1 **fio**, filamento 2 **debrum**, friso 3 **filé** [BRAS.] 4 ARQ. **listelo**
filha *n.f.* **descendente** ■ *adj.* **natural**, originária, oriunda, procedente, proveniente
filho *n.m.* 1 **descendente** 2 **discípulo**, aluno 3 **rebento** 4 *fig.* **consequência**, efeito, resultado, produto, fruto ■ *adj.* **natural**, originário, oriundo, procedente, proveniente
filhó *n.f.* CUL. **frito**
filhote *n.m.* 1 **cria** 2 **natural**, oriundo
filiação *n.f.* 1 **descendência**, origem, procedência, genealogia 2 **conexão**, encadeamento, relação
filial *adj.2g.* **dependente**
filiar *v.* 1 **adotar**, perfilhar ≠ **renegar** 2 **admitir**, associar ≠ **rejeitar**, negar 3 **inscrever**, alistar
filiar-se *v.* 1 **inscrever-se**, alistar-se, ligar-se, partidarizar-se 2 **originar-se**, derivar, proceder, provir
filicídio *n.m.* **gnaticídio**
filiforme *adj.2g.* **delgado**
filípica *n.f.* **invetiva**, sátira
filipino *n.m.* **tagalo**
filisteu *adj.* **filistino** ■ *n.m. pej.* **bronco**, brutamontes, bisarma
filmar *v.* **cinematografar**
filme *n.m.* **fita**, película
filologista *n.2g.* **filólogo**
filólogo *n.m.* **filologista**
filomela *n.f. poét.* **rouxinol**
filosofar *v.* **raciocinar**, meditar, discorrer
filosofia *n.f. fig.* **sabedoria**, razão
filosófico *adj.* **racional**, lógico
filósofo *n.m.* **pensador**
filtração *n.f.* **separação**, seleção, filtramento, filtragem
filtrar *v.* 1 **coar**, peneirar, escoar, passar, transcolar 2 **reter** 3 **selecionar**, separar 4 **entranhar**, inocular, insinuar, instilar
filtro *n.m.* 1 **passador**, coador, filtreiro, filtrador, coadouro 2 **amavio**
fim *n.m.* 1 **termo**, acabamento, conclusão, final, terminação, finalização, cessação ≠ **começo**, início, princípio, abertura 2 **fito**, meta, objeto, objetivo, alvo, intento, intuito, motivo, propósito, termo, escopo, norte *fig.* 3 **extremo**, extremidade, cabo, ponta, limite 4 **morte**, fenecimento
fímbria *n.f.* 1 **orla**, borda, cairel, galão, barra, limbo 2 **franja**, guarnição
fina *n.f.* 1 **astúcia**, esperteza, finura, manha 2 **precaução**, cautela
finado *adj.,n.m.* **defunto**, morto, falecido
final *adj.2g.* 1 **derradeiro**, último ≠ **inicial**, auroreal *fig.* 2 **definitivo**, conclusivo ≠ **inconclusivo**, inicial ■ *n.m.* **termo**, acabamento, conclusão, fim, terminação, finalização, cessação ≠ **começo**, início, princípio, abertura
finalidade *n.f.* **destino**, destinação, aplicação, objeto, desígnio, propósito
finalização *n.f.* **termo**, acabamento, conclusão, final, terminação, fim, cessação ≠ **começo**, início, princípio, abertura
finalizar *v.* **acabar**, aprontar, concluir, ultimar, rematar, arrematar, findar, terminar ≠ **iniciar**, começar
finalmente *adv.* 1 **enfim**, por fim, alfim 2 **afinal**
financeiro *n.m.* 1 **banqueiro** 2 *col.* **calculista** 3 *col.* **agiota** ■ *adj.* **financial**, fazendário
financial *adj.2g.* **financeiro**
financiar *v.* **custear**, suportar, pagar
finar *v.* **acabar**, findar, terminar
finar-se *v.* **morrer**, falecer, perecer
finca *n.f.* 1 **escora**, estaca, espeque, suporte, estronca, esteio 2 *fig.* **apoio**, proteção, amparo
finca-pé *n.m.* 1 **firmeza** 2 *fig.* **teima**, porfia, teimosia, obstinação, persistência, afinco, empenho 3 *fig.* **amparo**, apoio, esteio
fincar *v.* 1 **afincar**, cravar, espetar, enterrar, pregar, enxerir, atochar, introduzir 2 **enraizar**, arraigar 3 **apoiar**, escorar, firmar, segurar, fixar, tanchar
fincar-se *v.* 1 **insistir**, porfiar, teimar 2 **firmar-se**
findar *v.* 1 **acabar**, aprontar, concluir, ultimar, rematar, arrematar, finalizar, terminar, finar ≠ **iniciar**, começar 2 **morrer**, fenecer, expirar, perecer
findar-se *v.* 1 **acabar**, terminar 2 **desaparecer**
findável *adj.2g.* 1 **terminável** ≠ **infindável**, interminável 2 **transitório**, passageiro, efémero ≠ **permanente**, duradouro
findo *adj.* 1 **acabado**, finalizado, findado, concluído, terminado ≠ **iniciado**, começado 2 **passado**, decorrido, encerrado 3 **desaparecido**, extinto, morto
fineza *n.f.* 1 **finura**, delgadeza 2 **delicadeza**, doçura, suavidade ≠ **brutalidade**, alarvaria 3 **pri-**

mor, perfeição 4 favor, obséquio 5 amabilidade, galantaria 6 perspicácia, subtileza, sagacidade

fingido *adj.* 1 falso, simulado, dissimulado, hipócrita, falsário, enganoso ≠ verdadeiro, autêntico 2 inventado, imaginado 3 aparente, fictício, artificioso, imitativo ■ *n.m.* imitação

fingimento *n.m.* 1 falsidade, hipocrisia, impostura, dobrez, ficção, simulação, dissimulação, patarata ≠ autenticidade, sinceridade 2 invenção, simulacro

fingir *v.* 1 aparentar, disfarçar, dissimular, simular, enganar, falsear, alquimiar, cartar [BRAS.] 2 inventar, imaginar, fabular, idear, fabulizar, fantasiar

fingir-se *v.* 1 dissimular-se, disfarçar-se, fazer-se 2 supor-se, imaginar-se

finito *adj.* 1 limitado, determinado, balizado ≠ infinito 2 transitório, passageiro, efémero ≠ permanente, duradouro

finlandês *adj.,n.m.* finês, fino

fino *adj.* 1 delgado, afilado, estreito ≠ grosso 2 elegante, gracioso, delicado, estilizado ≠ encorpado, grosso 3 afiado, aguçado, agudo ≠ rombo, embotado 4 penetrante, cortante, agudo 5 estridente, agudo 6 aveludado, sedoso, suave 7 atencioso, delicado, educado, cortês, amável ≠ indelicado, descortês, malcriado, inurbano, alarve, alarvado, saloio *pej.* 8 excelente, requintado, distinto 9 esperto, perspicaz, inteligente, subtil, arguto, astuto 10 precioso, excelente, perfeito, apurado, esmerado, puro ■ *n.m.* [REG.] imperial [REG.]

finório *adj.,n.m.* manhoso, matreiro, astucioso, astuto, malicioso, sabido, sonso, ronhento, famelgo [REG.]

finta *n.f.* 1 DESP. drible, driblagem 2 logro, engano, negaça 3 simulação 4 calote

fintar *v.* 1 DESP. driblar 2 enganar, ludibriar, filar, lograr 3 fermentar, levedar 4 [REG.] acreditar, confiar

finura *n.f.* 1 fineza, delgadeza 2 delicadeza, suavidade, gracilidade 3 requinte, distinção 4 subtileza 5 astúcia, sagacidade, argúcia, ladinice, acuidade, perspicácia, esperteza, agudeza *fig.* 6 malícia, artifício, artimanha

fio *n.m.* 1 filamento, fibra 2 cordel, barbante, guita, linha 3 enfiada, fiada, fileira 4 gume, corte, az 5 laço, ligação 6 *fig.* encadeamento, continuidade

fiolhal *n.m.* [REG.] funchal

firma *n.f.* 1 assinatura, rubrica, chancela 2 empresa, companhia

firmado *adj.* 1 fixo, seguro, assente, apoiado 2 concertado, pactuado, combinado, ajustado

firmamento *n.m.* 1 céu, páramo 2 alicerce, sustentáculo, fundamento, base

firmar *v.* 1 fixar, afixar 2 suster, escorar, apoiar, encostar 3 estabelecer, instituir, fixar 4 ajustar, pactuar 5 sancionar, aprovar 6 consolidar, fortalecer, cimentar 7 basear, fundamentar 8 gravar, inscrever

firmar-se *v.* 1 segurar-se, apoiar-se, suster-se, escorar-se 2 basear-se, fundamentar-se, apoiar-se, estribar-se

firme *adj.2g.* 1 fixo, seguro, assente 2 apoiado, escorado 3 resistente, sólido 4 erguido, aprumado 5 decidido, resoluto, enérgico 6 constante, estável, certo, durável, permanente 7 imperturbável, perseverante, insensível, inflexível, inabalável, inamovível, estático, impávido, inalterável, invariável

firmemente *adv.* decididamente, resolutamente, seguramente

firmeza *n.f.* 1 constância, perseverança, persistência 2 vigor, robustez, força 3 determinação, decisão, irredutibilidade ≠ hesitação, vacilação 4 seguração, solidez ≠ insegurança

fiscal *n.2g.* 1 inspetor, verificador, fiscalizador 2 *fig.* censor, crítico

fiscalização *n.f.* inspeção, vigilância, fiscalidade, superintendência, controlo

fiscalizador *adj.,n.m.* 1 inspetor, verificador, fiscal, controlador 2 *fig.* censor, crítico

fiscalizar *v.* 1 verificar, controlar, inspecionar, superintender, zelar, vigiar 2 sindicar 3 censurar, repreender

fisco *n.m.* erário

fisga *n.f.* 1 fateixa, arpéu, ganchorra, arpão, farpão 2 racha, greta, talisca, rachadela, rachadura, rasgão, fenda, rima, cissura, fresta, hiato, aberta, brecha, fendimento, abertura

fisgada *n.f. col.* pontada, agulhada

fisgado *adj.* 1 apanhado, agarrado, preso 2 premeditado

fisgar *v.* 1 apanhar, agarrar, capturar, pescar, prender, ferrar, arpoar, segurar 2 intuir, perceber

física *n.f. ant.* medicina, iatria

físico *adj.* corpóreo, material, corporal ≠ imaterial, espiritual ■ *n.m.* 1 *col.* corpo, estrutura, cabedal *col.* 2 *ant.* médico, cirurgião

fisionomia *n.f.* 1 face, rosto, cara, semblante, caraça, focinho *col.*, fuça *col.*, tromba *col.*, ventas *fig.,col.* 2 feição, aspeto, aparência, configuração, figura, forma

fisioterapia *n.f.* fisicoterapia

fissura *n.f.* cissura, sulco, rachadura, racha, incisura, incisão, greta, fenda, abertura, fisga

fístula *n.f.* 1 *poét.* avena 2 *fig.* ferida, chaga 3 [REG.] sinal, marca 4 [BRAS.] canalha, infame

fistular *adj.2g.* 1 **ulcerado** 2 **fistuloso**, fistulado ■ *v.* ulcerar

fistuloso *adj.* 1 **ulcerado** 2 **fistular**, fistulado

fita *n.f.* 1 **banda**, tira, faixa, nastro 2 **maravalha**, apara 3 **filme**, película 4 **gravata** 5 **escândalo**, desordem, escarcéu, cena

fitar *v.* **fixar**, mirar, firmar, olhar, ver, contemplar, encarar, espectar ≠ **desfitar**

fiteiro *n.m.* **farsante**, pantomineiro, fingido

fito *n.m.* 1 **alvo**, mira 2 **propósito**, desígnio, objetivo, fim, intenção, intento, finalidade, intuito ■ *adj.* 1 **pregado**, cravado, fixo 2 **atento**, concentrado

fitologia *n.f.* **botânica**

fiúza *n.f.* **certeza**, confiança, crença, esperança, fé ■ *adj.2g.* **esperto**, finório

fixação *n.f.* 1 **colagem**, afixação ≠ **descolagem**, descolamento 2 **determinação**, prescrição 3 **marcação**, aprazamento 4 **memorização**, conservação 5 **concentração**, retenção

fixador *adj.,n.m.* **fixativo**, fixante, retentor

fixar *v.* 1 **pregar**, cravar, espetar, afixar, fincar, firmar, prender, segurar 2 **decorar**, memorizar, reter ≠ **esquecer** 3 **estabilizar** 4 **estabelecer**, determinar 5 **fitar**, mirar, firmar, olhar, ver, contemplar, encarar ≠ **desfitar**

fixar-se *v.* 1 **firmar-se**, estabilizar-se, prender-se, apoiar-se 2 **radicar-se**, estabelecer-se, situar-se 3 **obcecar-se**

fixe *adj.2g.* 1 *col.* **firme**, fixo, resistente, seguro 2 *col.* **fiel**, leal, certo, honesto ≠ **desleal**, incerto 3 *col.* **simpático**, prestável, agradável ≠ **antipático**, desagradável

fixidez *n.f.* 1 **fixidade**, fixura, estabilidade ≠ **infixidez**, instabilidade 2 **inalterabilidade**, imutabilidade ≠ **alterabilidade**, mutabilidade 3 **imobilidade** ≠ **mobilidade** 4 **atenção**

fixo *adj.* 1 **imóvel**, preso, seguro ≠ **móvel** 2 **pregado**, pegado, cravado, espetado, enterrado 3 **estável**, firme, sólido ≠ **instável** 4 **constante**, permanente ≠ **mutável**, mudável 5 **definido**, determinado 6 **inalterável**, inabalável, invariável

flacidez *n.f.* **relaxação**, frouxidão, brandura

flácido *adj.* 1 **frouxo**, mole, pendente, murcho ≠ **sólido**, consistente 2 **indolente**, relaxado, brando

flagelação *n.f.* 1 **fustigação**, verberação, açoitamento 2 *fig.* **sofrimento**, tortura, suplício, aflição, tormento

flagelado *adj.* 1 **fustigado**, chicoteado 2 **atormentado**, martirizado, torturado, supliciado

flagelar *v.* 1 **fustigar**, chicotear, vergastar, açoitar, verberar, zurzir, chibatar 2 *fig.* **atormentar**, martirizar, afligir, torturar, mortificar, castigar, algozar, macerar *fig.*

flagelar-se *v.* 1 **fustigar-se**, açoutar-se 2 *fig.* **mortificar-se**, atormentar-se

flagelo *n.m.* 1 **chicote**, açoite, látego, vergasta, zorrague, azorrague, chibata 2 **mortificação**, martírio, tortura, tormento, suplício, sofrimento, castigo 3 **calamidade**, praga, desgraça

flagrante *adj.2g.* 1 **evidente**, manifesto, patente 2 **incontestável**, inquestionável ■ *n.m.* **instante**, ensejo, ocasião, momento

flama *n.f.* 1 **chama**, labareda, fogo 2 *fig.* **entusiasmo**, veemência, ardor, fervor, calor ≠ **apatia**, desinteresse 3 *fig.* **paixão**

flamante *adj.2g.* 1 **chamejante**, flamejante 2 **brilhante**, radiante, resplandecente 3 **espetaculoso**, ostentoso, aparatoso, vistoso

flame *n.m.* VET. **lanceta**

flamejar *v.* 1 **chamejar**, arder, flamear 2 **brilhar**, luzir, resplandecer

flamengo *n.m.* ORNIT. **flamingo**

flaminato *n.m.* **flamínio**

flamingo *n.m.* ORNIT. **flamengo**

flâmula *n.f.* **auriflama**, galhardete, bandeirola, bandeirinha

flanco *n.m.* 1 **ilharga**, ilhal 2 **lado**, ala 3 (navio) **costado**

flandres *n.f.* **folha de flandres**, lata

flato *n.m.* 1 **flatulência**, ventosidade, flatuosidade 2 **desmaio**, chilique, fanico 3 **histerismo** 4 **jactância**, vaidade, soberba, prosápia, bazófia

flatulência *n.f.* 1 **flato**, ventosidade, flatuosidade 2 **jactância**, vaidade, bazófia, soberba

flatulento *adj.* 1 **ventoso** ≠ **antiflatulento** 2 **bazofiador**, vaidoso

flauta *n.f.* 1 **avena**, fístula, cálamo *fig.*, cana *fig.* 2 **flautista**, flauteiro

flautear *v.* 1 **espairecer**, distrair-se, divertir-se 2 **vadiar** 3 [BRAS.] **escarnecer**, motejar, zombar, troçar, ridicularizar 4 [BRAS.] **debochar**, enganar, iludir

flautista *n.2g.* 1 **frauteiro**, flauta 2 **embusteiro**, trapaceiro, intrujão

flaviense *adj.2g.* **chaviano**

flecha *n.f.* 1 **seta**, frecha 2 ARQ. **agulha** 3 ORNIT. **felosa**, papa-figos, papa-amoras, chede, morateira, moreira, furifolha, felocha, feloca, filós, folosa [REG.], foleco [REG.], flosa [REG.], ferifolha [REG.]

fletir[AO] ou **flectir**[AO] *v.* 1 **dobrar**, ajoelhar, curvar, vergar, flexionar ≠ **endireitar** 2 *fig.* **abrandar**, ceder, afrouxar

fleuma *n.f.* 1 **fleima**, flegma, frieza, domínio, impassibilidade, serenidade, bonacheirice 2 **indiferença**, apatia

fleumático *adj.* 1 **imperturbável**, impassível, frio, sereno, insensível 2 **indiferente**, apático

flexão *n.f.* 1 **dobradura**, dobramento, torcedura, curvatura, torção, flexura 2 GRAM. **inflexão**

flexibilidade *n.f.* 1 **elasticidade** ≠ **inflexibilidade**, rigidez 2 **maleabilidade** ≠ **inflexibilidade**, rigidez 3 **agilidade**, destreza 4 **docilidade**, brandura, doçura, suavidade 5 **adaptabilidade**

flexional *adj.2g.* GRAM. **flexivo**

flexionar *v.* **dobrar**, joelhar, curvar, vergar, fletir ≠ **endireitar**

flexível *adj.2g.* 1 **elástico** ≠ **inflexível**, rígido 2 **maleável**, vergável, arqueável, dobrável, cartáceo ≠ **inflexível**, rígido 3 **condescendente**, suave, brando ≠ **inflexível**, intransigente 4 **ágil**, destro 5 **polivalente**, adaptável, purivalente

flexivo *adj.* GRAM. **flexional**

flexor *adj.* **fletor** ≠ **extensor**

flexuosidade *n.f.* 1 **sinuosidade**, tortuosidade 2 **volta**, dobra, cotovelo

flexuoso *adj.* **sinuoso**, tortuoso, torcido, torto, ondulado, volteado, anfracto

flibusteiro *n.m. fig.* **trapaceiro**, intrujão, ratoneiro

flipado *adj. col.* **furioso**, descontrolado

flipar *v. col.* **descontrolar-se**, passar-se, desatinar, tripar *col.*

flirt *n.m.* **caso**, namorico

flor *n.f.* 1 **frol** *ant.* 2 *fig.* **elite**, escol, alta-roda, nata *fig.*

flora *n.f.* **vegetação**

floração *n.f.* 1 **florescimento**, florescência, florada ≠ **desfloração** 2 *fig.* **desabrochamento**, desenvolvimento

florar *v.* **florescer**, florir, enflorar ≠ **desflorar**

floreado *adj.* 1 **ornado**, enfeitado, debruado, floreteado 2 **florido**, vistoso, arrebicado, repenicado *fig.* ■ *n.m.* 1 **enfeite**, ornamento, ornato 2 **rodeio**, evasiva

florear *v.* 1 **florejar**, florescer, enflorar, floretear 2 **manejar**, brandir, floretear, esgrimir 3 **embelezar**, enfeitar, engalanar, ornamentar, ornar

floreira *n.f.* 1 **jardineira** 2 **florista**, ramalheteira

floreiro *n.m.* **florista**

florejar *v.* **florescer**, florear, enflorar

florentino *adj.,n.m.* **florense**

flóreo *adj.* 1 **florescente**, florido, florente 2 *fig.* **venturoso**, próspero

florescência *n.f.* 1 **florescimento**, floração, perfloração 2 *fig.* **vigor**, viço, pujança 3 *fig.* **brilho**, esplendor

florescente *adj.2g.* 1 **florente**, flóreo, florido, florífero, florígero 2 *fig.* **viçoso**, vigoroso 3 *fig.* **próspero**, venturoso, auspicioso, favorável, afortunado

florescer *v.* 1 **florejar**, florear, enflorar, brotar, desabrochar, florir 2 *fig.* **desenvolver-se**, crescer, progredir, medrar, prosperar, frutificar 3 *fig.* **brilhar**, distinguir-se, mostrar-se, patentear-se

florescimento *n.m.* 1 **florescência**, floração, perfloração 2 *fig.* **progresso**, prosperidade

floresta *n.f.* 1 **bosque**, mata, mato, arvoredo, matagal, luco, brenha 2 *fig.* **labirinto**, confusão, dédalo

florestação *n.f.* **arborização**

florestar *v.* **arborizar**, arvorar, arvorejar ≠ **desflorestar**, desarborizar

floretear *v.* 1 **florejar**, florescer, enflorar, florear, florir 2 **manejar**, brandir, florear, esgrimir

florido *adj.* 1 **flóreo**, florente, florescente, floreado 2 *fig.* **viçoso**, vigoroso 3 *fig.* **distinto**, elegante

florilégio *n.m. fig.* **antologia**, crestomatia, grinalda

florir *v.* 1 **desabrochar**, florescer, despontar, florear, florar, enflorescer, enflorar, vicejar 2 **adornar**, enfeitar, embelezar

florista *n.2g.* **floreiro**, capeleira *ant.*

florívoro *adj.* **antófago**

flotilha *n.f.* **esquadrilha**

fluência *n.f.* 1 **fluidez** 2 **loquacidade**, espontaneidade

fluente *adj.2g.* 1 **fluido** 2 **loquaz**, fácil, espontâneo 3 **abundante**

fluidez *n.f.* 1 **fluência**, fluor 2 **loquacidade**, espontaneidade

fluidificar *v.* **diluir-se**, liquescer

fluido *adj.* 1 **fluente** 2 **espontâneo**, natural 3 **mole**, flácido 4 **difuso**, vago, indistinto

fluir *v.* 1 **brotar**, nascer, dimanar, manar 2 **derivar**, proceder, provir

fluminense *adj.2g.* **fluvial** ■ *adj.,n.2g.* **carioca**

flutuação *n.f.* 1 **ondulação**, oscilação, agitação 2 **oscilação**, variação, variância 3 **inconstância**, volubilidade, indecisão, vacilação, incerteza, hesitação, irresolução

flutuante *adj.2g.* 1 **ondulante**, oscilante, flutuador, flutuoso 2 **vacilante**, irresoluto, duvidoso, hesitante

flutuar *v.* 1 **boiar**, sobrenadar ≠ **afundar-se**, submergir 2 **pairar** 3 **ondular**, tremular, ondear 4 **duvidar**, hesitar, vacilar 5 **agitar-se**, alvoroçar-se, inquietar-se, debater-se, revolver-se

flutuável *adj.2g.* **navegável**

fluvial *adj.2g.* **fluminense**, flumíneo, fluviátil

fluxão *n.f.* MED. *ant.* **fluxo**, defluxão, defluxo

fluxo *n.m.* 1 **corrente**, correnteza, curso, torrente, corrimento, flux 2 *fig.* **abundância**, enchente 3 MED. **defluxão**, defluxo, fluxão ■ *adj.* **transitório**, passageiro

fobia *n.f.* **medo**, aversão, horror, receio

foca *n.f.* ZOOL. **boi-marinho** ■ *n.2g. col.* **sovina**, avaro, avarento, unhas de fome

focalizar *v.* **1** **focar**, enfocar **2** *fig.* **evidenciar**, salientar, destacar

focar *v.* **1** **focalizar** **2** *fig.* **evidenciar**, salientar, destacar **3** *fig.* **abordar**, tratar

focinhar *v.* **1** **cair**, esbarrar, mergulhar, foçar **2** **desanimar**, soçobrar, sucumbir, descorçoar, abater-se

focinheira *n.f.* **1** **focinho**, tromba **2** *col.* **rosto**, cara **3** **açaime**, barbilho **4** **carranca**

focinho *n.m.* **1** **focinheira**, tromba **2** **rosto**, cara, fuça **3** **carranca**

foco *n.m.* **1** **centro**, sede, origem **2** **facho**, farol **3** **fornilho**

foder *v.* **1** *vulg.* **copular** **2** *vulg.* **prejudicar**, lixar *col.*, tramar

fodido *adj.* **1** *vulg.* **arruinado**, perdido **2** *vulg.* **desesperado**, irritado

fofo *adj.* **1** **mole**, macio, balofo, flácido ≠ **duro**, rijo **2** **cheio**, tufado **3** *fig.* **enfatuado**, afetado **4** *fig.* **querido**, amoroso, adorável

fofoca *n.f.* [BRAS.] *col.* **mexerico**, bisbilhotice, intriga

fofocar *v.* [BRAS.] *col.* **bisbilhotar**, mexericar, intrigar

fofoqueiro *n.m.* [BRAS.] **bisbilhoteiro**, coscuvilheiro

fogacho *n.m.* **1** **labareda**, chama, lumaréu **2** **fogueira**, fogaréu, fogaracho **3** *fig.* **arrebatamento**, assomo, fogagem

fogagem *n.f.* **1** **borbulhagem**, erupção **2** *fig.* **arrebatamento**, assomo, fogacho

fogão *n.m.* **lareira**, lar

fogar *n.m. ant.* **fogo**, lar, casal

fogaréu *n.m.* **1** **fogueira**, fogacho, fogaracho, lume **2** **facho**, candeio, archote, tocha **3** **fogo-fátuo**

fogo *n.m.* **1** **lume** **2** **chama**, labareda **3** **incêndio**, combustão **4** **fogueira**, lareira **5** **lar**, residência **6** **tiro** **7** **clarão**, brilho **8** **fogo-de-artifício** **9** *fig.* **ardor**, paixão **10** *fig.* **vivacidade**, entusiasmo

fogosidade *n.f.* **1** **impetuosidade**, veemência, ímpeto **2** **arrebatamento**, entusiasmo **3** **inquietação**

fogoso *adj.* **1** **esbraseado**, abrasado **2** **ardoroso**, caloroso, arrebatado, impetuoso **3** **impaciente**, inquieto, irrequieto, árdego **4** **animado**, entusiástico, inflamado **5** **irascível**, colérico, violento

foguear *v.* **1** **acender**, aquecer, queimar, afoguear, incendiar **2** **habitar**, residir

fogueira *n.f.* **1** **fogacho**, fogaréu, fogaracho **2** **lume**, labareda **3** *fig.* **ardor**, exaltação

fogueiro *n.m.* **foguista**, fornalheiro, chegador

foguete *n.m.* **1** **fogo-do-ar** **2** *col.* **repreensão**, reprimenda, ralho, descompostura, censura, batibarba **3** ORNIT. **rabilongo**

fogueteiro *n.m.* **pirotécnico**

foia[dAO] *n.f.* [REG.] **cavidade**, buraco

fóia[aAO] *n.f.* ⇒ **foia**[dAO]

foice *n.f.* **segadeira**, roçadeira

foina *n.f.* [REG.] **centelha**, fona, foila, fopa [REG.]

fojo *n.m.* **1** **caverna**, gruta, antro **2** **lameiro**, atoleiro

fola *n.f.* **marulhada**, marulho

folclore *n.m.* **demopsicologia**

fole *n.m.* **1** **assoprador** **2** *col.* **tufo**, dobra, papo, prega **3** *col.* **barriga**, estômago

fôlego *n.m.* **1** **respiração**, sopro, respiro, bafejo, aragem, inspiração, folgo **2** **bafo**, hálito, anélito **3** **descanso**, folga **4** *fig.* **alento**, ânimo

folga *n.f.* **1** **descanso**, pausa, repouso, parança **2** **divertimento**, distração, brincadeira, folguedo **3** **alívio**, desafogo **4** **abastança**, largueza

folgado *adj.* **1** **descansado**, repousado ≠ **cansado** **2** **amplo**, largo, solto ≠ **apertado**, estreito **3** **desocupado**, ocioso ≠ **ocupado**, atarefado **4** **desafogado**, despreocupado **5** **contente**, alegre, satisfeito, regalado **6** [BRAS.] **abusador**, atrevido

folgança *n.f.* **1** **descanso**, pausa, repouso, parança, folga **2** **recreação**, divertimento, recreio, folgar, folia, patuscada, pagode, frescata

folgar *v.* **1** **afrouxar**, desapertar, alargar **2** **aliviar**, suavizar **3** **descansar**, folgazar **4** **divertir-se**, foliar, brincar, recrear-se, alegrar-se, gozar, abrejeirar, chanfalhar *col.* ■ *n.m.* **recreação**, divertimento, recreio, folgança, folia, patuscada, pagode

folgazão *adj.* **1** **alegre**, brincalhão, divertido, folião, galhofeiro, jovial, pândego, reinadio, folgativo, retoiçador **2** **mandrião**, ocioso, preguiçoso

folha *n.f.* **1** **fólio** **2** **jornal**, periódico **3** **lista**, relação, rol **4** **cadastro** **5** **folha de flandres**, flandres **6** **lâmina**, folheado, folheta

folhagem *n.f.* **1** **folhada**, folhame, fronde, folhedo, folharia, folhado **2** **ramaria**, ramagem, rama

folhar *v.* **folhear**, enfolhar, frondescer

folhear *v.* **1** **folhar**, enfolhar, frondescer **2** **consultar**, manusear **3** **folhetear**

folhedo *n.m.* **1** **folhada**, folhame, fronde, folhagem, folharia, folhado **2** **ramaria**, ramagem, rama

folhetim *n.m.* **gazetilha**

folheto *n.m.* **1** **brochura** **2** **desdobrável**, panfleto

folhinha *n.f.* **almanaque**, calendário, repertório

folho *n.m.* **1** **trepa**, apanhado, babado **2** **folhoso**, omaso, centafolho

folia *n.f.* **divertimento**, festa, festejo, gala, folguedo, brincadeira, pagode, pândega, galhofa, gáudio, folgança, foliada, festança, carnaval, farra, regabofe *col.*, reinação *col.*, franciscanada *col.*

folião *n.m.* 1 **bobo**, histrião 2 **pândego**, borguista, galhofeiro, brincalhão, farrista, foliador

foliar *adj.2g.* **foliáceo** ■ *v.* **divertir-se**, farrear, brincar, folgar

fólio *n.m.* **folha**

fome *n.f.* 1 **gana**, apetite, lazeira, larica, rafa *col.*, galga *col.*, gafa [REG.] 2 **subalimentação** 3 **escassez**, necessidade, miséria, falta, míngua, penúria 4 *fig.* **sofreguidão**, avidez, ambição

fomentação *n.f.* **favorecimento**, incentivo, incitação, incitamento, estímulo, fomento

fomentar *v.* 1 **favorecer**, estimular, incitar, incentivar, incrementar, promover, provocar, suscitar, animar, atiçar *fig.*, atear *fig.* 2 **esfregar**, friccionar

fomento *n.m.* 1 **incentivo**, estímulo, impulso, incitação, incitamento, fomentação 2 **proteção**, apoio, amparo, auxílio, ajuda 3 **alívio**, lenitivo, consolo, refrigério

foneticista *n.2g.* **fonetista**

fonético *adj.* **sónico**, fónico

fónico[AO] ou **fônico**[AO] *adj.* **fonético**, sónico

fonógrafo *n.m.* **gramofone**, grafonola

fontainha *n.f.* **fontanela**, fontícula, fontículo

fontana *n.f. ant.* **fonte**

fontanário *n.m.* **chafariz**, fonte, fontenário ■ *adj.* **fontanal**, fontenário

fontanela *n.f.* 1 **fontainha**, fontícula, fontículo 2 ANAT. **moleira**, moleirinha, bregma

fonte *n.f.* 1 **nascente**, olho-d'água, mina, fontana *ant.* 2 **origem**, procedência, proveniência 3 **chafariz**, fontanário, bica 4 **têmpora**

fontenário *n.m.* **chafariz**, fonte, fontanário ■ *adj.* **fontanal**, fontanário

for *n.m.* 1 *ant.* **foro** 2 *ant.* **costume**, modo, uso, arnilha

fora *adv.* **exteriormente** ≠ **dentro**, interiormente ■ *prep.* **exceto**, salvo, menos, tirante ■ *interj.* **rua!**, saia!, abaixo!

foragido *adj.,n.m.* 1 **emigrado**, refugiado 2 **fugido**, homiziado, fugitivo 3 **perseguido**, acossado

forasteiro *adj.,n.m.* **estrangeiro**, estranho, externo, alienígena, estranja ≠ **natural**, nacional

forca *n.f.* 1 **patíbulo** 2 **enforcamento**, cadafalso 3 **forquilha**, garfo, forcado, espalhadoura 4 *fig.* **armadilha**, cilada

força *n.f.* 1 **robustez**, vigor, energia, resistência, possança, estaleca, genica *col.*, adrenalina *col.*, nervo *fig.*, aço *fig.* ≠ **fraqueza**, debilidade 2 **coragem**, determinação, vontade 3 **impulso**, incitamento 4 **poder**, influência, eficácia 5 **autoridade**, domínio, poderio 6 **auge**, apogeu 7 **violência**, compulsão, coerção 8 **causa**, motivo 9 *col.* **hérnia** 10 [*pl.*] **tropas**, exército

forçadamente *adv.* **abusivamente**

forcado *n.m.* **forca**, garfo, ancinho, forquilha, espalhadoira, forcada [REG.], forcão [REG.]

forçado *adj.* 1 **obrigado**, constrangido, contrafeito ≠ **livre** 2 **inevitável**, forçoso, obrigatório ≠ **facultativo** 3 **fingido**, afetado ≠ **espontâneo**, natural ■ *n.m.* **facínora**, celerado

forçar *v.* 1 **obrigar**, constranger, coagir, impor, sujeitar, compelir, impelir, coatar 2 **arrombar** 3 **romper**, quebrar, desbaratar 4 **violentar**, violar, estuprar 5 **desvirtuar**, corromper 6 **fingir**, afetar

forçar-se *v.* **obrigar-se**, sujeitar-se, impor-se

forçosamente *adv.* **infalivelmente**, necessariamente, fatalmente ≠ **provavelmente**, talvez

forçoso *adj.* 1 **inevitável**, imperioso, indispensável, necessário, obrigatório, forçado, fatal ≠ **facultativo** 2 *ant.* **violento**, impetuoso 3 *ant.* **forte**, rijo, robusto, teso, valente, vigoroso

forense *adj.2g.* **judicial**, judiciário

forja *n.f.* **fundição**, ferraria, frágua

forjado *adj. fig.* **inventado**, fabricado

forjar *v.* 1 **caldear**, fraguar 2 **moldar** 3 **falsificar**, fingir 4 **idear**, imaginar, inventar

forma *n.f.* 1 **formato**, configuração, conformação, feição, talho 2 **fisionomia**, aparência, aspeito, semblante, fácies 3 **modo**, maneira, jeito, sorte 4 **sistema**, método 5 **tipo**, variedade 6 [*pl.*] **silhueta**

formação *n.f.* 1 **criação**, constituição, geração, instituição 2 **educação** 3 **disposição**, organização, arranjo 4 **equipa**, equipe, turma, grupo, esquadra [BRAS.]

formado *adj.* 1 **constituído**, composto 2 **licenciado** 3 **alinhado**

formador *adj.,n.m.* 1 **criador**, organizador 2 **educador**

formal *adj.2g.* 1 **cerimonioso**, protocolar, solene, cerimonial, oficial ≠ **informal**, descerimonioso 2 **grave**, sério, solene ≠ **descontraído** 3 **categórico**, terminante, perentório, decisivo 4 **explícito**, expresso, claro, evidente

formalidade *n.f.* 1 **preceito**, condição, regra 2 **etiqueta**, rito, protocolo, praxe, ritual, cerimónia, solenidade ≠ **informalismo**

formalismo *n.m.* 1 **convencionalismo**, rigidez, inflexibilidade 2 **academismo**

formalista *adj.2g.* 1 **formalístico** 2 *pej.* **protocolar**, formal, rígido, burocrático

formalização *n.f.* **concretização**

formalizado *adj.* 1 **concretizado** 2 **rígido**, rigoroso 3 **solene**, grave, cerimonioso 4 **escandalizado**, ofendido, melindrado, suscetibilizado

formalizar *v.* **concretizar**, oficializar

formalizar-se *v.* 1 **oficializar-se** 2 **melindrar-se**, escandalizar-se, ofender-se
formalmente *adv.* 1 **oficialmente** ≠ **informalmente** 2 **cerimoniosamente**, rigidamente, convencionalmente ≠ **informalmente**, descontraidamente 3 **perentoriamente**, terminantemente, expressamente
formar *v.* 1 **criar**, originar, produzir 2 **conceber**, planear, arquitetar 3 **fundar**, organizar ≠ **desmembrar** 4 **instruir**, educar, diplomar 5 **alinhar**, enfileirar
formar-se *v.* 1 **criar-se**, originar-se, produzir-se, constituir-se, gerar-se, nascer 2 **desenvolver-se**, progredir 3 **alinhar-se**, enfileirar-se 4 **instruir-se**, diplomar-se, licenciar-se
formativo *adj.* 1 **constitutivo** 2 **educativo**
formato *n.m.* 1 **forma**, configuração, conformação, feição, talho 2 **medida**, tamanho, dimensão
formatura *n.f.* 1 **alinhamento** 2 **formação** 3 **licenciatura** 4 **compostura**
formidável *adj.2g.* 1 **colossal**, descomunal, desmedido, enorme 2 **medonho**, temeroso, temível, terrível, pavoroso 3 **espantoso**, sensacional, estupendo, excelente, magnífico, ótimo, admirável, assombroso, formidando
formigar *v.* 1 **comichar** 2 **atarefar-se**, trabalhar 3 **abundar**, enxamear, formiguejar, pulular
formigas *n.f.pl.* **baixios**, baixias, restingas, parceis, cachopos, vaus
formigo *n.m.* 1 VET. **formiguilho**, formigueiro 2 [*pl.*] [REG.] CUL. **mexidos**
formigueiro *n.m.* 1 **formiguedo** 2 **multidão** 3 **comichão**, coceira, formicação, formigamento, pruído 4 *col.* **impaciência**, desassossego 5 ORNIT. **papa-formigas** 6 ZOOL. **tamanduá**, urso-formigueiro 7 VET. **formiguilho**, formigo
formol *n.m.* QUÍM. **formalina**
formoso *adj.* 1 **belo**, bem-parecido, bonito, lindo ≠ **feio**, horrível, desgracioso, disforme 2 **agradável**, aprazível, deleitoso ≠ **desagradável**, detestável 3 **harmonioso**, perfeito
formosura *n.f.* 1 **beleza**, lindeza, boniteza, pulcritude, especiosidade ≠ **fealdade**, feiura 2 **excelência**, primor, perfeição 3 **nobreza**, integridade
fórmula *n.f.* 1 **norma**, preceito, regra, princípio 2 **cliché**, lugar-comum 3 *fig.* **segredo**, chave
formulação *n.f.* **enunciação**
formular *v.* 1 **enunciar**, expressar, exprimir, manifestar 2 **articular**, pronunciar 3 **receitar**, prescrever 4 **formar**, organizar, desenvolver
formulário *n.m.* 1 **farmacopeia**, receituário 2 **ficha**
fornalha *n.f.* **fornaça**, frágua
fornecedor *adj.,n.m.* **abastecedor**, provisor, provedor
fornecer *v.* 1 **abastecer**, prover, aprovisionar, fornir, sortir, guarnecer, abastar, munir, municiar, dotar ≠ **desprover** 2 **facultar**, proporcionar 3 **gerar**, produzir
fornecer-se *v.* **abastecer-se**, prover-se, munir-se, adquirir
fornecimento *n.m.* **abastecimento**, aprovisionamento, abastança, provimento, abastamento, provisionamento ≠ **desprovimento**
fornilho *n.m.* **fogareiro**, braseiro, fornilha
foro *n.m.* 1 **tribuna** 2 **juízo**, tribunal 3 **jurisdição**, alçada, competência 4 **foral** 5 [*pl.*] **direitos**, privilégios
forquilha *n.f.* 1 **forca**, garfo, ancinho, forcado, espalhadeira, forqueta, forcalha, forcada [REG.], forcão [REG.] 2 **ranilha** 3 **cabide**
forrado *adj.* 1 **economizado**, poupado 2 **livre** 3 **agasalhado**, protegido
forrageiro *n.m.* **forrageador** ■ *adj.* **forraginoso**
forraginoso *adj.* **forrageiro**
forrar *v.* 1 **estofar**, almofadar, embastar, enchumaçar, chumaçar, acolchoar 2 **poupar**, economizar, amealhar, aforrar 3 **alforriar**, libertar, livrar, resgatar
forrar-se *v.* 1 **agasalhar-se**, vestir-se 2 **cobrir-se**, encher-se 3 **livrar-se**, poupar-se
forreta *adj.,n.2g.* **sovina**, avarento, avaro, mesquinho, agarrado, mofino, miserável, unhas de fome *pej.*, forra-gaitas *col.*, mirra *col.* ≠ **esbanjador**, dissipador
forro *n.m.* 1 **revestimento**, capa 2 **estofo** 3 (vestuário) **chumaço**, entretela ■ *adj.* 1 **alforriado**, livre, liberto, resgatado 2 **desobrigado**, isento
fortalecer *v.* 1 **fortificar**, avigorar, revigorar, robustecer, reforçar, afortalezar, roborar, aceirar ≠ **enfraquecer**, afracar, abanar, desfortalecer, alquebrar, enlanguescer 2 **alentar**, animar, avivar, confortar, encorajar ≠ **desencorajar**, desacoroçoar, desanimar
fortalecimento *n.m.* 1 **robustecimento**, consolidação ≠ **enfraquecimento**, abirritação, alquebramento 2 **fortificação**
fortaleza *n.f.* 1 **fortificação**, forte, castelo, baluarte, alcáçar 2 **robustez**, força, vigor, fornimento, fortidão ≠ **fraqueza** 3 **solidez**, segurança
forte *adj.2g.* 1 **robusto**, possante, vigoroso, atlético, potente, arnaz ≠ **fraco**, frágil, débil, abatido 2 **corpulento**, grande, maciço, volumoso, alentado ≠ **enfezado**, franzino 3 **sólido**, consistente, duro, resistente, rijo ≠ **mole**, fraco, frágil 4 **intenso**, concentrado, carregado ≠ **fraco**, ameno, suave 5 **infatigável**, enérgico, duro, inquebrantável ≠ **mole**, fraco 6 **valente**, corajoso, audacioso ≠ **cobarde**, medroso, medricas, cagarola *col.* ■ *n.m.* **fortaleza**, fortificação, baluarte, cidadela, praça, bastião, reduto, castelo, fortim

fortificação *n.f.* 1 **fortaleza**, forte, castelo, baluarte, reduto 2 **fortalecimento**, entrincheiramento

fortificado *adj.* 1 **muralhado** 2 **robustecido**, fortalecido, forte ≠ **enfraquecido**, adinâmico, exangue, derrubado *fig.*, sorvado *fig.*

fortificante *adj.2g.,n.m.* **reconstituinte**, tonificante, revigorante, fortalecedor, fortificador, amíntico, auxiliante, refectório

fortificar *v.* 1 **fortalecer**, avigorar, revigorar, robustecer, reforçar, afortalezar, roborar, aceirar ≠ **enfraquecer**, afracar 2 **encastelar**, muralhar, murar, arrochelar, casamatar, enfortar

fortificar-se *v.* 1 **fortalecer-se**, robustecer-se ≠ **enfraquecer** 2 **acastelar-se**, entrincheirar-se, murar-se

fortuitamente *adv.* **casualmente**, acidentalmente, contingentemente

fortuito *adj.* 1 **acidental**, casual, contingente, ocasional, eventual 2 **imprevisto**, inopinado

fortuna *n.f.* 1 **destino**, sorte, fado, fadário, fatalidade, sina *col.*, carma *col.*, estrela *fig.*, andança *fig.* 2 **acaso**, casualidade, eventualidade 3 **felicidade**, ventura, satisfação, dita, contentamento, bem-aventurança ≠ **infelicidade**, desventura 4 **êxito**, sucesso, prosperidade ≠ **fracasso** 5 **riqueza**, abastança, haveres, desafogo, califórnia ≠ **pobreza**, miséria 6 **risco**, perigo 7 **balúrdio** *col.*

fosca *n.f.* 1 **negaça**, fosquinha 2 **momice**, careta, trejeito, gesto, fosquinha

fosco *adj.* 1 **baço**, embaciado, pardacento, pardo, turvo, fusco, escurecido ≠ **luzidio**, distinto, claro, nítido, refúlgido 2 *fig.* **cobarde**, fraco, frouxo

fosforeiro *n.m.* **fosforista**

fosforescência *n.f.* **luminescência**

fosforescer *v.* **fosforejar**, fosforear

fosfórico *adj.* 1 **fosfóreo**, fosforoso 2 **brilhante** 3 *fig.* **irritadiço**, irascível, irritável 4 *fig.* **complicado**, difícil, confuso, duvidoso

fósforo *n.m. fig.* **argúcia**, engenho, inteligência

fosforoso *adj.* **fosfóreo**, fosfórico

fosquinha *n.f.* 1 **negaça**, fosca 2 **momice**, careta, trejeito, gesto, fosca 3 **festa**, afago, carícia

fossa *n.f.* **cova**, cavidade, buraco, depressão

fossar *v.* 1 **cavar**, escavar, revolver, esfossar 2 *fig.* **procurar**, investigar, bisbilhotar

fóssil *adj.2g.* 1 *fig.* **obsoleto**, antiquado, desusado 2 *fig.* **retrógrado**

fossilizar *v.* 1 **petrificar** 2 **retrogradar**

fosso *n.m.* 1 **vala**, valeta, fossado, rego, cova, cava, valado, augueira 2 **sarjeta**

foto *n.f.* **fotografia**, retrato

fotografar *v.* **retratar**

fotografia *n.f.* **foto**, retrato

fotográfico *adj. fig.* **exato**, rigoroso

fotógrafo *n.m.* **retratista**

fotogravura *n.f.* **fototipia**, fototipografia, fototipogravura

foz *n.f.* **desembocadura**, embocadura, entrada, estuário

fração[dAO] *n.f.* 1 **fragmento**, pedaço, porção, retalho, bocado, parte 2 **segmentação**, separação, fracionamento, divisão, fragmentação

fracassar *v.* 1 **falhar**, malograr, falir, gorar-se, frustrar-se 2 **arruinar**, quebrar, despedaçar, espedaçar

fracasso *n.m.* **malogro**, insucesso, fiasco, desastre, falhanço, espalhanço, derrote, barraca *fig.* ≠ **sucesso**, êxito, triunfo, vitória

fracção[aAO] *n.f.* ⇒ **fração**[dAO]

fraccionamento[aAO] *n.m.* ⇒ **fracionamento**[dAO]

fraccionar[aAO] *v.* ⇒ **fracionar**[dAO]

fracionamento[dAO] *n.m.* **segmentação**, separação, fração, divisão, fragmentação

fracionar[dAO] *v.* **fragmentar**, dividir, quebrar, partir, apartar, separar

fraco *adj.* 1 **débil**, delicado, frágil, frouxo, desvigoroso, fracote *col.*, fraqueiro *col.* ≠ **forte**, robusto, possante, vigoroso 2 **enfezado**, franzino ≠ **corpulento**, grande, volumoso, alentado 3 **mole**, frágil ≠ **forte**, sólido, consistente 4 **ameno**, suave, brando ≠ **forte**, intenso, carregado 5 **cansado**, abatido, extenuado ≠ **forte**, infatigável, enérgico 6 **incapaz**, insuficiente, ineficaz 7 **cobarde**, medroso, tíbio, medricas, pusilânime, cagarola *col.* ≠ **valente**, corajoso ■ *n.m.* **inclinação**, simpatia, afeição, propensão, paixão

fractura[aAO] *n.f.* ⇒ **fratura**[dAO]

fracturar[aAO] *v.* ⇒ **fraturar**[dAO]

frade *n.m.* 1 **monge**, irmão, nono, freire, frei, cenobita, fradépio *pej.* 2 ORNIT. **sovela**, alfaiate, avoceta 3 ORNIT. **melro-buraqueiro**, rabo-branco 4 BOT. **feijão-frade**

fraga *n.f.* 1 **penhasco**, rochedo, penedia, frágua, penha, alcantil 2 **pedregulho** 3 **brenha**, mata

fragateiro *adj. col.* **estroina**, pândego, farrista

frágil *adj.2g.* 1 **quebradiço** ≠ **resistente** 2 **fraco**, franzino, débil, delicado ≠ **forte**, robusto, possante, vigoroso 3 **ténue** ≠ **sólido**, consistente 4 **transitório**, efémero ≠ **permanente**, constante, duradouro, estável 5 **frívolo**, leviano

fragilidade *n.f.* 1 **debilidade**, delicadeza, fraqueza, frangibilidade, argila *fig.* ≠ **robustez**, força 2 **inconstância**, instabilidade

fragilizar *v.* **enfraquecer**, debilitar ≠ **fortalecer**, robustecer

fragmentação *n.f.* **segmentação**, separação, fração, divisão, fracionamento, aparcelamento, cominuição, estilhaçamento

fragmentar *v.* **fracionar**, dividir, segmentar, quebrar, partir, estilhaçar, atroçoar, cominuir

fragmentário *adj.* **incompleto**, inacabado, parcelário

fragmento *n.m.* **pedaço**, bocado, porção, fração, faneco, peça, torrão, miuçalho, tico [BRAS.] ≠ **todo**, soma, totalidade, globalidade

fragor *n.m.* **estrépito**, trovão, rumor, estampido, estridor, estoiro, estalo, atroada, estrondo

fragoso *adj.* **1 escabroso**, escarpado, áspero, penhascoso, despenhoso, agreste, alcantiloso, enrocado **2** *fig.* **difícil**, trabalhoso

fragrância *n.f.* **odor**, perfume, cheiro, aroma, bálsamo, xerume, olor

fralda *n.f.* **1** (montanha) **sopé**, falda, aba, base **2 cueiro**, bragueiro, mantilha, faixeiro *col.*, mantéu [REG.]

fraldiqueiro *adj.* **mulherengo**, femeeiro

framboesa *n.f.* BOT. **framboeseiro**

frança *n.f.* **ramaria**, rama, fronde, copa

francamente *adv.* **1 sinceramente**, abertamente, bofá ≠ **dissimuladamente**, falsamente **2 verdadeiramente**, muito ≠ **pouco**, nada

francelho *n.m.* **1 barrileira**, francela **2 tagarela**, falador

francesismo *n.m.* **1 galicismo 2** *fig.* **fingimento**, francesia

franciscano *n.m.* RELIG. **capucho**

franco *adj.* **1 desimpedido**, livre **2 espontâneo**, aberto ≠ **artificial**, dissimulado **3 sincero**, verdadeiro, leal ≠ **enganador**, hipócrita **4 generoso**, liberal **5 patente**, manifesto, declarado

franco-mação *n.m.* **mação**, pedreiro-livre

franco-maçonaria *n.f.* **maçonaria**, curibeca

franganito *n.m.* **1 pintainho**, frangainho, franganote, frangalhote, frangote **2** *col.* **adolescente**

franganote *n.m.* **1 pintainho**, frangainho, franganito, frangalhote, frangote **2** *col.* **adolescente**

frango *n.m.* **1 pinto**, pito, pintão, polho *ant.*, frângão *ant.* **2** *col.* **adolescente**, rapazote, rapazola, rapazelho **3** *col.* **escarro**

franja *n.f.* **fímbria**, guarnição

franjar *v.* **1 orlar**, fimbriar **2 florear**, rendilhar, arrebicar

franqueado *adj.* **1 desimpedido**, livre **2 transposto**, ultrapassado **3 concedido**, permitido **4 revelado**, patente

franquear *v.* **1 desimpedir**, desobstruir, desembaraçar, libertar **2 facilitar**, permitir, proporcionar, autorizar, conceder **3 ultrapassar**, transpor, galgar **4 manifestar**, revelar, patentear

franquear-se *v.* **1 oferecer-se**, prestar-se, dispor-se **2 abrir-se**, desabafar

franqueza *n.f.* **1 sinceridade**, lealdade, lhaneza, lisura *fig.* ≠ **dissimulação**, hipocrisia **2 generosidade**, liberalidade

franquia *n.f.* **1 privilégio**, regalia **2 abrigo**, refúgio, guarida

franzido *adj.* **enrugado**, encarquilhado

franzino *adj.* **1 fraco**, frágil, débil, delicado ≠ **forte**, robusto, possante, vigoroso **2 estreito**, fino, delgado **3 fraco**, frágil, ténue

franzir *v.* **1 preguear**, vincar, plissar ≠ **desfranzir**, desvincar **2 enrugar**, engelhar, encrespar ≠ **desfranzir**, desenrugar

fraque *n.m.* **rabona**, grilo

fraquejar *v.* **1 desfalecer**, fraquear, enfraquecer, afracar, anemizar *fig.* ≠ **fortalecer**, robustecer **2 desanimar**, desistir, desalentar, esmorecer **3 vacilar**, ceder, afrouxar **4 fracassar**, falhar

fraqueza *n.f.* **1 enfraquecimento**, prostração, cansaço, debilitação, debilidade, desfalecimento, esmorecimento, abatimento, tibieza, langor, languidez, acracia, astenia ≠ **robustez**, força, adrenalina *col.* **2 temor**, covardia, medo, pânico, ignávia ≠ **coragem**, bravura, intrepidez **3 falha**, imperfeição, defeito **4 fome**, inanição, fraqueira

fraquinho *n.m.* **predileção**, paixão

frascaria *n.f.* **estroinice**, vadiagem, libertinagem

fraseado *n.m.* **palavreado**, lábia, paleio, farola

fraternal *adj.2g.* **1 fraterno**, germanal **2 afetuoso**, cordial, amigável

fraternidade *n.f.* **1 irmandade 2 fraternização**

fraterno *adj.* **1 fraternal 2 afetuoso**, cordial, amigável

fratricida *n.2g.* **caim**

fratura[dAO] *n.f.* **quebra**, quebratura, rompimento, rotura, rutura, falha, agma

fraturar[dAO] *v.* **quebrar**, partir, fragmentar, fender

fraudar *v.* **enganar**, burlar, defraudar

fraude *n.f.* **1 logro**, engano, logração, burla, fraudação, fraudulência, embuste, trapaça, galezia, garatusa, manganilha, velhacaria, muamba, alicantina, falcatrua, chicana, comedela, dolo, enliço, baldroca, barganha, trama *col.*, tratada *col.* **2 contrabando**, candonga

fraudulento *adj.* **1 doloso**, enganador, enganoso, falaz, falso **2 impostor**, infiel

freguês *n.m.* **1 cliente**, comprador **2 paroquiano 3** *col.* **pessoa**, sujeito, indivíduo

freguesia *n.f.* **1 paróquia 2 clientela**

frei *n.m.* **monge**, irmão, nono, freire, frade, cenobita, fradépio *pej.*

freio *n.m.* **1 açame 2 travão 3** *fig.* **obstáculo**, impedimento, dique *fig.* **4** *fig.* **sujeição**, domínio, repressão, jugo, domesticação

freira *n.f.* **1 monja**, irmã, sóror, sor **2** ICTIOL. **xaputa**, plumbeta

freiral *adj.2g.* **conventual**, monástico, freirático

freire *n.m.* **monge**, irmão, nono, frei, frade, cenobita, fradépio *pej.*

fremência *n.f.* **1 agitação**, vibração **2 arrebatamento**, ardor

fremente *adj.2g.* **1 agitado**, vibrante, oscilante **2 arrebatado**, veemente

fremir *v.* **1 bramar**, bramir, rugir **2 agitar**, tremer, vibrar, estremecer

frémitoAO ou **frêmito**AO *n.m.* **1 bramido**, rumor, estrondo, rugido, estrépito **2 agitação**, vibração, ondulação **3 sussurro**, murmúrio **4 estremecimento**, tremor, estremeção, comoção

frenesi *n.m.* **1 excitação**, exaltação, entusiasmo **2 afã**, agitação **3 impaciência**, inquietação **4 impertinência**

frenesim *n.m.* **1 excitação**, exaltação, entusiasmo **2 afã**, agitação **3 impaciência**, inquietação **4 impertinência**

frenético *adj.* **1 delirante**, furioso, desvairado **2 veemente**, arrebatado, exaltado **3 impaciente**, inquieto, rabugento **4 convulso**, nervoso, agitado, excitado

frénicoAO ou **frênico**AO *adj.* **diafragmático**

frente *n.f.* **1 fronte**, testa **2 face**, rosto ≠ **costas**, retaguarda, traseira **3** ARQ. **frontaria**, fachada **4** MIL. **vanguarda**, dianteira ≠ **traseira**, retaguarda

frequência *n.f.* **1 assiduidade**, constância, ininterrupção ≠ **inassiduidade**, irregularidade **2 convivência**, trato, frequentação **3 repetição**, reiteração, periodicidade

frequentador *adj.,n.m.* **assíduo**, frequente

frequentar *v.* **1 visitar 2 conviver 3 cursar**, estudar, assistir **4 acotiar**

frequentativo *adj.* GRAM. **iterativo**

frequente *adj.2g.* **1 amiudado**, reiterado, repetido, constante, continuado, habitual, crebo *poét.* ≠ **excecional**, raro **2 ordinário**, usual, vulgar, corrente ≠ **excecional**, extraordinário **3 agitado**, acelerado **4 diligente**, incansável

fresca *n.f.* **fresco**, frescor

fresco *adj.* **1 arejado**, ventilado ≠ **abafado**, abafadiço, abafador, sufocante, asfixiante, sufocador, abafante, abochornado, calmoso, afogadiço **2 ameno**, aprazível, agradável, deleitoso **3 leve**, fino **4 recente**, novo **5 viçoso**, verdejante, frescal, aprilino *fig.* **6 saudável**, sadio **7** *col.* **brejeiro**, licencioso, indecente ■ *n.m.* **fresca**, frescor

frescor *n.m.* **1 frescura**, fresquidão **2 fresca**, fresco **3 viço**, verdor **4 vigor**, vivacidade

frescura *n.f.* **1 fresquidão**, frescor **2 frescor**, viço **3 vigor**, vivacidade, vitalidade **4** [BRAS.] **pouca-vergonha**, descomedimento, descaramento

fresta *n.f.* **racha**, greta, talisca, rachadela, rachadura, rasgão, fisga, rima, cissura, fenda, hiato, aberta, brecha, fendimento, abertura

frete *n.m.* **1 recado**, incumbência, tarefa **2 maçada**, importunação, aborrecimento

fretenir *v.* (cigarra) **cantar**, estridular, cigarrear

frialdade *n.f.* **1 frieza**, friúra ≠ **calor 2 friagem 3 insensibilidade**, frieza, frigidez **4 indiferença**, desinteresse

friamente *adv.* **1 secamente** ≠ **calorosamente**, afetuosamente **2 objetivamente**, imparcialmente ≠ **parcialmente**, subjetivamente **3 calmamente**, serenamente ≠ **acaloradamente**, apaixonadamente

friável *adj.2g.* **quebradiço**, esboroável, fragmentável

fricção *n.f.* **1 esfregação**, esfrega **2 atrito 3** *fig.* **divergência**, discordância

friccionar *v.* **esfregar**, massajar

frieira *n.f.* *col.* **comilão**, glutão

frieza *n.f.* **1 frialdade**, frio ≠ **calor**, adustez **2 indiferença**, insensibilidade **3 desinteresse**, desprendimento, desapego **4 secura**

frigideira *n.f.* **fritadeira**, sertã, caçoleta, fritada ■ *n.2g.* **impertinente**, importuno, maçador

frigidez *n.f.* **1 frialdade**, algidez ≠ **calidez 2 indiferença**, insensibilidade **3 desinteresse**, desprendimento, desapego **4 anafrodisia**

frígido *adj.* **1 álgido**, gelado, gélido, glacial, regelado ≠ **cálido**, quente **2 indiferente**, insensível

frigir *v.* **1 fritar 2** *fig.* **apoquentar**, atormentar, importunar, espicaçar, maçar, arreliar **3** *fig.* **ostentar-se**, estadear-se, fanfarrear

frigorificar *v.* **refrigerar**, congelar, gelar

frigorífico *n.m.* **geleira** [BRAS.], refrigerador [BRAS.], geladeira [BRAS.]

frincha *n.f.* **racha**, greta, talisca, rachadela, rachadura, rasgão, fisga, rima, cissura, fresta, hiato, aberta, brecha, fendimento, abertura, fenda

frio *adj.* **1 arrefecido** ≠ **quente**, adusto, caldo, calino [REG.], fogoso **2 indiferente**, fleumático, seco, insensível, impassível, inexpressivo **3 seco**, ríspido **4 desengraçado**, insípido, sensaborão, frouxo **5 desapaixonado**, desanimado, descoroçoado ■ *n.m.* **1 frialdade**, frieza ≠ **calor 2 indiferença**, frieza **3 desalento**, desânimo

friorento *adj.* **friolento**

frisa *n.f.* **friso**, tira

frisada *n.f.* ORNIT. **frisão**

frisado *adj.* **1 encaracolado**, ondulado, anelado ≠ **liso 2 crespo**, riço **3 salientado**, sublinhado

frisar *v.* **1 anelar**, encaracolar, ondear ≠ **desfrisar**, alisar **2 enrugar**, franzir, plissar, riçar, encarapinhar, encrespar, ratinar ≠ **desfrisar**, alisar

3 acentuar, insistir, sublinhar, salientar 4 concordar, condizer

frísio *adj.,n.m.* frisão

friso *n.m.* 1 TIP. filete 2 frisa, tira

frita *n.f.* 1 CUL. frito, fritura 2 CUL. rabanada

fritadeira *n.f.* frigideira, sertã, caçoleta

fritar *v.* frigir

frito *n.m.* 1 CUL. fritura, frita 2 CUL. filhós, sonho, coscorão

frivolidade *n.f.* 1 leviandade, estouvamento 2 futilidade, superficialidade, nugacidade 3 ninharia, bagatela, insignificância, ridicularia, nonada

frívolo *adj.* 1 inconsequente, leviano 2 fútil, superficial 3 insignificante, vão, inútil, nulo

fronde *n.f.* ramagem, rama, copa, folhagem

frondoso *adj.* 1 frondejante, ramoso, arboriforme, frondente, frondescente, frondífero, comado, dendriforme, folhudo 2 cerrado, espesso, denso

fronha *n.f.* 1 invólucro, cobertura 2 *col.* rosto, cara

frontal *adj.2g.* 1 metópico 2 direto, franco ▪ *n.m.* ARQ. frente, fachada, frontaria, fronte

frontaria *n.f.* ARQ. frente, fachada, frontal, fronte

fronte *n.f.* 1 ANAT. testa, frente 2 cabeça 3 rosto, cara, face 4 ARQ. fachada, frontaria, frente, frontal 5 dianteira

fronteira *n.f.* estrema, raia, limite, estremadura, baliza

fronteiriço *adj.* raiano, fronteiro, limítrofe, confinal

fronteiro *adj.* fronteiriço, raiano, limítrofe

frontispício *n.m.* 1 (livro) rosto 2 face, cara, fronte

frota *n.f.* 1 armada 2 chusma, multidão

frouxidão *n.f.* 1 lassidão ≠ rijeza 2 moleza, brasileirice *fig.* 3 fraqueza, tibiez, entibiamento

frouxo *adj.* 1 folgado, solto, lasso, bambo, abambalhado ≠ apertado 2 brando 3 fraco, débil ≠ enérgico, rijo 4 indolente, mole

frugal *adj.2g.* 1 leve, ligeiro, simples 2 moderado, sóbrio, comedido, parcimonioso ≠ glutão, comilão, comedor, guloso, desgorgomilado 3 parco, modesto

frugalidade *n.f.* 1 temperança, sobriedade, parcimónia, abstinência, moderação 2 simplicidade

fruição *n.f.* 1 gozo, deleite, prazer 2 usufruto, posse

fruir *v.* 1 gozar, desfrutar, aproveitar, desfruir 2 usufruir, possuir, ter

frumentário *adj.* frumentáceo, frumental, frumentício

frumento *n.m.* 1 trigo-candial 2 cereal

frustração *n.f.* desapontamento, desencanto, desengano, desilusão, deceção ≠ satisfação, regozijo

frustrado *adj.* 1 fracassado, gorado, malogrado, baldado 2 insatisfeito, desencantado, desapontado, desenganado, dececionado ≠ satisfeito, encantado, maravilhado, inebriado 3 imperfeito, incompleto

frustrar *v.* 1 baldar, anular, gorar, desarmar, desaviar, inutilizar, malograr, abortar ≠ viabilizar, possibilitar, funcionar 2 dececionar, desapontar, desencantar, desiludir, desenganar ≠ satisfazer, regozijar 3 defraudar, enganar, desviar, iludir, furar

frustrar-se *v.* 1 fracassar, falhar, malograr-se, gorar-se, abortar, desacertar-se 2 dececionar-se, aguar-se *fig.*

fruta *n.f.* fruto

fruteira *n.f.* (recipiente) fruteiro

fruteiro *adj.* frutífero ▪ *n.m.* (recipiente) fruteira

fruticultor *adj.,n.m.* pomicultor, pomareiro

fruticultura *n.f.* pomicultura

frutífero *adj.* 1 frugífero, frutificativo, frutígero, fruteiro ≠ infrutífero, estéril 2 *fig.* produtivo, proveitoso, útil, frutuoso, frutuário ≠ infrutífero, inútil, vão

frutificação *n.f.* frutescência

frutificar *v.* 1 frutescer, afrutar, frutar, frutear 2 *fig.* produzir, gerar 3 *fig.* prosperar, vingar, resultar, desenvolver-se

fruto *n.m.* 1 BOT. carpo 2 filho, descendente 3 resultado, consequência 4 rendimento, lucro 5 proveito, vantagem, utilidade

frutuoso *adj.* lucrativo, produtivo, proveitoso, rendoso, útil, vantajoso, lucroso

fuça *n.f.* *col.* cara, rosto, face, fisionomia, semblante, caraça, focinho *col.*, tromba *col.*, lata *col.*, ventas *fig.,col.*

fuga *n.f.* 1 evasão, escape, escapadela, escapamento, saída, escapula, salvatério, salvação, refúgio, escapatória, fugição [BRAS.] 2 subterfúgio, evasiva, pretexto, efúgio 3 oportunidade, ensejo

fugacidade *n.f.* 1 rapidez, velocidade 2 transitoriedade, efemeridade

fugar *v. ant.* afugentar

fugaz *adj.2g.* 1 veloz, rápido 2 efémero, fugidio, momentâneo, passageiro, transitório ≠ permanente, duradouro

fugida *n.f.* 1 fuga, evasão, escape, escapula, escapadela, escapada, fugidela 2 subterfúgio, evasiva, pretexto, efúgio, escapatória

fugidio *adj.* 1 fugidiço, fugitivo 2 esquivo, arisco, arredio 3 fugaz, efémero

fugir *v.* 1 debandar, abalar, alvorar, ir-se, pirar-se *col.*, chispar *col.*, pildar *col.* 2 escapar-se, livrar-

-se, escapulir-se, raspar-se, tingar-se **3 retirar-se**, esconder-se **4 desaparecer**, sumir-se **5 evitar**, afastar-se **6 escapar**, escorregar **7 esquivar-se**, furtar-se

fugitivo *adj.* 1 **evadido**, foragido, desertor 2 **fugidio**, transitório, fugaz, breve, veloz, rápido 3 **esquivo**, arredio 4 **impreciso**, vago ■ *n.m.* **desertor**, evadido

fuinha *n.f.* 1 ZOOL. **gardunha** 2 ORNIT. **felosa**, feleca 3 ORNIT. **boita**, gile-gile, fuinho ■ *n.2g.* 1 **mexeriqueiro**, bisbilhoteiro, intriguista 2 **avarento**, avaro, somítico 3 **escanzelado**, magricela

fuinho *n.m.* 1 ORNIT. **boita**, gile-gile, fuinha, garrafinha 2 ORNIT. **picanço**

fula *n.f.* 1 **pressa**, diligência 2 **empola** 3 **apisoamento** 4 BOT. **angélica-branca**

fulano *n.m.* **sujeito**, tipo, indivíduo

fulcral *adj.2g.* **fundamental**, crucial

fulcro *n.m.* 1 **sustentáculo**, alicerce, escora, sustento 2 **centro**, cerne

fulgente *adj.2g.* **brilhante**, cintilante, luzente, reluzente, fúlgido, fulgurante, fulguroso, resplandecente

fúlgido *adj.* **brilhante**, cintilante, luzente, reluzente, fulgente, fulgurante, fulguroso, resplandecente

fulgir *v.* 1 **brilhar**, resplandecer, fulgurar, cintilar, luzir, raiar, esplender 2 **sobressair**, realçar-se, distinguir-se

fulgor *n.m.* 1 **cintilação**, resplendor, fulguração, esplendor, clarão, brilho, resplendência, esplendideza 2 **luzeiro**, chama 3 **brilhantismo**, distinção

fulguração *n.f.* **cintilação**, resplendor, fulgor, esplendor, clarão, brilho

fulgurante *adj.2g.* 1 **fulgente**, fulguroso, brilhante, cintilante, resplendente, resplandecente, chispante 2 **coruscante**, relampejante, coriscante

fulgurar *v.* 1 **brilhar**, resplandecer, fulgir, cintilar, luzir, raiar, esplender 2 **relampejar**, relampear, coriscar 3 **sobressair**, realçar-se, distinguir-se

fuligem *n.f.* **felugem**, tisne

fuliginoso *adj.* **tisnado**

fulminação *n.f.* **aniquilação**, sideração

fulminante *adj.2g.* 1 **fulminoso**, fulminativo, fulminador, fulmíneo 2 **furioso**, indignado, colérico 3 **terrível**, atroz, cruel 4 **explosivo** ■ *n.m.* **rastilho**

fulminar *v.* 1 **destruir**, aniquilar, arrasar 2 **brilhar**, fulgurar, lampejar, relampejar 3 **estarrecer**, aturdir 4 **invetivar**, apostrofar 5 **detonar**, explodir

fulo *adj.* **danado**, irritadíssimo, enfurecido, furioso, raivoso, encolerizado, colérico, iracundo

fumaça *n.f.* 1 **fumaceira**, fumarada, fumaraça, fumaçada, baforada, fumeiro, zorreira [REG.] 2 **fumada** 3 [*pl.*] *fig.* **prosápia**, vaidade, jactância, bazófia, petulância

fumaçada *n.f.* **fumaceira**, fumarada, fumaraça, fumaça, baforada, fumeiro

fumada *n.f.* **fumaça**

fumador *adj.,n.m.* **fumista**, fumante [BRAS.]

fumar *v.* 1 **defumar** 2 **fumegar**, fumarar, fumaçar, esfumaçar 3 **agastar-se**, enfurecer-se, encolerizar-se, zangar-se, irar-se, irritar-se

fumaraça *n.f.* **fumaceira**, fumareda, fumaça, fumaçada, baforada, fumeiro

fumarada *n.f.* **fumaceira**, fumaraça, fumaça, fumaçada, baforada, fumeiro

fumarar *v.* **fumegar**, fumar, fumaçar, esfumaçar

fumegar *v.* 1 **fumar**, fumarar, fumaçar, esfumaçar, fumear 2 **espumar** 3 **suar** 4 **inflamar-se**, atear-se 5 **transparecer**, irromper

fumeiro *n.m.* 1 **fumaceira**, fumarada, fumaça, fumaçada, baforada, fumaraça 2 **chouriçada**

fumigação *n.f.* **fumigatório**

fumigar *v.* **defumar**

fumista *adj.,n.2g.* **fumador**, fumante [BRAS.]

fumo *n.m.* 1 **vapor**, exalação, fumosidade 2 **bafo** 3 (luto) **crepe** 4 [*pl.*] **prosápia**, vaidade, jactância, bazófia, petulância

função *n.f.* 1 **exercício**, ocupação, serviço 2 **cargo**, profissão, trabalho 3 **utilidade**, uso 4 **papel**, posição 5 **espetáculo**, festividade, funçanada

funchal *n.m.* **fiolhal** [REG.]

funcho *n.m.* 1 **fiolho** [REG.] 2 ORNIT. **felosa**

funcional *adj.2g.* 1 **operante**, praticável 2 **prático**, utilitário

funcionamento *n.m.* **ação**, atividade, andamento, exercício, laboração, movimento

funcionar *v.* **trabalhar**, andar, operar, mover-se

funcionário *n.m.* **empregado**

funda *n.f.* 1 **bragueiro** 2 **atiradeira**, bodoque [BRAS.]

fundação *n.f.* 1 **alicerce**, fundamento, substrução, base, apoio 2 **origem**, princípio 3 **criação**, constituição, construção, elaboração, composição

fundado *adj.* 1 **alicerçado** 2 **fundamentado**, justificado, consolidado ≠ **infundado** 3 **construído**, criado

fundador *adj.,n.m.* **criador**, iniciador, inventor, inaugurador, instituidor, edificador, estabelecedor, começador

fundamentação *n.f.* **justificação**, argumentação, comprovação, alicerçagem *fig.*

fundamental *adj.2g.* 1 **básico**, basilar, capital, elementar, essencial, primordial, principal, vital ≠ **secundário**, acessório 2 **indispensável**, necessário ≠ **dispensável**, desnecessário

fundamentalmente *adv.* **essencialmente**, principalmente, basicamente, substancialmente

fundamentar *v.* 1 **alicerçar**, apoiar, basear, assentar, fundar, estribar, firmar, fixar, estabelecer, cimentar 2 **justificar**, provar, documentar

fundamento *n.m.* 1 **alicerce**, fundação, substrução, base, apoio 2 **motivo**, razão, justificação

fundão *n.m.* **pego**

fundar *v.* 1 **apoiar**, fundamentar, assentar, firmar, basear, alicerçar, escorar, estear 2 **criar**, estabelecer, instituir 3 **aprofundar**, profundar

fundar-se *v.* 1 **fundamentar-se**, apoiar-se, basear-se 2 **assentar**, firmar-se

fundear *v.* NÁUT. **ancorar**, aportar, aferrar, ferrar, abicar ≠ **desatracar-se**

fundeiro *n.m.* **fundibulário** ■ *adj.* **fundal**

fundente *adj.2g. fig.* **lânguido**

fundiário *adj.* **agrário**

fundição *n.f.* 1 **fusão**, derretimento 2 *fig.* **plano**, projeto

fundilho *n.m.* **cuada**

fundir *v.* 1 **derreter**, liquefazer 2 **vazar**, moldar 3 **juntar**, unir, incorporar, misturar, confundir, fusionar 4 **esbanjar**, gastar, dissipar, desbaratar

fundir-se *v.* 1 **liquefazer-se**, derreter-se, descongelar-se 2 **sumir-se**, desaparecer, diminuir 3 **confundir-se**, misturar-se

fundível *adj.2g.* **fusível**, fúsil

fundo *adj.* 1 **profundo**, reentrante, cavado 2 **arreigado**, enraizado, íntimo 3 **denso**, espesso ■ *n.m.* 1 **íntimo**, centro, imo, cerne, âmago, essência, seio 2 **fundamento**, base, motivo 3 [*pl.*] **capital**, dinheiro, bens, haveres, recursos

fundura *n.f.* 1 **profundidade** 2 **intensidade**, força

fúnebre *adj.2g.* 1 **funeral**, funéreo, cinerário, mortuário 2 **lúgubre**, triste, lutuoso, funérico, sepulcral, sombrio, tétrico

funeral *adj.2g.* **fúnebre**, funéreo ■ *n.m.* **enterro**, exéquias

funerário *adj.* **fúnebre**, mortuário, funeral, funéreo

funéreo *adj.* 1 **funeral**, fúnebre 2 **lúgubre**, triste, lutuoso, funérico, sepulcral, sombrio, tétrico, feral

funestar *v.* 1 **entristecer**, infelicitar, afligir 2 **infamar**, desonrar, profanar 3 **condenar**, estigmatizar

funesto *adj.* 1 **fatal**, mortal 2 **infausto**, azarento, aziago, desventurado 3 **doloroso**, lutuoso, sinistro, trágico, triste 4 **pernicioso**, prejudicial, nocivo, nefasto, exicial ≠ **favorável**, propício 5 **desastroso**, ruinoso

fungar *v.* 1 **inspirar** 2 **cheirar**, farejar, fariscar 3 *fig.* **sibilar**, zunir, zinir 4 *fig.* **choramingar**, resmungar

fungo *n.m.* 1 **fungação**, fungadela 2 BOT. **cogumelo**

funil *n.m.* **infundíbulo**

furacão *n.m.* METEOR. **ciclone**, tufão, tornado, torvelinho, turbilhão

furado *adj.* 1 **esburacado**, perfurado 2 **frustrado**, gorado, falhado

furador *n.m.* 1 **cravador** 2 **abre-ilhós**, frolhó [REG.] ■ *adj.* **empreendedor**, ativo, furão *col.*, fura-vidas *col.*

furão *n.m.* 1 **bisbilhoteiro**, mexeriqueiro, abelhudo *col.* 2 **empreendedor**, ativo, diligente, furador, fura-vidas *col.*

furar *v.* 1 **esburacar**, perfurar, esfuracar 2 **atravessar**, penetrar 3 **interromper** 4 **romper**, irromper 5 *col.* **frustrar**, gorar, malograr, minar

fura-vidas *n.2g.2n. col.* **furão**, furador, fura-paredes, busca-vida, industrioso, gírio, esgarabulhão

fúria *n.f.* 1 **raiva**, furor, ira, cólera, rompante, frenesi, embravecimento, agastamento ≠ **calma**, serenidade, tranquilidade 2 **entusiasmo**, fervor, arrebatamento, veemência, agitação, impetuosidade

furibundo *adj.* **enfurecido**, colérico, furioso, irado, raivoso, atrabilioso ≠ **calmo**, sereno, tranquilo

furioso *adj.* 1 **enfurecido**, colérico, furibundo, irado, irritado, enraivecido, exasperado, fulo, iracundo, raivoso, danado *col.* ≠ **calmo**, sereno, tranquilo 2 **entusiasta**, apaixonado 3 **impetuoso**, arrebatado, ardente, febricitante 4 **excessivo**

furna *n.f.* **gruta**, caverna, cratera, subterrâneo, cova, covil, lapa

furo *n.m.* 1 **buraco**, orifício, perfuração, rombo, forame 2 *col.* **expediente**, saída 3 *col.* **posição**, grau

furor *n.m.* 1 **raiva**, fúria, ira, cólera, rompante, embravecimento, agastamento ≠ **calma**, serenidade, tranquilidade 2 **entusiasmo**, fervor, arrebatamento, veemência, agitação, impetuosidade 3 **frenesi**, delírio

furtado *adj.* 1 **roubado**, abradado *fig.* 2 **encoberto**, oculto, escondido, esconso 3 **esquivo**, fugidio

furtar *v.* 1 **roubar**, apoderar-se, subtrair, esbulhar, escamotar, palmar, larapiar, gatunar, tirar, bifar *col.*, cardar *col.*, gamar *col.*, abafar *col.*, abradar *fig.* 2 **contrafazer**, falsificar 3 **desviar**, afastar 4 **negar**, recusar

furtar-se *v.* 1 **esconder-se**, ocultar-se 2 **esquivar-se**, desviar-se, evitar 3 **isentar-se**, desobrigar-se, eximir-se

furtivo *adj.* 1 **secreto** 2 **oculto**, escondido, dissimulado, disfarçado 3 **clandestino**

furto *n.m.* **roubo**, subtração, pilhagem, pilhanço, rapto, ratonice, usurpação, gatunice, empalmação, empalmadela, palmanço *col.*, cardanho *col.*

furúnculo *n.m.* MED. **leicenço**, frúnculo, nascida, bichoco

fusão *n.f.* 1 **fundição**, derretimento, liquefação 2 **junção**, mistura, reunião, combinação, união 3 **aliança**, pacto, associação

fusco *adj.* 1 **escuro**, pardo 2 **fosco**, enfuscado 3 *fig.* **triste**, melancólico

fusível *adj.2g.* fundível

fuste *n.m.* 1 **haste**, pau, vara, varapau 2 [REG.] **feixe**, molho 3 [REG.] **graveto**

fustigada *n.f.* **fustigação**, fustigadela, fustiga [REG.]

fustigar *v.* 1 **flagelar**, chicotear, vergastar, açoutar, verberar, zurzir, chibatar, zorragar, verdascar 2 *fig.* **criticar**, censurar 3 *fig.* **estimular**, açular, espicaçar, incitar 4 *fig.* **atormentar**, martirizar, afligir, torturar, mortificar, castigar, macerar *fig.*

fustigar-se *v.* **açoitar-se**, flagelar-se, azorragar-se

fútil *adj.2g.* 1 **inútil**, oco, vão, vazio, insignificante 2 **frívolo**, leviano, nugatório, faulhento *fig.*

futilidade *n.f.* 1 **frivolidade**, trica, ridicularia, nugacidade, niquice, superficialidade, insignificância, inanidade 2 **bagatela**, ninharia, frioleira, cirandagem *fig.*

futre *n.m.* 1 **avaro**, sovina, somítico, forreta 2 **bandalho**, biltre, futrica 3 **maltrapilho**, farroupilha

futura *n.f. col.* **noiva**, prometida

futurar *v.* **prever**, predizer, antever, augurar, adivinhar, conjeturar, prognosticar, vaticinar

futuro *adj.* 1 **vindoiro**, porvindoiro ≠ **passado** 2 **futurível** ■ *n.m.* 1 **porvir**, futurição, futuridade ≠ **passado** 2 **destino**, fado 3 **posteridade** 4 **prometido**

fuzilar *v.* 1 **espingardear**, alvejar, arcabuzar 2 **cintilar**, relampadejar, relampejar, resplandecer, esfuzilar, coruscar, balear [BRAS.]

G

gabão *n.m.* 1 **gabinardo**, varino, garnacho 2 **elogiador**, gabador, lisonjeiro, louvador, louvaminheiro ≠ **crítico**, remordedor, tosquiador *fig.*
gabar *v.* **elogiar**, louvar, lisonjear, enaltecer, encomiar, panegiricar, incensar *fig.*
gabardina *n.f.* **impermeável**, sobrecapa
gabarito *n.m. fig.* **categoria**, nível, classe
gabarola *adj.,n.2g.* **fanfarrão**, vanglorioso, jactancioso, pretensioso, vaidoso, mata-moiros, mata-sete, armante *col.*, farfante
gabarolice *n.f.* **jactância**, bazófia, fanfarronice, lambança, pavoneio, garganta *col.*, armanço *col.*, gabarrice [REG.]
gabar-se *v.* **jactar-se**, blasonar, bazofiar, gloriar-se, ufanar-se, vangloriar-se, fanfarrear, aplaudir-se
gabela *n.f.* 1 **paveia** 2 **braçada**, gavela, punhado 3 **feira**, mercado
gabinete *n.m.* 1 **escritório** 2 **camarim** 3 **ministério**
gabiru *adj.,n.m.* 1 *col.* **patife**, velhaco, malandro 2 *col.* **traquina**, travesso, maroto
gabo *n.m.* 1 **elogio**, louvor, aplauso, encómio, gabança *col.* ≠ **reprimenda**, saribanda 2 **jactância**, presunção, vaidade, pavonada, bazófia, altivez
gadanha *n.f.* 1 **gancha** [REG.] 2 **ceifa** 3 *col.* **mão**
gadanhar *v.* **arranhar**, unhar
gadanho *n.m.* 1 *col.* **mão** 2 *col.* **garfo**
gadelha *n.f.* 1 **trunfa**, gaforina, grenha, caraminhola 2 **madeixa**, melena, monete
gado *n.m.* 1 **rebanho** 2 **vara**
gafa *n.f.* 1 **garra**, gadanho 2 VET. **gafeira** 3 MED. **lepra** 4 BOT. **ardimento** 5 [REG.] **fome** 6 [REG.] **mal**, moléstia
gafanhoto *n.m.* 1 ZOOL. **saltão**, locusta, saltarico [REG.], salta-paredes *col.* 2 BOT. **pau-de-cobra**, raiz-de-cobra, jalapão
gafar *v.* 1 **aferrar**, agarrar 2 **contagiar**, contaminar
gafaria *n.f. ant.* **leprosaria**, leprosório, leprosário
gafar-se *v.* **contaminar-se**, infetar-se, eivar-se, contagiar-se, empestar-se, infecionar-se
gafe *n.f.* **lapso**, deslize, engano
gafo *adj. fig.* **corrupto**, corrompido, putredinoso *fig.*
gagá *adj.2g. col.,pej.* **senil**, caquético, decrépito
gago *adj.,n.m.* **tartamudo**, tardíloquo, tatibitate
gaguejar *v.* 1 **tartamudear**, tartamelear, bodejar *fig.* 2 *fig.* **hesitar**, titubear
gaguez *n.f.* **tartamudez**, gagueira, tatarez
gaguice *n.f.* **tartamudez**, gaguez
gaiatice *n.f.* **traquinice**, travessura, garotice, gaiatada
gaiato *n.m.* **garoto**, menino, catraio, rapazelho, trocista, moleque [BRAS.] ■ *adj.* 1 **travesso**, traquinas 2 **alegre**, brincalhão, engraçado, galhofeiro
gaifona *n.f.* **trejeito**, momice, macaquice, esgar, careta, gaifonice
gaio *adj.* **alegre**, jovial, divertido, folgazão, esperto
gaiola *n.f.* 1 **jaula**, cávea 2 *col.* **cárcere**, prisão 3 **touril**
gaita *n.f.* 1 **pífaro** 2 **chifre**, chavelho, haste, gaipa, corno 3 *col.* **contrariedade**, aborrecimento 4 *col.* **reprovação**, raposa, chumbo 5 *col.* **pénis**
gaiteiro *adj.* 1 **garrido**, vistoso 2 **folgazão**, alegre, divertido, folião, farrista, rapioqueiro, regabofista, regalão
gaivão *n.m.* ORNIT. **guincho**, andorinhão, ferreiro, pedreiro, zirro, gaivoto, pedreneira
gaivota *n.f.* 1 ORNIT. **alcatraz**, galfoeira, falcoeira, bruto, grapirá [BRAS.] 2 **cegonha**
gaivoto *n.m.* ORNIT. **guincho**, andorinhão, ferreiro, pedreiro, zirro, gaivão
gajo *n.m. col.* **indivíduo**, sujeito, tipo, fulano, zé-dos-anzóis *col.*
gala *n.f.* 1 **presunção**, jactância, ostentação, alarde, exibição ≠ **discrição**, simplicidade, sobriedade, despojamento, recato, modéstia 2 **galadura**, galação 3 [*pl.*] **ornamentos**, enfeites
galã *adj.,n.m.* **galanteador**, sedutor, galante
galaico *adj.* **galego**, galiziano
galaico-português *adj.* **galécio-português**, galego-português
galantaria *n.f.* 1 **galanteio** 2 **amabilidade**, cortesia, graça, gentileza 3 **fineza**, delicadeza, primor, graciosidade, donaire, galanice, savoir-vivre 4 **gracejo**, brincadeira, chiste, facécia
galante *adj.2g.* 1 **polido**, delicado, obsequioso, amável, fino, distinto, urbano 2 **aprimorado**, aperaltado, esbelto, garboso, airoso, bonito, primoroso 3 **agradável**, deleitoso 4 **engraçado**, espirituoso ■ *n.2g.* **galã**, galanteador
galanteador *adj.,n.m.* **galã**, galante, namorador, renteador, requebrador, requestador
galantear *v.* 1 **cortejar**, namorar, requestar, damejar, donear, rentear 2 **adornar**, ataviar, enfeitar, ornamentar, louçainhar
galanteio *n.m.* **galantaria**, galanteria, cortejo, ledice, corte, madrigal

galanteria *n.f.* 1 galanteio 2 amabilidade, cortesia, graça, gentileza 3 fineza, delicadeza, primor, graciosidade, donaire 4 gracejo, brincadeira, chiste, facécia

galão *n.m.* salto, pulo

galar *v.* (aves) fecundar, machear, cobrir

galardão *n.m.* 1 recompensa, distinção 2 homenagem, glória, honra

galardoar *v.* 1 premiar, laurear 2 recompensar, compensar 3 *fig.* consolar, mitigar, aliviar, adoçar, suavizar

galdério *adj.,n.m.* 1 vadio, trampolineiro, trampolinista, ocioso 2 intrujão 3 dissipador, esbanjador

galé *n.f.* NÁUT. galera

galear *v.* 1 garrir, luxar, ostentar, pompear, janotar, pimponar 2 baloiçar-se, balançar-se

galegada *n.f.* incivilidade, grosseria, má-criação, galeguice

galego *adj.* 1 galaico, galiciano 2 *col.,pej.* labrego, grosseiro, ordinário, rude, incivil, marrafão 3 [BRAS.] *pej.* português, abacaxi

galeirão *n.m.* ORNIT. abibe, cuinha, galispo, galo, negra, viúva

galena *n.f.* MIN. galenite

galeota *n.f.* NÁUT. galeote

galera *n.f.* NÁUT. galé

galfarro *n.m.* 1 meirinho, malsim, esbirro, aguazil, beleguim, mastim 2 comilão, glutão 3 interesseiro 4 perseguidor 5 vádio, vagabundo

galgar *v.* 1 percorrer 2 transpor, pular, saltar 3 superar, transpor 4 elevar-se 5 desempenar, alinhar, endireitar 6 recalcitrar

galgo *adj.* 1 esfomeado, faminto, hiante, rafado *col.* 2 desejoso, sedento

galhada *n.f.* 1 galhadura, galha 2 ramagem, galheira 3 gaipo, esgalha

galhardear *v.* 1 brilhar, luzir, sobressair 2 ostentar, realçar, pompear

galhardete *n.m.* flâmula, auriflama, bandeirola, bandeirinha

galhardia *n.f.* 1 elegância, distinção, garbo, airosidade, donaire, graça 2 generosidade, magnanimidade 3 força, ânimo 4 vivacidade, coragem, bravura, valentia 5 auriflama, galhardete, bandeirola, bandeirinha

galhardo *adj.* 1 elegante, distinto, garboso, airoso, donairoso, gracioso, esbelto 2 generoso, magnânimo 3 alegre, animado, vivo 4 intrépido, valoroso, animoso, corajoso, esforçado

galheta *n.f.* 1 *col.* sacristão 2 bureta 3 ORNIT. corvo-marinho, calilanga [REG.] 4 *col.* sopapo, bofetada, chapada, tapa-olhos *col.*, tapona *col.*

galho *n.m.* 1 ramo, ranca [REG.], rancalho [REG.] 2 esgalho 3 gaipo, escádea, esgalha, gaipa, gaipelo [REG.], gaipilha [REG.] 4 chifre, corno, hástia *col.* 5 *fig.* empecilho, estorvo, dificuldade, embaraço, ofendículo

galhofa *n.f.* 1 risota, brincadeira, pândega 2 escárnio, troça, chacota

galhofada *n.f.* galhofaria

galhofar *v.* 1 brincar, folgar, divertir-se, rir, galhofear 2 gracejar, facetear, chalaçar 3 escarnecer, caçoar, troçar, zombar, mofar

galhofeiro *adj.,n.m.* 1 folgazão, prazenteiro, jovial, alegre, divertido, galhofento 2 zombeteiro, trocista, escarnecedor

galicismo *n.m.* francesismo

gálico *adj.* 1 gaulês, galicano 2 francês ■ *n.m. col.* sífilis

galináceas *n.f.pl.* ORNIT. galiformes

galinha *n.f.* 1 gomarra *col.* 2 *col.* azar, desdita, infelicidade

galinhaça *n.f.* (excrementos) galinhaço

galinhaço *n.m.* 1 (excrementos) galinhaça 2 *fig.* azar, desdita, infortúnio

galinheiro *n.m.* 1 capoeira 2 (espetáculos) geral 3 *col.* prisão 4 *col.* cachaço, pescoço

galinhola *n.f.* 1 ORNIT. galinha-d'água, bicuda, marreca, pica-pau, pintada, galinha-d'angola, galinhota, franga-d'água, rabiscoelha, gamarra [REG.], rabia [REG.] 2 *col.* embriaguez, bebedeira, gateiro

gálio *adj.* gaulês, galo

galispo *n.m.* ORNIT. verdizela, abibe, ave-fria, bécua, choradeira, coim, donzela-verde, frango, galeirão, abetoninha, galeno, verdinzela

galo *adj.* gaulês, gálio ■ *n.m.* 1 intumescência, carolo, tolontro 2 ICTIOL. escalo 3 *col.* azar, desdita, infelicidade

galopada *n.f.* galope

galopante *adj.2g.* rápido, veloz

galopar *v.* galopear, correr, desembestar

galope *n.m.* galopada

galopim *n.m.* travesso, brincalhão, maroto

galrear *v.* balbuciar, galrar, galrejar, lalar

galvanizar *v.* 1 zincar, pratear, dourar 2 *fig.* agitar, entusiasmar, animar, estimular, excitar, alentar, reanimar, mover, repruir *fig.*

gama *n.f.* 1 série, sucessão 2 MÚS. gamut

gamado *adj.* 1 suástico 2 *col.* roubado, pifado *col.* 3 [BRAS.] *col.* apaixonado, encantado

gamanço *n.m. col.* roubo

gamão *n.m.* 1 (jogo) triquetraque 2 BOT. abrótea, asfódelo, abrótega

gamar *v. col.* roubar, furtar, apoderar-se, subtrair, esbulhar, escamotear, palmar, larapiar, gatunar, tirar, bifar *col.*, cardar *col.*, abafar *col.*

gamar-se *v.* [BRAS.] apaixonar-se, enamorar-se

gambeta *n.f.* **perna**, gâmbia *col.* ■ *adj.2g.* [REG.] **cambaio**, cambeta, zambro, canejo, topinho ≠ **reto**, direito

gâmbia *n.f. col.* **perna**, gambeta

gamboa *n.f.* BOT. **gamboeiro**

gamboeiro *n.m.* BOT. **gamboa**, zamboeira

gamela *n.f. col.* **boçal**, pacóvio, lorpa

gameta *n.f.* [REG.] **lentilha**

gana *n.f.* **1 fome**, desfastio, apetite, larica, fornicoques *col.*, larota *col.* **2 impulso**, ímpeto, veneta **3 ódio**, raiva

ganadeiro *n.m.* [REG.] **vaqueiro**

ganância *n.f.* **1 cobiça**, avidez, ambição, invejidade **2 onzena**, usura **3 ganho**, proveito

ganancioso *adj.* **1 ambicioso**, ávido, insaciável, cobiçoso, multívolo **2 lucrativo**, proveitoso

ganchar *v.* **enganchar**

gancho *n.m.* **1 biscate**, bico, niscato *col.*, caroca [REG.] **2 penhor**, prego

ganchorra *n.f.* **fateixa**, arpéu, arpão, fisga, farpão

ganda *n.f.* [REG.] **rinoceronte**

gandaia *n.f. col.* **ociosidade**, vadiagem

gândara *n.f.* **charneca**, gandra

gandra *n.f.* **charneca**, gândara

gang *n.m.* **quadrilha**, bando, gangue

ganga *n.m.* ORNIT. **cortiçó**, cortiçol

gangrena *n.f. fig.* **corrupção**, desmoralização, podridão, miasma *fig.*

gangrenar *v.* **1 necrosar**, encancerar **2** *fig.* **perverter**, viciar, desmoralizar, corromper

gângster *n.2g.* **bandido**, escroque

ganhador *n.m.* **1 triunfador**, vencedor **2 ganhão**, jornaleiro

ganhão *n.m.* **1 ganhadeiro**, ganha-pão, ganha-dinheiro **2 ganhador**, jornaleiro

ganha-pão *n.m.* **1 ganhadeiro**, ganhão, ganha-dinheiro, manduco *col.* **2 ofício**, profissão, ocupação, mister, enxada *fig.*

ganhar *v.* **1 adquirir**, auferir, obter **2 alcançar**, granjear **3 captar**, conquistar, atingir **4 vencer**, derrotar ≠ **perder 5 proporcionar 6 apoderar-se**, apossar-se **7 contrair**, tomar

ganho *n.m.* **1 lucro**, proveito, provento, interesse, ganço *ant.* ≠ **perda**, prejuízo **2 vantagem**, benefício ≠ **perda**, prejuízo

ganir *v.* **1 ulular**, cainhar, cuincar, ganizar **2** *fig.* **chorar**, gemer, lamentar-se, gemicar

ganza *n.f.* **1** *col.* **erva**, haxixe **2** *col.* **pedrada**, moca

ganzado *adj. col.* **drogado**, pedrado, mocado

garajau *n.m.* ORNIT. **andorinha-do-mar**, gravito, gaivinha, garão, garajão, garapau, garrau, gavito, chilreta, chureta

garanhão *n.m.* **mulherengo**, femeeiro

garante *n.2g.* **1 abonador**, avalista, fiador, responsável, garantidor **2 protetor**, defensor

garantia *n.f.* **fiança**, abonação, caução, abono, abonamento, penhor

garantido *adj.* **1 seguro**, avalizado **2 certificado 3 certo**, assegurado

garantir *v.* **1 abonar**, afiançar, acreditar, avalizar, caucionar, autenticar, fiar, responsabilizar-se ≠ **desabonar**, desautorizar **2 asseverar**, certificar, prometer, afiançar, assegurar, ajuramentar-se **3 proporcionar**, propiciar **4 acautelar**, proteger, salvaguardar, defender

garatuja *n.f.* **1 rabisco**, garabulha, rabisca, garafunha, gregotim, escarabocho, garafunho, gatafunho **2 trejeito**, esgar, careta, momice, mogiganga

garatujar *v.* **rabiscar**, gatafunhar, esgaratujar

garaveto *n.m.* **graveto**, cavaco, maravalha

garbo *n.m.* **1 elegância**, distinção, galhardia, airosidade, donaire, graça, gajé **2 distinção**, primor, perfeição

garbosidade *n.f.* **elegância**, donaire, airosidade, faceirice, catitismo

garboso *adj.* **1 elegante**, donairoso, esbelto, galhardo, galante, pintoso [BRAS.] *col.* **2 gentil**, distinto

garça *n.f. col.* **bebedeira**, embriaguez, gardinhola [REG.], gardunho [REG.]

garçota *n.f.* **1** ORNIT. **garçote**, touro-galego, garcenho **2** [*pl.*] **penacho**, plumeiro

gardéniaAO ou **gardênia**AO *n.f.* BOT. **jasmim-do-cabo**

gare *n.f.* **cais**, embarcadouro, desembarcadoiro

garfada *n.f.* **garfado**

garfo *n.m.* **1 forquilha**, forca, ancinho, forcado, espalhadeira, forqueta, forcada [REG.], forcão [REG.] **2** (enxame) **garfa 3 gadanho** *col.*

gargalhada *n.f.* **risada**, cascalhada, cachinada, casquinada, chocalhada

gargalhar *v.* **cascalhar**, gargalhadear

gargalo *n.m.* **1 colo**, goleira **2** *col.* **pescoço**, garganta

garganta *n.f.* **1 goela**, gorja, gorgomilo, gasganete *col.*, gargueiro *col.* **2 desfiladeiro**, estreito **3** *fig.* **voz 4** *fig.* **palavreado 5** *fig.* **gabarolice**, jactância, fanfarronice

gargantear *v.* **1 gorjear 2 blasonar**, farfantear, alardear, jactar-se, bazofiar

garganteio *n.m.* **gorjeio**, trinado, garganteado

gargantilha *n.f.* **afogador**, colar

gargarejo *n.m.* **gargalejo**

garimpeiro *n.m.* **faiscador**, faisqueiro

garimpo *n.m.* **vadio**

garina *n.f.* **1** *col.* **rapariga 2** *col.* **namorada**, companheira

garino *n.m.* 1 *col.* rapaz 2 *col.* namorado, companheiro

garnisé *n.2g.* gaiato, garoto, rapazinho, granisé

garotada *n.f.* 1 garotice, garotagem, infantilidade, meninice, criancice 2 rapazio, garotagem, ganapada

garotagem *n.f.* 1 garotice, garotada, infantilidade, meninice, criancice 2 rapazio, garotada

garotar *v.* 1 brejeirar, brincar, gaiatar, garotear, maganear 2 vadiar, gandaiar, gandular

garotelho *n.m.* ganapo, garotete, garotote, garotito

garotice *n.f.* garotada, garotagem, infantilidade, meninice, criancice, garnachice

garotito *n.m.* ganapo, garotete, garotote, garotelho

garoto *n.m.* 1 rapazito, gaiato, catraio, miúdo, petiz, criança, pequenito, gaiulo [REG.], guri [BRAS.] 2 [REG.] pingo [REG.] ■ *adj.* travesso, brincalhão, maroto

garra *n.f.* 1 gafa, gadanho 2 gavinha 3 *fig.* unha 4 *fig.* mão 5 *fig.* dedos 6 *fig.* genica, determinação 7 *fig.* capacidade, talento, competência 8 [*pl.*] *fig.* tirania, poder

garrafada *n.f.* beberagem, garrafa, remédio

garrafal *adj.2g.* 1 grande, graúdo 2 vistoso

garrafeira *n.f.* garrafaria, frasqueira

garraiada *n.f.* novilhada

garraio *n.m.* 1 bezerro, novilho 2 *fig.* caloiro, novato

garrana *n.f. col.* bebedeira, embriaguez

garranchar *v.* escarranchar

garrancho *n.m.* graveto, cavaco, maravalha

garrano *n.m. fig.* espertalhão, velhaco

garrar *v.* desgarrar, esgarrar

garridice *n.f.* 1 alegria, vivacidade 2 janotismo, louçania, garridismo, paraltice *col.*, tafulice

garridismo *n.m.* janotismo, louçania, garridice

garrido *adj.* 1 alegre, animado, vivo, gaiteiro, jovial 2 elegante, gracioso, guapo, catita, janota, loução 3 casquilho, enfeitado, engalanado, aperaltado, farfalhudo, louçainho, pintalegrete, pisa-flores 4 brilhante, vistoso

garrir *v.* 1 tagarelar, papaguear, matraquear 2 badalar, chilrear 3 brincar, folgar, foliar 4 brilhar, luxar, ostentar, pompear, pimponear

garrir-se *v.* ostentar, pavonear-se

garro *adj.* leproso, lazeirento, gafo ■ *n.m.* sarro

garrocha *n.f.* 1 hastim 2 [REG.] croça

garrochar *v.* 1 agarrochar, farpear 2 *fig.* estimular, incitar, espicaçar, zagunchar *fig.*

garrotar *v.* garrotear, estrangular, sufocar, esganar, agarrotar

garrote *n.m.* 1 ZOOL. cernelha, agulha 2 *fig.* angústia, tormento

garrotear *v.* garrotar, estrangular, sufocar, esganar, agarrotar

garrular *v.* palrar, tagarelar, chalrear

garrulice *n.f.* palavreado, verbosidade, palraria, loquacidade, garrulidade, chocalhice, tagarelice, farolice, cacarejo *fig.*

gárrulo *adj.,n.m.* 1 (ave) chilreador, gorjeador 2 tagarela, linguareiro, falador, palrador, loquaz

garupa *n.f.* (quadrúpedes) ancas

gás *n.m.* 1 *fig.* energia, animação, entusiasmo 2 [*pl.*] flatulência, ventosidade

gaseificação *n.f.* gasificação, vaporização

gaseificar *v.* gasificar, vaporizar

gasganete *n.m. col.* garganta, goela, gorgomilo, gorja, gasnete, gasnate, gasguete [REG.]

gasosa *n.f.* 1 rapidez, pressa, velocidade 2 *col.* gasolina

gasoso *adj.* 1 aeriforme 2 gaseificado

gáspea *n.f.* 1 remendo, retalho 2 *col.* velocidade, pressa 3 *col.* bofetada

gaspeadeira *n.f.* ajuntadeira

gastar *v.* 1 despender, desembolsar, expender, degastar, perdulariar ≠ poupar, aforrar, forrar 2 empregar, usar 3 esbanjar, dilapidar, malbaratar, dissipar, delapidar, desbaratar, gualdir ≠ poupar, economizar 4 desgastar, rapar, rafar, roçar, puir 5 consumir, esgotar, exaurir, absorver 6 debilitar, enfraquecer ≠ revigorar

gastar-se *v.* 1 deteriorar-se, surrar-se 2 acabar, consumir-se, esgotar-se 3 arruinar-se 4 debilitar-se

gasto *adj.* 1 consumido, consumpto 2 despendido, desembolsado 3 cansado, exausto, enfraquecido, acabado, abatido, combalido, ofegoso *fig.* 4 usado, deteriorado, estafado, coçado, servidiço, acalcanhado [BRAS.] 5 banal, vulgar, comum 6 desperdiçado, malbaratado, mal-empregado ■ *n.m.* 1 consumo 2 despesa, dispêndio, desembolso, expensas, sumpto ≠ poupança, poupa, economia, aforro 3 deterioração, desgasto

gástrico *adj.* estomacal

gata *n.f.* 1 bichana 2 ICTIOL. cação, bruxa, pata-roxa, pinta-roxa, gato, litão 3 *gír.* reprovação, exclusão, chumbo, raposa 4 *col.* bebedeira, embriaguez, borracheira, embriagamento, ebriedade, inebriamento, temulência, pifão, perua *col.*, piteira *col.*, torcida *col.*, grossura *col.*, raposada *col.*, raposeira *col.*, rosca *col.*, touca *col.*, vinhaça *col.*, cabeleira *col.*, vinho *fig.*, pinga *col.*, bruega *col.*, cardina *col.*, carraspana *col.*, cegonha *col.*, égua *col.*, verniz [REG.], ganso [BRAS.]

gatafunhar *v.* rabiscar, garatujar

gatafunho *n.m.* **rabisco**, garabulha, rabisca, garafunha, gregotim, escarabocho, garafunho, garatuja, gatimanho, gatimónia

gatão *n.m.* gatarrão, gatorro

gatar *v.* **1 errar 2** *gír.* **reprovar**, chumbar

gataria *n.f.* **bichanada**, gatarrada, gatice

gatarrão *n.m.* **gatão**, gatorro, bicharrão

gatear *v.* **1 grampear 2 gatinhar 3 contender**, discutir, ralhar **4 furtar**, roubar, surripiar

gateira *n.f.* **bebedeira**, gata *col.*, turca *col.*, piela *col.*

gatinhar *v.* **gatear**, engatinhar

gato *n.m.* **1 bichano**, tareco *col.*, miau *infant.* **2** ICTIOL. **cação**, bruxa, pata-roxa, pinta-roxa, gata **3 erro**, engano, lapso **4 grampo**

gatunagem *n.f.* **1 gatunice**, ladroagem, ladroeira, roubalheira **2 quadrilha 3 vadiagem**

gatunice *n.f.* **gatunagem**, ladroagem, ladroeira, roubalheira

gatuno *adj.,n.m.* **ladrão**, larápio, ratoneiro, abafador, rapinador, defraudador, depenador, lunfardo, ladranzana *col.*, avançador, pandilheiro

gáudio *n.m.* **1 alegria**, satisfação, regozijo, prazer, júbilo **2 festa**, folgança **3 brinquedo**

gaudioso *adj.* **alegre**, contente, festivo, folgazão, jubiloso, hilário, hilar

gaulês *adj.* **gálico**, gálio, galo, galo-romano

gaveta *n.f.* **1** *col.* **prisão**, gaiola, xadrez **2 gaiva** *gír.*

gaveto *n.m.* (construção) **esquina**, ângulo

gavião *n.m.* **1** ORNIT. **aguião**, aguioto, milhafre, gafanhoto, rapino, falcão, falcão-tagarote, peneireiro, pedreiro, martinete **2** BOT. **gavinha**, cabelos-loiros, abraço, enliço, elo **3 gume**

gavinha *n.f.* BOT. **elo**, abraço, enleio, enliço, gavião, tesourinha

gaza *n.f.* **gaze**, escumilha

gaze *n.f.* **gaza**, escumilha

gazear *v.* **1 chalrar**, chilrear, gorjear **2 palrar**, papaguear **3 cabular**, gazetear

gazeta *n.f.* **1 periódico**, jornal **2 gazeio**, gazio

gazetilha *n.f.* **folhetim**

gazetista *n.2g.* **jornalista**, periodista, periodicista

geada *n.f.* **gelada**, códão, codo, escarcha

gear *v.* **gelar**, esfriar, congelar, regelar

gebo *n.m.* **1** *col.* **jarreta**, farrapilha, maltrapido, jarra ≠ **janota**, peralta, casquilho, taful **2** ZOOL. **zebo**, zebu **3 corcunda**, marranita

geena *n.f.* **1 inferno 2** *fig.* **sofrimento**, dor

gelada *n.f.* **1 geada**, códão, codo, escarcha **2** BOT. **erva-do-orvalho**, orvalhinha, drósera

geladeira *n.f.* [BRAS.] **frigorífico**, geleira [BRAS.], refrigerador [BRAS.]

gelado *n.m.* **sorvete** ■ *adj.* **1 frígido**, gélido, glacial **2** *fig.* **insensível**, indiferente **3** *fig.* **atónito**, estupefacto, estarrecido, petrificado

gelar *v.* **1 congelar**, enregelar, gear ≠ **descongelar**, derreter **2 esfriar**, resfriar ≠ **aquecer 3** *fig.* **paralisar**, petrificar **4** *fig.* **desalentar**, desanimar

gelatinoso *adj.* **1 pegajoso**, viscoso, gelatiniforme, languinhento **2 inconsistente**, mole

geleira *n.f.* **1 glaciar 2 neveira 3** [BRAS.] **frigorífico**, geladeira [BRAS.], refrigerador [BRAS.]

gélido *adj.* **1 gelado**, frígido, congelado, glacial, enregelado, friíssimo, regelado **2** *fig.* **paralisado**, inerte, petrificado **3** *fig.* **insensível**, indiferente

gelificar *v.* **1 gelifazer 2 gelatinizar**

gelo *n.m.* *fig.* **indiferença**, insensibilidade, frieza

gelosia *n.f.* **persiana**, adufa, rótula, veneziana, reixa

gema *n.f.* **1** BOT. **borbulha**, botão, gomo, rebento, renovo **2** *fig.* **âmago**, centro

gemado *adj.* **amarelo**

gemar *v.* **rebentar**, abrolhar

gémeo[AO] ou **gêmeo**[AO] *adj.* **1 gemelgo 2** *fig.* **análogo**, idêntico, igual ■ *n.m.pl.* ANAT. **gastrocnémios**, gemelos

gemer *v.* **1 lastimar**, deplorar, lamentar, lamuriar, chorar, queixar-se, vagir, aiar ≠ **regozijar-se**, contentar-se, alegrar-se **2 chiar**, ranger **3 sofrer**, padecer **4 fender**, rachar **5** [REG.] **ressumar**, gotejar

gemido *n.m.* **lamento**, suspiro, lamentação, queixume, soluço, vagido, ulo [BRAS.]

geminação *n.f.* MIN. **macla**

geminado *adj.* **duplicado**, gémino

geminar *v.* **duplicar**, dobrar

genealogia *n.f.* **1 ascendência**, progenitores, antigos, maiores, antepassados, antecessores, progénie, avós *fig.*, pais *fig.*, estirpe *fig.* ≠ **descendência**, descendentes, sóbole *fig.* **2 origem**, fonte, procedência

genealógico *n.m.* **linhagista**, genealogista

genealogista *n.2g.* **linhagista**, genealógico

general *n.m.* *fig.* **chefe**, caudilho

generalado *n.m.* **generalato**

generalato *n.m.* **generalado**

generalidade *n.f.* **maioria**, universalidade, globalidade ≠ **especialidade**, particularidade

generalíssimo *n.m.* **general-chefe**

generalização *n.f.* **1 abstração**, conceptualização **2 disseminação**, propagação, difusão **3 vulgarização**

generalizar *v.* **1 universalizar**, divulgar, difundir, propagar, estender **2 vulgarizar**, trivializar, popularizar ≠ **singularizar**, particularizar, especializar, especificar

generalizar-se *v.* **vulgarizar-se**, popularizar-se, propagar-se, alastrar-se, globalizar-se, universalizar-se

generativo *adj.* **gerador**, produtor

genérico *adj.* 1 **geral** ≠ **específico**, especial 2 **abstrato**, indefinido, vago, indeterminado

géneroAO ou **gênero**AO *n.m.* 1 **família**, classe, ordem, grupo 2 **tipo**, feitio, estilo, jaez, sorte, qualidade

generosidade *n.f.* 1 **altruísmo**, abnegação, desinteresse, abandono, desprendimento, renúncia, desapego, sacrifício, longanimidade ≠ **egoísmo**, ambição, apego 2 **bondade** ≠ **malquerença**, malevolência, desprezo 3 **liberalidade**, largueza, prodigalidade

generoso *adj.* 1 **magnânimo**, pródigo, longânime 2 **bondoso**, caridoso, compassivo, benévolo, bom, clemente, humanitário ≠ **desumano**, desalmado, desapiedado, impio, inquisitorial *fig.* 3 **fiel**, franco, leal 4 **fértil**, fecundo, rico ≠ **infértil**, pobre 5 (vinho) **espirituoso**

géneseAO ou **gênese**AO *n.f.* 1 **geração**, criação, formação, nascimento, génesis 2 **origem**, princípio

genésico *adj.* **genesíaco**, genético, génico

génesisAO ou **gênesis**AO *n.f.* 1 **geração**, criação, formação, nascimento, génese 2 **origem**, princípio

genético *adj.* **genesíaco**, genésico

gengibre *n.m.* (bebida) **gengibirra**

gengiva *n.f.* **engiva**

genial *adj.2g.* 1 **extraordinário**, sublime ≠ **banal**, comum 2 **talentoso**, engenhoso 3 **festivo**, alegre, prazenteiro

genialidade *n.f.* **talento**

genica *n.f. col.* **força**, vigor, robustez, energia, resistência, possança, adrenalina *col.*, nervo *fig.*, aço *fig.*, speed *fig.,col.* ≠ **fraqueza**, debilidade, infirmidade, quebração

génioAO ou **gênio**AO *n.m.* 1 **espírito**, ânimo, nume 2 **carácter**, índole, temperamento 3 **inspiração**, talento, dom, engenho, estro

genital *adj.2g.* 1 **gerador**, reprodutor 2 **sexual**

génitoAO ou **gênito**AO *adj.* **gerado**

genitor *n.m.* **pai**, gerador, progenitor

genovês *adj.,n.m.* **genuense**, genuês

gentaça *n.f. pej.* **escumalha** *pej.*, ralé *pej.*, cambada *pej.*, vasa *pej.*, refugo *pej.*, canalha *pej.*, enxurro *pej.*, escuma *pej.*, borra *pej.*, arraia-miúda *pej.*, fezes *pej.*, corja *pej.*, plebe *pej.*, populaça *pej.*, populacho *pej.*, sarandalhas *pej.*, sarandalhos *pej.*, gentalha *pej.*, gentinha *pej.* ≠ **elite**, escol, nata *fig.*

gentalha *n.f. pej.* **escumalha** *pej.*, ralé *pej.*, cambada *pej.*, vasa *pej.*, refugo *pej.*, canalha *pej.*, enxurro *pej.*, escuma *pej.*, borra *pej.*, arraia-miúda *pej.*, fezes *pej.*, corja *pej.*, plebe *pej.*, populaça *pej.*, populacho *pej.*, sarandalhas *pej.*, sarandalhos *pej.*, gentaça *pej.*, gentinha *pej.* ≠ **elite**, escol, nata *fig.*

gente *n.f.* 1 **multidão**, bando, fauna *pej.* 2 **população**, povo, nação 3 **humano**, pessoa

gentil *adj.2g.* 1 **amável**, cortês, delicado, distinto, agradável, cavalheiresco, ilustre ≠ **desagradável**, indelicado, inamável, labrosca 2 **bem-parecido**, garboso, esbelto, galante, galhardo, formoso, belo ≠ **feio**, desgracioso, mal-apessoado 3 **delicado**, amável ≠ **indelicado**, desamável 4 **gracioso**, mimoso, delicado 5 **aprazível**, deleitoso, encantador ≠ **desagradável**, fastidioso 6 **nobre**, fidalgo

gentileza *n.f.* 1 **amabilidade**, cortesia, delicadeza, urbanidade 2 **elegância**, graciosidade 3 **graça**, agrado 4 **nobreza**, fidalguia

gentil-homem *adj.* **elegante**, distinto, garboso ■ *n.m.* **aristocrata**, nobre, patrício, sangue-azul, fidalgo

gentílico *adj.* 1 **pagão**, idólatra, gentilício 2 **selvagem**, bárbaro

gentinha *n.f. pej.* **escumalha** *pej.*, ralé *pej.*, cambada *pej.*, vasa *pej.*, refugo *pej.*, canalha *pej.*, enxurro *pej.*, escuma *pej.*, borra *pej.*, arraia-miúda *pej.*, fezes *pej.*, corja *pej.*, plebe *pej.*, populaça *pej.*, populacho *pej.*, sarandalhas *pej.*, sarandalhos *pej.*, gentalha *pej.*, gentaça *pej.* ≠ **elite**, escol, nata *fig.*

gentio *adj.,n.m.* 1 **pagão**, idólatra, gentílico, gentilício 2 **selvagem**, bárbaro 3 (Hebreus) **estrangeiro**

genufletirAO ou **genuflectir**AO *v.* **ajoelhar**

genuflexório *n.m.* **reclinatório**

genuinamente *adv.* **legitimamente**, verdadeiramente, puramente, sinceramente ≠ **aparentemente**, falsamente

genuinidade *n.f.* 1 **pureza**, autenticidade 2 **vernaculidade**

genuíno *adj.* 1 **autêntico**, legítimo, puro, verdadeiro ≠ **inautêntico**, ilegítimo, ilídimo 2 **sincero**, franco ≠ **falso**, fingido, mentido

geómetraAO ou **geômetra**AO *n.f.* ZOOL. **lagarta-mede-palmos**

geométrico *adj.* **rigoroso**, exato, preciso

georgiano *adj.* **geórgico**

geórgico *adj.* 1 **georgiano** 2 **bucólico**, campestre, pastoril

geração *n.f.* 1 **procriação**, germinação 2 **família**, raça, linhagem, genealogia, estirpe *fig.* 3 **criação**, génese, formação, conceção

gerado *adj.* **criado**, produzido

gerador *adj.* 1 **generativo**, produtor 2 **progenitor** 3 **produtor**, causador, criador ■ *n.m.* **causa**, origem, princípio

geral *adj.2g.* 1 **universal**, global, comum, genérico, ecuménico ≠ **próprio**, particular, único, singular, específico 2 **superficial**, vago, impreciso

geralmente *adv.* 1 **usualmente**, vulgarmente, comummente, ordinariamente ≠ **excecionalmente**, raramente 2 **vagamente**, genericamente

gerar *v.* 1 procriar, germinar, conceber 2 produzir, criar, originar 3 engendrar

gerar-se *v.* formar-se, criar-se, nascer

geratriz *adj.* geradora, generatriz

gerência *n.f.* administração, gestão, governo, direção

gerente *n.m.* administrador, diretor, governador, regedor, superintendente

gergelim *n.m.* BOT. sésamo

geringonça *n.f.* 1 engenhoca, caranguejola, gerigonça 2 calão, gíria

gerir *v.* administrar, dirigir, governar, orientar, superintender

germânico *adj.,n.m.* alemão, germano, tudesco, tedesco

germano *adj. fig.* verdadeiro, genuíno, legítimo, puro ■ *adj.,n.m.* alemão, germânico, tudesco, tedesco

germe *n.m.* 1 BIOL. embrião 2 BOT. plúmula 3 MED. micróbio, microrganismo 4 *fig.* origem, causa

gérmen *n.m.* 1 BIOL. embrião 2 BOT. plúmula 3 MED. micróbio, microrganismo 4 *fig.* origem, causa

germinação *n.f.* 1 procriação, geração, brotamento 2 desenvolvimento, evolução

germinar *v.* 1 desabrochar, grelar, abotoar, rebentar, abrolhar, brotar ≠ mirrar, murchar, fenecer 2 gerar, originar, produzir 3 desenvolver-se, difundir-se, implantar-se

gesta *n.f.* 1 façanha, proeza 2 história

gestação *n.f.* 1 gravidez, prenhez 2 *fig.* elaboração

gestão *n.f.* administração, gerência, governo, direção

gestativo *adj.* gestatório

gesticulação *n.f.* gesto, mímica, gesticulado

gesticular *v.* acenar, mimicar

gesto *n.m.* 1 gesticulação, trejeito, momice, aceno, meneio 2 rosto, semblante, face 3 fisionomia, aspeto, aparência

gestor *n.m.* gerente, administrador

gibão *n.m.* 1 aljuba 2 ZOOL. hilóbata

gibosidade *n.f.* proeminência, saliência, bossa, corcunda, cifose, giba, corcova, geba

giesta *n.f.* 1 BOT. giesteira, giesteiro 2 vassoira

giestal *n.m.* giesteira

giesteiro *n.m.* BOT. giesta, giesteira

giga *n.f.* 1 selha 2 gigo

gigante *adj.2g.* 1 enorme, imenso, colossal, descomunal, gigantesco, desmedido, hercúleo, ciclópico, grandessíssimo, imane ≠ anão, pigmeu 2 eminente, admirável, prodigioso 3 altíssimo, elevadíssimo ■ *n.m.* 1 colosso 2 [*pl.*] BOT. malva-rosa, alteia, malvaísco

gigantesco *adj.* 1 desmesurado, grande, astronómico, excessivo, agigantado, titânico, giganteu, gigântico ≠ anão, pigmeu 2 colossal, grandioso, extraordinário

gigo *n.m.* giga

gila *n.f.* BOT. chila, abóbora-chila, chila-caiota, gila-caiota

gil-vicentino *adj.* gil-vicentesco

gímnico *adj.* ginástico

ginasiano *adj.* ginasial

ginásio *n.m.* academia [BRAS.]

ginasta *n.2g.* equilibrista, acrobata, volantim, dançarino, saltimbanco, funâmbulo

ginástico *adj.* gímnico

gineceu *n.m.* BOT. pistilo

gineta *n.f.* ZOOL. gineto, gato-bravo, tourão, marta-ranho, geneta

gingão *adj.* 1 gingante 2 desordeiro, brigão

gingar *v.* 1 bambolear, menear, oscilar, saracotear, rebolar, baloiçar, menear-se, bambolear-se, saracotear-se 2 [REG.] caçoar, mofar, chalacear

gira *n.f.* giro, girata, passeio, ronda ■ *adj.,n.2g.* inconstante, volúvel, amalucado, adoidado

girândola *n.f.* foguetada

girar *v.* 1 rodear 2 circular, correr 3 rodopiar 4 *col.* desaparecer, retirar-se 5 centrar-se, gravitar

girassol *n.m.* BOT. helianto, heliotrópio, tornassol, tornessol, giganteia

giratório *adj.* circulatório, rolante, rotatório, girante, girador

gíria *n.f.* jargão, germania *ant.*, caló

girino *n.m.* ZOOL. cabeçudo, peixe-cabeçudo, peixe-sapo, cabeça-de-prego, caganato *col.*

giro *n.m.* 1 volta, rotação, rodeio 2 caminho, percurso, circuito 3 excursão, passeio, ronda 4 turno, vez 5 negócio 6 tarefa, lida ■ *adj.* 1 *col.* bonito, catita, pessegote *col.* 2 *col.* divertido, engraçado, interessante

giz *n.m.* MIN. cré

gizar *v.* 1 delinear, projetar, traçar, idear, arquitetar 2 determinar, calcular 3 *col.* furtar, roubar

glabro *adj.* calvo, imberbe, pelado, rapado ≠ barbado, peludo, piloso

glacial *adj.2g.* 1 gelado, frígido, congelado, gélido, enregelado, friíssimo, regelado, frigidíssimo 2 *fig.* indiferente, inexpressivo, insensível 3 *fig.* reservado

glaciar *n.m.* geleira

gladiador *n.m.* digladiador, esgrimidor, esgrimista, espadachim, lutador, batalhador

gladiar *v.* 1 digliadiar, esgrimir 2 lutar, batalhar, combater, disputar

gládio *n.m.* 1 espada 2 luta, guerra, combate 3 *fig.* poder, força

glamoroso *adj.* **charmoso**, atraente, glamouroso, hollywoodesco

glamour *n.m.* **charme**, encanto, magnetismo

glandular *adj.2g.* **glanduloso**

glauco *adj.* (cor) **esverdeado**, verde-mar, gláucico, verdacho, verdoso

gleba *n.f.* **1 torrão**, leiva **2** HIST. **feudo**

glicerina *n.f.* QUÍM. **glicerol**

glicose *n.f.* **dextrose**, glucose

global *adj.2g.* **universal**, geral, comum, genérico, ecuménico ≠ **próprio**, particular, único, singular, específico

globalidade *n.f.* **1 maioria**, universalidade, generalidade ≠ **especialidade**, particularidade **2 totalidade**

globo *n.m.* **1 bola**, esfera, balão, poma **2 Terra**, mundo **3 astro**, orbe

globosidade *n.f.* **esfericidade**

globoso *adj.* **1 globular**, globuloso **2 esférico**, redondo, arredondado, mamoso

globular *adj.2g.* **1 globoso**, globuloso **2 esférico**, redondo, arredondado

glóbulo *n.m.* **bolinha**, globinho

globuloso *adj.* **1 globoso**, globular **2 esférico**, redondo, arredondado

glória *n.f.* **1 celebridade**, fama, reputação, renome, preclaridade **2 grandeza**, honra, orgulho **3 esplendor**, magnificência, fausto, resplendor **4 homenagem**, saudação, louvor **5 Céu**, paraíso **6 halo**, auréola **7 alegria**, felicidade, regozijo, gáudio, satisfação

gloriar *v.* **enaltecer**, honrar, aplaudir, glorificar

gloriar-se *v.* **gabar-se**, ufanar-se, vangloriar-se, blasonar, jactar-se, pavonear-se, envaidecer-se, glorificar-se

glorificação *n.f.* **apoteose**, exaltação, enaltecimento, consagração, canonização, louvor

glorificar *v.* **1 homenagear**, louvar, honrar, gloriar ≠ **humilhar**, infamar **2 celebrar**, exaltar, timbalear *fig.* **3 beatificar**, santificar, canonizar

glorificar-se *v.* **1 gabar-se**, ufanar-se, vangloriar-se, blasonar, jactar-se, pavonear-se, envaidecer-se, gloriar-se **2 notabilizar-se**

glorioso *adj.* **1 ilustre**, notável, famoso ≠ **inglorioso**, infamante **2 ufano**, vaidoso **3 bem-aventurado**

glosa *n.f.* **1 anotação**, apostila, postila **2 interpretação**, comentário, comento, observação

glosar *v.* **1 anotar**, comentar, interpretar, explicar, apostilar **2 repreender**, censurar, criticar, vituperar **3 anular**, suprimir

glossário *n.m.* **1 elucidário 2 vocabulário**

glote *n.f.* ANAT. **goto**

glucose *n.f.* QUÍM. **glicose**, dextrose

glutão *adj.,n.m.* **comilão**, devorador, guloso, lambareiro, lambão, alarve, sôfrego, alambazado, insaciável, garganeiro [REG.], gastrólatra, gulaimas [REG.], guleima [REG.], gargântua *fig.*, fossão *fig.*

glúten *n.m.* **gluteína**

glutinoso *adj.* **pegajoso**, viscoso

glutonaria *n.f.* **voracidade**, gula, glutonia, alarvaria, edacidade, gargantoíce, lambugem, avidez, intemperança, sofreguidão, gastrolatria

gnómico^AO ou **gnômico**^AO *adj.* **sentencioso**

gnose *n.f.* **conhecimento**, saber

gnu *n.m.* ZOOL. **galengue**, guelengue

godo *adj.,n.m.* **gótico**

goela *n.f. col.* **garganta**, gorgomilo, gorja, gasnete, gasnate, gasganete *col.*, gasguete [REG.], gorgomila *ant.*, fauces, tragadeiro *col.* ■ *n.2g.* **gabarola**, jactancioso, fanfarrão, gabola

goês *adj.,n.m.* **goano**, goense, goanês

goiaba *n.f.* **1** BOT. **guaiaba 2** BOT. **goiabeira**

goiveiro *n.m.* BOT. **goivo**, aleli

goivo *n.m.* BOT. **goiveiro**, aleli

gol *n.m.* **1** [BRAS.] DESP. **baliza 2** [BRAS.] DESP. **golo**

gola *n.f.* **1 colarinho**, colar **2** ARQ. **gula**

golada *n.f.* **golo**, trago, sorvo, gole, hausto, pinga *fig.*

gole *n.m.* **golo**, trago, sorvo, golada, hausto, pinga *fig.*, tragada [BRAS.]

goleador *n.m.* **artilheiro** [BRAS.]

golfada *n.f.* **borbotão**, golfo, jato, jorro, vómito, gorgolão, gorgolhão

golfinho *n.m.* ZOOL. **delfim**, golfim, toninha, germão, porco-do-mar, porco-marinho

golfo *n.m.* **1 baía**, enseada, angra, lagamar, enseio **2** BOT. **nenúfar**, gólfão **3 borbotão**, golfada, jato, jorro, vómito, gorgolão, gorgolhão **4 abismo**, sorvedouro

golo *n.m.* **1 gole**, trago, sorvo, golada, hausto, pinga *fig.* **2 gol** [BRAS.]

golpada *n.m.* **golpázio**

golpe *n.m.* **1 ferida**, ferimento, lesão, corte, cortadela, incisão, incisura, cortadura, golpeamento, golpeadura, lanho, retalhadura, vulneração **2 contusão**, traumatismo **3 pancada**, murro, choque **4 estratagema**, ardil, trama, vigarice, solapa *fig.* **5 rombo**, desfalque **6 crise**, deceção, desgosto, desgraça, infortúnio, mágoa **7 lance**, rasgo

golpeado *adj.* **cortado**, ferido, lanhado

golpear *v.* **1 cortar**, retalhar, rasgar, agolpear, acutilar, alancear, alanhar, atassalhar, lanhar, escalavrar, sarjar **2 esborcelar**, esborcinar **3** *fig.* **afligir**, angustiar, desgostar, penalizar, torturar

gomar *v.* **1 brotar**, rebentar, abrolhar, abrotar, agomar **2 engomar**

gomil *n.m.* **agomil**, agomia, guinde

gomo *n.m.* 1 BOT. **rebento**, botão, renovo, abrolho, broto, gema, grelo, olho, novedio, pimpolho, filho 2 (laranja) **galinhó** [REG.], ganhó [REG.], galelo [REG.]

gomoso *adj.* **pegajoso**, viscoso

gongórico *adj. pej.* **enfático**, rebuscado

goniometria *n.f.* **angulometria**

goniómetro[AO] ou **goniômetro**[AO] *n.m.* **angulário**, angulómetro

gonzo *n.m.* **dobradiça**, missagra, charneira, engonço, quício, macha-fêmea, bisagra, mancal, quiço

gorar *v.* **frustrar**, malograr, baldar, abortar, inutilizar, fracassar, mixar [BRAS.], bromar [BRAS.]

goraz *n.m.* ICTIOL. **massacato**, pacharro, pachel, peixão

gordo *adj.* 1 **obeso**, anafado, roliço, rechonchudo, gorducho, corpulento, forte, encorpado, rotundo, nutrido, redondo, gordote ≠ **magro**, acaveirado 2 **gorduroso**, untuoso, adiposo ≠ **magro** 3 **produtivo**, fértil, fecundo ■ *n.m.* **unto**, banha

gordura *n.f.* 1 **adiposidade**, ádipe, ádipo, gordã 2 **banha**, sebo, pingo, pingue, chorume 3 **graxa**, óleo, unto 4 **obesidade**, nediez, corpulência, grossura, rotundidade ≠ **magreza** 5 BIOQUÍM. **lipídeo**

gorduroso *adj.* **gordurento**, besuntado, oleoso, sebáceo, sebento, seboso, ensebado, enxundioso

gorgolejar *v.* **gorgolhar**, gorgolar

gorgomilo *n.m. col.* **garganta**, goela, gorja, gasnete, gasnate, gasganete *col.*, gasguete [REG.], gorgomil *col.*

gorja *n.f.* 1 *col.* **garganta**, gorgomilo, goela, gasnete, gasnate, gasganete *col.*, gasguete [REG.] 2 *col.* **pescoço**, cachaço, cangote

gorjear *v.* 1 **trinar**, chilrear, chilrar, gazear, papaguear, trilar, papear 2 **gargantear**, cantar

gorjeio *n.m.* **canto**, trinado, modulação, garganteio, garganteado, gorjeado, quebro, trino, redobre, requebro, trilo, chilreio, chilrada, chilro, chilre

gorjeta *n.f.* **espórtula**, caravela, lambedela, lambida, luvas

goro *adj.* 1 **gorado**, choco, grolo 2 *fig.* **frustrado**, malogrado, fracassado, falhado

gorro *n.m.* **carapuça**, barrete, boina, gorra

gosma *n.f.* 1 **expetoração**, escarro 2 (aves) **gogo**, pevide

gostamento *n.m.* **gosto**, satisfação

gostar *v.* 1 **aprovar** 2 **apreciar**, deleitar-se, agradar-se 3 **amar**, querer, estimar, adorar ≠ **detestar**, odiar, repudiar 4 **costumar** 5 **provar**, degustar 6 **desfrutar**, aproveitar, gozar

gosto *n.m.* 1 **sabor**, paladar, sapidez 2 **desejo**, apetite, vontade 3 **prazer**, gozo, aprazimento, deleite, deleitação, delícia, grado, regalo, contentamento, agrado, alegria, contento, satisfação ≠ **desgosto**, desprazer, desagrado, malgrado 4 **afeição**, simpatia, predileção, propensão, amor, apreciação 5 **elegância**, finura, discrição 6 **critério**, opinião, preferência 7 **maneira**, estilo, moda

gostoso *adj.* 1 **apetitoso**, delicioso, saboroso, mira-olho ≠ **desenxabido**, ensosso, insípido 2 **aprazível**, agradável ≠ **desagradável**, fastidioso 3 [BRAS.] **alegre**, contente, satisfeito

gota *n.f.* **pinga**, pingo, camarinha, lágrima, respingo, esférula

gotear *v.* 1 **pingar**, gotejar, lagrimejar *fig.*, lacrimejar *fig.* 2 **transudar**, porejar, destilar, marejar, ressumar, ressumbrar

goteira *n.f.* **calha**

gotejar *v.* 1 **pingar**, gotear, lagrimejar *fig.*, lacrimejar *fig.* 2 **transudar**, porejar, destilar, marejar, ressumar, ressumbrar, sangrar-se

gótico *adj.* **godo**

goto *n.m. col.* **glote**

gouveio *adj.,n.m.* **verdelho**

governação *n.f.* **governo**, governamento, administração, direção, comando, temão *fig.*, governança *ant.*

governado *adj.* 1 **dirigido**, orientado, administrado, norteado ≠ **desgovernado**, malregido 2 **económico**, poupado, aproveitado ≠ **desgovernado**, gastador

governador *n.m.* **administrador**, regente, governante, dirigente, diretor, superintendente

governadora *n.f.* **administradora**, regente, governante, dirigente, diretora, superintendente

governanta *n.f.* **ama**, aia

governante *n.2g.* **administrador**, regente, governador, dirigente, diretor, superintendente

governar *v.* 1 **administrar**, dirigir, chefiar, gerir 2 **conduzir**, guiar, dirigir 3 **dominar**, imperar 4 **pilotear**

governar-se *v.* 1 **arranjar-se**, desembaraçar-se, desenvencilhar-se, desenrascar-se, ajeitar-se 2 **regular-se**, reger-se, orientar-se 3 **mandar-se**

governo *n.m.* 1 **governação**, governamento, administração, regimento, direção, regência, comando, gerência, rédeas *fig.*, governalho *fig.*, governança *ant.* 2 **ministério**, pasta 3 **mandato** 4 **regime**, sistema, regímen 5 **ordem**, disciplina, regra ≠ **desgoverno**, desordem 6 (navio) **leme** 7 **economia**, poupança ≠ **desgoverno**, esbanjamento, perdularismo

gozado *adj.* 1 **desfrutado**, usufruído 2 **ridicularizado** 3 [BRAS.] *col.* **engraçado**, divertido

gozador *adj.* 1 **zombeteiro**, trocista 2 **desfrutador**, aproveitador 3 **boémio**

gozar *v.* 1 **aproveitar**, desfrutar, desfruir, fruir, saborear, deliciar-se, sopetear, libar *fig.* 2 **usufruir**, ter, possuir 3 **troçar**, zombar 4 **folgar**, divertir-se, regozijar-se

gozo *n.m.* 1 **satisfação**, prazer, gosto, consolo, contento, júbilo, regozijo, deleitação, deleite, delícia, gáudio 2 **usufruto**, uso, proveito, posse, utilidade 3 **troça**, zombaria

grã *adj.* **grande** ■ *n.f.* 1 ZOOL. **cochinilha** 2 **grainha**

graça *n.f.* 1 **favor**, mercê, obséquio, fineza, gentileza 2 **estima**, amizade, benevolência 3 **gracejo**, facécia, chalaça, chiste, pilhéria, pico *fig.*, jogralidade 4 **atrativo**, beleza, elegância, encanto, airosidade, formosura, lindeza, galhardia, garbo, donaire, salero, graciosidade, sedução 5 **bênção**, dádiva, dom 6 **lembrança**, agrado, mimo 7 *col.* **nome** 8 [*pl.*] **agradecimento**

gracejar *v.* 1 **chalacear**, galhofar, chalaçar, galhofear, pilheriar, prazentear, vasconcear 2 **brincar**, caçoar, troçar, mofar, motejar, zombar, zombetear, chasquear, joguetear, mangar *col.*, reinar *col.*

gracejo *n.m.* 1 **graça**, gracinha, brincadeira, chiste, facécia, laracha, graceta, chalaça, pilhéria, brinco, chasco, chocarrice, moteto 2 **chacota**, zombaria, dichote, motejo, apodo, chufa

grácil *adj.2g.* 1 **gracioso**, airoso 2 **frágil**, franzino, delgado, delicado, esguio, fino

gracilidade *n.f.* **graciosidade**, delicadeza, subtileza

gracinha *n.f.* **gracejo**, graceta, piada, laracha, motejo

graciosa *n.f.* BOT. **gracíola**

graciosidade *n.f.* **graça**, delicadeza, airosidade, elegância, beleza, galantaria, gracilidade

gracioso *adj.* 1 **espirituoso**, divertido, engraçado, prazenteiro, gracejador, jocoso, chistoso, jovial, risonho, chocarreiro 2 **airoso**, elegante, galante, delicado, encantador, fino ≠ **desgracioso**, desairoso, deselegante 3 **gratuito** ■ *n.m.* **gracejador**, motejador

graçola *n.f.* 1 **gracejo**, brinco, chalaça 2 **impertinência**, apodo, chocarrice, chança ■ *n.2g.* **chocarreiro**, engraçadinho

gradar *v.* 1 **crescer**, aumentar, gradecer, medrar, graiar [REG.] 2 **gradear**, esterroar 3 **agradar**

gradativo *adj.* **gradual**, progressivo, sucessivo

grade *n.f.* 1 **gradeado**, gradeamento, gradil, engradamento 2 **locutório** 3 AGRIC. **gradador**

gradeado *n.m.* **grade**, gradeamento, gradil, engradamento

gradeamento *n.m.* **gradeado**, grade, gradil, engradamento, gradaria

gradear *v.* **gradar**, esterroar, gradejar

gradil *n.m.* **gradeado**, grade, gradeamento, engradeamento

grado *adj.* 1 **graúdo**, grande, desenvolvido, crescido, medrado, medrançoso ≠ **miúdo** 2 *fig.* **importante**, notável ■ *n.m.* **gosto**, vontade

graduação *n.f.* 1 **escalonamento**, classificação, graduamento 2 **escala**, grau 3 **categoria**, classe, condição

graduado *adj.* **conceituado**, elevado, distinto, eminente, douto ■ *n.m.* **diplomado**, licenciado

gradual *adj.2g.* **progressivo**, gradativo, sucessivo

gradualmente *adv.* **progressivamente**, sucessivamente, gradativamente

graduar *v.* 1 **classificar**, caracterizar, apreciar, ordenar, regular 2 **condecorar**, agraciar 3 **diplomar**

graduar-se *v.* **diplomar-se**

grafar *v.* **ortografar**, escrever

grafia *n.f.* 1 **escrita**, ortografia 2 **caligrafia**, letra

gráfica *n.f.* **tipografia**

gráfico *n.m.* 1 **diagrama**, esquema 2 **tipógrafo** ■ *adj.* **desenhado**, pictórico

grafismo *n.m.* 1 **grafia**, ortografia 2 **letra**, caligrafia 3 **design**

grafite *n.f.* MIN. **plumbagina**, plombagina, plumbagem, plumbago

grafonola *n.f.* **fonógrafo**, gramofone, vitrola [BRAS.]

grageia *n.f.* FARM. **drageia**

grainha *n.f.* 1 **grã**, granita, graúlho, bagulho, arilo 2 VET. **cisticercose**, ladraria

gral *n.m.* **almofariz**, morteiro

gralha *n.f.* 1 ORNIT. **corvo**, corvelo, choi, abelharuco 2 **erro**

gralhar *v.* 1 **grasnar**, grazinar, crocitar, chilrear 2 *fig.* **tagarelar**, parolar, vozear

gralheira *n.f.* **gralhada**

grama *n.f.* 1 BOT. **gramão** 2 [BRAS.] BOT. **relva**, gazão

gramar *v.* 1 *col.* **aguentar**, aturar, suportar, sofrer, tolerar, apanhar 2 *col.* **tragar**, engolir 3 *col.* **gostar**, simpatizar, apreciar

gramático *adj.* **gramatical**

grampo *n.m.* 1 **agrafo** 2 **gato** 3 **gadanho** 4 *col.* **unha**, garra, dedo, mão

granadeiro *n.m.* *fig.* **grandalhão**, granjola, matulão

granalha *n.f.* **granulação**, granulagem

grande *adj.2g.* 1 **enorme**, imenso, colossal, descomunal, desmedido ≠ **pequeno** 2 **crescido**, desenvolvido, adulto 3 **folgado**, largo ≠ **apertado**, estreito, abetesgado 4 **numeroso**, extenso, copioso, avultado ≠ **pequeno** 5 **longo**, duradouro 6 **maiúsculo** ≠ **pequeno**, minúsculo 7 **excecional**, excelente, grandioso, esplêndido, extraordinário ≠ **comum**, banal 8 **magnânimo**, generoso 9 **elevado**, eminente, ilustre, respeitável, prestigioso, egrégio, famoso 10 **volumoso**, avantajado, agigantado, corpulento, taludo ≠ **pequeno**

■ *n.2g.* 1 **adulto**, crescido, graúdo ≠ **pequeno**, miúdo 2 **rico**, poderoso, influente

grandemente *adv.* **muito**, sobremaneira, extremamente

grandevo *adj.* **velhíssimo**, longevo, macróbio ≠ **jovem**, novo

grandeza *n.f.* 1 **dimensão**, tamanho, extensão, comprimento, altura, estatura, elevação, grandura 2 **enormidade**, imensidão, amplidão, amplitude, vastidão ≠ **pequenez** 3 **grandiosidade**, magnitude, magnificência, excelência, sublimidade 4 **generosidade**, magnanimidade, magnificência, liberalidade 5 **domínio**, supremacia 6 **valor**, importância 7 **fortuna**, riqueza, opulência, abundância 8 **fausto**, magnificência, ostentação, pompa, aparato, sumptuosidade, estadão, fasto, galarim ≠ **pequenez**

grandiloquente *adj.2g.* **grandíloquo**

grandíloquo *adj.* 1 **grandiloquente** 2 **elevado**, nobre, sublime

grandiosidade *n.f.* **imponência**, majestade, magnificência, pompa, monumentalidade

grandioso *adj.* 1 **elevado**, nobre 2 **magnificente**, pomposo, magnífico, majestoso, sublime, sumptuoso, imponente

grandíssimo *adj.* **colossal**, enorme, imenso ≠ **pequeníssimo**, mínimo

granel *n.m.* 1 **celeiro**, tulha 2 *fig.* **desordem**, confusão

granito *n.m.* **grânulo**, grãozinho

granizada *n.f.* **saraivada**

granizo *n.m.* **saraiva**, pedrisco, pedra, pedraço [REG.], graelo [REG.]

granja *n.f.* 1 **fazenda**, herdade, quinta 2 **abegoaria**, celeiro 3 BOT. **hidrângea**, hortênsia

granjear *v.* 1 **conquistar**, atrair, alcançar, angariar, adquirir, conseguir, obter, agenciar, ganhar, lograr 2 **cultivar**, amanhar, lavrar

granjeio *n.m.* 1 **amanho**, cultivo, lavoura 2 **colheita** 3 **ganho**, lucro, proveito, rendimento

granoso *adj.* **granulado**, granuloso

granulação *n.f.* **granulagem**, granalha

granular *adj.2g.* 1 **granuloso**, granoso 2 **granuliforme** ■ *v.* **granar**

grânulo *n.m.* 1 **grãozinho**, granito, grumo 2 **pilulazinha**

granuloso *adj.* 1 **granoso**, granular 2 **áspero**

grão *n.m.* 1 **bago** 2 **glóbulo** 3 **cariopse** 4 BOT. **grão-de-bico**, ervanço, gravanço ■ *adj.* **grande**

grão-de-bico *n.m.* BOT. **gravanço**, ervanço, grão, garavanço, grão-de-cavalo

grasnar *v.* **gralhar**, crocitar, gracitar, corvejar, gruir

grasnido *n.m.* **grasno**, grasnadela, grasnada, grasnar

grasno *n.m.* **grasnido**, grasnada, grasnadela, grasnar

grassar *v.* **alastrar-se**, espalhar-se, difundir-se, divulgar-se, propagar-se, propalar-se, estender-se, espraiar-se, desenvolver-se, parrar-se ≠ **confinar-se**

gratidão *n.f.* **agradecimento**, reconhecimento ≠ **ingratidão**

gratificação *n.f.* **retribuição**, recompensa, bonificação, emolumento, remuneração, agradecimento, sobrepaga, prémio, adiafa, olhamento

gratificante *adj.2g.* **satisfatório**, compensador ≠ **frustrante**

gratificar *v.* **recompensar**, premiar, bonificar, galardoar ≠ **despremiar**, penalizar

grátis *adv.* **gratuitamente**, graciosamente ■ *adj.* **gratuito** ≠ **pago**

grato *adj.* 1 **agradecido**, obrigado, reconhecido, gratífico ≠ **ingrato**, mal-agradecido 2 **agradável**, aprazível, doce, suave ≠ **desagradável**

gratuitamente *adv.* 1 **grátis**, graciosamente 2 **infundadamente**

gratuito *adj.* 1 **grátis**, dado 2 **desinteressado**, espontâneo 3 **infundado** ≠ **fundamentado**, justificado

grau *n.m.* 1 **categoria**, classe, posição, estado, lugar, nível, situação, escalão, graduação 2 **intensidade**, medida, intensão, força, potência, tamanho, grandeza

graúdo *adj.,n.m.* 1 **grande**, grado, desenvolvido, crescido, medrado ≠ **miúdo** 2 **importante**, poderoso, influente

gravação *n.f.* 1 **disco**, cassete, fita 2 **agravo**, agravamento, ofensa, vexame, gravame 3 **inscultura**

gravado *adj.* 1 **cinzelado**, burilado, entalhado 2 **escrito**, impresso, inscrito, registado 3 *fig.* **memorizado**

gravador *n.m.* 1 **magnetofone** 2 **escultor**, cinzelador, entalhador, iconista

gravame *n.m.* 1 **agravo**, agravamento, gravação, ofensa, vexação, vexame 2 **ónus**, encargo 3 *fig.* **opressão**, peso

gravanço *n.m.* BOT. **grão-de-bico**, ervanço, grão

gravar *v.* 1 **esculpir**, entalhar, cinzelar, talhar, lavrar, insculpir 2 **estampar**, imprimir 3 **marcar**, vincar 4 **registar** ≠ **desgravar** 5 **agravar**, onerar, pesar, sobrecarregar 6 **molestar**, ofender, oprimir, vexar 7 **conservar**, perpetuar

gravar-se *v.* **imprimir-se**, incrustar-se

gravata *n.f.* **gonilha**

gravato *n.m.* 1 **cambo**, gancho 2 **graveto**, cavaco, maravalha

grave *adj.2g.* 1 **pesado** 2 **perigoso**, crítico, difícil 3 **duro**, penoso, doloroso, custoso 4 **importante**, sério ≠ **insignificante** 5 **intenso**, profundo 6 sério, circunspecto, reservado, ponderado, refletido **7** lento, vagaroso **8** GRAM. paroxítono **9** MÚS. baixo ≠ alto, aflautado

gravela *n.f.* (vinho) borra

graveto *n.m.* gravato, maravalha, cavaco, garavato, garaveto

gravidade *n.f.* **1** importância, seriedade **2** circunspeção, sisudez, graveza, ponderação, solenidade **3** perigosidade, violência

gravidez *n.f.* gestação, prenhez, geradouro, gravidação, prenhidão, barriga *fig.*, embaraço *col.*, barrigada [BRAS.], geradoiro

grávido *adj.* **1** prenhe **2** *fig.* cheio, repleto, carregado

gravoso *adj.* **1** oneroso **2** vexatório, ofensivo, opressivo

gravura *n.f.* **1** gravadura **2** figura, estampa, ilustração, desenho

graxa *n.f.* **1** *col.* adulação, bajulação **2** *col.* zurrapa **3** [REG.] bebedeira, embriaguez **4** [BRAS.] untura, lubrificante, lubrificador

graxista *n.2g. col.* adulador, bajulador, zumbaieiro, incensador *fig.*

graxo *adj.* gordo, gordurento, gorduroso, oleoso

grazina *adj.2g.* **1** rabugento, ralhador, rezingueiro **2** palrador, tagarela

grazinar *v.* **1** tagarelar, palrar, gralhar *fig.* **2** rabujar, ralhar, resmungar, rezingar

greda *n.f.* argila, barro

gredoso *adj.* cretáceo, cretácico

gregário *adj.* sociável

grego *adj.,n.m.* heleno, argivo *poét.* ■ *adj. fig.* enigmático, obscuro, ininteligível

grelar *v.* desabrochar, germinar, abotoar, rebentar, abrolhar, brotar ≠ mirrar, murchar, fenecer

grelhar *v.* torrar, assar

grelo *n.m.* BOT. rebento, gomo, renovo, broto, olho, rebentão

grémio^AO ou **grêmio**^AO *n.m.* associação, assembleia, coletividade, comunidade, corporação, sociedade

grenha *n.f.* **1** cabeleira, gadelha, guedelha, melena, gaforina, trunfa, farripa, coma **2** (leão) crina, juba, coma **3** bosque, brenha

grés *n.m.* PETROL. arenito

greta *n.f.* fenda, brecha, fresta, friesta, frincha, racha, fissura, arregoa, gretadura, gretamento, talisca, fisga, hiato, resquício, abertura

gretado *adj.* fendido, listrado, estriado, aberto, fissurado, hiulco *poét.*

gretar *v.* fender, rachar, estalar, rasgar, partir, arregoar, gerecer

gretar-se *v.* **1** fender-se, rasgar-se, estalar **2** desconjuntar-se

greve *n.f.* parede

grevista *n.2g.* paredista

grifa *n.f.* garra

grifar *v.* **1** italicizar **2** encaracolar, frisar, engrifar **3** acentuar, sublinhar, salientar

grifo *n.m.* **1** ORNIT. abetarda, brita-ossos, fouveiro **2** enigma ■ *adj.,n.m.* itálico

grilhão *n.m.* **1** grilhagem, ferropeia, grilho **2** *fig.* prisão, cativeiro, algema, sujeição

grilheta *n.f.* calceta, braga

grimpa *n.f.* auge, alto, cimo, cume, pico, topo, píncaro, pináculo, coruto, cocuruto, coruchéu, zingamocho

grimpar *v.* **1** galgar, subir, trepar, escalar **2** altear, elevar, guindar **3** recalcitrar, refilar, respingar

grinalda *n.f.* **1** capela, coroa, festão, estema, guirlanda, guirnalda **2** *fig.* antologia, florilégio, crestomatia

gripado *adj.* engripado

gripe *n.f.* MED. influenza, influença

gris *adj.2g.* cinzento, acinzentado, pardo, pardacento, grisalho, cinzento-azulado, plúmbeo

grisalho *adj.* acinzentado, pardacento, ruço, sal-pimenta, arruçado

grisar *v.* acinzentar, grisalhar

grita *n.f.* berraria, gritada, griteira, gritaria, alarido, algazarra, barulho, berreiro, clamor, rebuliço, açougada, açougagem, vozearia, guinchada

gritante *adj.2g.* **1** chocante, evidente **2** berrante

gritar *v.* **1** berrar, bradar, bramar, bramir, clamar, rugir, vociferar, urrar, vozear, goelar, esgoelar-se ≠ sussurrar, murmurar, bichanar *fig.*, zumbir *fig.* **2** clamar **3** ralhar, protestar, reclamar

gritaria *n.f.* berraria, gritada, griteira, grita, alarido, algazarra, barulho, berreiro, clamor, rebuliço, açougada, açougagem, vozearia, guinchada, gritadeira, griteiro, guinchado, babaréu, touraria

grito *n.m.* berro, brado, bramido, clamor, exclamação, guincho, aulido, ulo, ganido, ai ≠ murmúrio, sussurro, cochicho, bulício

grogue *adj.2g.* **1** *col.* bêbedo, ébrio, embriagado, rezento [REG.] ≠ abstémio, abstinente **2** *col.* titubeante, zonzo, tonto, atordoado, estonteado, cambaleante

groselha *n.f.* BOT. groselheiro, ribésia, groselheira, uva-crespa

groselheira *n.f.* BOT. groselheiro, ribésia, groselha, uva-crespa

groselheiro *n.m.* BOT. groselheira, ribésia, groselha, uva-crespa

grosseiramente *adv.* toscamente, incivilmente, descortesmente, atabalhoadamente, estupidamente, brutalmente, pifiamente ≠ educadamente, polidamente

grosseirão *adj.* 1 **malcriado**, mal-educado, incorreto, incivil ≠ **educado**, correto 2 **imperfeito**, ordinário

grosseiro *adj.* 1 **grosso**, ordinário 2 **tosco**, malfeito, rude, rústico, incompto ≠ **delicado**, fino, afidalgado 3 **mal-educado**, impolido, incivil, indelicado, malcriado, abrutalhado, bronco, bruto, labroscas, lapardo, lapónio *col.*, pastrano, mazorro, saiaguês *fig.* ≠ **educado**, correto 4 **indecoroso**, obsceno, indecente

grosseria *n.f.* 1 **rusticidade** 2 **indelicadeza**, descortesia, impolidez, inurbanidade, brutalidade, bruteza, chamboíce, chavasquice, rudeza, bestice, bestidade, incorreção, indecência, insolência, alarvaria, grosseirismo, grossaria, arrieirada ≠ **delicadeza**, polidez, educação

grossista *n.2g.* **armazenista**, atacadista

grosso *adj.* 1 **volumoso**, corpulento, encorpado ≠ **elegante**, gracioso, delicado 2 **espesso**, denso, encorpado, consistente ≠ **ralo**, raro 3 **abundante**, copioso, numeroso ≠ **escasso**, pouco 4 **grande**, grado, graúdo 5 **grosseiro**, ordinário, rude ≠ **delicado**, fino, educado 6 *col.* **embriagado**, bêbedo, ébrio ≠ **abstémio**, abstinente ■ *adv.* **muito**, consideravelmente

grossura *n.f.* 1 **espessura**, espessidão, crassidão, crassitude, gradeza 2 *col.* **bebedeira**, embriaguez

grotesco *adj.* **caricato**, excêntrico, ridículo, risível, pantafaçudo *fig.*

grua *n.f.* **guindaste**

grudar *v.* 1 **aglutinar**, colar, conglutinar ≠ **desgrudar**, descolar 2 **agarrar**, unir, apegar, pegar ≠ **desgrudar**, desunir

grudar-se *v.* **aderir**, colar-se

grude *n.m.* 1 **cola**, goma [BRAS.] 2 [BRAS.] **briga**, barulho, desordem, motim, sarilho

gruir *v.* **grasnar**, grulhar

grulha *n.2g.* 1 **tagarela**, falador, linguaraz, palrador, palreiro 2 [BRAS.] **animoso**, audacioso, corajoso, valente, destemido, intrépido, valentão ■ *n.m.* **porco**

grulhar *v.* 1 **gruir**, grasnar 2 **tagarelar**, palrar

grumar *v.* **engrumar**, engrumecer, grumecer, coagular, tralhar [REG.]

grumar-se *v.* **engrumar-se**, engrumecer

grumo *n.m.* 1 **grânulo**, grãozinho, granito 2 **coágulo** 3 **novelo**, godilhão

grumoso *adj.* **granuloso**

grunhido *n.m.* **ronco**, roncadela

grunhir *v.* 1 **cuincar**, cuinchar, roncar 2 *fig.* **resmungar**, rezingar

grunho *n.m.* 1 **porco** 2 *pej.* **bronco**, grosseiro

grupo *n.m.* **conjunto**, associação, agregado, agremiação, ajuntamento, bando, clube, equipa, corpo, quadrilha, rancho, sociedade, turma, trupe, morganho [REG.]

gruta *n.f.* **caverna**, antro, algar, cova, covil, lapa, furna, subterrâneo, recôncavo

guapo *adj.* 1 **animoso**, arrojado, corajoso, ousado, valente, destemido 2 **bonito**, airoso, belo, gracioso, elegante, esbelto, garboso

guarda *n.f.* 1 **proteção**, abrigo, amparo, resguardo, cuidado, custódia 2 **vigilância**, vela, guardamento 3 **escolta**, patrulha ■ *n.2g.* 1 **polícia** 2 **vigia**, sentinela, vigilante, guardador 3 **carcereiro**

guarda-chuva *n.m.* **chapéu de chuva**, para-chuva, para-águas

guarda-costas *n.m.2n.* **guardião** *col.*, capanga, sombra, molosso *fig.*, acólito *pej.*, jagunço [BRAS.]

guardado *adj.* 1 **arrecadado** 2 **reservado**, destinado 3 **oculto**

guardador *adj.* 1 **guardião**, defensor, protetor, vigia 2 **poupador**, economizador ≠ **consumidor** *col.*, gastador, estroina, degastador, despendedor, desperdiçador, pródigo, estragadão, largueador, manirroto, alagador *fig.* 3 **avarento**, forreta, ginja 4 **cumpridor**, observador

guarda-fatos *n.m.2n.* **guarda-roupa**, guarda-vestidos, roupeiro, recâmara

guarda-fogo *n.m.* **corta-fogo**, guarda-lume, para-fogo

guarda-lamas *n.m.2n.* **para-lamas**, guarda-lama

guarda-nocturno[aAO] *n.m.* ⇒ **guarda-noturno**[dAO]

guarda-noturno[dAO] *n.m.* **segurança**

guardar *v.* 1 **zelar**, vigiar, velar, proteger 2 **acondicionar**, arrumar 3 **conservar**, preservar 4 **reservar** 5 **encobrir**, ocultar 6 **acatar**, acolher, cumprir, observar, respeitar 7 **encerrar**, conter 8 **pastorear**

guarda-redes *n.2g.2n.* **guardião** [BRAS.], goleiro [BRAS.]

guarda-roupa *n.m.* 1 **guarda-fatos**, guarda-vestidos, roupeiro, recâmara, capeiro *ant.* 2 **indumentária** 3 BOT. **abrótano-fêmea**

guardar-se *v.* 1 **evitar**, abster-se 2 **defender-se**, acautelar-se, precaver-se, prevenir-se 3 **reservar-se**

guarda-sol *n.m.* **chapéu de sol**, para-sol, sombreiro, sombrinha, umbela

guarda-vento *n.m.* **para-vento**, tapa-vento

guarda-vestidos *n.m.2n.* **guarda-fatos**, guarda-roupa, roupeiro, recâmara

guardião *n.m.* 1 **guardador**, defensor, protetor, vigia 2 *col.* **guarda-costas**, capanga, sombra, molosso, jagunço [BRAS.] 3 [BRAS.] **guarda-redes**, goleiro [BRAS.] 4 BOT. **abóbora-do-mato**

guarida *n.f.* 1 **covil**, antro 2 *fig.* **abrigo**, valhacouto, asilo, couto, acolheita, refúgio 3 *fig.* **hospitalidade**, acolhimento, amparo, guarda, acolhida

guarita *n.f.* **atalaia**, vigia, gurita

guarnecer *v.* 1 **fornecer**, abastecer, prover, aprovisionar, fornir, sortir, abastar, munir, municiar, dotar, equipar, guarnir, petrechar, subministrar, supeditar, vitualhar ≠ **desguarnecer**, desprover 2 **fortificar**, fortalecer, reforçar 3 **adornar**, decorar, adereçar, aformosear, ataviar, enfeitar, ornar ≠ **desguarnecer**, desadornar, desenfeitar

guarnecer-se *v.* **abastecer-se**, prover-se, encher-se

guarnecido *adj.* **enfeitado**, decorado, ataviado, recamado ≠ **desguarnecido**, desornado

guarnição *n.f.* 1 **adorno**, ornamento, enfeite, ornato 2 **jaezes** 3 CUL. **acompanhamento** 4 **cercadura**, bordadura, ourela, friso, rodeamento, tarja, bainha, orla

guatemalteco *adj.,n.m.* **guatemalense**

guedelha *n.f.* 1 **trunfa**, gaforina, grenha, caraminhola, gadelha, grinfa, gadelho 2 **madeixa**, melena, gadelha, monete

guelra *n.f.* ZOOL. **brânquia**

guerra *n.f.* 1 **luta**, combate, batalha, peleja, conflito, contenda, discórdia, conflagração, campanha *fig.* ≠ **paz**, harmonia 2 **oposição** 3 **concorrência**, competição

guerrear *v.* 1 **batalhar**, combater, disputar, lutar, militar, pelejar, hostilizar 2 **opor-se**, pugnar

guerreiro *adj.* 1 **bélico**, marcial 2 **belicoso**, combativo, aguerrido, animoso, mavórcio ≠ **pacífico**, pacifista ■ *n.m.* **combatente**, militar, soldado, lutador, pelejador, guerreador

guerrilha *n.f.* 1 **escaramuça** 2 **horda** ■ *n.m.* **guerrilheiro**

guerrilheiro *n.m.* **guerrilha**

gueto *n.m.* **isolamento**, marginalização, segregação, ghetto

guia *n.f.* 1 **direção**, orientação, guiamento 2 **salvo-conduto** ■ *n.2g.* 1 **conselheiro**, orientador 2 **cicerone**, palinuro ■ *n.m.* **roteiro**

guiador *n.m.* 1 **volante** 2 (bicicleta) **guidão**

guião *n.m.* 1 **bandeira**, estandarte, pendão 2 **porta-bandeira** 3 CIN. **argumento** 4 ORNIT. **tourão-do-mato**, urra-boi

guiar *v.* 1 **encaminhar**, conduzir, levar 2 (veículo) **conduzir**, dirigir 3 **dirigir**, orientar, nortear, feitorizar, temonar *fig.* ≠ **desorientar**, desnortear 4 **amparar**, socorrer

guiar-se *v.* 1 **conduzir-se**, dirigir-se, encaminhar-se 2 **regular-se**, orientar-se

guilhotinar *v.* **decapitar**

guina *n.f.* **vontade**, apetite, desejo, gana

guinada *n.f.* (dor) **pontada**, fisgada, agulhada, aguilhoada

guinar *v.* NÁUT. **bordejar**, voltear

guinchar *v.* 1 **chiar**, ganir, coinchar, grunhir 2 **berrar**, gritar, bradar

guincho *n.m.* 1 **chio** 2 **berro**, grito, ganido 3 **guindaste** 4 ORNIT. **pedreiro**, gaivão, águia-pesqueira 5 ORNIT. **garrincho**, gagosa, garragina, mascateira

guindar *v.* **erguer**, içar, levantar, alçar, elevar, hastear

guindar-se *v.* **elevar-se**, alçar-se, içar-se, subir, torrejar

guindaste *n.m.* 1 **guincho**, grua, cabra, cábrea 2 [REG.] **cegonha**, burra

guineense *adj.,n.2g.* **guinéu**

guinéu *adj.,n.m.* **guineense**

guisa *n.f.* **maneira**, feição, feitio, forma, jeito, laia, modo

guisado *n.m.* CUL. **refogado**

guisar *v.* 1 CUL. **refogar** 2 **preparar**, aprontar, arranjar 3 *ant.* **ajudar**, auxiliar

guita *n.f.* 1 **atilho**, barbante, cordel, baraço, fio, mialhar, torgalho 2 *col.* **dinheiro**, guines *col.*, numo, patacaria, jimbo [BRAS.]

guitarra *n.f.* 1 **viola**, violão [BRAS.] 2 ORNIT. **peixe-anjo**, rabeca, viola

guitarrista *n.2g.* **guitarreiro**

guizalhar *v.* **cascavelar**

guizo *n.m.* 1 **guizalho**, cascavel 2 ORNIT. **pedreiro**

gula *n.f.* **voracidade**, glutonaria, glutonia, alarvaria, edacidade, gargantoíce, lambugem, avidez, intemperança, sofreguidão

gulodice *n.f.* 1 **guloseima**, lambarice, gulosice, gulosina, acepipe, iguaria, doce, petisco, lambeta, lambisco, chicha *col.*, pitéu *col.*, gulherite [REG.], gulheritice [REG.] 2 **glutonaria**, gula, intemperança, sofreguidão, voracidade

guloseima *n.f.* **gulodice**, lambarice, gulosice, gulosina, acepipe, iguaria, doce, petisco, lambeta, chicha *col.*, pitéu *col.*, gulapa [REG.], gostosura [BRAS.]

gulosice *n.f.* 1 **gulodice**, lambarice, guloseima, gulosina, acepipe, iguaria, doce, petisco, lambeta, chicha *col.*, pitéu *col.* 2 **glutonaria**, gula, intemperança, sofreguidão, voracidade

guloso *adj.,n.m.* 1 **glutão**, lambareiro, comilão, lambão, gulheriteiro [REG.], petiscador 2 *fig.* **ansioso**, ávido, cobiçoso, desejoso, sôfrego

gume *n.m.* 1 **fio**, az, aço 2 *fig.* **agudeza**, perspicácia, sagacidade, finura

gusano *n.m.* ZOOL. **busano**, estro

gustação *n.f.* 1 **degustação**, prova 2 **paladar**, sabor

gustativo *adj.* **gustatório**

guta *n.f.* **goma-guta**

gutural *v.* **velar**

H

hábil *adj.2g.* **1 competente**, capaz, apto ≠ **inapto**, incapaz, inabilitado **2 destro**, desembaraçado, desenvolto, despachado, ligeiro, ágil, manipresto ≠ **desajeitado**, inabilidoso, aselha, abécula *pej.* **3 arguto**, engenhoso, astuto, sagaz ≠ **desastrado**, estúpido, infeliz

habilidade *n.f.* **1 aptidão**, capacidade, inteligência, competência, idoneidade, talento, habilitação ≠ **incompetência**, incapacidade, inaptidão **2 engenho**, talento, inteligência, jeito ≠ **desajeitamento** **3 subtileza**, agudeza, argúcia, manha **4 tendência**

habilidoso *adj.* **destro**, desembaraçado, desenvolto, despachado, ligeiro, ágil, hábil ≠ **desajeitado**, trapalhão ■ *n.m.* **1 engenhoso** **2 espertalhão**, finório, matreiro, raposeiro

habilitação *n.f.* **1 aptidão**, capacidade, inteligência, competência, idoneidade, talento, habilidade ≠ **incompetência**, incapacidade, inaptidão, inabilitação **2 qualificação**, credenciação

habilitado *adj.* **1 apto**, capaz, inteligente, competente, idóneo, talentoso, hábil ≠ **incompetente**, incapacaz, inapto **2 qualificado**, credenciado

habilitar *v.* **1 capacitar**, credenciar ≠ **desabilitar**, inabilitar **2 preparar**, dispor **3 lecionar** **4 autorizar**

habilmente *adv.* **1 engenhosamente**, destramente, habilidosamente, astutamente, industriosamente, talentosamente ≠ **desajeitadamente**, inabilmente **2 sagazmente**, inteligentemente, habilidosamente, astuciosamente ≠ **desajeitadamente**

habitação *n.f.* **edifício**, prédio, residência, vivenda, casa, lar, domicílio, fogo, moradia, teto *fig.*

habitacional *adj.2g.* **residencial**

habitáculo *n.m.* **cubículo**

habitado *adj.* **ocupado**, povoado ≠ **desocupado**, despovoado

habitante *adj.,n.2g.* **residente**, ocupante, morador, íncola

habitar *v.* **1 morar**, residir, ocupar ≠ **desabitar**, desocupar, inabitar **2 ocupar**, povoar ≠ **despovoar**, desocupar **3 frequentar**

habitat *n.m.* **meio**

hábito *n.m.* **1 rotina**, automatismo, continuação, habituação, prática, costume **2 uso**, costume, tradição, tendência ≠ **desuso**, desábito, infrequência **3 aspeto**, aparência, figura, vulto

habituação *n.f.* **1 rotina**, automatismo, continuação, hábito, prática, costume **2** MED. **dependência**

habituado *adj.* **acostumado**, afeito, adaptado ≠ **desacostumado**, desabituado, inacostumado

habitual *adj.2g.* **1 comum**, conhecido, trivial, banal, vulgar, ordinário ≠ **extraordinário**, excecional, raro **2 corriqueiro**, frequente, usual, rotineiro, comum, regular ≠ **desabituado**, infrequente, irregular

habitualmente *adv.* **1 geralmente**, normalmente, usualmente ≠ **excecionalmente**, acidentalmente **2 costumadamente**, frequentemente, regularmente ≠ **raramente**

habituar *v.* **acostumar**, afazer, avezar, usar, amoldar, familiarizar ≠ **desacostumar**, desabituar

habituar-se *v.* **acostumar-se**, familiarizar-se, adaptar-se, afazer-se, vezar-se

hálito *n.m.* **1 bafo**, alento, respiração, bafagem, sopro, assopro, bafejo, fôlego, baforada, anélito **2 exalação**, cheiro **3** *poét.* **sopro**, aragem

halo *n.m.* **1 auréola**, áurea, nimbo **2** *fig.* **esplendor**, brilho, glória, honra

hangar *n.m.* **barracão**, trapiche

harém *n.m.* **serralho**

harmonia *n.f.* **1 proporção**, simetria, ordem, disposição, euritmia ≠ **desproporção**, assimetria **2 congruência**, coerência, conformidade, acordo, lógica, concordância, coesão, uniformidade, consonância, maridança *fig.* ≠ **incoerência**, desarmonia, desconcordância, discrepância, inarmonia, inconsonância **3 paz**, concórdia, entendimento ≠ **desarmonia**, desentendimento **4** (música) **consonância**, assonância ≠ **desarmonia**, dissonância, desafinação

harmónica[AO] ou **harmônica**[AO] *n.f.* **1** MÚS. **marimba** **2** MÚS. **gaita de beiços** **3** MÚS. **concertina**

harmónico[AO] ou **harmônico**[AO] *adj.* **1 consonante** ≠ **dissonante**, desarmónico, discordante, inconsonante, malsoante **2 proporcionado**, regular, coerente, harmonioso, coeso, concorde, condizente ≠ **desarmónico**, dissonante

harmonioso *adj.* **1 consonante** ≠ **dissonante**, desarmónico, discordante, ábsono **2 proporcionado**, regular, coerente, coeso, concorde, condizente ≠ **desarmónico**, dissonante **3 melodioso**, canoro, módulo, musical, sonoro ≠ **dissonante**, desarmonioso, desequilibrado

harmonização *n.f.* **concordância**, concertação, conciliação, acordo, harmonia, lógica, conformidade, uniformidade, consonância, sintoniza-

ção, sincretização ≠ **desacordo**, desarmonização, discordância, discrepância, inconciliação
harmonizador *adj.,n.m.* **conciliador**, pacificador, concertador, apaziguador, aplacador, congraçador, aquietador ≠ **desarmonizador**, desconcertador, desinquietador *col.*
harmonizar *v.* **1** **consonar**, afinar ≠ **desafinar**, destoar, dissonar, desarmonizar **2** **conciliar**, compatibilizar, conformar, adaptar, coadunar, sinfonizar, compor *fig.* ≠ **desarmonizar**, desconformar, desadaptar
harmonizar-se *v.* **conformar-se**, acomodar-se, combinar, condizer, concertar-se, conciliar-se, concordar, uniformizar-se, betar-se *fig.*
harmonizável *adj.2g.* **compatível**, conciliável, comportável, coadunável ≠ **incompatível**, inconciliável, inconjugável
harpa *n.f.* **1** MÚS. **ugabe** *ant.* **2** *fig.* **poesia**
hasta *n.f.* **1** **lança**, dardo, pique **2** **leilão**, almoeda, arrematação, praça
haste *n.f.* **1** **fuste** **2** (náutica) **mastro**, pau, vergôntea **3** BOT. **pedúnculo**, pé, caule, estípite, espique, súrculo, estipe **4** BOT. **vergôntea** **5** ZOOL. **chifre**, chavelho, corno, gaipa, gaita *col.*, guampa [BRAS.]
hasteado *adj.* **içado**, arvorado, guindado
hastear *v.* **içar**, arvorar, guindar, desfraldar, erguer, alçar, levantar, elevar ≠ **descer**, baixar
havano *adj.,n.m.* **havanês**
haver *v.* **1** **ter**, possuir **2** **adquirir**, obter, conseguir, alcançar, tomar **3** **considerar**, julgar, achar, entender **4** **existir** **5** **acontecer**, passar-se, decorrer, suceder, dar-se ■ *n.m.* **1** (na escrituração comercial) **crédito**, há-de-haver **2** [*pl.*] **bens**, fortuna, posses, capital, riqueza, pecúlio, propriedades
haver-se *v.* **1** **proceder**, comportar-se, portar-se **2** **lidar**, entender-se, avir-se **3** **sair-se**
haxixe *n.m.* **maconha**
hebdomadário *adj.* **semanal** ■ *n.m.* **semanário**
hebraico *adj.,n.m.* **israelita**, judaico, hebreu, semítico
hecatombe *n.f.* **1** **sacrifício**, carnificina, mortandade, matança, morticínio **2** *fig.* **devastação**, desastre, catástrofe, sinistro, desgraça, catacilsmo, infestação
hediondez *n.f.* **1** **asquerosidade**, sordidez, repugnância, abominação **2** **fealdade**, feiura ≠ **beleza**, formusura, boniteza, pulcritude
hediondo *adj.* **1** **repugnante**, nojento, asqueroso, desagradável ≠ **agradável**, aprazível **2** **sórdido**, depravado, indecente ≠ **decente**, decoroso **3** **imundo**, sujo, encardido, porcalhão, sebáceo, sórdido, porco *pej.*, badalhoco *pej.*, cacoso [REG.] ≠ **limpo**, asseado, esmerado, decente, desencardido, higiénico, imaculado, lavado, nítido **4** **feio**, horrível, desgracioso, disforme ≠ **bonito**, estético, lindo, formoso
hedonismo *n.m.* **cirenaísmo**
hegemonia *n.f.* **supremacia**, preponderância, primazia, domínio, preeminência, superioridade
hegemónico[AO] ou **hegemônico**[AO] *adj.* **preponderante**, dominante, superior, preeminente
hégira *n.f. fig.* **fuga**, evasão, retirada, escape
helénico[AO] ou **helênico**[AO] *adj.,n.m.* **grego**, heleno
helenismo *n.m.* **grecismo**
helenizar *v.* **grecizar**
heleno *adj.,n.m.* **grego**, helénico
hélice *n.f.* **espiral**, voluta, rosca ■ *n.m./f.* ANAT. **hélix** *ant.*
helicoidal *adj.2g.* **espiralado**, helicoide
helicoide[dAO] *adj.2g.* **espiralado**, helicoidal
helicóide[aAO] *adj.2g.* ⇒ **helicoide**[dAO]
helicóptero *n.m.* **autogiro**, giroplano
heliogravura *n.f.* **fotogravura**
helmintíase *n.f.* MED. **verminose**, vérmina
helvético *adj.,n.m.* **suíço**
hematite *n.f.* MIN. **oligisto**
hematose *n.f.* FISIOL. **sanguificação**, arterialização
hemiciclo *n.m.* **semicírculo**
hemiplegia *n.f.* MED. **hemiplexia**
hemisfério *n.m.* **semiesfera**
hemorragia *n.f.* **sangramento**, sanguechuva
hemorroida[dAO] *n.f.* MED. **almorreima** *col.*, almorroida, escuras [REG.]
hemorróida[aAO] *n.f.* ⇒ **hemorroida**[dAO]
hepático *adj.* **figadal**, jecorário, hepatal
hepatite *n.f.* MED. **figadeira** *col.*
heptassílabo *adj.,n.m.* GRAM., LIT. **septissílabo**
hera *n.f.* BOT. **hédera** [REG.], aradeira [REG.]
heráldica *n.f.* **armaria**, blasonaria, brasão
herança *n.f.* **1** **espólio**, herdo **2** *fig.* **legado**, transmissão, deixa, herdança *pej.*
herbanário *n.m.* **ervanário**, herborista
herbário *n.m.* **ervário**, fitoteca
herbívoro *adj.* **graminívoro**
hercúleo *adj.* **1** **herculano** **2** **possante**, forte, robusto, encorpado, corpulento ≠ **débil**, fraco **3** **valente**, corajoso, forte, intrépido, destemido, brioso, denodado, esforçado, valoroso ≠ **cobarde**, medroso, poltrão, pusilânime, mariquinhas *col.*
herdade *n.f.* **fazenda**, prédio, terra, monte [REG.]
herdar *v.* **legar**, deixar, transmitir ≠ **deserdar**
herdeiro *n.m.* **1** **herdador** **2** **sucessor**, descendente, epígono, progénito **3** **legatário**, sucessor
hereditariedade *n.f.* **sucessão**, transmissão
hereditário *adj.* **sucessório**, transmissível

herege *adj.,n.2g.* 1 blasfemador, blasfemo, renegador ≠ adorador, venerador, devoto 2 *col.,pej.* ímpio, ateu, irreligioso, cético, profano

heresia *n.f.* 1 blasfémia, impiedade, sacrilégio 2 *fig.* absurdo, disparate, contrassenso, sem-razão

herético *adj.,n.m.* ateu *pej.*, irreligioso, cético, profano, herege *col.,pej.*

hermafroditismo *n.m.* BIOL. androginia ≠ gonocorismo, unissexualismo

hermenêutica *n.f.* exegese, interpretação

hermético *adj.* 1 obscuro *fig.*, complicado, desentendível, desconhecível, incompreensível, confuso, críptico *fig.*, indelineável *fig.* ≠ entendível, claro, compreensivo 2 alquímico

hermínio *adj. fig.* áspero, selvagem, bravio, rude

hérnia *n.f.* MED. quebradura, rutura, rotura, rendimento *col.*

herniado *adj.* hernioso, quebrado, rendido *col.*

herói *n.m.* 1 valente ≠ cobarde, poltrão 2 indígete, semideus 3 CIN., LIT. protagonista

heroicidade *n.f.* façanha, proeza, valentia *fig.*

heroico[dAO] *adj.* 1 epopeico, homérico *fig.*, épico *fig.* 2 ousado, valente, corajoso, audaz, destemido, arrojado, afoito, bravo, intrépido ≠ cobarde, medroso, medricas, cagarola *col.* 3 enérgico, ativo, diligente, empreendedor, vigoroso ≠ cansado, indolente, lasso, fraco

heróico[aAO] *adj.* ⇒ **heroico**[dAO]

heroificar *v.* celebrar, glorificar, exaltar, engrandecer, heroicizar ≠ desprezar, desvalorizar, menosprezar, desconsiderar

heroína *n.f.* 1 CIN., LIT. protagonista 2 FARM., QUÍM. cavalo *gír.*

heroísmo *n.m.* 1 coragem, intrepidez, ousadia, denodo, audácia, arrojo, afoiteza, ânimo, destemor, valentia, valor, atrevimento, brio, ardimento, desassombro, desembaraço, determinação, destemidez, esforço, galhardia, bravura, resolução, alma *fig.*, decisão *fig.*, estômago *fig.*, fígado *fig.* ≠ temor, covardia, medo, pânico, fraqueza, timidez 2 magnanimidade, generosidade

herpes *n.m.2n.* MED. dartro, brotoeja, cobrelo *col.*

herpético *adj.* dartroso

hesitação *n.f.* 1 dúvida, indecisão, incerteza, dilema, meias-medidas ≠ certeza, firmeza, segurança, crença 2 perplexidade, embaraço, perturbação

hesitante *adj.2g.* indeciso, vacilante, claudicante, duvidoso, incerto, irresoluto, perplexo ≠ determinado, certo, decidido, resoluto

hesitar *v.* duvidar, vacilar, oscilar, titubear, balançar *fig.*, claudicar *fig.*, marombar, bambar ≠ decidir, determinar, deliberar

heteróclito *adj.* 1 *fig.* irregular ≠ regular 2 *fig.* extravagante, excêntrico, singular, bizarro, estranho ≠ normal, vulgar, comum

heterodoxia *n.f.* ≠ ortodoxia

heterodoxo *adj.,n.m.* ≠ ortodoxo

heterogeneidade *n.f.* dissemelhança, diversidade, diferença ≠ homogeneidade, semelhança

heterogéneo[AO] ou **heterogêneo**[AO] *adj.* dissemelhante, diverso, diferente ≠ homogéneo, semelhante

heteronomia *n.f.* ≠ autonomia

hexagonal *adj.2g.* sexangulado, hexágono, sexangular, sexângulo

hexâmetro *adj.,n.m.* LIT. senário

hialurgia *n.f.* vidraria

hiato *n.m.* 1 fenda, abertura, greta, brecha, frincha, racha 2 *fig.* intervalo, interrupção, pausa, suspensão ≠ continuação, prolongação 3 *fig.* falha, lacuna, buraco, omissão, deficiência 4 GRAM. diérese

hibernação *n.f.* BOT. hiemação

hibridismo *n.m.* 1 hibridez, hibridade ≠ puro 2 GRAM. barbarolexia

híbrido *adj.* BIOL. bartardo, ambígeno ≠ puro

hidrângea *n.f.* BOT. hortênsia, hidranja

hidroavião *n.m.* AERON. hidroplano

hidrófilo *adj.* 1 passento 2 ECOL. higrófilo

hidrofobia *n.f.* (designação imprópria da doença) raiva, danação

hidrófobo *adj.,n.m.* raivoso, danado, derrancado, rábico

hidrografia *n.f.* geidrografia

hidromel *n.m.* (bebida) água-mel, mulso

hidroplano *n.m.* AERON. hidroavião, hidroaeroplano

hierarquia *n.f.* escala, classificação, categoria, posição, pirâmide *fig.*

hierarquizar *v.* ordenar, classificar, categorizar, organizar ≠ desordenar, baralhar, confundir

hierático *adj.* religioso, sagrado

hieroglífico *adj.* 1 codificado, cifrado ≠ descodificado, decifrado 2 *fig.* confuso, obscuro, incompreensível, complicado, desentendível, desconhecível ≠ entendível, claro, compreensivo 3 *fig.* misterioso, enigmático, hermético, obscuro, oculto, secreto ≠ revelado, descoberto, evidente

hieróglifo *n.m.* 1 *fig.* gatafunho, rabiscos, jeróglifo 2 *fig.* enigma, mistério, incógnita, segredo, jeróglifo

hífen *n.m.* GRAM. tirete, traço de união

higiene *n.f.* 1 sanidade, salubridade 2 asseio, limpeza, saneamento ≠ imundície, sujidade, porcaria, bodeguice 3 precaução, prevenção

higiénico[AO] ou **higiênico**[AO] *adj.* 1 saudável, sadio, salubre, salutar ≠ prejudicial, nocivo 2

limpo, asseado, decente ≠ **porcaria**, imundo, sujo
higienista *adj.,n.2g.* MED. **sanitarista**
hilariante *adj.2g.* **divertido**, cómico, engraçado, jocoso ≠ **aborrecido**, enfadonho, fastidioso
hilariar *v.* **alegrar**, divertir, contentar ≠ **aborrecer**, entediar, maçar
hilaridade *n.f.* **1 gargalhada**, risada **2 alegria**, divertimento, folguedo ≠ **aborrecimento**, tédio
hindu *adj.,n.2g.* **indiano**
hinduísta *adj.,n.2g.* **hindu**
hino *n.m.* **1 canção**, cântico, cantiga, canto, ária, cantar, trova, motete **2** *fig.* **louvor**, elogio, panegírico
hipérbole *n.f.* (figura de estilo) **auxese**, espanholada, exageração, exagero
hiperbólico *adj.* **exagerado**, excessivo, amplificado, enfático, hipertrófico *fig.*
hiper-humano *adj.* **sobre-humano**
hipericão *n.m.* BOT. **mijadeira**, androsemo, hipérico, milfurada
hipertensão *n.f.* MED. **hiperpiese**, hipertonia *ant.*
hipertrofia *n.f.* MED. **hiperplasia**, hipergenesia
hípico *adj.* **equino**, equídeo, cavalar
hipismo *n.m.* DESP. **equitação**, cavalaria, picaria
hipnose *n.f.* **1 hipnopatia 2** *fig.* **torpor**, entorpecimento, inação, paralisia ≠ **desentorpecimento**, atividade
hipnotizar *v.* **1 acalmar**, dominar, adormecer, resserenar **2** *fig.* **fascinar**, magnetizar, mesmerizar, enfeitiçar
hipocondria *n.f.* **tristeza**, melancolia, misantropia, atrabile
hipocondríaco *adj.* **melancólico**, tristonho, macambúzio, sorumbático, misantrópico, atrabiliário
hipocrisia *n.f.* **falsidade**, dissimulação, fingimento, impostura, mendacidade, meias-tintas, refalsamento, tartufice, duplicidade *fig.*, jacobice *fig.*, jesuitismo *fig.,pej.* ≠ **honestidade**, verdade, sinceridade
hipócrita *adj.,n.2g.* **fingido**, falso, traiçoeiro, dúplice, enganador, bifronte, velhaco, mendaz, tartufista, santinho *fig.*, histrião *fig.*, ilusor, jacobeu *fig.* ≠ **honesto**, verdadeiro, correto
hipocritamente *adv.* **falsamente**, dissimuladamente, mentirosamente, velhacamente
hipodérmico *adj.* **subcutâneo**, intercutâneo
hiponímia *n.f.* LING. **subordinação**
hipopótamo *n.m.* **1** ZOOL. **cavalo-marinho**, zovo *ant.* **2** *fig.* **gordo**, baleia *pej.* ≠ **palito** *fig.*
hipoteca *n.f.* **empenhamento**, penhor, caução, garantia
hipotecar *v.* **penhorar**, empenhar, obrigar ≠ **desipotecar**
hipotensão *n.f.* MED. **hipopiese**, hipotonia ≠ **hipertensão**, hiperpiese, hipertonia *ant.*
hipotermia *n.f.* MED. **crimoterapia**, crioterapia ≠ **hipertermia**
hipótese *n.f.* **presunção**, suposição, pressuposto, conjetura, suspeita, cálculo *fig.*
hipotético *adj.* **1 suposto**, presumível, pressuposto **2 duvidoso**, incerto ≠ **certo**, seguro
hipotonia *n.f.* MED. **hipotensão**, hipopiese ≠ **hipertonia** *ant.*, hipertensão, hiperpiese
hirsuto *adj.* **eriçado**, cerdoso, áspero, hirto, ouriçado, híspido, intonso ≠ **macio**, suave, brando
hirto *adj.* **1 teso**, inteiriçado, rígido, ereto, duro, eriçado, espetado, retesado ≠ **flexível**, mole, frouxo, verguio, vergonteado *fig.* **2 eriçado**, cerdoso, áspero, hirsuto, ouriçado ≠ **macio**, suave, brando **3 imóvel**, parado, estacado ≠ **móvel**
hispalense *adj.2g.* **hispálico**, sevilhano
hispânico *adj.,n.m.* **espanhol**
hispano *adj.,n.m.* **espanhol**
histérico *adj.* **desequilibrado**, descontrolado, excitado, louco ≠ **sereno**, tranquilo, calmo
história *n.f.* **1 anais**, cronografia, crónica, cronologia **2 narrativa**, conto **3 biografia**, vida
historiador *n.m.* **1 cronista**, cronógrafo, historiógrafo **2 narrador**, contador
historial *n.m.* **história**
historiar *v.* **1 contar**, enarrar, relatar, descrever **2** *col.* **adornar**, enfeitar, alindar, ornamentar, ornar, decorar ≠ **desadornar**, desenfeitar, desornar
historicamente *adv.* **tradicionalmente** ≠ **recentemente**, presentemente
historicidade *n.f.* **autenticidade**, veracidade ≠ **inautenticidade**
histórico *adj.* **1 autêntico**, verdadeiro, verídico, real ≠ **inautêntico**, falso, mítico **2 importante**, memorável
historieta *n.f.* **1 conto**, fábula, conteco **2 anedota**, chiste, laracha *col.*, piada *fig.* **3 patranha**, mentira, peta, conto, galga *col.*, batata *col.*
historiógrafo *n.m.* **cronista**, cronógrafo, historiador
histrião *n.m.* **1 bufão**, jogral, palhaço, polichinelo, truão, bobo *fig.*, arlequim *fig.* **2** *fig.* **hipócrita**, fingido, falso, traiçoeiro, enganador, velhaco ≠ **honesto**, verdadeiro, correto **3** *fig.* **charlatão**, burlão, intrujão, falso, lograror, embusteiro, impostor, invencioneiro ≠ **honesto**, justo
histriónico[AO] ou **histriônico**[AO] *adj.* **cómico**, engraçado, burlesco
hitleriano *adj.,n.m.* **nazista**, nazi

hodiernamente *adv.* **atualmente**, presentemente, recentemente, modernamente, hoje ≠ **antigamente**, outrora, dantes
hodierno *adj.* **atual**, contemporâneo, moderno, recente ≠ **passado**, antiquado, inatual
hoje *adv.* **atualmente**, presentemente, recentemente, modernamente, hodiernamente ≠ **antigamente**, outrora, dantes
holandês *adj.,n.m.* **neerlandês**
holiganismo *n.m.* **vandalismo**
holocausto *n.m.* **1 chacina**, carnificina, carniça, cevadura, carnagem, morticínio, mortandade, matança, sangueira, charqueada ≠ **salvamento 2** *fig.* **sacrifício**, imolação, expiação **3** *fig.* **renúncia**, abnegação, sacrifício, desapego ≠ **egoísmo**, ambição, apego
holofote *n.m.* **projetor**, foco
homem *n.m.* **1 senhor 2 varão 3 indivíduo**, sujeito, criatura **4** (com maiúscula) **humanidade 5** *col.* **marido**, esposo, companheiro, amante ≠ **mulher** *col.*, esposa, companheira
homenagear *v.* **consagrar**, preitear, venerar, glorificar ≠ **desprezar**, desconsiderar
homenagem *n.f.* **1** HIST. **vassalagem**, preito, obediência **2 comemoração**, consagração, glória, honra, tributo
homenzinho *n.m.* **1 homúnculo**, pilrete, pigmeu, mirmidão **2** *pej.* **homúnculo**, zé-ninguém, pigmeu *fig.*, janistroques *col.*, alfarricoque *col.*, jagodes *col.*
homeopatia *n.f.* ≠ **alopatia**
homérico *adj.* **1 grandioso**, extraordinário, fantástico **2** *fig.* **epopeico**, heroico, épico *fig.* **3** *fig.* **enorme**, colossal ≠ **pequenino**, diminuto, impercebível, infinitésimo **4** *fig.* (riso) **estrepitoso**, estrondoso, retumbante
homicida *adj.,n.2g.* **assassino**, matador, sega-vidas, matante
homicídio *n.m.* **assassínio**, assassinato, morte
homilia *n.f.* **1 prática**, prédica, pregação **2** *col.,pej.* **sermão**, preleção
homogeneidade *n.f.* **1 uniformidade** ≠ **diversidade**, variedade, multiplicidade **2 semelhança**, identidade, analogia, parecença, paralelismo *fig.* ≠ **diferença**, diversidade, heterogeneidade
homogeneização *n.f.* **uniformização** ≠ **diversificação**, variação, multiplicação
homogeneizar *v.* **uniformizar** ≠ **diversificar**, variar, multiplicar
homogéneo[AO] ou **homogêneo**[AO] *adj.* **1 uniforme**, homótono ≠ **diverso**, variado **2 análogo**, idêntico, semelhante, parecido, paralelo, correspondente, similar ≠ **diferente**, dissimilar, heterogéneo
homologação *n.f.* **1 confirmação**, corroboração, comprovação, aprovação, ratificação, sanção ≠ **negação**, refutação, contestação **2** DIR. **pena**
homologado *adj.* **ratificado**, confirmado, corroborado, comprovado, aprovado ≠ **negado**, refutado, contestado, objetado
homologar *v.* **aprovar**, confirmar, corroborar, comprovar, ratificar, sancionar ≠ **negar**, refutar, contestar
homólogo *adj.* **equivalente**, correspondente, análogo, similar ≠ **diferente**, dissimilar
homónimo[AO] ou **homônimo**[AO] *adj.,n.m.* **tocaio** [REG.], xará [BRAS.]
homossexual *adj.,n.2g.* **1** (homem) **gay** *col.*, guei *col.*, maricas *cal.*, pederasta *pej.*, bicha *pej.*, fanchono *pej.*, paneleiro *col.,pej.*, invertido *col.,pej.*, panasca *col.,pej.*, larilas *col.,pej.*, puto [BRAS.] *vulg.*, veado [BRAS.] *pej.,vulg.*, boiola [BRAS.] *pej.,vulg.* ≠ **heterossexual 2** (mulher) **lésbica**, lésbia, lesbiana, safista, tríbade, fufa *cal.,pej.*, boleira *col.*, paraíba [BRAS.] ≠ **heterossexual**
homossexualidade *n.f.* **1** (homem, mulher) **inversão** *pej.*, fanchonice *pej.,vulg.*, fanchonismo *pej.,vulg.* ≠ **heterossexualidade 2** (homem) **uranismo**, pederastia *pej.* ≠ **heterossexualidade 3** (mulher) **lesbianismo**, safismo, tribadismo, tribadia ≠ **heterossexualidade**
honestidade *n.f.* **1 seriedade**, probidade, retidão, honradez ≠ **desonestidade**, falsidade, sonsa **2 lealdade**, sinceridade, fidelidade ≠ **deslealdade**, infidelidade **3** *ant.* **decoro**, compostura, recato, modéstia
honestizar *v.* **1 coonestar 2 adornar**, enfeitar, ataviar, decorar, ornamentar, aparamentar, embelezar
honesto *adj.* **1 sincero**, verdadeiro, franco, direito ≠ **mentiroso**, batoteiro, falso, aldrabão, falacioso, trampista, trapolas, aldrabeiro, aldraveiro, alanzoeiro, sapateiro *pej.*, aldrúbio [REG.], fistor [REG.] **2 honrado**, íntegro, sério, correto ≠ **indigno**, corrupto **3 leal**, fiel, confiável ≠ **desleal**, infiel **4** *ant.* **decente**, casto, virtuoso, honrado ≠ **indecente**, indigno
honor *n.m. ant.* **honra**
honorabilidade *n.f.* **integridade**, retidão, probidade, respeitabilidade, honradez ≠ **ignobilidade**, vileza
honorário *adj.* **honorífico**, titular ■ *n.m.pl.* **remuneração**, ordenado, vencimento, salário, pagamento, retribuição, paga, gratificação, provento, emolumentos
honorificar *v.* **distinguir**, dignificar, agraciar, condecorar, enobrecer ≠ **desenobrecer**, aviltar, desonrar
honorífico *adj.* **1 honorável**, honroso, dignificante **2 honorário**, titular

honra *n.f.* 1 **dignidade**, seriedade, retidão, honestidade, probidade ≠ **desonra**, indignidade, verecúndia, sordície 2 **graça**, distinção, privilégio, atenção ≠ **desonra** 3 **glória**, fama, esplendor, grandeza ≠ **desonra**, desmérito 4 *ant.* **virgindade**, pureza, pudicícia, inocência, castidade, cabaço *fig.,vulg.* 5 [*pl.*] **honraria**, distinção

honrado *adj.* 1 **honesto**, probo, digno, íntegro, reto ≠ **indigno**, desonesto 2 **respeitado**, venerado, estimado, considerado ≠ **desprezado**, desrespeitado 3 *ant.* **decente**, casto, virtuoso, honesto ≠ **indecente**, indigno

honrar *v.* 1 **agraciar**, medalhar, galardoar, premiar, condecorar 2 **enobrecer**, glorificar, dignificar, elevar ≠ **desonrar**, desvalorizar, rebaixar 3 **respeitar**, venerar, reverenciar, considerar, estimar, acatar ≠ **desconsiderar**, desacatar, desprezar 4 **obsequiar**, agradar

honraria *n.f.* 1 (título honorífico) **dignidade** 2 **distinção**, honras

honrar-se *v.* 1 **enobrecer-se**, glorificar-se, engrandecer-se 2 **orgulhar-se**, ufanar-se, gloriar-se

honroso *adj.* 1 **dignificante**, honorável, honorífico ≠ **desonroso**, humilhoso 2 **decente**, decoroso, digno, honesto, airoso ≠ **desairoso**, indecoroso, indecente, vituperioso

hora *n.f.* 1 **ocasião** 2 **horário** 3 **oportunidade**, ensejo, azo, ocasião, chance, momento, aberta, campo *fig.* 4 **época**, séculos ≠ **instante**, minuto

horário *n.m.* **hora**

horda *n.f.* **caterva**, chusma, corja, malta, récua *fig.,pej.*

horizontal *adj.2g.* 1 **deitado**, estendido, jacente, estirado ≠ **direito**, vertical, ereto 2 **nivelado**, aplanado ≠ **vertical**, perpendicular, ortógono

horizonte *n.m.* 1 **perspetiva** 2 *fig.* **futuro**

horóscopo *n.m.* 1 ASTROL. **mapa astrológico** 2 **predição**, vaticinação, vaticínio, prognóstico

horrendo *adj.* 1 **terrível**, horripilante, terrífico, aterrador, horrorífico ≠ **agradável**, aprazível 2 **feio**, desengraçado, desformoso, desagradável, horroroso, hediondo, ingracioso ≠ **bonito**, formoso

horripilante *adj.2g.* 1 **terrível**, horrendo, terrífico, aterrador ≠ **agradável**, aprazível 2 **horrendo**, horroroso, hediondo, desengraçado, desformoso, desagradável ≠ **bonito**, formoso

horripilar *v.* 1 **arrepiar**, arriçar, ouriçar 2 **horrorizar**, aterrorizar, amedrontar, assustar, terrificar

horrível *adj.2g.* 1 **terrível**, terrífico, horrendo, aterrador, terríbil *ant.* ≠ **agradável**, aprazível 2 **horrendo**, horroroso, hediondo, desengraçado, desformoso, desagradável ≠ **bonito**, formoso 3 **péssimo**, execrável ≠ **ótimo**, adorável 4 **insuportável**, intolerável, detestável ≠ **suportável**, tolerável

horror *n.m.* 1 **medo**, pavor, temor, terror, receio 2 **aversão**, repulsa, nojo, desagrado, abominação, detestação, execração ≠ **prazer**, gosto, atração 3 [*pl.*] **tormentos**, calamidades, barbaridades

horrorizado *adj.* 1 **aterrorizado**, estarrecido, horripilado 2 **apavorado**, assustado, amedrontado, atemorizado

horrorizar *v.* 1 **aterrorizar**, estarrecer, horripilar 2 **apavorar**, assustar, amedrontar, atemorizar 3 **repugnar**, repulsar, enojar, desagradar, abominar, detestar, execrar ≠ **apreciar**, gostar

horroroso *adj.* 1 **terrível**, horrendo, terrífico, aterrador ≠ **agradável**, aprazível 2 **horrendo**, horripilante, hediondo, desengraçado, desformoso, desagradável ≠ **bonito**, formoso 3 **tremendo**, medonho, pavoroso 4 **maldoso**, cruel ≠ **bondoso**, generoso 5 **insuportável**, intolerável, detestável, horrível ≠ **suportável**, tolerável

hortaliça *n.f.* **verdura**, legume

hortelão *n.m.* 1 **horticultor**, quintaleiro 2 ORNIT. **hortulana**, sombria-brava, nil

hortense *adj.* **hortícola**

hortênsia *n.f.* BOT. **hidrângea**, hidranja, granja, novelos [REG.], novelão [REG.], noveleira [REG.]

hortícola *adj.2g.* **hortense**

horticultor *n.m.* **hortelão**, quintaleiro

hospedagem *n.f.* 1 **hospedaria**, alojamento, aposento, acomodação 2 **hospitalidade**, acolhimento, xénia, guarida *fig.*

hospedar *v.* **acolher**, abrigar, alojar, acomodar, agasalhar, receber, albergar, aposentar *ant.*

hospedaria *n.f.* **hospedagem**, alojamento, aposento, acomodação, estalagem, albergue, poisadia

hospedar-se *v.* **alojar-se**, albergar-se, instalar-se

hóspede *n.2g.* **peregrino** ■ *adj.2g.* 1 **alheio**, estranho 2 *fig.* **leigo**, ignorante ≠ **culto**, conhecedor, lustrado *fig.* 3 **frequentador**, habitante

hospedeiro *adj.* 1 **acolhedor**, hospitaleiro 2 **afável**, agradável ≠ **desagradável**, intratável ■ *n.m.* **estalajadeiro**, hospitaleiro

hospício *n.m.* 1 **manicómio** 2 **asilo**, abrigo, albergaria

hospital *n.m.* **nosocómio**

hospitaleiro *adj.* 1 **acolhedor**, hospedeiro, agasalhadeiro 2 **obsequiador**, convidador, servidor *fig.* 3 **caritativo**, virtuoso, benevolente, humanitário, samaritano *fig.* ≠ **desumano**, malévolo, malicioso ■ *n.m.* **estalajadeiro**, hospedeiro

hospitalidade *n.f.* **hospedagem**, acolhimento, xénia, guarida *fig.*

hospitalizar *v.* **admitir**, internar

hoste *n.f.* 1 **tropa**, exército, soldados, tarimba *fig.* 2 *fig.* **multidão**, magote, chusma, caterva, tropa, ajuntamento, formigueiro, catrefada, coluvião, enxame, esquadrão, exército

hóstia *n.f.* 1 RELIG. **Eucaristia**, pão, pão angélico, partícula, sacramento, Santíssimo, Senhor 2 RELIG. **holocausto**, vítima, sacrifício

hostil *adj.2g.* 1 **adverso**, inimigo, contrário, oposto, oponente ≠ **favorável**, concordante 2 **pernicioso**, prejudicial, nocivo ≠ **bom**, benéfico 3 **agressivo**, ameaçador, desagradável, rompente ≠ **amável**, meigo, aprazível

hostilidade *n.f.* 1 **agressividade**, brutalidade, virulência *fig.* ≠ **amabilidade**, meiguice, aprazibilidade 2 **inimizade**, rivalidade, antagonismo ≠ **cooperação**, cumplicidade 3 **oposição**, incompatibilidade, conflito ≠ **compatibilidade**, conciliabilidade

hostilizar *v.* 1 **opor-se** 2 **combater**, guerrear, pelejar, batalhar, brigar, certar, lutar, lidar, pugnar, pelear ≠ **pacificar** 3 **prejudicar**, lesar, afetar, danar ≠ **beneficiar**, melhorar

hotel *n.m.* **hospedaria**, hospedagem, estalagem, albergue, pousada

hoteleiro *n.m.* **estalajadeiro**, hospedeiro

hulha *n.f.* **carvão**

humanamente *adv.* **compassivamente**, caritativamente, bondosamente ≠ **inumanamente**

humanar *v.* 1 **transumanar**, humanizar ≠ **desumanizar**, coisificar 2 **humanizar**, amansar ≠ **desumanizar**, desapiedar, empedernir *fig.*

humanar-se *v.* **humanizar-se**, civilizar-se, sociabilizar-se, amenizar-se

humanidade *n.f.* 1 **gente**, mortais, Homem 2 *fig.* **benevolência**, clemência, compaixão, generosidade, afeição, bondade, sensibilidade ≠ **desumanidade**, malevolência, crueza, atrocidade, despiedade, inumanidade, impiedade, algozaria, barbaridade, barbarismo *fig.*, imanidade *fig.*, sadismo *fig.*, tiranismo *fig.*

humanitário *adj.* 1 **filantrópico**, altruísta 2 **compassivo**, bondoso, caritativo, clemente, misericordioso, humano ≠ **desumano**, desalmado, desapiedado ▪ *n.m.* **filantropo**, altruísta, benfeitor, humanitarista ≠ **egoísta**, interesseiro, calculista, comodista *pej.*

humanitarismo *n.m.* **filantropia**, altruísmo ≠ **egoísmo**, calculismo

humanizado *adj.* **compreensivo**, complacente, tolerante, indulgente, condescendente ≠ **cruel**, malévolo, desumano

humanizar *v.* 1 **transumanar**, humanar ≠ **desumanizar**, coisificar 2 **sociabilizar** ≠ **desumanizar**, desapiedar-se, despiedar-se, empedernir *fig.*

humanizar-se *v.* **humanar-se**, civilizar-se, sociabilizar-se, amenizar-se ≠ **abarbarar-se**, abarbarizar-se

humano *adj.* **compassivo**, bondoso, caritativo, piedoso, misericordioso, clemente ≠ **desumano**, desalmado, desapiedado ▪ *n.m.pl.* **homens**, mortais, viventes, gente

humedecer *v.* **humidificar**, humectar, rociar, irrorar, lentar, lubrificar, molhar, regar, rebentar, umar [REG.] ≠ **secar**, enxugar

humidade *n.f.* **orvalho**, zimbro, relento, rocio, humor

húmido *adj.* **aquático**, molhado, ensopado, órido *poét.*, humente, úvido *ant.* ≠ **seco**

humildade *n.f.* 1 **simplicidade**, simpleza, modéstia, singeleza, singelez, obscuridade *fig.* ≠ **altivez**, arrogância, soberba, soberbia, orgulho, jactanciosidade, jactância, altania, altanaria, fúfia, pimponice, elação, solenidade, arreganho, entono, imperiosidade, entonação, cachaço *col.*, pesporrência *col.*, soberania *fig.*, pescoço *fig.*, inchação *fig.*, império *fig.*, potra [BRAS.], chinfra [BRAS.] *col.* 2 **submissão**, respeito, consideração, deferência, acatamento ≠ **desrespeito**, desacato, insubordinação, desconsideração 3 **pobreza**, modéstia ≠ **faustosidade**, riqueza

humilde *adj.2g.* 1 **simples**, modesto, singelo, obscuro *fig.* ≠ **altivo**, arrogante, soberbo, orgulhoso, enfatuado, indómito, petulante, pimpão, rompante, imperioso, minaz, altanado *fig.*, arrebitado *fig.*, encristado *fig.*, soberano *fig.*, sobranceiro *fig.*, ventoso *fig.*, repetenado 2 **submisso**, respeitoso, considerativo, deferente ≠ **desrespeitoso**, insubordinado 3 **pobre**, modesto ≠ **faustoso**, rico 4 **medíocre**, reles, simples ≠ **distinto**, ilustre, abalizado, eminente *fig.* ▪ *n.2g.* **pobre**, mendigo, pelintra ≠ **rico**, possidente, ricalhouço *col.*, capitalista *fig.*

humildemente *adv.* 1 **simplesmente**, modestamente, humildosamente ≠ **altivamente**, arrogantemente, soberbamente, orgulhosamente, imperialmente, assomadamente 2 **submissamente**, respeitosamente, deferentemente, atenciosamente ≠ **desrespeitosamente**, insubordinadamente 3 **pobremente**, modestamente ≠ **faustosamente**, ricamente

humilhação *n.f.* 1 **rebaixamento**, menosprezo, aviltamento, desvalorização, prosternamento, depreciação *fig.*, minimização *fig.* ≠ **consideração**, engrandecimento 2 **vergonha**, vexame, desonra, descrédito, constrangimento, infamação, vergonhaço ≠ **mérito**, honra 3 **acatamento**, submissão, sujeição, obtemperação, obediência ≠ **desacato**, desobediência

humilhante *adj.2g.* 1 **rebaixador**, menosprezante, aviltante, desvalorizante, depreciativo, abaixante *fig.* ≠ **considerativo**, engrandecedor 2 **acabrunhador**, vexatório, vergonhoso

humilhar *v.* 1 **rebaixar**, depreciar, desconsiderar, desvaliar, menoscabar, menosprezar, aviltar, apoucar, diminuir ≠ **valorizar**, estimar, considerar

2 vexar, confranger, oprimir, espezinhar *fig.*, acalcanhar *fig.*, esmigalhar *fig.*, pisotear *fig.* ≠ **prestigiar**, estimar, considerar, valorizar, venerar, acatar

humilhar-se *v.* **1 rebaixar-se**, ajoelhar-se *fig.*, rastejar *fig.*, curvar-se *fig.*, prostrar-se *fig.*, prosternar-se *fig.*, abaixar-se *fig.*, acapachar-se, deprimir-se **2 render-se**, submeter-se, sujeitar-se, acapachar-se **3 humildar-se**

humo *n.m.* **terriço**, húmus

humor *n.m.* **1 orvalho**, zimbro, relento, rocio, humidade **2 comicidade**, humorismo, graça, espírito ≠ **sisudez**, seriedade **3 índole**, carácter, natureza, temperamento, vocação, compleição, cariz

humorismo *n.m.* **comicidade**, humor, graça, espírito ≠ **sisudez**, seriedade

humorista *n.m.* **comediante**, cómico, histrião ≠ **dramático** ■ *adj.2g.* **1 cómico**, anedótico, risível, caricato, humorístico ≠ **sério**, grave, sisudo **2 irónico**, satírico, sarcástico, cáustico, mordaz, cínico ≠ **sério**, reservado, grave

humorístico *adj.* **1 cómico**, anedótico, risível, caricato, humorista, engraçado ≠ **sério**, grave, sisudo **2 irónico**, satírico, sarcástico, cáustico, mordaz, cínico ≠ **sério**, reservado, grave

húmus *n.m.* **terriço**, humo

húngaro *adj.,n.m.* **magiar**

I

ianque *adj.,n.2g.* **norte-americano**
ião *n.m.* **íon** [BRAS.], ionte [BRAS.], iônio [BRAS.]
içar *v.* **erguer**, levantar, elevar, alçar, guindar, subir, hastear, arvorar, alar, sobalçar ≠ **baixar**, descer
içar-se *v.* **elevar-se**, alçar-se, guindar-se, subir
icónicoAO ou **icônico**AO *adj.* **icástico**
icteríciaAO ou **iterícia**AO *n.f.* MED. **trízia** *col.*, triz *col.*
ida *n.f.* **1 partida**, abalo, abalada, retirada, saída, debandada, abaladura, abalamento ≠ **vinda 2 jornada**, viagem **3 fiada**, série
idade *n.f.* **1 anos 2 época**, tempo, era, quadra **3 duração 4 velhice 5 ocasião**, momento
ideação *n.f.* **conceção**, idealização, imaginação
ideal *adj.2g.* **1 imaginário**, quimérico, sonhado, fantástico ≠ **real**, material **2 perfeito**, pleno, absoluto ≠ **imperfeito 3 exemplar**, modelar ■ *n.m.* **1 aspiração**, objetivo **2 sonho**, fantasia **3 perfeição**, sublimidade
idealismo *n.m.* **devaneio**, utopia, imaginação, quimera, sonho, romancice *pej.* ≠ **realismo**, materialismo
idealista *adj.,n.2g.* **sonhador**, imaginoso, fantasiador, imaginante ≠ **realista**, prático
idealização *n.f.* **1 conceção 2 imaginação**, devaneio, fantasia
idealizar *v.* **1 fantasiar**, imaginar, idear, devanear, quimerizar **2 conceber**, idear, planear, projetar, planejar **3 divinizar**, poetizar
idear *v.* **1 conceber**, idealizar, planear, projetar, planejar **2 fantasiar**, imaginar, idealizar, devanear
ideável *adj.2g.* **concebível**, imaginável
ideia *n.f.* **1 noção**, conceito **2 opinião**, parecer **3 plano**, propósito, desígnio **4 pensamento**, mente **5 descoberta**, invenção **6 imaginação**, invenção
identicamente *adv.* **1 igualmente** ≠ **diferentemente**, diversamente **2 analogamente**, comparavelmente, semelhantemente ≠ **diferentemente**, diversamente
idêntico *adj.* **1 igual** ≠ **desigual**, diferente, diverso **2 análogo**, parecido, semelhante ≠ **diferente**, diverso
identidade *n.f.* **1 igualdade**, paridade ≠ **desigualdade**, diferença, imparidade **2 semelhança**, analogia, parecença, conformidade, homose, homogenesia ≠ **diferença**, dissemelhança
identificação *n.f.* **reconhecimento**, recognição
identificar *v.* **1 reconhecer 2 nomear**
identificar-se *v.* **1 apresentar-se 2 fundir-se**, confundir-se, reunir-se, unir-se **3 conformar-se**, ajustar-se **4 reconhecer-se**
ideográfico *adj.* **ideogramático**
idílico *adj.* **1 bucólico**, pastoril **2 madrigálico**, madrigalesco
idílio *n.m.* **1** LIT. **bucólica**, écloga, pastoral **2** *fig.* **sonho**, devaneio, fantasia, ilusão, quimera, utopia
idioma *n.m.* **língua**, falar
idiossincrasia *n.f.* **temperamento**
idiota *adj.,n.2g.* **1 pateta**, tonto, tolo, parvo, obtuso, estúpido, mentecapto, néscio, imbecil, cretino, calino, asno, inepto, palonço, paspalhão, tanso, lerdaço, acéfalo *fig.* ≠ **esperto**, inteligente **2 vaidoso**, pretensioso ≠ **modesto**, humilde, simples
idiotia *n.f.* **parvoíce**, tolice, idiotice, estupidez, idiotismo, imbecilidade, palermice, patetice, cretinismo, tarouquice, zotismo ≠ **inteligência**, sensatez
idiotice *n.f.* **parvoíce**, tolice, idiotia, estupidez, idiotismo, imbecilidade, palermice, patetice, cretinismo, parvalhice, tarouquice ≠ **inteligência**, sensatez
idiotismo *n.m.* **1 parvoíce**, tolice, idiotice, estupidez, idiotia, imbecilidade, palermice, patetice, cretinismo, tarouquice, idiotez, leseira [BRAS.] ≠ **inteligência**, sensatez **2 idiomatismo**
idólatra *adj.,n.2g.* **1 pagão**, gentio, gentílico, gentilício **2** *fig.* **apreciador**, entusiasta, fã, admirador, tiete [BRAS.] *col.*
idolatrar *v.* **adorar**, venerar, amar ≠ **odiar**, detestar, execrar
idolatria *n.f.* **adoração**, veneração, culto, paixão ≠ **ódio**, aversão
idoneidade *n.f.* **aptidão**, capacidade, competência, habilitação
idóneoAO ou **idôneo**AO *adj.* **1 conveniente**, adequado, apropriado ≠ **inidóneo**, inadequado, impróprio **2 capaz**, competente, apto ≠ **inidóneo**, incompetente
idoso *adj.* **velho**, anoso, provecto, anciano, sénior ≠ **jovem**, novo
ignaro *adj.* **1 ignorante**, inculto, desconhecedor, iliterato, ínscio **2 bronco**, estúpido, parvo, idiota
ígneo *adj.* **abrasado**, ardente, inflamado
ignição *n.f.* **ignescência**, alumagem

ignóbil *adj.2g.* **baixo**, reles, vil, desprezível, sórdido, indigno, vergonhoso, abjeto, lançadiço *col.*, merdoso *vulg.* ≠ **digno**, elevado, nobre

ignomínia *n.f.* **infâmia**, opróbrio, desonra, afronta, vergonha, descrédito, enxovalho, mácula ≠ **honra**, dignidade

ignominiar *v.* **infamar**, desonrar, vituperar, deslustrar ≠ **honrar**, exaltar

ignominioso *adj.* **desonroso**, vergonhoso, vexatório, infamante, abjeto, afrontoso ≠ **honroso**, dignificante, enaltecedor

ignorado *adj.* 1 **desconhecido**, ignoto, incógnito, insondado, inexplicado, insuspeitado ≠ **conhecido**, sabido 2 **obscuro**, apagado

ignorância *n.f.* 1 **desconhecimento**, insciência, insipiência, ignoração, cegueira *fig.*, escuridão *fig.*, noite *fig.*, jejum *fig.* ≠ **conhecimento** 2 **apedeutismo**, incultura, analfabetismo, obscurantismo, iletrismo ≠ **instrução**, sabedoria 3 **grosseria**, incivilidade, rudeza ≠ **delicadeza**, polidez, educação 4 **inocência**, ingenuidade

ignorante *adj.,n.2g.* 1 **desconhecedor**, insciente, insipiente, cego *fig.*, escuridão *fig.* ≠ **conhecedor** 2 **inculto**, iletrado, ignaro, indouto, analfabeto ≠ **instruído**, culto, sábio 3 **boçal**, obtuso, rude, grosseiro ≠ **educado**, polido 4 **inocente**, ingénuo, puro

ignorar *v.* 1 **desconhecer**, dessaber ≠ **conhecer**, saber 2 **desatender**, desconsiderar ≠ **atender**, considerar 3 *col.* **estranhar**

ignoto *adj.* 1 **desconhecido**, ignorado, incógnito ≠ **conhecido**, sabido 2 **obscuro**, apagado ▪ *n.m.* **desconhecido**

igreja *n.f.* 1 **templo**, abadia, basílica, presbitério, gangarina 2 **cristandade**, catolicismo 3 **clero**, clerezia, padralhada *pej.*, padraria *pej.*

igrejinha *n.f.* 1 **capela**, capelinha, ermida, igrejola, igrejório, grejó 2 **conluio**, conspiração, maquinação, intriga, conciliábulo, conchavo, tramoia *col.*, trama *col.*

igual *adj.2g.* 1 **idêntico**, equivalente ≠ **desigual**, diferente, diverso 2 **inalterável**, uniforme, constante, estável ≠ **desigual**, inconstante, instável 3 **plano**, liso ≠ **desigual**

igualação *n.f.* **equiparação**, igualização, nivelamento, igualamento ≠ **diferenciação**, gastrulação

igualar *v.* 1 **irmanar**, agermanar, ugar [REG.] ≠ **desigualar** 2 **alisar**, aplanar, rasar, achanar, alhanar ≠ **desigualar**, encrespar, desnivelar 3 **empatar** 4 **equiparar**, ombrear, nivelar

igualar-se *v.* 1 **equiparar-se**, ombrear, comparar-se, assemelhar-se 2 **empatar**

igualável *adj.2g.* **equiparável**

igualdade *n.f.* 1 **identidade**, paridade, igualança *ant.* ≠ **desigualdade**, diferença 2 **correspondência**, respondência 3 **empate**

igualização *n.f.* **equiparação**, igualação, nivelamento, igualamento ≠ **diferenciação**

igualmente *adv.* 1 **identicamente** ≠ **diferentemente**, diversamente 2 **também** 3 **tal-qualmente**, equitativamente

iguaria *n.f.* **aperitivo**, petisco, pitéu *col.*, acepipe, guloseima, gulodice, prato, pratinho, quitute [BRAS.], alfitete *fig.*, ujica [BRAS.]

ilação *n.f.* **conclusão**, dedução, inferência

ilativo *adj.* **conclusivo**, dedutivo

ilegal *adj.2g.* **ilegítimo**, ilícito ≠ **legal**, lícito, legítimo

ilegalidade *n.f.* **ilegitimidade**, ilicitude ≠ **legalidade**, legitimidade, licitude

ilegitimidade *n.f.* 1 **ilegalidade**, ilicitude ≠ **legitimidade**, legalidade, licitude 2 **bastardia** ≠ **legitimidade**

ilegítimo *adj.* 1 **ilegal**, ilícito, inconstitucional ≠ **legal**, lícito, legítimo 2 **injustificado**, infundado ≠ **justificado**, fundado 3 **bastardo**, natural, ganhadiço ≠ **legítimo**

ilegível *adj.2g.* **incompreensível**, indecifrável ≠ **legível**, compreensível

ileso *adj.* **intacto**, inteiro, salvo, são, incólume, invulnerado ≠ **leso**, ferido

iletrado *adj.,n.m.* **inculto**, ignorante, ignaro, indouto, analfabeto ≠ **instruído**, culto, sábio

ilha *n.f.* **ínsula**

ilhar *v.* **isolar**, insular, separar

ilharga *n.f.* 1 **flanco**, ilhal, esguelhão, lado 2 *fig.* **apoio**, esteio 3 **protetor**

ilhéu *adj.* **insular** ▪ *n.m.* **ilhazinha**, ilhota, ilheta, ilhote, ínsua

ilhó *n.m./f.* **aro**, anilho

ilhota *n.f.* **ilhazinha**, ilhéu, ilheta, ilhote, ínsua

ilíaco *adj.* **troiano**

ilibação *n.f.* **reabilitação**

ilibar *v.* 1 **purificar**, depurar 2 **isentar** ≠ **condenar** 3 **reabilitar**, justificar

ilícito *adj.* **ilegal**, ilegítimo ≠ **legal**, lícito, legítimo

ilicitude *n.f.* **ilegalidade**, ilegitimidade ≠ **legalidade**, legitimidade, licitude

ilidir *v.* **rebater**, refutar, confutar

ilidível *adj.2g.* **refutável**, rebatível

ilimitado *adj.* 1 **total**, absoluto ≠ **limitado**, restrito 2 **infindo**, infinito, intérmino, imenso ≠ **limitado**, finito

ilimitável *adj.2g.* **imenso**, incomensurável, infinito ≠ **limitável**

ilíquido *adj.* 1 **bruto**, global ≠ **líquido** 2 *fig.* **complicado**, confuso

ilógico *adj.* **absurdo**, contraditório, incoerente, irracional, disparatado ≠ **lógico**, coerente, racional

ilogismo *n.m.* **absurdo**, disparate

iludir *v.* 1 **enganar**, lograr, ludibriar, embair, embustear, endrominar, encravar, defraudar, falcatruar, engrampar, fraudar, aldrabar, embaçar, fintar, bigodear, engrolar, imposturar, embarrilar *col.*, embrulhar *fig.*, enrascar *fig.*, empandeirar *fig.*, carambolar *fig.*, capear *fig.*, engazupar *col.*, mamar *col.*, engrazular [REG.], embromar [BRAS.], sacanear [BRAS.] ≠ **desenganar**, desiludir 2 **baldar**, frustrar 3 **disfarçar**, suavizar, aliviar, dissimular

iludir-se *v.* **enganar-se**

iludível *adj.2g.* **enganoso**, ilusório ≠ **iniludível**

iluminação *n.f.* 1 **alumiação**, alumiamento 2 **claridade**, luz, luminária 3 **ilustração**, esclarecimento, clarificação 4 **inspiração**, rasgo

iluminado *adj.* 1 **alumiado** ≠ **desiluminado**, escuro, lôbrego 2 **brilhante**, luminoso 3 **instruído**, esclarecido, ilustrado 4 **inspirado** ■ *n.m.* 1 **visionário**, vidente 2 **iluminista**

iluminante *adj.2g.* 1 **iluminativo** 2 **esclarecedor**

iluminar *v.* 1 **alumiar**, aclarar, clarejar, desofuscar, farolizar, desobscurecer ≠ **escurecer**, obscurecer, lobregar 2 **abrilhantar**, alegrar 3 **esclarecer**, clarificar 4 **inspirar** 5 **aconselhar**

ilusão *n.f.* 1 **erro**, engano ≠ **desilusão**, desengano 2 **logro**, fraude, delusão 3 **quimera**, sonho, fantasia, devaneio

ilusionismo *n.m.* **prestidigitação**, magia

ilusionista *n.2g.* **prestidigitador**, mágico

ilusoriamente *adv.* 1 **enganosamente**, falsamente, vãmente, falazmente 2 **quimericamente**

ilusório *adj.* 1 **aparente**, enganador, enganoso, iludente 2 **falacioso**, falaz, falso, vão 3 **irrealizável**, quimérico, utópico ≠ **real**, certo

ilustração *n.f.* 1 **instrução**, erudição, sabedoria, saber, cultura, ciência, iluminação ≠ **desconhecimento**, ignorância 2 **explicação**, esclarecimento, dilucidação 3 **desenho**, estampa, gravura 4 **celebridade**, glória, renome, conspicuidade, realce, nobreza

ilustrado *adj.* 1 **erudito**, letrado, sabedor, sábio, culto, multisciente ≠ **ignorante**, inculto 2 **exemplificado**, demonstrado ≠ **indemonstrado**

ilustrador *adj.* **explicativo**, exemplificativo, ilustrativo, esclarecedor ■ *adj.,n.m.* **desenhador**, desenhista

ilustrar *v.* 1 **abrilhantar**, afamar, afidalgar, engrandecer, enobrecer, glorificar, honrar, iluminar, instruir, nobilitar, realçar 2 **ensinar**, instruir 3 **elucidar**, esclarecer, clarificar, explicar, exemplificar, aclarar

ilustrar-se *v.* 1 **esclarecer-se**, informar-se, instruir-se 2 **engrandecer-se**, celebrizar-se, notabilizar-se, glorificar-se ≠ **desilustrar-se**

ilustrativo *adj.* **elucidativo**, esclarecedor, exemplificativo

ilustre *adj.2g.* 1 **eminente**, insigne, célebre, distinto, notável, famoso, conhecido ≠ **desconhecido**, ignorado 2 **fidalgo**, nobre

imã *n.m.* **imame**, imamo

imaculado *adj.* 1 **limpo** ≠ **sujo**, maculado 2 **cândido**, inocente, puro, imareado ≠ **maculado**

imagem *n.f.* 1 **espelho**, reflexo, representação 2 **semelhança**, parecença 3 **reminiscência**, revivescência, lembrança 4 **aspeto**, aparência 5 **metáfora**, alegoria, símbolo 6 **cópia**, reprodução, réplica

imaginação *n.f.* 1 **conceção**, idealização, ideação 2 **invenção**, criação 3 **fantasia**, devaneio, imaginativa, idealidade 4 **superstição**

imaginar *v.* 1 **idear**, idealizar, conceber 2 **conjeturar**, supor 3 **inventar**, criar 4 **crer**, julgar, pensar, presumir 5 **avaliar**, calcular, quantiar

imaginária *n.f.* **estatuária**

imaginário *adj.* **irreal**, utópico, inventado, quimérico, sonhado, fantástico, imaginativo, imaginoso ≠ **real**, efetivo, verdadeiro ■ *n.m. ant.* **escultor**

imaginar-se *v.* 1 **julgar-se**, supor-se, reputar-se 2 **antojar-se**

imaginativa *n.f.* **fantasia**, devaneio, imaginação

imaginativo *adj.* 1 **fantasioso**, fantasista 2 **criativo**, engenhoso, imaginoso 3 **apreensivo**, cismático

imaginável *adj.2g.* **concebível**, conjeturável, crível, pensável, possível, presumível ≠ **inimaginável**, inconcebível

imaginoso *adj.* 1 **criativo**, engenhoso, imaginativo 2 **fabuloso**, fantasioso, fantástico, imaginativo ≠ **real**, verdadeiro 3 **inverosímil** ≠ **verosímil**

íman *n.m.* 1 **magnete** 2 *fig.* **atrativo**

imanar *v.* **magnetizar**, imanizar ≠ **desimanar**, desmagnetizar

imanência *n.f.* **inerência** ≠ **transcendência**

imanente *adj.2g.* 1 **inerente** ≠ **transcendente** 2 **permanente**, constante, perdurável ≠ **transitório**

imarcescível *adj.2g.* **incorruptível**, imperecível, inalterável, inextinguível ≠ **marcescível**, perecível

imaterial *adj.2g.* 1 **incorpóreo**, impalpável, insubstancial ≠ **material**, corpóreo, palpável 2 **espiritual**, sobrenatural ≠ **material**

imaterialidade *n.f.* **espiritualidade**, incorporalidade ≠ **materialidade**

imaterializar *v.* **espiritualizar** ≠ **materializar**

imaturidade *n.f.* **prematuridade**, precocidade ≠ **maturidade**

imaturo *adj.* **precoce**, prematuro, antecipado ≠ **maduro**, maturo

imbatível *adj.2g.* **invencível**

imbecil *adj.* **pateta**, tonto, tolo, parvo, obtuso, estúpido, mentecapto, néscio, idiota, cretino, calino, asno, inepto, palonço, paspalhão, tanso, parvoeirão, parvajão, acéfalo *fig.* ≠ **esperto**, inteligente

imbecilidade *n.f.* **parvoíce**, tolice, idiotia, estupidez, idiotismo, idiotice, palermice, patetice, cretinismo, tarouquice, oligopsiquia ≠ **inteligência**, sensatez

imbecilizar *v.* **aparvalhar**, cretinizar, enlorpecer, estultificar, idiotizar

imberbe *adj.2g.* **1 desbarbado**, lampinho, glabro, pelado, rapado, calvo ≠ **barbado**, peludo, piloso **2 jovem**, moço, novo, rapaz

imbróglio *n.m.* **embrulhada**, confusão, trapalhada, complicação, enredo, alhada, embrolho, mistifório, algaraviada, salgalhada *col.*

imbuir *v.* **1 embeber**, impregnar, empapar, embeberar, repassar, abeberar *fig.* **2 incutir**, infundir, impregnar, arreigar, arraigar

imediação *n.f.* **1 proximidade**, contiguidade, aproximação **2** [*pl.*] **vizinhanças**, cercanias, arredores

imediatamente *adv.* **1 logo**, agora, já, depressa, prontamente, instantaneamente **2 consecutivamente**, seguidamente **3 diretamente**

imediato *adj.* **1 direto** ≠ **mediato 2 contíguo**, próximo, chegado, pegado, unido, junto, chegante **3 seguido 4 rápido**, instantâneo **5 seguinte**, consecutivo, subsequente ■ *n.m.* **subchefe**, subcomandante

imemorável *adj.2g.* **imemorial**, antiquíssimo, imemoriável ≠ **memorável**, memoriável

imemorial *adj.2g.* **imemorável**, antiquíssimo, imemoriável ≠ **memorável**, memoriável

imensamente *adv.* **muitíssimo**, grandemente, sobremaneira, extraordinariamente, consideravelmente, desmesuradamente, desmedidamente, massivamente ≠ **pouquíssimo**

imensidão *n.f.* **1 infinidade**, ilimitação ≠ **finitude**, pequenez **2 enormidade**, vastidão, incomensurabilidade, imensurabilidade, pélago *fig.* ≠ **mensurabilidade**, comensurabilidade

imenso *adj.* **1 inúmero**, infindo, incomensurável, infinito, ilimitado, desmedido, interminável, imensurável, ilimitável, inumerável ≠ **finito**, limitado **2 enorme**, vasto, numeroso, amplíssimo, extensíssimo, vastíssimo, descomunal, numerosíssimo, gigante, colossal ≠ **pequeno**, ínfimo **3 excessivo**, demasiado, sobejo

imensurabilidade *n.f.* **incomensurabilidade**, imensidão ≠ **mensurabilidade**, comensurabilidade

imensurável *adj.2g.* **incomensurável**, imenso, desmedido ≠ **mensurável**, comensurável

imerecido *adj.* **imérito**, indevido, injusto ≠ **merecido**, devido, justo

imergente *adj.2g.* **mergulhante** ≠ **emergente**

imergir *v.* **1 afundar**, submergir, mergulhar ≠ **emergir 2 penetrar**, entrar, meter **3 lançar**, engolfar, mergulhar

imérito *adj.* **imerecido**, indevido, injusto ≠ **merecido**, devido, justo

imersão *n.f.* **mergulho**, submersão, imergência, afundamento ≠ **emersão**

imersível *adj.2g.* **mergulhável**, submersível, afundável

imerso *adj.* **1 imergido**, submergido, submerso, afundado, mergulhado ≠ **emerso 2** *fig.* **absorto**, abstrato, concentrado, introverso

imigração *n.f.* ≠ **emigração**

imigrado *adj.,n.m.* **imigrante** ≠ **emigrado**, emigrante

imigrante *adj.,n.2g.* **imigrado** ≠ **emigrante**, emigrado

iminência *n.f.* **proximidade**, aproximação, ameaça ≠ **afastamento**

iminente *adj.2g.* **próximo**, prestes, sobranceiro ≠ **longínquo**, remoto

imiscuir-se *v.* **1 intrometer-se**, envolver-se, ingerir-se, interferir **2 misturar-se**

imitação *n.f.* **1 reprodução**, representação, cópia, decalque **2 arremedo**, macaqueação **3 falsificação**, contrafação

imitador *adj.* **imitante**, imitativo ■ *n.m.* **mimólogo**

imitante *adj.2g.* **1 imitador**, imitativo **2 parecido**, semelhante

imitar *v.* **1 copiar**, reproduzir, repetir, representar, fantochar **2 falsificar**, contrafazer, plagiar, adulterar **3 arremedar**, remedar, parodiar **4 assemelhar-se**, lembrar

imitável *adj.2g.* **copiável**, reproduzível ≠ **inimitável**, excecional, singular

imitir *v.* **1 introduzir**, meter, penetrar **2 investir**

imo *n.m.* **âmago**, íntimo, centro ■ *adj.* **intrínseco**, profundo, interno

imobilidade *n.f.* **1 inércia**, inatividade, fixidez, estagnação, estacionamento, ponto-morto *fig.* ≠ **mobilidade 2 parálise**, acinesia **3 estabilidade 4 impassibilidade**, imperturbabilidade

imobilização *n.f.* **1 fixação**, estabilização, paralisação, estagnação, estacionamento **2 indisponibilidade**

imobilizado *adj.* **1 fixo**, estático **2 paralisado**

imobilizar *v.* 1 **fixar**, blocar ≠ **mobilizar** 2 **estacionar**, reter, estancar, empatar 3 **paralisar**, petrificar
imobilizar-se *v.* **parar**, estacar, estacionar, acarrar ≠ **balouçar-se**, balançar-se
imoderado *adj.* **exagerado**, excessivo, descomedido, intemperado ≠ **controlado**, comedido, policiado
imodéstia *n.f.* **presunção**, vaidade, enfatuação, fatuidade ≠ **modéstia**
imodesto *adj.* 1 **vaidoso**, presumido, arrogante, presunçoso, paparrotão *col.* ≠ **modesto**, humilde 2 **impudico**, indecente, despudorado ≠ **modesto**, pudico
imodificável *adj.2g.* **imutável**, inalterável, invariável ≠ **modificável**, alterável, variável
imolação *n.f.* **sacrifício**, holocausto, chacina
imolar *v.* 1 **sacrificar**, massacrar, vitimar 2 **matar**, abater 3 **renunciar** 4 **prejudicar**
imolar-se *v.* **sacrificar-se**, prejudicar-se
imoral *adj.2g.* 1 **antimoral** ≠ **moral** 2 **impudico**, indecente, obsceno, sem-vergonha, libertino, devasso, escandaloso ≠ **moral**, pudico, decente 3 **desonesto**, corrompido, depravado ≠ **moral**, honesto, virtuoso
imoralidade *n.f.* 1 **desregramento**, devassidão, impudicícia, libertinagem, indecência, perdição, libidinagem ≠ **moralidade** 2 **desonestidade**, improbidade ≠ **moralidade**, honestidade
imortal *adj.2g.* 1 **eterno**, perpétuo, sempiterno, imorredouro, imperecível ≠ **mortal**, morredouro 2 **infindável**, infindo, interminável, permanente ≠ **efémero**, findável, transitório, vólucre 3 **inesquecível**, inextinguível
imortalidade *n.f.* **perpetuidade**, perenidade, eternidade ≠ **mortalidade**
imortalização *n.f.* **perpetuação**, eternização
imortalizar *v.* **perpetuar**, eternizar
imóvel *adj.2g.* 1 **parado**, quieto, estático, hirto, fixo, estacado, fixado, fito, imobilizado, jazente ≠ **móvel** 2 **firme**, inabalável, imutável, estável, inalterável ≠ **móvel**, mudável, mutável 3 **paralisado**, petrificado ■ *n.m.* **edificação**, casa, prédio, edifício
impaciência *n.f.* 1 **inquietação**, desassossego, dessossego, agitação, nervosismo, irritação, agastamento, histericismo, implacidez ≠ **paciência**, calma 2 **ansiedade**, precipitação, pressa, sofreguidão ≠ **paciência**, calma
impacientar *v.* **aborrecer**, arreliar, desesperar, enervar, importunar, inquietar, enfadar, agastar, irritar ≠ **acalmar**, serenar
impacientar-se *v.* **aborrecer-se**, exasperar-se, zangar-se, agastar-se, irritar-se, afreimar-se
impaciente *adj.2g.* 1 **inquieto**, agitado, ansioso, nervoso ≠ **paciente**, calmo, tranquilo 2 **precipitado**, apressado, sôfrego, precipitoso *fig.* ≠ **paciente**, calmo, tranquilo 3 **intolerante**, rabugento, impertinente ≠ **paciente**, calmo, tranquilo
impacte *n.m.* **embate**, colisão, choque, esbarro, impacto
impacto *n.m.* **embate**, colisão, choque, esbarro, impacte, impacção
impagável *adj.2g.* 1 **irremunerável** ≠ **pagável**, remunerável 2 **inestimável**, precioso, valioso 3 **admirável**, extraordinário, supranormal 4 **cómico**, divertido, engraçado
impalpável *adj.2g.* 1 **imaterial**, incorpóreo, monogramo ≠ **material**, corpóreo, palpável 2 **abstrato**, intangível, intocável ≠ **palpável**, tangível
impar *v.* 1 **abafar**, ofegar, sufocar, arquejar 2 **soluçar** 3 **ensoberbecer**, envaidecer-se, inchar
ímpar *adj.2g.* 1 **desemparelhado**, pernão, parnão 2 **excecional**, único 3 **nones**
imparável *adj.2g. fig.* **incansável**, ativo, frenético
imparcial *adj.2g.* **isento**, equitativo, neutro, reto, justo ≠ **parcial**, injusto, subjetivo, sectarista
imparcialidade *n.f.* **neutralidade**, equidade, equanimidade, isenção, justiça, retidão ≠ **parcialidade**, subjetividade
impartível *adj.2g.* **indivisível** ≠ **partível**, divisível
impasse *n.m.* **embaraço**, dificuldade, empecilho
impassibilidade *n.f.* **imperturbabilidade**, sangue-frio, indiferença, fleuma ≠ **agitação**, nervosismo
impassível *adj.2g.* **imperturbável**, indiferente, insensível, frio, inexcitável ≠ **perturbável**, impressionável, emotivo
impavidez *n.f.* **intrepidez**, audácia, destemor, ousadia, afoiteza, temeridade, denodo, valentia, coragem, arrojo, desassombro, desassombramento ≠ **medo**, cobardia, tafe-tafe *col.*
impávido *adj.* **arrojado**, destemido, denodado, intrépido, ousado ≠ **medroso**, cobarde
impecabilidade *n.f. fig.* **perfeição**, correção, pureza, imaculidade
impecável *adj.2g.* 1 **imaculável** 2 **exemplar**, irrepreensível, correto, perfeito
impecavelmente *adv.* **perfeitamente**
impedido *adj.* 1 **obstruído**, bloqueado, barrado, travado, vedado ≠ **desimpedido**, desbloqueado, desobstruído 2 (telefone) **ocupado**
impediente *adj.2g.* **impeditivo**, impedidor
impedimento *n.m.* 1 **obstrução**, impedição, oposição, embargamento, embargo, estorvamento 2 **estorvo**, obstáculo, dificuldade, contrariedade, embaraço, embargo, empecilho, empeço, entrave, inconveniente, óbice, peia, pejo, empacho, peguilho, bridão *fig.*
impedir *v.* 1 **estorvar**, obstar, obstruir, atalhar, barrar, entravar, empatar, embargar, impossibi-

litar, empachar, empecer, baldar, atravancar, embaraçar, dificultar, pear, pejar ≠ **desimpedir**, facilitar 2 **proibir**, opor-se

impeditivo *adj.* **impediente**, impedidor

impelir *v.* 1 **empurrar**, impulsionar, atirar, lançar, arrojar, impactar 2 *fig.* **incitar**, estimular, instigar, impulsionar, forçar 3 *fig.* **constranger**, coagir

impendente *adj.2g.* **iminente**

impender *v.* **caber**, pertencer, tocar, cumprir, competir

impenetrabilidade *n.f.* **inacessibilidade**, incompreensibilidade, impermeabilidade, insondabilidade ≠ **penetrabilidade**

impenetrável *adj.2g.* 1 **inacessível**, incompreensível, impermeável, fechado, insondável, misterioso, inescrutável, imperfurável ≠ **penetrável**, acessível 2 **insensível**, endurecido, impassível, coiraçado *fig.* ≠ **perturbável**, impressionável, emotivo 3 **reservado**, discreto, fechado, inconspícuo

impenitência *n.f.* ≠ **penitência**, contrição, arrependimento

impenitente *adj.2g.* **contumaz**, relapso, reincidente, incontrito ≠ **penitente**

impensado *adj.* **imprevisto**, inopinado, impremeditado ≠ **pensado**, previsto

impensável *adj.2g.* **inconcebível**, inimaginável ≠ **pensável**, concebível, imaginável

imperador *n.m.* 1 **césar**, imperante, soberano, monarca 2 ICTIOL. **cardeal**, canário-do-mar

imperante *adj.2g.* 1 **governante**, reinante 2 **dominante**, vigente, prevalecente ■ *n.2g.* **césar**, imperador, soberano, monarca

imperar *v.* 1 **governar**, reger, reinar 2 **mandar**, comandar 3 **dominar**, prevalecer, predominar

imperativo *adj.* 1 **autoritário**, categórico, injuntivo 2 **impreterível**, perentório 3 **despótico**, arrogante ■ *n.m.* **dever**, obrigação, ordem, ditame, imposição

imperatriz *n.f.* **soberana**, imperadora, monarca

imperceptibilidade[AO] *n.f.* ⇒ **impercetibilidade**[dAO]

imperceptível[AO] *adj.2g.* ⇒ **impercetível**[dAO]

impercetibilidade[dAO] ou **imperceptibilidade**[AO] *n.f.* **incompreensibilidade** ≠ **percetibilidade**

impercetível[dAO] ou **imperceptível**[AO] *adj.2g.* 1 **diminuto**, insignificante, pequenino 2 **subtil**, ténue, insensível ≠ **notório**, percetível, percebível

imperdoável *adj.2g.* **condenável**, irremissível, irrelevável ≠ **perdoável**, remissível, desculpável, relevável

imperecível *adj.2g.* **eterno**, imortal, perdurável, perpétuo, imorredoiro, eternal ≠ **perecível**, perecedoiro

imperfeição *n.f.* 1 **falta**, defeito, falha, pecha 2 **incorreção** 3 **vício**

imperfeito *adj.* 1 **incompleto**, inacabado ≠ **perfeito**, completo, acabado, perficiente 2 **defeituoso**, deficiente, defetivo, gerundífico ≠ **perfeito** 3 **grosseiro**, tosco ≠ **perfeito**

imperial *adj.2g.* 1 **autoritário**, arrogante 2 **imponente**, pomposo, luxuoso ■ *n.f.* [REG.] **fino** [REG.]

império *n.m.* 1 **soberania**, autoridade, poder, poderio, mando, comando, dominação, domínio, senhorio 2 **predomínio**, prestígio, superioridade 3 **altivez**, arrogância

imperiosamente *adv.* 1 **forçosamente**, necessariamente, obrigatoriamente, absolutamente, terminantemente, impreterivelmente, imperativamente 2 **autoritariamente**

imperioso *adj.* 1 **autoritário**, dominador 2 **impreterível**, inadiável, forçoso, necessário, imperativo, intimativo 3 **arrogante**, orgulhoso, soberbo

impermeabilidade *n.f.* **impenetrabilidade**, incompreensibilidade, inacessibilidade ≠ **penetrabilidade**

impermeável *adj.2g.* **hermético**, impenetrável, fechado, inacessível ≠ **penetrável**, acessível ■ *n.m.* **gabardina**

imperscrutável *adj.2g.* **insondável**, impenetrável ≠ **perscrutável**, sondável

impertinência *n.f.* 1 **desrespeito**, incorreção, insolência, desaforo 2 **despropósito** 3 **importunidade**, inconveniência, inoportunidade ≠ **pertinência** 4 **rabugice**, rabugeira, rabuge, rabugem

impertinente *adj.2g.* 1 **inconveniente**, inoportuno, despropositado, aborrecedor, miudeiro ≠ **pertinente**, oportuno 2 **atrevido**, insolente, irreverente, incorreto 3 **rabugento**, quezilento

imperturbabilidade *n.f.* **impassibilidade**, sangue-frio, indiferença, fleuma ≠ **agitação**, nervosismo

imperturbado *adj.* **impávido**, calmo, inalterado, quieto, sereno, tranquilo ≠ **perturbado**

imperturbável *adj.2g.* **impassível**, indiferente, inabalável, inalterável, insensível, frio, insensitivo ≠ **perturbável**, impressionável, emotivo, impressível

imperturbavelmente *adv.* **serenamente**, impassivelmente, calmamente

impessoal *adj.2g.* 1 **objetivo**, imparcial ≠ **pessoal**, subjetivo 2 **comum**, geral ≠ **pessoal**, próprio 3 **distante**, indiferente, reservado, seco

impessoalidade *n.f.* 1 **impersonalidade**, impessoalismo ≠ **pessoalidade** 2 **imparcialidade**, objetividade ≠ **subjetividade**

ímpeto *n.m.* 1 **impulso**, impulsão, impetuosidade, repente, rompante 2 **arrebatamento**, entusiasmo, calor, ardor, veemência 3 **dinamismo**, vitalidade, energia 4 **violência**, agitação

impetrante *adj.,n.2g.* **requerente**, suplicante

impetuosidade *n.f.* 1 **brusquidão**, veemência 2 **violência**, agitação 3 **arrebatamento**, vivacidade, fogosidade ≠ **moleza**, apatia

impetuoso *adj.* 1 **brusco**, forte, violento ≠ **calmo**, ameno 2 **ardente**, arrebatado, veemente, fogoso, turbíneo ≠ **apático**, mole 3 **exaltado**, irritado, furibundo, furioso ≠ **calmo**, sereno 4 **vertiginoso**, veloz, torrencial, caudaloso

impiedade *n.f.* 1 **irreligião**, irreligiosidade, indevoção, descrença, incredulidade ≠ **piedade**, devoção 2 **blasfémia**, sacrilégio, profanação, heresia 3 **crueldade**, maldade, atrocidade, barbaridade, desumanidade, inumanidade, crime, crueza, fereza, ferocidade, sevícia

impiedoso *adj.* 1 **indevoto** 2 **cruel**, desapiedado, desumano, insensível, incompassivo, sevo, herodiano *fig.*, trucidante *fig.* ≠ **piedoso**, sensível, humano

impigem *n.f.* **impetigo**, impetigem, dartro, salsugem

impingir *v.* 1 **aplicar**, pespegar 2 **impor**, empurrar 3 **enganar**, iludir, lograr, fraudar

ímpio *adj.,n.m.* 1 **ateu**, herege, herético, irreligioso, descrente, incréu ≠ **crente**, pio, religioso 2 **sacrílego**, profanador, profano

implacabilidade *n.f.* **inexorabilidade**, inflexibilidade, insensibilidade, rigidez, severidade ≠ **placabilidade**

implacável *adj.2g.* 1 **inexorável**, inflexível, inabalável, intransigente, ilacrimável, incomplacente ≠ **benevolente**, indulgente, complacente 2 **inevitável**, forçoso 3 **teimoso**, obstinado, pertinaz

implantação *n.f.* 1 **implante** 2 MED. **nidação**

implantar *v.* 1 **plantar**, inserir, enraizar, arraigar, enxerir, introduzir 2 **estabelecer**, fixar, firmar 3 **içar**, arvorar, hastear

implausível *adj.* **inadmissível**, inaceitável, incrível ≠ **plausível**, aceitável, admissível

implementar *v.* **realizar**, executar

implemento *n.m.* **apetrecho**, petrecho, acessório, apresto, apreste

implicação *n.f.* 1 **suposição**, pressuposição, subentendido 2 **encadeamento**, enredamento 3 **complicação**, comprometimento, envolvimento 4 **consequência**, inferência 5 **embirração**, implicância, quezília

implicador *adj.,n.m.* **embirrento**, quezilento, conflituoso, embirrante, implicativo, implicante, xexelento [BRAS.] *col.*

implicância *n.f.* **embirração**, implicação, quezília, má vontade

implicante *adj.,n.2g.* **embirrento**, quezilento, conflituoso, embirrante, implicativo, implicador

implicar *v.* 1 **afetar**, comprometer, envolver, incluir 2 **acarretar**, originar, provocar 3 **confundir**, embaraçar, enredar, complicar 4 **requerer** 5 **embirrar**, antipatizar, peguilhar, trepicar, impeticar

implicar-se *v.* **envolver-se**

implicativo *adj.* **embirrento**, quezilento, conflituoso, embirrante, implicante, implicador

implicatório *adj.* **embirrento**, quezilento, conflituoso, embirrante, implicativo, implicador

implicitamente *adv.* 1 **tacitamente** ≠ **explicitamente** 2 **indiretamente**

implícito *adj.* **subentendido**, tácito, inexplícito ≠ **explícito**, claro

imploração *n.f.* **rogo**, rogativa, súplica, pedido, imprecação

implorar *v.* 1 **suplicar**, rogar, deprecar, pedir, solicitar, clamar, mendigar, reclamar, exorar, obsecrar, obtestar 2 **invocar**

impoluto *adj.* 1 **imaculado** ≠ **poluto**, maculado, manchado 2 **puro**, virtuoso ≠ **poluto**, profanado

imponderabilidade *n.f.* ≠ **ponderabilidade**

imponderação *n.f.* **irreflexão**, precipitação ≠ **ponderação**, reflexão

imponderado *adj.* **irrefletido**, inconsiderado, precipitado ≠ **ponderado**, prudente, refletido

imponderável *adj.2g.* 1 **imprevisível** ≠ **ponderável** 2 **impalpável**, incalculável

imponência *n.f.* **grandiosidade**, grandeza, majestade, importância, altivez, sobrançaria, fausto, magnificência, sumptuosidade, esplendor

imponente *adj.2g.* 1 **majestoso**, grandioso, soberbo, magnificente ≠ **insignificante** 2 **altivo**, arrogante, sobranceiro ≠ **modesto**, humilde

impontual *adj.2g.* **retardatário** ≠ **pontual**

impopular *adj.2g.* **antipático** ≠ **popular**, simpático

impopularidade *n.f.* ≠ **popularidade**

impor *v.* 1 **determinar**, estabelecer, decretar, ditar 2 **forçar**, constranger, coagir, obrigar, ordenar, irrogar 3 **infundir**, inspirar 4 **conferir**, atribuir, dar 5 **aplicar**, infligir 6 **responsabilizar**, imputar, assacar 7 **apor**, sobrepor

impor-se *v.* 1 **afirmar-se**, evidenciar-se, distinguir-se, sobressair 2 **forçar-se**

importação *n.f.* ≠ **exportação**

importador *adj.,n.m.* ≠ **exportador**

importância *n.f.* 1 **interesse**, peso, valor, relevância, monta, vulto ≠ **insignificância** 2 **autoridade**, prestígio, influência ≠ **mediocridade** 3 **custo**, preço, quantia, soma, total, totalidade, monta, montante, importe

importante *adj.2g.* 1 **relevante**, principal, essencial, marcante ≠ **insignificante**, irrelevante 2 **necessário**, indispensável, útil 3 **influente**, poderoso, notável ≠ **insignificante**, irrelevante

importar *v.* 1 ≠ **exportar** 2 **originar**, produzir, provocar, acarretar, implicar 3 **custar**, montar, somar, chegar, atingir, valer 4 **interessar**, contar, bogar [REG.]

importar-se *v.* **preocupar-se**, valorizar

importe *n.m.* **custo**, preço, quantia, soma, total, totalidade, monta, montante, importância

importunar *v.* 1 **estorvar**, incomodar, interromper, embaraçar 2 **aborrecer**, enfadar, maçar, massacrar, moer, serrazinar, atazanar, atenazar, azoinar, azoar, mantear, sarrazinar, impertinenciar, abesourar, chatear *col.*, chagar *fig.*, estopar *fig.*, seringar *fig.*, sarnir *col.*, afutricar [BRAS.] 3 **preocupar**, apoquentar, transtornar, atormentar, consumir, ralar, aperrear, desinquietar

importunidade *n.f.* **incómodo**, impertinência, maçada, incomodidade

importuno *adj.* **incómodo**, incomodativo, maçador, maçudo, impertinente, enfadonho, insuportável, fastidioso, incomodante, mirrador, sanfonineiro *fig.*, secador *fig.*, zumbidor *fig.* ≠ **agradável**, aprazível

imposição *n.f.* **obrigação**, exigência, injunção, coação, constrangimento

impositivo *adj.* 1 **obrigatório** 2 **arrogante**, autoritário

impossibilidade *n.f.* ≠ **possibilidade**

impossibilitar *v.* 1 **inviabilizar** ≠ **possibilitar** 2 **inabilitar**, incapacitar, impedir, inibir

impossível *adj.2g.* 1 **irrealizável**, impraticável, inexequível, inexecutável ≠ **possível**, realizável, praticável 2 **inaceitável**, inadmissível, insuportável, intolerável ≠ **aceitável**, admissível 3 **incrível**, extravagante, estrambótico

imposta *n.f.* ARQ. **emposta**

impostergável *adj.2g.* **inadiável**, impreterível, improrrogável, improtelável ≠ **postergável**, adiável, prorrogável, protelável

imposto *adj.* 1 **obrigatório**, forçoso 2 **colocado**, posto ■ *n.m.* **tributo**, taxa, contribuição, quota, cotização, prestação, coleta, tributação

impostor *adj.,n.m.* 1 **embusteiro**, intrujão, enganador, aldrabão, parlapatão, charlatão, mentiroso, ludibrioso, intruja 2 **hipócrita**, falso, fingido 3 **soberbo**, vaidoso

impostura *n.f.* 1 **aldrabice**, embuste, imposturice, engano, embeleco, logro, embaimento, mentira, patarata, burla, endrómina, charlatanice, charlatanismo, paparrotice, truania, truanice, parlapatice, pabulagem [BRAS.] 2 **fingimento**, dissimulação, falsidade, hipocrisia, imposturice, refolhamento *fig.*, refolho *fig.*, teatrada *fig.* 3 **vaidade**, presunção, pretensão, afetação, bazófia, embófia, empáfia 4 **calúnia**, aleive

impotência *n.f.* ≠ **potência**

impotente *adj.2g.* 1 **débil**, fraco ≠ **potente**, forte, vigoroso 2 **incapaz**, ineficaz ≠ **potente**, capaz, eficaz, obrante

impraticabilidade *n.f.* **inviabilidade**, inexequibilidade ≠ **praticabilidade**, viabilidade

impraticável *adj.2g.* 1 **inexequível**, irrealizável, inexecutável ≠ **praticável**, exequível 2 **impossível** ≠ **possível** 3 **intransitável** ≠ **transitável**

imprecação *n.f.* 1 **maldição**, praga, conjuro, execração 2 **rogo**, rogativa, súplica, pedido, imploração

imprecar *v.* 1 **amaldiçoar**, apostrofar, injuriar, praguejar, maldizer, blasfemar 2 **suplicar**, solicitar, deprecar, pedir, rogar, obsecrar

imprecisão *n.f.* 1 **indeterminação** ≠ **precisão** 2 **inexatidão** ≠ **precisão**

impreciso *adj.* 1 **vago**, indeterminado, indefinido ≠ **preciso**, determinado 2 **inexato** ≠ **preciso**, exato, rigoroso

impregnação *n.f.* 1 **imbuição**, embebição 2 **fecundação**

impregnado *adj.* 1 **embebido**, encharcado, entranhado, imbuído 2 **infiltrado**

impregnar *v.* 1 **embeber**, imbuir, entranhar, repassar, abeberar, encher, empapar, penetrar, absorver 2 **fecundar**

impregnar-se *v.* 1 **embeber-se**, encher-se, encharcar-se, ensopar-se, imbuir-se 2 **penetrar**, infiltrar-se

imprensa *n.f.* 1 **prensa**, prelo 2 **tipografia**

imprescindível *adj.2g.* **indispensável**, insubstituível, necessário ≠ **prescindível**, dispensável

imprescritibilidade *n.f.* **irrevogabilidade** ≠ **prescritibilidade**, revogabilidade

imprescritível *adj.2g.* **irrecorrível**, inapelável, definitivo, irrevocável, irrevogável ≠ **revogável**, apelável, recorrível, prescritível

impressão *n.f.* 1 **sensação** 2 **choque**, abalo, comoção

impressionabilidade *n.f.* **suscetibilidade**, impressionismo

impressionado *adj.* **perturbado**, abalado, comovido

impressionante *adj.2g.* 1 **admirável**, incrível, fascinante, impressionador 2 **comovente**, tocante, perturbante

impressionar *v.* 1 **sensibilizar** 2 **abalar**, afetar, comover, perturbar, emocionar, sobreexcitar

impressionável *adj.2g.* 1 **perturbável**, suscetível, sugestionável 2 **sensível**

impressivo *adj.* **marcante**, tocante

impresso *adj.* 1 **imprimido**, editado 2 **gravado**, marcado, assinalado, retratado ■ *n.m.* 1 **folheto**, opúsculo, livreto 2 **formulário**

impressor *n.m.* **editor**

impreterível *adj.2g.* 1 **improrrogável**, inadiável, impostergável ≠ **adiável**, prorrogável, postergável 2 **indeclinável**, indispensável, imperioso, inevitável, obrigatório, forçoso ≠ **preterível**

impreterivelmente *adv.* **forçosamente**, necessariamente, obrigatoriamente, infalivelmente

imprevidência *n.f.* **descuido**, imprudência, desleixação, incúria, negligência, desprevenção, imprecaução, inadvertência, imprevisão ≠ **previdência**, cautela, precaução

imprevidente *adj.2g.* **descuidado**, desacautelado, desleixado, imprudente, incauto, negligente ≠ **previdente**, acautelado, precavido, prudente

imprevisão *n.f.* **descuido**, imprudência, desleixo, incúria, negligência, desprevenção, imprecaução, inadvertência, imprevidência ≠ **previdência**, cautela, precaução

imprevisível *adj.2g.* **inesperado**, imponderável, inopinável, inesperável ≠ **previsível**, esperado

imprevisto *adj.* 1 **inesperado**, inopinado, impensado, incalculado ≠ **previsto**, esperado, calculado 2 **imprevidente**, desprecavido, descuidado, desacautelado ≠ **previdente**, acautelado, precavido, prudente ■ *n.m.* **acaso**, eventualidade, coincidência, casualidade, contingência, adrego

imprimir *v.* 1 **imprensar**, estampar 2 **publicar** 3 **conferir**, dar, transmitir ≠ **retirar** 4 **inspirar**, infundir, incutir

imprimir-se *v.* **gravar-se**, estampar-se

improbabilidade *n.f.* **incerteza**, dúvida ≠ **probabilidade**

improbidade *n.f.* 1 **desonestidade**, imoralidade ≠ **probidade**, retidão 2 **perversidade**, malignidade, maldade, ruindade, malvadez

improcedência *n.f.* **incoerência**, inconsequência ≠ **coerência**, lógica

improcedente *adj.2g.* 1 **ilógico**, incoerente ≠ **procedente**, coerente, lógico 2 **injustificado**, infundado ≠ **procedente**, justificado, fundamentado

improdutividade *n.f.* 1 **esterilidade**, improdução ≠ **produtividade** 2 **improficuidade**, inutilidade ≠ **proficuidade**, utilidade

improdutivo *adj.* 1 **árido**, estéril, infecundo ≠ **produtivo**, fértil 2 **improfícuo** ≠ **produtivo**, profícuo, rentável 3 **inútil**, vão ≠ **produtivo**, útil

improficiência *n.f.* 1 **improficuidade**, inutilidade ≠ **proficiência**, proficuidade, utilidade 2 **inaptidão**, inépcia, ineptidão, incompetência, inabilidade, incapacidade ≠ **proficiência**, competência

improficiente *adj.2g.* 1 **improfícuo**, inútil, vão ≠ **proficiente**, profícuo 2 **inapto**, incapaz, inábil, incompetente ≠ **proficiente**, perito

improficuidade *n.f.* **improdutividade**, inutilidade ≠ **proficuidade**, utilidade

improfícuo *adj.* 1 **improdutivo** ≠ **profícuo**, produtivo, rentável 2 **improficiente**, inútil, vão, baldado ≠ **profícuo**, proficiente

improperar *v.* 1 **injuriar**, insultar, vituperar, afrontar, exprobrar, arguir 2 **repreender**, censurar, criticar

impropério *n.m.* 1 **vitupério**, injúria, insulto, doesto, ultraje, opróbrio, infâmia, blasfémia, ignomínia, afronta, ofensa, baldão, insolência 2 **repreensão**, censura, reproche

impropriamente *adv.* **indevidamente**, inadequadamente, inconvenientemente ≠ **propriamente**, devidamente, adequadamente, convenientemente

impropriedade *n.f.* 1 **incoerência**, incongruência 2 **inconveniência**, desconveniência 3 **indecência**, obscenidade 4 **erro**, incorreção

impróprio *adj.* 1 **inadequado**, inconveniente, descabido, inoportuno ≠ **próprio**, apropriado, conveniente 2 **ineficaz**, inexato ≠ **próprio**, exato 3 **indecente**, indecoroso, indigno ≠ **próprio**, decente, digno

improrrogável *adj.2g.* **inadiável**, impreterível, impostergável, improtelável ≠ **prorrogável**, adiável, postergável, protelável

improtelável *adj.2g.* **inadiável**, impreterível, impostergável, improrrogável ≠ **protelável**, adiável, postergável, prorrogável

improvar *v.* **desaprovar**, reprovar, censurar, condenar ≠ **aprovar**, aceitar

improvável *adj.2g.* 1 **inverosímil** ≠ **provável**, verosímil 2 **duvidoso**, incerto ≠ **provável**, possível

improvidência *n.f.* **descuido**, incúria, desleixo, desleixamento, desmazelo, negligência ≠ **providência**

improvisação *n.f.* **improviso**, improvisata

improvisador *adj.,n.m.* **repentista**

improvisar *v.* **falsear**, mentir, inventar

improviso *adj.* **repentino**, súbito, extemporâneo, impensado, inesperado, inopinado, improvisado ■ *n.m.* **improvisação**

imprudência *n.f.* 1 **descuido**, imprevidência, desleixo, incúria, negligência, desprevenção, imprecaução, inadvertência, imprevisão ≠ **prudência**, previdência, cautela, precaução, abispamento *fig.* 2 **leviandade**, precipitação, inconsideração, irreflexão ≠ **prudência**, circunspeção, ponderação

imprudente *adj.2g.* **descuidado**, descauteloso, desleixado, imprevidente, incauto, negligente, mal-avisado ≠ **prudente**, acautelado, precavido, previdente, abispado *fig.*

impúbere *adj.,n.2g.* **impubescente** ≠ **púbere**

impudência *n.f.* **descaramento**, descaro, desvergonha, desavergonhamento, desvergonhamento, impudor, despudor, desfaçatez, insolência, descoco, desplante, procacidade, protérvia, atrevimento, desaforo, despejo, deslavamento *fig.*, cara *fig.*, latosa *col.* ≠ **pudor**, pejo

impudente *adj.2g.* **desavergonhado**, descarado, despudorado, sem-vergonha, desbragado, impudico, lambido *fig.*, zavado [REG.] ≠ **pudente**, pudico

impudicícia *n.f.* 1 **impudor**, indecência ≠ **pudicícia**, pudor, decência 2 **lascívia**, lúxúria, lubricidade, concupiscência, sensualidade ≠ **pudicícia**, castidade 3 **desonestidade**

impudor *n.m.* **descaramento**, descaro, desvergonha, desavergonhamento, desvergonhamento, impudência, despudor, desfaçatez, insolência, descoco, desplante, procacidade, protérvia, atrevimento, desaforo, despejo, deslavamento *fig.*, cara *fig.* ≠ **pudor**, pejo

impugnação *n.f.* **contestação**, refutação, oposição, adversão, questionamento

impugnante *adj.,n.2g.* **contestador**, refutador, contendor, impugnador

impugnar *v.* 1 **arguir**, contestar, atacar, refutar, adversar, combater, contrariar, contraditar, contradizer, contraprovar, rebater, opor-se, refertar 2 **invalidar**, vetar, ob-rogar

impugnativo *adj.* **oponente**, contestativo

impulsão *n.f.* **impulso**, impulsionamento, alor, alanco [REG.]

impulsionador *adj.,n.m.* **incitador**, instigador, estimulador, impulsor, ativador, motor, propulsor

impulsionar *v.* 1 **empurrar**, impelir, impulsar, propulsionar 2 **estimular**, ativar, animar, incitar, instigar

impulsivo *adj.* **irrefletido**, incontido, repentino, arrebatado

impulso *n.m.* 1 **impulsão**, impulsionamento, pulsão, alor, alanco [REG.] 2 **ímpeto**, arranco, vaipe 3 **estímulo**, incitamento, incitação, instigação, incentivo

impulsor *adj.,n.m.* **incitador**, instigador, estimulador, ativador, motor, propulsor, impulsionador, impelente

impune *adj.2g.* **impunido** ≠ **punido**, castigado

impunemente *adv.* **livremente**

impureza *n.f.* 1 **impuridade**, poluição, contaminação, inquinamento, inquinação ≠ **pureza** 2 **imundície**, sujidade, sujeira, sordidez, espurcícia ≠ **asseio**, limpeza 3 **imoralidade**, impudor, indecência, impudicícia, torpeza ≠ **castidade**, pureza, açucena *fig.*

impuro *adj.* 1 **contaminado**, sujo, imundo ≠ **puro**, limpo 2 **corrompido**, desonesto, devasso ≠ **puro**, honesto, íntegro 3 **impudico**, indecente, obsceno, imoral, incesto *ant.*, incestuoso *ant.* ≠ **puro**, casto, virtuoso

imputabilidade *n.f.* **responsabilidade** ≠ **inimputabilidade**

imputação *n.f.* **acusação**, arguição, inculpação, incriminação, assaque

imputar *v.* 1 **acusar**, arguir, culpar, incriminar, assacar, atribuir 2 **aplicar**, destinar

imputável *adj.2g.* 1 **atribuível**, aplicável ≠ **inimputável** 2 **responsável** ≠ **inimputável**

imundice *n.f.* 1 **imundície**, imundícia, espurcícia, sujidade, sujeira, desasseio, sordidez, sordícia, excremento, sebentice, surro, porcaria, porqueira, esterqueira, lixo, limo, impureza, impuridade ≠ **asseio**, limpeza, mundície, mundícia 2 **imoralidade**, indignidade, baixeza

imundície *n.f.* 1 **imundice**, imundícia, espurcícia, sujidade, sujeira, desasseio, sordidez, sordícia, excremento, sebentice, surro, porcaria, porqueira, esterqueira, lixo, limo, impureza, impuridade, porquidade, ascorosidade, xila ≠ **asseio**, limpeza, mundície, mundícia 2 **imoralidade**, indignidade, baixeza

imundo *adj.* 1 **sujo**, emporcalhado, porcalhão, porco, surrento, sebento, lavajado, lixento ≠ **asseado**, limpo, mundo 2 **asqueroso**, repugnante, nojento, abjeto, ignóbil, hediondo, latrinário 3 **imoral**, indecente, indecoroso, obsceno ≠ **decente**, decoroso

imune *adj.2g.* 1 **isento**, livre ≠ **sujeito** 2 BIOL. **refratário**

imunidade *n.f.* 1 **isenção**, dispensa, regalia, prerrogativa, privilégio 2 BIOL. **invulnerabilidade**, resistência

imunizar *v.* 1 **mitridatizar** 2 **isentar**, livrar 3 **defender**, preservar

imutabilidade *n.f.* **invariabilidade**, inalterabilidade, inamovibilidade, fixidez, estabilidade, constância ≠ **mutabilidade**, variabilidade

imutável *adj.2g.* **imudável**, inalterável, invariável, constante, intemporal ≠ **mutável**, variável, inconstante

inabalável *adj.2g.* 1 **firme**, fixo, arraigado, inconcutível ≠ **abalável** 2 **resistente**, seguro, sólido ≠ **abalável**, instável, inseguro 3 **constante**, estável, imperturbável, imutável, inalterável ≠ **abalável**, alterável 4 **inexorável**, implacável, inflexível, inquebrantável ≠ **abalável**, impressionável, perturbável, influenciável, sensível

inábil *adj.2g.* 1 **incapaz**, incompetente, inapto, inabilitado ≠ **hábil**, competente, capaz, apto 2 **desajeitado**, desasado, desastrado ≠ **hábil**, destro, desembaraçado, desenvolto, despachado 3 aselha, atado, bronco ≠ **hábil**, engenhoso, sagaz, astuto

inabilidade *n.f.* **1 imperícia**, inaptidão, incompetência, incapacidade, inépcia, ineptidão, barbeirice *fig.* ≠ **habilidade**, aptidão, competência **2 desajeitamento** ≠ **habilidade**, engenho, jeito

inabilitar *v.* **incapacitar**, impossibilitar, inutilizar, invalidar, desabilitar, impedir ≠ **habilitar**, capacitar

inabitado *adj.* **despovoado**, desocupado ≠ **habitado**, ocupado, povoado

inabitável *adj.2g.* **inóspito** ≠ **habitável**

inabordável *adj.2g.* **1 inacessível**, inatingível ≠ **abordável**, acessível, atingível **2 intratável**, hostil ≠ **abordável**, tratável, acolhedor

inacabado *adj.* **incompleto**, inconcluso ≠ **acabado**, completo, terminado, pronto

inação[dAO] *n.f.* **1 inatividade**, inércia, ócio, ociosidade, lazer, descanso, quietação, repouso ≠ **atividade**, ação **2 indecisão**, irresolução, hesitação **3 indolência**, preguiça, desídia

inacção[aAO] *n.f.* ⇒ **inação**[dAO]

inaceitável *adj.2g.* **1 inadmissível**, intolerável ≠ **admissível**, tolerável, concebível, aceitoso **2 insatisfatório** ≠ **razoável**, satisfatório, passável

inacessibilidade *n.f.* **1 intransitabilidade**, inviabilidade ≠ **acessibilidade**, transitabilidade **2 insociabilidade**, insensibilidade, intangibilidade ≠ **acessibilidade**, sociabilidade **3 incompreensibilidade**, ininteligibilidade ≠ **acessibilidade**, compreensibilidade

inacessível *adj.2g.* **1 inabordável**, inatingível ≠ **acessível**, atingível, alcançável **2 incompreensível**, impenetrável, ininteligível, incognoscível ≠ **acessível**, compreensível, inteligível **3 intratável**, insociável ≠ **acessível**, sociável, dado, comunicativo, tratável **4 excessivo**, exorbitante ≠ **acessível**, razoável, módico

inacreditável *adj.2g.* **1 inconcebível**, incrível, inimaginável ≠ **acreditável**, crível **2 espantoso**, extraordinário, surpreendente

inactividade[aAO] *n.f.* ⇒ **inatividade**[dAO]

inactivo[aAO] *adj.* ⇒ **inativo**[dAO]

inadaptação *n.f.* **desadaptação**, inadequação, inconformidade, desajustamento ≠ **adaptação**, acomodação, acomodamento, ajustamento, adequação, aclimatação

inadaptado *adj.* **desajustado**, desintegrado ≠ **adaptado**, integrado

inadaptável *adj.2g.* **inconciliável**, incompatível ≠ **adaptável**, amoldável, adequável, moldável

inadequado *adj.* **impróprio**, inconveniente, desapropriado, desajustado, incurial ≠ **adequado**, apropriado, conveniente, ajustado

inadiável *adj.2g.* **impostergável**, impreterível, improrrogável, improtelável, improcrastinável ≠ **adiável**, postergável, prorrogável, protelável

inadmissível *adj.2g.* **1 inaceitável**, intolerável ≠ **aceitável**, tolerável, concebível **2 incrível**, impossível ≠ **aceitável**, crível, razoável, plausível

inadvertidamente *adv.* **irrefletidamente**, impensadamente, distraidamente, desatentamente, desavisadamente ≠ **conscientemente**, deliberadamente

inadvertido *adj.* **irrefletido**, impensado, inconsiderado, descuidado, distraído, impróvido ≠ **advertido**, atento, cuidadoso, próvido

inalação *n.f.* **aspiração**, inspiração

inalado *adj.* **1 respirado**, aspirado, inspirado **2** ZOOL. **áptero**

inalar *v.* **aspirar**, inspirar, respirar

inalcançável *adj.2g.* **inatingível**, inacessível ≠ **alcançável**, atingível, acessível

inalienabilidade *n.f.* **incessibilidade** ≠ **alienabilidade**

inalienável *adj.2g.* **intransferível**, intransmissível, incessível ≠ **alienável**, transferível, transmissível

inalterabilidade *n.f.* **1 imutabilidade**, estabilidade, invariabilidade, permanência, constância ≠ **alterabilidade**, mutabilidade **2 imperturbabilidade**, impassibilidade, serenidade, tranquilidade, calma ≠ **emotividade**

inalterado *adj.* **1 constante**, permanente, estabilizado ≠ **alterado**, modificado, mudado, transformado **2 imperturbado**, impassível, calmo, sereno ≠ **alterado**, agitado, perturbado, inquieto

inalterável *adj.2g.* **1 constante**, estável, imutável, invariável, permanente ≠ **alterável**, mudável, modificável, transformável **2 impassível**, imperturbável, inabalável, sereno, tranquilo ≠ **alterável**, perturbável

inamovibilidade *n.f.* **imobilidade**, fixidez

inamovível *adj.2g.* **1 irremovível**, intransferível, fixo ≠ **amovível**, deslocável, transferível **2 imutável**

inane *adj.2g.* **1 vazio**, oco **2 frívolo**, fútil, vão, nugativo **3 inútil**, nulo

inânia *n.f.* **1 inanidade**, inanição, vacuidade **2 futilidade**, nugacidade, frivolidade, vanidade, vaidade, fatuidade, nugação **3** [*pl.*] **bagatelas**, insignificâncias, ninharias

inanição *n.f.* **1 inanidade**, vacuidade **2 fraqueza**, astenia, debilidade, adinamia

inanidade *n.f.* **1 inânia**, inanição, vacuidade **2 futilidade**, nugacidade, frivolidade, vanidade, vaidade, fatuidade

inanimado *adj.* **1 inânime 2 desmaiado**, inconsciente, desfalecido **3 morto**

inânime *adj.2g.* 1 **inanimado** 2 **desmaiado**, inconsciente, desfalecido 3 **morto**

inanir *v.* **debilitar**, enfraquecer, exaurir, extenuar, esvaziar

inanir-se *v.* **debilitar-se**, esgotar-se

inapelável *adj.2g.* **irrecorrível**, irrevogável, definitivo ≠ **apelável**, revogável

inapetência *n.f.* **fastio**, anorexia ≠ **orexia**, orexomania

inaplicável *adj.2g.* **inadequável**, inextensível, inestendível ≠ **aplicável**, extensível

inapreciável *adj.2g.* 1 **incalculável**, inestimável, indeterminável, insignificante ≠ **apreciável**, estimável, determinável 2 **valiosíssimo**, impagável

inaproveitável *adj.2g.* **inutilizável** ≠ **aproveitável**, utilizável

inaptidão *n.f.* **incapacidade**, inabilidade, indestreza, ineptidão, imperícia, desazo, incompetência, insciência, ignorância, inépcia, improficiência, insuficiência ≠ **aptidão**, capacidade, competência, habilidade

inapto *adj.* 1 **inábil**, incompetente, incapaz, insciente, incapacitado, inepto ≠ **apto**, capaz, competente, habilitado 2 **inconveniente**, impróprio ≠ **apto**, conveniente, apropriado, adequado

inarmónico[AO] ou **inarmônico**[AO] *adj.* **desarmónico**, discordante, dissonante, desarmonioso ≠ **harmónico**, consonante

inarrável *adj.2g.* **inenarrável**, indescritível, indizível, incontável ≠ **narrável**, descritível, contável

inarticulável *adj.2g.* **impronunciável**, inexprimível ≠ **articulável**, pronunciável

inatacável *adj.2g.* 1 **incontestável** ≠ **atacável**, contestável, acometível 2 **irrepreensível**, incensurável ≠ **atacável**, repreensível, censurável, reprobatório

inatendível *adj.2g.* **inaceitável**, inadmissível ≠ **atendível**, aceitável, admissível, satisfazível

inatingível *adj.2g.* 1 **inacessível**, intangível ≠ **acessível**, alcançável, tangível 2 **incompreensível**, ininteligível ≠ **compreensível**, inteligível

inatividade[dAO] *n.f.* **inação**, inércia, ócio, ociosidade, lazer, descanso, quietação, repouso, sedentarismo ≠ **atividade**, ação

inativo[dAO] *adj.* 1 **parado**, inerte, paralisado ≠ **ativo**, atuante 2 **reformado**, aposentado ≠ **ativo** 3 **ocioso**, preguiçoso, indolente ≠ **ativo**, enérgico, dinâmico, expedito, acometedor 4 **ineficaz** ≠ **eficaz** 5 (vulcão) **extinto** ≠ **ativo**, aceso

inato *adj.* **congénito**, conato, conatural, inerente, natural, ingénito

inaudito *adj.* **espantoso**, extraordinário, fantástico, inacreditável, incrível ≠ **comum**, normal

inaudível *adj.2g.* **impercetível**, ininteligível ≠ **audível**, percetível, inteligível

inauguração *n.f.* 1 **estreia**, abertura 2 **início**, princípio

inaugural *adj.2g.* **inicial**

inaugurar *v.* **estrear**, abrir, encetar

incalculável *adj.2g.* **incomensurável**, incontável, inestimável, inumerável, inúmero, sobrenumerável ≠ **calculável**, estimável, contável, avaliável

incandescência *n.f.* 1 **candência** 2 *fig.* **arrebatamento**, efervescência, exaltação, excitação, veemência

incandescente *adj.2g.* 1 **candente**, abrasado, ardente, urente 2 *fig.* **arrebatado**, exaltado, fogoso, inflamado

incandescer *v.* 1 **abrasar**, encandecer 2 *fig.* **exaltar**, excitar

incansável *adj.2g.* 1 **infatigável** ≠ **cansável**, fatigável 2 **assíduo**, constante 3 **laborioso**, ativo, enérgico

incapacidade *n.f.* **inaptidão**, inabilidade, ineptidão, imperícia, desazo, incompetência, insciência, ignorância, inépcia, improficiência, insuficiência ≠ **aptidão**, capacidade, competência, habilidade, descortino, perspicácia, agudeza *fig.*, acume *fig.*, aguçamento *fig.*, alcance *fig.*, gume *fig.*, lume *fig.*, penetração *fig.*

incapacitado *adj.* **inabilitado**, incapaz, incompetente, insciente, inábil, inapto ≠ **apto**, capaz, competente, habilitado

incapacitar *v.* **inabilitar**, impossibilitar, inutilizar, invalidar, desabilitar, impedir ≠ **habilitar**, capacitar

incapaz *adj.2g.* 1 **inábil**, incompetente, inapto, insciente, incapacitado, inepto ≠ **apto**, capaz, competente, habilitado 2 **impossibilitado**, impedido

incaracterístico[AO] ou **incaraterístico**[AO] *adj.* **confundível**, banal, vulgar, indistinto, comum ≠ **inconfundível**, distinto, diferente, marcante

incauto *adj.* 1 **descuidado**, desacautelado, desleixado, imprudente, imprevidente, negligente ≠ **previdente**, acautelado, precavido, prudente 2 **ingénuo**, crédulo

incender *v.* 1 **acender**, incendiar, esbrasear, afoguear, encender, inflamar, atear 2 **ruborizar**, afoguear 3 *fig.* **animar**, estimular, entusiasmar, excitar, incitar, exalçar 4 *fig.* **exacerbar**, exasperar, irritar, reagravar

incendiar *v.* 1 **acender**, queimar, afoguear, atear, incender, abrasear, abrasar 2 *fig.* **entusiasmar**, estimular, excitar, exacerbar, incitar, inflamar

incendiário *adj.,n.m.* 1 **pirómano**, piromaníaco 2 *fig.* **excitante**, inflamado, termântico 3 *fig.* **revolucionário**, subvertedor

incendiar-se *v.* 1 **arder**, queimar-se 2 *fig.* **exaltar-se**, inflamar-se, exacerbar-se, excitar-se, acender-se

incêndio *n.m.* 1 **fogo**, combustão, queima, queimamento, conflagração, abrasamento 2 *fig.* **calamidade**, cataclismo, catástrofe, devastação, tumulto 3 *fig.* **ardor**, arrebatamento

incensar *v.* 1 **perfumar**, defumar, aromatizar 2 **turificar**, turibular, turiferar 3 *fig.* **elogiar**, gabar, glorificar, honrar, louvar 4 *fig.* **adular**, bajular, lisonjear, sabujar, zumbaiar

incenso *n.m.* 1 BOT. **pitósporo**, olíbano 2 *fig.* **adulação**, bajulação

incensurável *adj.2g.* **correto**, impecável, impoluto, irrepreensível ≠ **condenável**, repreensível, reprovável

incentivar *v.* **estimular**, entusiasmar, excitar, incitar, animar, acicatar, cutucar [BRAS.]

incentivo *n.m.* **estímulo**, impulso, encorajamento, incitamento, ânimo, instigação, estimulante, acicate *fig.*

incerteza *n.f.* 1 **dúvida**, dubiedade, dubiez, indecisão, indeterminação, hesitação, vacilação, irresolução, arrepsia, insegurança ≠ **certeza**, convicção, firmeza 2 **contingência** ≠ **incontingência** 3 **incógnita** ≠ **certeza**

incerto *adj.* 1 **duvidoso**, problemático, dúbio, contingente ≠ **certo**, indubitável 2 **inconstante**, variável, instável, volúvel, hesitante, flutuante ≠ **certo**, estável, constante 3 **ambíguo**, equívoco, obscuro, vago ≠ **certo**, inequívoco 4 **inseguro**, vacilante, indeciso, irresoluto ≠ **certo**, firme, seguro, inabalado 5 **indefinido**, impreciso, indeterminado, indistinto, incógnito ≠ **certo**, preciso, definido, exato 6 **arriscado**, perigoso, riscoso ≠ **certo**, seguro

incessante *adj.2g.* 1 **contínuo**, continuado, ininterrupto, incessável ≠ **cessante** 2 **constante**, assíduo ≠ **inconstante**

incessantemente *adv.* **continuamente**, constantemente, incansavelmente, persistentemente

inchaço *n.m.* 1 **inchação**, inchamento, tumefação, intumescência, intumescimento, entumecência, tumidez, chumaço, tortumelo, tumescimento, tumor *ant.*, nozilhão *col.*, levação *ant.* ≠ **desinchação**, detumescência 2 *fig.* **arrogância**, orgulho, vaidade, enfatuação, bazófia, presunção, soberba, ufania

inchado *adj.* 1 **tumefacto**, bulboso, tufoso, tumente ≠ **desinchado** 2 *fig.,pej.* **pretensioso**, presunçoso, enfatuado

inchar *v.* 1 **intumescer**, entumecer, entufar, empolar, opar, avolumar, tumescer, tufar, turgescer, empapuçar-se, inflar, pandear, opilar, repolhar *fig.* ≠ **desinchar**, desintumescer, desavolumar 2 **ensoberbecer**, envaidecer, envaidar

inchar-se *v.* 1 **intumescer**, dilatar-se, tumidificar, empandeirar-se 2 *fig.* **envaidecer-se**, ensoberbecer-se, empolar-se, enfatuar-se, entonar-se

incidência *n.f.* **ocorrência**, acontecimento

incidental *adj.2g.* **acidental**, episódico, eventual

incidente *adj.* **acessório**, secundário ■ *n.m.* 1 **acontecimento**, caso, episódio, peripécia 2 **tumulto**, discussão, controvérsia

incidir *v.* 1 **recair**, bater, cair, atingir 2 **acontecer**, ocorrer, sobrevir 3 **coincidir**

incineração *n.f.* **cremação**, queima

incinerar *v.* **cremar**, calcinar, queimar, cinerar

incipiente *adj.2g.* **principiante**, iniciante

incisão *n.f.* **corte**, cortamento, cortadela, cortadura, golpe, talho, talha, talhadura, talhamento, incisura, rasgue

incisivo *adj.* 1 **cortante** 2 **penetrante** 3 **enérgico**, decisivo 4 **perspicaz**, agudo 5 **cáustico**, mordaz, remordedor

inciso *adj.* **cortado**, golpeado, ferido

incitador *adj.,n.m.* **instigador**, fomentador, provocador, agitador, impulsor, concitador, estimulador, inflamador *fig.*, hortativo, vascolejador *fig.*

incitamento *n.m.* **incentivo**, estímulo, instigação, induzimento, provocação, excitação, impulso, fomentação, fomento, incitação, acicate *fig.*, aguilhoamento *fig.*, aguilhão *fig.*, esporada *fig.*, espora *fig.*

incitar *v.* 1 **estimular**, animar, impelir, incentivar, excitar, fomentar, acirrar, afervorar, encorajar, afoitar, exortar, induzir, instigar, aguilhoar *fig.*, acicatar *fig.*, acender *fig.*, atiçar *fig.*, aguçar *fig.*, espicaçar *fig.*, esporear *fig.*, inflamar *fig.*, incender *fig.*, picar *fig.*, aferretoar *fig.*, acoroçoar *fig.*, agarrochar *fig.*, assovelar *fig.*, ferretoar *fig.* 2 **provocar**, desafiar, açular, concitar, acotovelar *fig.*

incivilidade *n.f.* **grosseria**, descortesia, indelicadeza, má-criação, desamabilidade, impolidez, despolidez, inurbanidade, chamboíce, rudeza, rusticidade, indecorosidade ≠ **cortesia**, delicadeza, educação, polidez, urbanidade

incivilizado *adj.* **inculto**, grosseiro, rude, mal-criado, indelicado, descortês, bugre *fig.,pej.* ≠ **civilizado**, delicado, educado, polido

incivilizável *adj.2g.* **rude**, selvagem ≠ **civilizável**

inclassificável *adj.2g.* 1 **inqualificável** ≠ **classificável**, qualificável 2 **confuso**, desordenado, misturado 3 **reprovável**, censurável

inclemência *n.f.* 1 **severidade**, rigor, rigidez, inflexibilidade, dureza, aspereza ≠ **clemência**, indulgência, complacência, condescendência 2 **crueldade**, malevolência, desumanidade, fereza ≠ **clemência**, brandura

inclemente *adj.2g.* 1 **severo**, rígido, duro, rigoroso ≠ **clemente**, indulgente, complacente, condescendente, compreensivo 2 **agreste**, cru, áspero ≠ **clemente**, brando, ameno 3 **desapiedado**, impiedoso, cruel, malvado ≠ **clemente**, compassivo, brando, bom

inclinação *n.f.* 1 **obliquidade**, pendor, declive, rampa 2 **tendência**, propensão, vocação, aptidão, disposição, jeito, queda 3 **simpatia**, afeto, gosto, atração, afeição, apego, apegamento, fraco, ternura, amizade

inclinado *adj.* 1 **oblíquo**, assotado 2 **pendente**, tombado, caído, descaído 3 **propenso**, disposto, atreito, tendente 4 **afeiçoado**, afeto

inclinar *v.* 1 **declinar**, desaprumar, propender 2 **curvar**, dobrar, envergar, alcachinar 3 **pender**, predispor, tender

inclinar-se *v.* 1 **dobrar-se**, debruçar-se, curvar-se, proclinar-se 2 **virar-se** 3 **tender**, dispor-se, pender, predispor-se 4 *fig.* **submeter-se**, curvar-se

ínclito *adj.* **ilustre**, insigne, egrégio, nobre, notável, célebre, alto, celebrado, eminente, famoso, afamado, nomeado, soado, heroificado ≠ **humilde**, obscuro

incluir *v.* 1 **abranger**, abarcar, compreender, envolver, encerrar, conter, sotrancar *ant.* ≠ **excluir**, omitir, excetuar 2 **inserir**, introduzir, incorporar ≠ **excluir**, tirar 3 **implicar**, importar, envolver ≠ **excluir**

incluir-se *v.* **inserir-se**

inclusão *n.f.* 1 **abrangimento**, compreensão, abarcamento, encerramento, envolvimento ≠ **exclusão**, eliminação, omissão 2 **inserção**, introdução ≠ **exclusão**

inclusivamente *adv.* **até**, inclusive, também

inclusive *adv.* **até**, inclusivamente, também

incluso *adj.* 1 **incluído**, contido, infuso *fig.* 2 **abrangido**, compreendido, envolvido

incoadunável *adj.2g.* **incompatível**, inconciliável ≠ **coadunável**, compatível, conciliável

incoercível *adj.2g.* **irreprimível**, irrefreável ≠ **coercível**, reprimível, refreável

incoerência *n.f.* **desconexão**, inconexão, discrepância, dissonância, discordância, incongruência, inconsequência, contradição, inconsistência, ilogismo ≠ **coerência**, lógica, consequência

incoerente *adj.2g.* 1 **ilógico**, contraditório, incongruente, disparatado, inconsistente, inconsequente, inconexo ≠ **coerente**, lógico, congruente 2 **desarmónico**, desconexo, discordante, discrepante, desconcorde ≠ **coerente**, concordante, harmónico

incógnita *n.f.* **enigma**, mistério, segredo, xis

incógnito *adj.* **desconhecido**, ignoto, ignorado ≠ **conhecido**, sabido ■ *n.m.* **anónimo**, desconhecido, ignoto, estranho

incolor *adj.2g.* 1 **acromático**, acromo, acrómico, descolorido ≠ **colorido** 2 *fig.* **desbotado**, descorado, deslavado 3 *fig.* **dúbio**, indeciso, irresoluto

incólume *adj.2g.* **intacto**, inteiro, salvo, são, ileso, indemne, inatingido ≠ **leso**, ferido

incombustível *adj.2g.* **ininflamável**, ignífugo ≠ **combustível**, inflamável, ustório

incomensurável *adj.2g.* **desmedido**, imenso, descomunal, infinito, ilimitável, imensurável, incalculável ≠ **mensurável**, comensurável

incomestível *adj.2g.* **intragável** ≠ **comestível**, tragável, manducável

incomodado *adj.* 1 **importunado**, molestado 2 **maldisposto**, aborrecido, irritado 3 **adoentado**, indisposto, guenzo [BRAS.]

incomodar *v.* 1 **aborrecer**, amolar, acossar, desacomodar, constranger, chatear, enfadar, importunar, inquietar, irritar, indispor, maçar, quezilar, atucanar, causticar *fig.* 2 **afligir**, desgostar, apoquentar, sovinar *fig.*

incomodar-se *v.* 1 **aborrecer-se**, transtornar-se, maçar-se, afligir-se 2 **preocupar-se**

incomodidade *n.f.* 1 **incómodo**, descómodo, desconforto ≠ **comodidade**, conforto, bem-estar 2 **maçada**, aborrecimento 3 **indisposição**, mal-estar, incómodo

incómodo[AO] ou **incômodo**[AO] *adj.* 1 **desconfortável**, desagradável, insuportável, inconfortável ≠ **cómodo**, confortável, agradável 2 **aborrecido**, enfadonho, fatigante 3 **embaraçoso**, constrangedor 4 **importuno**, impertinente, descabido ■ *n.m.* 1 **maçada**, aborrecimento, transtorno, apoquentação, estorvo 2 **constrangimento**, impertinência 3 **mal-estar**, indisposição 4 **cuidado**, trabalho, canseira

incomparável *adj.2g.* 1 **incotejável**, imparagonável ≠ **comparável**, cotejável 2 **ímpar**, inigualável, inimitável, singular, único, excecional, sobredivino ≠ **comparável**, igual, semelhante

incompatibilidade *n.f.* 1 **inconciliabilidade** ≠ **compatibilidade**, conciliabilidade 2 **zanga**, divergência, desarmonia, discordância

incompatibilizado *adj.* **desavindo** ≠ **compatibilizado**

incompatibilizar *v.* 1 **desarmonizar** ≠ **compatibilizar**, conciliar 2 **inimizar**, indispor, malquistar, desavir

incompatibilizar-se *v.* **desavir-se**, zangar-se, malquistar-se

incompatível *adj.2g.* 1 **inconciliável**, incombinável, inadaptável ≠ **compatível**, conciliável 2 **contrário**, oposto, antagónico

incompetência *n.f.* **incapacidade**, inabilidade, indestreza, ineptidão, imperícia, desazo, inaptidão, insciência, ignorância, inépcia, improficiência, insuficiência ≠ **competência**, capacidade, aptidão, habilidade

incompetente *adj.2g.* **inabilitado**, incapaz, incapacitado, insciente, inábil, inapto ≠ **competente**, capaz, apto, habilitado

incompletamente *adv.* **parcialmente** ≠ **completamente**, cabalmente, totalmente, inteiramente, rasamente

incompleto *adj.* **1 inacabado** ≠ **completo**, acabado, terminado **2 imperfeito**, lacunar, defeituoso ≠ **completo**, perfeito **3 truncado**, mutilado

incomportável *adj.2g.* **1 insuportável**, intolerável, inaceitável ≠ **comportável**, suportável, tolerável, aceitável **2 incompatível**, inconciliável ≠ **compatível**, conciliável

incompreensão *n.f.* **desentendimento** ≠ **compreensão**, entendimento, discernimento, abrangência

incompreensível *adj.2g.* **1 inexplicável**, ininteligível, impenetrável, indecifrável, ilegível, macarrónico ≠ **compreensível**, inteligível, acessível **2 inconcebível**, inimaginável, inalcançável ≠ **compreensível**, concebível, pensável **3 enigmático**, misterioso, insondável ≠ **compreensível**, claro, evidente, perspícuo

incomputável *adj.2g.* **incalculável**, inumerável ≠ **computável**, calculável, suputável

incomunicação *n.f.* **isolamento**, separação

incomunicável *adj.2g.* **1 indizível**, inexprimível ≠ **comunicável**, dizível **2 inacessível** ≠ **acessível** **3 isolado** ≠ **comunicável** **4 insociável**, intratável, misantropo ≠ **comunicável**, sociável, extrovertido **5 intransmissível**, inalienável ≠ **transmissível**, alienável

inconcebível *adj.2g.* **1 impensável**, inimaginável ≠ **concebível**, pensável, imaginável **2 inacreditável**, incrível, espantoso, surpreendente, inexplicável, pasmoso, inconcepto ≠ **concebível**, acreditável, crível

inconciliável *adj.2g.* **incompatível**, incoadunável, incombinável, inconcordável ≠ **conciliável**, compatível, coadunável

inconcludente *adj.2g.* **indecisivo** ≠ **concludente**, decisivo, terminante

incondicional *adj.2g.* **absoluto**, total, integral, irrestrito ≠ **condicional**, limitado, restrito

incondicionalmente *adv.* **inteiramente** ≠ **condicionalmente**

inconfessável *adj.2g.* **irrevelável**, indizível, indeclarável ≠ **confessável**, dizível, declarável

inconfesso *adj.* **inconfessado** ≠ **confesso**, confessado

inconfidência *n.f.* **1 indiscrição** ≠ **confidência**, segredo **2 deslealdade**, infidelidade

inconfidente *adj.2g.* **1 indiscreto** ≠ **boquirroto** **2 desleal**, infiel, traidor

inconformidade *n.f.* **desacordo**, divergência ≠ **conformidade**, acordo, parilidade

inconfundível *adj.2g.* **distinto**, excecional, único, característico, marcante ≠ **confundível**, indistinto, banal, incaracterístico

incongruência *n.f.* **incoerência**, incongruidade, inconsequência, inconsistência, contradição, desarmonia, desconexão ≠ **coerência**, lógica, consequência, congruência

incongruente *adj.2g.* **1 incoerente**, contraditório, ilógico, disparatado, inconsistente, inconsequente, incôngruo ≠ **congruente**, coerente, lógico **2 desapropriado**, desapropositado, inconveniente, inadequado ≠ **congruente**, conveniente, adequado, apropriado

inconsciência *n.f.* **irreflexão**, leviandade, irresponsabilidade, inconsideração ≠ **consciência**, reflexão, responsabilidade

inconsciente *adj.2g.* **1 involuntário**, instintivo, espontâneo, maquinal, mecânico, automático ≠ **consciente**, lúcido, racionalizado **2 irresponsável**, irrefletido, leviano, imponderado, inconsequente ≠ **consciente**, ponderado, refletido, responsável

inconsequência *n.f.* **incoerência**, incongruidade, incongruência, inconsistência, contradição, desarmonia, desconexão ≠ **coerência**, lógica, consequência, congruência

inconsequente *adj.2g.* **1 ilógico**, contraditório, incongruente, disparatado, inconsistente, incoerente ≠ **consequente**, lógico, congruente, coerente **2 inconsiderado**, imponderado, irrefletido, inconsciente ≠ **consciente**, ponderado, refletido, responsável

inconsideração *n.f.* **1 imponderação**, irreflexão, leviandade, inadvertência, imprudência, inconsequência ≠ **consideração**, reflexão, prudência, ponderação **2 desconsideração**, desrespeito

inconsiderado *adj.* **1 impensado**, imponderado, imprudente, precipitado, irrefletido, impulsivo ≠ **considerado**, pensado, ponderado **2 temerário**, arrojado, arriscado

inconsistência *n.f.* **1 fragilidade**, instabilidade, infixidez ≠ **solidez**, firmeza, rijeza **2 incoerência**, incongruidade, incongruência, inconsequência, contradição, desarmonia, desconexão ≠ **coerência**, lógica, consequência, congruência, consistência

inconsistente *adj.2g.* **1 mole**, frágil ≠ **sólido**, firme, rijo **2 incoerente**, incongruente, inconsequente, contraditório, disparatado, ilógico ≠ **consequente**, lógico, congruente, coerente, consistente

inconsolável *adj.2g.* **tristíssimo**, desconsolável ≠ **consolável**

inconstância *n.f.* **1 instabilidade**, mutabilidade, versatilidade, impermanência ≠ **constância**, estabilidade, continuidade **2 volubilidade**, leviandade, ligeireza, instabilidade ≠ **constância**

inconstante *adj.2g.* 1 **instável**, irregular, variável, impermanente ≠ **constante**, estável 2 **volúvel**, variável, incerto, leviano ≠ **constante**

incontaminado *adj.* 1 **limpo** ≠ **contaminado**, poluído 2 **imaculado**, puro ≠ **contaminado**

incontável *adj.2g.* 1 **incomensurável**, incalculável, inestimável, inumerável, inúmero ≠ **contável**, estimável, calculável, avaliável 2 **inarrável**, inenarrável, indescritível ≠ **contável**, descritível, narrável

incontestado *adj.* **incontroverso**, inconteste, irrefutado ≠ **contestado**, controverso

incontestável *adj.2g.* **indubitável**, inegável, irrefutável, indiscutível, inconcusso *fig.* ≠ **contestável**, discutível, questionável, refutável

incontestavelmente *adv.* **indubitavelmente**, seguramente ≠ **contestavelmente**

incontinência *n.f.* 1 **descomedimento**, imoderação, desregramento, intemperança, acrasia ≠ **continência**, moderação, comedimento 2 **concupiscência**, luxúria, lascívia ≠ **continência**, castidade

incontinente *adj.2g.* **descomedido**, imoderado, desregrado ≠ **continente**, comedido, moderado

incontrolável *adj.2g.* 1 **inverificável** ≠ **controlável**, verificável 2 **ingovernável**, irrefreável ≠ **controlável**, governável, refreável

incontroverso *adj.* **incontestável**, indiscutível, indubitável, irrefutável, certíssimo, incontestado, indisputado, inconcusso *fig.*, indubitado ≠ **controverso**, contestável, contestado, refutável

inconveniência *n.f.* 1 **inadequação**, inadaptação, incurialidade ≠ **conveniência**, adequação, conformidade 2 **grosseria**, indelicadeza, impertinência, descortesia, incivilidade

inconveniente *adj.2g.* 1 **inoportuno**, despropositado, impróprio, inadequado, inapropriado ≠ **conveniente**, adequado, apropriado, oportuno 2 **indecoroso**, incorreto, grosseiro, abusivo, malcriado, descortês, desbocado ≠ **conveniente**, decente ■ *n.m.* **desvantagem**, dificuldade, obstáculo, estorvo, impedimento, transtorno, risco

inconvertível *adj.2g.* **inalterável**, inconversível ≠ **convertível**, conversível, alterável, mudável, transmudável

incorporação *n.f.* 1 **agregação**, anexação, inclusão, integração, junção, reunião, fusão ≠ **desincorporação**, desagregação 2 **alistamento**, recrutamento 3 **amálgama**, mistura

incorporar *v.* 1 **materializar** 2 **integrar**, agregar, incluir, anexar, ajuntar, agrupar, aliar, associar, juntar, reunir, mesclar, misturar, unir, absorver ≠ **desincorporar**, desanexar 3 **arregimentar**, alistar

incorporar-se *v.* 1 **ingressar** 2 **juntar-se**, unir-se, reunir-se, constelar-se, arregimentar-se 3 **inserir-se**

incorpóreo *adj.* **imaterial**, impalpável, incorporal ≠ **material**, corpóreo, palpável

incorreção[dAO] *n.f.* 1 **erro**, inexatidão, defeito, senão, falha 2 **imperfeição**, irregularidade ≠ **correção** 3 **deselegância**, grosseria, incivilidade, indelicadeza, inelegância ≠ **correção**, delicadeza, civilidade

incorrecção[aAO] *n.f.* ⇒ **incorreção**[dAO]

incorrecto[aAO] *adj.* ⇒ **incorreto**[dAO]

incorrer *v.* **cair**, incidir, envolver-se, implicar-se

incorreto[dAO] *adj.* 1 **inexato**, errado, erróneo ≠ **correto**, certo, exato 2 **imperfeito**, irregular ≠ **correto**, perfeito, regular 3 **deselegante**, indelicado, grosseiro, incivil ≠ **correto**, civil, bem-educado 4 **desonesto**, indecente ≠ **correto**, honesto, íntegro

incorrigível *adj.2g.* 1 **irreparável**, irremediável, irrecuperável, habitudinário ≠ **corrigível**, emendável, retificável, remediável 2 **incurável**, irregenerável, indisciplinável ≠ **corrigível**, disciplinável 3 **obstinado**, reincidente, renitente ≠ **corrigível**

incorruptibilidade[AO] ou **incorrutibilidade**[AO] *n.f.* **integridade**, retidão, probidade ≠ **corruptibilidade**

incorruptível[AO] ou **incorrutível**[AO] *adj.2g.* 1 **inalterável**, conservável, incorruptivo ≠ **corruptível**, alterável, deteriorável 2 **insubornável**, íntegro, reto ≠ **corruptível**, subornável, comprável

incorrupto[AO] ou **incorruto**[AO] *adj.* 1 **inalterado**, conservado, mantido ≠ **corrupto**, estragado, deteriorado 2 **íntegro**, reto, ilibado ≠ **corrupto**, subornado, comprado

incredulidade *n.f.* 1 **descrença**, ceticismo, desconfiança, dúvida ≠ **credulidade**, crença 2 **irreligião**, irreligiosidade, ateísmo

incrédulo *adj.,n.m.* 1 **cético**, descrente ≠ **crédulo**, crente 2 **ateu**, irreligioso, ímpio

incrementar *v.* **fomentar**, incitar, desenvolver

incremento *n.m.* **desenvolvimento**, crescimento, crescença, aumento, medra

incriminação *n.f.* **acusação**, arguição, inculpação, assaque, imputação

incriminar *v.* **acusar**, arguir, culpar, inculpar, imputar, assacar, atribuir

incriticável *adj.2g.* **irrepreensível**, inatacável, incensurável, impecável ≠ **criticável**, repreensível, censurável, atacável

incrível *adj.2g.* 1 **inacreditável**, impossível, inadmissível, incompreensível, inconcebível, inexplicável ≠ **acreditável**, crível, concebível 2 **assombroso**, espantoso, extraordinário 3 **singular**, excêntrico

incrustação *n.f.* 1 **embutido** 2 **tauxia**
incrustar *v.* **embutir**, cravar, marchetar, tauxiar, fixar, embrechar, inserir ≠ **desincrustar**, desembutir
incubação *n.f.* 1 **choco** 2 *fig.* **preparação**, premeditação, elaboração, planejamento [BRAS.]
incubadora *n.f.* **chocadeira**, incubador, criadeira
incubar *v.* 1 **chocar**, ampolhar 2 *fig.* **planear**, preparar, premeditar, elaborar
inculca *n.f.* 1 **pesquisa**, busca, indagação, inquirição 2 **informação**, indicação 3 **sugestão**, recomendação ■ *n.2g.* 1 **informador** 2 **inculcador**, alcoviteiro
inculcar *v.* 1 **indicar** 2 **aconselhar**, propor, sugerir, recomendar, sugestionar 3 **incutir** 4 **apregoar**, impingir, repisar
inculpação *n.f.* **acusação**, arguição, incriminação, assaque, imputação, responsabilização
inculpado *adj.* 1 **inocente** ≠ **culpado** 2 **incriminado**, acusado
inculpar *v.* **acusar**, arguir, culpar, incriminar, imputar, assacar, atribuir
inculto *adj.* 1 **bravio**, baldio ≠ **cultivado** 2 **abandonado**, desaproveitado 3 **desataviado**, desadornado 4 **ignorante**, ignaro, iletrado, indouto, analfabeto ≠ **culto**, sábio, instruto
incumbência *n.f.* **encargo**, cargo, missão, obrigação, dever, comissão
incumbir *v.* 1 **competir**, pertencer, caber, tocar, cumprir, impender 2 **confiar**, delegar, encarregar, deputar, encomendar, cometer
incumbir-se *v.* **encarregar-se**, responsabilizar-se
incunábulo *n.m.* **origem**, começo
incurável *adj.2g.* **incorrigível**, insanável, irremediável, insarável ≠ **curável**, corrigível, sanável, remediavél
incúria *n.f.* 1 **desleixo**, desleixamento, desmazelo, negligência, desídia, desazo, relaxação, relaxamento, mandronguice [REG.] 2 **inércia**, inação
incursão *n.f.* **invasão**, ataque, acometida, carga, assalto, investida, ofensiva, acometimento, ofensa, arremetida, cometida, irrupção, ofensão, raide
incurso *adj.* **implicado**, envolvido, abrangido, incluído, compreendido, comprometido ■ *n.m.* **invasão**, ataque, acometida, carga, assalto, investida, ofensiva, acometimento, ofensa, arremetida, cometida, irrupção, ofensão, incursão
incutir *v.* 1 **imprimir**, inculcar 2 **infundir**, inspirar, suscitar, sugerir, promover
inda *adv.* 1 **até agora**, ainda 2 **até então**, ainda 3 **mais**, além disso, também, ainda
indagação *n.f.* **averiguação**, pesquisa, verificação, investigação, exploração, perscrutação, busca, procura, inculca, interrogação, inquirição, sonda
indagar *v.* **averiguar**, investigar, pesquisar, sondar, perquirir, devassar, esquadrinhar, interrogar, perscrutar, rebuscar, procurar, inquirir, apalpar *fig.*, esgaravatar *fig.*, cavar *fig.*, cheirar *fig.*, farejar *fig.*, afuroar
indecência *n.f.* 1 **indecoro**, inconveniência, descompostura, descortesia, impolítica, incivilidade ≠ **decência**, decoro, compostura 2 **obscenidade**, grosseria, descortesia, indelicadeza 3 **desonestidade**, imoralidade ≠ **decência**, honestidade, moralidade 4 **pornografia**
indecente *adj.2g.* 1 **inconveniente**, impróprio, incorreto, desadequado ≠ **decente**, conveniente, próprio, adequado 2 **indecoroso**, indigno, obsceno, vergonhoso, imoral ≠ **decente**, decoroso, digno 3 **desonesto**, desleal ≠ **decente**, honesto 4 **sujo**, imundo ≠ **decente**, limpo, asseado
indecifrável *adj.2g.* 1 **descodificável**, hermético, obscuro, confuso ≠ **decifrável**, codificável 2 **incompreensível**, ininteligível, ilegível ≠ **decifrável**, compreensível
indecisão *n.f.* **irresolução**, hesitação, perplexidade, perplexão, indeterminação, indeliberação, vacilação, dúvida, incerteza ≠ **decisão**, determinação, resolução
indeciso *adj.* 1 **hesitante**, irresoluto, vacilante, titubeante, frouxo, volitante *fig.* ≠ **decidido**, resoluto 2 **indeterminado**, indistinto, vago, indefinido ≠ **claro**, nítido
indeclarável *adj.2g.* **irrevelável**, indizível, inconfessável ≠ **declarável**, dizível, confessável
indeclinável *adj.2g.* **inevitável**, irrecusável, obrigatório, forçoso ≠ **declinável**, recusável, facultativo
indecoro *n.m.* **indecência**, inconveniência, descompostura, descortesia, impolítica, incivilidade ≠ **decoro**, decência, compostura
indecoroso *adj.* **obsceno**, indecente, indigno, vergonhoso, escandaloso, desonroso ≠ **decoroso**, decente, digno
indefectível[AO] ou **indefetível**[AO] *adj.2g.* 1 **infalível**, certo, incontestável ≠ **defetível**, falível 2 **imperecível**, perdurável, indestrutível, inconsumptível ≠ **perecível**, destrutível
indefensável *adj.2g.* **insustentável**, injustificável, indefensível, indefendível ≠ **defensável**, defensível, sustentável, justificável
indeferido *adj.* **recusado** ≠ **deferido**, aprovado
indeferimento *n.m.* **desatendimento**, recusa, deseaprovação ≠ **deferimento**, aprovação
indeferir *v.* **recusar**, denegar, desatender, negar ≠ **deferir**, aprovar, atender
indefeso *adj.* 1 **indefenso**, desprotegido, vulnerável ≠ **protegido** 2 **desarmado**, desguarnecido

indefinidamente *adv.* 1 **indeterminadamente**, indistintamente ≠ **claramente**, exatamente 2 **interminavelmente**, ilimitadamente ≠ **temporariamente**

indefinido *adj.* 1 **indeterminado**, indecidido ≠ **definido**, determinado, delimitado 2 **incerto**, vago, indistinto, impreciso ≠ **definido**, certo, distinto 3 **infinito**, ilimitado ≠ **definido**, finito, limitado

indefinível *adj.2g.* 1 **inexplicável**, inexprimível, intraduzível ≠ **definível**, explicável, exprimível, traduzível 2 **indeterminável** ≠ **definível**, determinável

indelével *adj.2g.* 1 **indestrutível**, indissipável, inextinguível ≠ **destrutível**, extinguível 2 **durável**, permanente ≠ **apagável**

indelicadeza *n.f.* **descortesia**, desatenção, impolidez, incivilidade, desmesura, desprimor, inconveniência, incorreção, grosseria, rudeza, rusticidade ≠ **delicadeza**, cortesia, educação, polidez, urbanidade

indemneAO ou **indene**AO *adj.2g.* **intacto**, inteiro, salvo, são, ileso, incólume, inatingido ≠ **leso**, ferido

indemnizaçãoAO ou **indenização**AO *n.f.* **compensação**, ressarcimento, indemnidade, recompensa, reparação, remuneração

indemnizarAO ou **indenizar**AO *v.* **ressarcir**, compensar, recompensar, reparar

indemnizávelAO ou **indenizável**AO *adj.2g.* **compensável**, reparável

independência *n.f.* **autonomia**, liberdade, emancipação, insubmissão ≠ **dependência**, sujeição, subordinação, submissão

independente *adj.2g.* **autónomo**, livre, emancipado, soberano ≠ **dependente**, sujeito, submisso, subordinado, subjuntivo, sufragâneo

independentemente *adv.* 1 **separadamente**, autonomamente 2 **além de**

indescritível *adj.2g.* 1 **indizível**, inenarrável, incontável ≠ **descritível**, contável, narrável, dizível 2 **assombroso**, espantoso, extraordinário, pasmoso

indesculpável *adj.2g.* **inexcusável**, imperdoável, injustificável, condenável, censurável, inescusável ≠ **desculpável**, perdoável, justificável

indesejável *adj.2g.* **inconveniente**, incómodo, inadequado, inoportuno ≠ **desejável**, adequado, conveniente

indestrutível *adj.2g.* 1 **firme**, inabalável, inalterável, sólido ≠ **destrutível**, abalável 2 **indelével**, indissipável, inextinguível, inconsumível ≠ **destrutível**, extinguível

indeterminação *n.f.* **indecisão**, irresolução, indeliberação, perplexidade, dúvida, incerteza, hesitação, titubeação, vacilação, enleio, indefinição ≠ **determinação**, decisão, resolução

indeterminado *adj.* 1 **vago**, indefinido, impreciso, indistinto ≠ **determinado**, distinto, definido 2 **ambíguo**, dúbio, duvidoso, incerto ≠ **determinado**, certo, claro 3 **hesitante**, indeciso, flutuante, vacilante, irresoluto, perplexo ≠ **determinado**, resoluto, decidido

indeterminável *adj.2g.* **indefinível** ≠ **determinável**, definível

indevidamente *adv.* **impropriamente**, erradamente, injustamente, imerecidamente ≠ **devidamente**, propriamente, corretamente

indevido *adj.* 1 **imerecido**, injusto ≠ **devido**, merecido 2 **impróprio**, inconveniente, incorreto ≠ **devido**, conveniente, próprio

índex *n.m.* 1 **lista**, rol, tabela, tábua, índice, elenco, relação, catálogo 2 (dedo) **indicador**, índice

indiano *adj.,n.m.* **índico**, hindu, indiático, monhé *col.,pej.*

indicação *n.f.* 1 **assinalação**, assinalamento 2 **informação**, comunicação 3 **indício**, sinal, rasto, indicador, sintoma 4 **conselho**, sugestão 5 **recomendação**, orientação

indicado *adj.* 1 **apropriado**, adequado ≠ **contraindicado**, inadequado, impróprio 2 **assinalado**, apontado, mostrado 3 **recomendado**, aconselhado

indicador *adj.* 1 **informativo**, indicativo 2 **indiciador**, revelador, apontador, indicativo ■ *n.m.* 1 **indício**, sinal, rasto, indicação, sintoma, indicativo 2 (dedo) **índex**, índice 3 **assinalador**, denotador

indicar *v.* 1 **apontar**, assinalar, designar, mostrar 2 **aconselhar**, recomendar, sugerir ≠ **desindicar**, desaconselhar 3 **enunciar**, mencionar 4 **revelar**, demonstrar, atestar 5 **apontar**, designar, indigitar 6 **indiciar**, sugerir

indicativo *adj.* 1 **informativo**, indicador 2 **indiciador**, revelador, apontador, indicador ■ *n.m.* **indício**, sinal, rasto, indicação, sintoma, indicador

índice *n.m.* 1 **lista**, rol, tabela, tábua, índex, elenco, relação, catálogo 2 (dedo) **indicador**, índex

indiciação *n.f.* **indício**, indicação, prenúncio, prenunciação

indiciador *adj.,n.m.* 1 **revelador** 2 **acusador**, delator, denunciador, imputador, increpador, recriminador, incriminatório

indiciar *v.* 1 **indicar**, sugerir, denunciar, sintomatizar 2 **acusar**, denunciar, culpar, inculpar

indiciário *adj.* **indicioso**

indício *n.m.* **indiciação**, indicação, prenúncio, prenunciação, indicativo, indicador, sinal, sintoma, vestígio, rasto, vislumbre, ressábio *fig.*

índico *adj.* **indiano**, hindu

indiferença *n.f.* 1 **desinteresse**, desapego, impassibilidade, desprendimento, alheamento, letargia ≠ **interesse**, apego, entusiasmo, abrasamento *fig.* 2 **apatia**, frieza, insensibilidade, fleuma 3 **desdém**, menosprezo

indiferenciado *adj.* **indiscriminado**, indistinto ≠ **diferenciado**, discriminado, distinto

indiferente *adj.2g.* 1 **desinteressado**, alheio, desapegado, desprendido ≠ **interessado**, apegado, afetuoso 2 **apático**, frio, fleumático, insensível, impassível 3 **desdenhoso**, superior ≠ **humilde** 4 **imparcial**, neutral, desapaixonado

indiferentemente *adv.* **indistintamente** ≠ **preferentemente**

indígena *adj.,n.2g.* **autóctone**, nativo, natural, aborígene

indigência *n.f.* 1 **miséria**, pobreza, penúria, inópia ≠ **riqueza**, abundância 2 **carência**, privação, míngua, escassez, insuficiência, necessidade ≠ **riqueza**, abundância

indigente *adj.,n.2g.* **miserável**, paupérrimo, mendicante, mendigo ≠ **rico**, abastado

indigestão *n.f.* **dispepsia**, apepsia, crueza, chiba *col.*, trabuzana *col.*, afito *ant.*

indigesto *adj.* 1 **pesado**, indigestível 2 *fig.* **aborrecido**, desagradável, enfadonho, maçador, maçudo 3 *fig.* **confuso**, desordenado 4 *fig.* **repugnante**

indigitamento *n.m.* **designação**, recomendação, indigitação

indigitar *v.* 1 **assinalar**, mostrar, notar, indicar, apontar 2 **recomendar**, propor

indignação *n.f.* **revolta**, repulsão, repulsa, agastamento, ira, raiva, zanga, cólera, furor, fúria, irritação, despeito, desprezo, ódio

indignado *adj.* **revoltado**, exaltado, colérico, enfurecido

indignar *v.* **revoltar**, chocar, escandalizar, irritar, enraivecer, indispor, irar, impacientar, encolerizar, encruar

indignar-se *v.* **revoltar-se**, chocar-se, escandalizar-se, ofender-se, zangar-se, indispor-se, agastar-se, desadorar-se

indignidade *n.f.* 1 **afronta**, baixeza, torpeza, vileza, ultraje, infâmia, vilania, injúria, insulto, desonra, rebaixamento, aviltamento ≠ **dignidade**, nobreza, hombridade 2 **crueldade**, atrocidade, barbaridade

indigno *adj.* 1 **indecoroso**, indecente, obsceno, vergonhoso, desprezível, imoral, torpe, vil, baixo ≠ **decente**, decoroso, digno 2 **inconveniente**, impróprio ≠ **digno**, merecedor

índigo *n.m.* 1 **anil** 2 BOT. **anileira**, indigueiro, indigoteiro

índio *adj.,n.m.* 1 **ameríndio** 2 **indiano**, índico, hindu

indirecta[aAO] *n.f.* ⇒ **indireta**[dAO]

indirecto[aAO] *adj.* ⇒ **indireto**[dAO]

indireta[dAO] *n.f. col.* **piada**, alusão, insinuação, remoque, ricochete, zagunchada *fig.*

indireto[dAO] *adj.* 1 **oblíquo**, tortuoso, enviesado ≠ **direto**, reto 2 **disfarçado**, dissimulado, simulado, sorrelfo, sotrancão ≠ **direto**, franco, claro 3 **ambíguo**, duvidoso, equívoco ≠ **direto**, evidente, claro

indirigível *adj.2g.* **ingovernável** ≠ **dirigível**, governável

indisciplina *n.f.* 1 **desobediência**, rebelião, sublevação, indocilidade, insubmissão, insubordinação, rebeldia, desmando ≠ **disciplina**, obediência, acatamento, submissão 2 **desordem**, desorganização, desarrumação ≠ **disciplina**, ordem, organização

indisciplinado *adj.* 1 **insubordinado**, desobediente, rebelde, levantadiço ≠ **disciplinado**, obediente, submisso, cumpridor 2 **desordenado**, desorganizado, desarrumado, incôndito ≠ **disciplinado**, ordenado, organizado

indisciplinar *v.* **amotinar**, revoltar, sublevar, insubordinar, anarquizar, insurrecionar, insurgir, indocilizar ≠ **disciplinar**, controlar, subordinar

indisciplinar-se *v.* **insubordinar-se**, rebelar-se, insurrecionar-se, revoltar-se, conturbar-se ≠ **subordinar-se**, submeter-se, acarneirar-se

indiscreto *adj.* 1 **inconsiderado**, inconveniente, imprudente, leviano ≠ **discreto**, recatado 2 **inconfidente**, lingurteiro, mexeriqueiro, tagarela, palrador ≠ **discreto** 3 **bisbilhoteiro**, intrometido, curioso, mexeriqueiro ≠ **discreto**

indiscrição *n.f.* 1 **imprudência**, inconsideração, leviandade, leveza, irreflexão ≠ **discrição**, recato, circunspeção 2 **inconfidência**, bisbilhotice, coscuvilhice, tagarelice, descaída, descaidela ≠ **discrição** 3 **bisbilhotice**, abelhudice, curiosidade ≠ **discrição**

indiscriminadamente *adv.* **indistintamente**, indiferentemente, aleatoriamente ≠ **discriminadamente**, distintamente

indiscriminado *adj.* **confuso**, desordenado, indistinto, desorganizado, incontrolado ≠ **discriminado**, metódico, ordenado, organizado

indiscutível *adj.2g.* **indubitável**, inegável, irrefutável, evidente, incontrovertível ≠ **discutível**, contestável, questionável, refutável

indiscutivelmente *adv.* **indubitavelmente**, dogmaticamente

indispensável *adj.2g.* **imprescindível**, insubstituível, necessário, fundamental, obrigatório, forçoso, preciso, sine qua non ≠ **dispensável**, prescindível ■ *n.m.* **essencial**, principal

indispensavelmente *adv.* **necessariamente**, absolutamente, forçosamente, obrigatoriamente

indispor *v.* 1 **adoentar**, incomodar 2 **aborrecer**, agastar, agravar, desavir, descontentar, enfadar, incomodar, indignar, irritar, malquistar, perturbar, zangar

indispor-se *v.* 1 **aborrecer-se**, enfadar-se 2 **irritar-se**, zangar-se, agastar-se 3 **desavir-se**, malquistar-se, desentender-se

indisposição *n.f.* 1 **incómodo**, incomodidade, mal-estar, achaque 2 **inimizade**, malquerença, zanga, arrufo, conflito, desavença 3 **aversão**, má vontade

indisposto *adj.* 1 **maldisposto**, adoentado ≠ **bem-disposto** 2 **incomodado**, agastado, zangado, irritado, malcorrente 3 **desavindo**

indisputável *adj.2g.* **incontestável**, indiscutível, inquestionável ≠ **disputável**, contestável, discutível, questionável

indissociável *adj.2g.* **inseparável** ≠ **dissociável**, separável

indissolúvel *adj.2g.* 1 **insolúvel**, indissolvível ≠ **dissolúvel**, solúvel 2 **indestrutível**, indivisível ≠ **dissolúvel**, solúvel

indistintamente *adv.* 1 **indiscriminadamente**, indiferentemente 2 **vagamente**, confusamente

indistinto *adj.* 1 **indefinido**, indeterminado, indiscriminado, impreciso, incerto, vago ≠ **distinto**, determinado, preciso 2 **confuso**, misturado, nebuloso, obscuro ≠ **distinto**, nítido, claro

individual *adj.2g.* **pessoal**, privado, próprio, exclusivo, particular, peculiar, singular ≠ **coletivo**, geral, universal, grupal

individualidade *n.f.* 1 **personalidade** 2 **indivíduo**, entidade, pessoa, figura

individualismo *n.m.* **egoísmo**, egocentrismo

individualista *adj.,n.2g.* **egoísta**, egocêntrico

individualização *n.f.* **particularização**, especificação, distinção, isolação, especialização ≠ **generalização**

individualizar *v.* 1 **particularizar**, distinguir, individuar, especificar, especializar, caracterizar ≠ **generalizar** 2 **personalizar**

individualmente *adv.* **pessoalmente**, particularmente, singularmente ≠ **coletivamente**

individuar *v.* 1 **particularizar**, distinguir, individualizar, especificar, especializar, caracterizar ≠ **generalizar** 2 **pormenorizar**, esmiuçar, destrinçar, discriminar, miudear

indivíduo *n.m.* 1 **pessoa**, sujeito, entidade, criatura, individualidade, figura, fulano, tipo 2 **ente**, exemplar, entidade, espécime ■ *adj.* **indiviso**, indivisível

indivisão *n.f.* 1 **inteireza**, unidade, união, coesão ≠ **divisão**, partimento 2 **contitularidade**

indivisível *adj.2g.* **uno**, indecomponível, indissolúvel, irrepartível, inteiriço, impartível, indiviso, insecável, inséctil, insegmentável ≠ **divisível**, repartível, partível

indiviso *adj.* **indivisível**, inteiro, unido ≠ **diviso**, separado, dividido

indizível *adj.2g.* 1 **inefável**, inenarrável, inexplicável, inexprimível, intraduzível, improferível ≠ **dizível**, contável, narrável, descritível 2 **extraordinário**, raro, incomum

indochina *adj.,n.2g.* **indochinês**, indochim

índole *n.f.* **carácter**, natureza, temperamento, compleição, feição, têmpera, feitio, qualidade, génio

indolência *n.f.* 1 **insensibilidade**, apatia, impassibilidade, indiferença, torpor 2 **preguiça**, inação, inércia, languidez, letargia, molícia, moleza, tibieza, entorpecimento, adormecimento, ociosidade, langor, sorna, mangona, pânria, rebimba, ignávia, ronceirice, mandriagem, marralharia, ronceirismo, tardeza, morrinhice ≠ **vivacidade**, dinamismo 3 **negligência**, descuido, indiligência, desleixo, desmazelo, incúria

indolente *adj.2g.* 1 **indiferente**, apático, inerte, insensível 2 **ocioso**, preguiçoso, molengão, madraço, mandrião, mole, sorna, indiligente, marralheiro, molengueiro, lesmento *fig.*, ignavo, molanqueirão, lêsmia *fig.* ≠ **dinâmico**, ativo, diligente

indomado *adj.* 1 **indómito**, bravo, selvagem ≠ **domado**, amansado 2 **insubmisso**, incontrolado, irrefreado ≠ **domado**, controlado

indomável *adj.2g.* 1 **indomesticável** ≠ **domável**, domesticável 2 **invencível**, irrefreável, indominável, indómito ≠ **domável**, dominável, subjugável 3 **inflexível**, inexorável, implacável ≠ **domável**

indómito[AO] ou **indômito**[AO] *adj.* 1 **indomado**, bravo, selvagem ≠ **domado**, amansado 2 **insubmisso**, incontrolado, irrefreado ≠ **domado**, controlado 3 **altivo**, arrogante, soberbo ≠ **humilde**

indubitabilidade *n.f.* **certeza**, evidência ≠ **dubitabilidade**, inevidência

indubitável *adj.2g.* **incontestável**, incontroverso, indiscutível, inegável, certo ≠ **contestável**, discutível, questionável, refutável

indubitavelmente *adv.* **forçosamente**, certamente, incontestavelmente, evidentemente, infalivelmente

indução *n.f.* 1 **inferência**, ilação, conclusão, epagoge 2 **instigação**, aliciamento, incitamento, persuasão, sugestão, induzimento

indúcias *n.f.pl.* **tréguas**

indulgência *n.f.* 1 **benevolência**, misericórdia, bondade, benignidade, complacência, condescendência, transigência, tolerância, brandura, doçura, clemência ≠ **severidade**, rigidez, inflexibilidade, dureza, aspereza, inclemência **2** **perdão**, remissão, indulto, desculpa

indulgente *adj.2g.* **tolerante**, condescendente, complacente, benevolente, benévolo, clemente, perdoador ≠ **severo**, rígido, duro, rigoroso, inclemente

indultar *v.* **amnistiar**, perdoar, desculpar, livrar, isentar, indulgenciar, salvar

indulto *n.m.* **absolvição**, amnistia, perdão, indulgência, remissão, desculpa

indumentar *v.* **vestir**

indumentária *n.f.* **vestuário**, vestimenta, vestidura, veste, traje, trajo, indumento, roupa, fato, fatiota, farpela, vestiaria

indumento *n.m.* **1** **vestuário**, vestimenta, vestidura, veste, traje, trajo, indumentária, roupa, fato, fatiota, farpela **2** **camada**, cobertura, revestimento, induto

indústria *n.f.* **1** **habilidade**, aptidão, destreza, jeito, perícia **2** **artifício**, engenho, invenção, arte **3** **artimanha**, astúcia, ardil, manha, agudeza, solércia **4** **ofício**, profissão, ocupação

industriar *v.* **ensinar**, instruir, preparar, adestrar, amestrar, exercitar

indutivo *adj.* **indutor**, instigador, incitador

indutor *adj.* **indutivo**, instigador, incitador

induzido *adj.* **inducto**

induzir *v.* **1** **incitar**, instigar, exortar, impelir, afoitar, persuadir, sugerir, suscitar, suadir **2** **incutir**, inspirar **3** **inferir**, concluir, deduzir

inebriante *adj.2g.* **1** **embriagante**, embriagador, inebriador, ebriático, ebriativo **2** *fig.* **extasiante**, arrebatador, entusiasmante

inebriar *v.* **1** **embebedar**, emborrachar, alcoolizar, embriagar, empiteirar, engrossar *col.* ≠ **desembriagar**, desembebedar **2** *fig.* **encantar**, extasiar, entusiasmar, enlevar, arrebatar, embebecer, arroubar, deliciar

ineditismo *n.m.* **originalidade**, novidade

inédito *adj.* **original**, novo, único ≠ **conhecido**

inefável *adj.2g.* **1** **indescritível**, indizível, inexprimível, inenarrável, inexplicável ≠ **descritível**, contável, narrável, dizível **2** **delicioso**, encantador, inebriante, deslumbrante

ineficácia *n.f.* **ineficiência**, inutilidade, insuficiência ≠ **eficácia**, eficiência

ineficaz *adj.2g.* **1** **ineficiente**, inútil, inoperante ≠ **eficaz**, eficiente, operante **2** **impróprio**, indevido, inadequado ≠ **eficaz**, conveniente

ineficiente *adj.2g.* **ineficaz**, inútil, inoperante ≠ **eficiente**, eficaz, operante

inegável *adj.2g.* **indubitável**, incontestável, irrefutável, indiscutível, evidente ≠ **contestável**, discutível, questionável, refutável

inegociável *adj.2g.* **incomerciável** ≠ **negociável**, comerciável

inelutável *adj.2g.* **1** **invencível**, irresistível, inevitável **2** **indiscutível**, irrespondível

inenarrável *adj.2g.* **inarrável**, indescritível, indizível, incontável, inefável, inexprimível, inexpressável ≠ **narrável**, descritível, contável

ineptidão *n.f.* **1** **inaptidão**, inépcia, improficiência, incompetência, inabilidade, incapacidade ≠ **proficiência**, competência **2** **imbecilidade**, sandice

inepto *adj.* **1** **inábil**, incompetente, incapaz, insciente, incapacitado, inapto ≠ **apto**, capaz, competente, habilitado **2** **inadequado**, impróprio, absurdo **3** **estúpido**, imbecil, bobo, idiota, parvo, tolo ≠ **esperto**, inteligente

inequívoco *adj.* **claro**, evidente, manifesto ≠ **equívoco**, ambíguo, sibilítico

inércia *n.f.* **1** **imobilidade**, inatividade, fixidez, estagnação, estacionamento, apatia ≠ **mobilidade**, sacudidela, abanadura **2** **indolência**, letargia, moleza, indiligência, letargo, preguiça, sorna, ignávia, ociosidade, madraçaria

inerência *n.f.* **inseparabilidade**, indissociabilidade, indivisibilidade

inerente *adj.2g.* **intrínseco**, inseparável, pertencente, próprio

inerme *adj.2g.* **indefeso**, desarmado, desprevenido, inofensivo

inerte *adj.2g.* **1** **imóvel**, parado, inanimado **2** **apático**, inativo, indolente, mole, sorna, preguiçoso, ocioso ≠ **dinâmico**, ativo

inesgotável *adj.2g.* **1** **inexaurível**, inextinguível, infindável ≠ **esgotável**, extinguível **2** **abundantíssimo**, copioso, largífluo *poét.* **3** **incansável**, infatigável ≠ **esgotável**, fatigável

inesperado *adj.* **imprevisto**, imprevisível, inopinado, repentino, súbito ≠ **esperado**, previsto, calculado

inesquecível *adj.2g.* **inolvidável**, memorável ≠ **esquecível**, olvidável

inestético *adj.* **desproporcionado**, feio ≠ **estético**, belo, harmonioso

inestimável *adj.2g.* **1** **incalculável**, inapreciável, indeterminável, insignificante ≠ **estimável**, apreciável, determinável **2** **impagável**, precioso, valioso

inevitável *adj.2g.* **fatal**, forçoso, indeclinável, obrigatório, inconjurável, ineludível ≠ **evitável**

inexactidão[aAO] *n.f.* ⇒ **inexatidão**[dAO]

inexacto[aAO] *adj.* ⇒ **inexato**[dAO]

inexatidão[dAO] *n.f.* **1** **erro**, incorreção, defeito, senão, imprecisão ≠ **exatidão**, correção, precisão **2** **mentira**, falsidade **3** **impontualidade** ≠ **exatidão**, pontualidade

inexato[dAO] *adj.* 1 **errado**, incorreto, impreciso ≠ **exato**, preciso, correto 2 **impontual** ≠ **exato**, pontual

inexaurível *adj.2g.* 1 **inesgotável**, inextinguível, infindável, inestancável ≠ **esgotável**, extinguível 2 **abundante**, copioso, farto

inexcedível *adj.2g.* **insuperável**, inultrapassável, intransponível, invencível ≠ **excedível**, superável, ultrapassável

inexequibilidade *n.f.* **impraticabilidade**, impossibilidade ≠ **exequibilidade**, viabilidade, aceitabilidade

inexequível *adj.2g.* **impraticável**, irrealizável, infactível, inexecutável ≠ **exequível**, praticável, realizável, executável

inexigível *adj.2g.* **irreclamável** ≠ **exigível**, reclamável

inexistência *n.f.* **falta**, carência, ausência ≠ **existência**

inexistente *adj.2g.* **ausente** ≠ **existente**

inexorável *adj.2g.* 1 **implacável**, inabalável, inflexível, intransigente ≠ **exorável**, indulgente, complacente, benevolente 2 **rigoroso**, rígido, severo, austero

inexperiência *n.f.* **imperícia**, verdura *fig.*, verdor *fig.* ≠ **experiência**, prática, traquejo, calo *fig.*

inexperiente *adj.2g.* 1 **inexperto**, bisonho, verde *fig.* ≠ **experiente**, experimentado, traquejado, calejado, matraqueado *fig.* 2 **ingénuo**, inocente, simples

inexpiável *adj.2g.* **imperdoável**, irremissível ≠ **expiável**, remissível, perdoável

inexplicável *adj.2g.* 1 **incompreensível**, singular, anormal, estranho ≠ **explicável**, compreensível, aceitável 2 **inefável**, inenarrável, indizível, inexprimível, intraduzível ≠ **dizível**, contável, narrável, descritível

inexplorado *adj.* **desconhecido** ≠ **explorado**, conhecido

inexpressivo *adj.* **apagado**, frio, pasmado, indiferente, impassível ≠ **expressivo**, vivo, enérgico

inexprimível *adj.2g.* 1 **inefável**, inexplicável, intraduzível, indizível, inexpressável ≠ **exprimível**, contável, narrável, descritível, dizível 2 **delicioso**, encantador, inebriante

inexpugnável *adj.2g.* **invencível**, indestrutível, inabalável, indomável, inconquistável ≠ **expugnável**, vencível, conquistável, domável

inextinguível *adj.2g.* **inapagável**, indestrutível, inexterminável ≠ **extinguível**, destrutível

inextricável *adj.2g.* **inextrincável**, indestrinçável, intrincado, enredado, emaranhado, embaraçado, labiríntico ≠ **extricável**

infalibilidade *n.f.* **inerrância**, indefectibilidade ≠ **falibilidade**

infalível *adj.2g.* 1 **indefectível**, certo, incontestável, inerrante ≠ **falível**, defetível 2 **inevitável**, fatal

infamante *adj.2g.* **difamante**, desonroso, injurioso, ofensivo, desacreditador, oprobrioso

infamar *v.* 1 **desacreditar**, aviltar, acanalhar, denegrir, desonestar, desonrar, ignominiar, injuriar, vilipendiar, ofender, rebaixar, detrair, menoscabar, deslustrar, envilecer, sugilar *fig.* ≠ **desinfamar**, reabilitar 2 **caluniar**, difamar

infame *adj.2g.* 1 **desacreditado**, desonrado, infamado 2 **desprezível**, baixo, vil, ignóbil, indigno, vergonhoso, torpe, ignominioso, nefando, asqueroso, abjeto, indecente, refece

infâmia *n.f.* 1 **descrédito**, desonra, calúnia, afronta, difamação, injúria, ignomínia, vitupério, opróbrio, labéu, aleive, aleivosia, ferrete, sicofantia 2 **vileza**, maldade, baixeza, vilipêndio, canalhice, abjeção, indignidade, torpeza

infância *n.f.* 1 **meninice**, meninez, puerícia 2 *fig.* **começo**, princípio, nascimento

infando *adj.* **abominável**, detestável, hediondo, horrendo, horrível, cruel

infantaria *n.f.* **peonagem**

infantário *n.m.* **creche**, jardim-escola, jardim de infância, jardim-infantil

infante *n.m.* **menino**, criança ■ *adj.2g.* **pueril**, infantil

infantil *adj.2g.* 1 **pueril**, infante 2 **acriançado**, ameninado 3 **ingénuo**, inocente, simples

infantilidade *n.f.* 1 **meninez**, puerícia, meninice 2 **criancice**, puerilidade, ingenuidade

infantilizar *v.* **acriançar**, ameninar, ababosar, puerilizar

infatigável *adj.2g.* 1 **incansável**, inesgotável ≠ **fatigável**, cansável 2 **robusto**, forte, enérgico ≠ **mole**, fraco 3 **desvelado**, diligente, zeloso ≠ **descuidado**

infausto *adj.* 1 **infeliz**, desgraçado, desventurado, infortunado, desventuroso, malventuroso ≠ **fausto**, feliz, venturoso 2 **aziago**, azarento, agourento, funesto, nefasto, mofinento, luctífico

infeção[AO] ou **infecção**[AO] *n.f.* 1 **contaminação**, contágio, inficionação 2 **corrupção**, depravação, podridão

infecionar[AO] ou **infeccionar**[AO] *v.* 1 **contagiar**, contaminar, infetar, inquinar, inficionar 2 **corromper**, depravar, viciar, perverter

infecioso[AO] ou **infeccioso**[AO] *adj.* **epidémico**, contagiante, contagioso, pegadiço, grassante ≠ **intransmissível**, intransitivo

infectado[aAO] *adj.* ⇒ **infetado**[dAO]

infectar[aAO] *v.* ⇒ **infetar**[dAO]

infecto[AO] ou **infeto**[AO] *adj.* 1 **infecionado**, infetado 2 **fedorento**, fétido, pestilento, podre, putrefacto, insalubre, morbígero **3 corrupto**, infame, abjeto, repugnante, contaminado, corrompido

infecundidade *n.f.* **esterilidade**, infertilidade, improficuidade, improdutividade ≠ **fecundidade**, fertilidade, prolificidade

infecundo *adj.* **infértil**, infrutífero, árido, estéril, improdutivo, inculto ≠ **fecundo**, fértil, produtivo, multífero, multíparo

infelicidade *n.f.* **1 tristeza**, descontentamento, insatisfação, desinfelicidade ≠ **felicidade**, contentamento, satisfação **2 desventura**, infortúnio, desfortuna, adversidade, desgraça, desastre, desdita, mofina, azar, mal-andança, revés, infortuna, macaca *col.*, galinha *col.*, urucubaca [BRAS.], caipora [BRAS.], tumbice *col.*, mala-ventura ≠ **felicidade**, sorte, dita, ventura

infeliz *adj.2g.* **1 triste**, descontente, insatisfeito, desinfeliz ≠ **feliz**, alegre, contente, satisfeito **2 desafortunado**, azarento, fracassado, desventurado, desditado, coitado, infortunoso, mal-andante, malditoso, negregado ≠ **feliz**, ditoso, afortunado **3 inadequado**, inconveniente, inapropriado ≠ **feliz**, adequado, apropriado **4 mau**, medíocre ≠ **feliz**, bom

inferência *n.f.* **ilação**, dedução, indução, conclusão, consequência, corolário

inferior *adj.2g.* **1 somenos**, fraco ≠ **superior 2 menor 3 medíocre 4** *fig.,pej.* **mesquinho**, reles ■ *n.m.* **subalterno**, subordinado

inferiorizar *v.* **rebaixar**, menosprezar, apoucar, menoscabar, diminuir, abaixar, abater

inferir *v.* **concluir**, deduzir, depreender

infernal *adj.2g.* **1 leteu**, avernal **2 diabólico**, demoníaco ≠ **celestial 3 horrível**, horrendo, horroroso, horripilante, terrível, tenebroso, atroz, pavoroso, medonho

infernizar *v.* **atormentar**, afligir, martirizar, desesperar, amargurar

inferno *n.m.* **1** (com maiúscula) **Averno** *poét.*, tártaro *poét.*, báratro, Érebo ≠ **Céu**, Paraíso **2 tortura**, tormento, martírio, tormenta, inferneira **3 confusão**, barafunda, desordem, pandemónio

infértil *adj.2g.* **infecundo**, infrutífero, árido, estéril, improdutivo, inculto, machorra *col.* ≠ **fértil**, fecundo, produtivo, natento

infestante *adj.2g.* **devastador**, infestador, infestatório

infestar *v.* **1 encher**, pulular ≠ **desinfestar**, desinçar **2 assolar**, arruinar, destruir, devastar, danificar, depredar, invadir, raziar **3 contaminar**, infecionar

infesto *adj.* **1 nocivo**, pernicioso, prejudicial ≠ **inofensivo**, inócuo **2 contrário**, hostil, inimigo, adverso, molesto

infetado[dAO] *adj.* **contagiado**, inficionado

infetar[dAO] *v.* **1 contagiar**, contaminar, infecionar, empestar, inquinar, apestar, inficionar **2 corromper**, depravar, perverter, viciar, eivar

infidelidade *n.f.* **1 deslealdade**, inconfidência, traição, perfídia, aleivosia ≠ **fidelidade**, lealdade **2 inconstância** ≠ **fidelidade**, constância **3 adultério**, traição ≠ **fidelidade 4 inexatidão** ≠ **fidelidade**, exatidão

infiel *adj.2g.* **1 desleal**, inconfidente, traidor, infido ≠ **fiel**, leal **2 adúltero** ≠ **fiel 3 inexato**, falível ≠ **fiel**, exato **4 inconstante**, instável ≠ **fiel**, constante **5 descrente**, gentio, pagão, cético ≠ **fiel**, crente

infiltração *n.f.* **penetração**, instilação

infiltrar *v.* **1 entranhar**, instilar, inserir, impregnar, introduzir, penetrar, transfundir, inviscerar **2 incutir**, insinuar

infiltrar-se *v.* **introduzir-se**, penetrar

ínfimo *adj.* **1 mínimo**, infinitesimal, residual ≠ **enorme**, grande, vultoso **2 desprezível**, ignóbil, miserável, reles

infindável *adj.2g.* **interminável**, inacabável, infindo, permanente ≠ **findável**, efémero, transitório

infindo *adj.* **1 interminável**, inacabável, infindável, permanente, infinito ≠ **findável**, efémero, transitório **2 inumerável**, ilimitado, incalculável, incontável ≠ **contável**, estimável, calculável, avaliável

infinidade *n.f.* **1 imensidão**, imensidade ≠ **finitude**, pequenez **2 abundância**, montão, multidão, dilúvio, sem-número, ror *col.*, chuveiro *fig.*, mar *fig.*

infinitamente *adv.* **extremamente**, desmedidamente, ilimitadamente, muito, muitíssimo, incomensuravelmente

infinitesimal *adj.2g.* **mínimo**, pequeníssimo ≠ **enorme**, grande, vultoso

infinitivo *n.m.* GRAM. **infinito**

infinito *adj.* **inúmero**, infindo, incomensurável, imenso, ilimitado, desmedido, interminável, imensurável, ilimitável, inumerável ≠ **finito**, limitado ■ *n.m.* GRAM. **infinitivo**

infirmar *v.* **1 debilitar**, enfraquecer, entibecer **2 anular**, revogar, invalidar

inflação *n.f.* **1** ECON. ≠ **deflação 2** *fig.* **soberba**, vaidade, orgulho, presunção, empáfia, enfatuação, enfatuamento, inchação, rócio [BRAS.]

inflacionário *adj.* **inflatório** ≠ **deflacionário**, desinflacionário

inflamação *n.f.* **1 combustão**, acendimento, incendimento, ignificação **2 rubor**, ardor, adustão, afogueamento **3 entusiasmo**, excitação, veemência, exaltação

inflamado *adj.* **1 aceso**, ardente **2 excitado**, exaltado, entusiasmado, galvanizado *fig.*, polarizado *fig.* **3 afogueado**, esbraseado **4 irritado**

inflamar *v.* 1 **acender**, abrasar, esbrasear, atear, incender, incendiar, ignificar ≠ **apagar**, extinguir 2 **afoguear**, ruborizar, avermelhar 3 **estimular**, assanhar, entusiasmar, exaltar, excitar, incentivar, incitar, instigar, inspirar 4 **agravar**, exacerbar, exasperar, irritar

inflamar-se *v.* 1 **arder**, ignizar-se 2 *fig.* **exaltar-se**, encolerizar-se 3 *fig.* **afoguear-se**

inflamável *adj.2g.* 1 **incendiável** 2 **excitável**, irritável

infletir[AO] ou **inflectir**[AO] *v.* 1 **curvar**, dobrar, vergar 2 **desviar**, torcer

inflexão *n.f.* 1 **curvatura**, dobradura, dobra, flexão 2 **variação**, desvio 3 **entoação**, entonação, modulação 4 FÍS. **difração**

inflexibilidade *n.f.* 1 **rigidez**, dureza, imaleabilidade ≠ **flexibilidade**, elasticidade 2 **austeridade**, severidade, rigor, rigidez, inexorabilidade, inclemência, incomplacência ≠ **flexibilidade**, indulgência, complacência, condescendência 3 **obstinação**, firmeza

inflexível *adj.2g.* 1 **rígido**, duro, firme, imaleável, inelástico ≠ **flexível**, elástico, resiliente 2 **implacável**, inabalável, inexorável, intransigente ≠ **flexível**, indulgente, complacente, benevolente 3 **indiferente**, insensível, empedernido

infligir *v.* **dar**, aplicar, impor, pregar, cominar

influência *n.f.* 1 **efeito**, influxo, ação 2 **ascendência**, preponderância, predomínio, autoridade, domínio, força, poder

influenciar *v.* 1 **influir**, afetar, atingir 2 **manipular**, persuadir

influente *adj.2g.* **importante**, dominante, prestigioso, preponderante, poderoso

influenza *n.f.* MED. **gripe**, influença

influir *v.* 1 **imbuir**, impregnar 2 **inspirar**, incutir, comunicar 3 **influenciar**, afetar, atingir 4 **animar**, entusiasmar, estimular

influxo *n.m.* 1 **efeito**, influência, ação, influição 2 **preia-mar**, praia-mar, maré-cheia, maré-alta, esto 3 **afluência**, enchente, abundância

informação *n.f.* 1 **comunicação**, esclarecimento, inculca, informe, conhecimento 2 **notícia**, novidade

informado *adj.* **esclarecido**, instruído ≠ **desinformado**

informador *n.m.* 1 **informante**, noticiador 2 **delator**, bufo *col.*

informal *adj.2g.* 1 (linguagem) **coloquial**, familiar ≠ **formal** 2 **descerimonioso** ≠ **formal**, cerimonioso, solene, protocolar

informar *v.* **comunicar**, participar, avisar, notificar, transmitir, dizer, falar, declarar

informar-se *v.* 1 **inteirar-se**, averiguar, indagar, inquirir, interrogar, perguntar, certificar-se 2 **documentar-se**

informativo *adj.* **elucidativo**, esclarecedor, orientador, indicatório

informe *adj.2g.* 1 **irregular** 2 **vago**, incerto 3 **grosseiro**, imperfeito, tosco ■ *n.m.* 1 **comunicação**, esclarecimento, inculca, conhecimento 2 **parecer**, opinião

infortunado *adj.* **desventurado**, infeliz, desditoso, malfadado, desafortunado, desgraçado, azarado, azarento, panema [BRAS.] ≠ **feliz**, ditoso, sortudo, venturoso

infortúnio *n.m.* **adversidade**, desventura, desfortuna, tribulação, atribulação, azar, revés, contrariedade, contratempo, desdita, desar, desaire, infelicidade, desastre, sinistro, desgraça, golpe, mal-andança, fatalidade, mal, desfortúnio, aguaceiro *fig.*, camarço *col.*, roxura *fig.* ≠ **fortuna**, sorte, sucesso, ventura

infra-axilar *adj.2g.* BOT. **inferaxilar**

infração[dAO] *n.f.* **transgressão**, violação, contravenção, quebramento, quebrantamento, quebra, desobediência, desmando, crime, delito

infracção[aAO] *n.f.* ⇒ **infração**[dAO]

infractor[aAO] *adj.,n.m.* ⇒ **infrator**[dAO]

infraestrutura[dAO] *n.f.* **alicerce**, fundação

infra-estrutura[aAO] *n.f.* ⇒ **infraestrutura**[dAO]

infrator[dAO] *adj.,n.m.* **transgressor**, contraventor, violador, quebrantador

infrene *adj.2g.* 1 **desenfreado** 2 **desmandado**, desabrido, descomedido, desordenado

infringir *v.* **transgredir**, violar, desobedecer, desrespeitar, contravir, quebrantar ≠ **acatar**, cumprir, respeitar

infrutífero *adj.* 1 **infecundo**, infértil, árido, estéril, improdutivo, inculto, rabisseco ≠ **frutífero**, fecundo, produtivo, fértil 2 **inútil**, vão, baldado, frustrado, ineficaz ≠ **vantajoso**, profícuo

infundado *adj.* **injustificado**, improcedente, ilegítimo ≠ **procedente**, justificado, fundamentado

infundamentado *adj.* **injustificado**, improcedente, ilegítimo ≠ **procedente**, justificado, fundamentado

infundir *v.* 1 **derramar**, entornar, verter, vazar, lançar, molhar 2 **incutir**, inspirar, suscitar, sugerir, promover, motivar

infundir-se *v.* **introduzir-se**, infiltrar-se, meter-se, penetrar, entranhar-se

infusão *n.f.* 1 **tisana**, beberagem 2 *fig.* **insinuação**, sugestão

ingénito[AO] ou **ingênito**[AO] *adj.* **inato**, conato, conatural, inerente, natural, congénito

ingente *adj.2g.* 1 **colossal**, desmedido, enorme, grandíssimo, imenso 2 **estrondoso**, retumbante

ingenuidade *n.f.* 1 **credulidade**, simplicidade, lhaneza, candura, inocência, chaneza *fig.*, limpidez *fig.* ≠ **manha**, malícia 2 **parvoíce**, tolice

ingénuo[AO] ou **ingênuo**[AO] *adj.,n.m.* 1 **cândido**, crédulo, inocente, simples, natural, singelo, anjinho *fig.* ≠ **malicioso**, manhoso, astucioso, sabido 2 *pej.* **tolo**, trouxa, pato, pacóvio, simplório

ingerência *n.f.* **intromissão**, interferência, intervenção

ingerir *v.* 1 **engolir** 2 *fig.* **acreditar**

ingerir-se *v.* 1 **intrometer-se**, imiscuir-se, envolver-se, interferir, meter-se 2 **intervir**, interceder

ingestão *n.f.* **deglutição**

inglês *adj.,n.m.* **britânico**, ânglico

inglesar *v.* **anglicizar**, anglizar

inglório *adj.* **ignorado**, modesto, obscuro, inglorioso

inglorioso *adj.* **ignorado**, modesto, obscuro, inglório

ingratidão *n.f.* **desagradecimento**, desconhecimento, tirania *col.*, patada *fig.* ≠ **gratidão**, agradecimento, reconhecimento

ingrato *adj.* **mal-agradecido**, desagradecido ≠ **agradecido**, obrigado, reconhecido

íngreme *adj.2g.* 1 **abrupto**, alcantilado, escabroso, escarpado 2 **árduo**, difícil, dificultoso, custoso 3 **resvaladiço**

ingressar *v.* **entrar** ≠ **sair**

ingresso *n.m.* 1 **entrada**, ingressão, acesso ≠ **saída** 2 **admissão**, entrada 3 **bilhete** 4 **começo**, princípio, início

ingurgitamento *n.m.* **entupimento**, obturação, obstrução

ingurgitar *v.* 1 **devorar**, tragar, enfartar 2 **obstruir**, entupir, tupir ≠ **desingurgitar**, desobtruir 3 **intumescer**, inchar ≠ **desingurgitar**, desintumescer

ingurgitar-se *v.* 1 **encher-se**, enfartar-se, empanturrar-se 2 **corromper-se**, degradar-se

inhaca *n.f.* [BRAS.] **fedor**, fétido, aca, catinga, bodum, bedum, morrinha [REG.]

inibição *n.f.* 1 **impedimento**, proibição, interdição 2 **acanhamento**, embaraço, constrangimento, retraimento ≠ **desembaraço**, desinibição, desenvoltura

inibir *v.* 1 **impedir**, impossibilitar, proibir, vedar, obstar, interdizer ≠ **possbilitar**, desimpedir 2 **tolher**, embaraçar, constranger, refrear ≠ **desinibir**, desembaraçar 3 **envergonhar**, intimidar, embaraçar

inibir-se *v.* **envergonhar-se**, retrair-se, conter-se

inibitória *n.f.* **embaraço**, dificuldade, estorvo, impedimento, impossibilidade

inibitório *adj.* **inibitivo**, inibidor, impeditivo, proibitivo

iniciado *adj.,n.m.* **principiante**, neófito, novato, catecúmeno *fig.*

iniciador *adj.,n.m.* **fundador**, criador, principiador, inaugurador

inicial *adj.2g.* **primeiro**, inaugural, iniciativo, auroral *fig.* ≠ **final**, último, terminal

inicialmente *adv.* **primitivamente**

iniciar *v.* 1 **começar**, principiar, inaugurar, abrir, encetar, estrear, preludiar, incoar ≠ **acabar**, terminar, concluir, finalizar 2 **catequizar**, informar, inteirar

iniciar-se *v.* 1 **começar** 2 **estrear-se**, noviciar *fig.*

iniciativa *n.f.* 1 **desembaraço**, diligência, expediente, ação 2 **ação**, atividade

iniciativo *adj.* **primeiro**, inaugural, inicial ≠ **final**, último, terminal

início *n.m.* 1 **princípio**, começo, abertura, primórdio, entrada, nascença, exórdio *fig.*, proémio *fig.*, berço *fig.*, limiar *fig.*, incoação ≠ **fim**, acabamento, final, conclusão, ómega *fig.* 2 **inauguração**, estreia

inidóneo[AO] ou **inidôneo**[AO] *adj.* 1 **inapto**, incapaz, incompetente ≠ **idóneo**, capaz, competente 2 **impróprio**, inadequado ≠ **idóneo**, conveniente, adequado

inigualável *adj.2g.* **ímpar**, incomparável, inimitável, singular, único, excecional, insubstituível, irrivalizável ≠ **igualável**, comparável, semelhante

iniludível *adj.2g.* **evidente**, claro, inescurecível *fig.* ≠ **iludível**

inimaginável *adj.2g.* **impensável**, inacreditável, inconcebível, incrível, extraordinário, incogitável ≠ **imaginável**, concebível, crível

inimigo *adj.* 1 **hostil**, desavindo, agressivo, infesto, desafeto, contrário ≠ **amigo**, simpatizante 2 **nocivo**, malévolo ≠ **amigo**, favorável ■ *n.m.* 1 **contendor**, adversário, émulo, antagonista, imigo *ant.* ≠ **amigo**, aliado 2 *col.* **Satanás**, Demónio, Diabo

inimitável *adj.2g.* **excecional**, singular ≠ **imitável**, copiável, reproduzível

inimizade *n.f.* **ódio**, aversão, desafeição, inimicícia, malquerença, hostilidade, animosidade, desamor, desavença, desinteligência, discórdia, malevolência, antagonismo, oposição, zanga ≠ **amizade**, afeto, bem-querer, afeição, estima

inimputável *adj.2g.* 1 **irresponsável** ≠ **imputável**, responsável 2 **inaplicável** ≠ **imputável**, aplicável

ininteligível *adj.2g.* **incompreensível**, indecifrável, inexplicável, inacessível, impenetrável, ilegível, inaudível, logogrífico ≠ **inteligível**, compreensível, acessível, decifrável

ininterpretável *adj.* **indecifrável**, inexplicável, intraduzível ≠ **interpretável**, explicável, traduzível

ininterruptamente *adv.* **continuamente**, sucessivamente, ininterrompidamente ≠ **intervaladamente**

ininterrupto *adj.* **continuado**, contínuo, incessante, permanente, constante, seguido, sucessivo ≠ **interrupto**, descontínuo

iniquidade *n.f.* 1 **injustiça**, sem-justiça 2 **perversidade**, pravidade, malignidade, ruindade, maldade, perversão

iníquo *adj.* 1 **injusto** 2 **mau**, ruim, perverso

injeção[dAO] *n.f.* 1 **seringação**, seringadela, seringada, inoculação 2 *col.* **maçada**, importunação, caceteação, secância *fig.*

injecção[aAO] *n.f.* ⇒ **injeção**[dAO]

injectado[aAO] *adj.* ⇒ **injetado**[dAO]

injectar[aAO] *v.* ⇒ **injetar**[dAO]

injectar-se[aAO] *v.* ⇒ **injetar-se**[dAO]

injetado[dAO] *adj.* **congestionado**, inflamado

injetar[dAO] *v.* 1 **inocular** 2 **congestionar**, inflamar 3 *fig.* **investir**, aplicar 4 [BRAS.] **aborrecer**, cacetear

injetar-se[dAO] *v.* 1 **congestionar-se** 2 (droga) **chutar-se** *cal.*

injunção *n.f.* **imposição**, obrigação, irrogação, coação, imperativo

injuntivo *adj.* **forçoso**, imperativo, obrigatório

injúria *n.f.* 1 **ofensa**, afronta, opróbrio, insulto, vitupério, ultraje, desfeita, desonra, escândalo, ignomínia, torpeza, invetiva, vituperação, exprobração, diatribe, doesto, convício, contumélia, impropério, vilta, enxovalho, bofetada *fig.*, mordedura *fig.* ≠ **desagravo**, desafronta 2 **dano**, estrago, detrimento

injuriado *adj.* **insultado**, ofendido, difamado, maltratado, vexado

injuriar *v.* 1 **insultar**, ofender, afrontar, caluniar, desonrar, difamar, enxovalhar, infamar, invetivar, vexar, ultrajar, vituperar, xingar, descompor, desfeitear, improperar, rebaixar, assetear, menoscabar, doestar, empulhar, baldoar, abocanhar *fig.* ≠ **desinjuriar**, desafrontar, desagravar, desultrajar 2 **estragar**, deteriorar

injurioso *adj.* **afrontoso**, humilhante, insultuoso, ofensivo, ultrajante, infamatório ≠ **elogioso**, laudatório

injustamente *adv.* **injustificadamente**, ilegitimamente, iniquamente ≠ **justamente**, legitimamente

injustiça *n.f.* **sem-justiça**, iniquidade, sem-razão, arbitrariedade, atropelo *fig.* ≠ **justiça**, equidade

injustificado *adj.* **ilegítimo**, infundado, improcedente, infundamentado ≠ **justificado**, fundado

injustificável *adj.2g.* **insustentável**, indefensável, indefensível, imperdoável, inexcusável ≠ **justificável**, defensível, sustentável, defensável

injusto *adj.* 1 **iníquo**, torticeiro *col.* ≠ **justo** 2 **imerecido**, desmerecido, indevido ≠ **justo**, devido, merecido 3 **infundado**, arbitrário

inobservado *adj.* **violado** ≠ **observado**, acatado

inobservância *n.f.* **desacatamento**, desrespeito, incumprimento ≠ **observância**, cumprimento

inocência *n.f.* 1 **inculpabilidade** 2 **credulidade**, simplicidade, lhaneza, candura, ingenuidade, chaneza *fig.*, limpidez *fig.* ≠ **manha**, malícia

inocentar *v.* **desculpar**, ilibar, perdoar, absolver ≠ **culpar**, incriminar

inocente *adj.2g.* 1 **inculpado**, insonte ≠ **culpado** 2 **inofensivo**, inócuo ≠ **nocivo**, prejudicial 3 **ingénuo**, cândido, simples, puro, anjinho, ignorante, abeliano ≠ **malicioso**, manhoso, astucioso, sabido

inoculação *n.f.* 1 **injeção**, seringadela, seringada, seringação 2 *fig.* **transmissão**, difusão, propagação, divulgação

inocular *v.* 1 **injetar** 2 **vacinar** 3 *fig.* **difundir**, disseminar, espalhar, propagar, transmitir

inócuo *adj.* **inocente**, inofensivo, inóxio ≠ **nocivo**, prejudicial

inodoro *adj.* **inolente** ≠ **odorífero**, olente, cheiroso, perfumoso

inofensivo *adj.* **inócuo**, inocente, anódino *fig.* ≠ **nocivo**, prejudicial

inolvidável *adj.2g.* **inesquecível**, memorável ≠ **olvidável**, esquecível

inominado *adj.* **anónimo**, incógnito

inoperante *adj.2g.* **ineficaz**, ineficiente, inútil ≠ **operante**, eficaz, eficiente

inopinado *adj.* 1 **repentino**, súbito, inesperado, imprevisto ≠ **esperado**, previsto 2 **extraordinário**, incrível, surpreendente

inoportunidade *n.f.* **importunidade**, inconveniência, impertinência, extemporaneidade ≠ **oportunidade**, pertinência

inoportuno *adj.* **inconveniente**, despropositado, impróprio, inadequado, inapropriado, extemporâneo, descabido, mal-azado ≠ **oportuno**, adequado, apropriado, conveniente

inóspito *adj.* 1 **inospitaleiro** ≠ **hospitaleiro** 2 **inabitável**, hostil ≠ **habitável**

inovação *n.f.* 1 **novidade**, novação 2 **mudança**, renovação

inovar *v.* **renovar**, modernizar, criar, inventar

inqualificável *adj.2g.* 1 **inclassificável** ≠ **qualificável**, classificável 2 **baixo**, indigno, revoltante, vil

inquebrantável *adj.2g.* 1 **inflexível**, sólido, forte, rijo ≠ **quebrantável** 2 **indefesso**, infatigável, incansável

inquebrável *adj.2g.* **infrangível** ≠ **quebrável**, frangível

inquérito *n.m.* 1 **interrogatório**, inquirição 2 **indagação**, averiguação, auscultação, inquirimento, inquisição, pesquisa, busca, inculca, investigação, catamento

inquestionável *adj.2g.* **indiscutível**, incontestável, incontroverso, indubitável, certo, incombatível ≠ **questionável**, contestável, discutível, disputável

inquestionavelmente *adv.* **indiscutivelmente**, indubitavelmente

inquietação *n.f.* 1 **preocupação**, apoquentação, desassossego, desinquietação, inquietude, inquietamento, agitação, cuidado, sobressalto, perturbação, turbação, atribulação, tormento, intranquilidade, consumição, aflição, tristeza, moléstia, incómodo, inferno, tortura ≠ **quietação**, sossego, tranquilidade 2 **excitação**, nervosismo

inquietante *adj.2g.* **alarmante**, perturbante, preocupante, perturbatório ≠ **tranquilizante**, calmante

inquietar *v.* 1 **perturbar**, afligir, agitar, alarmar, angustiar, apoquentar, consumir, atribular, incomodar, perseguir, mortificar, molestar, abalar, preocupar, roer, vexar, torvar, amofinar, desassossegar, desinquietar, alvorotar, vascolejar *fig.*, ralar *fig.* ≠ **acalmar**, sossegar, descontrair, apaziguar 2 **amotinar**, alvoroçar

inquietar-se *v.* **afligir-se**, preocupar-se, alarmar-se, perturbar-se, apreender-se

inquieto *adj.* 1 **buliçoso**, desinquieto, endiabrado, irrequieto, travesso, guicho [REG.] ≠ **quieto**, calmo 2 **ansioso**, apreensivo, aflito, agitado, impaciente, preocupado, sobressaltado ≠ **quieto**, calmo, sossegado, tranquilo

inquietude *n.f.* 1 **preocupação**, apoquentação, desassossego, desinquietação, inquietação, inquietamento, agitação, cuidado, sobressalto, perturbação, turbação, atribulação, tormento, intranquilidade, consumição, aflição, tristeza, moléstia, incómodo, inferno, tortura ≠ **quietação**, sossego, tranquilidade 2 **excitação**, nervosismo

inquilino *n.m.* **arrendatário**, locatário, locandeiro, rendeiro, caseiro

inquinamento *n.m.* 1 **inquinação**, infeção, contaminação 2 **mancha**, nódoa 3 **corrupção**, degenerescência

inquinar *v.* 1 **contaminar**, infetar, infecionar, corromper, poluir, adulterar 2 **sujar**, manchar, enodoar, macular

inquirição *n.f.* 1 **indagação**, averiguação, auscultação, inquirimento, inquisição, pesquisa, busca, cata, inculca, investigação, sindicância, perquisição 2 **interrogatório**, inquérito

inquiridor *adj.,n.m.* **interrogador**, investigador, indagador, perguntador

inquirir *v.* **indagar**, averiguar, pesquisar, investigar, informar-se, auscultar, perscrutar, rebuscar, buscar, demandar, devassar, esquadrinhar, interrogar, sindicar, perguntar, procurar, cheirar *fig.*, esgaravatar *fig.*, espreitar *fig.*

inquisição *n.f.* **indagação**, averiguação, auscultação, inquérito, inquirimento, inquirição, pesquisa, busca, cata, inculca, investigação, sindicância

inquisidor *n.m.* **inquiridor**, averiguador, investigador

inquisitório *adj.* **terrível**, cruel, desumano, duro, severo

insaciável *adj.2g.* 1 **ávido**, sôfrego, sequioso, insatisfazível, insaturável, irreplegível ≠ **saciável** 2 **ambicioso**, ganancioso, cobiçoso

insalubre *adj.2g.* **doentio**, morbífico, empestado, insalutífero, morbígeno, morbíparo ≠ **salubre**

insanável *adj.2g.* **incurável**, incorrigível, irremediável ≠ **sanável**, corrigível, curável, remediavél

insânia *n.f.* 1 **loucura**, doidice, destempero, desatino, desvario, demência, vareio ≠ **sanidade**, lucidez 2 **insensatez**, irreflexão, insanidade ≠ **sensatez**, ponderação

insanidade *n.f.* 1 **loucura**, doidice, destempero, desatino, desvario, demência ≠ **sanidade**, lucidez 2 **insensatez**, irreflexão, insânia ≠ **sensatez**, ponderação

insano *adj.* 1 **louco**, demente, maluco, doido, orate 2 **insensato**, irresponsável ≠ **sensato**, responsável

insatisfação *n.f.* **descontentamento**, desprazer, desagrado ≠ **satisfação**, contentamento, agrado

insatisfatório *adj.* **insuficiente**, inaceitável ≠ **satisfatório**, suficiente, passável

insatisfeito *adj.* 1 **descontente**, desagradado, aborrecido ≠ **satisfeito**, contente, deleitado 2 **insaciado** ≠ **satisfeito**, saciado

inscrever *v.* 1 **entalhar**, esculpir, insculpir, gravar 2 **matricular**, registar, alistar, arrolar 3 **apontar**, assentar, notar

inscrição *n.f.* 1 **epígrafe** 2 **letreiro** 3 **matrícula** 4 **alistamento**, arrolamento 5 **lançamento**, apontamento, averbamento, assentamento, registo, lançadura, assento, nota

inscrito *adj.* 1 **gravado**, esculpido, entalhado, insculpido 2 **alistado**, arrolado 3 **matriculado** 4 **apontado**, assentado, anotado

insegurança *n.f.* 1 **periculosidade** ≠ **segurança** 2 **inseguridade** ≠ **segurança**

inseguro *adj.* 1 **instável**, inconsistente, incerto, periclitante, precário ≠ **seguro**, firme, estável 2 **hesitante**, vacilante, irresoluto ≠ **seguro**, decidido, confiante

insensatez *n.f.* **imprudência**, leviandade, estroinice, loucura, insânia, insanidade ≠ **sensatez**, tino, juízo, tinote *col.*

insensato *adj.* 1 **imponderado**, imprudente, irracional, irrefletido, leviano, desajuizado, injudicioso ≠ **sensato**, prudente, ajuizado, ponderado, refletido 2 **louco**, demente, maluco, doido

insensibilidade *n.f.* **indiferença**, desinteresse, apatia, impassibilidade, indolência, alheação, implacabilidade, dureza, rigor, indiferentismo, gelo *fig.* ≠ **sensibilidade**

insensibilizar *v.* 1 **anestesiar**, dessensibilizar, narcotizar 2 **endurecer**, alhear, dessensibilizar, embotar *fig.*, calejar *fig.* ≠ **sensibilizar**, comover, impressionar

insensível *adj.2g.* 1 **indiferente**, impassível, apático, empedernido, imperturbável, impenetrável ≠ **sensível**, perturbável, impressionável, emotivo 2 **cruel**, desapiedado, desumano, duro, impiedoso, incompassível ≠ **sensível**, piedoso, humanal 3 **impercetível**, subtil ≠ **notório**, percetível

inseparável *adj.2g.* 1 **indivisível**, indissociável, indivorciável ≠ **separável**, dissociável, divisível 2 **inerente**, intrínseco, pertencente, próprio

inserção *n.f.* **introdução**, inclusão, intercalação

inserir *v.* 1 **introduzir**, encaixar, pôr, meter, enxerir, interserir, adscrever 2 **incluir**, integrar

inserir-se *v.* 1 **incluir-se**, integrar-se 2 **implantar-se**, fixar-se, ligar-se, entroncar-se

inserto *adj.* **introduzido**, inserido, incluído, metido

insídia *n.f.* **traição**, aleivosia, estratagema, ardil, emboscada, cilada, armadilha, perfídia, intriga, deslealdade, velhacaria, trama *col.*

insidiar *v.* **atraiçoar**, trair, seduzir, corromper, refalsear

insidioso *adj.* **insidiador**, pérfido, traiçoeiro, traidor, falso

insigne *adj.2g.* **célebre**, distinto, famoso, notável, ilustre, extraordinário, brilhante, renomeado ≠ **desconhecido**, ignorado

insígnia *n.f.* 1 **símbolo**, emblema, divisa, atributo, distintivo 2 **estandarte**, bandeira

insignificância *n.f.* 1 **minimidade**, pequenez, exiguidade, pouquidade, pada *fig.* ≠ **importância**, utilidade, valor, relevância 2 **bagatela**, ninharia, futilidade, ridicularia, nugacidade, banalidade, frioleira, migalhice, nonada, nuga, minúcia, lana-caprina, aresta *fig.*, avo *fig.*, ceitil *fig.*, côdea *fig.*, dez-reis *fig.*, caganifância *col.*, farelada *fig.*, farelagem *fig.*, tuta e meia *col.*, nica *col.*, niquice *col.*, palha *fig.*, merda *vulg.*, merdice *vulg.*

insignificante *adj.2g.* 1 **minúsculo**, exíguo, liliputiano, homeopático *fig.* ≠ **significante**, grande 2 **frívolo**, fútil, inútil, oco, vão, merdeiro *vulg.*, ignorável ≠ **importante**, fundamental

insinuação *n.f.* 1 **sugestão**, alusão, referência 2 **remoque**, indireta *col.*

insinuante *adj.2g.* 1 **agradável**, atraente, cativante, simpático 2 **persuasivo**, convincente, aliciante, persuasório, insinuador, insinuativo

insinuar *v.* 1 **sugerir**, aludir, sugestionar, bacorinhar 2 **incutir**, induzir, inspirar, incitar, instigar, instilar

insinuar-se *v.* 1 **introduzir-se**, infiltrar-se, instilar-se 2 **afragatar-se**

insípido *adj.* 1 **insosso**, insulso, desenxabido, deslavado, enxabido, sensabor, aguado, desconsolado, vápido *poét.* ≠ **saboroso**, apetitoso, gostoso 2 *fig.* **desengraçado**, enfadonho, monótono, chato ≠ **interessante**, agradável

insistência *n.f.* **perseverança**, teimosia, teima, premência, instância, afinco, obstinação, contumácia

insistente *adj.2g.* 1 **obstinado**, perseverante, teimoso, persistente, contumaz 2 **enfadonho**, maçador, importuno

insistentemente *adv.* **teimosamente**, aturadamente, continuamente, instantemente

insistir *v.* **perseverar**, teimar, persistir, porfiar, repisar, recalcar, obstinar-se, afincar, martelar *fig.*, recargar *fig.*, restribar *fig.* ≠ **desistir**, deixar

ínsito *adj.* 1 **inserto**, inserido, fixado, implantado 2 **congénito**, inato

insociável *adj.2g.* 1 **misantropo**, solitário, esquivo, retraído, arisco, inaliável ≠ **sociável**, acessível 2 **intratável**, importuno, incómodo ≠ **sociável**, tratável

insofismável *adj.2g.* 1 **patente**, claro, evidente 2 **indiscutível**, irrefutável, incontestável

insofrido *adj.* 1 **impaciente**, inquieto, irrequieto, malsofrido, desinsofrido 2 **indomável**, turbulento, fogoso

insolação *n.f.* MED. **heliose**, astrobolismo

insolência *n.f.* 1 **impertinência**, atrevimento, descaramento, descaro, impudência, impudor, protérvia, procacidade, despejo, descomedimento, desabrimento, desavergonhamento, desvergonhamento 2 **grosseria**, má-criação, ofensa, insulto, desaforo 3 **arrogância**, altivez, soberba, petulância

insolente *adj.2g.* 1 **petulante**, desrespeitador, malcriado, grosseiro, desabusado, desaforado, insultuoso, injurioso, impudente, impertinente, desavergonhado, descarado, irrespeitoso, procace 2 **arrogante**, emproado, altivo, altaneiro, imodesto

insólito *adj.* **inabitual**, anómalo, anormal, desusado, excecional, extraordinário, inédito, singular, insueto ≠ **comum**, banal, habitual, sólito

insolubilidade *n.f.* **insolvência**, insolvabilidade ≠ **solvência**, solvibilidade

insolúvel *adj.2g.* 1 **indissolúvel**, indissolvível ≠ solúvel, dissolúvel 2 **irresolúvel**, irresolvível ≠ resolúvel, resolvível 3 **impagável**, incobrável, insolvível ≠ **pagável**, cobrável, solvível

insolvência *n.f.* **insolvibilidade**, insolubilidade ≠ solvência, solvibilidade

insolvente *adj.,n.2g.* **inadimplente**, devedor ≠ solvente

insolvível *adj.2g.* **impagável**, incobrável, insolúvel ≠ pagável, cobrável, solvível

insondável *adj.2g.* **incompreensível**, inexplicável, intangível, impenetrável, improfundável ≠ **penetrável**, acessível, sondável, perscrutável

insónia[AO] ou **insônia**[AO] *n.f.* **vigília**, insonolência, espertina, agripnia, vigia *fig.*

insosso *adj.* 1 **insípido**, insulso, desenxabido, deslavado, enxabido, sensabor, aguado, desconsolado, sem-sal, ingre [REG.] ≠ **saboroso**, apetitoso, gostoso 2 *fig.* **desengraçado**, enfadonho, monótono, chato ≠ **interessante**, agradável

inspeção[dAO] *n.f.* 1 **exame**, revista, vistoria 2 **fiscalização**, vigilância, superintendência, controlo

inspecção[aAO] *n.f.* ⇒ **inspeção**[dAO]

inspeccionar[aAO] *v.* ⇒ **inspecionar**[dAO]

inspecionar[dAO] *v.* **examinar**, fiscalizar, vistoriar, revistar, controlar, vigiar, observar, inspetar, vistorizar, sindicar, superintender, sobrerrondar

inspector[aAO] *adj.,n.m.* ⇒ **inspetor**[dAO]

inspetor[dAO] *adj.,n.m.* **verificador**, examinador, fiscalizador, observador, fiscal, superintendente, inspecionador

inspiração *n.f.* 1 **inalação**, aspiração 2 **bafo**, bafagem, alento 3 **sugestão**, influência, lembrança 4 **estro**, génio, musa, númen, ditame, centelha *fig.*, chama *fig.*, poesia *fig.*, revelação *fig.*, iluminação *fig.*, sopro *fig.*

inspirador *adj.* **inspirativo**, inspiratório

inspirar *v.* 1 **aspirar**, inalar, respirar, haurir ≠ **expirar** 2 **incutir**, infundir, suscitar, sugerir, promover, sugestionar, originar

inspirar-se *v.* **basear-se**, fundar-se, fundamentar-se, apoiar-se, alicerçar-se

instabilidade *n.f.* **inconstância**, volubilidade, fluxibilidade, impermanência, mutabilidade, labilidade, variabilidade, precaridade ≠ **estabilidade**, constância

instalação *n.f.* 1 **alojamento**, acomodação 2 INFORM. ≠ **desinstalação**

instalar *v.* 1 **acomodar**, alojar, hospedar 2 **montar**, armar, levantar ≠ **desinstalar**, desmontar 3 **estabelecer**, fixar

instância *n.f.* 1 **perseverança**, teimosia, teima, premência, insistência, afinco, obstinação, contumácia 2 **rogo**, solicitação, súplica 3 **jurisdição**, foro, juízo

instantaneamente *adj.* **momentaneamente**, repentinamente

instantâneo *adj.* 1 **inesperado**, imediato, repentino, súbito, pronto 2 **momentâneo**, rápido, transitório, efémero

instante *n.m.* 1 **momento** 2 **ocasião**

instar *v.* 1 **insistir**, perseverar, persistir, suplicar, afincar 2 **urgir**, exigir, obrigar

instauração *n.f.* **fundação**, estabelecimento, organização, inauguração

instaurar *v.* **estabelecer**, instituir, fundar, organizar, formar, inaugurar

instável *adj.2g.* 1 **inseguro**, abalável ≠ **estável**, firme, fixo, assente, seguro 2 **variável**, inconstante, alterável, mutável, mudável, móvel, volúvel, vicissitudinário ≠ **estável**, constante, invariável, inalterável, permanente, imóbil

instigação *n.f.* **incentivo**, estímulo, incitamento, induzimento, provocação, excitação, impulso, fomentação, fomento, incitação, acicate *fig.*, aguilhoamento *fig.*, aguilhão *fig.*, esporada *fig.*, espora *fig.*

instigador *adj.,n.m.* **incitador**, provocador, impulsor, inspirador, estimulador, açulador, suscitador, atiçador *fig.*

instigar *v.* **estimular**, animar, impelir, incentivar, excitar, fomentar, acirrar, afervorar, encorajar, afoitar, exortar, induzir, incitar, aguilhoar *fig.*, acicatar *fig.*, acender *fig.*, atiçar *fig.*, aguçar *fig.*, espicaçar *fig.*, esporear *fig.*, inflamar *fig.*, incender *fig.*, picar *fig.*, aferretoar *fig.*, acoroçoar *fig.*, agarrochar *fig.*, assovelar *fig.*, ferretoar *fig.*

instilação *n.f.* 1 **infiltração**, penetração 2 *fig.* **insinuação**

instilar *v.* 1 **entranhar**, infiltrar, inserir, impregnar, introduzir, penetrar, transfundir 2 *fig.* **incutir**, induzir, insinuar, insuflar

instintivo *adj.* **involuntário**, inconsciente, espontâneo, maquinal, mecânico, automático ≠ **consciente**, lúcido, racionalizado

instinto *n.m.* **intuição**, pressentimento, faro *fig.*, nariz *fig.*

institucionalizar *v.* **oficializar**

instituição *n.f.* 1 **formação**, fundação, ereção, criação, estabelecimento 2 **organização**, organismo, instituto, entidade, fundação

instituidor *adj.,n.m.* **criador**, fundador, estabelecedor

instituir *v.* 1 **criar**, edificar, erguer, erigir, estabelecer, instaurar, fundar, organizar, inaugurar 2 **aprazar**, determinar, fixar, atempar, prefinir 3 **constituir**, designar

instituto *n.m.* 1 **organização**, organismo, instituição, entidade, fundação 2 **regulamento**, regulamentação, lei, regra, regime

instrução *n.f.* **1 ensino**, ensinamento, educação, alfabetização, formação **2 saber**, sabedoria, ciência, erudição, cultura, conhecimentos, doutrina, ilustração ≠ **ignorância**, incultura, iliteracia **3 esclarecimento**, elucidação, explicação, informação **4 orientação**, norma, indicação, diretiva

instruendo *n.m.* **1 aluno**, aprendiz, lecionando **2 recruta**

instruído *adj.* **erudito**, culto, ilustrado, sabedor, intelectualizado

instruir *v.* **1 ensinar**, formar, educar, aletradar **2 adestrar**, habilitar, treinar **3 elucidar**, informar, inteirar, esclarecer

instruir-se *v.* **1 aprender**, estudar, cultivar-se, educar-se, aletradar-se, desasnar-se **2 informar-se**, esclarecer-se

instrumentação *n.f.* MÚS. **orquestração**

instrumentar *v.* MÚS. **orquestrar**

instrumentista *n.2g.* **sinfonista**

instrumento *n.m.* **1 utensílio**, ferramenta, aparelho **2** *fig.* **meio**, via **3** DIR. **ata**, auto, documento, título, escritura

instrutivo *adj.* **educativo**, esclarecedor, edificativo

instrutor *n.m.* **professor**, monitor, precetor, ensinador, mestre, educador

ínsua *n.f.* **1 ilhazinha**, ilhéu, ilheta, ilhote, ilhota **2 lezira**

insubmissão *n.f.* **1 rebeldia**, rebelião, sublevação **2 desobediência**, indocilidade, indisciplina, desmando ≠ **submissão**, obediência, acatamento, disciplina

insubmisso *adj.* **indomado**, incontrolado, irrefreado, independente, insubordinado, rebelde ≠ **submisso**, controlado, domado

insubordinação *n.f.* **1 desobediência**, indocilidade, insubmissão, indisciplina, desmando ≠ **submissão**, obediência, acatamento, disciplina **2 rebeldia**, rebelião, sublevação, levantamento

insubordinado *adj.,n.m.* **desobediente**, indomado, insubmisso, independente, rebelde ≠ **subordinado**, controlado, domado, submisso, acarneirado, obnóxio, rendido, cangueiro *fig.*

insubordinar *v.* **sublevar**, amotinar, revolucionar, revoltar, indisciplinar, insurgir, levantar

insubordinar-se *v.* **revoltar-se**, rebelar-se, indisciplinar-se

insubsistente *adj.2g.* **infundado**, insustentável

insubstituível *adj.2g.* **1 imprescindível**, indispensável, necessário, fundamental, obrigatório, forçoso, preciso ≠ **dispensável**, prescindível, substituível **2 ímpar**, incomparável, inimitável, singular, único, excecional, inigualável ≠ **igualável**, comparável, semelhante

insucesso *n.m.* **malogro**, fracasso, fiasco, desastre, falhanço, espalhanço, barraca *fig.* ≠ **sucesso**, êxito, triunfo, vitória

insuficiência *n.f.* **1 falta**, míngua, escassez, carência, penúria, pouquidade, rareza, raleiro, desprovimento, curteza ≠ **abundância**, fartura, sobrepujamento **2 incapacidade**, incompetência, inaptidão, ineptidão, inabilidade ≠ **aptidão**, capacidade, competência, habilidade

insuficiente *adj.2g.* **1 deficiente**, diminuto, escasso, exíguo, falho ≠ **suficiente**, satisfatório, bastante, indeficiente **2 incapaz**, incompetente, incapacitado, insciente, inábil, inapto ≠ **competente**, capaz, apto, habilitado

insuflar *v.* **1 inflar**, encher **2 incutir**, infundir, insinuar, instilar, sugerir, instigar, inspirar

insular *adj.2g.* **ilhéu** ■ *v.* **isolar**, separar, segregar

insularidade *n.f.* **isolamento**

insultar *v.* **injuriar**, ofender, afrontar, caluniar, desonrar, difamar, enxovalhar, infamar, invetivar, vexar, ultrajar, vituperar, xingar, descompor, desfeitear, improperar, rebaixar, assetear, menoscabar, doestar, empulhar, baldoar, abocanhar *fig.* ≠ **desinjuriar**, desafrontar, desagravar, desultrajar

insulto *n.m.* **ofensa**, afronta, opróbrio, injúria, vitupério, ultraje, desfeita, desonra, escândalo, ignomínia, torpeza, invetiva, vituperação, exprobração, diatribe, doesto, convício, contumélia, impropério, vilta, enxovalho, xingamento, bofetada *fig.*, bujarrona *fig.*, pedrada *fig.*, mordedura *fig.* ≠ **desagravo**, desafronta

insultuoso *adj.* **afrontoso**, injurioso, insolente, ofensivo, provocador, ultrajante ≠ **elogioso**, laudatório

insuperável *adj.2g.* **inexcedível**, inultrapassável, intransponível, invencível, indestronável ≠ **superável**, excedível, ultrapassável

insuportável *adj.2g.* **1 intolerável**, incomportável, inaceitável ≠ **suportável**, comportável, tolerável, aceitável **2 incómodo**, incomodativo, maçador, maçudo, impertinente, enfadonho, importuno, fastidioso ≠ **agradável**, aprazível

insuprível *adj.2g.* **1 insubstituível**, indispensável, necessário, fundamental, obrigatório, forçoso, preciso ≠ **suprível**, substituível, prescindível, dispensável **2 irremediável**, irreparável ≠ **suprível**, remediável, reparável

insurgente *adj.,n.2g.* **rebelde**, revoltoso, revoltado, insurreto, insurrecionado, amotinado, sublevado, insubordinado

insurgir *v.* **amotinar**, sublevar, revoltar, revolucionar, insubordinar, insurrecionar, rebelar, indisciplinar

insurgir-se *v.* 1 **revoltar-se**, amotinar-se, sublevar-se, erguer-se, recalcitrar, prevalecer-se, reminar-se [BRAS.] 2 **protestar**, opor-se, reagir

insurreccionar[aAO] *v.* ⇒ **insurrecionar**[dAO]

insurrecionar[dAO] *v.* **amotinar**, sublevar, revoltar, revolucionar, insubordinar, insurgir, rebelar, indisciplinar

insurrecto[aAO] *adj.,n.m.* ⇒ **insurreto**[dAO]

insurreição *n.f.* **rebelião**, revolta, revolução, sublevação, pronunciamento, levantamento, motim, sedição, rebeldismo, bernarda, subversão

insurreto[dAO] *adj.,n.m.* **rebelde**, revoltoso, revoltado, insurgente, insurrecionado, amotinado, sublevado, insubordinado

insusceptível[aAO] *adj.2g.* ⇒ **insuscetível**[dAO]

insuscetível[dAO] *adj.2g.* **incapaz** ≠ **suscetível**, passível

insuspeito *adj.* 1 **fidedigno**, verdadeiro ≠ **suspeito**, duvidoso 2 **imparcial**, desinteressado, isento, neutro ≠ **suspeito**, parcial

insustentável *adj.2g.* 1 **insubsistente**, indefensável, infundado, injustificável ≠ **sustentável**, defensível, justificável, defensável 2 **insuportável**, incomportável, intolerável ≠ **suportável**, comportável, tolerável, aceitável

intacto[AO] ou **intato**[AO] *adj.* 1 **ileso**, inteiro, salvo, são, indemne, inatingido, incólume ≠ **leso**, ferido 2 **inteiro**, inviolado, íntegro, completo 3 **puro**, impoluto, íntegro, irrepreensível

intangível *adj.2g.* 1 **impalpável**, intocável, intáctil ≠ **tangível**, palpável 2 **inatacável**, inatingível ≠ **tangível**

integérrimo *adj.* **exemplaríssimo**, rectíssimo

íntegra *n.f.* **totalidade**, todo, total

integração *n.f.* **inclusão**, incorporação, anexação, reunião, assimilação, adaptação ≠ **desintegração**, desanexação, desunião

integrado *adj.* 1 **assimilado**, introduzido ≠ **desintegrado**, separado 2 **adaptado**, ambientado ≠ **desintegrado**, desadaptado

integral *adj.2g.* **inteiro**, absoluto, completo, total, global

integralmente *v.* **inteiramente**, completamente, totalmente, plenamente ≠ **parcialmente**

integrante *adj.2g.* **componente**

integrar *v.* 1 **incluir**, agregar, incorporar, anexar, ajuntar, inserir 2 **completar**, totalizar, inteirar 3 **adaptar**, ambientar, familiarizar, entrosar

integrar-se *v.* 1 **incluir-se** 2 **complementar-se**, harmonizar-se

integridade *n.f.* 1 **inteireza**, plenitude 2 **incorruptibilidade**, incorrupção, honestidade, honradez, probidade, retidão, virtude, seriedade, imparcialidade, equidade 3 **pureza**, castidade

íntegro *adj.* 1 **inteiro**, inviolado, intacto, completo 2 **incorruptível**, honrado, exemplar, incorrupto, insubornável, reto, imparcial, inatacável 3 **puro**, imaculado

inteiramente *v.* **integralmente**, completamente, totalmente, plenamente, absolutamente, cabalmente ≠ **parcialmente**

inteirar *v.* 1 **completar**, preencher, perfazer, totalizar, integrar 2 **elucidar**, informar, instruir, esclarecer

inteirar-se *v.* 1 **informar-se**, certificar-se, averiguar 2 **integralizar-se**

inteireza *n.f.* 1 **integridade**, plenitude 2 **incorruptibilidade**, incorrupção, integridade, direitura, honestidade, honradez, probidade, virtude, seriedade, retidão, justeza, rigor

inteiriçar *v.* **entesar**, entanguir, engadanhar

inteiriço *adj.* 1 **inteiro**, maciço 2 **hirto**, teso, inflexível, rígido, rigente

inteiro *adj.* 1 **todo**, completo, total, inconsumpto ≠ **parcial** 2 **intacto**, incólume, salvo, são, ileso, indemne, inatingido ≠ **leso**, ferido 3 **inteiriço**, maciço 4 **absoluto**, ilimitado, pleno, total 5 **incorruptível**, íntegro, reto 6 **inflexível**, austero

intelecto *n.m.* **entendimento**, inteligência, inteleção, intelectualidade

intelectual *adj.2g.* 1 **mental**, intelectivo, espiritual 2 **cerebral**, racional ■ *n.2g.* **culto**, sabedor, pensador

intelectualidade *n.f.* **entendimento**, inteligência, inteleção, intelecto

intelectualizar *v.* **cerebralizar**

inteligência *n.f.* 1 **entendimento**, intelecto, inteleção, intelectualidade, mente, cabeça *fig.*, caco *fig.*, casco *fig.*, cérebro *fig.*, miolo *fig.*, meloa *fig.* 2 **discernimento** 3 **sagacidade**, perspicácia, habilidade, perspicuidade 4 **acordo**, conluio, cumplicidade, mancomunação

inteligente *adj.2g.* 1 **esperto**, perspicaz, penetrante, azevieiro, ressabido, mitrado *fig.*, zagucho [REG.] ≠ **idiota**, imbecil, inepto, ininteligente, tolo, besta, bobo, burro, alorpado, calino, zote, estólido, tamanco, bernardo *col.*, acéfalo *fig.*, alcançadiço *fig.*, animal *fig.*, cabeçudo *fig.*, orelhudo *fig.*, beócio *fig.,pej.*, bordalengo *fig.,pej.*, peco *fig.,pej.* 2 **sensato**, ajuizado, atilado, judicioso ≠ **insensato**, irresponsável, estulto 3 **conhecedor**, entendido, instruído, versado ≠ **ignorante**, fátuo, soez

inteligibilidade *n.f.* **compreensibilidade**, clareza ≠ **ininteligibilidade**, incompreensibilidade

inteligível *adj.2g.* 1 **compreensível**, decifrável, acessível ≠ **ininteligível**, incompreensível, inexplicável, indecifrável, inacessível 2 **audível**, percetível, claro, distinto ≠ **ininteligível**, inaudível

intemerato *adj.* **incorruptível**, incorrupto, íntegro, puro

intemperança *n.f.* 1 **descomedimento**, imoderação, excesso, desregramento, destemperança, incontinência, demasia, intemperamento, corrupção, imodicidade ≠ **moderação**, comedimento, continência 2 **glutonaria**, gula, voracidade

intempérie *n.f.* **tempestade**, temporal, trabuzana, borrasca, borrasqueiro, vendaval

intempestividade *n.f.* **inoportunidade**, despropósito

intempestivo *adj.* 1 **extemporâneo**, inoportuno, inopinado ≠ **tempestivo**, oportuno 2 **imprevisto**, súbito, inesperado, repentino ≠ **esperado**, previsto

intenção *n.f.* **intento**, desígnio, intuito, propósito, objetivo, tenção, ideia, plano, projeto, fito, fim, mira, alvo

intencionado *adj.* **propositado**, determinado, deliberado, intencional, premeditado

intencional *adj.2g.* **propositado**, determinado, deliberado, intencionado, premeditado, intencionável

intencionalidade *n.f.* **propósito**, deliberação

intencionalmente *v.* **propositadamente**

intencionar *v.* **planear**, planejar, pretender, tencionar

intendência *n.f.* **administração**, direção

intendente *n.m.* **administrador**, diretor, superintendente, gerente, gestor

intender *v.* **administrar**, gerir, dirigir, superintender

intensidade *n.f.* **energia**, força, intensão, veemência, violência, tineira [REG.]

intensificação *n.f.* **fortalecimento**, reforço, aumento, redobramento

intensificar *v.* **reforçar**, fortalecer, fortificar, redobrar, aumentar, estimular, avivar, potencializar ≠ **abrandar**, atenuar

intensificar-se *v.* 1 **reforçar-se**, aumentar, fortalecer-se, inflamar-se *fig.* 2 **congestionar-se**

intensivo *adj.* **ativo**, veemente, forte, enérgico, intenso

intenso *adj.* **enérgico**, ativo, veemente, forte, violento, excessivo, acrisolado *fig.*

intentar *v.* 1 **tentar**, empreender, diligenciar 2 **planear**, projetar, planejar, tencionar, pretender 3 **propor**, promover

intento *n.m.* **intenção**, desígnio, intuito, propósito, objetivo, tenção, ideia, plano, projeto, fito, fim, mira, alvo

intentona *n.f.* **conspiração**, conjuração

intercalar *v.* **alternar**, interpolar, interpor, entremear, entrepor ■ *adj.2g.* **intercalado**, alternado, interpolado, interjacente

intercalar-se *v.* **interpor-se**, interpolar-se

intercambiar *v.* **permutar**, trocar

intercâmbio *n.m.* **permuta**, permutação, troca

interceder *v.* **acudir**, advogar, intervir, mediar, interferir, terçar ≠ **abster-se**

interceptar[AO] *v.* ⇒ **intercetar**[dAO]

intercepto[AO] ou **interceto**[AO] *adj.* **cortado**, intercetado, interrompido

interceptor[AO] *n.m.* ⇒ **intercetor**[dAO]

intercessão *n.f.* **mediação**, intervenção, interferência, terçaria, valimento

intercetar[dAO] ou **interceptar**[AO] *v.* **obstruir**, impedir, deter, interromper, cortar

intercetor[dAO] ou **interceptor**[AO] *n.m.* **interceptador**, interruptor

intercorrer *v.* **suceder**, sobrevir, sobrechegar

interdependência *n.f.* **correlação**

interdependente *adj.2g.* **correlativo**

interdição *n.f.* **proibição**, impedimento, veto, interdito

interditar *v.* **proibir**, interdizer, impedir, embargar, vedar

interdito *adj.* **proibido**, impedido, inibido, interditado, vedado ■ *n.m.* **proibição**, impedimento, veto, interdição

interdizer *v.* **impedir**, proibir, vedar, inibir, interditar

interessado *adj.,n.m.* **empenhado**, atraído ≠ **apático**, abúlico, amorfo, marasmático

interessante *adj.2g.* **agradável**, atraente, simpático, aliciante, estimulante, encantador ≠ **desinteressante**, fastidioso, desagradável, maçante, aborrecível, maçudo, monótono, aladainhado, ramerraneiro, aborrível

interessar *v.* 1 **importar** 2 **concernir**, tocar, afetar 3 **cativar**, prender, seduzir, captar 4 **granjear**, ganhar, lucrar

interessar-se *v.* 1 **importar-se**, ligar 2 **gostar**, afeiçoar-se 3 **empenhar-se**

interesse *n.m.* 1 **proveito**, vantagem, lucro, ganho, benefício, conveniência 2 **importância**, utilidade 3 **empenho**, curiosidade, atenção ≠ **desinteresse**, desapego 4 **simpatia**, atrativo

interesseiro *adj.,n.m.* **egoísta**, calculista, egocêntrico, ganhoso ≠ **altruísta**, desinteressado

interferência *n.f.* **intervenção**, intromissão, ingerência, entremetimento, interposição

interferir *v.* 1 **intrometer-se**, envolver-se, ingerir-se, insinuar-se, imiscuir-se 2 **acudir**, advogar, intervir, interceder, mediar, terçar ≠ **abster-se**

ínterim *n.m.* **intervalo**, entretanto

interinamente *adv.* **temporariamente**, provisoriamente

interino *adj.* 1 **passageiro**, provisório, temporário 2 **substituto** ≠ **efetivo**

interior *adj.2g.* 1 **interno** ≠ **exterior**, externo 2 **íntimo**, privado ▪ *n.m.* **íntimo**, âmago, imo
interiorizar *v.* **assimilar**, compreender, entender, perceber
interiormente *adv.* **intimamente**, dentro, internamente ≠ **exteriormente**, externamente
interjeição *n.f.* **exclamação**
interlocutor *n.m.* **colocutor**
intermediar *v.* 1 **entremear**, intercalar 2 **interceder**, intervir
intermediário *adj.* 1 **interposto**, intermédio 2 **mediano**, médio ▪ *n.m.* **mediador**, medianeiro, intermédio
intermédio *adj.* **interposto**, intermediário ▪ *n.m.* **mediador**, medianeiro, intermediário
interminável *adj.2g.* 1 **infindável**, infindo, incomensurável, infinito, ilimitado, desmedido, imensurável, ilimitável, inumerável ≠ **finito**, limitado 2 **demorado**, prolongado
intermitência *n.f.* 1 **descontinuidade** 2 **intervalo**, interrupção
intermitente *adj.2g.* **descontínuo**, descontinuado, periódico, intervalado, intercadente ≠ **contínuo**, permanente
internacionalização *n.f.* **cosmopolização**, universalização, cosmopolitização
internacionalizar *v.* **cosmopolizar**, universalizar, cosmopolitizar
internamente *adv.* **interiormente**, intimamente, dentro ≠ **externamente**, exteriormente
internamento *n.m.* **internação**, hospitalização
internar *v.* 1 **meter**, introduzir 2 **hospitalizar**, admitir
internar-se *v.* 1 **absorver-se**, concentrar-se, embrenhar-se, dedicar-se, engolfar-se, enfronhar-se 2 **adentrar-se**, embrenhar-se, penetrar, meter-se, entranhar-se, mergulhar *fig.*
internato *n.m.* **pensionato**
internauta *n.2g.* INFORM. **cibernauta**
interno *adj.2g.* 1 **interior** ≠ **externo**, exterior 2 **íntimo**, privado, intestino
interpelante *adj.,n.2g.* **interpelador**
interpelar *v.* 1 **interrogar**, perguntar, demandar 2 **intimar**
interpolação *n.f.* **intercalação**, interrupção
interpolado *adj.* **intervalado**, intercalado, alternado
interpolar *v.* **intercalar**, intervalar, entremear, interpor, alternar
interpor *v.* **intercalar**, interpolar, alternar, entremear, entrepor, entremeter
interpor-se *v.* 1 **interceder**, intervir, meter-se 2 **permear**, intercalar-se
interposição *n.f.* 1 **intervenção**, intercalação, entremetimento, interferência 2 **mediação**
interposto *adj.* 1 **intercalado**, entremeado 2 **intermédio**, intermediário
interpretação *n.f.* 1 **significado**, significação, sentido, aceção 2 CIN., TEAT. **atuação**, representação 3 **tradução**, versão 4 **execução**, desempenho 5 **comentário**, comento, glosa
interpretar *v.* 1 **decifrar**, compreender, perceber 2 **executar**, desempenhar 3 CIN., TEAT. **atuar**, desempenhar, representar 4 **comentar**, analisar, elucidar, criticar 5 **considerar**, entender, julgar, ajuizar 6 **traduzir**, verter
interpretativo *adj.* **esclarecedor**, explicativo
interpretável *adj.2g.* **decifrável**, explicável, traduzível ≠ **indecifrável**, inexplicável, intraduzível
intérprete *n.2g.* 1 **tradutor** 2 **comentador**, comentarista, exegeta, glosador 3 **artista**, ator, protagonista, performer
interregno *n.m.* **interrupção**, intervalo, suspensão
interrogação *n.f.* 1 **pergunta**, interpelação, indagação 2 **incógnita**, incerteza
interrogar *v.* 1 **questionar**, perguntar, indagar, inquirir, interpelar 2 **investigar**, sondar
interrogativo *adj.* **inquiridor**, indagador, inquisitivo
interrogatório *n.m.* **inquirição**, inquérito, questionário
interromper *v.* **suspender**, descontinuar, parar, atalhar, embargar, deter, estorvar, impedir, obstar
interromper-se *v.* 1 **calar-se** 2 **parar**, cessar
interrupção *n.f.* **suspensão**, descontinuação, descontinuidade, intermissão, cessação, extinção, paragem, parada, pausa, quebra, falha, rutura, intercadência, intercisão, interpolação, interregno, trégua, aparte, entrepausa, incontinuidade
interruptor^AO ou **interrutor**^AO *adj.,n.m.* **intercetor**, interrompedor
interseção^AO ou **intersecção**^AO *n.f.* 1 **corte**, entrecorte 2 **cruzamento**
intersetar^AO ou **intersectar**^AO *v.* 1 **interromper**, cortar 2 **impedir**, deter
interstício *n.m.* **fenda**, greta, fisga, fresta, frincha, intervalo
intervalar *v.* **intercalar**, interpolar, entremear, interpor, alternar
intervalo *n.m.* 1 **intermitência**, interrupção, interregno, hiato, interlúdio *fig.* 2 **pausa**, entrepausa, aberta 3 **vão**, entresseio, entremeio, interstício 4 **espaçamento**

intervenção *n.f.* 1 **interferência**, entremetimento, interposição, ingerência, intercessão, interveniência 2 **operação**, cirurgia

interveniente *adj.,n.2g.* 1 **partícipe** 2 **medianeiro**, mediador, interventor

interventor *adj.,n.m.* **medianeiro**, mediador, interveniente

intervir *v.* 1 **interceder**, interferir, intrometer-se, imiscuir-se, ingerir-se, entrepor-se, entremeter-se, introduzir-se 2 **sobrevir**, acontecer, suceder

intestinal *adj.2g.* **entérico**, alvino

intestino *adj.* **interno**, interior

intimação *n.f.* **notificação**, citação

intimamente *adv.* 1 **interiormente**, internamente 2 **completamente**, profundamente, estreitamente

intimar *v.* 1 **citar**, convocar, notificar 2 **ordenar**

intimidação *n.f.* **ameaça**, cominação, amedrontamento

intimidade *n.f.* 1 **privacidade** 2 **familiaridade**, proximidade, estreiteza, confiança, convivência, privança, colacia *fig.*

intimidar *v.* 1 **atemorizar**, apavorar, assustar, assombrar, aterrar, amedrontar, espantar, espavorir, ameaçar, horripilar, desanimar, acobardar ≠ **desamedrontar**, desassustar, tranquilizar, sossegar 2 **acanhar**, envergonhar, embaraçar ≠ **desacanhar**, desembaraçar

intimidar-se *v.* 1 **assustar-se**, recear, amedrontar-se 2 **envergonhar-se**, inibir-se, acanhar-se

intimidativo *adj.* 1 **intimidador**, intimidante 2 **assustador**, atemorizador

íntimo *n.m.* **âmago**, centro, interior, imo, profundez, penetrais ■ *adj.* 1 **interior**, interno, intrínseco, fundo 2 **familiar**, doméstico 3 **particular**, privado, pessoal

intitular *v.* **denominar**, cognominar, designar, chamar, nomear, qualificar, alcunhar, apelidar

intocável *adj.2g.* 1 **impalpável**, intangível, intáctil ≠ **tocável**, palpável, tangível 2 **inatacável**, intangível, inatingível ≠ **tangível**, atacável

intolerância *n.f.* 1 **intransigência**, inflexibilidade, rigidez, insofrimento ≠ **tolerância**, transigência, flexibilidade, abertura 2 **fanatismo**, sectarismo ≠ **tolerância**

intolerante *adj.,n.2g.* 1 **intransigente**, inflexível, rígido ≠ **tolerante**, transigente, flexível, aberto 2 **fanático**, sectário, partidarista ≠ **tolerante**

intolerável *adj.2g.* **insuportável**, incomportável, inaceitável, inadmissível, insustentável ≠ **tolerável**, comportável, suportável, aceitável, sustentável

intonação *n.f.* **entoação**, entonação, entono, toada, inflexão, tom, modulação

intoxicar *v.* **envenenar**, empeçonhar, apeçonhentar, empeçonhentar, peçonhentar, toxicar ≠ **desintoxicar**, desenvenenar

intoxicar-se *v.* **envenenar-se**

intraduzível *adj.2g.* **indizível**, inexplicável, inexprimível, indefinível, ininterpretável ≠ **traduzível**, explicável, exprimível, definível

intragável *adj.2g.* 1 **incomestível** ≠ **tragável**, comestível, edule 2 *fig.* **intolerável**, incomportável, inaceitável, insuportável ≠ **suportável**, comportável, tolerável, aceitável

intranquilidade *n.f.* **preocupação**, apoquentação, desassossego, desinquietação, inquietude, inquietamento, agitação, cuidado, sobressalto, perturbação, turbação, atribulação, tormento, inquietação, consumição, aflição, tristeza, moléstia, incómodo, inferno, tortura ≠ **tranquilidade**, sossego, quietação

intranquilo *adj.* **desassossegado**, inquieto, preocupado, sobressaltado, aflito, agitado, apreensivo ≠ **tranquilo**, calmo, sossegado, quieto

intransigência *n.f.* **intolerância**, inflexibilidade, rigidez, austeridade, rigor, severidade, psicorrigidez ≠ **transigência**, tolerância, flexibilidade, abertura

intransigente *adj.,n.2g.* **inflexível**, rígido, inabalável, intolerante ≠ **transigente**, tolerante, flexível, aberto

intransitável *adj.2g.* **impraticável**, intrafegável ≠ **transitável**

intransitivo *adj.* **intransmissível**, intransferível ≠ **transmissível**, transferível

intransmissível *adj.2g.* **intransitivo**, intransferível ≠ **transmissível**, transferível

intransponível *adj.2g.* **inexcedível**, inultrapassável, insuperável, invencível ≠ **transponível**, excedível, ultrapassável, superável

intratável *adj.2g.* **insociável**, inacessível, misantropo, inabordável, inconversável ≠ **tratável**, sociável, extrovertido, comunicável

intravenoso *adj.* **endovenoso**

intrepidez *n.f.* **bravura**, valentia, destemor, destemidez, temeridade, coragem, afoiteza, audácia, ousadia, arrojo, denodo, desassombro, impavidez ≠ **medo**, cobardia, timidez

intrépido *adj.* **animoso**, afoito, arrojado, corajoso, denodado, audacioso, audaz, bravo, destemido, ousado, impertérrito ≠ **medroso**, cobarde

intricado *adj.* 1 **emaranhado**, embaraçado, intrincado 2 **confuso**, obscuro, intrincado, arrevesado, complicado, problemático ≠ **compreensível**, claro

intricar *v.* 1 **emaranhar**, enlear, enredar, entrançar, embaraçar, intrincar ≠ **desintricar**, desenredar **2** **complicar**, dificultar, obscurecer, confundir ≠ **desintricar**, aclarar

intriga *n.f.* **1** **enredo**, ação, entrecho **2** **bisbilhotice**, mexerico, mexericada, coscuvilhice, comadrice, alcoviteirice, intrigalhada, ditinho, diz-que-diz-que, corrilho, onzenice, meada *fig.*, novelo *fig.*, chisme [REG.], fuxico [BRAS.], xodó [BRAS.], fofoca [BRAS.] *col.*, enzona *ant.* **3** **conluio**, maquinação, insídia, embrulhada, trama *col.*, carrapata *fig.*, cabala *fig.*, maranha *fig.*, meandro *fig.*, tecedura *fig.*, teia *fig.*, urdidura *fig.*, meada *fig.*

intrigado *adj.* **1** **desconfiado**, curioso **2** **perplexo**

intrigante *adj.2g.* **1** **misterioso**, perturbador **2** **mexeriqueiro**, intriguista, alcoviteiro, alcofinha, enredador, inculcador, leva-e-traz

intrigar *v.* **1** **coscuvilhar**, mexericar, onzenar, alcovitar, fofocar [BRAS.] *col.*, inzonar **2** **conspirar**, tramar, maquinar, projetar, planear, conjurar, conluiar

intriguista *adj.,n.2g.* **mexeriqueiro**, intrigante, alcoviteiro, alcofinha, enredador, inculcador, leva-e-traz, fofoqueiro [BRAS.], inzoneiro, lambaraz, maranhoso, mexedor *fig.*, novidadeiro

intrincado *adj.* **1** **emaranhado**, embaraçado, intricado, implexo **2** **confuso**, obscuro, intricado, arrevesado, complicado, problemático, meândrico ≠ **compreensível**, claro

intrinsecamente *adv.* **1** **interiormente**, intimamente, dentro **2** **inerentemente** ≠ **extrinsecamente**

intrínseco *adj.* **interior**, interno, íntimo, inerente ≠ **extrínseco**, externo, exterior

introdução *n.f.* **1** **entrada**, penetração **2** **inserção**, inclusão, intercalação **3** **princípio**, início, começo, introito **4** **abertura**, preâmbulo, prelúdio, prefácio, proémio, prólogo, pródromo, exórdio, antelóquio

introdutor *adj.,n.m.* **apresentador**, difusor

introdutório *adj.* **preliminar**, preambular, introdutivo

introduzir *v.* **1** **apresentar** **2** **meter**, inserir, embutir, cravar, encaixar **3** **começar**, iniciar **4** **adotar**, importar, instaurar, implantar, lançar **5** **incluir**, incorporar

introduzir-se *v.* **1** **entrar**, penetrar, meter-se, insinuar-se, infiltrar-se **2** **imiscuir-se**, intrometer-se, ingerir-se

introito[dAO] *n.m.* **entrada**, começo, princípio, início, exórdio, introdução

intróito[aAO] *n.m.* ⇒ **introito**[dAO]

intrometer *v.* **1** **inserir**, introduzir **2** **intercalar**, entremeter, intermeter

intrometer-se *v.* **imiscuir-se**, ingerir-se, meter-se, interferir, bedelhar, promiscuir-se, interpicar [REG.]

intrometido *adj.* **indiscreto**, metediço, adiantado, abelhudo *col.*, enxerido [BRAS.] ≠ **discreto**, reservado

intromissão *n.f.* **intrusão**, imiscuição, ingerência, interferência, intrometimento, imisção, abelhudice *col.*

introspeção[AO] ou **introspecção**[AO] *n.f.* **auto-observação**, intuspeção

introversão *n.f.* **intraversão** ≠ **extraversão**

introverter *v.* **concentrar** ≠ **extroverter**

introvertido *adj.,n.m.* **ensimesmado** ≠ **extrovertido**, expansivo, comunicativo

intrujão *adj.,n.m.* **embusteiro**, impostor, enganador, aldrabão, parlapatão, charlatão, mentiroso, vigarista, burlão, trapaceiro, iliçador, mofatrão, presilheiro, troles-boles [REG.]

intrujar *v.* **burlar**, enganar, iludir, lograr, vigarizar, endrominar, charlatanear, engrolar, explorar, argolar, pantominar, velhaquear, ciganar *pej.*, iliçar

intrujice *n.f.* **burla**, logro, embuste, fraude, engano, mentira, falsidade, aldrabice, charlatanice, artimanha, endrómina, trapaça, trapacice, impostura, baldroca, fajardice, mendácia, trafulhice, trampolinice, embaçadela, mariolice, sub-repção, ópio *fig.*, presilha *fig.*, ilício

intrusão *n.f.* **1** **intromissão**, imiscuição, ingerência, interferência, abelhudice *col.* **2** **usurpação**

intruso *adj.* **1** **intrometido**, metediço **2** **usurpador**

intuição *n.f.* **pressentimento**, aperceção, instinto, baque *fig.*, faro *fig.*, nariz *fig.*, luz *fig.*

intuir *v.* **pressentir**, pressagiar, adivinhar

intuitivo *adj.* **percecionado**, experienciado, experimental, empírico, imediato

intuito *n.m.* **intento**, desígnio, intenção, propósito, objetivo, tenção, ideia, plano, projeto, fito, fim, mira, alvo

intumescência *n.f.* **intumescimento**, tumescência, entumecência, inchação, inchaço, tumefação, tumidez, tumor *ant.* ≠ **desinchação**, detumescência

intumescer *v.* **1** **ingurgitar**, inturgescer, tumescer, inchar, empolar, avolumar, engrossar, crescer ≠ **desinchar**, desintumescer, desavolumar **2** *fig.* **ensoberbecer**, abalofar, envaidecer

intumescer-se *v.* **crescer**, inchar, empolar-se, dilatar-se

inultrapassável *adj.2g.* **inexcedível**, intransponível, insuperável, invencível, indestronizável ≠ **ultrapassável**, excedível, transponível, superável

inumação *n.f.* **enterro**, enterramento, sepultura, sepultamento ≠ **exumação**, desenterramento

inumano *adj.* **atroz**, brutal, cruel, desapiedado, desumano, impiedoso, insensível

inumar *v.* **sepultar**, enterrar ≠ **exumar**, desenterrar

inumerável *adj.2g.* **1 incalculável**, incontável, infindo, infinito, inúmero, inumeroso ≠ **contável**, estimável, calculável, avaliável **2 prodigioso**, excessivo, imenso

inúmero *adj.* **1 incalculável**, incontável, infindo, infinito, inumerável ≠ **contável**, estimável, calculável, avaliável **2 prodigioso**, excessivo, imenso

inundação *n.f.* **1 cheia**, alagamento, aluvião, coluvião, enchente, trasbordamento, trasbordo, undação, exundação, trúpia [REG.] **2** *fig.* **afluência**, invasão

inundado *adj.* **1 alagado**, encharcado, sobreaguado **2** *fig.* **invadido**, cheio, coberto

inundar *v.* **1 submergir**, alagar, encharcar, banhar, molhar, ensopar, transbordar, trasbordar ≠ **secar**, enxugar, drenar, desaguar, desalagar **2 encher**, fartar, saturar, ocupar **3 derramar**, extravasar, espalhar, invadir

inundar-se *v.* **1 alagar-se 2 encher-se**

inundável *adj.2g.* **alagável**

inusitado *adj.* **1 desusado**, incomum, raro, invulgar ≠ **banal**, vulgar, ordinário, comum **2 esquisito**, estranho, extraordinário, insólito ≠ **banal**, vulgar, ordinário, comum

inútil *adj.2g.* **1 desnecessário**, escusado, supérfluo, dispensável ≠ **útil**, necessário, preciso, indispensável **2 vão**, improfícuo, infrutífero, improficiente, estéril, baldado, imprestável ≠ **vantajoso**, profícuo, frutífero, proveitoso **3 ineficaz**, ineficiente, inoperante ≠ **operante**, eficaz, eficiente **4 parasito**

inutilidade *n.f.* **1 desnecessidade** ≠ **utilidade**, necessidade **2 improdutividade**, improficuidade, improficiência, infrutuosidade ≠ **utilidade**, proficuidade, proficiência **3 ineficiência**, ineficácia, insuficiência ≠ **eficácia**, eficiência

inutilização *n.f.* **anulação**, invalidação, obliteração, aniquilação, destruição

inutilizado *adj.* **1 danificado**, destruído **2** *pej.* **incapacitado**

inutilizar *v.* **1 anular**, invalidar, baldar, frustrar **2 destruir**, estragar **3 incapacitar**, impossibilitar, inabilitar, desabilitar ≠ **habilitar**, capacitar

inutilmente *adv.* **desnecessariamente**, debalde, vãmente, ineficientemente ≠ **utilmente**, proveitosamente

invadir *v.* **1 conquistar**, apossar-se, apoderar-se, assenhorear-se, ensenhorear-se, tomar, acometer **2 alastrar-se**, difundir-se, espalhar-se, estender-se, infestar, entrar, inundar

invalidação *n.f.* **anulação**, inutilização, obliteração, aniquilação, destruição

invalidade *n.f.* **1 nulidade** ≠ **validade 2 invalidez**

invalidar *v.* **1 anular**, revogar, rescindir, cassar, infirmar, ab-rogar, distratar, desvalidar **2 incapacitar**, impossibilitar, inutilizar, inabilitar, desabilitar ≠ **capacitar**, habilitar **3 desacreditar**

invalidez *n.f.* **invalidade**

inválido *adj.* **1 nulo**, vão ≠ **válido 2 ilegal**, ilegítimo, ilícito

invariabilidade *n.f.* **imutabilidade**, inalterabilidade, inamovibilidade, fixidez, estabilidade, constância, permanência ≠ **variabilidade**, mutabilidade

invariável *adj.2g.* **1 constante**, estável, imutável, inalterável, permanente, imudável ≠ **variável**, mudável, modificável, transformável, alterável **2 indeclinável** ≠ **declinável**

invariavelmente *adv.* **sistematicamente**, constantemente, sempre

invasão *n.f.* **1 incursão**, ataque, acometida, carga, assalto, investida, ofensiva, acometimento, ofensa, arremetida, cometida, irrupção, ofensão **2** *fig.* **propagação**, difusão, cheia

invasor *adj.,n.m.* **usurpador**, conquistador, ocupante, agressor, subjugador

invectiva[AO] *n.f.* ⇒ **invetiva**[dAO]

invectivar[AO] *v.* ⇒ **invetivar**[dAO]

inveja *n.f.* **cobiça**, invídia, zelotipia, ciúme

invejado *adj.* **cobiçado**, apetecido

invejando *adj.* **1 apetecível**, cobiçável, desejável **2 apreciável**, precioso

invejar *v.* **cobiçar**, desejar

invejável *adj.2g.* **1 apetecível**, cobiçável, desejável **2 apreciável**, precioso

invejoso *adj.* **cobiçoso**, ávido, ciumento, ambicioso

invenção *n.f.* **1 criação**, descoberta, achamento, descobrimento **2 invento**, achado, descoberta **3 criatividade**, inspiração **4 fantasia**, devaneio, ficção **5 embuste**, mentira, invencionice

invencibilidade *n.f.* **inexpugnabilidade** ≠ **vencibilidade**

invencível *adj.2g.* **1 inexpugnável**, indestrutível, inabalável, indomável ≠ **expugnável**, vencível, conquistável, domável **2 inexcedível**, inultrapassável, intransponível, insuperável, incontrastável ≠ **superável**, excedível, ultrapassável

invendível *adj.2g.* **inegociável** ≠ **vendível**

inventar *v.* **1 criar**, descobrir, inovar **2 forjar**, mentir **3 arquitetar**, urdir, tramar, engendrar, tecer **4 fantasiar**, idealizar, idear, imaginar, fabular

inventariação *n.f.* **1 catalogação**, enumeração, relação **2 inventário**

inventariante *adj.,n.2g.* **inventariador**, arrolador

inventariar *v.* **catalogar**, enumerar, relacionar

inventário *n.m.* **registo**, arrolamento, catálogo, lista, rol

inventiva *n.f.* **1 imaginativa**, imaginação, invenção **2 invento**, fantasia

inventivo *adj.* **1 criador**, inventor **2 engenhoso**, imaginativo

invento *n.m.* **criação**, invenção, descoberta, descobrimento, achado, achamento, engenho

inventor *adj.* **1 criador**, autor, descobridor, achador, ideador **2 inventivo**, engenhoso

inverificável *adj.2g.* **incontrolável** ≠ **verificável**, controlável

invernal *adj.2g.* **invernoso**, hiberno, hiemal

invernar *v.* **hibernar**

invernia *n.f.* **invernada**, inverneira, inverno

inverno *n.m.* **1 invernia**, invernada, inverneira **2** *fig.* **velhice**

invernoso *adj.* **invernal**, hibernal

inverosímil *adj.2g.* **improvável**, inverosimilhante ≠ **verosímil**, provável

inverosimilhança *n.f.* **improbabilidade** ≠ **verosimilhança**, probabilidade

inversão *n.f.* **1 contraversão**, transposição **2 anástrofe**, hipérbato **3** *pej.* **homossexualidade**

inverso *adj.* **1 invertido 2 oposto**, contrário ■ *n.m.* **invés**, contrário, avesso, envés

inverter *v.* **trocar**, virar, voltar, interverter, transtornar, arrevesar, preposterar, transtrocar

invertido *adj.* **inverso**, prepóstero ■ *n.m. col.,pej.* (homem) **homossexual**, gay *col.*, guei *col.*, maricas *cal.*, pederasta *pej.*, bicha *pej.*, fanchono *pej.*, paneleiro *col.,pej.*, puto [BRAS.] *vulg.*, veado [BRAS.] *pej.,vulg.* ≠ **heterossexual**

invés *n.m.* **inverso**, contrário, avesso, envés

investida *n.f.* **1 acometimento**, investimento, acometida, cometida, arremetida, remetida, assalto, assaltada, saltada, avançada, arremesso, remetedura, ataque, opugnação, botada, surtida **2 tentativa**, ensaio **3 motejo**, remoque, zombaria

investidor *adj.* **atacante**

investidura *n.f.* **1 empossе**, posse **2 provimento**

investigação *n.f.* **pesquisa**, indagação, inquirição, averiguação, esquadrinhamento, esquadrinhadura, busca, procura, disquisição, exegética, caça *fig.*, pesca *fig.*, escalpelo *fig.*, sonda *fig.*

investigador *adj.,n.m.* **pesquisador**, indagador, inquiridor, cientista, profundador, excogitador

investigante *adj.2g.* **inquiridor**, investigador, indagador, pesquisador

investigar *v.* **indagar**, pesquisar, sondar, procurar, inquirir, escrutar, perquirir, averiguar, buscar, deslindar, espiolhar, examinar, escavar, esquadrinhar, perguntar, cavar *fig.*, basculhar *fig.*, furoar *fig.*, sabichar [REG.], excogitar

investimento *n.m.* **investida**, assalto, ataque

investir *v.* **1 arremeter**, assaltar, atacar, acometer, afrontar, invadir, tomar, arrostar, sobressaltear **2 empossar**, colocar **3** *col.* **troçar**, zombar, motejar

inveterado *adj.* **antigo**, enraizado, entranhado, crónico, arreigado ≠ **momentâneo**, passageiro, transitório, ocasional

inveterar *v.* **arraigar**, enraizar, entranhar, radicar

inveterar-se *v.* **1 habituar-se**, acostumar-se **2 arreigar-se**, enraizar-se

invetiva[dAO] ou **invectiva**[AO] *n.f.* **ofensa**, afronta, opróbrio, injúria, vitupério, ultraje, desfeita, desonra, escândalo, ignomínia, torpeza, vituperação, exprobração, diatribe, doesto, convício, contumélia, impropério, vilta, enxovalho, xingamento, bofetada *fig.*, bujarrona *fig.*, pedrada *fig.*, mordedura *fig.* ≠ **desagravo**, desafronta

invetivar[dAO] ou **invectivar**[AO] *v.* **injuriar**, ofender, afrontar, caluniar, desonrar, difamar, enxovalhar, infamar, insultar, avexar, ultrajar, vituperar, xingar, descompor, desfeitear, improperar, rebaixar, assetear, menoscabar, doestar, empulhar, baldoar, abocanhar *fig.* ≠ **desinjuriar**, desafrontar, desagravar, desultrajar

inviabilidade *n.f.* **1 impraticabilidade**, inexequibilidade ≠ **viabilidade**, praticabilidade **2 intransitabilidade**, inacessibilidade ≠ **transitabilidade**, acessibilidade

inviável *adj.2g.* **1 inexecutável**, inexequível, impraticável ≠ **viável**, praticável **2 intransitável** ≠ **viável**, transitável

ínvio *adj.* **impraticável**, intransitável, impérvio ≠ **praticável**, transitável, acessível

inviolado *adj.* **1 ileso**, intacto, íntegro, inteiro ≠ **violado 2 imaculado**, puro ≠ **violado**

inviolável *adj.2g.* **privilegiado**

invisível *adj.2g.* **oculto**, escondido, impercetível ≠ **visível**, percetível

invisual *adj.,n.2g.* **cego**

invocação *n.f.* **1 apelo**, chamamento, chamada, invocatória, advocatura, advocação, exoração, invitatório, chamadouro **2 alegação**

invocar *v.* **1 suplicar**, rogar, implorar, pedir **2 recorrer 3 evocar**, chamar **4 alegar**, citar

invocável *adj.2g.* **evocável**

invólucro *n.m.* **envoltório**, cobertura, revestimento, capa, embrulho, induto, indumento, trouxo

involuntariamente *adv.* **distraidamente**, maquinalmente, automaticamente ≠ **voluntariamente**, propositadamente, intencionalmente, acinte, adrede

involuntário *adj.* **inconsciente**, instintivo, espontâneo, maquinal, mecânico, automático ≠ **voluntário**, consciente, lúcido, racionalizado

invulgar *adj.2g.* 1 **desusado**, inusitado, raro, incomum ≠ **banal**, vulgar, ordinário, comum 2 **especial**, extraordinário, admirável ≠ **banal**, vulgar, ordinário, comum

invulnerável *adj.2g.* 1 **inatacável**, irrespondível ≠ **vulnerável**, atacável 2 **imaculado**, puro, íntegro

iodo *n.m.* QUÍM. **iode**, iodina

ir *v.* 1 **deslocar-se** 2 **andar**, caminhar, encaminhar-se, mover-se, passar, avançar, prosseguir, seguir, percorrer, marchar 3 **dirigir-se**, encaminhar-se 4 **distar** 5 **comparecer**, estar presente 6 **progredir**, evoluir 7 **assentar**, condizer, convir, quadrar 8 **acontecer**, suceder, ocorrer

ira *n.f.* **raiva**, cólera, fúria, furor, sanha, assanho, assanhamento, indignação, enraivecimento, agastamento, impaciência, queimor, calor *fig.*, cegueira *fig.*, escandecência *fig.*, onda *fig.* ≠ **calma**, serenidade, tranquilidade

iracundo *adj.* **danado**, irritadíssimo, enfurecido, furial, raivoso, encolerizado, colérico, fulo, irado, tiririca [BRAS.] *col.* ≠ **calmo**, sereno, tranquilo

irado *adj.* **danado**, irritadíssimo, enfurecido, furioso, raivoso, encolerizado, colérico, fulo, iracundo ≠ **calmo**, sereno, tranquilo

iraniano *adj.* **irânico**, pérseo, persiano

irar *v.* **encolerizar**, enraivecer, enfurecer, indignar, agastar, assanhar, irritar, escandecer, enraivar

irar-se *v.* **encolerizar-se**, enfurecer-se, abespinhar-se, embravecer-se

iriar *v.* **irisar**, matizar

íris *n.m./f.2n.* 1 **arco-íris**, arco-celeste, arco-da-chuva, arco-da-velha *col.* 2 *fig.* **paz**, bonança, tranquilidade

irmã *n.f.* 1 **mana** *col.* 2 **freira**, soror 3 **comparsa**, colega

irmanar *v.* 1 **igualar**, agermanar, ugar [REG.], germanar, igualizar ≠ **desigualar** 2 **emparelhar**, ligar, unir, juntar ≠ **desirmanar**

irmanar-se *v.* 1 **unir-se**, ligar-se 2 **igualizar-se**, nivelar-se

irmandade *n.f.* 1 **fraternidade** 2 **conformidade**, afinidade 3 **confraternidade** 4 **confraria** 5 **associação**, liga

irmão *n.m.* 1 **mano** *col.*, adelfo 2 **companheiro**, colega, comparsa 3 **correligionário** 4 **confrade** ■ *adj.* **semelhante**, parecido

ironia *n.f.* **zombaria**, mofa, escárnio, sarcasmo, motejo

ironicamente *adv.* **sarcasticamente**

irónico[AO] ou **irônico**[AO] *adj.* **sarcástico**, satírico, trocista, zombeteiro

ironizar *v.* **escarnecer**, zombar, troçar, motejar

irracional *adj.2g.* 1 **ilógico**, contraditório, incoerente, absurdo, disparatado, kafkiano *fig.* ≠ **racional**, lógico, coerente 2 **insensato**, imponderado, irrefletido, imprudente, leviano, desajuizado, irracionável ≠ **racional**, sensato, prudente, ajuizado, ponderado, refletido

irracionalidade *n.f.* **absurdo** ≠ **racionalidade**

irradiação *n.f.* 1 **propagação**, difusão, expansão 2 **cintilação**, brilho

irradiar *v.* **difundir**, propagar, espalhar, espargir, expandir, dardejar

irreal *adj.2g.* **imaginário**, fabuloso, fantástico, fictício, ilusório, quimérico ≠ **real**, verdadeiro

irrealidade *n.f.* **ficção** ≠ **realidade**

irrealista *adj.2g.* **utópico** ≠ **realista**

irrealizável *adj.2g.* **impraticável**, infactível, inexecutável, inexequível, insonhável ≠ **realizável**, praticável, exequível, executável

irreconciliável *adj.2g.* **inconciliável**, incompatível ≠ **conciliável**

irreconhecível *adj.2g.* ≠ **reconhecível**

irrecorrível *adj.2g.* **inapelável**, irrevogável, definitivo ≠ **recorrível**, revogável, apelável

irrecuperável *adj.2g.* **irreparável**, irremediável, incorrigível ≠ **recuperável**, emendável, corrigível, remediável

irrecusável *adj.2g.* 1 **indeclinável**, inevitável, obrigatório, forçoso ≠ **recusável**, declinável, facultativo 2 **evidente**, incontestável, indiscutível, inegável, irrefutável ≠ **contestável**, discutível, questionável, refutável

irredutível *adj.2g.* 1 **firme**, inabalável, indomável, inflexível, intransigente, invencível ≠ **redutível**, reprimível 2 **indecomponível**, irreduzível ≠ **redutível**, decomponível

irreflectidamente[aAO] *adv.* ⇒ **irrefletidamente**[dAO]

irreflectido[aAO] *adj.* ⇒ **irrefletido**[dAO]

irrefletidamente[dAO] *adv.* **impensadamente**, distraidamente, inconscientemente, instintivamente, descuidadamente, estouvadamente, levianamente, desequilibradamente ≠ **refletidamente**, pensadamente, criticamente

irrefletido[dAO] *adj.* **impensado**, imponderado, inconsiderado, irreflexo, inadvertido, impulsivo, inconsciente, inconsequente, insensato, irracional, irreflexivo, inconsulto ≠ **refletido**, ponderado, prudente, sensato, consciente

irreflexão *n.f.* **imponderação**, imprudência, inconsideração, precipitação, leviandade, distração, ligeireza, leveza, deslize, inatenção ≠ **reflexão**, ponderação, prudência, consideração

irreflexivo *adj.* **impensado**, imponderado, inconsiderado, irreflexo, inadvertido, impulsivo, inconsciente, inconsequente, insensato, irracional, irrefletido ≠ **refletido**, ponderado, prudente, sensato, consciente

irrefragável *adj.2g.* **evidente**, incontestável, indiscutível, inegável, irrefutável, irrecusável ≠ **contestável**, discutível, questionável, refutável
irrefutável *adj.2g.* **evidente**, incontestável, indiscutível, inegável, incontroverso, irrecusável, indenegável, inilidível ≠ **refutável**, discutível, questionável, contestável
irregenerável *adj.2g.* **incorrigível**, incurável, indisciplinável ≠ **regenerável**, disciplinável, corrigível
irregular *adj.2g.* **1 assimétrico**, desigual, desproporcionado ≠ **regular**, simétrico, proporcionado **2 intermitente**, alternado ≠ **regular 3 inconstante**, vário, volúvel, intercorrente ≠ **constante**, estável
irregularidade *n.f.* **1 desnivelamento**, desnível, acidente **2 anormalidade**, anomalia, heteróclise *fig.* ≠ **regularidade**, normalidade **3 inassiduidade** ≠ **regularidade**, frequência, assiduidade, habitualidade **4 desigualdade**, desproporção ≠ **regularidade**, igualdade
irregularmente *adv.* **1 desordenadamente**, tarraz-borraz *col.* ≠ **regularmente 2 diferentemente** ≠ **regularmente**
irrelevância *n.f.* **insignificância** ≠ **relevância**, importância
irrelevante *adj.2g.* **insignificante**, irrisório ≠ **relevante**, importante, pertinente
irremediável *adj.2g.* **1 irreparável**, insanável, irrecuperável, insuprível ≠ **remediável**, emendável, retificável, corrigível **2 inevitável**, fatal, infalível, irremissível, irremovível
irremediavelmente *adv.* **inevitavelmente**, fatalmente, irreparavelmente
irremissível *adj.2g.* **1 imperdoável**, indesculpável, inexpiável ≠ **remissível**, perdoável, desculpável **2 irremediável**, inevitável, fatal, infalível
irremovível *adj.2g.* **1 inamovível**, intransferível, fixo ≠ **removível**, deslocável, transferível, amovível **2 inevitável**, fatal, infalível, irremissível, irremediável
irremunerável *adj.2g.* **impagável** ≠ **remunerável**, pagável
irrenunciável *adj.2g.* **inabdicável** ≠ **renunciável**, abdicável
irreparável *adj.2g.* **irremediável**, insanável, irrecuperável, insuprível, incompensável ≠ **reparável**, emendável, retificável, corrigível, remediável
irrepreensível *adj.2g.* **incensurável**, impecável, perfeito, correto, morígero ≠ **repreensível**, condenável, reprovável
irreprimível *adj.2g.* **indomável**, irrefreável, irrepressível, incoercível, incompressível *fig.* ≠ **reprimível**, coercível, refreável
irrequietismo *n.m.* **irrequietação**, irrequietude, desinquietação, desassossego, impaciência, inssossego
irrequieto *adj.* **1 desassossegado**, desinquieto, impaciente, inquieto, buliçoso, turbulento ≠ **quieto**, calmo, sossegado **2 agitado**, revolto ≠ **quieto**, calmo, sossegado
irrequietude *n.f.* **irrequietação**, irrequietismo, desinquietação, desassossego, impaciência
irresistibilidade *n.f.* **encanto**, sedução, fascínio, inefabilidade
irresistível *adj.2g.* **1 inevitável**, necessário, fatal **2 insuperável**, invencível, inelutável ≠ **resistível**, superável **3 encantador**, sedutor, fascinante, magnetizante *fig.*, sirénico *fig.*
irresolução *n.f.* **indecisão**, incerteza, dúvida, indeliberação, indeterminação, flutuação, hesitação, vacilação, titubeação, arrepsia ≠ **resolução**, decisão, determinação
irresoluto *adj.* **hesitante**, indeciso, flutuante, vacilante, titubeante ≠ **resoluto**, determinado, decidido
irrespirável *adj.2g.* **sufocante**, asfixiante, abafadiço, asfixiador, abafado ≠ **respirável**, fresco, ventilado *fig.*
irrespondível *adj.2g.* **irrefutável**, irretorquível, irreplicável ≠ **respondível**, refutável, retorquível, replicável
irresponsabilidade *n.f.* **irreflexão**, leviandade, inconsciência, inconsideração ≠ **responsabilidade**, consciência, reflexão
irresponsável *adj.2g.* **inconsciente**, irrefletido, leviano, imponderado, inconsequente ≠ **responsável**, ponderado, refletido, consciente
irrestrito *adj.* **absoluto**, total, integral, ilimitado, incondicional ≠ **restrito**, limitado, condicional
irretorquível *adj.2g.* **irrefutável**, irrespondível, irreplicável ≠ **retorquível**, refutável, respondível, replicável
irreverência *n.f.* **desrespeito**, desacato, descortesia, desveneração, insubordinação, irrespeito, sem-cerimónia ≠ **reverência**, acato, consideração, reveria [REG.]
irrevogabilidade *n.f.* **irrevocabilidade** ≠ **revogabilidade**, prescritibilidade
irrevogável *adj.2g.* **irrecorrível**, inapelável, definitivo, irrevocável, imprescritível ≠ **revogável**, apelável, recorrível
irrevogavelmente *adv.* **definitivamente**, irremissivelmente
irrigação *n.f.* **1 rega**, banho **2 clister**, enteróclise, lavagem, cristel *col.*
irrigar *v.* **regar**, banhar
irrisão *n.f.* **zombaria**, escárnio, mofa, derrisão, derisão, troça, motejo

irrisório *adj.* 1 **caricato**, ridículo, grotesco 2 **irrelevante**, insignificante, ínfimo ≠ **relevante**, importante, pertinente

irritação *n.f.* **agastamento**, exacerbação, exasperação, assomo, impaciência, nervosismo, torvação

irritadiço *adj.* **irritável**, irascível, neurasténico *fig.*

irritado *adj.* 1 **enervado**, exasperado, enfurecido, incomodado, marfado ≠ **calmo**, sereno 2 FISIOL. **inflamado**, sensibilizado

irritante *adj.2g.* 1 **enervante**, exasperante, incomodativo, irritativo, enfurecedor ≠ **calmante**, tranquilizador 2 FISIOL. **estimulante**, excitante

irritar *v.* 1 **agastar**, abespinhar, arreliar, assanhar, arrufar, danar, encolerizar, enfurecer, encarniçar, encrespar, enervar, exacerbar, exasperar, impacientar, irar, zangar, embespinhar, encanzinar, escabrear, enviperar, exagitar, estomagar, marfar, acirrar, encruar *fig.*, envinagrar *fig.*, indignar, enxofrar *fig.*, escamar *fig.*, espinhar *fig.*, esquentar *fig.*, escandecer *fig.*, causticar *fig.*, atucanar [BRAS.] ≠ **acalmar**, apaziguar 2 FISIOL. **estimular**, excitar

irritar-se *v.* **zangar-se**, exaltar-se, enfurecer-se, impacientar-se, exasperar-se, encolerizar-se, esturrar-se

írrito *adj.* **nulo**, vão

irromper *v.* 1 **brotar**, jorrar, nascer, romper, soltar-se, manar 2 **invadir**, precipitar-se, arrojar-se

ir-se *v.* 1 **partir**, ausentar-se 2 **acabar**, gastar-se, extinguir-se, consumar-se 3 **estragar-se**, deteriorar-se 4 **desaparecer**, dissipar-se, evaporar-se, evolar-se, desvanecer-se 5 **morrer**, falecer, partir, desaparecer 6 **gorar**

isca *n.f.* 1 CUL. **fígado** 2 **engodo**, isco, cevo, visco 3 *fig.* **atrativo**, chama, negaça, chamariz, engodo *fig.*, chamadeira *fig.* 4 *col.* **pedaço**, fragmento, sanisca [REG.]

iscar *v.* 1 **engodar**, cevar 2 **untar**, besuntar 3 **contaminar**, contagiar, eivar 4 [BRAS.] **açular**, atiçar, provocar, assanhar

isco *n.m.* 1 **engodo**, isca, cevo, visco 2 *fig.* **atrativo**, chama, negaça, chamariz, engodo *fig.*

isenção *n.f.* 1 **desobrigação**, libertação, livração, independência, dispensa, dispensação, exoneração 2 **imunidade**, dispensa, regalia, prerrogativa, privilégio 3 **neutralidade**, equidade, equanimidade, imparcialidade, justiça, retidão ≠ **parcialidade**, subjetividade 4 **dignidade**, nobreza, abnegação

isentar *v.* 1 **desobrigar**, eximir, dispensar, libertar, livrar, exonerar, franquear, imunizar 2 **absolver**, indultar, desculpar, ilibar

isentar-se *v.* **desobrigar-se**, esquivar-se, livrar-se, desprender-se

isento *adj.* 1 **desobrigado**, dispensado, eximido 2 **livre** 3 **desinteressado**, imparcial, neutro, independente 4 **absolvido** ≠ **inabsoluto**

islamismo *n.m.* **maometismo**, islão, maometanismo, muçulmanismo, islã

islamita *n.2g.* **maometano**, muçulmano, mosleme, maometa

islão *n.m.* **islamismo**, maometanismo, maometismo, muçulmanismo, islame

isoladamente *adv.* 1 **só**, separadamente 2 **retiradamente**, solitariamente 3 **desamparadamente**

isolado *adj.* 1 **separado**, afastado 2 **só**, solitário, sozinho 3 **incomunicável** 4 **único**

isolador *adj.* **isolante** ■ *n.m.* 1 **insulador** 2 ELETR. **dielétrico**

isolamento *n.m.* **insularidade**, insulação, incomunicação, separação, afastamento

isolante *adj.2g.* **isolador**

isolar *v.* **separar**, insular, ilhar, estremar, apartar, afastar

isolar-se *v.* 1 **separar-se**, afastar-se, acantoar-se, sequestrar-se 2 **fechar-se**, enclausurar-se, recolher-se, ensimesmar-se, arrincoar-se, amortalhar-se *fig.*, calafetar-se *fig.*, enconchar-se *fig.*, engaiolar-se *fig.*

isqueiro *n.m.* **acendedor**

israelita *adj.,n.2g.* **hebraico**, hebreu, judeu, judaico, semita

italiano *adj.* **ítalo**, itálico

itálico *adj.* **italiano**, ítalo ■ *n.m.* **cursivo**, grifo

item *n.m.* **artigo**, cláusula

iteração *n.f.* **repetição**, reiteração

iterar *v.* **repetir**, reiterar

itinerante *adj.,n.2g.* **deambulante**, passeante, caminhante, viajante

itinerário *n.m.* **percurso**, roteiro, rota, rumo, caminho

itu *n.m.* [BRAS.] BOT. **pau-ferro**, jucá

J

já *adv.* 1 antes, anteriormente 2 antecipadamente, previamente 3 agora, imediatamente

jaca *n.f.* 1 BOT. (árvore) jaqueira, artocarpo, árvore-do-pão 2 BOT. (fruto) fruta-pão,

jacaré *n.m.* ZOOL. aligator, caimão

jacente *adj.2g.* 1 deitado, estendido, estirado, horizontal ≠ direito, vertical, ereto 2 situado, localizado, posicionado 3 imóvel, inalterável, inerte, estacionário ≠ movél, alterável ■ *n.m.* 1 (nas pontes) viga 2 [*pl.*] baixios, bancos, cachopos, escolhos

jacinto *n.m.* BOT. hiacinto

jactância[AO] ou **jatância**[AO] *n.f.* 1 ostentação, alarde, exibição, gala ≠ discrição, simplicidade, sobriedade, despojamento, recato, modéstia 2 presunção, vaidade, orgulho, altivez, soberba, afetação, bazófia *fig.*, baforeira, farolagem [BRAS.] ≠ discrição, simplicidade, sobriedade, despojamento, recato, modéstia

jactancioso[AO] ou **jatancioso**[AO] *adj.* presunçoso, vaidoso, orgulhoso, pretensioso, soberbo, altivo, afetado, fátuo, gabarola, opiniático, gabolas, faroleiro [BRAS.] ≠ despretensioso, desafetado, modesto

jactante[AO] ou **jatante**[AO] *adj.2g.* presunçoso, vaidoso, orgulhoso, pretensioso, soberbo, altivo, afetado, fátuo, gabarola, opiniático ≠ despretensioso, desafetado, modesto

jactar-se[AO] ou **jatar-se**[AO] *v.* gabar-se, vangloriar-se, bazofiar, alardear, fanfarrear, bravatear, pavonear-se, blasonar, bofar

jacto[aAO] *n.m.* ⇒ **jato**[dAO]

jaculação *n.f.* 1 arremesso, lançamento, arrojo, impulso, jáculo, jato, lançadura, despedimento 2 impulso, ímpeto, incentivo

jacular *v.* 1 arremessar, atirar, lançar, arrojar, despedir, propelir 2 ejacular, esguichar, jorrar, repuxar

jaez *n.m. fig.* espécie, qualidade, laia, quilate, calibre, tipo, género

jaguar *n.m.* ZOOL. onça, onça-pintada, jaguaretê [BRAS.]

jaleca *n.f.* jaqueta, véstia

jaleco *n.m.* 1 jaqueta, véstia 2 fardeta

jalofo *adj. fig.,pej.* (pessoa) grosseiro, rudo, cruel, bruto, bárbaro, desumano ≠ civilizado, educado, cortês, polido *fig.*

jamais *adv.* 1 nunca 2 sobretudo, principalmente, particularmente, máxime

jamba *n.f.* [REG.] empenho, interesse, vontade

janeiras *n.f.pl.* (Ano Novo) boas-festas, janeirada

janela *n.f.* 1 ventã *ant.* 2 abertura, orifício, aberta, brecha, fenda, fresta, frincha, greta, racha, rombo, corte, rutura 3 *fig.,irón.* rasgão, buraco 4 [*pl.*] *col.* olhos, vista

janelo *n.m.* postigo

jangada *n.f.* caranguejola, balsa

janota *adj.2g.* 1 catita, bem-posto, liró *col.* ≠ deselegante, desajeitado, desairoso 2 elegante, chique, requintado, fino, esmerado, garrido, sécio, apurado *fig.* ≠ deselegante, desapurado, descuidado ■ *n.2g.* cadete *fig.*, peralta, casquilho, taful, joanico, gravatinha

jantar *n.m.* janta *col.* ■ *v.* comer

jantarada *n.f. col.* comezaina, patuscada, regalório, bródio, bambochata *col.*, jantarão *col.*, taina [REG.], papazana *col.*

japão *n.m.* nipónico, japonês

japoneira *n.m.* BOT. cameleira, camélia, rosa-do-japão

japonês *adj.* nipónico, niponense ■ *n.m.* nipónico, japão

japonesa *n.f.* BOT. nespereira, nespereira-do-japão

japónico[AO] ou **japônico**[AO] *adj.* nipónico, japonense

jaqueta *n.f.* jaleca, véstia

jaquetão *n.m.* japona *col.*

jardim *n.m.* horto, vergel, viridário

jardim-de-infância[aAO] *n.m.* ⇒ **jardim de infância**[dAO]

jardim de infância[dAO] *n.m.* infantário, creche, berçário, criadouro, jardim-escola

jardim-escola *n.m.* infantário, creche, berçário, criadouro, jardim de infância

jardinagem *n.f.* horticultura

jardinar *v.* 1 cultivar, plantar 2 passear, deambular, noctambular

jargão *n.m.* gíria, linguagem

jaro *n.m.* BOT. jarro, arão, árum, erva-da-novidade

jarra *n.f.* jarro, vaso, bilha, infusa ■ *n.2g.* 1 *col.,pej.* jarreta, farrapilha, maltrapilha, gebo ≠ janota, peralta, casquilho, taful, cadete *fig.* 2 *col.,pej.* (pessoa, geralmente idosa, considerada ridícula) jarreta 3 *col.,pej.* bêbedo, bebedor, alcoólatra, ébrio, beberrão, borrachão *col.*, bebedolas *col.*, esponja *col.*, vinhote *pej.* ≠ abstémio, abstinente

jarreta *n.2g.* 1 *col.,pej.* jarra, farrapilha, maltrapilha, gebo ≠ janota, peralta, casquilho, taful, cadete *fig.* 2 *col.,pej.* (pessoa, geralmente idosa, considerada ridícula) jarra

jarrete *n.m.* curvejão, curvilhão, rejeito [BRAS.] *col.*

jarro *n.m.* 1 **jarra**, vaso, bilha 2 BOT. **jaro**, arão, árum, erva-da-novidade

jatodAO *n.m.* 1 **esguicho**, esguichadela, jorro, repuxo, ejaculação, zicho 2 **arremesso**, lançamento, arrojo, impulso, jáculo, jaculação, lançadura, despedimento 3 **fluxo**, onda 4 **evacuação**, defecação, descarga, dejeção 5 *fig.* **impulso**, ímpeto, incentivo

jaula *n.f. fig.* **prisão**, cadeia, cárcere, calabouço, presídio, masmorra, cativeiro, gaiola *col.*, chilindró *col.*, choça *col.*, xelindró *col.*, choldra *gír.*, xadrez [BRAS.] *col.*

javali *n.m.* ZOOL. **porco-bravo**, porco-montês, javardo

javardice *n.f.* 1 *col.,pej.* **porcaria**, sujeira, cagada *cal.* 2 *col.,pej.* **confusão**, aldrabice, trapalhice, trapalhada, assarapantamento, embrulhada ≠ **ordem**, organização 3 *col.,pej.* **abandalhação**, relaxe

javardo *n.m.* 1 ZOOL. **javali**, porco-montês, porco-bravo 2 *pej.* **grosseirão** *fig.*, brutamontes, alarve ■ *adj. pej.* **porco**, grosseiro, abrutalhado, nojento ≠ **polido** *fig.*, delicado, civilizado

jazer *v.* 1 **deitar**, estender, alongar ≠ **levantar**, erguer 2 (estar sepultado) **descansar**, repousar 3 **estar**, ficar, situar-se, localizar-se 4 **permanecer**, conservar-se 5 **apoiar-se**, basear-se, assentar-se ■ *n.m.* **jazida**

jazida *n.f.* 1 **decúbito** 2 **sepultura**, sepulcro, jazigo, tumba, túmulo, campa 3 *fig.* **quietação**, serenidade, calma, tranquilidade ≠ **perturbação**, agitação, tumulto

jazigo *n.m.* 1 **sepultura**, sepulcro, jazida, tumba, túmulo, campa 2 NÁUT. *ant.* **fundeadouro**, ancoradouro, amarradouro 3 **depósito** 4 *fig.* **abrigo**, refúgio, asilo, guarida, acolheita, valhacouto, alfama *ant.* ≠ **desabrigo**, desamparo, desproteção 5 *fig.* **oportunidade**, ensejo, azo, ocasião, chance, momento, aberta, campo

jeira *n.f.* AGRIC. **courela**, olga, leira, belga, quadrela, aradura, jugada, vessada [REG.]

jeito *n.m.* 1 **habilidade**, aptidão, propensão, destreza, savoir-faire, dedo *fig.* ≠ **inaptidão**, desazo, desjeito 2 **modo**, forma, maneira 3 **feitio**, temperamento, índole, carácter, natureza, génio 4 **contusão** 5 **gesto** ≠ **impassibilidade**, inexpressão 6 **arranjo**, arrumação, ordenação, disposição ≠ **desarranjo**, desarrumação, desordenação 7 **cautela**, cuidado, precaução, prudência ≠ **imprudência**, irreflexão, precipitação 8 **torcedura**, volta

jeitoso *adj.* 1 **hábil**, perito, engenhoso, destro, talentoso ≠ **desajeitado**, inábil 2 **apropriado**, adequado, conveniente, útil ≠ **inadequado**, incoveniente 3 **esbelto**, gracioso, airoso, elegante, garboso, bonito ≠ **deselegante**, pesado

jejuar *v.* 1 *fig.* **privar-se**, abster-se, abdicar, renunciar 2 *fig.* **ignorar**, desconhecer ≠ **conhecer**, saber

jejum *n.m.* 1 **abstinência**, dieta 2 *fig.* **privação**, abstinência, abdicação, renúncia 3 *fig.* **ignorância**, desconhecimento ≠ **conhecimento**, sabedoria

jerarquia *n.f.* **escala**, classificação, categoria, posição

jerico *n.m.* 1 ZOOL. **asno**, jumento, burro, cavalgadura 2 *fig.,pej.* **asno**, estúpido, ignorante, grosseiro, burro *fig.* ≠ **conhecedor**, perito, sabedor

jerónimoAO ou **jerônimo**AO *adj.,n.m.* **hieronimita**, jeronimita

jesuíta *adj.,n.m.* RELIG. **inaciano** ■ *n.m. fig.,pej.* **dissimulador**, fingido, falso, tartufo ≠ **honesto**, verdadeiro

ji *n.m. ant.* **jota**

jiboiadAO *n.f.* ZOOL. **boa**

jibóiaaAO *n.f.* ⇒ **jiboia**dAO

jipe *n.m.* **todo-o-terreno**

joalharia *n.f.* 1 **aurifícia** 2 (loja ou oficina) **ourivesaria**

joalheiro *n.m.* 1 **aurífice** 2 **ourives**, diamantista

joanico *n.m.* **janota**, casquilho, taful, estoiradinho, paralta *col.*, cadete *fig.*

joaninha *n.f.* 1 ZOOL. (inseto aquático) **alfaiate**, cabra, hidrómetro 2 [REG.] **ancoreta**

jocosidade *n.f.* **gracejo**, graça, chiste, facécia, brinco, piada *fig.*

jocoso *adj.* 1 **alegre**, engraçado, divertido, satisfeito, bem-disposto ≠ **aborrecido**, maçado, enfadado, entediado 2 **engraçado**, chistoso, humorista, divertido, piadético, trocista ≠ **desengraçado**, desenxabido, sério

joeira *n.f.* **peneira**, crivo, ciranda, uta

joeirar *v.* 1 **crivar**, cirandar, peneirar, outar, sassar, tamisar *fig.*, sengar [BRAS.] 2 *fig.* **separar**, apartar, distinguir 3 *fig.* **selecionar**, escolher 4 *fig.* (com pormenor) **examinar**, investigar, espiolhar, averiguar, analisar

joelho *n.m.* 1 **geolho** *ant.* 2 *fig.* **saliência**

jogada *n.f.* 1 **lance** 2 *col.* **estratagema**, golpe, ardil

jogador *n.m.* **atleta**

jogar *v.* 1 **treinar**, praticar, exercitar 2 **arremessar**, atirar, lançar, arrojar, despedir, jacular 3 **agitar**, oscilar, vacilar, mover-se, librar, solavancar, baloiçar ≠ **parar**, cessar, fixar, imobilizar, estabilizar 4 **aventurar**, arriscar 5 (dizer subitamente) **atirar**, lançar 6 **brincar**, divertir-se, distrair-se, folgar, entreter-se, galhofar, estrinchar *col.*, trebelhar *fig.*, estrichar *col.* ≠ **aborrecer-se**, entediar-se, enfadar-se 7 **manipular** 8 **funcionar**, trabalhar, mover-se 9 **combinar**, condizer, conciliar, compatibilizar, conformar, adaptar, coadunar, compor *fig.* ≠ **desarmonizar**, desconformar, desadaptar

jogo *n.m.* 1 **divertimento**, brincadeira, distração, recreação, entretenimento, folguedo, brinquedo, folia, pagode *fig.,col.*, reinação *col.* 2 **competição**, desafio, partida, prova 3 **conjunto**, coleção 4 **parada**, aposta 5 **jogatina**, jogata 6 **comportamento**, conduta, procedimento, porte, proceder, atitude 7 **troça**, escárnio, gracejo, zombaria, galhofa, brincadeira, broma 8 **manobra**, manha, disfarce, ludíbrio

jogral *n.m.* **bufão**, farsista, truão, histrião, polichinelo, arlequim *fig.*, bobo *fig.*

jogralesco *adj.* **histriónico**, chocarreiro, truanesco

joguete *n.m.* 1 **brinquedo**, brinco, dixe, teteia 2 *fig.* **pau-mandado** *pej.*, brinquedo 3 *fig.* **troça**, zombaria, escarnecimento, galhofa, deboche [BRAS.] ≠ **respeito**, consideração, estimação

joia[dAO] *n.f.* 1 **alfaia** ≠ **bugiganga**, bijuteria, chinesismo 2 *fig.* **preciosidade**, pérola, ouro, valor 3 **propina** 4 **prémio**

jóia[aAO] *n.f.* ⇒ **joia**[dAO]

jolda *n.f.* 1 *col.* **salgalhada** *col.*, mixórdia, miscelânea, trapalhada, amálgama *fig.* ≠ **ordem**, organização, arrumação, arranjo 2 *col.* **choldra** *col.*, malta, corja, súcia *pej.*, rancho *pej.*, ralé *pej.*, canalha *pej.*, cambada *fig.,pej.* 3 *gír.* **prisão**, cadeia, cárcere, calabouço, presídio, masmorra, cativeiro, gaiola, chilindró, choça *col.*

jóquei *n.m.* **boleeiro**, sota

jorna *n.f.* (salário diário) **jornal**, cava

jornada *n.f.* 1 **andada**, caminhada, andança 2 **ida** 3 **expedição**, viagem 4 (militar) **expedição**, empresa 5 (teatro ibérico dos séculos XVI e XVII) **ato**

jornadear *v.* **caminhar**, andar

jornal *n.m.* 1 TV, RÁD. **noticiário** 2 (salário diário) jorna, cava 3 **diário**

jornaleiro *n.m.* **assalariado**, operário, trabalhador

jornalismo *n.m.* 1 **imprensa**, comunicação social 2 **periodismo**, publicismo

jornalista *n.2g.* **diarista**, gazetista, plumitivo, noticiarista

jorrar *v.* **brotar**, nascer, irromper, romper, manar, borbotar, gorgolhar, dimanar, emanar, pulular, surdir, zichar [REG.] ≠ **desaparecer**, extinguir-se, esgotar-se

jorro *n.m.* 1 **esguicho**, esguichadela, jato, repuxo, ejaculação, zicho, bolhão, chorro 2 **alambor**, jorramento

jota *n.m.* 1 **ji** *ant.* 2 [REG.] **bocadinho**, cibo

jovem *adj.2g.* 1 **novo**, juvenil, moço, adolescente ≠ **velho**, antigo, idoso 2 **recente**, novo ≠ **antigo**, velho, antiquado, prisco *poét.*, prístino *poét.* 3 *pej.* **imaturo**, novo ≠ **maduro** *fig.*, experiente ■ *n.m.* **adolescente**, chavalo *col.*, frango *col.*

jovial *adj.2g.* 1 **alegre**, bem-disposto, prazenteiro, risonho ≠ **sisudo**, carrancudo, tétrico, sobrancelhudo *fig.* 2 **faceto**, chistoso, brincalhão, jocoso, retouçador ≠ **sisudo**, carrancudo, tétrico, sobrancelhudo *fig.*

jovialidade *n.f.* **alegria**, lepidez, facécia ≠ **tristeza**, melancolia

juba *n.f.* 1 **crina**, coma, cabeleira, crineira 2 *col.* **encabeladura**, cabeludo, cabeladura, coma, cabeleira, crina *fig.* ≠ **careca**, pelada

jubilação *n.f.* 1 **júbilo**, regozijo, alegria, contentamento ≠ **tristeza**, melancolia 2 (ensino superior) **aposentação**, reforma

jubilado *adj.* 1 **aposentado**, reformado 2 **emérito**, distinto, insigne

jubilar *v.* 1 **regozijar**, alegrar, contentar, hilarizar ≠ **entristecer**, desalegrar, melancolizar 2 (ensino superior) **aposentar**, reformar

jubilar-se *v.* 1 **aposentar-se**, reformar-se 2 **regozijar-se**, rejubilar

júbilo *n.m.* **jubilação**, regozijo, alegria, contentamento ≠ **tristeza**, melancolia

jubiloso *adj.* **alegre**, contente, festivo, radiante, risonho, satisfeito ≠ **triste**, melancólico

jucundo *adj.* 1 **alegre**, contente, festivo, radiante, risonho, satisfeito ≠ **triste**, melancólico 2 **aprazível**, agradável, gostável, contente, deleitante, prazenteiro ≠ **insatisfeito**, desagradável, desprazível

judaico *adj.* **israelita**, hebreu, hebraico, semítico

judaísmo *n.m.* 1 RELIG. **hebraísmo** 2 **semitismo**

judas *n.m. fig.* **traidor**, pérfido, fingido, falso, crocodilo ≠ **honesto**, justo

judeu *adj.* **hebreu**, israelítico, semita ■ *n.m.* 1 **hebreu**, israelita, semita 2 *pej.* **avarento**, mesquinho, sovina, forreta, somítico ≠ **gastador**, dissipador, esbanjador, perdulário 3 ICTIOL. **albacora**, atum-de-galha-comprida, atum-voador

judia *n.f.* 1 **israelita**, semita, hebreia 2 *col.,pej.* **avarenta**, mesquinha, sovina, forreta, somítica ≠ **gastadora**, dissipadora, esbanjadora, perdulária 3 ICTIOL. **murtefuge**, peixe-verde

judiar *v.* 1 **regatear**, amealhar, baratear, maralhar, mesquinhar, ratinhar 2 **zombar**, troçar, motejar, escarnecer, apodar, mofar, chasquear, ridicularizar, zingrar ≠ **respeitar**, considerar, prezar, estimar 3 **arreliar**, apoquentar, atormentar

judiaria *n.f.* 1 **troça**, caçoada, zombaria, escárnio, chacota, motejo, mofa, achincalhação, bexiga *col.* ≠ **respeito**, consideração 2 **barbaridade**, tormento, acinte, diabrura

judicativo *adj.* **sentencioso**, conceituoso, dogmático

judicatura *n.f.* 1 **magistratura** 2 **tribunal**

judicial *adj.2g.* **forense**, judiciário

judiciar *v.* **julgar**, sentenciar

judiciário *adj.* **forense**, judicial

judicioso *adj.* 1 **sensato**, prudente, assisado, correto, ajuizado, certo ≠ **insensato**, imprudente 2 **sentencioso**, grave 3 **moralista**, puritano

jugo *n.m.* 1 **canga** 2 **cingel**, junta 3 *fig.* **opressão**, sujeição, tirania, domínio, canga, cativeiro ≠ **insubmissão**, insubordinação, desobediência

jugular *v.* 1 **extinguir**, debelar, aniquilar 2 **dominar**, domar, submeter, avassalar, subjugar, controlar ≠ **sujeitar-se**, submeter-se, acatar 3 **degolar**, decapitar, escabeçar, decepar, jarretar 4 **matar**, assassinar, degolar, ceifar *fig.*

juiz *n.m.* 1 DIR. **magistrado**, sentenciador, julgador 2 DESP. **árbitro**, julgador, juiz-de-campo 3 (em confraria, irmandade, festa, etc.) **presidente**

juízo *n.m.* 1 **sensatez**, discernimento, siso, tino, prudência, critério, bom-senso, tinoca ≠ **desatino**, insensatez, absurdez, absurdeza, absurdidade, afrósina, demência *fig.* 2 **parecer**, apreciação, opinião, conceito 3 DIR. **sentença** 4 DIR. **tribunal**, jurisdição 5 *col.* **mente**, pensamento

julgado *adj.* 1 **sentenciado**, decidido 2 **pensado**, imaginado, refletido ≠ **impensado**, irrefletido 3 **reputado**, apreciado, respeitado, ceonceituado ≠ **considerado**, desrespeitado ■ *n.m.* **sentença**, julgamento

julgador *n.m.* 1 (direito) **magistrado**, sentenciador, juiz 2 (desporto) **árbitro**, juiz ■ *adj.,n.m.* **apreciador**, avaliador, ponderador

julgamento *n.m.* 1 DIR. **sentença**, julgado 2 **exame**, apreciação, avaliação

julgar *v.* 1 **sentenciar**, judiciar, ajuizar 2 **avaliar**, examinar, ajuizar, arbitrar, trutinar 3 **achar**, considerar, entender, haver 4 **crer**, supor, conjeturar, presumir, imaginar, achar 5 **criticar**, comentar, apreciar, avaliar 6 **calcular**, imaginar, conceber, inventar, criar

juliana *n.f.* ICTIOL. **peixe-pau**, badejo

jumento *n.m.* 1 ZOOL. **asno**, jerico, burro, cavalgadura 2 *fig.,pej.* **asno**, estúpido, ignorante, grosseiro, jerico, burro *fig.* ≠ **conhecedor**, perito, sabedor

junça *n.f.* BOT. **albafor**, juncinha, junceira, junça-de-conta

juncal *n.m.* **junqueira**

junção *n.f.* 1 **união**, reunião, ligação, acoplagem, adesão, conjugação, copulação, encontro, acoplamento, ajunta ≠ **separação**, desunião 2 **confluência**, convergência, concorrência, reconcentração ≠ **disjunção**, divergência

juncar *v.* 1 **estrar** 2 **restolhar**, cobrir, atapetar *fig.*

junceira *n.f.* BOT. **junça**, albaflor, juncinha

junco *n.m.* 1 **chibata**, verdasca, vergasta, vara, badine 2 *col.* **cacete** 3 (barco) **cirpo**

jungir *v.* 1 **emparelhar**, apeirar, apor, cangar, encamboar, encangar, enjugar ≠ **desjungir**, abjugar, abjungir 2 (veículo, máquina agrícola) **atar**, prender 3 **unir**, ligar, prender, juntar ≠ **desunir**, desprender, separar 4 **submeter**, subjugar, avassalar, sujeitar, domar, dominar, tomar ≠ **insubordinar-se**, revoltar-se

junqueira *n.f.* **juncal**

junta *n.f.* 1 ANAT. *col.* **articulação**, conjuntura, juntura 2 **encaixe**, juntura, ligação 3 **jugo**, cingelada 4 **comissão**, comité, delegação

juntamente *adv.* 1 **dentro**, junto 2 **concomitantemente**, simultaneamente

juntar *v.* 1 **unir**, aproximar, ligar ≠ **afastar**, separar, abduzir 2 **reunir**, agrupar, congregar, associar, aliar, aglomerar ≠ **separar**, dispersar, desagrupar, desjuntar 3 **misturar**, baralhar, confundir, remendar *fig.* ≠ **separar** 4 **acrescentar**, adicionar, incluir ≠ **tirar**, excluir 5 **acumular**, amontoar, apinhar, acastelar, aglomerar ≠ **desamontoar**, desacumular

juntar-se *v.* 1 **unir-se**, reunir-se, associar-se, ligar-se, aliar-se, anexar-se, encangalhar-se *pej.* ≠ **separar-se**, afastar-se, abrir-se 2 **misturar-se** 3 **aglomerar-se**, acumular-se 4 **amasiar-se**, casar

junto *adj.* 1 **unido**, ligado, reunido, adunado ≠ **desligado**, desunido, separado 2 **reunido**, agrupado, agregado, integrado, combinado, conjunto ≠ **separado**, dividido, desmanchado 3 **próximo**, chegado, perto, contíguo ≠ **distante**, afastado, remontado 4 **simultâneo**, sincrónico, tautócrono, concomitante ≠ **assíncrono** 5 **misturado**, baralhado, confundido ≠ **separado** 6 **acumulado**, amontoado, apinhado, acastelado, aglomerado ≠ **desamontoado**, desacumulado 7 **amancebado**, amigado *col.,pej.* ■ *adv.* 1 **dentro**, juntamente 2 **perto**, próximo ≠ **longe**

juntura *n.f.* 1 **encaixe**, junta, ligação 2 ANAT. **articulação**, conjuntura, junta *col.*

jura *n.f.* 1 **promessa**, juramento, palavra 2 **praga**, imprecação, maldição

jurado *adj.* **manifesto**, reconhecido, assumido

juramento *n.m.* **promessa**, jura, palavra

jurar *v.* 1 **prometer**, protestar, votar 2 **praguejar**, maldizer, blasfemar, imprecar ≠ **bendizer**, louvar 3 **asseverar**, afirmar, assegurar, afiançar, garantir, ajuramentar ≠ **duvidar**, hesitar 4 **invocar**, chamar, evocar, convocar, convidar

jurisconsulto *n.m.* **jurista**, jurisperito, causídico, legista

jurisdição *n.f.* 1 **alçada**, competência, atribuição 2 **poder**, influência, autoridade, braço, preponderância ≠ **inferioridade**, minoria, subalterno, secundário

jurisperito *n.m.* **jurisconsulto**, jurista, causídico, legista

jurista *n.2g.* 1 **jurisconsulto**, jurisperito, causídico 2 **agiota**, prestamista, usurário

juro *n.m.* 1 **usura**, onzena, interesse, ágio 2 *fig.* **recompensa**

jus *n.m.* **direito**

jusante *n.f.* GEOG. **vazante**, baixia, baixa-mar, minguante, refluxo ≠ **maré-alta**, maré-cheia, montante, influxo

justa *n.f.* 1 HIST. **duelo**, torneio 2 *fig.* **luta**, confronto, contenda 3 *fig.* **questão**, pendência, desacordo

justamente *adv.* 1 **legitimamente** ≠ **injustamente** 2 **precisamente**, exatamente, mesmo

justapor *v.* **apor**, aproximar, contiguar ≠ **afastar**, apartar

justapor-se *v.* **unir-se**

justaposição *n.f.* 1 **aposição** 2 GRAM. **parataxe**, assíndeto ≠ **hipotaxe**

justaposto *adj.* 1 **junto**, contíguo ≠ **afastado**, distante 2 **unido**, ligado ≠ **separado**

justeza *n.f.* 1 **conveniência**, adequação, apropriação, acomodação, adaptação, conformidade, consentaneidade ≠ **inconveniência**, inadaptação, inadequação 2 **certeza**, exatidão, precisão, concissão, correção, rigor ≠ **imprecisão**, indeterminação 3 **razão**, sensatez, equilíbrio ≠ **insensatez** 4 **verdade**, inteireza *fig.*

justiça *n.f.* 1 **equidade** 2 **magistratura**

justiçado *adj.,n.m.* **suplicado**

justiçar *v.* 1 **supliciar** 2 **condenar**, supliciar, castigar

justiceiro *adj.,n.m.* **equitativo**, imparcial, justo, reto, justiçoso, íntegro *fig.* ≠ **parcial**, injustiçoso, iníquo

justificação *n.f.* 1 **fundamentação** 2 **desculpa**, razão 3 **prova**

justificador *adj.,n.m.* **explicador**, justificante

justificar *v.* 1 **fundamentar**, explicar, provar 2 **desculpar**, legitimar, defender, escusar 3 TIP. **alinhar** 4 RELIG. **reabilitar**

justificar-se *v.* **desculpar-se**, explicar-se, defender-se

justificativa *n.f.* **prova**, comprovativo

justificativo *adj.* **prova**, comprovativo

justificável *adj.2g.* 1 **explicável**, fundamentável ≠ **inexplicável**, injustificável 2 **compreensível**, inteligível, aceitável ≠ **incompreensível**, inaceitável

justo *adj.* 1 **imparcial**, equitativo, direito, íntegro, reto ≠ **injusto**, parcial 2 **adequado**, devido, merecido, legítimo, digno ≠ **injusto**, desmerecido 3 **legítimo**, justificado, lícito ≠ **injusto** 4 **exato**, rigoroso, certíssimo, correto, preciso, matemático ≠ **inexato**, impreciso, incorreto, errado 5 **apropriado**, adequado, conveniente, acomodado, adaptado, consentâneo ≠ **inconveniente**, inadaptado, inadequado 6 **apertado**, cingido, estreito ≠ **folgado**, largo, solto, lasso 7 **razoável**, lógico 8 **combinado**, ajustado, contratado, aprazado, pactuado ≠ **descombinado**

juvenil *adj.2g.* **moço**, jovem, adolescente, primaveril *fig.* ≠ **velho**, antigo, idoso

juvenilidade *n.f.* **adolescência**, juventude, mocidade, primavera *fig.*, alvorada *fig.*, aurora *fig.* ≠ **velhice**

juventude *n.f.* **adolescência**, juvenilidade, mocidade, primavera *fig.*, alvorada *fig.*, aurora *fig.* ≠ **velhice**

K

kaiser *n.m.* **césar**, imperador

kamikaze *adj.2g.* *fig.* **imprudente**, arriscado, suicida, autodestrutivo

L

lá *adv.* 1 **ali**, aí 2 **além**, acolá ≠ **aqui**, cá 3 **então**

lã *n.f.* 1 **velo** 2 **fazenda** 3 **lanugem**, prenugem 4 **carapinha** 5 *fig.* **acanhamento**, timidez, vergonha ≠ **extroversão**, desassombro, desembaraço 6 *fig.* **fortuna**, riqueza, bens, cabedal

labareda *n.f.* 1 **chama**, espadana, fogo, lumaréu, galfeira [REG.] 2 *fig.* **ardor**, vivacidade, energia, impetuosidade, faísca, flama, chama

lábia *n.f.* *col.* **paleio**, léria, cantata, palavreado, treta, fraseado, galra, música, prosa, conversa *fig.*, garganta *fig.*, cantiga *fig.,col.*, labaça [REG.]

lábil *adj.2g.* 1 **escorregadio**, deslizante, escorregável, escorregadiço, resvaladio, lúbrico 2 *fig.* **transitório**, passageiro, breve, momentâneo, fátuo, fugaz ≠ **permanente**, constante, duradouro, estável 3 *fig.* **instável**, variável ≠ **constante**, estável

lábio *n.m.* 1 ANAT. **beiço**, labro 2 [*pl.*] *fig.* **linguagem**, palavras, fala

labirinto *n.m.* 1 **dédalo**, encruzilhada 2 *fig.* **confusão**, enredo, complicação, desordem, meada, nó, trapalhada, alhada, embrulhada 3 *fig.* **imbróglio**, confusão, algaraviada, embrolho

labor *n.m.* **trabalho**, faina, lavor, lida, labuta, obragem, laboração, fadiga ≠ **repouso**, descanso, sossego

laboração *n.f.* **trabalho**, labor, exercício, atividade, funcionamento ≠ **inatividade**, descanso

laborar *v.* 1 **trabalhar**, obrar, labutar, cuidar ≠ **mandriar**, gazetar, vadiar, descansar 2 **funcionar**, trabalhar 3 **fazer**, realizar, elaborar 4 **cultivar**, lavrar, amanhar

laboratório *n.m.* **dispensatório**

laborioso *adj.* 1 **ativo**, diligente, dinâmico, expedito, ágil, despachado, enérgico, desembaraçado ≠ **inativo**, indolente, lento 2 *fig.* **difícil**, penoso, árduo, trabalhoso, custoso, pesado, espinhoso ≠ **fácil**, ligeiro, suportável

labrego *adj.* **rude**, grosseiro, boçal, malcriado, brutal, labroste, tosco *fig.*, lapão *col.*, malabruto [REG.], chambas [REG.] ≠ **afável**, civilizado, cortês, educado ■ *n.m.* **aldeão**, camponês, rústico, campino, saloio, campónio *pej.*, maloio *col.*, partasana *col.*, parvajola

labuta *n.f.* **lida**, lide, esforço, refrega, faina, canseira ≠ **repouso**, descanso, sossego

labutar *v.* **trabalhar**, lidar, esforçar-se, laborar, obrar, cuidar ≠ **mandriar**, gazetar, vadiar, descansar, mandracear, calacear, gazetear, molengar, mangonar, calaceirar ■ *n.m.* **labutação**, lida, lide, refrega, faina, canseira, esforço ≠ **repouso**, descanso, sossego

laca *n.f.* 1 **charão** 2 **fixador** 3 **goma-laca**

lacaio *n.m.* 1 **criado**, mochila, servidor 2 *pej.* **sabujo**, amouco *fig.*

lacar *v.* 1 **laquear** 2 [REG.] **ruir**, desmoronar-se, alagar-se

laçar *v.* **atar**, amarrar, enlaçar, prender, apertar, iligar ≠ **desatar**, desamarrar, desenlaçar

laceração *n.f.* **dilaceração**, despedaçamento, aflição, tortura, consumição, mortificação ≠ **alívio**, tranquilidade

lacerar *v.* **dilacerar**, afligir, torturar, consumir, mortificar, pungir *fig.*, despedaçar *fig.* ≠ **aliviar**, tranquilizar

laço *n.m.* 1 **nó**, laçada, liame, liação, vínculo, laça [REG.] 2 *fig.* **prisão**, cárcere, calabouço, presídio, masmorra, cativeiro, gaiola *col.*, chilindró *col.*, choça *col.*, choldra *gír.* 3 *fig.* **traição**, armadilha, cilada, emboscada, ardil, ludíbrio 4 *fig.* **união**, aliança, vínculo, ligação ≠ **separação**, desunião

lacónicoAO ou **lacônico**AO *adj.* **conciso**, breve, sucinto, curto, abreviado, resumido ≠ **prolixo**, difuso, redundante, extenso

laconismo *n.m.* **brevidade**, concisão, condensação *fig.* ≠ **prolixidade**, difusão, redundância

lacrar *v.* cerar, selar ≠ deslacrar, descerrar, desselar

lacrau *n.m.* ZOOL. escorpião

lacrimal *n.m.* ANAT. únguis, ungue

lacrimejar *v.* 1 chorar, prantear, lagrimar 2 *fig.* gotejar, pingar, ressumbrar, rorejar

lacrimoso *adj.* choroso, flébil, plangente, lacrimante

lactação *n.f.* amamentação, aleitamento, aleitação, criação

lácteaAO ou **látea**AO *n.f.* leitra

lácteoAO ou **láteo**AO *adj.* 1 lactescente, lactoso, lactífero 2 (cor) leitoso, laticinoso, claro, níveo, alvo, alabastrino, leitar ≠ preto, escuro, nocticolor, sombrio

lacuna *n.f.* 1 vão, interrupção, fenda, vazio 2 omissão, deficiência, falha, hiato, buraco *fig.* 3 falta, deficiência, carência, escassez ≠ excessividade, abundância

lacunar *adj.2g.* incompleto, insuficiente, deficiente ≠ completo, perfeito

lada *n.f.* 1 margem 2 BOT. esteva, estevão, xara

ladainha *n.f. fig.* lengalenga, cantilena, aranzel, litania, melopeia

ladear *v.* 1 flanquear, acompanhar 2 *fig.* rodear, contornar, sofismar, circuitar, tergiversar ≠ encarar, enfrentar

ladeira *n.f.* declive, quebrada, descida, vertente, resvalo, caída, encosta, rampa ≠ subida, aclive, elevação, ascensão

ladino *adj.* 1 traquinas, vivo 2 astuto, finório, manhoso, velhaco, espertalhão ≠ correto, honesto, justo, verdadeiro ▪ *n.m.* 1 romanço 2 rético, romanche, reto-romano

lado *n.m.* 1 flanco, ilharga, banda, lateral 2 posição, partido, fação, grupo 3 lugar, sítio, parte 4 direção, sentido, rumo 5 aspeto, feição, prespectiva, prisma *fig.*

ladra *n.f.* 1 gatuna, larápia, ladrona 2 VET. chaveira, ladraria, grainha 3 gulosa [REG.]

ladrão *n.m.* 1 gatuno, salteador, larápio, ratoneiro, bandido, bandoleiro, ladrilho, pechelingue 2 tratante, biltre, patife 3 *col.* maganão, brejeiro 4 BOT. gomeleira, ladroeiro ▪ *adj.* salteador, gatuno

ladrar *v.* 1 (cão) latir, ganir 2 *fig.* vozear, gritar, berrar

ladrilho *n.m.* gatuno, salteador, larápio, ratoneiro, bandido, bandoleiro, ladrão

ladro *n.m.* 1 latido, ladrado *col.* 2 (piolho) ganau *col.*

ladroar *v.* roubar, furtar, surripiar, subtrair, gatunar, larapiar, pilhar, escamotear, bifar *col.*

ladroeira *n.f.* 1 ladroagem, roubo, extorsão, furto, comilança, ladroíce 2 *col.* mamadeira *fig.*, exploração, mamadouro *fig.*

lagarta *n.f.* ZOOL. lagartixa, sadarnisca

lagarteiro *n.m.* ORNIT. peneireiro, cigarreiro, rabanho, sapoléu, derrabanho [REG.]

lagartixa *n.f.* ZOOL. lagarta, sadarnisca, sardanita

lagarto *n.m.* 1 ZOOL. sardão 2 *col.,pej.* (futebol) sportinguista, leonino

lago *n.m.* tanque

lagoa *n.f.* pântano, paul, palude, xabouco [REG.]

lagosta *n.f. col.* bofetada, tapa, lambada, bolacha, bolachada, estalo, mosquete, chapada, estalada, tabefe, estampilha, lostra, solha, sorvete, bilhete *gír.*

lágrima *n.f.* 1 gota, pingo 2 pranto, choro

laguna *n.f.* ria

laia *n.f.* 1 raça, casta, estirpe, espécie, categoria 2 qualidade, jaez *fig.* 3 feitio

laical *adj.2g.* laico, leigal, profano, secular

laico *adj.,n.m.* laical, leigo, secular, profano

lais *n.m.* 1 NÁUT. penol 2 LIT. lai

laivo *n.m.* 1 mancha, pinta, nódoa, mácula 2 veio 3 [*pl.*] *fig.* noções, rudimentos, tinturas, luzes, lascas *fig.*

lajedo *n.m.* lanchal [REG.]

lama *n.f.* 1 lodo, limo 2 baixeza, abjeção, aviltamento, infâmia, ignomínia, indignidade, mesquinhez, torpeza, vilania, ignobilidade, bandalheira, vileza, torpidade, picardia, degradação *fig.*, baixura *fig.*, atoleiro *fig.*, baixaria [BRAS.] ≠ nobreza, altivez, decoro, dignidade, distinção, magnanimidade, grandeza, hombridade, elevação *fig.* 3 *fig.* desonra, insulto, ofensa, agravo

lamaçal *n.m.* lamaceiro, atoleiro, lodaçal, tremedal, ceno, charco, cenagal, pântano, brejo, lameira, lamaço, lavajo [REG.], chapaçal [REG.]

lamacento *adj.* lodoso, lodacento, enlameado, brejoso, encharcadiço, alagadiço, pantanoso, lutulento

lamaroso *adj.* lodoso, lodacento, brejoso, encharcadiço, alagadiço, pantanoso, lamarento

lambada *n.f.* 1 bofetada, tapa, estalo *col.*, bolacha *col.*, bolachada *col.*, lagosta *col.*, mosquete *col.*, chapada *col.*, estalada *col.*, tabefe *col.*, estampilha *col.*, lostra *col.*, solha *col.*, sorvete *col.*, bilhete *gír.*, limpa-queixos [REG.] 2 *fig.* descompostura, reprimenda, repreensão, censura, admoestação, exprobração, discurso *col.* ≠ elogio, louvor, felicitação, aprovação

lambão *adj.,n.m.* 1 lambareiro, lambaz, glutão, comilão, alarve, gargantão, guloso, lambe-pratos *col.*, rapa *col.*, papão *fig.,col.*, ogre *fig.*, lambuzão [BRAS.] 2 preguiçoso, indolente, mandrião, madraço, ocioso, baldão, vadio, vagabundo ≠ trabalhador, laborioso, ativo, diligente

lambareiro *adj.,n.m.* 1 guloso, lambarão, lambeiro 2 intriguista, linguareiro

lambarice *n.f.* 1 **gulodice** 2 **guloseima**, doçaina, acepipe, petisco, pitéu, gulodice, lambarisco

lamber *v.* 1 *fig.* **devorar**, tragar, engolir, abocanhar 2 *fig.* **apurar**, polir, requintar 3 *fig.* **destruir**, arrasar, dilapidar, aniquilar

lamber-se *v.* 1 *fig.* **regalar-se**, regozijar-se 2 *fig.* **antegozar**

lambidela *n.f.* 1 **lambedura** 2 **gorjeta**, caravela, gratificação, emolumento, convide [REG.] 3 *fig.* **adulação**, lisonja, sabujismo, bajulice, prazenteio, rapapés, candonguice, manteiga, engraxadela, genuflexão, incensação, graxa *col.*, ciganice *pej.* ≠ **censura**, crítica, desagrado, repugnância, exclusão, reprovação

lambisgoia[dAO] *n.f.* 1 **fedúncia**, serigaita, delambida, cricalha [REG.] *vulg.* 2 *pej.* **coscuvilheira**, mexeriqueira, bisbilhoteira, intriguista, linguareira, campainha *fig.*

lambisgóia[aAO] *n.f.* ⇒ **lambisgoia**[dAO]

lambujar *v.* **gulosar**, lambarar, gulosinar

lambuzar *v.* **emporcalhar**, sujar, engordurar, embodegar, manchar, lavajar [REG.] ≠ **desensebar**, desengordurar

lamecha *adj.,n.2g.* **piegas**, sentimentalão, meloso *pej.*

lamego *n.m.* [REG.] **labrego**

lameiro *n.m.* 1 **pântano**, pantanal, lamaçal, paul, sapal, charco, brejo, tremedal, atoleiro, lodeiro, tijucal [BRAS.] 2 ZOOL. **lagosta-das-pedras** 3 ORNIT. **pisco-azul**, pisco-de-peito-azul, garguleira, lamieira, lamieiro

lamentação *n.f.* **lamento**, deploração, lamúria, pranto, queixume, plangência, elegia *fig.* ≠ **contentamento**, alegria, júbilo

lamentar *v.* **chorar**, deplorar, carpir, prantear, lamuriar, lastimar ≠ **alegrar-se**, contentar-se, jubilar

lamentar-se *v.* **queixar-se**, lastimar-se, lamuriar--se, prantear-se, chorar, carpir, jeremiar *pej.*, gemelhicar, lazeirar *fig.*

lamentável *adj.2g.* **lastimável**, doloroso, triste, miserável, deplorável, lacrimável

lamento *n.m.* 1 **lamúria**, deploração, choro, pranto, queixume ≠ **contentamento**, alegria, júbilo 2 **gemido**, ai, suspiro *fig.* 3 **amargura**

lamentoso *adj.* **lastimável**, doloroso, triste, miserável, deplorável

lâmina *n.f.* 1 **lasca**, chapa, placa, folha, falha, estilhaço, fragmento, racha 2 **porta-objeto** 3 **carregador**

laminar *v.* 1 **chapear**, chapar, lamelar 2 **adelgaçar**, desbastar, limar, aparar ≠ **alargar**, engrossar ■ *adj.2g.* **lameliforme**, laminoso

lamiré *n.m.* **diapasão**, afinador

lamoso *adj.* **lodoso**, lodacento, brejoso, encharcadiço, alagadiço, pantanoso, lamacento

lampa *n.f.* 1 BOT. **rebento**, gomo, gema, botão, renovo, borboto 2 *col.* **lâmpada**

lâmpada *n.f.* 1 **lampa** *col.*, luminária, luz 2 **lampião**, revérbero

lampadário *n.m.* **lustre**, candeeiro, candeladro, lampião

lamparina *n.f.* 1 **luminária**, griseta, lucerna, candeia 2 *col.* **bofetão**, sopapo, tabefe, sapatada, chapada, assoa-queixos, lambada, biscouto *fig.*, moleque [BRAS.] *col.*

lampeiro *adj.* 1 **lampo**, temporão 2 **lesto**, expedito, apressado, rápido, lépido ≠ **lento**, vagaroso, tardonho 3 **atrevido**, espevitado, metediço, intrometido *fig.* ≠ **tímido**, acanhado, retraído *fig.*

lampejar *v.* **cintilar**, faiscar, coriscar, reluzir, fuzilar, fulgurar, relampejar, tremeluzir, brilhar, lampadejar

lampejo *n.m.* **chispa**, clarão, reflexo, fulgor, brilho, centelha *fig.*

lampião *n.m.* 1 **lustre**, candeeiro, candeladro, alampadário *ant.* 2 **lâmpada**, revérbero 3 *col.* (futebol) **benfiquista**

lampo *adj.* 1 **temporão**, lampeiro ≠ **seródio** 2 *fig.* **atrevido**, espevitado, metediço, lampeiro, intrometido ≠ **tímido**, acanhado, retraído *fig.* ■ *n.m. col.* **relâmpago**, corusco

lamúria *n.f.* **pranto**, choro, lamento, lamentação, carpido, queixume, deploração, melúria *col.*, jeremiada ≠ **contentamento**, alegria, júbilo

lamuriante *adj.* **queixoso**, lamentoso, clamoroso, gemebundo ≠ **satisfeito**, deleitado, agradado

lamuriar *v.* **chorar**, lamentar, prantear, carpir, deplorar ≠ **alegrar-se**, contentar-se, jubilar

lamuriar-se *v.* **lamentar-se**, queixar-se, lastimar--se, prantear-se, choramingar, endechar, carpir--se, gunfar [REG.]

lamurioso *adj.* **queixoso**, lamentoso, clamoroso, gemebundo, jeremias, lamuriento ≠ **satisfeito**, deleitado, agradado

lanar *adj.2g.* **velígero**, lanígero

lança *n.f.* **hasta**, dardo, pique, azagaia, zaguncho

lançadeira *n.f.* **caneleira**

lançado *adj.* **promovido**, divulgado ■ *n.m.* **vómito**, vomitado, cabrito *col.*

lançamento *n.m.* 1 **arremesso**, projeção, lance 2 **assentamento** 3 BOT. **rebento**, gomo, gema, botão, renovo, borboto

lançar *v.* 1 **atirar**, arrojar, deitar, arremessar, expelir, repelir, mandar, botar *col.* ≠ **recolher**, apanhar, guardar 2 **produzir**, iniciar, gerar, brotar 3 **expelir**, exalar, espalhar, emanar, cuspir, deitar 4 **vomitar**, desengolir, bolçar, golfar, deitar, arrevessar, cuspir, devolver *col.* ≠ **engolir**, ingerir 5 (culpa, defeito, erro) **atribuir**, imputar, assacar, referir, pôr, deitar, carregar 6 **constar**, correr, dizer-se, contar-se, saber-se, rotejar-se [REG.] ≠

desconhecer-se **7** **derramar**, verter, despejar, deitar, entornar **8** **dirigir**, apontar

lançar-se *v.* **1** **atirar-se**, precipitar-se, arremessar--se, saltar **2** **avançar**, arremeter, investir **3** **abalançar-se**, arriscar-se, aventurar-se, atrever-se, ousar, atirar-se, afoitar-se **4** *fig.* **dedicar-se**, entregar-se

lance *n.m.* **1** **arremesso**, projeção, lançamento **2** **risco**, perigo, conjuntura, aperto ≠ **segurança** **3** **caso**, ocorrência, acontecimento, facto **4** **golpe**, estratagema, ardil, jogada *col.* **5** **impulso**, rasgo, arroubo, ímpeto **6** (leilão) **oferta**, lanço **7** DESP. **jogada**

lanceiro *n.m.* **armeiro**, panóplia

lanceta *n.f.* **1** **bisturi** *col.*, flebótomo **2** **fleme**

lancetar *v.* **cesurar**, golpear

lancha *n.f.* [REG.] **laje**

lanchar *v.* **merendar**

lanche *n.m.* **merenda**

lancheira *n.f.* **merendeira**

lancil *n.m.* **meio-fio**

lancinante *adj.2g.* **pungente**, cruciante, doloroso, aflitivo, atroz, despedaçador *fig.*, procustiano *fig.* ≠ **agrádavel**, confortante, consolador, indolor

lancinar *v.* **pungir**, afligir, atormentar, cruciar *fig.*, despedaçar *fig.* ≠ **animar**, confortar, consolar

lanço *n.m.* **1** **arremesso**, projeção, lançamento, lance **2** **oferta**, lance **3** **troço**

landa *n.f.* **charneca**, gândara, mato, camarção [REG.]

lande *n.f.* **1** **bolota**, bálano, borla, boleta *col.* **2** BOT. **glande**, landra

langor *n.m.* **1** **frouxidão**, moleza, quebranto, languidez, indolência, desfalecimento ≠ **energia**, força, robustez, vigor, vitalidade **2** **definhamento**, morbidez, debilidade, enfraquecimento, prostração *fig.*, torpor *fig.* ≠ **fortalecimento**, robustecimento

langoroso *adj.* **lânguido**, frouxo, abatido, indolente, desfalecido, debilitado, fraco, languescente ≠ **enérgico**, robusto, vigoroso

languescer *v.* **languir**, enfraquecer, definhar, desfalecer, afrouxar, esmorecer ≠ **fortalecer**, robustecer

languidez *n.f.* **1** **frouxidão**, moleza, quebranto, langor, indolência, desfalecimento ≠ **energia**, força, robustez, vigor, vitalidade **2** **definhamento**, morbidez, debilidade, enfraquecimento, prostração *fig.*, torpor *fig.* ≠ **fortalecimento**, robustecimento

lânguido *adj.* **1** **langoroso**, frouxo, abatido, indolente, desfalecido, debilitado, fraco ≠ **enérgico**, robusto, vigoroso **2** **voluptuoso**, sensual, agradável, aprazível, deleitável, prazenteiro, delicioso ≠ **desgostoso**, enfadado, desprazível, desagradável

lanho *n.m.* **golpe**, talho, rasgão

lanífero *adj.* **lanar**, velígero

lantejoulas *n.f.pl.* **adornos**, enfeites, atavios, ornamentos, adereços, arreios *fig.*

lanterna *n.f.* **1** **facho**, fanal, luminária, pilha *col.* **2** **fresta**

lapa *n.f.* **1** **furna**, loca, gruta **2** ZOOL. **laparão** **3** *fig.* **maçador**, carraça, impertinente, aborrecido, chato, maçante, lata *ant.* ≠ **interessante**, divertido, estimulante **4** *col.* **bofetada**, estalo, tapa, lambada, bolacha, bolachada, lagosta, mosquete, chapada, estalada, tabefe, estampilha, lostra, solha, sorvete, bilhete *gír.*

láparo *n.m. col.* **caçapo**, lapouço [REG.]

lapela *n.f.* **rebuço**

lapidação *n.f.* **1** **apedrejamento** **2** **lapidagem** **3** *fig.* **aperfeiçoamento**, melhoramento, apuramento, aprimoramento, progresso ≠ **piora**, agravamento, prejuízo, deterioração

lapidado *adj.* **1** **apedrejado** **2** **polido**, desbastado, limado, raspado ≠ **inlapidado** **3** *fig.* **aperfeiçoado**, melhorado, apurado, aprimorado ≠ **piorado**, agravado, prejudicado, deteriorado

lapidar *v.* **1** **apedrejar** **2** **talhar**, polir, facetar, brunir **3** *fig.* **aperfeiçoar**, melhorar, apurar, aprimorar, progredir ≠ **piorar**, agravar, prejuicar, deteriorar

lápide *n.f.* **pedra**, campa, loisa

lapidificação *n.f.* **petrificação**

lapidificar *v.* **petrificar**

lápis-lazúli *n.m.* MIN. **lazulite**, lazúli, lazulita [BRAS.]

lapso *n.m.* **1** **decurso**, transcorrência, passagem, duração, transcurso **2** **erro**, falha, descuido, omissão, esquecimento ≠ **correção**, lembrança, recordação

laquear *v.* **lacar**

lar *n.m.* **1** **habitação**, domicílio, residência, prédio, vivenda, casa, edifício, fogo, moradia, teto *fig.* **2** **família** **3** **pátria** **4** **fogão**, calorífero, chaminé, lareira *ant.*, fuminé [REG.]

laracha *n.f. col.* **chalaça**, motejo, piada, picuinha, pilhéria, graçola, broma, brinco, gracejo, historíola, bisca *fig.* ■ *n.m.* **piadista**

laranja *adj.inv.* (cor) **alaranjado**, cor de laranja

larapiar *v.* **roubar**, furtar, surripiar, subtrair, gatunar, ladroar, pilhar, escamotear, bifar *col.*

larápio *n.m.* **gatuno**, salteador, ladrão, ratoneiro, bandido, bandoleiro, ladrilho, pilharete, formigueirinho *ant.,col.*, unhante *col.,pej.*, chouriço *col.*

larário *n.m.* **lar**, família

lardear *v.* **entremear**, intercalar, entressachar, misturar, interpor

lareira *n.f.* **1** *ant.* **fogão**, calorífero, lar, cheminé **2** **lapeira** [REG.]

larga *n.f.* 1 **largada** 2 **soltura**, liberdade, folga 3 **desenvolvimento**, ampliação, expansão

largada *n.f.* 1 **larga** 2 **saída**, partida ≠ **chegada** 3 **chiste**, piada, pilhéria, graçola, broma, brinco, gracejo, bisca *fig.*, laracha *col.*

largamente *adv.* **extensamente**, abundantemente, copiosamente, generosamente, sobejamente, amplamente, muito, inesgotavelmente ≠ **pouco**, moderadamente

largar *v.* 1 **soltar**, escapar, desprender, libertar ≠ **agarrar**, prender, segurar 2 **oferecer**, ceder, dar 3 **abandonar**, desamparar, deixar, repudiar, desquitar *fig.* ≠ **amparar**, ajudar, sustentar 4 **expelir**, exalar, deitar 5 **partir**, ir, arribar ≠ **chegar**, regressar 6 **parar**, interromper, cessar ≠ **continuar**, prosseguir 7 NÁUT. **zarpar**

largar-se *v.* 1 **soltar-se**, separar-se, desacasalar-se, despregar-se, departir-se 2 **abandonar-se**, entregar-se 3 **esvidar-se**, peidar-se *cal.*

largo *adj.* 1 **amplo**, vasto, espaçoso, pando, latitudinário ≠ **pequeno**, apertado 2 **grande**, considerável 3 **copioso**, generoso, abundante, farto 4 **prolixo**, extenso 5 **demorado**, dilatado, longo, delongado, atrasado, retardado, lento, perlongado, vagaroso, diferido ≠ **acelerado**, ligeiro, pronto ■ *n.m.* 1 **praça**, terreiro, ressio 2 **largura**

largueza *n.f.* 1 **largura**, largo, amplidão 2 **liberalidade**, generosidade, munificência 3 **dissipação**, esbanjamento, desperdício, malbaratamento ≠ **aproveitamento**, economicidade 4 **liberdade** 5 **franqueza**

largura *n.f.* **largueza**, largo, amplidão

larva *n.f.* BIOL. **verme**, oira

larvado *adj.* 1 **descontinuado** ≠ **persistente**, continuado 2 *col.* **maníaco**, desequilibrado, lunático, maluco ≠ **equilibrado**, ajuizado, atinado

lasca *n.f.* 1 **fragmento**, estilhaço, falha, lâmina, racha, escassilho 2 **bocado**, tira, fatia, naco, talhada, mica, mordo, posta, facataz, chisca, tagalho [REG.] 3 *col.* **beldade**, formosura, rosa *fig.* 4 [*pl.*] *fig.* **noções**, rudimentos, tinturas, luzes, laivos *fig.*

lascado *adj.* 1 **rachado**, fendido, estilhaçar 2 [BRAS.] *col.* **enorme**, excessivo 3 [BRAS.] *col.* **disparado**, largado

lascar *v.* 1 **fender**, rachar, estilhaçar 2 NÁUT. **solecar** 3 *col.* **evacuar**, expelir, defecar, obrar

lascar-se *v.* **rachar-se**, fender-se, fachear [BRAS.]

lascívia *n.f.* **sensualidade**, luxúria, concupiscência, carnalidade, voluptuosidade, lubricidade, cio *fig.* ≠ **castidade**, pureza, pudicícia

lascivo *adj.* 1 **sensual**, sexual, libidinoso, concupiscente, luxurioso, carnal, animal *fig.* ≠ **casto**, pudico, puro *fig.* 2 **brincalhão**, folgazão, divertido, alegre, folião, galhofeiro, gaiteiro *fig.*, reinadio *col.* ≠ **tristonho**, macambúzio, taciturno, sorumbático

lassar *v.* **afrouxar**, alargar, desapertar, relaxar

lassidão *n.f.* **cansaço**, fadiga, estafa, esfalfamento, esgotamento, fraqueza, froixeza, afronta, moedeira, abatimento *fig.* ≠ **energia**, força, vigor, robustez

lasso *adj.* 1 **cansado**, esgotado, fatigado, estafado, esfalfado, fraco, ofeguento *fig.* ≠ **enérgico**, vigoroso, dinâmico, ativo 2 **solto**, bamboleante, frouxo, largo, bambo, relaxado, distendido ≠ **esticado**, tenso, estirado, retesado 3 **gasto**, coçado, desgastado ≠ **conservado**, preservado 4 *fig.* **devasso**, libertino, licencioso, dissoluto, desregrado, debochado, imoral, salaz, impudico ≠ **decente**, decoroso 5 *fig.* **aborrecido**, enfastiado, entediado, fastidioso, cansado ≠ **interessado**, motivado, empenhado

lástima *n.f.* 1 **lamento**, lamentação, choro, deploração, pranto, lamúria, queixume, carpido, plangência, elegia *fig.* ≠ **contentamento**, alegria, júbilo 2 **compaixão**, piedade, bondade, misericórdia, comiseração, clemência, caridade, dó, humanidade *fig.* ≠ **desumanidade**, malevolência 3 **miséria**, desgraça, infortúnio, tristeza

lastimar *v.* 1 **lamuriar**, lamentar, deplorar, carpir ≠ **jubilar-se**, contentar-se, alegrar-se 2 **comover**, amiserar, apiedar, condoer, compadecer-se ≠ **desumanizar**

lastimar-se *v.* 1 **queixar-se**, lamentar-se, chorar-se, miserar-se 2 **afligir-se**

lastimável *adj.2g.* **lamentável**, doloroso, triste, miserável, deplorável

lastimoso *adj.* 1 **lastimável**, lamentável, doloroso, triste, miserável, deplorativo, deplorável, deploratório, prantivo, quérulo *poét.* 2 **choroso**, magoado, sentido, triste, pesaroso, desgostoso, lagrimoso, plangente, malcontente ≠ **alegre**, feliz, contente

lastrar *v.* **saburrar** ≠ **deslastrar**

lastro *n.m. fig.* **base**, fundamento, assento, alicerce, princípio, matéria-prima *fig.*, pedra angular *fig.*

lata *n.f.* 1 **folha de flandres**, flandres 2 *col.* **carripana**, zambeque, calhambeque, caranguejola *fig.*, chocolateira *col.*, traquitana *col.* ≠ **carrão** *col.* 3 **latada**, bardo, parreira 4 *fig.* **descaramento**, atrevimento, insolência, petulância, desabuso, desaforo, desavergonhamento ≠ **vergonha**, timidez, modéstia, comedimento 5 *col.* **cara**, rosto, fisionomia, semblante, tromba *col.*, ventas *fig.,col.* ■ *n.m. ant.* **maçador**, carraça, impertinente, aborrecido, chato, maçante, lapa *fig.* ≠ **interessante**, divertido, estimulante

latada *n.f.* 1 **lata**, bardo, parreira 2 *col.* **bofetada**, tapa, lambada, estalo, bolacha, bolachada, lagosta, mosquete, chapada, estalada, tabefe, estampilha, lostra, solha, sorvete, bilhete *gír.*

latagão *n.m. col.* **machão**, mocetão, rapagão

late *n.m.* [REG.] (engenho) **picota**, picanço, burra, zangarilho, cegonho, cegonha, gastalho [REG.]

látego *n.m.* 1 **chicote**, azorrague, vergalho, açoite, habena *poét.*, ripeiro [REG.], tagante *ant.* 2 *fig.* **flagelo**, castigo, punição ≠ **gratificação**, recompensa

latejar *v.* **palpitar**, pulsar, bater, latir *fig.*, later *ant.*, papejar ■ *n.m.* **palpitação**, pulsação, arfada, latejo

latência *n.f.* **ocultação**, encobrimento, dissimulação, escondimento, furtadela, sonega ≠ **desencobrimento**, desvendamento, descoberta

latente *adj.2g.* **oculto**, encoberto, dissimulado, escondido, furtado, sonegado ≠ **desencobrido**, desvendado, descoberto

later *v.* 1 *ant.* **ocultar**, encobrir, dissimular, esconder, furtar, sonegar, mocozear [BRAS.] ≠ **desencobrir**, desvendar, descobrir 2 *ant.* **palpitar**, pulsar, bater, latejar

lateral *adj.2g.* **transversal**

latido *n.m.* 1 **ladrido**, ganido, ladradura 2 *fig.* **remorso**, arrependimento, contrição, culpa, encarrego

latim *n.m.* **romano**

latinizar *v.* **alatinar**

latir *v.* 1 (cão) **ladrar**, ganir 2 *fig.* **palpitar**, pulsar, bater, latejar, later *ant.* 3 *fig.* **murmurar**, desgabar, responsar

latitude *n.f.* 1 *fig.* **região** 2 *fig.* **amplitude**, desenvolvimento, extensão 3 *fig.* **largura**, largo, amplidão 4 *fig.* **liberdade**

lato *adj.* 1 **largo**, amplo, dilatado, extenso, vasto ≠ **estreito**, pequeno, justo 2 **extensivo**, alargado

latoeiro *n.m.* **funileiro**, bate-folhas

latrina *n.f.* **retrete**, privada, sentina, dejetório, necessária *col.*

latrocínio *n.m.* **rapina**, extorsão

lauda *n.f.* **página**

laudatório *adj.* **elogioso**, encomiástico, apológico, panegírico ≠ **crítico**, censurador, repreensivo, humiliante

laudo *n.m.* **parecer**, opinião, apreciação, conceito, juízo

laureado *adj.* 1 **premiado**, galardoado, vencedor 2 **enaltecido**, elogiado, louvado, admirado, apreciado, gabado, vitoriado ≠ **desprezado**, desvalorizado, menosprezado, desconsiderado 3 **aplaudido**, festejado, consagrado, aclamado

laurear *v.* 1 **premiar**, galardoar 2 *fig.* **aplaudir**, festejar, consagrar, aclamar 3 *fig.* **adornar**, enfeitar, ataviar, decorar, ornar, ornamentar, louçanear

laurentino *adj.* **láureo**, laurino, lauríneo

lauto *adj.* 1 **opíparo**, abundante, rico, copioso, abastado ≠ **escasso**, pobre 2 **sumptuoso**, magnificente, monumental, deslumbrante ≠ **simples**, modesto

lava *n.f.* 1 *fig.* **chama**, torrente 2 **lavagem**

lavabo *n.m.* 1 **lavatório** 2 [*pl.*] **sanitários**, wc

lavado *adj.* 1 **limpo**, asseado ≠ **sujo**, imundo, ludroso 2 **banhado**, encharcado, molhado, ensopado ≠ **seco**, enxugado, escorrido 3 *fig.* **sincero**, honesto, verdadeiro, liso, franco ≠ **falso**, dissimulado, refolhado *fig.*

lavadouro *n.m.* **tanque**

lavagante *n.m.* ZOOL. **levagante**, labugante, lobagante, navegante

lavagem *n.f.* 1 **ablução**, lava, lustração, lavação, lavamento 2 **clister**, enteróclise, irrigação, cristel *col.*

lavajo *n.m.* [REG.] **pântano**, charca, lodaçal, lamaçal, atoleiro, brejo

lavanda *n.f.* BOT. **alfazema**

lavandeira *n.f.* ORNIT. **lavandisca**, alvela, alvéloa, avoeira, boieira, chiria, chirina, gonçalinho, cia, lavandisca-amarela, lavandisca-da-índia, lavandisca-preta, pastorinha, pespita

lavandisca *n.f.* ORNIT. **lavandeira**, alvela, alvéloa, alvéola, avoeira, boieira, chiria, chirina, gonçalinho, cia, lavandisca-amarela, lavandisca-da-índia, lavandisca-preta, pastorinha, lavadeira, chirila

lavar *v.* 1 **limpar**, expurgar, desenxovalhar, purificar, purgar, assear ≠ **sujar**, emporcar, conspurcar, temerar 2 **banhar**, regar, molhar, chapuçar [REG.] ≠ **secar**, desensopar, dessecar, enxugar, escorrer 3 *fig.* **purificar**, purgar, dealbar, mundificar 4 **inocentar**, reabilitar, ilibar, absolver, justificar ≠ **culpar**, acusar, incriminar

lavar-se *v.* 1 **limpar-se**, assear-se, depurar-se 2 **banhar-se**, abluir-se 3 *fig.* **redimir-se**, reabilitar-se, justificar-se, ilibar-se, inocentar-se

lavatório *n.m.* 1 **lavabo** 2 *fig.* **purificação**, sublimação

laverca *n.f.* 1 ORNIT. **calandra**, calhandra, cotovia, paspalhaça, cochicho 2 *col.* **magricela**, mirra 3 *col.* **fome**, larica, gana, galga, fraqueza, rafa ≠ **saciedade**, fartura

laverco *n.m. fig.* **embusteiro**, intrujão, impostor, charlatão

lavor *n.m.* 1 **trabalho**, faina, labor, lida, labuta, obragem, laboração, fadiga ≠ **repouso**, descanso, sossego 2 **ornamento**, adorno, enfeite, atavio, acessório, adereço, lantejoula ≠ **desatavio**, desadorno, desenfeite 3 **lavrado**

lavoura *n.f.* **agricultura**, cultura, lavra, lavradio, lavragem, charrua *fig.*

lavourar *v.* **lavrar**, cultivar, amanhar

lavra *n.f.* 1 **agricultura**, lavoira, cultura, lavradio, charrua *fig.* 2 **produção**, fabrico, autoria

lavradeira *n.f.* **camponesa**, campónia *pej.*

lavradio *adj.* **arável**, cultivável, agricultável ≠ **incultivável**, árido ■ *n.m.* **agricultura**, lavoura, cultura, lavra, charrua *fig.*

lavrado *adj.* 1 **arado**, sulcado 2 **ornado** 3 **cinzelado**, esculpido, burilado 4 **escrito**, registado ■ *n.m.* **lavor**

lavrador *n.m.* **agricultor**, arador, arvícola, cultivador, agrícola, camponês ■ *adj.* **camponês**, agrícola

lavrar *v.* 1 **charruar**, arar, rasgar, sulcar 2 **amanhar**, cultivar, laborar 3 **esculpir**, cinzelar, burilar 4 **bordar**, enfeitar, recamar, ornar, lavorar, debruar *fig.* 5 (madeiras) **preparar**, aplainar 6 (minas) **explorar** 7 (ata ou sentença) **redigir**, escrever, exarar 8 **desenvolver-se**, alastrar, crescer, espalhar-se, propagar-se ≠ **diminuir**, diluir-se 9 **aparecer**, surgir, manifestar-se ≠ **desaparecer** 10 **danificar**, estragar, gastar, deteriorar ≠ **manter**, preservar, conservar

laxação *n.f.* **frouxidão**, languidez, relaxamento, moleza, fraqueza, indolência, langor, quebranto, lassitude ≠ **energia**, rigidez, robustez

laxante *adj.2g.* **purgante**, catártico, solutivo ■ *n.m.* **purgante**, drástico, catártico

laxar *v.* 1 **alargar**, afrouxar, dilatar, desencolher, descingir, desprender, desamarrar, soltar, relaxar ≠ **apertar**, encolher, cingir 2 **desimpedir**, desobstruir, purgar 3 *fig.* **atenuar**, aliviar, suavizar, abrandar, acalmar, aplacar, mitigar, lenir, minorar, serenar, diminuir, balsamizar, refrigerar ≠ **agravar**, intensificar

laxativo *adj.* **purgante**, catártico, solutivo, relaxativo

laxo *adj.* **frouxo**, lasso, bamboleante, solto, largo, bambo, relaxado, distendido ≠ **esticado**, tenso, estirado, retesado

lazarento *adj.* 1 **chaguento**, pustulento, ulcerado, mazelento 2 **leproso** 3 **esfomeado**, faminto, famélico, esganado *col.* ≠ **saciado**, alimentado

lázaro *n.m.* 1 **leproso**, morfeico 2 **miserável**, desgraçado

lazeira *n.f.* 1 **fome**, fraqueza, gana, larica *col.*, galga *col.*, rafa *col.*, laverca *col.* ≠ **saciedade**, fartura 2 **miséria**, penúria, pobreza ≠ **riqueza**, abundância, fortuna, opulência 3 **preguiça**, indolência, displicência, ociosidade, moleza ≠ **atividade**, dinamismo

lazer *n.m.* **vagar**, ócio, descanso, repouso, sueto

lãzudo *adj.* 1 **lanudo**, lanoso 2 *gír.* **grosseiro**, lapuz, rude, malcriado ≠ **bem-educado**, cortês, amável, polido 3 *fig.* **estúpido**, lorpa, patego, papalvo, simplório *pej.* ≠ **inteligente**, esperto

leal *adj.2g.* 1 **cumpridor**, respeitador ≠ **transgressor**, desrespeitador 2 **sincero**, franco, honesto, sério, probo, lealdoso *ant.* ≠ **desonesto**, insincero, ímprobo, impudico, torpe, aleivoso 3 **fiel**, dedicado, votado ≠ **infiel**, desleal, pérfido, traidor, inconfidente, fedífrago, leonino *fig.* 4 **legal**, lícito, legítimo ≠ **ilegal**, ilícito

lealdade *n.f.* **fidelidade**, honestidade, sinceridade, franqueza, probidade, decoro, lealismo ≠ **desonestidade**, deslealdade, falsidade, improbidade, torpeza, impudicícia, aleivosia, perfídia, escabrosidade *fig.*, volutabro *fig.*

leccionação[aAO] *n.f.* ⇒ **lecionação**[dAO]

leccionar[aAO] *v.* ⇒ **lecionar**[dAO]

lecionação[dAO] *n.f.* **lição**, explicação, aula

lecionar[dAO] *v.* **ensinar**, instruir, doutrinar, habilitar, dar, explicar, adestrar ≠ **aprender**

lectivo[aAO] *adj.* ⇒ **letivo**[dAO]

ledo *adj.* **alegre**, jovial, feliz, gaiato, contente, radioso, radiante, jubiloso, risonho, prazenteiro, animado, sorridente, festivo ≠ **triste**, acabrunhado, descontente, entristecido

legado *n.m.* 1 **embaixador**, enviado, representante 2 **núncio** 3 **deixa**, herança, espólio, manda *ant.* 4 **herança** *fig.*, transmissão 5 **dávida**

legal *adj.2g.* 1 **lícito**, leal, legítimo, jurídico, constitucional ≠ **ilegal**, ilícito 2 **justo**, direito, franco ≠ **injusto** 3 [BRAS.] **ótimo**, engraçado, excelente, formidável, giro *col.*, porreiro *col.* ≠ **horrível**, ruim 4 [BRAS.] **certo**, perfeito

legalidade *n.f.* **legitimidade**, licitude, retidão ≠ **ilegalidade**, ilicitude

legalização *n.f.* 1 **legitimação** 2 **certificação**, validação, autenticação, legitimação ≠ **invalidação**, anulação

legalizar *v.* 1 **legitimar** 2 **autenticar**, validar, certificar, legitimar ≠ **invalidar**, anular

legalmente *adv.* **legitimamente**, licitamente ≠ **ilegitamente**, ilegalmente

legar *v.* 1 **deixar**, dar, transmitir, testar 2 **delegar**

legenda *n.f.* 1 **inscrição** 2 **letreiro**, dístico, rótulo 3 **lenda**

legião *n.f.* MIL. **falange**, tropa

legibilidade *n.f.* **clareza**, nitidez, percetibilidade ≠ **obscuridade** *fig.*, impercetibilidade

legislação *n.f.* **direito**

legislar *v.* **decretar**, ordenar, preceituar, estabelecer

legislatura *n.f.* **mandato**

legista *n.2g.* **jurisconsulto**, jurisperito, causídico, jurista, legisperito

legitimação *n.f.* **habilitação**, legalização, validadação, consagração

legitimado *adj.* **legalizado** ≠ **ilegalizável**

legitimamente *adv.* **legalmente**, licitamente, lidimamente ≠ **ilegalmente**

legitimar *v.* 1 **desbastardar** 2 **autenticar**, validar, certificar, legalizar, lidimar ≠ **invalidar**, anular 3 **legalizar** 4 **justificar**, desculpar

legitimidade *n.f.* 1 **legalidade**, licitude, retidão ≠ **ilegalidade**, ilicitude 2 **autenticidade**, validade, certificação ≠ **invalidade**, anulação, inutilização 3 **racionalidade** ≠ **irracionalidade**

legítimo *adj.* 1 **lícito**, legal, leal ≠ **ilegal**, ilícito 2 **fundado**, justificado, procedente ≠ **infundado**, injustificado 3 **autêntico**, genuíno, verdadeiro, lídimo, natural, inartificial ≠ **dissimulado**, fingido, artificial 4 **racional**, lógico ≠ **irracional**, ilógico

legível *adj.2g.* **percetível**, nítido, claro ≠ **obscuro** *fig.*, impercetível, ilegível

legume *n.m.* **verdura**

leguminosas *n.f.pl.* BOT. **faseoláceas**, papilionáceas

lei *n.f.* **obrigação**, regra, norma, preceito, princípio, ordem, regulamento

leigar *v.* **secularizar**, laicizar

leigo *adj.,n.m.* 1 **laico**, laical, secular, profano 2 *fig.* **ignorante**, desconhecedor, inexperiente ≠ **conhecedor**, experiente, versado

leilão *n.m.* **hasta**, almoeda, arrematação, praça, leiloamento

leiloar *v.* **arrematar**, almoedar, pracear

leiloeiro *n.m.* **arrematante**, almoedeiro, pregoeiro, cabeça de pau

leira *n.f.* 1 **courela**, belga, olga, jeira, quadrela, aradura, jugada 2 **alfobre**, tabuleiro, viveiro 3 [REG.] **mania**

leitão *n.m.* 1 ZOOL. **bácoro**, porquinho, cochino, bodalho [REG.], porcalho *ant.* 2 ICTIOL. **cação**, carraça, cascarra, chião, bruxa, melga, papoila, pata-roxa, pique

leitar *adj.2g.* (cor) **branco**, alvo, claro, níveo, alabastrino, laticinoso, leitento, leitoso, lacticolor ≠ **preto**, escuro, nocticolor, sombrio

leitaria *n.f.* **vacaria**

leite *n.m. col.* **sorte**, achado, acaso, sina, fado, leiteira, estrela *fig.* ≠ **azar**, desdita

leiteira *n.f.* 1 [BRAS.] **fervedor** 2 *col.* **sorte**, achado, acaso, sina, fado, leite, estrela *fig.* ≠ **azar**, desdita

leito *n.m.* 1 **cama**, quente, tálamo, tambo, ninho *col.*, pildra *col.*, jaça *col.*, piano *col.*, sorna *col.*, camarote *col.* 2 **estrado** 3 **álveo**

leitor *adj.* 1 **lente**, ledor 2 INFORM. **drive**

lema *n.m.* 1 **divisa**, máxima, sentença, norma, slogan 2 **emblema**, distintivo, insígnia, bandeira, divisa, dragão 3 **entrada**

lembrado *adj.* 1 **recordado**, memorável ≠ **esquecido**, olvidado, imemorado, obliterado *fig.* 2 **mencionado**, referido 3 **lembradiço** ≠ **esquecido**, olvidado 4 **atento**, desperto, acordado ≠ **desatento**, adormecido

lembrança *n.f.* 1 **recordação**, memória, tradição 2 **comemoração**, celebração, festejo, memoração, festa 3 **inspiração**, sugestão, estímulo 4 **presente**, brinde, oferta, dádiva, mimo, ofertamento 5 **advertência**, alvitre, aviso, conselho, sugestão, mónita, monitória, exortação, admonição, admoestação 6 **souvenir** 7 [*pl.*] **cumprimentos**, saudações, recomendações

lembrar *v.* 1 **recordar**, memorar, comemorar, ementar ≠ **esquecer**, olvidar 2 **comemorar**, celebrar, festejar 3 **sugerir**, propor, alvitrar, recomendar, aconselhar ≠ **desaconselhar**, contraindicar 4 **admoestar**, advertir, avisar, prevenir, alertar, aconselhar, precaver

leme *n.m. fig.* **governo**, direção, rédea, tamão ≠ **desgoverno**

lena *n.f.* 1 **alcoviteira**, alcofinha, terceira, saga 2 [REG.] **conversa**, diálogo, palratório, prosa, cavaqueira, palestra, colóquio, abocamento, bate-papo [BRAS.]

lenço *n.m.* 1 *col.* (anatomia) **mesentério**, centafolho 2 [REG.] **cabresto**

lençol *n.m. col.* **mortalha**

lenda *n.f.* 1 **conto**, narrativa 2 **fantasia** 3 **mentira**, patranha, peta, historieta

lendário *adj.* **fabuloso**, imaginário, mitológico, fantástico

lengalenga *n.f.* **ladainha**, cantilena, aranzel, melopeia

lenha *n.f.* 1 **acha**, madeira, cavaco 2 *col.* **pancadaria**, combate, luta, briga, calcada ≠ **paz**, sossego, tranquilidade

lenhador *n.m.* **lenheiro**, rachador, mateiro

lenho *n.m.* 1 BOT. **xilema** 2 **tronco**, madeira 3 **corte**, ferida, golpe 4 *fig.* **navio**

lenhoso *adj.* **lígneo**

lenificar *v.* **aliviar**, suavizar, mitigar, abrandar, acalmar, amaciar, adoçar *fig.* ≠ **agravar**, piorar

lenimento *n.m.* 1 **lenitivo**, calmante, adoçamento 2 *fig.* **alívio**, consolação, conforto, refrigério, bem-estar, bálsamo *fig.* ≠ **desconforto**, aflição, desconsolo

lenir *v.* **aliviar**, suavizar, mitigar, abrandar, acalmar, amaciar, adoçar *fig.* ≠ **agravar**, piorar

lenitivo *adj.* **calmante**, suavizante, atenuante, emoliente, molificante, molificativo, adoçante *fig.* ≠ **agravante** ■ *n.m.* 1 **alívio**, adoçamento ≠ **agravamento**, piora 2 *fig.* **alívio**, consolação, conforto, refrigério, bem-estar, bálsamo *fig.* ≠ **desconforto**, aflição, desconsolo

lenocínio *n.m.* **alcoviteirice**, caftinagem

lentamente *adv.* **devagar**, vagarosamente, paulatinamente, calmamente, demoradamente, detidamente ≠ **acelaradamente**, rapidamente, apressadamente, urgentemente

lentar *v.* 1 **abrandar**, reduzir, diminuir, atenuar, desacelarar, lentejar, lentescer ≠ **acelerar**, apressurar, apressar 2 **humedecer**, humectar, humidificar, rociar, irrorar, lubrificar, molhar, regar, rebentar ≠ **secar**, enxugar

lente *n.2g. ant.* (ensino superior) **catedrático** ■ *adj.* **leitor**

lentidão *n.f.* 1 **vagar**, morosidade, descanso, demora, ronçaria, pachorra ≠ **aceleração**, pressa, azáfama, lufa, agilidade, afogamento *fig.*, aguça *ant.* 2 **lentor**, humidade

lentisca *n.f.* BOT. **durázia**, salgueira, carrasquenha

lentiscal *n.m.* **lentisqueira**

lento *adj.* 1 **vagaroso**, arrastado, pausado, moroso ≠ **rápido**, célere, veloz, ágil 2 **pachorrento**, fleumático, mansarrão, passeiro, ronceiro ≠ **diligente**, ativo, dinâmico, pressuroso 3 **demorado**, tardio, delongado, atrasado, retardado, perlongado, vagaroso, diferido ≠ **acelerado**, ligeiro, pronto 4 **fraco**, brando, suave ≠ **forte**, intenso 5 **lasso**, mole, frouxo, flácido, relaxado, débil, márcido, quebrado ≠ **rígido**, sólido, firme, teso, hirto, inteiriçado 6 **viscoso**, pegajoso

leonino *adj. fig.* **desleal**, pérfido, traidor, traiçoeiro, inconfidente, infiel ≠ **leal**, fiel

leopardo *n.m.* ZOOL. **pantera**

lépido *adj.* 1 **alegre**, jovial, feliz, gaiato, contente, ledo, radioso, radiante, jubiloso, risonho, prazenteiro, animado, sorridente, festivo ≠ **triste**, acabrunhado, descontente, entristecido 2 **lesto**, expedito, apressado, rápido, lampeiro ≠ **lento**, vagaroso, sapoilo

lepra *n.f.* MED. **morfeia**, hanseníase, gafa, gafeira, leprose

leproso *n.m.* 1 **lázaro**, morfeico, gafeirento, gafeiroso 2 *fig.* **corrupto**, viciado ■ *adj.* 1 **lázaro**, garro, morfético 2 *fig.* **corrupto**, viciado, gafo ≠ **decoroso**, honroso

leque *n.m.* 1 **abano**, abanador, abanico, ventana, ventarola, flabelo 2 **gama**, conjunto 3 ZOOL. **pente-do-mar**, vieira

ler *v.* 1 **interpretar**, compreender, apreender 2 **pronunciar** 3 **prelecionar**, explicar, ensinar, lecionar 4 **perscrutar**, examinar, analisar 5 **adivinhar**, predizer, profetizar, pressagiar, vaticinar 6 **descobrir**, identificar, reconhecer, descodificar 7 INFORM. **reproduzir**, visualizar

lerdo *adj.* 1 **vagaroso**, lento, pachorrento, fleumático, mansarão, passeiro, ronceiro ≠ **diligente**, ativo, dinâmico 2 **pateta**, estúpido, pacóvio, lorpa ≠ **inteligente**, esperto, espevitado *col.* 3 **bruto**, rude, grosseiro, obtuso, bronco, tosco, boto *fig.* ≠ **delicado**, fino, distinto

léria *n.f.* **paleio**, cantata, palavreado, treta, fraseado, galra, música, prosa, lábia *col.*, conversa *fig.*, garganta *fig.*, cantiga *fig.,col.*, papo-furado [BRAS.], lereia [BRAS.]

lesante *adj.2g.* **lesador**, prejudicante, danificador

lesão *n.f.* 1 **pancada**, contusão, ferimento 2 **estrago**, deterioração, dano, prejuízo, degeneração ≠ **recuperação**, conservação, preservação

lesar *v.* 1 **ferir**, lesionar, contundir 2 **molestar** 3 **ofender**, injuriar, ultrajar, insultar, afrontar ≠ **desultrajar**, desagravar, desrespeitar 4 **prejudicar**, danar, hostilizar, afetar ≠ **beneficiar**, melhorar 5 **violar**, transgredir, desobedecer, prejudicar ≠ **acatar**, obedecer, respeitar

lésbica *n.f.* (mulher) **homossexual**, lesbiana, fufa *cal.,pej.*, sapatão [BRAS.] *vulg.*

lesivo *adj.* **nocivo**, prejudicial, daninho, danoso, mau, ruim, terrível ≠ **benéfico**, saudável, benévolo

leso *adj.* 1 **lesado**, ferido, contuso 2 **lesado**, prejudicado, afetado ≠ **beneficiado**

leste *n.m.* GEOG. **oriente**, este, levante, nascente ≠ **ocidente**, oeste, poente

lestes *adj.inv.* 1 **ligeiro**, pronto, rápido, expedito, apressado, lampeiro, lépido ≠ **lento**, vagaroso 2 **desembaraçado**, despachado, ágil, diligente ≠ **embaraçado**, lerdo, atrapalhado

lesto *adj.* 1 **ligeiro**, pronto, rápido, expedito, apressado, lampeiro, lépido ≠ **lento**, vagaroso 2 **desembaraçado**, despachado, ágil, diligente ≠ **embaraçado**, lerdo, atrapalhado

letal *adj.2g.* 1 **mortal**, mortífero, letífero, letífico, fatal, funesto 2 **lúgubre**, fúnebre, fatídico, sinistro

letargia *n.f. fig.* **inação**, apatia, inércia, torpor, indolência, indiferença ≠ **alento**, atividade, vivacidade

letargo *n.m. fig.* **inação**, apatia, inércia, torpor, indolência, indiferença ≠ **alento**, atividade, vivacidade

letivo[dAO] *adj.* **escolar**

letra *n.f.* 1 **caligrafia**, escrita 2 **carácter**, marca, símbolo, sinal, impressão, cunho *fig.*, tipo *fig.*, traço *fig.* 3 [*pl.*] **carta**, epístola, missiva 4 [*pl.*] **literatura** 5 [*pl.*] **carreira literária**

letrado *n.m.* 1 **literato** 2 **jurisperito**, jurisprudente, jurista, causídico, legista ■ *adj.* **erudito**, douto, culto, instruído, sábio, lido ≠ **ignorante**, ignaro

letreiro *n.m.* **legenda**, dístico, rótulo, etiqueta, título

léu *n.m. col.* **ócio**, ociosidade, indolência, displicência, vadiagem, preguiça ≠ **atividade**, dinamismo

leucemia *n.f.* MED. **leucocitemia**, leucose

leva *n.f.* **grupo**, magote, rancho, ranchada, bando

levada *n.f.* vala, valeira, regueiro

leva-dente *n.m.* 1 *col.* **mordedura** 2 *col.* **repreensão**, censura, admoestação, advertência, descompostura, reprimenda, exprobração, sarabanda *col.*, esfrega *fig.*, lição *fig.* ≠ **elogio**, louvor, felicitação, aprovação

levadiço *adj.* **movediço**, móvel

levado *adj.* 1 **transportado**, conduzido 2 **travesso**, irrequieto, traquinas, azougado, endiabrado *fig.* ≠ **ajuizado**, bem-comportado, tranquilo 3 **pândego**, brincalhão, galhofeiro, folgazão ≠ **sério**, reservado 4 **enganado**, ludibriado, trapaceado, logrado, mistificado, mamado *fig.*,*col.*, iluso ≠ **respeitado**, considerado

levantado *adj.* 1 **erguido**, ereto ≠ **deitado**, abaixado, agachado 2 **estroina**, doidivanas, leviano, tresloucado, alucinado, amalucado, desequilibrado, tolo, tonto, destrambelhado *col.* ≠ **sensato**, equilibrado, ponderado 3 **desatento**, distraído, alheado, aéreo, abstrato, absorto, descuidado ≠ **atento**, concentrado 4 **insubordinado**, rebelde, insubmisso, indisciplinado, desrespeitador, recalcitrante ≠ **respeitador**, obediente 5 **nobre**, honrado, magnânimo, respeitável, digno ≠ **vil**, mesquinho, desprezível 6 (estilo) **sublime**, elevado

levantamento *n.m.* 1 **erguida**, ereção, içamento, levantadura, levitação ≠ **abaixamento**, deita, agacho 2 **elevação**, crescimento, aumento ≠ **abaixamento**, diminuição, descida 3 **revolta**, insurreição, desordem, tumulto, agitação, alvoroço, motim, conturbação ≠ **apaziguamento**, pacificação, serenidade 4 **suscitamento**

levantar *v.* 1 **erguer**, alçar, erigir, elevar, solevar ≠ **baixar**, deitar, acocorar, agachar 2 **armar**, montar, preparar 3 **excitar**, exaltar, inflamar, avivar, animar ≠ **acalmar**, tranquilizar, serenar, sossegar 4 (intensidade, som, volume, etc.) **aumentar**, subir, ampliar, crescer ≠ **diminuir**, reduzir, descer 5 (construção, estátua, etc.) **erigir**, edificar, erguer ≠ **derrobar**, demolir 6 **cobrar**, receber, recolher, conseguir ≠ **pagar**, isentar 7 (preço) **subir**, aumentar ≠ **baixar**, reduzir, descer 8 **inchar**, avolumar, crescer, altear ≠ **diminuir** 9 TOPOGR. **registar**

levantar-se *v.* 1 **erguer-se**, elevar-se, exsurgir, levitar 2 **aparecer**, alvorar 3 **formar-se**, desencadear-se, armar-se 4 *fig.* **insurgir-se**, revoltar-se, rebelar-se, amotinar-se, revolucionar-se, sublevar-se, erguer-se 5 **agitar-se**, encrespar-se 6 **desaninhar-se**

levante *n.m.* 1 **oriente**, este, lés, nascente ≠ **ocidente**, oeste, poente 2 **revolta**, insurreição, desordem, tumulto, agitação, alvoroço, motim, conturbação ≠ **apaziguamento**, pacificação, serenidade

levar *v.* 1 **transportar**, carregar, suportar ≠ **descarregar** 2 **conduzir**, guiar, dirigir 3 **acompanhar**, encaminhar, guiar 4 **dar**, oferecer ≠ **receber** 5 **retirar**, afastar, expulsar, afugentar ≠ **acolher**, convidar, chamar 6 **vestir**, usar, trazer 7 (a vida, o tempo) **passar** 8 **enganar**, ludibriar, confundir, enrolar *fig.* ≠ **desenganar**, desengodar *fig.* 9 **comportar**, aguentar, suportar, conter 10 **induzir**, encaminhar, incitar, arrastar, instigar 11 *col.* **apanhar**, receber ≠ **bater**, agredir

leve *adj.2g.* 1 **ligeiro**, brando, ténue, suave ≠ **acentuado**, pronunciado, forte, pesado 2 **simples**, despretensioso, despojado, modesto, recatado ≠ **vistoso**, aparatoso, espalhafatoso, extravagante 3 **aliviado**, desanuviado, desoprimido, desafogado ≠ **angustiado**, oprimido, adstrito, sopeado, forçado, constrito, apertado *fig.*, confrangido *fig.* 4 **insignificante**, irrisório, vão, fútil ≠ **significante**, importante 5 **ágil**, lesto, ligeiro, veloz, vivo, pronto, rápido ≠ **lento**, lerdo, vagaroso 6 **frugal**, ligeiro ≠ **pesado**, indigesto 7 **leviano**, imponderado, irrefletido, imprudente ≠ **prudente**, ponderado, sensato, judicioso ■ *n.m.pl.* (em alguns animais) **levianos**, pulmões, bofes *col.*

levedar *v.* 1 **fermentar**, fintar, crescer ≠ **diminuir**, decrescer 2 *fig.* **desenvolver-se**, fomentar, aperfeiçoar

lêvedo *adj.* **fermentado**, levedado, crescido, fintado ≠ **diminuído**, decrescido

levedura *n.f.* 1 **fermento**, crescente 2 (cerveja) **levedurina**

levemente *adv.* 1 **ligeiramente**, levianamente ≠ **gravemente**, seriamente, profundamente 2 **superficialmente**, ligeiramente, tenuemente ≠ **fortemente**, pesadamente, intensamente

leveza *n.f.* 1 **ligeireza**, rapidez, agilidade, celeridade, levidade *fig.*, levidão *fig.* ≠ **lentidão**, morosidade 2 **leviandade**, imponderação, irreflecção, imprudência ≠ **prudência**, ponderação, sensatez 3 **airosidade**, delicadeza, graciosidade ≠ **desgraciosidade**, rudeza 4 **tenuidade**, ligeireza ≠ **densidade**

levianamente *adv.* **ligeiramente**, imponderadamente, irrefletidamente, imprudentemente, insensatamente ≠ **prudentemente**, ponderadamente, criteriosamente

leviandade *n.f.* **imponderação**, leveza, irreflecção, imprudência, ligeireza *fig.* ≠ **prudência**, ponderação, sensatez

leviano *adj.* 1 **estouvado**, estarola, doido, desassisado ≠ **ajuizado**, atinado, sensato 2 **imponderado**, leve, irrefletido, imprudente ≠ **prudente**, ponderado, sensato, judicioso 3 **inconstante**, inconsistente, vago ≠ **constante**, firme ■ *n.m.pl.* (em alguns animais) **leves**, pulmões, bofes *col.*

lexema *n.m.* LING. **vocábulo**

léxico *n.m.* 1 **dicionário** 2 **vocabulário** 3 **glossário**

lexicógrafo *n.m.* **dicionarista**

lezíria *n.f.* **ínsua**

lhaneza *n.f.* 1 **franqueza**, sinceridade, honestidade, lisura *fig.* ≠ **desonestidade**, falsidade 2 **simplicidade**, modéstia, singeleza, desafetação, naturalidade, despretensão ≠ **afetação**, presunção, vaidade 3 **afabilidade**, amabilidade, cortesia, delicadeza, polidez, urbanidade, civilidade ≠ **descortesia**, indelicadeza, rudeza

lhano *adj.* 1 **franco**, sincero, honesto, liso *fig.* ≠ **desonesto**, falso 2 **simples**, modesto, singelo, desafetado, natural, despretensioso ≠ **afetado**, presumido, vaidoso, snob 3 **afável**, amável, cortês, delicado, polido, urbano, civilizado ≠ **descortês**, indelicado, rude

li *adv.* **ali**, além, acolá ≠ **aqui**, cá

lia *n.f.* 1 **borra**, resíduo, sedimento, fundalha, fezes 2 **fezes**, excrementos

liamba *n.f.* BOT. **cânhamo**, pango, cofo, cânave

liame *n.m.* **laço**, liação, ligame, atadura, atilho, vínculo, amarra, liga, enleio

libar *v.* 1 **beber**, ingerir, tomar, tragar, engolir, consumir 2 **sugar**, chupar, absorver, sorver 3 *fig.* **gozar**, saborear, experimentar, usufruir ≠ **desperdiçar**, perder

libelinha *n.f.* ZOOL. **libélula**, donzelinha, tira-olhos, cavalo-das-bruxas

libelo *n.m.* **querela**

libélula *n.f.* ZOOL. **libelinha**, donzelinha, tira-olhos, cavalo-das-bruxas

líber *n.m.* 1 BOT. **floema** 2 BOT. **livrilho** 3 *col.* (botânica) **entrecasca**, enteforro

liberação *n.f.* **quitação**, remição, desobrigação, desoneração ≠ **obrigação**

liberal *adj.2g.* 1 **generoso**, dadivoso, magnânimo, pródigo ≠ **avaro**, mesquinho 2 **tolerante**, complacente, indulgente, transigente, condescendente ≠ **inflexível**, intransigente, implacável 3 **democrata** ≠ **tirânico**, prepotente, despótico, iliberal, autoritário ■ *n.2g.* POL. **democrata** ≠ **tirano**, déspota, opressor, autocrata

liberalidade *n.f.* **generosidade**, munificência, franqueza, magnanimidade, prodigalidade, largição ≠ **avareza**, mesquinhez

liberalizar *v.* 1 **prodigalizar**, larguear, entornar *fig.* ≠ **economizar**, poupar 2 **libertar**, emancipar, liberar, desobstruir, desoprimir ≠ **oprimir**, subsjugar, condicionar

liberalmente *adv.* **generosamente**, largamente, prodigamente

liberar *v.* **liberalizar**, emancipar, desobstruir, desoprimir ≠ **oprimir**, subjugar, condicionar

liberdade *n.f.* 1 **direito**, poder 2 **independência**, autonomia, emancipação ≠ **dependência**, submissão 3 **tolerância**, complacência, indulgência, transigência, condescendência ≠ **inflexibilidade**, intransigência, implacabilidade 4 **licença**, autorização 5 *fig.* **ousadia**, atrevimento, audácia, coragem, despejo, insolência, arrojo ≠ **vergonha**, timidez, modéstia, comedimento 6 *fig.* **franqueza**, sinceridade, honestidade ≠ **desonestidade**, falsidade 7 [*pl.*] **regalias**, imunidades

liberiano *adj.,n.m.* **libério**

libério *adj.,n.m.* **liberiano**

libertação *n.f.* 1 **independência**, autonomia, emancipação, liberdade ≠ **dependência**, submissão 2 **alforria**, forramento

libertador *adj.,n.m.* **emancipador**, livrador, salvador, redentor, liberativo

libertar *v.* 1 **soltar**, alforriar, liberar, livrar ≠ **prender**, aprisionar 2 **desobstruir**, desenvencilhar, desembaraçar ≠ **obstruir**, embaraçar 3 **desobrigar**, desonerar, aliviar, isentar, eximir, dispensar ≠ **obrigar**, sujeitar

libertário *adj.,n.m.* **anarquista**, acrata

libertar-se *v.* 1 **soltar-se**, escapar-se, salvar-se, desencerrar-se, desencarcerar-se, desemparedar-se, desengaiolar-se *fig.*, desenconchar-se *fig.* 2 **livrar-se**, descartar-se, desacorrentar-se 3 **emancipar-se**

libertinagem *n.f.* **devassidão**, depravação, perversão, desmoralização, corrupção, dissolução, envilecimento, salacidade ≠ **decência**, decoro, moralidade

libertino *adj.* **dissoluto**, depravado, licencioso, devasso, desregrado, vicioso, intemperante, imorigerado, pai-d'égua *fig.*, prostibulário ≠ **regrado**, bem-comportado, moralizador ■ *n.m.* **devasso**, pervertido, corrupto *fig.*

liberto *adj.* 1 **solto**, liberado, livre, emancipado ≠ **preso**, aprisionado 2 **desoprimido**, desembaraçado, desenvencilhado ≠ **oprimido**, sujeito 3 **salvo**, livre, afastado, privado, isento ≠ **sujeito**, tomado, provido 4 **forro**, alforriado, manumisso ≠ **cativo**, escravizado

libidinoso *adj.* **lascivo**, sexual, concupiscente, carnal, luxurioso, sensual, animal *fig.*, pático *poét.* ≠ **casto**, pudico, puro *fig.*

libra *n.f.* 1 **arrátel** 2 ASTROL., ASTRON. (com maiúscula) **Balança**

librar *v.* 1 **equilibrar**, contrabalançar ≠ **desequilibrar** 2 **suspender**, sustentar 3 **baloiçar**, oscilar, vacilar, balancear, solavancar, jogar ≠ **parar**, cessar, fixar, imobilizar, estabilizar 4 **fundamentar**, apoiar, basear, sustentar

librar-se *v.* **pairar**

libré *n.f.* 1 *col.* **farda**, uniforme, fardamento 2 *col.* **aparência**, aspeto, figura

liça *n.f.* 1 **lice**, paliçada, estacada 2 **luta**, combate, briga, peleja, lide, pugna, discrime, recontro, prélio, refrega, gládio ≠ **paz**, armistício, concórdia 3 ICTIOL. **tainha**, fataça, tagana, muge, corvéu, galhofa, garrento, mugueira, negrão

lição *n.f.* 1 **lecionação**, explicação, aula 2 **leitura** 3 *fig.* **exemplo**, modelo 4 *fig.* **reprimenda**, castigo, admoestação, repreensão, correção, ensaboadela, esfrega ≠ **elogio**, louvor, aplauso

lice *n.f.* **paliçada**, estacada

licença *n.f.* 1 **permissão**, autorização, consentimento, aprovação ≠ **desautorização**, desaprovação, reprovação 2 **liberdade** 3 **faculdade** 4 **desregramento**, libertinagem, devassidão, dissolução, corrupção, canalhice, deboche ≠ **respeito**, virtude, honra

licenciado *n.m.* **bacharel**, doutor ■ *adj.* 1 **formado** 2 **permissionário** 3 **despedido**, demitido, exonerado, demisso, destituído, dispensado ≠ **admitido**, contratado 4 **isento**, exonerado, desobrigado, escusado, eximido, dispensado ≠ **obrigado**

licenciar *v.* 1 **despedir**, demitir, destituir, depor, exonerar ≠ **contratar**, admitir 2 **isentar**, desobrigar, eximir, dispensar, escusar 3 **formar-se**

licenciar-se *v.* **formar-se**, diplomar-se

licenciosidade *n.f.* **perversão**, depravação, libertinagem, devassidão, desmoralização, corrupção, dissolução, envilecimento ≠ **decência**, decoro, moralidade

licencioso *adj.* 1 **dissoluto**, libertino, devasso, depravado, desregrado, vicioso ≠ **regrado**, bem-comportado, moralizador 2 **sensual**, lascivo, sexual, libidinoso, concupiscente, carnal, luxurioso, animal *fig.* ≠ **casto**, pudico, puro *fig.*

licitador *adj.,n.m.* **lançador**, licitante

licitamente *adv.* **legitimamente**, legalmente ≠ **ilegitamente**, ilegalmente

licitar *v.* **pracear**

lícito *adj.* **legal**, leal, legítimo, jurídico ≠ **ilegal**, ilícito ■ *n.m.* **legitimidade**, legalidade, licitude, retidão ≠ **ilegalidade**, ilicitude

licitude *n.f.* **legitimidade**, legalidade, lícito, retidão ≠ **ilegalidade**, ilicitude

licorne *n.m.* **unicórnio**

licoroso *adj.* **aromático**, espirituoso, generoso

lida *n.f.* 1 **trabalho**, faina, lavor, labuta, obragem, laboração, fadiga ≠ **repouso**, descanso, sossego 2 **azáfama**, roda-viva, afã, pressa, barafunda, rodopio *fig.* ≠ **calmaria**, serenidade, sossego

lidação *n.f.* 1 **trabalho**, faina, lavor, labuta, obragem, laboração, fadiga ≠ **repouso**, descanso, sossego 2 **azáfama**, roda-viva, afã, pressa, barafunda, rodopio *fig.* ≠ **calmaria**, serenidade, sossego 3 [REG.] **convivência**, convívio, contacto, comunhão ≠ **isolação**, recolhimento

lidar *v.* 1 **trabalhar**, labutar, esforçar-se, laborar, obrar, cuidar ≠ **mandriar**, gazetar, vadiar, descansar 2 **combater**, pelejar, batalhar, brigar, certar, gladiar, guerrear, lutar, militar, pugnar, pelear, renzilhar ≠ **pacificar** 3 **conviver**, comungar, congeminar, fraternizar, irmanar ≠ **desirmanar** 4 **tourear**

lide *n.f.* 1 **trabalho**, faina, lavor, labuta, obragem, laboração, lida ≠ **repouso**, descanso, sossego 2 **canseira**, trabalheira, trabalho, esforço ≠ **repouso**, descanso, sossego 3 **combate**, peleja, luta, batalha, pugna, discrime, liça, recontro, prélio, refrega, gládio ≠ **paz**, armistício, concórdia 4 **duelo**, luta, desafio 5 **toureio**

líder *n.2g.* **dirigente**, chefe, principal, superior, cabeça, orientador ≠ **subordinado**, subalterno, inferior

liderança *n.f.* **comando**, chefia, direção, orientação ≠ **submissão**, dependência, subordinação, obediência

liderar *v.* **comandar**, chefiar, encabeçar, presidir, governar, dirigir, orientar ≠ **submeter-se**, sujeitar-se, subordinar-se

lido *adj.* **culto**, douto, letrado, instruído, sábio, erudito ≠ **ignorante**, ignaro ■ *n.m.* **praia**

liga *n.f.* 1 **união**, ligação, junção, reunião, cópula ≠ **separação**, divisão, desagregação 2 **aliança**, coligação, confederação, associação, cartel, união 3 **jarreteira** 4 [REG.] **borras**

ligação *n.f.* 1 **união**, reunião, junção, acoplagem, vínculo, conjugação, copulação, cópula ≠ **separação**, desunião 2 **coerência**, conexão, nexo, união, concatenação ≠ **desconexão**, desunião

ligado *adj.* 1 **coerente**, conexo, unido, coeso, relacionado ≠ **desconexo**, desligado, desunido 2 **unido**, reunido, junto, acoplado, vinculado, conjugado, copulado ≠ **separado**, desunido 3 (aparelho) **aceso** ≠ **desligado** 4 MÚS. **legato** 5 MED. **laqueado**

ligadura *n.f.* 1 **ligamento** ≠ **desligamento** 2 **deligação** 3 **atilho**, faixa, atadura

ligamento *n.m.* 1 **união**, junção, ligação, reunião, acoplagem, vínculo, conjugação, copulação, cópula ≠ **separação**, desunião 2 **liga**, ligadura 3 **argamassa**, gramasso *col.*

ligar *v.* 1 **atar**, juntar, unir, deligar, interligar ≠ **desligar**, desunir, separar 2 **cimentar** 3 **misturar**, reunir, juntar 4 **vincular**, unir ≠ **desvincular**, dissociar 5 **relacionar**, associar, conectar ≠ **desassociar** 6 **ativar**, acionar ≠ **desligar** 7 **telefonar**

ligar-se *v.* 1 **juntar-se**, unir-se, prender-se, aderir, incorporar-se 2 **acender-se** 3 **articular-se**, encadear-se, concatenar-se 4 **relacionar-se**, associar-se, prender-se 5 **confederar-se**, filiar-se, aderir 6 **afeiçoar-se**

ligeira *n.f.* 1 **ligeireza**, rapidez, agilidade, celeridade, levez ≠ **lentidão**, morosidade 2 *col.* (medicina) **diarreia**, apocrisia, resolução, soltura, caganeira, borra, destempero, correnҫa *ant.*, zoura [REG.]

ligeiramente *adv.* 1 **superficialmente**, levemente, tenuemente ≠ **fortemente**, pesadamente, intensamente 2 **apressadamente**, depressa, agilmente ≠ **morosamente**, lentamente

ligeireza *n.f.* 1 **agilidade**, presteza, destreza, rapidez, leveza, ligeira, celeridade ≠ **lentidão**, morosidade 2 *fig.* **imponderação**, leveza, irreflecção, imprudência, leviandade ≠ **prudência**, ponderação, sensatez

ligeirice *n.f.* 1 **agilidade**, presteza, destreza, rapidez, leveza, ligeira, celeridade ≠ **lentidão**, morosidade 2 *fig.* **imponderação**, leveza, irreflecção, imprudência, leviandade ≠ **prudência**, ponderação, sensatez

ligeiro *adj.* 1 **ágil**, destro, desembaraçado, desenvolto, despachado ≠ **desajeitado**, inibido, trapalhão, albardão, remendão *fig.,pej.*, albardeiro *fig.* 2 **leve**, brando, ténue, suave ≠ **acentuado**, pronunciado, forte, pesado 3 **leviano**, superficial, leve, irrefletido, imprudente, imponderado ≠ **prudente**, ponderado, profundo, sensato 4 **frágil**, débil, fraco ≠ **forte**, resistente, robusto 5 **frugal**, leve ≠ **pesado**, indigesto 6 **vago** ■ *adv.* **depressa**, apressadamente, ligeiramente, velozmente, celeremente ≠ **morosamente**, lentamente, devagar, vagarosamente

lilás *n.m.* BOT. **lilaseiro** ■ *adj.* **licáceo**

liliputiano *adj.* **insignificante**, pequeno, minúsculo ≠ **significante**, grande

lima *n.f.* BOT. **limeira**

limadura *n.f.* 1 *fig.* **correção**, aperfeiçoamento 2 [*pl.*] **limalha**

limão *n.m.* 1 BOT. **limoeiro**, citro 2 [*pl.*] *col.* **seios**

limar *v.* 1 **desbastar**, desengrossar, adelgaçar, polir, aparar, ralear ≠ **alargar**, engrossar 2 **corroer**, desgastar, roer, erodir, consumir, devorar, minar *fig.* ≠ **preservar**, manter, conservar 3 *fig.* **aperfeiçoar**, aprimorar, esmerar, cinzelar, melhorar ≠ **piorar**, agravar, desaprimorar, imperfeiçoar 4 *fig.* **civilizar**, polir, domesticar, humanizar, policiar ≠ **embrutecer**, estupidificar, emparvecer, hebetar

limbo *n.m.* 1 **orla**, borda, cairel, galão, barra, fímbria, orilha, orladura 2 *fig.* **esquecimento**, olvido ≠ **lembrança**, recordação

limiar *n.m.* 1 **soleira**, entrada, patamar, boqueira 2 *fig.* **princípio**, começo, primórdio, início, exórdio ≠ **fim**, término

liminar *adj.2g.* **prévio**, preliminar, precedente, antecedente ≠ **posterior**, posposto ■ *n.m.* 1 **soleira**, entrada, patamar, boqueira, limiar 2 *fig.* **princípio**, começo, primórdio, início, exórdio, limiar ≠ **fim**, término

limitação *n.f.* 1 **delimitação**, marcação, balizamento, demarcação, delineação ≠ **desbalização**, expansão 2 **limite**, termo, meta, confim 3 **moderação**, refreamento, ponderação, contenção, retenção, comedimento ≠ **imoderação**, descontrole, imponderação 4 **incapacidade**, incompetência, inaptidão ≠ **aptidão**, competência, talento, capacidade 5 **restrição**, delimitação, reserva, coartação

limitadamente *adv.* **escassamente**, precariamente ≠ **abundantemente**, excessivamente

limitado *adj.* 1 **reduzido**, escasso, insuficiente, parco, pouco ≠ **bastante**, suficiente 2 **demarcado**, marcado, fixado 3 **restrito**, definido ≠ **ilimitado**, alargado, extensivo 4 **circunscrito**, subordinado ≠ **incircunscrito** 5 **finito**, transitório, determinado ≠ **infinito**, indeterminado

limitar *v.* 1 **demarcar**, delimitar, estremar, balizar, separar, assinalar, marcar, pontualizar ≠ **desbalizar**, expandir, estender 2 **restringir**, delimitar, circunscrever, balizar *fig.* ≠ **desbalizar**, expandir, estender 3 **moderar**, refrear, ponderar, conter, reter, comedir, modicar ≠ **imoderar**, descontrolar, imponderar 4 **designar**, fixar, determinar, estabelecer

limitar-se *v.* **cingir-se**, circunscrever-se, ater-se, restringir-se, resumir-se, coartar-se

limitativamente *adv.* **exclusivamente**

limitativo *adj.* **restritivo**, demarcativo, definitivo, circunscritivo, delimitativo, delineativo, terminativo

limite *n.m.* 1 **baliza** *fig.*, fronteira, confim, marco, meta, término, linda, alvo *fig.*, raia *fig.*, sesmo *ant.* 2 **termo**, prazo 3 *fig.* (também usado no plural) **insuficiência**, defeito

limítrofe *adj.2g.* **confinante**, comarcão, contérmino, fronteiro, vizinho, contíguo, confim, limitâneo, lindeiro ≠ **afastado**, distante

limo *n.m.* 1 BOT. **lismo** 2 **lama**, lodo, vasa 3 **imundície**, sujeira, bodeguice ≠ **asseio**, limpeza, higiene

limoeiro *n.m.* BOT. **citro**, limão

limpa *n.f.* 1 **alimpa** 2 **clareira**, calva, clara, claro, chapada 3 (das oliveiras) **poda** 4 [BRAS.] **ladroagem**, saque

limpar *v.* 1 **lavar**, assear, mundificar ≠ **sujar**, dessassear 2 **purificar**, expurgar, purgar, depurar, estomentar *fig.*, mundificar *fig.* 3 **polir**, brunir, lustrar, açacalar ≠ **despolir**, deslustrar, embaciar 4 **enxugar**, secar, desensopar, dessecar, escorrer ≠ **encharcar**, ensopar 5 **joeirar**, peneirar 6 *col.* **esvaziar** 7 *col.* **matar**, assassinar, degolar, aviar, despachar, ceifar *fig.*

limpeza *n.f.* 1 **asseio**, higiene, mundícia, saneamento ≠ **imundície**, sujidade, porcaria, bodeguice 2 **perfeição**, esmero, apuro, requinte ≠ **descuido**, negligência, desleixo 3 **pureza** 4 **desaparecimento** 5 **desenvoltura**, eficiência, habilidade, desembaraço ≠ **lentidão**, morosidade, dificuldade, trapalhice 6 [REG.] **bregal**

limpidez *n.f.* 1 **nitidez**, clareza, transparência, perspicuidade, cristal *fig.* ≠ **opacidade**, escuridade 2 *fig.* **ingenuidade**, pureza, inocência, candura ≠ **impureza**, adulteração, corrupção

límpido *adj.* 1 **transparente**, claro, puro, cristalino, nítido ≠ **opaco**, turvo 2 (céu) **desanuviado**, aberto, desnublado ≠ **nublado**, encoberto, coberto, enevoado 3 *fig.* **sereno**, tranquilo, aliviado, desanuviado ≠ **preocupado**, perturbado, apreensivo 4 *fig.* **ingénuo**, inocente, singelo, cândido, natural ≠ **corrompido**, degenerado, viciado, contaminado *fig.* 5 *fig.* **franco**, sincero, verdadeiro, lhano ≠ **falso**, simulado

limpo *adj.* 1 **lavado**, asseado, mundificado, higiénico, inconspurcado ≠ **sujo**, desasseado, porco 2 **puro**, imaculado 3 **desanuviado**, claro, nítido, transparente, puro, cristalino ≠ **opaco**, turvo 4 **sereno**, tranquilo, calmo, desanuviado ≠ **preocupado**, perturbado, apreensivo 5 **joeirado**, escolhido

lince *n.m.* ZOOL. **gato-bravo**, lobo-cerval, lobo-gato, gato-craveiro

linda *n.f.* **baliza** *fig.*, fronteira, confim, marco, meta, término, padrão, limite, alvo *fig.*, raia *fig.*

lindar *v.* **delimitar**, demarcar, limitar, confinar, restringir, circunscrever, reduzir, estremar, balizar *fig.* ≠ **desbalizar**, expandir, estender

lindeza *n.f.* 1 **formosura**, beleza, boniteza, pulcritude, venustidade ≠ **fealdade**, feiura 2 **perfeição**, primor, capricho ≠ **imperfeição**, defeito, deficiência

lindo *adj.* 1 **belo**, formoso, elegante, bonito, estético, preclaro, sublime, perfeito, pulcro *poét.* ≠ **feio**, horrível, desgracioso, disforme 2 **agradável**, airoso, gentil ≠ **desagradável**, grosseiro, rude 3 **vistoso**, airoso ≠ **horrível**

linear *adj.2g.* *fig.* **simples**, direto, reto, sequenciado, lineal ≠ **interrompido**, fragmentado

linfa *n.f.* 1 BOT. **seiva** 2 *poét.* **água**

lingote *n.m.* **barra**, linguado

língua *n.f.* 1 **idioma**, linguagem 2 ZOOL. **hipofaringe** 3 ICTIOL. **solha**, língua-de-vaca, buglossa 4 **grunhideira** *col.* ■ *n.2g.* *ant.* **intérprete**, trugimão, faraute

linguado *n.m.* 1 **lingote**, barra 2 ICTIOL. **pescado-real** *ant.*

linguagem *n.f.* 1 **língua**, idioma 2 **código**, sistema 3 LING. **articulação** 4 **estilo**, expressão, locução 5 **gíria**, jargão

linguajar *v.* **tagarelar**, parolar, palavrear, badalar, linguarejar, papaguear, taramelear, cacarejar *fig.*, palrar *fig.* ≠ **calar**, silenciar, emudecer, entuchar ■ *n.m.* **dialeto**

linguareiro *adj.,n.m.* **coscuvilheiro**, mexeriqueiro, bisbilhoteiro, intriguista, intrigante, furão *fig.*, foqueiro [BRAS.] *col.*, linguarudo ≠ **discreto**, desinteressado, calado, recatado

lingueta *n.f.* 1 **atadura** 2 **compressa**, apósito, chumaço

linha *n.f.* 1 **fio**, barbante, guita, cordel, baraço 2 **cabo**, fio 3 **carril**, trilho 4 **limite**, baliza, fronteira, termo 5 **elegância**, alinho ≠ **deselegância**, desalinho 6 **ramo**, tronco, lado 7 **rumo**, direção, orientação, guia, sentido, norte *fig.* ≠ **desorientação**, desnorteamento, desnorte 8 *fig.* **regra**, norma, orientação, diretriz 9 **fileira**, fila, renque, carreira 10 **plica** 11 [*pl.*] (rosto) **feições**, traços 12 [*pl.*] **letras**, carta, epístola, bilhete

linhagem *n.f.* 1 **aniagem** 2 **geração**, genealogia, raça, família, procedência, progénie, prosápia, nome, estema, casta *fig.*, estirpe *fig.*

linho *n.m.* BOT. **linheiro**

lintel *n.m.* ARQ. **dintel**, lindeira

lio *n.m.* 1 **liame**, liação, ligame, liga, atadura, atilho, vínculo, amarra, enleio, laço 2 **feixe**, molho, maço

lionês *adj.,n.m.* **lugdunense**

lípido *n.m.* BIOQUÍM. **gordura**

lipoma *n.m.* MED. **adipoma**, esteatoma

liquefação[dAO] *n.f.* 1 QUÍM. **condensação** ≠ **gaseificação**, vaporização, ebulição, volatilização 2 FÍS. **derretimento**, descongelamento, fusão ≠ **solidificação**, congelação 3 *fig.* **dissolvência**, decomposição, desagregação, dissolução ≠ **agregação**, composição

liquefacção[aAO] *n.f.* ⇒ **liquefação**[dAO]

liquefazer *v.* 1 **condensar**, liquescer ≠ **gaseificar**, vaporizar, ebulir, volatilizar 2 **derreter**, descongelar, fundir, liquescer, liquidificar ≠ **solidificar**, congelar

liquefazer-se *v.* **derreter-se**, dissolver-se, fundir-se

liquefeito *adj.* 1 **condensado** ≠ **volatizado** 2 **derretido**, liquefato, fundido, descongelado ≠ **solidificado**, congelado

liquescer *v.* 1 **condensar**, liquefazer ≠ **gaseificar**, vaporizar, ebulir, volatilizar 2 **derreter**, descongelar, fundir, liquefazer ≠ **solidificar**, congelar

liquidação *n.f.* 1 **ajustamento**, ajuste, apuramento, acerto, solução 2 *fig.* **aniquilação**, extermínio, destruição, extinção

liquidado *adj.* 1 **pago** 2 **esclarecido**, averiguado, apurado 3 **morto**, falecido, assassinado, despachado *col.*

liquidador *adj.,n.m.* **liquidatário**

liquidar *v.* 1 **pagar**, regularizar, solver, saldar 2 ECON. **saldar** 3 **esclarecer**, averiguar, apurar 4 **ajustar**, resolver, terminar 5 **matar**, assassinar, despachar *col.* 6 **acabar**, destruir, aniquilar

liquidatário *adj.,n.m.* **liquidador**

líquido *adj.* 1 apurado, final 2 claro, certo, exato ≠ confuso, duvidoso ■ *n.m.* bebida

lira *n.f. fig.* poesia

lírico *adj.* sentimental ■ *n.m.* 1 trovador, poeta 2 *fig.* sonhador, sentimental, romântico

lírio *n.m.* BOT. lis

lirismo *n.m.* 1 sentimentalismo 2 entusiasmo, exaltação

lis *n.m./f.* 1 BOT. lírio 2 HER. flor-de-lis

lisboeta *adj.,n.2g.* lisbonense, olissiponense, ulissiponense, alfacinha *col.*

lisbonense *adj.,n.2g.* lisboeta, olissiponense, ulissiponense, alfacinha *col.*

liso *adj.* 1 plano, chato, raso, reto, direito, espalmado, nivelado ≠ curvo, sinuoso, ondulado, torto 2 macio, suave, aveludado ≠ áspero, rude, bravio 3 (cabelo) esticado ≠ eriçado, encrespado, encaracolado, riçado 4 (pneu) careca 5 *fig.* sincero, honesto, verdadeiro, franco, lavado ≠ falso, dissimulado

lisonja *n.f.* 1 adulação, bajulação, bajulice, prazenteio, rapapés, graxa *col.*, manteiga *fig.*, engraxadela *fig.*, genuflexão *fig.*, incensação *fig.*, ciganice *pej.* ≠ censura, crítica, desagrado, repugnância, exclusão, reprovação 2 mimo, afago, carinho, festa, blandícia, meiguice, ilécebra ≠ sevícia, ofensa

lisonjear *v.* 1 adular, cortejar, bajular, bajoujar, incensar *fig.*, pajear *fig.* ≠ censurar, criticar, menosprezar, reprovar 2 agradar, aprazer, deleitar, encantar, deliciar, comprazer, arrebatar ≠ desagradar, desaprazer, desencantar

lisonjear-se *v.* 1 orgulhar-se, honrar-se, ufanar-se 2 envaidecer-se, narcisar-se

lisonjeiro *adj.,n.m.* lisonjeador, bajulador, adulador, lambe-botas, lambedor, engraxador *fig.*, manteigueiro *col.*, graxista *col.*, puxa-saco [BRAS.], gabanela [REG.] ≠ crítico, depreciador, censurador, reprovador, improvador

lista *n.f.* 1 tira, faixa, fita 2 listra 3 rol, listagem, catálogo, inventário, relação, índice, nomenclatura, pauta, tabela 4 ementa, menu, cardápio [BRAS.]

listagem *n.f.* rol, lista, catálogo, inventário, relação, índice, nomenclatura, pauta, tabela

listar *v.* 1 inscrever, alistar ≠ desalistar 2 inventariar, catalogar, registar, classificar, indexar 3 listrar

listra *n.f.* risca, lista

lisura *n.f.* 1 macieza, suavidade ≠ aspereza, rudeza 2 *fig.* sinceridade, honestidade, franqueza, lhaneza, boa-fé ≠ desonestidade, falsidade

litania *n.f.* ladainha, cantilena, aranzel, lengalenga, melopeia

litar *v.* (sacrifícios) oferecer, sacrificar, imolar

liteira *n.f.* léctica

literacia *n.f.* alfabetismo ≠ analfabetismo, iliteracia

literal *adj.2g.* 1 ≠ figurado, simbólico, tropológico 2 rigoroso, exato, claro, formal, terminante ≠ ambíguo, duvidoso

literalmente *adv.* 1 exatamente ≠ metaforicamente, figuradamente, simbolicamente 2 completamente, absolutamente, realmente, liminarmente

literato *adj.,n.m.* escritor, letrado, autor, plumitivo, escriba *pej.*

literatura *n.f.* letras, letradura

litigante *adj.,n.m.* pleiteador, pleiteante, demandante, parte

litigar *v.* DIR. pleitear, contender, demandar, contestar

litígio *n.m.* 1 DIR. demanda, contestação, pelito 2 altercação, dissídio, conflito, testilha

litigioso *adj.* 1 contencioso, contestável, discutível 2 conflituoso, contencioso ≠ reconciliatório

litisconsorte *n.2g.* colitigante

litocromia *n.f.* isocromia

litoral *n.m.* beira-mar, costa, ribamar, praia, marinha

litosfera *n.f.* GEOG. oxisfera, geosfera

liturgia *n.f.* rito, culto

litúrgico *adj.* ritual

lividez *n.f.* palidez, livor

lívido *adj.* 1 violáceo, arroxado 2 pálido, cadavérico, macilento, branco, descorado, lúteo

livrança *n.f.* 1 livramento, libertação 2 ECON. promissória

livrar *v.* 1 soltar, libertar, desprender, liberar ≠ prender, atar, amarrar 2 salvar 3 preservar, resguardar, proteger 4 isentar, desobrigar, absolver, desonerar, eximir, dispensar, aliviar ≠ obrigar 5 *col.* parir, aliviar

livraria *n.f.* 1 biblioteca 2 *col.* livralhada, livroxada *pej.*

livrar-se *v.* 1 soltar-se, libertar-se, escapar, fugir 2 salvar-se, escapar, safar-se, esquivar-se, poupar-se 3 descartar-se 4 desembaraçar-se, desenvencilhar-se, desenredar-se, desempecilhar-se 5 desobrigar-se, isentar-se

livre *adj.2g.* 1 solto, desprendido ≠ preso, limitado, restrito 2 autónomo, independente 3 vago, desocupado ≠ ocupado, tomado 4 (pessoa) descomprometido, desimpedido ≠ comprometido, envolvido 5 salvo, safo 6 desembaraçado, desatravancado, desafogado, desimpedido ≠ entulhado, atravancado, obstruído 7 isento, exonerado, desobrigado, escusado, eximido, dispensado ≠ obrigado, violentado, obstrito, coato 8 espontâneo, natural ≠ artificial, falso 9 absolvido, inocentado, perdoado ≠ condenado 10 franqueado, desimpedido, pátulo *poét.* 11 *pej.* dissoluto, licencioso, libertino, devasso, desregrado, debochado, imoral, salaz, impudico ≠ **decente**, decoroso ■ *adv.* **livremente**, desafrontadamente

livremente *adv.* 1 **desafrontadamente**, livre, desafogadamente, quitemente 2 **licenciosamente**

livrete *n.m.* 1 **caderneta** 2 **registo**

livro *n.m.* ZOOL. **folhoso**

lixadela *n.f.* 1 **raspanço** 2 *col.* **encravação**, entalação, tramação, lixanço

lixar *v.* 1 **polir**, raspar 2 *col.* **tramar**, prejudicar, desgraçar, arruinar, miserar 3 *col.* **estragar**

lixar-se *v. col.* **prejudicar-se**, tramar-se, desgraçar--se, arruinar-se

lixeira *n.f.* **sujeira**, monturo, cisqueiro, imundície, estrumeira *fig.*, montureira ≠ **asseio**, limpeza, higiene, mundícia

lixo *n.m.* 1 **lixeira**, sujeira, cisqueiro, monturo, imundície, estrumeira *fig.* ≠ **asseio**, limpeza, higiene, mundícia 2 **porcaria**, imundície, sujidade, sordidez, bodega, caca *col.* ≠ **limpeza**, asseio, higiene, mundícia, saneamento 3 *pej.* **ralé**, cascalho *fig.*, borra *fig.*, escória *pej.*, escumalha *fig.,pej.*, enxurro *fig.,pej.* ≠ **elite**, escol, nata *fig.*

loa *n.f.* 1 **apologia**, panegírico, enaltecimento, louvor, encómio, elogio ≠ **censura**, repreensão 2 *col.* **mentira**, calúnia, inverdade, falsidade ≠ **verdade**

loba *n.f.* 1 **tumor** 2 **beca**

lobato *n.m.* 1 **lobacho** 2 **criança**, bambino, catraio, fedelho, miúdo, garoto, infante, menino, pequeno, pirralho, petiz *col.*

lobeiro *adj.* [REG.] **agradável**, ameno, aprazível

lobrigar *v.* 1 **avistar**, enxergar, entrever, vislumbrar 2 **perceber**, entender, compreender, apreender ≠ **desentender**

loca *n.f.* 1 **toca**, buraco, lura, lora, lorga, taloca [REG.] 2 **furna**, lapa, gruta

locação *n.f.* **aluguer**, arrendamento

locador *n.m.* **senhorio**

local *n.m.* **localidade**, sítio, lugar, ponto, terra

localidade *n.f.* 1 **local**, sítio, lugar, ponto, terra 2 **povoação**, lugar, sítio

localização *n.f.* 1 **situação**, posicionamento 2 **limitação**, circunscrição

localizar *v.* 1 **encontrar**, achar, descobrir, circunscrever ≠ **desbalizar**, expandir, estender 2 **circunscrever**, restringir, limitar, delimitar, confinar ≠ **expandir**, estender 3 **situar**, fixar, posicionar, colocar

loção *n.f.* **ablução**, lavagem

locar *v.* **arrendar**, alugar

locatário *n.m.* **inquilino**, arrendatário, rendeiro, caseiro ≠ **senhorio**, proprietário, dono

loco *n.m.* **lugar**

locomoção *n.f.* **deslocação**, movimento, mudança, transporte, transferência

locução *n.f.* 1 **dicção** 2 **linguagem**, expressão, estilo

lóculo *n.m.* 1 **cavidade**, depressão, buraco 2 BOT. **loculamento**

locupletar *v.* 1 **enriquecer**, opulentar, enricar ≠ **pobrecer**, desenriquecer 2 **encher**, abarrotar, atestar ≠ **esvaziar**

locupletar-se *v.* 1 **enriquecer** 2 **saciar-se**

locutor *n.m.* 1 TV, RÁD. **apresentador** 2 LING. **emissor**, falante, destinador ≠ **alocutário**, destinatário, recetor

locutório *n.m.* **parlatório**, grade

lodo *n.m.* 1 BOT. **lódão**, loto 2 **lama**, limo, tijuco [BRAS.] 3 *fig.* **depravação**, degradação, ignomínia, corrupção, perversão, aviltamento ≠ **decência**, decoro, moralidade

lodoso *adj.* 1 **lamacento**, lodacento, brejoso, encharcadiço, alagadiço, pantanoso, vasento 2 **sujo**, asqueroso, nojento, porco, hediondo, imundo, repugnante, encardido, porcalhão, sebáceo, sórdido, cacoso [REG.] ≠ **limpo**, asseado, higiénico, decente, desencardido, imaculado, lavado, nítido

loendro *n.m.* 1 BOT. **cevadilha**, landro, aloendro, loendreira, nério, aloendreiro, lendroeira, alandroeiro, alandro, lendroeiro 2 [REG.] BOT. **adelfa**, adelfeira

lógica *n.f.* **coerência**, acordo, harmonia, congruência, conformidade, concordância, coesão, uniformidade, consonância ≠ **incoerência**, desarmonia, desconcordância, discrepância

logicamente *adv.* 1 **coerentemente** ≠ **ilogicamente**, incoerentemente 2 **racionalmente** ≠ **ilogicamente**

lógico *adj.* **coerente**, concordante, congruente, harmónico, racional, conforme, coeso, consonante ≠ **incoerente**, dislógico, alógico, dissonante

logo *adv.* 1 **imediatamente**, prontamente, agora, já 2 **proximamente**, brevemente 3 **próximo**, seguidamente ■ *conj.* **portanto**, consequentemente, por conseguinte, por isso

lograr *v.* 1 **fruir**, gozar, desfrutar, aproveitar ≠ **desperdiçar**, desaproveitar 2 **conseguir**, alcançar, adquirir, arranjar, conquistar, obter, haver, agenciar, auferir, ganhar ≠ **perder**, fracassar, renunciar 3 **enganar**, intrujar, iludir, ludibriar, fraudar, vigarizar, codilhar *fig.* ≠ **desiludir**, desenganar

logro *n.m.* **engano**, intrujice, impostura, vigarice, fraude, charlatanice, impingidela, logramento, bombada [BRAS.] *col.* ≠ **honestidade**, verdade, sinceridade

loireira *n.f.* BOT. **doirada**

loja *n.f.* 1 **estabelecimento** 2 **cave**, rés-do-chão, subsolo, baixos, porão [BRAS.] ≠ **sótão**, águas--furtadas, sobrecâmara

lojista *n.2g.* **comerciante**, contratador, negociante ≠ **comprador**, freguês, cliente

lomba *n.f.* 1 **cumeeira**, alto, cimo, cume, cimeira, auge, topo, cocuruto *fig.* ≠ **base**, sopé, falda, aba 2 **camarção**, médão, duna, medo 3 **encosta**, ladeira, declive, rampa, vertente, talude 4 [REG.] **preguiça**, indolência, displicência, ócio, lazeira, moleza ≠ **atividade**, dinamismo

lombada *n.f.* 1 **dorso**, lombo 2 (livro) **lombo**

lombar *adj.2g.* **dorsal**, lombal

lombo *n.m.* 1 **dorso**, lombada 2 *col.* **costas**, dorso, costado, espinhaço 3 (livro) **lombada** 4 **elevação**, altura

lombriga *n.f.* ZOOL. **bicha**, verme, lombricoide, lumbricoide

lona *n.f.* **mentira**, patranha, balela, conto, peta, galga *col.*, batata *col.* ■ *n.m.* **troca-tintas** *fig.*, trapalhão, intrujão

longamente *adv.* 1 **extensamente** 2 **demoradamente**, vagarosamente, pausadamente ≠ **rapidamente**, brevemente

longanimidade *n.f.* 1 **generosidade**, magnanimidade, munificência, franqueza, prodigalidade, liberalidade ≠ **avareza**, mesquinhez 2 **paciência**, resignação, eupatia ≠ **impaciência**

longânimo *adj.2g.* 1 **generoso**, magnânimo, dadivoso, pródigo ≠ **avaro**, mesquinho 2 **paciente**, resignado, conformado ≠ **impaciente**, inconformado 3 **corajoso**, destemido, ousado, valente, afoito, bravo, audaz, intrépido, arrojado ≠ **cobarde**, medroso, medricas, cagarola *col.*

longe *adv.* **além** ≠ **perto**, próximo, cerca, quase, rente, acerca *ant.* ■ *adj.2g.* **distante**, longínquo, afastado, remoto, apartado ≠ **próximo**, perto, afim ■ *n.m.pl.* 1 **indícios**, sinais 2 **suspeitas**, desconfianças, pressentimentos

longevidade *n.f.* 1 **macrobia** 2 **durabilidade**

longevo *adj.* 1 **macróbio**, grandevo 2 **duradouro**

longínquo *adj.* 1 **distante**, longe, afastado, remoto, apartado ≠ **próximo**, perto 2 **remoto**, antigo, distante, recuado ≠ **recente**, próximo

longitude *n.f.* **comprimento**, distância, longor, longuidão, longueza, longura

longo *adj.* 1 **comprido**, extenso, longueiro, procero ≠ **curto**, pequeno 2 **demorado**, delongado, atrasado, retardado, lento, perlongado, vagaroso, diferido, dilatado ≠ **acelerado**, ligeiro, pronto

lonjura *n.f.* **comprimento**, distância, longitude, longor, longuidão

lontra *n.f.* 1 ZOOL. **lontro** 2 **embriaguez**, bebedeira, ebriedade, bico, canjica, borracheira *col.*, piela *col.*, bruega *col.*, cabeleira *col.*, cardina *col.*, carraspana *col.* ≠ **sobriedade**, abstemia ■ *n.m.* **preguiçoso**, mandrião, vadio, procrastinador, madraceiro, balda ≠ **trabalhador**

loquacidade *n.f.* 1 **facúndia**, logorreia, loquela 2 **verbosidade**, palavreado, palra

loquaz *adj.2g.* 1 **eloquente**, verboso, magníloquo, bem-falante, facundo, significativo, diserto, multíloquo ≠ **ineloquente**, infacundo 2 **falador**, conversador, palrador, discursivo, gárrulo *fig.*, chocalho *fig.*

loquete *n.m.* **cadeado**, ferrolho, embude

lorga *n.f.* **toca**, buraco, lura, loca, taloca [REG.]

lorpa *adj.,n.2g.* 1 **estúpido**, lerdo, patego, papalvo, imbecil, parvo, patinho *col.*, simplório *pej.* ≠ **inteligente**, esperto 2 **bruto**, rude, grosseiro, obtuso, bronco, tosco, boto *fig.* ≠ **delicado**, fino, distinto

lorpice *n.f.* **parvoíce**, disparate, idiotice, asneira, palermice, pateguice, imbecilidade, tolice, burrice, burricada *fig.*, pascacice ≠ **juízo**, acerto, esperteza

losango *n.m.* GEOM. **rombo**

lotação *n.f.* **capacidade**, espaço

lotar *v.* 1 **sortear**, sortir 2 **encher**, preencher, completar ≠ **esvaziar** 3 **misturar** 4 **lotear**

lotaria *n.f.* **rifa**, sorteio

lote *n.m.* 1 **quinhão**, porção, parte, parcela 2 **magote**, grupo, conjunto, classe

loto *n.m.* 1 BOT. **lódão**, lótus, lodo 2 **quino**, víspora [BRAS.]

lótus *n.m.2n.* BOT. **lódão**, loto, lodo

louça *n.f.* **vasilhame**

loucamente *adv.* 1 **desvairadamente**, perdidamente, impensadamente, doidamente ≠ **atinadamente**, ajuizadamente, prudentemente 2 **muito** ≠ **pouco**

louçania *n.f.* 1 **elegância**, garbo, graça, graciosidade, guapice, donaire, esbelteza ≠ **deselegância** 2 **enfeite**, adorno, acessório, ornamento, atavio, adereço ≠ **desatavio**, desadorno, desenfeite

loução *adj.* 1 **garboso**, esbelto, elegante, bem-parecido, bem-apessoado ≠ **deselegante**, desleixado, desarranjado, desarrumado 2 **garrido**, vistoso, berrante, folclórico *pej.* ≠ **discreto**, sóbrio, desornado

louco *adj.* 1 **demente**, alienado, doidivanas, vesano ≠ **atinado**, ajuizado 2 **insensato**, imprudente, doidivanas, irrefletido ≠ **prudente**, sensato 3 **extraordinário**, exagerado, excêntrico, excessivo, macavenco [REG.] ≠ **modesto**, sóbrio ■ *n.m.* **desmiolado**, doido, maluco ≠ **são**, equilibrado

loucura *n.f.* 1 **alienação**, demência, desvairo, insânia, insensatez, louquice ≠ **juízo**, discernimento 2 **temeridade**, imprudência, insensatez 3 **extravagância**, exagero, excesso, excentricidade ≠ **modéstia**, sobriedade

loura *n.f.* 1 **toca**, buraco, lura, lorga, loca, taloca [REG.] 2 *col.* **esterlino**, vitória ■ *n.m. col.* **simplório**, pacóvio, papalvo, lorpa, tanso, bacoco ≠ **cabeça** *col.*, crânio *fig.*

lourar *v.* 1 **alourar**, afulvar, enlourecer, loirejar 2 **lourejar**, amarelecer

lourecer *v.* **lourejar**, amarelecer, loirar, loirecer

loureiro *n.m.* BOT. **louro**, sempre-verde

louro *n.m.* BOT. **loireiro**, sempre-verde ■ *adj.* (cor) **dourado**, amarelado, alourado, flavo, fluvo, gualdo ■ *n.m.pl.* **triunfo**, glória

lousa *n.f.* 1 **lápide**, campa, pedra, lájea 2 **ardósia**, pedra 3 **toca**, buraco, lura, lorga, loca, taloca [REG.]

louvação *n.f.* **elogio**, encómio, louvor, panegírico, cumprimento, hossana, louvamento ≠ **censura**, desprezo, reprovação

louvado *adj.* **elogiado**, encomiado, encarecido, laureado ≠ **censurado**, desprezado, reprovado ■ *n.m.* **árbitro**, perito, avaliador

louvaminha *n.f.* **adulação**, bajulação, lisonja, bajulice, prazenteio, rapapés, graxa *col.*, manteiga *fig.*, engraxadela *fig.*, genuflexão *fig.*, incensação *fig.*, ciganice *pej.* ≠ **censura**, crítica, desagrado, repugnância, exclusão, reprovação ■ *n.2g.* **lisonjeador**, bajulador, adulador, lambe-botas, lambedor, engraxador *fig.*, manteigueiro *col.*, graxista *col.*, puxa-saco [BRAS.] ≠ **crítico**, depreciador, censurador, reprovador

louvaminheiro *adj.,n.m.* **lisonjeador**, bajulador, adulador, lambe-botas, lambedor, engraxador *fig.*, manteigueiro *col.*, graxista *col.*, puxa-saco [BRAS.] ≠ **crítico**, depreciador, censurador, reprovador

louvar *n.m.* 1 **elogiar**, gabar, encomiar, enaltecer, celebrar, panegiricar, incensar *fig.* ≠ **condenar**, desprezar, criticar 2 **bendizer**, glorificar, santificar, exaltar ≠ **praguejar**, condenar, amaldiçoar 3 **aprovar**, reconhecer ≠ **reprovar**, rejeitar 4 **avaliar**, calcular, apreciar, aferir

louvar-se *v.* **gabar-se**, elogiar-se, jactar-se, vangloriar-se

louvável *adj.2g.* **laudável**, elogiável, meritório, notável, apreciável, irrepreensível ≠ **censurável**, criticável, repreensível, condenável

louvor *n.m.* **elogio**, encómio, louvação, panegírico, cumprimento, apologia, hosana, gabação, gabadela, gabamento, laurel *fig.*, gabanço *col.* ≠ **censura**, desprezo, reprovação

lua *n.f.* 1 **fase** 2 ASTRON. **satélite**, secundário 3 *col.* **cio**, cainço 4 ICTIOL. **bezedor**, mola, peixe-lua, rodim, rolim, orelhão, pendão

lubricidade *n.f.* **lascívia**, luxúria, sensualidade, carnalidade, voluptuosidade, concupiscência, cio *fig.* ≠ **castidade**, pureza, pudicícia

lúbrico *adj.* 1 **escorregadio**, resvaladio, deslizante 2 **sensual**, sexual, lascivo, libidinoso, concupiscente, luxurioso, carnal, animal *fig.* ≠ **casto**, pudico, puro *fig.*

lubrificar *v.* 1 **untar**, olear, lubricar 2 **humedecer**, humidificar, rociar, irrorar, lentar, molhar, regar, rebentar ≠ **secar**, enxugar

luca *n.f.* ORNIT. **coruja-do-mato**

lucano *n.m.* ZOOL. **cabra-loira**, vaca-loura

lucarna *n.f.* **claraboia**, olho-de-boi, lumieira, lucerna, óculo, arbóis [REG.]

lucas *n.m.2n. col.* **palerma**, tolo, pacóvio, parvo, idiota, estúpido, patego, basbaque, babuíno *fig.,pej.*, paspalho *pej.*, bate-orelha *fig.*, babaca [BRAS.] ≠ **conhecedor**, entendedor, erudito, sábio, sabedor

lucerna *n.f.* 1 **claraboia**, olho-de-boi, lumieira, lucarna, óculo, arbóis [REG.] 2 **candeia**, lamparina, candil, luminária, alanterna *ant.*

lúcia-lima *n.f.* BOT. **limonete**, bela-luísa, doce-lima, bela-aloísia

lucidez *n.f.* 1 **perspicuidade**, razão ≠ **cegueira** *fig.*, obscuridade 2 **brilho**, cintilação, claridade, fulgor, flamância, fulgência, fulguração, nitescência, radiância, resplandecência, resplendor, luz *fig.* ≠ **deslustre**, foscagem, embaciamento

lúcido *adj.* 1 **cintilante**, radioso, reluzente, radiante, esplendente, resplandecente, flamante, fulgente, fúlgido, fúlguro, rútilo, florescente *fig.*, iriante, irisante ≠ **fosco**, baço, embaciado, mate 2 **transparente**, claro, límpido, puro, cristalino ≠ **opaco**, turvo 3 *fig.* **perspicaz**, sagaz

lúcifer *n.m.* (com maiúscula) **Satanás**, Demónio, Demo, Diabo, Belzebu, Maligno, Canhoto *col.*, Carocho *col.*, Porco-sujo *col.*, Mafarrico *col.*

lucilar *v.* **tremeluzir**, cintilar, fulgurar, faiscar, resplandecer, lampejar

lucrar *v.* 1 **ganhar**, beneficiar, ganânciar ≠ **perder** 2 **aproveitar**, usufruir, gozar, desfrutar ≠ **desperdiçar**, desaproveitar

lucrativo *adj.* **proveitoso**, rentável, valioso, vantajoso, pingue, choroso *col.*, questuoso, rendedouro ≠ **prejudicial**, danoso

lucro *n.m.* **ganho**, benefício, rendimento, proveito, resultado, ganhança *col.*, ganhuça *col.*, ganhunça *col.*, granjearia ≠ **prejuízo**, dano, perda, abano *fig.*

lucubração *n.f.* 1 **serão**, vigília, noitada 2 **meditação**, cogitação, ruminação *fig.*

ludibriar *v.* 1 **escarnecer**, zombar, troçar, motejar, derriçar, mangar *col.* ≠ **respeitar**, considerar, estimar, prezar 2 **enganar**, iludir, lograr, fraudar, vigarizar, pantomimar, codilhar *fig.* ≠ **desiludir**, desenganar

ludíbrio *n.m.* 1 **escárnio**, zombaria, troça, caçoada, judiaria, motejo, mofa, achincalhação, bexiga *col.* ≠ **respeito**, consideração 2 **engano**, burla, impostura, intrujice, vigarice, logro, charlataria, taboca *fig.*, tapeação [BRAS.] *col.* ≠ **honestidade**, verdade, sinceridade

ludo *n.m.* DESP. **jogo**, torneio

lufa *n.f.* **1 azáfama**, afã, roda-viva, pressa, barafunda, lida, lufa-lufa, corrupio *fig.* ≠ **calmaria**, serenidade, sossego **2 rajada**, lufada, ventania, buzaranha, rabanada, furacão, tufão, ciclone ≠ **aragem**, brisa, sopro, viração, assopro

lufada *n.f.* **rajada**, lufa, ventania, buzaranha, rabanada, furacão, tufão, ciclone ≠ **aragem**, brisa, sopro, viração, assopro

lufa-lufa *n.f.* **azáfama**, afã, roda-viva, barafunda, lida, lufa, corrupio *fig.* ≠ **calmaria**, serenidade, sossego

lugar *n.m.* **1 sítio**, local, ponto **2 posição**, ordem **3 localidade**, região, povoação **4 cargo**, emprego, ofício, posto, ocupação, serviço, função, ministério, múnus, exercício **5 vagar**, tempo, vez **6 oportunidade**, ocasião, azo, ensejo, chance, momento, aberta, campo *fig.* **7** (livro) **trecho**, passagem, excerto, extrato

lugar-comum *n.m.* **1 tópico**, argumento, tema **2 cliché**, frase feita, chavão, banaldiade, nariz de cera, chapa *fig.*, pachequice

lugarejo *n.m.* **1 aldeola 2 casal**, póvoa, vilar, povoação, povoado, povo, recesso, terriola *pej.*

lúgubre *adj.2g.* **1 fúnebre**, letal, fatídico, sinistro, tétrico, macabro **2 triste**, taciturno, soturno, lamentoso, mesto *poét.* ≠ **alegre**, festivo, jovial **3 sombrio**, escuro ≠ **claro**, lumioso *ant.*

lula *n.f.* ICTIOL. **caboz**, cabrito, marachomba, peixe-diabo, calamar, ranhosa

lumbago *n.m.* **reira**

lume *n.m.* **1 fogo**, fogueira, chama **2 luz**, clarão, brilho, claridade ≠ **escuridão**, obscuridade **3 vela**, tocha, círio, brandão **4** *fig.* **luz**, resplendor, brilho, claridade, brilhantismo, esplendor, fulgor **5** *fig.* **perspicácia**, sagacidade, inteligência, finuria, fósforo *col.* **6** *fig.* **clareza**, transparência **7** *fig.* **doutrina**, erudição, saber, instrução ≠ **ignorância**, desconhecimento **8** ANAT. **lúmen**

luminar *adj.2g.* **iluminante**, luzente, luminoso ■ *n.m.* **1 astro 2** *fig.* **sábio**, mestre, sabedor, erudito, luminária

luminária *n.f.* **1 lamparina**, lanterna, candeia, iluminação, griseta, alâmpada *ant.* **2** *fig.* **sábio**, mestre, sabedor, erudito

luminosidade *n.f.* **claridade**, brilho, luz, luzência ≠ **escuridade**, obscuridade

luminoso *adj.* **1 iluminante**, luzente, luminar, cintilante, lampejante, tremeluzente, tremulante **2 cintilante**, brilhante, radioso, reluzente, radiante, esplendente, resplandecente, flamante, fulgente, fúlgido, fulgurante, rútilo, florescente *fig.* ≠ **fosco**, baço, embaciado, mate **3** *fig.* **evidente**, claro **4** *fig.* **perspicaz**, sagaz, lúcido, inteligente

lunático *adj.* **1 maníaco**, tolo, alienado **2 fantasista**, sonhador, idealista, visionário *fig.* **3 extraordinário**, extravagante, excêntrico, exagerado, excessivo ≠ **modesto**, sóbrio ■ *n.m.* **maníaco**, teimoso, obcecado

luneta *n.f.* **óculo**, monóculo

lupa *n.f.* **lente**

lúpulo *n.m.* BOT. **engatadeira**, pé-de-galo

lura *n.f.* **toca**, buraco, loura, lorga, loca, lúria, taloca [REG.]

lusco-fusco *n.m.* **crepúsculo**, anoitecer, entardecer, ocaso ≠ **amanhecer**, madrugada, aurora

lusíada *adj.,n.2g.* **lusitano**, luso, português

lusitano *adj.,n.m.* **luso**, português, lusíada

luso *adj.,n.m.* **lusíada**, lusitânico, português

lustração *n.f.* **1 polimento**, brunidura **2 purificação**, ablução **3 ablução**, lava, lavagem

lustre *n.m.* **1 candelabro**, candeeiro, lampadário, lampião **2** *fig.* **glória**, honra, fama **3** *fig.* **brilhantismo**, magnificência, esplendor, pompa, sumptuosidade, gosto ≠ **despojamento**, modéstia, simplicidade, singeleza

lustro *n.m.* **1 quinquénio 2 polimento**, brilho, luzimento, resplendor

lustroso *adj.* **1 luminoso**, luzente, luzidio, claro, cintilante, resplandecente, reluzente, vernicoso ≠ **escuro**, sombrio, obscuro **2** *fig.* **ilustre**, insigne, magnífico, notável ≠ **medíocre**, fraco **3** *fig.* **esplêndido**, pomposo, imponente, magnífico, grandioso, magnificente ≠ **singelo**, simples, despojado

luta *n.f.* **1 conflito**, contenda, disputa, briga, rixa, requesto, combate *fig.* ≠ **acordo**, concordância, harmonia **2 oposição**, antagonismo **3 conflito**, choque, confrontação, oposição, disputa, contenda ≠ **consonância**, comunhão, acordo **4 debate**, discussão, contestação, disputa, controvérsia, polémica ≠ **acordo**, concórdia, conformidade **5** *fig.* **esforço**, empenho, dedicação

lutador *adj.,n.m.* **combatente**, batalhador, pelejador, lidador, opugnador, guerreiro ■ *n.m.* DESP. **pugilista**

lutar *v.* **1 combater**, pelejar, batalhar, brigar, certar, gladiar, guerrear, lidar, militar, pugnar, pelear ≠ **pacificar**, apaziguar **2 esforçar-se**, empenhar-se, dedicar-se **3 indutar**, revestir, guarnecer, cobrir

luto *n.m.* **1 dor**, pesar, tristeza, nojo, dó, funestação, cinza *fig.*, cipreste *fig.* **2 preto**

luva *n.f.pl.* **1 gorteja**, recompensa **2 suborno**, compra, peita

luxação *n.f.* MED. **deslocação**, desengonço, desarticulação, deslocamento, diastrofia

luxar *v.* **1** MED. **desarticular**, desconjuntar, deslocar, desmanchar, desnocar **2 ostentar**, pompear **3 tafular**

luxo *n.m.* **ostentação**, magnificência, pompa, fausto, aparato, gala, sumptuosidade, pomposidade ≠ **discrição**, simplicidade, sobriedade, despojamento, recato, modéstia

luxuoso *adj.* **ostentoso**, magnificente, pomposo, faustoso, aparatoso, sumptuoso, luxento ≠ **discreto**, simples, sóbrio, despojado, recatado, modesto

luxúria *n.f.* 1 **lascívia**, concupiscência, sensualidade, carnalidade, voluptuosidade, lubricidade, cio *fig.* ≠ **castidade**, pureza, pudicícia 2 (plantas) **viço**, exuberância

luxuriante *adj.2g.* 1 **exuberante**, viçoso 2 **sensual**, sexual, libidinoso, carnal, concupiscente, lascivo, animal *fig.* ≠ **casto**, pudico, puro *fig.*

luz *n.f.* 1 **luminosidade**, claridade, luzência, brilho ≠ **escuridade**, obscuridade 2 **lâmpada**, luminária, candeeiro, lampa *col.* 3 *fig.* **brilho**, esplendor, resplendor, fulgor, claridade, brilhantismo, lume 4 *fig.* **verdade**, evidência, certeza 5 *fig.* **perceção**, intuição 6 **guia**, orientação 7 RELIG. *fig.* **fé**, crença 8 [*pl.*] **noções**, rudimentos, sombras, tinturas *fig.*, laivos *fig.*, lascas *fig.*

luzente *adj.2g.* **iluminante**, luminoso, luminar, cintilante, luculento, dilúcido

luzidio *adj.* 1 **luminoso**, luzente, lustrino, claro, cintilante, resplandecente, reluzente ≠ **escuro**, sombrio, obscuro 2 **nítido**, claro, visível ≠ **obscuro**

luzido *adj.* 1 **vistoso**, garrido, berrante, folclórico *pej.* ≠ **discreto**, sóbrio, desornado 2 **pomposo**, magnificente, ostentoso, faustoso, aparatoso, sumptuoso, lustroso ≠ **discreto**, simples, sóbrio, despojado, recatado, modesto 3 **brilhante**, cintilante, radioso, reluzente, radiante, esplendente, resplandecente, flamante, fulgente, fúlgido, fulgurante, rútilo, florescente *fig.* ≠ **fosco**, baço, embaciado, mate 4 **anafado**, gordo, nédio, carnudo, roliço *fig.* ≠ **magro**, descarnado, franzino

luzir *v.* 1 **brilhar**, cintilar, fulgir, fulgurar, refulgir, reluzir, resplandecer, resplender, rutilar, esplendecer, prefulgir, resplendecer, estrelar, faiscar, radiar, reverberar ≠ **embaciar**, deslustrar, enturvar, empanar *fig.* 2 *fig.* **desenvolver-se**, medrar, crescer, espigar, prosperar ≠ **decrescer**, desmedrar, definhar, marmar 3 **lucrar**, produzir, render, aproveitar, beneficiar ≠ **desperdiçar**, perder

M

má *n.f.* BOT. **cânhamo-de-manila**

maca *n.f.* **padiola**

maça *n.f.* **clava**, maço, moca, cacete, cacheira, cachamorra

macabro *adj.* **fúnebre**, lúgubre, soturno, tétrico, trágico

macaca *n.f.* **1** ZOOL. **mona**, bugia **2** **infelicidade**, azar, infortúnio, desfortuna, caiporice **3** ICTIOL. **cascarra** **4** *fig.,pej.* **coirão** *vulg.*

macacada *n.f.* **palhaçada**, bugiada

macacão *adj.* **macacório**, manhoso, espertalhão, finório ■ *n.m.* **fato-macaco**, macaco

macaco *n.m.* **1** ZOOL. **símio**, mono, bugio, simão *col.*, chico [BRAS.] **2** **fato-macaco**, macacão, fato-de--macaco **3** [*pl.*] **rabiscos**, gatafunhos ■ *adj.* **1** *fig.* **ardiloso**, astucioso, astuto, matreiro, tergiversatório **2** *fig.* **calamitoso**, desastroso, sinistro, funesto ≠ **afortunado**, venturoso, feliz

macacoa *n.f. col.* **indisposição**, achaque, maleita

maçada *n.f.* **1** **pancada**, paulada **2** **sova**, surra, tareia, tunda, tosa *col.*, malhadela *col.* **3** **aborrecimento**, estopada, estafa, frete, importunação, chatice *col.*, chumbada *col.*, injeção *col.*, seca *col.*, sequeira *col.*, espiga *fig.*, mecha *fig.*, buchada *fig.*, amolação [BRAS.]

maçador *adj.* **aborrecido**, entediante, enfadonho, fastidioso, maçudo, indigesto, importunador, grudento [BRAS.] ■ *n.m.* **lapa** *col.*, melga *col.*, seca *col.*, chato *col.*, sarna *col.*

maçadoria *n.f.* **estopada**, importunação, maçada, estafa, seringadela *fig.*

macambúzio *adj.* **tristonho**, misantropo, taciturno, triste, carrancudo, sorumbático ≠ **alegre**, divertido, brincalhão, gaiteiro *fig.*

maçaneta *n.f.* **1** **puxador**, pompom, puxavante [BRAS.] **2** **borla**, bolota **3** **cepilho**

mação *n.m.* **pedreiro-livre**, franco-mação

macaquear *v.* **imitar**, arremedar

macaquice *n.f.* **momice**, macaqueação, macacada, monada, trejeito, careta, visagem, fosca, macacaria

maçar *v.* **1** **bater**, cacetar, contundir, espancar, pisar, repisar, sovar, desasar **2** **importunar**, aborrecer, incomodar, ralar, enfadar, agastar, matracar, petar, chatear *col.*, azucrinar *col.*, massacrar *fig.,col.*, moer *fig.*, sanfoninar *fig.*, seringar *fig.*, amolar [BRAS.] ≠ **desenfadar**, desagastar **3** **entediar**, aborrecer, enfadar, cansar, enfastiar, enojar *fig.*, estopar *fig.*, chatear *col.* ≠ **alegrar**, divertir, distrair

macaréu *n.m.* NÁUT. **pororoca**

maçaroca *n.f.* **1** (milho) **espiga** **2** **feixe**, molho **3** **fusada**

maçaroco *n.m.* (trigo) **santo**, maçaroquilho

maçar-se *v.* **1** **aborrecer-se**, enfadar-se, cansar--se, entediar-se, enfastiar-se, molestar-se **2** **incomodar-se**

macedónia[AO] ou **macedônia**[AO] *n.f.* **mistura**, amálgama

maceira *n.f.* **macieira**, maçãzeira, mançaneira

macela *n.f.* BOT. **camomilha**, margaça-das-boticas

maceração *n.f.* **1** **maceramento** **2** *fig.* **mortificação**, penitência, flagelação

macerar *v.* **1** **esmagar**, moer, pisar **2** *fig.* **afligir**, martirizar, mortificar, torturar, flagelar

macete *n.m.* **1** **macinho** **2** **embrulho**

macha *n.f.* **1** *col.* **mula** **2** *col.* **fechadura**

machão *n.m.* **1** *col.* **machista** **2** *col.* **latagão** *col.*

machear *v.* (animais) **cobrir**, padrear, galar

machete *n.m.* MÚS. **cavaquinho**, rajão, cavaco, braguinha, machim [BRAS.]

macheza *n.f.* **1** [BRAS.] **masculinidade**, virilidade, machidão **2** [BRAS.] **machismo**, machidão

macho *adj.* **1** **masculino**, másculo, varonil ≠ **efeminado**, adamado **2** **corajoso**, destemido, valente **3** **robusto**, vigoroso ■ *n.m.* **1** *col.* **homem** **2** **mulo**, mu

machuca *n.f.* **trilhadura**, contusão, pisadura, machucadura, machucação

machucar *v.* **1** **esmagar**, esmigalhar, triturar, pisar, calcar, trilhar **2** **amarrotar**, amarfanhar, amachucar **3** **debulhar**, descascar

maciço *adj.* **1** **sólido**, compacto **2** **denso**, espesso, grosso, basto, cerrado ≠ **ralo**, raro **3** **corpulento**, grande, forte, volumoso, alentado ≠ **enfezado**, franzino, tolhiço **4** **inteiro**, inteiriço

macieira *n.f.* **maceira**, maçãzeira, mançaneira

maciez *n.f.* **1** **suavidade**, lisura, cetim *fig.*, macieza ≠ **aspereza**, rugosidade **2** *fig.* **doçura**, afabilidade, brandura, amenidade

macieza *n.f.* **1** **suavidade**, lisura, cetim *fig.*, maciez, maciota ≠ **aspereza**, rugosidade **2** *fig.* **doçura**, afabilidade, brandura, amenidade

macilento *adj.* **1** **magro**, descarnado, escanzelado, esquelético ≠ **gordo**, nutrido, nédio **2** **descorado**, desmaiado, pálido, amarelo, murcho, lúrido, lívido

macio *adj.* 1 **aveludado**, acetinado ≠ **áspero**, rugoso 2 **mole**, fofo ≠ **duro**, rijo 3 **brando**, delicado, dócil, suave 4 **agradável**, aprazível ≠ **desagradável**

maço *n.m.* 1 **malho**, mangual 2 **clava**, maça, moca, cacete, cacheira, cachamorra 3 **pacote**, embrulho, volume, entrouxo, rolo

maçonaria *n.f.* **franco-maçonaria**, maçonismo

maconha *n.f.* **marijuana**, canábis

maçónicoAO ou **maçônico**AO *n.m.* **mação**, pedreiro-livre

má-criação *n.f.* **grosseria**, incivilidade, descortesia, insolência, má-educação, regateirice *col.* ≠ **cortesia**, delicadeza, educação, polidez

macróbio *adj.* **velhíssimo**, longevo, grandevo, matusalém ≠ **jovem**, novo

macrocéfalo *adj.,n.m.* **megalocéfalo**, megistocéfalo

macroscópico *adj. fig.* **superficial**

maçudo *adj.* **aborrecido**, enfadonho, fatigante, maçador, monótono

mácula *n.f.* 1 **nódoa**, mancha, tacha, lambuça 2 *fig.* **infâmia**, ignomínia, desonra, descrédito, desdouro, deslustre, labéu, estigma, ferrete 3 *fig.* **defeito**, imperfeição, falha, senão, pecha, tara *fig.*, sombra *fig.*

macular *v.* 1 **sujar**, manchar, poluir, conspurcar 2 *fig.* **infamar**, denegrir, difamar, desonrar, enxovalhar, desdourar, deslustrar, pichar *col.*

macumba *n.f.* **feitiçaria**, feitiço, bruxaria, bruxedo, sortilégio, mandinga, trangomango, manipanso

madeira *n.f.* 1 **lenho**, lenha 2 **madeiramento**, madeirada, madeirame

madeiro *n.m.* 1 **tronco**, lenho, pau, cepo, trave, barrote, viga 2 *fig.* **estúpido**, bruto, bronco, obtuso, lapardeiro [REG.]

madeixa *n.f.* **melena**, guedelho, gadelha, monete, mecha, marrafa

madracice *n.f.* **preguiça**, mandriice, madraçaria, mândria, ociosidade, pacholice, lazeira

madraço *adj.,n.m.* **preguiçoso**, mandrião, ocioso, calaceiro, indolente, ronceiro, calão

madragoa *n.f.* **madrigueira**, madrigoa, lura, toca

madre *n.f.* 1 **mãe** 2 **freira**, irmã 3 ARQ. **terça**, viga 4 **útero**, matriz, ventre 5 **nascente** 6 **borra**, mãe

madrepérola *n.f.* **nacre** *col.*

madrigal *n.m.* **galanteio**, lisonja, requebro, piropo

madrileno *adj.,n.m.* **madrilense**, madrilês, matritense

madrinha *n.f.* **protetora**, defensora, patrocinadora, paraninfa

madrugada *n.f.* 1 **alvorada**, alvorecer, alva, alvor, aurora, antemanhã, manhãzinha, matinada, dilúculo ≠ **anoitecer**, crepúsculo, noitinha, sonoite 2 *fig.* **começo**, início 3 BOT. **azuraque**

madrugar *v.* 1 **matinar** 2 **antecipar-se** 3 **alvorecer**, alvorar, raiar, clarear, romper, amanhecer ≠ **anoitecer**, escurecer

maduramente *adv.* **ponderadamente**, pensadamente, refletidamente, atentamente, sensatamente ≠ **inpensadamente**, aereamente, inavertidamente

madurar *v.* **amadurecer**, maturar, sazonar, amadurar, madurecer, sezoar, assazoar

madureza *n.f.* 1 **sazonamento**, maturidade, maturação, amadurecimento, madurez 2 *fig.* **ponderação**, circunspeção, gravidade, prudência, tino, siso, juízo, assento 3 *fig.* **mania**, excentricidade, maluquice, patetice, palermice

maduro *adj.* 1 **sazonado**, amadurecido ≠ **verde** 2 **adulto** 3 *fig.* **refletido**, moderado, prudente, ponderado, ajuizado 4 *col.* **palerma**, pateta, tolo

mãe *n.f.* 1 **genetriz**, progenitora, madre, mamã *infant.* 2 **borra**, lia, madre 3 ZOOL. **rainha**, abelha-mestra 4 *fig.* **fonte**, causa, origem, matriz 5 *fig.* **princípio**, começo

má-educação *n.f.* **grosseria**, incivilidade, descortesia, insolência, má-criação ≠ **cortesia**, delicadeza, educação, polidez

maestria *n.f.* **perícia**, perfeição, mestria

maestro *n.m.* 1 **compositor** 2 **regente**

mafarrico *n.m.* 1 *col.* **Demónio**, Demo, Diabo, Satanás, Belzebu, maligno, canhoto *col.*, carocho *col.*, porco-sujo *col.*, rabão *col.* 2 *fig.* **diabrete**, demonete

má-fé *n.f.* **falsidade**, deslealdade, dolo

maga *n.f.* **feiticeira**, bruxa, mágica, saga, estriga, estrige, carocha *col.*

maganão *adj.,n.m.* **brejeiro**, brincalhão, libertino, mariola, pândego, patusco

magarefe *n.m.* 1 **carniceiro**, marchante, talhante, cortador, açougueiro, caçapo [REG.] 2 *fig.* **biltre**, tratante, patife

magazine *n.m.* **revista**

magenta *n.m.* 1 **carmim** 2 **fuchsina**, fucsina

magia *n.f.* 1 **sortilégio**, feitiço, bruxaria, bruxedo, mandinga, macumba, feitiçaria, mágica 2 **prestidigitação**, ilusionismo 3 *fig.* **fascinação**, sedução, tentação, enlevo, admiração, arroubo, arrebatamento, enleio, encanto, magnetismo, pasmo, hipnotização *fig.* ≠ **desencanto**, desencantamento

magiar *adj.,n.2g.* **húngaro**

mágica *n.f.* 1 **sortilégio**, feitiço, bruxaria, bruxedo, mandinga, macumba, feitiçaria, magia 2 **maga**, bruxa, feiticeira, estrige 3 *fig.* **fascinação**, sedução, tentação, enlevo, admiração, arroubo, arrebatamento, enleio, encanto, magnetismo, pasmo ≠ **desencanto**, desencantamento

magicar *v.* 1 **cismar**, ruminar, matutar, malucar 2 **meditar**, pensar, parafusar

mágico *adj.* **fantástico**, maravilhoso, encantador, fascinante, extraordinário ■ *n.m.* 1 **feiticeiro**, mago, bruxo, sortílego 2 **ilusionista**, prestidigitador

magistério *n.m.* **professorado**, docência, ensino, instrução

magistrado *n.m.* **juiz**, togado

magistral *adj.2g.* **perfeito**, impecável, exímio, irrepreensível, exemplar

magistratura *n.f.* **judicatura**

magnanimidade *n.f.* 1 **generosidade**, munificência, liberalidade, longanimidade, grandeza, nobreza, elevação ≠ **usura**, tacanhez 2 **clemência**, indulgência

magnânimo *adj.* 1 **generoso**, dadivoso, pródigo, liberal, munífico ≠ **avaro**, mesquinho 2 **clemente**, indulgente

magnata *n.2g.* **mandachuva** *col.*, optimate, prócere, prócer, potentado, capitalista, magnate, tutu [BRAS.]

magnate *n.2g.* **mandachuva** *col.*, optimate, prócere, prócer, potentado, capitalista, magnata, tutu [BRAS.]

magnete *n.m.* **íman**

magnético *adj. fig.* **atraente**, encantador, sedutor

magnetismo *n.m. fig.* **atração**, encanto, sedução, fascínio, influência, sex appeal

magnetite *n.f.* MIN. **pedra-íman**

magnetizar *v.* 1 **imanar**, imanizar, imantar ≠ **desmagnetizar**, desimanar 2 *fig.* **encantar**, hipnotizar, fascinar, dominar, seduzir, entusiasmar, veementizar

magnificar *v.* 1 **ampliar**, aumentar, dilatar, hipertrofiar 2 **enaltecer**, engrandecer, exaltar, glorificar, sublimar, louvar

magnificência *n.f.* 1 **sumptuosidade**, pompa, estadão, grandeza, fausto, luxo, ostentação, grandiosidade, esplendor, luzimento, brilhantismo, opulência, riqueza, aparato 2 **generosidade**, liberalidade

magnificente *adj.2g.* 1 **grandioso**, sumptuoso, estrondoso, faustoso, luxuoso, aparatoso, luculiano ≠ **simples**, modesto 2 **generoso**, liberal

magnífico *adj.* 1 **excelente**, ótimo, excelso, magnificente, soberbo, admirável, esplêndido, maravilhoso, preexcelente ≠ **péssimo**, mau, horrível 2 **faustoso**, opulento, aparatoso, pomposo, vistoso, grandioso, sumptuoso, opíparo, lauto ≠ **singelo**, simples, despojado 3 **generoso**, liberal ≠ **mesquinho**

magnitude *n.f.* 1 **grandeza**, volume, extensão, vastidão 2 **importância**, gravidade

magno *adj.* **grande**, importante, notável

mago *n.m.* **feiticeiro**, mágico, bruxo, embruxador, mandingueiro ■ *adj.* **fascinador**, sedutor, atraente, inebriante

mágoa *n.f.* 1 **dor**, tristeza, desgosto, dissabor, amargura, angústia, desconsolo, atribulação, pesar, melancolia, aflição, consternação 2 *ant.* **nódoa**, marca, mancha, contusão

magoado *adj.* 1 **contuso**, ferido, pisado 2 **melindrado**, ofendido, queixoso, machucado *fig.* 3 **dolente**, dolorido, choroso, lamentoso, pesaroso, triste

magoar *v.* 1 **ferir**, pisar, contundir 2 **melindrar**, ofender 3 **afligir**, agoniar, compungir, entristecer, contristar, consternar

magoar-se *v.* 1 **aleijar-se**, ferir-se, machucar-se [BRAS.] 2 *fig.* **ofender-se**, melindrar-se

magote *n.m.* **grupo**, rancho, bando, turma, troço, chusma, coorte, multidão, catrefada, acervo, montão, acumulação, ajuntamento, tortulheira *fig.*

magreza *n.f.* 1 **hecticidade**, emaciação, magreira, magridade, estica, emagrecimento, esqualidez, magrém [BRAS.] ≠ **obesidade**, nediez, corpulência, rotundidade 2 *fig.* **penúria**, pobreza, lazeira

magricela *adj.,n.2g.* **magrizela**, chupado, magricelas, magriço, magriz, magrizel, pelém, esquelético *fig.*, mirra *col.*, escanifrado *col.*, trinca-espinhas *col.*, esqueleto *fig.*, caveira *fig.* ≠ **gordo**, botija *fig.*, bucha *col.*, pantufo *col.*

magricelas *adj.,n.2g.2n.* **magrizela**, chupado, magricela, escanzelado *col.*, mirra *col.*, escanifrado *col.*, trinca-espinhas *col.*, esquelético *fig.*, esqueleto *fig.*, caveira *fig.* ≠ **gordo**, botija *fig.*, bucha *col.*, pantufo *col.*

magro *adj.* 1 **esguio**, delgado, fino, galgaz *fig.* 2 **parco**, escasso, sumido, mirrado 3 **magrizela**, chupado, magricelas, esquelético *fig.*, escanzelado *col.*, mirra *col.*, escanifrado *col.*, trinca-espinhas *col.*, esqueleto *fig.*, caveira *fig.* ≠ **gordo**, botija *fig.*, bucha *col.*, pantufo *col.* 4 **descarnado**, enxuto, seco

maiato *adj.,n.m.* **maiano**

maio *n.m.* 1 **primavera** 2 **garrido**

maior *adj.2g.* 1 **melhor**, sumo, superior, máximo, mor ≠ **menor**, inferior 2 **adulto** ≠ **menor** ■ *n.m.pl.* **antepassados**, ascendentes, genealogia, avós, avoengos

maioral *n.m.* **chefe**, cabeça, líder, capataz, moiral [REG.]

maioria *n.f.* 1 **generalidade**, universalidade, globalidade ≠ **especialidade**, particularidade 2 **superioridade**, excelência

maioridade *n.f.* ≠ **menoridade**

mais *adv.* 1 **ainda**, também, igualmente 2 **preferentemente**, antes 3 **novamente** ■ *n.m.* **resto**, restante ■ *prep.* **com** ■ *conj.* **e**

maiúscula *n.f.* **capital** ≠ minúscula

maiúsculo *adj.* (letra) **capital**, grande, versal ≠ minúsculo, pequeno

majestade *n.f.* **grandeza**, sublimidade, superioridade, elevação, excelência, nobreza, soberania, imponência, gravidade, soberba, altivez

majestático *adj.* 1 **soberano** 2 **majestoso**, sumptuoso, imponente, soberbo, grandioso

majestoso *adj.* 1 **majestático**, sumptuoso, imponente, soberbo, grandioso, jupiteriano *fig.*, augustal *fig.* 2 **sublime**, belo

majorar *v.* [BRAS.] **aumentar**, engrandecer, elevar

mal *n.m.* 1 **imperfeição**, erro, defeito 2 **dano**, prejuízo, estrago 3 **inconveniente**, desvantagem 4 **azar**, infortúnio, desvantagem, desgraça, tragédia 5 **infelicidade**, sofrimento, aflição, angústia, inquietação, mágoa, pesar 6 **doença**, enfermidade, indisposição, achaque, moléstia, mazela, macacoa *col.*, mururu [BRAS.] *col.*, maladia *ant.* ■ *adv.* 1 **imperfeitamente**, defeituosamente, insuficientemente, deficientemente ≠ bem, convenientemente, satisfatoriamente 2 **erradamente**, incorretamente ≠ bem, corretamente 3 **pouco**, escassamente ≠ bem, bastante, assaz 4 **dificilmente** ≠ facilmente

mala *n.f.* 1 **bolsa** 2 **porta-bagagens**

malabarismo *n.m.* **equilibrismo**

malabarista *n.2g.* **acrobata**, funâmbulo, equilibrista, volatim

mal-afortunado *adj.* **desditoso**, desgraçado, infeliz, mal-aventurado, desafortunado, malfadado ≠ afortunado, ditoso, sortudo, venturoso, feliz

mal-agradecido *adj.* **ingrato**, desagradecido ≠ agradecido, obrigado, reconhecido

mal-ajeitado *adj.* 1 **desordenado**, mal-amanhado, trapalhão 2 **imperfeito**, malfeito

mal-amanhado *adj.* 1 **imperfeito**, malfeito 2 **desajeitado**, mal-arranjado, tosco, mal-vestido, mal-ajambrado

mal-andança *n.f.* **desventura**, infortúnio, desfortuna, adversidade, desgraça, desastre, desdita, mofina, azar, infelicidade, revés, macaca *col.*, galinha *col.*, urucubaca [BRAS.], caipora [BRAS.], tumbice *col.* ≠ felicidade, sorte, dita, ventura

malandrice *n.f.* 1 **traquinice**, brincadeira 2 **ociosidade**, vadiagem

malandro *adj.,n.m.* 1 **vadio**, parasita, preguiçoso ≠ ativo, dinâmico, laborioso, trabalhador 2 **biltre**, meliante, patife, tratante, malandrim, tratantório, malápio [REG.], pilantra [BRAS.]

malar *n.m.* ANAT. **zigoma**

malária *n.f.* MED. **paludismo**, impaludismo, sezonismo, sezão, carneirada [BRAS.]

malariologia *n.f.* **sezonologia**

mal-arranjado *adj.* 1 **imperfeito**, malfeito 2 **desajeitado**, mal-amanhado, tosco, mal-vestido, acabanado *fig.*

malas-artes *n.f.pl.* 1 **trapalhices** 2 **manigâncias**, tramoias

mal-assombrado *adj.* 1 **embruxado**, encantado, enfeitiçado 2 **carrancudo**, desagradável

mal-aventurado *adj.* **desditoso**, desgraçado, infeliz, mal-afortunado, desventurado, desafortunado, malfadado ≠ afortunado, ditoso, sortudo, venturoso, feliz

malbaratar *v.* **dissipar**, esbanjar, dilapidar, espatifar, desperdiçar, malgastar, malbaratear, tresgastar ≠ poupar, amealhar, aproveitar, economizar

malcheiroso *adj.* **fedorento**, fétido, infeto, graveolente ≠ cheiroso, aromático, perfumado

malcozinhado *adj.* **mal-arranjado**, malfeito ■ *n.m.* **taberna**

malcriado *adj.* **mal-educado**, grosseirão, grosseiro, descortês, incivil, impolítico ≠ bem-educado, cavalheiro, delicado, cortês, polido

maldade *n.f.* 1 **crueldade**, iniquidade, malvadez, maleficência, desumanidade, impiedade, ruindade, improbidade, perversidade, pravidade, nequícia, peçonha *fig.*, fel *fig.* ≠ bondade, humanidade, piedade, benevolência 2 **malícia**, mordacidade 3 **travessura**, traquinice, diabrura, tropelia

maldição *n.f.* 1 **imprecação**, esconjuro, praga, anátema, execração, danação, abrenúncio 2 **desgraça**, calamidade

maldisposto *adj.* 1 **indisposto**, adoentado, semiscarúnfio *col.* ≠ bem-disposto 2 **incomodado**, agastado, zangado, irritado

maldito *adj.* 1 **amaldiçoado**, condenado, desprezado, marrano *fig.* ≠ bendito, abençoado, bento, benzido 2 **mau**, malvado, perverso 3 **molesto**, nefando, nefasto, maléfico, pernicioso, execrando, funesto, abominável, detestável

maldizente *adj.,n.2g.* **difamador**, caluniador, intriguista, má-língua, maledicente, linguareiro, detrator, infamador, malfalante, injuriante, ultrajador, zoilo ≠ elogiador, louvador

maldizer *v.* 1 **esconjurar**, amaldiçoar, blasfemar, anatematizar, maldiçoar, imprecar ≠ abençoar, bendizer, benzer 2 **desacreditar**, difamar, caluniar, abocanhar ≠ considerar, respeitar, estimar

maldoso *adj.,n.m.* 1 **mau**, perverso, maléfico ≠ bondoso, benévolo 2 **malicioso**, provocante, mordaz 3 **endiabrado**, travesso

maleabilidade *n.f.* **flexibilidade**, elasticidade, plasticidade, ductilidade, docilidade ≠ inflexibilidade, rigidez

maleável *adj.2g.* 1 **flexível**, vergável, arqueável, dobrável, dúctil ≠ **inflexível**, rígido 2 **brando**, dócil, adaptável ≠ **inflexível**, rígido

maledicência *n.f.* **difamação**, calúnia, detração, má-língua, murmúrio, murmuração, ladrado *fig.*, rabecada *col.*

maledicente *adj.,n.2g.* **difamador**, caluniador, intriguista, má-língua, linguareiro, detrator, maldizente ≠ **elogiador**, louvador

mal-educado *adj.* **malcriado**, grosseirão, grosseiro, descortês, incivil, abarbarado ≠ **bem-educado**, cavalheiro, delicado, cortês, polido

maleficência *n.f.* **crueldade**, iniquidade, malvadez, maldade, desumanidade, impiedade, ruindade, improbidade, perversidade, pravidade, nequícia, peçonha *fig.*, fel *fig.* ≠ **bondade**, humanidade, piedade, benevolência

malefício *n.m.* 1 **malignidade**, perniciosidade, nocividade, dano, prejuízo, venefício ≠ **benefício**, bem 2 **sortilégio**, feitiçaria, feitiço, bruxaria, bruxedo, mandinga, magia

maléfico *adj.* 1 **danoso**, prejudicial, nocivo, maleficente ≠ **benéfico**, bom 2 **malévolo**, malfazejo, malvado, mal-intencionado, maldoso ≠ **benéfico**, bom, bondoso

mal-encarado *adj.* **carrancudo**, sorumbático, trombudo ≠ **bem-encarado**

mal-enganado *adj.* **equivocado**, iludido

mal-entendido *n.m.* 1 **equívoco**, confusão, engano, equivocação, erro, quiproquó 2 **desentendimento**, desaguisado, altercação

mal-estar *n.m.* 1 **incómodo**, indisposição ≠ **bem-estar** 2 **desassossego**, inquietude, ansiedade ≠ **bem-estar**

maleta *n.f.* **malote**

malevolência *n.f.* **antipatia**, aversão, malquerença, inimizade, animadversão, ódio, ojeriza ≠ **benquerença**, benevolência

malevolente *adj.2g.* **mau**, mal-intencionado, maldoso, maléfico, malévolo ≠ **benévolo**, benevolente

malévolo *adj.* **mau**, mal-intencionado, maldoso, maléfico, malevolente ≠ **benévolo**, benevolente

malfadado *adj.* **desditoso**, desgraçado, infeliz, mal-afortunado, desventurado, desafortunado, mal-aventurado, malnascido ≠ **afortunado**, ditoso, sortudo, venturoso, feliz

malfadar *v.* **desgraçar**, infelicitar ≠ **bem-fadar**, felicitar

malfazejo *adj.* 1 **malfeitor**, malfazente ≠ **benfazejo**, caridoso 2 **nocivo**, prejudicial ≠ **benfazejo**, benéfico

malfeitor *adj.* **malfazejo**, malfazente ≠ **benfazejo**, caridoso ■ *n.m.* **bandido**, criminoso, celerado, facínora

malga *n.f.* **tigela**, escudela, conca, almofia, masseirão

malha *n.f.* 1 **tricô**, trama 2 **mancha**, pinta 3 **sova**, surra, malhada, tunda, pisa 4 *fig.* **enredo**, trama, armadilha, malhada 5 **choça**, cabana, quimbembe [BRAS.] 6 (jogo) **chinquilho**, conca

malhada *n.f.* 1 **enredo**, intriga, malha, trama 2 **corte**, curral, redil 3 **cabana**, choça

malhado *adj.* 1 **mesclado**, sarapintado 2 **batido**, zurzido

malhar *v.* 1 **bater**, contundir, macetear, martelar 2 **sovar**, espancar, surrar, tosar *col.* 3 *fig.,col.* **escarnecer**, maldizer, censurar, criticar

malho *n.m.* **maço**, mangual

mal-humorado *adj.* **irritado**, impertinente, intratável, rabugento, zangado ≠ **bem-humorado**, animado, alegre

malícia *n.f.* 1 **astúcia**, manha, dissimulação, manhosice, ronha *col.*, azebre *fig.*, peçonha *fig.*, pique *fig.* 2 **brejeirice**, provocação, pimenta *fig.*, sal *fig.* 3 **mordacidade**

malicioso *adj.* 1 **maldoso**, malignante ≠ **desmalicioso** 2 **esperto**, finório, manhoso, matreiro, astucioso, trincado *fig.* 3 **mordaz**, picante 4 **maroto**, travesso, abrejeirado

maligna *n.f. col.* **tifo**, febre tifoide

malignidade *n.f.* **malvadez**, maldade, perversidade, ruindade, veneno, perniciosidade, venenosidade *fig.*

maligno *adj.* 1 **mau**, perverso, maldoso 2 **doentio**, mórbido 3 **nocivo**, pernicioso, prejudicial ≠ **benigno**, benéfico, bom, almo 4 **funesto**, fatal ■ *n.m.* **Demónio**, Demo, Diabo, Satanás, Belzebu, mafarrico, canhoto *col.*, carocho *col.*, porco-sujo *col.*, grão-tinhoso *col.*

má-língua *n.f.* **difamação**, calúnia, maledicência, detração, murmúrio, murmuração, mexeriquice, ladrado *fig.*, rabecada *col.* ■ *adj.,n.2g.* **difamador**, intriguista, maldizente

mal-intencionado *adj.,n.m.* **malévolo**, malfazejo, malvado, malevolente, maldoso ≠ **benéfico**, bom, bondoso

maljeitoso *adj.* **desajeitado**, desastrado, inábil, desazado ≠ **jeitoso**, habilidoso, hábil

malmequer *n.m.* BOT. **bem-me-quer**, margarida, bonina, margarita

malogrado *adj.* **frustrado**, falhado, falho, gorado, baldado

malograr *v.* 1 **frustrar**, baldar, gorar, aguar, perder, furar *col.*, grolar *col.* 2 **inutilizar**, estragar

malograr-se *v.* **gorar**, abortar, falhar, fracassar, mangrar

malogro *n.m.* **fracasso**, insucesso, fiasco, desastre, falhanço, estenderete, barraca *fig.*, rata [BRAS.] ≠ **sucesso**, êxito, triunfo, vitória

malparado *adj.* 1 **comprometido** 2 **arriscado**, periclitante

malquerença *n.f.* **antipatia**, aversão, malevolência, inimizade, animosidade, animadversão, ódio ≠ **benquerença**, benevolência

malquerer *v.* **abominar**, detestar, odiar, execrar, amofinar, aborrir

malquistar *v.* **desavir**, inimizar, desarmonizar, desconciliar, inimistar, indispor, separar, homiziar ≠ **conciliar**, aliar, harmonizar

malquistar-se *v.* **desavir-se**, zangar-se, indispor-se

malta *n.f.* 1 **gente**, grupo, turma [BRAS.] 2 **bando**, quadrilha, corja, horda, cáfila *fig.*, súcia *pej.*, rancho *pej.*, récua *pej.* 3 **malandragem**, vadiagem, matulagem

maltês *adj.* **vadio**, vagabundo, errante

maltrapilho *adj.,n.m.* **andrajoso**, roto, esfarrapado, pelintra, farroupilha, bandalho, pinguinhas ≠ **janota**, peralta, casquilho, taful

maltratar *v.* 1 **bater**, espancar, açoitar, fustigar, rostir 2 **danificar**, estragar, destruir 3 **ofender**, vexar, insultar, desrespeitar, menoscabar, ultrajar, tempestear

maluco *adj.,n.m.* 1 **louco**, doido, demente, alienado, mentecapto, zorate, desmiolado *fig.*, pirado [BRAS.] *col.*, zureta [BRAS.] *col.* ≠ **são**, equilibrado 2 **pateta**, tolo, tonto, idiota, palerma 3 **insensato**, imprudente ≠ **atinado**, ajuizado, sensato 4 **exorbitante**, louco ≠ **acessível**, razoável 5 **extravagante**, excêntrico, esquisito

maluquice *n.f.* 1 **disparate**, loucura, tolice, maluqueira 2 **extravagância**, excentricidade

malvadez *n.f.* **crueldade**, iniquidade, maldade, maleficência, desumanidade, impiedade, ruindade, improbidade, perversidade, pravidade, nequícia, peçonha *fig.*, fel *fig.* ≠ **bondade**, humanidade, piedade, benevolência

malvadeza *n.f.* **crueldade**, iniquidade, maldade, maleficência, desumanidade, impiedade, ruindade, improbidade, perversidade, pravidade, nequícia, peçonha *fig.*, fel *fig.* ≠ **bondade**, humanidade, piedade, benevolência

malvado *adj.,n.m.* **mau**, perverso, ruim, desalmado, celerado, iníquo, cruel, maldito, nefando ≠ **bom**, bondoso, humano, benévolo

malveiro *n.m.* [REG.] **sarampelo**

malvisto *adj.* **desacreditado**, mal-afamado, mal-conceituado, odiado, malquisto, trasvisto ≠ **bem-visto**, considerado, estimado

mama *n.f.* **seio**, peito, úbere, teta, chucha

mamã *n.f.* *infant.* **mãe**, mamãe [BRAS.]

mamão *n.m.* 1 BOT. **papaia** 2 BOT. **mamoeiro**, papaieira, mamoa

mamar *v.* 1 **sugar**, chupar, chuchar, sorver 2 **extorquir**, obter, apanhar, chupar *fig.*, sugar *fig.* 3 *col.* **consumir**, engolir

mambo *n.m.* **administrador**, governador

mamífero *adj.* **galactífago**, galactófago ■ *n.m.* ZOOL. **mastozoário**, pelífero

mamilo *n.m.* 1 **mamila**, teta 2 **cabeço**, outeiro

mana *n.f.* *col.* **irmã**

maná *n.m.* **iguaria**, pitéu, petisco, manjar

manada *n.f.* 1 **rebanho**, fato, boiada, gadaria, armentio, piara 2 **mão-cheia**, mancheia, punhado, maunça

manancial *adj.2g.* **nascente**, corrente, fluente ■ *n.m.* 1 **manadeiro** 2 *fig.* **fonte**, origem, princípio

manápula *n.f.* **mãozorra**, manopla, manzorra

manar *v.* 1 **brotar**, jorrar, irromper, emanar, fluir, surdir, borbotar, gorgolhar, dimanar 2 **provir**, proceder, originar-se 3 **gerar**, produzir, criar

manata *n.m.* 1 *col.* **janota**, casquilho 2 *col.* **figurão**, magnata, mandachuva 3 *col.* **velhaco**, patife, gabiru 4 *col.* **ladrão**, larápio

mancar *v.* 1 **coxear**, claudicar, manquejar, manquitar, emanquecer, mancolitar, manquitolar, sopegar 2 **oscilar** 3 [BRAS.] **escassear**, falhar, faltar

mancebia *n.f.* 1 **amancebamento**, ajuntamento, concubinato, amiganço, amigação, amasio, mangalaça 2 *ant.* **adolescência**, mocidade, juventa

mancebo *n.m.* **rapaz**, moço, jovem, adolescente, efebo ■ *adj.* **juvenil**, novo

mancha *n.f.* 1 **nódoa**, mácula, laivo, borrão, malha, pinta, nébula *fig.*, lambuzadela 2 **defeito**, imperfeição, pecha, jaça, tacha *fig.*, sombra *fig.* 3 *fig.* **desonra**, deslustre, labéu, desdoiro

manchar *v.* 1 **enodoar**, sujar, emporcalhar, macular, mascarrar, tingir, laivar, enlaivar, enlambujar 2 *fig.* **desacreditar**, contaminar, denegrir, desonrar, eivar, enxovalhar, infamar, deslustrar, desdoirar

manchar-se *v.* 1 **sujar-se** 2 *fig.* **corromper-se**, desvirtuar-se, denegrir-se

manco *adj.,n.m.* **coxo**, aleijado ■ *adj.* **incompleto**, defeituoso, imperfeito

mancomunar *v.* **combinar**, ajustar, contratar, convencionar

mancomunar-se *v.* **combinar-se**, conluiar-se, unir-se, associar-se, concertar-se

manda *n.f.* 1 **chamada** 2 *ant.* **testamento**, legado, deixa

mandachuva[dAO] *n.2g.* *col.* **magnata**, optimate, prócere, prócer, potentado, capitalista, magnate, tutu [BRAS.]

manda-chuva[aAO] *n.2g.* ⇒ **mandachuva**[dAO]

mandado *adj.* transmitido, enviado ■ *n.m.* **1 ordem**, mandato, intimação, mandamento **2 despacho**, determinação, deliberação
mandamento *n.m.* **1 ordem**, mandato, intimação, mandado **2 regra**, preceito, decreto, prescrição
mandante *n.2g.* **1 dirigente**, mandador **2 instigador**
mandão *n.m.* **autoritário**, déspota, prepotente, mandarim *fig.,pej.*
mandar *v.* **1 determinar**, ordenar, prescrever, preceituar **2 dirigir**, governar, reger **3 enviar**, remeter, expedir **4 arremessar**, atirar, lançar **5 lançar**, emitir **6 dar**, aplicar, desferir
mandarim *n.m. fig.,pej.* **autoritário**, déspota, prepotente, mandão
mandarina *n.f.* [BRAS.] **tangerina**
mandatário *n.m.* **delegado**, procurador, representante
mandato *n.m.* **1 ordem**, mandado, intimação, mandamento **2 autorização**, procuração, representação, delegação
mandíbula *n.f.* **maxila**, queixada, maxilar
mandinga *n.f.* **1 feitiçaria**, bruxaria, bruxedo, sortilégio, feitiço, macumba, magia **2 batota**, batotice, burla, fraude, engano, logro, trica, trapaça ≠ **honestidade**, legalidade
mandioca *n.f.* **1** BOT. **tucupi**, aipim [BRAS.], manduba [BRAS.], macaxeira [BRAS.] **2** *col.* **sustento**
mando *n.m.* **1 comando**, chefia, autoridade ≠ **submissão**, dependência, subordinação, obediência **2 ordem**, decreto, mandado
mandrião *adj.,n.m.* **preguiçoso**, madraço, ocioso, pachola, calaceiro, indolente, ronceiro, rascoeiro, zanzador, pangaio [REG.]
mandriar *v.* **preguiçar**, madracear, mandrionar, mandrianar, calacear, mariolar, ribaldar, malandrear, zangurrar [REG.], morangar [REG.], panriar
mandriice *n.f.* **preguiça**, mândria, madracice, malandrice, mandranice, ociosidade, indolência, madraçaria, bandarrice, calaçaria, vadiice, calaceirice, roncice, tuna *col.*, gandaia *col.*, pânria *col.*, ripanço *fig.*, parranice
manducar *v.* **comer**, mastigar, papar, morfar *col.*, suquir *col.*
mané *adj.,n.m.* **tolo**, pateta, palerma, pacóvio, bacoco, mané-coco
manear *v.* **manejar**, manusear, menear
maneável *adj.2g.* **1 manejável**, meneável, manobrável **2 maleável**, flexível
maneio *n.m.* **1 manejo**, manuseamento, manuseio, manipulação **2 administração**, gerência, governo, direção, manejo **3** *ant.* **lucro**, ganho, proveito
maneira *n.f.* **1 modo**, jeito, feitio, forma **2 arte**, habilidade **3 meio**, processo, método **4 costume**, hábito **5 condição**, circunstância **6 estilo** **7 ensejo**, ocasião, oportunidade **8** [*pl.*] **atitude**, conduta **9** [*pl.*] **educação**, cortesia
maneirinho *adj. col.* **adequado**, jeitoso
maneirista *adj.2g.* **rebuscado**, afetado, amaneirado
maneiro *adj.* **1 prático**, cómodo, manual **2 leve** **3 jeitoso**, hábil
manejar *v.* **1 manear**, manusear, menear, manobrar, brandir **2 dirigir**, administrar, mandar, governar **3 exercer**, desempenhar
manejável *adj.2g.* **maneável**, manobrável, meneável
manejo *n.m.* **1 maneio**, manuseamento, manuseio, manipulação **2 administração**, gerência, governo, direção, maneio **3** *fig.* **manobra**, artimanha, artifício, intriga, ardil **4 picadeiro**
manente *adj.2g.* **constante**, estável, permanente
manequim *n.2g.* **1 modelo** **2** *fig.* **janota**, peralta, peralvilho **3** *fig.* **fantoche**, autómato
manga *n.f.* **1 mangueira** **2 tromba-d'água** **3 choca** **4 grupo**, magote, multidão, turba, turma **5** BOT. **mangueira**, ambó
mangação *n.f.* **1 troça**, zombaria, escárnio, caçoada, motejo, mofa, chuchadeira *col.* **2 logro**, engano, logração
mangal *n.m.* **1 mangueiral**, manguezal [BRAS.] **2 mangue**
mangar *v. col.* **caçoar**, escarnecer, gracejar, mofar, motejar, troçar, zombar, chasquear, reinar *col.*
mangual *n.m.* **malho**, maço, malhadeiro
mangueira *n.f.* **1 manga** **2** BOT. **manga**, ambó
manha *n.f.* **1 astúcia**, esperteza, manigância, indústria, arte, lábia, raposia, velhacaria, trincafio *fig.* **2 ardil**, artimanha, artifício **3 engano**, dolo **4 mania**, vício, sestro, vezo
manhã *n.f.* **1 amanhecer**, alvor, alvorada, antemanhã, aurora, madrugada, alva, dilúculo, anteaurora **2** *fig.* **começo**, princípio
manhoso *adj.* **ardiloso**, astucioso, astuto, malicioso, matreiro, fino, finório, habilidoso, hábil, sabido, sagaz, treteiro, sestroso, treitento, treiteiro, vulpino *fig.* ≠ **desmanhoso**
mania *n.f.* **1 cisma**, tineta, vesânia, teima, capricho, pancada, telha, veneta, aquela, maluquice, telhice *col.* **2 esquisitice**, extravagância, excentricidade
maníaco *adj.,n.m.* **1 teimoso**, cismático, obcecado **2 excêntrico**, extravagante, esquisito **3 demente**, doido, louco, maluco
manicómio[AO] ou **manicômio**[AO] *n.m.* **hospício**, rilhafoles
manietar *v.* **1 imobilizar**, prender, amarrar, deter, maniatar **2** *fig.* **constranger**, subjugar

manifestação *n.f.* **revelação**, exteriorização, ostentação, demostração, manifesto, declaração

manifestamente *adv.* **claramente**, notoriamente, evidentemente, abertamente

manifestar *v.* **mostrar**, exteriorizar, declarar, divulgar, expor, expressar, patentear, revelar, apresentar, demonstrar, confessar, exprimir, externar ≠ **esconder**, ocultar

manifestar-se *v.* 1 **pronunciar-se**, exprimir-se, declarar 2 **revelar-se**, mostrar-se, emergir, despontar, transverberar-se, desencobrir-se, desmascarar-se, desenfronhar-se *fig.*, daguerreotipar-se *fig.*

manifesto *adj.* **óbvio**, evidente, patente, notório, claro, indubitável, visível, declarado, palpável, expresso, sabido, conhecido, público, corrente ≠ **oculto**, escondido ▪ *n.m.* **exposição**, declaração, manifestação, explicação

manigância *n.f.* 1 **ardil**, artimanha, manha, truque, artifício, tramoia *col.* 2 **prestidigitação**, magia

manila *n.f.* BOT. **abacá**, cofo, cânhamo-de-manila

manilha *n.f.* **argola**, pulseira, bracelete, elo

maninho *adj.* 1 **árido**, estéril, improdutivo, infecundo, infrutífero, improlífico, infértil ≠ **fértil**, fecundo, produtivo 2 **bravio**, bravo, inculto, silvestre

manino *adj.* **diminuto**, pequenino

manipulação *n.f.* **maneio**, manuseamento, manuseio, manejo

manipulado *adj.* 1 **manobrado**, manejado 2 *pej.* **viciado**, pervertido

manipular *n.m.* 1 **manusear**, preparar, tratar, confecionar, trabalhar 2 **adulterar**, falsear, viciar 3 **controlar**, influenciar, pressionar

manípulo *n.m.* 1 **mão-cheia**, mancheia, punhado, manelo, maunça 2 **manivela**

maniqueísta *adj.,n.2g.* **maniqueu**

manita *n.f.* 1 **maneta** 2 QUÍM. **manitol**, manite 3 **mãozinha**

manivela *n.f.* **manípulo**

manjar *n.m.* 1 **iguaria**, pitéu, petisco, maná 2 *fig.* **deleite**

manjedoura *n.f.* **comedouro**

manjerico *n.m.* BOT. **basílico**, majarico *col.*

mano *n.m.* 1 *col.* **irmão** 2 *col.* **amigo**, companheiro, camarada

manobra *n.f.* 1 **faina**, trabalho 2 *fig.* **ardil**, artifício, artimanha, intriga, maquinação, meneio, trama *col.*

manobrar *v.* 1 **acionar** 2 **mover** 3 **atuar**, agir, proceder 4 **conduzir**, dirigir, governar

mansão *n.f.* **morada**, residência, habitação, vivenda, estância

mansarda *n.f.* **água-furtada**, águas-furtadas, sótão, desvão, trapeira, sobrecâmara

mansidão *n.f.* 1 **brandura**, mansuetude, bondade, benignidade, indulgência, doçura, docilidade, suavidade ≠ **aspereza**, desagrado, rispidez, rudeza 2 **serenidade**, tranquilidade, sossego, quietação, calma, placidez, vagar ≠ **agitação**, exaltação

manso *adj.* 1 **cultivado** ≠ **bravo**, silvestre 2 **dócil**, meigo, afável, brando ≠ **áspero**, desagradável, ríspido, acre 3 **domesticado**, amansado, domado ≠ **selvagem**, bravio, xucro [BRAS.] 4 **calmo**, tranquilo, quieto, sereno, sossegado, pacato ≠ **agitado**, inquieto ▪ *adv.* **devagar**, mansamente

manta *n.f.* 1 **cobertor**, xaile-manta, coberta, cobrejão 2 ORNIT. **milhano**, milhafre 3 ICTIOL. **jamanta**

manteiga *n.f.* 1 [REG.] **banha**, gordura, pingue 2 *fig.* **adulação**, bajulação, lábia, lisonja

manteigueiro *adj.,n.m.* 1 *col.* **adulador**, bajulador, graxista, lisonjeiro 2 BOT. **feijão-manteiga**

mantém *n.m.* **toalha**, mantel

manter *v.* 1 **conservar**, preservar, manutenir 2 **segurar**, sustentar, suportar, aguentar 3 **observar**, cumprir, respeitar 4 **guardar**, reter

manter-se *v.* 1 **conservar-se**, permanecer, preservar-se 2 **resistir** 3 **alimentar-se**

mantilha *n.f.* 1 **amículo** 2 **cueiro**

mantimento *n.m.* 1 **conservação**, manutenção 2 **sustento**, mantença, provisão, alimento, comida, vitualhas, víveres

manto *n.m.* 1 **capa**, cobertura 2 *fig.* **disfarce** 3 *fig.* **escuridão**, trevas

manual *adj.2g.* 1 **manufaturado** ≠ **mecanizado** 2 **manuseável**, maneiro, cómodo ▪ *n.m.* 1 **compêndio** 2 **guia**

manufactura[aAO] *n.f.* ⇒ **manufatura**[dAO]

manufacturar[aAO] *v.* ⇒ **manufaturar**[dAO]

manufatura[dAO] *n.f.* 1 **fábrica** 2 **artefacto**

manufaturar[dAO] *v.* **fabricar**, fazer, elaborar

manuseamento *n.m.* **manejo**, manuseação, manuseio, maneio, manipulação

manusear *v.* 1 **manejar**, manipular, apolegar, manear, menear 2 **folhear**, compulsar 3 **amachucar**, amarrotar, amarfanhar, enxovalhar

manutenção *n.f.* 1 **conservação**, mantimento, mantença, manutenência 2 **administração**, gerência 3 **sustento**, subsistência

manzorra *n.f.* **manápula**, mãozorra, manopla

mão *n.f.* 1 **garra** *fig.*, gadanha *col.*, gadanho *col.*, gacha *col.* 2 **punhado**, manojo 3 **camada**, demão 4 **lado**, pega 5 *fig.* **estilo**, maneira, modo, cunho 6 *fig.* **poder**, autoridade, poderio, arbítrio 7 *fig.* **ajuda**, favor, patrocínio, socorro, auxílio

mão-cheia *n.f.* **punhado**, mancheia, mãozada, mainça, maunça, maúça, manípulo, manelo, manada, garfado, macheia *col.*, manadinha [REG.], manhuço [REG.]

maometano *adj.,n.m.* **islamita**, muçulmano, mosleme, mafomista, mafamede *ant.*, mafamético *ant.*, muslemo

mãozada *n.f.* 1 **punhado**, mancheia, mão-cheia, mainça, maunça, maúça, manípulo, manelo, manada, garfado, macheia *col.*, manadinha [REG.], manhuço [REG.] 2 *col.* **bacalhau** *col.*

mãozinha *n.f.* manita

mapa *n.m.* 1 **carta**, planta 2 **gráfico** 3 **lista**, relação, catálogo

maqueiro *n.m.* padioleiro

maqueta *n.f.* esboço

maquia *n.f.* 1 **dinheiro**, pé-de-meia 2 **lucro**, ganho

maquiar *v.* 1 **subtrair**, desfalcar, tirar 2 **pintar**, maquilhar

maquiavélico *adj.* 1 **diabólico**, cruel, pérfido, doloso 2 **astucioso**, astuto, ardiloso, manhoso, matreiro, traiçoeiro, velhaco

maquiavelismo *n.m.* **velhacaria**, perfídia, traição, má-fé

maquilhagem *n.f.* **pintura**, maquiagem

maquilhar *v.* 1 **pintar**, maquiar 2 *fig.* **disfarçar**, mascarar

máquina *n.f.* 1 **motor** 2 **aparelho**, instrumento, engenho, maquinismo 3 **locomotiva**

maquinação *n.f.* **intriga**, conspiração, conjuração, enredo, conluio, estratagema, jigajoga, igrejinha, conivência, conciliábulo, trama *col.*, cabala *fig.*

maquinal *adj.2g.* 1 **automático**, mecânico, robotizado 2 *fig.* **involuntário**, instintivo, espontâneo, inconsciente ≠ **consciente**, lúcido, racionalizado

maquinar *v.* 1 **conjurar**, conspirar, enredar, forjar, intrigar, tramar, urdir, cabalar 2 **projetar**, planear, intentar, traçar, idear, arquitetar, engenhar

maquinismo *n.m.* **aparelho**, instrumento, engenho, máquina, mecanismo, mecânica

mar *n.m.* 1 **oceano**, Anfitrite *poét.* 2 *fig.* **imensidade**, imensidão, abundância 3 *fig.* **abismo**

marado *adj.* 1 *col.* **maluco**, tolo, amalucado 2 *col.* (bebida) **adulterado**, falsificado

marafona *n.f.* 1 (boneca) **mona** 2 *pej.* **prostituta**, meretriz, rameira *pej.*, mulherinha *pej.*, rascoa *pej.*, michela *pej.*, catraia [BRAS.]

maranhão *n.m.* **mentira**, peta, palão, patranha, carapetão, pala *col.*

marasmo *n.m.* 1 **emaciação**, fraqueza, enfraquecimento, abatimento, atonia 2 **letargia**, letargo, indolência, apatia, inatividade, modorra, madorra, moleza, imobilidade, inércia, indiligência ≠ **dinamismo**, vivacidade 3 **paralisação**, empoçamento, estagnação ≠ **desestagnação**

maratona *n.f. fig.* **estafa**, trabalheira

maravilha *n.f.* 1 **prodígio**, milagre, fenómeno, portento 2 **admiração**, deslumbramento, encanto, enlevo, espanto, estupefação, estupidez, estupor, assombramento, pasmo, assombro 3 BOT. **bons-dias**

maravilhado *adj.* **fascinado**, encantado, deslumbrado, arrebatado, intersilhado, magnetizado *fig.*

maravilhar *v.* **deslumbrar**, encantar, arrebatar, assombrar, espantar, surpreender, aturdir, estupeficar, admirar, pasmar, mirificar

maravilhar-se *v.* **deslumbrar-se**, encantar-se, assombrar-se, arrebatar-se, pasmar, espantar-se, admirar-se, extasiar-se, eletrizar-se *fig.*

maravilhosamente *adv.* **admiravelmente**, excelentemente, perfeitamente, estupendamente, fantasticamente, espantosamente, formidavelmente

maravilhoso *adj.* 1 **excelente**, admirável, deslumbrante, encantador, primoroso, perfeito, portentoso, estupendo, excelso, extraordinário, assombroso, singular, surpreendente, prodigioso, espantoso, inaudito, mirífico, transcendental, pasmoso, paradísico 2 **sobrenatural**, mágico, fantástico

marca *n.f.* 1 **sinal**, traço, distintivo 2 **logótipo** 3 **etiqueta** 4 **cunho** 5 **fronteira**, limite, termo 6 **vestígio**, sinal 7 **categoria**, qualidade, índole 8 **medida**, craveira, bitola, xeura, padrão, estalão 9 **pisadela**, nódoa

marcação *n.f.* 1 **delimitação**, limitação, balizamento, demarcação, delineação, sinalização ≠ **desbalização** 2 **ferragem**, ferra 3 **aprazamento**, fixação

marcado *adj.* 1 **assinalado**, indicado, rubricado 2 **reservado** 3 **distinto**, notável, ilustre 4 **estigmatizado**, condenado, aferretado

marcador *n.m.* 1 **caneta** 2 **placar** 3 TIP. **fitilho**

marcante *adj.2g.* 1 **relevante**, principal, essencial, importante ≠ **insignificante**, irrelevante 2 **destacado**, distinto, saliente

marcar *v.* 1 **assinalar**, distinguir, destacar 2 **delimitar**, balizar, demarcar, estremar, limitar, separar ≠ **desbalizar**, expandir, estender 3 **aprazar**, combinar 4 **indicar**, designar, registar 5 **anotar**, apontar, assentar 6 **bater**, contar 7 **reservar** 8 (golo) **concretizar**, golear 9 *fig.* **ferir**, magoar 10 *fig.* **condenar**, estigmatizar

marcescente *adj.2g.* **murchoso**

marcha *n.f.* 1 **andar**, andamento, passo 2 **caminhada**, estirada, andada, calcorreada, tirada, estição *col.* 3 **cortejo**, préstito, procissão

marchar *v.* 1 **caminhar**, andar, avançar, seguir, prosseguir 2 **progredir**, evoluir 3 *col.* **morrer**

marcial *adj.2g.* **1 bélico**, guerreiro, márcio **2 belicoso**, combativo, aguerrido, animoso ≠ **pacífico**, pacifista
marciano *adj.* marciático
márcio *adj.* **bélico**, guerreiro, marcial
marco *n.m.* **1 demarcação**, baliza, meta **2 limite**, fronteira, confim, meta, término, linda, alvo *fig.*, raia *fig.*
maré *n.f.* **1 disposição**, ânimo, humor **2 oportunidade**, ensejo, ocasião
mareação *n.f.* mareagem
mareagem *n.f.* mareação
maré-alta *n.f.* **preia-mar**, praia-mar, maré-cheia, influxo, esto, preamar [BRAS.]
mareante *n.m. ant.* **marinheiro**, marítimo, navegador
marear *v.* **1** (navio) **comandar**, marinhar, governar, amarinhar, tripular, marinheirar, amarinheirar **2 embaciar**, ofuscar, foscar, embaçar **3 enjoar**, nausear, agoniar, engulhar ≠ **desenjoar**
maré-cheia *n.f.* **preia-mar**, praia-mar, maré-alta, influxo, esto, preamar [BRAS.]
marejar *v.* **1 borbulhar**, gotejar, pingar, destilar, brotar, verter **2 porejar**, transudar, ressumar
maremoto *n.m.* tsunami
maresia *n.f.* **marulho**, marulhada, marejada
marfar *v.* **1 irritar**, enfurecer, ofender, agravar, desgostar, contrariar **2 enfadar**, entediar, aborrecer
marfim *n.m.* dentina
marga *n.f.* marna
margarida *n.f.* BOT. **bem-me-quer**, malmequer, bonina, margarita
margarita *n.f.* **1** ZOOL. **peroleira 2** BOT. **bem-me-quer**, malmequer, bonina, margarida
margem *n.f.* **1 cercadura 2 borda**, periferia **3 orla**, riba, beira **4 litoral**, costa, praia **5 ensejo**, ocasião, oportunidade
marginal *adj.2g.* **1 ribeirinho 2 delinquente**, fora-da-lei **3 secundário**, acessório ≠ **essencial**, fundamental
marginalização *n.f.* **segregação**, discriminação
marginalizado *adj.* **segregado**, discriminado
marginalizar *v.* **discriminar**, segregar, ostracizar
marginar *v.* **margear**, ladear, orlar
margoso *adj.* argiloso
mariana *n.f.* ICTIOL. **capatão**, pargo-de-mitra
mariano *adj.* marial
maricas *n.2g.2n.* **cobarde**, receoso, temeroso, assustadiço, amedrontado, medrincas *col.*, cagarola *col.*, caguinchas *col.*, lingrinhas *col.*, coninhas *vulg.* ≠ **corajoso**, audaz, valente ■ *n.m.2n.* **1** *pej.* **efeminado** *pej.*, maricão *pej.* **2** *pej.* (homem) **homossexual**, pederasta, gay *col.*, bicha *pej.*, paneleiro *col.,pej.*, invertido *col.,pej.*, fanchono *pej.*, puto [BRAS.] *vulg.*, veado [BRAS.] *pej.,vulg.* ≠ **heterossexual**
marido *n.m.* **cônjuge**, consorte, esposo, homem
marijuana *n.f.* **haxixe**, maconha, erva, ganza *col.*
marimbar *v.* **burlar**, enganar, lograr, iludir
marinada *n.f.* CUL. **vinha-d'alhos**
marinha *n.f.* **1 beira-mar**, costa, praia, litorâneo **2 náutica 3 salina 4** ZOOL. **cavalo-marinho**
marinhagem *n.f.* **1 marinharia**, marinheiros, matalotagem, marujada, maruja, marujos **2 mareajem**, marinheiraria
marinhar *v.* **1** (navio) **comandar**, amarinhar, governar, marear, tripular, marinheirar, amarinheirar **2** *col.* **trepar**, subir
marinharia *n.f.* **1 marinhagem**, marinheiros, matalotagem, marujada, maruja, marujos **2 marinhagem**, marinheiraria
marinheiro *n.m.* **1 marítimo**, marujo, navegador, embarcadiço, mareante, nauta **2** ORNIT. **pica-peixe**
marinho *adj.* **marítimo**, marino
marino *adj.* **marítimo**, marinho
mariola *n.m.* **marmanjo**, malandro, biltre, tratante, canalha, patife, pardalão
mariolar *v.* **mandriar**, vagabundear, vadiar, malandrar
mariposa *n.f.* ZOOL. **borboleta**
mariquice *n.f. pej.* **mania**, capricho
marital *adj.2g.* **conjugal**, matrimonial, jugal
marítimo *adj.* **1 marinho**, marino, oceânico, pelágico **2 naval** ■ *n.m.* **marinheiro**, marujo, navegador, embarcadiço, mareante, nauta
marmanjão *n.m.* **1** *col.* **marmanjola 2** *col.* **patife**, velhaco
marmanjo *n.m. col.* **mariola**, patife, tratante, velhaco, marau, marmelo *col.*, masmarro *pej.*, trastalhão *col.*
marmelada *n.f.* **1** *col.* **pechincha**, vantagem **2 roço** *fig.*
marmeleiro *n.m.* **1** BOT. (árvore) **marmelo**, marmeladeira **2 cajado**, varapau, landreiro [REG.], lardoeiro [REG.]
marmelo *n.m.* **1** BOT. (árvore) **marmeleiro 2** *col.* **mariola**, patife, tratante, velhaco, marau, marmanjo *col.*, masmarro *pej.*, trastalhão *col.*
marmóreo *adj.* **1 marmorário 2** *fig.* **duro**, frio, indiferente, insensível **3** *fig.* **branco**
marmota *n.f.* ICTIOL. **pescadinha**
marosca *n.f.* **ardil**, astúcia, finura, estratagema, artifício, arteirice, cabe, cacha, cilada, engano, embuste, encoberta, manha, trama, engenho, logro, manigância, manobra, artimanha, subtileza, truque, ardileza, tramoia *col.*, armadilha, dolo, fraude, solércia, trapaça, treta, endrómina, manganilha, raposia, raposice

maroteira *n.f.* **patifaria**, marotagem, malandrice, velhacaria, velhacada, tratantada, tratada, tratantice, traficância, picardia, pouca-vergonha, bilontragem, gajice, velhacagem

marotice *n.f.* **travessura**, brincadeira

maroto *adj.* **1 mariola**, patife, tratante, velhaco **2 malandro**, brejeiro, pícaro, gerigoto [REG.] **3 malicioso**, impudico, libidinoso, lascivo

marquise *n.f.* **marquesa**

marrada *n.f.* **cornada**, chifrada, cabeçada, testada, topetada, turra, gaitada, trombada, guampaço [BRAS.], escornada

marrão *n.m.* **1 marrancho**, bácoro, leitão **2 marra**, malho **3** *gír.* **martelão** *fig.,col.*

marrar *v.* **1 abalroar**, chocar, esbarrar, encontrar, turrar, topar, topetar **2** *col.* **decorar**, empinar **3** *col.* **teimar**, insistir, aporfiar

marreca *n.f.* **1 corcova**, corcunda, bossa, gibosidade, marrana, giba *col.*, marrâ [REG.] **2** ORNIT. **rabila**, rabocoelha

marsupiais *n.m.pl.* ZOOL. **didelfos**, metatérios

marsúpio *n.m.* **bolsa marsupial**

marta *n.f.* [REG.] **bebedeira**, borracheira, embriaguez

marte *n.m.* **1 guerra 2 guerreiro**

martelar *v.* **1 bater**, contundir, macetar, malhar, martelejar **2** *fig.* **insistir**, teimar, repisar **3** *fig.* **decorar**, empinar

martelo *n.m. fig.* **maçador**, importuno

martírio *n.m.* **1 padecimento**, sofrimento, sacrifício, aflição, mortificação, calvário, tormento, flagelo, tortura, inferno, suplício, agonia, angústia **2** [*pl.*] BOT. **maracujá**, passiflora, maracujazeiro

martirizar *v.* **1 aspar**, chagar, flagelar, cruciar, ciliciar, torturar, supliciar **2 afligir**, atormentar, mortificar, maltratar, penalizar, tratear, lazerar

martirizar-se *v.* **atormentar-se**, afligir-se, torturar-se, inquietar-se

marto *n.m.* [REG.] ZOOL. **gato-bravo**, gato-montês

marujo *n.m.* **marinheiro**, marítimo, navegador, matalote, embarcadiço, mareante, nauta

marulhar *v.* (mar) **agitar-se**, encrespar-se

marulho *n.m.* **1 marulhada**, marejada, maresia **2** *fig.* **barulho**, balbúrdia, desordem, confusão, agitação, tumulto, ingranzéu, muvuca [BRAS.]

mas *conj.* **todavia**, contudo, porém, no entanto ■ *n.m.* **1 obstáculo**, senão, óbice, objeção, dificuldade, estorvo, inconveniente **2 defeito**, falha

mascar *v.* **1 resmungar**, mastigar **2 meditar**, ruminar, remoer

máscara *n.f.* **1 anteface**, caraça, carranca, mascarilha, sorrasco *fig.* **2** *fig.* **disfarce**, dissimulação, embuço

mascarada *n.f.* **fantochada**, palhaçada

mascarado *adj.* **disfarçado**, fantasiado, trasvestido

mascarar *v.* **1 disfarçar**, fantasiar ≠ **desmascarar** **2 dissimular**, encobrir, ocultar, caiar *fig.* ≠ **desmascarar**, mostrar, revelar

mascarra *n.f.* **1 farrusca**, enfarruscadela, tisnadura, nódoa, mancha, sarranho [REG.] **2** *fig.* **infâmia**, descrédito, desdouro, labéu, estigma, ferrete, mancha, mácula, nódoa

mascarrar *v.* **1 borrar**, emporcalhar, enfarruscar, sujar, manchar, enodoar, farruscar, fuliginar, macular, encarvoiçar *fig.*, labuzar **2** *fig.* **desacreditar**, deprimir, enegrecer, desdourar

mascavado *adj.* **1** (açúcar) **mascavo 2** *fig.* **viciado**, adulterado, falsificado **3** *fig.* **imperfeito**, incorreto, errado **4** *fig.* **incompreensível**

mascavar *v. fig.* **adulterar**, deteriorar, falsificar, estragar

mascote *n.f.* **amuleto**, talismã, figa

masculinidade *n.f.* **virilidade**, varonia

masculino *adj.* **1** ≠ **feminino**, feminil, femíneo, feminal **2 másculo**, varonil, viril ≠ **efeminado**, alfeninado *fig.*

másculo *adj.* **masculino**, varonil, viril ≠ **efeminado**

masmorra *n.f.* **antro**, enxovia, calabouço, ergástulo, cárcere, cadeia, prisão, presídio

massa *n.f.* **1 pasta**, argamassa **2 aglomerado 3** *col.* **dinheiro**, bagalhoça **4** *fig.* **substância**, essência **5** *fig.* **povo 6** *fig.* **totalidade**, total **7** *fig.* **multidão**, turba **8** *fig.* **volume**, quantidade

massacrar *v.* **1 chacinar**, trucidar, imolar **2** *fig.* **aborrecer**, apoquentar, importunar, maçar

massacre *n.m.* **carnificina**, chacina, mortandade, morticínio, carnagem, matança, occídio

massajar *v.* **friccionar**, esfregar

massame *n.m.* NÁUT. **cordame**, cordoalha, enxárcia

massaroca *n.f. col.* **dinheiro**, trocos, ouro *fig.*, cabedal *fig.*, metal *fig.,col.*, guita *col.*, pastel *col.*, cascalho *col.*, arame *col.*, estilha *col.*, carcanhol *gír.*, cacau *col.*, pasta *col.*, pingo *col.*, bagalho *col.*, bagalhoça *col.*, bago *col.*, caroço *col.*, fanfa *col.*, bagaço *col.*, milho *col.*, painço *col.*, pataco *col.*, pecúnia *col.*, teca *col.*, grana [BRAS.] *col.*, tutu *infant.*

massificar *v.* **padronizar**, uniformizar

massudo *adj.* **1 volumoso**, encorpado, grosso, cheio **2 compacto**, espesso **3 pesado**, corpulento, robusto, grosseiro **4 monótono**, fatigante, entediante

mastigação *n.f.* **trituração**, moenga, mandibulação

mastigar *v.* **1 triturar**, moer, mascar, trincar, morder, comer, manducar, manjar, mascotar, mandibular **2** *fig.* **meditar**, ruminar, remoer, ponderar

mastrear *v.* emastrar, emastrear

mastro *n.m.* NÁUT. haste, pau, árvore

mata *n.f.* **1** bosque, arvoredo, floresta, brenha, luco **2** VET. matadura

mata-bicho *n.m. col.* dejejuadouro, desjejua, dejejum, quebra-jejum, quodore

matacão *n.m.* **1** calhau, seixo, pedregulho **2** pedação, pedaço, naco

matação *n.f.* **1** matança, carnificina, chacina, carnagem, morticínio, mortandade, carniça **2** cuidado, apoquentação, preocupação, ralação, amofinação, aflição, tormento, mortificação, consumição, angústia **3** azáfama, canseira, lida **4** insistência, porfia

matado *adj.* malfeito

matador *n.m.* **1** carrasco, algoz, verdugo, carnífice, torcionário **2** assassino, homicida **3** *fig.* assediador, sedutor

matadouro *n.m.* **1** açougue, degoladouro, carniçaria, matadoiro **2** carnificina, carniçaria, massacre, matança, matadoiro

matagal *n.m.* balça, mateira, brenha, brejo, balsedo, sarça, enxara

matança *n.f.* carnificina, matação, chacina, carnagem, morticínio, mortandade, carniça

matar *v.* **1** assassinar, abater, trucidar, empandeirar, aviar, exterminar, executar, liquidar, vindimar *fig.*, despachar *fig.*, ceifar *fig.*, eliminar *fig.*, limpar *col.* **2** (animais) abater **3** destruir, extinguir, arruinar, aniquilar, fulminar **4** aliviar, saciar **5** cansar, estafar, fatigar, malaxar *fig.* **6** decifrar, descobrir **7** afligir, atormentar, importunar, molestar, mortificar, incomodar

matar-se *v.* **1** suicidar-se **2** *fig.* cansar-se, esfalfar-se, extenuar-se **3** *fig.* consumir-se **4** *fig.* sacrificar-se

mate *adj.2g.* fosco, embaciado, pálido, baço ≠ desembaciado, luzidio ■ *n.m.* chá-mate

matematicamente *adv.* rigorosamente, exatamente

matemático *adj.* preciso, rigoroso, exato

matéria *n.f.* **1** substância, corpo **2** assunto, tema, objeto **3** disciplina **4** causa, motivo, pretexto **5** *col.* pus

material *adj.2g.* **1** concreto, palpável ≠ imaterial, impalpável **2** físico, corpóreo, carnal ≠ imaterial, espiritual **3** prosaico, vulgar, superficial, rasteiro **4** pesado, maciço ■ *n.m.* **1** equipamento, utensílios, ferramentas **2** armamento, equipamento, petrechos, apetrechos, munições, apres-tos

materialidade *n.f.* **1** bruteza, brutalidade **2** prosaísmo, estupidez

materialismo *n.m.* antiespiritualismo ≠ espiritualismo

materialização *n.f.* concretização, corporalização, corporificação, reificação, substancialização ≠ abstração

materializar *v.* **1** concretizar, corporalizar, corporizar, palpabilizar **2** embrutecer, estupidificar

materializar-se *v.* concretizar-se, realizar-se, consubstanciar-se, corporizar-se

materialmente *adv.* **1** fisicamente **2** concretamente, objetivamente, positivamente, realmente

maternal *adj.2g.* **1** materno **2** afetuoso, carinhoso, terno

materno *adj.* **1** maternal **2** afetuoso, carinhoso, terno

matias *adj.,n.2g.2n. col.* tolo, apatetado, chanfrado, liru, pacóvio, palerma, pateta

matilha *n.f.* **1** canzoal, canzoada, caniçalha **2** *fig.* chusma, corja, malta, quadrilha, súcia

matina *n.f.* **1** *col.* manhã, madrugada **2** [*pl.*] RELIG. noturnal

matinal *adj.2g.* **1** matutino **2** madrugador

matiz *n.m.* **1** tonalidade, gradação, cambiante, variegação, tinta, tom **2** *fig.* fação

matizar *v.* **1** tingir, iriar, colorir, betar **2** adornar, enfeitar, ornar

mato *n.m.* charneca, brenha, matagal, roça, catinga [BRAS.], bredo [BRAS.]

matola *n.f. col.* cabeça

matoso *adj.* silvestre

matraca *n.f. fig.* chacota, apupada, motejo, apupo, zombaria, escárnio, assuada, troça, vaia

matracar *v.* **1** matraquear, martelar, repetir, repisar, insistir **2** importunar, maçar, enfadar

matraquear *v.* **1** matracar, matraquejar, martelar, repetir, repisar, insistir **2** ensinar, adestrar, calejar, habituar **3** apupar, vaiar

matreirice *n.f.* arteirice, astúcia, manha, ronha, malícia

matreiro *adj.* astuto, sabido, fino, finório, manhoso, experiente, taimado

matrícula *n.f.* inscrição

matricular *v.* inscrever, registar

matricular-se *v.* inscrever-se, registar-se, cadastrar-se

matrimonial *adj.2g.* conjugal, marital, jugal

matrimoniar *v.* desposar, casar, consorciar

matrimónioAO ou **matrimônio**AO *n.m.* **1** casamento, maridagem ≠ divórcio **2** núpcias, enlace, consórcio, conúbio, união, boda, casório *col.*, nó *col.*, conjungo *col.* ≠ divórcio, separação, desunião, celibato

matriz *n.f.* **1** útero, madre, ventre **2** *fig.* fonte, causa, origem, mãe **3** molde ■ *adj.* principal, superior, primordial

matula *n.f.* 1 **súcia**, corja, malta, matulagem, malandragem 2 [BRAS.] **farnel**, alforge ■ *n.m.* **matulão**, matulo, rapagão

matulão *n.m.* 1 **rapagão**, matulo, matula 2 **vadio**, estroina, matulo, matula

maturação *n.f.* **amadurecimento**, maduração, sazonamento, sazonação, sazoamento

maturar *v.* **amadurecer**, amadurar, madurar, sazonar

maturar-se *v.* **amadurecer**

maturidade *n.f.* **madureza**, madurez, amadurecimento

matutar *v.* 1 **pensar**, meditar, cogitar, congeminar, cismar, refletir, ruminar 2 **intentar**, pretender, planejar

matutino *adj.* 1 **matinal** 2 **madrugador**

matuto *adj.,n.m.* 1 **finório**, matreiro 2 **cismático**, maníaco 3 [BRAS.] **provinciano**, sertanejo, caipira, camponês

mau *adj.* 1 **malévolo**, maldoso, malicioso, malvado, pérfido ≠ **bom**, benevolente, benévolo 2 **imperfeito**, defeituoso, foleiro *col.* ≠ **bom**, perfeito 3 **condenável**, censurável, imoral, indecente, indecoroso ≠ **bom**, louvável 4 **incompetente**, incapaz, inábil ≠ **bom**, capaz, competente 5 **prejudicial**, nocivo, danoso, pernicioso, desfavorável, desvantajoso, daninho ≠ **bom**, saudável, benévolo, benéfico 6 **funesto**, infausto, molesto, nefasto, sinistro, perigoso ≠ **bom**, feliz, venturoso 7 **horrível**, horrendo, pavoroso, medonho 8 **diabólico**, satânico, demoníaco, maldito, amaldiçoado, maligno, malino

mau humor *n.m.* **aborrecimento**, agastamento, enfado, tédio, amuo, azedume ≠ **desagastamento**, bom humor

mau-olhado *n.m.* **enguiço**, agouro, feitiço, quebranto, enguiçamento

mauro *adj.,n.m.* **mouro**, mauritano, muçulmano

mausoléu *n.m.* **cenotáfio**, sepulcro

maviosidade *n.f.* **suavidade**, afetuosidade, meiguice, ternura, brandura, doçura ≠ **agressividade**, frieza, rudeza

mavioso *adj.* 1 **afável**, afetuoso, terno, meigo ≠ **agressivo**, frio, rude 2 **harmonioso**, suave, brando, doce, delicado, agradável ≠ **desagradável**, irritante

maxila *n.f.* **mandíbula**, maxilar, queixada

maxilar *n.m.* **mandíbula**, maxila, queixada

máxima *n.f.* **sentença**, aforismo, axioma, apoftegma, gnoma, conceito, pensamento, princípio, adágio, anexim, dito, ditado, dizedela, provérbio, prolóquio, rifão, brocardo, proposição

máxime *adv.* **principalmente**, especialmente, sobretudo, mormente

máximo *adj.* **excelso**, grandíssimo, sumo ■ *n.m.* **cúmulo**, ótimo, supremo, auge, ápice

mazela *n.f.* 1 **chaga**, matadura, ferida 2 **enfermidade**, doença, mal, achaque 3 **defeito**, mancha, labéu

mê *n.m.* **eme**

meã *adj.* **média**, mediana

meação *n.f.* **metade**

meada *n.f. fig.* **enredo**, complicação, embrulhada, intriga, mexerico, inzona, inzonice

meado *n.m.* **meio**

mealheiro *n.m.* 1 **pé-de-meia**, economias, pecúlio 2 **arqueta**

meandro *n.m.* 1 **sinuosidade**, volta, giro, curva 2 *fig.* **enredo**, intriga, confusão, labirinto

meão *adj.* **médio**, mediano, central, medial ■ *n.m.* **miúlo**

mecânica *n.f.* **aparelho**, instrumento, engenho, máquina, mecanismo, maquinismo

mecanicamente *adv.* **automaticamente**, maquinalmente

mecânico *adj.* 1 **automático**, maquinal 2 GEOL. **clástico**

mecanismo *n.m.* 1 **aparelho**, instrumento, engenho, máquina, maquinismo, mecânica 2 **organização**, estrutura

mecanizar *v.* **automatizar**, robotizar

mecenas *n.2g.2n.* **patrono**, protetor

mecha *n.f.* 1 **pavio** 2 **madeixa**, melena, guedelho, gadelha, monete

meco *n.m.* 1 **tipo**, sujeito, indivíduo, fulano 2 **espertalhão**, maganão, finório, libertino, mariola 3 **paulito**

meda *n.f.* 1 **moreia** 2 **medeiro** [REG.] 3 **montão**, acervo, agrupamento, amontoado, monte, cúmulo

medalha *n.f.* 1 **venera**, insígnia, numisma, condecoração 2 **prémio**, galardão

medeiro *n.m.* [REG.] **meda**

mediação *n.f.* **intercessão**, intervenção, interposição, interferência, terçaria, intermediação

mediador *adj.,n.m.* **medianeiro**, conciliador, intermediário, árbitro, intercessor, interventor, interveniente, internúncio, mediatário, terceiro, terçador, negociador, avindor

medial *adj.2g.* **central**, médio, meão, mediano

medianamente *adv.* **mediamente**, regularmente, mediocremente

medianeiro *adj.,n.m.* **mediador**, conciliador, intermediário, árbitro, intercessor, interventor, interveniente, internúncio, mediatário, terceiro, terçador, negociador

mediania *n.f.* 1 **mediocridade**, suficiência 2 **moderação**, comedimento, modéstia

mediano *adj.* 1 **meão**, médio, medial, central 2 **medíocre**, razoável, regular, sofrível
mediar *v.* 1 **decorrer**, distar 2 **interceder**, intervir, interferir
mediatamente *adv.* **indiretamente**
mediato *adj.* **indireto** ≠ **imediato**, direto
medicação *n.f.* **medicamentação**, tratamento, terapêutica
medical *adj.2g.* **medicinal**, medicamentoso, médico
medicamentar *v.* **medicar**, medicinar
medicamento *n.m.* **remédio**, fármaco, medicina, mezinha *col.*
medicamentoso *adj.* **medicativo**, terapêutico
medição *n.f.* **mensuração**, avaliação, meças, medida, mensura
medicar *v.* **medicamentar**, medicinar, droguear
medicina *n.f.* 1 **remédio**, fármaco, medicamento, mezinha *col.* 2 **iátrica**, física *ant.*
medicinal *adj.2g.* 1 **medical**, medicamentoso, médico 2 **curativo**, terapêutico
médico *adj.* 1 **iátrico** 2 **medicinal**, medicamentoso, medical ■ *n.m.* **clínico**, terapeuta, doutor, esculápio
medida *n.f.* 1 **dimensão**, tamanho 2 **mensuração**, avaliação, meças, medição 3 **padrão**, grau, bitola, craveira, proporção, gueja 4 **cômputo**, cálculo 5 **precaução**, providência, disposição 6 **plano**, projeto, intento 7 **regra**, limite 8 **alcance**, possibilidade
medieval *adj.2g.* **medievo**, mediévico
médio *adj.* 1 **mediano**, meão, medial, central 2 **normal**, comum, mediano, regular, intermédio, entrefino 3 **moderado** ■ *n.m.* 1 **médium** 2 DESP. (futebol) **zagueiro** [BRAS.], beque [BRAS.]
medíocre *adj.2g.* 1 **comum**, vulgar, trivial, ordinário, mediano ≠ **especial**, invulgar, extraordinário 2 **sofrível**, insignificante, fraco, pequeno ≠ **especial**, invulgar, extraordinário
mediocridade *n.f.* **vulgaridade**, mediania, insuficiência, banalidade, platitude, mesquinhice ≠ **excelência**, excecionalidade
medir *v.* 1 **avaliar**, calcular, mensurar, comparar 2 **moderar**, comedir, refrear, regular 3 **adequar**, proporcionar, ajustar 4 **escandir**
medir-se *v.* 1 **bater-se**, lutar, combater 2 **rivalizar**, competir, disputar, comparar-se ■ *v.* 1 **bater-se**, lutar 2 **rivalizar**, competir, disputar
meditabundo *adj.* 1 **pensativo**, meditativo, ensimesmado 2 **melancólico**, tristonho, sorumbático
meditação *n.f.* **cogitação**, reflexão, pensamento, ponderação, matutação, consideração, concentração, contemplação, recolhimento
meditar *n.m.* **pensar**, ponderar, refletir, absorver-se, concentrar-se, cogitar, estudar, examinar, matutar, considerar, congeminar, devanear, especular, idear
meditativo *adj.* **pensativo**, meditabundo, ensimesmado
mediterrânico *adj.* **mediterrâneo**
medível *adj.2g.* **mensurável**, comensurável ≠ **incomensurável**, imenso, desmedido
medo *n.m.* 1 **temor**, receio, pavor, pânico, susto, trepidez, tremor, cagaço *col.*, tefe-tefe *col.*, cerol *col.* ≠ **coragem**, intrepidez, afoiteza, ousadia, destemidez, arremesso, atrevimento, heroísmo, valorosidade, brio, esforço, arrojo *fig.* 2 **fantasma** 3 **médão**, duna
medonho *adj.* **hediondo**, horrendo, horripilante, horrível, horroroso, tremendo, pavoroso, temível, terrível, assustador, hórrido
medrar *v.* 1 **crescer**, desenvolver-se, espigar, gradar, desenfezar 2 **prosperar**, progredir, florescer *fig.*
medricas *n.2g.2n.* **cobarde**, receoso, temeroso, assustadiço, amedrontado, maricas, cagarola *col.*, caguinchas *col.*, lingrinhas *col.*, coninhas *vulg.* ≠ **corajoso**, audaz, valente
medroso *adj.* 1 **cobarde**, receoso, temeroso, assustadiço, amedrontado, medricas, maricas, acobardado, imbele, temoroso, cagarola *col.*, caguinchas *col.*, lingrinhas *col.*, coninhas *vulg.* ≠ **corajoso**, audaz, valente, afoito, ardido, cavaleiroso, denodado, destemeroso, estrénuo, valoroso, aguerrido, arrojado, intrépido, impavidez, impávido, avalentoado, intimorato, desforçado *fig.* 2 **tímido**, timorato, acanhado
medula *n.f.* 1 **tutano** 2 *fig.* **âmago**, centro, cerne, íntimo, imo
medular *adj.2g. fig.* **essencial**, principal
medusa *n.f.* ZOOL. **alforreca**, água-viva
mefistofélico *adj.* 1 **diabólico**, infernal, satânico 2 **sarcástico**, pérfido, maldoso
mefítico *adj.* **fétido**, pestilento, podre, nauseabundo, infeto, pestilencioso
megafone *n.m.* **altifalante**
megalocéfalo *adj.* **macrocéfalo**, megistocéfalo
megalomania *n.f.* **paranoia**
megalomaníaco *n.m.* **megalómano**, macromaníaco
megalómano[AO] ou **megalômano**[AO] *n.m.* **megalomaníaco**, macromaníaco
meia-calça *n.f.* **collants**, meias-calças, colãs
meia-final *n.f.* DESP. **semifinal**
meias-palavras *n.f.pl.* **evasivas**
meigo *adj.* 1 **carinhoso**, terno, afetuoso, amoroso, afetivo, ternurento, dócil, gentil, meiguiceiro ≠ **frio**, impassível 2 **amável**, afável, bondoso 3 **doce**, suave, brando

meiguice *n.f.* 1 **afabilidade**, ternura, bondade, faguice 2 **suavidade**, brandura, doçura 3 [*pl.*] **afagos**, carícias, mimos

meio *n.m.* 1 **centro** 2 **metade** 3 **expediente**, recurso, via, arma 4 **maneira**, modo, processo, método 5 **plano**, ideia 6 **ambiente**, ambiência, atmosfera 7 [*pl.*] **bens**, fortuna, haveres, posses, recursos ■ *adj.* **mediano**, médio, meão ■ *adv.* **quase**, incompletamente

meio-dia *n.m.* (ponto cardeal) **sul**

meio-morto *adj.* 1 **semimorto** 2 **cansadíssimo**, estafado

meio-tempo *n.m.* **intervalo**, pausa

meio-termo *n.m.* 1 **consenso** 2 **equilíbrio**, moderação, comedimento

meirinho *n.m.* **beleguim**, malsim, esbirro, aguazil, galfarro

mel *n.m. fig.* **doçura**, suavidade, brandura, meiguice

melaço *n.m.* (coisa muito doce) **lambedor**

melado *adj.* **melífluo**, meloso, delicodoce, hipócrita

melancia *n.f.* BOT. **melancieira**, sandia, pateca [REG.]

melancolia *n.f.* **tristeza**, desgosto, mágoa, pesar, abatimento, taciturnidade, hipocondria, misantropismo, negrume *fig.*, lipemania ≠ **alegria**, contentamento, jubilação

melancólico *adj.* **triste**, tristonho, desgostoso, pesaroso, acabrunhado, abatido, desconsolado, nostálgico, merencório ≠ **alegre**, contente

melão *n.m.* BOT. **meloeiro**

melar *v.* **definhar**, estiolar, murchar

melena *n.f.* 1 **cabeleira**, guedelha, gadelha, grenha, gaforina, juba, trunfa, coma 2 **madeixa**, guedelha, gadelha

melhor *adj.2g.* ≠ **pior**

melhora *n.f.* **melhoramento**, melhoria ≠ **agravamento**, piora, pioria

melhoramento *n.m.* 1 **melhoria**, melhora, melhorada [BRAS.] *col.* ≠ **agravamento**, agravação 2 **benfeitoria**, beneficiação, aperfeiçoamento, beneficiamento 3 **desenvolvimento**, progresso, avanço

melhorar *v.* 1 **aperfeiçoar**, benfeitorizar ≠ **piorar** 2 **convalescer**, curar ≠ **piorar**, agravar 3 **prosperar**, progredir ≠ **piorar** 4 **abrandar**, aliviar, amainar, arribar, serenar, abonançar, desinvernar ≠ **piorar**, agravar, agudizar

melhoria *n.f.* 1 **melhoramento**, melhora ≠ **agravamento**, piora, pioria 2 **benfeitoria**, beneficiação, aperfeiçoamento 3 **vantagem**, superioridade, supremacia

meliante *n.m.* **malandro**, gatuno, patife, tratante, biltre, libertino, vadio, tunante, tunador, tuno, brejeiro

melífero *adj.* **melífico**

melífluo *adj.* 1 **melado**, meloso, delicodoce, hipócrita 2 **agradável**, doce, harmonioso, suave

melindrado *adj.* **ofendido**, magoado, ressentido, ofenso ≠ **desmelindrado**, desagravado

melindrar *v.* **ofender**, magoar, molestar, escandalizar, suscetibilizar, ferir, vulnerar, amuar, pisar *fig.* ≠ **desmelindrar**, desagravar

melindrar-se *v.* **ofender-se**, ressentir-se, amuar, indignar-se, suscetibilizar-se, ressabiar-se, magoar-se *fig.*

melindre *n.m.* 1 **suscetibilidade**, delicadeza 2 **recato**, pudor, escrúpulo

melindroso *adj.* 1 **suscetível**, sensível, delicado, passível, mimoso, hipersensível 2 **embaraçoso**, constrangedor, espinhoso 3 **débil**, frágil 4 **difícil**, complicado, árduo

melo *n.m.* ICTIOL. **cardeal**, imperador

melodia *n.f.* **ária**, balada, canção, cantiga, moda, modinha, modilho, tono, cançoneta, barcarola

melódico *adj.* **harmonioso**, melodioso

melodioso *adj.* **harmonioso**, melódico

melomania *n.f.* **musicomania**

melómano[AO] ou **melômano**[AO] *adj.,n.m.* **musicómano**, melomaníaco, musicomaníaco

melopeia *n.f.* **toada**, cantilena

meloso *adj.* 1 **brando**, doce, suave 2 **melífluo**, melado, delicodoce, hipócrita 3 **lamecha**, piegas

melro *n.m.* 1 ICTIOL. **mérula**, melro-preto 2 **espertalhão**, finório, astuto, astucioso, esperto, manhoso, ladino

membrana *n.f.* **película**, bainha, túnica

membro *n.m.* 1 **associado**, sócio, filiado 2 *col.* **pénis**

memorando *n.m.* 1 **memorial**, lembrança, memento, apontamento 2 **participação**, aviso ■ *adj.* **memorável**, notável, afamado, célebre, famoso

memorável *adj.2g.* 1 **memorial** ≠ **imemorável**, imemorial 2 **célebre**, notável, memorando, ilustre, famoso, afamado

memória *n.f.* 1 **lembrança**, recordação, reminiscência, memoração, cachimónia *fig.*, canhenho *fig.* 2 **fama**, celebridade, nome, reputação 3 **monumento**, padrão 4 **memorando**, apontamento, nota, memorial

memorial *n.m.* **memorando**, apontamento, lembrança ■ *adj.2g.* **memorável** ≠ **imemorável**, imemorial

memoriar *v.* 1 **comemorar**, memorar 2 **registar**, inscrever, relacionar

memorizar *v.* 1 **recordar**, lembrar, reviver 2 **decorar**, fixar, encasquetar

menagem *n.f. ant.* **homenagem**, preito

menção *n.f.* 1 **referência**, alusão, citação 2 **tenção**, intento

mencionar *v.* **aludir**, citar, indicar, referir, consignar, dizer, exarar, registar

mendicante *adj.,n.2g.* **mendigo**, pedinte

mendicidade *n.f.* 1 **mendicância**, mendigação, mendigaria, mendigagem 2 **pobreza**, miséria, mendicância 3 **pedintaria**

mendigar *v.* 1 **esmolar**, pedir, pirangar 2 **suplicar**, implorar, rogar

mendigo *n.m.* **pedinte**, pedidor, mendicante, lazarone, indigente, pobre, necessitado

menear *v.* 1 **abanar**, gingar, bambolear, baloiçar, sacudir, saracotear 2 **manejar**, manobrar, manusear

menear-se *v.* 1 **balançar**, sarandilhar 2 **bambolear-se**, saracotear-se, gingar, rebolar-se, esbamboar-se, saçaricar [BRAS.] *col.*

meneio *n.m.* 1 **saracoteamento**, gingação, meneamento, rebolado, gingo 2 **aceno**, trejeito, momice, gesto 3 **ardil**, astúcia, manobra 4 **manejo**, direção

menestrel *n.m.* **músico**, trovador

menina *n.f.* 1 **garota**, rapariga, pequena, miúda, moça, cachopa, criança, petiza, iaiá [BRAS.], nina *col.* 2 *pej.* **prostituta**, meretriz

meninice *n.f.* 1 **infância**, puerícia, pequenez, meninez, berço 2 **criancice**, puerilidade, parvuleza

menino *n.m.* **garoto**, miúdo, rapaz, moço, pequeno, criança, petiz, infante, cachopo

menopausa *n.f.* MED. **climactério**

menor *adj.2g.* **inferior**, periférico *fig.* ≠ **maior**

menoridade *n.f.* ≠ **maioridade**

menorita *n.2g.* **franciscano**

menos *prep.* **exceto**, fora, afora, salvo, senão, excetuando, salvante ▪ *n.m.* **mínimo** ▪ *adv.* ≠ **mais**

menosprezar *v.* **depreciar**, desconsiderar, desadorar, espezinhar, vilipendiar, aviltar, desestimar, desdourar, menoscabar, apoucar, sobpor *fig.* ≠ **considerar**, valorizar, engrandecer

menosprezo *n.m.* **desprezo**, desdém, desconsideração, depreciação, desapreço, desestima, menospreço, malbarato, menoscabo, subestimação, humildação ≠ **consideração**, engrandecimento, valorização, nobilitação

mensageiro *n.m.* 1 **emissário**, embaixador, enviado, portador, estafeta, correio, postilhão 2 **precursor**, pressagiador, anunciador, núncio

mensagem *n.f.* **recado**, notícia, palavra, embaixada *fig.*

mensalidade *n.f.* **mesada**, mês, pitança

menstruação *n.f.* **menorreia**, catamênio, regras, mênstruo, assistimento *col.*, incómodo *col.*, chica *col.*, pingadeira *col.*, trabuzanada *col.*

mensurar *v.* **medir**, calcular, avaliar, comparar

mensurável *adj.2g.* **comensurável**, dimensível ≠ **imensurável**, incomensurável

menta *n.f.* **hortelã**

mental *adj.* **intelectual**, cerebral, espiritual

mentalidade *n.f.* **inteligência**, intelectualidade, pensamento

mentalizar *v.* 1 **imaginar**, idealizar 2 **convencer**, persuadir, consciencializar

mente *n.f.* 1 **pensamento**, espírito, intelecto, inteligência, entendimento, razão 2 **conceção**, imaginação 3 **intenção**, intuito, plano, vontade, disposição, desígnio, tenção

mentecapto *adj.,n.m.* 1 **inepto**, néscio, tolo, idiota, imbecil, insensato 2 **alienado**, louco, doido, maluco, sandeu, demente

mentir *v.* 1 **aldrabar**, enganar, iludir, equivocar, endrominar, falsear, simular, fingir, falsar, patranhar, petear, petar, pataratear, pataratar 2 **falhar**, faltar, errar, malograr-se

mentira *n.f.* 1 **falsidade**, engano, embuste, embustice, impostura, aldrabice, intrujice, logro, patranha, patarata, endrómina, fabulação, invencionice, peta, palão, pala, mendácia, lenda, broca, arara *fig.*, balão *fig.*, loa *col.*, carocha *col.*, chaço *col.*, lampana *col.*, maranduva [BRAS.], lorota [BRAS.] *col.* 2 **fábula**, ficção, ilusão

mentiroso *adj.,n.m.* **aldrabão**, intrujão, embusteiro, impostor, trapaceiro, falso, fingido, mentireiro, paroleiro [REG.], parolador [REG.], cesteiro [BRAS.] ▪ *adj.* 1 **doloso**, enganoso, falacioso, ob-reptício 2 **falaz**, ilusório, enganador

mento *n.m.* 1 **queixo** 2 ARQ. **cimalha**

mentor *n.m.* **guia**, conselheiro, aconselhador, orientador, mistagogo

menu *n.m.* **ementa**, lista, cardápio

mera *n.f.* 1 ICTIOL. **garoupa-preta**, mero 2 [REG.] **resina**

meramente *adv.* **simplesmente**, somente, tão-só, tão-somente, unicamente, puramente

mercado *n.m.* 1 **praça**, feira 2 **comércio**

mercador *n.m.* **negociante**, comerciante, mercante

mercadoria *n.f.* **artigo**, produto, fazenda, mercancia, veniaga, merce *ant.*

mercante *adj.2g.* **comercial**, mercantil ▪ *n.m.* **negociante**, comerciante, mercador

mercantil *adj.2g.* 1 **comercial**, mercante, mercatório 2 *fig.* **ambicioso**, cobiçoso, interesseiro

mercar *v.* 1 **mercadejar**, comerciar 2 **comprar**

merce *n.f. ant.* **mercadoria**, artigo, produto, fazenda, mercancia, veniaga

mercê *n.f.* 1 **paga**, salário, soldada 2 **benefício**, favor, concessão, graça, honra 3 **indulto**, indulgência, perdão 4 **arbítrio**, capricho

mercearia *n.f.* **venda**, tenda

merceeiro *n.m.* **tendeiro**, especieiro

mercenário *adj.,n.m.* **interesseiro**, vendido, venal, corruptível

mercúrio *n.m.* 1 QUÍM. **azougue**, hidrargírio *ant.* 2 *fig.* **arauto**, mensageiro

merda *n.f.* 1 *vulg.* **excremento**, dejeto, trampa *cal.* 2 *vulg.* **porcaria**, sujidade 3 *vulg.* **insignificância**, bagatela, ninharia

merecedor *adj.* **digno**, meritório, benemérito ≠ **desmerecedor**, indigno

merecer *v.* 1 **ganhar**, granjear, lograr, obter ≠ **desmerecer** 2 **valer**

merecidamente *adv.* **justamente**, devidamente, dignamente

merecido *adj.* **justo**, devido ≠ **imerecido**, indevido, injusto

merecimento *n.m.* 1 **mérito**, excelência, virtude, superioridade 2 **capacidade**, engenho, talento 3 **valor**, importância, valimento, valia

merenda *n.f.* **lanche**, merendeiro, emposta [REG.], piqueta [REG.], cravelo [REG.]

meretrício *n.m.* **prostituição**

meretriz *n.f.* **prostituta**, meretrice, rameira *pej.*, galdéria *pej.*, pécora *pej.*, perdida *pej.*, menina *pej.*, ganapa *pej.*, michela *pej.*, marafona *cal.*, tolerada *ant.,pej.*, rascoeira *ant.,pej.*, pega *vulg.*, puta *vulg.*, catraia [BRAS.] *pej.*, rapariga [BRAS.] *pej.*, bofe [BRAS.] *col.*, fusa [BRAS.]

mergulha *n.f.* AGRIC. **mergulhia**

mergulhar *v.* 1 **afundar**, submergir, fundear, imergir 2 **entranhar**, esconder, engolfar, sumir

mergulho *n.m.* 1 **submersão**, imersão 2 ORNIT. **mergulhão**, cagarraz, camilonga, merganso, mobelha, harlo, serzete, galo-da-cal

meridiano *adj.* 1 **médio**, mediano 2 **meridional**, austral 3 *fig.* **evidente**, transparente

meridional *adj.2g.* **austral**, meridiano

meritíssimo *adj.* **digníssimo**

mérito *n.m.* 1 **merecimento**, excelência, virtude, superioridade 2 **capacidade**, engenho, talento 3 **valor**, importância, valimento, valia

meritório *adj.* **apreciável**, digno, louvável

mero *adj.* 1 **simples**, genuíno, puro, único 2 **comum**, banal, trivial, vulgar ■ *n.m.* ICTIOL. **garoupa-preta**, mera

mês *n.m.* **mensalidade**, mesada, pitança

mesa *n.f.* 1 **banca** 2 *fig.* **alimentação**, passadio

mesada *n.f.* **mensalidade**, mês, pitança

mesa-de-cabeceira[aAO] *n.f.* ⇒ **mesa de cabeceira**[dAO]

mesa de cabeceira[dAO] *n.f.* **donzela**, criado-mudo [BRAS.]

mesão *n.m.* **casa**, moradia

mescla *n.f.* 1 **mistura**, miscelânea, misturação, misturada, salsada, amálgama *fig.* 2 *fig.* **impureza**, imperfeição

mesclado *adj.* 1 **variegado** 2 **misturado**, combinado

mesclar *v.* 1 **misturar**, incorporar, intercalar, combinar, embaralhar, entressachar, tachonar, amalgamar *fig.*, miscrar 2 **matizar**, ligar

mesclar-se *v.* **misturar-se**

meseta *n.f.* GEOG. **planalto**

mesmíssimo *adj.* **igual**

mesmo *det.,pron.dem.* 1 **idêntico**, igual 2 **semelhante**, análogo, parecido 3 **próprio** ■ *adv.* 1 **até**, inclusivamente 2 **exatamente**, justamente, precisamente

mesologia *n.f.* **ecologia**

mesquinhar *v.* **regatear**, pechinchar

mesquinhez *n.f.* 1 **sovinice**, sovinaria, avareza, cainheza, usura, iliberalidade 2 **tacanhez**, pequenez, primarismo [BRAS.] *pej.* 3 **miséria** 4 **mediocridade**

mesquinho *adj.* 1 **avarento**, avaro, sovina, somítico, unhas de fome ≠ **esbanjador**, gastador 2 **insignificante**, medíocre 3 **desprezível**, pouco, pequeno 4 **acanhado**, estreito, apertado 5 **pobre**, parco 6 *ant.* **coitado**, desgraçado, infeliz

messe *n.f.* 1 **seara** 2 **ceifa**, colheita 3 *fig.* **aquisição**, conquista, ganho, lucro

messias *n.m.* **redentor**, salvador, libertador

mesteiral *n.m. ant.* **artífice**, artesão, obreiro, operário, artista, fabricador, obrador, mesteireiro *ant.*

mester *n.m.* **ofício**, arte, profissão, ocupação

mestiçagem *n.f.* **miscigenação**, mestiçamento

mestiço *adj.,n.m.* **miscigenado**, híbrido, caboclo [BRAS.], abaju [BRAS.]

mestra *adj.* 1 **fundamental**, principal, importante 2 **hábil**, destra ■ *n.f.* **professora**

mestrança *n.f.* **professorado**

mestre *adj.2g.* 1 **fundamental**, principal, importante 2 **hábil**, destro ■ *n.m.* 1 **professor**, educador, instrutor, precetor 2 **perito**, sabedor

mestria *n.f.* **perícia**, proficiência, maestria, perfeição, competência

mesura *n.f.* **cortesia**, reverência, cumprimento, vénia, salva

mesurado *adj.* 1 **comedido**, prudente, discreto, circunspecto 2 **atencioso**, atento, cortês, delicado, polido 3 **compassado**

mesurar *v.* 1 **cumprimentar**, cortejar, reverenciar, saudar 2 *ant.* **medir**, mensurar

meta *n.f.* 1 **limite**, termo, barreira, baliza, raia, linde 2 **alvo**, objetivo, finalidade, fim, mira, escopo

metade *n.f.* **meio**, meação, sémis

metafísico *adj.* 1 **abstrato**, transcendente 2 **difícil**, incompreensível, nebuloso 3 **teórico**, especulativo

metafórico *adj.* **alegórico**, figurado, simbólico, translatício, translato

metal *n.m.* **1** som, timbre **2** *fig.,col.* dinheiro
metálico *adj.* metaliforme, metalino
metalizar *v.* metalificar
metalurgia *n.f.* siderotecnia, metalomecânica
metalúrgico *n.m.* metalurgista
metamorfose *n.f.* transformação, mudança, alteração, modificação, alomorfia, mutação, transmutação, transmudação, transfiguração
metátese *n.f.* GRAM. hipértese
metediço *adj.* intrometido, intruso, indiscreto, adiantado, abelhudo *col.*, mexilhão, chegadiço *ant.*
metempsicose *n.f.* transmigração
meteórico *adj. fig.* fugaz, passageiro
meteorito *n.m.* ASTRON. aerólito, uranólito, pedra-do-ar, meteorólito
meter *v.* **1** introduzir, pôr, inserir, afundar, cravar, enfiar ≠ retirar, tirar **2** aplicar, pôr, colocar **3** causar, infundir, provocar **4** incluir **5** empregar, contratar
meter-se *v.* **1** introduzir-se, colocar-se, pôr-se **2** *col.* esconder-se, enfiar-se **3** dirigir-se, encaminhar-se **4** ingerir-se, imiscuir-se, intrometer-se **5** atrever-se, abalançar-se, arriscar-se, aventurar-se **6** dedicar-se, entregar-se **7** *col.* provocar, arreliar **8** *col.* associar-se, conviver
meticulosamente *adv.* cuidadosamente, minuciosamente ≠ descuidadamente
meticulosidade *n.f.* **1** escrúpulo **2** minúcia, rigor
meticuloso *adj.* **1** minucioso, rigoroso **2** escrupuloso, cauteloso, cuidadoso, pechoso **3** medroso, receoso, tímido
metido *adj.* **1** introduzido, inserido **2** posto, colocado **3** enfiado, entalado **4** intrometido, metediço **5** abstrato, pensativo, concentrado, absorto **6** escondido, oculto **7** familiarizado, relacionado
metodicamente *adv.* ordenadamente, sistematicamente
metódico *adj.* **1** arranjado, ordenado, organizado, regrado **2** circunspecto, comedido **3** regular, sistemático
metodizar *v.* regularizar, sistematizar, ordenar
método *n.m.* **1** procedimento, sistema, norma, modo, processo, metodologia **2** ordem, lógica, arrumação
metralha *n.f.* **1** projéteis, balas **2** *fig.* meios, recursos
métrica *n.f.* metrificação, versificação
metrificação *n.f.* métrica, versificação
metrificar *v.* versejar, rimar, poetar
metro *n.m.* **1** ritmo **2** metropolitano
metrópole *n.f.* capital
metropolitano *n.m.* metro
mexelhão *adj.* **1** traquinas, travesso, buliçoso, inquieto **2** metediço, intrometido, abelhudo
mexer *v.* **1** agitar, mover, bulir, oscilar **2** revolver, misturar **3** tocar, remexer, mexerucar, mexilhar, vascolejar
mexericada *n.f.* intrigalhada, intrigas, bisbilhotice, coscuvilhice, mexericos, enredos
mexericar *v.* bisbilhotar, coscuvilhar, enredar, intrigar, enzonar, alcovitar, cochichar, bichanar, golelhar
mexerico *n.m.* enredo, intriga, bisbilhotice, chocalhice, alcoviteirice, mexericada, ditinho, diz-que-diz-que, corrilho, meada *fig.*, zunzum *fig.*, enzona *ant.*, fofoca [BRAS.] *col.*, fuxico [BRAS.]
mexeriqueiro *adj.,n.m.* coscuvilheiro, intriguista, alcoviteiro, bisbilhoteiro, golelheiro, língua de trapos
mexer-se *v.* **1** mover-se, deslocar-se, movimentar-se **2** agitar-se, abanar **3** apressar-se, aviar-se, trigar-se **4** esforçar-se, diligenciar
mexida *n.f.* **1** confusão, desordem, rebuliço, balbúrdia, retesia [REG.] **2** discórdia, desentendimento
mexido *adj.* **1** revolvido **2** agitado, inquieto **3** desembaraçado, dinâmico, enérgico, ativo ■ *n.m.pl.* mexericos, enredos, intrigas
mezinha *n.f.* remédio, xaropada, tisana, mezinhice, teríaca *fig.*, vima [REG.]
miadela *n.f.* miado, miadura
miar *v. col.* gemer, choramingar, gritar
miau *n.m.* **1** miado, miada, mio **2** *infant.* gato
mica *n.f.* bocado, migalha, fragmento
micção *n.f.* urinação, mincção, mija *col.*, mijada *col.*, mijadela *col.*
micho *n.m.* **1** micha **2** *ant.,pej.* tipo, sujeito
mico *n.m.* **1** ZOOL. sagui-pequeno-do-maranhão **2** [REG.] demónio, diabo
micro *n.m.* **1** microfone **2** FÍS. *ant.* mícron, micromilímetro
microbicida *adj.2g.,n.m.* germicida
micróbio *n.m.* BIOL. microrganismo, germe
microcefalia *n.f.* **1** MED. nanocefalia **2** MED. idiotismo
microcéfalo *adj.,n.m.* **1** MED. nanocéfalo **2** *fig.* idiota, estúpido
microfone *n.m.* micro
microprocessador *n.m.* INFORM. microchip, chip
microrganismo *n.m.* BIOL. micróbio, germe, microzoário
microscópico *adj.* pequeníssimo, minúsculo ≠ colossal, enorme, gigantesco
miga *n.f.* migalha
migado *adj.* esfarelado, esmigalhado

migalha *n.f.* 1 **miga**, mica 2 **bocadinho**, fraciúncula, fanico, mealha, cigalho, migalho

migar *v.* **esmigalhar**, esfarelar

migrar *v.* **arribar**, transumar

migratório *adj.* **migrador**, migrante

miguelista *adj.,n.2g.* **absolutista**

mija *n.f.* 1 *col.* **urinação**, micção, mincção, mijada *col.* 2 *col.* **urina**

mijadouro *n.m.* *col.* **urinol**, mictório, mijadeiro, sumidouro

mijar *v.* *col.* **urinar**

mijo *n.m.* *col.* **urina**, águas, chichi *col.*, pipi *infant.*, mijoca *col.*

mil *num.* 1 **milhar** 2 **muitos**, muitíssimos

milagre *n.m.* **maravilha**, prodígio, portento, assombro

milagrosa *n.f.* **palmatória**, férula, menina de cinco olhos, santa-luzia *col.*

milagrosamente *adv.* **incrivelmente**, surpreendentemente, miraculosamente, prodigiosamente

milagroso *adj.* **miraculoso**, admirável, extraordinário, maravilhoso, surpreendente, prodigioso, milagrento

milenar *adj.2g.* **milenário**

milenário *adj.* **milenar** ■ *n.m.* **milénio**

milénio[AO] ou **milênio**[AO] *n.m.* **milenário**

milésimo *n.m.* **milésima**

milhafre *n.m.* ORNIT. **bacalhoeiro**, milano, milhano, milhafo, mioto, minhoto *col.*, falcão, gavião, peneireiro, francelho, gafanhoto, busardo, mílvio, papa-pintos, minhafre, queimado, manta, rabo-de-bacalhau, mantana, grafanhoto

milhal *n.m.* **milheiral**, milharal, milhar

milhano *n.m.* ORNIT. **milhafre**, milhafo, bacalhoeiro, milano, mioto, minhoto *col.*, falcão, gavião, peneireiro, francelho, gafanhoto, busardo, mílvio, papa-pintos, minhafre, queimado, manta, rabo-de-bacalhau

milhão *n.m.* [REG.] BOT. **milho**

milhar *n.m.* 1 **mil**, milheiro 2 **milheiral**, milharal, milhal

milheiro *n.m.* 1 **milhar**, mil 2 ORNIT. **pintarroxo**, milheiriça 3 (uva) **milheiró**

milhentos *adj.* **milhares**, muitos

milho *n.m.* 1 BOT. **milhão** [REG.] 2 **dinheiro**, cacau *col.*, ouro *fig.*, cabedal *fig.*, bagaço *fig.*, metal *fig.,col.*, guita *col.*, pastel *col.*, carcanhol *gír.*, pasta *col.*, pingo *col.*, bagalho *col.*, bagalhoça *col.*, massaroca *col.*, pataco *col.*, pecúnia *col.*, teca *col.*, bago *col.*, grana [BRAS.] *col.*, tutu *infant.*

miliar *adj.* 1 **pequeníssimo** 2 **miliário**

milícia *n.f.* 1 **exército**, tropa 2 **militança**

milionário *adj.,n.m.* **riquíssimo**, ricaço

militante *n.2g.* 1 **combatente** 2 **partidário** 3 **propagandista**, defensor

militar *adj.2g.* **guerreiro**, bélico, marcial ■ *n.2g.* **soldado** ■ *v.* **lutar**, pugnar, combater

militarismo *n.m.* **estratocracia** ≠ **antimilitarismo**

militarmente *adv.* **disciplinadamente**, rigorosamente

mimalho *adj.,n.m.* **mimanço**, gangoso [REG.]

mimar *v.* **acarinhar**, amimar, acariciar ≠ **desamimar**

mimetismo *n.m.* **adaptação**

mímica *n.f.* 1 **gesticulação**, gesto 2 **pantomima**, pantomina

mímico *adj.* **gesticulado** ■ *n.m.* **pantomimeiro**, pantomineiro, pantomimo, mimo

mimo *n.m.* 1 **meiguice**, afago, carinho, carícia, delicadeza, blandícia, regalo 2 **dádiva**, oferta, prenda, presente 3 **primor** 4 **pantomimo**, pantomimeiro, mimíco, pantomineiro

mimoso *adj.* 1 **gracioso**, delicado, encantador, deleitante, grácil 2 **meigo**, cuidadoso, afável, carinhoso, terno 3 **brando**, dócil, suave, ameno, ligeiro, ténue, leve 4 **macio** 5 **aprimorado**, primoroso, apurado 6 **fértil**, viçoso, abundante 7 **sensível**, melindroso

mina *n.f.* 1 **jazigo** 2 **nascente**, manancial, manadeira 3 *fig.* **preciosidade**

minar *v.* 1 **escavar**, furar, abrir, cavar, sapar, socavar, solapar 2 **alastrar-se**, difundir-se, espalhar-se 3 *fig.* **deteriorar**, corroer, arruinar, consumir, abalar, enfraquecer, aluir, definhar 4 **diligenciar**, zelar 5 *fig.* **atormentar**, amargurar, apoquentar, amofinar ■ *n.m.* **minarete**, almádena

minarete *n.m.* **minar**, almádena

mindinho *adj.,n.m.* (dedo) **mínimo**, mendinho, meiminho

mineira *n.f.* **mina**

mineiro *n.m.* 1 **minador** 2 ORNIT. **pisco-ferreiro**

mineralogia *n.f.* **metalologia**

minga *n.f.* 1 *col.* **carência**, falta, penúria, escassez, insuficiência, míngua, inópia 2 *col.* **diminuição**, decrescimento, perda, quebra, míngua 3 *col.* **defeito**, deficiência, imperfeição, míngua

mingar *v.* 1 *col.* **escassear**, faltar, minguar 2 *col.* **diminuir**, decrescer, minguar 3 *col.* **amesquinhar**, menoscabar, minguar

míngua *n.f.* 1 **carência**, falta, penúria, escassez, insuficiência, inópia, minga *col.* 2 **diminuição**, decrescimento, perda, quebra, minga *col.* 3 **defeito**, deficiência, imperfeição, minga *col.*

minguante *adj.2g.* 1 **decrescente** 2 *fig.* **decadente**, declinante

minguar *v.* 1 **escassear**, faltar, mingar *col.* 2 **diminuir**, decrescer, mingar *col.* 3 **amesquinhar**, menoscabar, mingar *col.*

minhoca *n.f.* 1 **bichoca** 2 [*pl.*] *col.* **superstições**, crendices, manias

minhoto *adj.* (raça bovina) **minhoteiro**, galego ■ *n.m.* ORNIT. *col.* **milhafre**, milano, milhano, milhafo, mioto, bacalhoeiro, falcão, gavião, peneireiro, francelho, gafanhoto, busardo, mílvio, papa-pintos, minhafre, queimado, manta, rabo--de-bacalhau

minimizar *v.* 1 **diminuir**, reduzir, menorizar ≠ **maximizar** 2 *fig.* **depreciar**, minorar, amesquinhar, subavaliar

mínimo *adj.* **ínfimo**, pequeníssimo, minúsculo, miniatural, miniaturizado ≠ **enorme**, colossal ■ *n.m.* (dedo) **mendinho**, meiminho

ministério *n.m.* 1 **atividade**, trabalho, mester, ofício 2 **cargo**, função, profissão 3 **pasta** 4 **gabinete** 5 **sacerdócio**

ministra *n.f.* **medianeira**

ministrar *v.* 1 **dar**, fornecer, proporcionar, propinar 2 **administrar**, aplicar

ministro *n.m.* ORNIT. **urubu-caçador**, jereba

minorar *v.* 1 **diminuir**, reduzir, abaixar 2 **aliviar**, amenizar, mitigar, atenuar, suavizar, moderar

minúcia *n.f.* 1 **bagatela**, ninharia, frioleira, insignificância 2 **particularidade**, detalhe, pormenor, minudência, minuciosidade

minuciosamente *adv.* **pormenorizadamente**, detalhadamente, meticulosamente, cuidadosamente

minuciosidade *n.f.* **pormenor**, detalhe, minúcia, particularidade, minudência

minucioso *adj.* 1 **meticuloso**, cuidadoso, miudinho, rigoroso, escrupuloso, minudente, picuinhas 2 **circunstanciado**, pormenorizado, detalhado

minúsculo *adj.* 1 **pequeníssimo**, mínimo, ínfimo, microscópico ≠ **maiúsculo**, grande, enorme, colossal 2 (letra) **pequeno** ≠ **maiúsculo**, capital, grande, versal 3 **insignificante** ≠ **importante**

minuta *n.f.* **rascunho**, esboço, borrão

minutar *v.* **rascunhar**, esboçar

minuto *n.m.* *fig.* **instante**, momento

mio *n.m.* **miado**, miada, miau, miadela

mioleira *n.f.* 1 **miolos** 2 *fig.* **juízo**, tino

miolo *n.m.* 1 BOT. (árvore) **alburno** 2 **medula**, tutano 3 *col.* **encéfalo** 4 *fig.* **inteligência**, juízo, senso 5 *fig.* **essência**, âmago

míope *adj.,n.2g.* **pitosga**, cegueta, braquimetrope, peticego

miopia *n.f.* **braquimetropia**

mira *n.f.* *fig.* **fim**, fito, alvo, meta, objetivo, propósito, intuito, intento, intenção, desejo, escopo

mirabolante *adj.2g.* 1 **espalhafatoso**, aparatoso, espetaculoso, bombástico 2 **surpreendente**, admirável, assombroso, fantástico, maravilhoso

miraculosamente *adv.* **incrivelmente**, surpreendentemente, milagrosamente

miraculoso *adj.* **milagroso**, admirável, extraordinário, maravilhoso, surpreendente, prodigioso

mirada *n.f.* **olhadela**, olhada, espiadela, olhadura

miradouro *n.m.* **mirante**, belveder, miradoiro

miragem *n.f.* **ilusão**, engano, quimera

mirante *n.m.* **miradouro**, belveder, miradoiro

mirar *v.* 1 **fitar**, olhar, fixar 2 **observar**, espreitar, divisar 3 **apontar**, assestar 4 *fig.* **apetecer**, aspirar, desejar, pretender

mirar-se *v.* **ver-se**, olhar-se, observar-se, examinar-se, contemplar-se

mirone *n.m.* **espectador**, observador, mirão

mirra *n.2g.* 1 *col.* **magricela**, chupado, magricelas, magrizela, esquelético *fig.*, escanifrado *col.*, trinca--espinhas *col.*, esqueleto *fig.*, caveira *fig.* ≠ **gordo**, botija *fig.*, bucha *col.*, pantufo *col.* 2 *col.* **avarento**, avaro, forreta, mesquinho, sovina, fona, forra--gaitas *col.* 3 BOT. **murra**

mirrado *adj.* 1 **ressequido**, murcho, seco 2 **enfezado**, magríssimo, definhado 3 **exausto**, esgotado 4 **gasto**, consumido, corroído

mirrar *v.* 1 **secar**, ressequir, ressecar, murchar 2 **definhar**, emagrecer, encolher, amumiar-se *fig.* 3 **diminuir**, reduzir, minguar

mirto *n.m.* BOT. **murta**, arraião, murteira, murtinheira

misantropia *n.f.* 1 **antropofobia** ≠ **filantropia** 2 **melancolia**, tristeza, taciturnidade

misantropo *adj.* 1 **antropófobo** ≠ **filantropo** 2 **insocial** 3 **macambúzio**, sorumbático, melancólico, soturno, taciturno, triste

miscelânea *n.f.* **mistura**, mescla, misturação, misturada, salsada, moxinifada, mistifório, amálgama *fig.*, pot-pourri *fig.*

miserando *adj.* **lastimável**, lastimoso, miserável, deplorável

miserável *adj.2g.* 1 **pobre**, necessitado, pelintra, pobretão ≠ **rico**, ricaço, opulento 2 **coitado**, desgraçado, infeliz, triste ≠ **felizardo**, afortunado 3 **sovina**, somítico, avarento, avaro ≠ **esbanjador**, dissipador 4 **deplorável**, lamentável, lastimoso, miserando 5 **abjeto**, desprezível, sórdido, piolhoso *fig.*

miseravelmente *adv.* 1 **tristemente**, lastimosamente, desgraçadamente, infortunadamente 2 **mesquinhamente** 3 **indigentemente**, pobremente ≠ **ricamente**

miserere *n.m.* *fig.* **lamentação**

miséria *n.f.* 1 **pobreza**, indigência, fome, penúria, necessidade, desamparo, lazeira, privação, ruína, inópia, piranga, rafa, paupérie ≠ **abundância**, opulência, riqueza 2 **infortúnio**, adversidade, calamidade, desgraça, lástima, infelicidade, mofina, desventura, arrasto *fig.* 3 **abjeção**, sordidez 4 **avareza**, mesquinharia, mesquinhez, sovinice 5 **insignificância**, ridicularia 6 **fraqueza**, imperfeição

misericórdia *n.f.* 1 **comiseração**, miseração, compaixão, lástima, dó, piedade ≠ **imisericórdia** 2 **perdão**, indulgência, clemência

misericordioso *adj.* **clemente**, compassivo, indulgente, piedoso, compadecido, caridoso, bom ≠ **desumano**, desalmado, desapiedado, imisericordioso

mísero *adj.* 1 **pobre**, miserável ≠ **rico**, abastado 2 **desgraçado**, infeliz, miserável ≠ **felizardo**, afortunado 3 **avarento**, avaro, mesquinho

missão *n.f.* 1 **incumbência**, encargo 2 **cargo**, função

missionação *n.f.* **envangelização**, catequização, missionarismo, apostolização, doutrinação

missionar *v.* **apostolar**, evangelizar, catequizar, pregar

missionário *n.m.* 1 **evangelizante** 2 **propagandista**

missionarismo *n.m.* **evangelização**, catequização, missionação, apostolização, doutrinação

missiva *n.f.* **carta**, epístola, escrito, bilhete, letras

mistela *n.f.* 1 **água-pé** 2 **zurrapa** 3 **mixórdia**, mistifório, miscelânea, mistura, mexerufada *col.*

mister *n.m.* 1 **ofício**, arte, mester, profissão, trabalho, emprego, ocupação 2 **incumbência**, encargo, comissão 3 **fim**, intuito, propósito 4 **necessidade**, precisão, urgência

mistério *n.m.* **enigma**, segredo, arcano, esfinge, cousa, bruma *fig.*

misterioso *adj.* 1 **oculto**, secreto 2 **enigmático**, inexplicável, estranho, ininteligível, indesvendável

mística *n.f.* 1 **misticismo** 2 **fanatismo**

misticismo *n.m.* 1 **mística** 2 **espiritualidade**, misticidade 3 **fanatismo**, intolerantismo

místico *adj.* 1 **espiritual**, sobrenatural ≠ **terrenal** *fig.*, terrenho *fig.* 2 **devoto**, beato, religioso, piedoso, santeiro, igrejeiro *pej.* 3 **contemplativo** 4 **misterioso** 5 *col.* **excelente**, perfeito

mistificação *n.f.* **logro**, ilusão, engano, dolo ≠ **desmistificação**

mistificador *adj.,n.m.* **ilusório**, enganador, impostor

mistificar *v.* **burlar**, ludibriar, lograr, iludir, enganar, embair ≠ **desiludir**, desmistificar

misto *adj.* **misturado**, miscigenado, mesclado, combinado, composto ▪ *n.m.* **mistura**, combinação, composição, mescla

mistura *n.f.* 1 **mescla**, amálgama, misto, fusão, interpenetração, união, liga, caldeação, cacharolete, envolta, salsada, misturada, mistela, mistifório, macedónia *fig.*, mexedura *fig.*, angu *fig.* 2 MÚS. **mixagem**

misturada *n.f.* **miscelânea**, mistela, mistura, mescla, amálgama, mixórdia, embrulhada, mistifório, moxinifada

misturar *v.* **mesclar**, amalgamar, combinar, associar, caldear, confundir, baralhar, embaralhar, envolver, entremear, agregar, entressachar, mexer, miscigenar

misturar-se *v.* 1 **amalgamar-se**, juntar-se, mesclar-se 2 **confundir-se**, acambulhar-se, embaralhar-se 3 **associar-se**, conviver

mítico *adj.* **fabuloso**, fantástico, legendário

mitigação *n.f.* **abrandamento**, alívio, atenuação, adoçamento, lenitivo, suavização, refrigério, consolo, consolação, conforto

mitigador *adj.,n.m.* **atenuador**, aliviador, amenizador

mitigar *v.* **aliviar**, amenizar, apaziguar, acalmar, abrandar, amainar, amansar, aplacar, atenuar, serenar, suavizar, moderar, lenir ≠ **agravar**, aumentar, acentuar

mitigar-se *v.* **abrandar**, aliviar-se, atenuar-se, aplacar-se

mito *n.m.* **alegoria**, lenda, fábula

mitológico *adj.* **alegórico**, fabuloso

mitra *n.f.* 1 **diocese** 2 *col.* **carapuça** 3 **uropígio**, sobrecu *col.*

mitrar *v.* [BRAS.] **burlar**, enganar, ludibriar, lograr

miudamente *adv.* **meticulosamente**, minuciosamente, cuidadosamente, detalhadamente, pormenorizadamente

miudar *v.* **esmiuçar**, esmiudar, esfarelar, amiudar

miudeza *n.f.* 1 **pequenez** 2 **rigor**, minuciosidade, minudência 3 **mesquinharia** 4 [*pl.*] **bagatelas**, bugigangas 5 [*pl.*] **vísceras**, miúdos

miudinho *adj.* 1 **pequenino** 2 **minucioso**, meticuloso, cuidadoso, minudencioso 3 **mesquinho**, sovina

miúdo *adj.* 1 **pequeno**, diminuto 2 **delicado**, frágil 3 **minucioso**, meticuloso 4 **mesquinho**, avaro, sovina ▪ *n.m.* 1 **menino**, rapazinho, criança, rapaz, garoto, pechincho [REG.] 2 [*pl.*] **vísceras**, miudezas 3 [*pl.*] **trocos**

mixórdia *n.f.* 1 **misturada**, confusão, mistifório, embrulhada, balbúrdia, salsada, burundanga, moxinifada, salgalhada, massamorda, choldra *col.*, tibornice *col.*, gamelada *fig.* 2 **mistela**, zurrapa

mnemónica[AO] ou **mnemônica**[AO] *n.f.* **mnemotecnia**

mnemónico[AO] ou **mnemônico**[AO] *adj.* **mnésico**

mó *n.f.* 1 **moenda** 2 **montão** 3 **multidão**, massa 4 [REG.] **queixal**

moagem *n.f.* **farinação**, moedura, moenda

móbil *n.m.* **causa**, motivo, razão, origem, agente, motor, móvel, mola-real ■ *adj.2g.* **1 movível**, móvel, movente, mudável, movediço ≠ **imóvel**, fixo, imobilizado **2 volúvel**, inconstante, versátil

mobília *n.f.* **mobiliário**, móveis

mobiliário *n.m.* **mobília**, móveis

mobilidade *n.f.* **1 motilidade**, motricidade ≠ **imobilidade 2 volubilidade**, inconstância, mutabilidade, instabilidade, impermanência ≠ **constância**, imobilidade

mobilizar *v.* **1 deslocar**, mexer, movimentar, mover ≠ **imobilizar 2 recrutar**, arregimentar, atropar, convocar ≠ **desmobilizar**

moca *n.f.* **1 cacete**, clava, maça, cacheira, tocho, pau **2** *col.* **pedrada**, nassa, ganza **3** [BRAS.] **zombaria 4** [BRAS.] **mentira**, mentirola, peta, patranha **5** [BRAS.] **tolice**, asneira

moça *n.f.* **rapariga**, menina, cachopa, garota, pequena, moçoila, criança, petiza

mocada *n.f.* **cacetada**, porretada, porrada, cacheirada, cachamorrada, traulitada

moção *n.f.* **1 abalo**, comoção **2 proposta**

mochila *n.f.* **1 barjuleta**, bornal, abre-saca[REG.] **2 gualdrapa**, xairel **3** *fig.* **corcunda**, corcova, carcunda

mocho *n.m.* **1** ORNIT. **toupeirão**, galhofa, chio, bufo, martaranho, ujo, mochela **2 banco**, tamborete

mocidade *n.f.* **1 junventude**, juvenilidade, adolescência, verdura *fig.*, aurora *fig.*, alvorada *fig.* ≠ **velhice 2** *fig.* **imprudência**, irreflexão

moço *n.m.* **adolescente**, jovem, rapaz, mancebo ■ *adj.* **1 juvenil** ≠ **velho**, idoso **2 inexperiente**, imprudente ≠ **maduro**, experiente

moçoila *n.f.* **rapariga**, menina, cachopa, garota, pequena, moça, criança, petiza, raparigota

moda *n.f.* **1 costume**, uso, hábito, maneira **2 tendência 3 ária**, cantiga, modinha, cantadela *col.*

modelação *n.f.* **modelagem**, moldação, plasticização

modelar *adj.2g.* **exemplar**, ideal, perfeito ■ *v.* **1 moldar**, afeiçoar, conformar, delinear **2 planear**, traçar **3 regular**

modelo *n.m.* **1 maquete**, plano **2 molde**, forma **3 protótipo**, paradigma, arquétipo, exemplo, tipo, amostra, espécime, exemplar ■ *n.2g.* **manequim**

moderação *n.f.* **1 comedimento**, temperança, prudência, frugalidade, sobriedade, limitação, restrição, parcimónia, compostura, morigeração, mediania, epiqueia, reportação, modo, regra, relengo[REG.] ≠ **descomedimento**, intemperança, imoderação, excesso, acrasia **2 redução**, diminuição, minoração, afrouxamento

moderado *adj.* **1 regulado**, regrado **2 ponderado**, prudente, comedido, refletido, circunspecto ≠ **imoderado**, descomedido **3 razoável**, equilibrado ≠ **exagerado**, excessivo **4** (clima) **ameno**, temperado **5** MÚS. **moderato**

moderador *adj.,n.m.* **atenuador**, regulador, moderante, amansador, moderativo, temperador

moderar *v.* **1 abrandar**, acalmar, afrouxar, aplacar, amortecer, aligeirar, amansar, atenuar, arrefecer, mitigar, lentear **2 conter**, comedir, dominar, reprimir, restringir, coibir, refrear, frenar, enfrear, suster, regrar, dosear **3 diminuir**, limitar, minorar **4** (debate) **dirigir**, orientar

moderar-se *v.* **comedir-se**, conter-se, regrar-se, constranger-se, reprimir-se, abster-se ≠ **exagerar**, desregrar-se, exceder-se, hiperbolizar

modernamente *adv.* **1 atualmente**, hoje, hodiernamente ≠ **antigamente 2 recentemente**, ultimamente

modernidade *n.f.* **modernismo**, hodiernidade ≠ **antiguidade**

modernismo *n.m.* **modernidade**, hodiernidade ≠ **antiguidade**

modernização *n.f.* **atualização** ≠ **desatualização**

modernizar *v.* **atualizar**, amodernar ≠ **desatualizar**, antiquar

moderno *adj.* **1 atual**, recente, hodierno, presente, contemporâneo ≠ **antigo**, antiquado, afonsino *fig.* **2 atualizado**, up-to-date ≠ **desatualizado**, ultrapassado, antiquado **3** [REG.] **moderado**, brando

modestamente *adv.* **1 humildemente** ≠ **vaidosamente**, imodestamente, desvanecidamente **2 moderadamente** ≠ **significativamente**, muito

modéstia *n.f.* **1 humildade**, simplicidade, despretensão, desvaidade, sobriedade, reportamento ≠ **imodéstia**, presunção, vaidade **2 pudor**, pejo, recato, discrição, recolhimento, decência, rubor ≠ **despudor**, desvergonha

modesto *adj.* **1 despretensioso**, simples, humilde ≠ **imodesto**, pretensioso, presumido, arrogante, snobe **2 pudico**, recatado, pudibundo, decente, decoroso **3 moderado**, módico, comedido **4 parco**, sóbrio

módico *adj.* **1 exíguo**, pequeno, reduzido, diminuto **2 parco**, escasso, insignificante ≠ **imódico**, exagerado **3 sóbrio**, moderado ≠ **excessivo**, exorbitante

modificação *n.f.* **mudança**, alteração, transformação, remodelação, reforma, reorganização

modificador *adj.,n.m.* **transformador**, alterador

modificar *v.* **alterar**, mudar, transformar ≠ **manter**, conservar

modificativo *adj.* **modificador**, transformador

modificável *adj.2g.* **alterável**, transformável ≠ **imodificável**, inalterável

modinha *n.f.* **modilho**, ária, cantiga, moda

modismo *n.m.* **idiotismo**

modista *n.f.* costureira

modo *n.m.* 1 **maneira**, jeito, laia, guisa, feição, arte, estilo 2 **forma**, meio, método, processo, via, norma, sistema, regime, disposição 3 **condição**, estado, circunstância 4 **característica**, ar, feição 5 [*pl.*] **maneiras**, educação, termos

modorra *n.f.* **letargia**, entorpecimento, torpor, apatia, adormecimento, prostração, indolência, insensibilidade, letargo, sono, sonolência, dormência

modulação *n.f.* 1 **entoação**, toada, modulagem, tom, intonação 2 **melodia**, suavidade

modular *v.* **entoar**

módulo *adj.* **harmónico**, harmonioso, melodioso

moela *n.f.* **proventrículo**

moer *v.* 1 **triturar**, macerar, esmagar, pisar 2 **contundir**, desancar, derrear, sovar, trilhar, espanquear 3 **estafar**, fatigar, extenuar, cansar, esfalfar 4 **mastigar**, ruminar 5 **afligir**, amofinar, atormentar, causticar, importunar, irritar, maçar, maltratar, mortificar, molestar

moer-se *v.* 1 **afligir-se**, apoquentar-se, agastar-se 2 **cansar-se**

mofa *n.f.* **escárnio**, escarnecimento, zombaria, chufa, motejo, troça, caçoada, chacota, galhofa, ironia, irrisão, derisão, mangação, apodo, chança, desfruto, debique, moca [BRAS.]

mofar *v.* **chacotear**, escarnecer, galhofar, motejar, ridicularizar, troçar, zombar, zombetear, achincalhar, apodar, desdenhar, escarnicar, chincalhar, xingar, chufar, chancear, judiar

mofento *adj.* 1 **bafiento**, bolorento 2 *fig.* **funesto**, infortúnio, fatal

mofo *n.m.* 1 **bafio**, sito 2 **bolor**

mogno *n.m.* BOT. **mógono**

moído *adj.* 1 **triturado**, esmagado, macerado 2 **deteriorado**, estragado, podre 3 *fig.* **cansado**, fatigado, exausto, derreado, esfalfado, quebrantado

moimento *n.m.* 1 **moedura**, moagem 2 *fig.* **prostração**, quebrantamento, lassidão, cansaço, canseira, fadiga, moedeira 3 *ant.* **mausoléu**, sepulcro, túmulo

moinho *n.m.* 1 **azenha**, molinheira, atafona, moenda 2 *fig.* **gargantão**

moira *n.f.* 1 **salmoira**, salmoura, moura, salmoeira 2 ORNIT. **maranhona**, pardilhão

moita *n.f.* **maciço**, tufo, toiça, toiceira, mouta ■ *interj.* **moita-carrasco**

mola *n.f.* 1 *fig.* **incentivo**, impulso 2 *fig.* **agente**, instigador 3 *fig.* **cabeça**, inteligência, juízo 4 ICTIOL. **bezedor**, lua, peixe-lua, rodim, rolim, orelhão, pendão

molar *n.m.* 1 **moedor** 2 **queixal** ■ *adj.* **mole**, brando, macio

moldagem *n.f.* **moldação**, modelação, modelagem

moldar *v.* 1 **modelar**, plasmar 2 **adaptar**, adequar, ajustar, amoldar, afeiçoar, conformar, aptar, apropriar, emoldar, harmonizar

moldar-se *v.* 1 **adequar-se**, acomodar-se, adaptar-se, harmonizar-se 2 **regular-se**, pautar-se 3 **sujeitar-se**, condescender

molde *n.m.* 1 **forma**, matriz 2 **cofragem** 3 **cércea** 4 **norma**, modelo, exemplo

moldura *n.f.* 1 **caixilho** 2 ARQ. **ornato**, cercadura

mole *adj.2g.* 1 **flexível**, tenro, delicado, fraco, maleável ≠ **duro**, rijo 2 **indolente**, preguiçoso, lânguido, vagaroso, lento, lombeiro *col.* ≠ **dinâmico**, ativo, diligente 3 **irresoluto**, tímido, tíbio, frouxo, cobarde ≠ **destemido**, corajoso, valente 4 **flácido**, espapaçado, fluido ≠ **sólido**, consistente 5 **fofo**, macio, brando ≠ **duro**, rijo

moledo *n.m.* **penedo**, pedregulho

moleira *n.f.* ANAT. **fontanela**, moleirinha

moleirinha *n.f.* 1 ANAT. **fontanela**, moleira 2 *col.* **cabeça**

moleiro *n.m.* 1 **moendeiro**, moageiro 2 ORNIT. **cágado**, mandrião, medonho, saragoça

molengão *adj.,n.m. col.* **indolente**, preguiçoso, mole, molanqueiro, podricalho *ant.*, podriqueiro *ant.* ≠ **dinâmico**, ativo, diligente

moleque *n.m.* [BRAS.] **garoto**, miúdo, rapaz

molestar *v.* **aborrecer**, afligir, amargurar, amofinar, acabrunhar, apoquentar, atormentar, atribular, chagar, agravar, aperrear, causticar, desgostar, enfadar, desassossegar, importunar, incomodar, magoar, maçar, inquietar, lesar, maltratar, martirizar, melindrar, ofender, perseguir, ralar, vexar, saturar, atediar, atucanar [BRAS.]

moléstia *n.f.* 1 **doença**, enfermidade, achaque, indisposição, mal-estar, mururu [BRAS.], tanglomanglo [BRAS.] *col.* 2 **enfado**, incómodo, enfadamento, inquietação

molesto *adj.* 1 **nocivo**, prejudicial 2 **molestoso**, enfadonho, fastidioso, incómodo 3 **árduo**, penoso, custoso, trabalhoso, duro 4 **impertinente**, importuno, embaraçoso 5 **mau**, maligno, perverso

moleza *n.f.* 1 **indolência**, languidez, langor, quebranto, lombeira *col.*, molura, molície, parrancice ≠ **dinamismo**, diligência, robusteza 2 **sonolência**, sono, amolecimento *fig.*, soneira *col.* 3 **preguiça**, mandriice

molha *n.f.* **molhadela**, ensopadela, encharcadela, banho

molhada *n.f.* **braçado**, feixe

molhadela *n.f.* **molha**, ensopadela, encharcadela, banho

molhado *adj.* 1 **encharcado**, ensopado, embebido ≠ **seco**, enxuto 2 **húmido**, humedecido, mádido ≠ **seco**, enxuto

molhar *v.* **aguar**, embeber, ensopar, empapar, encharcar, banhar, borrifar, aspergir, humedecer, inundar, humectar ≠ **secar**, desempapar
molhe *n.m.* **quebra-mar**, corta-mar, bate-mar
molho *n.m.* **feixe**, fascículo, paveia, gabelo, gavela, atado, braçado, braçada, lio
moliceiro *n.m.* **sargaceiro**, argaceiro
moliço *n.m.* **1 colmo**, carumba **2 sargaço**, argaço, algas, limos, rapeira, morraça, rapilho
molinha *n.f.* **molinheiro**, molhe-molhe, morrinha [REG.]
molusco *adj.,n.m.* **malacozoário**
momentaneamente *adv.* **rapidamente**
momentâneo *adj.* **1 instantâneo**, rápido, repentino, presentâneo ≠ **prolongado**, demorado, longo **2 breve**, curto, efémero, fugaz, passageiro, provisório, temporário, transitório ≠ **permanente**, constante, duradouro, estável
momento *n.m.* **1 instante**, ápice, átimo **2 circunstância**, conjuntura, situação **3 ocasião**, ensejo, oportunidade
momentoso *adj.* **grave**, importante, ponderável, sério
momo *n.m.* **1 momice**, trejeito, visagem, mocanquice, bugiaria, moganga, moganguice, monquenquice **2 zombaria**, escárnio, mofa, chufa
mona *n.f.* **1 macaca 2** *col.* **bebedeira**, embriaguez, borracheira *col.*, carraspana *col.* **3** *col.* **cabeça**, tola *col.*, touta *col.* **4** *col.* **amuo**, zanga
monaquismo *n.m.* **monacato**
monarca *n.m.* **soberano**, rei, imperador
monarquia *n.f.* **realeza**, reino, realismo, trono *fig.*, coroa *fig.*
monárquico *adj.,n.m.* **monarquista**, talassa, groia
monástico *adj.* **conventual**, freiral, freirático
monção *n.f. fig.* **oportunidade**, ensejo
monco *n.m.* **ranho**
monda *n.f.* **mondadura**, alimpa, capina [BRAS.], capinação [BRAS.]
mondar *v.* **1 carpir**, limpar, expurgar, capinar [BRAS.] **2 desramar 3** *fig.* **corrigir**
monetário *adj.* **numismático** ■ *n.m.* **numismata**
monge *n.m.* **1 frade**, nono, religioso, cenobita **2** *fig.* **anacoreta**, eremita, ermitão, solitário
mongol *adj.* **mongólico**, mogol
mónica[AO] ou **mônica**[AO] *n.f.* [REG.] **nêspera**
monitor *n.m.* **1 instrutor**, professor, ensinador, educador, mestre **2 ecrã**
monitorização *n.f.* **supervisão**, controlo
monitorizar *v.* **supervisionar**, controlar
monja *n.f.* **freira**, religiosa, cenobita, nona
mono *n.m.* ZOOL. **macaco**, símio, bugio, simão *col.*, chico [BRAS.] ■ *adj.* **1 desgracioso**, feio, sensaborão, bisonho **2 molengão**, preguiçoso
monocórdico *adj. fig.* **aborrecido**, enfadonho, monótono
monocromático *adj.* **monocolor**, monocromo, unicolor ≠ **policromático**, policromo, multicolor, multicor
monocromo *adj.* **monocolor**, monocromático ≠ **policromático**, policromo
monogamia *n.f.* **unigamia** ≠ **poligamia**, plurigamia
monógamo *adj.,n.m.* **unígamo**
monografia *n.f.* **tese**
monologar *v.* **soliloquiar**
monólogo *n.m.* **solilóquio**
monopólio *n.m.* **exclusivo**, abarcamento, açambarcamento, estanque
monopolização *n.f.* **açambarcamento**
monopolizar *v.* **açambarcar**, abarcar, estancar, arrebanhar, atravessar *fig.*, sambarcar *col.*
monospermo *adj.* BOT. **unispérmico**, unispermo, monospérmico
monotonia *n.f.* **1 unissonância**, uniformidade, mesmice **2 pasmaceira**, sensaboria, marasmo, mesmidade, tautofonia *fig.*, insulsidade *fig.*
monótono *adj.* **1 uniforme**, constante, invariável, igual **2 aborrecido**, enfadonho, fastidioso, maçudo, maçador, monocórdio [BRAS.], ramerranesco **3 sensabor**, insípido, insulso
monstro *n.m.* **1 aberração**, monstruosidade, aborto *pej.* **2** *fig.* **prodígio**, portento, assombro **3** *col.* **estafermo**
monstruosamente *adv.* **disformemente**, excessivamente
monstruosidade *n.f.* **1 aberração**, monstro, aborto *pej.* **2 anomalia**, disformidade, desproporção, fealdade, hediondez **3** *fig.* **crueldade**, perversidade **4** *fig.* **prodígio**, assombro, portento
monstruoso *adj.* **1 descomunal**, enorme, colossal, desmedido, anormal, desconforme ≠ **pequeno**, minúsculo, microscópico, anão **2 disforme**, horrendo, horrível, feio **3 assombroso**, extraordinário, prodigioso
monta *n.f.* **1 soma**, valor, custo, importe, importância **2 lanço**, lance **3** *fig.* **consideração**, gravidade, importância
montada *n.f.* **cavalgadura**
montado *adj.* **1 assentado 2 equipado**, apetrechado ■ *n.m.* **1 montanheira**, sobral, azinhal, sobreiral, azinheiral, landeira **2** (imposto) **montádigo**
montador *n.m.* **cavaleiro**
montagem *n.f.* **1 armação**, levantamento ≠ **desmontagem 2 instalação 3 encenação**, mise en scène
montanha *n.f.* **1 montão 2 serra**, serrania

montanheira *n.f.* **montado**, sobral, azinhal, sobreiral, azinheiral, landeira
montanheiro *adj.,n.m.* **montanhês**, serrano, aarónico *fig.*
montanhismo *n.m.* **alpinismo**
montanhoso *adj.* **acidentado**, escarpado, montuoso ≠ **plano**
montante *n.m.* 1 **soma**, total, importância, verba 2 *col.* **muro**, parede ■ *n.f.* 1 **enchente** ≠ **vazante** 2 **nascente** ≠ **jusante** ■ *adj.2g.* **ascendente**, subinte ≠ **descendente**
montão *n.m.* **acervo**, pilha, monte, acumulação, acumulamento, cúmulo, amontoado, amontoação, magote, chusma, rima, ruma, meda, caramulo, montoeira
montar *v.* 1 **armar**, aparelhar, assestar ≠ **desmontar**, desarmar 2 **encaixar**, engastar, juntar ≠ **desmontar**, desencaixar 3 **sobrepor**, pôr, dispor 4 **ascender**, elevar, subir 5 **estabelecer**, instalar, pôr 6 **atingir**, elevar-se, orçar, somar 7 **cavalgar** ≠ **desmontar**, descavalgar 8 **organizar**, realizar 9 **importar**, interessar, valer 10 **encenar**
montaria *n.f.* 1 **coitada** 2 **caçada**, batida, veação, monteada 3 *fig.* **assuada**, vozearia, apupada 4 [BRAS.] **cavalgadura**, montada
monte *n.m.* 1 **porção**, acervo, ajuntamento, aglomeração, amontoado, amontoamento, montão, grupo, cúmulo, rima, pilha, lote, meda 2 **quinhão**, lote, parte
monteira *n.f.* **caçadora**
monteiro *n.m.* 1 **couteiro**, monteador 2 **veador**
montês *adj.2g.* 1 **montanhesco**, bravio, silvestre, montesinho 2 **rústico**, rude, montesinho
montesinho *adj.* 1 **montanhesco**, bravio, silvestre, montês 2 **rústico**, rude, montês
montículo *n.m.* **outeiro**, colina, cerro, cerrote, cômoro, corcovo, mamelão, tufo, morouço, caramouço [REG.]
montra *n.f.* **vitrina**, mostruário, escaparate
monumental *adj.2g.* 1 **colossal**, enorme, extraordinário, grande ≠ **microscópico**, pequeno 2 **esplêndido**, grandioso, magnífico, estupendo, sumptuoso ≠ **banal**, comum, ordinário, vulgar
monumento *n.m.* **memória**, padrão
mor *adj.2g.* **melhor**, sumo, superior, máximo, maior ≠ **menor**, inferior ■ *n.m. col.* **amor**
mora *n.f.* 1 **demora**, delonga, detença, tardança, tardada, tardamento, atraso 2 (fruto) **amora**
morada *n.f.* 1 **domicílio**, casa, lar, residência, moradio 2 **endereço**, direção 3 **estada**, permanência, estância
moradia *n.f.* 1 **vivenda**, residência, casa 2 **domicílio**, casa, lar, residência, morada
morador *adj.,n.m.* **residente**, habitante, domiciliado, habitador
moral *n.f.* 1 **ética** 2 **costumes**, moralidade, decoro 3 **ensinamento**, lição, moralidade, máxima ■ *n.m.* **disposição** ■ *adj.2g.* 1 **ético** 2 **decente**, decoroso ≠ **imoral**, indecente 3 **espiritual**, intelectual ≠ **físico**, material
moralidade *n.f.* 1 **costumes**, decoro ≠ **imoralidade**, indecência 2 **ensinamento**, lição, moral, máxima
moralista *adj.,n.2g.* **moralizador** ≠ **imoralista**
moralização *n.f.* ≠ **desmoralização**
moralizador *adj.* 1 **moralista** 2 **edificante**, salutar, edificativo, moralizante ≠ **desmoralizador** 3 **animador**, encorajador ≠ **desmoralizador**, desanimador
moralizar *v.* **edificar**, morigerar, educar ≠ **desmoralizar**, desedificar, desbriar, perverter
morango *n.m.* BOT. (planta) **morangueiro**, fragária
morangueiro *n.m.* 1 BOT. (planta) **fragária**, morango 2 [REG.] **mandrião**, madraço, calaceiro
morar *v.* 1 **habitar**, residir, viver, domiciliar-se 2 **estar**, permanecer, achar-se, encontrar-se, existir
moratório *adj.* **dilatório**
morbidez *n.f.* **quebranto**, quebreira, enfraquecimento, languidez, moleza, morbideza
mórbido *adj.* 1 **doente**, enfermo 2 **doentio**, patológico 3 **lânguido**, frouxo, mole
morbo *n.m.* **doença**, enfermidade
morcão *n.m. col.,pej.* **lorpa**, lerdo, totó *col.,pej.*, morcas *col.,pej.*, zagorro [REG.], zagorrino [REG.]
morcela *n.f.* CUL. **mocela**, morcilha
mordaça *n.f.* 1 **açaime**, açamo 2 *fig.* **repressão**
mordacidade *n.f.* 1 **pique** 2 **causticidade**, acrimónia, dicacidade, má-língua, maledicência
mordaz *adj.2g.* 1 **mordente** 2 **corrosivo**, cáustico, destrutivo, gangrenoso *fig.* 3 **acerbo**, acre, amargo, áspero 4 **sarcástico**, satírico 5 **maldizente**, maledicente, malicioso
mordedura *n.f.* **dentada**, mordedela, mordimento, trincadela, ferradela, mordo, leva-dente *col.*, morso *poét.*
mordente *adj.2g.* 1 **mordaz** 2 **acerbo**, acre, amargo, áspero 3 **corrosivo**, cáustico, mordaz 4 **incisivo**, penetrativo 5 **excitante**, provocante 6 **sarcástico**, satírico, pungente
morder *v.* 1 **dentar**, ferrar, cravar, aferrar, abocanhar 2 **picar**, ferir 3 **corroer**, desgastar 4 **afligir**, atormentar, consumir, desfalcar, desgostar, torturar, pungir, comer *fig.*, gastar *fig.* 5 **espicaçar**, estimular, incitar, picar 6 **censurar**, caluniar, criticar, escarnecer, maldizer, motejar, satirizar
morder-se *v.* 1 *fig.* **irritar-se**, zangar-se, exaltar-se, enraivecer-se, exasperar-se 2 *fig.* **desesperar-se**, atormentar-se
mordidela *n.f.* **mordedura**, mordida, dentada, mordedela, leva-dente *col.*

mordiscar *v.* mordicar, ratar, morsegar

mordomar *v.* mordomear, mordomizar

mordomo *n.m.* ecónomo

morena *n.f.* GEOG. moreia

moreno *adj.,n.m.* **1** trigueiro, abaçanado, acastanhado **2** bronzeado

morfes *n.m.pl. col.* comida

morgue *n.f.* necrotério

moribundo *adj.* **1** agonizante, semimorto, exânime, morrente, mortiço, semiânime, vascoso, vasquejante **2** *fig.* decadente, arruinado

mormente *adv.* sobretudo, principalmente, especialmente, maiormente, máxime

mornar *v.* amornecer, amornar

morno *adj.* **1** tépido **2** *fig.* mole, frouxo **3** *fig.* tranquilo, calmo, sereno **4** *fig.* insípido, sensaborão, monótono **5** *fig.* cálido

morosidade *n.f.* lentidão, vagar, demora, detença, tardança ≠ prontidão, pressa, rapidez, afã, trigança, triga

moroso *adj.* demorado, lento, pausado, vagaroso, tardio, tardo ≠ rápido, apressado, diligente

morrão *n.m.* **1** bota-fogo **2** cravagem, fungão, cornicão

morrer *v.* **1** falecer, expirar, finar-se, perecer, desviver, ficar-se, espichar *col.* ≠ nascer, viver **2** acabar, cessar, desaparecer, fenecer, findar, terminar, sucumbir, concluir-se, apagar-se, extinguir-se **3** definhar, decair, declinar, degradar-se

morrinha *n.f.* **1** VET. gafeira **2** [REG.] molinheiro, molhe-molhe, molinha [REG.] **3** [BRAS.] fedor, bodum, inhaca

morrinhar *v.* chuviscar, marujar

morro *n.m.* **1** outeiro, colina, montículo, cabeço, cerro, cômoro, combro, munda **2** [BRAS.] favela

mortal *adj.2g.* **1** mortífero, fatal, letal, funesto **2** visceral, profundo **3** perecível, efémero, transitório, passageiro ≠ imortal, eterno, imorredouro ▪ *n.m.pl.* humanidade, Homem

mortalha *n.f.* sudário

mortalidade *n.f.* **1** letalidade ≠ imortalidade, eternidade, perpetuidade **2** mortandade, matança, carnificina

mortalmente *adv.* extremamente, excessivamente, completamente

mortandade *n.f.* carnificina, chacina, matança, massacre, morticínio, mortalidade, carnagem, carniçaria, carniça, algozaria, occídio, excídio, exterminação, extermínio, hecatomba, mastigada, ceifa *fig.*, varredoura *fig.*

morte *n.f.* **1** falecimento, óbito, decesso, passamento, fenecimento, defunção, finamento, transe, trânsito *fig.*, trespasse *fig.*, desenlace *fig.*, noite *fig.*, ocaso *fig.*, túmulo *fig.*, cipreste *fig.*, vindima *fig.*, libitina *poét.*, Parca *fig.* ≠ nascimento, nascença **2** acabamento, extinção, fim, termo **3** destruição, exício, ruína, perdição

morteiro *n.m.* almofariz, gral

morticínio *n.m.* carnificina, chacina, matança, massacre, mortalidade, carnagem, carniçaria, carniça, algozaria, occídio, excídio, exterminação, extermínio, hecatombe, mastigada, ceifa *fig.*, varredoura *fig.*

mortiço *adj.* **1** apagado, desmaiado, embaciado, fosco ≠ vivo **2** desanimado, abatido, frouxo, murcho **3** moribundo, semimorto, exânime, morrente, agonizante, morrediço, morrinhoso

mortífero *adj.* fatal, funesto, mortal, letal

mortificação *n.f.* **1** flagelação, tortura, maceração **2** repressão, refreamento, domínio, contenção **3** tormento, sofrimento, aflição, consumição, ralação **4** humilhação

mortificante *adj.2g.* mortificador, mortificativo, torturador

mortificar *v.* **1** penitenciar, castigar, penalizar, flagelar, macerar **2** reprimir, refrear, dominar, conter **3** apagar, extinguir **4** afligir, agoniar, amargurar, angustiar, apoquentar, atormentar, consumir, contristar, desgostar, martirizar, ralar, torturar, infernizar, infernar, tristificar, repungir

mortificar-se *v.* **1** atormentar-se, torturar-se, inquietar-se, consumir-se, afligir-se **2** castigar-se, penitenciar-se

morto *adj.* **1** extinto, findo, liquidado, desaparecido, apagado, destruído, acabado, vindimado *fig.* **2** inanimado, inerte, inexpressivo **3** desvitalizado, necrosado **4** fatigado, exausto, estafado, abatido **5** ansioso, aflito, desejoso ▪ *adj.,n.m.* defunto, finado, falecido ≠ vivo

mortuário *adj.* fúnebre, funerário, funeral, funéreo

mosaico *adj.* hebraico, judaico ▪ *n.m. fig.* miscelânea

moscado *adj.* **1** almiscarado **2** aromático, cheiroso, odorífero

moscardo *n.m.* **1** ZOOL. moscão, tavão, atavão, cambrão, atabão **2** *col.* tabefe, bofetada, bofetão, sopapo, mosquete

mosquear *v.* pintalgar, sarapintar, salpicar, respingar

mosqueiro *n.m.* **1** mosquedo, moscaria **2** enxota-moscas **3** BOT. ulmeiro, negrilho, olmeiro, olmo, ulmo **4** ORNIT. papa-moscas, boita, taralhão, tralhão, cochicha, tistias, fura-figos, tarrasca, tralharão, caça-moscas

mosquete *n.m. col.* tabefe, bofetada, bofetão, sopapo, moscardo

mosquito *n.m.* mosco

mossa *n.f.* **1** amolgadura, amolgadela, amossadela **2** *fig.* abalo, impressão, comoção

mostarda *n.f.* BOT. (planta) mostardeira

mostardeira *n.f.* 1 BOT. (planta) **mostarda** 2 (recipiente) **mostardeiro**

mostardeiro *n.m.* (recipiente) **mostardeira**

mosteiro *n.m.* **convento**, abadia, claustro, cenóbio, ascetério

mostra *n.f.* 1 **indício**, sinal, indicação 2 **amostra**, exposição, exibição

mostrador *adj.* **indicador**, demonstrador, denunciante ■ *n.m.* **mostruário**, escaparate, vitrine, expositor, montra, stand

mostrar *v.* 1 **apresentar**, exibir, expor, amostrar ≠ **esconder**, aninhar *fig.* 2 **indicar**, apontar, amostrar 3 **demonstrar**, revelar, evidenciar, manifestar, denotar, amostrar 4 **aparentar**, simular, amostrar

mostrar-se *v.* 1 **revelar-se**, manifestar-se, desembuçar-se 2 **exibir-se** 3 **aparecer**

mostruário *n.m.* **mostrador**, escaparate, vitrina, expositor, montra

mota *n.f.* 1 **motocicleta**, moto, motociclo 2 **aterro**, amota

mote *n.m.* 1 **epígrafe** 2 **motejo**, remoque 3 **divisa**, legenda

motejador *adj.,n.m.* **trocista**, zombeteiro, zombador, escarnecedor, gracejador, escarninho, chocarreiro, vaiador, irónico, chacoteiro, apodador, mofareiro, zombeirão

motejar *v.* **caçoar**, chacotear, escarnecer, derriçar, ironizar, ridicularizar, mofar, troçar, satirizar, zombar, chasquear, remoquear, joguetar, zingrar, mangar *col.*, bexigar *col.*, cotiar [REG.]

motejo *n.m.* **zombaria**, gracejo, gracinha, chiste, vaia, troça, mofa, chufa, ditério, remoque, chacota, facécia, motete, caçoada, mangação, escárnio, galhofa, chasco, apodo, sarcasmo

motim *n.m.* 1 **tumulto**, revolta, sedição, motinada, amotinação, insurreição, bernarda, maria-da-fonte, levantamento, rebelião, arruaça, assuada, conturbação, gambérria, borrasca, bandoria, revoltão, vavavá [BRAS.] 2 **fragor**, estrondo

motivação *n.f.* **intuito**, escopo, motivo, fim, objetivo

motivado *adj.* 1 **justificado**, fundado ≠ **injustificado**, desmotivado 2 **estimulado**, entusiasmado, reanimado ≠ **desmotivado**, desprendido, desinteressado

motivador *adj.,n.m.* **causador**, originador, promotor

motivar *v.* 1 **causar**, ocasionar, originar, provocar, produzir, determinar 2 **estimular**, entusiasmar, impulsionar ≠ **desmotivar**, desanimar 3 **justificar**, fundamentar

motivo *n.m.* 1 **razão**, causa, fundamento, origem, base 2 **intuito**, escopo, motivação, fim, objetivo ■ *adj.* 1 **motor** 2 **causador**, originador

moto *n.f.* **motocicleta**, mota, motociclo ■ *n.m.* 1 **movimento** 2 **circulação**, giro, movimentação

motocicleta *n.f.* **mota**, moto, motociclo

motociclo *n.m.* **motocicleta**, mota, moto

motor *adj.* 1 **movimentador**, impulsor 2 **instigador**, causador, determinante ■ *n.m.* 1 **máquina** 2 **animador**, fomentador, impulsionador, agente 3 **causa**, motivo

motorista *n.2g.* **condutor**, automobilista, guiauto

motorizada *n.f.* **ciclomotor**

motricidade *n.f.* **motilidade**, mobilidade

motriz *adj.* **motora**

mouco *adj.,n.m.* **surdo**

mouquice *n.f.* **surdez**, ensurdecimento, mouquidão

moura *n.f.* **salmoura**, salmoira, moira

mourão *n.m.* **estaca**, empa

mourisco *n.m.* 1 ORNIT. **verdelhão**, amarelão, canário-bravo, emberiza, milheira-amarela, milheirão, verderol, verdilhão, verdilhote, verdizel, verdizelo 2 **mudéjar**

movediço *adj.* 1 **movível**, móvel, movente, mudável, móbil ≠ **imóvel**, fixo, imobilizado 2 **portátil**, transportável 3 **solto**, despegado 4 *fig.* **inconstante**, volúvel

móvel *adj.2g.* 1 **movível**, movediço, movente, mudável, móbil, locomóvel ≠ **imóvel**, fixo, imobilizado 2 *fig.* **inconstante**, volúvel, instável, variável ≠ **estável**, constante, invariável, permanente ■ *n.m.* 1 **causa**, motivo, razão, origem, agente, motor, móbil 2 [*pl.*] **mobília**, mobiliário

movente *adj.2g.* **movível**, móvel, movediço, mudável, móbil ≠ **imóvel**, fixo, imobilizado

mover *v.* 1 **deslocar**, mexer, movimentar, mobilizar 2 **agitar**, bulir, balançar, menear 3 **induzir**, impelir, levar 4 **persuadir**, convencer 5 **afetar**, abalar, sensibilizar, comover 6 **inspirar**, incutir

mover-se *v.* 1 **mexer-se**, movimentar-se, deslocar-se, caminhar, andar, locomover-se, mobilizar-se 2 **agitar-se**, menear-se

movida *n.f. col.* **agitação**, animação

movido *adj.* 1 **acionado** 2 **impelido**, levado, instigado, impulsionado, arrastado 3 **causado**, ocasionado

movimentação *n.f.* 1 **atividade**, movimento, circulação, moto 2 **agitação**, animação, bole-bole, vascularização *fig.*

movimentar *v.* 1 **deslocar**, mexer, mover, mobilizar 2 **agitar**, animar, dinamizar

movimentar-se *v.* **mover-se**, mexer-se, deslocar-se

movimento *n.m.* 1 **circulação**, movimentação, moção, deslocação, moto 2 **trânsito**, tráfego, afluência 3 **animação**, agitação, ação, bula-bula 4 MÚS. **andamento** 5 **ímpeto**, impulso 6 **mudança**, alteração, desenvolvimento, evolução

movível *adj.2g.* **móvel**, móbil, movente, mudável, movediço ≠ **imóvel**, fixo, imobilizado

mu *n.m.* **macho**, mulo, muar

muar *n.m.* **mu**, macho, mulo

muco *n.m.* **mucosidade**

mucosidade *n.f.* **muco**

mucoso *adj.* **viscoso**

muçulmano *adj.,n.m.* **islamita**, maometano, muslim, moslém, moslemo, islâmico, árabe, agareno, sarraceno, moiro

muda *n.f.* **1 mudança**, mutação, renovação **2 transferência**

mudado *adj.* **1 alterado**, transformado, modificado, diferente **2 transportado**, deslocado

mudamente *adv.* **silenciosamente**

mudança *n.f.* **1 modificação**, mutação, renovação, muda, alteração, transformação, demudança, imutação, transmutação, metamorfose, metamorfismo, variação **2 deslocação**, transferência **3 troca**, substituição, comutação, resmuda

mudar *v.* **1 modificar**, alterar, transformar, demudar, imutar, transmutar, metamorfosear, renovar, variar, cambiar, comutar, transfigurar ≠ **manter**, conservar **2 deslocar**, transferir, desviar, remover, transplantar, trasladar, transportar **3 substituir**

mudar-se *v.* **transferir-se**, deslocar-se, converter-se

mudéjar *adj.,n.2g.* **moirisco**

mudez *n.f.* **1 mutismo**, emudecimento, aglossia **2 silêncio**, quietação, serenidade, tranquilidade, sossego

mudo *adj.* **1 álalo 2 calado**, silencioso **3 taciturno**

muge *n.f.* ORNIT. **tainha**, bicudo, fataça, liça, garranto, garrento, mugem, mugueira

mugido *n.m.* **berro**, bramido

mugir *v.* **1** (boi) **arruar 2 berrar**, bramar, bramir, gritar **3 estrondear**, rugir, retumbar

muito *det.,pron.indef.* **bastante** ≠ **pouco** ■ *adv.* **1 bastante**, deveras, imensamente, profundamente, grandemente, assaz, seriamente, abundantemente, harto, vonda *ant.* ≠ **pouco 2 excessivamente**, extremamente, exageradamente **3 frequentemente**, repetidamente ≠ **pouco**, raramente **4 intensamente**

mula *n.f.* **1** ZOOL. **mua 2** ORNIT. **galispo 3** *col.,pej.* **astuto**, esperto, manhoso

muladar *n.m.* **monturo**, esterqueira, estrumal, imundície, esterquilínio

muleta *n.f. fig.* **apoio**, auxílio, amparo, arrimo, esteio

mulher *n.f.* **1 senhora 2** *col.* **esposa**, companheira

mulherengo *adj.,n.m.* **1 fraldiqueiro**, femeeiro, garanhão, marialva, homem-galinha [BRAS.] **2** *pej.* **efeminado**, amaricado, amulherado, mulherico, adamado ≠ **másculo**

mulher-homem *n.f. pej.* **virago** *pej.*, marimacho *pej.*, macha-fêmea *pej.*

mulo *n.m.* **macho**, mu, muar

multa *n.f.* **1 coima 2 pena**, condenação

multar *v.* **autuar**, coimar

multicolor *adj.2g.* **policromo**, multicor, policromático ≠ **monocolor**, monocromo

multicolorir *v.* **matizar**

multicor *adj.2g.* **policromo**, multicolor, policromático, multicolorido ≠ **monocolor**, monocromo

multidão *n.f.* **1 turba**, massa, horda, gentio, bando, mole, turma, população, populacho, nuvem *fig.*, hoste *fig.*, esquadrão *fig.*, exército *fig.*, falange *fig.*, quadrilha *fig.* **2 abundância**, montão, amontoado, monte, chusma, magote, profusão, multiplicidade, caterva, cópia, afluência, ror *col.*

multifloro *adj.* **plurifloro**

multiforme *adj.2g.* **pluriforme**, polimorfo, multímodo, polimórfico

multilateral *adj.2g.* GEOM. **multilátero**

multilingue *adj.2g.* **poliglota**

multiplicação *n.f.* **1 reprodução 2 proliferação**, difusão, propagação **3 aumento**, acréscimo

multiplicador *n.m.* MAT. **coeficiente**

multiplicar *v.* **1 aumentar**, amontoar, acumular, ampliar, crescer **2 reproduzir**, copiar **3 proliferar**, difundir, prolificar, propagar

multiplicar-se *v.* **reproduzir-se**, aumentar, crescer, propagar-se, prolificar, proliferar

multíplice *adj.2g.* **numeroso**, múltiplo, copioso, variado, vasto

multiplicidade *n.f.* **abundância**, pluralidade, variedade, diversidade

múltiplo *adj.* **numeroso**, multíplice, copioso, variado, vasto

multissecular *adj.2g.* **plurissecular**, centissecular

mumificar-se *v.* **1** *fig.* **emagrecer**, definhar, atrofiar **2** *fig.* **petrificar-se**, estagnar

mundanidade *n.f.* **materialidade**, mundanalidade, mundanismo ≠ **espiritualidade**

mundano *adj.* **terreno**, material, terrenho, terrestre, mundanário ≠ **espiritual**, místico

mundial *adj.2g.* **geral**, universal

mundo *n.m.* **1 Universo**, cosmos **2 Terra**, globo, planeta **3 humanidade**, Homem **4 multidão**, gente **5 abundância**, fartura, profusão

mungir *v.* **1 ordenhar 2 espremer**, extorquir

munição *n.f.* **catucho**, projétil

municiar *v.* **abastecer**, munir, apetrechar, aprovisionar, bastecer, municionar

municionar *v.* **abastecer**, munir, apetrechar, aprovisionar, bastecer, municiar

municipal *adj.2g.* **camarário**, munícipe

municipalidade *n.f.* 1 **vereação**, edilidade, município 2 **concelho**, município

município *n.m.* 1 **vereação**, edilidade, municipalidade 2 **concelho**, municipalidade

munido *adj.* 1 **abastecido**, guarnecido, dotado 2 **preparado**, equipado, instrumentalizado

munir *v.* 1 **abastecer**, apetrechar, dotar, equipar, aprovisionar, armar, municiar, municionar, guarnecer, prover 2 [BRAS.] **acautelar**, defender, prevenir

munir-se *v.* 1 **prover-se**, abastecer-se, fornecer-se, dotar-se 2 **recorrer**, usar 3 **preparar-se** 4 **prevenir-se**, acautelar-se, armar-se

mural *adj.2g.* **parietal**, parietário

muralha *n.f.* **paredão**, muramento

murar *v.* 1 **amuralhar**, muralhar, emparedar, valar, cercar 2 **fortificar**, fortalecer

murchar *v.* 1 **emurchecer**, desverdecer, mirrar, estiolar, fenecer, secar, fanar, fanar-se, desflorescer 2 **esmorecer**, debilitar, definhar, enfraquecer, afrouxar 3 **apagar-se**, extinguir-se, sumir-se

murcho *adj.* 1 **emurchecido**, desverdecido, mirrado, estiolado, fenecido, seco, fanado, agostado, petisseco *col.* 2 **abatido**, apagado, caído, desanimado, desalentado, triste, tristonho, esmorecido 3 **desmaiado**, pálido, desbotado

murmuração *n.f.* 1 **sussurro**, burburinho, rumor, murmúrio, rumorejo, cicio, múrmur, refrulho, ruflo, bulício, murmurinho, rumorinho, segredismo, rosnido *fig.* 2 **detração**, maledicência, má-língua, falatório, falada, abocamento, murmúrio

murmurador *adj.* **sussurrante**, murmurante, ciciante, murmurativo, múrmuro, murmuroso, segredeiro ■ *adj.,n.m.* **maledicente**, maldizente, difamador, caluniador, detrator, grosador

murmurante *adj.2g.* **murmurador**, sussurrante, ciciante, murmurativo, múrmuro, murmuroso

murmurar *v.* 1 **sussurrar**, ciciar, rumorejar, cochichar, segredar, boquear, boquejar, mussitar, retrincar 2 **censurar**, criticar, detrair, difamar, desacreditar, maldizer, morder *fig.* 3 **resmungar**, resmonear, rosnar 4 **queixar-se**, lamentar-se, lastimar-se

murmurinho *n.m.* **sussurro**, burburinho, murmúrio, rumor, murmuração, rumorejo, cicio, múrmur, refrulho, ruflo, bulício

murmúrio *n.m.* 1 **sussurro**, burburinho, rumor, murmuração, rumorejo, cicio, múrmur, refrulho, ruflo, bulício, murmurinho 2 **lamentação**, queixa, protesto 3 **maledicência**, calúnia, detração, má-língua, murmuração, ladrado *fig.*, rabecada *col.*

muro *n.m.* 1 **parede** 2 **muralha** 3 **sebe**, tapamento, tapadura 4 **resguardo**, defesa, proteção

murro *n.m.* **punhada**, soco, cachação, sopapo, pero *col.*

murta *n.f.* BOT. **mirto**, arraião, murteira, murtinheira

murtal *n.m.* **mirtedo**

murteira *n.f.* BOT. **mirto**, arraião, murta, murtinheira

musa *n.f.* **camena**, inspiração, nume, númen, estro, génio

musaranho *n.m.* ZOOL. **murganho**, rato-musgo, busaranho

musculação *n.f.* DESP. **culturismo**

musculado *adj.* 1 **musculoso**, carnudo 2 *fig.* **robusto**, forte

musculatura *n.f.* 1 **musculosidade**, carnadura 2 *fig.* **força**, vigor

músculo *n.m.* 1 **fêvera**, fibra, febra, nervo 2 *fig.* **energia**, força, rijeza, vigor

musculosidade *n.f.* **musculatura**, carnadura

musculoso *adj.* 1 **carnudo**, musculado 2 *fig.* **rijo**, robusto, vigoroso, forte

música *n.f.* 1 **melodia**, harmonia 2 **cadência**, ritmo 3 **banda**, filarmónica, orquestra, musicata, sol e dó 4 *col.* **treta**, lábia, palavreado

musical *adj.2g.* 1 **orfeico**, orfeónico 2 **harmonioso**, melodioso, suave, músico

musicar *v.* 1 **compor** 2 **tocar** 3 **cantar**, cantarolar, trautear

músico *n.m.* **musicista** ■ *adj.* **melodioso**, harmónico, harmonioso, suave, musical

mutabilidade *n.f.* **instabilidade**, volubilidade, versatilidade, inconstância, mobilidade, alterabilidade ≠ **imutabilidade**, inalterabilidade, invariabilidade, estabilidade, constância

mutação *n.f.* 1 **modificação**, mudança, renovação, alteração, transformação, demudança, imutação, transmutação, metamorfose, metamorfismo, variação 2 **inconstância**, volubilidade

mutável *adj.2g.* **inconstante**, instável, alterável, mudável, móvel, mudadiço ≠ **imutável**, inalterável, invariável, constante

mutilação *n.f.* **corte**, cortamento, supressão, amputação, decepamento, estropiação, mochadura

mutilado *adj.* 1 **estropiado**, aleijado 2 **defeituoso**, incompleto, imperfeito

mutilar *v.* 1 **amputar**, decepar, truncar, estropiar, destroncar, tronchar, fanar, mochar 2 **danificar**, estragar, destruir 3 **suprimir**, reduzir

mutismo *n.m.* **mudez**, aglossia

mutualidade *n.f.* 1 **reciprocidade** 2 **troca**, permutação

mutuamente *adv.* **reciprocamente**

mutuante *adj.,n.2g.* **mutuador**

mutuar *v.* **reciprocar**, permutar

mutuário *n.m.* **mutuatário**

mútuo *adj.* **recíproco**

N

nababo *n.m. fig.* **paxá**, sardanapalo, lorde *fig.*

nabo *n.m. col.* **palerma**, estúpido, idiota, pateta, tolo

nação *n.f.* **1** **povo**, nacionalidade, grege *ant.* **2** POL. **estado**, país **3** **pátria**, naturalidade, nacionalidade, país, origem **4** **casta**, raça, espécie, género, família, classe, categoria, grupo

nácar *n.m.* **madrepérola**

nacarado *adj.* **róseo**, rosado, acarminado, carminado

nacional *adj.2g.* **1** **pátrio**, vernáculo ≠ **desnacional** **2** **nativo** ≠ **estrangeiro**, forasteiro, estranho, exótico, forâneo, alienígena ■ *n.2g.* **nativo**, natural

nacionalidade *n.f.* **1** **povo**, nação **2** **país**, pátria, naturalidade, nação, origem

nacionalismo *n.m.* **patriotismo** ≠ **antipatriotismo**

nacionalista *adj.2g.* **patriótico** ≠ **antipatriótico**, despatriota, antinacionalista

nacionalização *n.f.* **1** **naturalização** ≠ **desnaturalização** **2** **estatização** ≠ **privatização**, desestatização

nacionalizar *v.* **1** **naturalizar** ≠ **desnaturalizar** **2** **estatizar** ≠ **privatizar**, desestatizar

naco *n.m.* **bocado**, fatia, talhada, mica, lasca, mordo, posta, chisco, tagalho [REG.], tassalho *col.*, tracalhaz *col.*

nada *pron.indef.* ≠ **tudo** ■ *adv.* **não**, nentes *col.* ■ *n.m.* **1** **zero**, não-ser, patavina, peva *col.* **2** **bagatela**, insignificância, ninharia, niquice, migalhice, minúcia, ridicularia, avo *fig.*, tuta e meia *col.*, nica *col.*, caganifância *col.* ≠ **importância**, utilidade, valor, transcendência, relevância, interesse

nadador-salvador *n.m.* **banheiro**, salva-vidas

nadar *v.* **banhar-se**, remar

nádega *n.f.* **1** **nalga**, poisadeira *col.* **2** [*pl.*] **rabo**, traseiro, rabiote *col.*, assento *col.*, sim-senhor *col.*, sesso *col.*, culatra *col.*, cu *vulg.*, bunda [BRAS.]

nado *adj.* **nascido**, nato

naga *n.f.* ZOOL. **naja**

naifa *n.f. col.* **navalha**

naipe *n.m.* **1** **conjunto**, classe, categoria, grupo, espécie, ordem, camada **2** *fig.* **condição**, categoria

namorado *adj.* **1** **apaixonado**, enamorado, amante ≠ **desapaixonado** **2** **cortejado**, galanteado, requestado, damejado **3** **terno**, suave, amoroso ■ *n.m.* **1** **amante**, amador, namoro, amigo, conversado *col.*, derriço *col.* **2** **galanteador**, cortejador

namorar *v.* **1** **cortejar**, galantear, requestar, damejar, arrulhar, donear, rentear, graxear [BRAS.], engalriçar [REG.] **2** **namoricar**, sapecar, paquerar [BRAS.] *col.*, gargarejar *fig.* **3** **cativar**, atrair, seduzir, encantar, fascinar, render, aliciar ≠ **desinteressar**, repelir, repugnar **4** **desejar**, apetecer, cobiçar, invejar, ambicionar, anelar *fig.* ≠ **desinteressar-se**, desapegar-se

namorar-se *v.* **1** **enamorar-se**, apaixonar-se, agradar-se **2** **cortejar-se** **3** **afeiçoar-se**, simpatizar **4** **encantar-se**, enlevar-se

namoricar *v.* **namoriscar**, namorar, sapecar, flirtar, paquerar [BRAS.] *col.*

namorico *n.m.* **namorisco**, caso, aventura, paixoneta

namoro *n.m.* **1** **amor**, galanteio, namoração, corte *fig.*, derrete *col.*, derriço *col.*, pé de alferes *col.*, prosa [BRAS.] *col.*, xodó [BRAS.] **2** **amante**, amador, amigo, conversado *col.*, derriço *col.*

nanar *v. infant.* **dormir**, repousar, descansar, ninar ≠ **velar**, desvelar

nandu *n.m.* ORNIT. **ema**, nhandi, nhandu

nanja *adv. col.* **não**, nunca

nanquim *n.m.* **tinta da china**

não *adv.* **1** **jamais**, nunca **2** **nada** **3** **negativamente** ≠ **afirmativamente** ■ *n.m.* **recusa**, negação, negativa, rejeição, repulsa, nolição ≠ **aceitação**, anuência, consentimento, sim

não-cumprimento *n.m.* (uma lei, um regulamento) **desobediência**, infração, transgressão, contravenção, violação ≠ **cumprimento**, obediência, acatamento

não-te-rales *n.m. col.* **ociosidade**, moleza, desinteresse ≠ **interesse**, empenho

napoleónicoAO ou **napoleônico**AO *adj.,n.m.* **bonapartista**

napolitano *adj.,n.m.* **partenopeu**

narcótico *adj.* MED., FARM. **soporífico**, adormecedor, dormitivo, laudânico, hipnógeno ≠ **antinarcótico** ■ *n.m.* **1** MED., FARM. **soporífero**, estupefaciente, hipnótico **2** *fig.* **maçador**, maçante, impertinente, aborrecido, lapa, chato *col.*, cola *col.* ≠ **estimulante**

narcotização *n.f.* **anestesia**, insensibilização

narcotizar *v.* **1** **anestesiar**, insensibilizar **2** **entorpecer**, adormentar, adormecer, anestesiar *fig.*, reumatizar *fig.* ≠ **desentorpecer** **3** *fig.* **entediar**, aborrecer, enfastidiar, enfadar ≠ **alegrar**, animar

nardo *n.m.* 1 BOT. **cervum** 2 BOT. **angélica**, angélica-dos-jardins

narigudo *adj.* narigão, pencudo, bicancudo

narina *n.f.* 1 narícula, fossa nasal 2 [*pl.*] **nariz**, ventas, narículas, tabaqueiras *col.*, bitáculas *col.*

nariz *n.m.* 1 ANAT. **apêndice** *col.*, fungão *col.*, narigueta *col.*, zagaio *col.*, bitácula *col.* 2 ANAT. **narinas**, ventas, narículas, tabaqueiras *col.* 3 [*pl.*] *col.* **rosto**, cara, focinho, ventas *col.* 4 (animais) **focinho** 5 *fig.* **faro**, olfato, olfação, cheiro 6 *fig.* **faro**, intuição, instinto 7 *fig.* **sagacidade**, esperteza, tino, juízo ≠ **desatino**

narração *n.f.* 1 **explanação**, exposição, relatório, relação, relato, referimento, narrativa 2 **história**, conto, narrativa, reconto, diegese

narrado *adj.* **contado**, referido, relatado, recitado ■ *n.m.* **explanação**, exposição, relatório, relação, relato, referimento, narrativa, narração

narrador *adj.,n.m.* **contador**, relator, explanador, descritor, expositor, relatador

narrar *v.* 1 **relatar**, contar, descrever, expor, explanar, referir, historizar 2 **historiar**, contar

narrativa *n.f.* 1 **explanação**, exposição, relatório, relação, relato, referimento, narração, raconto 2 LIT. **história**, conto, narração, reconto, diegese

narrativo *adj.* **descritivo**, expositivo, exegético, diegético

narrável *adj.2g.* **contável**, descritível, revelável ≠ **inarrável**, indizível

nasal *adj.2g.* **fanhoso**, roufenho, morfanho

nascença *n.f.* 1 **nascimento**, nascer 2 **origem**, começo, princípio, procedência, primórdio, início, exórdio *fig.*, limiar *fig.* ≠ **fim**, término 3 *col.* **tumor**, furúnculo, leicenço, nascida

nascente *n.m.* **oriente**, este, leste ≠ **ocidente**, oeste, poente ■ *n.f.* 1 GEOG. **fonte**, origem, olho-d'água, olheiro, olho, olheirão, nasceiro 2 *fig.* **origem**, começo, princípio, procedência, proveniência, exórdio *fig.*, limiar *fig.* ≠ **fim**, término

nascer *v.* 1 (espécie animal) **vir** ≠ **ir**, morrer 2 (espécie vegetal) **rebentar**, germinar, brotar, vernar ≠ **mirrar**, murchar, fenecer 3 (água) **brotar**, manar, irromper 4 **romper**, apontar, surgir, despontar ≠ **desaparecer** 5 **principiar**, começar, aparecer, surgir ≠ **acabar**, extinguir-se 6 **derivar**, provir, proceder 7 (astro) **despontar**, aparecer 8 **gerar-se**, surgir, criar, produzir, começar 9 **aparecer**, formar-se, constituir-se, instituir-se 10 **abrir-se**, despertar, interessar-se 11 **acontecer**, suceder ■ *n.m.* **nascimento**, nascença

nascida *n.f.* **tumor**, furúnculo, leicenço, nascença *col.*

nascido *adj.* 1 **nato** 2 **oriundo**, natural, originário, procedente, vindo, descendente, proveniente ■ *n.m.* **tumor**, leicenço, frunco *col.*, fruncho *col.*, nascença *col.*

nascimento *n.m.* 1 **nascença**, nascer 2 **origem**, começo, princípio, procedência, proveniência ≠ **fim**, término 3 **casta**, estirpe, família, classe, grupo, espécie 4 **início**, princípio, primórdio, exórdio *fig.*, limiar *fig.* ≠ **fim**, término 5 (astro) **aparecimento**, começo

nassa *n.f.* 1 **tapagem** 2 *col.* **moca**, pedrada, ganza

nata *n.f.* 1 **creme** 2 *fig.* **creme**, elite, escol, flor, alta-roda, núcleo ≠ **escumalha** *fig.,pej.*, borra *fig.*, escória *pej.*, ralé *pej.*, enxurro *fig.,pej.*

natal *adj.2g.* 1 **natalício**, genetlíaco 2 **pátrio** ■ *n.m.* RELIG. (com maiúscula) **Natividade**

natalício *adj.* **natal**, genetlíaco

natatório *n.m.* 1 **piscina** 2 **aquário**

natividade *n.f.* 1 **nascimento**, nascença, nascer 2 RELIG. (com maiúscula) **Natal**

nativismo *n.m.* **xenofobismo**, chauvinismo, jingoísmo

nativo *adj.* 1 **inato**, nato, natural, congénito 2 **natural**, originário, oriundo, procedente, proveniente, descendente, vindo, nadivo, nascidiço 3 **nacional**, vernáculo, pátrico 4 **natural**, singelo, genuíno, espontâneo, simples ≠ **artificial**, falso 5 **falante** ■ *n.m.* 1 **natural** 2 **indígena**, aborígene, autóctone, natural

nato *adj.* 1 **nado**, nascido 2 **inato**, nativo, natural, congénito, adquirido 3 **inerente**, próprio

natural *adj.* 1 **inato**, nato, nativo, congénito ≠ **desnatural** 2 **normal**, regular ≠ **anormal**, excecional 3 **peculiar**, próprio, inerente, característico, típico ≠ **incaracterístico**, atípico, alheio 4 **autêntico**, genuíno, verdadeiro, lídimo, espontâneo, franco ≠ **dissimulado**, fingido, artificial 5 **puro** ≠ **impuro**, misturado, alterado 6 **nativo**, originário, oriundo, procedente, proveniente, descendente, vindo 7 **presumível**, verosímil, provável, hipotético, possível ■ *n.2g.* **indígena**, aborígene, autóctone, nativo ■ *n.m.* 1 **índole**, carácter, temperamento, vocação, natureza, compleição, cariz, génio 2 **simplicidade**, genuinidade, autenticidade, naturalidade, espontaneidade ≠ **fingimento**, simulação, artificialidade

naturalidade *n.f.* 1 **simplicidade**, genuinidade, autenticidade, espontaneidade, natural, instintividade ≠ **fingimento**, simulação, artificialidade, desnaturalidade, teatralidade *fig.,pej.* 2 **nação**, pátria, nacionalidade, origem, país 3 **origem**, nascimento, procedência

naturalização *n.f.* 1 **nacionalização** ≠ **desnacionalização**, desnaturação 2 (animais, plantas) **aclimatação**, adaptação, habituação

naturalizar *v.* 1 **nacionalizar** ≠ **desnacionalizar**, desnaturar 2 (animais, plantas) **aclimatar**, adaptar, habituar, ajustar 3 (loção ou palavra de língua estrangeira) **adotar**

naturalizar-se *v.* **nacionalizar-se**

naturalmente *adv.* 1 **espontaneamente**, genuinamente, singelamente, simplesmente, autenticamente, despretensiosamente ≠ **artificialmente**, dissimuladamente 2 **facilmente**, instintivamente, espontaneamente 3 **evidentemente**, certamente, obviamente, seguramente ≠ **estranhamente** 4 **provavelmente**, certamente, hipoteticamente, presumivelmente

natureza *n.f.* 1 **criação**, natura *poét.* 2 **essência**, substância 3 **índole**, temperamento, carácter, compleição, vocação, cariz, génio 4 **espécie**, qualidade, género, tipo, casta *fig.* 5 **genitália**

nau *n.f.* 1 **navio**, nave, vela, embarcação 2 **tripulação**, equipagem, chusma, marinhagem

naufragar *v.* 1 **afundar**, mergulhar, imergir, submergir, soçobrar ≠ **emergir** 2 *fig.* **perder-se** 3 *fig.* **fracassar**, falhar, fraquejar, malograr-se ≠ **conseguir**

naufrágio *n.m.* 1 **afundamento**, submersão, soçobro ≠ **emersão** 2 *fig.* **desgraça**, ruína, queda, infortúnio

náusea *n.f.* 1 **enjoo**, engulho, mareação, fastio, agonia *col.* ≠ **desenjoo** 2 **aversão**, nojo, repugnância, asco, repulsa ≠ **agrado**, gosto

nauseabundo *adj.* 1 **enjoativo**, engulhoso, fastiento, nauseativo, agoniante *col.* ≠ **desenjoativo** 2 **asqueroso**, nojento, repugnante, repulsivo ≠ **agradável**, aprazível

nauseante *adj.2g.* 1 **enjoativo**, engulhoso, fastiento, agoniante *col.* ≠ **desenjoativo** 2 **asqueroso**, nojento, repugnante, repulsivo ≠ **agradável**, aprazível

nausear *v.* 1 **enjoar**, engulhar, marear, agoniar ≠ **desenjoar** 2 **repugnar**, repulsar, repelir, enojar ≠ **agradar**, satisfazer

nausear-se *v.* 1 **enjoar** 2 **repugnar-se**

nauta *n.m.* **marinheiro**, mareante, marujo, marítimo, navegador, embarcadiço

náutica *n.f.* **navegação**, marinha

náutico *adj.* **marítimo**, naval

nava *n.f.* 1 **planície**, planura, chapada, chada, chã 2 **vale**

naval *adj.2g.* **marítimo**, náutico

navalha *n.f.* 1 **naifa** *col.* 2 *fig.* **maldizente**, má-língua, difamador, detrator, malédico 3 ZOOL. **lingueirão**, longueirão, linguarão

navalhada *n.f.* 1 **picada**, naifada *col.* 2 **ferroada**

navalhar *v.* 1 **anavalhar**, golpear 2 **torturar**, afligir, lacerar, consumir, mortificar, dilacerar, pungir *fig.* ≠ **aliviar**, tranquilizar

navarro *adj.,n.m.* **navarrino**, navarrês

nave *n.f.* 1 **navio**, embarcação, nau, vela 2 *fig.* **templo**

navegação *n.f.* 1 **náutica**, marinha 2 **aeronáutica**

navegador *adj.* **navegante**, mareante ▪ *n.m.* **marinheiro**, mareante, marujo, marítimo, nauta, embarcadiço

navegante *adj.* **navegador**, mareante ▪ *n.m.* 1 **marinheiro**, mareante, marujo, marítimo, nauta, embarcadiço 2 ZOOL. **lobegante**

navegar *v.* 1 **marear**, vogar, sulcar, arar *fig.* 2 **governar**, dirigir 3 **seguir**, avançar 4 **percorrer**, atravessar 5 INFORM. **surfar**

navegável *adj.2g.* **flutuável**, navígero *poét.* ≠ **desnavegável**, inavegável

naveta *n.f.* 1 **lançadeira** 2 BOT. **carena**, quilha, querena 3 **navicela**

navio *n.m.* **nau**, nave, vela, embarcação

Nazareno *n.m.* RELIG. **Cristo**, Messias, Redentor, Salvador

nazi *adj.,n.m.* **nazista**, hitleriano, nacional-socialista

nazismo *n.m.* POL. **nacional-socialismo**, hitlerismo

neblina *n.f.* 1 **nevoeiro**, cerração, bruma, caligem, librina, névoa 2 *fig.* **obscuridade**, sombra, escuridão ≠ **claridade**, iluminação, nitescência

nebulosa *n.f. fig.* **nebulosidade**, confusão, obscuridade ≠ **clareza**, precisão

nebulosidade *n.f.* 1 **enevoamento** ≠ **desenevoamento** 2 *fig.* **confusão**, obscuridade ≠ **clareza**, precisão, aclaração

nebuloso *adj.* 1 **brumoso**, enevoado, nublado, nevoento, brumal ≠ **desanuviado**, aberto, descerrado 2 **turvo**, opaco, fosco, baço, embaciado ≠ **límpido**, transparente, claro 3 **difuso**, indistinto, indistinguível ≠ **nítido**, claro, distinto 4 **obscuro**, hermético, confuso, complicado, incompreensível, enigmático ≠ **claro**, compreensível, entendível 5 *fig.* **longínquo**, remoto, distante, antigo, recuado ≠ **recente**, próximo 6 *fig.* **indeterminado**, vago, incerto, duvidoso, brumoso ≠ **claro**, certo, exato 7 *fig.* **triste**, sombrio, soturno, lúgubre, melancólico, taciturno ≠ **alegre**, vivo 8 **ameaçador**, agressivo, desagradável, hostil, temível ≠ **tranquilizador**, tranquilizante

necessária *n.f. col.* **retrete**, latrina, privada, sentina, dejetório

necessariamente *adv.* 1 **inevitavelmente**, infalivelmente, fatalmente, forçosamente 2 **obrigatoriamente**, forçosamente ≠ **facultativamente**

necessário *adj.* 1 **indispensável**, imprescindível, essencial, fundamental *fig.* ≠ **dispensável**, secundário, suplementar, complementar, acessório 2 **importante**, útil ≠ **desnecessário**, inútil 3 **preciso**, requerido, exigido, imposto ≠ **facultativo**, opcional 4 **inevitável**, forçoso, fatal ≠ **evitável**, prescindível, escusável 5 FIL. ≠ **contingente** ▪ *n.m.* 1 **essencial** ≠ **supérfluo** 2 FIL. ≠ **contingente**

necessidade *n.f.* 1 **carência**, falta, carecimento, precisão, míngua, privação, inexistência, pobreza ≠ **abundância**, riqueza, fartura, suficiência 2 **miséria**, pobreza, privação, penúria ≠ **riqueza**, abundância, fortuna, opulência 3 **precisão**, aperto, urgência 4 **obrigação**, imposição, constrangimento, coação ≠ **liberdade**, arbítrio 5 **inevitabilidade**, fatalidade

necessitado *adj.* **pobre**, indigente, miserável, precisado, carente, mendigo, falto ≠ **abastado**, sobrado, opulento, desnecessitado, acaudalado *fig.*

necessitar *v.* 1 **carecer**, precisar, requerer ≠ **desnecessitar** 2 **exigir**, requerer, demandar 3 **obrigar**, forçar, constranger, compelir, coagir, compulsar, impor ≠ **desobrigar**, eximir, dispensar, liberar

necrologia *n.f.* 1 **obituário**, necrológio 2 **lutuosa**, necrológio 3 **necrológio**

necrológio *n.m.* 1 **obituário**, necrologia 2 **lutuosa**, necrologia 3 **necrologia**

necrópole *n.f.* **cemitério**, campo-santo, cardal, fossário, sepulcrário

necrotério *n.m.* **morgue**

néctar *n.m.* 1 MITOL. **ambrosia** 2 *fig.* **delícia**, encanto, gozo, prazer

nédio *adj.* 1 **luzidio**, luzente, lustroso, claro, cintilante, resplandecente, reluzente, luminoso ≠ **escuro**, sombrio, obscuro 2 **anafado**, gordo, carnudo, luzido, leitoado, roliço *fig.* ≠ **magro**, descarnado, franzino

neerlandês *adj.,n.m.* **holandês**

nefando *adj.* 1 **abominável**, odioso, execrável, condenável, repelente, detestável, detestando, vitando ≠ **agradável**, apreciável 2 **depravado**, perverso, sórdido, indecente, malvado ≠ **decente**, decoroso

nefasto *adj.* 1 **pernicioso**, prejudicial, nocivo, funesto ≠ **favorável**, propício 2 **perverso**, malvado, mau ≠ **bondoso**, benévolo 3 **triste**, trágico, lutuoso, funesto, sinistro

nefelibata *adj.2g. fig.* **nubívago** ■ *n.2g.* **decadentista**

nega *n.f.* 1 *col.* **recusa**, negação, negativa, rejeição ≠ **aceitação**, anuência, consentimento, sim 2 *col.* **inadptidão**, incapacidade, incompetência ≠ **aptidão**, capacidade, talento, competência 3 **falha**, fracasso, insucesso ≠ **sucesso**, conquista, consecução 4 *gír.* **negativa** ≠ **positiva**

negaça *n.f.* 1 **chamariz**, chama, atrativo, isca *fig.*, engodo *fig.* 2 **recusa**, negação, negativa, rejeição ≠ **aceitação**, anuência, consentimento, sim

negação *n.f.* 1 **recusa**, negativa, rejeição, veto, não ≠ **aceitação**, anuência, consentimento, sim 2 **inadptidão**, incapacidade, incompetência ≠ **aptidão**, capacidade, talento, competência 3 **carência**, falta, precisão, necessidade, míngua ≠ **abundância**, fartura, suficiência

negado *adj.* 1 **recusado**, abjurado 2 **contestado** 3 **proibido**

negar *v.* 1 **contestar**, refutar, opor-se, contraditar ≠ **corroborar**, comprovar, confirmar, adjurar, afirmar 2 **recusar**, rejeitar ≠ **aceitar**, anuir, consentir 3 **desmentir**, contradizer ≠ **confirmar**, corroborar 4 **proibir**, impedir ≠ **consentir**, autorizar

negar-se *v.* 1 **recusar-se**, escusar-se 2 **evitar**, prescindir, fugir

negativa *n.f.* 1 **recusa**, negação, rejeição, nega *col.* ≠ **aceitação**, anuência, consentimento, sim, afirmativa 2 *gír.* **nega** ≠ **positiva**

negativismo *n.m.* **derrotismo**, pessimismo ≠ **otimismo**, positivismo

negativista *adj.,n.2g.* **derrotista**, pessimista ≠ **otimista**, positivista

negativo *adj.* 1 **nulo**, inócuo 2 **contraproducente**, contraindicado ≠ **aconselhado**, indicado, recomendado 3 **proibitivo**, coibitivo, impeditivo, restritivo, interditivo 4 **nocivo**, prejudicial, danoso, mau, ruim, terrível ≠ **benéfico**, saudável, benévolo 5 **derrotista**, pessimista ≠ **otimista**, positivista 6 *gír.* ≠ **positivo**

negatório *adj.* **negador**

negável *adj.2g.* **refutável**, contestável ≠ **inegável**, incontestável, evidente

negligência *n.f.* 1 **deselegância**, desleixo, descuido, desalinho, desmazelo, incúria, incuriosidade ≠ **elegância**, cuidado, zelo, esmero 2 **desdém**, desprezo, desapreço, desamor, menosprezo, desestima, desconsideração, desrespeito ≠ **apreço**, estima, consideração 3 **preguiça**, indolência, displicência, ociosidade, moleza ≠ **atividade**, dinamismo

negligenciar *v.* 1 **descurar**, descuidar, desleixar, desalinhar, desmazelar, desaprimorar, desarranjar, transcurar ≠ **cuidar**, aprimorar, arranjar 2 **omitir**, esquecer ≠ **mencionar**, revelar, lembrar

negligente *adj.2g.* 1 **desleixado**, descuidado, desalinhado, desmazelado, desaprimorado, desarranjado, desapurado, descurado, incurioso, malpronto, pingão ≠ **cuidado**, aprimorado, arranjado 2 **desatento**, descuidado, alheado, aéreo, abstrato, absorto, distraído ≠ **atento**, concentrado 3 **preguiçoso**, indolente, frouxo, ocioso, mandrião, madraço, calaceiro, vagabundo, inerte *fig.* ≠ **ativo**, dinâmico, enérgico, laborioso

negligentemente *adv.* **descuidadamente**, desleixadamente, desalinhadamente, desarranjadamente, descuradamente ≠ **cuidadosamente**, empenhadamente

negociação *n.f.* 1 **negócio**, comércio 2 **contrato**, ajuste, pacto, acordo, combinação, convenção, concerto, arranjo ≠ **desacordo**, desajuste, desarranjo

negociador *adj.* 1 **comerciante** 2 **mediador**, intermediário ■ *n.m.* 1 **negociante**, comerciante 2 **intermediário**, procurador, mediador

negociante *n.2g.* 1 **comerciante**, negociador 2 **intermediário**, procurador, mediador

negociar *v.* 1 **comerciar**, mercantilizar, trafeguear ≠ **desnegociar** 2 **traficar** 3 **ajustar**, agenciar 4 **promover**, preparar 5 **diligenciar** 6 **alcançar**, pactuar, acordar, parlamentear

negociata *n.f.* **traficância**, veniaga, mamata *col.*

negociável *adj.2g.* **vendável**, comerciável, permutável ≠ **inegociável**

negócio *n.m.* 1 **comércio**, tráfico, negociação, mercancia, negociamento 2 **empreendimento** 3 **ocupação**, atividade, trabalho 4 **questão**, assunto 5 **contrato**, ajuste, pacto, acordo, combinação, convenção, concerto, arranjo ≠ **desacordo**, desajuste, desarranjo 6 [BRAS.] **coisa**

negra *n.f.* 1 *col.* **equimose**, pisadura, exsucação, contusão 2 (variedade de azeitona) **negrainha**, negrão, negral 3 ORNIT. **negrinha**, negrela, negrola, pato-negro, pato-do-mar, ferrusco, ferraguso

negral *n.f.* (variedade de azeitona) **negrainha**, negrão, madural, negroa

negrão *n.m.* 1 **negraço**, negralhão 2 BOT. **tinturão** 3 ICTIOL. **tainha**, corvéu, fataça, galhofa, garrento, liça, mugem 4 (azeitona) **negrainha**, negra, negral

negrinha *n.f.* 1 **pretinha**, moleca [BRAS.] 2 ORNIT. **castanheira**, ferreirinha, ferrugenta, pretinha, negreira, serrana 3 ORNIT. **negra**, negrela, negrola, pato-negro

negrita *n.f.* 1 **cigarrilha** 2 ORNIT. **melro-buraqueiro**, frade, melro-pedreiro, rabo-branco

negro *adj.* 1 **preto**, escuro ≠ **branco**, claro 2 **escurecido**, enegrecido, sujo ≠ **limpo** 3 **escuro**, sombrio ≠ **claro**, luminoso 4 *fig.* **lúgubre**, triste, soturno, taciturno ≠ **alegre**, jovial, festivo 5 *fig.* **funesto**, fúnebre, tétrico, sinistro ■ *n.m.* 1 (cor) **preto** ≠ **branco** 2 (indivíduo) **preto** *pej.* ≠ **branco** 3 **negrito**, bold

negrume *n.m.* 1 **negrura**, escuridade ≠ **alvura**, claridade 2 **escuridão**, negror, obscuridade, treva, lobreguidão ≠ **luminosidade**, claridade 3 **cerração**, bruma 4 *fig.* **tristeza**, melancolia, nostalgia, acabrunhamento, abatimento, desalento, desânimo, mazombice ≠ **animação**, entusiasmo, motivação, alegria, vivacidade, vividez

negrura *n.f.* 1 **negrume**, escuridade ≠ **alvura**, claridade 2 **escuridão**, negror, obscuridade, treva ≠ **luminosidade**, claridade 3 *fig.* **perversidade**, crueldade, maldade ≠ **bondade**, ternura 4 *fig.* **tristeza**, melancolia, nostalgia, acabrunhamento, abatimento, desalento, desânimo ≠ **animação**, entusiasmo, motivação, alegria, vivacidade 5 *fig.* **crime**, mácula, labéu

nem *adv.* 1 **não** 2 **nenhum**

nené[AO] ou **nenê**[AO] *n.m. col.* **bebé**, recém-nascido, criança, nenê [BRAS.]

nenhum *det.,pron.indef.* 1 **qualquer** 2 **nulo**

nenúfar *n.m.* BOT. **gólfão**, golfo, bandeja-d'água, núfar, golfão

neófito *n.m.* **novato**, aprendiz, principiante, noviço, iniciado, batizado, catecúmeno *fig.* ≠ **experiente**, calejado, versado, perito

neologismo *n.m.* GRAM. **neologia** ≠ **arcaísmo**

népia *n.f. col.* **nada**

nepotismo *n.m.* **favoritismo**, preferência, compadrio *fig.*

nervo *n.m.* 1 *col.* **tendão**, ligamento 2 ARQ. **nervura** 3 **robustez**, força, vigor, energia, dureza ≠ **fraqueza**, moleza, debilidade 4 [*pl.*] **irriabilidade**

nervosamente *adv.* 1 **impacientemente**, agitadamente ≠ **calmamente**, serenamente 2 **ativamente**, energicamente, excitadamente ≠ **languidamente**, frouxamente

nervosismo *n.m.* 1 **inquietação**, impaciência, ansiedade, histeria, nervosidade ≠ **calma**, serenidade, tranquilidade 2 **excitação**, exaltação, enervamento, frenesi ≠ **calma**, serenidade, tranquilidade

nervoso *adj.* 1 ANAT. **nérveo**, nerval, nervino 2 **irritável**, irritadiço 3 **excitado**, inquieto, tenso *fig.*, elétrico *fig.* 4 **enérgico**, vigoroso, robusto, forte ≠ **fraco**, débil 5 **nervado**

néscio *adj.* 1 **ignorante**, estúpido, inepto, fátuo ≠ **competente**, culto 2 **irresponsável**, imprudente, fátuo, insensato ≠ **responsável**, prudente ■ *n.m.* 1 **imbecil**, parvo, ignorante ≠ **competência** *col.*, expoente *fig.*, às *fig.* 2 **imprudente**, insensato

nesga *n.f.* 1 **retalho**, tira 2 **fenda**, brecha, racha, frincha, fisga

nêspera *n.f.* 1 BOT. **nêspero**, magnório, magnólio 2 [REG.] **embriaguez**, bebedeira, ebriedade, bico, canjica, borracheira *col.*, piela *col.*, bruega *col.*, cardina *col.*, carraspana *col.* ≠ **sobriedade**, abstemia

netos *n.m.pl.* **descendentes**, vindouros, posteridade ≠ **antepassados**, ascendentes

neuralgia *n.f.* MED. **nevralgia**

neurastenia *n.f.* 1 MED. **nevrostenia** 2 **neura** *col.* 3 **atrabile**

neurologia *n.f.* MED. **nevrologia**, neuropatologia, nevropatologia

neurológico *adj.* **nevrológico**, neuropatológico

neurologista *n.2g.* **nevrologista**, nevrólogo, neurólogo

neuropatia *n.f.* MED. **nevropatia**, neurose, nevrose

neurose *n.f.* MED. **neuropatia**, nevrose, nevropatia

neurótico *adj.* **nevrótico**

neutral *adj.2g.* **imparcial**, neutro ≠ **parcial**, faccioso, comprometido

neutralidade *n.f.* 1 **imparcialidade**, isenção ≠ **parcialidade**, facciosismo 2 **indiferença**, desinteresse, insensibilidade *fig.* ≠ **interesse**, sensibilidade

neutralização *n.f.* **anulação**, extinção, eliminação, cancelamento ≠ **aprovação**, autorização

neutralizar *v.* **anular**, extinguir, eliminar, cancelar ≠ **aprovar**, autorizar

neutro *adj.* 1 **imparcial**, neutral, independente ≠ **parcial**, faccioso, comprometido 2 **indefinido**, vago, impreciso, incerto, indeterminado ≠ **definido**, preciso 3 **indiferente**, desinteressado, insensível *fig.* ≠ **interessado**, sensível

nevar *v.* 1 **escarchar** ≠ **desnevar** 2 **alvejar**, branquejar, branquear, encanecer, embrancar ≠ **escurecer**, enegrecer

neve *n.f.* 1 **frialdade**, algidez, friagem ≠ **calor**, quentura 2 **alvura**, brancura ≠ **negrura**, negror 3 *fig.* **cãs**, branca

nevoeiro *n.m.* 1 **bruma**, cerração, neblina, caligem, nevoaça, carujeira [REG.] 2 *fig.* **obscuridade**, incompreensão, confusão ≠ **clareza**, precisão, inteligibilidade

nevoento *adj.* 1 **nebuloso**, brumoso, brumal, enevoado, nublado, nevoeirento ≠ **desanuviado**, aberto, descerrado 2 *fig.* **obscuridade**, confuso, incompreensível, complicado, desentendível, desconhecível ≠ **entendível**, claro, compreensivo

nevrálgico *adj.* **neurálgico**, neuropatológico

nevrologia *n.f.* MED. **neurologia**, neuropatologia

nevrose *n.f.* MED. **nevropatia**, neuropatia, neurose

nexo *n.m.* 1 **conexão**, ligação, união, vínculo, concatenação, ligâmen ≠ **desconexão**, desunião 2 **sentido**, coerência, relação, concatenação ≠ **incoerência**, absurdo, aberração

nica *n.f.* 1 *col.* **impertinência**, rabugice, esquisitice 2 *col.* **puerilidade**, infantilidade, criancice, meninice, parvulez 3 *col.* **bagatela**, insignificância, ninharia, niquice, nada, futilidade, migalhice, minúcia, ridicularia, avo *fig.*, tuta e meia *col.*, caganifância *col.* ≠ **importância**, utilidade, valor, transcendência, relevância, interesse 4 *cal.* **cópula**

nicho *n.m.* 1 *fig.* **edícula** 2 *fig.* **retiro**, abrigo 3 *col.* **sinecura**, tribuneca

nígua *n.f.* ZOOL. **bicho-de-pé**, tunga, matacanha

nimbar *v. fig.* **exaltar**, sublimar, enaltecer, engrandecer ≠ **desprezar**, desvalorizar, desconsiderar

nimbo *n.m.* **auréola**, resplandor

ninar *v.* 1 **acalentar**, adormecer, embalar, arrolar *col.* 2 **dormir**, repousar, descansar, nanar *infant.*, refolgar ≠ **velar**, desvelar

ninfa *n.f.* 1 BIOL. **pupa** 2 *fig.* **beldade**

ninfomania *n.f.* PATOL. **uteromania**, histeromania, metromania, estromania, andromania

ninguém *pron.indef.* ≠ **alguém**

ninhada *n.f.* 1 **ventrada**, barrigada 2 *col.* **filharada** 3 **abrigo**, asilo, valhacouto, refúgio ≠ **desabrigo**, desamparo

ninharia *n.f.* **bagatela**, insignificância, niquice, nada, futilidade, migalhice, minúcia, ridicularia, avo *fig.*, tuta e meia *col.*, nica *col.*, caganifância *col.* ≠ **importância**, utilidade, valor, transcendência, relevância, interesse

ninho *n.m.* 1 **abrigo**, esconderijo, refúgio, recanto, valhacouto, latíbulo, homiziação, socavão *fig.* 2 **covil**, toca, cávea 3 *col.* **cama**, leito, quente, tálamo, pildra *col.*, jaça *col.*, piano *col.*, sorna *col.*, camarote *col.* 4 *col.* **terra natal**, pátria, país, berço

nino *n.m. col.* **menino**, bambino, catraio, fedelho, miúdo, garoto, infante, pequeno, pirralho, petiz

nipónico[AO] ou **nipônico**[AO] *adj.* **japonês** ■ *n.m.* **japonês**, japão

niquento *adj.* **esquisito**, impertinente, fastidioso, rabugento, fedorento *col.*

niquice *n.f.* 1 **esquisitice**, impertinência, pieguice, rabugice 2 **bagatela**, insignificância, ninharia, nada, futilidade, migalhice, minúcia, ridicularia, nica *col.*, avo *fig.*, tuta e meia *col.*, caganifância *col.* ≠ **importância**, utilidade, valor, transcendência, relevância, interesse

nisto *adv.* **subitamente**, repentinamente, inesperadamente

nitidamente *adv.* **claramente**, evidentemente, visivelmente, distintamente, palpavelmente, patentemente, legivelmente, percetivelmente, inconfundivelmente, acentuadamente ≠ **indistintamente**, vagamente, obscuramente, confusamente

nitidez *n.f.* 1 **brilho**, fulgor, claridade, flamância, cintilação, fulguração, nitescência, radiância, resplandecência, resplendor, luz *fig.* ≠ **deslustre**, foscagem, embaciamento 2 **clareza**, limpidez ≠ **sujidade**, impureza 3 **precisão**, definição, distinção, exatidão, certeza, concissão ≠ **imprecisão**, indeterminação 4 **sinceridade**, franqueza, honestidade, direito, verdade, lealdade ≠ **desonestidade**, falsidade, deslealdade

nítido *adj.* 1 **brilhante**, cintilante, radioso, reluzente, radiante, esplendente, resplandecente, flamante, fúlgido, fulgurante, rútilo, florescente *fig.* ≠ **fosco**, baço, embaciado, mate, terrento 2 **preciso**, definido, distinto, exato, certo, concisso ≠ **impreciso**, indeterminado, elusivo 3 **compreensível**, evidente, claro, atingível, acessível, inteligível, percetível, transparente *fig.* ≠ **inatingível**, inacessível, opaco, obscuro *fig.* 4 **limpo**, asseado, lavado, mundificado, higiénico ≠ **sujo**, desasseado, porco 5 **franco**, sincero, verdadeiro, lhano, desempenado, aberto, direto ≠ **falso**, simulado

nitrato *n.m.* **azotato**

nitreira *n.f.* **salitral**, nitral

niúngue *n.m.* **ciniúngue**

nível n.m. 1 horizontalidade, livel ≠ verticalidade 2 altura 3 grau, degrau, escalão, categoria, fase 4 regra, norma

nivelador adj.,n.m. 1 aplanador, alisador 2 igualador

nivelamento n.m. 1 aplanação, complanação, calagem ≠ desnivelamento, desnível 2 igualação

nivelar v. 1 aplanar, alisar, complanar, desaterrar, calar, livelar ≠ desnivelar, escadear, escalar 2 igualar ≠ diferenciar, distinguir, desigualar

nivelar-se v. irmanar-se, igualar-se, ombrear-se, equiparar-se

níveo adj. alvo, claro, branco, lácteo, alabastrino, prateado ≠ preto, escuro, nocticolor, sombrio

nó n.m. 1 laço, laçada, liame, liação, vínculo 2 fig. embaraço, estorvo, obstáculo, revés, dificuldade, empacho, empeço, óbice, pejamento, pespego, tropecilho ≠ facilidade, desembaraço, aberta, passagem 3 col. casamento, enlace, núpcias, consórcio, conúbio, união, boda, casório, conjungo ≠ divórcio, separação, desunião, celibato 4 FÍS. nodo

nobilitante adj.2g. enobrecedor, nobilitador

nobilitar v. 1 enobrecer, aristocratizar 2 engrandecer, exaltar, ilustrar, condecorar, sublimar ≠ depreciar, desprezar

nobilitar-se v. 1 enobrecer-se, afidalgar-se 2 fig. dignificar-se, enobrecer-se, engrandecer-se, ilustrar-se, elevar-se

nobre adj.2g. 1 aristocrático 2 ilustre, honroso, excelente, distinto, formoso ≠ ignóbil, desprezível, reles 3 distinto, notável, preeminente ≠ comum, vulgar, ordinário 4 majestoso, magnânimo, imponente, grandioso ≠ humilde, simples 5 elevado, sublime, grandioso ■ n.m. aristocrata, fidalgo, gentil-homem

nobreza n.f. 1 distinção, excelência 2 mérito, grandeza 3 majestade, grandeza, imponência, magnanimidade ≠ humildade, simplicidade 4 generosidade, munificência, franqueza, magnanimidade, prodigalidade, liberalidade ≠ avareza, mesquinhez 5 gravidade, austeridade, severidade, rigor

noção n.f. 1 ideia, conceito, conceção, imago 2 FIL. conceito

nocividade n.f. malignidade, perniciosidade, malefício ≠ benefício, bem

nocivo adj. danoso, prejudicial, daninho, mau, ruim, terrível, nocente ≠ benéfico, saudável, benévolo

noctâmbulo adj.,n.m. 1 notívago, lucífugo, noturno, coruja, solífugo ≠ diurno 2 sonâmbulo

noctívago[AO] adj.,n.m. ⇒ **notívago**[AO]

nocturno[aAO] adj. ⇒ **noturno**[dAO]

nódoa n.f. 1 mancha, mácula, laivo, pinta, pingo, tacha, borradura, lambuçadela 2 fig. desonra, infâmia, opróbrio, vexame, vergonha, ignomínia, mácula, desmérito, desautorização, deslustre fig. ≠ consideração, mérito, crédito, honra

nodosidade n.f. 1 saliência, proeminência, relevo, protuberância 2 nó, nódulo

nodoso adj. 1 nodular ≠ abnodoso, desnodoso 2 saliente, proeminente, relevante, protuberante

nódulo n.m. nó, nodosidade

noia[dAO] n.f. col. paranoia, afetação, mania

nóia[aAO] n.f. ⇒ **noia**[dAO]

noitada n.f. 1 col. direta 2 vida noturna, noite col. 3 serão, vigília, lucubração

noite n.f. 1 chona col., trevas fig. ≠ dia 2 escuridão, obscuridade ≠ luz, luminosidade 3 col. vida noturna, noitada 4 fig. tristeza, cipreste, escuridão, negrura, taciturnidade ≠ alegria, felicidade 5 fig. morte, falecimento, fim, desenlace ≠ vida 6 fig. ignorância, desconhecimento, obscurantismo ≠ conhecimento, entendimento

noitibó n.m. ORNIT. boa-noite, noite-boa, pita-cega, engole-vento, cá-vai

noitinha n.f. crepúsculo, sobretarde, anoitecer, lusque-fusque ≠ amanhecer, aurora, alvorada, madrugada

noivado n.m. núpcias, boda, himeneu, tambo

noivar v. casar, esposar, desposar, maridar, matrimoniar, unir, conjungir, consorciar ≠ divorciar, separar, descasar, desnoivar

noivo n.m. prometido, recém-casado, nubente, futuro col.

nojento adj. 1 repugnante, asqueroso, repelente, desagradável, nauseoso ≠ agradável, aprazível 2 desprezível, vil, miserável, desdenhável, abjeto, ignóbil, menosprezível ≠ considerável, notável, respeitável, apreciável, estimável, prezável 3 obsceno, descarado, impudente, indecente, imoral, impudico, vergonhoso, desavergonhado ≠ decente, decoroso, digno

nojo n.m. 1 asco, náusea, repugnância, repulsão, entejo ≠ prazer, gosto, atração 2 aborrecimento, fastio, enfado, enfastiamento, tédio ≠ interesse, empenho, motivação 3 pesar, tristeza, mágoa, desconsolação, desconsolo ≠ contentamento, alegria, satisfação 4 morte, luto, crepe, cipreste, desenlace fig.

nome n.m. 1 designação, denominação 2 linhagem, família, genealogia, raça, procedência, progénie, prosápia, geração, estema, casta fig., estirpe fig. 3 celebridade, notoriedade, fama 4 nomeada, fama, reputação, crédito, cheiro fig. 5 apelido, sobrenome 6 poder, influência 7 insulto, ofensa, injúria, afronta 8 título 9 GRAM. substantivo

nomeação n.f. 1 designação, escolha, indigitamento, eleição, nomeadura 2 provisão

nomeada *n.f.* **nome**, fama, reputação, crédito, cheiro *fig.*

nomeadamente *adv.* **1 especialmente**, particularmente, detalhadamente **2 sobretudo**, principalmente, mormente **3 designadamente**, assinaladamente

nomeado *adj.* **1 designado**, denominado **2 determinado**, indicado **3 designado**, escolhido, indigitado, eleito **4 afamado**, célebre, famoso

nomear *v.* **1 apelidar**, sobrenomear, denominar, chamar, intitular **2 designar**, chamar, nominar **3 mencionar**, indicar, referir **4 escolher**, eleger, indigitar, designar

nomenclatura *n.f.* **1 terminologia**, vocabulário, nominata [BRAS.] **2 catálogo**, elenco, lista, rol, índice, inventário, pauta, tabela, relação

nominal *adj.2g.* **1 nominativo 2 irreal**, fictício ≠ **real**

nona *n.f.* **1 freira**, monja, religiosa **2** BOT. (árvore, fruto) **anona**, pinheira

nongentésimo *n.m.* **novecentos**, noningentésimo

nono *n.m.* **1 nove 2** RELIG. **frade**, monge, religioso

nora *n.f.* **estanca-rios**

nórdico *adj.* **norreno**

norma *n.f.* **1 princípio**, preceito, regra **2 modelo**, padrão, cânone, esteira *fig.* **3 direção**, indicação, diretriz **4** DIR. **lei**

normal *adj.2g.* **1 exemplar**, modelar **2 regular**, habitual, ordinário, frequente ≠ **irregular**, anormal ■ *n.f.* GEOM. **perpendicular**

normalidade *n.f.* **regularidade**, frequência, habitualismo ≠ **irregularidade**, anormalidade

normalização *n.f.* **1 regularização 2 uniformização** ≠ **diversificação**, heterogeneização

normalizado *adj.* **1 regularizado 2 uniformizado**, padronizado, estandardizado ≠ **diversificado**, heterogeneizado

normalizar *v.* **1 regularizar 2 uniformizar**, padronizar, estandardizar ≠ **diversificar**, heterogeneizar

normalmente *adv.* **1 habitualmente**, regularmente **2 geralmente**, regularmente **3 espontaneamente**, naturalmente, simplesmente

norreno *adj.* **nórdico**

norte *n.m.* **1 bóreas** ≠ **austro**, sulano, suão, sulvento **2** *fig.* **destino**, guia, rumo, direção, bússola ≠ **desorientação**, desnorteamento ■ *adj.2g.* **setentrional**, boreal, ártico

norte-americano *adj.,n.m.* **americano**, ianque, estado-unidense

nortear *v. fig.* **orientar**, regular, guiar, dirigir, conduzir, encaminhar, pautear ≠ **desorientar**, desnortear, desencaminhar, desviar

nortista *adj.* **nortenho** ■ *n.m.* **abolicionista**

nostalgia *n.f.* **melancolia**, tristeza, saudade, sombrio ≠ **alegria**, vivacidade, entusiasmo

nostálgico *adj.* **melancólico**, triste, saudoso, tristonho, macambúzio, sombrio *fig.* ≠ **alegre**, vivo, entusiástico

nota *n.f.* **1 comentário**, anotação, observação, esclarecimento, apontamento, nótula **2 classificação**, pontuação *gír.* **3 conhecimento**, atenção, reconhecimento **4 reputação**, fama, importância **5 defeito**, erro **6 papel-moeda**, cédula, dinheiro **7 minuta**, rascunho

notabilidade *n.f.* **1 fama**, notoriedade, celebridade, nome, renome, nomeada, reputação, brilho *fig.* ≠ **anonimato**, ignoto, desconhecimento **2 personalidade**, celebridade, vulto *fig.*, sumidade *fig.* ≠ **desconhecido**, anónimo

notabilizar *v.* **celebrar**, celebrizar, afamar, distinguir ≠ **vulgarizar**, banalizar, popularizar

notabilizar-se *v.* **celebrizar-se**, distinguir-se, salientar-se, sobressair, evidenciar-se, destacar-se, afamar-se

notação *n.f.* **1 sinal**, marca, distintivo **2 comentário**, anotação, observação, esclarecimento, apontamento, nota

notado *adj.* **1 comentado**, anotado, observado, esclarecido, apontado **2 percebido**, observado, avistado **3 marcado**, assinalado, indicado **4 apreciado**, classificado, avaliado

notador *adj.* **avaliador** ■ *n.m.* **1 anotador 2 avaliador**, classificador **3 observador**

notar *v.* **1 anotar**, apontar ≠ **desnotar 2 marcar**, assinalar **3 redigir**, minutar, escrever **4 registar 5 reparar**, observar, atentar, constatar **6 referir**, mencionar **7 acusar**, censurar, criticar, condenar ≠ **aprovar**, consentir

notário *n.m.* **escrivão** *col.*, tabelião

notável *adj.2g.* **1 ilustre**, insigne, extraordinário, distinto, eminente *fig.* ≠ **medíocre**, miserável, vil, abjeto **2 considerável**, apreciável, respeitável, estimável, venerável ≠ **desprezável**, desdenhável

notícia *n.f.* **1 novidade**, nova **2 nota**, apontamento **3 memória**, lembrança, recordação

noticiar *v.* **informar**, comunicar, transmitir, notificar, anunciar, participar

noticiário *n.m.* (televisão, rádio) **jornal**, telejornal

noticioso *adj.* **informativo**

notificação *n.f.* **1 participação 2 citação**, intimação

notificado *adj.* **1 comunicado**, anunciado, informado, participado, noticiado **2** DIR. **intimado**

notificar *v.* **1 participar**, comunicar, transmitir, noticiar, anunciar, informar **2** DIR. **avisar**, citar, intimar

notívago[AO] ou **noctívago**[AO] *adj.,n.m.* **noctâmbulo**, lucífugo, noturno, coruja, tardívago ≠ **diurno**

noto *n.m.* **1** **tergo** **2** **austro** ■ *adj.* **notório**, sabido, manifesto, evidente, público, conhecido ≠ **desconhecido**, ignoto, incógnito

notoriamente *adv.* **manifestamente**, evidentemente, publicamente, conhecidamente, sabidamente ≠ **desconhecidamente**, incognitamente

notoriedade *n.f.* **fama**, renome, nome, celebridade, notabilidade, nomeada, reputação, brilho *fig.* ≠ **anonimato**, ignoto, desconhecimento

notório *adj.* **1** **público**, conhecido, sabido, falado ≠ **desconhecido**, ignoto, incógnito **2** **evidente**, manifesto, patente, visível, óbvio ≠ **inevidente**, incerto

nótula *n.f.* **comentário**, anotação, nota, observação, esclarecimento, apontamento

noturno[dAO] *adj.* **notívago**, noctâmbulo, lucífugo, coruja ≠ **diurno**

nova *n.f.* **notícia**, novidade

novação *n.f.* **1** **inovação**, novidade **2** DIR. **renovação**

noval *n.m.* AGRIC. **arroteia**

novamente *adv.* **repetidamente**

novato *adj.* **1** **novo**, jovem ≠ **velho**, maduro **2** **iniciado**, aprendiz, principiante, noviço, consagrado *fig.* ≠ **experiente**, calejado, versado, perito **3** *pej.* **incompetente**, incapaz, inapto, inábil ≠ **competente**, idóneo, apto, talentoso, hábil ■ *n.m.* **1** *gír.* **caloiro** **2** **caloiro**, aprendiz, principiante, iniciante ≠ **experiente**, perito

nove *n.m.* **nono**

novel *adj.2g.* **1** **novo**, jovem ≠ **velho** **2** **inexperiente**, noviço, bisonho ≠ **experiente**, calejado **3** **iniciado**, aprendiz, principiante, noviço, consagrado *fig.* ≠ **experiente**, idóneo, calejado, versado, perito

novela *n.f. fig.* **patranha**, enredo, ficção, trama, intriga

novelesco *adj.* **romanesco**, fictício, inventado

novelista *n.2g.* **1** **noveleiro** **2** *fig.* **enredador**, intriguista, mexeriqueiro, tecedor, urdidor

novelo *n.m.* **1** **grumo** **2** *fig.* **enredo**, mexerico, intriga, embrulhada **3** [*pl.*] [REG.] **hidrângea**, hidranja, hortênsia, granja

noviciado *n.m.* **aprendizado**, aprendizagem, preparação, tirocínio, estágio

noviço *n.m. fig.* **novato**, aprendiz, principiante, iniciado, catecúmeno ≠ **experiente**, perito ■ *adj.* **1** **inexperiente**, novel, bisonho ≠ **experiente**, calejado **2** **ingénuo**, inocente, puro ≠ **astuto**, manhoso

novidade *n.f.* **1** **inovação**, novação, novice, modernice *pej.* **2** **notícia**, nova **3** **originalidade**, criatividade, singularidade ≠ **trivialidade**, banalidade **4** **contrariedade**, contratempo, desventura, obstáculo, infortúnio, dificuldade, impedimento, entrave, canudo *col.* ≠ **desimpedimento**, desatravancamento, desobstrução, desempeço, desempacho **5** *col.* **bisbilhotice**, coscuvilhice, indiscrição, mexerico, intriga, enredo, onzenice ≠ **discrição**, recato, desinteresse, privacidade **6** **motim**, tumulto, refrega, zaragata, revolta, arruaça, perturbação ≠ **ordem**, organização, disciplina, obediência

novilha *n.f.* **vitela**, bezerra, almalha, aralha

novilhada *n.f.* **garraiada**

novilho *n.m.* **bezerro**, vitelo, anejo, juvenco, anaco, anelho, terneiro, vítulo, guecho [REG.], gueixo [REG.]

novíssimo *adj.* **último**, recente

novo *adj.* **1** **jovem**, juvenil, moço, adolescente ≠ **velho**, antigo, idoso **2** **recente**, moderno, jovem ≠ **antigo**, velho, antiquado **3** **virgem**, intacto ≠ **usado** **4** **inexperiente**, novel, bisonho, nociço, principiante, aprendiz, iniciado ≠ **experiente**, calejado, versado, perito **5** **estranho**, desconhecido **6** **original**, inédito, moderno, desconhecido ≠ **conhecido**, corrente, vulgar **7** **outro** **8** **repetido** **9** **renovado**, transformado ≠ **velho** **10** **reformado**, emendado ■ *n.m.pl.* **jovens**, adolescentes

noz-moscada *n.f.* BOT. **moscadeira**

nu *adj.* **1** **despido**, desnudo, núcego [REG.] ≠ **vestido**, coberto **2** **descalço** ≠ **calçado** **3** **desfolhado**, despido, esfolhoso ≠ **frondoso**, folhoso, folhado **4** **desenfeitado**, desguarnecido, desadornado, desataviado ≠ **enfeitado**, adornado **5** **destapado**, descoberto, exposto, visível ≠ **coberto**, tapado **6** **verdadeiro**, autêntico ≠ **disfarçado**, dissimulado **7** **sincero**, simples, natural, singelo ≠ **disfarçado**, dissimulado, falso ■ *n.m.* **nudez**

nuance *n.f.* **1** **tonalidade**, cambiante, matiz, tom **2** **subtileza**

nubente *adj.,n.2g.* **casante**, contraente, noivo

núbil *adj.2g.* **casadoiro**, casável, casadeiro, viripotente

nubilidade *n.f.* **nupcialidade**

nublado *adj.* **1** (céu) **coberto**, encoberto, anuviado, enevoado, toldado, nevoado, núveo [REG.], nuvioso ≠ **desnublado**, aberto, desanuviado, limpo **2** *fig.* **escuro**, tenebroso, sombrio, carregado, cerrado ≠ **aberto**, desanuviado, claro **3** *fig.* **triste**, taciturno, soturno, lúgubre, melancólico ≠ **alegre**, jovial, festivo **4** *fig.* **inquieto**, preocupado, perturbado, apoquentado, apreensivo ≠ **despreocupado**, tranquilo, sossegado *fig.*, leveiro *fig.* ■ *n.m. fig.* **contrariedade**, contratempo, desventura, obstáculo, infortúnio, dificuldade, impedimento, entrave, canudo *col.* ≠ **desimpedimento**, desatravancamento, desobstrução, desempeço, desempacho

nublar *v.* **1** (céu) **cobrir**, encobrir, anuviar, enevoar, toldar, nebular, nevoentar, enturviscar ≠

desnublar, abrir, desanuviar, limpar **2** *fig.* **escurecer**, tenebrizar, sombrear, carregar, cerrar-se ≠ **abrir**, clarear, desanuviar **3** *fig.* **entristecer**, desgostar, desalegrar, contristar ≠ **alegrar**, contentar

nublar-se *v.* **1** **anuviar-se**, encobrir, cobrir-se, toldar-se, carregar-se **2** *fig.* **entristecer** **3** *fig.* **complicar-se**

nuca *n.f.* ANAT. **pescoço**, cerviz, cachaço, toutiço, cogote, galinheiro *col.*, gorja *col.*, pescoceira *col.*, cacho *ant.*

nuclear *adj.2g.* **essencial**, principal, fulcral, fundamental ≠ **acessório**, secundário, dispensável ■ *v.* **organizar**, dispor, ordenar, agrupar, reunir ≠ **desorganizar**, desordenar

núcleo *n.m.* **1** BOT. (em frutos de casca dura) **miolo** **2** **centro**, âmago, foco, coração, imo, íntimo, interior *fig.*, fundo, eixo *fig.*, gema *fig.*, medula *fig.* ≠ **superfície**, exterior **3** **grupo**, aglomeração **4** *fig.* **elite**, escol, nata, creme, flor, alta-roda ≠ **escumalha** *fig.,pej.*, borra *fig.*, escória *pej.*, ralé *pej.*, enxurro *fig.,pej.*

nudez *n.f.* **1** **desnudez**, nu **2** **simplicidade**, singeleza, despojamento, transparência, lhaneza ≠ **afetação**, fingimento, dissimulação **3** **privação**, falta

nulidade *n.f.* **1** **invalidade**, invalidez ≠ **validade** **2** **incapacidade**, inaptidão, inabilidade, insuficiência, incompetência ≠ **aptidão**, habilidade, competência, idoneidade **3** **insignificância**, bagatela, frivolidade, trivialidade, banalidade, futilidade, palha *fig.* ≠ **importância**, utilidade, valor, transcendência, relevância, interesse, aquela

nulo *adj.* **1** DIR. **ilegal**, ilícito, inválido ≠ **legal**, lícito, válido **2** **ineficaz**, vão, inútil, casso ≠ **eficaz**, útil **3** **nenhum**, inexistente **4** **inábil**, inapto, incapaz, insciente, incompetente ≠ **hábil**, apto, competente

númen *n.m.* **1** **deidade**, divindade, diva, deusa **2** **inspiração**, génio

numeração *n.f.* enumeração

numerar *v.* **1** **calcular**, contar, computar, determinar, orçar, avaliar, contabilizar **2** **enumerar**, especificar, descrever, relatar **3** **incluir**

numerário *n.m.* **dinheiro**, capital

numerável *adj.2g.* **calculável**, contável, enumerável ≠ **incalculável**, inumerável

número *n.m.* **1** MAT. **unidade** **2** **porção**, cômputo, quantia, parte, fração **3** **abundância** **4** **cadência** **5** **categoria**, classe, tipo, rol **6** **algarismo**, cifra

numeroso *adj.* **1** **abundante**, copioso, farto, rico, opulento, caudaloso *fig.*, quantioso ≠ **pobre**, miserável **2** **compassado**, cadencioso, cadente, rítmico ≠ **arrítmico**, descompassado

numismático *adj.* **monetário**, numário ■ *n.m.* **numismata**, numismatista

nunca *adv.* **jamais**, não ≠ **sempre**

núncio *n.m.* **1** **legado** **2** **mensageiro**, anunciador, precursor, enviado, viador, arauto *fig.*, correio *fig.* **3** **prenúncio**

nunes *adj.inv.* **ímpar**

nupcial *adj.2g.* **matrimonial**, conjugal, conubial, prónubo

núpcias *n.f.pl.* **casamento**, boda, enlace, consórcio, conúbio, união, casório *col.*, nó *col.*, conjungo *col.* ≠ **divórcio**, separação, desunião, celibato

nutrição *n.f.* **1** **alimento**, sustento, nutrimento **2** *fig.* **gordura**

nutrido *adj.* **1** **alimentado**, sustentado ≠ **desnutrido** **2** **anafado**, gordo, nédio, carnudo, robusto, roliço *fig.* ≠ **magro**, descarnado, franzino **3** **mantido**, continuado, reforçado **4** **educado**, instruído, culto

nutriente *adj.* **alimentício**, alimentar, nutritivo, substancial, substancioso, suculento, nutritício

nutrimento *n.m.* **alimentação**, nutrição, sustento

nutrir *v.* **1** **alimentar**, sustentar, nutrificar, repastar **2** **engordar**, engrossar, cevar, anafar, incrassar ≠ **desnutrir**, emagrecer, definhar **3** *fig.* **alentar**, animar, encorajar, entusiasmar ≠ **desanimar**, desalentar, desencorajar **4** *fig.* **educar**, instruir, ensinar ≠ **estupidificar**, embrutecer **5** *fig.* **acalentar**, conservar **6** **apoiar**, favorecer, proteger

nutrir-se *v.* **1** **alimentar-se**, comer **2** *fig.* **fortificar-se**, avigorar-se

nutritivo *adj.* **alimentício**, alimentar, nutriente, substancial, substancioso, suculento, nutricional, nutrício

nuvem *n.f.* **1** **escuridão**, escuro ≠ **claridade**, luz **2** **grupo**, magote, rancho, ranchada, bando, multidão **3** *fig.* **tristeza**, melancolia, taciturnidade, soturnidade, lugubridade ≠ **alegria**, jovialidade **4** *fig.* **obscuridade**, complicação, confusão, complexo, desentendimento ≠ **entendimento**, clareza, nitidez

O

o *pron.dem.* 1 **aquele** 2 **aquilo** 3 **isso** 4 **isto**

oásis *n.m.2n. fig.* **refrigério**, alívio, consolo, consolação, conforto, prazer

obcecação *n.f.* 1 **cegueira** *fig.*, ofuscação *fig.*, alucinação, devaneio ≠ **lucidez**, razão 2 **teimosia**, obstinação, insistência, pertinácia ≠ **desistência**, renúncia 3 **obsessão**

obcecado *adj.* 1 **cego** *fig.*, ofuscado *fig.*, alucinado ≠ **lúcido** *fig.*, razoável, sensato 2 **teimoso**, obstinado, insistente, pertinaz ≠ **desistente**, renunciante

obcecante *adj.2g.* **ofuscante** *fig.*, alucinante, obcecador ≠ **razoador**

obcecar *v.* 1 **cegar** *fig.*, obscurecer, ofuscar *fig.*, deslumbrar *fig.*, obdurar *fig.* ≠ **ajuizar**, razoar, atinar 2 **desvairar**, alucinar, desatinar, entontecer, tresloucar, enlouquecer *fig.* ≠ **ajuizar**, atinar

obedecer *v.* 1 **acatar**, obtemperar, submeter-se, sujeitar-se, cumprir ≠ **desacatar**, desobedecer 2 **executar**, cumprir, observar ≠ **infringir** 3 **ceder**, atender

obediência *n.f.* 1 **acatamento**, submissão, sujeição, obtemperação ≠ **desacato**, desobediência 2 **dependência**, preito, submissão ≠ **independência** 3 **vassalagem**, preito, homenagem

obediente *adj.2g.* 1 **dócil**, submisso, subordinado, sujeito, humilde ≠ **independente**, insubordinado, indócil, inobediente, rebel *ant.* 2 **maleável**, manejável, manobrável ≠ **inflexível**

obesidade *n.f.* MED. **adipose**, corpulência, ventrosidade, rotundidade *fig.*

obeso *adj.* **gordo**, adiposo, untuoso, balofo [BRAS.] ≠ **magro**, chupado, delgado, esguio

óbice *n.m.* **obstáculo**, dificuldade, impedimento, estorvo, embaraço ≠ **desobstrução**, desimpedimento, desempacho

óbito *n.m.* **falecimento**, passamento, decesso, morte, defunção

obituário *n.m.* 1 **necrologia**, necrológio 2 **mortalidade** ≠ **natalidade**

objeção[dAO] *n.f.* 1 **contestação**, contradição, rebatida, impugnação, denegação, refutação ≠ **aprovação**, consentimento 2 **dificuldade**, obstáculo, impedimento, óbice, estorvo, embaraço, dúvida ≠ **desobstrução**, desimpedimento, desempacho

objecção[aAO] *n.f.* ⇒ **objeção**[dAO]

objectar[aAO] *v.* ⇒ **objetar**[dAO]

objectivação[aAO] *n.f.* ⇒ **objetivação**[dAO]

objectivamente[aAO] *adv.* ⇒ **objetivamente**[dAO]

objectivar[aAO] *v.* ⇒ **objetivar**[dAO]

objectividade[aAO] *n.f.* ⇒ **objetividade**[dAO]

objectivo[aAO] *adj.,n.m.* ⇒ **objetivo**[dAO]

objecto[aAO] *n.m.* ⇒ **objeto**[dAO]

objetar[dAO] *v.* 1 **contestar**, contradizer, rebater, impugnar, denegar, refutar, revidar ≠ **aprovar**, consentir 2 **exprobrar**, vituperar

objetivação[dAO] *n.f.* **concretização**, materialização, corporização ≠ **abstração**

objetivamente[dAO] *adv.* 1 **concretamente**, materialmente, factualmente, realmente ≠ **abstratamente**, subjetivamente 2 **imparcialmente**, desapaixonadamente ≠ **parcialmente**, facciosamente, arbitrariamente, discricionariamente

objetivar[dAO] *v.* 1 **pretender**, tencionar, visar ≠ **desistir**, renunciar 2 **concretizar**, materializar, corporizar ≠ **abstratizar**

objetividade[dAO] *n.f.* 1 **concretização**, materialização, corporização, realidade ≠ **abstração**, subjetividade 2 **imparcialidade** ≠ **parcialidade**, facciosismo, arbitrariedade

objetivo[dAO] *adj.* 1 **imparcial**, neutral, isento ≠ **parcial**, faccioso, arbitrário 2 **impessoal** ≠ **individual**, pessoal ■ *n.m.* **alvo**, propósito, fim, intuito, intento, meta *fig.*, mira *fig.*, fito *fig.*, meca *col.*

objeto[dAO] *n.m.* 1 **assunto**, matéria, questão, tema 2 **fim**, finalidade, propósito, alvo, intuito, intento, meta *fig.*, mira *fig.*, fito *fig.* 3 **motivo**, causa 4 **alvo**, destinatário

objurgação *n.f.* 1 **repreensão**, censura, exprobração, objurgatória ≠ **elogio**, louvor 2 **arguição**

oblação *n.f.* RELIG. **oblata**, sacrifício, oferta, oferenda

oblata *n.f.* RELIG. **oblação**, sacrifício, oferta, oferenda

obliquamente *adv.* 1 **diagonalmente**, enviesadamente, transversalmente ≠ **retamente** 2 *fig.* **indiretamente** ≠ **diretamente**, francamente

obliquidade *n.f.* 1 **inclinação**, diagonal, viés, través, esguelha, pendor, soslaio 2 *fig.* **astúcia**, manha, ardil 3 *fig.* **falsidade**, dissimulação, má-fé, deslealdade, dolo

oblíquo *adj.* 1 **inclinado**, diagonal, enviesado, transversal, esguelhado, pendente, sesgo 2 **enviesado**, torto, vesgo ≠ **direito**, reto 3 *fig.* **indireto** ≠ **direto** 4 *fig.* **dissimulado**, fingido, falso, retrincado ≠ **verdadeiro**, honesto, sincero, frontal 5 *fig.* **ambíguo**, dúbio, vago, indefinido ≠ **preciso**, certo, definido 6 *fig.* **malicioso**, astucioso, finório, ardiloso

obliteração *n.f.* 1 **anulação**, eliminação, destruição, extinção 2 **extinção**, desaparecimento 3 **esquecimento**, alheamento, deslembrança, desmemória, oblívio, olvido, obscuridade *fig.* ≠ **lembrança**, recordação 4 **inutilização**, invalidação, anulação ≠ **validação** 5 MED. **obstrução**

obliterar *v.* 1 **apagar**, riscar 2 **dissipar**, desaparecer, extinguir 3 **eliminar**, suprimir, extinguir ≠ **formar**, desenvolver 4 **abolir** 5 **inutilizar**, invalidar, anular ≠ **validar** 6 **obstruir**, fechar, entupir ≠ **desobstruir**, desentupir

obliterar-se *v.* 1 **extinguir-se**, apagar-se, desaparecer 2 **perder-se**

oblongo *adj.* 1 **alongado** 2 **elíptico** 3 **oval**, ovoide

obnóxio *adj.* 1 **servil**, submisso, obediente ≠ **insubmisso**, insubordinado 2 **funesto**, maléfico, mau, nefando, nefasto, nocivo, perigoso, pernicioso, prejudicial ≠ **benigno**, saudável, sadio 3 **trivial**, banal, comum, corriqueiro, exotérico ≠ **invulgar**, esquisito, raro, desusual, extraordinário, inabitual, inusitado, singular 4 **esquisito**, estranho, invulgar, extravagante

obra *n.f.* 1 **produto**, efeito, resultado 2 **construção**, edifício 3 **ação**, ato, feito, trabalho, empresa 4 **produção**, trabalho 5 **malícia**, trapaça, armadilha, ardil, engano, embuste, tramoia *col.* 6 **dificuldade** 7 [*pl.*] **ações**, trabalhos

obra-prima *n.f.* **obra-mestra**, primor

obrar *v.* 1 **fazer**, realizar, executar, trabalhar 2 **produzir**, criar, gerar 3 **proceder**, agir, atuar, portar-se 4 **trabalhar**, laborar, labutar, cuidar ≠ **mandriar**, gazetar, vadiar 5 *col.* **evacuar**, expelir, defecar, lascar

obreiro *n.m.* 1 **trabalhador**, operário, empregado, funcionário 2 **cooperador**, colaborador 3 *fig.* **autor**, agente, perpetrador ■ *adj.* **trabalhador**, operário

obriga *n.f.* **obrigação**, dever, incumbência, encargo, preceito, devido, dívida ≠ **desobrigação**

obrigação *n.f.* 1 **dever**, encargo, obriga, incumbência, preceito, devido, dívida ≠ **desobrigação** 2 **serviço**, emprego, ocupação 3 **favor**, benefício, graça, retribuição

obrigado *adj.* 1 **agradecido**, grato, reconhecido 2 **necessário**, inevitável, forçoso, obrigatório, imperioso ≠ **opcional**, facultativo, prescindível 3 **forçado**, constrangido, contrariado, compelido, levado ≠ **desobrigado**, descontraído ■ *interj.* (exclamação de agradecimento) **agradecido!**, bem-haja!

obrigar *v.* 1 **forçar**, constranger, compelir, coagir, compulsar, violentar, impor, injungir, obstringir ≠ **desobrigar**, eximir, dispensar, liberar 2 **comprometer**, empenhar, responsabilizar, entalar *fig.* ≠ **desresponsabilizar** 3 **empenhar**, penhorar, hipotecar ≠ **resgatar**, recuperar, reaver, desempenhar, desipotecar

obrigar-se *v.* 1 **comprometer-se**, prometer, garantir, responsabilizar-se 2 **forçar-se**, constranger-se, sujeitar-se, adstringir-se

obrigatoriamente *adv.* **forçosamente**, necessariamente, imperiosamente, inevitavelmente

obrigatório *adj.* 1 **necessário**, indispensável, inevitável, forçoso, obrigado, imperioso, obrigativo ≠ **opcional**, facultativo, prescindível 2 **obrigado**, forçado, imposto, compelido, levado ≠ **desobrigado**, descontraído

obscenidade *n.f.* 1 **impropriedade**, impudência, indecência, indecoro, desonestidade, escabrosidade *fig.* ≠ **decoro**, comedimento, pudicícia 2 **palavrão**, asneirola, asneira, bacorada *fig.*

obsceno *adj.* **desavergonhado**, descarado, impudente, indecente, imoral, impudico, vergonhoso ≠ **decente**, decoroso, digno

obscurecer *v.* 1 **escurecer**, assombrar, enegrecer, ofuscar ≠ **clarear**, aclarar, desobscurecer, lumiar 2 **confundir**, complicar, baralhar ≠ **esclarecer**, ilucidar, aclarar, explicar 3 **desonrar**, descreditar, desmerecer, desconsiderar, desconceituar, desautorizar, vexar, envergonhar *fig.*, deslustrar *fig.*, manchar *fig.* ≠ **considerar**, merecer, creditar, honrar 4 **suplantar**, ofuscar *fig.* 5 *fig.* **desvanecer**, apagar, dissipar 6 *fig.* **esconder**, ocultar

obscurecer-se *v.* 1 **escurecer**, apagar-se ≠ **desobscurecer-se** 2 **complicar-se** 3 *fig.* **desonrar-se**, manchar-se

obscurecido *adj.* 1 **toldado**, escuro, sombrio, ofuscado ≠ **clareado**, aclarado 2 **suplantado**, ofuscado *fig.* 3 **esquecido**, ignorado, ofuscado *fig.* ≠ **lembrado**, recordado

obscurecimento *n.m.* 1 **ofuscação**, eclipse *fig.*, escurecimento 2 **escuridão**, obscuridade, negrume ≠ **luz**, claridade 3 **obnubilação**

obscuridade *n.f.* 1 **escuridão**, cerração, obscurecimento, obscureza, sombra, névoa ≠ **claridade**, luz 2 *fig.* **incompreensão**, desentendimento, desconhecimento, complicação, confusão ≠ **entendimento**, clareza, compreensão 3 *fig.* **anonimato**, desconhecimento ≠ **notoriedade**, publicidade, fama, voga, berra *fig.* 4 *fig.* **recato**, recolhimento 5 *fig.* **esquecimento**, alheamento, deslembrança, desmemória, oblívio, olvido, obliteração ≠ **lembrança**, recordação 6 *fig.* **humildade**, simplicidade, modéstia ≠ **altivez**, soberba, arrogância

obscuro *adj.* 1 **escuro**, obscurecido, tenebroso, sombrio ≠ **clareado**, aclarado 2 *fig.* **confuso**, complicado, desentendível, desconhecível, incompreensível, hermético, tenebricoso ≠ **entendível**, claro, compreensivo 3 *fig.* **desconhecido**, ignorado, anónimo, apagado ≠ **famoso**, notório, célebre, ilustre, rememorável 4 *fig.* **humilde**, singelo, pobre, modesto ≠ **altivo**, soberbo, arrogante 5 *fig.* **oculto**, secreto, escondido, latebroso ≠ **visível**, exposto, patente

obsequiar *v.* 1 **presentear**, mimosear, brindar, prendar 2 **cativar**, agradar, encantar ≠ **desagradar**, desencantar

obséquio *n.m.* 1 **amabilidade**, fineza, gentileza, delicadeza, favor, oficiosidade ≠ **indelicadeza**, descomedimento, grosseria 2 **condescendência**, benevolência, contemporização, contemplação, complacência ≠ **intolerância**, malevolência, desconsideração

obsequiosidade *n.f.* 1 **cortesia**, fineza, afabilidade, amabilidade ≠ **indelicadeza**, grosseria, descomedimento 2 **benquerença**, bem-querer, complacência, caridade, indulgência, beneficência, estima, afeto, amizade, amor ≠ **malquerença**, malevolência, desprezo

obsequioso *adj.* 1 **prestável**, serviçal, prestativo, oficioso 2 **cortês**, complacente, amável, gentil, delicado, afável, atencioso ≠ **grosseiro**, rude, indelicado, mal-criado 3 **benevolente**, caridoso, compassivo, generoso, benéfico, bom, clemente, humanitário, bondoso ≠ **desumano**, desalmado, desapiedado, impio

observação *n.f.* 1 **exame**, análise, estudo, auscultação, conspeito 2 **observância**, cumprimento 3 **comentário**, anotação, nota, esclarecimento 4 **advertência**, admoestação, reparo, repreensão, censura ≠ **elogio**, louvor 5 **conselho**, recomendação, sugestão

observador *adj.* 1 **atento**, cuidadoso, vigilante ≠ **desatento**, distraído, desconcentrado 2 **perspicaz**, sagaz, astuto ≠ **pacóvio**, palerma, idiota 3 **cumpridor**, observante 4 **crítico**, censor, verberador, criticador, censurador, admoestador, fiscal *fig.* ≠ **aprovador**, elogiador ■ *n.m.* 1 **vigiador** 2 **cumpridor**, observante 3 **espectador**, espreitador

observância *n.f.* **acatamento**, cumprimento, execução, obtemperação, prática ≠ **desacato**, desobediência, incumprimento, inobservância, recalcitração, desmando, não-cumprimento

observante *adj.2g.* **obediente**, respeitador, cumpridor, observador ≠ **desobediente**, descumpridor, desrespeitado

observar *v.* 1 **examinar**, analisar, estudar 2 **reparar**, notar, olhar, atentar, ver 3 **espreitar**, espiar 4 **cumprir**, praticar, obedecer, respeitar ≠ **transgredir**, infringir, desrespeitar, violar 5 **notar**, advertir, sensibilizar, alertar 6 **advertir**, censurar, repreender, admoestar ≠ **elogiar**, louvar 7 **aconselhar**, advertir, sugerir ≠ **desaconselhar** 8 **objetar**, contestar, contradizer, rebater, impugnar, denegar, refutar, replicar ≠ **aprovar**, consentir 9 **ponderar**, considerar, apreciar

observatório *n.m.* **mirante**, miradouro, belveder

obsessão *n.f.* 1 **mania**, vício, doença *fig.*, venda *fig.*, monomania 2 **obcecação**

obsessivo *adj.* 1 **obsidente**, obsessor 2 **patológico** *fig.*, maníaco, doentio

obsidiante *adj.2g.* **obsidente**, obsessor, obsessivo

obsidiar *v.* 1 **assediar**, cercar, perseguir, importunar 2 **espiar**, espreitar, observar

obsoleto *adj.* **antiquado**, ultrapassado, arcaico, retrógrado, fóssil *fig.,pej.*, esturrado *fig.* ≠ **inovador**, moderno, progressista, avançado

obstáculo *n.m.* 1 **barreira**, barragem 2 DESP. **barreira** 3 **impedimento**, barragem, oposição, obstrução, estorvo, dificuldade, pedroiço, barreira *fig.*, handicap *fig.* ≠ **desimpedimento**, desbloqueamento, permissão, acesso

obstante *adj.2g.* **impeditivo**, obstativo, obstrutivo ≠ **desobstruente**, desimpeditivo

obstar *v.* 1 **empecer**, estorvar, embaraçar, atrapalhar ≠ **desempecer**, desembaraçar 2 **opor-se**, contestar, refutar, denegar, contrariar, impugnar ≠ **aprovar**, consentir 3 **impedir**, dificultar, atravancar, obstruir ≠ **desimpedir**, desatravancar

obstativo *adj.* **impeditivo**, obstante, obstrutivo ≠ **desobstruente**, desimpeditivo

obstetra *n.2g.* **parteiro**

obstetrícia *n.f.* **tocologia**, obstétrica

obstétrico *adj.* **tocológico**, obstetrical, obstetrício

obstinação *n.f.* 1 **teimosia**, birra, caturrice, obcecação, insistência, pertinácia, renitência, relutância, pervicácia, emperramento *fig.*, obduração *fig.*, tenência [BRAS.] *col.* ≠ **desistência**, renúncia 2 **inflexibilidade**, intransigência, irredutibilidade, implacabilidade, rigidez ≠ **transigência**, tolerância, indulgência, condescendência 3 **pertinácia**, firmeza, tenacidade, persistência, perseverança ≠ **renúncia**, cessação, desistência, afastamento

obstinadamente *adv.* 1 **teimosamente**, obcecadamente, pertinazmente 2 **inflexivelmente**, intransigentemente, rigidamente ≠ **tolerantemente**

obstinado *adj.* 1 **persistente**, pertinaz, teimoso, relutante, renitente ≠ **desistente**, renunciador 2 **inflexível**, intransigente, irredutível, implacável, rígido ≠ **transigente**, tolerante, indulgente, condescendente

obstinar *v.* **teimar**, renitir, relutar, porfiar, insistir ≠ **desistir**, renunciar

obstinar-se *v.* 1 **teimar**, porfiar, embirrar, aferrenhar-se, emperrar-se 2 **aferrar-se**, insistir, persistir

obstipação *n.f.* MED. **coprostasia**, constipação, prisão de ventre

obstrução *n.f.* 1 **entupimento**, obturação, oclusão, ingurgitação ≠ **desentupimento**, desobstrução 2 MED. **enfraxia** 3 *fig.* **impedimento**, estorvo, barreira, obstáculo, entrave ≠ **desimpedimento**, desbloqueamento, permissão, acesso

obstrucionismo *n.m.* **impedimento**, estorvo, barreira, obstáculo, entrave ≠ **desimpedimento**, desbloqueamento, permissão, acesso

obstruir *v.* 1 **entupir**, obturar, opilar, fechar, tapar ≠ **desentupir**, desobstruir, absterger 2 **impedir**, atravancar, bloquear ≠ **desimpedir**, desatravancar 3 **dificultar**, embaraçar, estorvar, atrapalhar ≠ **desembaraçar**, descomplicar, facilitar

obstrutivo *adj.* **impeditivo**, obstante, obstativo ≠ **desobstruente**, desimpeditivo

obtemperar *v.* **obedecer**, acatar, respeitar, cumprir, submeter-se, sujeitar-se ≠ **desacatar**, desobedecer, desrespeitar

obtenção *n.f.* 1 **consecução**, conseguimento 2 **aquisição** 3 **impetração**

obter *v.* **alcançar**, conseguir, conquistar, granjear, adquirir ≠ **perder**, falhar

obturação *n.f.* **entupimento**, obstrução, oclusão ≠ **desentupimento**, desobstrução

obturar *v.* 1 (a cavidade de um dente cariado) **tapar**, encher 2 **entupir**, obstruir, opilar, fechar, tapar, tamponar ≠ **desentupir**, desobturar 3 **impedir**, atravancar, bloquear, obstruir ≠ **desimpedir**, desatravancar 4 **intercetar**

obtusângulo *adj.* **amblígono**

obtuso *adj.* 1 **arredondado**, rombo, obtusado ≠ **agudo**, bicudo 2 **bronco**, tosco, grosseiro, rude, bruto, boto *fig.*, lapardão [REG.], jumentil *fig.* ≠ **delicado**, fino, distinto 3 *fig.,pej.* **estúpido**, tapado, inepto ≠ **esperto**, inteligente, perspicaz

obviamente *adv.* **evidentemente**, claramente, manifestamente, notoriamente ≠ **obscuramente**, ocultamente

obviar *v.* 1 **acautelar**, prevenir, evitar, precaver, impedir 2 **objetar**, contradizer, contestar, rebater, replicar, refutar, contrapor ≠ **concordar**, consentir 3 **remediar**, alveitarar, emendar, reparar

óbvio *adj.* 1 **compreensível**, inteligível, atingível, acessível, percetível, claro, intuitivo, transparente *fig.* ≠ **inatingível**, inacessível, opaco, obscuro *fig.* 2 **evidente**, manifesto, patente, visível *fig.*

ocasião *n.f.* 1 **conjuntura**, conjunção, contexto, oportunidade, situação, circunstância ≠ **desconjuntura** 2 **ensejo**, oportunidade, causa, motivo 3 **lance**, ocorrência 4 **altura**, momento 5 **vagar**, tempo

ocasionador *adj.,n.m.* **causador**, motivador

ocasional *adj.2g.* **casual**, eventual, acidental, fortuito, esporádico, episódico ≠ **frequente**, assíduo, continuado

ocasionalmente *adv.* **acidentalmente**, casualmente, fortuitamente, eventualmente ≠ **frequentemente**, assiduamente

ocasionar *v.* 1 **proporcionar**, oferecer, propiciar 2 **causar**, motivar, originar, provocar ≠ **resultar**, provir

ocasionar-se *v.* **acontecer**, dar-se, suceder, ocorrer, verificar-se, proporcionar-se, originar-se

ocaso *n.m.* 1 **pôr-do-sol**, poente ≠ **nascente** 2 **ocidente**, poente, oeste, véspero ≠ **oriente**, nascente, levante, este 3 **declinação**, decadência, declínio, derribamento *fig.*, ruína *fig.*, outono *fig.* ≠ **crescimento**, desenvolvimento, florescimento, incrementação 4 *fig.* **fim**, final, acabamento, desfecho, remate, terminação, termo, perfazimento, fecho ≠ **início**, começo, princípio, encetadura

oceânico *adj.* 1 **marítimo**, pelágico 2 *fig.* **abundante** 3 *fig.* **vasto**, imenso

oceano *n.m.* 1 **mar** 2 **vastidão**, imensidade, pélago *fig.*

ocidental *adj.2g.* **occíduo** *poét.*, poente, oeste ≠ **oriental**, este, levantino, levântico

ocidente *n.f.* 1 **ocaso**, poente, oeste ≠ **oriente**, nascente, levante, este 2 *fig.* **fim**, final, acabamento, desfecho, remate, terminação, termo, perfazimento, fecho ≠ **início**, começo, princípio, encetadura

ócio *n.m.* 1 **descanso**, repouso 2 **lazer**, vagar 3 **preguiça**, indolência, displicência, ociosidade ≠ **atividade**, dinamismo 4 **inação**, passividade, quietação, inércia ≠ **atividade**, dinamismo

ociosidade *n.f.* 1 **descanso**, repouso 2 **preguiça**, indolência, displicência, ócio, calacice, gandaiice, bandarrismo ≠ **atividade**, dinamismo 3 **vadiagem**, vagabundagem, malandrice ≠ **atividade**, dinamismo, labor, trabalho

ocioso *adj.* 1 **desocupado**, inativo ≠ **ocupado**, atarefado, ativo, negocioso 2 **preguiçoso**, indolente, mandrião, madraço, calaceiro, vagabundo, madraceador, inerte *fig.* ≠ **ativo**, dinâmico, enérgico, laborioso 3 **inativo**, apático, passivo ≠ **ativo**, dinâmico, enérgico 4 **inútil**, improdutivo, estéril ≠ **necessário**, produtivo 5 **inútil**, supérfluo, desnecessário ≠ **necessário**, fundamental ■ *n.m.* **vadio**, mandrião, preguiçoso, procrastinador, madraço, balda *col.* ≠ **trabalhador**

oclusão *n.f.* 1 **encerramento**, fechamento, cerramento ≠ **abertura**, descerramento 2 **entupimento**, obturação, opilação, fecho, impedimento, obstrução ≠ **desentupimento**, desobturação

oco *adj.* 1 **vazio**, vácuo, vão, cavo, escavado ≠ **cheio**, preenchido, recheado 2 *fig.* **fútil**, frívolo, insignificante, superficial ≠ **profundo**, útil, significante 3 *fig.* **vazio**, estúpido, idiota, descerebrado *col.* ≠ **inteligente**, esperto 4 *fig.* **desatinado**, estouvado, desacertado, desbolado, louco ≠ **ajuizado**, atinado, refletido ■ *n.m.* 1 **vão**, vácuo ≠ **enchimento**, preenchimento, recheio 2 **cavi-**

dade, buraco, concavidade, encavo, abertura, cova, forame, socava

ocorrência *n.f.* 1 **acontecimento**, situação, incidente, evento 2 **ocasião**, circunstância, momento 3 **encontro**, confluência

ocorrente *adj.2g.* 1 **acidental** 2 **concorrente**

ocorrer *v.* 1 **acontecer**, suceder, calhar, advir 2 **aparecer**, sobrevir, surgir, irrompoer 3 **lembrar**, recordar ≠ **esquecer**, olvidar 4 **encontrar-se** 5 **remediar**, acudir, ajudar, solucionar

ocre *n.m.* MIN. **oca**, ocra

octogonal *adj.2g.* GEOM. **octógono**, oitavado, octangular

octógono *adj.* GEOM. **octogonal**, octangular, oitavado

ocular *adj.2g.* **ótico**, visual, orbital

oculista *n.2g.* 1 (fabricante ou vendedor de óculos) **ótico** 2 (profissional de ótica) **ótico**, optometrista

óculo *n.m.* 1 **luneta**, binóculo, longa-mira 2 **claraboia**, olho-de-boi

óculos *n.m.pl.* **lunetas**, cangalhas *col.*

ocultação *n.f.* **encobrimento**, sonegação, escondimento, dissimulação, sonegamento ≠ **exposição**, exibição

ocultamente *adv.* **secretamente**, escondidamente, clandestinamente, veladamente, disfarçadamente, furtivamente

ocultar *v.* 1 **esconder**, encobrir, tapar ≠ **descobrir**, mostrar 2 **disfarçar**, camuflar, dissimular, mascarar ≠ **revelar**, mostrar, expor 3 **encobrir**, sonegar, omitir, esconder ≠ **declarar** 4 **calar**, esconder, guardar ≠ **revelar**, mencionar, divulgar

ocultar-se *v.* **esconder-se**, encobrir-se, tapar-se, desaparecer, lusquir-se [REG.] ≠ **mostrar-se**, revelar-se

ocultismo *n.m.* **criptologia**

oculto *adj.* 1 **escondido**, encoberto, tapado, oclusivo ≠ **descoberto**, mostrado 2 **invisível**, escondido ≠ **visível**, patente 3 **ignorado**, incógnito, desconhecido ≠ **conhecido**, público, sabido 4 **misterioso**, secreto, enigmático, hermético, esotérico ≠ **revelado**, descoberto, evidente 5 **sobrenatural**, extranatural ≠ **natural**, comum 6 **inexplorado**, desconhecido ≠ **explorado**, conhecido

ocupação *n.f.* 1 **posse**, apropriação ≠ **desapropriação** 2 **emprego**, trabalho, profissão, ofício, cargo ≠ **desemprego**, desocupação 3 MIL. **invasão**, incursão

ocupado *adj.* 1 **preenchido**, completo ≠ **livre**, vago, vazio 2 **atarefado**, assoberbado, sobrecarregado, cheio ≠ **livre**, disponível, desocupado 3 **habitado** ≠ **desocupado**, desabitado, vago, livre 4 **cheio**, tomado ≠ **livre** 5 (por nomeação) **provido**, preenchido 6 (território) **tomado**, conquistado ≠ **inconquistado**

ocupante *adj.,n.2g.* 1 **ocupador** 2 **habitante**, residente, morador 3 **invasor**

ocupar *v.* 1 **habitar**, morar, residir ≠ **desabitar**, desocupar 2 **preencher**, completar ≠ **libertar** 3 **exercer**, desempenhar, cumprir 4 **conquistar**, invadir, tomar ≠ **retirar-se**, sair 5 **fixar**

ocupar-se *v.* 1 **dedicar-se**, tratar, cuidar, lidar 2 **trabalhar**, empregar-se

odalisca *n.f.* 1 *fig.* **beldade**, deidade, divindade, diva, deusa 2 *fig.* **cortesã**, hetera

ode *n.f.* LIT. **poema**, canto, cântico

odiar *v.* **detestar**, repudiar, abominar, antipatizar, execrar, desadorar ≠ **adorar**, amar, gostar

odiento *adj.* **rancoroso** ≠ **afetuoso**, carinhoso, compreensivo

ódio *n.m.* 1 **rancor**, detestação, antipatia ≠ **simpatia**, gosto 2 **abominação**, aversão, repulsa, execração, horror ≠ **adoração**, gosto, apreciação, latria

odioso *adj.* **abominável**, execrável, condenável, repelente, nefando, detestável, nefário ≠ **agradável**, apreciável

odontólito *n.m.* **tártaro**

odontologista *n.2g.* **dentista**, estomatologista, odontólogo, arranca-dentes *pej.*, tira-dentes *col.*

odor *n.m.* 1 **aroma**, cheiro, perfume, olor, eflúvio, bálsamo, fragrância, rescendência ≠ **fedor**, fétido, pestilência *fig.* 2 *fig.* **impressão**, sensação

odorante *adj.2g.* **aromático**, cheiroso, odorífico, odorífero, oloroso, perfumado, balsâmico, aromatizante, perfumante ≠ **fétido**, fedorento, malcheiroso, inodoro, inolente, pestilencial

odorar *v.* **cheirar**, balsamar, perfumar, aromatizar ≠ **feder**

odre *n.m.* 1 *col.* **tortulho**, bazulaque, trolho, batoque *fig.*, botija *fig.*, pipa *fig.,pej.*, tarraco [REG.] 2 *col.* **bebedor**, bêbedo, alcoólatra, ébrio, beberrão, borrachão, bebedolas, esponja, bebedanas ≠ **abstémio**, abstinente

oeste *n.m.* GEOG. **ocidente**, poente, ocaso ≠ **oriente**, nascente, levante, este ■ *adj.* **occíduo** *poét.*, poente, ocidental ≠ **oriental**

ofegante *adj.2g.* 1 **arquejante**, anelante, esbaforido, esgazeado 2 *fig.* **fatigado**, cansado, estafado, esfalfado, esgotado, exausto ≠ **enérgico**, vigoroso, dinâmico, ativo 3 *fig.* **ansioso**, anelante

ofegar *v.* 1 **arquejar**, anelar, esbaforir-se, esgazear, tresfolgar 2 *fig.* **fatigar**, cansar, estafar, esfalfar, esgotar ≠ **fortalecer**, vigorar, dinamizar, ativar 3 *fig.* **ansiar**, anelar

ofender *v.* 1 **injuriar**, difamar, detrair, descompor, maldizer, assetear *fig.*, atassalhar *fig.* ≠ **considerar**, respeitar, estimar 2 **desgostar**, descontentar, aborrecer, desaprazer, dessaber, destoar *fig.* ≠ **gostar**, agradar, satisfazer, contentar 3 **trans-**

gredir, descumprir, infringir, violar, contravir ≠ **cumprir**, obedecer, acatar

ofender-se *v.* 1 **ressentir-se**, magoar-se, sentir-se, melindrar-se, suscetibilizar-se 2 **indignar-se**, chocar-se, escandalizar-se

ofendido *adj.* 1 **magoado**, sentido, sensibilizado, queixoso, ressentido, melindrado, apunhalado *fig.* 2 **lesado**, prejudicado, tocado, afetado 3 **injuriado**, insultado, caluniado ≠ **considerado**, estimado, respeitado 4 **desconsiderado**, desprezado, desdenhado, desrespeitado, maltratado, menosprezado, rejeitado, renegado ≠ **admirado**, apreciado, louvado, elogiado ■ *n.m.* 1 **queixoso** 2 DIR. **vítima**

ofensa *n.f.* 1 **ultraje**, injúria, afronta, impropério, insulto, agravo, enxovalho *fig.* ≠ **desagravo**, desafronta, explicação 2 **transgressão**, infração, violação, contravenção, desobediência ≠ **cumprimento**, obediência, acatamento 3 **desacatamento**, desacato, desrespeito, desveneração, descortesia, insubordinação, irreverência, inobediência ≠ **consideração**, acato, reverência

ofensiva *n.f.* **ataque**, acometimento, cometimento, investida

ofensivo *adj.* 1 **atacante** ≠ **defensivo** 2 **lesivo**, prejudicial, nocivo, deletério ≠ **benéfico**, saudável, benévolo 3 **agressivo**, hostil, virulento *fig.*, eriçado *fig.* ≠ **suave**, sereno 4 **ultrajante**, blasfemo, insultuoso, injurioso, afrontoso, atacante ≠ **exaltante**, elogiador, laudatório, panegírico

ofensor *adj.,n.m.* 1 **atacante**, invasor ≠ **defensor** 2 **agressor**, ofendedor, punidor

oferecer *v.* 1 **presentear**, brindar, ofertar, obsequiar, mimosear, regalar, dadivar, dar 2 **dedicar**, consagrar, prestar, tributar, dar 3 **proporcionar**, conceder, possibilitar, promover ≠ **impossibilitar**, privar 4 **sugerir**, propor, apresentar, cometer 5 **prometer** 6 **manifestar** 7 **ameaçar**

oferecer-se *v.* 1 **disponibilizar-se**, prontificar-se, dispor-se, prestar-se, voluntariar-se, convidar-se 2 **propor-se**, indigitar-se, candidatar-se 3 **proporcionar-se**, apresentar-se, acontecer, ocorrer, dar-se 4 **expor-se**, arriscar-se 5 **servir**, prestar-se

oferecimento *n.m.* 1 **dádiva**, oferta, donativo, oferenda 2 RELIG. **oblação**, oblata, sacrifício, oferta, oferenda

oferenda *n.f.* 1 **dádiva**, oferta, donativo, presente, oferecimento 2 RELIG. **oblação**, sacrifício, oferta, oblata, obração *ant.*

oferta *n.f.* 1 **dádiva**, oferenda, donativo, presente, oferecimento 2 RELIG. **oblação**, sacrifício, oferenda, oblata, obrada

ofertar *v.* 1 **oferecer**, dar, brindar, presentear, oferendar, mimosear, dadivar 2 RELIG. **oblatar**, sacrificar, oferendar

ofertório *n.m.* **oferta**, oferecimento, dádiva, oblata, oblação

oficial *adj.2g.* 1 **legal** ≠ **ilegal** 2 **burocrático** 3 **formal**, solene ≠ **informal** 4 **público** ≠ **privado**, particular

oficiante *adj.,n.2g.* RELIG. **celebrante**, celebrador, sacrificante

oficiar *v.* RELIG. **celebrar**, dizer, rezar

oficina *n.f.* **garagem**

ofício *n.m.* 1 **cargo**, ocupação, profissão, emprego, função, múnus, posto, lugar, exercício, serviço 2 **dever**, obrigação, incumbência, encargo, preceito, devido, dívida ≠ **desobrigação** 3 **destino**, finalidade 4 [*pl.*] **serviços** 5 [*pl.*] **intervenção**

oficioso *adj.* 1 **prestável**, serviçal, prestativo, obsequioso 2 **gracioso**, desinteressado ≠ **interesseiro** 3 **informal** ≠ **oficial**, formal

oftalmologia *n.f.* MED. **oculística**

oftalmologista *n.2g.* (médico especialista) **oculista**, ótico, optometrista, oftalmólogo

ofuscante *adj.2g.* 1 **deslumbrante** 2 *fig.* **obcecante**, alucinante, obcecador ≠ **razoador**

ofuscar *v.* 1 **escurecer**, assombrar, enegrecer, obscurecer ≠ **clarear**, aclarar, desobscurecer 2 **encobrir**, ocultar ≠ **descobrir** 3 (luz intensa ou excessiva) **turvar**, perturbar, transtornar 4 *fig.* **deslumbrar**, obcecar, obscurecer, cegar ≠ **ajuizar**, razoar, atinar 5 *fig.* **suplantar**, obscurecer

oitava *n.f.* 1 (antiga unidade de peso) **dacma** 2 **oitavário**

oitavo *n.m.* **oito**

oitenta *n.m.* **octogésimo**

olaia *n.f.* BOT. **árvore-da-judeia**, ciclamor

olaria *n.f.* **cerâmica**, telheira

oleado *adj.* **oleoso**, unguinoso, untoso ■ *n.m.* **impermeável**, encerrado

olear *v.* 1 **untar**, besuntar, lubrificar, azeitar 2 **encerrar**

oleicultura *n.f.* **olivicultura**

oleiro *n.m.* 1 **fígulo**, pucareiro 2 [BRAS.] ORNIT. **forneiro**, joão-de-barro

olência *n.f.* **perfume**, aroma, odor, olor, eflúvio, cheiro, fragrância ≠ **fedor**, fétido, pestilência *fig.*

oleoso *adj.* 1 **gordurento**, gorduroso, graxo, oleaginoso, untuoso, unguinoso, oleento 2 *fig.* **untuoso** *pej.*, bajulador

olfação[dAO] *n.f.* **cheiro**, olfato, faro

olfacção[aAO] *n.f.* ⇒ **olfação**[dAO]

olfacto[aAO] *n.m.* ⇒ **olfato**[dAO]

olfato[dAO] *n.m.* **cheiro**, olfação, faro

olga *n.f.* **coirela**, jeira, leira, belga, aradura

olhada *n.f.* **mirada**, olhadela, espiadela, relance

olhadela *n.f.* **mirada**, olhada, espiadela, relance

olhado *adj.* 1 **visto**, observado 2 **considerado** ■ *n.m.* 1 **olhar** 2 **mirada**, olhada, olhadela, espiadela, relance 3 **mau-olhado**, feitiço, fascinação, arejo *fig.*

olhalvo *adj.* (cavalo) **olhibranco**

olhar *v.* 1 **observar**, mirar, ver, cravar *fig.* 2 **encarar**, afrontar, arrostar, defrontar ≠ **desfitar**, desviar 3 **pesquisar**, examinar, analisar, sondar 4 **considerar**, contemplar, ponderar, atender 5 **reparar**, notar 6 **velar**, vigiar, guardar, cuidar, proteger, zelar 7 **ocupar-se**, interessar-se 8 **importar-se** 9 **conceder**, condescender ■ *n.m.* olhado

olheiro *n.m.* 1 **encarregado**, vigilante 2 **observador**, informador 3 **nascente**, origem, fonte, olho-d'água, olho

olho *n.m.* 1 ANAT. **vista** *col.*, lúzio [BRAS.] *col.* 2 **furo**, buraco 3 **nascente**, origem, fonte, olho-d'água, olheiro 4 BOT. **rebento**, broto, grelo 5 *fig.* **cuidado**, atenção, cautela, vigilância ≠ **desatenção**, descuido, desleixo, distração 6 *fig.* **tino**, juízo, senso, cabeça ≠ **desatino**, insensatez 7 *fig.* **esperteza**, finura, perspicácia, sagacidade, argúcia

olímpico *adj.* 1 **olimpiano**, olímpio 2 *fig.* **divino**, celestial ≠ **mundano**, terreno 3 *fig.* **imponente**, majestoso, sublime, grandioso ≠ **humilde**, despojado

olisiponense *adj.,n.2g.* **lisbonense**, lisboês, lisbonino, ulissiponense, alfacinha *col.*

oliva *n.f.* 1 **azeitona** 2 BOT. **oliveira**

oliveira *n.f.* BOT. **oliva**, azeitoneira

olivicultor *n.m.* **oleicultor**

olivicultura *n.f.* **oleicultura**

olmeiro *n.m.* BOT. **mosqueiro**, negrilho, olmo, ulmo

olor *n.m.* 1 **odor**, cheiro 2 **aroma**, cheiro, perfume, eflúvio, bálsamo, odor, fragrância ≠ **fedor**, fétido, pestilência *fig.*

oloroso *adj.* **aromático**, odorífico, odorífero, cheiroso, perfumado, balsâmico ≠ **fétido**, fedorento, malcheiroso, inodoro, inolente, pestilencial

olvidar *v.* **esquecer**, descorar, omitir, desmemoriar ≠ **lembrar**, recordar

olvido *n.m.* 1 **esquecimento**, oblívio, deslembrança, desmemória ≠ **memória**, lembrança, recordação 2 **descanso**, repoiso

ombrear *v.* **equiparar-se**, igualar-se

ombreira *n.f. fig.* **entrada**, limiar, portal, umbral

ombro *n.m.* 1 ANAT. **espádua** 2 *fig.* **robustez**, força, vigor ≠ **debilidade**, fraqueza 3 *fig.* **esforço**, diligência, zelo, empenho ≠ **desleixo**, negligência

omissão *n.f.* 1 **esquecimento**, alheamento, deslembrança, desmemória, oblívio, olvido, obscuridade *fig.* ≠ **lembrança**, recordação 2 **falta**, lacuna, falha, lapso 3 **preterição**, postergação 4 **truncamento**

omisso *adj.* 1 **omitido**, suprimido, ocultado ≠ **revelado**, mencionado 2 **descuidado**, negligente, desleixado ≠ **atento**, cuidadoso

omitir *v.* 1 **ocultar**, silenciar, suprimir ≠ **mencionar**, revelar 2 **esquecer**, descorar, olvidar, desmemoriar ≠ **lembrar**, recordar 3 (tipografia) **saltar**

omnipotente[AO] ou **onipotente**[AO] *adj.2g.* **todo-poderoso** ■ *n.m.* RELIG. (com maiúscula) **Altíssimo**, Criador, Divindade, Incriado, Deus, Senhor, Todo-Poderoso, Pai, Providência

omnipresente[AO] ou **onipresente**[AO] *adj.2g.* **ubíquo**

omnisciência[AO] ou **onisciência**[AO] *n.f.* **pansofia**

omnívoro[AO] ou **onívoro**[AO] *adj.* BIOL. **polítrofo**, politrófico

omoplata *n.f.* ANAT. **escápula**

ónagro[AO] ou **onagro**[AO] *n.m.* ZOOL. **zécora**

oncologia *n.f.* MED. **cancerologia**

onda *n.f.* 1 **vaga** 2 **ondulação**, sinuosidade 3 *fig.* **ira**, fúria, furor, sanha, raiva, braveza, iracúndia, agastamento, cólera ≠ **calma**, serenidade, tranquilidade 4 *fig.* **tumulto**, turbilhão, conturbação, motim, agitação, alvoroço, revolta, insurreição ≠ **apaziguamento**, pacificação, serenidade

ondeado *adj.* **ondulado**, sinuoso, ondulante

ondear *v.* 1 **encaracolar**, frisar, ondular, undular ≠ **alisar**, esticar 2 **serpear**, cobrejar, meandrar, serpentar 3 **flutuar**, pairar, vagar 4 **tumultuar**, agitar

ondulação *n.f.* 1 **onda**, sinuosidade 2 **encaracolamento**, frisagem ≠ **alisamento**, esticadela

ondulado *adj.* (cabelo) **encaracolado**, frisado ≠ **alisado**, esticado, escorrido

ondulante *adj.2g.* **sinuoso**, ondeante, flexuoso, serpeante, serpenteante, serpejante, coleante

ondular *v.* 1 **ondear**, serpentear 2 **encaracolar**, frisar, ondear ≠ **alisar**, esticar ■ *adj.2g.* **ondulatório**, flutuante

onerar *v.* 1 **obrigar**, compelir, constranger, forçar, coagir, compulsar, violentar, impor ≠ **desobrigar**, eximir, dispensar, liberar 2 **sobrecarregar**, carregar, agravar, oprimir ≠ **aligeirar**, aliviar 3 **vexar**, humilhar, menosprezar, desprezar, espezinhar *fig.*, acalcanhar *fig.*, esmigalhar *fig.* ≠ **prestigiar**, estimar, considerar, valorizar, venerar, acatar 4 **oprimir**, reprimir, coibir, confranger, mortificar, refrear, sufocar ≠ **libertar**, desoprimir

onerosidade *n.f.* 1 **responsabilidade**, cargo, obrigação, incumbência, dever, costado *fig.* ≠ **irresponsabilidade** 2 **ónus**, encargo

oneroso *adj.* 1 **penoso**, gravoso, custoso 2 **caro**, dispendioso, pesado ≠ **barato**, económico 3 **ve-**

xatório, molesto, incómodo, gravoso, constrangedor ≠ **confortável**, agradável

onomástico *adj.* **antroponímico**

onomatopeia *n.f.* LING. **mimologismo**

ontem *adv.* **1 herterno** *poét.* ≠ **amanhã 2 antigamente**, outrora, dantes ≠ **futuramente**, amanhã

ónusAO ou **ônus**AO *n.m.2n.* **1 carga**, peso **2 obrigação**, encargo, onerosidade **3** *fig.* **obrigação**, encargo, responsabilidade, incumbência, dever, costado *fig.* ≠ **irresponsabilidade**

oó *n.m. infant.* **sono**, descanso, repouso

opa *n.f.* **balandrau**

opacidade *n.f.* **1 espessura**, densidade ≠ **nitidez**, transparência, limpidez **2 escuridão**, escuridade, sombra ≠ **claridade**

opaco *adj.* **1 espesso**, compacto, denso ≠ **nítido**, transparente, límpido, transluzente **2 cerrado**, fechado ≠ **aberto**, desimpedido **3 escuro**, sombrio, obscuro ≠ **claro**, iluminado **4 incompreensível**, obscuro, complicado, hermético ≠ **claro**, compreensível, entendível

opado *adj.* **1 volumoso**, grosso, empolado, avultado, inchado ≠ **magro**, chupado, delgado, esguio **2 inchado**, intumescido ≠ **desinchado 3 adiposo**, gordo, obeso, balofo [BRAS.] ≠ **magro**, chupado, delgado, esguio

opalescente *adj.2g.* (cor) **leitoso**, opalino

opalino *adj.* (cor) **leitoso**, opalescente

opar *v.* **1 inchar**, intumescer, opilar ≠ **desinchar**, desintumescer **2 engordar**, engrossar ≠ **emagrecer**, adelgaçar

opção *n.f.* **optação**, escolha, seleção, preferência, eleição ≠ **renúncia**, rejeição, preterição

opcional *adj.2g.* **facultativo**, alternativo ≠ **obrigatório**, compulsório

operação *n.f.* **1 cálculo**, conta, suputação **2** MED. **cirurgia**, intervenção **3** (comercial) **transação**, negócio, especulação **4 combate**, manobra

operacional *adj.2g.* **1 funcional**, operativo ≠ **inoperante 2** (informática) **ativo**

operador *adj.,n.m.* **executante**, realizador ■ *n.m.* **1** MED. **cirurgião 2** (empresa) **operadora**

operante *adj.2g.* **1 executante**, realizador **2 funcional**, operativo ≠ **inoperante 3 produtivo**, fértil ≠ **improdutivo**, improfícuo **4 laborioso**, trabalhador

operar *v.* **1 atuar**, agir, trabalhar, sutir **2 realizar**, executar, produzir **3 trabalhar**, obrar **4 executar**, realizar

operário *n.m.* **1 trabalhador**, artífice, industriário [BRAS.] **2 jornaleiro 3** *fig.* **obreiro**, cooperador, colaborador ■ *adj.* **trabalhador**, obreiro

operar-se *v.* **realizar-se**, verificar-se, suceder, ocorrer

operativo *adj.* **funcional**, operacional ≠ **inoperante**

operatório *adj.* **cirúrgico**

opérculo *n.m.* **válvula**

operoso *n.f.* **1 produtivo**, fértil ≠ **improdutivo**, ineficaz **2 laborioso**, trabalhador

opilação *n.f.* **entupimento**, obturação, oclusão ≠ **desentupimento**, desobstrução

opinar *v.* **1 alvitrar**, propor, sugerir, palpitar *fig.*, piar *fig.* **2 julgar**, entender, avaliar, decidir, deliberar

opinativo *adj.* **1 contestável**, problemático, questionável, polémico, litigável, duvidoso, discutível ≠ **indiscutível**, inquestionável **2 incerto**, duvidoso, vacilante, indeciso, hesitante, irresoluto ≠ **determinado**, certo, decidido, resoluto

opinião *n.f.* **1 parecer**, apreciação, juízo, conceito **2 ideia**, conceção **3 presunção**, vaidade, jactância, ostentação, gala, bazófia *fig.* ≠ **discrição**, simplicidade, sobriedade, despojamento, recato, modéstia **4 convicção**, crença, sentimento, certeza, asseveração, segurança, fé ≠ **insegurança**, hesitação, dúvida, indecisão

opiniático *adj.* **1 opinoso 2 teimoso**, contumaz, obstinado, intransigente, inflexível, importuno, pertinaz, ferrenho *fig.* ≠ **flexível**, maleável **3 orgulhoso**, vaidoso, presunçoso, pretensioso, afetado, fátuo ≠ **despretensioso**, desafetado, modesto

ópio *n.m.* **1** *fig.* **entorpecimento**, torpor, inércia, adormecimento, estupefacçao **2** *fig.* **intrujice**, manha, impostura, vigarice, logro, charlatanice, engano ≠ **honestidade**, verdade, sinceridade

opíparo *adj.* **1 sumptuoso**, magnificente, monumental **2 esplêndido**, requintado **3 lauto**, rico, abundante, copioso, abastado ≠ **escasso**, pobre

oponente *adj.2g.* **opositor**, contrário, objetor ≠ **simpatizante**, defensor ■ *n.2g.* **1 opositor**, antagonista, contrário ≠ **adepto**, simpatizante, defensor **2 rival**, adversário, émulo, opositor, competidor ≠ **aliado**, colaborador, cooperante

opor *v.* **1 obtar**, resistir **2 contrapor**, confrontar, contrastar ≠ **acatar**, apoiar **3 objetar**, contestar, contradizer, rebater, impugnar, denegar, refutar ≠ **aprovar**, consentir

opor-se *v.* **1 contestar**, resistir, rejeitar, discordar, obstar, contrapor-se, contrariar, recusar, desaprovar, contrastar **2 impedir**, proibir **3 candidatar-se 4 repelir-se**

oportunidade *n.f.* **ensejo**, azo, ocasião, chance, momento, aberta, campo *fig.*, jazigo *fig.*

oportuno *adj.* **1 apropriado**, decente, conveniente, adequado, acomodado, adaptado, congruente ≠ **inconveniente**, inadaptado, inadequado **2 favorável**, útil, proveitoso, vantajoso, benéfico, conveniente ≠ **desvantajoso**, prejudicial, desoportuno, inútil

oposição *n.f.* 1 **obstáculo**, resistência, desarmonia, relutância 2 **contraste**, confronto, choque, confrontação ≠ **consonância**, comunhão, acordo 3 **incompatibilidade**, rivalidade, conflito 4 DIR. **impugnação**, rivalidade, objeção

oposicionista *adj.,n.2g.* 1 **opositor**, adversário, antagonista, impugnador ≠ **aliado**, apoiante, simpatizante 2 **combatente**, lutador

opositor *n.m.* 1 **oposicionista**, adversário, antagonista, impugnador ≠ **aliado**, apoiante, simpatizante 2 **competidor**, concorrente, participante, rival, emulador ≠ **aliado**, parceiro, cúmplice

oposto *adj.* 1 **fronteiro**, defrontante 2 **inverso**, contrário ≠ **direito**, correto 3 **contraditório**, contrário, inconciliável, incompatível ≠ **conciliável**, compatível, coerente 4 **antagónico**, desfavorável, contrário, adverso ≠ **favorável**, concordância ■ *n.m.* **reverso**, antípoda, contrário

opressão *n.f.* 1 **domínio**, sujeição, tirania, canga, jungo, cativeiro *fig.* ≠ **insubmissão**, insubordinação, desobediência 2 **repressão**, coação, constrangimento, pressão, compressão ≠ **desopressão**, incoerção, liberdade 3 **aflição**, angústia, tribulação, agonia ≠ **serenidade**, bem-estar, tranquilidade 4 **vexame**, vergonha, desonra, descrédito, constrangimento ≠ **mérito**, honra

opressivo *adj.* 1 **tirano**, déspota, autocrata, ditador ≠ **democrata**, liberal 2 **repressivo**, esmagador, sufocante *fig.*, pidesco *fig.*, compressivo *fig.* ≠ **desopressor**, libertativo 3 **angustiante**, aflitivo, confrangente, premente *fig.* 4 **sufocante**, irrespirável, abafadiço, asfixiador

opresso *adj.* **subjugado**, reprimido, dominado, curvado *fig.*

opressor *adj.* **tirânico**, despótico, opressivo, oprimente, prepotente, iliberal, arbitrário, autoritário, imperativo, ditatorial, tiranizador, procustiano *fig.*, onerante ≠ **democrata**, liberal ■ *n.m.* **tirano**, déspota, autocrata, ditador ≠ **democrata**, liberal

oprimido *adj.* 1 **subjugado**, reprimido, dominado, curvado *fig.*, agrilhoado *fig.* ≠ **subjugador**, repressor 2 **perseguido**, corrido, obsesso, importunado 3 **vexado**, vergonhado, desonrado, desacreditado, constrangido ≠ **meritório**, honrado 4 **aflito**, angustiado, atribulado, agoniado ≠ **sereno**, tranquilo

oprimir *v.* 1 **tiranizar** ≠ **libertar**, mancipar 2 **reprimir**, coibir, confranger, mortificar, refrear, sufocar *fig.*, comprimir *fig.* ≠ **libertar**, desoprimir 3 **carregar**, sobrecarregar, agravar, onerar ≠ **aligeirar**, aliviar 4 **apertar**, comprimir ≠ **largar**, soltar 5 **afligir**, angustiar, atormentar, agoniar, atribular, consternar, martirizar, consumir *fig.* ≠ **desapoquentar**, tranquilizar, sossegar 6 **vexar**, humilhar, menosprezar, deprimir, espezinhar *fig.*, acalcanhar *fig.*, calcar *fig.* ≠ **prestigiar**, estimar, considerar, valorizar, venerar, acatar

optar *v.* 1 **escolher**, selecionar, prefererir, eleger ≠ **renunciar**, rejeitar, preterir 2 **decidir-se**, definir-se

óptica[AO] *n.f.* ⇒ **ótica**[AO]

óptico[AO] *adj.,n.m.* ⇒ **ótico**[AO]

optimamente[aAO] *adv.* ⇒ **otimamente**[dAO]

óptimo[aAO] *adj.,n.m.* ⇒ **ótimo**[dAO]

opulência *n.f.* 1 **abundância**, abastança, afluência, fartura, riqueza, cópia ≠ **escassez**, insuficiência 2 **sumptuosidade**, magnificência, pompa, esplendor, brilhantismo, lustre *fig.* ≠ **despojamento**, modéstia, simplicidade, singeleza

opulentar *v.* 1 **enriquecer**, crescer, prosperar, cevar ≠ **empobrecer**, dessangrar *fig.* 2 **enobrecer**, engrandecer, honrar, qualificar, distinguir, sublimar ≠ **desenobrecer** *fig.*

opulentar-se *v.* 1 **enriquecer** 2 **enobrecer-se**, engrandecer-se, sublimar-se

opulento *adj.* 1 **abundante**, rico, farto, copioso, numeroso, caudaloso *fig.* ≠ **pobre**, miserável 2 **magnífico**, imponente, pomposo, grandioso, magnificente, faustoso, brilhante *fig.* ≠ **singelo**, simples, despojado 3 **desenvolvido**, florescido, crescido ≠ **declinado**, derribado

opúsculo *n.m.* **folheto**, impresso

ora *conj.* 1 **mas**, contudo, porém 2 **assim**, portanto ■ *adv.* **agora**, atualmente, presentemente, hoje ≠ **antes**, antigamente, outrora

oração *n.f.* 1 **prece**, reza, súplica 2 **discurso** 3 GRAM. **proposição**

oracional *adj.2g.* **proposicional**

oracular *v.* **oraculizar**, profetizar, vaticinar, predizer, adivinhar, anunciar, prognosticar, pressagiar

oráculo *n.m.* 1 *fig.* **profecia**, predição, vaticínio, vaticinação, prognóstico, presságio, agouro, auspício, adivinhação, prenúncio 2 *fig.* **revelação**

orada *n.f.* **ermida**, capela

orador *n.m.* 1 **discursador**, declamador, arrazoador 2 **pregador**, perorador, palestrante 3 **tribuno** *fig.*

oral *adj.2g.* 1 **bucal** 2 **verbal**, falado, pronunciado, nuncupativo, nuncupatório ≠ **escrito** 3 LING. ≠ **nasal**

orar *v.* 1 **rezar** 2 **discursar**, discorrer, falar, dissertar, prelecionar 3 **pregar**, missionar, predicar, sermonear 4 **rogar**, implorar, suplicar

oratória *n.f.* LING. **eloquência**

oratório *n.m.* **capela**, santuário

orbe *n.m.* 1 **esfera**, globo, redondeza 2 **astro** 3 **área**, setor, campo, domínio

orbicular *adj.2g.* **esférico**, circular, globular, redondo, rotáceo

órbita *n.f.* 1 *fig.* **área**, setor, campo, domínio, orbe 2 *fig.* **limite** 3 ASTRON. **trajetória**, percurso, trajeto

orbital *adj.2g.* ANAT. **ocular**, visual, ótico, orbitário

orca *n.f.* [REG.] **anta**, dólmin, trílito

orçamentar *v.* **orçar**, calcular, computar, determinar, contar, avaliar, medir, contabilizar

orçamento *n.m.* **cálculo**, estimativa

orçar *v.* 1 **computar**, calcular, determinar, contar, avaluar, medir, suputar 2 **rondar**, aproximar ≠ **afastar** 3 NÁUT. **bolinar**, vaguear, navegar, errar

ordálio *n.m.* (prova jurídica na Idade Média) **juízo de deus**

ordeiro *adj.* **conservador**, pacato, pacífico, conciliador, sereno ≠ **agitador**, perturbador, desordeiro

ordem *n.f.* 1 **disposição**, organização, regularidade 2 **sucessão**, seriação, sequência, ordenação 3 **arranjo**, arrumação, alinho ≠ **desarranjo**, desarrumação, abstrusidade 4 **fileira**, alinhamento, fiada, fila, carreira, renque 5 **modo**, maneira, procedimento 6 **categoria**, classe, série, espécie, natureza, família 7 **calma**, serenidade, tranquilidade, sossego, paz ≠ **agitação**, desassossego, tumulto, desordem, rebulício 8 (militar ou cívica) **disciplina**, disposição ≠ **desordem**, indisciplina 9 **conveniência**, conformidade, congruência, pertinência, apropriação, acomodação, adaptação, consentaneidade ≠ **inconveniência**, inadaptação, inadequação 10 **mandado**, autorização 11 **regra**, lei, princípio, norma, obrigação 12 **confraria**, liga, congregação, irmandade, sodalício

ordenação *n.f.* 1 **disposição**, organização, arrumação, arranjo, distribuição ≠ **desarrumação**, desorganização 2 **lei**, regulamento, norma, princípio, obrigação

ordenado *adj.* 1 **mandado** 2 **disposto**, organizado, arrumado, arranjado, distribuído ≠ **desarrumado**, desorganizado, abstruso, ababelado ■ *n.m.* **salário**, vencimento, remuneração, honorários

ordenador *adj.,n.m.* **organizador**, arrumador, distribuidor ≠ **desarrumador**, desorganizador ■ *n.m.* INFORM. (termo genérico) **computador**, calculadora

ordenamento *n.m.* **disposição**, organização, ordenação, distribuição ≠ **desorganização**, desordenação

ordenança *n.f.* 1 **mandado**, ordem 2 **lei**, prescrição, princípio, norma, obrigação, regulamento 3 **disposição**, organização, arranjo, distribuição ≠ **desorganização**, desordenação 4 **decisão**, resolução, determinação, deliberação

ordenar *v.* 1 **organizar**, arrumar, dispor, classificar, distribuir, jerarquizar ≠ **desordenar**, desarrumar, desorganizar 2 **mandar**, determinar, estabelecer, decretar, prescrever ≠ **desmandar**, contraordenar, acatar

ordenha *n.f.* **mungidura**, mungida

ordenhar *v.* **mungir**, desleitar, amojar

ordinária *n.f.* 1 **diária** 2 (de alimentos) **pensão**

ordinariamente *adv.* 1 **comummente**, geralmente, frequentemente, vulgarmente ≠ **raramente** 2 **grosseiramente**, rudemente, malcriadamente ≠ **educamente**

ordinário *adj.* 1 **natural**, normal 2 **normal**, vulgar, habitual, comum ≠ **invulgar**, rarro 3 **mal-educado**, rude, grosseiro, indelicado ≠ **bem-educado**, cavalheiro, cortês, polido *fig.* 4 **reles**, medíocre, fraco, rasca, macareno, pataqueiro, xabouqueiro *pej.* ≠ **superior**, excelente

orelha *n.f.* 1 ANAT. **pavilhão**, aurícula 2 **ouvido** 3 (livro) **badana**, aba

orfandade *n.f.* 1 **orfanado** 2 *fig.* **abandono**, desamparo, privação, desproteção ≠ **amparo**, proteção

órfão *adj.* 1 *fig.* **desamparado**, abandonado, desprotegido ≠ **amparado**, protegido 2 *fig.* **privado**, despojado, desprovido, destituído ≠ **provido**, repleto

orfeão *n.m.* **coral**, coro

orgânica *n.f.* **lei**, norma, preceito

orgânico *adj.* 1 **fundamental**, essencial, basilar, básico ≠ **secundário**, acessório, complementar 2 **inveterado**, arreigado, enraizado, estranhado 3 **regulamentar** 4 (alimento) **natural**

organismo *n.m.* 1 **sistema**, organização 2 **entidade**, instituição, corporação 3 **constituição**, compleição, carnadura

organização *n.f.* 1 **preparação**, planeamento 2 **disposição**, ordenação, estrutura, ordem ≠ **desordem**, desorganização 3 **constituição**, composição, conformação 4 **organismo**, fundação, instituição 5 **ordem**

organizado *adj.* 1 **planificado**, preparado, estruturado 2 **ordenado**, disposto, arrumado, arranjado, distribuído ≠ **desarrumado**, desorganizado 3 **metódico**, arranjadeiro, disciplinado, pautado 4 **estruturado**, coerente

organizador *adj.,n.m.* **planificador**, preparador, elaborador, aparelhador, estruturador, orquestrador *fig.*, planejador [BRAS.]

organizar *v.* 1 **constituir**, criar, compor 2 **dispor**, ordenar, estruturar 3 **arranjar**, combinar, compor, conjugar ≠ **desarranjar**, desconjugar 4 **criar**, formar 5 **instituir**, estabelecer, fundar, constituir, edificar ≠ **dissolver**, desfazer, desagregar 6 **adequar**, combinar

órgão *n.m.* **meio**

orgasmo *n.m.* FISIOL. (particularmente dos órgãos sexuais) **clímax**

orgia *n.f.* 1 **bacanal** 2 *fig.* **devassidão**, licenciosidade, bacanal, libertinagem, desregramento, carnaval, saturnal *fig.*, tripúdio *fig.*, sábado *col.* 3 *fig.* **excesso**, carnaval, desregramento 4 *fig.* **profusão**, abundância, fartura ≠ **escassez**, carência 5 *fig.* **desordem**, anarquia, confusão, tumulto, agitação ≠ **ordem**, apaziguamento

orgíaco *adj.* **bacanal**, orgiástico, báquico, licencioso, carnal ≠ **regrado**, moderado, prudente, discreto, comedido, refletido, sensato

orgulhar *v.* **envaidecer**, ensoberbecer, regozijar, ufanar ≠ **envergonhar**

orgulhar-se *v.* 1 **honrar-se**, ufanar-se, envaidecer-se, apantufar-se *fig.* 2 **vangloriar-se**, jactar-se, enfatuar-se, ensoberbecer-se, envaidecer-se

orgulho *n.m.* 1 **vaidade**, desvanecimento, presunção, envaidecimento, regozijo 2 **brio**, pundonor, honra, capricho, dignidade ≠ **desonra**, vergonha, opróbio

orgulhoso *adj.* **vaidoso**, pretensioso, coquete, afetado, fátuo ≠ **despretensioso**, desafetado, modesto

orientação *n.f.* 1 **direção**, rumo, destino 2 **guia**, diretriz 3 **regra**, instrução, prescrição 4 **tendência**, inclinação, direção, impulso

orientador *n.m.* 1 **guia**, mentor, conselheiro, diretor 2 **diretor**, líder, chefe ■ *adj.* **diretor**, guia

oriental *adj.2g.* **levantino**, este, ortivo ≠ **ocidental**, poente, oeste

orientar *v.* 1 **nortear**, direcionar, timonar 2 **dirigir**, encaminhar, encarreirar, conduzir, imbicar ≠ **desorientar**, desviar, desencaminhar, abananar 3 **guiar**, aconselhar, dirigir ≠ **desaconselhar** 4 **informar**

orientar-se *v.* 1 **guiar-se**, nortear-se, regular-se, reger-se, governar-se, pautar-se 2 **inteirar-se**, informar-se, familiarizar-se

oriente *n.m.* 1 **leste**, este, levante, nascente 2 *fig.* **início**, princípio, primórdio, exórdio, limiar ≠ **fim**, término

orifício *n.m.* **buraco**, furo, abertura, forame

origem *n.f.* 1 **início**, princípio, primórdio, começo, exórdio *fig.*, limiar *fig.*, oriente *fig.*, nascedouro *fig.* ≠ **fim**, término 2 **nascença**, nascimento, ascendência 3 **fonte**, nascente 4 **naturalidade**, procedência, proveniência ≠ **destino** 5 **causa**, motivo, pretexto 6 **etimologia**, proveniência, derivação

originador *adj.,n.m.* **causador**, gerador, ocasionador, promotor

original *adj.2g.* 1 **primitivo**, inicial, primordial, originário ≠ **contemporâneo**, posterior 2 **único**, autêntico, genuíno ≠ **inautêntico**, copiado, reproduzido 3 **novo**, inédito, desconhecido ≠ **conhecido**, corrente, vulgar 4 **inovador**, criativo 5 **excêntrico**, singular, peculiar, diferente ≠ **vulgar**, comum, banal ■ *n.m.* **modelo**, padrão, molde, forma, protótipo ≠ **cópia**, reprodução, imitação

originalidade *n.f.* 1 **criatividade**, inovação 2 **singularidade**, unicidade, pessoalidade ≠ **trivialidade**, banalidade 3 **excentricidade**, extravagância, singularidade ≠ **vulgaridade**, comum, banalidade

originar *v.* 1 **iniciar**, começar 2 **causar**, provocar, ocasionar, gerar, motivar ≠ **resultar**, derivar 3 **predispor** 4 **determinar**

originariamente *adv.* **primitivamente**, inicialmente ≠ **posteriormente**

originário *adj.* 1 **proveniente**, oriundo, procedente, vindo, descendente 2 **primitivo**, inicial, primordial, original ≠ **contemporâneo**, posterior

originar-se *v.* 1 **derivar**, provir, proceder, principiar, nascer, emanar, dimanar 2 **resultar**, advir

oriundo *adj.* **proveniente**, originário, procedente, vindo, descendente

orla *n.f.* 1 **fímbria** 2 **cercadura**, bordadura, ourelo, friso, rodeamento, tarja, bainha, guarnição 3 (costura) **faixa**, tira, banda, barra, tarja, listão, debrum, fita 4 **borda**, margem, beiral, beira, aba, falda, ourela, cairel

ornado *adj.* 1 **adornado**, enfeitado, ornamental, decorativo, embelezado, cosmético *fig.* 2 **abrilhantado**, honrado, engrandecido, enobrecido ≠ **desprezado**, menosprezado, desconsiderado, desonrado

ornamentação *n.f.* 1 **decoração**, embelezamento, alindamento 2 **adorno**, enfeite, ornato, atavio, adereço ≠ **desatavio**, desadorno, desenfeite

ornamental *adj.2g.* **decorativo**, enfeitado, ornado, adornado, embelezado, cosmético *fig.*

ornamentar *v.* 1 **decorar**, enfeitar, adornar, alindar, embelezar, honestar 2 *fig.* **abrilhantar**, engalanar, realçar, aureolar

ornamento *n.m.* 1 **adorno**, acessório, lavor, enfeite, atavio, adereço, lentejoula ≠ **desatavio**, desadorno, desenfeite 2 (estilo) **floreio**, floreado, ornato 3 [*pl.*] RELIG. (liturgia) **paramentos**, alfaias

ornar *v.* 1 **adornar**, enfeitar, ataviar, decorar, ornamentar, paramentar 2 **embelezar**, alindar, aformosear 3 *fig.* (estilo) **florear** 4 RELIG. (liturgia) **paramentar** ≠ **desparamentar** 5 *fig.* **abrilhantar**, honrar, engrandecer, enobrecer ≠ **desprezar**, menosprezar, desconsiderar, desonrar

ornar-se *v.* **ornamentar-se**, adornar-se, enfeitar--se, embelezar-se, revestir-se

ornato *n.m.* 1 **ornamento**, acessório, adorno, enfeite, atavio, adereço ≠ **desatavio**, desadorno, desenfeite 2 LING. (estilo) **floreio**, floreado, ornamento

ornear *v.* **zurrar**, ornejar, rebusnar

orografia *n.f.* **orologia**

orográfico *adj.* **orológico**

orquestrar *v.* 1 (peça musical) **compor**, adaptar 2 *fig.* (uma trama) **preparar**, encenar, tramar, maquinar

ortigar *v.* 1 **urticar** 2 *fig.* **flagelar**

ortivo *adj.* **oriental**, este, levantino ≠ **ocidental**, poente, oeste

orto *n.m. fig.* **nascimento**, origem, princípio, começo ≠ **fim**, término

ortodoxo *adj.* 1 ≠ **herético**, heterodoxo 2 **purista**

ortoépia *n.f.* GRAM. **prosódia**, ortologia

ortografia *n.f.* **grafia**, escrita, grafismo

ortologia *n.f.* GRAM. **ortoépia**, prosódia

orvalhada *n.f.* **orvalheira**, rociada, irroração

orvalhar *v.* 1 **rociar**, borrifar, relentar, aljofarar *fig.* 2 **aspergir**, borrifar, irrorar, rociar, aljofarar, salpicar 3 *col.* **chuviscar**, molinhar, borrifar, borriçar, librinar, morrinhar, peneirar *fig.*, merujar [REG.]

orvalho *n.m.* 1 **rocio**, zimbro, relento, humidade 2 **chuvisco**, borriço, borrifos, borraceiro, cacimba 3 *fig.* **bálsamo**, alívio, lenitivo, consolação, refrigério, bem-estar, conforto ≠ **desconforto**, aflição, desconsolo

oscilação *n.f.* 1 **baloiço**, balanço, balanceamento, vibração, libração, nutação, embalo ≠ **imobilidade**, estabilidade, fixidez, repouso 2 **mudança**, flutuação, variação, alternância 3 *fig.* **hesitação**, indecisão, vacilação ≠ **convicção**, firmeza 4 *fig.* **incerteza**, dúvida, ceticismo ≠ **certeza**, certo

oscilante *adj.2g.* 1 **baloiçante**, oscilador, vacilante ≠ **fixante**, imóvel, estático, parado 2 **variável**, flutuável, mutável, alternado 3 **instável**, incerto, cético, duvidoso ≠ **determinado**, certo 4 *fig.* **hesitante**, vacilante, indeciso, inconvicto ≠ **convicto**, firme

oscilar *v.* 1 **baloiçar**, vacilar, agitar, mover-se, librar, solavancar, jogar ≠ **parar**, cessar, fixar, imobilizar, estabilizar 2 (entre dois limites) **variar**, alternar, flutuar, mudar 3 *fig.* **hesitar**, vacilar, duvidar, titubear ≠ **decidir**, determinar, deliberar

osco *adj.* **embuçado**, encapuzado, coberto, rebuçado

oscular *v.* 1 **beijar** 2 *fig.* **tocar**, roçar, frisar, perpassar, beijar *fig.*, triscar [BRAS.]

ósculo *n.m.* 1 **beijo**, osculação 2 ZOOL. **ostíolo**

osga *n.f.* 1 ZOOL. **geco** 2 *col.* **aversão**, asco, antipatia, ódio, repulsa, abominação

ossada *n.f.* 1 **esqueleto**, cavername, arcaboiço 2 *fig.* **armação**, estrutura, arcaboiço 3 **destroços**, ruínas, restos

ossário *n.m.* **mortuária**, catacumba, carneiro, ossuário, ossaria

ossatura *n.f.* **esqueleto**, cavername, arcaboiço, ossada, carcaça, ossamenta, ossamento

ósseo *adj.* 1 **ossuoso**, ossudo 2 **endurecido**, enrijado, entesado ≠ **amolecido**, molificado, madefacto

ossificar *v.* **enrijar**, endurecer, endurentar, enrijecer, arrijar, empedernir, entesar, calejar, curtir, encordoar ≠ **amolecer**, molificar

ossificar-se *v.* **endurecer**

osso *n.m.* 1 *fig.* **dificuldade**, contrariedade, obstáculo ≠ **facilidade**, desobstáculo 2 [*pl.*] **restos mortais**, ossadas 3 [*pl.*] *col.* **mãos**

ostensão *n.f.* 1 **exposição**, exibição, manifestação 2 **ostentação**, jactância, alarde, exibição, gala ≠ **discrição**, simplicidade, sobriedade, despojamento, recato, modéstia

ostensivamente *adv.* 1 **abertamente**, claramente, visivelmente ≠ **dissimuladamente**, veladamente 2 **propositadamente**, deliberadamente, intencionalmente, acintosamente ≠ **acidentalmente**, involuntariamente

ostensivo *adj.* 1 **exposto**, exibido, manifestado, evidente, visível, ostensível ≠ **escondido**, oculto 2 *fig.* **propositado**, deliberado, intencional, acintoso ≠ **acidental**, involuntário 3 *fig.* **provocatório**, desafiador

ostentação *n.f.* 1 **exposição**, exibição, manifestação, patenteação 2 **ostensão**, jactância, alarde, exibição, gala, pavoneamento, semostração ≠ **discrição**, simplicidade, sobriedade, despojamento, recato, modéstia 3 **luxo**, magnificência, pompa, fausto, aparato ≠ **discrição**, simplicidade, sobriedade, despojamento, recato, modéstia

ostentar *v.* 1 **alardear**, blasonar, pompear, estadear, luxar, jactar-se, vangloriar-se, bofar *fig.*, pracejar *fig.* 2 **aparentar**

ostentar-se *v.* **exibir-se**, pavonear-se, alardear-se, peneirar-se, empavonar-se

ostracismo *n.m.* 1 **afastamento**, expulsão ≠ **acolhimento**, admissão 2 **desterro**, expatriação, deportação, proscrição, exílio, degredo, banimento ≠ **repatriação**

otário *n.m. col.* **lorpa**, parvo, bronco, tolo, simplório, ingénuo, crédulo

ótica[AO] ou **óptica**[AO] *n.f.* 1 **perspetiva** 2 **visão**, perspetiva, ângulo *fig.*

ótico[AO] ou **óptico**[AO] *adj.* **ocular**, visual, orbital ■ *n.m.* 1 (profissional de ótica) **oculista**, optometrista 2 (fabricante ou vendedor de óculos) **oculista** 3 *ant.* **oftalmologista**

otimamente[dAO] *adv.* **maravilhosamente**, magnificamente, excelentemente, lindamente ≠ **horrivelmente**, pessimamente

ótimo[dAO] *adj.* **excelente**, magnífico, formidável, papa-fina *col.*, pindárico *fig.*, resplêndido ≠ **horrível**, péssimo ■ *n.m.* **magnificiência**, excelência, perfeição

otomano *adj.,n.m.* turco

otorrino *n.m.* otorrinolaringologista, otorrinolaringólogo

ougado *adj. col.* desejoso, ansioso, sedento, sequioso, aguado

oura *n.f.* tontura, vertigem, estonteamento, nutação

ourado *adj.* tonto, azoratado, estonteado, aturduado, zonzo, areado *col.*

ourar *v.* 1 tontear, azoratar, estontear, aturduar, zonzear 2 dourar, aurificar ≠ desdourar

ouriços *n.m.pl.* MED. conjuntivite

ourives *n.m.2n.* 1 aurífice 2 (negociante de joias) joalheiro

ourivesaria *n.f.* 1 aurifícia, joalharia 2 (loja ou oficina) joalharia

ouro *n.m.* 1 *fig.* valor, preciosidade, joia 2 *fig.* dinheiro, cabedal, bagaço, cacau *col.*, metal *fig.,col.*, guita *col.*, pastel *col.*, carcanhol *gír.*, pasta *col.*, pingo *col.*, bagalho *col.*, bagalhoça *col.*, massaroca *col.*, milho *col.*, pataco *col.*, pecúnia *col.*, teca *col.*, bago *col.*, grana [BRAS.] *col.*, tutu *infant.* 3 *fig.* fortuna, riqueza, substância, abundância, opulência ≠ pobreza, penúria, miséria

ousadia *n.f.* 1 coragem, arrojo, audácia, intrepidez, bravura, denodo, afoiteza, ânimo, destemor, valentia, valor, atrevimento, brio, ardimento, desassombro, desembaraço, determinação, destemidez, esforço, galhardia, heroísmo, resolução, alma *fig.*, decisão *fig.*, estômago *fig.*, fígado *fig.*, mimança ≠ temor, covardia, medo, pânico, fraqueza, timidez 2 insolência, atrevimento, audácia, coragem, despejo, desaforo, arrojo *fig.* ≠ vergonha, timidez, modéstia, comedimento

ousado *adj.* 1 corajoso, audaz, destemido, arrojado, valente, afoito, bravo, intrépido ≠ cobarde, medroso, medricas, cagarola *col.* 2 insolente, descarado, atrevido, desabusado, petulante, desavergonhado ≠ vergonhoso, tímido, modesto, comedido

ousar *v.* 1 arriscar, aventurar, atrever-se, malparar, tentar, abalançar-se 2 empreender, intentar, resolver, delinear, interprender, tentar

outão *n.m.* empena

outar *v.* joeirar, peneirar

outeiro *n.m.* colina, cerro, montículo, cômoro, penela, cabeço, mamelão, morro

outorga *n.f.* 1 concessão, doação, cedência, cessão ≠ desacordo, recusa, negação 2 aprovação, corroboração, comprovação, ratificação, sanção, consentimento, permissão ≠ negação, refutação, contestação

outorgante *adj.,n.2g.* 1 outorgador, dador, concedente 2 constituinte, outorgador

outorgar *v.* 1 dar, conceder, deferir, atribuir, acordar, conferir, anuir, consentir ≠ desacordar, recusar, negar 2 doar, dar, legar, ofertar

outro *det.,pron.indef.* 1 diferente, distinto, diverso ≠ mesmo, igual 2 análogo, igual, semelhante, idêntico ≠ diferente, distinto 3 [*pl.*] outrem

outrora *adv.* antigamente, ontem, dantes, noutrora ≠ futuramente, amanhã

outrossim *adv.* igualmente, também, idem

ouvido *n.m.* 1 orelha 2 audição, outiva, oiça, ouvida

ouvinte *n.2g.* 1 ouvidor, audiente, auditor 2 espectador, presente, assistente, circunstante

ouvir *v.* 1 escutar, atentar, perceber 2 *fig.* atentar, escutar 3 considerar, respeitar, estimar, venerar, apreciar ≠ desprezar, desrespeitar, desconsiderar

ova *n.f. col.* (peixe) ovário, ovação

ovação *n.f.* 1 aplauso, palmas, aclamação 2 aclamação, saudação, proclamação 3 *col.* (peixe) ovário, ova

ovacionar *v.* 1 aplaudir, aclamar 2 aclamar, saudar, proclamar, ovar

ovado *adj.* oval, ovoide, oblongo

oval *adj.2g.* oblongo, ovoide, ovado, óveo

ovalar *adj.2g.* oval, ovoide, oblongo

ovar *v.* 1 aclamar, saudar, proclamar, ovacionar 2 desovar

ovarense *adj.,n.2g.* ovarino, vareiro, varino

ovário *n.m.* 1 oóforo 2 *col.* (especialmente das aves) oveira, oveiro 3 *col.* (peixe) ova, ovação

ovelha *n.f.* 1 [BRAS.] ZOOL. carneira 2 *fig.* diocesano, paroquiano

ovil *n.m.* redil, bardo, aprisco, malhada, oviário

ovo *n.m.* 1 BIOL. zigoto 2 *fig.* gérmen 3 *fig.* origem, início, princípio ≠ fim, término

oxalá *interj.* tomara!, Deus queira!

oxidação *n.f.* enferrujamento, mareação

oxidar *v.* enferrujar ≠ desoxidar, desenferrujar, desoxigenar

oxigenar *v.* 1 (cabelo) descolorar 2 *fig.* fortalecer, revigorar, estimular, reforçar ≠ desanimar, enfranquecer, esmorecer

oxítono *adj.* GEOG. agudo

P

pacatamente *adv.* **sossegadamente**, pacificamente, calmamente, tranquilamente, serenamente ≠ **agitadamente**

pacatez *n.f.* **sossego**, tranquilidade, serenidade, calma ≠ **agitação**, desassossego, perturbação

pacato *adj.* 1 **pacífico**, bonacheirão, paciente, pachola *col.*, marralhão *col.* ≠ **agitado**, inquieto, impaciente, barulhento 2 **calmo**, tranquilo, sossegado, pacífico ≠ **agitado**, inquieto, impaciente, barulhento ■ *n.m.* **bonacheirão**, paciente, pachola, borrego *fig.*, pax-vóbis ≠ **perturbador**, agitador

pachola *adj.2g.* 1 *col.* **bonacheirão**, sossegado, pacífico, paciente, pacato, pacatório ≠ **agitado**, inquieto, impaciente, barulhento 2 **indolente**, mandrião, preguiçoso, madraço, ocioso, calaceiro, vagabundo, inerte *fig.* ≠ **ativo**, dinâmico, enérgico, laborioso 3 **engraçado**, humorista, piadético, chistoso, divertido, trocista ≠ **desengraçado**, desenxabido, sério ■ *n.m.* 1 **mandrião**, vadio, procrastinador, madraço, baldão, balda, baldas *col.* ≠ **trabalhador** 2 **galhofeiro**, gracejador, brincalhão, pilheriador, chalaceador

pachorra *n.f.* 1 **paciência**, bonomia, constância, paz ≠ **impaciência**, alvoroço, inquietação, ansiedade, desassossegado 2 **vagar**, lentidão, morosidade, descanso, demora, ronçaria, remancho ≠ **aceleração**, pressa

pachorrento *adj.* 1 **paciente**, pacífico ≠ **impaciente**, alvoroçado, inquieto, ansioso 2 **vagaroso**, lento, moroso, descansado, demorado, ronceiro, remansoso ≠ **acelerado**, apressado

paciência *n.f.* 1 **resignação**, eupatia, longanimidade ≠ **impaciência** 2 **persistência**, perseverança, pertinácia, firmeza, tenacidade, obstinação ≠ **renúncia**, cessação, desistência, afastamento

paciente *adj.2g.* 1 **calmo**, tranquilo, sossegado, pacífico ≠ **agitado**, inquieto, impaciente, assomado 2 **resignado**, eupático, longânimo ≠ **impaciente** 3 **persistente**, perseverante, pertinaz, firme, obstinado, tenaz *fig.* ≠ **renuente**, cessante, desistente ■ *n.2g.* 1 **doente**, enfermo, potroso 2 **pacato**, pachola, bonacheirão, borrego *fig.* ≠ **agitador**, perturbador, amotinador, turbulento

pacientemente *adv.* 1 **pachorrentamente** ≠ **impacientemente**, agitadamente 2 **resignadamente** ≠ **impacientemente**

pacificação *n.f.* 1 **apaziguamento**, aquietação ≠ **agitação**, alvoroço, distúrbio, desordem, revolução, alevante, sublevação, amotinação, revolta, motim 2 **paz**, sossego, quietação, tranquilidade, serenidade ≠ **agitação**, perturbação, desassossego

pacificador *adj.,n.m.* **conciliador**, apaziguador, aplacador, aquietador, harmonizador, concertador, congraçador ≠ **desarmonizador**, desconcertador, desinquietador *col.*

pacificar *v.* 1 **congraçar**, harmonizar, reconciliar ≠ **agitar**, amotinar, conturbar, alvoroçar 2 **apaziguar**, congraçar, serenar, tranquilizar, sossegar, aplacar, aquietar, acalmar, abonançar ≠ **agitar**, perturbar, abalar

pacífico *adj.* 1 **calmo**, tranquilo, sossegado, pacato ≠ **agitado**, inquieto, impaciente, barulhento, alevantadiço, esgarabulhão, trêfego, galafura [REG.] 2 **pacato**, bonacheirão, paciente, pachola *col.* ≠ **agitado**, inquieto, impaciente, barulhento

paço *n.m.* 1 **burgo**, palácio, alcaçaria 2 *fig.* **corte**

pacote *n.m.* (mercadorias) **fardo**, bala, carga, embrulho, trouxa, bagagem, volume

pacóvio *adj.,n.m.* 1 **palerma**, ignorante, inculto, desconhecedor, estúpido, tolo, parvo, idiota ≠ **conhecedor**, entendedor, erudito, sábio, sabedor 2 **saloio**, rústico, parolo *pej.*, zé-cuecas [REG.] 3 **simplório**, papalvo, lorpa, tanso, bacoco, palerma, loura *col.*

pacto *n.m.* **acordo**, convenção, contrato, combinado, ajuste, concerto, conchavo, congregação, união, arranjo ≠ **desacordo**, desajuste, desarranjo

pactuar *v.* 1 **contratar**, concertar, coincidir, conciliar, concordar, condizer, avir, aliar, acordar, ajustar, preitejar *ant.* ≠ **desacordar**, desconcertar 2 **contemporizar**, transigir, condescender, tolerar, ceder, conceder, deferir, conformar, dispensar ≠ **opor-se**, contestar, negar, refutar

padaria *n.f.* 1 **panificação**, pistrina 2 [BRAS.] *col.* **rabo**, traseiro

padecente *adj.,n.2g.* **padecedor**, sofredor

padecer *v.* 1 **suportar**, aguentar, sofrer, passar, tolerar, curtir *fig.* ≠ **reagir**, resistir 2 **consentir**, permitir, tolerar, condescender, deixar, assentir ≠ **impedir**, proibir, recusar

padecimento *n.m.* 1 **doença**, mal, moléstia, enfermidade, mazela 2 **sofrimento**, dor, tormento

padeiro *n.m.* **panificador**, pistor *poét.*

padejar *v.* 1 **sacudir**, saracotear, bambolear, abanar 2 **fengir** [REG.]

padinha *n.f.* [REG.] **regueifa**

padiola *n.f.* **maca**, carrela [REG.]

padrão *n.m.* 1 **aferidor** 2 **modelo**, norma, bitola, craveira, xeura, estalão, marca 3 **paradigma**, protótipo, cânone, exemplo, esteira *fig.*, tipo 4 **motivo**, estampa 5 **ferrete** 6 **marco**

padre *n.m.* 1 **sacerdote**, clérigo, eclesiástico, cura, samarra *pej.*, sotaina *pej.*, vigário *col.* 2 **pai**

padreação *n.f.* (quadrúpedes) **cobrição**, coito

padrear *v.* 1 (animais) **cobrir**, castiçar, copular, acasalar, cavaloar 2 **procriar**, reproduzir-se

padrinho *n.m.* 1 **compadre**, paraninfo 2 *fig.* **defensor**, patrono, padroeiro, protetor, apoiante, garante, guardião, valedor, arauto, baluarte ≠ **opositor**, oponente, adversário, antagonista, contestatário, impugnador

padroeiro *adj.,n.m.* 1 **orago**, patrono 2 *fig.* **defensor**, patrono, protetor, apoiante, garante, guardião, valedor, arauto, baluarte ≠ **opositor**, oponente, adversário, antagonista, contestatário, impugnador

padronizar *v.* **uniformizar**, estandardizar, normalizar ≠ **diversificar**, heterogeneizar

paga *n.f.* 1 **remuneração**, pagamento, ordenado, vencimento, salário, retribuição, gratificação, provento, honorários 2 *fig.* **agradecimento**, gratificação, gratidão, reconhecimento 3 **recompensa**, agradecimento, retribuição

pagador *n.m.* **tesoureiro**, bolseiro, paguilha

pagamento *n.m.* 1 **remuneração**, paga, ordenado, vencimento, salário, retribuição, gratificação, provento, honorários 2 **recompensa**, agradecimento, retribuição

paganismo *n.m.* **gentilidade**, politeísmo, gentilismo

paganizar *v.* **gentilizar**, idolatrizar ≠ **despaganizar**

pagão *n.m.* **gentio** ■ *adj.* **gentílico**, gentio

pagar *v.* 1 (uma dívida ou um encargo) **satisfazer**, restituir, devolver, entregar 2 **remunerar**, assalariar, estipendiar, retribuir, gratificar 3 **recompensar**, gratificar, retribuir

pagar-se *v.* 1 **indemnizar-se**, recompensar-se 2 **vingar-se**, desforrar-se

pagável *adj.2g.* **remível**, solvível, amortizável ≠ **impagável**, insolvível

página *n.f.* 1 **lauda** 2 *fig.* **trecho**, passagem, excerto, extrato, lugar

pago *adj.* 1 **remunerado**, estipendiado 2 (débito) **liquidado**, solvido, saldado 3 **recompensado**, retribuído, indemnizado 4 *fig.* **vingado**, desforrado, ressarcido ■ *n.m.* 1 **remuneração**, pagamento, ordenado, vencimento, salário, retribuição, gratificação, provento, honorários 2 **recompensa**, agradecimento, retribuição 3 *ant.* **aldeola**

pagode *n.m.* 1 *fig.,col.* **divertimento**, brincadeira, distração, recreação, entretenimento, folguedo, brinquedo, folia, pandega *col.*, paródia *col.*, reinação *col.* 2 **troça**, caçoada, chacota, zombaria, escárnio, judiaria, motejo, mofa, achincalhação, bexiga *col.* ≠ **respeito**, consideração

pagodear *v.* **divertir-se**, distrair-se, pandegar, estroinar, foliar

pai *n.m.* 1 **papá** *infant.*, padre, progenitor, genitor, procriador, primogenitor, velhote *col.*, tatá *infant.*, papai [BRAS.] 2 *fig.* **antepassado**, ascendente, progenitor 3 *fig.* **autor**, criador, fundador, inventor 4 *fig.* **causa**, origem, fonte, proveniência, semente, germe, mãe 5 *fig.* **benfeitor**, benemérito, protetor

painço *n.m.* 1 BOT. **milho-miúdo**, pão-de-passarinho 2 **dinheiro**, cacau *col.*, ouro *fig.*, cabedal *fig.*, bagaço *fig.*, metal *fig.,col.*, guita *col.*, pastel *col.*, carcanhol *gír.*, pasta *col.*, pingo *col.*, bagalho *col.*, bagalhoça *col.*, massaroca *col.*, milho *col.*, pataco *col.*, pecúnia *col.*, teca *col.*, bago *col.*, grana [BRAS.] *col.*, tutu [BRAS.]

painel *n.m.* 1 **quadro**, retábulo 2 *fig.* **cena**, vista

painho *n.m.* ORNIT. **alma-de-mestre**, paim, calca-mares, procelária, malhorco, carrachinha, cabacinha, chasquilho

paio *n.m.* 1 **palaio** [REG.] 2 **ingénuo**, crédulo, simples

pairar *v.* 1 **adejar**, esvoaçar, planar, flutuar, revoar, volatear 2 *fig.* **ameaçar** 3 *fig.* **hesitar**, vacilar, duvidar, titubear, cambalear, flutuar ≠ **decidir**, determinar, deliberar

país *n.m.* 1 **estado**, nação 2 **pátria**, naturalidade, nacionalidade, nação, origem 3 **região**, terra, território, plaga

paisagem *n.f.* **vista**, panorama

paisana *n.m.* **civil** ≠ **militar**

paixão *n.f.* 1 **exaltação**, furor, entusiasmo, ímpeto, êxtase, fúria, arrebatamento *fig.* ≠ **calma**, serenidade, tranquilidade 2 **predileção**, dileção, preferência, afeição, estima, eleição 3 **fanatismo**, fascinação, veneração, cegueira *fig.*, vidração [BRAS.], gamação [BRAS.] ≠ **desinteresse**, desprezo, desapego, indiferença 4 **martírio**, provação, sofrimento, gólgota, aflição, clavário *fig.* ≠ **felicidade**, prazer, bem-estar, contentamento

pala *n.f.* 1 **aba**, viseira 2 *col.* **mentira**, balela, patranha, conto, galga, batata, carocha, peta 3 [REG.] **proteção**, empenho 4 [REG.] **embriaguez**, bebedeira, ebriedade, bico, canjica, borracheira *col.*, piela *col.*, bruega *col.*, cabeleira *col.*, cardina *col.*, carraspana *col.* ≠ **sobriedade**, abstemia

palaciano *adj.* 1 **aulicano**, áulico, cortesão, palatino, paceiro 2 **cortês**, obsequiador, polido, mesureiro, distinto, delicado, fino, afável ≠ **grosseiro**, rude, indelicado, ordinário ■ *n.m.* **cortesão**, paceiro, áulico

palácio *n.m.* **paço**, aula

paladar *n.m.* 1 **palato** 2 **sabor**, gosto, gustação 3 *fig.* **capricho**, veleidade, vontade, mania, birra, aferro, obstinação, pertinácia, veneta, sestro ≠ **flexibilidade**, plasticidade, maleabilidade

paladino *n.m. fig.* **defensor**, mosqueteiro *fig.*, vélite *fig.*

paládio *n.m.* **garantia**, segurança, salvaguarda, proteção

palanca *n.f.* **1** **estaca** **2** **alavanca**, panca **3** [REG.] **barrote**, tranca

palanque *n.m.* **1** **estrado**, alvalade, cadafalso, tablado, tabulado **2** [REG.] **coreto**

palavra *n.f.* **1** **termo**, vocábulo **2** **fala** **3** **doutrina**, ensinamento **4** **promessa**, jura **5** **sentença** **6** **opinião**, parecer, apreciação **7** **afirmação** **8** **recado**, mensagem **9** **exortação**, parénese

palavrão *n.m.* **obscenidade**, praga, palavrada, turpilóquio, vulgarismo, porcaria *fig.*

palavreado *n.m.* **1** **verborreia**, logomaquia, paleio, palha *fig.*, declamação *fig.*, parouvela [REG.] **2** **lábia**, léria, cantata, paleio, treta, fraseado, galra, música, prosa, conversa *fig.*, garganta *fig.*, cantiga *fig.,col.* **3** **loquacidade**, verbosidade, palra

palavrear *v.* **tagarelar**, parolar, linguajar, linguarejar, papaguear, parouvelar, taralhar, cacarejar *fig.*, chilrear *fig.*, palrar *fig.* ≠ **calar**, silenciar, emudecer, entuchar

palco *n.m.* **1** **tablado** **2** *fig.* **teatro**, cena **3** **lugar**, local, cenário

paleio *n.m.* **1** **verborreia**, logomaquia, palavreado, palha *fig.*, declamação *fig.* **2** **lábia**, léria, cantata, palavreado, treta, fraseado, galra, música, prosa, conversa *fig.*, garganta *fig.*, cantiga *fig.,col.*

palerma *adj.,n.m.* **1** **simplório**, papalvo, lorpa, tanso, bacoco, pacóvio, pedaço de asno, papa-açorda, loira *col.*, geta, lérias, pachocho [REG.], patacão *fig.* **2** **pacóvio**, ignorante, inculto, desconhecedor, estúpido, tolo, parvo, idiota ≠ **conhecedor**, entendedor, erudito, sábio, sabedor

palermice *n.f.* **parvoíce**, disparate, idiotice, asneira, lorpice, pateguice, imbecilidade, tolice, camelice, burrice, basbaqueira, burricada *fig.* ≠ **juízo**, acerto, esperteza

palestiniano *adj.,n.m.* **palestino**

palestino *adj.,n.m.* **palestiniano**

palestra *n.f.* **1** **colóquio**, discurso, conferência **2** **conversa**, conversação, diálogo, palratório, prosa, cavaqueira, colóquio, abocamento, bate-papo [BRAS.], parla, parolice

palestrar *v.* **cavaquear**, conversalhar, conversar, discorrer, conferenciar, prosear [BRAS.]

palha *n.f.* **1** **palhinha** **2** *fig.* **banalidade**, insignificância, bagatela, trivialidade, vulgaridade, frivolidade, futilidade ≠ **importância**, utilidade, valor, transcendência, relevância, interesse, aquela **3** *fig.* **verborreia**, logomaquia, paleio, palavreado, declamação

palhaçada *n.f.* **1** **farsada**, macacada, bobagem, arlequinada, fantochada *fig.* ≠ **seriedade**, gravidade, austeridade **2** *fig.,pej.* **farsa**, impostura

palhaço *n.m.* **1** **bufão**, jogral, histrião, polichinelo, truão, títere *col.*, bobo *fig.*, arlequim *fig.* **2** *fig.,pej.* **vira-casaca**, fantoche *fig.* **3** *col.* (dinheiro) **escudo**

palhal *n.m.* **palhoça**, palhota, colmado, choça, choupana, sibana *ant.*

palheira *n.f.* **1** [REG.] **palheiro**, ribana, barrelo [REG.], frascal [REG.] **2** [REG.] **palhinha**

palheiro *n.m.* **arribana**, palheira [REG.], barrelo [REG.], frascal [REG.]

palheta *n.f.* **1** MÚS. **lingueta** **2** MÚS. **plectro** **3** [*pl.*] *col.* **sapatos**, calçado

palhota *n.f.* **1** **palhoça**, palhal, colmado, choça, choupana, maloca [BRAS.] **2** [REG.] **croça**, trofa [REG.]

paliação *n.f.* **disfarce**, fingimento, dissímulo, dissimulação

paliar *v.* **1** **disfarçar**, esconder, dissimular, fingir, encobrir ≠ **descobrir**, revelar, demonstrar **2** **aliviar**, livrar, atenuar, suavizar ≠ **agravar**, endurecer **3** **dilatar**, demorar, atrasar, retardar, perlongar, entreter, adiar ≠ **acelerar**, aligeirar, prontar

paliativo *n.m. fig.* **remedeio**, remendo, tempero ■ *adj. fig.* **atenuante**, suavizante, aliviador ≠ **agravante**

paliçada *n.f.* **1** **estacada**, estacaria, tranquia, bastida **2** **liça**, lice, estacada

palidez *n.f.* **lividez**, livor, palor, esmaecimento, descoramento ≠ **rubor**, afogueamento, vermelhidão *fig.*

pálido *adj.* **1** *fig.* **desbotado**, descolorido, descorado ≠ **colorido**, pintado, tinto **2** (cor, luz) **claro**, desmaiado, esmaecido, fraco, ténue ≠ **forte**, intenso **3** **desanimado**, inexpressivo, desenxabido, insípido *fig.* ≠ **animado**, vivo, entusiasmado **4** *fig.* **fraco**

palinódia *n.f. fig.* **retratação**, desmentido, contraditado

palitar *v.* **1** **esgaravatar** *col.* **2** **escarnecer**, troçar, motejar, zombar, apodar, mofar, chasquear, chacotear, ridicularizar, zingrar ≠ **respeitar**, considerar, prezar, estimar

paliteira *n.f.* BOT. **bisnaga-das-searas**, bisnaga

palito *n.m.* **1** **esgaravatador** **2** **magricela**, mirra *col.* ≠ **gordo**, hipopótamo *fig.*, baleia *fig.* **3** [*pl.*] *col.* (símbolo de infidelidade) **chifres**, cornos, chavelhos, hastes, gaipas

palma *n.f.* **1** **palmeira** **2** **palmatoada** **3** *fig.* **prémio** **4** *fig.* **vitória**, sucesso, triunfo **5** [*pl.*] **aplausos**

palmada *n.f.* **açoite**, surra, tautau *infant.*

palmar *n.m.* **palmeiral** ■ *v. col.* **roubar**, furtar, surripiar, larapiar, subtrair, gatunar, ladroar, pilhar, escamotear, bifar *col.*

palmatória *n.f.* **férula**, menina de cinco olhos, milagrosa, santa-luzia *col.*

palmeta *n.f.* 1 **palmilha**, soleta 2 **espátula** 3 ICTIOL. **dourada**, safata, breca, bica, doiradinha

palmilha *n.f.* 1 **palmeta**, soleta 2 **pegada**

palmilhar *v.* **percorrer**, palmear, calcorrear

palmo *n.m.* **pedaço**, fragmento, porção, fração, faneco, peça, torrão, tico [BRAS.] ≠ **todo**, totalidade, globalidade

palpação *n.f.* **tato**

palpar *v.* 1 **apalpar**, tatear 2 **sondar**, tentear, tatear *fig.*

palpável *adj.2g.* 1 **tateável**, táctil, tangível ≠ **impalpável**, intangível 2 **material**, concreto, consistente, corpóreo 3 **manifesto**, evidente, patente, claro ≠ **duvidoso**, falível, disfarçado

palpitação *n.f.* 1 **latejo**, pulsação, batimento, palpite 2 *fig.* **agitação**, emoção 3 *fig.* **palpite**

palpitante *adj.2g.* 1 **latejante**, pulsante, batente 2 *fig.* **emocionante**, empolgante, vibrante, animado, agitado, movimentado 3 *fig.* **interessante**

palpitar *v.* 1 **latejar**, pulsar, bater, papujar 2 *fig.* **comover-se**, emocionar-se, impressionar-se 3 *fig.* **agitar-se**, ondular, mexer 4 *fig.* **reviver**, renascer 5 **pressentir**, entrever, visionar, prever 6 **conjeturar**, supor, prever, pressentir, futurar, antever, suspeitar, presumir 7 **sondar**, tentear, palpar, tatear *fig.*

palpite *n.m.* 1 **latejo**, pulsação, batimento, palpitação 2 *fig.* **pressentimento**, sobressalto, suspeita, bacorejo, intuição, premonição, presciência, presságio, pancada *fig.*, sintoma *fig.* 3 *fig.* **suposição**, conjetura, presunção, pressuposto, hipótese, suspeita, cálculo *fig.* 4 *fig.* **opinião**, parecer, apreciação

palrar *v. fig.* **tagarelar**, parolar, palavrear, badalar, linguarejar, papaguear, lengalengar, taramelar, parolear, falaçar, cacarejar *fig.*, gralhear *fig.* ≠ **calar**, silenciar, emudecer, entuchar

palratório *n.m.* 1 **conversa**, diálogo, prosa, cavaqueira, palestra, colóquio, abocamento, bate-papo [BRAS.] 2 **locutório**

paludismo *n.m.* MED. **malária**, sezonismo, mefitismo *ant.*

pampilho *n.m.* 1 **aguilhada**, garrocha 2 BOT. **malmequer**, margarida, bem-me-quer

panaceia *n.f.* **elixir** *fig.*, teriaga, pancresto, mezinha *col.*

panarício *n.m.* MED. **paroníquia**, unheiro, panariz, perioníquia

panasqueira *n.f.* 1 **panascal** 2 [REG.] **nevoeiro**, cerração, bruma, nebrina, caligem

panca *n.f.* 1 **palanca**, alavanca 2 *fig.* **maluqueira**, tara, mania, veneta, bolha, pancada, pancão 3 [REG.] **calcadeira** 4 [*pl.*] **dificuldades**, apertos

pança *n.f.* 1 (nos ruminantes) **bandulho**, rume, ruminadouro 2 *col.* **ventre**, barriga, bandulho, bojo, bucho, panturra, fole, búzera, morca [REG.], malvada *col.*

pancada *n.f.* 1 **cacetada**, bordoada, mocada, paulada, cipoada, cacete, taca [BRAS.] 2 *fig.* **choque**, baque, palpitação 3 *fig.* **pressentimento**, sobressalto, suspeita, bacorejo, intuição, premonição, presciência, presságio, sintoma *fig.* 4 *fig.* **maluqueira**, tara, mania, veneta, bolha, panca

pancadaria *n.f.* **bordoada**, calcada, tareia, tunda, lenha *col.*, traulitada *col.*, trolha *col.*, bazanada [REG.]

pançudo *adj.* **ventrudo**, barrigudo, abdominoso, bojudo, buchudo, gordalhaço, gordalhão, gordalhudo, gordalhufo, gordanchudo, baselga *col.*, aguachudo [REG.] ≠ **desbarrigado** *col.*

pândega *n.f.* 1 *col.* **divertimento**, farra, brincadeira, distração, recreação, pagodice, entretenimento, folguedo, brinquedo, folia, paródia, reinação, pagode *fig.*,*col.*, gebreira [REG.], suciata *col.* 2 *col.* **estroinice**, extravagância

pândego *adj.*,*n.m.* **brincalhão**, levado, galhofeiro, folgazão, parodiante, rabaceiro, súcio *col.*, taineiro [REG.] ≠ **sério**, reservado

pandeiro *n.m.* MÚS. **adufe**

pandemónio[AO] ou **pandemônio**[AO] *n.m. fig.* **confusão**, caos, trapalhada, desordem, babel, balbúrdia, charivari, rebuliço, chinfrim, sarrafusca *col.*, sarapatel *fig.*, feira *fig.*, ingresia ≠ **ordem**, organização, arrumação, arranjo

pandilha *n.2g.* **vil**, bandalho, patife, biltre, pulha *col.*, canalha *pej.* ≠ **honesto** ■ *n.f.* 1 **choldra**, corja, malta, jolda, canalha *pej.*, ralé *pej.*, súcia *pej.*, rancho *pej.*, canzoada *fig.*, cáfila *fig.* 2 **conluio**, complô, intriga, conjuração, mancomunação, maquinação, conspiração, cambalacho, trama *fig.*, tramoia *col.*, cabala *fig.* ≠ **correção**, verdade, boa-fé

pandilhar *v.* **vadiar**, vagabundear, gandaiar, tunar, preguiçar, mariolar ≠ **trabalhar**, labutar, laborar

pando *adj.* 1 **enfunado**, inflado 2 **cheio** 3 **bojudo** 4 **largo**

pane *n.f.* **avaria**, desarranjo, falha

panegírico *adj.* **laudatório**, elogioso, apologético, encomiástico ≠ **crítico**, censurador, repreensivo ■ *n.m.* 1 **elogio**, encómio, louvação, louvor, apologia, cumprimento ≠ **censura**, desprezo, reprovação, alfinetada *fig.* 2 **aplauso**, aclamação, elogio, louvor, aprovação, apoiado ≠ **desaplauso**, reprovação, implausível

panegirista *adj.*,*n.2g.* **lisonjeiro**, elogiador, gabador, louvador, encomiasta, apologista, hinista *fig.*, hinologista *fig.* ≠ **crítico**, censurador, verberador

panela *n.f. col.* **pieira**, farfalheira

paneleiro *n.m.* 1 **oleiro**, fígulo 2 *col.*,*pej.* (homem) **homossexual**, maricas *cal.*, pederasta *pej.*, bicha *pej.*, fanchono *pej.*, gay *col.*, invertido *col.,pej.*, puto [BRAS.] *vulg.*, veado [BRAS.] *pej.,vulg.* ≠ **heterossexual**

panelinha *n.f. fig.* **conluio**, complô, intriga, conjuração, pandilha, mancomunação, maquinação, conspiração, cambalacho, trama *fig.*, tramoia *col.*, cabala *fig.* ≠ **correção**, verdade, boa-fé

panfletário *adj.* **satírico**, polémico ■ *n.m.* **panfleteiro**

panfletista *n.2g.* **panfletário**

panfleto *n.m.* **1 pasquim**, libelo **2 folheto**

pânico *n.m.* **pavor**, apavoramento, terror, horror, susto, medo, tremor ≠ **destemor**, audácia, coragem, intrepidez ■ *adj.* **assustador**, amedrontador, aterrorizador, horroroso

panificação *n.f.* **padaria**, pistrina, padejo

panificador *n.m.* **padeiro**, pistor *poét.*

pano *n.m.* **1 tecido**, fazenda **2** NÁUT. **velame 3** *fig.* **carácter**, qualidade, índole, feitio, temperamento, laia **4** *fig.* **qualidade 5 embotamento**

panóplia *n.f.* **lanceiro**, trofeu

panorama *n.m.* **1 vista**, paisagem **2** *fig.* **cenário**, situação, quadro, cena

panqueca *n.f.* CUL. **crepe**

pantagruélico *adj. fig.* **abundante**, excessivo, copioso, farto ≠ **escasso**, insuficiente

pantana *n.f. col.* **atascadeiro**, lamaçal, lamaceiro, lodaçal, atoleiro, tremedal, ceno, charco, cenagal, pântano, brejo, lavajo [REG.], chapaçal [REG.]

pantanal *n.m. col.* **atascadeiro**, lamaçal, lamaceiro, lodaçal, atoleiro, tremedal, ceno, charco, cenagal, pântano, brejo, lavajo [REG.], chapaçal [REG.]

pântano *n.m.* **lameiro**, pantanal, paul, sapal, charco, brejo, tremedal, atoleiro, lenteiro, lameirão, lodeira, alagoa *ant.*, tijuca [BRAS.]

pantanoso *adj.* **lamacento**, alagadiço, lodacento, lodoso, brejoso, encharcadiço, uliginoso

pantera *n.f.* ZOOL. **leopardo**

pantomima *n.f.* **1 mímica**, mimodrama, bailete, pantominice **2** *fig.,col.* **farsa** *fig.*, comédia *fig.*, impostura, embuste, trapaça, intrujice

pantomimar *v.* **ludibriar**, iludir, lograr, enganar, fraudar, vigarizar, codilhar *fig.* ≠ **desiludir**, desenganar

pantomimeiro *n.m.* **mímico**, parlapatão ■ *adj. pej.* **dissimulado**, falso, fingidor, hipócrita ■ *adj.,n.m.* **brincalhão**, folgazão, galhofeiro, fanfarrão, parlapatão

pantufa *n.f.* **1 chinela**, babucha, cofo, chulipa **2** *pej.* **pandorca** *col.*

pão *n.m.* **1 côdea 2** *fig.* **sustento**, subsistência, alimento, mantimento **3** RELIG. (liturgia católica) **Eucaristia**, hóstia, pão angélico, partícula, sacramento, Santíssimo, Senhor **4** *fig.,col.* **vénus**, boazona, borracho *col.*, fatia *col.*, pedaço *fig.,col.*, borrega *col.*, gata [BRAS.] *col.*

Papa *n.m.* RELIG. **Pontífice**, Sumo Pontífice, Sua Santidade, Santo Padre, Padre-Santo, Vigário de Cristo, arqui-hierarca

papá *n.m. infant.* **pai**, tatá, padre, progenitor, genitor, procriador, velhote *col.*, papai [BRAS.]

papado *n.m.* **pontificado**

papa-formigas *n.m.2n.* **1** ORNIT. **catapereiro**, doidinha, formigueiro, gira-pescoço, peto-da-chuva, retorta, engatateira, torticolo **2** ZOOL. **urso-formigueiro**

papagaio *n.m.* **1** ZOOL. **loiro** *col.* **2** ICTIOL. **bodião 3 cueiro 4** *fig.* **tagarela**, palrador, loquaz, falador, conversador **5** BOT. **melindre**

papaguear *v. fig.* **tagarelar**, parolar, palavrear, badalar, linguarejar, cacarejar *fig.*, palrar *fig.* ≠ **calar**, silenciar, emudecer, entuchar

papaia *n.f.* BOT. **papaieira**

papal *adj.2g.* **papalino**, pontifical

papalvo *n.m.* **1 simplório**, pacóvio, lorpa, tanso, bacoco, palerma, loura *col.*, panal *fig.* **2** ZOOL. **gato-bravo 3** ZOOL. **papalva 4** ORNIT. **codorniz**, calcaré, paspalhós, calhota, cracolé, paspalhaço **5** ORNIT. **pedreiro**, gavião, gaivoto, guincho, marinete, zirro

papão *n.m.* **1 ogre**, coca *col.*, papa-figos [BRAS.] **2** *fig.,col.* **comilão**, glutão, guloso, lambão, gargantão, alarve, ogre *fig.*

papar *v.* **1 comer**, alimentar-se, nutrir-se, pascer **2** *fig.,col.* **vencer**, derrotar **3** (por meios pouco lícitos) **conseguir**, obter, alcançar, lograr **4** *fig.,col.* **percorrer 5** *fig.,col.* **acreditar 6** *fig.,vulg.* **possuir**, comer *vulg.*, foder *vulg.*

paparicar *v.* **1 acarinhar**, mimar, afagar ≠ **maltratar**, salmoirar **2 petiscar**, lambiscar, debicar *fig.*, pastinhar *col.*

paparoca *n.f. col.* **alimento**, comer, comida, sustento, carburante *fig.*

papeira *n.f.* MED. **parotidite epidémica**, orelhão *col.*, trasorelho *col.*, cangueira *col.*

papel *n.m.* **1 documento 2** *col.* **dinheiro**, cacau, guita, pastel, pasta, pingo, bagalho, bagalhoça, massaroca, milho, pataco, pecúnia, bago, teca, ouro *fig.*, cabedal *fig.*, bagaço *fig.*, metal *fig.,col.*, carcanhol *gír.*, grana [BRAS.], tutu [BRAS.] **3 atribuição**, função **4** [*pl.*] **títulos 5** [*pl.*] **jormais**

papelão *n.m.* **1 cartão 2** *fig.* **paspalhão**, tolo, seresma *pej.*

papeleira *n.f.* **secretária**, escrivaninha, bufete, banca, carteira

papeleta *n.f.* **1 edital**, anúncio, cartaz, aviso **2 papelucho**

papo *n.m.* **1 tufo**, refego, festo, fole *col.* **2** *fig.* **estômago 3** [BRAS.] *col.* **cavaqueio**, cavaco, falatório, parlatório, diálogo, conversa, cavaqueira, lero-lero [BRAS.], bate-papo [BRAS.]

papoila *n.f.* ICTIOL. **leitão**, carraça, cascarra, chião, bruxa, melga, cação, pata-roxa, pique

papudo *adj.* **1** *fig.* **carnudo**, carnoso, suculento, polposo ≠ **descarnudo** **2** *fig.* **proeminente**, saliente, relevante, protuberante, nodoso

paquete *n.m.* **1** paquebote *ant.* **2** mandarete

par *adj.2g.* **1** **igual**, semelhante, idêntico, análogo ≠ **diferente**, distinto, díspar **2** **simétrico**, correspondente ≠ **assimétrico**, dissimétrico, díspar ■ *n.m.* **1** **casal**, parelha **2** **dupla**, duo, casal **3** **colega**, companheiro, camarada, parceiro, confrade

parabéns *n.m.pl.* **felicitações**, congratulações, cumprimentos, saudações, prolfaça

parabentear *v.* **felicitar**, congratular, cumprimentar, saudar, parabenizar [BRAS.]

para-choquesdAO *n.m.pl.* *cal.* **seios**, mamas

pára-choquesaAO *n.m.pl.* ⇒ **para-choques**dAO

Paracleto *n.m.* RELIG. **Espírito Santo**, Consolador

parada *n.f.* **1** **paragem**, paro, pausa **2** [BRAS.] (autocarros, etc.) **paragem**, estação, estacionamento **3** **demora**, pausa, interrupção, paragem, intervalo, cessação **4** (no jogo) **aposta** **5** **combate**, luta

paradeiro *n.m.* **1** **paragem**, parada **2** **localizaçao**, local, paradouro, silha [REG.] **3** **morada**, endereço

paradela *n.f.* **1** **paragem**, parada **2** [REG.] (ao vento) **exposição**

paradigma *n.m.* **padrão**, protótipo, cânone, exemplo, esteira *fig.*, tipo

paradigmático *adj.* **exemplar**, modelar, prototípico

paradisíaco *adj.* **1** RELIG. **edénico** **2** **belo**, maravilhoso ≠ **horrendo**, medonho, infernal

parado *adj.* **1** **quieto**, estático, imóvel, quedo ≠ **móvel**, movimentado **2** **estagnado** ≠ **corrente** **3** *fig.* **inanimado**, inativo ≠ **animado**, vivo, enérgico **4** *fig.* **inexpressivo**, indiferente, insensível ≠ **expressivo**, sensível

paradoxal *adj.2g.* **contraditório**, antagónico, oposto, contrário, ilógico, absurdo

paradoxo *n.m.* **contradição**, antagonismo, oposição, contrário, ilogismo, absurdo

parafernália *n.f.* **1** **pertences**, haveres **2** **tralha** *col.*

paráfrase *n.f.* **metáfrase**

parafrasear *v.* **explanar**, explicar, comentar

parafuso *n.m.* **1** **tarraxa** **2** *fig.,col.* **juízo**, tino, siso, discernimento, sensatez, prudência, critério ≠ **desatino**, insensatez

paragem *n.f.* **1** **parada**, paro, pausa, stop **2** **interrupção**, pausa, intervalo, demora, parada, cessação **3** **interceção**, intercetação **4** **paradeiro**, parada, paradoiro **5** (autocarros, etc.) **estação**, estacionamento, parada [BRAS.] **6** [*pl.*] **bandas**, sítios, região

parágrafo *n.m.* **1** **capítulo** **2** **artigo** **3** **alínea**

paraíso *n.m.* **1** **céu**, éden, olimpo, viridário **2** RELIG. **Éden**, Céu

para-lamasdAO *n.m.2n.* **guarda-lamas**

pára-lamasaAO *n.m.2n.* ⇒ **para-lamas**dAO

paralelismo *n.m.* *fig.* **semelhança**, analogia, correspondência, afinidade, similitude, identidade, parecença, conformidade ≠ **diferença**, diversidade

paralelo *adj.* **1** **análogo**, semelhante, correspondente, similar, idêntico, parecido, conforme ≠ **diferente**, dissimilar **2** (atividade) **simultâneo**, coincidente, sincrónico, tautócrono ≠ **assíncrono** ■ *n.m.* **comparação**, confrontação, confronto, cotejo, símile, colação

paralisação *n.f.* **1** **torpor**, entorpecimento, inação, hipnose *fig.*, ópio *fig.* ≠ **desentorpecimento**, atividade **2** **interrupção**, suspensão, paragem, descontinuação ≠ **continuação**, prosseguimento, prolongamento **3** **greve**, parede

paralisado *adj.* **1** (músculo) **entorpecido**, imobilizado, estagnado, cristalizado *fig.* ≠ **evoluído**, avançado **2** (processo) **interrompido**, parado, imobilizado, suspenso

paralisante *adj.2g.* **entorpecente**, imobilizador, estagnante, paralisador ≠ **evolutivo**

paralisar *v.* **1** **imobilizar**, parar, estagnar, estacionar ≠ **mobilizar**, andar, evoluir **2** **suspender**, interromper, descontinuar ≠ **prosseguir**, continuar, avançar **3** **neutralizar**, anular, inabilitar, incapacitar ≠ **habilitar**, estimular

paralisar-se *v.* **1** **imobilizar-se**, estacionar, parar **2** **entorpecer**

paralisia *n.f.* **1** MED. **acinesia**, entrevação, anervismo, anquilose **2** *fig.* **torpor**, entorpecimento, inação, paralisação, hipnose, ópio ≠ **desentorpecimento**, atividade **3** *fig.* **inação**, estagnação, marasmo, restagnação ≠ **ação**, iniciativa, atividade

paralítico *adj.,n.m.* **entorpecido**, entrevado, imobilizado, estagnado, tolhido, percluso, cristalizado *fig.*, anérveo ≠ **evoluído**, avançado

paralogismo *n.m.* LÓG. **sofisma**, falácia

paramentar *v.* **1** RELIG. (liturgia) **ornar** ≠ **desparamentar** **2** **adornar**, enfeitar, ataviar, decorar, ornamentar, ornar

paramento *n.m.* **1** RELIG. (liturgia) **ornamentos**, alfaia **2** **adorno**, enfeite, acessório, lavor, atavio, adereço, ornamento ≠ **desatavio**, desadorno, desenfeite

parâmetro *n.m.* **1** **critério** **2** **norma**, padrão, princípio, regra

paraninfo *n.m.* **1** **padrinho**, compadre **2** *fig.* **protetor**, defensor, patrono, padroeiro, apoiante, garante, guardião, valedor, arauto ≠ **opositor**, oponente, adversário, antagonista, contestatário, impugnador

paranoiadAO *n.f. fig.* **megalomania**, delírio, tresvario, paraneia

paranóiaaAO *n.f.* ⇒ **paranoia**dAO

paranoicodAO *adj. fig.* **megalómano**, delirante, extravagante, paraneico

paranóicoaAO *adj.* ⇒ **paranoico**dAO

paranormal *n.m.* **sobrenatural**

parapeito *n.m.* **peitoril**

parapsicologia *n.f.* **metapsicologia**, metapsíquica

paraquedasdAO *n.m.2n.* **guarda-quedas**

pára-quedasaAO *n.m.2n.* ⇒ **paraquedas**dAO

parar *v.* 1 **interromper**, suspender, descontinuar, deter, suster ≠ **prosseguir**, continuar, avançar 2 **imobilizar**, paralisar, estagnar, estacionar, sobresser ≠ **mobilizar**, andar, evoluir 3 (de golpe, ataque) **defender-se**, proteger-se, desviar 4 (jogo) **apostar** 5 **desligar** ≠ **ligar** 6 **terminar**, acabar ≠ **começar**, iniciar 7 **estacionar**, parquear 8 **permanecer**, ficar ≠ **continuar** 9 **estacar**, especar-se 10 **residir** 11 **descansar**

para-raiosdAO *n.m.2n.* 1 **guarda-raios** 2 *fig.* **proteção**, defesa 3 *fig.* **protetor**, defensor, patrono, padroeiro, apoiante, garante, guardião, valedor, arauto ≠ **opositor**, oponente, adversário, antagonista, contestatário, impugnador

pára-raiosaAO *n.m.2n.* ⇒ **para-raios**dAO

parasita *n.m. fig.,pej.* **borlista**, filante, pendura *col.,pej.*, papa-jantares *fig.* ■ *adj.2g.* 1 **explorador**, comedor, chupista *pej.*, tolineiro *col.* 2 **inútil**, supérfluo, desnecessário

parasitário *adj.* **dependente**, explorador, parasítico, sugador *fig.* ≠ **autónomo**, independente

parcamente *adv.* **comedidamente**, frugalmente, economicamente

parceiro *adj.* **igual**, semelhante, idêntico, análogo, par ≠ **diferente**, distinto, díspar ■ *n.m.* **colega**, companheiro, camarada, par, sócio, cúmplice, confrade, partenaire

parcela *n.f.* **fragmento**, pedaço, bocado, porção, fração, faneco, peça, torrão, tico [BRAS.] ≠ **todo**, soma, totalidade, globalidade

parcelado *adj.* 1 **fragmentado**, segmentado, fracionado ≠ **somado**, totalizado 2 (pagamento) **faseado**

parcelamento *n.m.* **fragmentação**, segmentação, fracionamento, divisão ≠ **somatório**, totalização

parcelar *adj.* **fragmentário**, segmentário, fracionário, parcial ≠ **somatório**, totalitário ■ *v.* **fragmentar**, segmentar, fracionar ≠ **somar**, totalizar

parceria *n.f.* 1 **companhia**, associação, corporação, consórcio, centro, círculo, grémio 2 **sociedade**

parche *n.m.* **prancheta**, pacho

parcial *adj.2g.* 1 **fragmentário**, segmentário, fracionário ≠ **somatório**, totalitário 2 **faccioso**, partidário, preconceituoso, unilateral, sectário *fig.*, setorial *fig.* ≠ **imparcial**, neutral, isento, objetivo, equânimo, desinteressado 3 **particular**, privativo ≠ **comum** ■ *n.m.* **partidário**, sectário, seguidor, sequaz, correligionário, parcialista

parcialidade *n.f.* 1 **fraccionalidade** ≠ **totalidade**, integralidade 2 **tendenciosidade** ≠ **imparcialidade**, neutralidade

parcialmente *adv.* **incompletamente** ≠ **completamente**, totalmente

parcimóniaAO ou **parcimônia**AO *n.f.* 1 **simplicidade**, sobriedade 2 **frugalidade**, moderação, comedimento ≠ **prodigalidade**

parcimonioso *adj.* 1 **sóbrio**, simples 2 **moderado**, frugal 3 **económico**, poupado, amealhado, aproveitado ≠ **gasto**, esbanjado, dissipado

parco *adj.* 1 **moderado**, frugal ≠ **farto**, abundante, copioso 2 **económico**, poupado ≠ **gasto**, consumido 3 **diminuto**, escasso ≠ **enorme**, abundante 4 **sóbrio**, moderado, simples

parcómetroAO ou **parcômetro**AO *n.m.* **parquímetro**

parda *n.f.* 1 BOT. **alfarroba**, farroba, ervilhaca-parda 2 BOT. **lentilheira** 3 ORNIT. **fusela-nova**, fuselo, galego, milherango, grualeta

pardacento *adj.* **cinzento**, cinéreo, cinza, cendrado, cris, pardo, pardaço, pardusco

pardal *n.m.* 1 ORNIT. **pardal-dos-telhados**, pardal-ladro, tarrote, pardejo 2 *col.* **espertalhão**, finório, passarão

pardaleja *n.f.* ORNIT. **pardoca**, pardaloca, pardeja

pardieiro *n.m.* **casebre**, casalejo, toca *fig.,pej.*

pardo *adj.* 1 **cinzento**, cinéreo, cinza, cendrado, cris, pardacento 2 **nublado**, escuro, tenebroso, sombrio, carregado, cerrado ≠ **aberto**, desanuviado, claro ■ *n.m.* ORNIT. **falcoeira**

pardoca *n.f.* ORNIT. **pardaleja**, pardeja, pardaloca

parecença *n.f.* **semelhança**, identidade, analogia, paridade, homogeneidade, paralelismo *fig.* ≠ **diferença**, diversidade, heterogeneidade

parecer *v.* 1 **assemelhar-se**, aparentar 2 **patentear**, evidenciar, mostrar 3 **afigurar-se**, apresentar-se 4 **constar** ■ *n.m.* 1 **voto** 2 **opinião**, juízo, conceito, apreciação 3 **aspeto**, aparência, presença 4 **doutrina**

parecer-se *v.* **assemelhar-se**, semelhar-se

parecido *adj.* **comparado**, semelhante, idêntico, análogo, paralelo, correspondente

paredão *n.m.* **muralha**

parede *n.f.* **1 muro**, barbeito **2 vedação**, tapume, tabique, sebe **3** *fig.* **estorvo**, barreira, dificuldade, impedimento, obstáculo, embaraço ≠ **desobstrução**, desimpedimento, desempacho **4 greve**, paralisação

parelha *n.f.* **1 par**, casal **2** LIT. **dístico**

parente *n.m.* **achegado** ▪ *adj.2g.* **1 próximo 2 semelhante**, análogo, similar, idêntico, parecido, paralelo, conforme ≠ **diferente**, dissimilar

parentela *n.f.* **família**

parentesco *n.m.* **1 consaguinidade**, sanguinidade, carne **2 afinidade**, vínculo **3** *fig.* **semelhança**, afinidade, similitude, identidade, analogia, parecença ≠ **diferença**, diversidade

parêntese *n.m. fig.* **digressão**, desvio, divagação

parga *n.f.* **pilha**, morneiro [REG.]

pargo *n.m.* ICTIOL. **capatão**, dentão, dentelha, mariana, pargo-de-mitra, tereso, tolho

pária *n.2g.* **1 intocável 2 hilota**

paridade *n.f.* **1 igualdade**, equidade ≠ **desigualdade 2 semelhante**, análogo, similar, idêntico, parecido, paralelo, conforme ≠ **diferente**, dissimilar

parietal *adj.2g.* **mural**

parir *v.* **1 gerar**, ter, esbarrigar *col.*, livrar *col.*, aliviar *col.*, desovar *fig.,col.*, delivrar-se, partejar, parturir ≠ **malparir 2** *fig.* **causar**, produzir, originar, motivar, provocar, ocasionar, trazer, surtir, acarrear, gerar

parlamentar *v.* **conferenciar**, negociar

parlamentário *adj.,n.m.* **emissário**, enviado

parlamento *n.m.* **assembleia**

parlapatão *adj.,n.m.* **1 pantomineiro**, mímico **2 impostor**, embusteiro, mentiroso **3 fanfarrão**, folgazão, galhofeiro, brincalhão, pantomimeiro

parlar *v. fig.* **tagarelar**, parolar, palavrear, badalar, linguarejar, papaguear, cacarejar, chilrear, farolar, garrular ≠ **calar**, silenciar, emudecer, entuchar

paro *n.m.* **1 parada**, paragem, pausa **2 sossego**, serenidade, tranquilidade, quietação, calma, paz ≠ **agitação**, desassossego, tumulto, desordem

pároco *n.m.* RELIG. **diocesano**, cura, prior, abade, reitor, padre-cura

paródia *n.f. col.* **pândega**, divertimento, brincadeira, distração, recreação, entretenimento, folguedo, folia, brinquedo, reinação, pagode *fig.,col.*, trolaró [REG.]

parolar *v.* **tagarelar**, parlar, palavrear, badalar, linguarejar, papaguear, farolar, garrular, cacarejar *fig.*, chilrear *fig.* ≠ **calar**, silenciar, emudecer, entuchar

paroleira *n.f.* **parol**

parolo *adj.,n.m.* **1** *pej.* **bruto**, rude, grosseiro, obtuso, bronco, tosco, boto *fig.* ≠ **delicado**, fino, distinto **2** *pej.* **saloio**, rústico, pacóvio **3** *pej.* **simplório**, papalvo, lorpa, tanso, bacoco, palerma, pateta, tolo, loura *col.*

paróquia *n.f.* **freguesia**, reitoria

paroquiano *adj.,n.m.* **diocesano**, ovelha *fig.*

paroquiar *v.* **pastorear**

paroxismo *n.m.* **apogeu**, auge, culminância, clímax, zina, pino *fig.*, coronal *fig.*, zénite *fig.*

paroxítono *adj.,n.m.* GRAM. **grave**

parque *n.m.* **reserva**

parquímetro *n.m.* **parcómetro**

parra *n.f.* **1 pâmpano**, pampo **2** *fig.* **palavreado**, parlapatice

parracho *adj.* **atarracado**, sapudo, mazarulho [REG.], parrudo, troncudo ▪ *n.m.* ICTIOL. **rodovalho**, solha, clérigo, pregado

parrado *adj.* **1 orelhudo 2 apatetado**, aparvalhado

parreira *n.f.* **1 latada**, bardo, corrimão **2 ramada 3 videira**, vide, cepeira

parte *n.f.* **1 fração**, fragmento, porção, pedaço, faneco, peça, torrão, tico [BRAS.] ≠ **todo**, totalidade, globalidade **2 quinhão**, lote, partilha **3 partido 4 lugar**, sítio, zona **5 comunicação**, participação, aviso **6** DIR. **litigante**, demandante, pleiteador **7** DIR. **outorgante 8 comparticipação 9** [*pl.*] **habilidades**, momices, palhaçadas **10** [*pl.*] *col.* **gentitália**, natureza

parteira *n.f.* **comadre**, obstetriz, aparadeira *col.*, assistente [BRAS.], curiosa

parteiro *n.m.* **obstetra**

partição *n.f.* **repartição**, divisão, distribuição, partilha

participação *n.f.* **1 comunicação**, parte, aviso **2 parcela**, parte

participante *adj.,n.2g.* **interveniente**, participador, parciário

participar *v.* **informar**, comunicar, avisar, notificar, transmitir, dizer, falar, declarar

participativo *adj. fig.* **expansivo**, comunicativo, extrovertido, entusiasta ≠ **envergonhado**, acanhado, tímido

partícula *n.f.* **1 fragmento**, pedaço, bocado, porção, fração, faneco, peça, torrão, miuçalha, tico [BRAS.] ≠ **todo**, soma, totalidade, globalidade **2 corpúsculo**, grânulo, argueiro **3** RELIG. (liturgia católica) **Eucaristia**, hóstia, pão angélico, pão, sacramento, Santíssimo, Senhor

particular *adj.2g.* **1 próprio**, peculiar, individual, especial ≠ **comum**, generalizado **2 privado**, pessoal, privativo, íntimo ≠ **público 3 singular**, excecional, raro **4 minucioso**, pormenorizado, detalhado ≠ **geral 5 especial**, exclusivo **6 característico**, específico **7 reservado** ▪ *n.m.* **1 singulari-**

dade **2** mania **3** [*pl.*] pormenores, detalhes, particularidades

particularidade *n.f.* **1** **singularidade**, unicidade, pessoalidade ≠ **generalidade** **2** **pormenor**, minuciosidade, detalhe ≠ **generalidade**

particularizar *v.* **1** **caracterizar**, especificar, especializar, distinguir, discriminar ≠ **generalizar** **2** **individualizar**, personalizar, singularizar ≠ generalizar

particularizar-se *v.* **distinguir-se**, singularizar-se, destacar-se, sobressair-se

particularmente *adv.* **1** **especificamente**, especialmente, distintamente, discriminadamente, peculiarmente ≠ **generalizadamente** **2** **individualizadamente**, personalizadamente, singularizadamente ≠ **generalizadamente**

partida *n.f.* **1** **saída**, abalada ≠ **chegada**, vinda, advento **2** **jogo**, prova, desafio, competição **3** **brincadeira**, peça **4** **guerrilha** **5** [*pl.*] **regiões**

partidário *adj.* **faccioso**, parcial, sectário *fig.* ≠ **imparcial**, neutral, isento, objetivo, desinteressado ■ *n.m.* **1** **parcial**, sectário, seguidor, sequaz, correligionário **2** **adepto**, defensor

partidarismo *n.m.* **facciosismo**, sectarismo, partidismo

partido *adj.* **1** **quebrado**, rachado, espatifado ≠ **inteiro**, íntegro **2** **fragmentado**, segmentado, fracionado, dividido ≠ **somado**, totalizado **3** *col.* **exausto**, cansado, fatigado, estafado, esfalfado, esgotado ≠ **enérgico**, vigoroso, dinâmico, ativo ■ *n.m.* **1** **liga**, coligação, confederação, associação, cartel, união, aliança **2** **posição**, preferência, lado **3** **decisão**, resolução, deliberação **4** **recurso**, expediente **5** **vantagem**, utilidade, proveito, benefício ≠ **desvantagem**, dano, prejuízo, perda

partilha *n.f.* **1** **repartição**, distribuição, divisão, partição **2** **quinhão**, lote, parte, porção

partilhar *v.* **1** **repartir**, distribuir, dividir, partir, aformalar **2** **compartilhar**, dividir

partilhável *adj.2g.* **divisível**, repartível, distribuível ≠ **impartilhável**

partir *v.* **1** **sair**, ausentar-se, retirar-se ≠ **chegar**, vir **2** **separar**, dividir, desagregar ≠ **juntar**, unir, ligar **3** **quebrar**, danificar, rachar, escacar, fragmentar **4** **repartir**, distribuir, dividir, partilhar **5** **fraturar**, quebrar **6** **proceder**, provir, derivar, emanar, nascer, vir, começar, iniciar-se **7** **morrer**, falecer

partir-se *v.* **1** **quebrar-se**, despedaçar-se, rachar, romper **2** **fraturar-se** **3** **separar-se**, dividir-se, fragmentar-se, desagregar-se, fracionar-se, segmentar-se ≠ **juntar-se**, unir-se, ligar-se **4** **sair**, ir, dirigir-se

partitivo *adj.* **1** **fracionário**, segmentário, fragmentário, parcial ≠ **somatório**, totalitário **2** GRAM. **distributivo**, segregativo

partível *adj.2g.* **1** **divisível**, repartível, distribuível, partilhável ≠ **impartilhável** **2** **quebrável** ≠ **inquebrável**

parto *n.m.* **1** MED. **parturição**, paridela, parição, dequitação, paridura, dequite, aliviamento *col.*, sucesso *col.* **2** *fig.* **produto**, obra

parvalhão *n.m. pej.* **imbecil**, parvo, tolo, idiota, estúpido, palerma, patego, paspalho, badana *col.*, bate-orelha *fig.*, babaca [BRAS.] *col.* ≠ **conhecedor**, entendedor, erudito, sábio, sabedor

parvamente *adv.* **tolamente**, estupidamente, irrefletidamente, irracionalmente, obtusamente *fig.*

parvo *adj.* **1** **palerma**, idiota, pacóvio, tolo, estúpido, patego, paspalhão, bate-orelha *fig.*, babaca [BRAS.] ≠ **inteligente**, esperto, astuto, perspicaz, sagaz **2** **insensato**, imoderado, irrefletido, instável ≠ **ponderado**, sensato, refletido **3** **pequeno**, baixo, diminuto ≠ **alto**, elevado, grande ■ *n.m.* **imbecil**, parvalhão, tolo, idiota, estúpido, palerma, patego, paspalho, badana *col.*, bate-orelha *fig.*, babaca [BRAS.] *col.* ≠ **conhecedor**, entendedor, erudito, sábio, sabedor

parvoíce *n.f.* **disparate**, tolice, lorpice, idiotice, asneira, palermice, parvoeira, pateguice, imbecilidade, burrice, burricada *fig.* ≠ **juízo**, acerto, esperteza

parvónia[AO] ou **parvônia**[AO] *n.f. col.,pej.* **parvalheira**, terriola, aldeola

pascácio *adj.* **lorpa**, pateta, idiota, tosco, grosseiro, obtuso, rude, rústico, rombo *fig.*, peco *fig.,pej.*, tapado *fig.,pej.* ≠ **civilizado**, bem-educado, polido *fig.*

pascal *adj.* **pascoal**

pascer *v.* **1** **pastar**, apascentar **2** **comer**, alimentar-se, nutrir-se, papar **3** *fig.* **deliciar**, encantar, agradar, aprazer, comprazer, arrebatar, lisonjear ≠ **desagradar**, desaprazer, desencantar

pascoal *adj.2g.* **pascal**

Pascoela *n.f.* **Quasímodo**

pasmaceira *n.f.* **1** **marasmo**, monotonia, pasmatório **2** **pasmo**, admiração, embasbacamento, embasbacação

pasmado *adj.* **1** **espantado**, boquiaberto, perplexo, surpreso, admirado, assombrado, atónito, banzo, varado *fig.*, surpreendido *fig.*, banzado *col.*, obstupefacto ≠ **impassível**, indiferente, imperturbável **2** **inexpressivo**, indiferente, impassível **3** **frouxo**, indolente, inerte, passivo ≠ **vivo**, dinâmico, ativo

pasmar *v.* **1** **espantar**, admirar, embasbacar-se **2** **deslumbrar**, assombrar

pasmar-se *v.* **admirar-se**, espantar-se, assombrar-se, embasbacar-se

pasmo *n.m.* 1 **admiração**, assombro, espanto, estupefação, maravilhamento, estupor *fig.*, obstupefação 2 **delíquio**, desmaio, síncope, desfalecimento

pasmoso *adj.* **assombroso**, espontoso, admirável, estupefacto, boquiaberto ≠ **impassível**, indiferente, imperturbável

paspalhão *adj.* 1 **palerma**, idiota, pacóvio, tolo, estúpido, patego, parvo, bate-orelha *fig.*, babaca [BRAS.] ≠ **inteligente**, esperto, astuto, perspicaz, sagaz 2 **espantadiço**, assustadiço, assombradiço, esparvadiço ■ *n.m.* 1 **imbecil**, parvalhão, tolo, idiota, estúpido, palerma, patego, paspalho, badana *col.*, bate-orelha *fig.*, babaca [BRAS.] *col.* ≠ **conhecedor**, entendedor, erudito, sábio, sabedor 2 [REG.] ORNIT. **codorniz**, calquiré, calcaré, calhota, cotorniz, carcolé, paspalhás, carcalhota, tem-te-lá

paspalhice *n.f.* **parvoíce**, disparate, tolice, lorpice, idiotice, asneira, palermice, pateguice, imbecilidade, burrice, burricada *fig.* ≠ **juízo**, acerto, esperteza

paspalho *n.m.* 1 *pej.* **imbecil**, parvalhão, tolo, idiota, estúpido, palerma, patego, paspalhão, badana *col.*, bate-orelha *fig.*, babaca [BRAS.] *col.* ≠ **conhecedor**, entendedor, erudito, sábio, sabedor 2 *pej.* **empecilho**, estorvo, encrenque, pespego, mostrengo *fig.,pej.*

pasquim *n.m.* 1 **panfleto**, libelo, pasquinada 2 *pej.* **jornaleco**

passada *n.f.* 1 **passo**, pernada 2 *fig.* **diligência**, medida

passadeira *n.f.* 1 **zebra** 2 **alpondra** 3 **braçadeira**

passadiço *n.m.* **passagem** ■ *adj.* **transitório**, passageiro, momentâneo, efémero, temporário, amovível, breve ≠ **permanente**, duradouro

passadio *n.m.* **manutenção**, subsistência, vivenda, mesa *fig.*

passado *adj.* 1 **antiquado**, ultrapassado, arcaico, retrógrado, obsoleto, desusado, ido, fóssil *fig.,pej.*, esturrado *fig.* ≠ **moderno**, avançado, progressista, inovador 2 **transcorrido** 3 (comida) **seco** 4 *fig.* **espantado**, banzado, atordoado, surpreendido, estupefacto, pasmado ≠ **impassível**, indiferente, imperturbável 5 *fig.* **envergonhado**, embaraçado, vexado, inibido, constrangido ≠ **desembaraçado**, desinibido 6 *col.* **descontrolado**, desgovernado, desorientado, desnorteado, desequilibrado, desarvorado, zambo [BRAS.] ≠ **controlado**, equilibrado 7 *col.* **drogado** ■ *n.m.* 1 **história** 2 **antecedente**

passador *n.m.* 1 *col.* (droga) **traficante** 2 **divulgador** 3 **coador**, escorredor, filtro

passageiro *n.m.* 1 **viajante**, viandante 2 **transeunte**, viandante, passante ■ *adj.* 1 **transitório**, momentâneo, temporário, efémero, amovível, breve, perfunctório, transiente ≠ **permanente**, duradouro 2 **insignificante**, ligeiro, leve ≠ **significante**, importante

passagem *n.f.* 1 **passadiço**, passadouro, acesso 2 **trecho**, excerto, extrato, lugar, passo, página *fig.* 3 **caso**, acontecimento, lance, evento, ocorrência 4 **conjuntura** 5 **transição**, mudança, transferência

passajar *v.* **pontear**, cerzir, passagear

passante *n.2g.* **transeunte**, viandante, passageiro, peão, pedestre [BRAS.] ■ *adj.2g.* **excedente**

passaporte *n.m.* **salvo-conduto**

passar *v.* 1 **transpor**, atravessar, cruzar, cortar, pervagar 2 (montante, intensidade, nível, quantidade) **ultrapassar**, exceder, superar, suplantar, trasmontar 3 **percorrer**, andar, circular, transitar 4 **transportar**, carregar, deslocar, levar 5 **entregar**, dar ≠ **receber**, tomar 6 (concerto, programa, etc.) **transmitir**, apresentar, exibir, mostrar 7 **impingir**, empurrar *col.* 8 *col.* (droga) **vender**, traficar 9 (roupa) **engomar**, brunir 10 **experienciar**, viver 11 (documento) **lavrar** 12 (tempo) **empregar**, despender, consumir, gastar, usar 13 (tempo) **decorrer**, escoar, discorrer 14 (filme) **projetar** 15 **filtrar**, coar, peneirar 16 **omitir**, ocultar 17 **enfiar** 18 **acabar**, cessar, terminar, extinguir-se ≠ **começar**, iniciar 19 **falecer**, morrer, acabar, expirar, finar-se, perecer ≠ **nascer**, viver 20 **acontecer**, ocorrer, suceder 21 **transitar**, transferir, permutar, transmutar 22 **prolongar-se**, continuar 23 **deslizar**, roçar, perpassar 24 **contentar**, remediar 25 **aprovar** ≠ **chumbar** *gír.*, reprovar, excluir, gatar *gír.*, raposar *gír.* 26 **secar** 27 **qualificar-se**, classificar-se

passarada *n.f.* **passaredo**, passarinhada

passarão *n.m.* 1 **passarola** 2 *col.* **espertalhão**, finório, pardal 3 [BRAS.] ORNIT. **tuiuiú**

passareiro *n.m.* **passarinheiro**

pássaro *n.m.* 1 *col.* **espertalhão**, finório, pardal, passarão 2 [*pl.*] ORNIT. **passeriforme**

passar-se *v.* 1 **acontecer**, suceder 2 **decorrer**, transcorrer 3 **mudar** 4 *col.* **enlouquecer**, delirar, descontrolar-se, desatinar

passatempo *n.m.* **diversão**, entretenimento, distração, divertimento, recreio, derivativo, hobby ≠ **aborrecimento**, tédio, preocupação

passe *n.m.* 1 **permissão**, autorização, licença, consentimento 2 (transportes) **senha**, bilhete 3 **afago**, meiguice, ternura, carinho, festa, blandície, mimo ≠ **sevícia**, ofensa

passear *v.* 1 **caminhar**, andar, jornadear, trilhar ≠ **parar**, imobilizar, cessar 2 *fig.* **exibir**, mostrar 3 **divagar**, errar, vagabundear, vagar, deambular, perambular, vaguear ≠ **dirigir-se**, encaminhar-se, guiar-se 4 **espairecer** 5 **deslizar**, fluir, correr

passear-se *v.* **deambular**, divagar, vaguear

passeata *n.f. col.* **excursão**, digressão, viajata, giravolta *col.*, girote *col.*

passeio *n.m.* **1** **passeadouro**, calçada, bordo **2** **digressão**, excursão, giravolta *col.*, inambulação

passeiro *adj.* **vagaroso**, lento, pachorrento, ronceiro ≠ **apressado**, acelarado, rápido ■ *n.m.* **passeira**

passional *n.m.* RELIG. **passionário**

passivamente *adv.* **indiferentemente**

passivar *v.* **apassivar**

passível *adj.2g.* **suscetível**, possível

passividade *n.f.* **indiferença**, inatividade, inércia, apatia, conformismo *pej.* ≠ **atividade**, dinamismo, inconformismo

passivo *adj.* **1** **paciente** ≠ **agente**, ativo **2** **inativo**, apático, ocioso, inerte, indiferente ≠ **ativo**, dinâmico, enérgico

passo *n.m.* **1** **passada**, pernada **2** **andamento**, marcha **3** **facto**, acontecimento **4** **estreito**, desfiladeiro, garganta **5** *fig.* **resolução**, decisão, deliberação, determinação **6** *fig.* **conjuntura**, situação, circunstância, oportunidade, ocasião, contexto ≠ **desconjuntura** **7** *fig.* **ato** **8** *fig.* **negócio** **9** **trecho**, excerto, extrato, lugar, passagem, página *fig.* ■ *adj.* (frutas) **seco**, passado

pasta *n.f.* **1** **pelouro**, cargo **2** **porta-fólio** **3** *fig.* **amálgama**, mixórdia, miscelânea, trapalhada, salgalhada *col.* ≠ **ordem**, organização, arrumação, arranjo **4** *col.* **dinheiro**, cacau, guita, pastel, pingo, bagalho, bagalhoça, massaroca, milho, pataco, pecúnia, teca, bago, carcanhol *gír.*, ouro *fig.*, cabedal *fig.*, bagaço *fig.*, metal *fig.,col.*, grana [BRAS.], tutu [BRAS.] **5** *fig.,pej.* **molengão**, pastel, burranca, banana *pej.*

pastagem *n.f.* **almargem**, pascigo, pastio, pastura *ant.*

pastar *v.* **1** **apascentar**, pastorear, pastejar, escachouçar [REG.] **2** *fig.,col.* **estagnar**, estacionar, paralisar ≠ **progredir**, avançar

pastel *n.m.* **1** *fig.,pej.* **molengão**, banana, burranca, pasta **2** *col.* **dinheiro**, cacau, guita, pasta, pingo, bagalho, bagalhoça, massaroca, milho, pataco, pecúnia, teca, bago, carcanhol *gír.*, ouro *fig.*, cabedal *fig.*, bagaço *fig.*, metal *fig.,col.*, grana [BRAS.], tutu [BRAS.]

pastelaria *n.f.* **confeitaria**, doçaria

pasteleiro *n.m.* **siliginário**

pastilha *n.f.* **1** **rebuçado**, confeito, pirulito, bala [BRAS.], dropes [BRAS.] **2** FARM. **comprimido**, pílula, drageia, tabloide **3** *col.* **bofetada**, tabefe, estalo, tapa, lambada, bolacha, bolachada, mosquete, chapada, estalada, estampilha, lostra, solha, sorvete, bilhete *gír.* **4** *col.* **tecno**

pasto *n.m.* **1** **comida**, alimento, sustento, enga *col.* **2** *fig.* **assunto**, tema **3** *fig.* **satisfação**, regozijo

pastor *n.m.* **1** **zagal**, pegureiro, apascentador, adueiro, armentário, campino [REG.] **2** RELIG. **sacerdote**, cura, pároco

pastoral *adj.2g.* **1** **pastoril** **2** **bucólico**, campestre, campino, rústico, agreste, rural, agrário ≠ **citadino**, urbano ■ *n.f.* LIT. **écloga**

pastorear *v.* **1** **guardar** **2** **pastar**, apascentar, pastorejar **3** *fig.* **dirigir**, gerir, governar

pastorício *adj.* **pastoril**

pastoril *adj.2g.* **1** **pastorício**, pegural **2** **bucólico**, campestre, campino, rústico, agreste, rural, agrário, menálio *fig.* ≠ **citadino**, urbano

pastorinha *n.f.* ORNIT. **lavandeira**, arvela, alvéloa, avoeira, boeira, chiria, chirina, gonçalinho, cia, lavandisca, lavandisca-amarela, lavandisca-da--índia, lavandisca-preta, alveliço, beirinha

pastoso *adj.* **1** **espesso**, cremoso, visguento, semifluido, semilíquido **2** (voz) **arrastado**, mole

pata *n.f.* **1** *col.* **pé**, patonha, patorra, butes *col.* **2** *fig.* **tirania**, domínio, jugo

pataco *n.m.* **1** *fig.,pej.* **estúpido**, parvo, tolo, idiota, imbecil, palerma, patego, paspalho, badana *col.*, bate-orelha *fig.*, babaca [BRAS.] *col.* ≠ **conhecedor**, entendedor, erudito, sábio, sabedor **2** *col.* **dinheiro**, cacau, guita, pastel, pasta, pingo, bagalho, bagalhoça, massaroca, milho, pecúnia, teca, bago, carcanhol *gír.*, ouro *fig.*, cabedal *fig.*, bagaço *fig.*, metal *fig.,col.*, grana [BRAS.], tutu [BRAS.]

patada *n.f.* **1** *fig.* **asneira**, calinada, disparate, tolice, obscenidade, asnice, baboseira, alguma *col.*, bojarda [REG.], babaquice [BRAS.], pachouchada **2** *fig.* **ingratidão**, desagradecimento, desconhecimento ≠ **gratidão**, agradecimento

patamar *n.m.* **1** **patim**, pataréu, tabuleiro, limiar **2** *ant.* **andarilho**, postilhão, mensageiro

patameira *n.f.* [REG.] **molinha**, molinheiro, molhe--molhe

patarata *n.f.* **impostura**, patacoada, patranha, peta ■ *adj.,n.2g.* **1** **mentiroso**, impostor, intrujão, trapaceiro **2** **presunçoso**, pretensioso, gabarola, fanfarrão

patavina *n.f.* **nada** ■ *n.m.* [REG.] **imbecil**, idiota, tolo, palerma, parvalhão, estúpido, patego, paspalhão, badana *col.*, bate-orelha *fig.*, babaca [BRAS.] *col.* ≠ **conhecedor**, entendedor, erudito, sábio, sabedor

pate *n.m. col.* **empate**, igualdade ≠ **desempate** ■ *adj.2g.* **empatado**, igualado, pato ≠ **desempatado**

pateada *n.f.* **sapateada**, pateadura, tacão *fig.*

patear *v.* **apupar**, assobiar

patego *adj.,n.m.* **1** **estúpido**, lerdo, lorpa, papalvo, imbecil, parvo, simplório *pej.* ≠ **inteligente**, esperto **2** **bruto**, rude, grosseiro, obtuso, bronco, tosco, boto *fig.*, pelego [BRAS.] ≠ **delicado**, fino, distinto

patela *n.f.* ANAT. **rótula**

patente *adj.2g.* 1 **aberto**, acessível ≠ **fechado**, inacessíel 2 **manifesto**, evidente, notório, explícito, visível ≠ **vago**, indeterminado, obscuro ■ *n.f.* 1 **graduação**, posto, categoria 2 **diploma**

patentear *v.* 1 **mostrar**, exibir, apresentar 2 **esclarecer**, elucidar, explicar, clarificar, alumiar, aclarar ≠ **confundir**, baralhar *fig.*, obscurecer

patentear-se *v.* **mostrar-se**, manifestar-se, evidenciar-se, apresentar-se, espelhar-se, semostrar--se

paternal *adj.2g.* 1 **paterno**, pátrio 2 *fig.* **protetor**, defensor, guardador, paterno 3 *fig.* **benévolo**, bondoso, caridoso, compassivo, generoso, bom, clemente, humanitário ≠ **impio**, desalmado, desapiedado, severo

paternidade *n.f. fig.* **autoria**, criação, lavra

paterno *adj.* 1 **paternal**, pátrio 2 *fig.* **protetor**, defensor, guardador, paternal

pateta *adj.,n.2g.* 1 **simplório**, palerma, ingénuo, papalvo, lorpa, tanso, bacoco, pacóvio, loura *col.*, pancrácio *col.,pej.*, patamaz *col.*, tatamba [BRAS.] *col.* 2 **tolo**, parvo, idiota, estúpido, palerma, pacóvio ≠ **sabedor**, entendedor, refletivo

patetice *n.f.* **palermice**, parvoíce, disparate, idiotice, asneira, lorpice, pateguice, imbecilidade, tolice, camelice, burrice, burricada *fig.*, palurdice ≠ **juízo**, acerto, esperteza

patético *adj.* **comovedor**, emocionante, impressionante, tocante, enternecedor, sensibilizador ≠ **indiferente**, neutro

patibular *adj.2g.* 1 **lúgubre**, taciturno, soturno, fúnebre ≠ **alegre**, jovial 2 (cara) **medonho**, horrível, horroroso, aterrador, pavoroso, terrível, apavorante, assustado

patíbulo *n.m.* **cadafalso**, forca

patifaria *n.f.* **maroteira**, tratantada, velhacaria, pulhismo, manivérsia *col.*, vergalhada *col.*, pouca--vergonha *col.*

patife *adj.* **malicioso**, traiçoeiro, fingido, maroto, brejeiro, raposino *fig.*, frescalhão *col.*, furbesco ≠ **sério**, íntegro, reto ■ *n.m.* **bandalho**, futre, safado, brejeiro, infame, velhaco, biltre, ribaldeiro, pulha *col.*, canalha *pej.*, mequetrefe *col.*, marouvaz [REG.] ≠ **notável**, honesto, respeitador

patifório *n.m.* **bandalho**, futre, safado, brejeiro, infame, velhaco, biltre, pulha *col.*, canalha *pej.* ≠ **notável**, honesto, respeitador

patim *n.m.* **patamar**, pataréu, tabuleiro, limiar

patinar *v.* 1 **escorregar**, deslizar, resvalar, derrapar, ladeirar 2 *fig.* **hesitar**, titubear, vacilar, oscilar, duvidar, balançar *fig.*, claudicar *fig.* ≠ **decidir**, determinar, deliberar

patinhar *v.* **chafurdar**, patear, rebalsar, volutar

pátio *n.m.* 1 **aido**, eido, quintal, períbolo 2 **vestíbulo**, átrio, saguão, xaguão

pato *n.m.* 1 ORNIT. **parreco**, marreco, quá-quá *infant.* 2 **tolo**, parvo, idiota, estúpido, palerma, pacóvio, pateta, ingénuo ≠ **sabedor**, entendedor ■ *adj.* **empatado**, igualado, pate ≠ **desempatado**

patologia *n.f.* MED. **doença**

patológico *adj. fig.* **obsessivo**, maníaco, doentio, excessivo ≠ **saudável**

patorra *n.f.* 1 *col.* **patola** 2 ORNIT. **cotovia**, caturreira, capatorra, popinha, poupinha, paspalhuça, cotovia-de-poupa

patranha *n.f.* **mentira**, peta, conto, historieta, pataratice, galga *col.*, batata *col.*, bota *fig.*, grila [REG.], moca [BRAS.] ≠ **verdade**, realidade, exatidão

patrão *n.m.* 1 **chefe**, dono ≠ **empregado**, funcionário 2 NÁUT. **arrais**, mestre

patriarcal *adj.2g. fig.* **respeitável**, venerável, notável, apreciável, estimável, considerável ≠ **desprezável**, desdenhável ■ *n.m.* (residência do patriarca) **patriarcado**

patrício *adj.,n.m.* 1 **conterrâneo**, compatriota, concidadão, compatrício, paisano ≠ **estrangeiro** 2 **aristocrata**, nobre, figalgo ■ *adj.* **distinto**, privilegiado, elevado, ilustre, eminente ≠ **medíocre**, ordinário

património[AO] ou **patrimônio**[AO] *n.m.* 1 **bens**, imóveis, propriedades, posses, domínios, riquezas 2 **tesouro** 3 **riqueza**, fortuna, capital, posses, bens ≠ **pobreza**, miséria

pátrio *adj.* 1 **nacional**, natal, vernáculo 2 **paterno**, paternal

patriótico *adj.* **nacionalista** ≠ **antipatriótico**, despatriótico

patroa *n.f.* 1 **chefe**, dona ≠ **empregado**, funcionário 2 *col.* **esposa**, mulher, cônjuge, consorte, companheira, senhora *col.* 3 *col.* **ama**

patrocinador *adj.,n.m.* **protetor**, defensor

patrocinar *v.* 1 **contribuir** 2 **favorecer**, apoiar, patronear 3 **proteger**, defender, amparar

patrocínio *n.m.* 1 **contribuição**, subsídio, apadrinhamento 2 **proteção**, defesa, amparo, auxílio 3 **mecenato**

patronato *n.m.* 1 **contribuição**, subsídio, apadrinhamento, patrocinato 2 **proteção**, defesa, amparo, auxílio 3 **padroado**

patrono *n.m.* 1 **padroeiro**, orago 2 **protetor**, defensor, favorecedor, benfeitor, padrinho 3 **advogado**, causídico, defensor

patrulha *n.f.* **escolta**, guarda

patrulhar *v.* **rondar**, vigiar

patuleia *n.f.* **plebe**, povo, povinho *col.* ■ *n.2g.* HIST. **Setembristas**

patuscada *n.f.* 1 **comezaina**, bródio, festança, regalório, pândega *col.*, bambochata *col.*, rapioca *col.*, taina [REG.], papança *col.* 2 *col.* **divertimento**, farra, pândega, folia, brincadeira, desbunda, giraldinha *col.* ≠ **aborrecimento**, tédio, enfado

patuscar *v. col.* **pandegar**, folgar, foliar, brincar, distrair-se, divertir-se, tainar [REG.] ≠ **aborrecer-se**, entediar-se, enfadar-se

patusco *adj.* **extravagante**, excêntrico, espalhafatoso, exagerado ≠ **modesto**, sóbrio, discreto ■ *adj.,n.m.* 1 **pândego**, folião 2 **brincalhão**, levado, galhofeiro, folgazão, cómico ≠ **sério**, reservado

pau *n.m.* 1 **moca**, maça, cacete, cipó, porrete, toco, clava, cacheira, hástea, traulito 2 NÁUT. **mastro**, haste, vergôntea 3 *fig.* **paulada**, corretivo, castigo, punição, pena, lição *fig.* ≠ **absolvição**, perdão, desculpa, remição 4 *vulg.* **pénis**, falo, pila *col.*, caralho *vulg.*, badalo *col.,vulg.* 5 [*pl.*] *ant.,col.* (dinheiro) **escudos**

pau-brasil *n.m.* BOT. **arabutã**, pau-rosa

paul *n.m.* **pântano**, pantanal, brejo, lamaçal, sapal, charco, lameiro, tremedal, marnel, marnoceiro

paulada *n.f.* **cajadada**, cacetada, mocada, pancada, cipoada

paulatino *adj.* **demorado**, lento, moroso, pausado, vagaroso ≠ **acelerado**, ligeiro, pronto

paulista *n.2g.* 1 **paulistano** 2 *fig.* **teimoso**, contumaz, cismático, obstinado, intransigente, inflexível, importuno, pertinaz, ferrenho *fig.* ≠ **flexível**, maleável

pau-mandado *n.m. pej.* **joguete** *fig.*, brinquedo

pausa *n.f.* 1 **paragem**, paro, parada 2 **interrupção**, paragem, intervalo, demora, parada, cessação 3 **vagar**, lentidão, morosidade, descanso, demora, ronçaria, pachorra ≠ **aceleração**, pressa 4 **silêncio**

pausadamente *adv.* **lentamente**, devagar, vagarosamente, paulatinamente, calmamente, demoradamente, detidamente, meditadamente ≠ **acelaradamente**, rapidamente, apressadamente

pausado *adj.* 1 **vagaroso**, arrastado, lento, moroso, paulatino ≠ **rápido**, célere, veloz 2 **prudente**, ponderado, sensato, judicioso, ajuizado ≠ **imponderado**, irrefletido

pau-santo *n.m.* BOT. **guaiaco**

pausar *v.* 1 **demorar**, atrasar, retardar, paliar, perlongar, adiar, dilatar ≠ **acelerar**, aligeirar, prontar 2 *fig.* **ponderar**, meditar, refletir, considerar ≠ **desprezar**, desconsiderar, desatender 3 **parar**, paralisar, estagnar, estacionar, imobilizar ≠ **mobilizar**, andar, evoluir 4 *fig.* **descansar**, relaxar, repousar ≠ **cansar**, fatigar, sobrecarregar

pauta *n.f.* 1 MÚS. **pentagrama** 2 **ordem**, organização 3 **estabilização** 4 **regularização** 5 **rol**, lista, elenco, catálogo, índice, inventário, nomenclatura, tabela, relação 6 **modelo**, norma, regra 7 **tarifa**

pautado *adj.* 1 **regulado** 2 **limitado**, marcado 3 **inventariado**, arrolado, catalogado, listado, relacionado 4 **comedido**, sóbrio, moderado, prudente, ponderado, discreto ≠ **exagerado**, excessivo, descomedido 5 **metódico**, sistemático, ordenado, arranjadeiro, organizado, disciplinado ≠ **desordenado**

pautar *v.* 1 **regular**, orientar, conduzir, modelar 2 **catalogar**, inventariar, arrolar, relacionar, arquivar ≠ **desordenar**, desorganizar, transtornar 3 **moderar**, comedir, refrear, conter ≠ **exceder**, extravasar, desregrar

pavão *n.m. fig.* **vaidoso**, pedante, fiteiro

pavilhão *n.m.* 1 **estandarte**, bandeira 2 **marinha** 3 **orelha**, aurícula

pavimentação *n.f.* **pavimento**, lajeamento

pavimentar *v.* **lajear** ≠ **despavimentar**

pavimento *n.m.* 1 **chão**, sobrado, soalho, solo, piso 2 **piso**, andar, tabuleiro

pavio *n.m.* **mecha**, torcida

pavonear *v.* **ostentar**, alardear, blasonar, pompear, estadear, luxar, jactar-se, vangloriar-se, bofar *fig.*

pavonear-se *v.* **exibir-se**, vangloriar-se, jactar-se, empavonar-se, emproar-se, ensoberbecer-se, gloriar-se, jactanciar-se, ufanar-se

pavor *n.m.* **terror**, temor, horror, receio, medão

pavoroso *adj.* **aterrador**, horrível, horroroso, medonho, dantesco, terrível, apavorante, assustador, horrente, tremebundo ≠ **agradável**, bom

paz *n.f.* 1 **serenidade**, tranquilidade, sossego, calma ≠ **agitação**, desassossego, tumulto, desordem 2 **repouso**, descanso, relaxe ≠ **agitação**, movimentação 3 **silêncio**, calada, emudecimento, sopor ≠ **ruído**, barulho, sonorosidade, soído 4 **conciliação**, concórdia, harmonia, acordo, pacto, ajuste, aliança, convenção, avença, entendimento ≠ **desacordo**, desajuste, desavença, desentendimento, conflito 5 **paciência** ≠ **impaciência**

pé *n.m.* 1 **chispe**, pezunho, pata 2 **base**, peanha, dado, soco, plinto, embasamento, chapim 3 (botânica) **haste**, pedúnculo, caule, estípite, espique, súrculo, estipe 4 *fig.* **causa**, motivo, pretexto, razão, origem, desculpa

peanha *n.f.* **base**, pé, plinto, dado, soco, embasamento, chapim

peão *n.m.* 1 **transeunte**, viandante, passageiro, pedestre [BRAS.] 2 **plebeu**, ruão, vilão ≠ **nobre**, aristocrata, fidalgo 3 **pajem**

pear *v.* 1 **apernar** 2 *fig.* **emperrar**, obstruir, estorvar, atravancar, embaraçar, entravar, travar, empecer ≠ **desentravar**, desembaraçar, desimpedir

peça *n.f.* 1 **pedaço**, fragmento, porção, fração, faneco, bocado, torrão, tico [BRAS.] ≠ **todo**, soma, totalidade, globalidade 2 **objeto** 3 **acessório** 4 móvel, traste **5** **canhão** **6** *fig.* **impostura**, intrujice, engano, vigarice, fraude, charlatanice ≠ **honestidade**, verdade, sinceridade **7** *fig.* **brincadeira**, partida

pecado *n.m.* **1** **culpa**, falta, erro, falha **2** *fig.* **defeito**, deficiência, imperfeição ≠ **perfeição** **3** *fig.* **maldade**, crueldade, atrocidade, impiedade, desumanidade, perversidade ≠ **humanidade**, bondade, piedade, benevolência

pecador *adj.,n.m.* **1** **pecaminoso**, pecante ≠ **puro**, imaculado **2** **penitente**

pecaminoso *adj.* RELIG. **pecador** ≠ **puro**, imaculado

pecar *v.* **1** **ofender**, desrespeitar **2** **errar**, falhar, faltar

pechincha *n.f. col.* **achado**, melgueira, benesse, marmelada, vinha *fig.*, chaço [REG.] ≠ **perda**, prejuízo

pechisbeque *n.m.* **1** **alquime**, ouropel **2** *fig.,pej.* **joão-ninguém** *col.,pej.*, insignificante, badana, gato-pingado *col.*, joão-fernandes *col.*, pingarelho *col.*, pigmeu *fig.*, bonifrate *fig.*, homenzinho *pej.*, criaturinha *pej.*, badameco *pej.*, badamerda *pej.,vulg.*, micróbio *fig.,pej.*, inseto *fig.,pej.*, lagalhé, janeanes *ant.*

pecíolo *n.m.* BOT. **haste**, pedúnculo, pé, talo, estípite

peco *n.m.* **definhamento**, prostração, enfraquecimento, debilidade, extenuação ≠ **fortalecimento**, robustecimento ■ *adj.* **debilitado**, enfraquecido, abatido, débil, lânguido, fraco ≠ **fortalecido**, robustecido ■ *adj.,n.m. fig.,pej.* **pacóvio**, ignorante, inculto, desconhecedor, estúpido, tolo, parvo, idiota ≠ **conhecedor**, entendedor, erudito, sábio, sabedor

peçonha *n.f.* **1** **veneno**, solimão *col.* ≠ **antiveneno**, contraveneno **2** *fig.* **maldade**, malícia, crueldade, perversidade ≠ **bondade**, benevolência, caridade

peçonhento *adj.* **1** **venenoso**, venéfico, venenífero, virulento, viroso, tóxico, viperino *fig.* **2** **pérfido**, maldoso, malicioso, ardiloso, venenoso *fig.* ≠ **honesto**, correto

peculato *n.m.* **concussão** *fig.*

peculiar *adj.2g.* **1** **particular**, especial, próprio, individual ≠ **comum**, generalizado **2** **invulgar**, original, sui generis

peculiaridade *n.f.* **1** **particularidade**, especialidade, individualidade ≠ **generalidade** **2** **invulgaridade**, originalidade

pecúlio *n.m.* **1** **mealheiro**, pé-de-meia, coscorrinho [REG.], pegulho **2** **bens**, imóveis, propriedades, posses, domínios, riquezas, património **3** **capital**, valores, bens, fortuna, haveres, fundos

pecúnia *n.f. col.* **dinheiro**, cacau, guita, pastel, pasta, pingo, bagalho, bagalhoça, massaroca, milho, pataco, papel, bago, teca, ouro *fig.*, cabedal *fig.*, bagaço *fig.*, metal *fig.,col.*, carcanhol *gír.*, grana [BRAS.], tutu [BRAS.]

pedaço *n.m.* **1** **bocado**, fragmento, porção, fração, faneco, peça, torrão, naca, trancanaz *col.*, tico [BRAS.] ≠ **todo**, soma, totalidade, globalidade **2** **trecho**, passagem, excerto, extrato, lugar **3** *fig.,col.* **pão**, brasa *col.*, borracho *col.*

pedagogia *n.f.* **didactologia**

pedagógico *adj.* **didático**, educativo ≠ **antipedagógico**

pedagogo *n.m.* **1** **pedagogista** **2** **professor**, discente, didata, instruidor, lecionador, docente, metodólogo **3** *pej.* **pedante**, literataço, magíster *fig.,pej.*

pedalada *n.f. fig.,col.* **energia**, força, dinamismo, vitalidade, vigor ≠ **cansaço**, indolência, lassidão, fraqueza

pedantaria *n.f.* **pedantismo**, afetação, presunção, vaidade

pedante *adj.,n.2g.* **afetado**, petulante, pretensioso, enfatuado, presunçoso, pinoca *col.,pej.*, gravatão, pernóstico, pesporrente ≠ **modesto**, humilde, simples

pedantice *n.f.* **afetação**, presunção, pretensiosismo, vaidade, pabulagem, pedantaria, pedantismo, magistralidade

pedantismo *n.m.* **afetação**, presunção, pretensiosismo, vaidade, pabulagem, pedantaria, pedantice

pé-de-galo *n.m.* BOT. **lúpulo**, engatadeira

pé-de-meia *n.m.* **economias**, poupanças, mealheiro, pecúlio, burra, coscorrinho [REG.]

pederasta *n.m. pej.* (homem) **homossexual**, gay *col.*, maricas *col.*, bicha *pej.*, fanchono *pej.*, paneleiro *col.,pej.*, invertido *col.,pej.*, puto [BRAS.] *vulg.*, veado [BRAS.] *pej.,vulg.* ≠ **heterossexual**

pederastia *n.f. pej.* (homem) **homossexualidade**, inversão, fanchonice *pej.,vulg.* ≠ **heterossexualidade**

pederneira *n.f.* **1** MIN. **sílex**, sílice, pedernal **2** ORNIT. **pedreiro**, gaivão, arvião, aivão, avão, avoão, chião, gaivoto, galriço, guincho, guizo, marinete, papalvo, zirro

pedestal *n.m.* **1** ARQ. **alicerce**, base **2** **peanha**, mísula, base, soco, supedâneo

pedestre *adj.2g.* **1** *fig.* **simples**, humilde, modesto, singelo, obscuro *fig.* ≠ **altivo**, arrogante, soberbo, orgulhoso **2** *fig.,pej.* **vulgar**, trivial, banal, ordinário, corriqueiro, comum, exotérico, obnóxio, comezinho *fig.*, terra-a-terra *pej.* ≠ **invulgar**, esquisito, raro, desusual, extraordinário, inabitual, inusitado, singular ■ *n.2g.* [BRAS.] **transeunte**, viandante, passageiro, peão, passante, caminhante

pé-de-vento[aAO] *n.m.* ⇒ **pé de vento**[dAO]

pé de vento[dAO] *n.m. fig.* **tumulto**, bulício, alteração, desassossego, desordem, rebuliço, agitação, motim, espalhafato ≠ **calmaria**, serenidade, sossego, tranquilidade

pedicuro *n.m.* **calista**

pedido *adj.* 1 **solicitado**, requerido, reclamado 2 **rogado**, instado, suplicado, implorado ■ *n.m.* 1 **rogo**, súplica, imploração, prece, petição, requisição, postulação 2 **encomenda**

pedinchar *v.* **pedintar**, rogar, suplicar, implorar

pedinte *adj.,n.2g.* **esmolante**, pedidor, pobre, mendigo

pedir *v.* 1 **solicitar**, requerer 2 **rogar**, implorar, suplicar, instar, pedinchar 3 **exigir**, reclamar, reivindicar 4 **mendigar**, esmolar 5 **orar**

pedra *n.f.* 1 **calhau**, cascalho, seixo, rebo, burgau, burgo, gurgau [REG.] 2 **lousa**, campa, laja, lápida 3 **granizo**, saraiva, pedraço [REG.] 4 MED. **cálculo**, concreção 5 **ardósia** 6 *fig.,pej.* **palerma**, tolo, estúpido, parvo, idiota ≠ **entendedor**, sabedor 7 *col.* **ganza**, pedrada, moca, nassa

pedrada *n.f.* 1 **calhoada**, lapada [REG.] 2 *fig.* **ofensa**, insulto, afronta, agravo, ultraje, lesão ≠ **desagravo**, desafronta, explicação 3 *col.* **ganza**, pedra, moca, nassa

pedra-de-cevar *n.f.* MIN. **íman**, pedra-íman, magnetite, magnete, pedra-argueirinha

pedra-de-toque *n.f.* 1 PETROL. **jaspe-negro**, lidito 2 *fig.* **padrão**, referência, critério

pedrado *adj. col.* **drogado**, ganzado, mocado

pedra-íman *n.f.* MIN. **íman**, pedra-de-cevar, magnetite, magnete, pedra-argueirinha

pedregoso *adj.* **escabroso**, lapidoso, pedregulhento, sáxeo, saxoso

pedregulhento *adj.* **escabroso**, lapidoso, pedregoso, sáxeo, saxoso

pedregulho *n.m.* **fraga**, penedo

pedreira *n.f.* 1 **canteira** 2 **andorinha-dos-poços**

pedreiro *n.m.* 1 **paredeiro**, alvanel, alvener, alvanéu 2 ORNIT. **pederneira**, gaivão, arvião, aivão, avão, avoão, chião, gaivoto, galriço, guincho, guizo, marinete, papalvo, zirro, zilro

pedrês *adj.2g.* (ave) **pinta** ■ *n.m.* **aldraba**, pica-porta [REG.]

pedroso *adj.* **escabroso**, lapidoso, pedregulhento, sáxeo, saxoso

pedrouço *n.m.* 1 **pedranceira** 2 **obstáculo**, empecilho, obstrução, estorvo ≠ **desimpedimento**, desbloqueamento, acesso

pedúnculo *n.m.* BOT. **haste**, pé, caule, estípite, espique, súrculo, estipe, hastil

pega *n.f.* 1 **pegada**, pegadura, pegamento 2 **asa**, ansa, pegadoiro 3 *fig.* **briga**, discussão, controvérsia, contenda, altercação, disputa, debate, peleja, laneiro [REG.] ≠ **acordo**, entendimento, assentimento 4 **luta**, briga, rixa, requesta, contenda, disputa, combate *fig.* ≠ **acordo**, concordância, harmonia 5 *fig.* **cilada**, ardil, emboscada, artifício, engano, logro, embuste, armadilha, traição, ratoeira 6 *vulg.* **prostituta**, meretriz, marafona *cal.*, michela *col.*, colareja *fig.,pej.*, borboleta *fig.*, perdida *col.,pej.*, rameira *pej.*, fêmea *pej.*, puta *vulg.*

pegada *n.f.* 1 **pega** 2 **peugada**, pisada, palmilha, vestígio 3 *fig.* **sinal**, vestígio, peugada, rasto, pista, trilha, encalço, treita

pegado *adj.* 1 **colado**, agarrado, unido, preso, grudado ≠ **solto**, desprendido, desunido 2 **contíguo**, próximo, vizinho, adjacente, circunjacente, circunvizinho, vizinhante ≠ **afastado**, distante 3 **persistente**, contínuo, seguido, incessante ≠ **descontínuo**, inconstante 4 **zangado**, irritado, chateado ≠ **calmo**, sossegado, paciente

pegajento *adj.* **viscoso**, pegadiço, glutinoso

pegajoso *adj.* **viscoso**, pegadiço, peganhoso, glutinoso, xaroposo

pegão *n.m.* **pilar**, suporte, arcobotante, botaréu, escora

pegar *v.* 1 **colar**, unir, aderir, grudar, glutinar ≠ **descolar**, desunir 2 **segurar**, agarrar, apanhar 3 **contaminar**, contagiar, infetar, transmitir, gafar, apegar, inçar ≠ **descontaminar**, desinfetar 4 **tomar**, apanhar 5 **suster** 6 **efetuar**, executar, realizar 7 **implicar**, embirrar, impetilhar [REG.] 8 **fixar-se** 9 *fig.* **funcionar**, resultar 10 **difundir-se** 11 **confinar**, avizinhar, confrontar, limitar

pegar-se *v.* 1 **colar-se**, agarrar-se, fixar-se 2 **transmitir-se**, comunicar-se, propagar-se 3 **discutir**, altercar, implicar, contender, langarear [REG.] 4 **brigar**, lutar, engalfinhar-se

pegas *n.m.2n. col.,pej.* **rábula**, chicaneiro, causídico

pego *n.m.* 1 **fundão**, poço, poção 2 *fig.* **abismo**, voragem, pélago, sorvedouro, báratro 3 ORNIT. **ostraceiro**, pega-do-mar, passa-rios 4 [REG.] **merenda**, lanche, taco [REG.] 5 [REG.] **petisqueira**, pitéu, petisco

pegureiro *n.m.* **zagal**, pastor, apascentador, adueiro, armentário, campino [REG.]

peia *n.f.* 1 **apernadeira**, travelho 2 **trambolho**, trangalho 3 **obstáculo**, embaraço, empecilho, obstrução, entrave, estorvo, impedimento ≠ **desimpedimento**, desbloqueamento, acesso

peido *n.m. cal.* **flatulência**, flato, ventosidade, vento, traque, pum *col.*

peita *n.f.* **suborno**, compra, luva, mão-pendente, aliciação

peitilho *n.m.* **plastrão**

peito *n.m.* 1 **tórax**, torso 2 **colo**, seio, mama 3 *fig.* **alma**, coração, espírito 4 *fig.* **ânimo**, coragem, esforço, valor

peitoral *adj.2g.* **fortificante**, tónico

peitoril *n.m.* **parapeito**

peixaria *n.f.* **pescadaria**

peixeiro *n.m.* **pescador**, vareiro [REG.]

pejado *adj.* 1 **cheio**, carregado, completo, apinhado, preenchido, repleto ≠ **vazio**, oco 2 **envergonhado**, acanhado, tímido, vexado ≠ **extorvertido**, expansivo, comunicativo, desinibido 3 *col.* **prenhe**, grávida, buchuda [BRAS.]

pejar *v.* 1 **encher**, carregar, ocupar, amontoar, cobrir, acumular, sobrecarregar ≠ **aliviar**, retirar 2 **estorvar**, obstruir, empecer, embarrancar, atravancar, pear *fig.*, engalhar *fig.*, engodilhar *fig.* ≠ **desestorvar**, desimpedir, desobstruir, liberar 3 *col.* **engravidar**, conceber, emprenhar, engravidecer, alcançar *col.* ≠ **abortar**, perder

pejar-se *v.* 1 **envergonhar-se**, acanhar-se 2 **recear**, hesitar

pejo *n.m.* 1 **pudor**, vergonha, decoro, modéstia, verecúndia ≠ **despudor**, desvergonha, sem-pudor 2 **vergonha**, acanhamento, timidez, vexame ≠ **extorverção**, expansividade, comunicatividade, desinibição 3 [REG.] **viveiro** 4 *ant.* **estorvo**, impedimento, dificuldade, obstáculo, embaraço, óbice ≠ **desobstrução**, desimpedimento, desempacho

pejorar *v.* **depreciar**, aviltar, piorar, apoucar, rebaixar ≠ **apreciar**, melhorar

pejorativo *adj.* **depreciativo**, desdenhativo, dislogístico ≠ **melhorativo**

pelado *adj.* 1 **calvo**, careca, escalvado, descabelado, glabro ≠ **peludo**, peloso, gadelhudo, viloso 2 *fig.* **finório**, manhoso, astuto, matreiro, espertalhão, sagaz ≠ **correto**, honesto, verdadeiro, sincero 3 [BRAS.] *col.* **despido**, desnudo ≠ **vestido**, coberto

pelagiano *n.m.* ORNIT. **alcatraz**, albatroz, falcão, ganso-patola, mascato

pelágico *adj.* **marítimo**, oceânico

pelar *v.* 1 **depilar**, escabelar, esfolar, despelar, escabeleirar 2 **escaldar**, queimar

pelar-se *v.* 1 **escaldar-se**, queimar-se 2 **desejar**, adorar, babar-se *fig.*

pele *n.f.* 1 **derme**, epiderme, cute, derma, córion, coiro *col.* 2 **casca**

peleja *n.f.* 1 **batalha**, combate, luta, lide, pugna, discrímen, liça, recontro, prélio, refrega, gládio, certâmen ≠ **paz**, armistício, concórdia 2 *fig.* **discussão**, conflito, celeuma, contenda, altercação, disputa, debate, certame ≠ **acordo**, entendimento, assentimento

pelejar *v.* 1 **combater**, lutar, batalhar, brigar, certar, gladiar, guerrear, lidar, militar, pugnar, pelear ≠ **pacificar**, apaziguar 2 *fig.* **brigar**, bulhar, contender, altercar, debater, disputar, discutir, rixar, pelear [BRAS.], retesiar [REG.] ≠ **pacificar**, tranquilizar, apaziguar 3 *fig.* **discutir**, contestar, disputar, controverter, debater ≠ **acordar**, concordar, conformar 4 *fig.* **esforçar-se**, lutar

película *n.f.* 1 (botânica) **caroça**, epiderme, baganha 2 **filme**, fita *col.*

pelintra *adj.2g.* 1 **pobre**, miserável, pobretana, pinga *col.* ≠ **rico**, abastado 2 **reles**, ordinário, baixo, vulgar, grosseiro ≠ **educado**, polido, cortês 3 **avarento**, mesquinho, sovina ≠ **esbanjador**, perdulário, gastador, dissipador 4 **maltrapilho**, esfarrapado, gebo, malroupido, trapento, frangalheiro *col.* ≠ **janota**, peralta, taful ■ *n.2g.* **pobre**, mendigo, humilde, pilão *col.*, pinga *col.* ≠ **rico**, possidente, capitalista *fig.*

pelintrice *n.f.* **pelintrismo**, pelintragem, pelintraria, pirangaria, pulhice

pelo[dAO] *n.m.* 1 **lanugem**, cotão 2 **cabelo**, fio, cabeleiro [REG.] 3 **penugem**, felpa, lanugem, pelagem

pêlo[aAO] *n.m.* ⇒ **pelo**[dAO]

pelota *n.f.* 1 **bala**, projétil, balaço, balázio, balote, ameixa *col.*, pelouro *ant.* 2 CUL. **almôndega**

pelotão *n.m.* **multidão**, gente, magote, malta, mundo, batalhão, turba, caterva, catrefada, rebanhada *fig.*, enxame *fig.*, mar *fig.*, esquadrão *fig.*, exército *fig.*, coluvião *fig.*, hoste *fig.*, gentio *col.*

pelote *n.m.* **peliça**

pelouro *n.m.* 1 *fig.* **funções**, atribuições 2 *ant.* **bala**, projétil, pelota, balaço, balázio, balote, ameixa *col.*

peludo *adj.* 1 **felpudo**, cabeludo, veloso 2 *fig.* **tímido**, acanhado, inibido, envergonhado ≠ **extorvertido**, expansivo, desinibido, comunicativo 3 *fig.* **desconfiado**, receoso, prevenido, ressabiado, espantadiço, suspeitoso, apreensivo, cauto ≠ **confiante**, seguro, firme 4 *fig.* **irritável**, irrascível, bilioso, rabugento, colérico ≠ **bem-humorado**, simpático

pelugem *n.f.* **penugem**, felpa, lanugem, pelo

pélvis *n.f.2n.* ANAT. **bacia**

pena *n.f.* 1 **punição**, castigo, coima, corretivo, condenação, lição *fig.* ≠ **absolvição**, perdão, desculpa, remição 2 DIR. **sanção** 3 **desgosto**, tristeza, dor, mágoa, amargura *fig.* ≠ **alegria**, felicidade, júbilo, regozijo 4 **rocha**, fraga

penacho *n.m.* 1 **plumaço** 2 *fig.* **ostentação**, magnificência, pompa, fausto, aparato, gala, sumptuosidade ≠ **discrição**, simplicidade, sobriedade, despojamento, recato, modéstia 3 *fig.* **poder**, comando, chefia, direção

penada *n.f.* 1 **voto** 2 **opinião**, parecer, apreciação

penado *adj.* 1 **desgostoso**, aflito, angustiado, agoniado, desconsolado ≠ **sereno**, tranquilo 2 **padecente** 3 **condenado**, castigado

penal *adj.2g.* 1 **sancionatório** 2 **cominativo**

penalidade *n.f.* 1 **punição**, castigo, coima, corretivo, condenação, penalização, lição *fig.* ≠ **absolvição**, despenalização, perdão, desculpa, remição 2 *fig.* **desgraça**, desastre, revés, infortúnio, desaire, insucesso ≠ **sucesso**, fortuna

penalizar *v.* 1 **punir**, castigar, sancionar, condenar, corrigir, apenar, justiçar, ensinar *fig.* ≠ **absolver**, perdoar, remir, desculpar, despenalizar 2 **contristar**, consternar, condoer, desgostar, entristecer ≠ **alegrar**, contentar

penalizar-se *v.* 1 **punir-se**, castigar-se ≠ **absolver-se**, perdoar-se 2 **contristar-se**, consternar-se, condoer-se, desgostar-se ≠ **alegrar-se**, contentar-se

penar *v.* **contristar**, consternar, condoer, desgostar, entristecer ≠ **alegrar**, contentar

penates *n.m.pl.* **lar**, família, casa

penca *n.f.* 1 *col.* **narigão**, bicanca, trombeta 2 *col.* **embriaguez**, bebedeira, ebriedade, bico, canjica, borracheira, piela, bruega, cardina, carraspana ≠ **sobriedade**, abstemia

pendão *n.m.* 1 **bandeira**, estandarte, pavilhão, insígnia, signa, vexilo, auriflama, lábaro, penão 2 **insígnia**, distintivo, lema, emblema, divisa, dragão 3 BOT. **bandeira** 4 ICTIOL. **bezedor**

pendência *n.f.* 1 **contenda**, desavença, contenção, altercação, disputa, litígio, luta, conflito, rixa, dissensão ≠ **acordo**, conciliação, concórdia 2 **inclinação**, simpatia, predileção, preferência

pendente *adj.2g.* 1 **pendurado**, suspenso, pênsil 2 **inclinado**, curvado ≠ **reto**, direito 3 **decaído**, tombado ≠ **levantado**, erguido 4 **iminente**, imediato, próximo 5 **atento**, concentrado ≠ **distraído**, alheado ■ *n.m.* **pingente**, berloque, pendericalho

pender *v.* 1 **pendurar**, suspender, dependurar 2 **inclinar**, curvar, proclinar ≠ **endireitar** 3 **decair**, tombar, desorelhar-se ≠ **levantar**, erguer 4 *fig.* **depender**, sujeitar-se, subordinar-se ≠ **independentizar**, autonomizar 5 *fig.* **ternder**, propender, inclinar

pendor *n.m.* 1 **obliquidade**, diagonal, viés, través, esguelha, inclinação, soslaio 2 **peso**, carga, ónus, fardo, carrego ≠ **leveza**, alívio 3 **vertente**, quebrada, descida, declívio, resvalo, caída, encosta, rampa, ladeiro ≠ **subida**, aclive, elevação, ascensão 4 *fig.* **tendência**, propensão, disposição, vocação, queda, jeito, declive

pendular *adj.2g.* 1 **oscilatório** 2 **regular** ■ *v.* **oscilar**, baloiçar, vacilar, agitar, mover-se, librar, solavancar, jogar ≠ **parar**, cessar, fixar, imobilizar, estabilizar

pendura *n.f.* **dependura** ■ *n.2g.* 1 *col.,pej.* **parasita**, borlista, dependura 2 (competições automobilísticas) **navegador** 3 *col.* **pingente** [BRAS.] 4 *col.,pej.* **caloteiro**, devedor ≠ **pagador**, cumpridor

pendurado *adj.* 1 **suspenso**, pendente, pênsil 2 [BRAS.] *col.* **fiado** 3 [BRAS.] *col.* **hipotecado**, empenhado 4 [BRAS.] *col.* **endividado**, empenhado, oberado, alcançado

pendurar *v.* 1 **suspender**, dependurar, fixar 2 [BRAS.] *col.* **penhorar**, empenhar

pendurar-se *v.* 1 **suspender-se**, pender, agarrar-se 2 **elevar-se** 3 *fig.,col.* **aproveitar-se** 4 *col.* **enforcar-se**

penduricalho *n.m.* 1 **berloque**, pingente, pendente 2 **condecoração**

pene *n.m.* **pénis**, falo, pila *col.*, caralho *vulg.*, badalo *col.,vulg.*, pau *vulg.*

penedia *n.f.* 1 **fraguedo**, agrura, penha 2 *col.* **rocha**, penedo, rochedo

penedo *n.m.* 1 **rochedo** 2 **penhasco**, penha 3 **calhau**, pedregulho 4 *fig.* **dificuldade**, óbice, obstáculo, impedimento, estorvo, embaraço ≠ **desobstrução**, desimpedimento, desempacho

peneira *n.f.* 1 **joeira**, crivo, ciranda 2 *fig.* **seleção**, prova 3 [*pl.*] *col.* **presunção**, vaidade, jactância, ostentação, gala, bazófia *fig.* ≠ **discrição**, simplicidade, sobriedade, despojamento, recato, modéstia 4 *fig.,col.* **chuvinha**, borrifos, borriço, librina, molinha, orvalho *col.*, molhe-molhe *col.*, meruja [REG.], morrinha [REG.] ■ *n.2g.* **pelintra**, pobre, mendigo, humilde ≠ **rico**, possidente, capitalista *fig.*

peneirar *v.* 1 **joeirar**, cirandar, crivar, outar, tamisar *fig.*, sessar [BRAS.] 2 **filtrar**, transcoar 3 *fig.* **morrinhar**, chuviscar, molinhar, borrifar, borriçar, librinar, orvalhar *col.*, merujar [REG.]

peneirar-se *v.* 1 **ostentar-se**, pavonear-se 2 **saracotear-se**, bambolear-se

peneireiro *n.m.* 1 **joeireiro** 2 ORNIT. **lagarteiro**, cigarreiro, rabanho, sapoléu, sedaceiro, derrabanho [REG.] 3 [REG.] (com maiúscula) **Demo**, Diabo, Demónio, Satanás, Belzebu, Maligno, Canhoto *col.*, Carocho *col.*, Porco-sujo *col.*, Mafarrico *col.*

peneirento *adj. col.,pej.* **vaidoso**, pretensioso, afetado, presunçoso, orgulhoso, soberbo, altivo, fátuo, gabarola, opiniático ≠ **despretensioso**, desafetado, modesto

peneiro *n.m.* 1 **ventilador** 2 **fresta** 3 **crivo**

penela *n.f.* **outeiro**, cerro, montículo, cômaro, colina, cabeço, mamelão, morro

penetra *adj.2g.* 1 **atrevido**, petulante, descarado, insolente, metediço, desabusado ≠ **vergonhoso**, tímido, modesto, comedido 2 **finório**, astuto, matreiro, manhoso, espertalhão, sagaz ≠ **correto**, honesto, verdadeiro, sincero ■ *n.2g.* **borla** [BRAS.]

penetração *n.f.* 1 **entrada** 2 **introdução**, instilação 3 *fig.* **acuidade**, perspicácia, sagacidade, agudeza, inteligência, profundidade, subtileza

penetrante *adj.2g.* 1 *fig.* **profundo**, entranhado 2 *fig.* **intenso**, forte, profundo, denso, pungitivo 3 *fig.* **perspicaz**, arguto, sagaz, acutilante ≠ **estupido**, bronco, tapado *fig.,pej.*

penetrar *v.* 1 **trespassar**, atravessar 2 **transpor**, ultrapassar 3 **entrar**, ingressar 4 **invadir**, entrar, irromper 5 **introduzir**, inserir 6 *fig.* **entender**, perceber, compreender, assimilar

penetrar-se *v.* compenetrar-se, convencer-se, persuadir-se

penetrável *adj.2g.* 1 **acessível** ≠ **impenetrável** 2 **inteligível**, atingível, acessível, percetível, claro, evidente, transparente *fig.* ≠ **inatingível**, inacessível, opaco, obscuro *fig.*

penha *n.f.* **rocha**, penhasco, fraguedo, penedo, fraga

penhasco *n.m.* **fraga**, penedo, penha, rocado, rochedo

penhascoso *adj.* **alcantilado**, fragífero, escarpado, íngreme, fragal

penhor *n.m.* 1 DIR. **hipoteca**, empenhamento, caução, garantia, fiança 2 **garantia**, prova, segurança

penhora *n.f.* **hipoteca**, empenhamento ≠ **recuperação**, resgate, desempenho

penhorado *adj.* 1 **hipotecado**, retido, empenhado ≠ **recuperado**, desempenhado 2 *fig.* **agradecido**, grato, reconhecido, gratíssimo ≠ **ingrato**

penhorar *v.* 1 **confiscar**, apreender, arrestar 2 **hipotecar**, empenhar, obrigar ≠ **desempenhar**, recuperar, resgatar 3 *fig.* **agradecer**, reconhecer 4 *fig.* **cativar**, atrair

penhorista *n.2g.* **agiota**, preguista, prestamista, esfola *col.*

penico *n.m. col.* **bacia**, bacio, vaso, vaso de noite, defecador, urinol, camareiro, doutor, pote, bispote, cabungo [BRAS.]

pénis[AO] ou **pênis**[AO] *n.m.2n.* ANAT. **falo**, pila *col.*, membro *col.*, badalo *col.,vulg.*, piça *vulg.*, caralho *vulg.*, pau *vulg.*, catano *vulg.*, porra *vulg.*, pica *vulg.*, moca *vulg.*, verga *vulg.*, pífaro *vulg.*, picha *vulg.*

penisco *n.m.* BOT. (de pinheiro bravo) **pinhão**

penitência *n.f.* 1 **castigo**, punição, pena, coima, corretivo, condenação, lição *fig.* ≠ **absolvição**, perdão, desculpa, remição 2 **expiação**, remissão 3 RELIG. **confissão** 4 RELIG. **contrição**, arrependimento

penitencial *adj.2g.* **penitenciário**

penitenciar *v.* **castigar**, condenar, punir, mortificar, corrigir, apenar ≠ **absolver**, perdoar, remir, desculpar

penitenciária *n.f.* **prisão**, cadeia, cárcere, calabouço, presídio, masmorra, cativeiro, gaiola, chilindró, choça *col.*

penitenciário *adj.* **penitencial** ▪ *n.m.* **preso**, prisioneiro, refém, recluso, detido, cativo

penitenciar-se *v.* 1 **arrepender-se** 2 **castigar-se**, punir-se, atormentar-se, ciliciar-se *fig.*

penitente *adj.,n.2g.* **pecador**

penol *n.m.* NÁUT. **pique**, lais

penoso *adj.* 1 **doloroso**, angustiante, aflitivo, amargurado, pungente *fig.* ≠ **prazeroso**, agradável 2 **árduo**, trabalhoso, custoso, difícil, pesado, incómodo, fatigante, massacrante, espinhoso *fig.*, laborioso *fig.* ≠ **fácil**, ligeiro, suportável

pensado *adj.* 1 **meditado**, refletido, cuidado, considerado, raciocinado ≠ **impensado**, irrefletido, precipitado 2 **planeado**, preparado, estruturado, planificado, programado

pensador *n.m.* **filósofo** ▪ *adj.* 1 **meditativo**, pensativo, cismático 2 **filosófico**

pensamento *n.m.* 1 **ideia**, conceção, noção 2 **opinião**, parecer 3 **reflexão**, meditação 4 **recordação**, evocação, lembrança 5 **razão**, inteligência, espírito, entendimento, mente 6 **imaginação**, fantasia, devaneio, sonho 7 **intenção** 8 **cuidado**, solicitude, preocupação, desvelo 9 **sentença**, máxima, aforismo, adágio

pensante *adj.2g.* **racional**

pensão *n.f.* 1 **renda**, pitança, tença 2 **hospedaria**, hospedagem, alojamento, aposento, acomodação, estalagem, albergue, pousada 3 *fig.* **obrigação**, encargo, onerosidade, ónus

pensar *v.* 1 **raciocinar**, cogitar 2 **refletir**, meditar, ponderar, reflexionar, pesar *fig.* 3 **julgar**, supor 4 **imaginar**, idear, conceber 5 **prever** 6 **considerar**, achar 7 **aspirar**, pretender, desejar, intender 8 **cuidar**, tratar, zelar ▪ *n.m.* 1 **pensamento** 2 **prudência**, ponderação

pensativo *adj.* 1 **cismático**, absorto, meditabundo, refletivo, ensimesmado, contemplativo 2 **preocupado**, cismático, apreensivo, apoquentado, mortificado, ralado *col.* ≠ **despreocupado**, tranquilo, sossegado *fig.*

pensável *adj.2g.* **imaginável**, admissível ≠ **inimaginável**, impensável, inadmissível

pênsil *adj.2g.* **suspenso**, pendente, pendurado

pensionato *n.m.* 1 **internato** 2 **patronato**

pensionista *adj.,n.2g.* 1 **reformado**, aposentado 2 **pensionário**, pensionado, porcionário

penso *n.m.* **curativo** ▪ *adj.* [BRAS.] **inclinado**, descaído, vergado

pente *n.m.* ZOOL. **vieira**, leque, pente-do-mar

pentear *v.* **alisar** ≠ **despentear**, descabelar, desgrenhar

pentear-se *v. fig.* **preparar-se**

penugem *n.f.* **pelugem**, felpa, lanugem, pelo

penumbra *n.f.* **meia-luz**

penúria *n.f.* 1 **miséria**, indigência, pobreza, necessidade, piranguice ≠ **riqueza**, abundância, fortuna, opulência 2 **escassez**, carência, míngua, falta ≠ **abundância**, fartura, abastança

pepineiro *n.m.* BOT. **pepino**

pepino *n.m.* 1 BOT. **cogombro** 2 BOT. (planta) **pepineiro**

pequena *n.f.* 1 **rapariga**, cachopa, catraia, garota, moça 2 *col.* **namorada**

pequenada *n.f.* 1 criançada, miudagem, petizada, pequerruchada 2 filharada

pequenez *n.f.* 1 exiguidade, estreiteza, parvidade ≠ largueza, grandeza 2 meninice, infância 3 mesquinhez, baixeza, aviltamento, infâmia, ignomínia, abjeção, indignidade, vileza, torpeza, vilania, ignobilidade, bandalheira, torpidade, picardia, tacanhice, degradação *fig.*, baixura *fig.*, atoleiro *fig.*, baixaria [BRAS.] ≠ nobreza, altivez, decoro, dignidade, distinção, magnanimidade, grandeza, hombridade, elevação *fig.* 4 humildade, modéstia, singeleza, obscuridade *fig.*, simplicidade ≠ altivez, arrogância, soberba, orgulho

pequenino *n.m.* menino, bambino, miúdo, garoto, infante, criança, pequeno, pirralho, petiz *col.*

pequeno *adj.* 1 exíguo, estreito, apertado ≠ amplo, largo, colossal, adamastoriano, agigantado, monstruoso, piramidal *fig.* 2 baixo ≠ alto, grande 3 curto ≠ comprido, longal 4 leve, ligeiro, insignificante ≠ importante, relevante 5 acanhado, tacanho 6 mesquinho, tacanho, avarento, pelintra, somítico ≠ gastador, dissipador, esbanjador, perdulário ■ *n.m.* 1 menino, bambino, criança, miúdo, garoto, infante, pequenino, pirralho, petiz *col.* 2 *col.* namorado 3 [*pl.*] crianças, miúdos 4 [*pl.*] *fig.* pobres, humildes, fracos

pequeno-burguês *adj. pej.* (mentalidade, visão) tacanho, limitado, estreito

pequerrucho *adj.,n.m.* menino, bambino, pequenino, criança, miúdo, garoto, infante, pirralho, petiz *col.*, pequenitates *col.*

pequice *n.f.* menino, bambino, miúdo, garoto, infante, criança, pequeno, pequenino, petiz *col.*

peral *n.m.* pereiral

peralta *adj.,n.2g.* janota, casquilho, garrido, faceiro, tafulo, peralvilho, catita, pimpão, aprumado *fig.*, pinoca *col.*, títere *col.*, papo-seco *pej.*, aparamentoso ≠ deselegante, desajeitado, desairoso, desgracioso

peralvilhice *n.f.* peraltice, janotice, garridice, coquetismo, tafularia, janotada, janotaria, casquilharia *fig.*

peralvilho *n.m.* janota, casquilho, taful, peralta, catita, pimpão, pantalão, aprumado *fig.*, pinoca *col.*, títere *col.*, ingarilho [REG.], moscadim, pisa-verdes [REG.] ≠ deselegante, desajeitado, desairoso, desgracioso

perca *n.f. col.* perda, dano, prejuízo ≠ ganho, benefício

percalço *n.m.* 1 lucro, ganho, benefício, rendimento, proveito, resultado, ganhança *col.* ≠ prejuízo, dano, perda 2 *col.* contrariedade, transtorno, incómodo, acidente, contratempo

perceba *n.f.* ZOOL. percebe, perceve

percebe *n.m.* ZOOL. perceve, perceba

perceber *v.* 1 compreender, entender, capacitar, abranger, alcançar *fig.*, conceber *fig.* ≠ desentender 2 receber, ganhar 3 cobrar, recolher

percebimento *n.m.* entendimento, compreensão, perceção, apreensão, inteleção

perceção[dAO] ou **percepção**[AO] *n.f.* 1 conhecimento, compreensão, entendimento, inteligência, consciência ≠ ignorância, desconhecimento 2 *fig.* discernimento, entendimento

percentagem *n.f.* 1 proporção, percentual, porcento 2 comissão, gratificação, pagamento, prémio

percepção[AO] *n.f.* ⇒ **perceção**[dAO]

perceptibilidade[AO] *n.f.* ⇒ **percetibilidade**[dAO]

perceptível[AO] *adj.2g.* ⇒ **percetível**[dAO]

perceptivo[AO] *adj.* ⇒ **percetivo**[dAO]

percetibilidade[dAO] ou **perceptibilidade**[AO] *n.f.* compreensibilidade, inteligibilidade ≠ impercetibilidade

percetível[dAO] ou **perceptível**[AO] *adj.2g.* 1 inteligível, compreensível, atingível, acessível, claro, evidente, transparente *fig.* ≠ inatingível, inacessível, opaco, inassimilável, obscuro *fig.* 2 cobrável, exigível ≠ inarrecadável

percetivo[dAO] ou **perceptivo**[AO] *adj.* compreensivo, entendível, claro ≠ desentendível, complicado, confuso

percevejo *n.m.* 1 ZOOL. chisme, chinche, percebelho *col.*, percevelho *col.* 2 tacha

percorrer *v.* 1 andar, transitar, passar, cursar, andarilhar, palmilhar, calcorrear ≠ parar, cessar, imobilizar 2 explorar, desbravar, bater 3 investigar, examinar, pesquisar, procurar

percurso *n.m.* 1 caminho, itinerário, via, trajeto, trajetória, roteiro, senda *fig.* 2 trajeto, curso 3 ASTRON. trajetória, trajeto, órbitra

percussão *n.f.* embate, pancada, choque, batimento

percutir *v.* 1 embater, chocar, bater 2 ferir 3 (som) soar, ressoar, repercutir

perda *n.f.* 1 privação, falta 2 carência, escassez, míngua, falta, penúria ≠ abundância, fartura, abastança 3 extravio, sumiço, desaparecimento, descaminho 4 insucesso, fracasso, fiasco ≠ sucesso, triunfo 5 dano, prejuízo, estrago ≠ ganho, benefício 6 destruição, devastação, estrago, dano, ruína 7 morte, falecimento, finamento, óbito

perdão *n.m.* indulto, indulgência, desculpa, remissão, absolvição, relevação ≠ punição, pena, condenação

perder *v.* 1 deixar, desfazer-se, livrar-se ≠ adquirir 2 desperdiçar, desaproveitar, dissipar, esbanjar, desbaratar, malbaratar ≠ poupar, amealhar, aproveitar, economizar 3 destruir, aniquilar, estragar, devastar **4 corromper**, viciar, desencaminhar, desgraçar

perder-se *v.* **1 desorientar-se**, extraviar-se **2 desnortear-se**, desorientar-se, atrapalhar-se **3 desaparecer**, sumir-se, extinguir-se **4 desgraçar-se**, arruinar-se, afundar-se **5 corromper-se**, viciar-se, desencaminhar-se, depravar-se **6 absorver-se**, distrair-se, alhear-se

perdição *n.f.* **1 desonra**, indecência, desregramento ≠ **honra**, decência, decoro **2 ruína**, queda, declínio, decadência **3 desgraça**, desastre, infortúnio **4 imoralidade**

perdida *n.f. col.,pej.* **prostituta**, meretriz, marafona *cal.*, michela *col.*, colareja *fig.,pej.*, borboleta *fig.*, rameira *pej.*, fêmea *pej.*, pega *vulg.*, puta *vulg.*

perdidamente *adv.* **1 excessivamente**, exageradamente, desmesuradamente ≠ **comedidamente**, contidamente **2 loucamente**, doidamente, desvairadamente, desacertadamente, desatinadamente, desconcertadamente ≠ **atinadamente**, ajuizadamente

perdidinho *adj.* **apaparicado**, acarinhado, mimado

perdido *adj.* **1 extraviado**, desaparecido, sumiço, esgarrado ≠ **achado**, encontrado **2 dissipado**, gasto **3 disperso**, espalhado ≠ **congregado**, agrupado **4 inutilizado**, inútil, infrutífero ≠ **utilizado**, útil **5 esquecido**, olvidado, imémore ≠ **lembrado**, recordado **6 louco**, desvairado, doido ≠ **ajuizado**, atinado **7 corrupto**, depravado **8 apaixonado**, enamorado ≠ **desapaixonado**, desenamorado

perdimento *n.m.* **1 desonra**, indecência, desregramento ≠ **honra**, decência, decoro **2 ruína**, queda, declínio, decadência **3 desgraça**, desastre, infortúnio **4 imoralidade**

perdoar *v.* **1** (uma dívida) **remir**, desobrigar, quitar, absolver, exonerar, remitir **2 absolver**, desculpar, indulgenciar, indultar ≠ **castigar**, condenar, punir **3 poupar**

perdoável *adj.2g.* **desculpável**, remissível, justificável ≠ **imperdoável**, indesculpável, condenável

perdulário *adj.,n.m.* **gastador**, dissipador, esbanjador, pródigo, mãos-largas, mão-aberta [BRAS.] ≠ **avarento**, mesquinho, sovina, forreta

perdurabilidade *n.f.* **durabilidade**, perpetuidade, longevidade

perdurar *v.* **1 durar**, perpetuar **2 sobreviver**, subsistir, resistir

perdurável *adj.2g.* **duradouro**, durável, permanente, imperecedouro ≠ **passageiro**, temporário

perduravelmente *adv.* **eternamente**, perpetuamente

perecedouro *adj.* **perecível**, mortal, caduco, morredouro

perecer *v.* **1 desaparecer**, extinguir, acabar **2 morrer**, falecer, finar, findar, sucumbir

perecimento *n.m.* **1 definhamento**, fim **2 acabamento**, esgotamento **3 extensão**

perecível *adj.2g.* **perecedouro**, mortal, findável ≠ **imperecível**, imperecedoiro

peregrinação *n.f.* **romagem**, romaria

peregrinamente *adv.* **admiravelmente**, extraordinariamente, notavelmente, excelentemente

peregrinar *v. fig.* **divagar**, vaguear, errar, vagabundear, vagar, deambular, perambular ≠ **dirigir-se**, encaminhar-se, guiar-se

peregrinismo *n.m.* **estrangeirismo**, barbarismo, exotismo

peregrino *n.m.* **romeiro**, viador ■ *adj.* **1 estrangeiro**, forasteiro, estranho, desconhecido, externo, alienígena **2 transitório**, passageiro, breve, momentâneo, fátuo, fugaz ≠ **permanente**, constante, duradouro, estável **3 extraordinário**, excecional, raro, singular, invulgar, insólito, incomum ≠ **vulgar**, trivial

pereiro *n.m.* BOT. **catapereiro**

peremptoriamente[AO] *adv.* ⇒ **perentoriamente**[dAO]

peremptório[AO] *adj.* ⇒ **perentório**[dAO]

perenal *adj.2g.* **1 duradouro**, permanente ≠ **temporário**, transitório, passageiro **2 perpétuo**, eterno, imperecível, perdurável **3 ininterrupto**, incessante, contínuo, constante ≠ **interrupto**, cessante, interrompido

perene *adj.2g.* **1 duradouro**, permanente ≠ **temporário**, transitório, passageiro **2 perpétuo**, eterno, imperecível, perdurável **3 ininterrupto**, incessante, contínuo, constante ≠ **interrupto**, cessante, interrompido

perenemente *adv.* **1 continuadamente**, constantemente, incessantemente, ininterruptamente ≠ **interruptamente**, cessantemente **2 infindavelmente**, eternamente, perpetuamente, permanentemente

perenidade *n.f.* **1 perpetuidade**, imortalidade, eternidade, evo **2 continuidade**, constância, permanência ≠ **ininterrupção**, cessabilidade

perentoriamente[dAO] ou **peremptoriamente**[AO] *adv.* **terminantemente**, decisivamente, categoricamente ≠ **indecisivamente**, hesitantemente

perentório[dAO] ou **peremptório**[AO] *adj.* **terminante**, decisivo, categórico, impreterível, imperativo ≠ **indecisivo**, hesitante, discutível, questionável

perfazer *v.* **1 concluir**, acabar, terminar, finalizar ≠ **iniciar**, começar, principiar, encetar **2 completar**, encher, preencher, integrar ≠ **esvaziar**, despejar **3 executar**, cumprir, realizar

perfectibilizar[AO] ou **perfetibilizar**[AO] *v.* **aperfeiçoar**, requintar, melhorar, apurar, otimizar, cinzelar *fig.*, bolear *fig.* ≠ **estragar**, danificar

perfectível^AO ou **perfetível**^AO *adj.2g.* **aperfeiçoável**, melhorável ≠ **imperfetível**

perfeição *n.f.* 1 **afinação**, apuramento 2 **mestria**, apuro, primor, requinte, esmero 3 **belo**, beleza, delicadeza, excelência, formosura, lindeza, sublimidade, pulcritude, quilate *fig.* ≠ **desprimor**, indelicadeza

perfeitamente *adv.* 1 **modelarmente**, impecavelmente, admiravelmente, lindamente ≠ **imperfeitamente**, mal 2 **completamente**, inteiramente ≠ **parcialmente** 3 **incontestavelmente**, irrepreensivelmente ≠ **contestavelmente**, repreensivelmente

perfeito *adj.* 1 **impecável**, irrepreensível, irreprovável ≠ **repreensível**, reprovável, incorreto 2 **acabado**, completo, rematado, terminado, total ≠ **incompleto**, parcial, imperfeito 3 **ideal** 4 **notável**, magistral, admirável 5 **exemplar**, modelar, ideal 6 **cabal**, rigoroso ≠ **impreciso**, incorreto 7 **belo**, elegante, formoso, lindo ≠ **feio**, deselegante ■ *interj.* (exprime aprovação) **ótimo!**, excelente!

perfidamente *adv.* **traiçoeiramente**, deslealmente, infielmente, insidiosamente ≠ **lealmente**, fielmente

perfídia *n.f.* **infidelidade**, traição, deslealdade, aleivosia, inconfidência, insídia ≠ **lealdade**, fidelidade

pérfido *adj.,n.m.* **infiel**, traidor, traiçoeiro, desleal, inconfidente, insidioso, doloso ≠ **leal**, fiel

perfil *n.m.* 1 **silhueta**, contorno, delineação, recorte 2 **retrato**, descrição 3 **carácter**, temperamento, índole, vocação, natureza, compleição, cariz, génio

perfilar *v.* 1 **alinhar**, enfileirar ≠ **desalinhar** 2 **aprumar**, endireitar, desencurvar, desinclinar, verticalizar ≠ **inclinar**, pender, curvar

perfilar-se *v.* 1 **alinhar-se** 2 **endireitar-se** 3 **mostrar-se**

perfilhação *n.f.* 1 (uso generalizado) **adoção**, perfilhamento, filhamento 2 **aceitação**, aprovação, receção ≠ **reprovação**, recusa

perfilhado *adj.* DIR. **adotado**, filhiado, reconhecido

perfilhar *v.* 1 DIR. **reconhecer**, aceitar, assumir 2 (uso generalizado) **adotar**, filiar, arrogar, esposar 3 (uma ideia, uma doutrina, etc.) **abraçar**, receber, adotar, aceitar

perfumado *adj.* **aromático**, odorífico, odorífero, cheiroso, oloroso, balsâmico, aromatizado ≠ **fétido**, fedorento, malcheiroso, inodoro, inolente, pestilencial

perfumar *v.* 1 **cheirar**, balsamar, odorar, aromatizar, olorizar ≠ **feder** 2 *fig.* **suavizar**, amenizar, amaciar 3 *fig.* **dulcificar**, adoçar

perfume *n.m.* 1 **aroma**, odor, bálsamo, olor, eflúvio, cheiro, fragrância ≠ **fedor**, fétido, pestilência *fig.* 2 *fig.* **deleite**, voluptuosidade, gosto, volúpia, prazer, gozo, deleitação, contentamento, consolo, consolação ≠ **desgosto**, desprazer, dissabor 3 *fig.* **doçura**, brandura, meiguice, suavidade, mansidão, ternura, amenidade ≠ **aspereza**, desagradado, rispidez, rudeza

perfunctório^AO ou **perfuntório**^AO *adj.* 1 **passageiro**, transitório, momentâneo, efémero, temporário, amovível, breve ≠ **permanente**, duradouro 2 **superficial**, leviano, ligeiro, leve ≠ **denso**, pesado 3 **leve**, brando, ténue, suave ≠ **acentuado**, pronunciado, forte, pesado

perfuração *n.f.* **furo**, abertura, rompimento, corte, punção, terebração

perfurante *adj.2g.* **terebrante**, perfurador, perfurativo

perfurar *v.* 1 **furar**, tenebrar, transfixar 2 *fig.* **desvendar**

pergaminho *n.m.* **velino**

pergunta *n.f.* 1 **interrogação**, questão ≠ **resposta** 2 **demanda**, pedido, questão ≠ **resposta**

perguntar *v.* 1 **interrogar**, questionar ≠ **responder** 2 (informações) **demandar**, pedir, solicitar ≠ **receber**, obter 3 **inquirir**, investigar, indagar, pesquisar, sondar *fig.*

perícia *n.f.* 1 **habilidade**, destreza, agilidade, jeito, desenvoltura, desempeno *fig.* ≠ **desajeitamento**, inaptidão 2 **prática**, experiência, hábito, treino ≠ **inexperiência**, verdura *fig.* 3 **sabedoria**, proficiência, conhecimentos, mestria ≠ **desconhecimento**, ignorância

periclitante *adj.2g.* 1 **arriscado**, malparado, perigoso ≠ **seguro** 2 **inseguro**, instável, precário ≠ **seguro**, estável

periclitar *v.* **perigar**, ameaçar ≠ **segurar**

periferia *n.f.* 1 **contorno**, circunferência, âmbito, circuito, perímetro 2 **subúrbio**, arredor, redor, imediação, proximidade, arrabalde, cercania

perífrase *n.f.* **circunlóquio**, circunlocução, rodeio

perigar *v.* 1 **periclitar**, ameaçar ≠ **segurar** 2 [REG.] (involuntariamente) **abortar**

perigo *n.m.* 1 **risco** 2 [REG.] **raio**, faísca, corisco, clarão 3 [REG.] (involuntariamente) **aborto**

perigosamente *adv.* 1 **arriscadamente**, indesejavelmente ≠ **seguramente** 2 **gravemente**

perigoso *adj.* 1 **arriscado**, indesejável, duvidoso, tremido, temerário, temível ≠ **seguro** 2 **grave**

perímetro *n.m.* 1 **contorno**, circunferência, âmbito, circuito, periferia 2 *fig.* **âmbito**, contexto

periodicidade *n.f.* 1 **repetição**, reiteração, frequência 2 **intermitência**

periódico *adj.* **cíclico**, frequente, sazonal ■ *n.m.* **jornal**, gazeta

período *n.m.* **1 época**, altura, tempo, idade **2 intervalo**, espaço **3 fase**, etapa, estádio **4 menstruação**, mênstruo, menorreia, cataménio, menarquia, sangue *col.*, regras *col.*, chica *col.*, mês *col.*, incómodo *col.*, embaraço *col.*, assistimento *col.*, pingadeira *col.*, trabuzanada *col.* ≠ **amenorreia 5** (numa chamada telefónica) **impulso 6** ASTRON. **ciclo**

peripatético *adj.* **extravagante**, excêntrico, espalhafatoso, exagerado ≠ **modesto**, sóbrio, discreto ■ *adj.,n.m.* **aristotélico**

peripécia *n.f.* **imprevisto**, indicente

perito *adj.* **1 hábil**, destro, engenhoso, talentoso, jeitoso ≠ **desajeitado**, inábil **2 conhecedor**, sabedor, sábio, ciente, erudito, versado, doutor ≠ **ignorante**, desconhecedor, inculto ■ *n.m.* **1 especialista**, mestre **2** DIR. **avaliador**

perjurar *v.* **1 abandonar**, deixar **2 atraiçoar**, trair, falsear, insidiar **3** (crença, sentimento, doutrina) **renunciar**, rejeitar, renegar, abjurar ≠ **aceitar**, professar

perjuro *adj.,n.m.* **falso**, traidor, desmentido ≠ **leal**, fiel, verdadeiro

perla *n.f. col.* **pérola**

perlar *v.* **1 perolizar 2 perolar**

permanecente *adj.2g.* **estável**, duradouro, permanente, contínuo ≠ **passageiro**, provisório

permanecer *v.* **1 conservar-se**, manter-se **2 ficar**, estar **3 demorar**, tardar, lesmar **4 subsistir**, perdurar, resistir, sobreviver, durar **5 perseverar**, persistir, insistir ≠ **desistir**, renunciar

permanência *n.f.* **1 subsistência**, conservação **2 continuidade**, prolongação, prolongamento, subsequência, duração ≠ **descontinuação**, interrupção, suspensão **3 perseverança**, persistência, insistência ≠ **desistência**, renúncia **4 constância**, regularidade, durabilidade, continuidade ≠ **descontinuidade**, irregularidade, instabilidade **5 ficada**

permanente *adj.2g.* **1 duradouro**, estável, durável ≠ **efémero**, curto, breve, fugaz **2 ininterrupto**, incessante, contínuo, constante ≠ **interrupto**, cessante, interrompido **3 imutável**, inalterável, invariável, eterno *fig.* ≠ **mutável**, alterável **4 definitivo**, final, conclusivo **5 vitalício** ≠ **mortal** ■ *n.f.* **mise**

permanentemente *adv.* **1 constantemente**, continuadamente, ininterruptamente, sempre **2 perseverantemente**, continuamente, insistentemente

permeabilidade *n.f.* **transmeabilidade**, porosidade

permear *v.* **1 penetrar**, atravessar, furar **2 atravessar**, trespassar, transmear **3 entremear**, interpor **4 sobrevir**

permeável *adj.2g.* **1 transmeável**, pérvio ≠ **impermeável 2** *fig.* **flexível**

permissão *n.f.* **1 licença**, autorização, consentimento, aprovação ≠ **proibição**, desaprovação, reprovação **2 faculdade**, liberdade, licença

permissível *adj.2g.* **1 admissível**, concedível, tolerável, concessível ≠ **inadmissível**, intolerável, proibido **2 lícito**, legal, legítimo, leal ≠ **ilegal**, ilícito

permissivo *adj.* **1 admissível**, consentido, permissório ≠ **proibido**, desaprovado **2 tolerante**, indulgente, complacente, transigente, condescendente ≠ **inflexível**, intransigente, implacável

permitir *v.* **1 consentir**, autorizar, aprovar, admitir, possibilitar, assentir, anuir ≠ **proibir**, desaprovar **2 tolerar**, ceder, transigir ≠ **negar**, proibir

permitir-se *v.* **atrever-se**, ousar

permuta *n.f.* **1 troca**, câmbio, escâmbio, permutação, comutação, alborque, alboroque ≠ **imutabilidade**, destroca **2 transferência 3 transação**, negócio

permutação *n.f.* **troca**, câmbio, escâmbio, permuta, comutação, alborque, alboroque ≠ **imutabilidade**, destroca

permutador *adj.,n.m.* **trocador**

permutar *v.* **1 trocar**, cambiar, escambar, comutar ≠ **destrocar 2 transferir 3 mudar 4 comunicar 5 partilhar**

permutável *adj.2g.* **1 cambiável**, trocável, comutável **2 transferível 3 partilhável**

perna *n.f.* **1** ANAT. **tíbia**, canela, gâmbia *col.*, gambeta *col.*, garula *col.* **2 ramificação**, ramo

pernada *n.f.* **1 pontapé**, biqueirada, biqueiro *col.*, panázio *col.* **2 passada**, passo **3 ramo**, braço, poldra, trancalho [REG.] **4** (de um rio ou de um mar) **braço**

pernalta *adj.2g. col.* **pernilongo**

pernalto *adj.* **pernilongo**

pernão *n.m.* **pernaça** *col.* ■ *adj.* **ímpar**, nunes

pernicioso *adj.* **prejudicial**, nocivo, maléfico, mau, nefando, nefasto, obnóxio, funesto, danoso ≠ **benigno**, saudável, sadio

pernil *n.m.* **canelo**, chambão, lacão [REG.]

pernilongo *adj.* **pernalta** ■ *n.m.* ORNIT. **sovela**, tremilongo, granjo, fusiloa, pernalta, perna-longa, esparela

pernoita *n.f.* **pousada**, dormida, poiso

pernoitar *v.* **dormir**, pousar, ficar

pero[dAO] *n.m. col.* **murro**, cachação, soco, punhada, sopapo

pêro[aAO] *n.m.* ⇒ **pero**[dAO]

pérola *n.f.* **1 perla** *col.* **2** *fig.* **preciosidade**, joia, ouro, valor **3** BOT. **aljofareira**, aljôfar ■ *n.m.* **branco-pérola**

peroração *n.f.* **epílogo**, conclusão, fecho, fim

perpassar *v.* 1 **roçar**, deslizar, frisar, correr, passar 2 **atravessar**, trespassar, passar 3 **preterir**, postergar, pospor, conculcar

perpendicular *adj.2g.* GEOM. **ortogonal**, normal, vertical

perpetrar *v.* (em geral, ato condenável) **praticar**, realizar, cometer, executar, obrar, perfazer, fazer

perpetuação *n.f.* **perpetuidade**, perpetuamento, eternização, imortalização

perpetuamente *adv.* **perenemente**, eternamente, infindavelmente, permanentemente, perduravelmente

perpetuar *v.* 1 **eternizar** 2 **imortalizar** 3 **propagar**

perpetuar-se *v.* 1 **eternizar-se**, manter-se, conservar-se, perdurar, continuar 2 **imortalizar-se**

perpetuidade *n.f.* **perpetuação**, eternização, imortalização

perpétuo *adj.* 1 **eterno**, perene, perdurável, imperecível 2 **contínuo**, constante, ininterrupto, incessante, perene ≠ **interrupto**, cessante, interrompido 3 **inalterável**, imutável, invariável, permanente, eterno *fig.* ≠ **mutável**, alterável 4 **vitalício** ≠ **mortal**

perplexidade *n.f.* 1 **embaraço**, hesitação, perturbação 2 **hesitação**, indecisão, irresolução, dúvida, incerteza, dilema ≠ **resolução**, decisão, certeza

perplexo *adj.* **hesitante**, vacilante, claudicante, duvidoso, incerto, irresoluto, indeciso ≠ **determinado**, certo, decidido, resoluto

perro *n.m.* 1 **cão**, cachorro [BRAS.] 2 *fig.,pej.* **tratante**, patife, velhaco, vil, biltre, safado ▪ *adj.* 1 **emperrado**, empenado, travado 2 *fig.* **teimoso**, obstinado, casmurro, intransigente, inflexível, importuno, pertinaz, birrento, ferrenho *fig.* ≠ **flexível**, maleável 3 *fig.* **resistente** 4 *fig.* **zangado**, arreliado, irritado

perscrutação *n.f.* **indagação**, investigação, sondagem, averiguação

perscrutar *v.* **indagar**, sondar, investigar, inquirir, averiguar, examinar

perscrutável *adj.2g.* **indagável**, sondável, investigável, averiguável, examinável, analisável

perseguição *n.f.* 1 **acossamento**, persecução, seguimento, vindicta, acossa *col.*, caça *fig.*, caçada *fig.* 2 **insistência**, persistência, perseverança ≠ **desistência**, renúncia 3 SOCIOL. **intolerância**

perseguidor *adj.,n.m.* **acossador**, seguidor, persecutório

perseguir *v.* 1 **acossar**, seguir, caçar *fig.*, acalçar 2 **atormentar**, importunar, acossar, molestar

perseverança *n.f.* **pertinácia**, firmeza, obstinação, paciência, persistência, tenacidade, constância ≠ **renúncia**, cessação, desistência, afastamento

perseverante *adj.2g.* **persistente**, paciente, pertinaz, firme, constante, obstinado, tenaz *fig.*, pervicaz ≠ **renuente**, cessante, desistente

perseverar *v.* 1 **persistir**, insistir ≠ **desistir**, renunciar 2 **continuar**, permanecer, perpetuar, durar ≠ **descontinuar**, interromper, suspender 3 **teimar**, obstinar, embirrar, renitir, relutar ≠ **desistir**, renunciar

persiana *n.f.* **gelosia**, rótula, veneziana, tabuinhas

pérsico *adj.* **iraniano**, persa, pérsio

persistência *n.f.* **perseverança**, firmeza, constância, pertinácia, obstinação, paciência, tenacidade, afinco ≠ **renúncia**, cessação, desistência, afastamento

persistente *adj.2g.* 1 **perseverante**, paciente, pertinaz, firme, constante, obstinado, tenaz *fig.* ≠ **renuente**, cessante, desistente 2 **duradouro**, durável, estável, permanente, contínuo ≠ **passageiro**, provisório

persistir *v.* 1 **perseverar**, insistir ≠ **desistir**, renunciar 2 **perdurar**, permanecer, continuar, manter-se ≠ **cessar**, suspender, interromper

personagem *n.m./f.* 1 **figura** 2 (teatro, cinema) **papel** 3 **celebridade**, personalidade, notabilidade

personalidade *n.f.* 1 **carácter**, temperamento 2 **celebridade**, notabilidade, vulto *fig.*, sumidade *fig.* ≠ **desconhecido**, anónimo 3 **autoridade**, sumidade, individualidade

personalista *adj.2g.* **subjetivo**, pessoal, individual ≠ **objetivo**, impessoal

personalizar *v.* 1 **individualizar**, particularizar, singularizar ≠ **generalizar** 2 **nomear**, designar, mencionar 3 **personificar**

personificação *n.f.* 1 **protótipo**, modelo, padrão, exemplo 2 (figura de estilo) **prosopopeia**, metagoge

personificar *v.* 1 (seres animados ou inanimados) **personalizar**, pessoalizar 2 **simbolizar**, representar

perspetiva[AO] ou **perspectiva**[AO] *n.f.* 1 **ótica** 2 **prisma**, aspeto, ótica, vertente *fig.*, ângulo *fig.* 3 *fig.* **aparência**

perspicácia *n.f.* **sagacidade**, argúcia, finura, acuidade, subtileza, astúcia, esperteza, descortino, olho *fig.*, agudeza *fig.* ≠ **incapacidade**, obtusidade

perspicaz *adj.2g.* **sagaz**, astuto, arguto, esperto, fino, inteligente, talentoso, penetrante *fig.*, aguçado *fig.*, penetrador *fig.* ≠ **inepto**, inábil, obstuso *fig.,pej.*

perspicuidade *n.f.* 1 **clareza**, nitidez, transparência, limpidez ≠ **opacidade**, escuridade 2 **lucidez**, inteligência, razão ≠ **cegueira** *fig.*, obscuridade **3 perspicácia**, sagacidade, argúcia, finura, acuidade, subtileza, astúcia, esperteza, descortino, olho *fig.*, agudeza *fig.* ≠ **incapacidade**, obtusidade

persuadir *v.* **1 convencer**, mover, induzir, capacitar, calar, determinar ≠ **dissuadir**, desaconselhar, demover, desconvencer, despersuadir **2 aconselhar**, advertir, sugerir, orientar ≠ **desaconselhar**

persuadir-se *v.* convencer-se, capacitar-se, compenetrar-se

persuasão *n.f.* **1 indução**, sugestão, instilação *fig.* ≠ **despersuasão**, dissuasão **2 convicção**, crença, certeza, fé, firmeza, asseveração, segurança ≠ **insegurança**, hesitação, dúvida, indecisão

persuasivo *adj.* **1 convincente**, eficaz, insinuante, poderoso, suasório **2 induzidor**, incitador, indutor

persuasor *adj.,n.m.* **induzidor**, incitador, indutor, persuasivo

pertença *n.f.* **1 domínio**, propriedade, posse **2 atribuição**, competência, função

pertence *n.m.* **1 pertença**, propriedade, domínio **2** [*pl.*] **haveres**

pertencente *adj.2g.* **concernente**, referente, atinente, relativo, respeitante, tocante, próprio

pertencer *v.* **caber**, incumbir, competir, tocar, tomar, cumprir ≠ **descaber**

pertinácia *n.f.* **1 teimosia**, birra, caturrice, obcecação, insistência, obstinação, renitência, relutância, pervicácia, emperramento *fig.* ≠ **desistência**, renúncia **2 tenacidade**, persistência, firmeza, perseverança, obstinação ≠ **renúncia**, cessação, desistência, afastamento

pertinaz *adj.2g.* **1 teimoso**, obstinado, persistente, relutante, renitente, porfiador ≠ **desistente**, renunciador **2 persistente**, perseverante, firme, constante, tenaz *fig.* ≠ **inconstante**, impersistente

pertinência *n.f.* **1 conveniência**, conformidade, congruência, apropriação, acomodação, adaptação, consentaneidade ≠ **inconveniência**, inadaptação, inadequação **2 pertença**

pertinente *adj.2g.* **1 concernente**, respeitante, relativo, referente, pertencente, atinente, tocante, próprio **2 adequado**, apropriado, adaptado, acomodado, conveniente, consentâneo ≠ **inconveniente**, inadaptado, inadequado **3 relevante**, importante ≠ **irrelevante**

perto *adv.* **próximo**, cerca ≠ **longe**

perturbação *n.f.* **1 agitação**, confusão, tumulto, desordem, alvoroço, conturbação, vascolejamento *fig.* ≠ **apaziguamento**, pacificação, serenidade **2 desassossego**, transtorno, abalo, comoção ≠ **sossego**, calma, tranquilidade **3 tontura**, vertigem, nutação

perturbado *adj.* **1 agitado**, alterado, inquieto, revolto ≠ **calmo**, tranquilo, sossegado **2 desordenado**, desarranjado, desarrumado, desalinhado, desorganizado, desconcertado, confuso ≠ **arrumado**, alinhado, aprumado **3 comovido**, abalado, emocionado, impressionado, enternecido ≠ **insensível**, empedernido *fig.*, inflexível *fig.* **4 confuso**, atarantado, toldado, embaraçado, atrapalhado **5 envergonhado**, embaraçado, vexado, acanhado, inibido ≠ **extrovertido**, comunicativo, expansivo, desinibido **6 preocupado**, transtornado, inquieto, apoquentado, apreensivo ≠ **despreocupado**, tranquilo, sossegado *fig.*

perturbador *adj.,n.m.* **1 desorientador**, desassossegador, perturbante, agitante, transtornante **2 agitador**, amotinador, revoltoso, turbador, atroador *fig.*

perturbante *adj.2g.* **1 desorientador**, desassossegador, perturbador, perturbativo **2 estonteante**, embriagador, impressionante, alucinante

perturbar *v.* **1 desassossegar**, agitar, inquietar, revoltar ≠ **acalmar**, tranquilizar, sossegar **2 comover**, abalar, emocionar, impressionar, enternecer, transtornar ≠ **insensibilizar**, empedernir *fig.* **3 confundir**, atarantar, toldar, embaraçar, atrapalhar **4 turvar**, toldar **5 desarranjar**, desordenar, desarrumar, desalinhar, desorganizar, desconcertar, confundir ≠ **arrumar**, alinhar, aprumar **6 envergonhar**, embaraçar, vexar, acanhar, inibir ≠ **desinibir 7 intimidar**, ameaçar, amedrontar, aterrorizar ≠ **tranquilizar**, apaziguar, aquietar

perturbar-se *v.* **1 desassossegar-se**, agitar-se, inquietar-se, transtornar-se, sobressaltar-se, conturbar-se ≠ **acalmar-se**, tranquilizar-se, sossegar **2 desnortear-se**, desorientar-se **3 comover-se**, abalar-se, emocionar-se, impressionar-se **4 alterar-se**, desestabilizar-se, desarranjar-se, desequilibrar-se **5 confundir-se**, atrapalhar-se, atarantar-se, ariscar-se **6 envergonhar-se**, embaraçar-se

perturbável *adj.2g.* **impressionável**, abalável ≠ **imperturbável**, inabalável

perua *n.f. col.* **embriaguez**, ebriedade, bebedeira, bico, canjica, borracheira *col.*, piela *col.*, bruega *col.*, cabeleira *col.*, cardina *col.*, carraspana *col.* ≠ **sobriedade**, abstemia

peruano *adj.,n.m.* **peruviano**

perversamente *adv.* **1 maldosamente 2 traiçoeiramente**, deslealmente, infielmente, insidiosamente ≠ **lealmente**, fielmente

perversão *n.f.* **depravação**, devassidão, desmoralização, corrupção, dissolução, envilecimento, libertinagem ≠ **decência**, decoro, moralidade

perversidade *n.f.* **1 maldade**, malignidade, crueldade, nequícia, pravidade, negrura *fig.* ≠ **bondade**, ternura **2 depravação**, devassidão, corrupção, desmoralização, dissolução, envilecimento, libertinagem ≠ **decência**, decoro, moralidade

perverso *adj.* 1 **corrupto**, vicioso, degradado, aviltado, imoral, depravado *fig.* ≠ **decente**, decoroso, moralista 2 **malvado**, cruel, impiedoso, desumano, desnaturado, desalmado, pravo ≠ **caridoso**, compassivo, humano, piedoso 3 **traiçoeiro**, traidor, pérfido, desleal, infiel ≠ **leal**, fiel

perverter *v.* 1 **desviar**, desencarreirar, descarrilar, transviar, desencaminhar ≠ **encaminhar**, encarreirar, orientar 2 **depravar**, degenerar, desmoralizar, desnaturar, adulterar, corromper *fig.*, corroer *fig.*, afistular *fig.* ≠ **moralizar**, santificar 3 **deturpar**, desvirtuar, adulterar, falsear, malsinar, alterar, modificar, envenenar *fig.*, atoxicar *fig.* ≠ **conservar**, manter, preservar

pesada *n.f.* **pesagem**

pesadamente *adv.* 1 **vagarosamente**, arrastadamente, lentamente, devagar, paulatinamente, calmamente, demoradamente, detidamente ≠ **acelaradamente**, rapidamente, apressadamente 2 **abruptamente**, rudemente, bruscamente, arrebatadamente 3 **monotonamente**

pesadelo *n.m.* 1 **íncubo**, onirodinia, tardo [REG.] 2 *fig.* **importunação**, apoquentação, aperreação 3 *fig.* **angústia**, medo, aflição, agonia, tribulação ≠ **serenidade**, bem-estar, tranquilidade

pesado *adj.* 1 **gravativo** ≠ **leve** 2 **trabalhoso**, laborioso, árduo, difícil, custoso, penoso, espinhoso *fig.* ≠ **fácil**, ligeiro, suportável 3 **molesto**, incómodo, importuno, impertinente ≠ **agradável**, deleitante 4 **vagaroso**, lento, moroso, arrastado ≠ **rápido**, ligeiro, célere, veloz, alado, alígero, alípede, pojante, precípite, remeiro, voador *fig.* 5 **profundo**, forte ≠ **superficial**, leve 6 **rude**, grosseiro, bruto, bronco, tosco ≠ **delicado**, polido, fino, educado 7 **compacto**, denso, maciço, basto ≠ **leve**, ligeiro 8 **grave**, sisudo, austero, circunspecto 9 **cheio**, farto, enfartado, saciado, nutrido, cevado, embuchado, empanturrado ≠ **esfomeado**, ávido, faminto 10 **carregado**, repleto, completo, cheio, acarretado, abarrotado *fig.* ≠ **vazio**, descarregado 11 (atmosfera, ambiente) **carregado**, tenso, sufocante ≠ **leve** 12 **autoritário** 13 **violento**, agressivo 14 **caro**, custoso, dispendioso, alto, puxado *col.* ≠ **barato**, económico, módico, baixo, fácil 15 **indigesto**, indigerível ≠ **ligeiro**, frugal

pêsames *n.m.pl.* **condolências**, sentimentos

pesar *v.* 1 **abalançar** 2 **sopesar** 3 *fig.* **considerar**, ponderar, estimar, avaliar 4 **calcular**, avaliar, analisar 5 **valer** 6 **avaliar**, aquilatar 7 **pressionar**, comprimir 8 **afligir**, aborrecer 9 **influenciar**, induzir, sugestionar, influir 10 **incomodar**, perturbar, importunar, estorvar ≠ **agradar**, deleitar 11 **entristecer**, contristar ■ *n.m.* 1 **mágoa**, desgosto, tristeza, desconsolação, desconsolo ≠ **contentamento**, alegria, satisfação 2 **arrependimento**, remorso, pungimento, penitência, culpa 3 **tristeza**, pena, melancolia, nostalgia, abatimento, desalento, desânimo ≠ **animação**, entusiasmo, motivação, alegria, vivacidade

pesaroso *adj.* 1 **desgostoso**, lastimoso, choroso, plangente, triste, saudoso, magoado ≠ **alegre**, feliz, contente 2 **arrependido**, contrito, repeso, cabisbaixo *fig.*

pesca *n.f.* 1 **pescaria** 2 *fig.* **indagação**, procura, busca, cata, pesquisa, investigação, averiguação, demanda

pescada *n.f.* ICTIOL. **peixota**

pescadinha *n.f.* ICTIOL. **marmota**

pescador *n.m.* **peixeiro**, marítimo

pescar *v.* 1 **apanhar**, captar ≠ **libertar**, soltar 2 *fig.* **agarrar**, conseguir 3 *fig.* **surpreender** 4 (ardilosamente) **obter**, conseguir, alcançar 5 *fig.* **averiguar**, indagar, apurar, investigar, deslindar 6 *fig.* **sondar**, perscrutar 7 *fig.* **alcançar**, atingir 8 *fig.,col.* **perceber**, entender, compreender, captar ≠ **desentender**

pescaria *n.f.* **pesca**

pescoço *n.m.* 1 (anatomia) **colo**, nuca, cachaço, toutiço, cogote, galinheiro *col.*, gorja *col.*, pescoceira *col.*, cacho *ant.* 2 **gargalo** *col.*, garganta, garganhol [REG.] 3 *fig.* **altivez**, arrogância, soberba, orgulho, cachaço *col.* ≠ **humildade**, simplicidade, modéstia, singeleza

peso *n.m.* 1 **carga**, carrego, ónus, fardo *fig.* ≠ **leveza**, alívio 2 **haltere** 3 *fig.* **influência**, autoridade, prestígio, crédito ≠ **desprestígio**, descrédito 4 *fig.* **merecimento**, valor, valia ≠ **insignificância**, desvalor 5 *fig.* **importância**, consideração, monta, valimento, valor ≠ **insignificância**, desvalor 6 **ónus**, encargo, obrigação, onerosidade 7 **incómodo**, fardo 8 **opressão**, carregamento *fig.* 9 **mal-estar**, incómodo, desconforto ≠ **conforto** 10 **preocupação**, apreensão, inquietação, apoquentação, ralação ≠ **despreocupação**, tranquilidade, serenidade *fig.* 11 **responsabilidade**, obrigação, encargo, dever ≠ **irresponsabilidade**, desobrigação 12 **motivo** 13 **força**, ímpeto, impulso 14 **porção**, quantidade, quantia 15 **cuidado**, encargo 16 **sensatez**, ponderação, moderação ≠ **insensatez**, imoderação

pespegar *v.* 1 **impingir**, pregar *col.*, chimpar *col.* 2 **colocar**, assentar

pesponto *n.m.* **ponteado**, ponto-aquém

pesqueiro *adj.* **piscatório**

pesquisa *n.f.* **procura**, inquirição, investigação, cata, busca, indagação, averiguação, demanda, pesca *fig.*, zetética

pesquisar *v.* 1 **procurar**, inquirir, investigar, buscar, catar, indagar, averiguar, pescar *fig.* 2 **investigar**, estudar 3 **esquadrilhar**

pessimamente *v.* **malissimamente** ≠ **otimamente**

pessimismo *n.m.* 1 **desânimo**, esmorecimento ≠ **animo**, vontade, otimismo 2 **derrotismo**, negativismo ≠ **otimismo**, positivismo

pessimista *adj.,n.2g.* 1 **derrotista**, negativista, mal-avinhado *fig.* ≠ **otimista**, positivista 2 **deprimido**, desanimado, infeliz, mau humor ≠ **otimista**, feliz, bem-disposto

péssimo *adj.* **horrível**, mau, deplorável, desastroso, malíssimo ≠ **excelente**, ótimo, formidável, magnífico, supernal, altamente *col.*

pessoa *n.f.* **indivíduo**, sujeito, criatura, figura, ser, tipo *col.*

pessoal *adj.2g.* 1 **particular**, próprio, peculiar ≠ **comum** 2 **individual**, singular ≠ **coletivo** 3 **íntimo**, privativo, privado, particular ≠ **público** ■ *n.m.* 1 **gente**, malta *col.* 2 **staff**

pessoalidade *n.f.* 1 **singularidade**, unicidade, particular ≠ **generalidade** 2 **personalidade** 3 **originalidade**, singularidade ≠ **trivialidade**, banalidade

pessoalmente *adv.* 1 **propriamente** 2 **presencialmente**

pestana *n.f.* ANAT. **cílio**, celha

pestanudo *adj.* **ramalhudo** *fig.*, apestanado

peste *n.f.* 1 **epidemia**, contágio, andaço, pestilência 2 **fedor**, pitada, cheiro, fedentina, fétido, malina *col.* ≠ **aroma**, odor, perfume 3 *fig.* **jararaca**

pestífero *adj.* 1 **pestilencial**, contagioso, epidémico 2 **funesto**, pernicioso, maligno, nefasto, nefando, nocivo ≠ **propício**, benigno

pestilência *n.f.* 1 **epidemia**, contágio, andaço, peste 2 **fedor**, pitada, cheiro, fedentina, fétido, malina *col.* ≠ **aroma**, odor, perfume 3 *fig.* **degradação**, corrupção, perversão, aviltamento, imoralidade, desregramento, devassidão ≠ **decência**, decoro, moralidade

pestilento *adj.* **pestífero**, contagioso, epidémico, infeto, miasmático, empestado

peta *n.f.* 1 **mentira**, patranha, balela, conto, galga *col.*, batata *col.* 2 **logro**, engano, trapaça, tratantada, burla, embuste, impostura ≠ **honestidade**, seriedade, probidade 3 [REG.] **sinal**

petar *v.* 1 **mentir**, aldabrar, fabular, repisar *fig.* 2 **moer**, repisar 3 **maçar**, importunar, molestar, incomodar ≠ **agradar**, deleitar

petardo *n.m.* 1 **bomba**, explosivo 2 **foguete**, bomba

petição *n.f.* 1 **pedido**, súplica, suplicação, prece, deprecação, rogativa, rogo 2 **requerimento**

peticionar *v.* 1 **pedir**, suplicar, deprecar, rogar, implorar 2 **requerer**, impetrar, suplicar

peticionário *n.m.* 1 **requerente**, solicitador 2 **suplicante**, pedinte

petisca *n.f. col.* **beata**, prisca, carocha

petiscar *v.* 1 **debicar** *fig.*, lambiscar, paparicar, pastinhar *col.* 2 **saborear**, degustar, provar, experimentar

petisco *n.m.* 1 **acepipe**, pitéu, petisqueira, quitute [BRAS.] 2 **guloseima**, gulodice, doçaina, acepipe, lambarice, pitéu 3 *fig.* **pãozinho**

petitar *v.* **requerer**, reclamar, demandar

petiz *adj.2g.* **garoto**, menino ■ *n.m. col.* **criança**, bambino, catraio, fedelho, miúdo, garoto, infante, menino, pequeno, pirralho

petizada *n.f.* **criançada**, miudagem, pequenada, gurizada [BRAS.]

peto *n.m.* 1 ORNIT. **cavalo-rinchão**, cardeal, cavalinho, cabeça-de-cobra, peto-real, rinchão, piadeiro, pica-pau-malhado, piadeira, pica-pau-verde, fuinho, pito-verdeal, passa-fomes, rincha-cavalos, alfanado 2 **mealheiro** 3 **bico** ■ *adj.* 1 **estrábico**, enviesado, mirolho, vesgo, torto, caolho [BRAS.] 2 **impertinente**, maçador, importuno, molesto ≠ **agradável**, deleitável

petrificação *n.f.* 1 **fossilização**, mineralização 2 **estagnação**, paralisação, encalhe *fig.* ≠ **evolução**, progressão

petrificado *adj.* 1 **empedernido**, lapidificado, mumificado *fig.* 2 *fig.* **estupefacto**, assombrado, estarrecido, siderado, perplexo ≠ **indiferente**, insensível 3 *fig.* **estacionário**, paralisado, encalhado ≠ **evoluído**, avançado

petrificar *v.* 1 **empedernir**, lapidificar 2 **endurecer**, insensibilizar, desumanizar 3 *fig.* **pasmar**, embasbacar, espantar 4 *fig.* **estupeficar**, assombrar, estarrecer, siderar

petrificar-se *v.* 1 **empedrar-se**, endurecer, pedrar-se 2 *fig.* **empedernir-se**, desumanizar-se, endurecer, insensibilizar 3 *fig.* **pasmar**, embasbacar-se 4 *fig.* **apavorar-se**

petroleiro *n.m.* 1 **navio-cisterna** 2 **petrolista**, incendiário

petróleo *n.m.* 1 *col.* **gás** 2 *col.* **vinho**, briol

petulância *n.f.* **descaramento**, atrevimento, desavergonhamento, insolência, desabuso, desaforo, desplante, ousadia, moedouro *fig.*, fumaças ≠ **vergonha**, timidez, modéstia, comedimento

petulante *adj.2g.* 1 **descarado**, atrevido, desavergonhado, desabusado, insolente, desaforado, ousado, procaz ≠ **vergonhoso**, tímido, modesto, comedido 2 **arrogante**, imodesto, orgulhoso, desdenhoso, soberbo, altivo, sobranceiro *fig.* ≠ **humilde**, modesto, simples

peúga *n.f.* **coturno**, meiote, soquete

peugada *n.f.* **pegada**, vestígio, rasto, pisada, palmilha, trilha

peva *n.f. col.* **nada**, patavina, zero

pevide *n.f.* **morrão**

pez *n.m.* **breu**, piche, colofónia

pia *n.f.* 1 **carlinga** 2 **tanque**

piada *n.f.* 1 **pio**, piado, pipio 2 *fig.* **chalaça**, graça, pilhéria, chiste, facécia, motejo, brincadeira, gracejo, galhofa, historiúncula ≠ **seriedade**, sisudez, gravidade **3** *fig.* **remoque**, motejo, ironia

piamente *adv.* **1** **sinceramente**, genuinamente, verdadeiramente ≠ **falsamente** **2** **devotamente**, religiosamente, piedosamente, santamente

piano *n.m. col.* **cama** ■ *adv.* **1** MÚS. **baixinho**, suavemente, brandamente, docemente ≠ **alto**, forte **2** **devagar**, lentamente, pausadamente ≠ **aceleradamente**, apressadamente

pião *n.m.* **zoga** [REG.]

piar *v.* **1** (aves) **chiar**, pipilar, pipitar **2** *fig.* **falar**, dizer, pronunciar **3** *fig.* **queixar-se**, lamentar-se **4** *fig.* **opinar**, alvitrar, palpitar

pica *n.f.* **1** (pouco usado) **pique** **2** *infant.* **injeção** **3** *col.* **energia**, entusiasmo, vivacidade, furor, frenesim, chama *fig.* ≠ **apatia**, desinteresse **4** *vulg.* **pénis**, falo, pene, pila *col.*, caralho *vulg.*, badalo *col.,vulg.*, pau *vulg.*, piça *vulg.* **5** ICTIOL. **camarão-bruxo**, peixe-rei, piarda **6** ICTIOL. **escalo**, bordalo, escalho, robalinho, ruivaco, galo

picada *n.f.* **1** **espetadela**, picadela, picadura **2** **ferroada**, navalhada **3** **bicada** **4** *col.* **navalhada**, facada, naifada *col.* **5** *fig.* **sintoma**, sinal **6** *fig.* **desgosto**, pesar, mágoa, desconsolação ≠ **contentamento**, alegria, satisfação

picadeiro *n.m.* **picaria**, manejo

picadela *n.f.* **picada**, espetadela

picado *adj.* **1** **furado**, perfurado **2** *fig.* **estimulado**, excitado, instigado, incentivado, avivado ≠ **desinteressado**, indiferente, desapegado, desmotivado **3** *fig.* (mar, rio) **agitado**, encapelado, alteroso, crespo, marulhoso, marulhento, undabundo ≠ **calmo**, sereno **4** *fig.* **irritado**, ofendido, magoado, ressabiado ■ *n.m.* **recheio**

picador *n.m.* **furador**, obliterador

picadora *n.f.* CUL. **trituradora**

picante *adj.2g.* **1** **apimentado**, ardoso, puxante, puxavante **2** **salgado** **3** **irritante** **4** *fig.* **mordaz**, malicioso, brejeiro, cáustico ≠ **sério**, íntegro

picão *n.m.* **1** **picareta**, marrão, pico **2** *ant.,col.* **brigão**, desordeiro, arruaceiro, turbulento ≠ **pacificador**, apaziguador

pica-pau *n.m.* ORNIT. **corta-pau**, marelão, trepadeira-azul, peto-malhado, peto-galego, verdeal

picar *v.* **1** **ferretoar**, aguilhoar **2** **bicar**, espicaçar **3** **arpoar** **4** **esporear** **5** **furar**, perfurar, picotar **6** (alimentos) **triturar** **7** *fig.* **provocar**, espicaçar, acirrar **8** *fig.* **irritar**, zangar **9** *fig.* **perseguir**, importunar **10** *fig.* **furtar**, roubar, surripiar, subtrair, gatunar, larapiar, pilhar, escamotear, bifar *col.* ≠ **devolver**, entregar, dar

picardia *n.f.* **1** **vileza**, velhacaria, patifaria, baixeza **2** **desfeita**, desconsideração, ofensa, insulto **3** **galhardia**, elegância, garbo, distinção

picaresco *adj.* **burlesco**, bufo, ridículo, irrisório, grotesco, cómico ≠ **sério**, grave, sisudo

picareta *n.f.* **1** **alvião**, alfece, bidente, picadeira **2** **picão**, marrão, pico **3** **caramelo**, carapeto

picaria *n.f.* **1** **equitação** **2** **picadeiro**, manejo

pícaro *adj.* **1** **velhaco**, malicioso, vil ≠ **honesto**, sério, justo, verdadeiro **2** **ardiloso**, astuto, esperto, finório, matreiro ≠ **correto**, honesto, verdadeiro, sincero **3** **burlesco**, ridículo, grotesco, cómico, irrisório ≠ **sério**, grave, sisudo

picar-se *v.* **1** **ferir-se**, magoar-se **2** **irritar-se**, zangar-se, enfurecer-se, embravecer

picheleiro *n.m.* **canalizador**, encanador [BRAS.]

pico *n.m.* **1** **ponta**, bico, acúleo, espinho, pua **2** **picareta**, picão, marrão **3** **auge**, clímax, culminância, zina, pino *fig.*, apogeu *fig.*, zénite *fig.*, coronal *fig.* **4** *fig.* **acidez** **5** *fig.* **graça**, chiste, piada, picuinha, pilhéria, graçola, broma, brinco, gracejo, bisca *fig.*, laracha *col.* **6** *fig.* **malícia**, manha, astúcia, esperteza, finura

picotar *v.* **1** **picar** **2** **furar**, perfurar, picar

picote *n.m.* **burel**

picoto *n.m.* **cume**, cimo, alto, cumeeira, cimeira, auge, topo, cocuruto *fig.* ≠ **base**, sopé, falda, aba

pictórico *adj.* **pitoresco**, pictural, pintural

pictural *adj.2g.* **pictórico**, pitoresco, pintural

picuinha *n.f.* **1** *fig.* **piada**, chiste, pilhéria, graçola, broma, brinco, gracejo, bisca *fig.*, laracha *col.* **2** *fig.* **ninharia**, bagatela, insignificância, niquice, nada, futilidade, migalhice, minúcia, ridicularia, avo *fig.*, tuta e meia *col.*, nica *col.*, caganifância *col.* ≠ **importância**, utilidade, valor, transcendência, relevância, interesse **3** *fig.* **cisma**, implicância ■ *adj.,n.2g.2n.* **coca-bichinhos**

pida *n.f.* **1** [REG.] **gandaia**, vadiagem **2** [REG.] **estroinice**

piedade *n.f.* **1** **devoção**, religiosidade **2** **compaixão**, dó, misericórdia, caridade, bondade, comiseração, clemência, humanidade *fig.* ≠ **desumanidade**, malevolência

piedoso *adj.* **1** **devoto**, religioso **2** **compassivo**, misericordioso, caritativo, bondoso, humano, clemente ≠ **desumano**, desalmado, desapiedado, trucidante, trucidador

piegas *adj.,n.2g.2n.* **1** **lamecha**, sentimentalão, meloso *pej.* **2** **assustadiço**, medrica, cagarola *col.* ≠ **valente**, audaz, corajoso **3** **niquento**

pieguice *n.f.* **1** **lamechice**, melúria **2** **niquice**, bagatela, insignificância, ninharia, nada, futilidade, migalhice, minúcia, ridicularia, nica *col.*, avo *fig.*, tuta e meia *col.*, caganifância *col.* ≠ **importância**, utilidade, valor, transcendência, relevância, interesse

pieira *n.f.* **piado**, farfalho, rala, panelo *col.*, ronqueira *col.*, farfalheira *col.*, cascalheira *fig.*, roqueira

piela *n.f. col.* **embriaguez**, ebriedade, bebedeira, borracheira, bruega, cabeleira, cardina, carraspana, cabra [REG.], tiorga *col.* ≠ **sobriedade**, abstemia

pifar *v.* **1** *col.* **bifar**, surripiar, gatunar, roubar, furtar, subtrair, ladroar, pilhar, escamotear ≠ **devolver**, restituir **2** *col.* **avariar**, falhar, empanar

pigarrear *v.* **catarrear**

pigmentação *n.f.* **coloração**, colorido, cor, cromatismo, tonalidade, tintura, tinção ≠ **descoloração**, despigmentação

pigmentar *v.* **colorar**, colorir, corar, tingir, pintar ≠ **descolorir**, descorar ■ *adj.2g.* **pigmentário**

pigmeu *n.m.* **1** *fig.* **homenzinho**, pilrete, homúnculo **2** *fig.* **homúnculo**, zé-ninguém, insignificante, bonifrate *fig.*, pingarelho *col.*, janistroques *col.*, alfarricoque *col.*, jagodes *col.*, homenzinho *pej.*, badameco *pej.*, criaturinha *pej.*, zá-faz-formas *col.,pej.*, zé-godes *col.,pej.*, leguelhé

pila *n.f.* **1** *col.* **pénis**, falo, pene, caralho *vulg.*, badalo *col.,vulg.*, pau *vulg.*, pica *vulg.*, piça *vulg.* **2** [REG.] **galinha**

pilado *adj.* **1** (com o pilão) **esmagado**, pisado **2** (castanha) **descascado** ■ *n.m.* ZOOL. **navalheira**, santolinha

pilão *n.m.* **1** *col.* **pelintra**, mendigo, humilde, pobre ≠ **rico**, possidente, capitalista *fig.* **2** **pilone** **3** [REG.] (em forma circular) **picadeiro**, manejo, picaria

pilar *v.* **1** (com o pilão) **pisar**, esmagar, moer, calcar **2** **descascar**, cascar, decorticar ■ *n.m.* ARQ. **coluna**

pilastra *n.f.* **botaréu**

pileca *n.f.* *col.* **rocim**, rocinante, cavalicoque, azémola, bucéfalo *irón.*, canivete [BRAS.]

pilha *n.f.* **1** **montão**, monte, cúmulo, acumulação, acervo, castelo *fig.* **2** **ajuntamento**, aglomeração, multidão **3** *col.* **lanterna**, facho, fanal, luminária **4** ORNIT. **rola-do-mar**, pírula, rolinha

pilhagem *n.f.* **saque**, furto, roubo, saqueio, cevadura

pilhar *v.* **1** **roubar**, furtar, surripiar, subtrair, gatunar, larapiar, escamotear, bifar *col.* ≠ **devolver**, restituir **2** **saquear**, saltear, crestar **3** **apanhar**, agarrar **4** **obter**, conseguir **5** **encontrar**, surpreender, achar **6** **alcançar**, atingir

pilhéria *n.f.* **piada**, picuinha, chiste, graçola, broma, brinco, gracejo, bisca *fig.*, laracha *col.*, jogralice

pilim *n.m.* *gír.* **dinheiro**, ouro *fig.*, cabedal *fig.*, bagaço *fig.*, metal *fig.,col.*, cacau *col.*, guita *col.*, pastel *col.*, carcanhol *gír.*, pasta *col.*, pingo *col.*, bagalho *col.*, bagalhoça *col.*, massaroca *col.*, milho *col.*, pataco *col.*, pecúnia *col.*, teca *col.*, bago *col.*, grana [BRAS.] *col.*, tutu [BRAS.]

pilone *n.m.* ARQ. **pilão**

piloso *adj.* **1** **peludo**, cabeludo, pilífero, verçudo **2** **pubescente**, penugento

pilota *n.f.* **1** **cansaço**, estafa, fadiga, laxidão ≠ **energia**, força, vigor **2** **tareia**, pancada, sova, capilota *col.*, coça *fig.* **3** **azar**, contrariedade, revés, prejuízo, desventura **4** **derrota**, perda, fracasso ≠ **vitória**, ganho, sucesso **5** *fig.* **crítica**, censura, reprimenda ≠ **elogio**, louvor

pilotagem *n.f.* **1** **praticagem** **2** **pilotos**

pilotar *v.* **1** (avião, navio, etc.) **dirigir**, conduzir, governar **2** *fig.* **dirigir**, governar, gerir

piloto *n.2g.* **1** **condutor** **2** *fig.* **diretor**, dirigente, guia, orientador

pílula *n.f.* FARM. **comprimido**, pastilha, drageia

pimenta *n.f.* **1** BOT. **pimenteira** **2** *fig.* **malícia**, manha, astúcia

pimentão *n.m.* BOT. **pimenteiro**

pimenteira *n.f.* BOT. **pimenta**

pimenteiro *n.m.* BOT. **pimentão**

pimentinha *n.f.* BOT. **cumari**, cumbarim

pimpão *adj.* **1** **arrogante**, altivo, insolente, presumido, fanfarrão ≠ **respeitador**, educado, civilizado **2** **valentão**, valente, audaz, audacioso, corajoso, destemido, temerário ≠ **cobarde**, medroso **3** **janota**, elegante, chique, requintado, fino, esmerado, garrido, sécio, apurado *fig.* ≠ **deselegante**, desapurado, descuidado ■ *n.m.* **1** **janota**, peralta, casquilho, taful, joanico, cadete *fig.* **2** ICTIOL. **peixe-vermelho**, peixe-dourado, peixe-da-china, serasmão

pina *n.f.* **camba**

pináculo *n.m.* **1** **cume**, cimo, alto, topo, sumidade, fastígio, píncaro, cocuruto **2** **cúpula**, zingamocho, zimbório **3** **coruchéu** **4** *fig.* **auge**

pinar *v.* *vulg.* **copular**

píncaro *n.m.* **1** **pináculo**, alcantil, cimo, cume, topo, fastígio, sumidade **2** **cimo**, alto, cumeeira, cimeira, auge, topo, cocuruto *fig.* ≠ **base**, sopé, falda, aba

pincel *n.m.* **1** *fig.* **pintura** **2** *fig.* **pintor** **3** *fig.* **colorido** **4** *col.* **maçada**, chatice, estopada *fig.*, estucha *fig.*

pincelada *n.f.* **1** **pincelagem** **2** *fig.* **retoque**, demão

pincelar *v.* **pintar**

pinchar *v.* **1** **saltar**, pular, dançar, cabriolar, espinotear ≠ **imobilizar**, parar, cessar **2** **foliar**, folgar, brincar, divertir-se ≠ **aborrecer-se**, entediar-se, enfastidiar-se **3** **empurrar**, impelir, precipitar **4** **derrubar**, abater, precipitar

pincho *n.m.* **1** **salto**, pulo, cabriola, pinote **2** **impulso**

pinga *n.f.* **1** **gota**, pingo, camarinha, lágrima, esférula **2** *fig.* **gole**, golada, trago, sorvo, hausto **3** *fig.* **vinho**, briol **4** *fig.* **embriaguez**, ebriedade, bebedeira, borracheira *col.*, piela *col.*, bruega *col.*, cabeleira *col.*, cardina *col.*, carraspana *col.*, cabra [REG.] ≠ **sobriedade**, abstemia **5** [BRAS.] **aguardente**, canjica, tafiá, cana, cachaça [BRAS.], mandureba [BRAS.] *col.*, supupara [BRAS.] *col.*, jiripiti [BRAS.] ■ *adj.,n.m. col.* **pelintra**, pobre, mendigo, humilde, pilão ≠ **rico**, possidente, capitalista *fig.*

pingado *adj.* 1 **matizado**, salpicado 2 *col.* **embriagado**, ébrio, enfrascado, bicudo, tocado, grogue, chumbado ≠ **sóbrio**, abstémico

pingar *v.* 1 **gotejar**, destilar, estilar, ressumbrar, rorejar, lacrimejar *fig.* 2 **chuviscar**, morrinhar, molinhar, borrifar, borriçar, librinar, orvalhar *col.*, peneirar *fig.*, merujar [REG.] 3 (ao dormitar) **cabecear**, escabecear, toscanejar, descair, inclinar-se

pingente *n.m.* 1 **pendente**, berloque, penduricalho 2 **brinco** 3 [BRAS.] **pendura** *col.*

pingo *n.m.* 1 **banha**, pingue, gordura, gordo, unto, axúnguia, enxúrdia 2 (especialmente de gordura) **gota**, pinga, camarinha, lágrima, esférula 3 [REG.] **garoto** [REG.] 4 *col.* **dinheiro**, cacau, guita, pastel, pasta, bagalho, bagalhoça, massaroca, massa, pataco, pecúnia, teca, carcanhol *gír.*, ouro *fig.*, cabedal *fig.*, bagaço *fig.*, bago, metal *fig.,col.*, grana [BRAS.], tutu [BRAS.] 5 **ranho**, muco 6 **nódoa**, mácula, mancha, laivo, pinta

pingue *adj.2g.* 1 **gordo**, obeso, adiposo, untuoso, balofo [BRAS.] ≠ **magro**, chupado, delgado, esguio 2 **fértil**, fecundo, frutífero, produtivo, úbere ≠ **estéril**, infecundo, infértil 3 **lucrativo**, proveitoso, rentável, valioso, vantajoso, choroso *col.* ≠ **prejudicial**, danoso ■ *n.m.* **banha**, gordura, gordo, unto, pingo, axúnguia, enxúrdia

pingue-pongue *n.m.* DESP. **ténis de mesa**

pinguim *n.m.* ORNIT. **torda-mergulheira**, naufragado [BRAS.]

pinha *n.f.* 1 BOT. **ateira**, fruta-do-conde, ata [BRAS.] 2 **aglomerado**, aglomeração, conjunto, monte, grupo 3 *col.* **cabeça**, bola *col.*, cachimónia *col.*, capacete *col.*, cachola *col.*, carola *col.*, tola *col.*, mona *col.*, caco *fig.*, cuca [BRAS.], mocha *gír.*

pinhal *n.m.* **pinheiral**, bastio

pinhão *n.m.* 1 BOT. **penisco** 2 *col.* **carolo**, cascudo, castanha, coque, croque, coscorrão, chapeleta, tafoné, tálitro

pinheiral *n.m.* **pinhal**, bastio

pinheiro *n.m.* **pinho**

pinho *n.m.* **pinheiro**

pino *n.m.* 1 **zénite** 2 (no jogo da malha) **meco** 3 *fig.* **apogeu**, auge, culminância, culminação, clímax, fastígio, zina, ápice *fig.*, coronal *fig.*

pinoca *adj.,n.2g.* 1 *col.* **janota**, casquilho, garrido, faceiro, taful, peralvilho, catita, pimpão, peralta, títere, aprumado *fig.* ≠ **deselegante**, desajeitado, desairoso, desgracioso 2 *col.,pej.* **pedante**, afetado, petulante, pretensioso, enfatuado, presunçoso ≠ **modesto**, humilde, simples

pinote *n.m.* 1 **coice** 2 **pirueta**, cabriola, reviravolta, cambalhota 3 **salto**, pulo, cabriola, pincho

pinotear *v.* 1 **escoiçar**, coucear 2 **cabriolar**, piruetar, cambalhotar ≠ **imobilizar**, parar, cessar

pinta *n.f.* 1 **salpico**, pingo 2 *fig.* **aparência**, aspeto, feição, figura, fisionomia, presença, fachada, ar 3 *fig.* **índole**, carácter, temperamento, vocação, natureza, compleição, cariz, génio 4 *fig.* **qualidade**, classe ■ *adj.* (galinha) **pedrês**

pintada *n.f.* ORNIT. **galinha-da-índia**, galinha-da-guiné, estou-fraca, galinhola

pintado *adj.* 1 **colorido**, tinto ≠ **descolorido**, pálido *fig.* 2 **matizado**, salpicado, mosqueado 3 *fig.* **completo**, perfeito, excelente

pintainho *n.m.* **pinto**, frangainho

pintalgar *v.* **sarapintar**, matizar, mesclar, variegar

pintar *v.* 1 **colorir**, colorar, corar, tingir ≠ **descolorir**, descorar 2 **maquilhar** ≠ **desmaquilhar** 3 *fig.* (com minúcia) **descrever**, desfiar, pormenorizar, relatar, explicar, expor 4 *col.* **enganar**, iludir, ludibriar, fraudar, vigarizar, pantomimar, lograr, levar, codilhar *fig.* ≠ **desiludir**, desenganar

pintarroxo *n.m.* ORNIT. **tentilhão**, pimpalhão, pimpim, chincho, serrazina, vermelhinho, peito-vermelho, cacherá

pintar-se *v.* 1 **maquilhar-se** 2 **tingir-se**

pintassilgo *n.m.* ORNIT. **pinta-cardeira**, pinta-cardim, pintassilvo, pintassirgo, milheiró [REG.], freirinha [REG.]

pinto *n.m.* **pintainho**, frangainho

pintor *n.m.* 1 **pincel** 2 *fig.* **fantasista**, devaneador, idealista, visionário *fig.*, sonhador *pej.* 3 *fig.* **mentiroso**, intrujão, trapaceiro, batoteiro, embusteiro, impostor, tratante, falso, caramboleiro ≠ **honesto**, justo

pintura *n.f.* 1 **quadro**, tela, painel 2 **pincel** 3 **maquilhagem** 4 (minuciosa) **descrição**

pio *n.m.* **piado**, piada, pipio ■ *adj.* 1 **devoto**, religioso, crente, piedoso ≠ **ateísta**, descrente, incrédulo, cético 2 **compassivo**, misericordioso, piedoso, caritativo, bondoso, clemente, humano ≠ **desumano**, desalmado, desapiedado 3 **benigno**, bondoso, caridoso, generoso, benéfico, bom, clemente, humanitário ≠ **desumano**, desalmado, desapiedado, impio

piolho *n.m.* 1 ZOOL. **pulgão**, quirana [BRAS.] 2 **gau**

pioneiro *n.m.* **cabouqueiro**, explorador, escoteiro ■ *adj.,n.m. fig.* **precursor**, vanguardista

pior *adj.2g.* **inferior** ≠ **superior**

piora *n.f.* **agravamento**, deterioração, piorada [BRAS.] ≠ **melhoramento**, apuramento, aprimoramento, acrisolamento

piorar *v.* **agravar**, deteriorar, dificultar, complicar-se, desmelhorar, engravescer, depauperar-se ≠ **melhorar**, apurar, aperfeiçoar, otimizar, acepipar, acurar, esmerar, subtilizar, acrisolar *fig.*, refinar *fig.*, retemperar *fig.*, afiar *fig.*

pipa *n.f.* 1 **vasilha**, barril, casco, tonel, pipo 2 *col.* **beberrão**, borrachão, beberraz, copofone, copista, esponja *col.*, sanguessuga *col.*, sopão *col.*, tonel *fig.*, mata-borrão *fig.* ≠ **abstémio**, abstinente 3 *fig.,pej.* **tortulho**, bazulaque, trolho, odre *col.*, batoque *fig.*, botija *fig.*, tarraco [REG.]

pipeta *n.f.* **argau**

pipi *n.m.* 1 *infant.* **urina** 2 [BRAS.] BOT. **raiz-da-guiné** ■ *adj.,n.2g. pej.* **cocó** *col.*, janota, casquilho, garrido, faceiro, taful, peralvilho, catita, pimpão, peralta, títere *col.*, aprumado *fig.* ≠ **deselegante**, desajeitado, desairoso, desgracioso

pipilar *v.* (aves) **chilrear**, piar, gorjear, papear, gazear, pipiar, zinzilular

pipo *n.m.* **vasilha**, barril, casco, tonel, pipa

pique *n.m.* 1 **acidez**, azedume 2 *fig.* **birra**, capricho, teima, teimosia, obstinação, pertinácia, caturrice, embirração, acinte, porfia, teimosice, turra *fig.*, cenreira *col.* ≠ **flexibilidade**, plasticidade, maleabilidade 3 *fig.* **malícia**, mordacidade, manha, astúcia ≠ **lhaneza**, candura

piquete *n.m.* **ronda**

pira *n.f.* **cremadeiro**, cremadouro

piramidal *adj.2g.* 1 **extraordinário**, prodigioso, surpreendente, espantoso, maravilhoso, fenomenal *fig.* ≠ **banal**, comum, ordinário, vulgar 2 *fig.* **colossal**, monumentoso, enorme, gigantesco ≠ **pequeno**, minúsculo 3 *fig.* **importante**, relevante, principal, essencial, marcante, fundamental ≠ **insignificante**, irrelevante, secundário

pirar *v.* [BRAS.] **enlouquecer**, endoidecer, avariar *fig.,col.*, marar *col.*

pirar-se *v. col.* **fugir**, pisgar-se, raspar-se, desaparecer, esgueirar-se, evadir-se, safar-se, bazar *col.*, miscar-se *col.*, ciscar-se *col.*

pirata *n.2g.* 1 **corsário**, pechilingue [BRAS.] 2 **ladrão**, gatuno, salteador, larápio, ratoneiro, bandido, bandoleiro, ladrilho 3 *fig.* **malandro**, velhaco, biltre, patife, futre, bandalho, safado, infame, brejeiro, pulha *col.*, canalha *pej.* ≠ **notável**, honesto, respeitador 4 INFORM. **hacker**

pirataria *n.f.* 1 **corso**, piratagem 2 *fig.* **extorsão**, roubo, furto, ladroagem, patifaria, usurpação

piratear *v.* **roubar**, assaltar, furtar, ladroar, extorquir, usurpar

pires *adj.inv.* 1 *col.* **piroso**, pífio, parolo *pej.*, panasqueiro *col.,pej.*, brega [BRAS.], cafona [BRAS.] ≠ **fino**, requintado, elegante 2 *col.* **ridículo**, caricato 3 *col.* **vulgar**, ordinário, comum, corriqueiro, trivial ≠ **distinto**, singular 4 *col.* **pretensioso**, vaidoso, orgulhoso, afetado, fátuo ≠ **despretensioso**, desafetado, modesto

pirético *adj.* **febril** ≠ **apirético**

pirexia *n.f.* 1 MED. **febre** ≠ **apirexia** 2 *fig.* **exaltação**, delírio, excitação, frenesim ≠ **calma**, serenidade, tranquilidade

piri *n.m.* CUL. **piripíri**

pirilampo *n.m.* ZOOL. **vaga-lume**, abre-cu, arincu, caga-lume, luze-cu, luz-luz, luzincu, lumieiro, luzilume

piripíri *n.m.* CUL. **piri**

piroga *n.f.* **monóxilo**

piromaníaco *adj.,n.m.* **incendiário**, pirómano

piropo *n.m.* **elogio**, galanteio, madrigal, gracejo, festejo

piroso *adj. col.* **pires**, pífio, parolo *pej.*, panasqueiro *col.,pej.*, brega [BRAS.], cafona [BRAS.], pindérico *col.,pej.* ≠ **fino**, requintado, elegante ■ *n.m. col.* **parolo**, azeiteiro, pexote, bimbo *col.,pej.*

pirotecnia *n.f.* **pirobologia**

pirotécnico *n.m.* **fogueteiro**, pirobologista

pirraça *n.f.* 1 **partida**, acinte, teima 2 **caturrice**, birra, perraria, perrice, teima, obstinação ≠ **flexibilidade**, plasticidade, maleabilidade

pirrónico[AO] ou **pirrônico**[AO] *adj.* 1 FIL. **cético** 2 *fig.* **obstinado**, teimoso, pertinaz, relutante, renitente, persistente ≠ **desistente**, renunciador

pirueta *n.f.* 1 **cabriola**, reviravolta, pinote, cambalhota 2 *fig.* **reviravolta**, guinada, mutação, salto, virada, viragem, volte-face

pisa *n.f.* 1 **calcagem**, pisada 2 *fig.* **sova**, tunda, tareia, surra, coça, zurzidela, cheganço *col.*

pisada *n.f.* 1 **calcagem**, pisa 2 **pisadela**, calcadela 3 **pegada**, peugada, palmilha, vestígio

pisadela *n.f.* 1 **calcadela**, pisada, pisamento 2 **trilhadela** 3 **pisadura**, contusão, equimose, exsucação, negra, hematoma, maçadura

pisão *n.m.* **pisador**

pisar *v.* 1 **calcar**, esmagar, espezinhar, trilhar, acalcanhar, premer, prensar, socalcar, matrucar [REG.] 2 **percorrer**, caminhar 3 **trilhar**, contundir, calcar, esmagar 4 **moer**, esmagar, triturar, macerar 5 *fig.* **vexar**, humilhar, menosprezar, oprimir, espezinhar, acalcanhar, calcar ≠ **prestigiar**, estimar, considerar, valorizar, venerar, acatar 6 *fig.* **ofender**, melindrar, machucar, magoar, chagar, contundir ≠ **respeitar**, honrar, considerar, estimar 7 *fig.* **vencer**, dominar, subjugar, domar, controlar ≠ **sujeitar-se**, submeter-se, acatar

pisca *n.f.* 1 **grãozinho** 2 **chispa**, fagulha, faúlha, centelha 3 [REG.] **prisca**, beata, carocha *col.* ■ *n.m.* (veículos) **pisca-pisca**

piscar *v.* 1 **pestanejar** 2 **bruxulear**, tremular, lampejar, tremeluzir, cintilar, fulgurar, lamparejar

piscatório *adj.* **pesqueiro**

pisciforme *adj.2g.* **ictiomorfo**

piscina *n.f.* **natatório**

pisco *adj.* 1 **semiaberto**, entreaberto ≠ **semifechado**, entrecerrado, semicerrado 2 **zarolho**, vesgo, pitosga, torto, estrábico, mirolho ■ *n.m.* 1

ORNIT. **pisco-de-peito-ruivo** 2 *fig.* **má-boca** ≠ **lambareiro**, lambão, lambaças, glutão, comilão, alarve, gargantão, guloso, lambe-pratos *col.*, rapa *col.*, papão *fig.,col.*, ogre *fig.*

piso *n.m.* 1 **chão**, pavimento, sobrado, soalho 2 **andar**, pavimento, tabuleiro

pisoar *v.* **enfortir**, apisoar

pista *n.f.* 1 **peugada**, pegada, rasto, vestígio, pisada, palmilha, trilha 2 **indício**, sinal, indicação, marca, prova 3 *fig.* **perseguição**, investigação, procura, busca, encalço, caça 4 *téc.* **banda**

pistão *n.m.* 1 **êmbolo** 2 MÚS. **corneta**

pistilo *n.m.* BOT. **gineceu**

pistola *n.f.* **revólver**, fusca *gír.*, fria [BRAS.] *col.*

pistoleiro *n.m.* 1 **salteador**, bandido, malfeitor, ladrão, bandoleiro, facínora, criminoso, escroque, canalha *pej.*, cangaceiro [BRAS.] ≠ **honesto**, respeitador 2 **sicário**, facínora

pita *n.f.* 1 **piteira** 2 **franga**

pitada *n.f.* 1 **narigada** 2 **fedor**, cheiro, cheirete, fedentina, fétido, pivete, malina *col.* ≠ **aroma**, odor, perfume

piteira *n.f.* 1 BOT. **piteira-de-boi** 2 *col.* **embriaguez**, ebriedade, bebedeira, borracheira *col.*, piela *col.*, bruega *col.*, cabeleira *col.*, cardina *col.*, carraspana *col.*, cabra [REG.] ≠ **sobriedade**, abstemia 3 [REG.] **dívida**, calacre, calote *col.*, cão *col.*, seixo [BRAS.] *col.*

pitéu *n.m.* 1 **acepipe**, petisco, petisqueira, quitute [BRAS.] 2 **guloseima**, gulodice, doçaina, acepipe, lambarice, petisco

pito *n.m.* 1 **pinto**, franguinho 2 *vulg.* **vulva**, passarinha *vulg.*, rata *vulg.*, grila *vulg.*, crica *vulg.*, cona *vulg.* 3 [BRAS.] **cachimbo**, jingo [BRAS.] 4 [BRAS.] **cigarro** 5 [BRAS.] **reprimenda**, repreensão, admoestação, descompostura, ralhete, advertência, censura, ralho, carão [BRAS.] ≠ **elogio**, louvor, aplauso

pitonisa *n.f.* **pítia**, profetisa

pitoresco *adj.* 1 **pictórico**, pictural 2 *fig.* **deleitoso**, ameno, agradável, aprazível, voluptuoso, prazenteiro, delicioso ≠ **desgostoso**, enfadado, desprazível, desagradável 3 *fig.* **picante**, imaginoso, original

pitosga *adj.,n.2g.* **cegueta**, míope

pivete *n.m.* **fedor**, cheiro, cheirete, fedentina, fétido, pitada, malina *col.* ≠ **aroma**, odor, perfume

placa *n.f.* 1 **chapa**, lâmina 2 **lajem** 3 **condecoração**, venera, medalha 4 **dentadura**

placidez *n.f.* 1 **calma**, sossego, tranquilidade, serenidade, quietação, imperturbabilidade ≠ **preocupação**, inquietação, apreensão, cisma, ralação, apoquentação, consumição 2 **fleuma**

plácido *adj.* 1 **calmo**, sereno, tranquilo, sossegado, ameno, quieto, bonançoso, brando, quedo ≠ **agitado**, perturbado, inquieto 2 **pacífico**, pacato, paciente, bonacheirão, manso ≠ **turbulento**, buliçoso, agitado, desordeiro 3 **fleumático**

plagiador *n.m.* **imitador**, copista, plagiário

plagiar *v.* **copiar**, imitar, fingir, roubar, amacacar, forragear *fig.*

plágio *n.m.* **cópia**, plagiato, servilismo

plaina *n.f.* 1 **garlopa** 2 *fig.* **desbastador**

plana *n.f.* 1 **classe**, ordem, categoria, graduação 2 **plano** 3 **reputação**

planalto *n.m.* **chã**, antiplano, esplanada, planada, planura, rechã, meseta

planar *v.* (ave) **pairar**, esvoaçar, adejar, flutuar

planeamento *n.m.* **preparação**, organização, planificação

planear *v.* 1 **projetar**, arquitetar, delinear, planizar 2 **planificar**, estruturar, organizar, preparar 3 **programar**, calendarizar, elaborar 4 **tencionar**, intentar, projetar, conceber, arquitetar

plangente *adj.2g.* 1 **choroso**, lacrimoso, lamuriador, lagrimante, lugente ≠ **sorridente**, risonho 2 **lastimoso**, triste, magoado, sentido, pesaroso, desgostoso, nojoso ≠ **alegre**, feliz, contente

planície *n.f.* **planura**, várzea, campina, chã, plano, chapada, planeza, campanha [REG.]

planificação *n.f.* **preparação**, organização, planeamento, plano

planificar *v.* 1 **traçar**, desenhar, delinear, esboçar 2 **planear**, estruturar, organizar, preparar

planisfério *n.m.* **planiglobo**

plano *adj.* 1 **liso**, raso, chão, reto, direito, chato, nivelado ≠ **curvo**, sinuoso, ondulado, torto 2 *fig.* **claro**, simples, compreensível ≠ **obscuro** *fig.*, complicado, incompreensível ■ *n.m.* 1 **planta**, traçado, desenho, projeto 2 **diagrama** 3 **planificação**, programa 4 **esboço**, estrutura 5 **projeto**, ideia, propósito, intento, gizamento *fig.* 6 **planície**, planura, várzea, campina, chã, chapada, campanha [REG.]

planta *n.f.* 1 **vegetal** 2 **plano**, traçado, desenho, projeto 3 **mapa**, carta topográfica 4 *col.* **presença**, apresentação

plantação *n.f.* 1 **plantio**, cultivo, cultivação, cultura 2 **cultura** 3 **campo**

plantar *v.* 1 **cultivar**, semear, prantar *ant.,col.* ≠ **apanhar**, colher, recoltar 2 *fig.* **implantar**, incentivar, incutir, estimular ≠ **desincentivar**, desanimar, desencorajar 3 *fig.* **estabelecer**, colocar, assentar, consolidar ≠ **desestabilizar**, desarmonizar 4 *fig.* **sugerir**, instilar, insinuar, aconselhar

plantar-se *v.* 1 **colocar-se**, estacionar, pôr-se, conservar-se, postar-se 2 **arreigar-se**, estabelecer-se

plantel *n.m.* DESP. **equipa**

plantio *n.m.* **plantação**, cultivo, cultivação, cultura

planura *n.f.* 1 **planície**, chã, várzea, campina, plano, chapada, campanha [REG.] 2 **planalto**, antiplano, esplanada, planada, chã, rechã, meseta

plasmar *v.* **modelar**, amoldar, moldar, jorjar, plastificar, talhar *fig.*

plástica *n.f.* **modelação**

plasticidade *n.f.* **maleabilidade**, flexibilidade ≠ **inflexibilidade**, rigidez

plasticizar *v.* 1 **plastificar** 2 **modelar**, amoldar, moldar, jorjar, plasmar, talhar *fig.*

plástico *adj.* **moldável**, maleável, dúctil, flexível ≠ **rígido**, inflexível, duro

plastificar *v.* 1 **plasticizar** 2 **modelar**, amoldar, moldar, jorjar, plasmar, talhar *fig.*

plataforma *n.f.* 1 **terraço**, açoteia, eirado 2 **estrado** 3 *fig.,col.* **simulacro**, aparência

plateia *n.f.* **público**, auditório, assistência, assembleia, espectadores, circunstantes

platina *n.f.* **porta-objeto**, lâmina

platónico[AO] ou **platônico**[AO] *adj.* **ideal**, imaterial, ascético, puro, casto ≠ **material**, carnal

plausibilidade *n.f.* **probabilidade**, verosimilhança, conceptibilidade, possibilidade ≠ **impossibilidade**, inaceitabilidade, inadmissibilidade

plausível *adj.2g.* 1 **laudável**, louvável, elogiável, meritório, notável, apreciável, irrepreensível ≠ **censurável**, criticável, repreensível, condenável 2 **aceitável**, razoável, admissível, conceptível, concebível, crível, possível, pensável ≠ **inconceptível**, inadmissível, impossível, inaceitável

plebe *n.f.* 1 **povo**, patuleia, vulgo, povinho *col.* 2 *pej.* **ralé**, gentalha, escória, cascalho *fig.*, borra *fig.*, escumalha *fig.,pej.*, enxurro *fig.,pej.* ≠ **elite**, escol, nata *fig.*

plebeu *adj.* **vilão**, popular ≠ **nobre**, aristocrata, fidalgo ■ *n.m.* **ruão**, peão, popular ≠ **nobre**, aristocrata, fidalgo

Plêiadas *n.f.* ASTRON. **Sete-Estrelo**

pleitear *v.* 1 **litigar**, contender, altercar, disputar, digladiar ≠ **acordar**, conciliar 2 **defender** 3 **disputar**, discutir, debater 4 **rivalizar**, competir, concorrer, emular ≠ **aliar**, conciliar

pleito *n.m.* 1 **litígio**, demanda, processo, causa, ação 2 **disputa**, discussão, debate, altercação, contestação, contenda ≠ **acordo**, concórdia, conformidade 3 **rivalidade**, concorrência, competitividade, competição, disputa, emulação ≠ **cooperação**, aliança

plenamente *adv.* **completamente**, inteiramente, totalmente ≠ **incompletamente**, desigualmente, parcialmente

plenário *adj.* **inteiro**, total, integral, completo, pleno, absoluto ≠ **parcial**, incompleto

plenilúnio *n.m.* **lua cheia**

plenitude *n.f.* 1 **amplitude**, desenvolvimento, extensão 2 **grandeza** ≠ **pequeneza** 3 **plenidão** ≠ **escassez**, falta 4 **totalidade** ≠ **parcialidade**

pleno *adj.* 1 **completo**, cheio ≠ **vazio** 2 **inteiro**, total, integral, completo, absoluto, plenário ≠ **parcial**, incompleto 3 **perfeito** ≠ **imperfeito**

pleonasmo *n.m.* 1 **macrologia**, redundância, perissologia 2 **circunlóquio**, perífrase, circunlocução, rodeio

pleonástico *adj.* 1 **redundante**, supérfluo, macrológico, perissológico 2 **superabundante**

pletora *n.f. fig.* **superabundância**, profusão ≠ **carência**, falta, insuficiência

pleurisia *n.f.* MED. **pleuris**

plexo *n.m. fig.* **encadeamento**, entrelaçamento, concatenação, ligação

plica *n.f.* **prega**, vinco, dobra, ruga, festo, dobradura, rofego

plicar *v.* **pregar**, dobrar, vincar, refregar, plissar, frangir *col.* ≠ **alisar**, despregar

plinto *n.m.* 1 ARQ. **dado**, peanha, soco, pé, embasamento, base 2 ARQ. **alaque** 3 ARQ. **estilóbata** 4 DESP. **cavalo**

plissar *v.* **pregar**, dobrar, vincar, refregar, franzir, plicar ≠ **alisar**, despregar

pluma *n.f.* 1 **penacho** 2 **flâmula**

plumoso *adj.* 1 **plúmeo** 2 **emplumado** 3 **penífero**, penígero, penudo

plural *adj.2g.,n.m.* GRAM. ≠ **singular**

pluralidade *n.f.* 1 **multiplicidade**, variedade ≠ **unicidade**, singularidade 2 **diversidade**, heterogeneidade, variedade ≠ **homogeneidade**, uniformidade 3 **generalidade**, maioria 4 **multidão**, magote, grupo, rancho, ranchada, bando

plurianual *adj.* BOT. **vivaz**

pluricelular *adj.2g.* BIOL. **multicelular**, policelular

plurilingue *adj.2g.* **poliglota**, multilíngue ≠ **monoglótico**

plutão *n.m. poét.* **fogo**

plutarco *n.m.* **biógrafo**, biografista

plutocracia *n.f.* **argentarismo**, timocracia

pluvial *adj.2g.* 1 **pluvioso** 2 **chovediço**, pluviátil ■ *n.m.* **capa de asperges**

pluvioso *adj.* 1 **chuvoso**, nimboso, nimbífero 2 **pluvial**

pneu *n.m.* **pneumático**

pneumático *n.m.* **pneu**

pó *n.m.* 1 **poeira**, poalha, pojo 2 *fig.* **insignificância**, bagatela, ninharia, niquice, nada, migalhice, poeira, farfalhada, nica *col.*, caganifância *col.* ≠ **importância**, utilidade, valor, transcendência, relevância, interesse 3 *fig.* **morte**, fim 4 *fig.* **terra**, chão, solo

poalha *n.f.* 1 **polilha**, poeira, pó, pojo 2 ZOOL. **polela**

pobre *adj.2g.* 1 **necessitado**, precisado, carente, miserável, indigente, mendigo, falto ≠ **abastado**, sobrado, opulento, afluente, acaudalado *fig.* **2** **mísero**, miserável, desgraçado, desfavorecido, desafortunado ≠ **rico**, abastado, opulento, ricalhaço *col.* **3** **estéril**, infecundo, improdutivo ≠ **fértil**, produtivo **4** **escasso**, falto, insuficiente, carente ≠ **abundante**, farto, excessivo **5** **coitado**, infeliz, desditoso, desventurado ≠ **feliz**, contente, afortunado ■ *n.2g.* **1** **mendigo**, indigente, pedinte, esmolante **2** **miserável**, infeliz, coitado, desgraçado, desprotegido ≠ **felizardo**, afortunado

pobreza *n.f.* **1** **necessidade**, carência, falta, carecimento, precisão, míngua, privação, inexistência ≠ **abundância**, riqueza, fartura, suficiência **2** **penúria**, miséria, indigência, necessidade, inópia ≠ **riqueza**, abundância, fortuna, opulência, algo *ant.* **3** **escassez**, falta, míngua, insuficiência, penúria, pouquidade, raro, raleira *fig.* ≠ **abundância**, fartura, excesso **4** *fig.* **mediocridade**, insuficiência

poça *n.f.* **charco**, aguaçal, xabouço [REG.] ■ *interj.* (exprime surpresa, desapontamento) **irra!**, bolas!, poço!

poção *n.f.* **1** FARM. **remédio** **2** **bebida**, beber, bebedura, pingalho *col.*, poto *poét.* **3** **pego**, poço, fundão

pocilga *n.f.* **1** **chiqueiro**, cortelho, porqueira, chafurda, enxurdeiro, chavascal, alfeire, pocilgo, persigal **2** *fig.* **chiqueiro**, chavascal, chafurda, cloaca, piolheira *fig.*

poço *n.m.* **1** **furo** **2** **pego**, poção, fundão **3** *fig.* **abismo**, precipício ■ *interj.* (pouco usado) **irra!**, bolas!, poça!

poda *n.f.* **1** **corte**, desbaste, podadura, chapotamento **2** *fig.* **cresta**, desfalque

podadeira *n.f.* **podoa**, podão

podão *n.m.* **1** **podadeira**, podoa **2** *fig.* **trapalhão**

podar *v.* **1** **esgalhar**, esfrançar, decotar, aparar, desbastar, cortar, chapodar **2** *fig.* **desbastar**, cortar

podengo *n.m.* **sabujo**

poder *v.* **1** **conseguir**, lograr **2** **arriscar**, aventurar, expor-se **3** **aguentar**, suportar **4** **mandar** ≠ **obedecer**, acatar ■ *n.m.* **1** **faculdade**, possibilidade, aptidão, potência, capacidade **2** **direito** **3** **autoridade**, domínio, força, influência, suserania **4** **recursos**, meios, mecanismos *fig.* **5** **potência**, eficácia, força, efeito **6** **jurisdição**, poderio **7** **governo**, direção, comando **8** **soberania**, poderio, domínio **9** [*pl.*] **mandato**, delegação, procuração

poderio *n.m.* **1** **autoridade**, domínio, poder **2** **jurisdição**, poder **3** **riqueza**, fortuna, opulência, abundância

poderoso *adj.* **1** **forte** ≠ **fraco** **2** **dominador**, preponderante, soberano **3** **influente**, dominante, forte, prepotente, macota [BRAS.] **4** **rico**, ricaço, endinheirado, opulento ≠ **pobre**, miserável **5** **persuasivo**, convincente, insinuante ■ *n.m.pl.* **influentes**, magnatas, soberanos

podre *adj.2g.* **1** **estragado**, putrefacto, decomposto, apodrecido, deteriorado ≠ **preservado**, conservado, são **2** *fig.* **corrupto**, depravado, devasso, pervertido, corrompido ≠ **decente**, decoroso **3** *fig.* **contaminado**, infetado ■ *n.m.pl.* **defeitos**, vícios, erros

podridão *n.f.* **1** **putrefação**, decomposição, apodrecimento, corrupção, tabidez ≠ **conservação**, preservação **2** *fig.* **corrupção**, desmoralização, perversão, degeneração, adulteração, estrago, vício ≠ **conservação**, preservação

podrido *adj.* **apodrecido**, podre, pútrido, putrefacto ≠ **conservado**, preservado

poeira *n.f.* **1** **pó**, poalha, pojo **2** **tombo**, arquivo **3** **areeiro** **4** *fig.* **insignificância**, bagatela, ninharia, niquice, nada, migalhice, pó, farfalhada, nica *col.*, caganifância *col.* ≠ **importância**, utilidade, valor, transcendência, relevância, interesse **5** *fig.* **azáfama**, roda-viva, corrupio, lufa-lufa, badanal, fona **6** *col.* **jactância**, vaidade, presunção, ostentação, gala, bazófia *fig.* ≠ **discrição**, simplicidade, sobriedade, despojamento, recato, modéstia

poeirento *adj.* **1** **poento**, pulveroso, pulverulento **2** *ant.* **antigo**, antiquado, retrógado

poejo *n.m.* **1** BOT. **pojo** **2** **feila**

poema *n.m.* LIT. **poesia**, verso, carme

poente *n.m.* **ocidente**, oeste, ocaso, vésper ≠ **oriente**, nascente, levante, este ■ *adj.2g.* (Sol) **ocíduo** *poét.*, ocidental, oeste ≠ **oriental**

poer *v. ant.* **pôr**

poesia *n.f.* **1** **lira** *fig.*, musas *fig.* **2** **poema**, verso, carme **3** *fig.* **harmonia** **4** *fig.* **inspiração**, estro

poeta *n.m.* **1** **vate**, bardo, trovador, cantor *fig.*, rapsodo *fig.* **2** *fig.* **sonhador**, idealista, lírico, devaneador, fantasista ≠ **prático**, realista

poetar *v.* **versejar**, poetizar, metrificar, rimar, trovar ≠ **prosar**

poetastro *n.m. pej.* **trovista**

poético *adj.* **1** **inspirador**, vático **2** **aprazível**, encantador, agradável, romântico ≠ **desagradável**, prosaico **3** **sublime**

poetizar *v.* **1** **versejar**, poetar, metrificar, rimar ≠ **prosar** **2** **sublimar**

poio *n.m.* **1** **poial** **2** [REG.] **socalco** **3** *col.* **fezes**, excrementos, poia [REG.]

pois *conj.* **1** **portanto**, logo **2** **então** **3** **porquanto**, porque **4** **contudo**, mas, porém, todavia ■ *adv.* **sim**, claro, evidentemente

pojo *n.m.* **1** **pó**, poeira, poalha **2** BOT. **poejo**

polaca *n.f.* MÚS. **polonesa**

polaco *adj.,n.m.* **polonês**, polónio

polarização *n.f. fig.* **entusiasmo**, animação, galvanização

polarizar *v.* 1 *fig.* **atrair** 2 *fig.* **galvanizar**, entusiasmar, motivar

poldra *n.f.* 1 ZOOL. **potra** 2 **ramo**, **braço**, **pernada**, trancalho [REG.] 3 (rebento) **ladrão**, pola 4 **alpondra**, pondra

poldro *n.m.* ZOOL. **potro**

polé *n.f.* 1 **garrucha** 2 **roldana** 3 NÁUT. **moitão**

polegar *n.m.* ANAT. **pólex**, pólice, mata-piolhos *col.*, mata-pulgas *col.*

poleiro *n.m.* 1 **capoeira**, galinheiro 2 **pousadeiro** 3 *fig.* **poder** 4 *fig.* **governo** 5 *col.* (teatro) **galeria**, geral, galinheiro

polémica[AO] ou **polêmica**[AO] *n.f.* 1 **discussão**, controvérsia, celeuma, certame, contestação, altercação, contenda ≠ **acordo**, concórdia, entendimento 2 **debate**, discussão, disputa, contestação ≠ **acordo**, concórdia, entendimento

polemicar *v.* 1 **discutir**, controverter, celeumar, certar, contestar, altercar, contender ≠ **acordar**, concordar 2 **debater**, discutir, disputar, contestar ≠ **acordar**, concordar

polémico[AO] ou **polêmico**[AO] *adj.* **controverso**, discutível, questionável, impugnável, refutável, polemista ≠ **consensual**, indiscutível, incontestável, irrefutável

polemista *adj.2g.* **controverso**, discutível, questionável, impugnável, refutável, polémico ≠ **consensual**, indiscutível, incontestável, irrefutável ■ *n.2g.* 1 **controversista**, contestador 2 **argumentador**

polemizar *v.* 1 **discutir**, controverter, celeumear, certar, contestar, altercar, contender ≠ **acordar**, concordar 2 **debater**, discutir, disputar, contestar ≠ **acordar**, concordar

polichinelo *n.m.* 1 **bobo**, palhaço, bufão, histrião, jogral, truanaz, arlequim *fig.* 2 **saltimbanco** *fig.*, vira-casaca, cata-vento *fig.*, arlequim *fig.*, veleta *fig.*, ventoinha *fig.*, camaleão *fig.,pej.*

polícia *n.f.* 1 **guarda**, agente, bófia *col.*, cívico, chui *col.*, filante [BRAS.] 2 **disciplina**, ordem 3 *fig.* **etiqueta**, pragmática

policiamento *n.m.* **vigilância**, guarda, ronda, patrulha

policiar *v.* 1 **vigiar**, guardar 2 **guardar**, fiscalizar, zelar, vigiar 3 **civilizar**, domesticar ≠ **embrutecer**, estupidificar

polidez *n.f.* **civilidade**, delicadeza, cortesia, educação, amabilidade, gentileza, urbanidade *fig.* ≠ **incivilidade**, grosseria, indelicadeza

polido *adj.* 1 **liso**, macio ≠ **áspero**, rude, bravio 2 **lustroso**, brunido, luzidio, brilhante, luzento, envernizado ≠ **escuro**, sombrio, obscuro 3 *fig.* **bem-criado**, urbano, cortês, civilizado, delicado, cavalheiro ≠ **mal-educado**, indelicado, malcriado, grosseiro

polifonia *n.f.* (Música) **contraponto**

poligamia *n.f.* **plurigamia**

poliglota *adj.2g.* **plurilingue**, multilingue ≠ **monoglótico**

poligonal *adj.2g.* **multiangular**, polígono

polígono *adj.* **multangular**, poligonal

polígrafo *n.m.* **copiógrafo**

polimento *n.m.* 1 **brunidura**, polidura, lustre 2 **verniz** 3 *fig.* **polidez**, civilidade, delicadeza, cortesia, urbanidade *fig.* ≠ **incivilidade**, grosseria, indelicadeza

polir *v.* 1 **limar**, alisar, torcular 2 **brunir**, lustrar ≠ **despolir**, deslustrar, embaciar 3 **envernizar** 4 *fig.* **aprimorar**, aperfeiçoar, esmerar, cinzelar, apurar, melhorar ≠ **desaprimorar**, piorar 5 *fig.* **educar**, corrigir, instruir, ensinar ≠ **estupidificar**, embrutecer, emparvecer 6 *fig.* **civilizar**, cultivar, domesticar, urbanizar, educar

politeísmo *n.m.* ≠ **monoteísmo**

politeísta *adj.,n.2g.* ≠ **monoteísta**

política *n.f.* 1 **estadística** 2 *fig.* **estratégia**, tática 3 *fig.* **astúcia**, esperteza, maquiavelismo, artifício 4 *fig.* **cortesia**, cerimónia, civilidade, delicadeza, fineza ≠ **descortesia**, incivilidade, grosseria

politicamente *adv.* 1 **diplomaticamente** 2 *fig.* **habilidosamente**, astuciosamente, diplomaticamente

político *adj.* 1 *fig.* **astucioso**, astuto, finório, habilidoso 2 *fig.* **delicado**, cortês, polido, civilizado, urbano *fig.* ≠ **indelicado**, grosseiro ■ *n.m.* **estadista**

politiqueiro *adj.,n.m. pej.* **politicoide**, politicante, politiquice, politicagem

politiquice *n.f. pej.* **politicagem**, politicalha, regedoria *col.,pej.*

politiquismo *n.m. pej.* **politiquice**, politicalha, regedoria *col.,pej.*

polo[dAO] *n.m.* 1 *fig.* **núcleo**, centro 2 *fig.* **secção**, filial

pólo[aAO] *n.m.* ⇒ **polo**[dAO]

polónio[AO] ou **polônio**[AO] *adj.,n.m.* **polaco**, polonês

polpa *n.f. fig.* **importância**, autoridade, valor ≠ **insignificância**, desvalia

poltrão *adj.,n.m.* **cobarde**, medroso, receoso, fraco, pusilânime, timorato ≠ **corajoso**, destemido, bravo, valente

poltrona *n.f.* **cadeirão**, maple

poluição *n.f.* **contaminação**, polução ≠ **antipoluição**

poluir *v.* 1 **contaminar**, infetar, empestar *fig.* ≠ **despoluir**, descontaminar 2 *fig.* **manchar**, conspurcar, macular, profanar

poluto *adj.* 1 **manchado**, maculado 2 **profanado**

polvilhar *v.* 1 pulverizar, salpicar, empoar 2 enfarinhar
polvilho *n.m.* 1 pruína 2 pó, poalha, pojo, poeira
polvo *n.m.* ZOOL. octópode
polvorosa *n.f.* azáfama, agitação, alvoroço, rebuliço, tumulto
poma *n.f.* 1 bola, esfera, globo, pela, pelota 2 [*pl.*] seios, peito, colo, mamas, pomos *poét.*
pomada *n.f.* 1 creme 2 graxa
pomar *n.m.* 1 vergel, viridário 2 frutaria
pombal *n.m.* columbário
pombinho *n.m.* 1 borracho 2 cinzento-claro 3 [*pl.*] namorados, casal ■ *adj. fig.,col.* ébrio, embriagado, enfrascado, bicudo, tocado, grogue, pingado, chumbado ≠ sóbrio, abstémico
pombo *n.m.* ICTIOL. pâmpano, pompo
pomes *n.m.2n.* PETROL. pedra-pomes, pómice, pomito
pomo *n.m. poét.* seio, mama, poma, peito, colo
pompa *n.f.* 1 sumptuosidade, magnificência, fausto, luxo, gala, requinte ≠ simplicidade, singeleza 2 vaidade, jactância
pompear *v.* ostentar, alardear, blasonar, estadear, luxar, jactar-se, vangloriar-se, bofar *fig.* ≠ esconder, ocultar
pomposo *adj.* 1 faustoso, luxuoso, sumptuoso, ostentoso ≠ singelo, simples 2 magnificente, esplêndido, grandioso, majestoso, solene ≠ singelo, simples 3 (estilo) empolado, afetado, subido *fig.*
ponderação *n.f.* 1 reflexão, consideração, meditação ≠ irreflexão, precipitação 2 moderação, equilíbrio ≠ imoderação, descomedimento 3 circunspeção, gravidade, sisudez ≠ euforia *fig.*, exaltação, entusiasmo 4 peso, importância
ponderado *adj.* 1 refletido, prudente, cauteloso, sensato, moderado, cuidadoso, precaucionado, atento, medido, maduro *fig.* ≠ imprudente, insensato, imoderado, negligente 2 sisudo, grave, austero, sério, sóbrio, discreto ≠ extrovertido, desinibido, eufórico *fig.*
ponderar *v.* 1 avaliar, apreciar, medir, pesar, calcular, estimar, aquilatar *fig.* 2 considerar, meditar, refletir, pensar ≠ desconsiderar, desatender
ponderável *adj.2g.* considerável, apreciável, ponderoso ≠ imponderável
ponderoso *adj.* 1 pesado ≠ leve 2 considerável, apreciável, ponderável ≠ imponderável 3 grave, importante, relevante 4 aceitável, atendível, razoável ≠ inaceitável, inatendível 5 convincente, perentório, categórico ≠ hesitante, indecisivo
ponta *n.f.* 1 bico, pico, pua, acúleo, espinho, dente 2 canto, esquina, ângulo, cotovelo, aresta, quina 3 beata, prisca, carocha *col.* 4 chifre, corno 5 GEOG. cabo 6 *fig.* vestígio, sinal 7 cabo, extremidade, fim, extremo, termo ■ *n.2g.* DESP. (futebol) ponta de lança
pontada *n.f.* (dor) guinada *col.*, picada, fisgada, ferroada, alfinetada *fig.*, aguilhoadela
ponta-de-lança[aAO] *n.2g.* ⇒ **ponta de lança**[dAO]
ponta de lança[dAO] *n.2g.* DESP. (futebol) ponta
pontão *n.m.* 1 espeque, escora, pontalete 2 pontilhão
pontapé *n.m.* 1 biqueirada, biqueiro *col.* 2 *fig.* prejuízo, desastre, perda 3 *fig.* contratempo, revés, transtorno, contrariedade, vicissitude
pontapear *v.* chutar
pontaria *n.f.* mira, alvo, assesto
ponte *n.f.* 1 *fig.* intermediário, mediador 2 NÁUT. coberta, convés 3 MED. shunt
ponteado *n.m.* posponto, ponto-aquém
pontear *v.* 1 coser, alinhavar, passajar 2 MÚS. dedilhar, tanger
ponteiro *n.m.* (do relógio) agulha, indicador, seta ■ *adj.* agudo, afiado, acerado
pontiagudo *adj.* agudo, bicudo, aguçado, pontudo, assovelado ≠ arredondado, rombo
pontificado *n.m.* papado
pontifical *adj.2g.* 1 pontifício, papal 2 pontifício, episcopal
pontífice *n.m.* 1 bispo 2 RELIG. Papa, Sumo Pontífice, Sua Santidade, Santo Padre, Padre-Santo, Vigário de Cristo 3 (de uma escola, doutrina, seita) líder, dirigente, chefe
pontifício *adj.* 1 pontifical, papal 2 pontifical, episcopal
pontilhar *v.* pontoar, granir
pontinha *n.f.* 1 pouco ≠ muito 2 vestígio, sinal 3 rixa, briga, bulha, escaramuça, rusga, desavença, contenda, luta ≠ paz, concórdia
ponto *n.m.* 1 pinta, sinal 2 sítio, lugar, posição 3 malha 4 valor, classificação, pontuação 5 momento, instante, minuto *fig.* 6 circunstância, situação, conjuntura 7 *fig.* trecho, passagem, excerto, extrato, passo, lugar 8 *fig.* matéria, assunto, questão, objeto 9 *fig.* termo, fim, término 10 exame, prova, teste 11 [*pl.*] (dos empregados de hotel) remuneração, ordenado, vencimento, salário, pagamento, retribuição, paga, gratificação, provento
pontuação *n.f.* 1 (em competição, concurso ou prova) classificação, pontos 2 *gír.* nota, classificação
pontuado *adj.* 1 pontilhado, ponteado 2 classificado ≠ inclassificado
pontual *adj.2g.* 1 exato, regular, rente ≠ atrasado, impontual 2 cumpridor, fiel, sério, observante 3 rigoroso, exato, preciso, certo ≠ impreciso, inexato, incerto

pontualidade *n.f.* 1 **regularidade**, assiduidade, exatidão, precisão ≠ **atraso**, impontualidade 2 **rigor**, exatidão, precisão, certeza ≠ **imprecisão**, inexatidão, incerteza 3 **propriedade**

pontualmente *adv.* 1 **assiduamente** 2 **exatamente**, precisamente, rigorosamente ≠ **imprecisamente**

pontuar *v.* 1 **virgular** 2 **classificar**

popa *n.m.* 1 NÁUT. ≠ **proa** 2 **vitimário**

popó *n.m. infant.* **automóvel**, carro

populaça *n.f.* 1 **multidão**, população, turba, gente 2 *col.* **corja**, malta, choldra *col.*, ralé *pej.*, gentalha *pej.*, súcia *pej.*, canalha *pej.*, plebe *pej.*, populacho *pej.*, rancho *pej.*, cambada *fig.,pej.* ≠ **elite**, escol, nata *fig.*

população *n.f.* 1 **habitantes**, povo 2 **multidão**, gente, populaça, turba

populacho *n.m.* 1 **multidão**, população, turba, gente 2 *pej.* **corja**, malta, choldra *col.*, populaça *col.*, ralé *pej.*, gentalha *pej.*, súcia *pej.*, canalha *pej.*, plebe *pej.*, rancho *pej.*, cambada *fig.,pej.* ≠ **elite**, escol, nata *fig.*

populacional *adj.2g.* **demográfico**

popular *adj.2g.* 1 **plebeu**, vilão ≠ **nobre**, aristocrata, fidalgo 2 **vulgar**, comum, corriqueiro, frequente ≠ **invulgar**, incomum, excecional, inabitual 3 **democrático**, democrata ■ *n.m.* **plebeu**, peão, ruão ≠ **nobre**, aristocrata, fidalgo

popularidade *n.f.* **voga**, fama ≠ **impopularidade**

popularizar *v.* 1 **democratizar** 2 **vulgarizar**, divulgar, generalizar, familiarizar, promulgar, difundir

popularizar-se *v.* 1 **democratizar-se** 2 **vulgarizar-se**, divulgar-se, generalizar-se

populoso *adj.* **povoado**, habitado ≠ **despovoado**, desabitado, deserto

pôr *v.* 1 **colocar**, depositar, dispor, situar ≠ **retirar**, tirar 2 **assentar**, aplicar, colocar ≠ **retirar**, levantar 3 (num determinado estado ou lugar) **dispor**, acomodar, instalar, posicionar, situar 4 (regras, condições, etc.) **estabelecer**, determinar, fixar, definir ≠ **anular**, abolir, invalidar 5 (nas proximidades) **colocar**, chegar, levar 6 **apoiar**, sustentar, firmar 7 **guardar**, depositar, conservar, proteger ≠ **retirar** 8 **introduzir**, instilar *fig.* ≠ **retirar**, tirar 9 (em lista, grupo, escalão, etc.) **incluir**, juntar, inserir, meter, colocar ≠ **remover**, excluir, retirar 10 (ingredientes) **misturar**, adicionar, juntar ≠ **retirar**, diminuir 11 **vestir**, usar, enfiar, colocar, calçar ≠ **despir**, tirar 12 **calçar**, enfiar, encatrafiar ≠ **descalçar** 13 **adornar**, enfeitar, ornamentar, decorar ≠ **desadornar**, desenfeitar, desataviar 14 **impelir**, reduzir, deixar 15 **concentrar**, aplicar, focar 16 (nome) **denominar**, atribuir, dar, chamar, designar, intitular 17 (culpa, defeito, erro) **imputar**, atribuir, conferir, deitar, referir, lançar, carregar ≠ **livrar**, retirar 18 **objetar**, opor, argumentar, contestar, alegar ≠ **concordar**, aprovar 19 **expor**, propor, apresentar, sugerir 20 **patentear**, expor, mostrar, exibir, apresentar ≠ **esconder**, ocultar 21 **classificar**, categorizar, qualificar 22 **traduzir**, verter, transladar 23 **anotar**, escrever, registar 24 **enunciar**, formular, expressar, exprimir 25 **inscrever**, registar 26 **contribuir**, dar 27 (emprego, posição) **estabelecer**, tornar, colocar, empregar 28 (ao público) **apresentar**, exibir, mostrar 29 (dinheiro, bens, etc.) **gastar**, investir, apostar 30 (estabelecimento comercial, etc.) **montar**, abrir, estabelecer ≠ **fechar**, instalar

porão *n.m.* 1 [BRAS.] **cave**, rés-do-chão, subsolo, baixos, loja ≠ **sótão**, águas-furtadas, sobrecâmara 2 **caixa-de-ar**

porcalhão *n.m.* **besuntão**, bodegão, javardo *pej.* ■ *adj.* **imundo**, sujo, encardido, hediondo, sebáceo, sórdido, porco *pej.*, badalhoco *pej.*, cacoso [REG.] ≠ **limpo**, asseado, esmerado, desencardido, higiénico, imaculado, lavado

porção *n.f.* 1 **pedaço**, bocado, fração, fragmento, peça, cibo, faneco, torrão, migalha, miunçalha, tico [BRAS.] ≠ **todo**, soma, totalidade, globalidade 2 **parcela**, quinhão, cota, quota 3 **retalho** 4 **quantidade**, dose

porcaria *n.f.* 1 **sujidade**, imundície, conspurcação, sujeira, porqueira, cacada *col.*, caca *col.* ≠ **asseio**, limpeza, higiene 2 *fig.* **borrada**, borracheira, cagada *cal.*, cacaborrada *col.*, sujeira *fig.*, foleirada *col.* 3 **bagatela**, insignificância, ninharia, nada, niquice, migalhice, minúcia, ridicularia, nica *col.*, avo *fig.*, tuta e meia *col.*, caganifância *col.*, potreia *col.,pej.*, pinoia [BRAS.] ≠ **importância**, utilidade, valor, transcendência, relevância, interesse 4 *fig.* **obscenidade**, palavrão, praga, palavrada, turpilóquio, vulgarismo

porcino *adj.* **suíno**, porqueiro

porco *n.m.* 1 **suíno**, cerdo, grunho, chico *col.*, chicho *col.*, chino *col.*, erviço *col.*, ganiço *col.*, foção *col.*, chacim *ant.*, borrão [REG.], carrancho [REG.], rocim [REG.], gurrino *col.*, javanco *col.*, chiante *col.*, reco [REG.], sebino [REG.] 2 ICTIOL. **peixe-gato**, peixe-rato, peixe-porco ■ *adj.* 1 *pej.* **sujo**, imundo, hediondo, encardido, porcalhão, sebáceo, sórdido, badalhoco *pej.*, cacoso [REG.] ≠ **limpo**, asseado, decente, desencardido, higiénico, imaculado, lavado, nítido 2 *pej.* **grosseiro**, obsceno, ordinário, rude, mal-educado, indelicado ≠ **bem-educado**, cavalheiro, cortês, polido *fig.*

pôr-do-sol *n.m.* **ocaso**, poente ≠ **nascente**

porém *conj.* **mas**, contudo, todavia

porfia *n.f.* 1 **discussão**, debate, altercação, disputa 2 **altercação**, briga, contenda, disputa, arenga, desinteligência, discussão, renhimento ≠ **conciliação**, entendimento 3 **obstinação**, pertinácia, constância, firmeza, tenacidade, persistência, perseverança ≠ **renúncia**, cessação, desistência, afastamento 4 **teimosia**, teima, obstinação, birra, caturrice, obcecação, insistência, pertinácia, renitência, relutância, pervicácia, emperramento *fig.* ≠ **desistência**, renúncia

porfiado *adj.* 1 **teimoso**, obstinado, casmurro, testudo, embirrento, contumaz, opiniático, capitoso, orelhudo, pertinaz, cabeçudo *fig.* ≠ **aberto**, flexível, maleável 2 **persistente**, pertinaz, constante, firme, tenaz *fig.* ≠ **desistente**, renunciador 3 **renhido**, despicado

porfiar *v.* 1 **discutir**, disputar, altercar, argumentar, certar, contender, debater, questionar ≠ **acordar**, concordar, assentir 2 **teimar**, renitir, relutar, obstinar, insistir ≠ **desistir**, renunciar

pormenor *n.m.* 1 **particularidade**, singularidade, característica 2 **minúcia**, detalhe, minudência, profundidade, particularidade, precisão ≠ **superficialidade**, generalidade, ligeireza

pormenorização *n.f.* **especificação**, particularização, especialidade ≠ **generalização**

pormenorizadamente *adv.* 1 **minuciosamente**, detalhadamente 2 **circunstanciadamente**

pormenorizado *adj.* **minucioso**, detalhado, especificado, particularizado, individuado, aprofundado, discriminado, preciso ≠ **geral**, superficial

pormenorizar *v.* **minuciar**, detalhar, especificar, particularizar, aprofundar, discriminar, individualizar, precisar, circunstanciar, minudear ≠ **generalizar**

pornográfico *adj.* **indecente**, porno, imoral, indigno, indecoroso, vergonhoso, desonroso ≠ **digno**, honroso, respeitoso

poro *n.m.* ANAT. **interstício**, transpiradeiro

poroso *adj.* 1 **intersticial** 2 **perfurado** 3 **absorvente**, esponjoso, permeável ≠ **impermeável**

porquanto *conj.* **porque**, pois

porque *conj.* **porquanto**, pois, como ■ *adv.* **porquê**

porquê *n.m.* **causa**, motivo, razão, explicação, fundamento, base ■ *adv.* **porque**

porqueira *n.f.* 1 **pocilga**, chiqueiro, cortelha, chafurda, enxudreiro, chavascal, alfeire 2 **porcaria**, imundície, conspurcação, sujeira, sujidade, cacada *col.*, caca *col.* ≠ **asseio**, limpeza, higiene

porqueiro *n.m.* **porcariço** ■ *adj.* **suíno**, porcino

porquice *n.f.* **sujidade**, imundície, porcaria, conspurcação, sujeira, porqueira, cacada *col.*, caca *col.* ≠ **asseio**, limpeza, higiene

porquinho *n.m.* **leitão**, bácoro, cochino, bodalho [REG.], porcalho *ant.*

porquinho-da-índia *n.m.* ZOOL. **cobaia**, rato-chino, chino, porco-da-índia

porra *n.f.* 1 *ant.* **moca**, porro, porrete, cacete, cipó 2 *vulg.* **pénis**, falo, pene, pila *col.*, caralho *vulg.*, badalo *col.,vulg.*, pau *vulg.*, piça *vulg.*, pica *vulg.* 3 *vulg.* **esperma**, sémen ■ *interj.* (exprime irritação) **irra!**, arre!, diabo!, bolas!, caraças! *col.*

porrada *n.f.* 1 *col.* **sova**, tareia, cacetada, paulada, mocada, cachamorrada 2 *col.* **abundância**, carga, cópia ≠ **insuficiência**, escasso

porreiro *adj.* 1 *col.* **ótimo**, excelente, formidável, fantástico, engraçado, giro, legal [BRAS.] ≠ **horrível**, ruim 2 *col.* **simpático**, afável, amável, agradável, interessante, correto, formidável, bom, atencioso, sincero, tratável, generoso, leal, bacana [BRAS.] ≠ **antipático**, desagradável, detestável, intolerável, insuportável, desleal, hipócrita, malévolo

porreta *n.f.* [REG.] **marreta**

porrete *n.m.* **moca**, porro, porra, cacete, cipó, cachaporra

porrinho *n.m.* **porrete**, moca, porro, porra, cacete, cipó, cachaporra

porro *n.m.* 1 **moca**, porrete, porra, cacete, cipó, cachaporra 2 BOT. **alho-porro**

pôr-se *v.* 1 **colocar-se** 2 **começar**

porta *n.f.* 1 **entrada** 2 *fig.* **entrada**, acesso, abordo 3 *fig.* **garganta**, colada, estreito, portela, colo, desfiladeiro 4 *fig.* **admissão** 5 *fig.* **solução**, expediente, recurso, saída

porta-bandeira *n.m.* **porta-estandarte**, signífero, alferes *ant.*

portada *n.f.* 1 **portal**, portão, pórtico 2 **frontal**, frontispício

portador *adj.* **trazedor** ■ *n.m.* 1 **enviado**, mensageiro 2 **faquino**, moço de fretes, carrejão, mariola

porta-estandarte *n.m.* **porta-bandeira**, signífero, alferes *ant.*

portagem *n.f.* **barreira**, pedágio [BRAS.]

portal *n.m.* 1 **portada**, portão, pórtico 2 **entrada**, limiar, umbral, ombreira *fig.* 3 **átrio**, adro, vestíbulo, portaria 4 **portelo**, cancelo, cancela, porteira, portão [BRAS.]

portanto *conj.* **logo**, pois

portão *n.m.* 1 **portada**, portal, pórtico, nártex 2 [BRAS.] **cancela**, cancelo, portelo, porteira, portal

portar *v.* 1 **levar**, transportar, carregar 2 **conduzir** 3 **transferir**

portaria *n.f.* 1 **portada**, portal, pórtico, portão 2 **átrio**, adro, vestíbulo, portal

portar-se *v.* **comportar-se**, proceder, agir

portátil *adj.2g.* **transportável**, movediço, maneiro ■ *n.m.* **laptop**

porta-voz *n.2g.* **sarabatana** ■ *n.m.* **megafone**

porte *n.m.* 1 **transporte** 2 **frete** 3 **valor**, preço, importância, quantia 4 **tonelagem**, capacidade 5 capacidade **6** desenvolvimento **7** **comportamento**, conduta, atitude **8** **consideração**, importância **9** **postura**, atitude, aspeto, figura, aparência, fachada *fig.* **10** **estimação**, consideração

porteira *n.f.* **cancela**, cancelo, portelo, portal, portão [BRAS.]

porteiro *n.m.* **guarda-portão**, atriário, zelador [BRAS.]

portela *n.f.* **garganta**, desfiladeiro, colada, estreito, colo, porta *fig.*

portelo *n.m.* **cancela**, cancelo, porteiro, portal, portão [BRAS.]

portenho *adj.,n.m.* **buenairense**

portento *n.m.* **1** **maravilha**, prodígio, assombro, milagre **2** **prodígio**

portentoso *adj.* **1** **extraordinário**, singular, inédito **2** **assombroso**, prodigioso, mirífico, maravilhoso

pórtico *n.m.* **portal**, portão, portada, lógia, nartece

portinhola *n.f.* **braguilha**, carcela

porto *n.m.* **1** **ancoradouro**, embarcadoiro, fundeadoiro, surgidouro, abra, cais **2** *fig.* **abrigo**, refúgio, asilo, guarida, acolheita, valhacouto, alfama *ant.* ≠ **desabrigo**, desamparo, desproteção

portuense *adj.,n.2g.* **tripeiro** *col.*

português *adj.,n.m.* **luso**, lusitano, lusíada, tuga *col.*, portuga [BRAS.] *pej.*

porventura *adv.* **talvez**, quiçá, possivelmente

porvir *n.m.* **futuro** ≠ **passado**

pose *n.f.* **1** **atitude**, posição, postura **2** **afetação**, soberba, altivez, entono, presunção, artifício ≠ **modéstia**, discrição

posição *n.f.* **1** **colocação**, orientação, disposição, arranjo, distribuição, organização **2** **localização**, disposição **3** **base**, linha **4** **atitude**, pose, postura **5** **situação**, circunstância, conjuntura **6** **classe**, condição **7** **opinião**, atitude, partido, parecer

posicional *adj.2g.* (fenomenologia) **tético**, existencial

positivamente *adv.* **1** **certamente**, seguramente **2** **afirmativamente** ≠ **negativamente**

positivar *v.* **1** **melhorar**, otimizar, apurar **2** **afirmar**, asseverar, confirmar ≠ **negar**, denegar **3** **realizar**, executar, concretizar **4** **esclarecer**, elucidar, aclarar ≠ **confundir**, baralhar, obscurecer **5** **precisar**, determinar

positivo *adj.* **1** **afirmativo**, assertório ≠ **negativo**, inafirmativo **2** **certo**, seguro, indiscutível ≠ **discutível**, contestável, duvidoso **3** **verdadeiro**, objetivo **4** **construtivo**, edificante ≠ **negativo** **5** **favorável**, benéfico, vantajoso ≠ **desfavorável**, prejudicial, desvantajoso, malpropício **6** **prático**, funcional **7** *fig.* **confiante**, otimista, entusiasmado, animado ≠ **desanimado**, pessimista

pospor *v.* **1** **sotopor** ≠ **antepor** **2** **adiar**, procrastinar, prostergar, protelar, protrair, remeter, encompridar ≠ **antecipar**, acelerar, adiantar

possante *adj.2g.* **1** **robusto**, forte, pujante ≠ **fraco**, débil **2** **valente**, forte, corajoso, intrépido, destemido, aguerrido, ardido, bravo, denodado ≠ **cobarde**, medroso, poltrão, pusilânime **3** **majestoso**, poderoso, grandioso **4** **valoroso**, potente, heroico **5** **esforçado**, vigoroso, enérgico

posse *n.f.* **1** **propriedade**, possessão **2** [*pl.*] **bens**, meios, rendimentos, riqueza, fortuna, capital, possibilidades ≠ **pobreza**, miséria **3** [*pl.*] **aptidão**, capacidade, competência

possessão *n.f.* **1** **posse**, propriedade **2** **colónia**, dependência, domínio ≠ **metrópole** **3** **domínio**, controlo

possesso *adj.* **1** **endemoninhado**, endiabrado, possuído **2** **furioso**, irado, enfurecido, danado, raivoso ≠ **calmo**, sereno, tranquilo

possessor *adj.,n.m.* **possuidor**, dono, detentor, titular

possibilidade *n.f.* **1** **eventualidade**, hipótese, contingência, relatividade, caso, acidentalidade, adrego, acaso ≠ **incontingência** **2** **alternativa**, caso **3** **faculdade**, capacidade, aptidão, dom, talento **4** **oportunidade**, ocasião, conjuntura, conjunção, contexto, situação, circunstância ≠ **desconjuntura** **5** [*pl.*] **bens**, riqueza, meios, rendimentos, fortuna, capital, posses ≠ **pobreza**, miséria

possibilitar *v.* **facilitar**, proporcionar, viabilizar ≠ **dificultar**, embaraçar, complicar

possidónio[AO] ou **possidônio**[AO] *adj.* **1** *pej.* **casca-grossa**, grosseiro, rude, bruto, bronco ≠ **delicado**, fino, cuidadoso **2** *pej.* **pretensioso**, convencional, corriqueiro ■ *n.m.* **simplório**, pacóvio, lorpa, tanso, bacoco, palerma, loura *col.*

possível *adj.2g.* **1** **provável** ≠ **improvável**, impossível **2** **exequível**, praticável, executável, viável ≠ **inexequível**, inexecutável, irrealizável ■ *n.m.* *fig.* **empenho**, diligência

possivelmente *adv.* **provavelmente**, talvez, potencialmente, virtualmente ≠ **certamente**, seguramente

possuído *adj.* **endemoninhado**, endiabrado, possesso

possuidor *n.m.* **detentor**, possessor, dono, proprietário, senhor, titular

possuir *v.* **1** **ter**, deter, haver, usufruir ≠ **perder** **2** **fruir**, desfrutar, gozar ≠ **desgostar**, desagradar **3** **conter**, encerrar, abarcar, englobar ≠ **excluir** **4** *fig.* **conquistar**, dominar, arrebatar **5** (entidade sobrenatural) **subjugar**, submeter, sujeitar ≠ **sujeitar-se**, submeter-se

possuir-se *v.* **compenetrar-se**, convencer-se, persuadir-se

posta *n.f.* naco, bocado, fatia, talhada, mica, lasca, mordo, tagalho [REG.]

postal *n.m.* bilhete-postal

postar *v.* colocar, pôr, situar, poisar, instalar, assestar ≠ retirar

postar-se *v.* colocar-se, pôr-se, plantar-se, estacionar, ficar, chantar-se *col.*

poste *n.m.* esteio, coluna, pilar

postergação *n.f.* preterição, preterência, retardamento, atraso ≠ adiantamento, antecipação

postergar *v.* 1 preterir, preterência, alongar, atrasar, pospor, adiar, procrastinar ≠ adiantar, antecipar 2 desprezar, desdenhar, desvalorizar, secundarizar, desconsiderar ≠ valorizar

posteridade *n.f.* 1 descendentes, descendência, vindouros, netos ≠ antepassados, ascendentes 2 imortalidade, eternidade, perpetuidade, perenidade ≠ esquecimento, olvido, obscuridade *fig.*

posterior *adj.* 1 ulterior ≠ anterior 2 traseiro ≠ dianteiro, anterior 3 seguinte, sequente, subsequente, subsecutivo ≠ antecedente, precedente ■ *n.m.* nádegas, rabo, traseiro, rabiote *col.*, assento *col.*, sim-senhor *col.*, sesso *col.*, culatra *col.*, cu *vulg.*

posteriormente *adv.* depois, após, futuramente ≠ anteriormente, antes, primeiramente, já

posterizar *v.* imortalizar, eternizar, perpetuar ≠ esquecer, olvidar, obscurecer *fig.*

posterizar-se *v.* celebrizar-se

postiço *adj.* 1 artificial ≠ natural 2 fingido, falso, artificioso, dissimulado, simulado ≠ espontâneo, natural

postigo *n.m.* janelo

postilhão *n.m.* 1 *ant.* troteiro 2 mensageiro, correio, emissário, portador, enviado

posto *adj.* 1 colocado, metido, depositado 2 plantado 3 disposto 4 (o Sol no ocaso) desaparecido ■ *n.m.* 1 dignidade 2 cargo, lugar, ocupação, função, ofício, serviço, exercício 3 lugar, secção

postulação *n.f.* pedido, solicitação, súplica

postulado *n.m.* MAT., LÓG. axioma

postulante *n.2g.* candidato, pretendente, requerente, postulador

postular *v.* 1 solicitar, pedir, suplicar, implorar, demandar, impetrar 2 requerer

postura *n.f.* 1 porte, atitude, aspeto, posição, figura 2 *fig.* atitude, comportamento, procedimento 3 (peixes) desova, desovamento

potável *adj.2g.* bebível ≠ impotável

pote *n.m.* 1 cântaro, jarro 2 *col.* bacia, bacio, penico, vaso, vaso de noite, defecador, urinol, camareiro, doutor, bispote 3 *fig.* batoque, tortulho, bazulaque, trolho *col.*, odre *col.*, botija *fig.*, pipa *fig.,pej.*, tarracho [REG.]

potência *n.f.* 1 poderio, força, poder 2 autoridade, sumidade, potentado, magnata 3 força, vigor, poder, energia, robustez ≠ impotência 4 capacidade, faculdade, competência, potencial ≠ incapacidade, incompetência 5 FIL. virtualidade

potencial *adj.2g.* latente, virtual, possível ≠ real, efetivo ■ *n.m.* capacidade, faculdade, competência, potência, potencialidade ≠ incapacidade, incompetência

potencialidade *n.f.* 1 capacidade, faculdade, competência, potência, potencial ≠ incapacidade, incompetência 2 FIL. virtualidade

potenciar *v.* promover, fomentar, reforçar, estimular, intensificar, incitar ≠ desprezar, desdenhar, desvalorizar

potentado *n.m. fig.* potestade, potência, magnata

potente *adj.2g.* 1 forte, robusto, possante, corpulento, rijo ≠ fraco, débil 2 poderoso, dominador, soberano 3 influente, dominante, prepotente 4 ativo, enérgico, vigoroso 5 eficaz, eficiente ≠ ineficaz 6 valoroso, heroico

potestade *n.f.* 1 potência, poder, força 2 potentado, potência, magnata 3 divindade

poto *n.m. poét.* bebida, beber, bebedura, poção, pingalho *col.*

potro *n.m.* 1 poldro 2 HIST. ecúleo, cavalete

pouca-vergonha *n.f.* 1 *col.* desvergonha, descaramento, impudência, impudor, imoralidade, sem-pudor, desfaçatez ≠ vergonha, decoro, pundonor 2 *col.* imoralidade, indecência, vergonha, impudicícia ≠ moralidade, decência, dignidade 3 *col.* patifaria, tratantada, malvadez, velhacaria, maroteira 4 *col.* descaramento, insolência, atrevimento, desaforo, petulância, desabuso ≠ modéstia, comedimento, acanhamento

pouco *det.,pron.indef.* ≠ muito ■ *adv.* 1 insuficientemente, escassamente, parcamente ≠ bastante, consideravelmente 2 raramente ≠ frequentemente ■ *n.m.* 1 ≠ muito 2 bagatela, insignificância, ninharia, niquice, nada, futilidade, migalhice, minúcia, ridicularia, farfalhada *fig.*, babugem *fig.*, avo *fig.*, tuta e meia *col.*, nica *col.*, caganifância *col.* ≠ importância, utilidade, valor, transcendência, relevância, interesse

poupa *n.f.* 1 ORNIT. bubela 2 poupança, economia, aforro ≠ gasto, despesa, esbanjamento, dissipação

poupado *adj.* (pessoa) económico, parcimonioso, governado, aproveitado, amealhador ≠ gastador, esbanjador, dissipador, perdulário, desbaratador, esperdiçador, galdério, improvidente, malbaratador, alagadiceiro *fig.*, aurívoro *fig.*

poupança *n.f.* 1 parcimónia, temperança, economia 2 poupa, economia, aforro ≠ gasto, despesa, esbanjamento, dissipação

poupar *v.* 1 **economizar**, aforrar, raçoar ≠ **gastar**, desperdiçar, esbanjar, dissipar 2 **evitar**, escusar, impedir, defender, quitar 3 **respeitar**, considerar, valorizar ≠ **desrespeitar**, desconsiderar, agravar 4 **subtrair** *fig.*, livrar, escapar

poupar-se *v.* **esquivar-se**, eximir-se, evitar

pousa *n.f.* 1 **pousada** 2 **trago**, gole, sorvo, hausto

pousada *n.f.* 1 **pousa** 2 **hospedagem**, alojamento, aposento, acomodação, estalagem, albergue 3 **domicílio**, residência, habitação, alojamento, morada, lar 4 *fig.* **abrigo**, agasalho, acolhimento, aconchego, guarida

pousar *v.* 1 **colocar**, pôr, situar, postar, instalar, assestar ≠ **retirar** 2 **assentar**, apoiar, firmar, encostar, descansar ≠ **desapoiar**, desencostar 3 **repousar**, descansar, relaxar ≠ **cansar**, fatigar, sobrecarregar 4 **estabelecer-se**, fundar, instituir 5 **empoleirar-se** 6 **hospedar-se**, alojar-se, albergar-se, pernoutar 7 **parar**, estacionar 8 **morar**, residir, habitar

pousio *n.m.* AGRIC. **alqueive**, repouso, adil [REG.]

pouso *n.m.* 1 **estadia**, permanência ≠ **abandono**, afastamento 2 **pousada**, alojamento, aposento, acomodação, estalagem, albergue

povinho *n.m. col.* **povo**, plebe, patuleia

povo *n.m.* 1 **nação**, grei *ant.* 2 **população**, gente, sociedade 3 **plebe**, patuleia, povinho *col.* 4 **lugarejo**, casal, póvoa, vilar, povoação, povoado, recesso, terriola *pej.* 5 **público** 6 **populacho** *pej.*, populaça *pej.*, arraia-miúda *pej.*, ralé *pej.*, povoléu *pej.* ≠ **elite**, escol, nata *fig.* 7 [*pl.*] **nações**

póvoa *n.f.* **lugarejo**, casal, vilar, povo, recesso, terrola *pej.*

povoação *n.f.* 1 **população**, gente 2 **lugarejo**, casal, póvoa, vilar, povoado, povo, recesso, terriola *pej.*

povoado *adj.* 1 **habitado**, ocupado ≠ **despovoado**, desabitado 2 **frequentado**, concorrido ≠ **deserto** 3 **percorrido** ■ *n.m.* **lugarejo**, casal, póvoa, vilar, povoação, povo, recesso, terrejola *pej.*

povoador *adj.,n.m.* **colono**, colonizador

povoamento *n.m.* **colonização** ≠ **descolonização**

povoar *v.* 1 **ocupar**, habitar, colonizar ≠ **despovoar**, desocupar 2 **dotar**, enriquecer *fig.*, rechear *fig.* 3 **encher**

povoléu *n.m. pej.* **populacho** *pej.*, populaça *pej.*, gentalha *pej.*, arraia-miúda *pej.*, ralé *pej.* ≠ **elite**, escol, nata *fig.*

praça *n.f.* 1 **largo**, rossio, terreiro 2 **mercado** 3 **hasta**, leilão, almoeda, arrematação 4 **fortaleza**, fortificação, cidadela, kremlin

pradaria *n.f.* **savana**

prado *n.m.* **almarge**, pastagem

praga *n.f.* 1 **imprecação**, esconjuração, maldição, conjuro, praguejamento 2 **obscenidade**, palavrão, palavrada, turpilóquio, vulgarismo, porcaria *fig.* 3 **catástrofe**, adversidade, desgraça, calamidade, flagelo, mal

pragal *n.m.* **panascal**, panasqueira

pragmática *n.f.* **protocolo**, rito, etiqueta, praxe, formalidade, ritual, cerimónia, pró-forma ≠ **informalismo**

pragmático *adj.* 1 **usual**, habitual, rotineiro, costumeiro ≠ **desusual**, inabitual, inusitado 2 **prático**, objetivo, realista ≠ **contemplativo**, subjetivo

pragmatismo *n.m.* **pragmaticismo** ≠ **lirismo**

praguejador *adj.,n.m.* **praguento**, maldizente, caluniador, difamador, injuriador, detrator ≠ **respeitador**, elogiador

praguejar *v.* 1 **amaldiçoar**, blasfemar, maldizer, jurar, imprecar ≠ **bendizer**, louvar 2 **vociferar**, bradar, gritar, exclamar, apregoar, vozear ≠ **silenciar**, calar

praia *n.f.* **litoral**, beira-mar, costa, ribamar, marinha

praia-mar *n.f.* **maré-cheia**, maré-alta, esto, enchente, preamar [BRAS.] ≠ **baixa-mar**, vazante, jusante, refluxo

prancha *n.f.* **andaime**

prancheta *n.f.* **pranche**, pacho

prantear *v.* 1 **chorar**, carpir, lamentar, deplorar ≠ **alegrar-se**, contentar-se, jubilar 2 **lamuriar**, lamentar, lastimar, deplorar, carpir ≠ **jubilar-se**, contentar-se, alegrar-se

prantear-se *v.* **lastimar-se**, queixar-se

pranto *n.m.* 1 **choro**, berreiro, plangor, chorinco, carpidura, carpimento ≠ **sorriso** 2 *fig.* **lamentação**, queixume, lamento, lamúria, deploração ≠ **contentamento**, alegria, júbilo 3 *fig.* **lágrimas**

prata *n.f.pl.* **argentaria**

pratear *v.* **argentar**, luarizar, sobrepratear, luarejar ≠ **despratear**

prateleira *n.f.* **guarda-loiça**

prática *n.f.* 1 **práxis** ≠ **teoria** 2 **experiência**, exercício, aplicação, execução 3 **procedimento**, conduta, costume, atitude 4 **observância** 5 **homilia**, prédica, pregação 6 **conversa**, palestra, prédica, discurso

praticabilidade *n.f.* **exequibilidade**, viabilidade, possibilidade ≠ **impraticabilidade**

praticamente *adv.* 1 **experimentalmente** 2 **quase**

praticante *n.m.* **aprendiz**, principiante

praticar *v.* 1 **realizar**, fazer, executar 2 **exercer**, exercitar, treinar 3 (regra, prescrição) **aplicar**, observar 4 **conversar**, discursar

praticável *adj.* **executável**, exequível, prático, viável ≠ **inexequível**, inexecutável, irrealizável

prático *adj.* 1 **pragmático**, objetivo, realista ≠ **contemplativo**, subjetivo 2 (coisas) **funcional**, eficaz **3 executável**, exequível, praticável, viável ≠ **inexequível**, inexecutável, irrealizável **4 experiente**, versado, perito, calejado *fig.* ≠ **inexperiente**

prato *n.m.* **1 refeição**, comida, alimento **2 manjar**, acepipe, iguaria, bodo

praxe *n.f.* **1 prática**, sistema **2 regra**, costume, uso, hábito ≠ **desuso**, desábito **3 etiqueta**, rito, protocolo, cerimonial, cerimónia, formalidade, ritual ≠ **informalismo 4 execução**, realização, exercício, concretização

prazenteiro *adj.* **1 jovial**, alegre, divertido, galhofeiro, lépido, sorridente, risonho ≠ **triste**, acabrunhado, descontente, entristecido **2 agradável**, simpático, amável, afável ≠ **desagradável**, antipático **3 insinuante**

prazer *n.m.* **1 satisfação**, contentamento, deleite, alegria, gozo, felicidade ≠ **desagrado**, insatisfação, desgosto **2 gosto**, agrado, deleite, consolo ≠ **desagrado**, insatisfação, desgosto **3 bem-estar**, comodidade, conforto, tranquilidade, descanso ≠ **desconforto**, incómodo **4 divertimento**, distração, diversão, entretenimento, brincadeira ≠ **aborrecimento**, tédio, estopada **5 voluptuosidade**, volúpia, gozo, delícia, deleite ≠ **desprazer** ■ *v.* **agradar**, aprazer, satisfazer, contentar, comprazer, deleitar, deliciar ≠ **desagradar**, desgostar, descontentar

prazo *n.m.* **1 período 2 data-limite**, expiração, termo **3 emprazamento**, aforamento, fateusim, enfiteuse *ant.*

pré *n.m.* MIL. **soldo**

preambular *adj.2g.* **preliminar**, introdutório, propedêutico, proemial ■ *v.* **prefaciar**, prologar

preâmbulo *n.m.* **1 prefácio**, introdução, prólogo, proémio, preliminar, antecomeço, prelúdio, prolusão, prolegómenos, peristilo *fig.* ≠ **epílogo**, peroração, desfecho, desenlace *fig.* **2** [*pl.*] **rodeios**, cerimónias

precariamente *adv.* **1 pobremente**, miseravelmente, miseramente ≠ **ricamente**, luxuosamente **2 limitadamente**, escassamente ≠ **abundantemente**, excessivamente **3 dificilmente** ≠ **facilmente**

precariedade *n.f.* **instabilidade**, incerteza ≠ **estabilidade**

precário *adj.* **1 instável**, incerto, inseguro, contingente ≠ **estável**, incontingente **2 delicado**, frágil ≠ **forte**, resistente **3 escasso**, insuficiente, deficiente ≠ **abundante**, suficiente, bastante **4 danoso**, prejudicial ≠ **lucrativo**, rentável, vantajoso **5 difícil**, minguado, pobre

preçário *n.m.* **tarifário**, tarifa

precatado *adj.* **1 preventivo**, previdente, cuidadoso, prudente, cautelar ≠ **imprudente**, descuidado, desleixado, negligente **2 prevenido**, precavido, acautelado, cauteloso, antevidente, calculoso *fig.* ≠ **imprevidente**, imprudente, desacautelado

precatar *v.* **prevenir**, precaver, acautelar, resguardar, premunir ≠ **descuidar**, precipitar, desprecaver

precatar-se *v.* **prevenir-se**, precaver-se, acautelar-se, resguardar-se, premunir-se ≠ **descuidar-se**, precipitar-se, desprecaver-se

precatório *adj.* **1 rogatório**, rogativo **2** DIR. **requisitório**, rogatório

precaução *n.f.* **1 prevenção**, sobreaviso **2 cautela**, cuidado, prudência, resguardo ≠ **imprudência**, descuido, precipitação, imoderação, negligência **3 circunspeção**, ponderação, cautela, consideração, sensatez, moderação, cuidado, atenção, prudência, madureza *fig.* ≠ **imprudência**, insensatez, imoderação, negligência

precaucional *adj.2g.* **preventivo**, previdente, cuidadoso, prudente, cauteloso, precautório, premunitivo ≠ **imprudente**, descuidado, desleixado, negligente

precaver *v.* **prevenir**, resguardar, precatar, acautelar, premunir ≠ **descuidar**, precipitar, desprecaver

precaver-se *v.* **prevenir-se**, acautelar-se, precatar-se, resguardar-se, premunir-se, precaucionar-se ≠ **descuidar-se**, precipitar-se, desprecaver-se

precavido *adj.* **prevenido**, precatado, acautelado, cauteloso, antevidente, calculoso *fig.* ≠ **imprevidente**, imprudente, desacautelado

prece *n.f.* **1** RELIG. **oração**, reza **2 rogo**, súplica, pedido, rogativa, precação

precedência *n.f.* **1 antecedência**, anteposição, anterioridade, precessão, precursão, prioridade ≠ **posterioridade 2 primazia**, preferência, antelação

precedente *adj.2g.* **antecedente**, anterior, pregresso ≠ **seguinte**, posterior, subsequente, imediato, subsecutivo

precedentemente *adv.* **antes**, anteriormente, previamente ≠ **depois**, posteriormente

preceder *v.* **1 antepor 2 anteceder**, anteriorizar ≠ **suceder**

preceito *n.m.* **1 princípio**, prescrição, ditame, determinação, regra, bitame, dogma **2** (religião) **mandamento 3 ensinamento**, doutrina **4 dever**, obrigação, incumbência

preceituação *n.f.* **prescrição**

preceituar *v.* **prescrever**, mandar, estatuir

preceptivo[AO] *adj.* ⇒ **precetivo**[dAO]

preceptor[AO] *n.m.* ⇒ **precetor**[dAO]

precetivo[dAO] ou **preceptivo**[AO] *adj.* **prescritivo**

precetor[dAO] ou **preceptor**[AO] *n.m.* **1 mestre**, mentor, paredro, educador **2 aio**

precinta *n.f.* **cinta**, faixa, cingidoiro, precinto

preciosamente *adv.* cuidadosamente

preciosidade *n.f.* 1 valor, ouro *fig.*, joia *fig.* 2 raridade, curiosidade

preciosismo *n.m.* 1 afetação, artificialidade ≠ naturalidade 2 LIT. (na Península Ibérica) gongorismo 3 *pej.* exagero

precioso *adj.* 1 caro, valioso, avultado, impagável *fig.* ≠ barato, módico, baixo 2 magnífico, sumptuoso, brilhante, rico, diamantino *fig.* ≠ insignificante, desinteressante 3 importante, indispensável, necessário ≠ insignificante, dispensável, desnecessário 4 utilíssimo 5 afetado, amaneirado, artificial ≠ natural, simples

precipício *n.m.* 1 despenhadeiro, abismo, alcantil, esbarrondadeiro, faial, resvaladoiro, ribanceira, perau [BRAS.] 2 *fig.* desgraça, ruína, perdição, sinistro, desastre

precipitação *n.f.* 1 queda 2 atabalhoamento, aceleração, impaciência, arrebatamento *fig.*, atropelamento *fig.*, pressa ≠ serenidade, tranquilidade, calma 3 irreflexão, imprudência, imponderação, desaviso, temeridade ≠ reflexão, prudência, ponderação, meditação

precipitadamente *adv.* 1 apressadamente, aceleradamente, atabalhoadamente 2 imprudentemente, irrefletidamente, inconsideradamente, imponderadamente ≠ prudentemente, refletidamente

precipitado *adj.* 1 atabalhoado, acelerado, impaciente, atropelado *fig.*, arrebatado *fig.* ≠ sereno, tranquilo, calmo 2 imprudente, irrefletido, imponderado, incauto, descuidado, inconsiderado ≠ refletido, prudente, ponderado, meditado

precipitar *v.* 1 despenhar, lançar, arrojar 2 derrubar 3 (com violência) empurrar, impelir 4 apressar, acelerar, ativar ≠ retardar, demorar

precipitar-se *v.* 1 apressar-se, correr 2 despenhar-se, atirar-se, lançar-se 3 aventurar-se, arrojar-se, abalançar-se 4 descontrolar-se

precípuo *adj.* essencial, fundamental, principal, basilar, orgânico ≠ secundário, acessório, complementar

precisamente *adv.* corretamente, exatamente, rigorosamente, justamente, certo ≠ imprecisamente, erradamente, incorretamente

precisão *n.f.* 1 exatidão, concissão, justeza, rigor ≠ imprecisão, inexatidão 2 pontualidade, assiduidade, exatidão, regularidade ≠ atraso, impontualidade, inexatidão 3 carência, falta, necessidade, carecimento, míngua, privação, inexistência, pobreza ≠ abundância, riqueza, fartura, suficiência

precisar *v.* 1 necessitar, carecer 2 calcular, determinar, explicitar, particularizar

preciso *adj.* 1 definido, claro, certo, concreto ≠ indefinido, duvidoso, incerto 2 detalhado, explícito, especificado, pormenorizado ≠ superficial, geral 3 claro, compreensível, inteligível, evidente, óbvio, nítido ≠ incompreensível, inevidente, obscuro *fig.* 4 rigoroso, perfeito, exato ≠ impreciso, imperfeito 5 exato, certo, correto, justo ≠ inexato, incorreto 6 resumido, sucinto, conciso, lacónico ≠ prolixo, difuso, redundante, extenso 7 necessário, carência ≠ desnecessário

precito *adj.,n.m.* réprobo, condenado, maldito, facínora

preço *n.m.* 1 valor, importância, custo, quantia, importe, montante, totalidade 2 *fig.* contrapartida, prémio, castigo, pena 3 *fig.* consideração, merecimento, valia 4 *fig.* estima, apreço, consideração, respeito

precoce *adj.2g.* 1 temporão, lampo, prematuro 2 prematuro, imaturo, antecipado ≠ tardio ■ *adv.* permaturamente, precocemente, cedo, antetempo, antessazão ≠ tarde, tardiamente

precocemente *adv.* 1 prematuramente, precoce, cedo, antetempo, antessazão, temporãmente ≠ tarde, tardiamente 2 antecipadamente, previamente

precocidade *n.f.* 1 prematuridade, prematuração 2 antecipação, adiantamento

preconceber *v.* pressupor, conjeturar, imaginar, supor

preconcebido *adj.* previsto, premeditado, preestabelecido

preconceito *n.m.* 1 prenoção, parti pris 2 intolerância ≠ despreconceito

preconceituoso *adj.* 1 parcial, partidário, faccioso, sectário *fig.* ≠ imparcial, neutral, isento, objetivo, desinteressado 2 hostil, intolerante, sectário *fig.*

preconizar *v.* 1 aconselhar, recomendar, alvitrar, indicar, sugerir ≠ desaconselhar, contraindicar, dissuadir 2 difundir, divulgar, propagar, espalhar, disseminar, vulgarizar 3 elogiar, louvar, aplaudir ≠ censurar, criticar, condenar

precursor *adj.* anunciador, prenunciador, antecipador ■ *n.m.* 1 anunciador, mensageiro, correio *fig.*, mercúrio *fig.*, arauto *fig.* 2 vanguardista, pioneiro *fig.*

predador *n.m.* (animal) caçador

predecessor *n.m.* antecessor ≠ sucessor

predestinação *n.f.* fatalidade, destino

predestinado *adj.* escrito, fadado, talhado *fig.*

predestinar *v.* fadar, preordenar, talhar *fig.*

predeterminar *v.* preestabelecer, predefinir, prefixar

prédica *n.f.* 1 prática, sermão, pregação, predicação 2 prática, palestra, conversa, discurso

predicação *n.f.* prática, sermão, pregação, prédica

predicado *n.m.* 1 atributo, qualidade, dom, talento, sécia 2 virtude, mérito

predicador *adj.,n.m.* predicante, pregador
predicamento *n.m.* categoria, classe, graduação, grau, dignidade
predição *n.f.* vaticínio, prognóstico, profecia, prenúncio, auspício, prenunciação, horoscópio
predicar *v.* aconselhar, recomendar, pregar, alvitrar, indicar, sugerir ≠ desaconselhar, contraindicar, dissuadir
predicatório *adj.* lisonjeiro, encomiástico, elogioso, laudatório, apologético, panegírico ≠ crítico, censurador, repreensivo
predileçãodAO *n.f.* 1 preferência, dileção, afeição, estima, eleição, idiopatia, inclinação *fig.* ≠ antipatia, aversão, repulsa 2 paixão, fraco, mania ≠ desgosto, desagrado, aversão
predilecçãoaAO *n.f.* ⇒ **predileção**dAO
predilectoaAO *adj.,n.m.* ⇒ **predileto**dAO
prediletodAO *adj.* preferido, dileto, eleito, favorito, valido, inclinado *fig.*, ai-jesus *col.*, benjamim *col.* ≠ antipático, avessado, repulsivo ■ *n.m.* preferido, favorito, menino-bonito, nepote, valido, privado, protegido, mais-que-tudo
prédio *n.m.* 1 imóvel 2 herdade, fazenda, campo 3 casa, edifício, residência, vivenda, habitação, lar, domicílio, fogo, moradia, teto *fig.* 4 edifício
predispor *v.* preestabelecer, predeterminar, enterreirar
predisposição *n.f.* 1 tendência, inclinação, orientação, impulso, direção 2 vocação, propensão, queda, habilidade, jeito, tendência, disposição ≠ inabilidade, inaptidão, incapacidade
predisposto *adj.2g.* preparado, propenso, tendente, sujeito, disposto, inclinado *fig.*
predizer *v.* 1 vaticinar, prognosticar, profetizar, antedizer, pressagiar, prenunciar, futurar, augurar, anunciar, agourar 2 profetizar, auspiciar, prenunciar, augurar, adivinhar, oraculizar, pressagiar 3 conjeturar, presumir, supor, prever, pressentir, futurar, antever, suspeitar
predominação *n.f.* predomínio, preponderância, predominância, supremacia, preeminência, influência, hegemonia *fig.*
predominância *n.f.* predomínio, preponderância, predominação, supremacia, preeminência, influência, hegemonia *fig.*
predominante *adj.2g.* 1 preponderante, preeminente, influente, hegemónico 2 GRAM. (acento) tónico 3 GRAM. (sílaba ou vogal) tónico
predominar *v.* preponderar *fig.*, prevalecer, imperar, dominar, tronar *fig.*
predomínio *n.m.* 1 predominância, preponderância, predominação, supremacia, preeminência, influência, hegemonia *fig.* 2 superioridade, prevalência, pujança, supremacia 3 ascendente, influência
preeminência *n.f.* 1 predomínio, predominação, preponderância, predominância, supremacia, influência, hegemonia *fig.* 2 grandeza, importância, distinção
preeminente *adj.2g.* 1 predominante, preponderante, influente, hegemónico 2 superior 3 distinto, nobre
preencher *v.* 1 atestar, completar, encher, plenificar ≠ retirar, esvaziar 2 (espaço vazio) ocupar, encher, rechear ≠ esvaziar 3 (espaço de tempo) ocupar 4 (cargo) desempenhar, exercer, cumprir 5 satisfazer, cumprir 6 (documento, formulário) completar
preenchimento *n.m.* 1 (um espaço vazio) enchimento, recheio ≠ vão, vácuo 2 (cargo) ocupação ≠ vacância
preestabelecer *v.* predispor, predeterminar, enterreirar, prefixar
preexistência *n.f.* precedência, prioridade
preexistente *adj.2g.* primitivo, primeiro, primevo
prefaciar *v.* preambular, preludiar, prologar, proemiar
prefácio *n.m.* preâmbulo, introdução, prólogo, proémio, preliminar, antecomeço, prelúdio, prolusão, peristilo *fig.* ≠ epílogo, peroração, desfecho, desenlace *fig.*
prefeito *n.m.* (num colégio) vigilante, monitor
preferência *n.f.* 1 predileção, dileção, afeição, estima, eleição, idiopatia, inclinação *fig.* ≠ antipatia, aversão, repulsa 2 escolha, opção, eleição, prelação 3 primazia, superioridade, supremacia
preferentemente *adv.* 1 preferencialmente 2 antes 3 melhor
preferir *v.* escolher, eleger, selecionar, distinguir, mais-querer, prepor, amar, optar
preferível *adj.2g.* melhor ≠ pior
prefiguração *n.f.* antevisão, antecipação
prefigurar *v.* 1 antever, antecipar 2 parecer, afigurar-se 3 pressupor, prever
prefixar *v.* 1 predispor, predeterminar, preestabelecer, enterreirar 2 prescrever, determinar, ordenar
prefixo *adj.* predisposto, predeterminado, preestabelecido
prega *n.f.* 1 dobra, vinco, ruga, refego, festo, plica, dobradura, plicatura 2 encorrilha, gelha, vinco 3 ruga, gelha, vinco
pregação *n.f.* 1 pregagem, pregamento 2 prática, sermão, prédica, predicação, homília 3 *col.* reprimenda, repreensão, admoestação, ralho, castigo, correção, pregaria, ensaboadela *fig.*, esfrega *fig.*, lição *fig.* ≠ elogio, louvor, aplauso
pregado *n.m.* ICTIOL. rodovalho, clérigo, parracho, solha

pregador *n.m.* 1 **orador**, perorador, arengador 2 dominicano

pregão *n.m.* 1 **proclamação**, anúncio 2 **divulgação**, propagação, difusão 3 [*pl.*] (casamento) **proclamas**, denúncia, banhos

pregar *v.* 1 (com prego, pionés) **fixar**, cravar, espetar, fincar 2 (um objeto pontiagudo) **introduzir**, cravar 3 **costurar**, coser 4 **preguear**, franzir, plicar, dobrar, avincar ≠ **alisar**, despregar 5 **fitar** 6 *col.* **pespegar**, impingir, aplicar 7 **produzir**, causar 8 **arremessar**, lançar, atirar 9 **transportar** 10 **aconselhar**, recomendar, sugerir ≠ **dissuadir**, desaconselhar 11 **preconizar**, exaltar, propagandear, divulgar 12 **evangelizar**, missionar, catequizar, ensinar, doutrinar ≠ **descatequizar**, desevangelizar 13 *col.* **repreender**, admoestar, animadvertir, castigar, ralhar, escarmentar, ensaboar *fig.*, zurzir *fig.* ≠ **elogiar**, louvar, aplaudir, felicitar

prego *n.m.* 1 **cravo**, brocha 2 ICTIOL. **peixe-prego**

pregoar *v.* 1 **apregoar**, anunciar 2 **divulgar**, proclamar, propagar, difundir 3 **elogiar**, gabar, louvar, encomiar, enaltecer, celebrar, panegiricar, incensar *fig.* ≠ **condenar**, desprezar, criticar 4 **gritar**, bradar, bramir, bramar, berrar, rugir, vozear, vociferar, clamar, exclamar, chamar ≠ **sussurrar**, murmurar, rumorejar, ciciar, zumbir *fig.* 5 **aconselhar**, recomendar, preconizar ≠ **dissuadir**, desaconselhar

pregoeiro *n.m.* 1 **apregoador**, arauto, heraldo 2 **leiloeiro**, almoedeiro, arrematante, cabeça de pau

pregresso *adj.* **antecedente**, anterior, precedente ≠ **procedente**, consequente

preguear *v.* **franzir**, pregar, plicar, dobrar ≠ **alisar**, despregar

preguiça *n.f.* 1 **indolência**, desídia, apatia, displicência, hipocinesia, ignávia, inação, moquenquice ≠ **energia**, força, robustez, vigor, vitalidade 2 **inação**, moleza, lentidão, langor, vagar ≠ **atividade**, dinamismo 3 **mandriice**, vadiagem, malandrice, ociosidade, tuna ≠ **atividade**, dinamismo, labor, trabalho

preguiçar *v.* **mandriar**, madracear, calacear, vadiar, gazetear, molengar, mangonar *col.*, calaceirar ≠ **trabalhar**, labutar, laborar

preguiceira *n.f.* 1 **espreguiçadeira**, chaise-longue 2 **preguiça**, indolência, apatia, displicência, inação, desídia, ignávia ≠ **energia**, força, robustez, vigor, vitalidade

preguiçoso *adj.* 1 **indolente**, mandrião, ocioso, molengão, madraço, mole, sorna, acidioso, molenga, lesme *fig.* ≠ **dinâmico**, ativo, diligente, agenciador 2 **vadio**, mandrião, madraço, ocioso, balda *col.* ≠ **trabalhador** 3 **vagaroso**, moroso, lento, arrastado, tardio ≠ **rápido**, célere, veloz 4 **desmazelado**, desleixado, descuidado, desalinhado, desaprimorado, desarranjado, desaprumado, desarrumado, negligente ≠ **cuidado**, arranjado, aprimorado

pré-histórico *adj.* 1 **ante-histórico** 2 *col.* **antiquado**, antigo, datado, obsoleto ≠ **moderno**, contemporâneo

preito *n.m.* 1 **homenagem** 2 HIST. **vassalagem**, homenagem, obediência 3 **dependência** 4 **pleito**, contenda, disputa 5 *ant.* **ajuste**, pacto

prejudicado *adj.* 1 (pessoa) **lesado**, agravado, sinistrado, tramado *col.* 2 (saúde) **afetado**

prejudicar *v.* 1 **lesar**, afetar, danar, danificar, desgraçar, maleficiar, malfazer, tramar *fig.*, quilhar *col.*, xaquear 2 (saúde) **afetar**, arruinar, estragar, matar 3 **danificar**, deteriorar, estragar ≠ **conservar**, preservar 4 **diminuir**, reduzir ≠ **aumentar**, crescer, valorizar 5 **inutilizar**, anular, invalidar ≠ **validar** 6 **embaraçar**, estorvar, complicar, dificultar ≠ **desembaraçar**, desimpedir

prejudicial *adj.2g.* 1 **desfavorável**, desvantajoso, adverso, inconveniente ≠ **favorável**, vantajoso 2 **nocivo**, pernicioso, maléfico, mau, nefando, nefasto, perigoso, obnóxio, nóxio ≠ **benigno**, saudável, sadio

prejuízo *n.m.* 1 **dano**, lesão, estrago, perda, mal 2 **dano**, perda ≠ **lucro** 3 **preconceito**, superstição, crendice, abusão

prelada *n.f.* **abadessa**, prioresa, superiora

prelado *n.m.* **antístite**

preleção[dAO] *n.f.* **lição**, aula, dissertação

prelecção[aAO] *n.f.* ⇒ **preleção**[dAO]

preleccionar[aAO] *v.* ⇒ **prelecionar**[dAO]

prelecionar[dAO] *v.* 1 **ensinar**, instruir, lecionar, doutrinar, habilitar, dar, explicar, adestrar ≠ **aprender** 2 **discursar**, dissertar, discorrer, falar

preliminar *adj.2g.* 1 **preambular**, introdutório, propedêutico ≠ **final**, conclusivo 2 **prévio**, preparatório, antecedente, liminar ▪ *n.m.* 1 **antecedência**, precedência, anteposição, anterioridade, precessão, precursão ≠ **posterioridade** 2 **prefácio**, preâmbulo, prólogo, introdução, proémio, antecomeço, prelúdio, prolusão, peristilo *fig.* ≠ **epílogo**, peroração, desfecho, desenlace *fig.* 3 [*pl.*] **princípios**, começo

prelo *n.m.* **prensa**, imprensa

prelúdio *n.m.* 1 **iniciação**, começo 2 **prefácio**, preâmbulo, prólogo, introdução, proémio, antecomeço, preliminar, prolusão, peristilo *fig.* ≠ **epílogo**, peroração, desfecho, desenlace *fig.* 3 **precedência**, antecedência, anteposição, precessão, precursão ≠ **posterioridade** 4 **indício**, indicação, vislumbre, mostra, sinal, prenúncio, anúncio, sintoma *fig.*, clarão *fig.*

prematuração *n.f.* **precocidade**, prematuridade

prematuramente *adv.* **precocemente**, precoce, cedo, antetempo, antessazão ≠ **tarde**, tardiamente
prematuridade *n.f.* **prematuração**, precocidade
prematuro *adj.* 1 **temporão**, lampo, precoce 2 **precoce**, imaturo, antecipado ≠ **tardio** 3 **adiantado**, antecipado ≠ **adiado**, protelado, procrastinado, prorrogado, delongado, protraído, retardado
premeditação *n.f.* 1 **planeamento**, preparação 2 **prevenção**
premeditadamente *adv.* **calculadamente**, intencionalmente, propositadamente
premeditado *adj.* **deliberado**, planeado, propositado, fisgado *col.* ≠ **impensado**, incogitado, indeliberado
premeditar *v.* **calcular**, precogitar, sobrepensar, planear, intentar
premência *n.f.* **urgência**, insistência, pressa
premente *adj.2g.* 1 **compressor** 2 **urgente**, insistente 3 *fig.* **aflitivo**, angustiante, agudizado
premer *v.* 1 **carregar**, comprimir, apertar, prensar, esmagar, premir, espremer ≠ **dilatar**, distender 2 *fig.* **oprimir**, reprimir, coibir, confranger, mortificar, refrear, sufocar, comprimir ≠ **libertar**, desoprimir
premiar *v.* 1 **recompensar**, remunerar, gratificar, retribuir, bonificar 2 **galardoar**, laurear, honrar
prémio[AO] ou **prêmio**[AO] *n.m.* 1 **recompensa**, galardão, honra, láurea *poét.* 2 **recompensa**, remuneração, gratificação, retribuição, bonificação, bónus 3 **juro**, ágio
premir *v.* **carregar**, comprimir, apertar, prensar, esmagar, premer, espremer ≠ **dilatar**, distender
premissa *n.f.* **princípio**
premonição *n.f.* 1 **pressentimento**, intuição, presságio, suspeita, bacorejo, presciência, palpite *fig.*, pancada *fig.*, sintoma *fig.* 2 **advertência**, aviso, conselho, exortação, ameaça, mónita, monitória
premonitório *adj.* **prenunciador**
premunir *v.* **prevenir**, resguardar, precaver, precatar, cautelar ≠ **descuidar**, precipitar, desprecaver
premunir-se *v.* 1 **prevenir-se**, acautelar-se, precaver-se, precatar-se, resguardar-se ≠ **descuidar-se**, precipitar-se, desprecaver-se 2 **preparar-se**, apetrechar-se
prenda *n.f.* 1 **presente**, brinde, dádiva, graça, lembrança 2 *fig.* **predicado**, dote, qualidade, virtude, mérito 3 *fig.* **aptidão**, capacidade, habilidade, habilitação, competência, idoneidade, talento ≠ **incompetência**, incapacidade, inaptidão
prendar *v.* 1 **dotar**, favorecer, atribuir, habilitar 2 **presentear**, mimosear, brindar, obsequiar, premiar
prender *v.* 1 **agarrar**, segurar ≠ **desprender** 2 **unir**, atar, ligar, fixar ≠ **desprender**, desatar, desligar 3 **pregar**, fixar 4 (respiração) **conter**, reter 5 **capturar** 6 **aprisionar**, encarcerar, capturar, presar *ant.* ≠ **libertar** 7 **impedir**, embaraçar, tolher, estorvar, obstar 8 **pegar**, emperrar, travar, empacar ≠ **desemperrar** 9 *fig.* **ligar**, vincular, relacionar-se ≠ **desligar**, desvincular 10 *fig.* **atrair**, cativar, seduzir, subjugar 11 *fig.* **enraizar**, arreigar ≠ **desenraizar**, desarreigar
prender-se *v.* 1 **fixar-se**, arraigar-se, agarrar-se 2 **restringir-se**, limitar-se 3 **afeiçoar-se**, dedicar-se 4 **relacionar-se**, advir 5 **comprometer-se** 6 **casar-se**
prenhe *adj.2g.* 1 **impregnado**, embebido, repassado 2 (fêmea) **grávida**, coberta, pejada *col.*, buchuda [BRAS.] 3 *fig.* **pleno**, repleto, cheio, completo, apinhado, pejado, preenchido ≠ **vazio**, oco 4 *fig.* **embebido**, repassado, impregnado, transido
prensa *n.f.* **imprensa**, prelo
prensado *adj.* **comprimido**, compactado, apertado, entalado
prensar *v.* 1 **carregar**, comprimir, apertar, esmagar, premer, premir, espremer ≠ **dilatar**, distender 2 **pisar**, calcar, esmagar, espezinhar, trilhar, acalcanhar, premer 3 **achatar**, aplanar, espalmar, esmagar
prenunciação *n.f.* **vaticínio**, prognóstico, profecia, prenúncio, auspício, predição, núncia
prenunciador *adj.,n.m.* **anunciador**, precursor, premonitório
prenunciar *v.* 1 **profetizar**, auspiciar, predizer, augurar, adivinhar, oraculizar, pressagiar 2 **vaticinar**, prognosticar, profetizar, antedizer, predizer, pressagiar, futurar, augurar, anunciar, agourar, preanunciar
prenúncio *n.m.* **vaticínio**, prognóstico, profecia, predição, auspício, prenunciação
preocupação *n.f.* 1 **inquietação**, cuidado, apreensão, desassossego, apoquentado, cisma ≠ **despreocupação**, desinquietação, desapoquentação, desatribulação 2 **prevenção**, preconceito, prenoção
preocupado *adj.* 1 **inquieto**, angustiado, apreensivo, aflito, apoquentado, atribulado, cismático, consumido *fig.*, grilado [BRAS.] ≠ **despreocupado**, descansado, sereno 2 **pensativo**, cismático, cogitativo, meditativo
preocupante *adj.2g.* **inquietante**, alarmante ≠ **relaxante**, sedante
preocupar *v.* **inquietar**, cuidadar, apreender, desassossegar, apoquentar, cismar, grilar [BRAS.] ≠ **despreocupar**, desinquietar, desapoquentar, desatribular

preocupar-se *v.* **1 apoquentar-se**, incomodar-se, inquietar-se, cismar, recear **2 importar-se**, interessar-se

preparação *n.f.* **1 composição**, fabricação **2 preparado**, apresto, preparativo, preparo **3 preparativos**, organização, disposição **4 formação**, treino

preparado *adj.* **1 pronto**, disposto, organizado **2 aprontado**, arranjado **3 limpo**, asseado ≠ **sujo**, imundo **4 prevenido**, precavido, atento, acautelado **5 apto**, capaz, habilitado, competente, idóneo ≠ **inapto**, incapaz, inabilitado **6 culto**, instruído, ilustrado

preparar *v.* **1 compor**, arranjar, dispor **2** (com antecedência) **aprontar**, dispor, arranjar **3 organizar**, prever, combinar, planear, premeditar **4 fomentar**, provocar, causar **5 armar**, maquinar, tramar, conluiar, conspirar, cozinhar *fig.*, intrigar **6 estudar**, aprender, trabalhar **7 adaptar 8 habilitar 9 exercitar**, treinar

preparar-se *v.* **1 arranjar-se**, ajeitar-se, vestir-se **2 aprontar-se**, aprestar-se **3 acautelar-se**, munir-se **4 tencionar**, intentar **5 habilitar-se 6 estudar**

preparativo *adj.* **prévio**, preliminar, liminar, antecedente, propedêutico, preparatório ■ *n.m.* **1 preparado**, apresto, preparo, preparação **2** [*pl.*] **preparação**, organização, disposição

preparatório *adj.* **prévio**, preliminar, liminar, antecedente, propedêutico, preparativo

preparo *n.m.* **1 preparado**, apresto, preparativo, preparação **2 propósito**, intenção, intuito

preponderância *n.f.* **1 predominância**, predomínio, predominação, supremacia, preeminência, influência, hegemonia *fig.* **2 superioridade**, primazia

preponderante *adj.2g.* **1 predominante**, preeminente, influente, hegemónico **2 decisivo**, categórico, perentório, terminante ≠ **duvidoso 3 altivo**, soberbo, imodesto, petulante, arrogante, sobranceiro *fig.* ≠ **humilde**, modesto, simples **4 dominador**, poderoso, soberano

preponderar *v. fig.* **predominar**, prevalecer, imperar, dominar, tronar *fig.*

prepotência *n.f.* **despotismo**, opressão, violência, arbitrariedade, iliberalidade, tirania ≠ **liberalidade**, equidade

prepotente *adj.2g.* **despótico**, tirânico, ditatorial, autoritário, iliberal, mussoliniano *fig.* ≠ **democrata**, liberal

pré-primária *n.f.* **1** (nível de ensino) **pré-escola 2** (estabelecimento de ensino) **jardim-escola**, creche, berçário, criadoiro, jardim de infância, infantário

pré-requisito *n.m.* **exigência**, condição, requisito

prerrogativa *n.f.* **regalia**, privilégio, direito, apanágio, atribuição, distinção, exceção ≠ **dever**, obrigação, encargo

presa *n.f.* **1 apreensão**, tomadia **2** (dente) **canino**, colmilho, defesas **3 represa**, açude **4 preia 5 prisioneira**

presbítero *n.m.* **padre**, sacerdote, clérigo, eclesiástico, cura, samarra *pej.*, sotaina *pej.*

presciência *n.f.* **pressentimento**, premonição, intuição, presságio, suspeita, bacorejo, precognição, palpite *fig.*, pancada *fig.*, sintoma *fig.*

prescindir *v.* **1 dispensar**, desnecessitar, escusar ≠ **necessitar**, precisar, carecer, complementar **2 renunciar**, resignar, depor, abdicar, deixar, cessar, abandonar, preterir ≠ **insistir**, perseverar

prescindível *adj.2g.* **1 renunciável**, resignável, abdicável, cessável, abandonável, preterível **2 desnecessário**, escusado, supérfluo, dispensável ≠ **imprescindível**, indispensável, necessário

prescrever *v.* **1 ordenar**, estabelecer, determinar, fixar, ditar, impor, estatuir, mandar, preceituar **2** (medicamento) **receitar 3 aconselhar**, recomendar, sugerir **4 desusar 5 caducar**, expirar, acabar, terminar, trastempar ≠ **viger**

prescrição *n.f.* **1 indicação**, preceito, ordem, regulamento, disposto, determinação, regra, disposição **2 formulário 3 receita**, récipe, fórmula **4** DIR. **caducidade** ≠ **vigência**

prescrito *adj.* **1 ordenado**, estabelecido, determinado, fixado, ditado, imposto, estatuído, mandado, preceituado **2 receitado 3 caduco**, caducado ≠ **vigente**

presença *n.f.* **1 comparência**, assistência ≠ **ausência 2 assiduidade**, frequência ≠ **inassiduidade**, absenteísmo **3 aparência**, aspeto, feição, figura, cariz, capa *fig.*, fachada *fig.*, ar *fig.* **4** *fig.* **individualidade**

presenciar *v.* **1 assistir**, ver, participar **2 ver**, observar, testemunhar

presente *adj.2g.* **1** ≠ **ausente 2 atual**, contemporâneo, moderno, hodierno ≠ **passado**, futuro, porvindouro, póstero **3 evidente**, claro, patente, visível, manifesto, óbvio ≠ **inevidente**, incerto, duvidoso **4 existente**, exposto ■ *n.m.* **1 atualidade** ≠ **passado**, futuro **2 prenda**, brinde, dádiva, graça, lembrança, dada *ant.*

presentear *v.* **brindar**, obsequiar, ofertar, mimosear, regalar, dadivar, dar, oferecer

presentemente *adv.* **1 atualmente**, hoje, hodiernamente, modernamente ≠ **antigamente**, outrora, dantes, futuramente **2 agora**, atualmente ≠ **antes**, depois

presépio *n.m.* **estábulo**, curral, corte, estala, malhada

preservação *n.f.* 1 **proteção**, defesa, salvaguarda ≠ **desproteção**, abandono 2 **conservação**, consolidação, congelação *fig.* ≠ **deterioração**, estrago

preservar *v.* 1 **conservar**, manter, sustentar ≠ **deteriorar**, estragar, danificar, buir 2 **defender**, proteger, resguardar, abrigar, valer ≠ **desproteger**, desabrigar

preservar-se *v.* 1 **conservar-se**, manter-se, sustentar-se 2 **defender-se**, proteger-se, resguardar-se, acautelar-se, livrar-se, couraçar-se

preservativo *adj.* **preventivo**, profilático, defensivo ■ *n.m.* 1 (contracetivo) **camisinha** *col.*, camisa de vénus, borrachinha *col.* 2 **defesa**, defensivo

presidência *n.f.* **direção**, gerência, administração, superintendência

presidente *n.m.* **dirigente**, diretor, administrador, chefe

presidiar *v.* **defender**, custodiar

presidiário *adj.* **preso**, encarcerado, aprisionado, prisioneiro, detido, recluso ≠ **liberto**, solto, livre ■ *n.m.* **preso**, prisioneiro, refém, recluso, detido, penitenciário

presídio *n.m.* 1 **prisão**, cadeia, cativeiro, cárcere, calabouço, penitenciária, masmorra, gaiola *col.*, chilindró *col.*, choça *col.*, choldra *gír.* 2 **socorro**, defesa, auxílio

presidir *v.* **chefiar**, comandar, liderar, encabeçar, governar, dirigir, superintender ≠ **submeter-se**, sujeitar-se, subordinar-se

presilha *n.f.* 1 **fivela**, aselha 2 *col.* **intrujice**, manha, logro, embuste, vigarice, impostura ≠ **honestidade**, verdade, sinceridade

preso *adj.* 1 **ligado**, atado, amarrado, unido ≠ **solto**, desatado 2 **tolhido**, impedido, maniatado *fig.* ≠ **livre**, desimpedido 3 **recluso**, detido, encarcerado, aprisionado, prisioneiro, presidiário, preado, trincafiado ≠ **liberto**, solto, livre 4 *fig.* **embevecido** 5 *fig.* **perturbado** ■ *n.m.* **presidiário**, prisioneiro, refém, recluso, detido, penitenciário

pressa *n.f.* 1 **urgência**, necessidade, premência 2 **rapidez**, velocidade, celeridade, ligeireza ≠ **lentidão**, morosidade, vagareza *col.* 3 **azáfama**, roda-viva, afã, lidação, barafunda, rodopio *fig.* ≠ **calmaria**, serenidade, sossego 4 **impaciência**, freima, desassossego ≠ **paciência**, calma, serenidade 5 **precipitação**, atabalhoamento, aceleração, impaciência, arrebatamento *fig.*, atropelamento *fig.* ≠ **serenidade**, tranquilidade, calma 6 **aperto**, aflição, angústia, dificuldade ≠ **desaperto**, alívio

pressagiar *v.* 1 **vaticinar**, prognosticar, profetizar, antedizer, predizer, prenunciar, futurar, augurar, anunciar, agourar, ominar 2 **pressentir**, prever, adivinhar, intuir, palpitar

presságio *n.m.* 1 **vaticínio**, prognóstico, profecia, predição, auspício, prenunciação, prenúncio 2 **pressentimento**, intuição, premonição, suspeita, bacorejo, presciência, palpite *fig.*, pancada *fig.*, sintoma *fig.*

pressão *n.f.* 1 **tensão**, aperto 2 *fig.* **coação**, coerção, imposição, constrangimento, compressão *fig.* ≠ **liberdade**, arbítrio 3 *fig.* **influência**

pressentido *adj.* **previsto**, entrevisto, precógnito ≠ **impressentido**, imprevisto, inesperado

pressentimento *n.m.* **intuição**, presságio, premonição, suspeita, bacorejo, presciência, palpite *fig.*, pancada *fig.*, sintoma *fig.*

pressentir *v.* 1 **prever**, pressagiar, adivinhar, intuir, palpitar 2 **desconfiar**, suspeitar, duvidar, recear, temer ≠ **confiar**, crer 3 **conjeturar**, supor, presumir

pressionar *v.* 1 **comprimir**, prensar, apertar, esmagar, premer, premir ≠ **dilatar**, distender 2 **oprimir**, coagir, coatar, constranger, obrigar, compelir, coibir, confranger ≠ **libertar**, desoprimir

pressupor *v.* **conjeturar**, supor, prever, presumir, calcular, antever

pressuposição *n.f.* **conjetura**, presunção, suposição, pressuposto, hipótese, suspeita, cálculo *fig.*

pressuposto *adj.* **presumível**, presuntivo, provável ■ *n.m.* 1 **pressuposição**, conjetura, suposição, cálculo, presunção 2 **desígnio**, intenção, propósito, vontade

pressuroso *adj.* 1 **apressado**, azafamado, impaciente, atarefado 2 **ativo**, diligente, expedito, prático ≠ **embaraçado**, atabalhoado, desorganizado

prestabilidade *n.f.* **utilidade**, préstimo, serventia

prestação *n.f.* 1 **amortização**, pagela 2 **quota-parte**, quota, contribuição, quotização

prestador *adj.,n.m.* **prestadio**, prestável

prestamista *n.2g.* **penhorista**, preguista, agiota, esfola *col.*

prestante *adj.2g.* 1 **prestadio**, prestativo, útil, serviçal, válido 2 **excelente**, excelso, ilustre, insigne

prestar *v.* 1 **servir**, valer 2 **dispensar**, conceder, conferir, dar 3 **consagrar**, dedicar, oferecer, tributar, dar, render

prestar-se *v.* 1 **oferecer-se**, disponibilizar-se, propor-se 2 **adaptar-se**, moldar-se, acomodar-se, ajeitar-se 3 **sujeitar-se** 4 **permitir**, admitir, consentir

prestável *adj.2g.* **prestador**, prestante, prestadio, serviçal, prestimoso, solícito, libente ≠ **inútil**

prestes *adj.inv.* 1 **pronto**, preparado, despachado 2 **disposto**, preparado ■ *adv.* **depressa**, rapidamente, velozmente, aceleradamente, apressadamente, ligeiramente, presto, toste *ant.* ≠ **lentamente**, vagarosamente, devagar

presteza *n.f.* 1 **prontidão**, agilidade, desembaraço, dinamismo, destreza, desteridade 2 **ligeireza**, pressa, celeridade, agilidade ≠ **lentidão**, morosidade

prestidigitação *n.f.* **ilusionismo**, manigância, passa-passa, pelotica

prestidigitador *n.m.* **prestímano**, ilusionista, pelotiqueiro, prestigiador, escamoteador

prestigiar *v.* **engrandecer**, exaltar, aureolar, valorizar, venerar ≠ **desprestigiar**, desvalorizar

prestígio *n.m.* 1 **ilusão** 2 *fig.* **notoriedade**, importância, autoridade, influência 3 *fig.* **fascinação**, encanto, atração, charme, magia ≠ **desilusão**, deceção, desinteresse

prestigioso *adj.* 1 **prodigioso**, portentoso, assombroso, fabuloso 2 **respeitado**, admirado, influente ≠ **desprestigioso**

préstimo *n.m.* 1 **proveito**, aplicação, valia 2 **utilidade**, serventia, uso, serviço 3 **auxílio**, ajuda, apoio, cuidado 4 **mercê**, obséquio, prestância 5 **serviço**

prestimoso *adj.* 1 **prestante**, útil, serviçal, solícito, prestadio ≠ **inútil**, desnecessário 2 **proveitoso**, útil, profícuo, prestadio, válido ≠ **inútil**, improfícuo

préstito *n.m.* **cortejo**, procissão, séquito, comitiva

presto *adj.* **veloz**, célere, rápido, ligeiro, alado, precípite, voador *fig.* ≠ **lento**, vagaroso, pausado, moroso ■ *adv.* **depressa**, rapidamente, velozmente, aceleradamente, apressadamente, ligeiramente, prestes, toste *ant.* ≠ **lentamente**, vagarosamente, devagar

presumido *adj.* 1 **vaidoso**, presunçoso, pretensioso, coquete, afetado, fátuo, jactancioso, perliquitetes ≠ **despretensioso**, desafetado, modesto 2 **afetado**, amaneirado, artificial, precioso ≠ **natural**, simples 3 **suposto**, conjeturado, calculado, imaginado

presumir *v.* 1 **conjeturar**, supor, prever, imaginar, calcular, antever 2 **entender** 3 **vangloriar-se**, pavonear, galrar, blasonar, pespontar *fig.* 4 **aperfeiçoar-se**, esmerar-se, caprichar

presumível *adj.2g.* **conjeturável**, esperável, provável, presuntivo ≠ **impresumível**

presunção *n.f.* 1 **jactância**, vaidade, afetação, orgulho, altivez, soberba, bazófia *fig.*, não-presta *col.*, ganja [BRAS.] ≠ **discrição**, simplicidade, sobriedade, despojamento, recato, modéstia 2 **conjetura**, suspeita, suposição, pressuposto, hipótese, cálculo *fig.*

presunçoso *adj.* **presumido**, vaidoso, orgulhoso, pretensioso, afetado, fátuo, ganjento [BRAS.], lelo [REG.] ≠ **despretensioso**, desafetado, modesto

presuntivo *adj.* **conjeturável**, esperável, provável, presumível, pressuposto ≠ **impresumível**

presunto *n.m.* **chambão**, lacão [REG.], larcão [REG.], chamboado

pretalhada *n.f. pej.* **pretaria**, negrada, negralhada

pretendente *adj.2g.* **solicitador**, requerente, pretensor ■ *n.2g.* **candidato**, postulante, aspirante, concorrente

pretender *v.* 1 **desejar**, apetecer, querer ≠ **desistir**, enjeitar, recusar 2 **solicitar**, pedir 3 **exigir**, requerer, necessitar, pedir 4 **intentar**, tencionar, planear, querer 5 **requerer**, reclamar, requisitar 6 **aspirar**, ambicionar, desejar ≠ **desistir**, renunciar 7 **asseverar**, sustentar, afirmar ≠ **contradizer**, contraditar

pretendido *adj.* **desejado**, cobiçado, ambicionado, apetecido, invejado, namorado, querido, disputado ≠ **desinteressado**, desapegado

pretensamente *adv.* 1 **supostamente** 2 **alegadamente** 3 **falsamente**, hipocritamente ≠ **honestamente**, sinceramente

pretensão *n.f.* 1 **exigência**, reivindicação, reclamação 2 **ambição**, ganância, cobiça, desejo, avidez ≠ **desambição**, desinteresse, desapego 3 [*pl.*] **vaidade**, jactância, presunção, ostentação, gala, bazófia *fig.* ≠ **discrição**, simplicidade, sobriedade, despojamento, recato, modéstia

pretensioso *adj.,n.m.* **presumido**, vaidoso, orgulhoso, presunçoso, afetado, fátuo, gasguito [REG.], pespontado *fig.* ≠ **despretensioso**, desafetado, modesto

pretenso *adj.* 1 **suposto**, conjeturado, calculado, imaginado 2 **alegado**, fictício, hipotético

preterição *n.f.* 1 **omissão** 2 **postergação**, rejeição, pretermissão 3 **preterência**, retardamento, atraso ≠ **adiantamento**, antecipação 4 (figura de estilo) **paralipse**

preterir *v.* 1 **perpassar** 2 **ultrapassar**, superar 3 **omitir**, abstrair 4 **prescindir**, dispensar, abdicar, renegar, abstrair, pretermitir ≠ **considerar**, valorizar

pretérito *adj.* **transato**, passado, decorrido ≠ **presente**, próximo ■ *n.m.* GRAM. **passado**

preterível *adj.2g.* **renunciável**, resignável, rejeitável, abdicável, cessável, abandonável, prescindível

pretextar *v.* **justificar-se**, desculpar, alegar, escusar

pretexto *n.m.* **desculpa**, justificação, escusa, razão, pé-de-cantiga *col.*

pretidão *n.f.* **negrura**, negrume, escuridão, negridão, pretura, negregura ≠ **brancura**, alvura

preto *adj.* 1 (cor) **negro** ≠ **branco** 2 **escurecido**, sujo, enegrecido, negro ≠ **limpo** 3 **escuro**, sombrio, lúgubre ≠ **claro**, luminoso 4 *fig.* **triste**, taciturno, soturno, lamentoso, lúgubre ≠ **alegre**, festivo, jovial 5 *fig.* **fúnebre**, lúgubre, letal, fatídico, sinistro, tétrico, macabro ■ *n.m.* 1 (cor) negro ≠ branco 2 *pej.* (indivíduo) negro ≠ branco 3 luto

prevalecente *adj.2g.* **dominante**, vigente, preponderante, imperante

prevalecer *v.* 1 **sobressair**, proeminar, prospetar 2 **predominar**, preponderar *fig.*, imperar, dominar, tronar *fig.*

prevalência *n.f.* **superioridade**, predomínio, prevalecimento ≠ **inferioridade**

prevaricação *n.f.* 1 **corrupção**, perversão, degradação, aviltamento, imoralidade, desregramento, devassidão ≠ **decência**, decoro, moralidade 2 **arbitrariedade**, abuso, exorbitância ≠ **contenção**, comedimento 3 (de norma ou princípio) **transgressão**, descumprimento, infração ≠ **cumprimento**, respeito

prevaricador *adj.,n.m.* 1 **corruptor**, perversor, degradador, aviltador, devassador ≠ **moralizador** 2 (de norma ou princípio) **transgressor**, infrator ≠ **cumpridor**, respeitador

prevaricar *v.* 1 **corromper** *fig.*, perverter, aviltar, imoralizar, devassar, degradar *fig.* ≠ **moralizar** 2 **abusar**, exorbitar *fig.* ≠ **conter**, comedir 3 (de norma ou princípio) **transgredir**, descumprir, infringir ≠ **cumprir**, respeitar

prevenção *n.f.* 1 **aviso** 2 (opinião antecipada) **preocupação** 3 **precaução**, cautela, prudência, resguardo, cuidado, vigilância, providência ≠ **imprudência**, descuido, precipitação, imoderação, negligência 4 **premeditação**, premunição, preparação

prevenido *adj.* 1 **acautelado**, precavido, cauto, previdente, calculoso *fig.* ≠ **imprevidente**, imprudente, desacautelado 2 **prudente**, ponderado, refletido, comedido ≠ **imprudente**, irrefletido, descomedido 3 **desconfiado**, receoso, apreensivo, ressabiado, espantadiço, suspeitoso, cauto ≠ **confiante**, seguro, firme

prevenir *v.* 1 **antecipar**, antever 2 **acautelar**, precaver, resguardar ≠ **descuidar**, precipitar 3 **advertir**, informar, alertar, avisar, precaver 4 **evitar**, impedir, privar, precaver

prevenir-se *v.* 1 **precaver-se**, acautelar-se, precatar-se, premunir-se, antecipar-se, resguardar-se, abispar-se, encastelar-se 2 **preparar-se**, apetrechar-se, aparelhar-se, munir-se, armar-se

preventivo *adj.* **precaucional**, previdente, cuidadoso, prudente, cauteloso, preventor ≠ **imprudente**, descuidado, desleixado, negligente

prever *v.* 1 **antecipar**, prevenir, preadivinhar 2 **supor**, conjeturar, pressupor, presumir, calcular, antever 3 **profetizar**, predizer, prognosticar, vaticinar, antedizer, pressagiar, prenunciar, futurar, augurar, anunciar, agourar

previamente *adv.* 1 **antecipadamente**, precocemente 2 **anteriormente**, antigamente, outrora, antes, precedentemente ≠ **depois**, futuramente, posteriormente

previdência *n.f.* 1 **precaução**, cautela, prevenção, prudência, resguardo, cuidado, vigilância ≠ **imprudência**, descuido, precipitação, imoderação, negligência 2 **conjetura**, previsão, antevidência, antevisão

previdente *adj.2g.* 1 **prevenido**, acautelado, precavido, cauteloso, antevidente, presciente, calculoso *fig.* ≠ **imprevidente**, imprudente, desacautelado 2 **prudente**, refletido, sensato, atento, cauteloso, moderado, cuidadoso, precaucionado ≠ **imprudente**, insensato, imoderado, negligente

prévio *adj.* 1 **antecipado**, adiantado ≠ **adiado**, protelado, procrastinado, prorrogado, delongado, protraído, retardado 2 **preliminar**, preparatório, antecedente, liminar ≠ **posterior**, ulterior

previsão *n.f.* 1 **conjetura**, previdência, antevidência, antevisão 2 **presciência**, pressentimento, premonição, intuição, palpite

previsibilidade *n.f.* **estima**, estimativa, previsão, cálculo *fig.* ≠ **imprevisibilidade**

previsível *adj.2g.* **conjeturável**, calculável, imaginável, pressentível ≠ **imprevisível**, incalculável

previsto *adj.* 1 **conjeturado**, calculado, imaginado 2 **prognosticado**, profetizado, vatídico, prenunciado, futurado, augurado, anunciado, agourado 3 **prevenido**, acautelado, precavido, cauteloso, antevidente, calculoso *fig.* ≠ **imprevidente**, imprudente, desacautelado

prezado *adj.* **estimado**, caro, querido, benquisto, amado ≠ **detestado**, odiado, malquisto, desamorado

prezar *v.* 1 **apreciar**, considerar, estimar, respeitar, venerar ≠ **depreciar**, desdenhar, menosprezar 2 **desejar**, querer, ansiar ≠ **recusar**, rejeitar, ignorar 3 **amar**

prezar-se *v.* **estimar-se**, respeitar-se, orgulhar-se

primacial *adj.2g.* 1 **superior**, supremo ≠ **inferior** 2 **principal**, primordial, fundamental, essencial ≠ **secundário**, acessório, auxiliar

primado *n.m.* 1 **prioridade**, primazia, precedência, preferência, antelação 2 **supremacia**, superioridade, primazia

primar *v.* 1 **distinguir-se**, evidenciar-se, sobressair ≠ **anular-se** *fig.* 2 **esmerar-se**, caprichar, aperfeiçoar-se, apurar-se ≠ **desleixar-se**, desmazelar-se, negligenciar

primário *adj.* 1 **primordial**, essencial, principal, fundamental, importante, cardeal, vital *fig.* ≠ **secundário**, acessório, auxiliar 2 **primitivo**, original, originário, primordial 3 *fig.* **grosseiro**, rude, rudimentar, medíocre, primitivo ≠ **delicado**, fino, educado

primavera *n.f.* 1 *fig.* **abril** 2 *fig.* **adolescência**, juvenilidade, mocidade, juventude, alvorada, aurora ≠ **velhice** 3 *fig.* **princípio**, início 4 *fig.* (em relação a pessoas novas) **anos**

primaveril *adj.2g.* 1 **primaveral** 2 *fig.* **juvenil**, jovem, adolescente, moço ≠ **velho**, antigo, idoso

primaz *adj.2g.* **principal**, primordial, essencial, primário, importante ≠ **secundário**, acessório

primazia *n.f.* 1 **supremacia**, superioridade, primado, principalidade 2 *fig.* **excelência**, superioridade ≠ **mediocridade**, inferioridade 3 *fig.* **rivalidade** 4 *fig.* **competência**

primeiramente *adv.* 1 **primeiro**, primo 2 **anteriormente**, antes ≠ **posteriormente**, depois

primeiro *adj.* 1 **principal**, melhor, supremo 2 **primordial**, essencial, principal, fundamental, primário, importante, capital, cardeal, vital *fig.* ≠ **secundário**, acessório, auxiliar 3 **primitivo**, primordial, inicial 4 **primogénito** 5 **rudimentar**, embrionário ■ *adv.* **primo**, primeiramente

primícias *n.f.pl. fig.* **começos**, prelúdios

primitiva *n.f.* **origem**, princípio, primórdio, início, começo, exórdio *fig.*, limiar *fig.* ≠ **fim**, término

primitivamente *adv.* **originalmente**, inicialmente ≠ **posteriormente**

primitivo *adj.* 1 **inicial**, primeiro, original, adâmico, primigénio ≠ **atual**, posterior 2 **remoto** 3 **básico**, primário 4 *pej.* **atrasado**, antiquado, arcaico 5 *fig.* **simples**, rudimentar, rude ≠ **complexo**, elaborado, rebuscado *fig.* 6 *fig.* **grosseiro**, rude, ordinário, vulgar, bronco, bruto ≠ **delicado**, educado, cortês, atencioso, fino, elegante, encantador, polido

primo *adj.* 1 **primeiro** 2 **excelente**, brilhante *fig.*, supremo *fig.*, celeste *fig.* ■ *adv.* **primeiramente**, primeiro

primogénito[AO] ou **primogênito**[AO] *n.m.* **morgado** ■ *adj.* **primeiro**

primor *n.m.* 1 **perfeição**, apuro, mestria, requinte, esmero 2 **obra-prima**, obra-mestra 3 **delicadeza**, afabilidade, cortesia, cordialidade ≠ **indelicadeza**, descortesia

primordial *adj.2g.* 1 **primitivo**, inicial, originário, original, primígeno ≠ **contemporâneo**, posterior 2 **capital**, essencial, principal, fundamental, primário, importante, cardeal, vital *fig.* ≠ **secundário**, acessório, auxiliar

primórdio *n.m.* 1 **princípio**, origem, primitiva, início, começo, exórdio *fig.*, limiar *fig.* ≠ **fim**, término 2 **origem**, fonte, proveniência 3 **exórdio** *fig.*, princípio, proémio *fig.*

primoroso *adj.* 1 **perfeito**, requintado, delicado, esmerado, excelente ≠ **imperfeito**, defeituoso 2 **maravilhoso**, impecável

principal *adj.2g.,n.m.* **primordial**, essencial, primeiro, fundamental, primário, importante, capital, cardeal, vital *fig.* ≠ **secundário**, acessório, auxiliar ■ *n.m.* 1 **capataz** 2 **dirigente**, líder, chefe, superior, cabeça, comandante ≠ **subordinado**, subalterno, inferior 3 **superior**

principalmente *adv.* 1 **especialmente**, nomeadamente, particularmente 2 **sobretudo**, maioritariamente, maximamente, máxime, mormente, nomeadamente, primariamente

príncipe *n.m. fig.* **chefe** ■ *adj.2g.* **príncepes**

principesco *adj. fig.* **opulento**, sumptuoso, esplêndido, magnífico, imponente, pomposo, grandioso, magnificente, faustuoso, brilhante *fig.* ≠ **singelo**, simples, despojado

principiante *adj.2g.* **incipiente**, debutante, começante, iniciante, inexperimentado ■ *n.2g.* **novato**, aprendiz, iniciado, praticante, catecúmeno, noviço *fig.* ≠ **experiente**, perito

principiar *v.* **começar**, iniciar, encetar, estrear, inaugurar, abrir ≠ **acabar**, terminar, finalizar, findar

princípio *n.m.* 1 **começo**, início, primórdio, exórdio *fig.*, limiar *fig.* ≠ **fim**, término 2 **origem**, causa, fundamento, motivo, razão, base 3 **base**, raiz 4 **opinião**, juízo 5 **lei**, regra, norma, preceito, imperativo 6 **máxima**, sentença, moralidade 7 [*pl.*] **antecedentes**, antepassados ≠ **descendentes**, vindouros 8 [*pl.*] **opiniões**, convicções, juízos 9 [*pl.*] **instrução**, conhecimento, doutrina, saber 10 [*pl.*] **educação**, instrução, ensino, ensinamento 11 [*pl.*] **rudimentos**, elementos, dados

prior *n.m.* **pároco**, cura, reitor

prioridade *n.f.* 1 **primazia**, primado, precedência, preferência, antelação 2 **precedência**, antecedência, anteposição, anterioridade, precessão, precursão ≠ **posterioridade**

prisão *n.f.* 1 **cadeia**, cárcere, calabouço, presídio, masmorra, cativeiro, gaiola *col.*, chilindró *col.*, choça *col.*, choldra *gír.*, grades [BRAS.] *col.*, taioba [BRAS.] 2 **encerramento**, clausura, enclausura, reclusão, ilaqueação 3 *fig.* **vínculo**, aliança, união, ligação, laço ≠ **separação**, desunião 4 *fig.* **obstáculo**, encargo, impedimento, barragem

prisional *adj.2g.* **carcerário**, penitênciário

prisioneiro *adj.* 1 **detido**, preso, encarcerado, aprisionado, cativo ≠ **liberto**, solto, livre 2 *fig.* **cativo**, amarrado ■ *n.m.* **recluso**, preso, refém, detido, cativo

prisma *n.m. fig.* **aspeto**, feição, prespectiva, lado, ângulo

privação *n.f.* **carência**, carecimento, falta, precisão, necessidade, míngua, inexistência, pobreza ≠ **abundância**, riqueza, fartura, suficiência

privacidade *n.f.* **intimidade**

privada *n.f.* **retrete**, latrina, sentina, dejetório, necessária *col.*

privado *adj.* **1 particular**, pessoal, privativo, íntimo ≠ **público 2 privatizado** ≠ **estatal 3 individual**, pessoal, próprio, singular ≠ **universal**, geral, coletivo **4 íntimo**, pessoal, familiar, indevassável ≠ **público**, externo **5 desprovido**, carecido, precisado, necessitado ■ *n.m.* **preferido**, favorito, predileto, valido, menino-bonito, nepote

privar *v.* **1 desapossar**, esbulhar, espoliar, expropriar, despojar, desapropriar, orfanar *fig.* ≠ **empossar**, apossar **2 destituir**, abster, desprover, renunciar ≠ **usufruir**, fornecer, dar **3 familiarizar**, relacionar

privar-se *v.* **1 abster-se**, prescindir, coibir-se, dispensar **2 negar-se**, recusar-se

privativo *adj.* **1 exclusivo**, pessoal, particular, especial, único **2 particular**, próprio, restrito, singular, específico, peculiar ≠ **geral**, universal, global

privilegiado *adj.* **1 favorecido**, beneficiário ≠ **desfavorecido 2 distinto**, elevado, superior, patrício **3 singular**, único, excecional

privilegiar *v.* **1 favorecer**, beneficiar ≠ **desfavorecer 2 distinguir**, elevar **3 singularizar** ≠ **generalizar**

privilégio *n.m.* **1 prerrogativa**, exceção, distinção, regalia, direito, cordão, franquia, mordomice *col.* **2 imunidade**, isenção, foro

pró *n.m.* **vantagem**, conveniência, interesse, proveito ≠ **desvantagem**, inconveniência

proa *n.f.* **1** (do navio) **vante** ≠ **popa 2 frente** ≠ **traseira**, retaguarda **3 vaidade**, jactância, presunção, ostentação, gala, bazófia *fig.* ≠ **discrição**, simplicidade, sobriedade, despojamento, recato, modéstia

probabilidade *n.f.* **verosimilhança**, possibilidade ≠ **improbabilidade**

probante *adj.2g.* **comprovativo**, corroborante, comprovante, comprovador ≠ **negativo**, discutível

probatório *adj.* **comprovativo**, corroborante, comprovante, comprovador, demostrativo ≠ **negativo**, discutível

probidade *n.f.* **1 integridade**, retidão, honorabilidade, respeitabilidade, honradez ≠ **ignobilidade**, vileza **2 pundonor**, honradez, honra, dignidade, brio ≠ **desonra**, indignidade, desbrio

problema *n.m.* **1 dúvida**, dilema, questão ≠ **solução**, resolução **2 dificuldade**, aborrecimento, agrura, contrariedade, obstáculo ≠ **solução**, recurso, decisão

problemático *adj.* **1 complexo**, complicado, hermético, incompreensível, obscuro *fig.* ≠ **entendível**, claro, evidente **2 intricado**, complexo, difícil ≠ **fácil**, simples **3 perturbado**, agitado, inquieto ≠ **tranquilo**, calmo, sereno **4 incerto**, duvidoso, equívoco, dúbio ≠ **certo**, indubitável

probo *adj.* **1 justo**, equitativo, imparcial, direito, íntegro, reto ≠ **injusto**, parcial **2 honrado**, honesto, íntegro, reto, justo, leal, direito ≠ **indigno**, desonesto

procedência *n.f.* **1 origem**, proveniência, naturalidade, progénie, processão **2 estirpe**, tronco, linhagem, família, geração, ascendência, progénie

procedente *adj.2g.* **1 proveniente**, originário, oriundo, vindo, descendente, natural, derivante **2 concludente**, consequente **3 lógico**, coerente, racional, congruente, consonante ≠ **incoerente**, dislógico, alógico, dissonante **4 fundamentado**, fundado, justificado ≠ **infundado**, injustificado, improcedente

proceder *v.* **1 provir**, descender, derivar, originar-se, efluir **2 executar**, realizar, fazer, consumar, concretizar **3 portar-se**, comportar-se, agir **4 prosseguir**, continuar, seguir ≠ **desistir**, abandonar ■ *n.m.* **procedimento**, comportamento, conduta, atitude, atuação

procedimento *n.m.* **1 proceder**, comportamento, conduta, atitude, atuação **2 ação**, atuação, processo

processar *v.* **1** DIR. **acionar 2 autuar 3 organizar 4** INFORM. **computorizar**, computadorizar

processo *n.m.* **1 método**, sistema, norma, procedimento, modo **2 processamento 3 seguimento**, decurso, andamento, sequência ≠ **suspensão**, interrupção **4** DIR. **demanda**, causa, litígio, pleito

processual *adj.2g.* DIR. **judicial**

procissão *n.f.* **cortejo**, préstito, marcha

proclama *n.m.* (casamento) **proclamação**, denúncia, pregões, banhos

proclamação *n.f.* **1 aclamação**, ovação, pregão **2 preconização**

proclamar *v.* **1 anunciar**, pregoar **2 ostentar 3 celebrar**, glorificar, exaltar, aclamar **4 preconizar 5** (em público) **intitular**, apelidar, nomear **6 decretar**, promulgar, declarar **7 publicar**

proclamar-se *v.* **intitular-se**, declarar-se, aclamar-se, apregoar-se, inculcar-se, arvorar-se, anunciar-se, apresentar-se

procriação *n.f.* **1 reprodução**, geração **2 germinação**

procriar *v.* **1 gerar**, reproduzir **2 produzir**, criar, originar **3 germinar**, brotar **4 multiplicar-se**, proliferar

procura *n.f.* **1 busca**, pesquisa, investigação, cata, indagação, demanda **2** (produto) **saída**, venda, aceitação, consumo ≠ **oferta**

procuração *n.f.* DIR. **mandato**, poderes

procurador *adj.* investigador ■ *n.m.* 1 **mandatário**, mamposteiro 2 **medianeiro**, mediador, intermediário 3 **administrador**

procurar *v.* 1 **buscar**, pesquisar, investigar, catar, indagar, demandar 2 **refletir**, indagar, pesquisar, examinar, analisar 3 **pretender**, querer 4 **diligenciar**, esforçar-se, empenhar-se 5 **proporcionar**, propiciar

prodigalidade *n.f.* 1 **liberalidade**, generosidade, munificência, franqueza, magnanimidade ≠ **avareza**, mesquinhez 2 **esbanjamento**, dissipação, esperdício ≠ **economicidade**, aproveitamento 3 **profusão**, superabudância, pletora *fig.*

prodigalizar *v.* 1 **dissipar**, esbanjar, esperdiçar, larguear, desbaratar ≠ **economizar**, poupar 2 *fig.* **arriscar**, aventurar

prodígio *n.m.* 1 **portento**, maravilha, assombro, monstro *fig.* 2 **milagre**, maravilha

prodigioso *adj.* 1 **extraordinário**, espantoso, assombroso, fabuloso, surpreendente, portentoso, miraculoso 2 **espantoso**, extraordinário, maravilhoso

pródigo *adj.,n.m.* 1 **esbanjador**, perdulário, gastador, desperdiçado, dissipador, profuso, prodigalizador, tresgastador ≠ **avarento**, mesquinho, sovina, forreta 2 **magnânimo**, liberal, generoso

produção *n.f.* 1 **fabrico** 2 **génese** 3 **obra**, trabalho, produto 4 **formação**

producente *adj.2g.* 1 **produtivo** ≠ **improducente**, improdutivo, estéril 2 **lógico**, concludente, procedente

produtividade *n.f.* 1 **fertilidade**, fecundidade ≠ **improdutividade** 2 **rendimento**, eficiência, operosidade

produtivo *adj.* 1 **fértil**, fecundo, prolífico, úbere, produtor ≠ **improdutivo**, estéril 2 **rendoso**, lucroso, lucrativo, proveitoso

produto *n.m.* 1 **produção** 2 **mercadoria**, artigo 3 **benefício**, rendimento, proveito, lucro 4 *fig.* **resultado**, fruto

produtor *adj.* **producente**, produtivo, prolífico ≠ **improducente**, improdutivo ■ *n.m.* **autor**, criador

produzir *v.* 1 **criar**, gerar, conceber, originar 2 **originar**, provocar, ocasionar, causar, motivar ≠ **resultar**, derivar 3 **dar**, fornecer, gerar 4 (obra) **compor**, escrever, conceber 5 (animais) **procriar**, conceber 6 **fabricar**, manufaturar, elaborar 7 **render**, lucrar, frutificar, beneficiar, pomificar 8 **proporcionar** 9 (razão) **alegar**

produzir-se *v.* 1 **acontecer**, realizar-se, suceder, ocorrer, dar-se, verificar-se 2 *col.* **aperaltar-se**

proeminência *n.f.* 1 **saliência**, relevo, protuberância, nodosidade ≠ **abaixamento**, afundamento, depressão 2 **outeiro**, colina, cerro, montículo, cômoro, morro, penela, cabeço, mamelão 3 *fig.* **relevo**, destaque, ênfase

proeminente *adj.2g.* 1 **saliente**, elevado, protuberante, sobrecabado ≠ **cavado**, escavado 2 *fig.* **notável**, distinto, superior, ilustre, eminente ≠ **medíocre**, ordinário 3 *fig.* **importante**, considerável

proémio[AO] ou **proêmio**[AO] *n.m.* 1 **preâmbulo**, prefácio, introdução, prólogo, preliminar, antecomeço, prelúdio, prolusão, peristilo *fig.*, isagoge ≠ **epílogo**, peroração, desfecho, desenlace *fig.* 2 *fig.* **início**, começo, princípio

proeza *n.f.* **façanha**, feito, valentia, heroicidade, gesta, áfrica, cavalaria *fig.*

profanação *n.f.* 1 **sacrilégio**, profanidade, violação 2 **afronta**, agravo, ofensa, insulto, ultraje

profanador *adj.,n.m.* **sacrílego**, violador, ímpio

profanar *v.* 1 **violar**, desconsagrar ≠ **desprofanar**, sagrar, sacralizar 2 *fig.* **macular**, desonrar, infamar

profano *adj.* 1 **ateu** *pej.*, irreligioso, cético, herético, herege *col.,pej.* 2 *fig.* **ignorante**, desconhecedor, inexperiente, leigo ≠ **conhecedor**, experiente, instruído ■ *adj.,n.m.* **laico**, laical, leigo, secular

profecia *n.f.* **vaticínio**, prognóstico, prenúncio, predição, auspício, prenunciação

proferir *v.* 1 **dizer**, enunciar, falar 2 **decretar**, proclamar, pronunciar 3 **ler**

professar *v.* 1 (em confissão) **confessar**, declarar-se, reconhecer, revelar, desembuchar *col.* ≠ **desconfessar**, renegar 2 **exercer**, praticar, realizar 3 *fig.* (crença, ideal, etc.) **seguir**, abraçar 4 **dedicar**, consagrar, devotar

professo *adj.* **hábil**, adestrado, destro, expedito ≠ **desastrado**, desajeitado

professor *n.m.* 1 **docente**, didata, instrutor, lecionador, mestre, mestre-escola, prof *col.* ≠ **aluno**, estudante, aprendiz, discente 2 **conhecedor**, sabedor, entendedor, erudito, sábio, perito ≠ **imbecil**, parvo, palerma, idiota, tolo

professorado *n.m.* 1 **mestrança** 2 **magistério**

professorar *v.* **ensinar**, lecionar ≠ **aprender**

profeta *n.m.* **vidente**, adivinho, vate, vaticinador, profetizador, áugure *fig.*, hierofanta, harílo

profético *adj.* **faticano** *poét.*

profetisa *n.f.* **vidente**, adivinha, sibila, bruxa

profetizar *v.* **vaticinar**, prognosticar, pressagiar, antedizer, predizer, prenunciar, futurar, augurar, anunciar, agourar

proficiência *n.f.* 1 **competência**, habilitação, capacidade, aptidão, mestria, idoneidade, envergadura *fig.* ≠ **inaptidão**, incapacidade, incompetência 2 **utilidade**, vantagem, proficuidade ≠ **improficiência**, improficuidade

proficiente *adj.2g.* 1 **competente**, hábil, apto, habilitado, idóneo, capaz, suficiente ≠ **inapto**, incapaz, inabilitado 2 **profícuo**, proveitoso, vantajoso ≠ **improfícuo**, desvantajoso, inútil **3** **conhecedor**, ciente, sabedor, sábio, douto, erudito ≠ **ignorante**, desconhecedor, inculto

proficuamente *adv.* **proveitosamente**, utilmente, vantajosamente ≠ **improficuamente**

proficuidade *n.f.* **utilidade**, vantagem, proficiência ≠ **improficiência**, improficuidade

profícuo *adj.* **proficiente**, proveitoso, vantajoso ≠ **improfícuo**, desvantajoso, inútil

profiláticoAO ou **profiláctico**AO *adj.* **preventivo**, perservativo, higiénico

profissão *n.f.* **emprego**, ocupação, trabalho, ofício, cargo, atividade ≠ **desemprego**, desocupação

profundamente *adv.* **1** **intimamente**, visceralmente, interiormente ≠ **superficialmente** **2** **verdadeiramente**, elevadamente **3** **muito**, extremamente ≠ **pouco**

profundar *v.* **1** **escavar**, cavar **2** *fig.* **indagar**, investigar, pesquisar, examinar, sondar **3** **penetrar**, embrenhar-se

profundas *n.f.pl.* **1** *col.* **profundidade**, fundura **2** *col.* **Inferno**, Érebo, Tártaro *poét.*, Averno *poét.* ≠ **Céu**, Bem-Aventurança

profundeza *n.f.* **1** **fundura** **2** **núcleo**, centro, imo, íntimo, âmago, foco, coração, interior *fig.*, eixo *fig.*, gema *fig.*, medula *fig.* ≠ **superfície**, exterior

profundidade *n.f.* **1** **fundura** **2** **núcleo**, centro, imo, íntimo, âmago, foco, coração, interior *fig.*, eixo *fig.*, gema *fig.*, medula *fig.* ≠ **superfície**, exterior

profundo *adj.* **1** **baixo**, inferior **2** **penetrante**, fundo ≠ **superficial** **3** **cavado**, cavo, fundo **4** (ruga, traço) **marcado** **5** (voz) **grave** **6** (cor) **escuro**, carregado, intenso, denso **7** *fig.* **impenetrável**, interior **8** *fig.* (pensamento, ideia, etc.) **intricado**, complexo, hermético, inacessível ≠ **evidente**, compreensível **9** *fig.* (sentimento) **intenso**, forte **10** *fig.* **grande**, extremo, absoluto, completo ■ *adv.* **1** **fundo** **2** **profundamente**, intimamente, interiormente, visceralmente ≠ **superficialmente** ■ *n.m.* **1** *col.* **profundidade**, fundura **2** *col.* **Inferno**, Érebo, Tártaro *poét.*, Averno *poét.* ≠ **Céu**, Bem-Aventurança

profusamente *adv.* **abundantemente**, largamente

profusão *n.f.* **1** **abundância**, fartura, abastança, cópia ≠ **carência**, insuficiência, falta **2** **prodigalidade**, superabudância, pletora *fig.*

profuso *adj.* **1** **copioso**, exuberante, abundante, farto, opulento ≠ **pobre**, miserável **2** **prolixo**, extenso, longo, prolongado, copioso ≠ **pequeno**, curto, conciso **3** **pródigo**, perdulário, gastador, esbanjador, esperdiçado, dissipador ≠ **avarento**, mesquinho, sovina, forreta

progenitor *n.m.* **1** **ascendente**, antepassado, avô **2** **procriador**, pai **3** **iniciador**, fundador, criador, promotor, gerador **4** [*pl.*] **antepassados**, avós, pais

progenitura *n.f.* **1** **descendência**, sucessão, prole, posteridade, derivação *fig.* **2** **progénie**, ascendência, origem

prognosticar *v.* **1** **prever**, conjeturar, palpitar **2** **vaticinar**, profetizar, antedizer, predizer, prenunciar, futurar, augurar, anunciar, agourar

prognóstico *n.m.* **1** **conjetura**, previsão, previdência, antevidência, antevisão, prognosticação **2** **indício**, indicação, vislumbre, mostra, sinal, prenúncio, anúncio, sintoma *fig.*, clarão *fig.* ■ *adj. col.* **doutoral**, sentencioso, pronóstico

programa *n.m.* **1** **projeto**, plano **2** **desígnio**, objetivo **3** **calendário**, calendarização

programação *n.f.* **esboço**, plano

programar *v.* **1** **planear**, projetar, calendarizar, delinear **2** (informática) **configurar**

progredir *v.* **1** **desenvolver-se**, aumentar, adiantar ≠ **regredir**, retroceder **2** **prosseguir**, avançar, marchar, caminhar *fig.*, singrar *fig.* ≠ **estacionar**, estagnar, imobilizar, paralisar

progressão *n.f.* **progresso**, avanço, andamento, desenvolvimento, prosseguimento, progredimento ≠ **regressão**, retrocessão

progressista *adj.2g.* **avançado**, vanguardista, inovador ≠ **retrógrado**, tradicionalista, tradicionário

progressivo *adj.* **crescente**, gradual ≠ **improgressivo**

progresso *n.m.* **1** **avanço**, adiantamento ≠ **recuo**, retrocesso **2** **evolução**, desenvolvimento, crescimento, melhoria, medrança *fig.* ≠ **declínio**, decadência **3** **aperfeiçoamento**, melhoramento, apuramento, aprimoramento ≠ **piora**, agravamento, prejuízo, deterioração **4** **adiantamento**, avanço, antecipação

proibição *n.f.* **interdição**, impedimento, defesa, proscrição, repressão, veto ≠ **autorização**, permissão, aprovação, consentimento, acedência, acessão, adesividade, aquiescência, assentamento, consenso, licença

proibido *adj.* **1** **impedido**, interdito, interditado, vedado, defeso, proscrito, inadmitido ≠ **consentido**, permitido **2** **ilegal**, ilícito, inválido, nulo ≠ **legal**, lícito, válido

proibir *v.* **1** **impedir**, interditar, vedar, vetar, defender, interdizer, negar ≠ **consentir**, permitir, aceder, subscrever, aquiescer, outorgar, revelar **2** **obstar**, opor-se, contestar, refutar, denegar, contrariar, impugnar ≠ **aprovar**, consentir **3** **vedar**, impedir, obstruir, estorvar, barrar ≠ **desimpedir**, desobstruir

proibitivo *adj.* **impeditivo**, coibitivo, interditivo, inibitivo, negativo, restritivo, proibitório ≠ **acedente**, aceitador, consentidor

projeção[dAO] *n.f.* **lançamento**, arremesso, lance

projecção[aAO] *n.f.* ⇒ **projeção**[dAO]

projectar[aAO] *v.* ⇒ **projetar**[dAO]

projectar-se[aAO] *v.* ⇒ **projetar-se**[dAO]

projéctil[aAO] *n.m.* ⇒ **projétil**[dAO]

projectista[aAO] *adj.,n.2g.* ⇒ **projetista**[dAO]

projecto[aAO] *n.m.* ⇒ **projeto**[dAO]

projector[aAO] *n.m.* ⇒ **projetor**[dAO]

projetar[dAO] *v.* **1 arremessar**, arrojar, lançar, atirar **2 planear**, arquitetar, delinear, idealizar, intentar

projetar-se[dAO] *v.* **1 despenhar-se**, atirar-se, lançar-se, cair **2 estender-se**, prolongar-se **3 refletir-se**, incidir

projétil[dAO] *n.m.* **1 arremesso 2 bala**

projetista[dAO] *adj.,n.2g.* **maquinador**

projeto[dAO] *n.m.* **1 esboço**, plano, delineamento, delineação, diagrama **2 cometimento**, empresa, empreendimento, realização, interpresa **3 desígnio**, tenção, intento, propósito

projetor[dAO] *n.m.* **holofote**, foco

prol *n.m.* **proveito**, vantagem, interesse, utilidade, conveniência, benefício ≠ **desvantagem**, desinteresse

prolação *n.f.* **1 pronúncia**, proferição **2 delonga**, adiamento, procrastinação, protelação, remora ≠ **adiantamento**, antecipação

prole *n.f.* **1 descendência**, progénie, progenitura **2** *fig.* **sucessão**

prolegómenos[AO] ou **prolegômenos**[AO] *n.m.pl.* **1 prefácio**, introdução, prólogo, preâmbulo, proémio, preliminar, antecomeço, prelúdio, prolusão, peristilo *fig.* ≠ **epílogo**, peroração, desfecho, desenlace *fig.* **2 noções**, rudimentos, princípios, fundamentos

proletariado *n.m.* **operariado**

proletário *n.m.* **operário**, trabalhador, assalariado

proliferação *n.f.* **1 reprodução 2 multiplicação**, difusão, propagação, prolificação

proliferar *v.* **1 reproduzir 2 multiplicar**, difundir, propagar, pimpolhar

prolífero *adj.* **fecundante**, fértil, produtivo, prolífico ≠ **improdutivo**, estéril

prolífico *adj.* **1 fecundante**, gerativo **2 prolífero**, prolígero, fértil, fecundo, produtivo, seminífero *fig.* ≠ **improdutivo**, improlífico, estéril, infecundo

prolixidade *n.f.* **difusão**, redundância, exuberância, verbosidade ≠ **concisão**, laconismo, condensação, brevidade

prolixo *adj.* **1 abundante**, exuberante, copioso, farto, opulento ≠ **pobre**, miserável **2 extenso**, profuso, longo, prolongado, copioso, perluxo ≠ **pequeno**, curto, conciso **3 fastidioso**, fatigante, aborrecido, enfadonho, maçador ≠ **interessante**, estimulante, motivante

prologar *v.* **prefaciar**, preludiar, preambular, proemiar

prólogo *n.m.* **preâmbulo**, prefácio, introdução, proémio, preliminar, antecomeço, prelúdio, prolusão, peristilo *fig.*, prefação ≠ **epílogo**, peroração, desfecho, desenlace *fig.*

prolonga *n.f.* **delonga**, dilação, demora, atraso, retardamento, lentidão, vagar ≠ **aceleração**, ligeireza, prontidão

prolongamento *n.m.* **1 prolongação**, dilatação **2** (em tamanho e extensão) **acréscimo**, aumento ≠ **encurtamento**, abreviação **3** (em duração) **continuação**, aumento ≠ **abreviação 4 adiamento**, dilação, prorrogação, dilatação, traspassação, traspasso, traspassamento ≠ **adiantamento**, antecipação **5 ampliação**

prolongar *v.* **1** (tempo) **dilatar 2 continuar**, estender, esticar, expandir ≠ **abreviar**, encurtar, reduzir **3 demorar**, dilatar, perlongar, adiar, atrasar, retardar, paliar, protrair ≠ **adiantar**, antecipar **4 espraiar**

prolongar-se *v.* **1 durar**, continuar, alongar-se, demorar **2 estender-se**, expandir-se, chegar, alongar-se

prolóquio *n.m.* **adágio**, provérbio, aforismo, anexim, rifão, ditado, máxima, sentença, dito

promanar *v.* **1 proceder**, dimanar, provir, vir **2 brotar**

promessa *n.f.* **1 prometimento**, prometido, compromisso, empenho, plácito, pacto, promissão **2 contrato**, acordo, pacto, combinação, convenção, ajuste, concerto, conchavo ≠ **desacordo**, desajuste, desarranjo **3 voto**, jura, juramento

prometedor *adj.,n.m.* **auspicioso**, promissor, esperançoso, promissório, risonho *fig.*

prometer *v.* **1 certificar**, asseverar, jurar, garantir, juramentar **2 predizer**, anunciar, indicar, prenunciar, vaticinar, pressagiar

prometido *adj.* **1 apalavrado**, asseverado, garantido, jurado **2 destinado**, reservado, determinado ▪ *n.m.* **1 promessa**, prometimento, compromisso, empenho, plácito, pacto **2 noivo**, recém-casado, nubente, futuro *col.*

prometimento *n.m.* **promessa**, prometido, compromisso, empenho, plácito, pacto

promiscuidade *n.f. fig.* **confusão**, barafunda, desordem, miscelânea ≠ **ordem**, organização

promíscuo *adj.* **confuso**, baralhado, desordenado, indistinto, misturado ≠ **ordenado**, organizado

promissor *adj.,n.m.* **auspicioso**, prometedor, promitente, alvissareiro, sorridente *fig.*

promissória *n.f.* **livrança**

promissório *adj.* **auspicioso**, esperançoso, promissor, prometedor, promissivo, risonho *fig.*

promitente *adj.,n.2g.* **auspicioso**, prometedor, promissor, alvissareiro, sorridente *fig.*

promoção *n.f.* **1 nomeação**, designação, escolha, indigitamento, eleição ≠ **despromoção 2 desconto**, redução, abatimento ≠ **aumento**, subida **3** *fig.* **progresso**, melhoria, evolução, desenvolvimento, crescimento, medrança *fig.* ≠ **declínio**, decadência

promontório *n.m.* GEOG. **cabo**

promotor *n.m.* **1 impulsionador**, fomentador, promovedor **2 fautor**, causador, originador

promover *v.* **1 avançar**, progredir ≠ **retroceder**, recuar **2 diligenciar**, propagar, difundir, propagandear, divulgar **3 fomentar**, desenvolver, originar, estimular, impulsionar, incentivar ≠ **desencorajar**, desestimular **4 instituir 5 requerer**, propor, solicitar

promulgação *n.f.* **publicação**

promulgar *v.* **1 expedir 2 decretar**, proclamar, publicar, prolatar [BRAS.] **3 vulgarizar**

prontamente *adv.* **imediatamente**, lestamente, rapidamente, logo, depressa, pronto, prestemente ≠ **demoradamente**, lentamente

prontidão *n.f.* **1 presteza**, desembaraço, agilidade, desenvoltura, soltura **2 brevidade**, rapidez, transitoriedade, fugacidade ≠ **prolongamento**, duração, demora, delonga

prontificar *v.* **1 aprontar**, preparar, terminar **2 facilitar**, proporcionar **3 oferecer**, dar, contribuir, colaborar, cooperar

prontificar-se *v.* **oferecer-se**, dispor-se, prestar-se, disponibilizar-se

pronto *adj.* **1 imediato**, rápido, instantâneo ≠ **demorado**, lento **2 terminado**, acabado, finalizado, completo ≠ **inacabado**, incompleto **3 livre**, disponível, desocupado ≠ **impedido**, ocupado **4 preparado**, disposto **5 apto**, capaz, habilitado, instruído ≠ **inapto**, incapaz **6 presente** ≠ **ausente** ■ *adv.* **prontamente**, imediatamente, lestamente, rapidamente, depressa, logo ≠ **demoradamente**, lentamente

pronto-socorro *n.m.* **ambulância**

pronúncia *n.f.* **1 prolação**, pronunciação, dicção **2 fonética**

pronunciação *n.f.* **pronúncia**, dicção, prolação

pronunciado *adj.* **1 dito**, proferido, emitido, enunciado **2 acentuado**, marcado, saliente ≠ **atenuado**, fraco **3 claro**, nítido, evidente, distinto, patente, óbvio ≠ **obscuro** *fig.*, indistinto

pronunciamento *n.m.* **sublevação**, rebelião, revolta, sedição, insurreição

pronunciar *v.* **1 proferir**, dizer, articular **2 recitar 3 decretar**, publicar, promulgar, proclamar **4 acentuar**, salientar, realçar, destacar ≠ **atenuar**

pronunciar-se *v.* **1 manifestar-se**, exprimir-se, opinar, declarar **2 insurgir-se**, revoltar-se, rebelar-se, amotinar-se, revolucionar-se, sublevar-se, levantar-se

propagação *n.f.* **1 reprodução**, disseminação **2 divulgação**, difusão, disseminação, vulgarização, alastramento

propagador *adj.,n.m.* **divulgador**, difusor, promotor, vulgarizador, propalador, semeador *fig.*, generalizador ■ *n.m.* **propagandista**

propaganda *n.f.* **publicidade**

propagandear *v.* **divulgar**, difundir, propagar, vulgarizar

propagandista *n.2g.* **1 propagador**, publicitário **2 missionário**, militante, defensor

propagar *v.* **1 difundir**, disseminar, multiplicar, proliferar **2 divulgar**, propalar, difundir, propagandear, publicitar, semear *fig.*

propagar-se *v.* **1 espalhar-se**, alastrar-se, estender-se, propalar-se, espraiar-se, refilhar **2 difundir-se**, divulgar-se, transmitir-se, proliferar, multiplicar-se, generalizar-se **3 contagiar-se**, pegar-se

propalador *n.m.* **divulgador**, difusor, promotor, vulgarizador, semeador *fig.*

propalar *v.* **divulgar**, propagar, difundir, propagandear, semear *fig.*

propalar-se *v.* **espalhar-se**, estender-se, divulgar-se, circular, generalizar-se, comunicar-se, propagar-se, espraiar-se

proparoxítono *adj.* GRAM. **esdrúxulo**

propedêutica *n.f.* **prefácio**, preâmbulo, prólogo, preliminar, prolegómenos, introdução, proémio, antecomeço, prelúdio, prolusão, peristilo *fig.* ≠ **epílogo**, peroração, desfecho, desenlace *fig.*

propedêutico *adj.* **1 preliminar**, introdutório, preambular **2 preliminar**, liminar, prévio, antecedente, preparatório, preparativo

propender *v.* **1 pender**, inclinar, curvar, arquear, baixar, descair, descer ≠ **endireitar**, desinclinar, descurvar **2 tender**

propensão *n.f. fig.* **tendência**, inclinação, vocação, orientação, aptidão, queda

propenso *adj. fig.* **inclinado**, vocacionado, tendente, apto, orientado, prono *fig.*

propiciação *n.f.* **intercessão**, mediação, intervenção, rogo

propiciador *adj.,n.m.* **intercessor**, propiciatório

propiciar *v.* **1 proporcionar**, favorecer, ajudar **2 deparar**

propício *adj.* 1 **favorável**, oportuno, conveniente, azado, vantajoso 2 **próprio** 3 **benigno**, benevolente, bom ≠ **mau**, malévolo

propina *n.f.* 1 **joia** 2 **gratificação**, gorgeta, emolumento, caravela, convide [REG.], xixica [BRAS.] *col.*

propor *v.* 1 **lembrar**, sugerir, alvitrar, recomendar ≠ **desaconselhar**, contraindicar 2 **oferecer**, ofertar, dar 3 **referir**, indicar, relatar, expor 4 **determinar**, dispor

proporção *n.f.* 1 **simetria**, harmonia ≠ **desproporção**, assimetria 2 [*pl.*] **dimensão**, tamanho, volumetria 3 [*pl.*] **gravidade**, importância 4 [*pl.*] **intensidade** 5 [*pl.*] **comparação**, confrontação, confrontos 6 [*pl.*] **conformidade**, adequação, concordância

proporcionado *adj.* **harmónico**, harmonioso, adequado, congruente ≠ **desproporcionado**, desconforme, improporcionado

proporcional *adj.2g.* 1 **harmónico**, harmonioso, adequado, congruente ≠ **desproporcionado**, desconforme, improporcional 2 **regular**, harmónico

proporcionalidade *n.f.* **simetria**, harmonia, equilíbrio ≠ **desproporcionalidade**, assimetria, improporcionalidade

proporcionalmente *adv.* **simetricamente**, harmonicamente, equilibradamente

proporcionar *v.* 1 **harmonizar**, equilibrar, conformar ≠ **desarmonizar** 2 **oferecer**, facultar, ocasionar, sugerir 3 **oferecer**, granjear

propor-se *v.* 1 **oferecer-se**, disponibilizar-se, dispor-se, indigitar-se 2 **decidir-se**, intentar

proposição *n.f.* 1 **proposta** 2 **asserção**, máxima, sentença 3 GRAM. **oração** 4 LÓG. **teorema** 5 LÓG. **juízo**

proposicional *adj.2g.* **oracional**

propositado *adj.* 1 **intencionado**, intencional, cuidado, ostensivo *fig.* 2 **premeditado**, planeado, deliberado, fisgado *col.* ≠ **impensado**, incogitado, indeliberado 3 **acintoso**, provocatório

propósito *n.m.* 1 **deliberação**, resolução, decisão 2 **intento**, intenção, tenção, desígnio, projeto 3 **fim**, objeto, objetivo, alvo, mira, intuito, mister, escopo 4 **prudência**, sensatez, tino, siso, juízo ≠ **desatino**, insensatez 5 [*pl.*] **modos**, jeitos, compostura, linhaça *fig.*

proposta *n.f.* 1 **proposição**, sugestão 2 **moção**, projeto de lei 3 **oferecimento**, policitação 4 **promessa**

proposto *n.m.* **designado**, escolhido, indigitado, eleito, nomeado

propriamente *adv.* 1 **exatamente**, precisamente, rigorosamente, acertadamente 2 **exatamente**, literalmente 3 **pessoalmente**

propriedade *n.f.* 1 **qualidade**, característica, atributo 2 **adequação**, acerto, apropriação ≠ **inadequação**, inconveniência 3 **riqueza**, património, fortuna, haveres, bens 4 **imóvel**, prédio 5 **terreno**

proprietário *n.m.* 1 **dono**, senhor, amo 2 **senhorio**, dono ≠ **inquilino**, arrendatário, locatário, rendeiro, caseiro

próprio *adj.* 1 **distinto**, exclusivo 2 **apropriado**, adequado, indicado, oportuno, conveniente ≠ **inconveniente**, inadaptado, inadequado 3 **peculiar**, característico, particular, típico, específico ≠ **universal**, geral, genérico, abrangente 4 **mesmo** 5 **privativo**, particular, pessoal, individual ≠ **comum**, geral 6 **exato**, preciso ≠ **inexato**, impreciso 7 **verdadeiro**, autêntico, genuíno, fidedigno ≠ **falso**, fingido 8 **textual**, exato 9 **primitivo**, original, primário 10 GRAM. ≠ **comum** ■ *n.m.* 1 **especificidade** 2 **mensageiro**, portador, emissário, arauto

propugnar *v.* **defender**, lutar, brigar

propulsão *n.f.* **impulso**, impulsão, incitamento

propulsar *v.* 1 **impulsionar**, estimular, instigar 2 *fig.* **repelir**, repulsar, repugnar ≠ **agradar**, satisfazer

propulsionador *adj.,n.m.* **impulsor**, instigador, estimulador, incentivador

propulsor *adj.,n.m.* **impulsor**, propulsivo, acionador

prorrogação *n.f.* **adiamento**, prolongamento, dilação, deferimento, procrastinação, protelação, retardação, alongamento, protraimento, remissa, demora, delonga, dilatação, moratória ≠ **adiantamento**, antecipação

prorrogar *v.* **adiar**, dilatar, protelar, procrastinar, delongar, retardar, diferir, espaçar, demorar ≠ **adiantar**, antecipar

prorrogável *adj.2g.* **adiável**, dilatável, protelável ≠ **inadiável**

prosa *n.f.* 1 **conversação**, conversa, palestra, diálogo, palratório, cavaqueira, colóquio, abocamento, bate-papo [BRAS.] 2 *col.* **presunção**, vaidade, jactância, ostentação, gala, bazófia *fig.* ≠ **discrição**, simplicidade, sobriedade, despojamento, recato, modéstia 3 *col.* **lábia**, léria, paleio, cantata, palavreado, treta, fraseado, galra, música, conversa *fig.*, garganta *fig.*, cantiga *fig.,col.* 4 [BRAS.] *col.* **namoro**

prosador *n.m.* **prosista**, prosaísta ≠ **poeta**

prosaico *adj.* 1 **comum**, vulgar, corriqueiro, trivial, usual, despoético, despoetizado ≠ **invulgar**, desusual 2 **simples**, natural, terra-a-terra 3 **material** ≠ **espiritual**, imaterial

prosápia *n.f.* 1 **estirpe**, tronco, linhagem, família, geração, ascendência, progénie, procedência 2 *fig.* **presunção**, vaidade, jactância, ostentação, gala, bazófia *fig.* ≠ **discrição**, simplicidade, sobriedade, despojamento, recato, modéstia

proscénio[AO] ou **proscênio**[AO] *n.m.* TEAT. palco, cena, antecena

proscrever *v.* 1 degredar, exilar, desterrar, expatriar, deportar, banir, expulsar ≠ repatriar 2 afastar, expulsar, banir, afuguentar, repelir 3 ab-rogar, extinguir, eliminar

proscrição *n.f.* 1 expulsão, degredo, exílio, expatriação, deportação, banimento, desterro ≠ repatriação 2 extinção, abolição, eliminação 3 proibição, interdição, impedimento, defesa, repressão, veto ≠ autorização, permissão, aprovação, consentimento

proscrito *adj.* 1 expulso, banido, corrido 2 proibido, interdito, interditado, vedado, defeso, impedido ≠ consentido, permitido ■ *adj.,n.m.* desterrado, exilado, expatriado, degredado ≠ repatriado

proselitismo *n.m.* sectarismo, partidarismo

prosélito *n.m. fig.* sectário, partidário, adepto, sequaz

prosódia *n.f.* GRAM. ortoepia, ortologia

prosódico *adj.* ortoépico

prosopopeia *n.f.* (figura de estilo) personificação, metagoge

prospeção[dAO] ou **prospecção**[AO] *n.f.* 1 pesquisa, indagação, investigação 2 sondagem, inquérito

prospecção[AO] *n.f.* ⇒ **prospeção**[dAO]

prospecto[AO] *n.m.* ⇒ **prospeto**[AO]

prosperar *v.* 1 desenvolver-se, florescer, crescer, medrar, engrandecer-se, luzir ≠ decrescer, desmedrar, definhar, marmar 2 engrandecer-se, elevar-se, enobrecer, enriquecer *fig.* 3 enriquecer, opulentar, crescer, cevar ≠ empobrecer

prosperidade *n.f.* 1 felicidade, dita, fortuna, plenitude, bem-aventurança ≠ insatisfação, descontentamento 2 riqueza, florescimento, opulência ≠ empobrecimento, depauperação

próspero *adj.* 1 florescente *fig.*, brilhante *fig.*, virente *fig.* 2 feliz, ditoso, venturoso, bem-afortunado, bem-aventurado ≠ infeliz, desventurado, desgraçado 3 favorável, oportuno, propício, conveniente, azado, vantajoso ≠ impróspero

prospeto[AO] ou **prospecto**[AO] *n.m.* 1 aspeto, aparência, vista 2 plano, traçado, projeto 3 perspetiva, prospetiva 4 anúncio

prossecução *n.f.* continuação, prosseguimento, andamento, seguimento, sequência

prosseguimento *n.m.* continuação, prossecução, andamento, seguimento, sequência

prosseguir *v.* continuar, seguir ≠ cessar, parar, descontinuar

prosternação *n.f.* reverência

prosternar *v.* 1 tombar, prostrar 2 prostrar *fig.*, humilhar, abater

prostíbulo *n.m.* alcouce, lupanar, bordel, serralho *fig.*, putedo *vulg.*, alcoceifa *ant.*

prostituição *n.f.* 1 meretrício, fanico *pej.* 2 *fig.* degradação, corrupção, perversão, aviltamento, imoralidade, desregramento, devassidão ≠ decência, decoro, moralidade 3 *fig.* aviltamento, rebaixamento, humilhação, menosprezo, desvalorização ≠ consideração, engrandecimento

prostituir *v.* 1 *fig.* desonrar, infamar, desconceituar, desacreditar, avexar, manchar *fig.*, envergonhar *fig.* ≠ honrar, merecer, creditar 2 *fig.* desmoralizar, corromper, perverter, depravar

prostituir-se *v.* 1 vender-se, meretriciar-se 2 *fig.* aviltar-se, degradar-se, enxovalhar-se, rebaixar-se, devassar-se, desonrar-se 3 *fig.* vender-se, corromper-se

prostituta *n.f.* meretriz, messalina, menina *cal.,pej.*, marafona *cal.*, michela *col.*, dadeira *col.*, perdida *col.,pej.*, borboleta *fig.*, calhandreira *fig.,pej.*, colareja *fig.,pej.*, rameira *pej.*, croia *pej.*, faniqueira *pej.*, fêmea *pej.*, pega *vulg.*, puta *vulg.*, zoina [REG.], bruaca [BRAS.] *pej.*, rapariga [BRAS.] *pej.*, piranha [BRAS.] *pej.*, pistoleira [BRAS.] *col.*

prostração *n.f. fig.* abatimento, desalento, desânimo, esmorecimento, afrouxamento, desvanecimento, malacia *fig.*, murchidão *fig.* ≠ animação, alento, encorajamento

prostrar *v.* 1 extinguir, destruir, eliminar, profligar 2 *fig.* humilhar, abater, rebaixar, desanimar, desalentar, modorrar ≠ valorizar, encorajar, animar

prostrar-se *v.* 1 curvar-se, prosternar-se, inclinar-se, baquear-se, abaixar-se, procumbir 2 *fig.* humilhar-se, curvar-se, render-se, prosternar-se

protagonista *n.2g.* 1 herói, heroína, ator 2 *fig.* promotor

proteção[dAO] *n.f.* 1 amparo, auxílio, socorro, apoio, ajuda, patronagem, auspícios ≠ desamparo, desauxílio 2 abrigo, resguardo, asilo, refúgio, tutáculo 3 cuidado, atenção, zelo, desvelo 4 privilégio, regalia

protecção[aAO] *n.f.* ⇒ **proteção**[dAO]

protector[aAO] *adj.,adj.,n.m.,n.m.* ⇒ **protetor**[dAO]

proteger *v.* 1 defender, auxiliar, socorrer, amparar ≠ desamparar, desproteger 2 preservar, abrigar, guardar, resguardar, cobrir ≠ desabrigar, desproteger 3 favorecer, privilegiar 4 patrocinar, apoiar, apadrinhar *fig.*

protegido *adj.* guardado, preservado ■ *n.m.* preferido, favorito, valido, menino-bonito, nepote, privado, predileto

proteico *adj.* 1 QUÍM. albuminoide 2 multiforme, polimorfo, proteiforme

proteiforme *adj.2g.* multiforme, polimorfo, proteico

proteína *n.f.* BIOQUÍM. prótido

protelação *n.f.* adiamento, prolongamento, dilação, deferimento, procrastinação, prorrogação, retardação, alongamento, protraimento, remissa, demora, delonga, dilatação ≠ **adiantamento**, antecipação

protelador *adj.,n.m.* **procrastinador**

protelar *v.* **adiar**, dilatar, prorrogar, procrastinar, delongar, retardar, diferir, espaçar, demorar ≠ **adiantar**, antecipar

protelável *adj.2g.* **adiável**, dilatável, prorrogável ≠ **inadiável**

prótese *n.f.* GRAM. ≠ **aférese**

protestação *n.f.* **protesto**, reclamação, queixa, obtestação, clamor, regougo *fig.*

protestar *v.* **1 professar 2 contestar**, reclamar, recalcitrar, altercar, barafustar, insurgir-se, escoicear *fig.* ≠ **concordar**, aceitar, alinhar, conformar

protestativo *adj.* **protestatório**, reclamador, contestador

protesto *n.m.* **1 asseveração**, afirmação **2 reclamação**, protestação, queixa, obtestação, clamor, regougo *fig.* **3 promessa**, prometimento, prometido, compromisso, empenho, plácito, pacto

protetor[dAO] *adj.* **condescendente**, complacente, indulgente, transigente, tolerante, liberal ≠ **inflexível**, intransigente, implacável ■ *adj.,n.m.* **defensor**, protegedor, tutelar, propugnador ■ *n.m.* **patrocinador**, patrono, padrinho *fig.*

protocolar *adj.2g.* **formal**, circunstancial, solene, convencional, cerimonial, cerimonioso ≠ **informal**, descerimonioso

protocolo *n.m.* **1 etiqueta**, cerimonial, cerimónia, formalidade, rito, ritual, praxe ≠ **informalismo 2 convenção**, acordo, pacto, contrato

protoplasma *n.m.* BIOL. **sarcódio** *ant.*

protótipo *n.m.* **modelo**, padrão, molde, forma, original ≠ **cópia**, reprodução, imitação

protrair *v.* **1 adiar**, prorrogar, dilatar, protelar, procrastinar, delongar, retardar, diferir, espaçar, demorar ≠ **adiantar**, antecipar **2 espaçar**

protuberância *n.f.* **saliência**, proeminência, elevação, relevo, alteamento, ressalto, protusão, barriga *fig.* ≠ **abaixamento**, afundamento, depressão

protuberante *adj.2g.* **saliente**, proeminente, relevante, nodoso, protuso

prova *n.f.* **1 demonstração**, confirmação **2 testemunho**, sinal, manifestação, indício **3 marca 4 teste**, experimentação, verificação **5 teste**, exame **6** (desporto) **competição 7 provação**, dificuldade **8 provadura**

provação *n.f.* **1 prova**, dificuldade **2 desgraça**, aflição, infortúnio, dificuldade, afogo, agonia, apuro

provado *adj.* **1 experimentado**, testado, verificado **2 estabelecido**, demonstrado, comprovado, certo **3 sabido**, incontestável **4 saboreado**, degustado

provar *v.* **1 testemunhar**, demonstrar **2 mostrar**, patentear, evidenciar ≠ **esconder**, ocultar **3 justificar**, fundamentar, explicar **4 ensaiar**, testar, experimentar **5 ajustar-se**, condizer **6 degustar**, experimentar, saborear, pregustar, chiscar **7 sofrer**, padecer, suportar, aguentar ≠ **resistir**, reagir

provável *adj.2g.* **1 plausível**, possível, admissível, presumível, hipotético **2 verosímil** ≠ **inverosímil**, improvável

provavelmente *adv.* **1 talvez**, possivelmente, presumivelmente, hipoteticamente **2 naturalmente**

provedor *n.m.* **fornecedor**, abastecedor, provisor

proveito *n.m.* **1 lucro**, rendimento, ganho, granjeio, resultado, rendor [REG.] ≠ **perda 2 vantagem**, benefício, utilidade, conveniência, fruto, provento ≠ **desvantagem**, prejuízo, inconveniência **3 gozo**, fruição ≠ **desagrado**, desprazer

proveitoso *adj.* **1 lucrativo**, rentável ≠ **prejudicial**, danoso **2 profícuo**, proficiente, vantajoso ≠ **improfícuo**, desvantajoso, inútil **3 vantajoso**, benéfico, conveniente, compensador, favorável, útil ≠ **desvantajoso**, prejudicial, inútil

proveniência *n.f.* **origem**, procedência, naturalidade, progénie, fonte

proveniente *adj.2g.* **procedente**, originário, oriundo, vindo, descendente, natural, provindo, originado

provento *n.m.* **1 lucro**, ganho, rendimento, fruto, resultado ≠ **prejuízo**, perda **2 honorários**, remuneração, ordenado, vencimento, salário, pagamento, retribuição, paga, gratificação **3 proveito**, benefício, utilidade, conveniência, fruto, vantagem ≠ **desvantagem**, prejuízo, inconveniência

prover *v.* **1 abastecer**, fornecer, munir, providenciar **2 regular**, dispor **3 dispor**, dotar, capacitar **4 nomear**, designar, escolher, eleger, investir ≠ **demitir**, destituir **5 despachar 6 ocorrer**, surgir, advir **7 remediar**, reparar, solucionar, suprir

proverbial *adj.2g.* **1 proloquial 2** *col.* **conhecido**, notório, famoso, célebre ≠ **desconhecido**, ignoto, ignorado **3** *fig.* **sabido**

provérbio *n.m.* **adágio**, ditado, máxima, rifão, anexim, aforismo, parémia, sentença

prover-se *v.* **abastecer-se**, munir-se, apetrechar-se, aparelhar-se, suprir-se

providência *n.f.* **1 precaução**, prevenção, medida, prudência, cautela, resguardo, cuidado, vigilância, sobreaviso ≠ **imprudência**, descuido, precipitação, imoderação, negligência **2** RELIG. (com maiúscula) **Altíssimo**, Criador, Divindade,

Incriado, Omnipotente, Senhor, Todo-Poderoso, Pai

providencial *adj.2g. fig.* **feliz**, oportuno, providente

providencialmente *adj.* 1 **oportunamente** 2 **eficazmente**, incisivamente 3 **prudentemente**, cautelosamente, moderadamente ≠ **imprudentemente**, leviamente

providenciar *v.* 1 **prover**, fornecer, munir, abastecer, aviar 2 **dispor** 3 **ordenar**, arrumar

providente *adj.2g.* 1 **cuidadoso**, acautelado, precaucioso, prudente ≠ **descuidadoso**, imprudente, imponderado 2 **feliz**, oportuno, providencial *fig.*

provido *adj.* 1 **munido**, dotado, fornecido, aviado, guarnecido 2 **cheio**, abarrotado, repleto, atestado, completo ≠ **vazio** 3 **nomeado**, designado, despachado, investido 4 **ocupado**, preenchido ≠ **livre**, desocupado

provimento *n.m.* 1 **provisão**, abastecimento, sortimento ≠ **desprovimento** 2 **nomeação**, designação, investidura 3 **atenção**, cuidado, prudência, cautela, precaução ≠ **desatenção**, descuido

província *n.f.* 1 **região**, gau, sertão *fig.* 2 *fig.* **secção**, ramo

provincial *adj.2g.* **provinciano**, regional

provinciano *adj.* 1 **provincial**, regional 2 *pej.* **pacóvio**, palerma, idiota, parvo, tolo, estúpido, patego, paspalhão, bate-orelha *fig.*, babaca [BRAS.] ≠ **inteligente**, esperto, astuto, perspicaz, sagaz ■ *n.m.* **sertanejo**, matuto [BRAS.]

provindo *adj.* **procedente**, originário, oriundo, vindo, descendente, natural, proveniente

provir *v.* 1 **derivar**, resultar, advir 2 **proceder**, originar 3 **descender**

provisão *n.f.* 1 **fornecimento**, abastecimento, mantimento, provimento, sortimento 2 **abundância**, profusão, fartura, abastança ≠ **carência**, falta, míngua 3 **ordem**, decreto, disposição, prescrição 4 **cobertura**

provisional *adj.2g.* **provisório**, interino, transitório, passageiro, temporário ≠ **efetivo**, permanente, definitivo

provisor *adj.,n.m.* **fornecedor**, abastecedor, provedor ■ *n.m.* **vigário-geral**

provisório *adj.* **provisional**, interino, transitório, temporário, passageiro, temporâneo ≠ **efetivo**, permanente, definitivo

provocação *n.f.* 1 **desafio**, repto, instigação 2 **insulto**, afronta, ofensa, ultraje, agravo ≠ **desafronta**, desagravo 3 *fig.* **tentação**, impulso, vontade, ímpeto ≠ **desinteresse** 4 *fig.* **incitamento**, aliciação, incitação, estímulo

provocador *adj.* **tentador**, sedutor, atraente, provocante ■ *adj.,n.m.* 1 **provocante**, provocatório, instigador, incitante, peguilhento 2 **fautor**, promotor, originador, causador

provocante *adj.2g.* 1 **provocatório**, instigador 2 **estimulante**, motivador, aguçador, fomentativo, incentivo 3 **tentador**, sedutor, atraente, provocador

provocar *v.* 1 **incitar**, desafiar, instigar, rentar *fig.* 2 **exaltar**, exasperar ≠ **acalmar**, serenar 3 **incitar**, irritar, insultar, afrontar, ultrajar 4 **seduzir**, excitar, estimular, tentar 5 **promover**, produzir, originar 6 **determinar**

provocatório *adj.* 1 **desafiador**, instigante, provocante, incitativo, ostensivo *fig.* 2 **enervante**, irritante, exasperante, secante, incomodativo

proxeneta *n.2g.* **alcaiote**, cáften, corretor *col.*, azeiteiro *col.*, alcoviteiro *ant.*

proximamente *adv.* 1 (espaço) **perto**, próximo ≠ **longe** 2 (tempo) **brevemente**, logo

proximidade *n.f.* 1 **vizinhança**, contiguidade, imediação, adjacência, propinquidade, vicinalidade, vizindade ≠ **distância**, afastamento, longinquidade 2 [*pl.*] **cercanias**, arredores, vizinhanças

próximo *adj.* 1 **adjacente**, contíguo, vizinho, pegado, circunjacente ≠ **afastado**, distante 2 **imediato**, iminente 3 **seguinte**, imediato 4 (amigo, familiar) **íntimo**, chegado ≠ **afastado** ■ *adv.* **perto**, proximamente ≠ **longe** ■ *n.m.* **seguinte**, sucessor

prudência *n.f.* 1 **ponderação**, comedimento, circunspeção, continência, descomedimento ≠ **imponderação** 2 **moderação**, sensatez ≠ **imoderação**, insensatez 3 **cautela**, precaução, prevenção, vigilância, resguardo, atenção ≠ **imprudência**, descuido, precipitação, imoderação, negligência

prudencial *adj.2g.* **prudente**, ponderado, sensato, moderado, cauteloso, cuidadoso, precaucionado, atento, maduro *fig.* ≠ **imprudente**, insensato, imoderado, negligente

prudente *adj.2g.* 1 **cauteloso**, cautelar, previdente, preventivo, cuidadoso, ponderativo ≠ **imprudente**, descuidado, desleixado, negligente 2 **ponderado**, sensato, moderado, cuidadoso, atento, circunspecto, cauteloso, maduro *fig.* ≠ **imprudente**, insensato, imoderado, negligente 3 **comedido**, discreto, sóbrio, moderado ≠ **exagerado**, excessivo, descomedido 4 **avisado**, judicioso, sentencioso, criterioso ≠ **irrefletido**, sensato

prudentemente *adv.* 1 **discretamente**, moderadamente, mesuradamente ≠ **imprudentemente**, desmesuradamente 2 **cautelosamente**, cuidadosamente, precavidamente, providencialmente, cautamente, zelosamente, curiosamente ≠ **imprudentemente**, arriscadamente

prumo *n.m.* 1 **sonda** 2 **escora**, esteio 3 *fig.* **prudência**, tino, discernimento, juízo, sensatez, critério ≠ **insensatez**, imprudência, desatino 4 **fio-de-prumo**

prurido *n.m.* 1 **comichão**, coceira, safreira, rapeira, uredo, formigamento, formigueiro 2 *fig.* **desejo**, tentação, vontade, impulso, cócegas, comichão, fornicoques *col.* ≠ **desinteresse**, abnegação, desapego 3 *fig.* **impaciência**, inquietação, ansiedade, cócegas ≠ **paciência**, calma, serenidade, tranquilidade 4 *fig.* **manifestação**, sensação

prurir *v.* 1 **titilar** 2 *fig.* **estimular**, incitar, excitar, instigar

pseudonímia *n.f.* criptonímia

pseudónimoAO ou **pseudônimo**AO *adj.,n.m.* criptónimo, alónimo

psicofisiologia *n.f.* fisiopsicologia

psicologia *n.f.* 1 **noologia** *ant.* 2 **psiquismo**, psique 3 **carácter**, natureza, índole

psicólogo *n.m.* 1 psicologista 2 psicotécnico

psicopata *n.2g.* frenopata

psicopatia *n.f.* MED. frenopatia

psicotécnica *n.f.* tecnopsicologia

psicotécnico *n.m.* 1 psicólogo 2 tecnólogo

psiquiatra *n.2g.* alienista

psíquico *adj.* psicológico

psiquismo *n.m.* psicologia, psique

pua *n.f.* 1 **pico**, estrepe, espinho, abrolho 2 **aguilhão**, ferrão, dardo, acúleo, pico 3 **berbequim**, broca, furadeira, gonete 4 **bordadeira**, lavradeira

puberdade *n.f.* **pubescência**, nubilidade ≠ **impuberdade**, impubescência

púbere *adj.,n.2g.* **adolescente** ≠ **impúbere**

publicação *n.f.* promulgação

publicamente *adv.* **abertamente**, declaradamente, manifestamente, notoriamente, francamente ≠ **discretamente**, sobriamente, abafadamente

publicano *n.m.* 1 *pej.* **negociante**, negociador, comerciante 2 *pej.* **calculista**, financeiro *col.*

publicar *v.* 1 **difundir**, propagar, divulgar, expandir, generalizar, entornar *fig.*, espalhar *fig.* 2 **editar** 3 **imprimir**, estampar, gravar 4 **anunciar**, divulgar, vulgarizar 5 **proclamar**, proferir 6 **manifestar**, exteriorizar, exibir 7 **testemunhar**

publicidade *n.f.* 1 **propaganda** 2 **anúncio**, reclame 3 **difusão**, propagação, divulgação, expansão, generalização, espalhamento

publicitar *v.* 1 **divulgar**, difundir, propagandear, propagandar, semear *fig.* 2 **anunciar**, noticiar, comunicar

público *adj.* 1 **popular** 2 **coletivo**, geral ≠ **particular**, individual 3 **conhecido**, notório, sabido, falado ≠ **desconhecido**, ignoto, incógnito 4 **comum**, habitual, trivial, banal, vulgar ≠ **extraordinário**, excecional, raro ■ *n.m.* 1 **gente**, povo 2 **assistência**, auditório, assembleia

púcaro *n.m.* **panelo**, covilhete, coco [REG.]

pudico *adj.* 1 **recatado**, casto, apudorado 2 **envergonhado**, acanhado, tímido, corado *fig.* ≠ **desinibido**, expansivo, extrovertido

pudor *n.m.* 1 **pejo**, vergonha 2 **constrangimento**, inibição, embaraço, acanhamento ≠ **desinibição**, desembaraço 3 **recato**, modéstia, discrição, pundonor

pueril *adj.2g.* 1 **infantil**, meninil, acriançado, ameninado, infantino 2 *fig.* **imaturo** *pej.*, ingénuo, novo *pej.* ≠ **experiente**, maduro *fig.*

pugilismo *n.m.* DESP. **boxe**, pugilato

pugilista *n.2g.* 1 DESP. **boxador**, púgil, boxeur, boxista, boxeador 2 **lutador**

pugna *n.f.* **combate**, peleja, luta, lide, discrime, liça, recontro, prélio, refrega, gládio ≠ **paz**, armistício, concórdia

pugnar *v.* 1 **combater**, pelejar, pelear, lutar, brigar, certar, gladiar, guerrear, lidar, militar ≠ **pacificar** 2 **defender**, propugnar

puir *v.* **buir**, desgastar

pujança *n.f.* 1 **vigor**, força, robustez 2 **exuberância**, viço, pululância 3 **abundância**, fartura, abastança, riqueza ≠ **escassez**, falta 4 **superioridade**, poderio, grandeza

pujante *adj.2g.* 1 **possante**, vigoroso, robusto, forte 2 **poderoso**, grandioso 3 **altivo**, brioso, denodado, destemido, corajoso

pula *n.f.* **aposta**

pular *v.* 1 **saltar** 2 **crescer** 3 **engrandecer**, elevar

pulha *adj.2g.* **biltre**, torpe, acanalhado, desprezível, abjeto, vil, reles ≠ **correto**, honesto, justo, respeitável ■ *n.2g. col.* **patife**, biltre, canalha, miserável, bandalho, mau-carácter [BRAS.] ≠ **respeitador**, honesto

pulmão *n.m.* ANAT. **bofes** *col.*

pulo *n.m.* 1 **salto**, pincho, pinote, galão, cabriola 2 **agitação**, sobressalto, tumulto, alarme, alvoroço, intranquilidade, surpresa ≠ **serenidade**, tranquilidade

púlpito *n.m.* **tribuna**

pulsação *n.f.* **palpitação**, batimento, batida, latejo, arfada, pulsar

pulsar *v.* 1 **palpitar**, latejar, bater, latir *fig.*, later *ant.* 2 *fig.* **ansiar** 3 **impelir**, empurrar, impulsionar 4 **agitar**, tumultuar, sobressaltar ■ *n.m.* **palpitação**, batimento, batida, latejo, arfadura, pulsação

pulseira *n.f.* **bracelete**, escrava, manilha, torque, armila *ant.*

pulso *n.m.* 1 **carpo**, munheca, punho 2 *fig.* **força**, energia, vigor, robustez ≠ **fraqueza**, debilidade 3 *fig.* **mérito** 4 *fig.* **firmeza**, autoridade

pulular *v.* 1 **brotar**, rebentar, nascer, manar 2 **inçar** 3 **desenvolver-se**, multiplicar-se 4 **abundar**, esfervilhar, sobejar ≠ **escassear**, faltar

pulverização *n.f.* vaporização, aspersão, atomização

pulverizador *n.m.* **1** vaporizador, nebulizador **2** ambientador

pulverizar *v.* **1** polvilhar, empoar, porfirizar **2** borrifar, polvilhar, salpicar, aspergir **3** *fig.* estilhaçar, fragmentar, desfazer, quebrar **4** *fig.* aniquilar, destruir, exterminar

pum *n.m. col.* flatulência, flato, traque, ventosidade, peido *cal.*

pungente *adj.2g.* **1** agudo, picante **2** *fig.* doloroso, torturante, dilacerante, aflitivo, angustiante, acerbo, penalizante **3** *fig.* comovente, emocionante, tocante ≠ indiferente

punhada *n.f.* **1** murro, soco **2** mão-cheia, mancheia, maúça, mainça, manípulo, punhado

punhado *n.m.* **1** gavela, molho, braçado **2** mão-cheia, mancheia, maúça, mainça, manípulo, punhada, manhoco [REG.], manchoco [REG.]

punhal *n.m.* bicuda

punhalada *n.f.* facada

punho *n.m.* carpo, munheca, pulso

punição *n.f.* castigo, pena, penalidade, corretivo, correção

púnico *adj.* **1** cartaginense, cartaginês, pénulo **2** *fig.,pej.* traiçoeiro, traidor, pérfido, desleal, mentiroso, falso ≠ honesto, verdadeiro

punir *v.* **1** castigar, condenar, corrigir, apenar, ajustiçar, sancionar, penalizar, ensinar *fig.* ≠ absolver, perdoar, remir, desculpar **2** esforçar-se, empenhar-se

punitivo *adj.* castigador, punidor, penalizador

punível *adj.2g.* castigável ≠ impunível

pupila *n.f.* **1** ANAT. menina do olho *col.* **2** *fig.* protegida, tutelada **3** aluna, discípula, educanda **4** noviça

pupilo *n.m.* **1** aluno, discípulo, educando **2** *fig.* tutelado, protegido

puramente *adv.* **1** meramente, unicamente, simplesmente, somente, exclusivamente **2** ingenuamente, inocentemente

pureza *n.f.* **1** genuidade, autenticidade, naturalidade, puridade ≠ artificialidade, fingimento **2** limpidez, nitidez, clareza, transparência ≠ opacidade **3** candura, inocência, pudícia, ingenuidade ≠ impureza **4** virgindade, castidade, inocência **5** correção, elegância, perfeição, imaculabilidade **6** GRAM. vernaculidade, purismo, genuinidade

purga *n.f.* laxante, purgante, catártico, drástico

purgação *n.f.* **1** purificação **2** corrimento, supuração **3** evacuação, catarsia

purgante *n.m.* **1** laxante, purga, catártico, drástico **2** mundificativo ■ *adj.2g.* **1** laxativo, catártico, solutivo **2** purificativo, depurante

purgar *v.* **1** limpar, purificar, expurgar, absterger, mundificar *fig.* **2** laxar, desobstruir **3** *fig.* purificar, depurar **4** *fig.* expiar, remir **5** evacuar **6** abceder

purgatório *adj.* **1** laxante, purga, purgante, catártico, drástico **2** expiatório, purificatório ■ *n.m.* expiação

purificação *n.f.* **1** ablução, lustração, mundificação **2** RELIG. Candelária

purificador *adj.* abluente, ablutor, emulgente, mundificador ■ *n.m.* **1** (liturgia) sanguinho **2** mundificador, ablutor

purificar *v.* **1** limpar, purgar, expurgar, abluir, virginizar, mundificar *fig.*, perlavar ≠ sujar, poluir, contaminar **2** (metal) acrisolar, afinar **3** aperfeiçoar, apurar, aprimorar, melhorar ≠ estragar, danificar **4** remir, expiar

purismo *n.m.* **1** vernaculidade, pureza, genuinidade **2** ortodoxia

purista *adj.,n.2g.* **1** puritano, moralista *pej.* **2** ortodoxo

puritanismo *n.m.* moralismo

puritano *adj.,n.m.* purista, moralista *pej.*

puro *adj.* **1** límpido, cristalino, transparente, claro ≠ opaco **2** limpo ≠ impuro, poluído, sujo **3** genuíno, autêntico, verdadeiro, natural, acrato ≠ artificial, falso **4** exato, fiel **5** vernáculo, castiço **6** *fig.* virtuoso, casto **7** *fig.* virginal, imaculado, inocente **8** *fig.* honesto, íntegro, reto, probo, correto ≠ desonesto, indigno

púrpura *n.f.* cor de vinho, vermelho-escuro, tiro

purulento *adj.* vurmoso, tábido, sanioso, tabescente

pusilânime *adj.,n.2g.* **1** tímido, acanhado, envergonhado, retraído ≠ extrovertido, expansivo **2** cobarde, medroso, poltrão, fraco, timorato, tremelica, tremeliquento ≠ corajoso, destemido, bravo, valente

pusilanimidade *n.f.* **1** timidez, acanhamento, vergonha, retraimento ≠ extroversão, expansão **2** cobardia, medo, poltronaria, fraqueza, micropsiquia ≠ coragem, destemor, braveza, valentia

pústula *n.f.* **1** bostela, sarabulho *col.* **2** *fig.* corrupção, vício, degeneração, depravação, perversão, devassidão ≠ decoro, decência

puta *n.f. vulg.* prostituta, meretriz, marafona *cal.*, michela *col.*, colareja *fig.,pej.*, borboleta *fig.*, perdida *col.,pej.*, rameira *pej.*, fêmea *pej.*, pega *vulg.*

putativo *adj.* **1** suposto, julgado **2** reputado, considerado **3** imaginário, fictício

puto *n.m.* **1** *cal.* miúdo, jovem, catraio, garoto, chavalo *col.* **2** *gír.* terceiranista **3** [BRAS.] *vulg.* (homem) homossexual, gay *col.*, maricas *cal.*, pederasta *pej.*, bicha *pej.*, fanchono *pej.*, paneleiro *col.,pej.*, invertido *col.,pej.*, veado [BRAS.] *pej.,vulg.* ≠ heterossexual ■ *adv. cal.* nada, nicles *col.*

putrefaçãodAO *n.f.* 1 **putrescência**, podridão, decomposição, apodrecimento, deterioração, degradação, corrupção ≠ **conservação**, preservação, imputrefação 2 **fedor**, pitada, cheirum, fedentina, fétido, malina *col.* ≠ **aroma**, odor, perfume 3 *fig.* **corrupção**, depravação, desmoralização, devassidão, perversão, dissolução, envilecimento ≠ **decência**, decoro

putrefacçãoaAO *n.f.* ⇒ **putrefação**dAO

putrefactoAO ou **putrefato**AO *adj.* 1 **podre**, pútrido, putrefeito 2 *fig.* **corrompido**, apodrecido, decomposto, deteriorado ≠ **conservado**, preservado

putrefazer *v.* 1 **putrificar**, apodrecer, decompor, deteriorar, corromper ≠ **conservar**, preservar 2 *fig.* **corromper**, adulterar, corroer, perverter

putrefazer-se *v.* putrificar-se, apodrecer

pútrido *adj.* 1 **podre**, putrefacto, putrefeito 2 *fig.* **fétido**, fedorento, malcheiroso, pesticencial ≠ **aromático**, cheiroso, odorífero, perfumado 3 *fig.* **corrupto**, devasso, pervertido, depravado, corrompido ≠ **decente**, decoroso

putrificar *v.* putrefazer, apodrecer, decompor, deteriorar, corromper ≠ **conservar**, preservar

puxada *n.f.* puxão, esticão, repelão, arrepelo, arrastão

puxado *adj.* 1 **esticado**, retesado, estirado, distenso ≠ **encolhido**, contraído 2 **impelido**, arremessado 3 **esmerado**, requintado, elegante, apurado *fig.* 4 (comida) **apurado** 5 *col.* (preço) **elevado**, caro, alto ≠ **barato**, módico, baixo 6 *col.* **difícil**, árduo, custoso

puxão *n.m.* **esticão**, repelão, arrepelão, arrastão, puxada, sacalão

puxar *v.* 1 **deslocar**, arrastar 2 **tirar**, arrancar, extrair 3 **esticar**, estirar, retesar, distender ≠ **encolher**, bambear 4 **estimular**, provocar, incitar, incentivar ≠ **desencorajar**, desincentivar 5 **avivar**, realçar, destacar ≠ **esconder**, ocultar 6 **reclamar**, exigir 7 **inclinar**, tender 8 (assunto) **abordar**, tocar, referir, mencionar 9 (preço) **aumentar**, carregar 10 (molho, estufado) **apurar** 11 **empenar**, torcer-se 12 **sacar**, desembainhar, empunhar 13 **esmerar-se**, requintar

puxo *n.m.* 1 *col.* **tenesmo** 2 **corucho**, xoxu [REG.]

puzzle *n.m.* *fig.* **quebra-cabeças**, enigma

Q

quaderna *n.f.* (dado) **quadra**, quatro

quadra *n.f.* **1** LIT. **quarteto**, tetrástico **2** **estação**, época, temporada, quartel, período **3** (dado) quaderna, quatro **4** (muralha) **quadrela**

quadrado *adj.* **1** **quadrangular** **2** *fig.* **atarracado**, parracho, sapudo, tortulho *fig.* **3** *fig.* **convencional**, retrógrado, tradicionalista **4** *fig.* **obtuso**, limitado, tapado

quadragésima *n.f.* **1** **quarentena** **2** RELIG. (com maiúscula) **Quaresma**, Quarentena

quadrângulo *n.m.* GEOM. **quadrilátero**, tetrágono

quadrante *n.m.* (relógio) **gnómon**

quadrar *v.* **1** **agradar**, convir, calhar **2** **adaptar-se**, condizer, enquadrar-se, amoldar-se, harmonizar-se **3** **destinar**, guardar

quadrícula *n.f.* **quadradinho**, quadrículo

quadril *n.m.* **1** **anca**, cadeiras, nádegas **2** (rês) **alcatra**, anca

quadrilátero *adj.* **quadrilateral** ■ *n.m.* GEOM. **quadrângulo**, quadriângulo

quadrilha *n.f.* **1** **multidão**, chusma, turma **2** **corja**, súcia, bando, malta, gatunagem, matilha *fig.* **3** **flotilha**, esquadrilha **4** **contradança**

quadripartido *adj.* **quadrifendido**, quadrífido

quadro *n.m.* **1** **quadrado** **2** **caixilho**, moldura **3** **panorama**, vista, aspeto **4** **pintura**, tela **5** **cena**, representação **6** **área**, superfície **7** **resenha**, tabela, tábua **8** **placard**

quadrúpede *n.m.* **besta**, cavalgadura, azémola, montaria [BRAS.] ■ *adj.,n.2g. fig.,col.* **estúpido**, asno, burro, idiota, néscio, tolo, ignorante

quadruplicar *v.* **quadruplar**

quádruplo *n.m.* **quádrobro**, redobro

qual *pron.interr.* **1** **quem** **2** **que** ■ *conj.* **como**, que nem ■ *interj.* **agora!**

qualidade *n.f.* **1** **atributo**, propriedade, particularidade, predicado, característica **2** **capacidade**, competência, habilidade, faculdade, aptidão, aptitude **3** **dom**, condão, virtude **4** **carácter**, índole, natureza **5** **género**, espécie, sorte **6** **calibre**, jaez, laia **7** **importância**, valor, consideração

qualificação *n.f.* **1** **apreciação**, classificação **2** **denominação**, adjetivação, adjetivalização

qualificado *adj.* **1** **habilitado**, apto **2** **acreditado**, categorizado, reputado, conhecido **3** **rotulado**

qualificador *adj.,n.m.* **classificador**, qualificativo

qualificar *v.* **1** **habilitar** **2** **classificar**, considerar, apreciar, avaliar, predicamentar **3** **denominar**, nomear, designar **4** **caracterizar**, reputar, julgar **5** **ilustrar**, enobrecer

qualificativo *adj.,n.m.* **classificador**, qualitativo, predicativo

qualquer *det.,pron.indef.* **1** **algum**, um **2** **todo**

quando *conj.* **1** **sempre que** **2** **enquanto**, ao passo que **3** **se**, acaso **4** **embora**, ainda que

quantia *n.f.* **1** **soma**, montante, verba **2** **quantidade**, quantitativo, número, cifra, porção, soma

quantidade *n.f.* **1** **porção**, quantia, quantitativo, cifra, número, soma **2** **multidão**

quantificar *v.* **calcular**

quanto *adv.* **quão**, como, que ■ *n.m.* FÍS. **quantum**

quantum *n.m.* FÍS. **quanto**

quão *adv.* **quanto**, como, que

quarentena *n.f.* **1** **quadragésima** **2** RELIG. (com maiúscula) **Quaresma**, Quadragésima

Quaresma *n.f.* RELIG. **Quadragésima**, Quarentena

quarta *n.f.* **quarta-feira**

quarta-feira *n.f.* **quarta**

quartel *n.m.* **1** MIL. **aquartelamento**, abarracamento, aboletamento, acantonamento, alojo **2** **casa**, domicílio, alojamento **3** **abrigo**, paradeiro, valhacouto **4** **quarto** **5** MIL. **tréguas** **6** **estação**, época, temporada, quadra, período

quartel-general *n.m.* **paradeiro**, refúgio

quarteto *n.m.* LIT. **quadra**

quarto *n.m.* **1** **aposento**, divisão, compartimento **2** **alcova**, câmara, dormitório **3** **quartel** **4** (vasilha) **quartola**

quase *adv.* **1** **próximo**, perto **2** **aproximadamente**, praticamente **3** **por um triz**, praticamente

Quasímodo *n.m.* RELIG. **Pascoela**

quaternário *adj.* GEOG. **antropozoico**

quatrilião *num.* **quadrilião**, quatrilhão

quatro *n.m.* (dado) **quaderna**, quadra

que *pron.interr.* **qual** ■ *adv.* **quão**, como, quanto ■ *conj.* **1** **porque**, pois **2** **para que**, a fim de que **3** **embora**, ainda que

quê *pron.interr.* **como** ■ *n.m.* **complicação**, dificuldade

quebra *n.f.* **1** **desunião**, separação, desagregação, quebramento **2** **fratura**, falha, brecha **3** **diminuição**, minguamento, abatimento, caimento **4** **interrupção**, rutura, rotura, rompimento **5** **perda**, dano, prejuízo **6** **transgressão**, infração **7** **vinco**, ruga, prega **8** **declive**, vertente, quebrada

quebra-cabeças *n.m.2n.* **problema**, dificuldade

quebrada *n.f.* 1 **ladeira**, declive, vertente, caída, quebra, quebrado 2 **barranco** 3 **desmoronamento**, desabamento

quebradiço *adj.* **frágil**, friável, pururuca [BRAS.], rúptil ≠ **resistente**

quebrado *adj.* 1 **fraturado**, partido, rachado, infracto 2 **desanimado**, desalentado 3 **exausto**, prostrado, partido *fig.*, roto *fig.* 4 **arruinado**, falido 5 **frouxo**, lasso, flácido 6 **herniado**, rendido

quebra-luz *n.m.* **abajur**, para-luz, tapa-luz, veda-luz, sombreira, pantalha, refletidor, velador [REG.], lucivelo [BRAS.], lucivéu [BRAS.]

quebra-mar *n.m.* **corta-mar**, talha-mar

quebramento *n.m.* 1 **desunião**, separação, desagregação, quebra 2 **infração**, violação 3 **abatimento**, quebrantamento, cansaço 4 **quebreira**, languidez, frouxidão, moleza

quebrantar *v.* 1 **abater**, arrasar, quebrar 2 **infringir**, transgredir, violar 3 **enfraquecer**, debilitar, afrouxar 4 **machucar**, mortificar 5 **desanimar**, desencorajar, desalentar 6 **suavizar**, abrandar, acalmar, amansar, amenizar, amainar

quebrantar-se *v.* 1 **desanimar-se**, esmorecer 2 **enfraquecer**, afrouxar, debilitar-se, desfalecer, dessangrar-se, sorvar *fig.*

quebranto *n.m.* **quebreira**, prostração, languidez, fraqueza

quebrar *v.* 1 **partir**, britar, despedaçar, fracionar, escaqueirar, fragmentar, separar, desmanchar, desunir, fraturar, rachar 2 **domar**, vencer, dobrar 3 **abrandar**, moderar, diminuir, suavizar, amansar, afrouxar 4 **interromper**, cortar, desfazer, dissipar 5 **enfraquecer**, debilitar, alquebrar, quebrantar 6 **render-se** 7 **infringir**, transgredir, violar 8 [BRAS.] **destruir**, danificar, enguiçar

quebrar-se *v.* 1 **partir-se**, despedaçar-se, rachar, romper, estilhaçar-se 2 **cessar**, terminar 3 **enfraquecer-se** 4 **interromper-se**

quebrável *adj.2g.* **frágil**, frangível ≠ **inquebrável**, infrangível

quebreira *n.f.* **prostração**, fraqueza, lassidão, quebranto, quebradeira, quebrantamento

queca *n.f. vulg.* **cópula**, pinocada *vulg.*

queda *n.f.* 1 **caída**, derribamento, caidela 2 **tombo**, trambolhão, boléu, caída, baque 3 **fim**, acabamento, termo 4 **ruína**, descalabro, perdição, falência 5 **propensão**, tendência, vocação, jeiteira 6 **inclinação**, declive, pendor, caimento 7 **descrédito**, desprestígio 8 **culpa**, erro, pecado

quedar *v.* **ficar**, estacionar, aquietar, parar, permanecer, demorar-se, conservar-se, deter-se

quedar-se *v.* **permanecer**, ficar, manter-se, demorar-se, parar, estacionar

quedo *adj.* 1 **quieto**, imóvel, parado 2 **calmo**, plácido, manso, sereno, tranquilo, sossegado 3 **demorado**, vagaroso, pausado, tardio

quefazeres *n.m.pl.* **afazeres**, ocupações, trabalho, faina

queijada *n.f.* 1 *col.* **gorjeta**, gratificação 2 *col.* **pechincha**, lucro

queijaria *n.f.* (fabrico) **queijeira**

queijeira *n.f.* 1 (fabrico) **queijaria** 2 (armação) **francela** 3 ORNIT. **chasco-do-monte**, chedes, cartaxo, tanjasno, tanjarro, terroeiro

queima *n.f.* 1 **queimação**, queimamento 2 **incêndio**, combustão 3 **queimada**, ucha 4 **cremação**, incineração 5 *fig.* **ruína**

queimada *n.f.* **queima**, ucha

queimadela *n.f.* **queimadura**, peladela, escaldadela, escaldadura, escaldão

queimado *adj.* 1 **carbonizado**, incendiado, combusto, adusto, assado, churro, usto ≠ **incombusto** 2 **ressequido**, emurchecido, seco 3 **bronzeado** 4 *fig.* **desacreditado** ■ *n.m.* **esturro**

queimadura *n.f.* **queimadela**, peladela, escaldadela, escaldadura, escaldão

queimar *v.* 1 **abrasar**, afoguear, incendiar, arder, chamuscar, calcinar, adurir, incinerar, inflamar, foguear, esbrasear 2 **crestar**, tostar, tisnar, torrar, esturrar 3 **bronzear** 4 **secar**, ressequir, murchar 5 *fig.* **desperdiçar**, desbaratar, dissipar, esbanjar, gastar 6 *fig.* **arruinar**, destruir, estragar

queimar-se *v.* 1 **escaldar-se** 2 **bronzear-se** 3 **arder**, incendiar-se 4 *fig.* **arruinar-se**

queiró *n.f.* BOT. **carrasca**, mongariça, quebra-panelas, galega

queixa *n.f.* 1 **lamento**, gemido, grito, queixume 2 **querela**, libelo, acusação 3 **reclamação**, protesto

queixada *n.f.* **mandíbula**, maxila, maxilar

queixal *n.m.* **molar**

queixar-se *v.* 1 **reclamar**, protestar, contestar, clamar 2 **lamentar-se**, lamuriar-se, lastimar-se, chorar, querelar-se, gemer, chiar, lazarar *fig.* 3 **denunciar**, acusar

queixo *n.m.* **mento**, barba, barbela, guecho [REG.]

queixoso *adj.,n.m.* 1 **lamentoso**, lamurioso, plangente, querelador, quereloso 2 **ressentido**, sentido, triste, doído 3 **querelante**, lesado

queixume *n.m.* **queixa**, lamúria, gemido, pranto, lamento

quejando *adj.,n.m.* **semelhante**, assemelhado

quelha *n.f.* 1 **viela**, quelho, caleja 2 ICTIOL. **tintureira**, tintureiro, velatina

quem *pron.interr.* **qual**

quente *adj.2g.* 1 **cálido**, caldo, aquecido, queimoso ≠ **frio**, arrefecido 2 **picante**, apimentado 3 *fig.* **animado**, vivo, ativo, entusiástico 4 *fig.* **afetivo**, caloroso, afável 5 *fig.* **sensual**, fogoso ■ *n.m.* **cama**

queque *n.m. col.* **snobe**, beto, betinho

querela *n.f.* 1 **libelo**, denúncia, queixa 2 **discussão**, pendência, altercação
querelar *v.* **discutir**, brigar, disputar
querelar-se *v.* **queixar-se**, lamentar-se, lastimar-se, lamuriar-se
querer *v.* 1 **apetecer**, desejar, pretender 2 **tencionar**, planear, projetar 3 **ambicionar**, aspirar, almejar, ansiar 4 **desejar**, amar 5 **exigir**, mandar, ordenar, reclamar 6 **pedir**, requerer ■ *n.m.* 1 **vontade**, intenção 2 **afeto**, amor, desejo
querido *adj.* 1 **caro**, prezado, estimado ≠ **inestimado** 2 **amado**, benquisto, favorito, predileto, dileto, quisto 3 **amoroso**, fofo, rico
quermesse *n.f.* 1 **bazar** 2 **verbena**
quesito *n.m.* **pergunta**, questão
questão *n.f.* 1 **pergunta**, quesito 2 **tese**, assunto, tema, objeto 3 **discussão**, contenda, pendência, tira-puxa [REG.]
questionador *adj.,n.m.* 1 **interrogador**, perguntante 2 **argumentador**, discutidor, disputador 3 **contestador**
questionar *v.* 1 **perguntar**, interrogar, demandar 2 **contestar**, argumentar, debater, controverter 3 **discutir**, altercar, disputar 4 **entrevistar**
questionável *adj.2g.* **discutível**, contestável, disputável, refutável ≠ **inquestionável**, indiscutível, incontestável
questiúncula *n.f.* **pegadilha**, piolhice, chaça *fig.*
quezilar *v.* 1 **aborrecer**, importunar, incomodar, molestar, zangar 2 **embirrar**, zangar-se
quezilento *adj.* 1 **impertinente**, implicante, arreliador, arreliento, arreliante 2 **importuno**, enfadonho, aborrecido
quezília *n.f.* 1 **embirração**, antipatia, aversão, birra 2 **briga**, discussão, rixa, pendência, renzilha 3 **aborrecimento**, importunação, arrelia
quiçá *adv.* **acaso**, porventura, talvez
quietação *n.f.* **tranquilidade**, serenidade, sossego, pacificação, placidez, remanso, mansidão, repouso, quietismo
quietismo *n.m.* **tranquilidade**, serenidade, sossego, pacificação, placidez, remanso, mansidão, repouso, quietação
quieto *adj.* 1 **imóvel**, parado, quedo 2 **calmo**, pacífico, sossegado, pacato ≠ **irrequieto**, inquieto, travesso, remexido, mexediço, rabigo, fagulhento, alfeiro, rabino *col.*, endemoninhado *fig.*, atravessado *fig.* 3 **brando**, dócil, manso
quietude *n.f.* **paz**, sossego, sopor, remanso ≠ **agitação**, alvoroço
quilatar *v.* 1 **apurar**, aperfeiçoar, melhorar, purificar, realçar, acrisolar, aquilatar 2 **avaliar**, apreciar, julgar, ponderar, determinar, aquilatar
quilate *n.m.* 1 **carate** 2 *fig.* **excelência**, perfeição, repica-ponto 3 *fig.* **qualidade**, jaez, predicado
quilha *n.f.* BOT. **naveta**, carina
quilo *n.m.* **quilograma**
quilograma *n.m.* **quilo**
quilométrico *adj. fig.* **enorme**, grandíssimo
quimera *n.f.* 1 **fantasia**, devaneio, ilusão, fantasmagoria, utopia 2 *fig.* **absurdo** 3 ICTIOL. **papagaio-do-mar**, peixe-rato, rato
quimérico *adj.* **imaginário**, fantasioso, fantástico, fictício, ilusório, utópico, irreal ≠ **real**, verdadeiro
química *n.f. fig.* **empatia**, atração
quina *n.f.* 1 **esquina**, canto, ângulo, aresta 2 **quinino** 3 BOT. **quineira**, quinaquina, quinquina, chinchona
quinhão *n.m.* 1 **quota-parte**, parcela, porção, lote, parte, quota 2 **partilha** 3 *fig.* **sorte**, destino
quinhoar *v.* **compartilhar**, comparticipar, repartir, aquinhoar
quinquenal *adj.2g.* **quinquenário**
quinquenário *adj.2g.* **quinquenal**
quinquénio[AO] ou **quinquênio**[AO] *n.m.* **lustro**
quinquilharia *n.f.* **bugiganga**, bagatela, brinquinho, frandulagem
quinta *n.f.* 1 **herdade**, granja, fazenda, casal, chácara [BRAS.] 2 **quinta-feira**
quinta-essência *n.f.* 1 **essencial** 2 **auge**, requinte 3 **quinta-substância**
quinta-feira *n.f.* **quinta**
quintal *n.m.* 1 **pátio**, eido, aido 2 **quintarola**
quintalejo *n.m.* **quinchoso**, quinchorro
quintarola *n.f.* **quintal**, quintinha
quinteiro *n.m.* 1 **feitor**, abegão, caseiro, fazendeiro 2 [REG.] **quintã**, eido, aido, curral 3 **inxidro** *col.*
quinteto *n.m.* LIT. **quintilha**
quintilha *n.f.* LIT. **quinteto**
quintinha *n.f.* **quintarola**, quintal
quinto *n.m.* **quintano**
quinzena *n.f.* **quindénio**
quinzenal *adj.2g.* **bimensal**
quiosque *n.m.* **tabacaria**
quiproquó *n.m.* **mal-entendido**, equívoco, confusão, engano, equivocação, erro
quirógrafo *n.m.* **autógrafo**
quiromancia *n.f.* **quiroscopia**
quisto *adj.* **querido**, estimado, desejado, aceite, amado
quitação *n.f.* 1 **quita**, quitamento 2 **recibo**
quitanda *n.f.* **futrica**, baiuca
quitar *v.* 1 **desobrigar**, desonerar, libertar, remitir ≠ **onerar**, obrigar, impor 2 **impedir**, vedar, proibir 3 **evitar** 4 **deixar**
quitar-se *v.* 1 **desquitar-se**, divorciar-se 2 **livrar-se**

quite *adj.2g.* **1 desobrigado**, livre, isento **2 pago**, saldado **3 separado**, apartado, divorciado

quixotada *n.f.* **fanfarronada**, fanfarrice, quixotice, quixotismo

quixotesco *adj.* **pretensioso**, ridículo

quixotice *n.f.* **quixotada**, fanfarrice, fanfarronice, quixotismo

quixotismo *n.m.* **fanfarronice**, fanfarrice, quixotada, quixotice

quota *n.f.* **1 quota-parte**, quinhão, parcela, porção, lote, parte **2 prestação**, contribuição

quota-parte *n.f.* **quota**, quinhão, parcela, porção, lote, parte, cota-parte

quotidianamente *adv.* **diariamente**

quotidiano *adj.* **diário**

quotizar *v.* **1 distribuir**, dividir, repartir, ratear, cotizar **2 contribuir**, cotizar

R

rabadão *n.m.* pastor-chefe

rabanada *n.f.* 1 CUL. **frita** 2 **saracoteio** 3 (vento) **rajada**

rabanete *n.m.* BOT. **rabiça** [REG.]

rábano *n.m.* BOT. **rábão**

rabear *v.* 1 **saracotear**, bambolear, rebolar, serpear, agitar-se, mover-se, mexer-se, serpejar 2 **adular**, bajular

rabeca *n.f.* 1 **violino**, rebeca, guinchadeira [REG.], viola-d'arco *ant.* 2 (utensílio) **sanfona** 3 ICTIOL. **guitarra** 4 **enxerga**

rabecada *n.f.* 1 *col.* **repreensão**, descompostura, censura 2 *col.* **difamação**, maledicência

rabecão *n.m.* MÚS. **contrabaixo**

rabelo *n.m.* 1 (arado) **rabiça** 2 (barco) **rebelo**

rabi *n.m.* **rabino**, mestre

rabiar *v. col.* **irritar-se**, exaltar-se, enfurecer-se, impacientar-se, danar-se, raivar, raivecer

rabiça *n.f.* 1 (arado) **rabelo**, esteva 2 [REG.] **rabanete**

rabicho *adj.* **irrequieto**, buliçoso, inquieto, traquina ■ *n.m.* **rabicheira**

rábido *adj.* 1 **raivoso**, rabioso, danado, higrófobo 2 **furioso**, enfurecido, enraivecido, irado, raivoso, danado, violento, embravecido

rabinice *n.f.* 1 **travessura**, traquinice 2 **perrice**, teimosia 3 **amuo**

rabino *n.m.* **rabi**, mestre ■ *adj.* 1 *col.* **traquinas**, travesso 2 *col.* **irrequieto**, buliçoso, inquieto 3 *col.* **rabugento**, ranzinza

rabiscar *v.* **garatujar**, gatafunhar, escrevinhar, riscar, borrar

rabisco *n.m.* **garatuja**, gatafunho, rabisca, rabiosca, sarrabisco, arabesco

rabo *n.m.* 1 **nádegas**, traseiro, rabiosque *col.*, assento *col.*, sim-senhor *col.*, sesso *col.*, culatra *col.*, cu *vulg.* 2 **cauda** 3 **cabo**

rabugem *n.f.* 1 **rabuge**, rabugeira 2 **impertinência**, rabugice, mau humor, má disposição, rabujaria

rabugento *adj.* **aborrecido**, impertinente, implicante, maçador, mal-humorado, niqueiro, resmunguento, rezingão, ranzinza, rabuja, ruvinhoso *fig.*

rabugice *n.f.* **impertinência**, rabugem, mau humor, má disposição, rabujaria

rabujar *v.* 1 **resmungar**, rezingar 2 **choramingar**

rábula *n.m.* 1 **fala-barato** 2 (advogado) **legulejo** *fig.*

raça *n.f.* 1 **estirpe**, estema, geração, linhagem, origem, cepa, família, parentela 2 **casta**, variedade, espécie, classe, laia, jaez, qualidade 3 **rasto**, sinal 4 *col.* **determinação**, empenho, coragem

ração *n.f.* **dose**, quinhão, porção

racha *n.f.* 1 **frincha**, greta, talisca, rachadela, rachadura, rasgão, fisga, rima, cissura, fresta, hiato, aberta, brecha, fendimento, abertura, fenda, quebradela 2 **lasca**, estilhaço, talisca 3 [REG.] **acha**, lenha, cavaco, estilha, lasca, cavaca 4 [REG.] **cacete**, varapau 5 [REG.] **quinhão**, parte 6 *vulg.* **vagina**, cona *vulg.*

rachar *v.* 1 **fender**, estalar, gretar, fragmentar 2 **lascar**, estilhaçar

racial *adj.2g.* **rácico**

raciocinar *v.* **pensar**, ponderar, razoar, refletir

raciocínio *n.m.* 1 **inteligência**, entendimento, razão, pensamento, cabeça *fig.* 2 **argumentação**, discurso, argumento, arrazoado, razoamento

racional *adj.2g.* 1 **lógico**, coerente ≠ **irracional**, ilógico, incoerente, absurdo 2 **sensato**, prudente, ajuizado, ponderado, refletido ≠ **irracional**, insensato, imprudente, irrefletido 3 **razoável**, concebível

racionalidade *n.f.* **lógica**

racionalmente *adv.* 1 **logicamente**, plausivelmente ≠ **emocionalmente**, emotivamente 2 **razoavelmente**, ajuizadamente

racionamento *n.m.* **arraçoamento**

racionar *v.* **arraçoar**

radiação *n.f.* **irradiação**, radiância

radiado *adj.* **raiado**

radiador *adj.* **irradiador**

radiante *adj.2g.* 1 **brilhante**, cintilante, flamante, fulgente, fulgurante, resplandecente, micante, renidente 2 **belo**, esplêndido 3 **alegre**, contente, jubiloso, radioso, feliz, jubilante ≠ **triste**, acabrunhado, descontente, entristecido 4 **irradiante**, transbordante

radiar *v.* 1 **irradiar**, luzir, raiar 2 **brilhar**, fulgir, resplandecer, cintilar, refulgir 3 **aureolar**

radicação *n.f.* **arreigamento**, enraizamento ≠ **erradicação**, desarreigamento

radicado *adj.* 1 **enraizado**, arreigado, inextirpável 2 **residente**, domiciliado, fixado

radical *adj.2g.* 1 **fundamental**, essencial, básico 2 **completo**, total, integral, profundo 3 **decisivo** 4 extremo, drástico **5** **extremista**, radicalista, maximalista ≠ **moderado**, comedido ■ *n.m.* GRAM. **raiz**

radicalismo *n.m.* **inflexibilidade**, intransigência

radicalista *adj.,n.2g.* **extremista**, radical ≠ **moderado**, comedido

radicalmente *adv.* **1** **completamente**, inteiramente, totalmente ≠ **gradualmente**, ligeiramente **2** **definitivamente** **3** **essencialmente**

radicar *v.* **1** **enraizar**, arraigar, inveterar, arreigar **2** **fundar**, estabelecer, firmar, fixar **3** **basear-se**, assentar, fundamentar-se

radicar-se *v.* **1** **enraizar-se**, arraigar-se, inveterar--se, arreigar-se **2** **consolidar-se**, fortalecer-se **3** **fixar-se**, firmar-se, estabelecer-se **4** **fundamentar-se**, basear-se, apoiar-se **5** **estabelecer-se**, fixar-se

radícula *n.f.* **1** BOT. **raigota**, barbalho **2** BOT. **fibrila**

rádio *n.f.* **1** **telefonia**, recetor **2** **radiodifusão**, radiocomunicação, radioemissão, radiofonia, radiotelefonia **3** **radiofonia**, emissora, radioemissora

radiocomunicação *n.f.* **radiodifusão**, rádio, radioemissão, radiofonia, radiotelefonia

radiodifundir *v.* **radioemitir**

radiodifusão *n.f.* **radioemissão**, rádio, radiocomunicação, radiofonia, radiotelefonia

radiofonia *n.f.* **1** **radiocomunicação**, rádio, radioemissão, radiodifusão, radiotelefonia **2** **rádio**, emissora, radioemissora

radioso *adj.* **1** **brilhante**, cintilante, luminoso, fulgente, resplandecente **2** **alegre**, contente, jubiloso, radiante, feliz ≠ **triste**, acabrunhado, descontente, entristecido

radiotelefonia *n.f.* **radiocomunicação**, rádio, radioemissão, radiodifusão, radiofonia

radiotelevisão *n.f.* **televisão**

radioterapia *n.f.* **actinoterapia**, curieterapia

raer *v.* **varrer**, rer, raspar

ráfia *n.f.* *col.* **fome**, apetite, lazeira, larica, rafa, galga *col.*, gafa [REG.], aração [BRAS.]

raia *n.f.* **1** **estria**, traço, risca, lista, raja **2** **limite**, linda, estremadura, divisa, termo, término **3** **fronteira**, arraia **4** *col.* **engano**, erro, tolice **5** ICTIOL. **eiroga**, teiroga, oirega, lenga

raiado *adj.* **1** **estriado**, riscado, betado, rajado, zebrado **2** **sulcado**, vincado **3** **entremeado**, entressachado, mesclado

raiar *v.* **1** **brilhar**, cintilar, fulgir, luzir, radiar, refulgir, irradiar, reluzir, resplandecer, coruscar **2** **amanhecer**, clarear, aparecer, romper, surgir **3** **estriar**, betar, riscar, arraiar, rajar **4** **aproximar-se**, beirar

rainha *n.f.* **1** **soberana**, majestade, monarca **2** ZOOL. **abelha-mestra**, mãe **3** [*pl.*] ZOOL. **radíolas**

rainha-dos-prados *n.f.* BOT. **ulmária**, ulmeira, erva-ulmeira

raio *n.m.* **1** **radiação** **2** **faísca**, corisco, centelha, clarão **3** GEOM. **semidiâmetro**

raiva *n.f.* **1** MED. **hidrofobia**, rábia **2** **ira**, cólera, fúria, danação, encanzinamento, irritação **3** **ódio**, horror, aversão **4** (biscoito) **raivinha**

raivoso *adj.* **1** MED. **hidrófobo** **2** **colérico**, furibundo, furioso, danado, enraivecido, irado, iroso, enfurecido, assanhado, raivento, sanhudo

raiz *n.f.* **1** **estirpe**, pé **2** GRAM. **radical** **3** *fig.* **origem**, princípio

rajada *n.f.* **1** (vento) **lufada**, rabanada **2** **esfuziada**, descarga **3** **ímpeto**

ralação *n.f.* **amofinação**, consumição, apoquentação, ralice, raladura, importunância

ralado *adj.* **1** **triturado**, moído **2** *col.* **aflito**, preocupado, angustiado, atormentado, verminado *fig.*

ralador *adj.* **arreliador**, maçador, apoquentador, impertinente ■ *n.m.* (utensílio) **ralo**

ralar *v.* **1** **moer**, triturar, esmagar, esmigalhar **2** *fig.* **afligir**, apoquentar, atormentar, amofinar, desgostar, consumir, importunar, inquietar, molestar, mortificar, aporrinhar, infernar

ralé *n.f.* **1** *pej.* **plebe** *pej.*, escuma *pej.*, gentalha *pej.*, populaça *pej.*, vulgacho *pej.*, vasa *pej.*, refugo *pej.*, canalha *pej.*, enxurro *pej.*, escória *pej.*, borra *pej.*, arraia--miúda *pej.*, gentiaga *pej.*, fezes *pej.*, escoalha *pej.*, rolão [REG.] *pej.*, poviléu ≠ **elite**, escol, nata *fig.* **2** *ant.* **raça**, natureza, espécie **3** *col.* **coragem**, energia

ralhar *v.* **1** **repreender**, censurar, admoestar, arguir, exprobrar, criticar, increpar **2** **barafustar**, resmungar, pregar

ralho *n.m.* **1** **repreensão**, descompostura, ralhação, ralhete, advertência, admoestação, censura, carão [BRAS.] **2** **gritaria**

ralo *n.m.* **1** (utensílio) **ralador** **2** ZOOL. **grilo-toupeira**, raro **3** **coador**, passador, crivo **4** **pieira**, farfalho, panelo *col.*, ronqueira *col.*, farfalheira *col.*, cascalheira *fig.* ■ *adj.* **fino**, raro, escasso ≠ **denso**, espesso, compacto, cerrado

rama *n.f.* **ramada**, ramagem, ramaria, ramosidade, ramalheira, ramalhoça [REG.]

ramada *n.f.* **1** **rama**, ramagem, ramaria, ramosidade, ramalhoça [REG.] **2** **latada**, parreira **3** **enramada** **4** **aprisco**

ramagem *n.f.* **ramada**, rama, ramaria, ramosidade, ramalhoça [REG.]

ramal *n.m.* **1** **derivação**, ramificação, ramo **2** **ramalhete**, ramo **3** **enfiada**

ramalhar *v.* (ramagem) **sussurrar**, rumorejar, murmurar, ciciar

ramalho *n.m.* **ramalheiro**

rameira *n.f.* *pej.* **prostituta**, meretriz, meretrice, galdéria *pej.*, pécora *pej.*, perdida *pej.*, menina *pej.*, ganapa *pej.*, michela *pej.*, marafona *cal.*, tolerada *ant.,pej.*, rascoeira *ant.,pej.*, pega *vulg.*, cadelona *vulg.*, puta *vulg.*, croia *vulg.*, catraia [BRAS.] *pej.*, rapariga [BRAS.] *pej.*, zoupeira [REG.]

ramela *n.f.* **remela**, laganha [REG.], carranha [REG.]

ramificação *n.f.* **1** **ramal**, derivação, ramo **2** **bifurcação**, forqueadura, dicotomia **3** **ramo**, subdivisão **4** **perna**

ramificar *v.* **1** **bifurcar**, forquear, bipartir, subdividir ≠ **juntar**, unir, ligar **2** **divulgar**, espalhar, propagar, difundir

ramificar-se *v.* **1** **esgalhar** **2** **subdividir-se**, dividir-se ≠ **juntar-se**, unir-se, ligar-se **3** **bifurcar-se**, bipartir-se ≠ **juntar-se**, unir-se, ligar-se

raminho *n.m.* **ramúsculo**, ramalhete, buquê, ramilho [REG.]

ramo *n.m.* **1** BOT. **braço**, pernada, galho **2** **ramalhete**, ramal, bouquet **3** **ramificação**, subdivisão **4** **ramal**, derivação, ramificação **5** **grupo**, magote **6** **secção**, divisão **7** **especialidade**, área

rampa *n.f.* **1** **inclinação**, declive, talude, ladeira, encosta, arrampadouro, vertente **2** **palco**

rançar *v.* **rancescer**, enrançar

rancho *n.m.* **1** **ranchada** **2** *pej.* **súcia**, bando, chusma, corja, magote, jolda *col.*, choldra *col.*, cambada *fig.,pej.*

ranço *adj.* **1** **bafiento**, mofento, rançoso **2** *fig.* **antiquado**, obsoleto, velho, rançoso **3** *fig.* **desenxabido**, fastidioso, insípido, rançoso

rancor *n.m.* **1** **ódio**, sanha, aversão, asco, abominação, incha *col.* **2** **ressentimento**, animosidade

rancoroso *adj.* **odiento**

rançoso *adj.* **1** **bafiento**, mofento, ranço **2** *fig.* **antiquado**, obsoleto, velho, ranço **3** *fig.* **desenxabido**, fastidioso, insípido, ranço

ranger *v.* **chiar**, gemer, guinchar, rechinar, estrugir, ringer

ranhar *v.* **1** **arrebunhar**, unhar, escoriar, escalavrar, esgaravatar, esgadanhar, esgatanhar, raspar, agadanhar, agatanhar, esfolar, arranhar **2** [REG.] **raer**, sorrascar

ranho *n.m.* **monco**, ranheta *col.*, ranhoca *col.*, langonha *col.*, carranha [REG.]

ranhoso *adj.* **1** **moncoso** **2** *fig.* **desagradável**, nojento **3** *fig.* **reles**, desprezível ▪ *n.f.* ICTIOL. **marachomba**, murtefuge, lula, ranhosa

ranhura *n.f.* **1** **entalhe** **2** **escavação** **3** **encaixe**

rapace *adj.2g.* **1** **grifenho** **2** **rapinante**, roubador **3** *fig.* **ávido**

rapacidade *n.f. fig.* **avidez**

rapado *adj.* **1** **calvo**, imberbe, pelado, glabro ≠ **barbado**, peludo, piloso **2** **barbeado** **3** **gasto**, liso, raso

rapagão *n.m.* **rapazão**, moçalhão, cachoparrão, taludão, mocetão, matulão, polhastro *fig.*

rapapé *n.m.* **1** **salamaleque** **2** (pirotecnia) **busca-pé**, bicha-de-rabear, bichaninha **3** [*pl.*] **bajulação**, adulação, lisonja, subserviência, sabujismo, bajulice, louvaminha, zumbaias, manteiga *fig.*

rapar *v.* **1** **escanhoar** **2** **ralar**, raspar, rascar **3** **roçar** **4** **furtar**, extorquir, rapinar, roubar, sacar, surripiar, tirar

rapariga *n.f.* **1** **garota**, menina, pequena, miúda, moça, cachopa, criança, petiza, mocinha [BRAS.], polha *fig.,ant.* **2** [BRAS.] *pej.* **prostituta**, meretrice, rameira *pej.*, galdéria *pej.*, pécora *pej.*, perdida *pej.*, menina *pej.*, ganapa *pej.*, michela *pej.*, marafona *cal.*, tolerada *ant.,pej.*, rascoeira *ant.,pej.*, pega *vulg.*, puta *vulg.*, catraia [BRAS.] *pej.*

rapar-se *v.* **barbear-se**

rapaz *n.m.* **garoto**, miúdo, menino, moço, pequeno, criança, petiz, infante, cachopo, gaiato, muchacho *col.*, mocinho [BRAS.]

rapaziada *n.f.* **1** **moçada**, cachopada, rapazio **2** **cachopice**, rapazice, estroinice

rapazinho *n.m.* **menino**, pimpolho, miúdo, catraio, rapaz, moço, garoto, fedelho, rapazelho, rapazote, rapazete, rapazola, cagunço *col.*, frangalhote *col.*, pequenote

rapazio *n.m.* **moçada**, cachopada, rapazada, garotada, garotagem

rapazola *n.m.* **menino**, pimpolho, miúdo, catraio, rapaz, moço, garoto, fedelho, rapazelho, rapazote, rapazete, rapazinho, cagunço *col.*, frangalhote *col.*

rapazote *n.m.* **menino**, pimpolho, miúdo, catraio, rapaz, moço, garoto, fedelhote, rapazelho, rapazola, rapazete, rapazinho, cagunço *col.*, frangalhote *col.*, lascari *fig.*

rapé[AO] ou **rapê**[AO] *n.m.* **mueles**

rapidamente *adv.* **depressa**, velozmente, aceleradamente, apressadamente, ligeiramente, presto, rápido, toste *ant.* ≠ **lentamente**, vagarosamente, devagar

rapidez *n.f.* **1** **celeridade**, velocidade **2** **presteza**, prontidão, desembaraço, ligeireza ≠ **lentidão**, morosidade **3** **brevidade**, transitoriedade

rápido *adj.* **1** **veloz**, célere, acelerado, apressado, ligeiro ≠ **lento**, desacelerado, vagaroso **2** **desembaraçado**, lesto, presto, pronto ≠ **lento**, vagaroso **3** **curto**, passageiro, fugaz ≠ **lento**, prolongado **4** **instantâneo**, momentâneo ▪ *adv.* **depressa**, velozmente, aceleradamente, apressadamente, ligeiramente, presto, rapidamente, toste *ant.* ≠ **lentamente**, vagarosamente, devagar

rapina *n.f.* **pilhagem**, rapinação

rapinagem *n.f.* **rapinice**, rapinança, rapinanço, roubalheira

rapinar *v.* **roubar**, furtar, surripiar, extorquir, subtrair, pilhar, arrepanhar, arrebatar, expilar, rapar

raposa *n.f.* 1 **zorra**, trinca-pintos, golpelha 2 *col.* **bebedeira**, embriaguez, borracheira, raposeira *col.* 3 *col.* **reprovação**, chumbo 4 *fig.* **matreiro**, astuto, manhoso

raposeira *n.f.* 1 **raposada**, soneca 2 *col.* **embriaguez**, bebedeira, borracheira, raposa *col.*

raposo *n.m.* 1 **zorro** 2 ICTIOL. **arrequim**, anequim, marracho, peixe-alecrim, peixe-raposo, peixe--zorro, zorro 3 *fig.* **velhaco**, finório, espertalhão

raptador *adj.,n.m.* **raptor**

raptar *v.* 1 **sequestrar**, rouçar 2 **roubar**, arrebatar, usurpar, rapinar

rapto *n.m.* 1 **sequestro**, rouço 2 **rapina**, alienação, extorsão 3 *fig.* **arroubo**, enlevo, êxtase, arroubamento

raptor *adj.,n.m.* **raptador**

raquidiano *adj.* **raquiano**, vertebral

raquítico *adj.* 1 **enfezado**, franzino, atrofiado, mirrado, acanhado 2 *fig.* **mesquinho**

raquitismo *n.m. fig.* **fraqueza**, debilidade

raramente *adv.* **excecionalmente**, invulgarmente ≠ **frequentemente**, comummente, amiudadamente, repetidamente, constantemente

rarear *v.* **escassear**, faltar, falhar, diminuir, minguar, rarescer, rarefazer-se, enrarecer ≠ **abundar**, afluir, sobejar, sobrar

rarefação[dAO] *n.f.* **enrarecimento**, rareamento

rarefacção[aAO] *n.f.* ⇒ **rarefação**[dAO]

rarefacto[AO] ou **rarefato**[AO] *adj.* **rarefeito** ≠ **denso**, compacto

rarefeito *adj.* **rarefacto** ≠ **denso**, compacto

rareza *n.f.* 1 **raridade**, escassez 2 **preciosidade**, curiosidade

raridade *n.f.* 1 **rareza**, escassez 2 **preciosidade**, curiosidade

raro *adj.* 1 **escasso**, parco, diminuto, pouco ≠ **abundante**, copioso 2 **ralo**, fino ≠ **denso**, espesso, compacto, cerrado 3 **invulgar**, incomum, singular, estranho, exótico, extravagante, insólito ≠ **normal**, banal, vulgar 4 **infrequente**, desacostumado, desusual ≠ **frequente**, usual, habitual 5 **extraordinário**, especial, inestimável, admirável ≠ **ordinário**, banal, vulgar ■ *n.m.* ZOOL. **grilo-toupeira**, ralo, paquinha [BRAS.], cachorro--da-areia [BRAS.]

rasa *n.f.* 1 **alqueire** 2 (medida) **rasoira**, raseiro [REG.]

rasar *v.* 1 **rasourar**, arrasar 2 **nivelar**, acertar, achanar, ugalhar 3 **roçar**, perpassar

rasar-se *v.* 1 **arrasar-se** 2 **encher-se**, transbordar ≠ **esvaziar-se**

rasca *n.f.* 1 **indício**, sinal 2 *col.* **quinhão** 3 [BRAS.] *col.* **bebedeira**, embriaguez ■ *adj.2g. col.* **reles**, ordinário, fraco, medíocre ≠ **superior**, excelente

rascunhar *v.* **esboçar**, bosquejar, debuxar, delinear, minutar

rascunho *n.m.* **esboço**, bosquejo, borrão, borrador, minuta, nota, apontamento, debuxo, alinhavo *fig.*

rasgado *adj.* 1 **despedaçado**, esfrangalhado, estraçalhado 2 **roto**, esfarrapado 3 **aberto**, amplo 4 **largo**, grande, espaçoso 5 **extenso**, vasto 6 **caloroso**, franco, generoso, veemente ■ *n.m.* MÚS. **rasgueado**

rasgão *n.m.* 1 **rasgadela**, rompedura, rasgo, rachadela, racha, rachão, rasgamento 2 **golpe**, esfolamento, arranhão, ferida 3 **abertura**, fenda

rasgar *v.* 1 **despedaçar**, esfrangalhar, estraçalhar 2 **ferir**, golpear, lacerar, romper 3 *fig.* **afligir**, apoquentar, compungir, magoar, mortificar, torturar 4 **abrir**, cortar, talhar 5 **sulcar**, cavar 6 **atravessar**, cruzar 7 **aparecer**, assomar, despontar

rasgo *n.m.* 1 **rasgadela**, rompedura, rasgão, rachadela, racha, rachão 2 **corte**, incisão 3 **ímpeto**, assomo, arroubo, lampejo 4 *col.* **desembaraço**, expediente, energia

raso *adj.* 1 **plano**, chato, chão, espalmado, nivelado, liso 2 **rente**, rasteiro 3 **cheio**, completo ■ *n.m.* **campo**, planície

raspa *n.f.* 1 **apara**, lasca, raspadura 2 **raspadeira**

raspanete *n.m.* **descompostura**, repreensão, desanda, reprimenda

raspão *n.m.* **arranhadura**, esfoladura, escoriação

raspar *v.* 1 **ralar**, rapar 2 **rasurar**, apagar, raspançar 3 **varrer**, rer, raer 4 **roçar**

raspar-se *v. col.* **fugir**, pirar-se, safar-se, escapulir--se, esgueirar-se, pisgar-se

rastear *v.* 1 **rastejar**, arrastar-se, rojar-se 2 *fig.* **humilhar-se**, rebaixar-se 3 **inquirir**, investigar, rastrear

rasteira *n.f.* 1 **cambapé**, gambérria, sancadilha, calço [BRAS.] 2 **embuste**, chicana 3 **arrastadeira**, aparadeira 4 BOT. **melindre**, papagaios

rasteiro *adj.* 1 **rente**, raso, baixo 2 **rastejante**, rastejador, arrastadeiro 3 *fig.* **humilde**, modesto 4 *fig.* **abjeto**, baixo, desprezível, grosseiro, ordinário, vil

rastejante *adj.2g.* 1 **rasteiro**, rastejador 2 *fig.* **abjeto**, baixo, desprezível, grosseiro, ordinário, vil

rastejar *v.* 1 **arrastar-se**, rastear, rojar-se, sob-rojar 2 *fig.* **abandalhar-se**, rebaixar-se, abater--se, sevandijar-se 3 **indagar**, investigar, inquirir, rastrear

rastilho *n.m.* 1 **formigão**, mecha 2 *fig.* **origem** 3 *fig.* **rasto**, indício

rasto *n.m.* 1 **vestígio**, peugada, rastro, encalço, esteira, rabeira, trilha, treita, pegada, pista 2 *fig.* **sinal**, indício, rastilho *fig.*

rastrear *v.* **investigar**, inquirir, rastear

rastreio *n.m.* MED. **despistagem**

rastro *n.m.* 1 vestígio, peugada, rasto, encalço, esteira, rabeiro, trilha, treita, pegada, pista 2 *fig.* sinal, indício, rastilho *fig.*

rasura *n.f.* 1 emenda, litura 2 raspas, limalha

rasurar *v.* raspar, apagar

rata *n.f.* 1 ZOOL. ratazana 2 *vulg.* vagina, passarinha *vulg.*, cona *vulg.* 3 [REG.] toupeira 4 [BRAS.] fiasco

ratada *n.f.* 1 rataria, ratice 2 *fig.* fraude, conluio, ratice 3 *fig.* peripécia, patuscada, ratice

ratão *adj.,n.m.* 1 engraçado, divertido, cómico 2 espertalhão, manhoso ■ *n.m.* ICTIOL. rato, xuxo, uja, usga

ratar *v.* mordiscar, mordicar, roer, mossegar

rataria *n.f.* ratada, ratice

ratazana *n.f.* 1 ZOOL. rata 2 ZOOL. ratona, leirão [REG.] ■ *n.2g. col.* larápio, ladrão, gatuno, ratoneiro

rateação *n.f.* rateio, rateamento, capitação

rateio *n.m.* rateação, rateamento, capitação

raticida *n.m.* mata-ratos, muricida

ratificação *n.f.* 1 validação, autenticação 2 aprovação, confirmação, roboração, sanção

ratificar *v.* 1 validar, autenticar 2 comprovar, confirmar, corroborar, sancionar, homologar

ratinho *n.m.* 1 ICTIOL. agulhão, peixe-agulha, marabumbo, tira-vira 2 *col.* apetite, fome

rato *n.m.* 1 ICTIOL. uja, xuxo, usga, ratão 2 *fig.* larápio, ladrão, gatuno, ratoneiro 3 *fig.* apetite, fome 4 *fig.* espertalhão, manhoso

ratoeira *n.f. fig.* cilada, ardil, emboscada, armadilha

ravina *n.f.* barranco, barroca

razão *n.f.* 1 inteligência, entendimento, raciocínio, pensamento, cabeça *fig.* 2 justiça, justeza, retidão, equidade 3 juízo, discernimento 4 causa, origem, móbil, causante, causal 5 justificação, porquê, motivo, argumento 6 participação, notícia 7 percentagem

razia *n.f.* 1 devastação, assolação, destruição, talamento 2 vandalismo, depredação, gazia, gaziva, gázua, vandalização

razoabilidade *n.f.* sensatez, ponderação

razoar *v.* 1 discorrer, dissertar, arrazoar, argumentar, alegar 2 raciocinar

razoável *adj.2g.* 1 plausível, admissível, conceptível, concebível, crível, possível, pensável, racionável, racional ≠ inconcebível, inadmissível, impossível 2 sensato, ponderado, ajuizado ≠ insensato, desequilibrado 3 moderado, comedido, módico ≠ exagerado, excessivo, hiperbolizado 4 justo, legítimo ≠ injusto 5 aceitável, suficiente, satisfatório ≠ insatisfatório, insuficiente

razoavelmente *adv.* 1 bastante 2 bem, medianamente 3 moderadamente 4 sensatamente

ré *n.f.* 1 NÁUT. *ant.* popa 2 retaguarda, traseira

rê *n.m.* erre

reabastecer *v.* refornecer

reabastecimento *n.m.* refornecimento

reabilitação *n.f.* 1 recapacitação 2 regeneração, reeducação 3 restituição, desagravo, ilibação

reabilitar *v.* 1 ilibar, desenxovalhar, revalorizar, desacoimar ≠ denegrir, enxovalhar 2 reintegrar, recuperar, reeducar 3 corrigir, emendar, regenerar

reabilitar-se *v.* 1 regenerar-se, corrigir-se, emendar-se 2 recuperar-se, restabelecer-se

reabrir *v.* 1 reavivar 2 retomar

reação[dAO] *n.f.* 1 resposta, feedback 2 resistência, oposição

reacção[aAO] *n.f.* ⇒ **reação**[dAO]

reaccionário[aAO] *adj.* ⇒ **reacionário**[dAO]

reacender *v.* 1 reanimar, recomeçar 2 reativar, atear, reavivar, estimular

reacender-se *v.* animar-se, renovar-se ≠ desanimar-se, desalentar-se

reacionário[dAO] *adj.* conservador, tradicionalista, retrógrado, integrista, reator ≠ progressista, inovador, vanguardista

reactivar[aAO] *v.* ⇒ **reativar**[dAO]

reactivo[aAO] *adj.,n.m.* ⇒ **reativo**[dAO]

readaptação *n.f.* reajustamento, reacomodação

readaptar *v.* reajustar, reacomodar

readmissão *n.f.* reingresso, reintegração

readmitir *v.* reintegrar, reconduzir

readquirir *v.* recuperar, recobrar, reaver, reganhar, reconquistar, reassumir

reafirmação *n.f.* confirmação, reiteração

reafirmar *v.* confirmar, repetir, refirmar

reagente *adj.2g.,n.m.* reativo

reagir *v.* 1 resistir, lutar, opor-se, insurgir-se 2 protestar, refilar

reagrupar *v.* reunir, reajuntar

reajustamento *n.m.* readaptação, reacomodação

reajustar *v.* readaptar, reacomodar

real *adj.* 1 verdadeiro, autêntico, verídico, vero ≠ irreal, falso, fictício 2 efetivo, concreto, palpável, sólido, existente ≠ irreal, imaginário, fantástico 3 régio, realengo, reguengo, regalengo 4 *fig.* magnífico, majestoso, pomposo, sumptuoso, magnificente, soberbo

realçar *v.* 1 elevar, altear 2 salientar, destacar, distinguir, enfatizar 3 louvar, exaltar, gabar, relevar, exalçar

realce *n.m.* 1 relevo, ênfase, destaque 2 brilho, refulgência 3 distinção, nobreza, honra

realejo *n.m.* 1 *col.* piano 2 *col.* boca

realengo *adj.* real, régio, reguengo, regalengo

realeza *n.f.* 1 monarquia, realismo 2 *fig.* grandeza, esplendor, magnificência

realidade *n.f.* **1 verdade**, veracidade ≠ **irrealidade**, ficção **2 facto** ≠ **aparência**, ilusão

realismo *n.m.* **1 monarquia**, realeza **2 materialismo**, objetividade ≠ **idealismo**, imaginação

realista *adj.* **1 monárquico 2 naturalista 3 pragmático**, prático ≠ **idealista**, sonhador **4 objetivo** ≠ **subjetivo**

realização *n.f.* **1 execução**, concretização, praxe ≠ **inexecução 2 efetuação**, efetivação **3 adimplemento**, cumprimento

realizador *adj.,n.m.* **1 executador**, executante, operador, fazedor, operante **2 cineasta**

realizar *v.* **1 executar**, concretizar **2 efetuar**, efetivar, fazer, praticar **3 perceber**, compreender **4 coisificar**, reificar

realizar-se *v.* **1 verificar-se**, cumprir-se, consumar-se **2 acontecer**, efetuar-se, dar-se, ocorrer

realizável *adj.2g.* **exequível**, praticável, viável, concretizável, executável, factível ≠ **irrealizável**, impraticável, infactível, inexecutável, inexequível

realmente *adv.* **1 efetivamente**, verdadeiramente, deveras, objetivamente, certamente **2 majestaticamente**, majestosamente, ostentosamente, regiamente

reanimação *n.f.* **revitalização**, revivificação, vivificação, soerguimento *fig.*

reanimar *v.* **revitalizar**, revivificar, fortificar, fortalecer, encorajar

reaparecer *v.* **ressurgir**, recidivar

reaparecimento *n.m.* **reaparição**, ressurgimento

reaparição *n.f.* **reaparecimento**, ressurgimento

reaproveitamento *n.m.* **reutilização**

reaproveitar *v.* **reutilizar**

reaproximar *v.* **reconciliar**

reaquisição *n.f.* **recobro**, readquirição, ressunção

reassumir *v.* **recuperar**, recobrar, reaver, reganhar, reconquistar, readquirir

reatamento *n.m.* **restabelecimento**, prossecução

reatar *v.* **1 retomar**, restabelecer **2 prosseguir**, continuar **3 religar**

reativar[dAO] *v.* **reacender**, atear, reavivar, estimular

reativo[dAO] *adj.,n.m.* **reagente**

reaver *v.* **recuperar**, readquirir, reconquistar, recobrar, reassumir, reganhar

reavivar *v.* **reacender**, reativar, reatear, reabrir, estimular

rebaixamento *n.m.* **1 rebaixa**, rebaixe **2 aviltamento**, apoucamento, achincalhação, humilhação, depreciação, subavaliação, plebeização, vilificação, vilipendiação

rebaixar *v.* **1 abater**, descer, diminuir **2 desacreditar**, depreciar, infamar, degradar, aviltar, desonrar, humilhar, envilecer, apoucar, desmerecer, deprimir, vilificar, avacalhar [BRAS.] *col.*

rebaixar-se *v.* **1 humilhar-se**, abaixar-se, ajoelhar-se, apequenar-se, desautorar-se, curvar-se *fig.*, prostrar-se *fig.*, diminuir-se *fig.* ≠ **elevar-se**, sublimar-se, engrandecer-se, abrasonar-se **2 aviltar-se**, acanalhar-se ≠ **desacanalhar-se**

rebanho *n.m.* **1 armento**, manada, gado, fato, rabanho *col.* **2** ORNIT. **bacalhoeiro**, gavião, francelho

rebarbativo *adj.* **1 agreste**, antipático, áspero, carrancudo, desagradável, irritante **2 maçador**, enfadonho, árido

rebate *n.m.* **1 desconto**, rebatimento, abatimento **2 alarme**, alerta, anúncio **3 assalto**, incursão **4 palpite**, pressentimento, suspeita, desconfiança **5 incitamento**, estímulo

rebater *v.* **1 descontar 2 repelir**, repulsar, rechaçar, contrabater *fig.* **3 deter**, aparar **4 conter**, refrear, reprimir, sustar, sufocar **5 contestar**, refutar, contradizer, impugnar, desmentir **6 bater**, palpitar, pulsar **7 verberar**, censurar

rebatida *n.f.* **refutação**, contestação

rebatido *adj.* **1 voltado**, dobrado **2 refutado**, contestado

rebato *n.m.* **1 degrau**, soleira **2 incursão**

rebeca *n.f.* **violino**, rabeca, guinchadeira [REG.]

rebelar *v.* **amotinar**, revoltar, sublevar, insubordinar, insurgir, levantar

rebelar-se *v.* **revoltar-se**, insurgir-se, amotinar-se, insubordinar-se, desobedecer ≠ **apaziguar-se**, aquietar-se

rebelde *adj.,n.2g.* **1 revoltoso**, amotinado, insurreto, sublevado, revoltado **2 indisciplinado**, insubordinado, insubmisso, refratário, desobediente ≠ **disciplinado**, obediente, submisso, cumpridor ■ *adj.2g.* **1 indomável**, indomesticável, bravo, indócil ≠ **domável**, dócil, domesticável **2 teimoso**, recalcitrante, obstinado, opiniático

rebeldia *n.f.* **1 insurreição**, rebelião, revolta, sublevação, sedição, insubordinação **2 teimosia**, pertinácia, obstinação, renitência **3 oposição**, resistência **4 desobediência**, desrespeito, recalcitração, insubmissão, desacato ≠ **respeito**, obediência

rebelião *n.f.* **insurreição**, revolta, sublevação, sedição, insubordinação, rebeldia

rebentamento *n.m.* **explosão**, deflagração, estouro

rebentar *v.* **1 brotar**, despontar, florir, romper, surgir, abrolhar, abotoar, aparecer **2 despedaçar**, esborrachar, esfalfar, estoirar, estalar, explodir **3 supurar 4 falir 5 romper-se**, quebrar

rebento *n.m.* **1** BOT. **abrolho**, broto, gomo, gema, renovo, lampa, pimpolho, vergôntea, novedio, virga, arrebento, grelo **2** *fig.* **filho**, descendente **3** *fig.* **fruto**, produto

rebimba *n.f.* **preguiça**, indolência

rebo *n.m.* **calhau**, seixo, pedra, burgau, rípio, cascalho

reboar *v.* **ribombar**, troar, trovejar, estrondear, retumbar, ecoar, detonar, repercutir, rouquejar

rebocar *v.* **1 estucar**, acafelar, embarrar **2 arrastar**, reboquear, atrelar, atoar, sirgar

reboco *n.m.* **rebocadura**

rebolar *v.* **bambolear**, menear, oscilar, saracotear, gingar, baloiçar, menear-se, bambolear-se, saracotear-se

rebolar-se *v.* **1 rolar-se**, virar-se, espojar-se **2 bambolear-se**, saracotear-se, menear-se, bambalear-se ≠ **parar**, imobilizar-se

rebolo *n.m. col.* **cilindro**

reboque *n.m.* **1 toa**, sirga **2** [REG.] **petisqueira**

rebordo *n.m.* **orla**, banda, margem, borda, beiço

rebotalho *n.m.* **1 refugo**, resto, escória, marroxo *col.* **2 pedacinho**, cigalho, migalha

rebuçado *adj.* **encoberto**, oculto, embuçado

rebuçar *v.* **ocultar**, esconder, velar, encobrir, disfarçar, dissimular

rebuço *n.m.* **1 embuço**, bioco **2 lapela 3** *fig.* **disfarce**, dissimulação **4** *fig.* **vergonha**, escrúpulo

rebuliço *n.m.* **1 balbúrdia**, confusão, desordem, agitação, bulício, alvoroço, zaragalhada **2 desentendimento**, discórdia, motim

rebusca *n.f.* **respiga**, rebusco

rebuscado *adj.* **1 refinado**, apurado, esmerado, aprimorado, requintado **2** *fig.,pej.* **empolado**, pretensioso, afetado

rebuscar *v.* **1 respigar 2** *fig.* **aprimorar**, esmerar, requintar, burilar

recado *n.m.* **1 mensagem**, palavra, comunicação **2 frete**, tarefa, incumbência, carreto **3** *col.* **repreensão**, censura **4** *ant.* **recato**, cautela

recaída *n.f.* **1 recaimento 2 reincidência**, recidiva **3** MED. **recidiva**

recair *v.* **1 reincidir 2 aludir**, referir-se, versar, incidir

recalcado *adj.* **1 repisado 2** PSIC. **reprimido**, inibido

recalcamento *n.m.* **1 recalque**, recalcadura **2 repressão**, recalque

recalcar *v.* **1 repisar 2 insistir**, repetir, repisar **3 refrear**, reprimir, abafar, conter

recalcitrante *adj.2g.* **1 desobediente**, inconformado, insubmisso, obstinado, rebelde, teimoso, renitente ≠ **respeitador**, obediente **2 refilão**, repontão

recalcitrar *v.* **1 teimar**, resistir, obstinar-se, desobedecer **2 refilar**, repontar, protestar, barafustar, respingar, reguingar, replicar, remenicar, reagir, escoucinhar *fig.*, escoicear *fig.* **3 insurgir-se**, revoltar-se

recambiar *v.* **1 devolver**, restituir, reenviar **2 ressacar**

recanto *n.m.* **esconderijo**, esconso, recôndito, desvão, rincão, escaninho, recesso, entrefolho *fig.*

recapitulação *n.f.* **1 repetição**, bis **2 sumário**, resumo, epítome, sinopse, súmula, anacefaleose

recapitular *v.* **1 compendiar**, epitomar, epilogar, resumir, sintetizar, sinoptizar **2 relembrar**, recordar, rememorar, sabatinar

recapturar *v.* **reprender**

recatado *adj.* **1 discreto**, modesto, pudico, húmile ≠ **vistoso**, aparatoso, espalhafatoso, extravagante **2 prudente**, sensato, comedido ≠ **imprudente**, insensato, leviano

recatar *v.* **1 acautelar**, precaver, guardar, resguardar, ocultar, esconder **2 rebuscar**, recadar *ant.*

recato *n.m.* **1 cautela**, resguardo, precaução **2 decência**, melindre, modéstia, pudor ≠ **despudor**, desvergonha **3 segredo**, reserva, recolhimento ≠ **aparato**, espalhafato, extravagância **4 recanto**, esconderijo

recauchutagem *n.f.* **rechapagem**

recauchutar *v.* **1 rechapar 2 restaurar**, reconstituir

recear *v.* **1 temer**, assustar-se, preocupar-se **2 suspeitar**, desconfiar

recebedor *adj.,n.m.* **1 recetor 2 cobrador**

receber *v.* **1 cobrar**, arrecadar **2 aceitar**, tomar, admitir ≠ **recusar 3 acolher**, hospedar, recolher, sediar, gasalhar, rececionar **4 adquirir**, obter **5 atender 6 conter 7 tolerar**, suportar, sofrer

recebimento *n.m.* **1 receção**, aceitação, admissão ≠ **inadmissão 2 acolhimento**, hospitalidade, receção, acolhida **3 casamento**

receçãodAO ou **recepção**AO *n.f.* **1 recebimento**, aceitação, admissão **2 acolhimento**, hospitalidade, recebimento, acolhida

receio *n.m.* **1 medo**, temor, pavor, cagaço *col.* ≠ **coragem**, intrepidez **2 dúvida**, apreensão, incerteza

receita *n.f.* **1 cobrança 2 prescrição**, fórmula, récipe **3 rendimento**, renda ≠ **despesa 4** *fig.* **indicação**, conselho **5** *col.* **castigo**

receitar *v.* **1 prescrever 2** *fig.* **aconselhar**, indicar, sugerir

receituário *n.m.* **farmacopeia**, formulário

recém-casado *n.m.* **noivo**

recém-chegado *adj.,n.m.* **recém-vindo**

recém-nascido *adj.,n.m.* **1 recém-nado**, neonato, nuelo **2 recente**, novo

recensão *n.f.* **recenseamento**, censo, recenseio

recenseador *adj.,n.m.* **arrolador**

recenseamento *n.m.* 1 censo, recensão, recenseio 2 arrolamento, inventário, enumeração

recensear *v.* 1 enumerar, arrolar, alistar, contar 2 *fig.* apreciar, rever, considerar

recente *adj.2g.* 1 fresco, novo ≠ antigo, velho 2 próximo ≠ antigo, distante

recentemente *adv.* ultimamente, proximamente

receoso *adj.* 1 temeroso, medroso, amedrontado, medricas, maricas, assustadiço, cagarola *col.*, caguinchas *col.*, coninhas *vulg.*, lingrinhas *col.* ≠ corajoso, audaz, valente 2 tímido, acanhado

recepção[AO] *n.f.* ⇒ **receção**[dAO]

receptáculo[AO] *n.m.* ⇒ **recetáculo**[dAO]

receptador[AO] *adj.,n.m.* ⇒ **recetador**[dAO]

receptar[AO] *v.* ⇒ **recetar**[dAO]

receptibilidade[AO] *n.f.* ⇒ **recetibilidade**[dAO]

receptiva[AO] *n.f.* ⇒ **recetiva**[dAO]

receptividade[AO] *n.f.* ⇒ **recetividade**[dAO]

receptivo[AO] *adj.* ⇒ **recetivo**[dAO]

receptor[AO] *adj.,n.m.,n.m.* ⇒ **recetor**[dAO]

recessão *n.f.* recuo, retrocesso

recesso *n.m.* 1 lugarejo 2 refúgio, retiro, recanto, esconderijo 3 *fig.* íntimo, âmago, essência ■ *adj.* recôndito, oculto, escondido, esconso

recetáculo[dAO] ou **receptáculo**[AO] *n.m.* 1 recipiente, concetáculo, vaso, recetor, caixa, cápsula, vasilha 2 esconderijo, refúgio 3 BOT. tálamo, disco

recetador[dAO] ou **receptador**[AO] *adj.,n.m.* recetor

recetar[dAO] ou **receptar**[AO] *v.* encobrir, esconder, ocultar, guardar

recetibilidade[dAO] ou **receptibilidade**[AO] *n.f.* admissibilidade, aceitabilidade

recetiva[dAO] ou **receptiva**[AO] *n.f.* recetividade

recetividade[dAO] ou **receptividade**[AO] *n.f.* recetiva

recetivo[dAO] ou **receptivo**[AO] *adj.* compreensível, acolhedor, aberto

recetor[dAO] ou **receptor**[AO] *adj.,n.m.* 1 recebedor 2 recetador ■ *n.m.* 1 recipiente, concetáculo, vaso, recetáculo, caixa, cápsula 2 GRAM. destinatário

rechaçar *v.* rebater, repelir, afugentar, afastar, expulsar, repudiar, repulsar

recheado *adj.* 1 cheio ≠ vazio, oco 2 repleto, atulhado ■ *n.m.* recheio

rechear *v.* 1 atulhar, entupir 2 *fig.* enriquecer, fartar

rechear-se *v.* locupletar-se, encher-se, saciar-se, fartar-se

recheio *n.m.* 1 conteúdo, interior, recheado, recheadura, enchimento 2 picado, miolo

rechonchudo *adj.* anafado, gordo, nédio, redondo, roliço, gorducho, repolhal

recibo *n.m.* ECON. quitação

recidiva *n.f.* 1 MED. recaída 2 reincidência, recaída

recidivo *adj.* reincidente

recife *n.m.* 1 escolho, cachopo, parcel, restinga, alfaque, marachão, leixão 2 *fig.* obstáculo, estorvo

recinto *n.m.* 1 sala, salão, estância, aposento 2 santuário

recipiente *n.m.* recetáculo, concetáculo, vaso, vasilha, recetor, caixa, cápsula

recíproca *n.f.* 1 inverso 2 reciprocidade

reciprocamente *adv.* mutuamente, vice-versa

reciprocar *v.* 1 permutar, trocar, mutuar 2 contrabalançar, compensar, substituir

reciprocar-se *v.* 1 alternar, revezar-se, rotativar, variar 2 corresponder-se 3 trocar-se, substituir-se

reciprocidade *n.f.* mutualidade, recíproca, reciprocação

recíproco *adj.* mútuo

récita *n.f.* 1 recital, declamação 2 representação

recitação *n.f.* declamação

recitador *adj.,n.m.* declamador, recitante

recital *n.m.* récita, declamação

recitar *v.* 1 declamar, dizer 2 narrar, contar

reclamação *n.f.* 1 protesto, queixa, reclamo 2 reivindicação, vindicação, exigência, requisição

reclamante *adj.,n.2g.* reclamador

reclamar *v.* 1 protestar, contestar, queixar-se 2 exigir, reivindicar, demandar 3 contrariar, recusar, resistir, opor-se 4 pedir, solicitar, implorar 5 anunciar, apregoar

reclame *n.m.* anúncio, reclamo

reclamo *n.m.* 1 anúncio, reclame 2 protesto, queixa, reclamação

reclinação *n.f.* abaixamento, inclinação

reclinar *v.* 1 inclinar 2 encostar, recostar 3 deitar, pousar

reclinar-se *v.* 1 encostar-se, recostar-se 2 inclinar-se, dobrar-se, curvar-se 3 deitar-se, encostar-se

reclusão *n.f.* 1 isolamento 2 prisão, encarceramento, detenção, encarceração ≠ desencarceramento, libertação 3 encerramento, clausura, recolhimento, retiro, encerro

recluso *adj.,n.m.* 1 enclausurado, recolhido, isolado, clausurado, fechado, encerrado 2 prisioneiro, preso, encarcerado

recobrar *v.* reaver, readquirir, recuperar, reassumir, retomar, reconquistar, reganhar

recobrar-se *v.* 1 reanimar-se, renovar-se, alentar-se, avivar-se, desembaçar-se *fig.* 2 restabelecer-se, recuperar-se, reabilitar-se

recobro *n.m.* 1 recuperação, recobramento, reaquisição, reconquista 2 renascimento, reanimação

recognoscível *adj.2g.* reconhecível ≠ irreconhecível

recolha *n.f.* 1 **recolhida**, recolhimento, retirada 2 **recolta**, colheita, apanha, recolhida, recolhimento 3 **garagem**

recolher *v.* 1 **colher**, apanhar 2 **abrigar**, acolher, agasalhar, acoitar, alojar, albergar, acomodar, aposentar, asilar, receber 3 **coligir**, compilar, compendiar, juntar, repertoriar ≠ **separar**, dispersar, desagregar 4 **retrair**, encolher 5 **angariar**, arrecadar, auferir 6 **guardar**, resguardar

recolher-se *v.* 1 **retirar-se** 2 **abrigar-se**, refugiar-se 3 **concentrar-se**, absorver-se, aplicar-se 4 **isolar-se**, encerrar-se, afastar-se 5 **embiocar-se**, encorujar-se

recolhida *n.f.* 1 **recolhimento**, recolha, retirada 2 **colheita**, apanha, recolha, recolta, recolhimento

recolhido *adj.* 1 **reunido**, junto 2 **abrigado**, acoitado 3 **reservado**, retraído, introspetivo 4 **concentrado** 5 **retirado** 6 **apertado**, curto, estreito

recolhimento *n.m.* 1 **recolhida**, recolha, retirada 2 **recolta**, colheita, apanha, recolhida, recolha 3 **depósito** 4 **retiro** 5 **meditação**, reflexão 6 **recato**, modéstia

recolocar *v.* **repor**

recomeçar *v.* **reiniciar**, reencetar, retomar, reprincipiar

recomeço *n.m.* **reinício**

recomendação *n.f.* 1 **conselho**, exortação, aviso, advertência 2 [*pl.*] **cumprimentos**, lembranças

recomendado *adj.* **aconselhado**, sugerido, indicado ■ *n.m.* **protegido**

recomendar *v.* 1 **aconselhar**, indicar, sugerir 2 **advertir**, avisar

recomendável *adj.2g.* 1 **aconselhável**, sugerível ≠ **desaconselhável** 2 **estimável**, respeitável

recompensa *n.f.* 1 **gratificação**, agradecimento, retribuição, compensação, alvíssaras, recompensação 2 **prémio**, galardão 3 **indemnização**, compensação, restituição

recompensar *v.* 1 **compensar**, gratificar, retribuir 2 **agraciar**, galardoar, premiar 3 **indemnizar**, ressarcir

recompor *v.* 1 **reorganizar**, reconstituir, reordenar, reconstruir, refazer, restaurar 2 **reconciliar**, congraçar, harmonizar

recompor-se *v.* 1 **compor-se** 2 **reconciliar-se**, congraçar-se, harmonizar-se, benquistar-se, desarrufar-se 3 **restabelecer-se**, recuperar-se, reconstituir-se

recomposição *n.f.* 1 **reorganização**, reconstituição 2 **reconciliação**, congraçamento

reconciliação *n.f.* **congraçamento**, recomposição, desarrufo, reencontro

reconciliado *adj.* **amigo**, concorde, avindo, recongraçado

reconciliar *v.* 1 **conciliar**, congraçar, harmonizar, desagastar, recongraçar, acomodar, apaziguar, acordar, ajustar, amigar 2 RELIG. **absolver**

recôndito *adj.* 1 **escondido**, oculto, secreto, encoberto, esconso, recesso, escuso 2 **ignorado**, desconhecido ≠ **sabido**, conhecido 3 **íntimo**, profundo ■ *n.m.* 1 **recanto**, esconso, esconderijo, desvão, rincão, escaninho, recesso, entrefolho *fig.* 2 **âmago**, íntimo

recondução *n.f.* **reenvio**, retorno

reconduzir *v.* 1 **devolver**, reenviar, remeter, retornar, recambiar 2 **readmitir**, redintegrar 3 **reeleger**, renomear 4 **renovar** 5 **reaviar**, orientar

reconfortante *adj.2g.* 1 **reconstituinte**, fortificante, tonificante, revigorante, revitalizante ≠ **desgastante**, arrasante 2 **animador**, estimulante, alentador, confortador, excitante, reconfortável ≠ **desanimador**, desalentador ■ *n.m.* **tónico**

reconfortar *v.* 1 **revigorar**, tonificar 2 **reanimar**, alentar, animar, consolar

reconforto *n.m.* 1 **consolação**, consolo 2 **alento**, ânimo

reconhecer *v.* 1 **identificar** 2 **perfilhar**, legitimar 3 **admitir**, aceitar 4 **constatar**, verificar 5 **agradecer**, recompensar, remunerar 6 **explorar**, ver, observar 7 **autenticar**, confirmar

reconhecidamente *adv.* **manifestamente**, declaradamente, evidentemente

reconhecido *adj.* 1 **agradecido**, grato, obrigado, penhorado *fig.* 2 **autenticado**, confirmado, ratificado 3 **perfilhado**, legitimado 4 **identificado**

reconhecimento *n.m.* 1 **identificação**, agnição 2 **gratidão**, agradecimento ≠ **ingratidão**, desagradecimento 3 **recompensa**, prémio 4 **averiguação**, verificação, inspeção 5 **ratificação**, autenticação 6 **confissão**

reconhecível *adj.2g.* 1 **identificável** ≠ **irreconhecível** 2 **autenticável**, verificável ≠ **irreconhecível**

reconquista *n.f.* 1 **retomada** 2 **recuperação**, recobramento, reaquisição, recobro

reconquistar *v.* **recuperar**, reaver, readquirir, recobrar, reassumir, reganhar

reconsideração *n.f.* **arrependimento**, emenda

reconsiderar *v.* 1 **repensar**, reavaliar, reapreciar 2 **anular**, desdizer-se, retratar-se

reconstituição *n.f.* **recomposição**, reorganização

reconstituinte *adj.2g.* **revigorante**, fortificante, tonificante, reconfortante ≠ **desgastante**, arrasante ■ *n.m.* **tónico**

reconstituir *v.* 1 **reorganizar**, recompor, reordenar, reconstruir, refazer, restaurar, recriar 2 **revigorar**, fortificar, tonificar

reconstrução *n.f.* **reedificação**

reconstruir *v.* 1 reedificar, reerguer 2 reorganizar, recompor, reordenar, reconstituir, refazer, restaurar

reconto *n.m.* narração

recontro *n.m.* combate, peleja, refrega, embate, encontro

reconvenção *n.f.* recriminação, redarguição

reconvir *v.* recriminar, redarguir

recordação *n.f.* 1 lembrança, memória, reminiscência, anamnese, anamnesia, remembrança *ant.* 2 presente, lembrança, oferta

recordar *v.* lembrar, relembrar, rememorar, memorar, reviver ≠ esquecer, olvidar

recorrência *n.f.* retorno, repetição

recorrente *adj.,n.2g.* DIR. apelante

recorrer *v.* 1 averiguar, investigar, esquadrinhar, examinar 2 socorrer-se, valer-se 3 apelar

recortado *adj.* 1 sinuoso 2 denticular ■ *n.m.* recorte

recortador *n.m.* recortilha

recortar *v.* 1 cortar, talhar, separar 2 intercalar, intervalar, entremear, entressachar

recorte *n.m.* 1 recortado 2 *fig.* assomo, ímpeto, rasgo

recostar *v.* encostar, reclinar, inclinar, apoiar, deitar

recosto *n.m.* encosto, almofada, reclinatório, refestelo

recozer *v.* 1 (metais) recoitar 2 *fig.* ruminar, cismar

recreação *n.f.* divertimento, brincadeira, distração, recreio, entretenimento, folguedo, brinquedo, folia, pagode *fig.,col.*, reinação *col.*

recrear *v.* alegrar, deleitar, distrair, divertir, regozijar, satisfazer, aprazer, entreter, desenfadar, espairecer, refocilar ≠ aborrecer, deprimir, maçar, enfadar

recrear-se *v.* 1 brincar, folgar 2 divertir-se, alegrar-se, distrair-se 3 deleitar-se, deliciar-se, contentar-se, regozijar-se

recreativo *adj.* agradável, aprazível, deleitoso, divertido, lúdico, recreador, recreatório, lusório ≠ aborrecido, maçador, enfadonho

recreio *n.m.* divertimento, brincadeira, distração, recreação, entretenimento, folguedo, brinquedo, folia, refocilamento, pagode *fig.,col.*, reinação *col.*, trebelho *ant.*

recrescer *v.* 1 recrudescer 2 sobrevir, ocorrer, acontecer 3 sobrar, sobejar

recria *n.f.* recriação

recriminação *n.f.* 1 censura, exprobração 2 reconvenção, redarguição 3 reacusação

recriminar *v.* 1 acusar, culpar, reacusar 2 reconvir, redarguir 3 censurar, criticar, exprobrar, remocar

recriminatório *adj.* 1 acusatório 2 censurador, crítico

recrudescência *n.f.* 1 agravamento, exacerbação, intensificação 2 recrescimento, aumento, recréscimo

recrudescer *v.* 1 agravar-se, exacerbar-se, intensificar-se 2 aumentar, recrescer

recrudescimento *n.m.* 1 agravamento, exacerbação, intensificação 2 recrescimento, aumento

recruta *n.2g.* MIL. galucho, magal *col.*

recrutamento *n.m.* 1 alistamento, incorporação 2 angariação, arregimentação

recrutar *v.* 1 alistar, incorporar, arrolar 2 *fig.* aliciar, engodar, angariar

rectângulo[aAO] *n.m.* ⇒ **retângulo**[dAO]

rectidão[aAO] *n.f.* ⇒ **retidão**[dAO]

rectificação[aAO] *n.f.* ⇒ **retificação**[dAO]

rectificar[aAO] *v.* ⇒ **retificar**[dAO]

rectilíneo[aAO] *adj.* ⇒ **retilíneo**[dAO]

recto[aAO] *adj.* ⇒ **reto**[dAO]

recua *n.f.* retrocesso, recuamento, recuo, recuada, retrogradação, recuanço ≠ avanço, avançamento, avançada

recuada *n.f.* retrocesso, recuamento, recuo, recua, retrogradação, recuanço ≠ avanço, avançamento, avançada

recuar *v.* 1 retroceder, desandar, acuar, retrogradar ≠ avançar, adiantar-se 2 desistir, ceder 3 retirar-se, afastar-se 4 acobardar-se, amedrontar-se, descoroçoar ≠ desacobardar-se

recuo *n.m.* 1 retrocesso, recuamento, recua, recuada, retrogradação, recuanço, refluxo, retroação, retroposição ≠ avanço, avançamento, avançada 2 retirada 3 reconsideração 4 (arma) coice

recuperação *n.f.* 1 recobro, recobramento, reaquisição, reconquista, reintegração, retoma, reassunção 2 restabelecimento 3 restauração, conserto

recuperar *v.* 1 readquirir, reaver, recobrar, retomar, reconquistar, reassumir, reganhar 2 restaurar, consertar, reparar, refazer 3 restabelecer-se 4 reintegrar, reabilitar

recuperar-se *v.* 1 ressarcir-se, compensar-se 2 restaurar-se, refazer-se, reconstituir-se 3 reabilitar-se, restabelecer-se, revigorar-se, refazer-se

recuperável *adj.2g.* 1 recobrável, readquirível, recetível ≠ irrecuperável, irrecobrável 2 emendável, corrigível, remediável ≠ irrecuperável, irreparável, irremediável 3 restaurável ≠ irrecuperável, irrestaurável

recurso *n.m.* 1 expediente, subterfúgio, meio, salvatério 2 proteção, refúgio, abrigo 3 remédio, solução 4 DIR. apelação, solicitação, pedido 5 [*pl.*] bens, haveres

recurvar *v.* **curvar**, encurvar, arquear, torcer, vergar, dobrar, entortar, inclinar

recurvo *adj.* **recurvado**, curvo, dobrado, torcido, vergado

recusa *n.f.* **1 negativa**, não, nega ≠ **sim 2 rejeição**, recusação, repulsa, denegação, descarte, repúdio, repudiação, reprovação ≠ **aceitação**, deferimento, consentimento

recusar *v.* **1 rejeitar**, declinar, denegar, enjeitar, indeferir, refusar, renuir ≠ **aceitar**, consentir, deferir **2 negar**, privar ≠ **conceder**, dar

recusar-se *v.* **1 negar-se**, denegar-se ≠ **assentir**, consentir **2 opor-se**, obstar ≠ **permitir**, consentir **3 privar-se**, abster-se, prescindir

recusável *adj.2g.* **renunciável**, rejeitável, declinável ≠ **irrecusável**, indeclinável

redação[dAO] *n.f.* **composição**

redacção[aAO] *n.f.* ⇒ **redação**[dAO]

redarguir *v.* **1 replicar**, responder, retorquir, recalcitrar **2 acusar**, recriminar, reconvir, condenar

rede *n.f.* **1 labrega** [REG.] **2 Internet 3** *fig.* **complicação 4** *fig.* **cilada**, armadilha, logro, engano

rédea *n.f.* *fig.* **governo**, direção, leme, timão, brida ≠ **desgoverno**

redemoinhar *v.* **revolutear**, turbilhonar, rodopiar, remoinhar, torvelinhar, vortilhonar

redemoinho *n.m.* **1 sorvedouro**, voragem, vórtice, turbilhão, rolo, esgarrão, remoinho **2 tufão**, torvelinho, turbilhão, rajada, pé de vento, remoinho

redenção *n.f.* **1 resgate**, libertação **2** *fig.* **salvação**

redentor *adj.,n.m.* **libertador**, resgatador, remidor ▪ *n.m.* RELIG. (com maiúscula) **Cristo**, Salvador

redigir *v.* **escrever**, notar, lavrar

redil *n.m.* **1 aprisco**, ovil, bardo, malhada, curral, estábulo **2** *fig.* **seio**, grémio

redimir *v.* **1 libertar**, resgatar, salvar, remir **2 expiar**, reparar, remir **3 compensar**, indemnizar, ressarcir, remir

redimir-se *v.* **1 salvar-se**, libertar-se **2 reabilitar-se**, remir-se, regenerar-se

rédito *n.m.* **1 volta 2 lucro**, rendimento, interesse **3 juro**, produto

redivivo *adj.* **1 ressuscitado 2 rejuvenescido**, remoçado, renovado

redizer *v.* **repetir**, recontar, reafirmar, narrar

redobrado *adj.* **1 redobre**, reduplicado **2 intensificado**

redobrar *v.* **1 reduplicar**, quadruplicar **2 intensificar**, recrudescer, aumentar, multiplicar **3 repetir**, reiterar **4 regorjear**, trinar

redobre *n.m.* **1 gorjeio**, trinado **2** *fig.* **duplicidade**, doblez, falsidade, fingimento, velhacaria, manha, dolo ▪ *adj.2g.* **1 redobrado**, reduplicado **2** *fig.* ardiloso, astucioso, traiçoeiro, falso, velhaco, manhoso, doble

redobro *n.m.* **1 redrobramento**, reduplicação **2 quádruplo**

redoma *n.f.* **campânula**, estufim, escaparate

redondel *n.m.* **arena**

redondeza *n.f.* **1 esfericidade**, rotundidade, redondez **2 esfera**, orbe **3** [*pl.*] **subúrbios**, cercanias, arrabaldes, adjacências

redondo *adj.* **1 cilíndrico**, circular, esférico **2 arredondado**, boleado, torneado **3** *fig.* **gordo**, rechonchudo, obeso **4** *fig.* **categórico**, definitivo, total, absoluto

redor *n.m.* **1 contorno**, roda, volta **2 arrabalde**, cercania **3** [REG.] **rodo**

redução *n.f.* **1 diminuição** ≠ **aumento**, ampliação **2 restrição**, limitação **3 abaixamento**, abatimento **4 simplificação**, resumo **5 submissão**, sujeição **6 conversão 7 desconto**, promoção

redundância *n.f.* **1 prolixidade**, macrologia, perissologia **2 pleonasmo**, tautologia

redundante *adj.2g.* **1 excessivo**, superabundante, sobejo, supérfluo **2 palavroso**, prolixo, fraldoso *fig.* **3 pleonástico**

redundar *v.* **1 sobejar**, superabundar **2 transbordar**, trasbordar, entornar-se, derramar-se **3 resultar**, converter-se, dar, acabar, originar

redutível *adj.2g.* **1 convertível**, reduzível ≠ **irredutível**, inconvertível **2 reprimível** ≠ **irredutível**, irreprimível

redutivo *adj.* **redutor**, reducente

reduto *n.m.* **1 baluarte**, cidadela, bastião, propugnáculo **2 refúgio**

redutor *adj.* **1 reducente**, redutivo **2 simplificador**

reduzir *v.* **1 diminuir**, minorar ≠ **aumentar**, ampliar **2 restringir**, limitar, circunscrever ≠ **expandir**, estender **3 resumir**, abreviar, encurtar **4 simplificar 5 subjugar**, dominar, sujeitar **6 abrandar**, mitigar, suavizar, atenuar, afrouxar **7 converter**, cambiar

reduzir-se *v.* **1 diminuir**, abrandar ≠ **aumentar**, acentuar **2 enfraquecer**, afracar, debilitar-se, declinar ≠ **fortalecer-se**, vigorar-se **3 limitar-se**, circunscrever-se **4 converter-se**, transformar-se

reedificar *v.* **1 reconstruir 2 reformar**, restaurar, restabelecer, restruturar

reeditar *v.* **1 republicar**, reimprimir **2 reproduzir**, repetir

reelaborar *v.* **refazer**, recompor

reeleger *v.* **reconduzir**, renomear

reeleição *n.f.* **renomeação**

reembolsar *v.* **indemnizar**, ressarcir, restituir, repor

reembolso *n.m.* **restituição**

reempregar *v.* readmitir, reintegrar

reencontro *n.m.* reconciliação, congraçamento, recomposição, desarrufo

reentrância *n.f.* concavidade, depressão, cova, buraco, refesto, côncavo, concha, cavidade ≠ convexidade, relevo, protuberância

reentrante *adj.2g.* fundo, cavado

reentrar *v.* reingressar, voltar

reenviar *v.* 1 reexpedir, devolver, recambiar, restituir 2 refletir, repercutir

reenvio *n.m.* devolução, recambiamento

reestruturação *n.f.* reorganização, reforma, remodelação

reestruturar *v.* reorganizar, reformar, remodelar, refazer

reexaminar *v.* reverificar, repassar

reexpedir *v.* reenviar, devolver, recambiar, restituir

refazer *v.* 1 consertar, reparar, restaurar, recuperar 2 reorganizar, reformar, reestruturar, remodelar, recompor 3 emendar, corrigir 4 alimentar, engordar, nutrir 5 ressarcir, indemnizar, compensar 6 restabelecer, reanimar, tonificar

refazer-se *v.* 1 reconstituir-se 2 restabelecer-se, recuperar-se, restaurar-se 3 ressarcir-se, compensar-se, cobrar-se

refega *n.f.* 1 combate, recontro, peleja, refrega 2 debate, discussão, refrega 3 lida, trabalho, azáfama, labuta, refrega

refegar *v.* preguear, enrugar, encarquilhar

refego *n.m.* 1 prega, vinco, ruga, dobra, festo, plica, dobradura 2 rego, arrepanho

refeição *n.f.* repasto, prato, manja

refeito *adj.* 1 restabelecido, recuperado, restaurado, reparado 2 convalescido 3 corrigido, emendado 4 forte, robusto

refeitório *n.m.* cantina, cenáculo

refém *n.2g.* prisioneiro, preso, detido, recluso, cativo

referência *n.f.* 1 alusão, menção, sugestão, indireta *col.* 2 modelo, exemplo, padrão

referenciar *v.* 1 localizar, situar 2 aludir, referir, mencionar

referendar *v.* confirmar, sancionar, corroborar, aprovar, subscritar

referente *adj.2g.* alusivo, concernente, pertencente, relativo, tocante

referido *adj.* supracitado, supradito, supramencionado

referir *v.* 1 aludir, referenciar, mencionar 2 narrar, expor, relatar, contar, dizer 3 atribuir, imputar

referir-se *v.* aludir, mencionar, reportar-se

referver *v.* 1 levedar, fermentar 2 borbulhar, borbotar, cachoar 3 estrondear, fremir, rugir 4 excitar-se, exaltar-se, exacerbar-se, inflamar-se, agravar-se, agitar-se

refilão *adj.,n.m.* 1 recalcitrante, repontão, respondão, reguinga, replicador, respingador 2 (cão) refilador

refilar *v.* recalcitrar, repontar, protestar, barafustar, respingar, reguingar, replicar, remenicar, reagir, escoicinhar *fig.*, escoicear *fig.*

refinação *n.f.* 1 refinamento, refinadura 2 refinaria 3 *fig.* requinte, apuro, refinamento 4 *fig.* subtileza, refinamento

refinado *adj.* 1 puro 2 requintado, apurado 3 completo, rematado, acabado, perfeito

refinamento *n.m.* 1 refinadura, refinação 2 *fig.* requinte, apuro, refinação 3 *fig.* subtileza, refinação

refinar *v.* 1 aperfeiçoar, aprimorar, melhorar, afinar, atilar, esmerar, requintar, apurar, acendrar, acrisolar, burilar *fig.*, polir *fig.* 2 intensificar, acentuar

refinaria *n.f.* refinação

refle *n.m.* rifle

reflectido[aAO] *adj.* ⇒ **refletido**[dAO]

reflectir[aAO] *v.* ⇒ **refletir**[dAO]

reflectir-se[aAO] *v.* ⇒ **refletir-se**[dAO]

reflector[aAO] *n.m.* ⇒ **refletor**[dAO]

refletido[dAO] *adj.* atinado, circunspecto, grave, maduro, ponderado, prudente, sensato, sério, assisado, amadurecido *fig.* ≠ irrefletido, impensado, imponderado, inconsiderado, insensato

refletir[dAO] *v.* 1 espelhar, retratar, mostrar, reenviar 2 pensar, ponderar, meditar, absorver-se, concentrar-se, cogitar, estudar, examinar, matutar, considerar, congeminar, devanear, especular, idear 3 traduzir, exprimir, revelar, mostrar

refletir-se[dAO] *v.* 1 reproduzir-se 2 incidir, recair 3 repercutir-se 4 transmitir-se

refletor[dAO] *n.m.* refletidor

reflexão *n.f.* 1 ricochete 2 meditação, ponderação, consideração, cogitação 3 comentário, observação, pensamento, ideia 4 prudência, sensatez, responsabilidade, tino, consciência, ponderação ≠ irreflexão, imprudência, imponderação, leviandade

reflexivo *adj.* 1 meditativo, cogitativo 2 ponderado, sereno 3 comunicativo, contagiante 4 GRAM. reflexo

reflexo *adj.* 1 indireto 2 involuntário, inconsciente, instintivo 3 GRAM. reflexivo ■ *n.m.* 1 espelho, imagem, eco 2 clarão, revérbero

reflorescer *v.* 1 reflorir 2 rejuvenescer, remoçar ≠ envelhecer, avelhentar, envelhentar 3 reanimar, reavivar, revigorar

reflorir *v.* 1 **reflorescer** 2 **rejuvenescer**, remoçar ≠ **envelhecer**, avelhentar, envelhentar 3 **reanimar**, reavivar, revigorar

refluir *v.* **retroceder**, retrogradar

refluxo *n.m.* 1 **contracorrente** 2 **retrocesso**, recuo

refogado *n.m.* 1 CUL. **estrugido** 2 CUL. **guisado**

refogar *v.* 1 CUL. **estrugir** 2 CUL. **guisar**

reforçado *adj.* 1 **acrescido**, aumentado 2 **revigorado**, fortalecido, potenciado 3 **robusto**, vigoroso, forte

reforçar *v.* 1 **fortalecer**, fortificar, esforçar, robustecer, enrijecer 2 **intensificar**, reconcentrar 3 **revigorar**, reanimar

reforçar-se *v.* 1 **intensificar-se**, acentuar-se 2 **fortalecer-se**, avigorar-se, robustecer-se, encastelar-se *fig.* 3 **apoiar-se**, basear-se, fundar-se

reforço *n.m.* 1 **fortalecimento**, aumento 2 **auxílio**

reforma *n.f.* 1 **melhoramento** 2 **reparação**, conserto 3 **aposentação**, jubilação, aposentamento, aposentadoria [BRAS.] 4 **restruturação**, reorganização, remodelação, reformação

reformado *adj.* 1 **restaurado**, reconstituído 2 **alterado**, mudado 3 **corrigido**, refeito, emendado 4 **reorganizado**, reestruturado 5 **aposentado**, jubilado, inativo ■ *n.m.* **aposentado**, pensionista, jubilado

reformador *adj.,n.m.* **renovador**, melhorador, reconstrutor, reorganizador

reformar *v.* 1 **reorganizar**, refazer, reestruturar, remodelar, recompor 2 **corrigir**, modificar, emendar 3 **aposentar**, jubilar 4 **reformular**

reformativo *adj.* **reformatório**, reformador

reformatório *adj.* **reformativo**, reformador

reformular *v.* **reformar**

refractar[aAO] *v.* ⇒ **refratar**[dAO]

refractário[aAO] *adj.* ⇒ **refratário**[dAO]

refractor[aAO] *adj.* ⇒ **refrator**[dAO]

refrão *n.m.* 1 **provérbio**, aforismo, ditado, máxima, anexim, sentença, axioma, exemplo, adágio, rifão, sentenciúncula, apotegma, dito, gnoma, parémia, prolóquio 2 **estribilho**, refrém

refratar[dAO] *v.* **refranger**, quebrar

refratário[dAO] *adj.* 1 **intransigente**, obstinado, teimoso, renitente, resistente 2 **indisciplinado**, insubordinado, desobediente 3 BIOL. **imune**

refrator[dAO] *adj.* **refrangente**, refrativo

refreado *adj.* **contido**, reprimido

refrear *v.* 1 **reprimir**, conter, moderar, travar, suster, enfrear, comedir 2 **subjugar**, vencer, dominar, domar

refrear-se *v.* 1 **conter-se**, comedir-se, reprimir-se, moderar-se ≠ **exceder-se**, descomedir-se 2 **abster-se**, privar-se

refrescamento *n.m.* **esfriamento**, arrefecimento, resfriamento, refrigeração, desafogueamento

refrescante *adj.2g.* 1 **refrigerante** 2 **calmante**

refrescar *v.* 1 **esfriar**, resfriar, arrefecer, arrefentar, gelar, refecer, enfriar, entibiar ≠ **aquecer**, aquentar, esquentar 2 *fig.* **suavizar**, acalmar, aliviar 3 *fig.* **reanimar**, revigorar 4 *fig.* **avivar**, despertar

refrescar-se *v.* 1 **avivar-se**, revigorar 2 **reanimar-se**, despertar

refresco *n.m.* 1 **refrigerante** 2 **refrigério**, alívio 3 MIL. **provisões**

refrigeração *n.f.* **esfriamento**, arrefecimento, resfriamento, refrescamento

refrigerador *n.m.* **refrigerante**

refrigerante *n.m.* 1 **refresco** 2 **refrigerador**, refrigeratório ■ *adj.2g.* **refrigerativo**, refrescante, refrescativo

refrigerar *v.* 1 **arrefecer**, refrescar, refecer ≠ **aquecer**, aquentar, esquentar 2 *fig.* **acalmar**, aliviar, suavizar, mitigar 3 *fig.* **confortar**, consolar

refrigério *n.m.* 1 **consolo**, consolação, conforto 2 **alívio**, mitigação, lenitivo, refresco 3 **descanso**

refugiado *adj.,n.m.* 1 **abrigado** 2 **foragido**, emigrado, exilado

refugiar-se *v.* 1 **abrigar-se**, resguardar-se, acoitar-se, acolher-se, recolher-se 2 **esconder-se**, homiziar-se 3 **asilar-se**, expatriar-se, exilar-se, exular

refúgio *n.m.* 1 **asilo**, abrigo, abrigada, acolhida, acolheita 2 **proteção**, amparo, auxílio 3 **esconderijo**, encoberta, homizio 4 **recurso**, remédio

refugir *v.* 1 **retroceder**, retrogradar, refluir 2 **evitar**, fugir, escapar-se, furtar-se, desviar-se, eximir-se

refugo *n.m.* 1 **rebotalho**, resto, escória, marroxo 2 *pej.* **escumalha** *pej.*, ralé *pej.*, gentalha *pej.*, vasa *pej.*, escória *pej.*, canalha *pej.*, enxurro *pej.*, escuma *pej.*, borra *pej.*, arraia-miúda *pej.*, fezes *pej.* ≠ **elite**, escol, nata *fig.*

refulgência *n.f.* 1 **resplendor**, esplendor, fulgor, relampejo 2 *fig.* **brilhantismo**, realce

refulgente *adj.2g.* **brilhante**, cintilante, luminoso, luzente, resplandecente, rebrilhante

refulgir *v.* 1 **cintilar**, brilhar, luzir, reluzir, resplandecer, estrelar, transluzir, preluzir 2 *fig.* **transparecer** 3 *fig.* **realçar**, sobressair, salientar-se, distinguir-se, evidenciar-se

refundar *v.* 1 **afundar**, aprofundar 2 **restabelecer**, reimplantar

refundir *v.* 1 **transvazar**, transfundir, trasfegar 2 **transfigurar**, transformar 3 **reunir-se**, concentrar-se

refundir-se *v.* 1 **derreter-se**, liquefazer-se 2 **desaparecer**, sumir-se 3 **transformar-se**, transfigurar-se

refutação *n.f.* **contestação**, impugnação, rebatida, confutação, objeção, resposta

refutar *v.* 1 **contestar**, contradizer, contraditar, contrariar, impugnar, combater, arguir, rebater, confutar ≠ **confirmar**, consentir 2 **desmentir**, negar ≠ **comprovar**, provar, atestar, testemunhar 3 **reprovar**, desaprovar, objetar, opor-se, rejeitar ≠ **aprovar**

refutável *adj.2g.* **discutível**, impugnável, contestável, negável ≠ **irrefutável**, indiscutível, incontestável, inegável

rega *n.f.* 1 **regadura**, regadia, irrigação 2 *col.* **chuva**, chuvada 3 *col.* **banho**, molha

regabofe *n.m. col.* **borga**, pândega, folgança, festarola, farra, patuscada, folia, festança, regalório, moina, festão [BRAS.]

regaço *n.m.* 1 **colo** 2 *fig.* **seio**, interior

regadio *n.m.* **regadura**, rega, irrigação

regador *n.m.* **irrigador**, borrifador, aguador

regalado *adj.* 1 **satisfeito**, deleitado, contente 2 **agradável**, deleitoso

regalar *v.* **brindar**, presentear, obsequiar, deliciar, mimosear, regozijar, amimar, divertir, recrear

regalar-se *v.* **consolar-se** *col.*, banquetear-se, regambolear, repastar-se

regalengo *adj.* **real**, régio, reguengo, realengo

regalia *n.f.* 1 **prerrogativa**, privilégio, vantagem, benefício, mordomia *fig.* 2 **imunidade**

regalo *n.m.* 1 **prazer**, deleitação, contentamento, gosto 2 **carinho**, afeto, mimo 3 **conforto**, consolo

regar *v.* 1 **irrigar**, molhar, banhar, borrifar, inundar, orvalhar, aspergir, humedecer, aguar 2 *col.* **aldrabar**, mentir

regatear *v.* 1 **marralhar**, pechinchar, ratinhar, barganhar 2 **depreciar**, apoucar, diminuir, menoscabar 3 **altercar**, disputar

regateio *n.m.* **regatagem**

regateiro *adj.* 1 **pechincheiro**, regatão, regateador 2 *col.* **altercador**

regato *n.m.* **ribeiro**, arroio, riacho

regedor *adj.* **governador**, diretor, gerente, administrador, superintendente

regelado *adj.* **gélido**, gelado, frígido, congelado, glacial, enregelado, friíssimo ≠ **cálido**, ardente, abrasador

regelar *v.* **gelar**, enregelar, congelar, enfriar, resfriar ≠ **desenregelar**, descongelar, aquecer

regência *n.f.* **governação**, governo, governamento, administração, regimento, direção, comando, gerência, governalho *fig.*, governança *ant.*

regeneração *n.f.* 1 **renascimento**, renovamento 2 **restabelecimento**, recuperação, reconstituição 3 **reabilitação**

regenerador *adj.* **regenerativo**, regenerante

regenerar *v.* 1 **revitalizar**, revivificar 2 **reorganizar**, reconstituir, reformar, regerar 3 **corrigir**, emendar, reabilitar

regenerar-se *v.* 1 **reconstituir-se**, renovar-se 2 **reabilitar-se**, corrigir-se, desencharcar-se *fig.*

regenerável *adj.2g.* 1 **reformável**, restaurável, reconstituível ≠ **irreformável**, irrestaurável 2 **corrigível**, emendável, recuperável ≠ **irregenerável**, incorrigível

regente *n.2g.* 1 **administrador**, governador, governante, dirigente, diretor, superintendente 2 **maestro**

reger *v.* 1 **governar**, dirigir, administrar, gerir, superintender 2 **guiar**, orientar, regular 3 **ensinar**, lecionar 4 MÚS. **conduzir**

região *n.f.* 1 **zona**, área, espaço, trato, território 2 **província** 3 **camada**

regime *n.m.* 1 **governação**, governo, governamento, administração, regimento, direção, comando, gerência, governalho *fig.*, governança *ant.* 2 **regulamento**, regulamentação, regulação, estatutos, normas, regras, regimento 3 **dieta**, regimento 4 **procedimento** 5 **sistema**

regimental *adj.2g.* **estatutário**, regulamentar, regimentar

regimentar *v.* **regulamentar**, regular ■ *adj.2g.* **regimental**, estatutário, regulamentar

regimento *n.m.* 1 **governação**, governo, governamento, administração, regime, direção, comando, gerência, governalho *fig.*, governança *ant.* 2 **regulamento**, regulamentação, regulação, estatutos, normas, regras, regime 3 **dieta**, regime 4 **multidão**, ajuntamento

regina *n.f.* MED. **rugina**

régio *adj.* 1 **real**, regalengo, reguengo, realengo 2 *fig.* **magnífico**, majestoso, sumptuoso

regional *adj.2g.* **local**

regionalismo *n.m.* **provincianismo**

registar *v.* 1 **inscrever**, assinalar, assentar, mencionar, arrolar, averbar, exarar, escriturar 2 **memorizar**

registável *adj.2g.* **apontável**, assinalável

registo *n.m.* 1 **inscrição** 2 **registação**, assentamento, anotação, apontamento 3 **conservatória** 4 **arquivo**

rego *n.m.* 1 **valeta**, valeira, regueiro, regueira, caneiro, conduto 2 **rodeira**, rodado 3 **refego**, arrepanho

regougar *v.* **resmungar**

regozijar *v.* **contentar**, alegrar, deleitar, jubilar, divertir, recrear, rejubilar, gaudinar ≠ **entristecer**, atristar, entristar

regozijar-se *v.* 1 **exultar**, folgar, glaudiar 2 **congratular-se**, felicitar-se, aplaudir-se, comprazer-se

regozijo *n.m.* 1 **contentamento**, júbilo, exultação, alegria, prazer, gosto 2 **folia**, gáudio, galhofa, festa

regra *n.f.* 1 **norma**, regulamento, lei, preceito, cânone, disposto, estatuto, fórmula, ordenação, princípio, prescrição 2 **praxe**, costume 3 **prudência**, moderação, sensatez 4 **exemplo**, modelo, orientação, medida 5 **régua** 6 [*pl.*] *col.* **menstruação**, menorreia, cataménio, mênstruo, assistimento *col.*, incómodo *col.*, chica *col.*, pingadeira *col.*, trabuzanada *col.*

regrado *adj.* **moderado**, sensato, disciplinado ≠ **desregrado**, descomedido

regrar *v.* 1 **pautar** 2 **alinhar** 3 **dirigir**, controlar, disciplinar 4 **moderar**, comedir ≠ **desregrar**

regrar-se *v.* 1 **moderar-se**, conter-se ≠ **exceder-se**, exorbitar 2 **guiar-se**, regular-se, orientar-se

regredir *v.* **retrogradar**, retroceder ≠ **progredir**, avançar

regressão *n.f.* 1 **retrocesso**, retrocedimento, retrocessão, regresso ≠ **progresso**, avanço 2 **volta**, retorno, regresso, tornada, revinda, vinda

regressar *v.* **voltar**, retornar, revir

regressivo *adj.* 1 **retrocedente** ≠ **progressivo** 2 **retroativo**

regresso *n.m.* 1 **volta**, retorno, regressão, tornada, revinda, vinda, torna-viagem 2 **retrocesso**, retrocedimento, retrocessão, regressão ≠ **progresso**, avanço

régua *n.f.* **regra**, regradeira, regrador, regrão

regueiro *n.m.* 1 **valeta**, valeira, regueira, rego, caneiro, corga, conduito *col.*, corca [REG.] 2 **regato**, córrego, arroio

reguengo *adj.* **real**, realengo, regalengo, régio

reguila *adj.,n.2g.* 1 *col.* **malandro**, maroto 2 *col.* **refilão**, recalcitrante, repontão, respondão

regulação *n.f.* 1 **regulamentação** 2 **regulamento**, regulamentação, estatutos, normas, regras, regimento, regime 3 **regularização**, normalização

regulado *adj.* **ajustado**, certo ≠ **desregulado**, desajustado

regulador *adj.* **regularizador**, estabilizador

regulamentação *n.f.* 1 **regulação** 2 **regulamento**, regulação, estatutos, normas, regras, regimento, regime

regulamentar *adj.2g.* 1 **estatutário**, regimental, regimentar, normativo, regulamentário 2 **determinado**, preceituado ■ *v.* **estatuir**, preceituar, regularizar, regular, regimentar

regulamento *n.m.* 1 **normas**, regras, regulamentação, estatutos, regulação, regimento, regime, preceituário 2 **estatuto**, lei, regra, norma, preceito, prescrição, cânon, disposto, princípio, determinação, fórmula, ordenação 3 **regulamentação**, regulação

regular *v.* 1 **estatuir**, preceituar, regularizar, regulamentar, regimentar 2 **controlar**, regrar, disciplinar, moderar, comedir 3 **acertar**, ajustar 4 **conformar**, comparar, medir, pautar 5 **funcionar** 6 **guiar**, orientar, reger ■ *adj.2g.* 1 **normal**, habitual, ordinário, frequente ≠ **irregular**, anormal 2 **legal** ≠ **ilegal**, irregular 3 **proporcionado**, harmonioso ≠ **irregular**, desproporcionado 4 **mediano**, médio, suficiente, razoável 5 **periódico** 6 **simétrico** ≠ **irregular**, assimétrico 7 **uniforme**, igual, constante ≠ **irregular**, inconstante 8 **ordenado**, metódico 9 BIOL. **actinomorfo**

regularidade *n.f.* 1 **normalidade** ≠ **irregularidade**, anormalidade 2 **harmonia**, proporção ≠ **irregularidade**, desproporção 3 **pontualidade** ≠ **irregularidade**, impontualidade 4 **precisão**, exatidão 5 **método**, ordem

regularização *n.f.* **normalização**, regulação, reajuste

regularizar *v.* 1 **normalizar** 2 **estatuir**, preceituar, regulamentar, regular, regimentar

regularmente *adv.* 1 **periodicamente** ≠ **irregularmente** 2 **geralmente**, normalmente, habitualmente, comummente, ordinariamente, comumente [BRAS.] ≠ **ocasionalmente**, fortuitamente, raramente 3 **sofrivelmente**, medianamente, suficientemente

regular-se *v.* **regrar-se**, guiar-se, orientar-se, reger-se, governar-se

régulo *n.m.* **soba**, reizete

regurgitar *v.* 1 **expelir**, vomitar 2 **transbordar**, trasbordar, extravasar, borbulhar

rei *n.m.* **monarca**, soberano, imperante

reificar *v.* **realizar**, coisificar, substancializar

reimprimir *v.* **republicar**, reeditar, restampar

reinação *n.f.* 1 *col.* **brincadeira** 2 *col.* **patuscada**, pândega, reinata, folia

reinado *n.m.* 1 **reino** 2 *fig.* **supremacia**, dominação, predomínio

reinante *adj.2g.* 1 **atual**, vigente, corrente 2 **predominante**, imperante, dominante ■ *n.2g.* **monarca**, imperador, soberano

reinar *v.* 1 **governar**, imperar, reger 2 **dominar**, mandar, predominar, preponderar 3 **destacar-se**, sobressair 4 **valer**, vigorar 5 **brincar**, folgar, divertir-se, pandegar, patuscar 6 **troçar**, gracejar 7 [REG.] **raivar**, enfurecer-se, encolerizar-se, zangar-se

reincidência *n.f.* 1 **recaída**, recidiva 2 **obstinação**, pertinácia, teimosia

reincidente *adj.,n.2g.* **recidivo**

reincidir *v.* **recair**

reineta *n.f.* ZOOL. (batráquio) **raineta**, rela

reingressar *v.* **reentrar**, voltar
reiniciar *v.* **recomeçar**, reencetar, retomar, retravar
reinício *n.m.* **recomeço**
reino *n.m.* 1 **reinado** 2 **monarquia**, realeza, realismo, trono *fig.*, coroa *fig.* 3 *fig.* **domínio**, esfera, âmbito
reintegração *n.f.* 1 **reingresso**, readmissão, reincorporação, reintegro 2 **recuperação**, recobramento, reaquisição, reconquista, recobro
reintegrar *v.* **reconduzir**, renomear, reempossar, reincorporar, readmitir, reempregar, reinvestir
reinvestir *v.* **reconduzir**, renomear, reempossar, reincorporar, readmitir, reempregar, reintegrar
reiteração *n.f.* **repetição**, iteração, renovação
reiteradamente *v.* **repetidamente**
reiterar *v.* **repetir**, iterar, renovar
reitor *n.m.* **pároco**, cura, prior, abade, diocesano
reitorado *n.m.* **reitoria**
reitoria *n.f.* **reitorado**
reivindicação *n.f.* **reclamação**, exigência, vindicação, vindícia
reivindicar *v.* 1 **reclamar**, exigir 2 **recuperar**, reaver, readquirir 3 **assumir**
rejeição *n.f.* **recusa**, recusação, repulsa, denegação, descarte, repúdio, repudiação, reprovação ≠ **aceitação**, deferimento, consentimento
rejeitar *v.* 1 **arremessar**, lançar, largar, depor, atirar 2 **recusar**, declinar, denegar, enjeitar, indeferir, refusar, repudiar ≠ **aceitar**, consentir, deferir 3 **vomitar**, expelir 4 **repelir**, repugnar 5 **opor-se**, discordar, desaprovar
rejubilar *v.* **exultar**, alegrar-se, folgar, entusiasmar-se, regozijar-se, deliciar-se, deleitar-se ≠ **entristecer-se**, atristar-se, entristar-se
rejuvenescer *v.* **remoçar**, revigorar, reflorescer, reflorir, renovar, reamanhecer *fig.* ≠ **envelhecer**, avelhentar, envelhentar
rejuvenescimento *n.m.* **remoçamento**, rejuvenescência, reflorescimento *fig.* ≠ **envelhecimento**
rela *n.f.* 1 ZOOL. (batráquio) **raineta**, reineta 2 **taramela** 3 *col.* **cegarrega**, tagarela
relação *n.f.* 1 **ligação**, conexão, encadeamento, correspondência 2 **analogia**, conformidade, semelhança, afinidade 3 **inventário**, enumeração, rol, lista 4 **relato**, descrição, narração 5 **convivência**, intimidade, ligação, relacionamento 6 [*pl.*] **conhecimentos**, amizades, amigos 7 [*pl.*] **cópula**, copulação, coito, sexo, queca *vulg.*, nicada *cal.*
relacionar *v.* 1 **arrolar**, inventariar, alistar, catalogar 2 **narrar**, referir, relatar, contar, expor 3 **comparar**, confrontar, cotejar 4 **concatenar**, ligar
relacionar-se *v.* 1 **familiarizar-se**, dar-se, tratar-se, interagir 2 **referir-se**
relambório *adj.* 1 *col.* **reles**, medíocre, fraco, rasca ≠ **superior**, excelente 2 *col.* **insípido**, sensaborão, desengraçado, desinteressante, insulso 3 *col.* **preguiçoso**, ocioso, molangueirão 4 [REG.] **adoentado**, combalido, mal-disposto ■ *n.m.* 1 **preguiça**, inércia, ociosidade 2 **falatório**, barulho 3 **pândega**, patuscada, comezana
relâmpago *n.m.* 1 **corusco**, fuzil, lampo *col.*, relâmpado *col.*, relampo *col.* 2 **clarão**
relampaguear *v.* 1 **relampejar**, relampear, fuzilar, fulgurar 2 **faiscar**, coriscar, fuzilar, arrelampar, faular 3 *fig.* **brilhar**, cintilar, fulgurar, resplandecer, reluzir, tremeluzir, fuzilar, faiscar, lampejar, coriscar
relampejar *v.* 1 **relampaguear**, relampear, fuzilar, fulgurar 2 **faiscar**, coriscar, fuzilar, arrelampar, faulhar 3 *fig.* **brilhar**, cintilar, fulgurar, resplandecer, reluzir, tremeluzir, fuzilar, faiscar, lampejar, coriscar
relance *n.m.* **olhadela**, olhado, relancear
relancear *v.* **relançar** ■ *n.m.* **relance**, olhado, olhadela
relapsia *n.f.* 1 **reincidência**, relapsão, recaída, vezo, recidiva *fig.* 2 **resistência**, tenacidade
relapso *adj.,n.m.* 1 **reincidente**, impenitente, recaidiço, vezeiro 2 **obstinado**, pertinaz, teimoso, renitente, relutante, contumaz, persistente, insistente ≠ **desistente**, renunciador
relatar *v.* 1 **narrar**, contar, descrever, historiar 2 **referir**, mencionar, indicar 3 **incluir**, inserir, introduzir, incorporar
relativamente *adv.* **comparativamente**, analogamente
relatividade *n.f.* 1 **relativismo** 2 **contingência** 3 **condicionalidade**
relativismo *n.m.* 1 **relatividade** 2 **criticismo**
relativo *adj.* 1 **referente**, respeitante, concernente, atinente, alusivo, pertencente 2 **condicional** 3 **limitado**, restrito ≠ **ilimitado**, irrestrito, alargado
relato *n.m.* **descrição**, narração, narrativa
relator *n.m.* **narrador**, relatador
relatório *n.m.* 1 **diegese**, exposição, descrição, relato 2 **preâmbulo**
relaxação *n.m.* 1 **relaxamento**, relaxidão, relaxe 2 **distensão**, frouxidão, flacidez, lassidão 3 **serenidade**, descontração, afrouxamento 4 **depravação** *fig.*, devassidão, perversão, degradação, imoralidade ≠ **decência**, decoro, moralidade 5 **desmazelo**, desleixo, negligência, releixo, desídia, incúria ≠ **cuidado**, zelo
relaxado *adj.* 1 **distendido**, frouxo, bambo, flácido ≠ **teso**, esticado 2 **sereno**, descontraído, distenso, repousado ≠ **tenso**, contraído 3 *fig.* **dissoluto**, devasso, licencioso, impudico, messalínico ≠ **decente**, decoroso 4 *fig.* **desmazelado**, desleixado, descuidado, desarranjado ≠ **cuidado**,

arranjado, aprimorado 5 *fig.* **desmoralizado**, desanimado, abatido, prostrado, deprimido *col.* ≠ **animado**, entusiasmado, empolgado *fig.*

relaxamento *n.f.* 1 **relaxação**, relaxidão, relaxe 2 **distensão**, frouxidão, flacidez, lassidão 3 **serenidade**, descontração, afrouxamento 4 **depravação** *fig.*, devassidão, perversão, degradação, imoralidade ≠ **decência**, decoro, moralidade 5 **desmazelo**, desleixo, negligência, releixo, desídia, incúria ≠ **cuidado**, zelo

relaxante *adj.2g.* **tranquilizante** ≠ **preocupante**, alarmante ■ *n.m.* **calmante**, sedativo, tranquilizante, anódino, ansiolítico ≠ **estimulante**, excitante

relaxar *v.* 1 **afrouxar**, enfraquecer, bambear, alargar, folgar ≠ **apertar**, esticar 2 **descontrair** ≠ **contrair** 3 **absolver**, perdoar, desculpar ≠ **culpar**, condenar 4 **moderar**, abrandar, afrouxar, suavizar ≠ **aumentar**, intensificar 5 **perverter**, corromper, depravar, degenerar ≠ **regenerar**, reabilitar 6 **condescender**, transigir

relaxar-se *v.* 1 **descontrair-se** ≠ **contrair-se** 2 **enfraquecer**, debilitar-se ≠ **fotalecer-se** 3 **perverter-se**, debochar-se, corromper-se, viciar-se 4 **desleixar-se**, desmazelar-se, abandalhar-se

relaxe *n.m.* 1 **relaxamento**, relaxação, relaxidão, abandalhação 2 **distensão**, descontração 3 **negligência**, desmazelo, desleixo

relegar *v.* 1 **afastar**, distanciar ≠ **aproximar** 2 **banir**, desterrar, degredar, deportar ≠ **repatriar** 3 **desprezar**, depreciar, desdenhar ≠ **considerar**

relembrar *v.* **recordar**, rememorar, recapitular, reviver, reavivar, rever, renovar, repassar, ementar, remembrar *ant.* ≠ **esquecer**, deslembrar, olvidar, obliterar

relento *n.m.* 1 **orvalho**, rocio, zimbro, humidade, lentura 2 **bafio**, mofo, bafum, fartum, sito, bolor, ranço ≠ **aroma**, perfume, fragrância, bálsamo, cheiro, odor

reles *adj.inv.* 1 **ordinário**, desprezível, baixo, vil, pífio, ínfero, pirangueiro ≠ **honroso**, digno 2 **insignificante**, irrelevante, misérrimo ≠ **significante**, valorativo, relevante 3 [REG.] **adoentado**, maldisposto, choquento, encarangado, gosmento, gosmoso, relambório [REG.], afalcoado [REG.]

relevação *n.f.* **perdão**, desculpa, absolvição, remição, indulgência, indulto ≠ **punição**, condenação, corretivo

relevância *n.f.* 1 **importância**, pertinência, acuidade, valor ≠ **irrelevância** 2 **relevo**, saliência, destaque 3 **vantagem** ≠ **desvantagem**

relevante *adj.2g.* 1 **importante**, pertinente, interessante, significativo ≠ **insignificante**, irrelevante 2 **saliente**, proeminente, saído 3 **evidente**, claro ≠ **obscuro** ■ *n.m.* **essencial**, necessário, indispensável ≠ **supérfluo**

relevar *v.* 1 **destacar**, salientar, evidenciar, realçar ≠ **esconder**, ocultar, absconder 2 **desculpar**, perdoar, absolver, prelevar, exculpar ≠ **culpar**, acusar, recriminar 3 **consentir**, permitir, autorizar, aprovar, concordar ≠ **discordar**, desaprovar, desconsentir, improvar 4 **aliviar**, consolar, amenizar, lenificar, desafligir, despenar ≠ **agravar**, piorar, engravescer

relevar-se *v.* **sobressair**, salientar-se, distinguir-se, evidenciar-se

relevo *n.m.* 1 **saliência**, ressalto, relevância, proeminência 2 *fig.* **evidência**, ênfase, realce, destaque ≠ **insignificância**, irrelevância

relicário *n.m.* **santuário**, sacrário

religião *n.f.* 1 **crença**, fé, confissão ≠ **descrença**, ceticismo, incredulidade, irreligião 2 **culto**, devoção, piedade 3 *fig.* **devoção**, religiosidade, fervor, dedicação 4 *fig.* **crença**, convicção 5 *fig.* **escrúpulo**, consciência, religiosidade

religiosa *n.f.* 1 **freira**, irmã, nona 2 **monja**

religiosamente *adv.* 1 **devotamente**, piedosamente, piamente 2 **escrupulosamente**, exatamente, rigorosamente

religiosidade *n.f.* 1 **devoção**, culto, piedade 2 *fig.* **escrúpulo**, zelo, cuidado, religião 3 *fig.* **devoção**, religião, fervor, dedicação 4 *fig.* **pontualidade**, assiduidade, regularidade ≠ **atraso**, impontualidade

religioso *adj.* 1 **devoto**, pio, crente, piedoso, adorativo ≠ **ateísta**, descrente, incrédulo, cético 2 **santo**, sagrado 3 *fig.* **escrupuloso**, zeloso 4 *fig.* **pontual**, regular, exato, rente ≠ **atrasado**, impontual 5 *fig.* **profundo**, pesado ■ *n.m.* **frade**, freire, monge, nono, cenobita

relinchar *v.* **rinchar**, nitrir

relincho *n.m.* **rincho**, nitrido, rinchada, rinchar

relíquia *n.f. fig.* **preciosidade**, pérola, joia

relógio *n.m.* 1 **horológio** 2 *col.* **achaque** 3 BOT. **zanzo**

relutância *n.f.* 1 **resistência**, oposição, obstáculo, renitência, relutação 2 **obstinação**, teimosia, renitência, fincamento, caturrice, pirronice, finca-pé *fig.* ≠ **desistência**, renúncia, cedência 3 **repugnância**, aversão, repulsão, nojo, entojo ≠ **prazer**, gosto, atração, comprazimento

relutante *adj.2g.* 1 **resistente**, oposto 2 **obstinado**, teimoso, renitente, caturrice, pirrónico *fig.* ≠ **desistente**, renunciante, cedente

reluzente *adj.2g.* **luzente**, brilhante, cintilante, luzidio, luminoso, rutilante, claro, resplandecente, lustroso, preluzente, prelúcido ≠ **escuro**, baço, bacento, desvidrado

reluzir *v.* **cintilar**, brilhar, luzir, fulgir, prefulgir, fulgurar, refulgir, resplandecer, resplender, esplendecer, rutilar, estrelar, radiar, reverberar, sobreluzir ≠ **embaciar**, deslustrar, enturvar, envidraçar, empanar *fig.*

relva *n.f.* 1 **gazão** 2 **relvado**, ervagem, gazão

relvado *n.m.* 1 **relva**, ervagem, gazão 2 gramado [BRAS.] ■ *adj.* **ervado**

relvar *v.* **arrelvar**, enrelvar, relvejar ≠ **desrelvar**

remada *n.f.* **remadela**, voga

remador *n.m.* **barqueiro**, remeiro

remanescente *adj.2g.* **restante**, derradeiro, excedente, sobejo, sobrante, último ■ *n.m.* **resto**, sobejo, sobra, restante, excedente

remanescer *v.* 1 **restar**, sobejar, ficar, sobrar ≠ **escassear**, faltar 2 **subsistir**, perdurar, restar, durar

remansado *adj.* 1 **manso**, tranquilo, sereno, pacato, sossegado ≠ **agitado**, intranquilo 2 **pachorrento**, vagaroso, moroso, lento ≠ **ativo**, diligente 3 **parado**, estagnado ≠ **revolto**, agitado

remanso *n.m.* 1 **paragem**, cessação, interrupção, suspensão 2 **quietação**, sossego, tranquilidade, repouso, descanso ≠ **agitação**, atividade, inquietação 3 **retiro**, ermo, secesso *ant.*

remar *v.* 1 **vogar** 2 **nadar**, banhar-se 3 **voar**, avoejar, adejar, esvoaçar, bambinar 4 **dirigir-se**, orientar 5 **esforçar-se**, empenhar-se, pelejar *fig.* 6 **cansar-se**, afadigar-se

remarcar *v.* (objetos de ourivesaria) **contrastar**

rematar *v.* 1 **acabar**, concluir, terminar, ultimar, epilogar, findar, finalizar, completar ≠ **iniciar**, começar, principiar, encetar 2 **coroar** *fig.*, encimar, encumear 3 **completar**, complementar 4 DESP. **finalizar**

remate *n.m.* 1 **acabamento**, arremate, arrematação, ultimação, terminação, completamento, completação 2 **conclusão**, fim, final, desfecho, termo, terminação, perfazimento, fecho *fig.* ≠ **início**, começo, princípio, encetadura 3 DESP. **finalização** 4 *fig.* **auge**, culminância, ápice *fig.*, pináculo *fig.*, cume *fig.*, zénite *fig.* 5 *fig.* **resultado**, desfecho, desenlace

remediado *adj. col.* **governado**, arranjado

remediar *v.* 1 **atenuar**, aliviar, aplacar, mitigar, lenificar, satisfazer, suprir ≠ **agravar**, piorar, mortificar 2 **atalhar**, prevenir, impedir, obstar 3 **compor**, corrigir, emendar, arranjar, consertar, sanear, alveitarar *fig.* 4 **auxiliar**, socorrer, ajudar

remediável *adj.2g.* **reparável**, sanável, obviável, corrigível ≠ **irreparável**, irremediável, insanável, irregressível, incurável *fig.*

remédio *n.m.* 1 **medicamento**, fármaco, droga, postemeiro *fig.*, tafulho *fig.*, tempero *fig.* 2 **cura**, tratamento, terapia, medicação 3 **emenda**, reparo, correção 4 **expediente**, recurso, solução 5 **auxílio**, proteção, ajuda, amparo

remela *n.f.* **laganha** [REG.], carranha [REG.]

remelado *adj.* 1 **remeloso**, remelão, remelento, remeleiro 2 *col.* **descuidado**, desleixado, desaprimorado, desarranjado, desapurado, desmazelado ≠ **cuidado**, aprimorado, arranjado

rememoração *n.f.* **relembrança**, lembrança, recordação, recordo ≠ **esquecimento**, oblívio, deslembrança, desmemória

rememorar *v.* **lembrar**, relembrar, memorar, reviver ≠ **esquecer**, olvidar, deslembrar

remendão *adj.,n.m.* 1 **remendeiro** 2 *fig.,pej.* **trapalhão**, desajeitado, atabalhoado, embrulhador, albardeiro *fig.* ≠ **habilidoso**, destro 3 *fig.,pej.* **maltrapilho**, farroupilha, mal-arranjado, esfarrapado, gebo, malroupido, trapento, frangalheiro *col.* ≠ **janota**, peralta, taful

remendar *v.* 1 **compor**, reparar, consertar, coser 2 **corrigir**, emendar, consertar, reparar, retificar 3 *fig.* **misturar**, mesclar

remendo *n.m.* 1 **emenda**, conserto, reparo 2 *fig.* **emenda**, retificação, correção 3 **paliativo** 4 *fig.* **desculpa**

remessa *n.f.* **envio**, enviamento, expedição

remetente *n.m.* ≠ **destinatário** ■ *adj.2g.* **expedidor**

remeter *v.* 1 **enviar**, expedir, mandar, despachar 2 **confiar**, entregar, deixar, fiar 3 **encomendar**, recomendar 4 **expor**, sujeitar, submeter 5 **adiar**, protelar, procrastinar, retardar, atrasar ≠ **antecipar**, adiantar

remeter-se *v.* 1 **entregar-se**, confiar-se, fiar-se, acreditar 2 **referir-se**, reportar-se

remetida *n.f.* **arremetida**, investida, assalto, remetimento

remexer *v.* 1 **revolver**, volver, revirar, voltar, revoltear, escarafunchar, esgaravatar, escardichar [REG.], rebulhar [REG.] 2 **sacudir**, abanar, agitar, sacolejar, mover ≠ **parar**, repousar

remexer-se *v.* **mexer-se**, mover-se, revolver-se

remexido *adj.* 1 **revolto**, revolvido, revirado, escarafunchado, esgaravatado 2 **sacudido**, abanado, agitado, sacolejado, movido ≠ **parado**, repousado 3 **agitado**, alterado, inquieto, revolto, perturbado ≠ **calmo**, tranquilo, sossegado 4 *col.* **traquina**, travesso, irrequieto, turbulento, buliçoso, endiabrado *fig.*

remição *n.f.* 1 **recuperação** 2 **reparação**, indemnização, compensação, recompensa 3 **libertação**, resgate *fig.* 4 **redenção**, quitação, resgate *fig.*

remidor *adj.,n.m.* **redentor**, salvador, libertador

remígio *n.m.* 1 **voo**, voadura, adejo 2 (pena) **rémige**, guia

reminiscência *n.f.* 1 **memória**, recordação, lembrança 2 **vislumbre**, reflexo, anamnésia

remir *v.* 1 **indemnizar**, compensar, ressarcir, recompensar 2 **salvar**, libertar, resgatar 3 **sanar** 4 **resgatar**, recuperar 5 **exonerar**, desobrigar, dispensar, isentar, absolver, eximir ≠ **obrigar**, exigir

remirar *v.* **examinar**, analisar, observar, olhar

remissa *n.f.* **adiamento**, prolongamento, dilação, deferimento, procrastinação, protelação, retardação, alongamento, protraimento, prorrogação, demora, delonga, dilatação ≠ **adiantamento**, antecipação

remissão *n.f.* 1 **remitência**, absolvição, perdão, indulto, indulgência ≠ **punição**, pena, condenação 2 **expiação**, penitência 3 **clemência**, indulgência ≠ **inclemência** 4 **alívio**, consolo, lenimentoso, mitigação, refrigério ≠ **agravamento**, aflição, tormento 5 **frouxidão**, afrouxamento, moleza, indolência 6 **interrupção**, intermissão 7 **adiamento**, prolongamento, dilação, deferimento, procrastinação, protelação, retardação, alongamento, protraimento, prorrogação, demora, delonga, dilatação ≠ **adiantamento**, antecipação 8 **envio**, enviamento, expedição

remissível *adj.2g.* **desculpável**, perdoável ≠ **imperdoável**, indesculpável, condenável

remissivo *adj.* **alusivo**, referente, respeitante, relativo

remisso *adj.* 1 **negligente**, descuidado, desleixado, desmazelado ≠ **cuidadoso**, atento, diligente 2 **indolente**, mole, preguiçoso, fleumático, pachorrento ≠ **diligente**, ativo 3 **tardio**, lento, vagaroso, moroso ≠ **rápido**, veloz, lesto, lépido

remível *adj.2g.* **pagável**, resgatável, redimível ≠ **irremível**

remoção *n.f.* 1 **transferência**, removimento, deslocamento 2 **eliminação**, extinção 3 DIR. **demissão**, destituição, exoneração ≠ **contratação**, admissão, compromisso

remoçar *v.* **rejuvenescer**, renascer, reflorescer, reviçar, enverdejar *fig.*, reverdecer *fig.*, reamanhecer *fig.*

remodelação *n.f.* 1 **renovação**, inovação 2 **transformação**, modificação 3 **reorganização**, reestruturação, mexida, reforma

remodelar *v.* 1 **renovar** 2 **modificar**, transformar 3 **reorganizar**, reestruturar, reformar

remoer *v.* 1 **ruminar**, remastigar, remascar 2 *fig.* **repisar**, cismar, corvejar 3 *fig.* **importunar**, abesoirar, aporrear, arreliar

remoer-se *v.* 1 **encolerizar-se**, irar-se, zangar-se 2 **afligir-se**, atormentar-se, confrager-se

remoinhar *v.* **rodopiar**, turbilhonar, redemoinhar, regirar

remoinho *n.m.* 1 **vendaval**, rabanada, furacão, tufão, ventania, rajada, ciclone, lufa, vórtice, buzaranha ≠ **aragem**, brisa, sopro, viração, assopro 2 **sorvedouro**, turbilhão, voragem, vórtice

remonta *n.f.* 1 *fig.* **conserto**, reparação, arranjo, reforma 2 *fig.* **reforma**, restauração

remontar *v.* 1 **encimar**, elevar, erguer, levantar 2 **reconstruir** 3 **substituir** 4 **consertar**, remendar, reparar, refazer, emendar 5 **subir**, trepar 6 **mobilar**, alfaiar 7 **volver**, voltar

remontar-se *v.* 1 **reportar-se** 2 **refugiar-se**, abrigar-se, resguardar-se

remonte *n.m.* **elevação**, altura

remorder *v.* 1 **esmordaçar** 2 *fig.* **criticar**, censurar, reprovar, desaprovar, julgar, condenar ≠ **aprovar**, aceitar, admitir 3 **afligir**, angustiar, atormentar, agoniar, atribular, consternar, martirizar, consumir *fig.* ≠ **desapoquentar**, tranquilizar, sossegar 4 **cismar**, matutar, meditar, refletir 5 **resmungar**, rezingar, murmurar, grunhir, ralhar, resmonear, rosnar *fig.*, rezar *fig.*, regougar *fig.*, rebusnar *fig.*

remorso *n.m.* **arrependimento**, culpa, carrego, pesar, escrúpulo, remordimento, contrição *fig.*, encargo *fig.*, espinho *fig.*, euménide *fig.*, latido *fig.*, verme *fig.*

remoto *adj.* **afastado**, longínquo, distanciado, distante, arredado, semoto *poét.* ≠ **próximo**, perto, achegado, propínquo, vicinal

remover *v.* 1 **transferir**, transportar, deslocar, mudar, transplantar, trasladar, trespassar, transmitir 2 **extrair**, retirar, tirar, sacar 3 **demitir**, exonerar, destituir, despedir ≠ **contratar**, admitir 4 **afastar**, livrar-se 5 **eliminar**, extinguir, suprimir 6 **levar**, induzir, impelir, mover 7 **frustrar**, baldar, impedir, atalhar, atrapalhar 8 **remexer**, agitar, revolver

removível *adj.2g.* 1 **mudável**, deslocável ≠ **irremovível** 2 **evitável**, escusável ≠ **inevitável**, fatal, forçoso, incontornável, irremovível

remuneração *n.f.* 1 **vencimento**, ordenado, salário, paga, pagamento, retribuição, gratificação, provento, honorários, soldo 2 **recompensa**, prémio, compensação

remunerar *v.* 1 **pagar**, assalariar, estipendiar, retribuir, gratificar 2 **recompensar**, gratificar, compensar

remunerativo *adj.* **compensatório**, remunerador, remuneratório, remuneroso

rena *n.f.* ZOOL. **rangífer**, rangífero

renal *adj.2g.* **nefrítico**

renascença *n.f.* 1 **renascimento**, renovamento 2 **reaparecimento**, reaparição 3 HIST. (com maiúscula) Renascimento

renascer *v.* 1 **reviver** 2 **reaparecer**, ressurgir 3 **renovar-se**, recuperar-se, repulular 4 **rejuvenescer**, reflorescer, remoçar, enverdecer *fig.*, reverdecer *fig.*, reamanhecer *fig.*

renascimento *n.f.* 1 **renascença**, renovamento 2 **reaparecimento**, reaparição 3 HIST. (com maiúscula) Renascença

renda *n.f.* 1 **arrendamento**, aluguer, aluguel 2 **pensão**, pitança 3 **rendimento**, receita, produto, rédito, lucro ≠ **prejuízo**, dano 4 **tributo**

rendar *v.* arrendar, alugar, locar

rendeiro *n.m.* 1 senhorio, dono, proprietário ≠ inquilino, arrendatário, locatário, caseiro 2 inquilino, arrendatário, locatário, caseiro ≠ senhorio, proprietário, dono

render *v.* 1 sujeitar, dominar, submeter, subordinar 2 depor, capitular 3 dedicar, prestar, tributar 4 comover, enternecer 5 produzir 6 substituir 7 causar, provocar, originar, ocasionar, motivar 8 dar, ofertar, restituir 9 debilitar, alquebrar, enfraquecer, desfortalecer ≠ fortalecer, robustecer, acerar *fig.* 10 rachar, estalar, fender-se

render-se *v.* 1 entregar-se 2 sujeitar-se, submeter-se 3 prostrar-se

rendição *n.f.* 1 sujeição, submissão, dependência, obediência, acatamento ≠ desacato, desobediência 2 MIL. capitulação, entrega, rendimento

rendido *adj.* 1 fendido, estalado, rachado 2 vencido, vergado *fig.* 3 submisso, dominado, sujeitado, subjugado 4 abatido, prostrado 5 substituído 6 extático, absorto, contemplativo 7 *col.* herniado, hernioso, quebrado 8 NÁUT. rachado, entalado

rendilhar *v.* 1 arrendar 2 recortar 3 florear, embelezar

rendimento *n.m.* 1 importância, quantia, receita 2 produto, lucro, benefício, proveito 3 produtividade, eficiência, rentabilidade 4 rendição, entrega, capitulação 5 *col.* hérnia, quebradura

rendoso *adj.* proveitoso, frutuoso, lucrativo, rendível, chorudo *col.*, pingoso *fig.* ≠ infrutuoso

renegado *n.m.* trânsfuga, apóstata, tornadiço ■ *adj.* 1 repelido 2 desprezado, refugado 3 execrado 4 amaldiçoado

renegar *v.* 1 abandonar, renunciar, abjurar, apostatar, descrer 2 rejeitar, repudiar, repelir 3 execrar, odiar 4 trair, atraiçoar, deslealdar, insidiar 5 contradizer, desmentir, contradeclarar 6 prescindir, abdicar, resignar, deixar ≠ insistir, perseverar

renhido *adj.* 1 porfiado, despicado, travado, encarniçado, carnicento 2 *fig.* sangrento, cruento, sanguinolento

renitência *n.f.* 1 resistência, oposição, obstáculo, relutância 2 obstinação, teimosia, relutância, fincamento, caturrice, pirronice, finca-pé *fig.* ≠ desistência, renúncia, cedência

renitente *adj.2g.* obstinado, teimoso, pertinaz, persistente, relutante, contumaz ≠ desistente, renunciador

renitir *v.* obstinar, teimar, relutar, insistir, perseverar, embirrar, porfiar, martelar *fig.* ≠ desistir, renunciar

renome *n.m.* 1 fama, notoriedade, notabilidade, nome, celebridade, nomeada, reputação, brilho *fig.* ≠ anonimato, ignoto, desconhecimento 2 crédito, fama, credibilidade ≠ descrédito

renovação *n.f.* 1 renovamento, renova 2 inovação, atualização, modernização

renovador *n.m.* reformador, restaurador, revolucionário, ressuscitador *fig.*

renovamento *n.m.* 1 renovação, renova 2 inovação, atualização, modernização

renovar *v.* 1 repetir 2 substituir, atualizar, modernizar 3 relembrar, rememorar, recapitular, reviver, reavivar, rever, recordar, repassar, ementar, remembrar *ant.* ≠ esquecer, deslembrar, olvidar, obliterar 4 reabrir 5 consertar, melhorar, corrigir 6 rebentar, desabrochar, despontar 7 rejuvenescer, revigorar, reflorir, reflorescer, remoçar ≠ envelhecer, avelhentar, envelhentar

renovar-se *v.* 1 rejuvenescer, reflorescer, renascer, reamanhecer *fig.* 2 regenerar-se, reconstituir-se 3 repetir-se

renovo *n.m.* 1 rebento, gomo, vergôntea, gema, borboto, chalorda 2 *fig.* descendência 3 [REG.] horta

renque *n.m.* alinhamento, fila, fileira, série, enfiada, correnteza

rente *adj.2g.* 1 curto, cérceo, raso, resvés, séssil 2 contíguo, próximo, vizinho ≠ afastado, distante 3 assíduo, pontual, regular ≠ atrasado, impontual ■ *adv.* cerce, resvés ■ *n.m. col.* traição, cilada, trapola, rasteira *fig.*

renúncia *n.f.* 1 resignação, deposição, abdicação 2 desistência, abandono, afastamento 3 abstinência, desapego, desinteresse, abnegação, desprendimento 4 rejeição, recusa, declinação, descarte ≠ aceitação 5 sacrifício, abdicação

renunciante *adj.,n.2g.* abdicante

renunciar *v.* 1 abdicar, resignar, desistir, depor, deixar ≠ insistir, persistir 2 rejeitar, recusar, declinar ≠ aceitar, aprovar 3 largar, abandonar, destituir-se 4 abjurar, renegar, denegar, apostatar ≠ adotar, abraçar

renunciável *adj.2g.* recusável, abdicável, rejeitável ≠ irrenunciável, irrecusável

reocupação *n.f.* reintegração

reocupar *v.* reconquistar, retomar, recuperar

reordenar *v.* reorganizar, recompor

reorganização *n.f.* 1 reforma, reestruturação, remodelação, reformulação 2 modificação, transformação, remodelação, alteração ≠ preservação, conservação

reorganizar *v.* 1 reformar, reestruturar, remodelar, reformular 2 modificar, transformar, remodelar, alterar ≠ preservar, conservar

repa *n.f.* farripa, falripa

reparação *n.f.* 1 conserto, restauro, arranjo, reforma 2 indemnização, compensação, ressarcimento, refazimento 3 restabelecimento, recuperação **4** FISIOL. **regeneração** **5** **correção**, emenda, retificação

reparador *adj.* **indemnizador**, compensador, remunerador ■ *adj.,n.m.* **1** **restaurador**, consertador, reabilitador **2** **fortificante**, robustecedor, vigorante, tonificante, vital, tónico *fig.*

reparar *v.* **1** **consertar**, restaurar, refazer, compor **2** **emendar**, corrigir, remediar **3** **indemnizar**, compensar, recompensar, remunerar, ressarcir **4** **recuperar**, restabelecer, reabilitar **5** **observar**, atentar, ver **6** **notar**, aperceber-se, olhar, ver, constatar **7** **acautelar-se**, precaver-se, prevenir-se

reparar-se *v.* **restabelecer-se**, recuperar-se, reabilitar-se

reparável *adj.2g.* **1** **remediável**, restaurável ≠ **irreparável** **2** **notório**, visível, evidente, patente ≠ **inevidente**

reparo *n.m.* **1** **conserto**, reparação, restauração, arranjo **2** **análise**, observação **3** **atenção** **4** **apreciação**, crítica, comentário **5** **exame**, inspeção **6** **socorro**, auxílio, ajuda **7** **remédio**, cura, solução **8** MIL. **resguardo**, defesa, trincheira

repartição *n.f.* **1** **partilha**, divisão, partição, compartição, distribuição **2** **departamento**, divisão, setor, secção, serviço **3** **escritório** **4** **secretaria**, secretariado

repartir *v.* **1** **distribuir**, dividir, partir, fragmentar ≠ **juntar**, agregar **2** **estremar**, delimitar, circunscrever, confinar, demarcar, balizar *fig.* ≠ **desbalizar**, expandir, estender **3** **aplicar**, empregar, ocupar, preencher **4** **partilhar**, compartir

repartir-se *v.* **1** **dividir-se**, ramificar-se **2** **espalhar-se**, difundir-se, propagar-se

repasto *n.m.* **1** *fig.* **banquete**, festa, festim, prândio, regabofe *col.* **2** *fig.* **refeição**, comida, boia *col.*

repatriação *n.f.* **repatriamento** ≠ **expatriação**, exílio, deportação, degredo, desterro, ablegação, banimento

repatriamento *n.m.* **repatriação** ≠ **expatriação**, exílio, deportação, degredo, desterro, ablegação, banimento

repelão *n.m.* **empurrão**, puxão, arrepelão, arrastão, puxada, esticão, impontão [REG.], repelo

repelar *v.* **1** **puxar**, arrancar, repuxar, descabelar, depenar, arrepelar ≠ **soltar**, largar **2** **empurrar**, empuxar, esbarrar

repelente *adj.2g.* **1** *fig.* **repugnante**, asqueroso, nojento, nojeira, desagradável, nauseante, hediondo, tinhoso ≠ **agradável**, aprazível **2** *fig.* **odioso**, detestável, execrável, condenável, abominável, nefando, travisto, aborrido *ant.* ≠ **agradável**, apreciável

repelir *v.* **1** **expulsar**, afastar, arredar, repulsar ≠ **aproximar**, aconchegar, conchegar **2** **rejeitar**, desacolher **3** **rebater**, contradizer, renegar, repudiar, impugnar, ilidir ≠ **concordar**

repensar *v.* **reconsiderar**, refletir, ruminar, recuidar

repente *n.m.* **1** **ímpeto**, impulso **2** **saída**, desabafo

repentinamente *adv.* **1** **depressa** **2** **subitamente**, inesperadamente, imprevistamente

repentino *adj.* **1** **rápido**, momentâneo, instantâneo ≠ **prolongado**, demorado, longo **2** **imprevisto**, súbito, inesperado, inopinado, subitâneo ≠ **previsto**, esperado, calculado

repercussão *n.f.* **1** **reflexão**, reverberação, antícope **2** **eco**, ressonância **3** **consequência** **4** **impacto**, influência

repercutir *v.* **1** **reenviar** **2** (luz, som) **refletir**, reverberar, ressoar, repetir **3** **repetir-se**, reproduzir-se **4** **refletir-se**, influenciar, afetar, alterar

repertório *n.m.* **1** **programa** **2** **calendário**, almanaque, anuário

repesar *v.* **ponderar**, repensar, reconsiderar, ruminar

repeso *adj.* **arrependido**, contrito, pesaroso, compungido

repetição *n.f.* **1** **iteração**, reiteração, bis, repetência **2** *ant.* **reprodução**, cópia, duplicata, duplicado

repetidamente *adv.* **1** **reiteradamente** **2** **frequentemente**, amiudadamente, regularmente

repetidor *n.m.* **explicador**, lecionista, preletor

repetir *v.* **1** **repisar**, iterar, reiterar, recantar, matraquear *fig.*, redizer **2** **refletir**, repercutir, retumbar, reverberar, ressoar **3** **reproduzir**, contar **4** **reviver**, experienciar, passar

repetir-se *v.* **reaparecer**, voltar, ressurgir

repicar *v.* **1** **repenicar**, soar, bimbalhar, rebimbar **2** AGRIC. **transplantar**, transferir

repimpar *v.* **fartar**, saciar, abarrotar, encher, embuchar, empanturrar, cevar, tafulhar ≠ **desenfartar**, desempanturrar

repimpar-se *v.* **1** **refestelar-se**, poltronear-se, apoltronar-se, estirar-se **2** **empanturrar-se**, fartar-se, ateigar-se

repintar *v.* **avivar**, refrescar, matizar, realçar

repique *n.m.* **repenique**, bimbalhada

repisar *v.* **1** **pisar**, espezinhar, trilhar, acalcanhar, esmagar, prensar **2** **recalcar**, retrilhar **3** *fig.* **repetir**, martelar, matraquear, recavar *fig.* **4** *fig.* **mentir**, aldrabar, falsar

repleção *n.f.* **1** **enchente**, fartura **2** **pletora**

repletar *v.* **atestar**, abarrotar, entulhar, apojar *fig.*

repleto *adj.* **1** **cheio**, atestado, carregado, completo, apinhado, lotado, abarrotado *fig.*, impado *fig.*, onusto, referto, repleno ≠ **vazio**, oco, inocupado **2** **cheio**, abarrotado, saciado, nutrido, farto, cevado, embuchado, empanturrado, repimpado ≠ esfomeado, ávido, faminto, vorace

réplica *n.f.* **1 redarguição**, replicação, retorsão, retruque **2 contestação**, objeção, contradição, rebatida, impugnação, denegação, refutação, resposta ≠ **aprovação**, consentimento **3 imitação**, cópia

replicar *v.* **1 refutar**, contestar, responder, repostar, contradizer, objetar, retrucar, reenvidar **2 retorquir**, redarguir, responder, remenicar *col.*

repolhudo *adj. fig.* **anafado**, rechonchudo, roliço, reboludo

repontar *v.* **1 reaparecer**, ressurgir **2 raiar**, amanhecer, alvorecer, clarear ≠ **anoitecer**, escurecer **3 recalcitrar**, refilar, respingar, retorquir, grimpar, reguingar, remenicar *col.*

repor *v.* **1 restituir**, devolver, reembolsar **2 refazer**, recompor, reconstituir, restabelecer **3 suprir**

repor-se *v.* **reconstituir-se**, refazer-se

reportado *adj.* **1 moderado**, comedido, controlado, ponderado, cauteloso **2 paciente 3 modesto**, simples, humilde ≠ **imodesto**, pretensioso, presumido, arrogante **4 retraído**, contraído, acanhado, tímido ≠ **expansivo 5 referido**, mencionado, aludido, citado, visado

reportagem *n.f.* **notícia**

reportar *v.* **1 transportar**, voltar, volver **2 moderar**, conter, deter, refrear, sopesar **3 alcançar**, conseguir **4 atribuir**, ligar

reportar-se *v.* **referir-se**, aludir, remeter-se

repórter *n.2g.* **jornalista**

reposição *n.f.* **1 recolocação**, restituição **2 devolução**, delação, restituição **3** (espetáculo, filme) **reprise**

repositório *n.m.* **1 depósito**, arquivo, reservatório **2 compilação**, coletânea, repositorio **3 compêndio**

reposta *n.f.* **restituição**, reposição

repostar *v.* **replicar**, contestar, responder, refutar, contradizer, objetar, retrucar

repousar *v.* **1 descansar**, relaxar, pausar, remansear ≠ **cansar**, fatigar, sobrecarregar, afobar [BRAS.] **2 sossegar**, serenar, tranquilizar, acalmar, aquietar ≠ **agitar**, perturbar, irar **3 dormir**, descansar, nanar *infant.* ≠ **velar**, desvelar, vigiar **4 jazer**, descansar **5 assentar**, basear-se **6 confiar**

repouso *n.m.* **1 descanso**, pausa ≠ **trabalho**, frenesi, canseira, dobadoira *col.*, corrupio *fig.*, tráfego *fig.*, tráfega [REG.], afobação [BRAS.] **2 imobilidade**, inação **3 sossego**, paz, tranquilidade, quietude, quietação **4 poisio**, alqueive, adil [REG.]

repreender *v.* **1 censurar**, exprobar, admoestar, castigar, animadvertir, escarmentar, objurgar, increpar, ensaboar *fig.*, zurzir *fig.*, raspançar *col.* ≠ **elogiar**, louvar, aplaudir, felicitar **2 arguir**, acusar, objurgar, increpar

repreensão *n.f.* **censura**, exprobração, admoestação, advertência, descompostura, reprimenda, chega, bate-barba, sarabanda *col.*, esfrega *fig.*, lição *fig.*, geribanda *col.*, moliana *col.*, recadete *col.*, recadeira [REG.], fraterna ≠ **elogio**, louvor, felicitação, aprovação

repreensível *adj.2g.* **censurável**, condenável, criticável, culpável, reprovável ≠ **louvável**, elogiável, irrepreensível, incensurável

represa *n.f.* **1 açude**, comporta, dique, adufo **2** ART. PLÁST. **mísula**, peanha **3** *fig.* **abundância 4 suspensão**, repressão

represália *n.f.* **vingança**, vindicta, desforra, desforço, retaliação, represadura, revanche

represar *v.* **1 suster**, conter, deter, empresar, estancar **2 estagnar 3** *fig.* **sufocar**, reprimir **4** *fig.* **impedir**, atalhar **5 aprisionar**, encarcerar, prender **6 apoderar-se**, apropriar-se

representação *n.f.* **1 figura**, reprodução **2 cópia**, reprodução **3 escultura 4 exposição 5** TEAT. **exibição 6** CIN., TEAT., TV **interpretação**, atuação, desempenho, performance **7 récita 8 importância 9 autoridade 10 delegação**

representante *n.2g.* **1 diplomata 2 deputado 3 modelo**, exemplar **4 descendente 5 delegado**, enviado, agente, representador, mandatário

representar *v.* **1 patentear**, mostrar, exibir **2 revelar**, apresentar, expor **3 reproduzir**, retratar **4 significar**, simbolizar, figurar **5 interpretar**, atuar, desempenhar

representar-se *v.* **1 apresentar-se**, figurar-se **2 imaginar-se**

representativo *adj.* **emblemático**, exemplar, simbólico, figurativo

representável *adj.2g.* **figurável** ≠ **irrepresentável**

represo *adj.* **1 recapturado 2 estagnado**, parado, remansado **3 represado**

repressão *n.f.* **1 coibição**, enfreamento, contenção **2 proibição 3** PSICAN. **recalcamento**, recalque

repressivo *adj.* **opressor**, opressivo, repressor, compressivo *fig.*

reprimenda *n.f.* **1 censura**, exprobração, admoestação, advertência, descompostura, repreensão, chega, sarabanda *col.*, esfrega *fig.*, lição *fig.*, jiribanda *col.* ≠ **elogio**, louvor, felicitação, aprovação **2 castigo**, punição, pena

reprimir *v.* **1 suster**, sofrear, coibir, coartar, conter, retundir **2 proibir 3 ocultar**, disfarçar **4 violentar**, oprimir **5 castigar**, punir, condenar

reprimir-se *v.* **conter-se**, moderar-se, deter-se, retrair-se, sofrear-se, ter-se, sufocar-se *fig.*

reprimível *adj.2g.* **coercível**, refreável ≠ **irreprimível**

réprobo *adj.,n.m.* 1 **reprovado**, rejeitado 2 **condenado**, precito 3 **detestado**, odiado 4 **maldito**, malvado

reprodução *n.f.* 1 **propagação**, multiplicação, proliferação 2 **renovação**, regeneração 3 **cópia**, duplicado, duplicata, repetição *ant.*

reprodutor *adj.* **seminal**, reprodutivo ■ *n.m.* **semental**

reproduzir *v.* 1 **copiar** 2 **imitar**, repetir, arremedar 3 **retratar**, representar, debuxar 4 **reeditar** 5 **descrever**, retratar, contar 6 **gerar**, procriar, conceber

reproduzir-se *v.* 1 **propagar-se**, multiplicar-se, repercurtir-se 2 **espalhar-se**, disseminar-se 3 **repetir-se**

reprovação *n.f.* 1 **desaprovação**, desaplauso, improvação ≠ **aprovação**, adesão, aplauso, outorga, aval *fig.* 2 **chumbo**, raposa *gír.*, erre *gír.*, chumbada *gír.*, gata *gír.* 3 **rejeição**, recusa, negação ≠ **aceitação**, anuência 4 **exclusão**, eliminação ≠ **inclusão**, inserção 5 *fig.* **repreensão**, admoestação, advertência, descompostura, reprimenda, anátema, exprobração, chega, sarabanda *col.* ≠ **elogio**, louvor, felicitação, aprovação, aclamação

reprovado *adj.* 1 **excluído**, arredado, desclassificado 2 **inabilitado** 3 **censurado**, criticado 4 **réprobo**, rejeitado

reprovar *v.* 1 **desaprovar**, contraindicar, desaplaudir, improbar ≠ **aprovar** 2 **rejeitar**, recusar ≠ **aceitar**, anuir 3 **excluir**, arredar, desclassificar 4 *fig.* **condenar**, censurar, criticar ≠ **louvar**, elogiar, abajoujar 5 **chumbar**, gatar *gír.*, raposar *gír.* ≠ **aprovar**, passar *col.*

reprovável *adj.2g.* **condenável**, repreensível, censurável, criticável ≠ **aceitável**, aprovável, admissível

reptar *v.* 1 **desafiar**, provocar, incitar, emprazar *fig.* 2 **rastrejar**, deslizar, arrastar-se, rojar-se

réptil *adj.2g.* **rastejante**, reptante ■ *n.m. fig.,pej.* **bajulador**, sabujo *fig.*, lambe-botas, capacho *fig.*

repto *n.m.* 1 **reptação**, reptamento 2 **desafio**, provocação, emprazamento

república *n.f.* 1 ≠ **monarquia** 2 **Estado**

republicano *adj.* ≠ **antirrepublicano**, monárquico ■ *n.m.* **repúblico** ≠ **antirrepublicano**, monárquico

republicar *v.* **reeditar**, reimprimir, reestampar

repúblico *n.m.* **republicano** ≠ **antirrepublicano**, monárquico

repudiar *v.* 1 **divorciar-se**, descasar, separar, desquitar ≠ **casar**, consorciar 2 **abandonar**, desamparar, desajudar, desabrigar ≠ **abrigar**, proteger, resguardar, valer 3 **rejeitar**, recusar, enjeitar, renegar, renunciar ≠ **aceitar**, admitir

repúdio *n.m. fig.* **rejeição**, recusa, recusação, repulsa, denegação, descarte, repudiação, reprovação ≠ **aceitação**, consentimento, aprovação

repugnância *n.f.* 1 **aversão**, asco, nojo, abominação ≠ **agrado** 2 **impedimento**, obstáculo, obstrução ≠ **desimpedimento**, desbloqueamento 3 **incompatibilidade**, inconciliabidade ≠ **compatibilidade**, conciliabilidade 4 **relutância**, escrúpulo, melindre

repugnante *adj.2g.* 1 **asqueroso**, nojento, repelente, repulsivo 2 **antipático**, desagradável, detestável 3 **incompatível**, inconciliável, incombinável ≠ **compatível**, conciliável

repugnar *v.* 1 **enojar**, nausear, relutar, abominar, horrorizar ≠ **apreciar**, gostar 2 **resistir** 3 **repelir**, repulsar, propulsar *fig.* ≠ **agradar**, satisfazer 4 **desagregar** 5 **recusar**, rejeitar, declinar, desconsentir, negar

repulsa *n.f.* 1 **repulsão**, recusa, rejeição ≠ **aceitação**, admissão 2 **repugnância**, nojo, aversão, asco ≠ **agrado**, satisfação 3 **ódio**, antipatia, abominação ≠ **simpatia**

repulsão *n.f.* 1 **repulsa**, recusa, rejeição ≠ **aceitação**, admissão 2 **repugnância**, nojo, aversão, asco ≠ **agrado**, satisfação 3 **ódio**, antipatia, abominação ≠ **simpatia**

repulsivo *adj.* **repelente**, repugnante, asqueroso, nojento, desagradável ≠ **agradável**, atraente

repulso *adj.* **repelido**, rejeitado, renegado ■ *n.m.* **repulsão**, rejeição, recusa ≠ **aceitação**, admissão

reputação *n.f.* 1 **consideração**, estima, conceito, conta 2 **fama**, renome, crédito, credibilidade, celebridade, conspicuidade ≠ **desconhecido**, anonimato, anonímia

reputar *v.* 1 **considerar**, julgar, achar 2 **avaliar**, conceituar, estimar 3 **apreciar**, ilustrar, notabilizar

repuxar *v.* 1 **puxar** 2 **esticar**, estirar, retesar, distender ≠ **encolher**, bambear, esbambear, afrouxar 3 **esguichar**, jorrar, borbotar, espadanar

repuxo *n.m.* 1 **repuxão**, esticão 2 **jato**, esguicho, esguichadela, espadana 3 **recuo**, retrocesso

requebrar *v.* **trinar**, trilar, gorjear

requebrar-se *v.* **saracotear-se**, derrengar-se, menear-se, balançar-se, abanar-se ≠ **parar**, cessar, imobilizar-se

requebro *n.m.* 1 **meneio**, saracoteio, quebro, quebratura, remeleixo [BRAS.] 2 **quebro** 3 **galanteio**, madrigal, cortejo, festejo, quindim 4 MÚS. **trinado**, trilo, quebro, gorjeio

requeijão *n.m.* **travia**

requentar *v.* **esquentar**, reaquecer

requentar-se *v.* **queimar-se**, crestar-se

requerente *adj.,n.m.* **requeredor**, requisitante, pedidor, peticionário

requerer *v.* 1 **pedir**, requisitar, solicitar, demandar 2 **exigir**, necessitar, requisitar 3 **precisar** 4 **merecer**, valer 5 **reclamar**, requestar, petitar

requerimento *n.m.* 1 **requisição** 2 **pedido**, petição, solicitação

requestar *v.* 1 **solicitar**, pedir, rogar, suplicar, impetrar 2 **galantear**, namorar, cortejar, damejar, arrulhar, donear, rentear

requintado *adj.* **elegante**, esmerado, apurado, fino, refinado *fig.*, aristocrático *fig.*

requintar *v.* 1 **aprimorar**, apurar, aperfeiçoar, alambicar, sofisticar, rebuscar *fig.*, refinar *fig.* 2 *fig.* **recalcitrar**, replicar, retorquir, grimpar, refilar

requintar-se *v.* 1 **refinar-se** 2 **exagerar**, descomedir-se, abusar, exceder-se ≠ **conter-se**, moderar-se

requinte *n.m.* 1 **refinamento**, refinação 2 **primor**, apuro, esmero, mestria, perfeição 3 **exagero**, excesso, hiperbolização ≠ **contenção**, moderação

requisição *n.f.* 1 **requerimento** 2 **pedido**, solicitação 3 **reclamação**, exigência, reivindicação

requisitante *adj.,n.2g.* **requeredor**, requerente, pedidor, peticionário

requisitar *v.* 1 **solicitar**, requerer 2 **exigir**, necessitar, requerer

requisito *n.m.* 1 **condição**, preceito, formalidade, exigência 2 [*pl.*] **predicados**, dotes, qualidades ■ *adj.* **requerido**, requisitado

requisitório *adj.* **precatório**, rogatório

rer *v.* **raer**

rés *adj.2g.* **rente**, raso, resvés, séssil ■ *adv.* **cerce**, resvés, rente

rês *n.f.* **biltre**, velhaco, futre, bandalho, safado, patife, infame, brejeiro, pulha *col.*, canalha *pej.* ≠ **notável**, honesto, respeitador

rescaldo *n.m.* 1 **borralho**, cinza, brasido, larada, favila 2 **resultado**, saldo

rescindir *v.* 1 **anular**, invalidar, inutilizar, cancelar, resilir, circundutar, nulificar ≠ **aprovar**, validar 2 **romper**, quebrar, despedaçar, desfazer

rescisão *n.f.* 1 **ab-rogação**, anulação, invalidação, revogação ≠ **aprovação**, validação 2 **corte**, rompimento

rescisório *adj.* **anulatório**, revogatório

rescrição *n.f.* **cheque**

rés-do-chão *n.m.* **cave**, subsolo, baixos, loja, porão [BRAS.] ≠ **sótão**, águas-furtadas, sobrecâmara

resenha *n.f.* 1 **indículo** 2 **sinopse**, sumário, síntese, resumo 3 **enumeração**, contagem, cálculo, apuramento

reserva *n.f.* 1 **reservação** 2 **poupança**, economia 3 *fig.* **reforço** 4 **retraimento**, circunspeção 5 **restrição**, limitação, ressalva 6 **decoro**, decência, recato, discrição ≠ **indecência**, indiscrição 7 **confidência**, confissão, resguardo, segredo, revelação ≠ **inconfidência**

reservado *adj.* 1 **guardado**, destinado 2 **oculto** 3 **íntimo**, secreto 4 **garantido**, assegurado 5 **apalavrado** 6 **calado**, tácito, taciturno, silencioso, secreto ≠ **falador**, comunicador 7 **ocultado**, encoberto 8 **dissimulado**, disfarçado 9 **fingido**, dissimulado 10 **circunspecto**, discreto, sóbrio, sério 11 **cauteloso**, prudente, recatado, sensato 12 **confidencial**, sigiloso, secreto

reservar *v.* 1 **armazenar**, guardar 2 **garantir**, assegurar 3 **guardar**, conservar 4 (um bilhete, um lugar, etc.) **marcar** 5 **consagrar**, votar, destinar 6 **limitar**, restringir 7 **demorar**, prolongar 8 **defender**, preservar, resguardar 9 **ocultar**, esconder

reservar-se *v.* **guardar-se**, esperar

reservatório *n.m.* 1 **recipiente**, recetáculo 2 **depósito**, armazém

resfriado *adj.* 1 **constipado**, influxado 2 *fig.* **desanimado**, desalentado, indiferente, friacho ≠ **animado**, alentado, galhardo ■ *n.m.* **constipação**, resfriamento, catarreia

resfriamento *n.m.* 1 **arrefecimento**, esfriamento, refrigeração 2 **resfriado**, constipação, catarreia 3 VET. **aguamento**

resfriar *v.* 1 **arrefecer**, esfriar, enfriar 2 *fig.* **desanimar**, desalentar, descoroçoar, esmorecer ≠ **animar**, alentar, vivificar

resgatar *v.* 1 **libertar**, remir 2 **reaver**, desempenhar, recuperar 3 **cumprir**, executar, desempenhar 4 **expiar**, remir, purgar *fig.*

resgate *n.m.* 1 *fig.* **redenção**, remição, libertação 2 *fig.* **liberdade**

resguardar *v.* 1 **guardar** 2 **abrigar**, cobrir ≠ **desabrigar** 3 **defender**, proteger, preservar 4 **poupar**, economizar ≠ **gastar**, despender

resguardar-se *v.* 1 **cumprir**, executar, acatar 2 **coiraçar-se**

resguardo *n.m.* 1 **abrigo**, esconderijo, refúgio 2 **proteção**, defesa 3 **agasalho** 4 **anteparo**, guarda 5 *fig.* **cuidado**, cautela, precaução, prudência 6 **segredo**, confidência, confissão ≠ **indiscrição**, inconfidência, divulgação 7 **compostura**, respeito, acatamento, decoro 8 **dieta**, regime, abstinência

residência *n.f.* **habitação**, prédio, edifício, vivenda, casa, lar, domicílio, fogo, moradia, teto *fig.*

residencial *adj.2g.* **habitacional**

residente *adj.2g.* **morador**, habitante

residir *v.* 1 **morar**, habitar, ocupar ≠ **desabitar**, desocupar 2 **estar**, ser, existir 3 **acanhar-se**, atataranhar-se 4 **manifestar-se**, patentear-se, mostrar-se, evidenciar-se 5 **consistir**, fundar-se, basear-se

resíduo *adj.,n.m.* **remanescente**, restante, sobejo ■ *n.m.* 1 **resto**, sobra, resquício 2 **sedimento**, borra, lia, fundalho, fezes **3** **fezes**, excrementos, lia, poio *col.*

resignação *n.f.* **1** **renúncia**, abdicação, desistência, cessão **2** *fig.* **conformidade**, paciência, sofrimento, suportação ≠ **inconformação**

resignado *adj.* **paciente**, conformado, sofredor, sofrido ≠ **inconformado**, malsofrido, insofrido, impaciente

resignar *v.* **abdicar**, renunciar, desistir, abandonar

resignar-se *v.* **conformar-se**, encolher-se

resina *n.f.* [REG.] **embriaguez**, bebedeira, ebriedade, bico, canjica, borrachice *col.*, piela *col.*, bruega *col.*, cabeleira *col.*, cardina *col.*, carraspana *col.* ≠ **sobriedade**, abstemia

resinoso *adj.* **resinento**, resinífero, resiniforme

resistência *n.f.* **1** **oposição**, reação **2** **obstáculo**, entrave, estorvo **3** **defesa**, reação **4** *fig.* **ânimo**, força, coragem, valentia **5** *fig.* **teimosia**, caturrice, obstinação, relutância, renitência ≠ **desistência**, renúncia

resistente *adj.2g.* **1** **duradouro**, durável, durativo, perdurável, persistente, estável, sólido ≠ **efémero**, curto, breve, fugaz **2** **duro**, firme, sólido, consistente, forte, rijo, jazerino *fig.* ≠ **mole**, fraco, frágil, maleável **3** *fig.* **teimoso**, obstinado, pertinaz, persistente, relutante, renitente ≠ **desistente**, renunciador

resistir *v.* **1** **defender-se**, lutar, reagir, opor-se, relutar, restribar-se *fig.* ≠ **desistir**, esmorecer, acuar *fig.* **2** **subsistir**, durar, permanecer, persistir **3** **conservar-se**, preservar-se, manter-se ≠ **estragar**, deteriorar, danificar

resma *n.f.* **pilha**, amontoado, montão, chusma, acervo

resmungão *adj.,n.m.* **rezingão**, rabugento, alanzoador, rezingueiro, resmoneador, rezinga, rosnento *fig.*, guerrento [REG.]

resmungar *v.* **rabujar**, rezingar, resmonear, grazinar, murmurar, grunhir, lanzoar, fungar *col.*, rosnar *fig.*, rezar *fig.*

resmungo *n.m.* **rabugice**, resmoneio, rosnado, rebusno *fig.*, rosnadela *fig.*

resolução *n.f.* **1** **energia**, coragem, ânimo, valentia, firmeza **2** **deliberação**, decisão ≠ **irresolução**, indeliberação **3** **propósito**, intento, tenção, desígnio **4** **conversão** **5** MED. **diarreia**

resolutamente *adv.* **1** **decididamente**, determinadamente, terminantemente, decisivamente **2** **firmemente**, energicamente, seguramente, inabalavelmente

resoluto *adj.* **1** **decidido**, determinado, perseverante, intrépido, testo ≠ **hesitante**, indeciso **2** **despachado**, afoito, desembaraçado, desenrascado, animoso, arrojadiço, desempoeirado *fig.* **3** **dissolvido**, desfeito, dissipado

resolver *v.* **1** **dissolver**, dissipar, desfazer, diluir **2** **reduzir**, transformar, converter **3** **solucionar**, desvendar, esclarecer **4** **decidir**, determinar, deliberar ≠ **titubear**, patetar **5** **desempatar**, desigualar ≠ **empatar**, igualar

resolver-se *v.* **1** (prisão de ventre) **desobstruir**, desentupir **2** **consistir**, fundar-se, basear-se, apoiar-se **3** **solucionar-se**

resolvido *adj.* **1** **decidido**, combinado, assente, deliberado, negociado **2** **solucionado**, esclarecido **3** **despachado**, concluído **4** **desagregado**, desunido **5** **desinflamado** **6** **transformado**, mudado **7** *fig.* **atrevido**, temerário, audaz, arrojado, destemido ≠ **cobarde**, medroso

respectivamente[AO] *adv.* ⇒ **respetivamente**[AO]

respectivo[AO] *adj.* ⇒ **respetivo**[AO]

respeitabilidade *n.f.* **honorabilidade**, honradez, venerabilidade, dignidade, considerabilidade, probidade ≠ **ignobilidade**, indignidade, sordidez, sordícia

respeitado *adj.* **1** **reverenciado**, estimado, honrado **2** **acatado**, adotado **3** **poupado**

respeitador *adj.,n.m.* **1** **cumpridor**, observador **2** **reverenciador**

respeitante *adj.2g.* **concernente**, referente, relativo, alusivo

respeitar *v.* **1** **honrar**, reverenciar, venerar ≠ **desprezar**, maltratar, desonrar, afantochar **2** **recear**, temer, estremecer **3** **observar**, cumprir, obedecer ≠ **desobedecer**, descumprir, infringir **4** **reconhecer** **5** **suportar**, aceitar, admitir **6** **poupar**, preservar, resguardar ≠ **danificar**, estragar **7** **pertencer** **8** **apontar**

respeitável *adj.2g.* **1** **venerável**, patriarcal *fig.* ≠ **irrespeitável** **2** *fig.* **importante**, grande, formidável, considerável

respeito *n.m.* **1** **consideração**, apreço, estima, esguardo, uste ≠ **troça**, desprezo, desapreço, escárnio, escarnecimento, achincalhação, achincalhamento, achincalho, chacota, derisão, irrisão, mangação, judiaria, ludíbrio, mofa **2** **deferência**, acatamento, veneração **3** **homenagem**, culto **4** **temor**, receio, medo, pavor ≠ **destemor**, coragem **5** **relação**, referência **6** **aspeto** **7** [*pl.*] **cumprimentos**, saudações, lembranças

respeitoso *adj.* **atencioso**, cortês, cuidadoso, deferente ≠ **descortês**, indelicado

respetivamente[AO] ou **respectivamente**[AO] *adv.* **relativamente**

respetivo[AO] ou **respectivo**[AO] *adj.* **1** **concernente**, pertencente, referente, relativo **2** **próprio**, devido, competente **3** **recíproco**, mútuo, mutual ≠ **indepedente**, autónomo

respigar *v.* **1** **compilar**, coligir **2** *fig.* **rebuscar**, forragear

respingar *v.* 1 recalcitrar, refilar, rezingar, retorquir, grimpar, reguingar, remenicar *col.* 2 faiscar, crepitar

respiração *n.f.* 1 alento, bafo, fôlego, respiramento 2 (uso generalizado) ventilação 3 *col.* hálito, fôlego, bafo, anélito

respiradouro *n.m.* espiráculo, resfolegadouro, respiráculo, respiro, transpiradeiro *fig.*

respirar *v.* 1 alentar, folegar, resfolgar ≠ asfixiar, sufocar, abafar 2 viver 3 *fig.* descansar, folgar, repousar ≠ trabalhar, labutar 4 *fig.* manifestar, exprimir, revelar-se

respiro *n.m.* espiráculo, resfolegadoiro, respiráculo, respiradoiro, transpiradeiro *fig.*

resplandecência *n.f.* brilho, luminosidade, fulgor, claridade, resplendor

resplandecente *adj.2g.* cintilante, brilhante, radioso, reluzente, radiante, esplendente, flamante, fulgente, fúlgido, fulgurante, rútilo, florescente *fig.*, nitente, perfulgente, prefulgente, relumbrante, resplendoroso ≠ fosco, baço, embaciado, mate

resplandecer *v.* 1 cintilar, fulgir, fulgurar, luzir, refulgir, reluzir, resplender, rutilar, esplendecer, prefulgir, brilhar, estrelar, faiscar, radiar, reverberar, rebrilhar, relumbrar ≠ embaciar, deslustrar, enturvar, empanar *fig.* 2 *fig.* sobressair, salientar-se, distinguir-se, destacar-se, evidenciar-se, ressaltar 3 *fig.* florescer

resplender *v.* 1 cintilar, fulgir, fulgurar, luzir, refulgir, reluzir, resplandecer, rutilar, esplendecer, prefulgir, brilhar, estrelar, faiscar, radiar, reverberar ≠ embaciar, deslustrar, enturvar, empanar *fig.* 2 *fig.* sobressair, salientar-se, distinguir-se, destacar-se, evidenciar-se, ressaltar 3 *fig.* florescer

resplendor *n.m.* 1 brilho, luminosidade, fulgor, claridade, resplandecência, perfulgência 2 nimbo, auréola 3 *fig.* glória

respondedor *adj.,n.m.* respondão, refilão, respingão

responder *v.* 1 retorquir, redarguir, replicar, remenicar *col.* 2 objetar, contrapor, defrontar, contestar 3 respingar, rezingar, recalcitrar 4 corresponder, condizer, equivaler 5 retribuir, devolver 6 responsabilizar-se, garantir

responsabilidade *n.f.* 1 cargo, encargo, dever, obrigação, comprometimento 2 garantia

responsabilizar *v.* comprometer, empenhar, encarregar, ficar ≠ desresponsabilizar

responsabilizar-se *v.* encarregar-se, comprometer-se, obrigar-se ≠ desresponsabilizar-se

responsar *v.* 1 amentar 2 *col.* encomendar, entregar, confiar 3 maldizer, murmurar

responsável *adj.2g.* 1 consciente, refletido ≠ inconsciente, irrefletido, irreflexo 2 responsabilizável ■ *n.2g.* fiador, garante, avalista

responso *n.m. col.* descompostura, reprimenda, repreensão, censura, admoestação, exprobração, réspice, respe, discurso *col.* ≠ elogio, louvor, felicitação, aprovação

resposta *n.f.* 1 refutação, contestação, réplica, objeção 2 explicação, solução, esclarecimento 3 *fig.* atitude

ressabiado *adj.* 1 desconfiado, espantadiço, agastadiço 2 saturado, farto 3 melindrado, ofendido, ressentido

ressacar *v.* refluir

ressaibo *n.m.* 1 *fig.* sinal, indício, vestígio 2 *fig.* ressentimento, reserva, rancor, melindre, animosidade, contusão

ressaltar *v.* 1 altear, sobressair, salientar, ressair, ressurtir 2 repinchar, ricochetear 3 *fig.* elogiar, encomiar

ressalto *n.m.* 1 saliência, relevo, proeminência 2 salpico, respingo, pinta

ressalva *n.f.* 1 salvo-conduto, guia, livre-trânsito 2 exceção, cláusula

ressalvar *v.* 1 acautelar, salvaguardar, salvar 2 livrar, eximir, isentar, desobrigar 3 emendar, corrigir 4 garantir

ressalvar-se *v.* acautelar-se, salvaguardar-se, salvar-se

ressarcimento *n.m.* reparação, indemnização, compensação

ressarcir *v.* 1 compensar, indemnizar, reparar 2 emendar, melhorar, refazer, reformar

ressarcir-se *v.* 1 restaurar-se, reconstituir-se, refazer-se 2 compensar-se

ressentido *adj.* ofendido, melindrado, despeitado, sentido, ressabiado, magoado

ressentimento *n.m.* melindre, rancor, animosidade, contusão, ressaibo *fig.*

ressentir-se *v.* melindrar-se, ofender-se, magoar-se, suscetibilizar-se, despeitar-se, ferir-se *fig.*

ressequir *v.* ressecar, descarnar, exsicar, torrar *fig.*

ressequir-se *v.* mirrar-se, esmirrar-se, secar-se, ressicar-se, amoxamar

ressoar *v.* 1 entoar, repercutir, retumbar, soar 2 *fig.* cantar, soltar, melodiar 3 tocar, tanger

ressonância *n.f.* eco, repercussão

ressonante *adj.2g.* retumbante, estrondoso, altissonante, ruidoso, altitonante, troante ≠ silencioso, mudo

ressonar *v.* ressoar, arrolar, retumbar

ressurgimento *n.m.* 1 ressurgência 2 renascimento, reaparição, reaparecimento, ressuscitação *fig.* 3 ressurreição, ressuscitação

ressurgir *v.* 1 **reaparecer**, reemergir, reexistir, renascer ≠ **desaparecer** 2 **ressuscitar**

ressurreição *n.f.* 1 **ressurgimento**, ressuscitação 2 *fig.* **revivescência**, revivificação

ressuscitado *adj.* **redivivo**, ressurreto

ressuscitar *v.* 1 *fig.* **renovar**, renascer, reviver 2 **ressurgir** 3 *fig.* **restaurar-se**, restabelecer-se, refazer-se, revigorar-se, ressarcir-se

restabelecer *v.* 1 **reimplantar**, restaurar, reinstituir 2 **repor**, restaurar, deseliminar 3 **restaurar**, renovar, refazer 4 **reassentar**, recombinar

restabelecer-se *v.* **restaurar-se**, refazer-se, revigorar-se, ressarcir-se, convalescer, ressuscitar-se *fig.* ≠ **adoecer**, enfermar, acamar, achacar-se

restabelecimento *n.m.* 1 **restauração**, recuperação, refazimento, reparação, restituição 2 **convalescença**, recuperação, cura, refazimento

restante *adj.2g.* **sobrante**, excedente, remanente, remanescente ■ *n.m.* 1 **resto**, sobejo, demasia, sobra, excedente, remanescente, nimiedade 2 **restos**, sobras, sobejos, babados, desperdícios, caídos, cascalhos *fig.*

restar *v.* 1 **sobrar**, sobejar, ficar ≠ **faltar** 2 **faltar**, falhar 3 **subsistir**, sobreviver, permanecer, conservar-se

restauração *n.f.* 1 **restauro** 2 **reparação**, conserto, restauro, refazimento 3 **restabelecimento**, recuperação, cura, convalescença, refazimento 4 **reaquisição**, recuperação

restaurador *adj.* **reparador**, refazedor, renovador, restabelecedor, anastático

restaurante *adj.2g.* **restaurativo**, restaurador, recuperativo

restaurar *v.* 1 **reimplantar**, restabelecer 2 **reintegrar**, reincorporar 3 **repor**, restabelecer, deseliminar, recondicionar [BRAS.] 4 **reparar**, consertar, repor 5 **reconsquistar**, reaver, retomar, recuperar

restaurar-se *v.* **restabelecer-se**, refazer-se, revigorar-se, ressarcir-se, convalescer, ressuscitar-se *fig.*

restauro *n.m.* 1 **restauração** 2 **reparação**, conserto, refazimento, arranjo, açacaladura

reste *n.f.* 1 **réstia** 2 **rodilha** ■ *n.m.* [REG.] **riste**

réstia *n.f.* 1 **reste**, cebolada 2 **cabo**, rastra [REG.] 3 **raça** [REG.]

restituição *n.f.* 1 **reposição**, recolocação 2 **devolução**, redição, reversão 3 **restabelecimento**, restauração, reposição 4 **reabilitação**, integração, recuperação, regenerescência

restituir *v.* 1 **devolver**, repor, reconduzir ≠ **surripilhar**, unhar [BRAS.] 2 **restabelecer** 3 **reintegrar**, reabilitar 4 **indemnizar**, compensar

restituir-se *v.* 1 **reaver**, recuperar, prover-se 2 **tornar**, retornar

resto *n.m.* 1 **sobra**, sobejo, restante, excedente, remanescência 2 MAT. **diferença** 3 [*pl.*] **sobras**, sobejos, babados, desperdícios, caídos, cascalhos *fig.* 4 [*pl.*] **ruínas**, destroços, escombros

restolho *n.m.* 1 **resteva** 2 *fig.* **barulho**, ruído, restolhada

restrição *n.f.* 1 **limitação**, reserva, ressalva 2 **redução**, diminuição ≠ **aumento**

restringir *v.* 1 **limitar**, delimitar 2 **reduzir**, diminuir, nuclearizar ≠ **aumentar**

restritivo *adj.* **limitativo**, redutor, restringente

restrito *adj.* 1 **limitado**, circunscrito, estrito ≠ **ilimitado**, irrestrito 2 **diminuto**, pequeno, estreito ≠ **amplo**, irrestrito

resultado *n.m.* 1 **consequência**, efeito, resulta, produto 2 MAT. **produto** 3 **fim**, desfecho, remate 4 **lucro**, ganho, proveito ≠ **perda**, dano 5 **deliberação**, resolução

resultante *adj.2g.* **consequente**, conseguinte, consecutivo, decorrente

resultar *v.* 1 **advir**, decorrer, emergir 2 **redundar**, originar, reverter 3 **originar-se**, proceder, derivar, dever-se

resumidamente *adv.* **sinteticamente**, concisamente, substancialmente, esquematicamente

resumido *adj.* **abreviado**, sintetizado, compendioso, condensado, substanciado, sumário, curto, sucinto, sumariado ≠ **alargado**, extenso

resumir *v.* 1 **sintetizar**, abreviar, condensar ≠ **alargar**, detalhar, desenvolver 2 **reduzir**, restringir, limitar, cingir ≠ **alargar** 3 **representar**, simbolizar 4 **concentrar**

resumir-se *v.* 1 **reduzir-se**, cingir-se, limitar-se, confinar ≠ **alargar-se** 2 **consistir**, residir

resumo *n.m.* 1 **síntese**, breviário, sinopse, sumário, epítome, suma, compêndio, epílogo 2 **sumário**, apanhado, sinopse, recapitulação

resvaladio *adj.* **escorregadiço**, escorregadio, íngreme

resvalar *v.* 1 **escorregar**, deslizar, derrapar 2 **lançar** 3 *fig.* **abandalhar-se**, aviltar-se, abargantar-se, apandilhar-se

resvés *adj.inv.* **rente**, cerce, raso, resquiado ■ *adv.* **cerce**, rente

retábulo *n.m.* **painel**, quadro

retaguarda *n.f.* 1 **traseira**, zaga, ré ≠ **dianteira**, frente, cabeceira 2 MIL. ≠ **vanguarda**, dianteira, frente

retalhado *adj.* 1 **dividido**, cortado, partido, fragmentado ≠ **juntado**, agregado 2 **golpeado**, ferido

retalhar *v.* 1 **dividir**, cortar, partir, fragmentar, fracionar, espatifar, segmentar, retraçar ≠ **juntar**, agregar 2 **recortar** 3 **lavrar**, sulcar 4 **golpear**, cortar, esfaquear 5 *fig.* **magoar**, dilacerar, afligir, mortificar

retalho *n.m.* 1 pedaço, fração, porção, nesga 2 [BRAS.] varejo

retaliação *n.f.* represália, vingança, vindicta, desforra, desforço, represadura

retaliar *v.* desagravar, desafrontar, vingar, desforrar ≠ agravar, afrontar

retângulo[dAO] *n.m.* quadrilongo

retardador *n.m.* atrasador

retardamento *n.m.* atraso, demora, retardação, retardança ≠ antecipação, adiantamento

retardar *v.* 1 demorar, deter, reter, temporizar 2 adiar, atrasar, pausar, paliar, perlongar, demorar, dilatar, remorar ≠ antecipar, adiantar 3 atrasar

retardatário *adj.* atrasado, parrana ≠ pontual

retém *n.m.* 1 retenção 2 reserva, depósito

retemperar *v.* 1 *fig.* robustecer, fortificar, fortalecer, revigorar ≠ enfraquecer, debilitar, desfalecer, desfortalecer, quebrar, amorrinhar *fig.*, aneminar *fig.* 2 *fig.* melhorar, aperfeiçoar, apurar ≠ piorar

retemperar-se *v.* reanimar-se, revigorar-se

retenção *n.f.* 1 retém 2 detenção, reserva 3 retentiva, reminiscência

reter *v.* 1 deter, manter, conservar ≠ restituir, entregar 2 segurar, suster ≠ largar 3 deter, impedir ≠ desimpedir 4 reprimir, refrear, conter ≠ libertar, soltar 5 memorizar, conservar, armazenar *fig.* ≠ esquecer 6 deter, prender, capturar, cativar, encarcerar ≠ libertar, soltar

reter-se *v.* demorar-se, atrasar-se, delongar-se ≠ antecipar-se

retesado *adj.* esticado, entesado, repuxado, distendido ≠ afrouxado, lasso, relaxado

retesar *v.* esticar, entesar, repuxar, distender, desbambar, esbijar *col.* ≠ afrouxar, lassar, relaxar, alassar, suxar

retesar-se *v.* entesar-se, estender-se

reticência *n.f.* 1 aposiopese 2 interrupção, suspensão

reticente *adj.2g.* 1 reservado, reticencioso 2 *fig.* hesitante, duvidoso, vacilante, indeliberado ≠ determinado, decidido, resoluto

reticulado *adj.* reticular, retiforme

reticular *adj.2g.* reticulado, retiforme

retidão[dAO] *n.f.* 1 probidade, integridade, inteireza, direitura, virtude, seriedade, honradez, retitude 2 equidade, justiça, equanimidade 3 imparcialidade, escrupulosidade

retido *adj.* 1 bloqueado, impedido, preso *fig.* ≠ desimpedido 2 detido, preso, encarcerado, recluso 3 refreado, contido, reprimido 4 memorizado, armazenado *fig.* ≠ esquecido, olvidado

retificação[dAO] *n.f.* 1 correção, emenda 2 alinhamento, ajustamento 3 alteração, modificação

retificar[dAO] *v.* 1 corrigir, emendar ≠ desemendar 2 alinhar, endireitar, ajustar

retilíneo[dAO] *adj.* 1 direito, reto, retiforme ≠ curvilíneo, curvo 2 austero, inflexível 3 íntegro, honesto, reto

retinir *v.* tinir, tilintar, terlintar

retinto *adj.* carregado, escuro

retirada *n.f.* debandada, retiro, fuga, evasão, fugida, piro

retirado *adj.* 1 solitário, ermo, isolado, ábdito 2 distante, afastado, longínquo, arredado ≠ próximo 3 reformado, aposentado

retirar *v.* 1 retrair 2 colher, recolher 3 desviar, afastar, abandonar, apartar, ausentar 4 extrair, tirar 5 desdizer, contradizer, refutar

retirar-se *v.* 1 recolher-se 2 desistir, renunciar

retiro *n.m.* 1 ermo, solidão, remanso, recesso, recanto, tebaida *fig.*, secesso *ant.* 2 descanso 3 retiramento, recolhimento, isolamento

reto[dAO] *adj.* 1 direito, retilíneo ≠ curvilíneo, curvo, abobadado, abaulado 2 direito, alinhado, aprumado ≠ inclinado, oblíquo, reclinado 3 justo, equitativo, imparcial, neutral ≠ injusto, parcial 4 sincero, verdadeiro 5 honesto, incorruptível, probo, íntegro ≠ desonesto, corruptível, inconsciencioso

retocar *v.* limar, aperfeiçoar, aprimorar, melhorar, afinar, corrigir, esmerilar *fig.*

retomada *n.f.* reconquista

retomar *v.* 1 recuperar, reconquistar, reaver, resgatar, desencampar 2 continuar, prosseguir ≠ suspender, interromper 3 reassumir

retoque *n.m.* 1 emenda, aperfeiçoamento, aprimoramento, correção 2 demão, pincelada *fig.*

retorcedura *n.f.* retorção

retorcer *v.* 1 torcer, contorcer 2 (os olhos) revirar, revolver

retorcer-se *v.* contorcer-se, torcer-se, espernear

retorcido *adj.* 1 revesso, revirado, reverso, retorto 2 difícil, complicado ≠ fácil, acessível 3 *fig.* (estilo) arrevesado, rebuscado

retórica *n.f.* 1 eloquência, oratória 2 *pej.* palavreado, lábia, palhada, patoá *col.*, franjeado [REG.]

retórico *adj.* 1 empolado, afetado ≠ simples, natural 2 falador, verboso ■ *n.m.* retor

retornar *v.* 1 regressar, voltar, tornar, revir 2 restituir, devolver, entregar, reconduzir 3 repetir

retorno *n.m.* 1 volta, regresso, tornada 2 troco, diferença, demasia

retorquir *v.* replicar, responder, redarguir, retrucar, objetar, ripostar, contrapor

retorsão *n.f.* réplica, retruque, replicação, redarguição

retorta *n.f.* 1 ORNIT. papa-formigas, catapereiro, doidinha, formigueiro, gira-pescoço, peto-da-chuva, torticolo, engatadeira 2 QUÍM. fornalha

retração[dAO] *n.f.* retraimento, contração, encolhimento, amuo

retracção[aAO] *n.f.* ⇒ **retração**[dAO]

retractar[aAO] *v.* ⇒ **retratar**[1][dAO]

retraído *adj.* 1 encolhido, retrato 2 *fig.* acanhado, tímido, atado, empachoso, encabulado, recolhido ≠ expansivo, destímido, efusivo, solerte

retraimento *n.m.* 1 contração, retração, encolhimento, amuo 2 isolamento, afastamento, apartamento, retiramento 3 acanhamento, encolha, timidez ≠ expansão

retrair *v.* 1 retirar, recuar, retrotrair 2 encolher, contrair, recolher 3 *fig.* ocultar, esconder 4 impedir, tolher, vedar, obstruir ≠ desimpedir 5 livrar, salvar

retrair-se *v. fig.* conter-se, reter-se, reprimir-se, dominar-se ≠ soltar-se, manifestar-se

retranca *n.f.* 1 rabicho 2 *col.* retraimento, reserva, hesitação, indecisão ≠ firmeza, certeza

retratado *adj.* 1 reproduzido, representado 2 refletido, repercutido, espelhado

retratar[1][dAO] *v.* desdizer, abjurar, desconfessar, contradizer, desmentir

retratar[2] *v.* 1 fotografar 2 *fig.* representar, descrever 3 *fig.* revelar, demonstrar, transparecer

retratar-se *v.* 1 espelhar-se, patentear-se, revelar-se 2 reproduzir-se

retratista *n.2g.* fotógrafo, retratador

retrato *n.m.* 1 imagem, figura 2 sósia, duplo, cópia *fig.* 3 reprodução, descrição 4 fotografia 5 modelo, exemplo, protótipo

retrete *n.f.* latrina, sentina, privada, dejetório, necessária *col.*

retribuição *n.f.* 1 remuneração, salário, honorários, vencimento, ordenado, soldo 2 recompensa, compensação, juro *fig.* 3 reconhecimento, agradecimento, gratidão

retribuir *v.* 1 pagar, gratificar, remunerar 2 corresponder

retroactivo[aAO] *adj.* ⇒ **retroativo**[dAO]

retroativo[dAO] *adj.* regressivo, retrocessivo

retroceder *v.* 1 recuar, retrogradar, retrosseguir, retroagir, acuar-se 2 retirar-se, desviar-se 3 decair, regredir

retrocesso *n.m.* 1 recuo, regresso, recessão, refluência, retrogressão 2 atraso, retrogradação

retrogradação *n.f.* 1 atraso, retrocesso 2 degeneração

retrógrado *adj.,n.m.* convencional, conservador, tradicionalista, esturrado *fig.*, quadrado *fig.,col.*, careta [BRAS.] *col.* ≠ moderno, avançado, progressista

retrospeção[AO] ou **retrospecção**[AO] *n.f.* retrospeto

retrotrair *v.* retirar, recuar, retroverter, retrair

retroversão *n.f.* retradução

retroverter *v.* 1 retrotrair, recuar, retirar, retrair 2 retraduzir

retrucar *v.* replicar, retorquir, objetar, responder, refutar, redarguir, contestar, repostar, contradizer

retumbância *n.f.* 1 ressonância, retumbo, ribombo, estrondo, trom 2 *fig.* fama, alarde

retumbante *adj.2g.* 1 ecoante, ressonante, ressoante, troante, estrondoso, reboante 2 *fig.* espaventoso, espetacular, aparatoso, grandioso

retumbar *v.* 1 ressoar, ecoar, ribombar, troar, atroar, estrondear, reboar, soar, bramir, rebramar, retroar, trovejar *fig.* 2 repercutir

réu *n.m.* DIR. arguido, acusado, acionado, querelado ■ *adj.* 1 responsável, culpado ≠ inocente, absolvido 2 malévolo

reumático *adj.* reumatismal, gotoso ≠ antirreumático, antirreumatismal ■ *n.m.* reumatismo ≠ antirreumático, antirreumatismal

reumatismo *n.m.* reumático ≠ antirreumático, antirreumatismal

reunião *n.f.* 1 aglomeração, agrupamento, ajuntamento, agregação, concentração, acumulação 2 junção, fusão, união, aglutinação 3 assembleia, sarau, congregação, consílio, meeting

reunir *v.* 1 juntar, agrupar ≠ separar, desagrupar 2 ligar, prender, atar ≠ desligar, desprender 3 aliar, combinar 4 juntar, convocar, congregar, aglomerar, concentrar ≠ separar 5 aproximar, juntar ≠ afastar 6 angariar, abaganhar *col.* 7 comparecer, apresentar-se ≠ faltar

reunir-se *v.* juntar-se, agrupar-se, agregar-se, associar-se, unir-se ≠ separar-se

revalidação *n.f.* 1 confirmação, reafirmação, sobreprova 2 repristinação, restabelecimento

revalidar *v.* 1 confirmar, homologar, ratificar, corroborar, retificar 2 robustecer, fortalecer ≠ enfraquecer, debilitar 3 repristinar

revel *adj.2g.* 1 rebelde 2 obstinado, teimoso, pertinaz, austinado, ferrado, marroaz, testaçudo *fig.*

revelação *n.f.* 1 divulgação, desvendamento, assoalhamento *fig.* 2 denúncia, acusação ≠ ocultação, encobrimento 3 confidência, confissão, segredo ≠ inconfidência, indiscrição 4 manifestação, prova, sinal 5 *fig.* inspiração, iluminação, lampejo

revelador *adj.,n.m.* denunciador, transmissor

revelar *v.* 1 divulgar, assoalhar *fig.* ≠ esconder, silenciar, açaimar *fig.* 2 destapar, descobrir ≠ tapar, cobrir 3 confidenciar, confessar ≠ silenciar, subnegar 4 manifestar, exprimir 5 patentear, mostrar, transparecer, demonstrar, transverberar **6 indicar**, sinalizar, demonstar

revelho *adj.* **decrépito**, relho, antigo ≠ **novo**

revelir *v.* **1 transpirar**, destilar, suar, exsudar, transudar, ressudar **2 ressumar**, verter, destilar, rever

rever *v.* **1 revisar**, remirar, reavistar **2 corrigir**, emendar, retificar ≠ **piorar**, agravar **3 recordar**, evocar, relembrar ≠ **esquecer**, olvidar **4 transudar**, ressumar, destilar, verter

reverberação *n.f.* **1 revérbero 2 repercusso**, reflexão

reverberar *v.* **1 refletir**, repercutir **2 reenviar**, repercutir **3 resplandecer**, brilhar, cintilar, reluzir ≠ **deslustrar**, embaciar **4 refletir-se**

revérbero *n.m.* **1 resplendor**, reverberação **2 refletora 3 lampião**, lâmpada

reverência *n.f.* **1 veneração**, adoração **2 mesura**, cumprimento, cortesia

reverenciar *v.* **1 respeitar**, considerar, apreciar, estimar, acatar, temer ≠ **desprezar**, desdenhar, irreverenciar **2 venerar**, adorar, revenerar **3 acatar**, obedecer, cumprir ≠ **desacatar**, desobedecer

reverendíssimo *adj. col.* **completo**, rematado, terminado

reverendo *adj.* **respeitável**, apreciável, verenável, notável ≠ **desprezável**, desdenhável ■ *n.m.* **padre**, sacerdote, clérigo, eclesiástico, cura, samarra *pej.*, sotaina *pej.*

reverente *adj.2g.* **venerador**, cerimonioso, reverabundo, reverencioso, venerabundo ≠ **irreverente**, desrespeitoso, irrevere

reverificar *v.* **conferir**, contraprovar, cotejar, revisar

reversão *n.f.* **1 devolução**, restituição, delação **2 atavismo**, ancestralidade **3 quiasmo**

rever-se *v.* **1 mirar-se**, remirar-se **2 comprazer-se**, congratular-se, regozijar-se

reversível *adj.2g.* **reversivo**, revertível ≠ **irreversível**

reverso *adj.* **1 oposto**, contrário, avesso **2 revirado**, virado, revesso, revessado **3 avesso**, mau **4** (madeira) **nodoso** ■ *n.m.* **avesso**, contrário, revés

reverter *v.* **1 retroceder**, regressar, voltar **2** (lucro, ganho) **destinar-se**, reservar **3 resultar**, redundar, converter-se

revés *n.m.* **1 desgraça**, desastre, fatalidade, desaire **2 contrariedade**, contratempo, vicissitude **3 avesso**, reverso, contrário **4 substituição**, revezo, alternância

revestimento *n.m.* **cobertura**, envoltório, invólucro, induto, indumento, tapiço [REG.]

revestir *v.* **1 cobrir**, tapar, encobrir, recapear, sobrevestir **2** *fig.* **colorir**, disfarçar

revestir-se *v.* **1 encher-se**, vestir-se **2 ornar-se**, adornar-se, enfeitar-se **3 munir-se**, preparar-se **4 aparentar 5 resguardar-se**, defender-se, acautelar-se

revezadamente *adv.* **alternadamente**

revezamento *n.m.* **alternância**, alternação, substituição, revés, rotatividade

revezar *v.* **1 substituir**, alternar, remudar, rotativar, trocar **2 render 3 variar**, alternar

revigorante *adj.2g.* **fortificante**, reanimador, vitalizador, reconstitutivo ≠ **debilitante**

revigorar *v.* **robustecer**, fortalecer, tonificar, avigorar ≠ **enfraquecer**, debilitar

revindictaAO ou **revindita**AO *n.f.* **desforra**, vingança, desafronta, desagravo ≠ **agravo**, ofensa

revir *v.* **regressar**, retornar, voltar, reverter, vir ≠ ir, partir

revirar *v.* **1 torcer**, retorcer, revolver **2 remexer**, revolver, volver **3 desviar**, mudar **4** (os olhos) **retorcer**, revolver

revirar-se *v.* **1 virar-se**, mudar **2** *fig.* **repontar**

reviravolta *n.f.* **1 pirueta**, cabriola, pinote, cambalhota **2** *fig.* **transformação**, mudança, mutação, viragem, volte-face **3** *fig.* **reviralho**

revisão *n.f.* **1 exame**, inspeção, revista **2 correção**, retificação, emenda

revisar *v.* **1 conferir**, verificar **2 rever**

revisor *n.m.* **1** TIP. **corretor**, revedor **2 pica** *col.*

revista *n.f.* **1 exame**, inspeção, revisão **2 magazine**

revistar *v.* **1 rever 2 examinar**, inspecionar, buscar

revitalizar *v.* **1 reanimar**, revigorar, revivificar, realentar, reconfortar **2 requalificar**

revivência *n.f.* **renascimento**, reaparição

reviver *v.* **1 renascer**, ressuscitar **2 revigorar**, revivificar, reanimar, realentar, reconfortar **3 recordar**, lembrar, relembrar, rememorar ≠ **esquecer**, olvidar

revivescer *v.* **1 renascer**, ressuscitar **2 revigorar**, revivificar, reanimar, realentar, reconfortar **3 recordar**, lembrar, relembrar, rememorar ≠ **esquecer**, olvidar

revivificar *v.* **reanimar**, revigorar, revitalizar, realentar, reconfortar

revoada *n.f.* **1 revoo 2** *fig.* **profusão**, aluvião, multidão, montão

revogação *n.f.* **anulação**, ab-rogação, revocação, derrogação

revogar *v.* **anular**, ab-rogar, revocar, derrogar

revogatório *adj.* **anulatório**, derrogatório, revogante

revogável *adj.2g.* **anulável**, revocável, retratável ≠ **irrevogável**

revolta *n.f.* **1** **rebelião**, insurreição, levantamento, sublevação, tumulto, motim, sedição ≠ **apaziguamento**, pacificação, serenidade **2** AGRIC. deslavra

revoltado *adj.,n.m.* **1** **insurreto**, insubmisso, sublevado, revoltoso, rebelde **2** **indisciplinado**, indócil, rebelde ≠ **disciplinado**, obediente, cumpridor

revoltante *adj.2g.* **nojento**, repugnante, repulsivo, repelente ≠ **atraente**, agradável

revoltar *v.* **1** **sublevar**, amotinar, rebelar, insurrecionar ≠ **pacificar**, apaziguar, conciliar **2** **desordenar**, agitar, transformar **3** *fig.* **indignar**

revoltar-se *v.* **1** **sublevar-se**, rebelar-se, insurgir-se, opor-se **2** *fig.* **indignar-se**, agastar-se, encolerizar-se

revolto *adj.* **1** **remexido**, revirado **2** **recurvo**, retorcido **3** **desgrenhado**, despenteado ≠ **penteado** **4** *fig.* **tumultuoso**, agitado, tempestuoso, revoltado, revoluto

revoltoso *adj.,n.m.* **sublevado**, tumultuoso, turbulento, sedicioso, revoltado, revolto *fig.*

revolução *n.f.* **1** **revolvimento**, revolucionamento, revolta **2** **motim**, revolta, sublevação, rebelião, insurreicção **3** **giro**, rotação, circunvolução **4** *fig.* **agitação**, desordem **5** **náusea**, repulsa, repulsão, nojo

revolucionar *v.* **1** **insurgir-se**, revoltar, amotinar, sublevar *fig.* **2** **revolver**, remexer, volver, subverter

revolucionário *n.m.* **1** **inovador**, vanguardista, progressista ≠ **retrógrado**, tradicionalista, conservador **2** *pej.* **insurreto**, insubmisso, rebelde, agitador, tumultuador ≠ **antirrevolucionário**, contrarrevolucionário

revolutear *v.* **1** **esvoaçar**, voejar, adejar, alear **2** **agitar-se**, mover-se, revolver-se

revolver *v.* **1** **remexer**, volver, revirar **2** **agitar**, rodopiar **3** (a terra) **cavar**, volver **4** (os olhos) **revirar**, retorcer **5** **esquadrinhar**, investigar, basculhar *fig.* **6** **perturbar**, agitar **7** **ponderar**, refletir, pesar *fig.*

revólver *n.m.* **pistola**, fusca *gír.*

revolver-se *v.* **remexer-se**, remoinhar, mover-se, volver-se, revirar-se

reza *n.f.* RELIG. **oração**, súplica, prece

rezar *v.* **1** **orar** **2** *fig.* **resmungar**, rabujar, murmurar, resmonear, fungar *col.*, rosnar *fig.* **3** (missa) **celebrar**, oficiar **4** **mencionar**, referir, pronunciar

rezingão *adj.,n.m.* **resmungão**, rabugento, alanzoador, rezingueiro, ralhão, rosnento *fig.*, guerrento [REG.], rezina [BRAS.]

rezingar *v.* **resmungar**, recalcitrar, altercar, grazinar, refilar, respingar, murmurar, ralhar

ria *n.f.* GEOG. **laguna**

riacho *n.m.* **ribeiro**, córrego, regueiro, veio, veia, igarapé

riba *n.f.* **1** **margem**, beira **2** **ribanceira**, arriba, despenhadeiro, falésia

ribamar *n.f.* **beira-mar**, costa, praia, marinha, litóreo

ribanceira *n.f.* **riba**, arriba, despenhadeiro, falésia, ribança

ribeira *n.f.* **ribeiro**, regato, arroio, riacho

ribeiro *n.m.* **regato**, arroio, ribeira, riacho, igarapé

ribombar *v.* **1** (trovão) **estrondear**, trovejar, troar **2** **retumbar**, ressoar, detonar, estrondear

ricaço *adj.,n.m.* **possidente**, rico, capitalista *fig.*, banqueiro *fig.*, argentário *fig.*, fúcaro *ant.* ≠ **pobre**, humilde, mendigo, pelintra, pobretão

ricamente *adv.* **luxuosamente**, ostentosamente, opulentamente ≠ **pobremente**, miseravelmente, precariamente

riçar *v.* **encrespar**, encarapinhar, frisar, enriçar ≠ **desenriçar**

ricardo *n.m.* ICTIOL. **abrótea**, brota

rícino *n.m.* BOT. **bafureira**, carrapateira, mamona, mamoneiro

rico *adj.* **1** **opulento**, abastado, facultoso, pecunioso, abonado, caudaloso *fig.* ≠ **pobre**, miserável, abanado **2** **abundante**, fértil, fecundo, produtivo ≠ **infértil**, infecundo **3** **magnífico**, esplêndido, faustoso, opíparo, sumptuoso ≠ **modesto**, sóbrio **4** **precioso**, valioso ≠ **vulgar**, insignificante **5** **belo**, agradável ≠ **feio**, desagradável **6** **querido**, amado, estimado **7** *fig.* **feliz**, radiante, contente ≠ **descontente** ■ *n.m.* **ricaço**, possidente, banqueiro *fig.*, capitalista *fig.*, argentário *fig.*, fúcaro *ant.* ≠ **pobre**, humilde, mendigo, pelintra

riço *adj.* (cabelo) **crespo**, encrespado, eriçado, frisado, encarapinhado ≠ **liso**, esticado

ricochete *n.m.* **1** **rechaço**, chapeleta **2** *fig.* **retrocesso**, volta **3** *fig.* **remoque**, motejo, troça

ridente *adj.2g.* **1** **jovial**, alegre, satisfeito ≠ **triste** **2** **viçoso** *fig.*, florido *fig.*, vicejante, exuberante

ridicularia *n.f.* **bagatela**, insignificância, ninharia, niquice, nada, farelório, futilidade, migalhice, minúcia, farfalhada *fig.*, babugem *fig.*, avo *fig.*, tuta e meia *col.*, nica *col.*, caganifância *col.* ≠ **importância**, utilidade, valor, transcendência, relevância, interesse

ridicularizar *v.* **escarnecer**, achincalhar, satirizar, troçar, chacotear, zombar, mofar, abexigar, apepinar *col.* ≠ **respeitar**, considerar

ridicularizar-se *v.* **depreciar-se**, afantochar-se, avacalhar-se [BRAS.]

ridículo *adj.* **1** **caricato**, risível, burlesco, cómico, grotesco **2** **irrisório**, insignificante ■ *n.m.* **zombaria**, gracejo, troça

rifa *n.f.* sorteio, sorteamento, lotaria
rifar *v.* 1 sortear 2 *col.* desfazer-se, separar-se, desligar-se 3 ralhar, brigar
rigidez *n.f.* 1 rijeza ≠ moleza 2 inflexibilidade, severidade ≠ maleabilidade, flexibilidade 3 *fig.* intolerância, intransigência ≠ tolerância 4 *fig.* dureza, aspereza, severidade, rispidez ≠ brandura, docilidade 5 *fig.* rigor, exatidão, precisão, severidade ≠ imprecisão, incerteza
rígido *adj.* 1 hirto, teso, inteiriçado 2 *fig.* inflexível, intransigente, implacável, catoniano, imáleavel ≠ flexível, maleável 3 *fig.* austero, rigoroso, severo, catoniano
rigor *n.m.* 1 rigidez, dureza, força, resistência 2 severidade, inflexibilidade, torvidade, rispidez ≠ maleabilidade, flexibilidade 3 exatidão, precisão, concisão ≠ imprecisão, inexatidão 4 insensibilidade, indiferença ≠ sensibilidade
rigorismo *n.m.* 1 rigorosidade 2 austeridade, severidade 3 pontualidade, exatidão
rigorista *adj.,n.2g.* intransigente, rigoroso, rígido, intolerante, inflexível ≠ maleável, flexível
rigorosamente *adv.* 1 estritamente, austeramente 2 exatamente, precisamente, pontualmente ≠ imprecisamente 3 inexoravelmente
rigoroso *adj.* 1 áspero, exigente, austero, instransigente ≠ condescendente, maleável 2 cruel, desumano, implacável ≠ bondoso, benévolo 3 minucioso, escrupuloso, exato ≠ superficial *fig.* 4 próprio, estrito
rijeza *n.f.* 1 dureza, consistência, firmeza, rigidez, solidez, tesão, inductilidade ≠ moleza 2 *fig.* austeridade, severidade 3 *fig.* aspereza, rudeza, rispidez ≠ docilidade, delicadeza
rijo *adj.* 1 duro, resistente, rígido, indúctil ≠ mole, fraco 2 verde, imaturo ≠ maduro, amadurecido, sazonado 3 *fig.* intenso, forte ≠ fraco
rilhar *v.* 1 trincar, roer 2 (os dentes) ranger, roçar, estarrincar *col.*
rim *n.m.* 1 ANAT. ril [REG.] 2 [*pl.*] *col.* cruzes
rima *n.f.* 1 LIT. consonância, assonância 2 fenda, fisga, fresta, greta, fístula 3 montão, acervo, pilha, ruma, moroiço, monte 4 [*pl.*] poemas
rimador *adj.,n.m.* versejador, versista, metrificador
rimar *v.* 1 versejar, metrificar, poetar, poetizar ≠ prosar 2 concordar, consonar, condizer, combinar, acordar, aconsoantar
rímel *n.m.* máscara
rincão *n.m.* recanto
rinchar *v.* relinchar, nitrir ■ *n.m.* relincho, rincho, nitrido
rinoceronte *n.m.* ZOOL. rinocerote, abada, bada
rio *n.m.* 1 flume *poét.*, flúmen *poét.* 2 *fig.* abundância, fartura, abastança
ripa *n.f.* sarrafo, fasquia, ripeira
ripado *n.m.* capoeira, galinheiro, poleiro
ripanço *n.m.* 1 espreguiçadeira, espreguiçadouro 2 *fig.* descanso, mandriice, mândria
ripar *v.* 1 ripançar 2 limpar 3 (a terra) raspar 4 esbagoar 5 (os cabelos) puxar, riçar 6 [REG.] surripiar, bifar
ripostar *v.* retrucar, replicar, retorquir
riqueza *n.f.* 1 fortuna, posses, haveres, dinheiro, oiro *fig.*, divícia *poét.* ≠ inópia, penúria 2 abundância, abastância, prosperidade, cópia 3 ostentação, opulência, magnificência, luxo 4 fartura, fertilidade *fig.*
rir *v.* 1 sorrir 2 gracejar, chalacear 3 troçar, escarnecer, zombar, ridicularizar, zombetear, gozar, mofar 4 *fig.* rasgar-se, fender-se ■ *n.m.* riso
rir-se *v.* 1 sorrir 2 gracejar, chalacear 3 escarnecer, zombar, zombetear, mofar, ridicularizar-se 4 *fig.* rasgar-se, fender-se
risada *n.f.* gargalhada, casquinada
risca *n.f.* 1 traço, linha 2 estria, listra, faixa, raja 3 estrema 4 raia
riscadinha *n.f.* ZOOL. cobra-de-escada
riscado *adj.* 1 (papel) pautado, traçado 2 banido, expulso, eliminado, suprimido 3 cancelado
riscar *v.* 1 traçar 2 eliminar, suprimir 3 determinar, planear 4 marcar, traçar 5 *fig.* banir, expulsar
risco *n.m.* 1 linha, traço 2 sulco, traçado, riscadura 3 delineamento, plano, planta, modelo 4 perigo, lance, conjetura
risível *adj.2g.* 1 cómico, caricato, anedóctico 2 ridículo, burlesco, irrisório
riso *n.m.* 1 rir 2 alegria, regozijo, júbilo 3 zombaria, escárnio
risonho *adj.* 1 alegre, contente, jubiloso, ledo 2 agradável, afável, prazenteiro, acolhedor 3 *fig.* prometedor, esperançoso
risota *n.f.* galhofa
rispidez *n.f.* severidade, austeridade, aspereza, dureza, rudeza
ríspido *adj.* 1 intratável, severo, austero, desafável, descarinhoso, tarasco ≠ sociável, afável, maleável 2 desagradável, áspero, agreste ≠ agradável, suave
ritmado *adj.* rítmico, cadenciado, compassado ≠ descompassado
ritmar *v.* cadenciar, compassar
ritmo *n.m.* 1 cadência, compasso 2 metro
rito *n.m.* 1 liturgia 2 seita, culto, religião 3 praxe, etiqueta, cerimonial
ritual *n.m.* etiqueta, praxe, protocolo, formalidade, rito

rival *adj.,n.m.* **adversário**, competidor, antagonista, opositor, émulo, concorrente, opoente, justador *fig.* ≠ **aliado**, colaborador, cooperante

rivalidade *n.f.* **1 competição**, concorrência, emulação, antagonismo ≠ **cooperação**, aliança **2 ciúme**, zelos, desconfiança, ferruncho *col.*, avareza *fig.* **3 desentendimento**, desavença, rixa, altercação, contenção, disputa, litígio, luta, conflito, dissensão, inimizade, contenda ≠ **acordo**, conciliação, concórdia

rivalizar *v.* **competir**, concorrer, emular, combater, lutar, medir-se, justar

rixa *n.f.* **disputa**, contenda, briga, desordem, desavença, discórdia, bulha, quezília, estralada, renzilha *col.*, parlanda, quizila [BRAS.], trisca *col.*

rizar *v.* NÁUT. **enrizar**, arrizar

rizoma *n.m.* BOT. **soca**, hipogeu

robalo *n.m.* **1** ICTIOL. **robalete**, chaliço, baila, balhadeira, vaila, vaira **2** [REG.] **carpa**

robe *n.m.* **roupão**, chambre, quimono, queimão

roberto *n.m.* **fantoche** ■ *adj.* **travesso**, traquina, turbulento, irrequieto

roble *n.m.* **alvarinho**, carvalho-alvarinho, carvalho-comum, carvalheiro

roborizar *v.* **robustecer**, fortificar, fortalecer

robustecer *v.* **1 fortalecer**, fortificar, avigorar, revigorar, tonificar, virilizar *fig.* ≠ **debilitar**, enfraquecer, afranzinar, alfeninar **2 engrandecer**, sublimar, exaltar **3 confirmar**, corroborar, reborar *fig.*

robustecer-se *v.* **1 avigorar-se**, fortalecer-se, fortificar-se, invalescer **2 engrandecer-se**, glorificar-se

robustez *n.f.* **1 força**, vigor, energia, fortaleza ≠ **fraqueza**, afracamento **2 firmeza**, arrojo, valentia **3 resistência**, solidez

robusto *adj.* **1 vigoroso**, forte, végeto, machucho, nervudo *fig.* **2 sólido**, rijo **3** *fig.* **poderoso**, dominador, importante **4** *fig.* **firme**, inabalável

roca *n.f.* **rocha**, penha, penedo, rochedo, penedia

roçado *adj.* **1 desgastado**, cotiado, coçado, puído, usado **2 beijado** *fig.*

roçagante *adj.2g.* **rastejante**, rasteiro

roçagar *v.* **roçar**, arrastar-se, ruflar

roçar *v.* **1 rasar**, perpassar, tocar, triscar [BRAS.] **2 esfregar-se 3 roçagar**, arrastar-se

rocha *n.f.* **rochedo**, penedo, penedia

rochedo *n.m.* **1 penhasco**, rocado, fraga, penha **2 cachopo 3** (osso) **petroso**

rochoso *adj.* **alpestre**, pedregoso

rocinante *n.m.* **rocim**, pileca *col.*

rocio *n.m.* **orvalho**, zimbro, relento

roda *n.f.* **1 círculo 2 giro**, volta, rodada **3 amplidão**, largura **4** ICTIOL. **bezedor**, peixe-lua, rodim, rolim, mola ■ *interj.* **deixa-me!**, safa-te!, vai-te embora!

rodada *n.f.* **roda**, volta, rotação

rodado *adj.* **1 rodeira 2** *fig.* **experiente**, experimentado, calejado ≠ **inexperiente 3 decorrido**, passado, sucedido

rodagem *n.f.* CIN., TV **filmagem**

rodapé *n.m.* **1 guarda-cama 2 guarda-vassoiras**

rodar *v.* **1 girar**, rolar, rodear, circundar, voltear **2** CIN., TV **filmar**, cinematografar **3 decorrer**, passar **4** *col.* **sair**

roda-viva *n.f.* **azáfama**, afã, lidação, barafunda, pressa, rodopio *fig.* ≠ **calmaria**, serenidade, sossego

rodear *v.* **1 tornear**, circundar, girar, circuitar, circular, envolver, precingir, rebordar **2 cercar**, bloquear **3 cingir**, abraçar, envolver, abarcar **4 engrinaldar 5** *fig.* **ladear**, contornar

rodeio *n.m.* **1 rodeamento 2 giro**, curva, volta **3 circuito**, volta **4 sinuosidade**, meandro, volta **5 subterfúgio**, evasiva, desvio, tergiversação, sinuosidade *fig.*

rodela *n.f.* **1 redondela**, corrica **2** *col.* **mentira**, patranha, peta

rodilha *n.f.* **1 esfregão**, estropalho, trapalho, rodilho, esfregalho **2 rodoiça**, molhelha, sogra [REG.], molídia [REG.], trufa [REG.] **3** [*pl.*] [REG.] **intrigas**, mexericos, rodilhice

rodo *n.m.* **1 almanjarra**, redor [REG.] **2 rodízio**

rodopiar *v.* **corrupiar**, voltear, volutear, girar

rodopio *n.m.* **1 giro**, volutear, corrupio **2 rodopelo**

rodovalho *n.m.* ICTIOL. **clérigo**, parracho, solha, pregado

rodrigar *v.* **empar**, erguer *col.*

roedura *n.f.* **rilhadura**

roer *v.* **1 triturar 2 corroer**, desgastar, carcomer *fig.* **3 ulcerar 4** *fig.* **atormentar**, consumir, afligir, ulcerar

roer-se *v.* **1 afligir-se**, atormentar-se, consumir-se **2** [BRAS.] **embriagar-se**, embebedar-se, emborrachar-se ≠ **desenfrascar-se**

rogação *n.f.* **1 rogo**, súplica, prece, rogativa, precação **2 petição**

rogado *adj.* **pedido**, instado

rogar *v.* **1 suplicar**, pedir, implorar, deprecar **2 assalariar**, contratar **3 interceder**, pedir, terçar

rogatória *n.f.* **1 rogativa**, rogo, súplica **2** DIR. **deprecada**

rogatório *adj.* **1 suplicante**, rogativo **2 precatório**

rogo *n.m.* **1 súplica**, pedido, rogação, prece, rogativa, imploração, pedimento, impetra **2 oração**, prece **3 intercessão**, mediação, terçaria

roído *adj.* 1 **triturado** 2 **desgastado**, corroído, ratado 3 [BRAS.] **embriagado**, ébrio, enfrascado, bêbedo, tocado *col.*, grogue *col.* ≠ **sóbrio**, abstémico

rojão *n.m.* 1 **rojo** 2 CUL. **rijão** 3 CUL. **torresmo** 4 TAUR. **garrochão**

rojar *v.* 1 **arrastar**, rastejar, arrojar 2 **roçar**, prepassar 3 **arremessar**, lançar 4 **arrojar** 5 *col.* **rijar**, enrijar

rojar-se *v.* **arrastar-se**, rastejar, arrojar-se

rojo *n.m.* 1 **rojão** 2 [REG.] **vermelho**, rubro 3 [REG.] **incandescente**

rol *n.m.* 1 **relação**, lista, tabela, pauta, listagem 2 **categoria** 3 [REG.] **relento**, orvalho, zimbro

rolante *adj.2g.* **giratório**, girante, rodante

rolar *v.* 1 **rebolar** 2 **girar**, rodar, rodear, circundar, voltear 3 **decorrer**, passar 4 **arrulhar**

rolar-se *v.* 1 **rebolar-se** 2 (mar) **encapelar-se**, encarneirar-se

roldana *n.f.* **corretã**, polé

roldão *n.m.* **confusão**, desordem, baralhamento, trapalhada ≠ **ordem**, organização, arrumação, arranjo

roleta *n.f. col.* **mexerico**, boato, atoada, voz, bacorejo, sussurro, diz-que-diz-que, rumor *fig.*, eco *fig.*, ruge-ruge *fig.*, ruído *fig.*, toada *fig.*, zunzum *fig.*

rolha *n.f.* 1 **batoque**, corcha, tapulho, tapeta [REG.] 2 *col.* **patife**, tratante, biltre

rolhar *v.* **arrolhar**, atupulhar, enrolhar ≠ **desarolhar**

roliçar *v.* **arredondar**

roliço *adj.* 1 **cilíndrico**, redondo, arredondado, esférico 2 *fig.* **anafado**, gordo, rechonchudo, rolho ≠ **delgado**, magro, esquelético *fig.*

rolo *n.m.* 1 **cilindro** 2 **embrulho**, pacote 3 **remoinho**, redemoinho, torvelino, bulcão 4 CUL. **torta** 5 *fig.* **magote**, multidão 6 [BRAS.] **sarilho**, barafunda, confusão

romã *n.f.* **grana**, milgrada [REG.], miligrã [REG.], milgranada [REG.]

romagem *n.f.* 1 **romaria**, peregrinação 2 **período**

romance *n.m.* 1 LIT. **rimance** 2 **romanço** 3 **caso** 4 *fig.* **fantasia**, fábula, invenção

romancear *v.* **romantizar**, fantasiar, arromançar

romanesco *adj.* 1 **maravilhoso**, fabuloso, utópico, quimérico 2 *fig.* **devaneador**, apaixonado, romântico ■ *n.m.* **romancismo**

romani *n.m.* **romanho**

romanista *n.2g.* **romanólogo**, romanologista

romano *adj.,n.m.* **latino** ■ *n.m.* **latim**

romântico *adj.* 1 **poético**, apaixonado, arrebatado 2 *fig.* **devaneador**, sonhador 3 *fig.* **piegas**, sentimental, lamecha

romantizar *v. fig.* **poetizar**, idealizar, fantasiar, romancear

romão *adj.,n.m.* 1 *ant.* **romano** 2 *ant.* **românico**

romaria *n.f.* 1 **romagem**, peregrinação 2 **arraial**

romãzeira *n.f.* BOT. **romeira**

rombo *adj.* 1 **truncado**, boto, embotado, rombudo, reboto, achamorrado ≠ **aguçado**, acerado, ponteiro, acuminado, pontudo, pontiagudo 2 *fig.* **estúpido**, tacanho, rombudo, obtuso *fig.,pej.*, tapado *fig.,pej.* ■ *n.m.* 1 **losango** 2 **furo**, rotura, buraco, orifício 3 *fig.* **desfalque**, prejuízo 4 *fig.* **roubo**, furto, subtração, palmanço *col.*, ranfo *col.*

romeira *n.f.* 1 **peregrina** 2 **mantelete** 3 BOT. **romãzeira**

romeiro *n.m.* 1 **peregrino**, peregrinador 2 *fig.* **apóstolo** 3 ICTIOL. **romeirinho**

romeno *n.m.* (língua) **valáquio**

rompante *adj.2g.* 1 **precipitado**, impetuoso, arrebatado 2 **arrogante**, altivo, orgulhoso, soberbo ≠ **humilde**, modesto, simples ■ *n.m.* 1 **ímpeto**, arrebatamento, exaltação, fúria 2 **altivez**, arrogância, soberba ≠ **humildade**, simplicidade, modéstia, singeleza

romper *v.* 1 **despedaçar**, partir, quebrar 2 **rasgar**, dilacerar, lacerar 3 **penetrar** 4 **infringir**, violar, transgredir ≠ **respeitar**, cumprir 5 **começar**, principiar, iniciar ≠ **finalizar**, terminar 6 **investir**, atacar 7 **aparecer**, despontar 8 **irromper**, furar, rebentar 9 (dente) **nascer** 10 (uma relação amorosa, ideológica, etc.) **acabar**, terminar ≠ **iniciar**, começar ■ *n.m.* 1 **rompimento** 2 **aparecimento**, nascimento, nascer

rompimento *n.m.* 1 **rebentação** 2 **abertura**, corte, perfuração 3 **zanga**, desavença, briga, rutura, dessoldadura *fig.* 4 **princípio**, começo ≠ **fim** 5 **derrota**, rota, desbarate

ronca *n.f.* 1 **roncadura**, roncaria 2 **cuíca** [BRAS.] 3 **sereia** 4 *fig.* **fanfarronada**, bravata, quixotada, fanfarronice, fanfurrice 5 ICTIOL. **cantariz**, cantarilha, galinha-do-mar, requeime, serrão, rouca, toupeira 6 ORNIT. **abetoira**, galinhola-real, sargaça, touro, pardal-boi, betoura

roncador *adj.* **roncão**, roncante ■ *n.m.* 1 ICTIOL. **dentão**, pargo, dentelha 2 *fig.* **fanfarrão**, parlapatão, galhofeiro

roncar *v.* 1 **ronquejar** 2 **ressonar** 3 *fig.* **gabar-se**, jactar-se, vangloriar-se, bazofiar, alardear

ronceiro *adj.* **vagaroso**, pachorrento, indolente, madraço, lento, remansado ≠ **expedito**, rápido, ativo

ronco *n.m.* 1 **fragor**, ressono, ronquido 2 **grunhido** *fig.* 3 **ronqueira** *col.*, pieira, piado

ronda *n.f.* 1 **policiamento**, patrulha, vigilância, guarda 2 **guarda-volante**

rondar *v.* 1 **vigiar**, apatrulhar, policiar, inspecionar 2 **girar**, rondear 3 (cabo náutico) **retesar**

ronha *n.f. col.* **malícia**, manha, astúcia, maquiavelice, saberete, sarna *fig.*

roquete *n.m.* **sobrepeliz**

ror *n.m. col.* **abundância**, cabazada *col.*, batelada *fig.*, enxurrada *fig.*

rosa *n.f.* **1** BOT. **roseira 2** MÚS. **rosácea**, espelho **3** *fig.* **beldade**, beleza **4** [*pl.*] *fig.* **alegria**, felicidade, contentamento, ventura, prazer ■ *n.m.* **cor-de-rosa**

rosado *adj.* **1 cor-de-rosa**, róseo, rosáceo **2 corado**, afogueado ≠ **descorado**, pálido

rosal *n.m.* **roseiral**

rosário *n.m. fig.* **enfiada**, série, sequência

rosar-se *v.* **1** *fig.* **corar**, enrubescer, rubificar, acerejar-se *fig.* **2 envergonhar-se**, ruborizar-se, acanhar-se

rosca *n.f.* **1 voluta**, volta **2** *col.* **bebedeira**, embriaguez, ebriedade, bico, canjica, borracheira *col.*, piela *col.*, bruega *col.*, cabeleira *col.*, cardina *col.*, carraspana *col.* ≠ **sobriedade**, abstemia

roseira *n.f.* BOT. **rosa**

roseiral *n.m.* **rosal**

róseo *adj.* **cor-de-rosa**, rosado

rosmaninho *n.m.* BOT. **alecrim**, arçã, arçanha, rosmano, resmono, rosmanino, rosmarinho

rosnar *v.* **1** *fig.* **murmurar**, boquejar, boquear **2** *fig.* **resmungar**, rabujar, murmurar, rezingar, resmonear, grazinar, grunhir, alanzoar, fungar *col.*, rezar *fig.*

rossio *n.m.* **1 praça**, largo, terreiro, adro **2 ressaio**

rosto *n.m.* **1 cara**, semblante, face, vulto **2 semblante**, figura, fisionomia **3 frente**, fronte, dianteira ≠ **traseira**, retaguarda **4** *fig.* **aparência**, aspeto, figura, presença, fachada *fig.*

rota *n.f.* **1 caminho**, percurso, trajeto **2 rumo**, direção, destino, sentido **3 derrota**, rompimento **4 combate**, peleja, pugna, luta **5** BOT. **cana-da-índia 6** RELIG. **Rota Romana**

rotação *n.f.* **1 rodopio**, giro, corrupio, rodeio, volta, revolução **2 ciclo**

rotativo *adj.* **rotatório**, giratório

rotatório *adj.* **giratório**, rotativo

roteiro *n.m.* **1 itinerário**, guia, indicador **2 rota**, rumo, derrota **3** *fig.* **regulamento**, norma, regra, regimento

rotina *n.f.* **hábito**, rotineira, costume, costumeira, usança, senda *fig.*, ramerrão

rotineira *n.f.* **hábito**, rotina, costume, costumeira, usança, senda *fig.*

rotineiro *adj.* **ramerraneiro**, habitual, comum

roto *adj.* **1 rompido**, rasgado **2 quebrado**, partido **3** *col.* **estafado**, esgotado, estourado, cansado ■ *adj.,n.m.* **maltrapilho**, farroupilha, mal-arranjado, esfarrapado, andrajoso, gebo, malroupido, trapento, frangalheiro *col.* ≠ **janota**, peralta, taful

rótula *n.f.* **1 gelosia**, reixa, persiana **2** ANAT. **patela**

rotular *v.* **1 etiquetar**, classificar, catalogar *fig.* **2** *fig.* **titular**, alcunhar, apelidar

rótulo *n.m.* **1 etiqueta**, letreiro, título **2 dístico**, inscrição, legenda

rotundo *adj.* **1 redondo**, circular, esférico, curvo **2** *fig.* **gordo**, obeso, roliço, redondo, rechonchudo, anafado, balurdo ≠ **magro**, esguio, delgado

rotura *n.f.* **1 fratura**, efratura, efração, quebra, rutura **2 buraco**, rutura **3 interrupção**, suspensão, paragem, rutura **4 rompimento**, corte, desavença, zanga, rutura **5 hérnia**, quebradura, rutura

roubalheira *n.f.* **1 rapinagem**, rapinância **2 ladroeira**, falperra, negociata, mamata *col.*

roubar *v.* **1 furtar**, subtrair, extorquir, apanhar, defraudar, rapinar, arrebatar, ratonear, mafiar *col.*, ranfar *col.* ≠ **devolver**, restituir, entregar **2 raptar**, sequestrar **3** *fig.* **privar**, despojar, desapossar **4** *fig.* **arrebatar 5 plagiar**

roubo *n.m.* **furto**, substracção, extorsão, usurpação, levamento, gamanço *col.*, cardanha *col.*, picanço *fig.*

roufenho *adj.* **fanhoso**, nasalado, morfanho, rouquenho

roupa *n.f.* **indumentária**, vestuário, traje, trajar, farpela, fato, fatiota, toilete

roupagem *n.f.* **1 rouparia**, vestes, fardagem **2** *fig.* **exterioridade**, aparência, mostrança

roupão *n.m.* **robe**, chambre, quimono, quimão

roupar *v.* **enroupar**, agasalhar

roupeiro *n.m.* **1 guarda-roupa**, guarda-vestidos, guarda-fatos **2** [REG.] **queijeiro**

rouquidão *n.f.* **rouqueira**, rouquice, rouquido, chiadouro, enrouquecimento, farfalho, cerração *fig.*

rouxinol *n.m.* ORNIT. **rousso** [REG.]

roxo *adj.* **violáceo**, purpurino, purpureado ■ *n.m.* **violeta**, púrpura

rua *n.f.* **1 arruamento 2 correnteza**, renque ■ *interj.* **fora!**, gira!, vai-te!

ruano *adj.,n.m.* **ruão**

ruão *n.m.* **plebeu**, peão, popular ≠ **nobre**, aristocrata, fidalgo ■ *adj.,n.m.* **ruano**

rúbeo *adj.* **1 rubro 2 afogueado**, rubicundo, rubente, corado

rubi *n.m.* MIN. **rubim**, carbúnculo

rubicão *n.m.* **dificuldade**, obstáculo, óbice, estorvo

rubicundo *adj.* **vermelho**, corado, alacoado *fig.*, pudibundo *fig.*

rubor *n.m.* **1 vermelho**, rubidez, rubescência **2** *fig.* **pudor**, pejo, vergonha ≠ **despudor**

ruborescer *v.* **ruborizar**, afoguear, incender, nacarar *fig.*

ruborização *n.f.* **enrubescimento**, afogueamento, encandecimento

ruborizar *v.* **corar**, enrubescer, ruborescer, rubificar-se, nacarar *fig.*

ruborizar-se *v.* **1 corar**, enrubescer, corar-se **2 envergonhar-se**, acanhar-se, corar-se

rubrica *n.f.* **1 almagre 2 firma 3 chancela 4 título 5 indicação**, nota, apontamento **6 assunto**, tema, matéria

rubricar *v.* **assinar**, firmar

rubro *adj.* **1 vermelho**, vermelho-vivo **2 corado**, afogueado ■ *n.m.* **vermelho**, rubidez, rubor

ruçar *v.* **enruçar**, empardecer

ruço *adj.* **1 pardacento**, pardo, grisalho, acinzentado **2 desbotado**, descorado, esbranquiçado, pálido ≠ **corado**, ruborizado ■ *n.m. pej.* **porco**, suíno

rude *adj.2g.* **1 áspero**, tosco, bruto ≠ **polido 2 malcriado**, grosseiro, mazorral ≠ **educado**, polido **3 estúpido**, ignorante, inculto ≠ **inteligente**, esperto **4 rigoroso**, ríspido, severo ≠ **brando**, manso, zefirino *fig.* **5 insuportável**, intolerável, violento **6 desajeitado**, desastrado, aselha ≠ **hábil**, cuidadoso

rudemente *adv.* **1 grosseiramente**, rusticamente **2 asperamente**

rudeza *n.f.* **1 aspereza**, agrestia **2 rispidez**, rijeza *fig.* **3 grosseria**, incivilidade, indelicadeza, chamboíce, primitivismo, rusticidade *fig.* ≠ **civilidade**, polidez **4 ignorância**, estupidez, inscícia, insciência, bisonhice, incultura, bisonharia ≠ **cultura**, saber, ciência

rudimentar *adj.2g.* **1 tosco**, grosseiro, primitivo, rude, vilanesco **2 elementar**, simples, básico, fundamental *fig.* ≠ **complexo**, desenvolvido **3 simples**, singelo ≠ **requintado**, refinado

rudimento *n.m.* **1** [*pl.*] **noções**, luzes, sombras, á-é-i-ó-u, tinturas *fig.*, laivos *fig.*, lascas *fig.* **2** [*pl.*] *fig.* **princípio**, começo

ruela *n.f.* **viela**, quelha, caleja

rufar *v.* MÚS. **tocar**, tanger

rufia *n.2g.* **brigão**, desordeiro, faia *col.*, fadista *fig.,pej.* ■ *n.m.* **rufião**, proxeneta, alcoviteiro, gigolô, azeiteiro *col.*, corretor *col.*, chulo *col.,pej.*

rufião *n.m.* **proxeneta**, alcoviteiro, gigolô, azeiteiro *col.*, corretor *col.*, chulo *col.,pej.*

rufo *n.m.* **1 rufadela 2 prega**, franzido, refego ■ *adj.* **ruivo**, avermelhado

ruga *n.f.* **1 rego**, refego **2 prega**, dobra, vinco, plica **3 gelha**, carquilha, grunha [REG.]

rugido *n.m.* **bramido**, urro, rugir

rugir *n.m.* **rugido**, urro, bramido ■ *v.* **1 bramir**, fremir, urrar **2 murmurrar**, sussurrar

rugosidade *n.f.* **aspereza**, garabulho, crespidão

rugoso *adj.* **1 engelhado**, enrugado, encarquilhado, garabulhento, rofo **2 irregular**, acidentado **3** *fig.* **escabroso**

ruído *n.m.* **1 estrondo**, fragor, estrépito, tumulto, sonido, trabucada *fig.* **2 bulício**, rumor, burburinho **3** *fig.* **boato**, rumor, mexerico **4** *fig.* **alvoroço**, estardalhaço, terramotada [REG.] **5** *fig.* **pompa**, aparto

ruidosamente *adv.* **barulhentamente**, estrondosamente

ruidoso *adj.* **1 barulhento**, estrondoso, estrepitoso, rumoroso, sonoroso **2** *fig.* **sensacional**, espetaculoso **3** *fig.* **pomposo**, aparatoso, faustoso, grandioso

ruim *adj.2g.* **1 mau**, prejudicial, funesto, nocivo **2 estragado**, danificado, deteriorado ≠ **conservado**, preservado **3 perverso**, maldoso, mau ≠ **bom 4 imperfeito**, defeituoso, mau ≠ **perfeito**, bom

ruína *n.f.* **1 desmoronamento**, arruinamento **2 destruição**, devastação, desolação, destroço, pernície, profligação **3** *fig.* **decadência**, degradação, degeneração, vaza-barris *fig.* **4** *fig.* **falência**, bancarrota, queda

ruindade *n.f.* **1 perversidade**, malignidade, crueldade **2 velhacaria**, baixeza, picardia

ruinoso *adj. fig.* **nocivo**, prejudicial, danoso, pernicioso ≠ **benéfico**, benigno, propício

ruir *v.* **1 desmoronar-se**, desabar, lacar [REG.] **2** *fig.* **arruinar-se**, fracassar, falhar

ruiva *n.f.* **1** ORNIT. **seixoeira**, maçarico, borrelho, rola-de-papo-vermelho, passarinho-de-arribação, guleira **2** *col.* **polícia**, agente, guarda **3** BOT. **garança**, granza

ruivo *adj.* **fulvo**, arruivado, rufo, fouveiro ■ *n.m.* ICTIOL. **bêbedo**, cabaço, bacamarte, cabra, cabrinha

ruma *n.f.* **rima**, pilha, montão, acervo

rumar *v.* **dirigir**, orientar

rúmen *n.m.* **bandulho**, pança, ruminadouro

ruminar *v.* **1 remoer**, remastigar, remascar, rumiar **2** *fig.* **meditar**, cogitar, refletir, matutar, recozer, parafusar **3** *fig.* **planear**, arquitetar, projetar, idear

rumo *n.m.* **1 caminho**, sentido, orientação, banda, rota, tramontana *fig.* **2** *fig.* **método**, norma, ordem

rumor *n.m.* **1 rebuliço**, alvoroço, agitação, trémito, poeirada *fig.* **2 sussurro**, murmúrio, burburinho **3** *fig.* **boato**, mexerico, ruído, sussurro, eco

rumorejante *adj.2g.* **sussurrante**, murmurante, ciciante

rumorejar *v.* **sussurrar**, murmulhar, ciciar, zunzunar, refrulhar, zumbir *fig.*

rumorejo *n.m.* **sussurro**, cicio, murmúrio, burburinho

rumoroso *adj.* **ruidoso**, barulhento, estrepitoso, estrondoso ≠ **silencioso**, calado

runa *n.f.* [REG.] **barranco**, vala

rupestre *adj.2g.* **rupícola**, litófilo

rupturaAO *n.f.* ⇒ **rutura**dAO

rural *adj.2g.* **campesino**, campestre, campino, camponês, agreste, rústico, agrário ≠ **citadino**, urbano

ruralidade *n.f.* **1** **rusticidade**, rustiqueza ≠ **urbanidade** **2** *fig.* **boçalidade**, rudeza

rusga *n.f.* **1** **busca**, revista **2** **briga**, desordem, rixa **3** [REG.] **pândega**

rusticidade *n.f.* **1** **ruralidade**, rustiqueza ≠ **urbanidade** **2** *fig.* **grosseria**, incivilidade, rudeza, indelicadeza ≠ **civilidade**, cortesia, delicadeza

rústico *adj.* **1** **campesino**, camponês, campestre, campino, agreste, rural, agrário, avaqueirado ≠ **citadino**, urbano **2** *pej.* **grosseiro**, bruto, tosco, rude, áspero ■ *n.m.* **camponês**, aldeão, campesino, campino, campestre, campónio *pej.*, patrasana *col.* ≠ **citadino**, urbano

rutilação *n.f.* **resplendor**, brilho, rutilância, fulgor

rutilância *n.f.* **fulgor**, brilho, rutilação, resplendor

rutilante *adj.2g.* **fulgurante**, brilhante, cintilante, lucente, resplandecente ≠ **embaciado**, baço

rutilar *v.* **brilhar**, cintilar, resplandecer, luzir, fuzilar ≠ **embaciar**, deslustrar, enturvar, envidraçar

ruturadAO ou **ruptura**AO *n.f.* **1** **fratura**, efratura, quebra, rotura **2** **buraco**, rotura **3** **interrupção**, suspensão, paragem, rotura **4** **rompimento**, corte, desavença, zanga, rotura **5** **hérnia**, quebradura, rotura

S

sábado *n.m.* 1 sabat 2 *col.* orgia
sabão *n.m.* 1 BOT. **saboeiro**, saponária, pau-de-sabão 2 *col.* **descompostura**, censura, repreensão, reprimenda, admoestação, sabonete ≠ **elogio**, louvor, felicitação, aprovação 3 **sabichão**
sabático *adj.* sabatino
sabatina *n.f.* 1 **recapitulação** 2 *fig.* **discussão**, debate, questão, altercação 3 *fig.* **reprimenda**, repreensão, censura, descompostura, admoestação, sabonete ≠ **elogio**, louvor, felicitação, aprovação
sabedor *adj.,n.m.* 1 **conhecedor**, entendedor, erudito, sábio, perito, ciente, perleúdo ≠ **desconhecedor**, ignorante, palerma, idiota, tolo 2 **prático**
sabedoria *n.f.* 1 **saber**, erudição, ilustração, ciência, conhecimento, sabença *col.* ≠ **desconhecimento**, ignorância 2 **razão**, juízo, sensatez 3 **prudência**, retidão, sensatez, moderação ≠ **imprudência**, insensatez
saber *v.* 1 **perceber**, conseguir 2 **achar**, considerar, julgar, crer 3 **prever**, pressentir, prenunciar, antever, pressagiar 4 **decorar**, memorizar ■ *n.m.* 1 **ciência**, ilustração, erudição, sabedoria, conhecimento ≠ **desconhecimento**, ignorância 2 **experiência**, mestria, prática, perícia
sabiá *n.m.* 1 ORNIT. **sabiá-laranjeira**, sabiá-pardo, sabiá-coleira, sabiá-da-capoeira, sabiá-preto 2 ORNIT. **sabiá-do-campo**, sabiá-da-praia, japacani
sabiamente *adv.* **prudentemente**, moderadamente, mesuradamente, providencialmente, cautelosamente, discretamente ≠ **imprudentemente**, leviamente
sabichão *adj.,n.m.* **letrudo** *col.*, doutoraço *col.*, padre-mestre *fig.*, mestrão
sabido *adj.* 1 **conhecido**, falado, público, notório ≠ **desconhecido**, ignoto, incógnito 2 **conhecedor**, sabedor, sábio, douto, erudito, ciente ≠ **ignorante**, desconhecedor, inculto 3 **prudente**, refletido, sensato, atento, cauteloso, moderado, cuidadoso, precaucionado ≠ **imprudente**, insensato, imoderado, negligente ■ *adj.,n.m. fig.* **astuto**, manhoso, finório, ladino, sagaz, espertalhão, pardal, penetra, pícaro, velhaco ≠ **correto**, honesto, justo, verdadeiro
sábio *adj.* 1 **prudente**, refletido, sensato, atento, cauteloso, moderado, cuidadoso, precaucionado, sapiencial ≠ **imprudente**, insensato, imoderado, negligente 2 **perito**, hábil, destro, engenhoso, talentoso, jeitoso ≠ **desajeitado**, inábil ■ *adj.,n.m.* **conhecedor**, sabedor, sabido, douto, erudito, ciente, grimpo ≠ **ignorante**, desconhecedor, inculto ■ *n.m. col.* **feiticeiro**, mágico, mago, embruxador, bruxo, mandingueiro
sabonete *n.m.* 1 BOT. **saboeira** 2 *col.* **descompostura**, censura, repreensão, reprimenda, admoestação, sabão ≠ **elogio**, louvor, felicitação, aprovação
sabor *n.m.* 1 **paladar**, gosto, gustação 2 **carácter**, espécie, género, natureza, categoria 3 **graça**, espírito, originalidade, salero, donaire 4 **capricho**, vontade, mania, veneta 5 **deleite**, aprazimento, prazer 6 **forma** 7 **natureza**, teor
saborear *v.* 1 **provar**, degustar, experimentar, petiscar 2 *fig.* **deleitar-se**, deliciar-se, gozar
saboroso *adj.* 1 **gostoso**, delicioso, bom, sabável [BRAS.], palatável, saborido, sápido ≠ **desagradável**, malgostoso, impalatável, insípido, aguado, insonso 2 **deleitável**, agradável, aprazível, delicioso, deleitoso ≠ **desgostoso**, desagradável, desprazível
sabotar *v.* **minar**
sabre *n.m.* **terçado**, catana, chifarote, alfange, facão
sabugo *n.m.* 1 BOT. **sabugueiro** 2 **carolo**, cachiço, carrilho
sabugueiro *n.m.* BOT. **sabugo**
saca *n.f.* 1 **saco**, bolsa, carteira 2 **exportação**, saída 3 **ressaca**, fluxo
sacada *n.f.* 1 **tirada** 2 **balcão**, varanda 3 **salto**, sacão, galão 4 **saca**, bolsa
sacado *adj.* **extraído**, tirado
sacana *adj.,n.2g.* 1 *col.* **patife**, velhaco, bandalho, futre, safado, brejeiro, infame, biltre, pulha *col.*, canalha *pej.* ≠ **notável**, honesto, respeitador 2 *col.* **astuto**, manhoso, finório, ladino, sagaz, espertalhão, pardal, penetra, pícaro, velhaco ≠ **correto**, honesto, justo, verdadeiro
sacar *v.* 1 **arrancar**, extrair, tirar, puxar, retirar 2 (cheque, letra de câmbio) **emitir** 3 *col.* **descarregar** 4 [BRAS.] **compreender**, entender, perceber, atingir ≠ **desentender** 5 [BRAS.] **obter**, tirar, colher
sacarino *adj.* 1 **açucareiro** 2 **açucarado**, doce, adoçado, meloso, melífluo, mélico, sacarívoro ≠ **amargo**
sacarose *n.f.* **açúcar**
sacerdócio *n.m.* **ministério**, clericato
sacerdote *n.m.* **padre**, clérigo, eclesiástico, cura, samarra *pej.*, sotaina *pej.*
sachada *n.f.* 1 **sacha**, sachadela 2 **sachadura**

sachador *n.m.* 1 **cavador**, capinador, mondador, mondino [REG.] 2 **sachola**, sacho, marra
sachar *v.* **cavar**, escavar, mondar
sacho *n.m.* **marra**, sachador, sachola
sachola *n.f.* **sacho**, sachador, marra, guincha [REG.]
sacholar *v.* **cavar**, escavar, esmondar
saciar *v.* 1 **encher**, fartar, satisfazer, embuchar, empanturrar, cevar, refartar ≠ **desenfartar**, desempanturrar 2 **extinguir**, matar, eliminar
saciar-se *v.* 1 **satisfazer-se** 2 **fartar-se**, encher-se 3 **dessedentar-se**, desalterar-se
saciável *adj.2g.* **fartável**, contentável ≠ **insaciável**, ávido, insatisfazível, sôfrego
saciedade *n.f.* 1 **repleção**, saturação *fig.* 2 **aborrecimento**, fastio, enfado, enfastiamento, tédio, nojo, enjoo ≠ **interesse**, empenho, motivação 3 **fartura**, abastança, abundância, afluência, riqueza, cópia ≠ **escassez**, insuficiência
saco *n.m.* 1 **bolsa**, saca 2 **fole**, papo, refego 3 **maleta** 4 **cavidade**
sacola *n.f.* **alforge**, mântica
sacolejar *v.* **sacudir**, abanar, agitar, vascolejar, chocalhar
sacolejo *n.m.* **abanão**, abanadela, sacudida, solavanco
sacramental *adj.2g.* 1 *fig.* **habitual**, consuetudinário, costumeiro, regular ≠ **desabituado**, infrequente, irregular 2 *fig.* **forçoso**, obrigatório, imperioso, necessário ≠ **opcional**, facultativo
sacramento *n.m.* 1 RELIG. **Eucaristia**, pão, pão angélico, partícula, hóstia, Santíssimo, Senhor 2 [*pl.*] RELIG. **extrema-unção**, Viático, unção dos enfermos
sacrário *n.m.* **santuário**, tabernáculo, maquineta
sacrificado *adj.* 1 **imolado** 2 *fig.* **resignado**, subjugado
sacrificar *v.* 1 **imolar**, oferecer, litar 2 **renunciar**, abandonar, abdicar, conformar 3 **desprezar**, prejudicar, danificar
sacrificar-se *v.* 1 **prejudicar-se** 2 **privar-se** 3 **imolar-se**, martirizar-se 4 **sujeitar-se**, submeter-se 5 **dedicar-se**
sacrifício *n.m.* 1 **imolação** 2 **oblação**, oferenda, oferta, oblata 3 **renúncia**, abandono, abdicação, conformação *fig.* 4 **sofrimento**, custo, esforço
sacrilégio *n.m.* **blasfémia**, impiedade, profanação, profanidade, ímpio, irreligião ≠ **adoração**, veneração, devoção, reverência
sacrílego *adj.,n.m.* **profanador**, ímpio, violador ■ *adj.* **blasfemo**, ultrajante
sacrista *n.m. col.* **credenciário**, sacristão, escorropicha-galhetas *col.,pej.*
sacristão *n.m.* 1 **credenciário**, sacrista *col.*, escorropicha-galhetas *col.,pej.*, sacrismocho *ant.* 2 **acólito**
sacro *adj.* 1 **sagrado**, santo 2 *fig.* **venerável**, respeitável, santo
sacrossanto *adj.* **inviolável**, sagrado, santo
sacudidela *n.f.* **abanão**, abanadela, sacudida, solavanco
sacudido *adj.* 1 **agitado**, revolvido, abanado 2 *fig.* **desenvolto**, decidido, desenrascado, despachado, desembaraçado
sacudidura *n.f.* 1 **abanão**, abanadela, sacudida, solavanco 2 **abalo**, estremeção, tremura
sacudimento *n.m.* 1 **abanão**, abanadela, sacudida, solavanco 2 **abalo**, estremeção, tremura
sacudir *v.* 1 **abanar**, agitar, sacolejar, vascolejar, chocalhar, sanicar [REG.] 2 **abalar**, agitar, mover 3 **atirar**, botar *col.* 4 **enxotar**, expulsar, escorraçar, afastar 5 *fig.* **estimular**, incentivar, incitar, instigar ≠ **desencorajar**, desincentivar, desanimar 6 *fig.* **comover**, impressionar, emocionar, abalar, supraexcitar ≠ **descomover**, empedernir *fig.*
sacudir-se *v.* 1 **abanar-se**, agitar-se 2 **retorcer-se**, contorcer-se 3 **saracotear-se**, bambolear-se, menear-se
sádico *adj.,n.m.* **cruel**, perverso, mau, malvado ≠ **bom**, bondoso, compassivo, humano
sadino *adj.,n.m.* **setubalense**
sadio *adj.* 1 **salubre**, higiénico, saudável ≠ **prejudicial**, nocivo 2 **saudável**, são, salutar ≠ **enfermo**, doente
sadismo *n.m.* 1 **algolagnia** 2 **crueldade**, maldade, perversidade, atrocidade, impiedade, desumanidade ≠ **humanidade**, bondade, piedade, benevolência
safa *n.f.* 1 *col.* **borracha** 2 *col.* **salvação**, sorte ■ *interj.* (exprime repugnância, admiração, alívio) **livra!**, puxa!
safadice *n.f.* 1 **vileza**, canalhice, ignomínia, torpeza, vilania ≠ **dignidade**, altivez, hombridade 2 **devassidão**, libertinagem, desmoralização, depravação, corrupção, perversão, envilecimento ≠ **decência**, decoro, moralidade 3 [BRAS.] **traquinice**, travessura, diabrura
safado *adj.* 1 **gasto**, usado, comido, estragado, danificado, velho ≠ **recuperado**, restaurado, salvo 2 **apagado** 3 **desavergonhado**, descarado, desabusado, atrevido, petulante, insolente ≠ **vergonhoso**, tímido, modesto, comedido 4 [BRAS.] **obsceno**, imoral 5 [BRAS.] **travesso**, traquinas, irrequieto ■ *n.m.* **futre**, bandalho, biltre, patife, infame, velhaco, brejeiro, pulha *col.*, canalha *pej.* ≠ **notável**, honesto, respeitador
safanão *n.m.* 1 **puxão**, repelão, estição, sacadela 2 **empurrão**, encontrão, sacão, pechada [BRAS.] 3 *col.* **bofetada**, tapa, lambada, estalo *col.*, chapada *col.*, bolachada *col.*, solha *col.*

safar *v.* 1 **apagar** 2 **tirar**, extrair, retirar 3 **roubar**, furtar, surripiar, ladroar, larapiar 4 **desgastar**, consumir

safar-se *v.* 1 **escapar**, salvar-se, evitar, esquivar-se, livrar-se 2 **desembaraçar-se**, desenrascar-se, desenvencilhar-se 3 **sobreviver** 4 **esgueirar-se**, pirar-se, pisgar-se, escapulir-se, susquir-se [REG.] 5 **fugir**

safio *n.m.* ICTIOL. **congro**

safo *adj.* 1 **livre**, liberto, salvo, desembaraçado 2 **usado**, gasto, safado, desgastado ≠ **conservado**, preservado

safões *n.m.pl.* **guarda-mato**

safra *n.f.* 1 **colheita**, apanha, recolta, messe, recolhida 2 *fig.* **faina**, lide, lida, esforço, refrega, canseira, labuta ≠ **repouso**, descanso, sossego

saga *n.f.* 1 **bruxa**, feiticeira, mágica, maga, estriga, estrige, carocha *col.* 2 **alcoviteira**, alcofinha, terceira, lena

sagacidade *n.f.* 1 **perspicácia**, argúcia, finura, acuidade, subtileza, astúcia, esperteza, descortino, olho *fig.*, agudeza *fig.* ≠ **incapacidade**, obtusidade 2 **astúcia**, manha, ardil, estratagema, cabe ≠ **honestidade**, correção, sinceridade

sagaz *adj.2g.* 1 **perspicaz**, astuto, arguto, fino, esperto, inteligente, talentoso, penetrante *fig.*, aguçado *fig.* ≠ **inepto**, inábil, obstuso *fig.,pej.* 2 **ardiloso**, astuto, manhoso, finório, matreiro ≠ **correto**, justo, honesto 3 **sensato**, prudente, ajuizado, clarividente, previdente, cuidadoso ≠ **imprudente**, descuidado, desleixado, negligente

sagitado *adj.* **sagital**

sagitário *adj.,n.m.* **seteiro**, frecheiro, arqueiro, arcitenente, sagitífero

sagração *n.f.* **consagração**, glorificação, sagra

sagrado *adj.* 1 **consagrado**, bento 2 **santo**, santificado 3 **venerável**, sublime, excelso 4 **inviolável**, puro, santo, sacrossanto

sagrar *v.* 1 **venerar** 2 **benzer**, santificar, desenviolar 3 **dedicar**, oferecer, consagrar, tributar, devotar

sagu *n.m.* 1 **sagum** 2 BOT. **sagueiro**, gamúti

saguão *n.m.* **alfurja**, enxaguão

saí *n.m.* 1 **bonzo** 2 ORNIT. **saíçu**, saí-amarelo, saí-azul, saí-guaçu, saí-verde

saia *n.f.* 1 *col.* **mulher**, rapariga, rabo de saia [BRAS.] 2 [REG.] **manha**, astúcia, ardil, sagacidade ≠ **honestidade**, correção, sinceridade ■ *interj.* **fora!**, rua!, ala!

saibo *n.m.* **sabor**, gosto, paladar, gustação

saibrar *v.* **ensaibrar**, esbouçar [REG.] ≠ **dessaibrar**

saibreira *n.f.* **argileira**, barreira

saída *n.f.* 1 **partida**, abalada, largada ≠ **entrada**, chegada 2 **exportação**, venda 3 **procura**, solicitação 4 **extração** 5 **dito**, largada 6 **desabafo**, repente 7 **desculpa**, escapatória, pretexto, escusa, justificação 8 **recurso**, expediente, meio 9 INFORM. **output**

saído *adj.* 1 **saliente**, proeminente, protuberante, relevante, nodoso 2 **brotado**, provindo, nascido 3 **aparecido**, surgido 4 **resultante**, consequente, decorrente, subsequente 5 **ausente** ≠ **presente** 6 *col.* **esperto**, desenvolto, despachado, desinibido, desempoeirado *fig.* ≠ **acanhado**, tímido, inibido

saimento *n.m.* 1 **saída**, abalada, largada, partida ≠ **entrada**, chegada 2 **funeral**, enterro, exéquias

sainete *n.m.* **graça**, gosto, remoque, picuinha

saio *n.m.* **sago**

sair *v.* 1 **afastar-se**, desviar-se ≠ **chegar-se**, aproximar-se 2 **ausentar-se**, deixar, abandonar ≠ **voltar**, regressar 3 **partir**, viajar ≠ **voltar**, regressar 4 **publicar**, editar 5 **brotar**, irromper, manar 6 **derivar**, resultar, provir 7 **transformar-se**, modificar-se, alterar-se 8 **demitir-se**, despedir-se, exonorar-se 9 **desmembrar-se**, separar-se, desconjuntar-se, desagregar-se ≠ **juntar**, agregar, reunir 10 **assemelhar-se**, parecer-se 11 **realçar**, sobressair, evidenciar, salientar 12 **apear-se**

sal *n.m. fig.* **espírito**, acuidade, agudeza, sagacidade

sala *n.f.* 1 **aposento**, compartimento 2 **classe**, aula 3 **gabinete**, escritório 4 **recinto**, local

salada *n.f.* 1 *col.* **alface** 2 *col.* **salgalhada**, confusão, trapalhada, mixórdia, barafunda, pandemónio, baralhada ≠ **ordem**, organização, arrumação, arranjo

salamaleque *n.m. col.* **mesurice**, rapapé, zumbaia

salamandra *n.f.* 1 ZOOL. **salamântega**, salamântiga, saramela, saramaganta, saramântiga 2 *fig.* **amianto**

salariado *n.m.* **trabalhador**, operário, assalariado, jornaleiro, proletariado

salário *n.m.* 1 **ordenado**, vencimento, remuneração, honorários, retribuição, soldo 2 *fig.* **recompensa**, retribuição, compensação

salaz *adj.2g.* **impudico**, devasso, libertino, impuro, imoral, debochado, desregrado ≠ **decente**, decoroso

saldar *v.* **pagar**, regularizar, solver, liquidar

saldo *n.m.* 1 **resto**, excedente 2 **balanço**, resultado 3 *fig.* **desforra**, vingança, desforço 4 [*pl.*] **promoções**, descontos, reduções, abatimentos ≠ **aumentos**, subidas ■ *adj.* **liquidado**, solvido, pago, quite

salga *n.f.* 1 **feitiçaria**, sortilégio, feitiço, encantamento, bruxedo, macumba, magia, bruxaria, mandinga, ensalmo, prestigiação 2 **salgadura**

salgadeira *n.f. gír.* **caixão**, ataúde, esquife, tumba, féretro

salgado *adj.* 1 **salso**, puxativo *fig.* ≠ **insípido**, insosso, desenxabido 2 *fig.* **caro** 3 *fig.* **picante**, cáustico 4 *fig.* **gracioso**

salgalhada *n.f. col.* **trapalhada**, confusão, salada, mixórdia, barafunda, pandemónio, baralhada, massagada *col.* ≠ **ordem**, organização, arrumação, arranjo

salgar *v.* **curar**, salinizar, salmourar ≠ **desgalssar**

sal-gema *n.m.* **halite**

salgueiral *n.m.* **seiçal**, sinceiral *poét.*

salgueiro *n.m.* BOT. **seiça**, seiceiro

saliência *n.f.* 1 **proeminência**, protuberância, relevo, alteamento, ressalto, protrusão, projetação ≠ **abaixamento**, afundamento, depressão 2 **eminência**

salientar *v.* **revelar**, evidenciar, sobressair, destacar, ressaltar, realçar, transparentar ≠ **ocultar**, esconder, disfarçar

salientar-se *v.* **evidenciar-se**, realçar-se, singularizar-se, distinguir-se, notabilizar-se, sobressair, abalizar-se

saliente *adj.2g.* 1 **proeminente**, protuberante, nodoso, relevante, saído, protruso, papudo *fig.* 2 *fig.* **notável**, patente, evidente, notório, manifesto

salina *n.f.* **marinha**

salino *adj.* **salífero**, salícola

salitre *n.m.* QUÍM. **nitro**

saliva *n.f.* **cuspo**, baba, babugem, esputo

salivação *n.f.* **esputação** ≠ **assialia**

salivar *v.* **cuspir** ■ *adj.2g.* **salivante**, salival

salmão *n.m.* ICTIOL. **sarmão**

salmo *n.m.* **cântico**

salmoura *n.f.* **moura**

saloio *adj.,n.m.* **camponês**, aldeão, campesino, campino, campestre, rústico, campónio *pej.* ≠ **citadino**, urbano ■ *adj.* 1 *pej.* **manhoso**, ardiloso, matreiro, finório, astuto, espertalhão ≠ **correto**, honesto, verdadeiro, sincero 2 *pej.* **ordinário**, grosseiro, rude, vulgar, bronco, reles, baixo ≠ **delicado**, educado, cortês, atencioso, fino, elegante, encantador, polido ■ *n.m.* **pacóvio**, rústico, parolo *pej.*

salpicado *adj.* **matizado**, sarapintado, mosqueado, pintado, pingado, polvilhado

salpicão *n.m.* **salsichão**

salpicar *v.* 1 **salgar** ≠ **dessalgar** 2 **borrifar**, aspergir, irrorar, rociar, aljofarar 3 **matizar**, sarapintar 4 *fig.* **desacreditar**, macular, infamar

salpico *n.m.* **pinta**, pingo, respingo, borrifo, ressalto, salpicadura, ressalte

salsada *n.f.* **confusão**, embrulhada, amálgama, mistura, desordem, balbúrdia, caos, baralhada, bagunça [BRAS.] ≠ **ordem**, organização, arrumação, arranjo

salsichão *n.m.* CUL. **salpicão**, paio

salsicharia *n.f.* **charcutaria**

salso *adj.* **salgado** ≠ **insípido**, insosso, desenxabido

saltada *n.f.* 1 **salto** 2 **assalto**, investida, ataque, arremetida 3 **incursão**, invasão 4 **instante**

saltado *adj.* 1 **saliente**, proeminente, relevante, nodoso, protuberante 2 **omitido**

saltar *v.* 1 **avançar**, galgar 2 TIP. **omitir**, falhar 3 **pular**, retouçar 4 **brincar** 5 **correr** 6 **descer**, apear-se, desmontar ≠ **subir**, montar 7 **rebentar** 8 **brotar**, irromper, jorrar 9 **espirrar**

saltarico *n.m.* 1 **saltinho** 2 [REG.] **gafanhoto**, saltão

salteado *adj.* 1 **atacado**, assaltado 2 **entremeado**, interpolado 3 **sobressaltado**, surpreendido

salteador *adj.,n.m.* **bandido**, ladrão, larápio, ratoneiro, gatuno, bandoleiro, ladrilho, assaltante, quadrilheiro

saltear *v.* 1 **saquear**, pilhar, roubar, crestar 2 **surpreender**, sobressaltar

salter *n.m.* **saltério**

saltério *n.m.* 1 MÚS. **salter** 2 ZOOL. **folhoso**, folho, centafolho

saltimbanco *n.m.* 1 **acrobata** 2 **charlatão**, histrião, intrujão, trapaceiro 3 *fig.* **vira-casaca**, polichinelo, funâmbulo *fig.*, cata-vento *fig.*, arlequim *fig.*, veleta *fig.*, ventoinha *fig.*, camaleão *fig.,pej.*

saltitante *adj.2g.* **trepidante**, pulante, saltador

saltitar *v.* **saltarilhar**, saltarinhar, subsultar *poét.*

salto *n.m.* 1 **pulo**, pincho, pinote, galão, cabriola 2 **assalto**, roubo, saque, salteada, saltada 3 (jogo de tabuleiro) **parada** 4 *fig.* **reviravolta**, volte-face, transição, mutação, pirueta, virada, viragem

salubre *adj.2g.* 1 **saudável**, sadio, são, salutar ≠ **enfermo**, doente 2 **sadio**, higiénico, saudável ≠ **prejudicial**, nocivo

salubridade *n.f.* **sanidade**, higiene, incolumidade

salutar *adj.2g.* 1 **saudável**, bom, benigno, sadio, salubre, salutífero, são, benfazejo, benéfico, hígido ≠ **prejudicial**, insalubre, nocivo 2 *fig.* **edificante**, moralizador, exemplar

salva *n.f.* 1 BOT. **salva-das-boticas**, sálvia 2 **surriada** 3 **saudação**, cumprimento, salvação, mesura, cortesia

salvação *n.f.* 1 **salvamento**, socorrimento 2 **redenção**, bem-aventurança 3 **saudação**, cumprimento, salva, mesura, cortesia, salve

salvador *adj.,n.m.* **libertador**, redentor, emancipador, livrador

salvadorenho *adj.,n.m.* **salvatoriano**

salvaguarda *n.f.* 1 **salvo-conduto**, ressalva 2 **defesa**, segurança, resguardo ≠ **ataque**, ofensiva 3 **protetor**, defensor, abrigador, propugnador ≠ **atacante** 4 **cautela**, reserva, precaução, resguardo *fig.* ≠ **precipitação**, descuido

salvaguardar *v.* 1 **defender**, proteger, resguardar ≠ **atacar** 2 **garantir**, ressalvar, acautelar, prevenir ≠ **precipitar**, descuidar
salvar *v.* 1 **livrar**, libertar 2 **preservar**, defender 3 **galgar**, saltar 4 **ressalvar** 5 **remir**, expiar, purificar, resgatar ≠ **condenar**, castigar 6 **conservar**, preservar, salvaguardar 7 **cumprimentar**, saudar
salvar-se *v.* 1 **escapar**, safar-se, livrar-se 2 **remir-se**, libertar-se 3 **sobreviver** 4 **refugiar-se**, abrigar-se, acolher-se
salva-vidas *n.m.2n.* 1 **baleeira** 2 **nadador-salvador**, banheiro
salve *n.m.* **saudação**, cumprimento, salva, mesura, cortesia ■ *interj.* **ave!**
sálvia *n.f.* BOT. **salva**, salva-das-boticas
salvo *adj.* 1 **livre**, liberto, isento, safo, remido 2 **resguardado**, abrigado, protegido, acolhido 3 **preservado**, intacto, conservado
salvo-conduto *n.m.* 1 **livre-trânsito**, guia, ressalva 2 *fig.* **privilégio** 3 *fig.* **isenção**
samaritano *adj. fig.* **caritativo**, humanitário, benevolente, virtuoso ≠ **desumano**, malévolo, malicioso
samarra *n.f.* 1 **sotana**, chimarra 2 *fig.* **saburra** ■ *n.m. pej.* **padre**, sacerdote, clérigo, eclesiástico, cura, sotaina *pej.*
samelo *n.m.* **imbecil**, parvo, tolo, idiota, estúpido, palerma, patego, paspalho, badana *col.*, bate-orelha *fig.*, babaca [BRAS.] *col.* ≠ **conhecedor**, entendedor, erudito, sábio, sabedor
samo *n.m.* 1 **alburno**, sâmago, borne 2 ICTIOL. **capatão**
samouco *n.m.* BOT. **faia**, faia-das-ilhas
sanação *n.f.* 1 **cura**, recuperação, recobro 2 *fig.* **resolução**, termo
sanar *v.* 1 **curar**, sarar, recuperar, recobrar 2 (engano, erro) **remediar**, desfazer, consertar, corrigir, reparar, sanear 3 **obstar**, atalhar, estorvar, empecer ≠ **desempecer**, desimpedir
sanável *adj.2g.* 1 **curável**, recuperável, recobrável, saneável 2 **remediável**, resolúvel, corrigível ≠ **incorrigível**, irremediável
sanção *n.f.* 1 **ratificação**, assentimento, aprovação, confirmação 2 DIR. **pena**
sancha *n.f.* [REG.] BOT. **pinheira**
sancionar *v.* 1 **confirmar**, ratificar, validar 2 **aprovar**, admitir, aceitar
sandália *n.f.* **chanca**, alparca, albarca [REG.]
sande *n.f. col.* **sanduíche**
sandeu *adj.,n.m.* **imbecil**, parvo, tolo, idiota, estúpido, palerma, mentecapto, patego, paspalho, badana *col.*, bate-orelha *fig.*, babaca [BRAS.] *col.* ≠ **conhecedor**, entendedor, erudito, sábio, sabedor
sandice *n.f.* **disparate**, tolice, parvoíce, lorpice, idiotice, asneira, palermice, pateguice, imbecilidade, burrice, burricada *fig.* ≠ **juízo**, acerto, esperteza
sandim *n.m.* BOT. **aderno**, sanguinho-das-sebes, aderno-bastardo
sanduíche *n.f.* **sande** *col.*, sandes *col.*
saneamento *n.m.* 1 **asseio**, limpeza, higiene ≠ **imundície**, sujidade, porcaria, bodeguice 2 **cura**, recuperação, recobro, sanação 3 **reparação** 4 **condenação**
sanear *v.* 1 **higienizar**, salubrificar, salubrizar 2 **sanificar**, cauterizar, sarar, curar 3 **recuperar**, convalescer, restabelecer-se, recobrar ≠ **piorar**, agravar 4 (engano, erro) **remediar**, desfazer, consertar, corrigir, reparar 5 **desculpar**, perdoar, remitir, indulgenciar, indultar ≠ **castigar**, punir, corrigir, condenar 6 **reconciliar**, conciliar, amistar, recompor, harmonizar, congraçar ≠ **desavir**, incompatibilizar, desarmonizar, desconcertar, desconciliar
saneável *adj.2g.* **curável**, recuperável, recobrável, sanável
sanefa *n.f.* **bambolim**
sangrar *v.* 1 **ferir** 2 **matar** 3 **verter**, gotejar, pingar, exsudar 4 *fig.* **dilacerar**, atormentar, afligir, consumir, mortificar ≠ **aliviar**, tranquilizar 5 *fig.* **esgotar**, debilitar, enfraquecer, esmorecer 6 *fig.* **extorquir**, rapar, cardar *col.*, sugar *fig.*, depenar *fig.* 7 *fig.* **sofrer**, afligir-se, angustiar-se 8 **flebotomizar**
sangrento *adj.* 1 **sanguinolento**, ensanguentado, sanguento, sanguinoso 2 *fig.* **cruel**, feroz, atroz, bárbaro, impiedoso, sanguinário, desumano ≠ **humano**, bondoso, piedoso, bom, compassivo
sangria *n.f.* 1 **sangradura**, sangramento 2 **sanja** 3 *fig.,col.* **extorsão**, desfalque
sangue *n.m.* 1 HISTOL. **hemolinfa** 2 *col.* **mestruação**, período, mênstruo, regras, menorreia, incómodo 3 *fig.* **vida**, existência 4 *fig.* **família**, raça, progenitura, geração, linhagem 5 *fig.* **natureza** 6 *fig.* **suco**, sumo, seiva
sangue-frio *n.m.* 1 **impassibilidade**, frieza, insensibilidade, indiferença, fleuma 2 **tranquilidade**, calma, serenidade *fig.* ≠ **perturbação**, agitação, inquietação
sanguessuga *n.2g.* 1 *col.* **beberrão**, beberraz, copofone, copista, esponja *col.*, pipa *col.*, borrachão *col.*, tonel *fig.*, mata-borrão *fig.*, sopão *col.* ≠ **abstémio**, abstinente 2 *fig.* **explorador**, pedinchão, crava *col.,pej.*, mordedor *gír.*
sanguinário *adj.* 1 **sanguissedento**, cruento, encarniçado *fig.* 2 *fig.* **cruel**, feroz, atroz, bárbaro, impiedoso, sangrento, desumano, carnífice, tigrino *fig.* ≠ **humano**, bondoso, piedoso, bom, compassivo
sanguíneo *adj.* **sanguissedento**, sanguino, cruento, encarniçado *fig.*

sanguinolência *n.f. fig.* **crueldade**, ferocidade, atrocidade, barbaridade, impiedade, desumanidade ≠ **humanidade**, bondade, piedade, compassividade

sanguinolento *adj.* 1 **sangrento**, ensanguentado 2 *fig.* **cruel**, feroz, atroz, bárbaro, impiedoso, sangrento, desumano, carnífice ≠ **humano**, bondoso, piedoso, bom, compassivo

sanha *n.f.* 1 **ira**, ferocidade, cólera, raiva, fúria ≠ **calma**, serenidade, tranquilidade 2 **ardor**, ímpeto, impetuosidade, fervor ≠ **apatia**, desinteresse 3 **ódio**, aversão, antipatia, repulsa, raiva, rancor, osga *col.*

sanhoso *adj.* 1 **assanhado**, iroso, danado, irritadíssimo, enfurecido, furioso, raivoso, encolerizado, colérico, fulo, iracundo ≠ **calmo**, sereno, tranquilo 2 **mal-encarado**, carrancudo, façanhudo *col.*

sanidade *n.f.* 1 **saúde**, higidez 2 **salubridade**, higiene, incolumidade

sanita *n.f.* **retrete**, privada, latrina, sentina, dejetório, necessária *col.*

sanitário *adj.* **higiénico**, salubre ■ *n.m.pl.* **casa de banho**, quarto de banho, wc, banheiro [BRAS.]

santão *n.m. pej.* **santarrão**, beatão, beatorro, tartufo, santanário, zelote *col.*

santareno *adj.,n.m.* **escalabitano**

santidade *n.f.* 1 **religiosidade**, piedade, devoção 2 **pureza**, virtude, inocência, castidade

santificação *n.f.* **exaltação**, divinização, sublimação

santificar *v.* 1 **canonizar**, sagrar 2 **glorificar**, venerar, bendizer, louvar, exaltar ≠ **praguejar**, condenar, amaldiçoar 3 **moralizar**, edificar

santificar-se *v.* 1 **regenerar-se** 2 **elevar-se**

Santíssimo *adj.* RELIG. **Eucaristia**, hóstia, pão, pão angélico, partícula, sacramento, Senhor

santo *adj.* 1 **canonizado**, beatificado 2 **sagrado** 3 **respeitável**, venerável 4 **imaculado**, puro, inocente, simples 5 **inviolável**, intocável 6 **eficaz**, benéfico, útil ■ *n.m.* **bem-aventurado**, são

santola *n.f.* ZOOL. **centola**, aranha-do-mar, arola, aranhola

santo padre *n.m.* RELIG. **Papa**, Pontífice, Sumo Pontífice, Sua Santidade, Padre-Santo, Vigário de Cristo

santoral *n.m.* RELIG. **flos-santório**, hagiologia, hagiografia, hagiológio ■ *adj.2g.* 1 *fig.* **salutar** 2 *fig.* **justo**, reto

santuário *n.m.* 1 **templo**, capela 2 **oratório** 3 **sacrário**, relicário

são *adj.* 1 **saudável**, sadio, salutar ≠ **enfermo**, doente, languento, morrinhento, valetudinário 2 **curado**, sarado, recuperado, recobrado, restabelecido 3 **saudável**, bom, salutar, sadio, salubre, salutífero, benigno, benfazejo, benéfico ≠ **prejudicial**, insalubre, nocivo 4 **forte**, vigoroso 5 **ileso**, salvo, incólume 6 **verdadeiro**, sincero, franco 7 **íntegro**, justo 8 **razoável**, judicioso ■ *n.m.* **santo**, bem-aventurado

sapa *n.f.* 1 **pá** 2 [REG.] **testo**, tampa

sapal *n.m.* 1 **brejo**, paul, pantanal, lamaçal, pântano, charco, lameiro, tremedal, marisma 2 **sapeira**

sapatada *n.f.* **bofetão**, sopapo, tabefe *col.*, chapada *col.*, assoa-queixos *col.*, lambada *col.*, biscoito *fig.*, moleque [BRAS.] *col.*

sapateada *n.f.* **pateada**, tacão *fig.*

sapateado *n.m.* **tripúdio**

sapatear *v.* **tripudiar**

sapateiro *n.m.* 1 **bate-sola** *col.* 2 *pej.* **sarrafaçal**, sarrafaçana, barbeiro 3 *pej.* **aldabrão**, charlatão, impostor, histrião *fig.* ≠ **honesto** 4 ZOOL. **fedavelha** *col.*, percevejo-do-monte

sapatilha *n.f.* 1 **ténis**, basquete [BRAS.] 2 MÚS. **sapata**

sapato *n.m. col.* **calcante**

sapiência *n.f.* **erudição**, sabedoria, saber, conhecimento, instrução ≠ **ignorância**

sapiente *adj.2g.* **sabedor**, erudito, conhecedor, sábio, ciente, perito ≠ **ignorante**, desconhecedor, inculto

sapinhos *n.m.pl.* PATOL. **endomicose**, sapos, farfalho

sapudo *adj.* **atarracado**, parracho, quadrado *fig.*, tortulho *fig.*

saque *n.m.* 1 **assalto**, roubo, salto, salteada, saltada 2 [BRAS.] DESP. **serviço**

saqueador *adj.,n.m.* **assaltante**, salteador, pilhante, ladrão

saquear *v.* 1 **pilhar**, roubar, despojar, tirar, crestar 2 **devastar**, assolar, depredar, talar *fig.*

saquinho *n.m.* 1 **saquitel**, saquete, saquito 2 **cartucho**, munição

sarabanda *n.f.* **repreensão**, admoestação, advertência, descompostura, reprimenda, exprobração, censura, chega, esfrega *fig.*, lição *fig.*, lava-dente [REG.], retambana *col.* ≠ **elogio**, louvor, felicitação, aprovação

saracotear *v.* 1 **requebrar**, menear, balançar, gingar, abanar, oscilar, bambalear, baloiçar, bamboar, mover ≠ **parar**, cessar, imobilizar, fixar, estabilizar 2 **vaguear**, vagar, errar, vagabundear, deambular, perambular, divagar, flainar

saracotear-se *v.* **bambolear-se**, menear-se, bamboar-se, rebolar-se, rebolear-se, balancear-se, requebrar-se, sacudir-se, sarandear, sargentear

saracoteio *n.m.* **requebro**, meneio, bamboleamento, oscilação, camboleio, remeneio, molejo [BRAS.] ≠ **imobilidade**, estabilidade, fixidez

saragoça *n.f.* ORNIT. **moleiro**, mandrião

saraiva *n.f.* METEOR. **granizo**, pedra, pedraço [REG.], graelo [REG.]

saraivada *n.f.* 1 **aguaceiro**, chuveiro, chuvada, bátega, carga de água, salseirada, zamborrada [REG.] 2 **granizada**, escarduçada, saraiveiro *col.*, graelada [REG.]

saraivar *v.* granizar

saramago *n.m.* BOT. **rábano-silvestre**, rábano-bastardo, saramago-maior, labresto, nabiça, lâmpsana, aneixa

sarapantar *v.* 1 **assustar**, atemorizar, espantar, amedrontar 2 **espantar**, assombrar, surpreender, pasmar

sarapintar *v.* 1 **mesclar**, variegar, matizar 2 **pintalgar**, mesclar, mosquear, salpicar

sarar *v.* 1 **curar**, sanar, recuperar, recobrar, restabelecer-se, guarir 2 *fig.* **remediar**, corrigir, consertar, desfazer, reparar, sanar

sarau *n.m.* **serão**, reunião, soirée

sarçal *n.m.* **silvado**, sarça, chavascal, charabascal

sarcasmo *n.m.* 1 **cinismo**, ironia, causticidade, mordacidade, sátira ≠ **seriedade**, reservado, gravidade 2 **escárnio**, motejo, zombaria, gracejo, troça, mofa, burla, chasco, chufa ≠ **respeitabilidade**, considerabilidade

sarcástico *adj.* 1 **cínico**, irónico, cáustico, mordaz, satírico ≠ **sério**, reservado, grave 2 **zombeteiro**, escarninho, trocista, escarnecedor, sardónico

sarcófago *n.m.* **jazigo**, sepulcro, sepultura, tumba, túmulo, campa ■ *adj.* **creófago**

sarda *n.f.* 1 **efélide**, lentigem 2 ICTIOL. **cavala**, xarda

sardanisca *n.f.* ZOOL. **lagartixa**, sardonisca

sardão *n.m.* 1 ZOOL. **lagarto** 2 BOT. **azinheira**

sardenho *adj.,n.m.* sardo

sardento *adj.* **sardoso**, lentiginoso, xardoso, sardo

sardinha *n.f.* 1 ICTIOL. **manjua** 2 [REG.] **estalo** *col.*, bofetada, tapa, lambada, bolachada *col.*, lagosta *col.*, mosquete *col.*, chapada *col.*, estalada *col.*, tabefe *col.*, estampilha *col.*, lostra *col.*, solha *col.*, sorvete *col.*, bilhete *gír.*

sardinheira *n.f.* BOT. **pelargónio**

sardo *adj.,n.m.* **sardenho**, sardónio ■ *adj.* **sardoso**, sardento, lentiginoso, xardoso ■ *n.m.* ICTIOL. **marraxo**, anequim, arrequim

sardónico[AO] ou **sardônico**[AO] *adj.* **zombeteiro**, trocista, sarcástico, escarninho, escarnecedor

sargaceiro *n.m.* **argaceiro**, moliceiro

sargaço *n.m.* 1 BOT. **moliço**, argaço, bodelha, algaço, chaguarço 2 [REG.] **caruma**, branza, sama, chamiça, arguiço [REG.], pruma [REG.], garavalha [REG.], maravalha [REG.], gravalha [REG.], gravanha [REG.]

sargente *n.2g.* **criado**, servente, servidor, fâmulo, servo

sarilho *n.m.* 1 *col.* **confusão**, caos, barulho, trapalhada, desordem, balbúrdia, babel, badanal, chinfrim, sarrafusca *col.*, pé de vento *fig.*, tropel *fig.* ≠ **ordem**, organização, arrumação, arranjo 2 *col.* **complicação**, dificuldade 3 *col.* **briga**, desordem, conflito, vuvu [BRAS.] *col.*

sarja *n.f.* **escarificação**

sarjeta *n.f.* **valeta**, bueiro, desaguadouro, escoadouro, vazadouro, sanja, vertedoiro

sarmento *n.m.* BOT. **vide**, vergôntea, pimpolho

sarna *n.f.* 1 *fig.* **manha**, astúcia, malícia, ardil, estratagema, cabe ≠ **honestidade**, correção, sinceridade 2 MED., VET. **escabiose**, curuba [BRAS.] ■ *n.2g.* *col.* **maçador**, chato, melga, lapa *fig.*

sarnento *adj.* 1 **sarnoso**, garro, escabioso 2 *fig.* **combalido**, abatido, enfraquecido, debilitado 3 *fig.* **importuno**, incomodativo, maçador, maçudo, impertinente, enfadonho, incómodo ≠ **agradável**, aprazível

sarrabiscar *v.* **gatafunhar**, rabiscar

sarrabisco *n.m.* **gatafunho**, rabisco, garatuja

sarrabulho *n.m.* 1 CUL. **sarrabulhada**, chanfana, serrabulho 2 *fig.* **confusão**, caos, barulho, trapalhada, desordem, balbúrdia, babel, badanal, chinfrim, farrão, sarrafusca *col.*, pé de vento *fig.*, tropel *fig.* ≠ **ordem**, organização, arrumação, arranjo

sarrafo *n.m.* **fasquia**, fasquieiro, ripa, ripeira

sarro *n.m.* 1 **tártaro** 2 (nos dentes) **tártaro**, odontólito 3 **saburra**

Satã *n.m.* **Demo**, Diabo, Demónio, Satanás, Belzebu, maligno, canhoto *col.*, carocho *col.*, porco-sujo *col.*, mafarrico *col.*

satanás *n.m.* 1 (com maiúscula) **Demo**, Demónio, Satã, Belzebu, Lucifer, maligno, canhoto *col.*, carocho *col.*, porco-sujo *col.*, mafarrico *col.* 2 *fig.* **malsim**

satânico *adj. fig.* **diabólico**, infernal, demoníaco ≠ **celestial**

satanismo *n.m.* 1 **diabolismo** 2 **maldade**, perversidade, crueldade, atrocidade, diabolismo ≠ **bondade**, piedade, humanidade

satanizar *v.* **perverter**, depravar, desmoralizar, corromper ≠ **santificar**, moralizar

satélite *n.m.* 1 ASTRON. **secundário** 2 **subúrbio** 3 *fig.* **sequaz**, sectário, partidário 4 (mineral) **fundinho** [BRAS.] *col.*, vidraço [BRAS.] *col.*

sátira *n.f.* 1 **epigrama**, soneto *col.* 2 **troça**, zombaria, gracejo, escárnio, motejo, mofa, burla, chasco, chufa ≠ **respeitabilidade**, considerabilidade

satírico *adj.* **mordaz**, sarcástico, cáustico, picante, epigramático, cínico, aletófilo, molieresco, remordaz

satirizar *v.* **ridicularizar**, epigramatizar, bandarilhar, crivar ≠ **respeitar**, considerar

sátiro *n.m.* 1 MITOL. fauno 2 libertino, devasso, pervertido, velhaco, corrupto *fig.*

satisfação *n.f.* 1 contentamento, alegria, agrado, gosto, jubilação, felicidade ≠ desagrado, insatisfação, desgosto 2 pagamento 3 [*pl.*] explicações, justificações, desculpas

satisfatório *adj.* 1 razoável, sofrível, cabal, passável ≠ insatisfatório, insuficiente 2 regular 3 suficiente

satisfazer *v.* 1 saciar, fartar, encher, embuchar, empanturrar, cevar ≠ desenfartar, desempanturrar 2 contentar, agradar, aprazer, regozijar ≠ desagradar, desgostar, aguar *fig.* 3 (uma dívida ou um encargo) pagar, restituir, devolver, entregar 4 remediar, mitigar 5 realizar, cumprir, executar 6 convir, servir, assentar 7 obviar

satisfazer-se *v.* 1 contentar-se 2 saciar-se, fartar-se 3 vingar-se

satisfeito *adj.* 1 nutrido, farto, cevado, embuchado, empanturrado ≠ esfomeado, ávido, faminto 2 cumprido, realizado, executado 3 contente, animado, alegre, feliz ≠ aborrecido, maçado, enfadado 4 indemnizar, liquidado, saldado, pago

sátrapa *n.m. fig.* déspota, tirano, opressor, autocrata, ditador ≠ democrata, liberal

saturação *n.f. fig.* saciedade, repleção

saturado *adj.* 1 *fig.* farto, cansado, esgotado, aborrecido, enfastiado ≠ animado, interessado, estimulado 2 *fig.* repleto, cheio

saturar *v.* 1 encher, impregnar, acumular, amontoar, sobrecarregar ≠ retirar 2 satisfazer, saciar, encher, fartar, embuchar, cevar 3 cansar *fig.*, fartar, encher

saturnal *adj.2g.* saturnino ■ *n.f. fig.* orgia, devassidão, libertinagem, desregramento, carnaval, bacanal, tripúdio *fig.*, sábado *col.*

saturnino *adj.* 1 saturnal 2 plúmbeo

saudação *n.f.* 1 cumprimento, salvação, salva, mesura, cortesia, salve 2 brinde, toste, saúde *fig.* 3 [*pl.*] cumprimentos, lembranças, recomendações, felicitações, homenagens, saudades

saudade *n.f.* 1 nostalgia, melancolia 2 [*pl.*] cumprimentos, lembranças, recomendações, felicitações, homenagens, saudações

saudar *v.* 1 cumprimentar, cortejar, mesurar, salvar 2 aclamar, louvar, felicitar ≠ censurar, criticar 3 reverenciar, respeitar, honrar, venerar ≠ irreverenciar, desrespeitar

saudável *adj.2g.* 1 salutar, bom, benigno, sadio, salubre, salutífero, são, benfazejo, benéfico ≠ prejudicial, insalubre, nocivo 2 robusto, forte, toroso *fig.* ≠ débil, fraco, achacadiço, emplasmado, enfermiço 3 positivo, benéfico, proveitoso, vantajoso ≠ negativo, prejudicial, desvantajoso

saúde *n.f.* 1 vigor, robustez, energia, resistência ≠ debilidade, fragilidade 2 *fig.* cumprimento, saudação, salvação, salva, mesura, cortesia, salve

saudosismo *n.m.* passadismo

saudosista *n.2g.* 1 passadista 2 nostálgico, sebastianista, saudoso ≠ dessaudoso

saudoso *adj.* 1 pesaroso, triste, lastimoso, plangente ≠ alegre, feliz, contente, satisfeito 2 nostálgico, sebastianista ≠ dessaudoso

saxão *adj.,n.m.* saxónio, saxónico

saxónio[AO] ou **saxônio**[AO] *adj.,n.m.* saxão, saxónico

sazonado *adj.* 1 maduro, experiente, amadurecido ≠ imaturo, novo 2 *fig.* experiente, versado, perito, prático, calejado *fig.* ≠ inexperiente 3 *fig.* meditado, pensado, refletido, cuidado, ponderado ≠ impensado, irrefletido, precipitado

sazonar *v.* 1 amadurecer, maturar, madurar, sazoar 2 temperar, condimentar ≠ dessazonar, destemperar 3 *fig.* adornar, enfeitar, ornamentar, ataviar ≠ desadornar, desenfeitar, desornar

se *conj.* 1 como, dado que 2 quando, sempre que

sé *n.f.* catedral

seara *n.f.* 1 messe, trigal 2 *fig.* agremiação, associação

sebáceo *adj.* 1 seboso, sebento, ensebado 2 untuoso, oleoso, gordurento, gorduroso, gordo 3 sujo, imundo, encardido, hediondo ≠ limpo, asseado, imaculado, lavado 4 adiposo, gordo, obeso, untuoso, balofo [BRAS.] ≠ magro, chupado, delgado, esguio

sebastianista *n.2g.* 1 *fig.* retrógrado, reacionário, tradicionalista, conservador ≠ progressista, inovador, vanguardista 2 *fig.* saudosista, nostálgico ≠ dessaudoso

sebastião *n.m.* 1 *col.* ingénuo, pateta, matias, idiota, parvo, estúpido, palerma, pacóvio, tolo ≠ sabedor, entendedor 2 ICTIOL. peixe-cão, bodinho

sebe *n.f.* 1 caniçado, sebada 2 vedação, cercado, muro, cerca, cerrado, tapada, valado

sebentice *n.f.* imundície, bodeguice, porcaria, sujidade, espurcícia, sordícia ≠ asseio, limpeza, mundície

sebento *adj.* 1 sebáceo, seboso, ensebado 2 porcalhão, nojento, imundo, bodegão, sujo, porco *pej.* ≠ asseado, esmerado

sebo *n.m.* 1 gordura, banha, unto, pingue, chorume 2 [BRAS.] alfarrabista ■ *interj.* (indica desagrado, desapontamento) cebolório!

seboso *adj.* 1 sebáceo, sebento, ensebado 2 untuoso, oleoso, gordurento, gorduroso, gordo 3 sujo, imundo, encardido, hediondo ≠ limpo, asseado, imaculado, lavado 4 adiposo, gordo, obeso, untuoso, balofo [BRAS.] ≠ magro, chupado, delgado, esguio

seca *n.f.* 1 **secagem**, enxugo, secadura 2 **estiagem**, sequeira *col.* 3 *fig.* **maçada**, importunação, enfado, estopada ■ *n.2g. col.* **maçador**, chato, lapa, melga *col.*, cola *col.*, carraça *fig.*, narcótico *fig.*

secagem *n.f.* **seca**, enxugo

secante *adj.* **sicativo** ■ *adj.,n.2g.* **importuno**, incómodo, incomodativo, maçudo, impertinente, enfadonho, insuportável, fastidioso, maçador *fig.* ≠ **agradável**, aprazível

secar *v.* 1 **enxugar**, desencharcar, desensopar, dessecar, escorrer ≠ **molhar**, encharcar, ensopar, alagar, abrevar, abeberar *fig.* 2 **aridificar** 3 **murchar**, mirrar, definhar ≠ **crescer**, medrar 4 **estancar**, esgotar, esvaziar, acabar 5 **emagrecer**, definhar, adelgaçar, diminuir ≠ **engordar**, anafar 6 *fig.* **imobilizar**, paralizar, estancar 7 *fig.* **maçar**, importunar, enfadar, aborrecer, chatear, seringar ≠ **alegrar**, avivar

secar-se *v.* 1 **enxugar-se** ≠ **molhar-se** 2 **ressequir-se** ≠ **humedecer-se** 3 **definhar**, mirrar 4 **emudecer** 5 **esgotar-se**, sumir-se, acabar-se

secção^AO ou **seção**^AO *n.f.* 1 **corte**, divisão 2 **parte**, segmento, fração, porção 3 **departamento**, divisão, setor, repartição, serviço

seccionar^AO ou **secionar**^AO *v.* 1 **cortar**, dividir, segmentar, fracionar ≠ **unir**, juntar 2 **selecionar**

secessão *n.f.* **afastamento**, separação, apartamento ≠ **aproximação**

seco *adj.* 1 **enxuto**, escorrido, desencharcado, desensopado ≠ **molhado**, encharcado, ensopado, aguacento, aguachado 2 **árido**, estéril, infecundo ≠ **fecundo**, fértil 3 **murcho**, definhado, mirrado ≠ **crescido**, medrado, desenvolvido 4 **magro**, descarnado, chupado, definhado 5 *fig.* **ríspido**, severo, desabrido, rigoroso ≠ **flexível**, maleável 6 *fig.* **insensível**, frio, indiferente 7 *fig.* **esgotado**, estanque, vazio

secreção *n.f.* **excreção**, expulsão

secretamente *adv.* **sigilosamente**, confidencialmente, recatadamente, ocultamente, disfarçadamente, escondidamente, veladamente ≠ **publicamente**, declaradamente, abertamente, manifestamente

secretaria *n.f.* **repartição**, secretariado

secretária *n.f.* **papeleira**, escrivaninha, bufete, banca, carteira

secretariado *n.m.* **repartição**, secretaria

secretário *n.m.* 1 ORNIT. **serpentário** 2 *fig.* **confidente**, depositário, íntimo

secreto *adj.* 1 **escondido**, oculto, encoberto ≠ **revelado**, descoberto, visível 2 **confidencial**, reservado ≠ **revelado**, divulgado 3 **ignorado**, escondido, incógnito ≠ **sabido**, conhecido 4 **íntimo**, particular, privado, reservado ≠ **público** 5 **recôndito**, retirado, escuso, escondido, isolado, solapado *fig.* 6 *fig.* **solitário**, isolado, só

sectário *adj.* 1 *fig.* **faccioso**, parcial, partidário, preconceituoso ≠ **imparcial**, neutral, isento, objetivo, desinteressado 2 *fig.* **intolerante**, intransigente, inflexível, rígido ≠ **tolerante**, transigente, flexível, aberto ■ *n.m.* 1 **partidário**, parcial, seguidor, sequaz, correligionário 2 *fig.* **fanático**, apaixonado, maníaco, doente *col.* 3 *fig.* **prosélito**, adepto

sectarismo *n.m.* 1 **faccionismo**, partidarismo 2 **intransigência**, intolerância, inflexibilidade, rigidez ≠ **tolerância**, transigência, flexibilidade, abertura

sector^AO *n.m.* ⇒ **setor**^AO

secular *adj.2g.* 1 **antigo**, centenário 2 **temporal**, mundanal, terreal *fig.*, terrenho *fig.*, terrestre *fig.* ■ *n.2g.* **leigo**, laical, laico, profano

secularizar *v.* **laicizar**, dessagrar, profanar, desfradar, temporalizar

século *n.m.* 1 **centúria** 2 **mundo** 3 **época**, era, período

secundar *v.* 1 **repetir**, reproduzir, bisar, voltar, tornar 2 **apoiar**, auxiliar, coadjuvar, ajudar, assistir, socorrer ≠ **desapoiar**, desajudar 3 **repetir**, reforçar

secundariamente *adv.* **posteriormente**

secundário *adj.* 1 **segundo** 2 **acessório**, inferior, insignificante, suplementar, complementar, auxiliar ≠ **fundamental**, essencial, basilar, básico, orgânico, primacial, primário 3 GEOL. **mesozoico** ■ *n.m.* ASTRON. **satélite**

secura *n.f.* 1 *col.* **sede**, sequidão 2 **magreza**, estica, hecticidade ≠ **gordura** 3 *fig.* **impassibilidade**, frieza, sequidão, insensibilidade, indiferença ≠ **afabilidade**, afetuosidade, paixão

seda *n.f.* 1 BOT. **seta** 2 *col.* **luxo** 3 [BRAS.] (tabaco) **mortalha** 4 [*pl.*] **cerda**

sedar *v.* 1 **serenar**, acalmar, mitigar, amansar 2 **assedar**, estrigar

sedativo *adj.,n.m.* **lenitivo**, calmante, tranquilizante, acinético, paregórico, temperante, analgésico

sede *n.f.* 1 **secura**, sequidão 2 *fig.* **avidez**, desejo, ambição, ganância, cobiça ≠ **desinteresse**, desambição 3 **ânsia**, impaciência, ansiedade, sofreguidão ≠ **paciência**, calma 4 *fig.* **centro**, capital, cabeça

sedentário *adj.* 1 **inativo**, parado, quieto, pouseiro ≠ **ativo**, dinâmico 2 ≠ **nómada**, errante

sedento *adj.* 1 **sequioso**, sedente, sitibundo *poét.* 2 *fig.* **ansioso**, ávido, sôfrego, desejoso

sedição *n.f.* **motim**, rebelião, revolta, sublevação, insurreição, levantamento, tumulto

sedicioso *adj.* **revoltoso**, amotinado, insurreto, rebelde, revolucionário ■ *n.m.* **insubordinador**, provocador, fomentador, revolucionário, amotinador, agitador, perturbador

sedimentar *adj.2g.* **sedimentário**, sedimentoso ■ *v.* **consolidar**, fortalecer, solidificar, estabilizar ≠ **enfraquecer**, debilitar

sedimentário *adj.* **sedimentar**, sedimentoso

sedimento *n.m.* 1 **borra**, resíduo, lia, fundagem, fezes, hipóstase, tarro [REG.] 2 **fezes**, excrementos, lia, poio *col.* 3 *fig.* **vestígio**, sinal, marca, indicação

sedoso *adj.* 1 **peludo**, piloso, viloso, sedeúdo, sérico ≠ **pelado** 2 **aveludado**, macio, suave, fino, meduloso

sedução *n.f.* 1 **magnetismo**, atração 2 **suborno**, corrupção, aliciação, peita, compra, luva, mão-‑pendente 3 **atrativo**, encanto, fascinação, charme, conquista *fig.* ≠ **desilusão**, deceção, desinteresse

sedutor *adj.* **atraente**, encantador, tentador, cativante, fascinante, charmoso ■ *n.m.* **matador**, feiticeiro *fig.*

seduzir *v.* 1 **persuadir**, tentar 2 **aliciar**, cativar, atrair, encantar, fascinar, render, deslumbrar ≠ **desinteressar**, repelir, repugnar

segador *adj.,n.m.* **ceifeiro**, ceifão, segão

segar *v.* 1 **ceifar**, cortar, cercear, fouçar, mermar 2 **findar**, acabar, dissipar, destruir

segmentação *n.f.* 1 **fragmentação**, parcelamento, fracionamento, divisão ≠ **somatório**, totalização 2 BIOL. **bástula**

segmentar *v.* **fragmentar**, parcelar, fracionar, retalhar, dividir, seccionar, metamerizar ≠ **somar**, totalizar ■ *adj.2g.* **fragmentário**, segmentário, fracionário, parcial, parcelar ≠ **somatório**, totalitário

segmento *n.m.* 1 **parte**, secção, fração, porção 2 MEC. **cilindro-pistão** 3 ZOOL. **metâmero**, anel

segredar *v.* **confidenciar**, cochichar, ciciar, murmurar, sussurrar ≠ **revelar**, divulgar

segredo *n.m.* 1 **sigilo** ≠ **revelação** 2 **mistério**, incógnita, enigma, arcano, coisa 3 **discrição**, reserva, recato, silêncio 4 **confidência**, confissão, resguardo, revelação ≠ **inconfidência**, divulgação 5 **íntimo**, âmago, interior 6 **esconderijo**, resguardo, ádito

segregação *n.f.* 1 **marginalização** 2 **isolamento**, separação, afastamento

segregar *v.* 1 **separar**, apartar, isolar, insular 2 **marginalizar**, discriminar ≠ **integrar**, indiscriminar 3 **expelir**, excretar, evacuar

segregar-se *v.* **isolar-se**, afastar-se, separar-se

seguida *n.f.* **seguimento**, continuação

seguidamente *adv.* 1 **continuamente**, constantemente, ininterruptamente, incessantemente, sempre ≠ **ocasionalmente**, raranemente, escassamente 2 **logo**, imediatamente 3 **após**, depois ≠ **anteriormente**, antes

seguido *adj.* 1 **contínuo**, consecutivo, ininterrupto, sucessivo ≠ **incontínuo**, descontínuo, interrompido 2 **imediato**, seguinte 3 **adotado**, escolhido, aprovado 4 **persistente**, perseverante 5 **frequentado**, trilhado

seguidor *adj.,n.m.* 1 **continuador**, prosseguidor 2 **perseguidor** 3 **partidário**, parcial, sectário, sequaz, correligionário, mirmídone

seguimento *n.m.* 1 **acompanhamento**, companhia 2 **prosseguimento**, continuação, sequência, prossecução 3 **prolongamento**, continuação 4 **consequência** 5 **perseguição**, encalço

seguinte *adj.2g.* **imediato**, sequente, subsequente ≠ **anterior**, antecedente, precedente

seguir *v.* 1 **acompanhar**, escoltar 2 **perseguir**, encalçar, rastrear 3 **observar**, espiar 4 **percorrer**, atravessar, correr 5 **estudar**, cursar 6 **continuar**, prosseguir, avançar ≠ **parar**, suspender, interromper 7 **adotar**, optar

seguir-se *v.* 1 **suceder** 2 **decorrer**, resultar, advir

segundo *adj.* 1 **inferior**, secundário ≠ **superior**, principal 2 **novo** ■ *conj.* **conforme**, semelhante

segurado *n.m.* **tomador** ■ *adj.* **seguro**, firme

segurador *adj.,n.m.* **fiador**, garante

seguramente *adv.* 1 **certamente**, categoricamente, decerto, terminantemente 2 **evidentemente**, obviamente, certamente, naturalmente, OK

segurança *n.f.* 1 **seguridade** 2 **confiança**, firmeza, resolução, fidúcia, certeza, convicção ≠ **insegurança**, incerteza 3 **certificação**, autenticação, validação, legalização, legitimação ≠ **invalidação**, anulação 4 **caução**, penhor, garantia, fiadoria, fidejussória, satisfação, fiança 5 **convicção**, firmeza, certeza, asseveração, crença ≠ **insegurança**, hesitação, dúvida, indecisão 6 **amparo**, proteção, aconchego, gasalho ≠ **desproteção**, desamparo

segurar *v.* 1 **firmar**, fixar, imobilizar, estabilizar, poiar 2 **conter**, agarrar, prender 3 **acautelar**, assegurar 4 **fincar** 5 **deter**, suster, impedir 6 **assegurar**, garantir, afiançar, caucionar 7 **defender**

segurar-se *v.* 1 **suster-se**, agarrar-se, apoiar-se, amparar-se, firmar-se 2 **conter-se**, controlar-se, aguentar-se, comedir-se, moderar-se 3 **manter-‑se**, conservar-se 4 **prevenir-se**, acautelar-se

seguridade *n.f.* **segurança**

seguro *adj.* 1 **firme**, inabalável, estável, fixo ≠ **inseguro**, abalável, abalado, abaladiço 2 **preso**, atado, amarrado, fixo ≠ **solto**, desatado 3 **certo**, infalível, garantido, inegável, inequívoco ≠ **duvidoso**, discutível, contestável 4 **prudente**, acautelado, prevenido, cuidadoso, previdente ≠ **imprudente**, descuidado, desleixado, negligente 5 **eficaz**, infalível ≠ **ineficaz**, ineficiente 6 *col.* **económico**, forreta, poupado, avarento, sovina ≠

esbanjador, gastador, dissipador ■ *n.m.* 1 **garantia**, caução, penhor, fiança, fiadoria, fidejussória, satisfação, segurança 2 **salvaguarda**, ressalva, salvo-conduto 3 **proteção**, amparo, aconchego, abrigo

seiça *n.f.* BOT. **salgueiro**, seiceiro, salgueiro-branco, seice, sinceiro

seio *n.m.* 1 **curva**, sinuosidade, volta, enseio, curvatura ≠ **reta** 2 ANAT. **mama**, peito, chucha, poma, pomo *poét.*, teta *vulg.* 3 **peito**, colo, regaço *fig.* 4 *fig.* **ventre**, útero 5 **coração**, núcleo, centro, imo, íntimo, âmago, foco, interior *fig.*, fundo, eixo *fig.*, gema *fig.*, medula *fig.* ≠ **superfície**, exterior 6 *fig.* **intimidade**, familiaridade, privacidade 7 GEOG. (pouco usado) **golfo**, enseada, angra, baía, abra, recôncavo

seita *n.f.* 1 **fação**, partido 2 **capelinha** *fig.*, rito 3 *col.* **partido**, bando, campo *fig.*, alcateia *fig.*, bandeira *fig.* 4 [REG.] **sega**

seiva *n.f.* 1 **suco**, sumo, linfa, aguadilha, sangue *fig.* 2 *fig.* **substância** 3 *fig.* **vigor**, energia, força, atividade, substância

seixa *n.f.* 1 ORNIT. **sousa** 2 ZOOL. **corça**

seixo *n.m.* 1 **calhau**, cascalho, rebo, burgau, burgo, joga, bichoiro [REG.], gobo 2 [BRAS.] *col.* **calote** *col.*, dívida, calacre

seja *interj.* (indica consentimento) **concordo!**, vá!, faça-se!

sela *n.f.* 1 **arreio** 2 *ant.* **poltrona**

selado *adj.* 1 **asselado** 2 **fechado**, cerrado ≠ **aberto**, descerrado 3 **arreado**, aparelhado, albardado

selagem *n.f.* **estampilhagem**

selar *v.* 1 **aparelhar**, arrear 2 **estampilhar**, franquiar, sigilar 3 **carimbar**, estampar, imprimir, sigilar, chancelar 4 **cerrar**, fechar, rematar, ultimar ≠ **abrir** 5 **validar**, certificar, aprovar, firmar

seleção[dAO] *n.f.* **escolha**, eleição, optação, opção, preferência, triagem ≠ **renúncia**, rejeição, preterição

selecção[aAO] *n.f.* ⇒ **seleção**[dAO]

seleccionador[aAO] *adj.,n.m.* ⇒ **selecionador**[dAO]

seleccionar[aAO] *v.* ⇒ **selecionar**[dAO]

selecionador[dAO] *adj.,n.m.* **refugador**

selecionar[dAO] *v.* **optar**, escolher, preferir, eleger, seletar, apurar, triar ≠ **renunciar**, rejeitar, preterir

selecta[aAO] *n.f.* ⇒ **seleta**[dAO]

selecto[aAO] *adj.* ⇒ **seleto**[dAO]

seleta[dAO] *n.f.* **coleção**, coletânea, repositório, recolheita, antologia, compilação, crestomatia, florilégio *fig.*

seleto[dAO] *adj.* 1 **escolhido**, selecionado, apurado 2 **distinto**, especial, exímio, excelente

selha *n.f.* **tina**

selim *n.m.* **selote**

selo *n.m.* 1 **estampilha** 2 **carimbo**, chancela, sinete, timbre 3 *fig.* **cunho**, sinal, marca 4 **estigma** 5 *col.* **mancha**, nódoa

selva *n.f.* 1 **floresta virgem** 2 **floresta**, matagal, bosque, mata, brenha

selvagem *adj.2g.* 1 **selvático**, indomesticado, bravio, indoméstico ≠ **domesticado**, amansado 2 **espontâneo**, silvestre ≠ **cultivado** 3 **inculto**, bravo, bravio, silvestre 4 **inabitado**, despovoado, desocupado ≠ **habitado**, ocupado, povoado 5 **maninho**, ermo 6 **feroz**, cruel, fero ≠ **manso**, calmo, pacífico 7 **rude**, grosseiro, bruto, bestial ≠ **afável**, civilizado, cortês, educado 8 **intratável**, arisco, insociável, inabordável ≠ **tratável**, sociável, extrovertido, comunicável ■ *n.m.* **grosseiro**, rude, asneirento, bruto, batateiro *col.*

selvajaria *n.f.* **grosseria**, rudeza, boçalidade, rusticidade, incivilidade, insolente, asselvajamento, ruralidade *fig.*, aniagem *fig.* ≠ **delicadeza**, cortesia, civilidade, polidez

semana *n.f.* **hebdómada**

semanário *n.m.* **hebdomadário** ■ *adj.* **semanal**, hebdomadário

semântica *n.f.* LING. **semasiologia**, sematologia

semântico *adj.* 1 **sematológico**, semasiológico 2 **significativo**

semblante *n.m.* 1 **face**, rosto, fisionomia, cara, caraça, focinho *col.*, fuça *col.*, tromba *col.*, ventas *fig.,col.* 2 *fig.* **aparência**, aspeto, figura, presença, fachada *fig.*

sem-cerimónia[AO] ou **sem-cerimônia**[AO] *n.f.* 1 **informalismo** ≠ **formalismo**, cerimónia 2 **à-vontade**, descontração, desembaraço ≠ **constrangimento**, acanhamento 3 **irreverência**, descaramento, atrevimento ≠ **reverência**, acato, consideração

sêmea *n.f.* **farelo**

semeada *n.f.* **sementeira**, semeadura, sementio

semeador *adj.* **sementeiro** ■ *adj.,n.m. fig.* **propagador**, propalador, difusor, promotor, vulgarizador, divulgador

semeadura *n.f.* 1 **semeação** 2 **semeada**, sementeira

semear *v.* 1 **sementar**, plantar 2 **fomentar**, ocasionar, causar 3 **fomentar**, catapultar, incitar 4 *fig.* **disseminar**, espalhar, propalar 5 *fig.* **publicitar**, propagandear, propagandar, difundir, divulgar

semelhança *n.f.* 1 **conformidade**, identidade, analogia, parecença, correspondência, homogenia, homeose, paralelismo *fig.* ≠ **diferença**, diversidade 2 **aparência**, aspeto, figura, presença, cariz, fachada *fig.*, ar *fig.*

semelhante *adj.2g.* 1 **conforme**, idêntico, análogo, parecido, paralelo, correspondente, parecente, parelho ≠ **diferente**, diverso **2** **comparável**, confrontado, cotejável, equiparável ≠ **incomparável**, inimitável ■ *n.m.* **próximo**

semelhar *v.* **1** **parecer**, assemelhar, arremedar **2** **imitar**, copiar **3** **lembrar**, recordar

semelhar-se *v.* **parecer-se**, assemelhar-se, comparar-se

semelhável *adj.2g.* **semelhante**, comparável, equiparável, cotejável, similar ≠ **diferente**, incomparável

sémenAO ou **sêmen**AO *n.m.* **1** **esperma** **2** *fig.* **semente**, origem, causa, fonte, proveniência, germe, mãe

semente *n.f. fig.* **origem**, causa, fonte, proveniência, germe, mãe, sémen

sementeira *n.f.* **1** **semeação** **2** **semeada**, semeadura **3** **viveiro**, seminário **4** *fig.* **semente**, origem, causa, fonte, proveniência, germe, mãe

sementeiro *adj.* **semeador**

semestral *adj.2g.* **semianual**, semestreiro, semestre

semestre *adj.2g.* **semianual**, semestreiro, semestral

sem-fim *n.m.* **1** **sem-número**, sem-termo **2** **imensidade**, imensidão, infinidade, vastidão **3** ORNIT. **saci**, tempo-quente, seco-fico

semicircular *adj.2g.* **hemicíclico**

semicírculo *n.m.* **1** **hemiciclo**, meia-lua, meia-laranja **2** **transferidor**

semicúpio *n.m.* **sedilúvio**

semideus *n.m.* **semidivindade**, indígete

semifinal *n.f.* DESP. **meia-final**

semimorto *adj.* **1** **exânime**, meio-morto, semivivo, moribundo **2** **amortecido**, enfraquecido, mortiço, apagado

seminal *adj.2g.* **1** *fig.* **prolífero**, prolígero, fértil, fecundo, produtivo ≠ **improdutivo**, improlífico, estéril, infecundo **2** *fig.* **estimulante**, inspirador

seminário *n.m.* **1** **viveiro**, sementeira, alfobre **2** **prefeitura** **3** **conclave** *fig.*

seminarista *n.m.* **formigão** [REG.]

seminu *adj.* **andrajoso**, esfarrapado, roto, maltrapilho, malroupido ≠ **janota**, peralta, casquilho, taful

semiótica *n.f.* **1** LING. **semiologia** **2** MED. **semiologia**, sintomatologia

semita *adj.,n.2g.* **hebraico**, hebreu, judeu, judaico, israelita

semítico *adj.* **israelita**, hebreu, hebraico, judaico

semitismo *n.m.* **hebraísmo**, judaísmo

semivivo *adj.* **exânime**, meio-morto, semimorto, moribundo

semivogal *n.f.* GRAM. **semiconsoante**, glide

sem-número *n.m.2n.* **1** **sem-fim** **2** **imensidade**, muitos

sem-par *adj.2g.* **1** **singular**, ímpar, único **2** **incomparável**, inigualável, inimitável, singular, ímpar, único, excecional ≠ **comparável**, igual, semelhante

sempiterno *adj. fig.* **perpétuo**, incessante, duradoiro, perdurável, perene, imperecível, eterno

sempre *adv.* **1** **eternamente**, perpetuamente, infindavelmente, permanentemente, perduravelmente **2** **continuamente**, constantemente, ininterruptamente, incessantemente, seguidamente ≠ **ocasionalmente**, raranemente, escassamente **3** **afinal**, finalmente **4** **realmente**

sem-sabor *adj.2g.* **1** **desenxabido**, desconsolado, insípido, insosso ≠ **saboroso**, gostoso **2** *fig.* **aborrecido**, monótono, desengraçado, maçador, sensaborão ≠ **animado**, vivo, engraçado ■ *n.m.* **1** **sensaboria**, sensabor **2** *fig.* **sensaborão**, maçador, chato, lapa

senado *n.m.* **gerúsia**

senador *n.m.* **vereador**, edil

senão *conj.* **quando não**, de outro modo, ao contrário ■ *n.m.* **defeito**, problema, falha, falta, imperfeição, mácula, manqueira *fig.*

senda *n.f.* **1** **vereda**, atalho, carreiro, sémita **2** *fig.* **caminho**, direção, rumo, rota, trâmite **3** *fig.* **hábito**, rotina, costume, habituação

senectude *n.f.* **velhice**, senilidade, decrepitude, ancianidade, vetustez, antiguidade, bolor *fig.*, canície *fig.*, carunhco *fig.* ≠ **juventude**, mocidade, adolescência, primavera, aurora

senegalês *adj.,n.m.* **senegalense**, senegalesco

senha *n.f.* **1** **sinal**, aceno, gesto **2** **recibo**, cautela **3** **bilhete**

senhor *n.m.* **1** **sor** *col.*, sô **2** **dono**, proprietário, possuidor, possessor, detentor, titular **3** **sabedor**, conhecedor, entendedor **4** **fidalgo**, nobre, aristocrata ≠ **plebeu** **5** RELIG. (com maiúscula) **Deus**, Altíssimo, Criador, Divindade, Incriado, Omnipotente, Todo-Poderoso, Pai, Providência **6** RELIG. (com maiúscula) **Eucaristia**, hóstia, pão, pão angélico, partícula, sacramento, Santíssimo

senhora *n.f.* **1** **madama** *col.*, sinhá [BRAS.] *col.*, siá [BRAS.] *col.*, angana [BRAS.] **2** **soberana**, dominadora **3** *col.* **esposa**, mulher, consorte, companheira, cônjuge, patroa, madama

senhorear *v.* **1** **conquistar**, dominar, tomar, domar, subjugar, avassalar, submeter, sujeitar, expugnar, prear ≠ **sujeitar-se**, submeter-se, render-se **2** **dominar**, governar, controlar, conter, predominar **3** **cativar**, captar, dominar, avassalar, escravizar, subjugar, sujeitar

senhorear-se *v.* **apoderar-se**, apossar-se, tomar, assenhorear-se, ensenhorear-se

senhorial *adj.2g.* aristocrático, nobre, fidalgal ≠ plebeu

senhoril *adj.2g.* **1** heril **2** *fig.* **nobre**, distinto, elegante, majestoso, grandioso ≠ **humilde**, simples

senhorio *n.m.* **1** **proprietário**, dono ≠ **inquilino**, arrendatário, locatário, rendeiro, caseiro **2** **domínio**, propriedade, posse, possessão **3** **autoridade**, mando, governo, comando

senil *adj.2g.* **velho**, idoso, decrépito, caduco, caquético, anoso, gagá *col.,pej.*, taralhouco *col.* ≠ **novo**, jovem, juvenil, recente

senilidade *n.f.* **velhice**, senectude, decrepitude, ancianidade, vetustez, antiguidade, bolor *fig.*, canície *fig.*, carunhco *fig.* ≠ **juventude**, mocidade, adolescência, primavera, aurora

sensaborão *adj.2g.* **1** **desenxabido**, desconsolado, insípido, insosso ≠ **saboroso**, gostoso **2** *fig.* **aborrecido**, monótono, desengraçado, maçador, sem-sabor ≠ **animado**, vivo, engraçado ■ *n.m. fig.* **maçador**, sem-sabor, chato, lapa, seringa *col.*

sensaboria *n.f.* **1** **desenxabidez**, desconsolo, insipidez ≠ **sabor**, gosto **2** *fig.* **aborrecimento**, monotonia, maçadoria, tédio ≠ **ânimo**, vivacidade **3** **desgosto**, desprazer, dissabor ≠ **gosto**, prazer

sensação *n.f.* **1** **impressão**, intuição, noção **2** **sensibilidade**, sentimento

sensacional *adj.2g.* **1** **estupendo**, espetacular, assombroso, extraordinário, formidável, fantástico, surpreendente **2** **notável**, importante, distinto

sensatamente *adv.* **prudentemente**, cautelosamente, moderadamente, mesuradamente, sabiamente, providencialemente, judiciosamente, avisadamente ≠ **imprudentemente**, impensadamente, leviamente

sensatez *n.f.* **1** **juízo**, siso, tino, discernimento, critério, cabeça *fig.*, cachimónia *col.* ≠ **desatino**, insensatez **2** **prudência**, cautela, precaução, prevenção, resguardo, cuidado ≠ **imprudência**, descuido, precipitação, imoderação, negligência **3** **circunspeção**, discrição, sobriedade, ponderação, seriedade, austeridade, gravidade, sisudez ≠ **alegria**, contentamento, euforia *fig.*

sensato *adj.* **1** **ajuizado**, ponderado, judicioso, prudente, criterioso, salomónico *fig.* ≠ **imponderado**, irrefletido **2** **prudente**, previdente, cauteloso, cautelar, cuidadoso ≠ **imprudente**, descuidado, desleixado, negligente **3** **circunspecto**, recatado, discreto, reservado, sóbrio, ponderado, sério, grave, sisudo ≠ **extrovertido**, desinibido, eufórico *fig.*

sensibilidade *n.f.* **1** **sentimento**, sensação, emoção, sentir **2** **impressionabilidade**, suscetibilidade, vulnerabilidade ≠ **invulnerabilidade** **3** **humanidade** **4** **suscetibilidade**, melindre ≠ **indiferença**, apatia, alheamento, frialdade **5** **emotividade**, afetividade **6** *fig.* **irritabilidade**, excitabilidade, incitabilidade

sensibilizar *v.* **1** **comover**, enternecer, impressionar, tocar, compadecer ≠ **dessensibilizar**, insensibilizar **2** **alertar**, consciencializar, impressionar

sensibilizar-se *v.* **1** **comover-se**, impressionar-se, emocionar-se, enternecer-se **2** **consciencializar-se**

sensitivo *adj.* **1** **sensível**, impressionável, perturbável, abalável ≠ **insensível**, imperturbável, apático **2** *fig.* **pungente**, doloroso, dilacerante, lacerante ≠ **aliviador**, tranquilizador

sensível *adj.2g.* **1** **percetível** ≠ **impercetível** **2** **emotivo**, sentimental ≠ **inemotivo**, apático **3** **impressionável**, sugestionável, suscetível, perturbável **4** **evidente**, manifesto, patente, visível, óbvio ≠ **inevidente**, incerto, duvidoso **5** **solidário**, compreensivo, indulgente, complacente ≠ **cruel**, malévolo, desumano **6** **doloroso**, dilacerante, lacerante, aflitivo, pungente *fig.* ≠ **aliviador**, tranquilizador **7** **considerável**, apreciável, estimável

sensivelmente *adv.* **1** **visivelmente**, claramente, manifestamente, notavelmente, evidentemente ≠ **escondidamente**, ocultamente **2** **quase**, aproximadamente

senso *n.m.* **1** **entendimento**, juízo, razão, julgamento **2** **raciocínio**, inteligência, critério, cabeça *fig.* **3** **intuição**, aperceção, instinto **4** **circunspeção**, prudência, ponderação **5** **compreensão**, perceção, apreensão, assimilação ≠ **incompreensão**, desentendimento

sensorial *adj.2g.* **sensitivo**, sensual, percetual

sensual *adj.2g.* **1** **sensitivo**, sensorial, percetual **2** **venéreo**, erótico, amatório **3** **lascivo**, licencioso, lúbrico, sexual, libidinoso, concupiscente, carnal, luxurioso, animal *fig.*, heterista ≠ **casto**, pudico, puro *fig.*

sensualidade *n.f.* **lascívia**, luxúria, lubricidade, carnalidade, voluptuosidade, concupiscência, cio *fig.* ≠ **castidade**, pureza, pudicícia

sensualismo *n.m.* **1** **lascívia**, luxúria, lubricidade, carnalidade, voluptuosidade, concupiscência, cio *fig.* ≠ **castidade**, pureza, pudicícia **2** FIL. **sensismo**, sensacionismo

sentar *v.* **assentar**, abancar ≠ **levantar**

sentar-se *v.* **1** **assentar-se** **2** **colocar-se** **3** *fig.* **estabelecer-se**, fixar-se

sentença *n.f.* **1** DIR. **veredito** **2** DIR. **acórdão**, aresto **3** **parecer**, opinião, apreciação **4** **provérbio**, máxima, adágio, ditado, rifão, anexim, aforismo, parémia

sentenciar *v.* **1** **julgar**, judiciar, ajuizar, decidir **2** **condenar** ≠ **ilibir**, inocentar **3** *fig.* **decidir**, resolver, determinar **4** **pronunciar-se** ≠ **abster-se**

sentencioso *adj.* **1** **dogmático**, doutrinário, conceituoso, preceituoso **2** **judicioso**, sensato, prudente, assisado, correto, ajuizado, certo ≠ insensato, imprudente **3** **pomposo**, sério, grave, afetado

sentido *adj.* **1** **magoado**, melindrado, ofendido, ressentido, escandalizado **2** **pesaroso**, triste, combalido, contristado, lamentoso, magoado, doído ≠ **alegre**, contente, feliz **3** **sensível**, suscetível **4** **combalido**, fraco, enfraquecido, abatido ≠ **fortificado**, robustecido ■ *n.m.* **1** **significação**, aceção, interpretação, valor **2** **ideia**, pensamento, mente **3** **atenção** **4** **intento**, mira, propósito, fim, intuito **5** **aspeto**, perspetiva, ótica, visão **6** **direção**, rumo, orientação, caminho, destino, rota ≠ **desorientação**, desnorteado **7** **entendimento**, juízo, razão, julgamento **8** *fig.* **voluptuosidade**, sensualidade, luxúria, lubricidade, carnalidade, lascívia, concupiscência, cio *fig.* ≠ **castidade**, pureza, pudicícia ■ *interj.* **atenção!**, cautela!, cuidado!

sentimental *adj.2g.* **1** **emotivo**, sensível ≠ **inemotivo**, apático **2** **piegas**, lírico, patético, romântico *fig.* ■ *adj.,n.2g.* **romântico**

sentimentalidade *n.f.* **1** **sentimentalismo** **2** **afetividade**, sensibilidade ≠ **frieza**, impassibilidade

sentimento *n.m.* **1** **sensibilidade**, sensação, emoção **2** **afeição**, afeto, apego, emoção ≠ **desafeição**, desapego **3** **paixão**, emoção, entusiasmo **4** **mágoa**, desgosto, pesar, tristeza ≠ **contentamento**, alegria, satisfação **5** **intuição**, pressentimento, suspeita, palpite *fig.* **6** **consciência**, juízo **7** **opinião**, perspetiva **8** **convicção**, ideia **9** **propósito**, fim, desígnio, intento, intuito **10** [*pl.*] **índole**, temperamento, carácter, natureza **11** [*pl.*] **pêsames**, condolências

sentina *n.f.* **1** **retrete**, latrina, privada, dejetório, necessária *col.* **2** *fig.* **chiqueiro**, pocilga, chavascal, chafurdo, cloaca

sentinela *n.f.* **1** **vigilância**, alerta, guarda **2** **vigia**, vela, vigilância, atalaia, guarda, esculca

sentir *v.* **1** **experimentar** **2** (sentimento, afeto) **nutrir**, ter **3** **ressentir-se**, ofender-se, melindrar-se **4** **pressentir**, adivinhar, prever, pressagiar, entrever, supor **5** **reconhecer**, verificar, identificar **6** **compreender**, apreciar **7** *fig.* **lamentar**, lastimar, compadecer ■ *n.m.* **1** **sensibilidade**, sensação, emoção, sentimento **2** **sentimento**, opinião, juízo, perspetiva

sentir-se *v.* **1** **estar** **2** **ofender-se**, magoar-se, melindrar-se **3** **considerar-se**, achar-se

separação *n.f.* **1** **rutura**, divisão, desunião, cisão, desvinculação, desagregação, desunificação, secessão ≠ **junção**, anexação **2** **divisória**, separador **3** **afastamento**, distância, apartamento, ausência ≠ **aproximação**, presença **4** **diferenciação**, distinção, contraste ≠ **indiferenciação**

separadamente *adv.* **1** **discriminadamente** **2** **isoladamente**, apartadamente ≠ **juntamente**, coletivamente, conjuntamente **3** **espaçadamente**

separado *adj.* **1** **isolado**, desligado, apartado, discriminado, marginalizado, ilhado, insulado, abjugado *fig.* ≠ **junto**, perto, chegado **2** **distinto**, independente, autónomo **3** **distante**, apartado, afastado ≠ **aproximado**, chegado, próximo

separador *adj.* **divisório**, separatório, desagregador, desagregante ■ *n.m.* **1** **divisória**, barreira **2** **classificador** **3** **separadora**

separar *v.* **1** **desunir**, desvincular, desarticular, desligar, desagregar, incindir ≠ **juntar**, unir, agregar **2** **afastar**, apartar, distanciar, arredar ≠ **aproximar**, juntar **3** **interromper**, descontinuar, suspender, cessar ≠ **continuar**, prosseguir, seguir **4** **delimitar**, demarcar, isolar **5** **distinguir**, discriminar, especificar ≠ **misturar**, juntar **6** **reservar**, guardar

separar-se *v.* **1** **desunir-se**, dividir-se, desligar-se, divergir, partir-se, apartar-se, despegar-se, desmembrar-se, largar-se, soltar-se ≠ **unir-se**, juntar-se **2** **afastar-se**, distanciar-se, isolar-se ≠ **circundar-se** **3** **dispersar-se** **4** **divorciar-se**, desquitar-se **5** **demarcar-se**, destacar-se

separatismo *n.m.* **secessionismo**

separável *adj.2g.* **dissociável**, desagregável, destacável, decomponível, fragmentável, desunível ≠ **componível**, unível, incindível

séptico *adj.* ≠ **assético**, estéril

sepulcral *adj.2g.* **1** **tumular** **2** *fig.* **fúnebre**, sombrio, taciturno, soturno, lúgubre, patibular ≠ **alegre**, jovial **3** *fig.* **cavernoso**, medonho, profundo **4** *fig.* **pálido**

sepulcro *n.m.* **sepultura**, túmulo, campa, jazigo, jazida, tumba, cova, requietório

sepultar *v.* **1** **enterrar**, imunar, tumular ≠ **desenterrar**, exumar **2** **soterrar**, submergir, subterrar ≠ **desenterrar** **3** **afundar**, mergulhar, lançar ≠ **tirar** **4** **guardar**, esconder, ocultar ≠ **mostar**, evidenciar **5** **enclausurar**, prender ≠ **libertar**, soltar

sepulto *adj.* **1** **sepultado**, enterrado, inumado ≠ **desenterrado**, exumado **2** *fig.* **guardado**, escondido ≠ **mostrado**, evidenciado

sepultura *n.f.* **1** **sepultamento**, enterramento, enterro, inumação ≠ **desenterramento**, exumação **2** **túmulo**, sepulcro, jazigo, jazida, campa, tumba, cova

sequaz *adj.,n.2g.* **partidário**, parcial, sectário, seguidor, correligionário, satélite

sequeira *n.f.* **1** *col.* **seca**, estiagem **2** **maçada** *fig.*, aborrecimento, tédio, enfado, seca *fig.*, estopada *fig.* ≠ **ânimo**, entusiasmo

sequeiro *adj.* **seco**, ressequido ≠ **regadio** ■ *n.m.* **1** **secadal**, secadio ≠ **regadio** **2** **estendal**, estendedoiro, enxugadoiro, secadouro, coradoiro **3** [REG.] **espigueiro**, canastro, caniço

sequela *n.f.* **1** **continuação**, sequência, seguimento, prosseguimento, prossecução, sucessão ≠ **fim**, término **2** **bando**, malta, corja, quadrilha, gatunagem, aquadrilhamento, jolda, cáfila *fig.*, súcia *pej.*, rancho *pej.*

sequência *n.f.* **1** **continuação**, seguimento, sequela, prosseguimento, prossecução, sucessão, subsequência ≠ **fim**, término **2** **sucessão**, série, seriação, ordem

sequente *adj.2g.* **seguinte**, subsequente, posterior, subsecutivo ≠ **antecedente**, precedente

sequer *adv.* **ao menos**, pelo menos

sequestração *n.f.* **sequestro**, rapto, embargo

sequestrar *v.* **1** **raptar**, roubar, roussar **2** **apoderar-se**, usurpar **3** **enclausurar**, encerrar, recluir ≠ **libertar** **4** **isolar**, insular, separar, acantoar

sequestro *n.m.* **1** **rapto**, sequestração, embargo **2** **penhora**, hipoteca, empenhamento ≠ **recuperação**, resgate, desempenho **3** **isolamento**, apartamento

sequioso *adj.* **1** **sedento**, assedilhado **2** **árido**, seco **3** *fig.* **desejoso**, ávido, faminto, ansioso, sôfrego

séquito *n.m.* **1** **seguimento**, acompanhamento, companhia **2** **cortejo**, comitiva, corte, companhia, equipagem, acompanhamento, trem

ser *v.* **1** **existir** **2** **estar**, achar-se **3** **localizar-se**, ficar, existir **4** **acontecer**, suceder, ocorrer **5** **consistir**, compor-se **6** **pertencer** **7** **produzir**, causar **8** **custar**, valer ■ *n.m.* **1** **ente**, entidade, existência **2** **pessoa**, indivíduo, criatura, homem **3** **essência**, alma, consciência, natureza **4** **importância** **5** **realidade**

seráfico *adj.* **1** *fig.* **místico**, devoto, beatífico **2** *fig.* **paradisíaco**, extático, etéreo, sublime, elevado, excelso

seral *adj.2g.* [REG.] **noturno** ≠ **diurno**

serão *n.m.* **1** **noitada**, vigília, lucubração **2** **sarau**, reunião, soirée

serapilheira *n.f.* **aniagem**, linhagem, zarapilheira

sereia *n.f.* **1** **sirena** **2** FÍS. **ronca**, sirene

serenamente *adv.* **tranquilamente**, suavemente, pacificamente, calmamente, sossegadamente, imperturbavelmente ≠ **agitadamente**, exaltadamente, ab-repticiamente, ardentemente *fig.*

serenar *v.* **1** **acalmar**, aquietar, pacificar, tranquilizar **2** **abrandar**, aplacar, amainar, sossegar, abonançar **3** **mitigar**, aliviar, suavizar, lenificar, minorar

serenar-se *v.* **acalmar-se**, aquietar-se, amainar, abrandar

serenidade *n.f.* **1** *fig.* **calma**, tranquilidade, sossego, paz ≠ **agitação**, desassossego, stresse **2** *fig.* **sangue-frio**, calma, imperturbabilidade, inalterabilidade, impassibilidade ≠ **perturbação**, agitação, inquietação

sereno *adj.* **1** **calmo**, tranquilo, sossegado, pacato, plácido, quieto ≠ **agitado**, perturbado, inquieto, ab-reptício, exaltado, excitado, febricitante *fig.*, vermelhusco *fig.* **2** **bonançoso**, ameno, brando, quieto, quedo, límpido *fig.* ≠ **agitado**, perturbado, inquieto **3** **ameno**, agradável, suave, aprazível, galerno ■ *n.m.* **1** **relento**, orvalho, zimbro, rocio, humidade, humor **2** *col.* **guarda-noturno** **3** ORNIT. **serzino**, azegrino, milheira, cerejinho, cerezina, serino, serijo, bico-curto, riscada, milheiriça, chamariz, amarelinha, cerezino, milheirinha, serezino

seriação *n.f.* **1** **sucessão**, sequência, ordenação **2** **ordem**, método **3** **ordenação**, sistematização, ordenamento **4** **escolha**, seleção

seriamente *adv.* **1** **gravemente**, sisudamente ≠ **alegremente**, risonhamente **2** **deveras**, verdadeiramente, realmente, sério **3** **muito** ≠ **pouco**

seriar *v.* **classificar**, ordenar, enumerar, agrupar

sericultor *adj.,n.m.* **sericícola**, sericicultor

série *n.f.* **1** **sucessão**, sequência, seriação, ordem **2** **seguimento**, continuação, sequência, sequela, prosseguimento, prossecução, sucessão ≠ **fim**, término

seriedade *n.f.* **1** **importância**, consideração, valor **2** **gravidade**, sisudez, austeridade, sério, severidade, conspeção **3** **integridade**, probidade, retidão, honradez, honestidade ≠ **desonestidade**, falsidade

seringa *n.f.* **1** **bisnaga**, esguicho, lança-perfume [BRAS.] **2** BOT. **látex** **3** [BRAS.] BOT. **seringueira**, caucho, árvore-da-borracha, xeringueira ■ *n.2g. col.* **maçador**, sem-sabor, chato, lapa, sensaborão *fig.*

seringação *n.f.* **1** **seringadela**, injeção **2** *col.* **importunação**, aborrecimento, chatice, maçada *fig.*, estopada *fig.*, seca *fig.* ≠ **contentamento**, alegria, deleite, satisfação

seringador *n.m.* **borda-d'água** ■ *adj.,n.m. fig.* **maçador**, importuno, sem-sabor, enfadonho, aborrecido, chato, lapa, sensaborão *fig.* ≠ **vivo**, alegre

seringar *v.* **1** **bisnagar** **2** *fig.* **maçar**, importunar, enfadar, aborrecer, chatear, causticar, secar ≠ **alegrar**, avivar

seringueira *n.f.* BOT. **árvore-da-borracha**, caucho, seringueiro, pau-seringa, siringa [BRAS.]

seringueiro *n.m.* **1** **borracheiro**, caucheiro **2** BOT. **árvore-da-borracha**, caucho, seringueira, pau-seringa, seringa [BRAS.]

sério *adj.* **1** **grave**, sisudo, austero, severo ≠ **risonho**, brincalhão **2** **verdadeiro**, real **3** **importante**, grave **4** **íntegro** *fig.*, honrado, honesto ≠ **indigno**, corrupto **5** **cumpridor**, responsável, respeitador, consciente ≠ **irresponsável**, inconsequente, airado ■ *n.m.* **1** **gravidade**, sisudez, austeridade, seriedade, severidade, conspeção 2 (jogo popular) **sisudo** ▪ *adv.* **deveras**, realmente, verdadeiramente, seriamente

sermão *n.m.* 1 **homilia**, prédica, pregação 2 *col.* **admoestação**, descompostura, repreensão, censura, reprimenda, exprobração, discurso *col.* ≠ **elogio**, louvor, felicitação, aprovação

seroar *v.* **serandar** [REG.]

serôdio *adj.* 1 **tardio**, tardo, retardativo 2 (flor, fruto, legume) **vindimo** *fig.* ≠ **temporão**, lampo

seroso *adj.* 1 **soroso** 2 **aquoso**

serpe *n.f.* 1 **serpente**, cobra 2 **faísca**, centelha, chispa, faúlha, fagulha, cintila

serpear *v.* **serpentear**, ondular, cobrejar, meandrar, colear, colubrear, colubrejar

serpente *n.f.* 1 ZOOL. **cobra**, serpe 2 *col.,pej.* **víbora**, bisca, cobra *fig.*, cascavel [BRAS.] *pej.*

serpentina *n.f.* 1 **candelabro** 2 BOT. **serpentária**, dragonteia, dracúnculo

serpentino *adj.* 1 **viperino** 2 **serpentiforme**

serra *n.f.* 1 GEOG. **montanha**, colina 2 ICTIOL. **gaiado**, bonito

serração *n.f.* 1 **serramento**, serragem, serradura 2 **serraria**, serralharia

serradura *n.f.* 1 **serração**, serragem, serramento 2 **serrim**

serragem *n.f.* **serração**, serradura, serramento

serralharia *n.f.* **serraria**, serração

serrana *n.f.* 1 **montanhesa** 2 ORNIT. **negrinha**, ferreirinha, castanheira, ferrugenta, petrinha 3 LIT. **serranilha**

serrania *n.f.* **cordilheira**, serro

serrano *adj.* 1 **serrão**, sérreo, serril 2 **montesino**, montês, serrenho ▪ *adj.,n.m.* **montanhês**, montanheiro

serrão *adj.* **serrano**, sérreo, serril ▪ *n.m.* 1 ICTIOL. **bodião**, cantariz, cantarilho, melope, rainúnculo 2 ORNIT. **escrevedeira**, cia, letreira 3 [BRAS.] ORNIT. **serra-serra**, alfaiate, pinéu, serrador, tisio, veludinho

serrar *v.* **serrotar**, cortar

serrazina *n.f.* 1 **importunação**, maçada, enfado, estopada, seca *fig.* 2 ORNIT. **pintarroxo** ▪ *n.2g. col.* **maçador**, chato, lapa, melga *col.*, cola *col.*, carraça *fig.*, narcótico *fig.*

serrazinar *v.* 1 **maçar**, importunar, enfadar, aborrecer, chatear, causticar, secar *fig.* ≠ **alegrar**, avivar 2 **insistir**, persistir

serrilhar *v.* **dentear**, cordoar

serrim *n.m.* 1 **serradura** 2 BOT. **serradela**

serro *n.m.* 1 **cordilheira**, serrania 2 **espinhaço**

serrote *n.m. fig.* **bisbilhotice**, coscuvilhice, mexerico, intriga, enredo, onzenice ≠ **discrição**, recato, desinteresse, privacidade

sertã *n.f.* **frigideira**

sertanejo *adj. fig.* **rude**, agreste, silvestre, selvagem ▪ *n.m.* **provinciano**, matuto [BRAS.] ≠ **citadino**, urbano

sertão *n.m. fig.* **província**, aldeia, gau

servência *n.f.* **utilidade**, serventia, préstimo, uso, serviço ≠ **inutilidade**, insersível

servente *adj.,n.2g.* **ajudante**, auxiliar, serventuário ▪ *n.2g.* **empregado**, serviçal, criado, servidor, servo, fâmulo, cunhado *fig.*

serventia *n.f.* 1 **utilidade**, servência, préstimo, uso, serviço ≠ **inutilidade** 2 **uso**, emprego, aplicação 3 **passagem**, acesso, passadouro 4 **entrada**, abertura 5 **servidão**, cativeiro, escravidão ≠ **liberdade**

serventuário *n.m.* **servente**, ajudante, auxiliar

serviçal *adj.2g.* 1 **obsequiador**, solícito, prestável, prestador, servidor *fig.* ≠ **inútil** 2 **zeloso**, diligente, cuidoso, dedicado, atencioso ≠ **desatento**, desleixado, negligente ▪ *n.2g.* **empregado**, servente, criado, servidor, servo, fâmulo, cunhado *fig.*

serviço *n.m.* 1 **obrigações**, afazeres, missão, tarefa, encargo 2 **emprego**, profissão, ocupação, ofício, cargo, função, múnus, posto, lugar, exercício 3 **utilidade**, servência, serventia, préstimo, uso ≠ **inutilidade**, insersível 4 **disposição**, disponibilidade 5 **obséquio**, favor, benefício 6 **baixela**, alfaia, copa, pratas, argentaria, frasca *ant.*

servidão *n.f.* 1 **escravidão**, cativeiro, serventia ≠ **liberdade** 2 *fig.* **dependência**, cativeiro, submissão

servido *adj.* 1 **usado**, gasto 2 **fornecido**, provido, abastecido, subministrado

servidor *adj. fig.* **obsequiador**, solícito, prestável, prestador, serviçal ≠ **inútil** ▪ *n.m.* 1 **empregado**, serviçal, servente, criado, servo, fâmulo, cunhado *fig.* 2 *gír.* **bacia**, bacio, camareiro, vaso, vaso de noite, defecador, urinol, doutor *col.*, penico *col.*, pote *col.*, bispote *col.*

servil *adj.2g.* 1 **subserviente**, submisso, obediente, obnóxio, ancilar ≠ **insubmisso**, insubordinado 2 **lisonjeiro**, bajulador, adulador, lambedor, engraxador *fig.*, manteigueiro *col.*, puxa-saco [BRAS.] ≠ **crítico**, depreciador, censurador, reprovador 3 *fig.* **baixo**, ignóbil, indigno, abjeto, torpe, vil ≠ **digno**, distinto

servilismo *n.m.* 1 **subserviência**, bajulação, sabujice, capachismo, mesurice 2 **plágio**, plagiato, cópia

servir *v.* 1 **auxiliar**, ajudar, beneficiar, socorrer, assistir, remediar, subsidiar ≠ **desamparar**, desajudar, abandonar, desauxiliar 2 **atender**, aviar, despachar 3 **desempenhar**, exercer 4 **fornecer**, ministrar 5 **substituir**, valer 6 **convir** 7 **ajustar-se**, agradar

servir-se *v.* **1 utilizar-se**, usar, recorrer, valer-se **2 aproveitar-se**, usar **3 dignar-se**

servo *n.m.* **1 criado**, servente, serviçal, empregado, servidor, fâmulo, cunhado *fig.* **2 escravo**, mancípio *ant.*

sesmaria *n.f.* maninho

sessão *n.f.* **1 reunião 2 assentada 3** [REG.] **frescura**, humidade

sessenta *n.m.* sexagésimo

sesso *n.m.* **1** *col.* **nádegas**, rabo, traseiro, rabioste *col.*, assento *col.*, sim-senhor *col.*, culatra *col.*, cu *vulg.* **2** *col.* **ânus**, cu *vulg.*, zuate [REG.] *vulg.*

sesta *n.f.* soalheira

seta *n.f.* **1 flecha**, frecha **2** (relógio) **ponteiro**, agulha **3** BOT. **seda**

sete *n.m.* sétimo

seteira *n.f.* **frecheira**, espingardeira, portilha, abocadura

seteiro *adj.,n.m.* **frecheiro**, sagitário

setenta *n.m.* septuagésimo

setentrião *n.m.* norte

setentrional *adj.2g.* **boreal**, ártico, hiperbóreo, aquilónio, aquilonal

sétimo *n.m.* sete

setor[AO] ou **sector**[AO] *n.m.* **departamento**, divisão, secção, repartição, serviço

severidade *n.f.* **1 dureza**, rigidez, rijeza, solidez, tesura *fig.* ≠ **mole**, brando **2 rigidez**, inflexibilidade, implacabilidade, intransigência, irredutibilidade ≠ **transigência**, tolerância, indulgência, condescendência **3 rigor**, exatidão, precisão, pontualidade ≠ **imprecisão**, inexatidão, incerteza **4 gravidade**, sisudez, austeridade, sério, seriedade, conspeção **5 sobriedade**, simplicidade, despojamento, austeridade, recato, modéstia, despretensão ≠ **aparato**, espalhafato, extravagância **6 pontualidade**, assiduidade, regularidade, exatidão, precisão ≠ **atraso**, impontualidade

severino *n.m.* ICTIOL. **bico-doce**, boca-doce, olhudo-branco

severo *adj.* **1 rigoroso**, duro, austero **2 grave**, sério **3 pronunciado**, acentuado, saliente, marcado ≠ **atenuado**, fraco **4** *fig.* **sóbrio**, simples, despojado, recatado ≠ **espalhafatoso**, extravagante

sevícia *n.f.* **1 maus-tratos**, castigo ≠ **afago**, afagamento, blandícia, carícia, carinho, festa, fosquinha, mimo, paparico, passe, tagaté, molificação *fig.* **2 crueldade**, desumanidade, atrocidade, ferocidade, impiedade, barbaria, barbaridade ≠ **bondade**, piedade, benevolência, humanidade

sexagenário *adj.,n.m.* sessentão

sexagésimo *n.m.* sessenta

sexo *n.m.* **1 genitália**, órgãos sexuais **2 relação sexual**, cópula, coito, seminação **3 sensualidade**, voluptuosidade, volúpia, erotismo

sexta-feira *n.f.* **1 sexta 2** (religião) **parasceve**

sêxtuplo *num.mult.,adj.,n.m.* seisdobro

sexual *adj.2g.* genital

sexualidade *n.f.* **sensualidade**, voluptuosidade, volúpia, erotismo, sexo

sexy *adj.* **excitante**, estimulante, erótico

sezão *n.f.* MED. **malária**, paludismo, sezonismo, perniciosa *col.*

si *adv. ant.* sim

siamês *adj.,n.m.* tailandês

sibarita *adj.2g.* **voluptuoso**, sensual, libidinoso, lascivo, hedonista

sibila *n.f.* **1 vidente**, profetisa, adivinha, bruxa **2** *fig.* **bruxa**, feiticeira, mágica, maga, saga, estriga, estrige, carocha *col.*

sibilante *adj.2g.* **estridente**, ciciante, cicioso

sibilar *v.* **assobiar**, ciciar, silvar, esfuziar, zunir, ziziar

sibilino *adj. fig.* **enigmático**, hermético, misterioso, obscuro, oculto, secreto, jeroglífico ≠ **revelado**, descoberto, evidente

sibilo *n.m.* **sibilação**, assobio, zunido, silvo

siciliano *adj.,n.m.* **sículo**, trinácrio

sicrano *n.m.* **indivíduo**, sujeito, beltrano, figura, gajo *col.*, tipo *col.*, fulano *col.*, caramelo *col.*

sideral *adj.2g.* **1 astral**, estrelar **2 celeste**, ultraterrestre ≠ **terrestre**

siderar *v.* **1 fulminar**, paralisar, estarrecer, aturdir **2 atordoar**, pasmar, embasbacar, petrificar *fig.*

siderurgia *n.f.* **siderotecnia**, metalurgia

siderúrgico *adj.* **siderotécnico**, metalúrgico

sifão *n.m. col.* **bebedolas**, pingolas

sífilis *n.f.2n.* MED. **avariose**, lues, venéreo *col.*

sifilítico *adj.* **luético**, avariado

sigilo *n.m.* **1 segredo**, silêncio ≠ **revelação**, inconfidência **2 discrição**, reserva, recato **3 silêncio**

sigiloso *adj.* **confidencial**, secreto, reservado

sigla *n.f.* monograma

signa *n.f.* **estandarte**, bandeira, pendão, insígnia, vexilo, pavilhão

signatário *adj.,n.m.* **assinante**, subscritor

significação *n.f.* **1 valor**, importância **2 significado**, sentido **3 aceção**, sentido

significado *n.m.* **1 significação**, sentido **2 aceção**, sentido **3 sinónimo 4 interpretação 5 importância**, valor, alcance **6** LING. ≠ **significante**

significante *adj.2g.* **expressivo**, significativo, eloquente ■ *n.m.* LING. **expressão** ≠ **significado**, conteúdo

significar *v.* 1 **exprimir**, expressar, comunicar 2 **denotar**, indicar, mostrar 3 **representar**, simbolizar

significativamente *adv.* 1 **expressivamente** 2 **claramente**

significativo *adj.* 1 **revelador**, considerável, importante, significador 2 **eloquente**, expressivo, significante ≠ **ineloquente** 3 **indicativo**, designativo

signo *n.m.* 1 **símbolo**, sinal 2 LING. **palavra** 3 **maneira**, processo

silenciar *v.* 1 **calar**, emudecer, entuchar ≠ **falar**, proferir, dizer 2 **omitir**, ocultar, suprimir ≠ **mencionar**, revelar 3 *fig.* **assassinar**, matar, liquidar, despachar *col.*, limpar *col.*

silêncio *n.m.* 1 **sossego**, calma, serenidade, tranquilidade, paz ≠ **agitação**, desassossego, tumulto, desordem 2 **descanso**, repouso 3 **sopor**, sigilo, paz ≠ **barulho**, ruído, vozearia, vozeio, balbúrdia, arruído, algara, celeuma, matinada, banzé *col.*, vasqueiro *col.*, chiada *fig.*, rastolho *fig.* 4 **sigilo**, segredo ≠ **revelação**, inconfidência 5 **omissão**, calada, emudecimento, mutismo 6 MÚS. **pausa**, suspensão ■ *interj.* **caluda!**, xiu!, chitão!, chuta!, psiu!, moita-carrasco!

silencioso *adj.* 1 **calado**, silente, mudo, tácito ≠ **falador**, tagarela 2 **calmo**, tranquilo, sossegado ≠ **ruidoso**, barulhento, tumultoso, desassossegado 3 **taciturno**, reservado ≠ **comunicativo**, expansivo ■ *n.m.* **silenciador**, abafador

silhueta *n.f.* 1 **formas**, contorno 2 **sombra**

silo *n.m.* **celeiro**

silva *n.f.* BOT. **sarça**, silveira, silvão, silva-macha

silvado *n.m.* **moutedo**, mata, sarça, silvar, silveira, silveiral ■ *adj.* (touro) **silveiro**

silvar *v.* **assobiar**, sibilar, ciciar, esfuziar, zunir, siflar ■ *n.m.* **silvado**, moitedo, mata, sarça, silveira

silveira *n.f.* **moitedo**, mata, sarça, silvar, silvedo

silveiro *adj.* (touro) **silvado**

silvestre *adj.2g.* 1 (planta) **espontâneo**, selvagem, silvático ≠ **cultivado** 2 **bravio**, agreste, sáfaro, rude, inculto 3 **selvagem**, selvático

silvícola *adj.2g.* 1 **florestal**, selvagem 2 **selvícola**, selvagem

silvo *n.m.* **sibilo**, sibilação, assobio, zunido, atito, zuidoiro, zunida, zuído

sim *n.m.* **anuência**, assentimento, consentimento, acordo, aprovação, unanimidade, beneplácito, aquiescência ≠ **desacordo**, divergência, oposição ■ *adv.* 1 ≠ **não** 2 **certamente**, certo 3 **pois**, evidentemente, claro

simão *n.m. col.* **macaco**, símio, mono, bugio

simbiose *n.f.* **união**, ligação, associação, vínculo

simbólico *adj.* 1 **emblemático**, representativo, exemplar, figurativo 2 **alegórico**, emblemático, metafórico, figurado, típico ≠ **real**

simbolizar *v.* **representar**, figurar, significar, emblemar

símbolo *n.m.* 1 **atributo**, representação 2 **alegoria**, metáfora 3 **signo**, sinal, marca, divisa, carácter 4 **emblema**, insígnia, distintivo

simetria *n.f.* 1 **proporção**, igualdade, semelhança ≠ **desproporção**, assimetria, dissemetria 2 **harmonia**, proporção, disposição, ordem ≠ **desproporção**, assimetria

simétrico *adj.* 1 **regular**, proporcionado ≠ **assimétrico**, irregular, desigual 2 **correspondente**, homólogo, equivalente ≠ **assimétrico**, irregular 3 **harmonioso**, equilibrado, proporcionado ≠ **desarmonioso**, desequilibrado

similar *adj.2g.* **semelhante**, equivalente, idêntico, análogo, homogéneo ≠ **diferente**, dissimilar, heterogéneo

similaridade *n.f.* **similitude**, semelhança, homogeneidade, paridade, parecença ≠ **dissimilitude**, dissemelhança

símile *n.m.* 1 **analogia**, semelhança, identidade, parecença, correspondência, paralelismo *fig.* ≠ **diferença**, dissimilitude 2 **exemplo** ■ *adj.2g.* **semelhante**, equivalente, idêntico, análogo, homogéneo ≠ **diferente**, dissimilar, heterogéneo

similitude *n.f.* **similaridade**, semelhança, homogeneidade, paridade, parecença ≠ **dissimilitude**, dissemelhança

símio *adj.* **simiesco**, simiano ■ *n.m.* **macaco**, mono, bugio, simão *col.*

simpatia *n.f.* 1 **afinidade**, comunhão, sintonia, coincidência 2 **amabilidade**, afabilidade, delicadeza, deferência, cortesia ≠ **descortesia**, indelicadeza, rudeza 3 **compaixão**, comiseração, benevolência 4 **inclinação** *fig.*, predileção, pendência, idiopatia, estima ≠ **antipatia**, aversão, repulsa, abominação, detestação, odiosidade, quezília, alergia *fig.* 5 **atração**, afeto, gosto, afeição, apego, apegamento, fraco, ternura, amizade

simpático *adj.* 1 **atraente**, interessante, encantador, agradável, aliciante, estimulante ≠ **desinteressante**, fastidioso, desagradável, maçante 2 **amável**, afável, prazenteiro, cordial *fig.* ≠ **desagradável**, antipático

simpatizante *adj.,n.2g.* **apoiante**, partidário, adepto, aliado ≠ **opositor**, adversário, antagonista

simpatizar *v.* 1 **gostar**, engraçar, agradar, enamorar-se, afeiçoar-se ≠ **desprezar**, depreciar, antipatizar, detestar 2 **aprovar**, concordar ≠ **desaprovar**, rejeitar, opor-se

simples *adj.inv.* 1 **acessível**, compreensível, descomplicado, básico, elementar, incomplexo ≠

complicado, complexo **2** **único**, só, exclusivo ≠ **diverso**, variado **3** **comum**, vulgar, mero **4** **puro**, natural, genuíno ≠ **composto**, misturado, combinado, mesclado **5** **modesto**, despojado, recatado, sóbrio, húmil ≠ **luxuoso**, faustoso, ostentoso **6** **singelo**, desataviado, desenfeitado, desornado ≠ **enfeitado**, adornado **7** *fig.* **crédulo**, ingénuo, cândido, inocente, puro **8** *fig.* **boçal**, rude **9** *fig.* **vulgar**, ordinário ■ *n.2g.2n.* **simplório**, pacóvio, lorpa, tanso, bacoco, palerma, possidónio, loura *col.* ■ *n.m.2n.* ARQ. **cimbre**, cambota, gambota, cofragem

simplesmente *adv.* **1** **naturalmente**, modestamente, sobriamente ≠ **rebuscadamente**, ricamente, sofisticadamente **2** **unicamente**, apenas, meramente, somente, só

simplicidade *n.f.* **1** **singeleza**, modéstia, humildade, chaneza *fig.* ≠ **soberba**, arrogância **2** **naturalidade**, genuinidade, autenticidade, espontaneidade, natural ≠ **fingimento**, simulação, artificialidade **3** **facilidade** ≠ **dificuldade**, complicação, abrolho *fig.* **4** *fig.* **ingenuidade**, credulidade, lhaneza, candura, inocência, chaneza *fig.*, limpidez *fig.* ≠ **manha**, malícia **5** *fig.* **franqueza**, lhaneza, honestidade, lisura ≠ **desonestidade**, falsidade

simplificação *n.f.* **descomplicação**, generalização, redução ≠ **complicação**

simplificar *v.* **descomplicar**, assingelar, desacentuar, desimplicar, desintrincar, vulgarizar ≠ **complicar**, implicar

simplório *adj.* *pej.* **ingénuo**, crédulo, simples, inocente ≠ **malicioso**, manhoso, astucioso, sabido ■ *n.m.* **pacóvio**, papalvo, lorpa, tanso, bacoco, palerma, possidónio, simplacheirão, loura *col.*

simpósio *n.m.* **colóquio**, conferência, congresso

simulação *n.f.* **1** **fingimento**, dissimulação, disfarce, falsidade, impostura ≠ **naturalidade**, espontaneidade **2** **demonstração**

simulacro *n.m.* **1** **imagem**, representação **2** **imitação**, cópia, reprodução, arremedo **3** **semelhança**, parecença, arremedo **4** **aparência**, plataforma *fig.*,*col.*

simulado *adj.* **1** **falso**, dissimulado, fingido, inautêntico ≠ **autêntico**, verdadeiro **2** **suposto**, imaginário, ilusório, fictício ≠ **real**

simulador *adj.*,*n.m.* **fingido**, hipócrita, falso, traiçoeiro, dúplice, enganador, bifronte, histrião *fig.* ≠ **honesto**, verdadeiro, correto

simular *v.* **1** **dissimular**, falsear, fingir, enganar, disfarçar, aparentar **2** **disfarçar**, encobrir, camuflar, dissimular, mascarar *fig.*, refolhar *fig.* ≠ **descobrir**, revelar, demonstrar, mostrar, desmascarar **3** **imitar**, representar, copiar

simultaneamente *adv.* **1** **concomitantemente**, juntamente **2** **conjuntamente**, juntamente

simultaneidade *n.f.* **sincronismo**, sincronia, coincidência, tautocronismo, isocronismo, sincronização ≠ **dessincronização**

simultâneo *adj.* **sincrónico**, coincidente, paralelo, tautócrono, concomitante ≠ **assíncrono**

sina *n.f.* *col.* **fado**, sorte, fortuna, fadário, destino, carma *col.*

sinagoga *n.f.* **1** **esnoga** **2** **reunião**, assembleia, ajuntamento **3** [*pl.*] [REG.] **salamaleques**, mesurices, rapapé, zumbaia

sinal *n.m.* **1** **símbolo**, marca, divisa, carácter **2** **atributo**, representação **3** **testemunho**, comprovação, prova **4** **característica** **5** **manifestação**, exteriorização, revelação, expressão, exibição **6** **indício**, indicação, prenúncio, anúncio, presságio **7** **marca**, vestígio, rasto, traço, rastro **8** **assinatura**, firma, rubrica **9** **cifra**, senha, senho **10** **nevo** **11** [*pl.*] **feições**

sinalagmático *adj.* DIR. **bilateral**

sinalizar *v.* **1** **avisar**, anunciar **2** **assinalar**, indicar, marcar

sinceramente *adv.* **1** **francamente**, abertamente, declaradamente ≠ **disfarçadamente**, fingidamente **2** **lealmente**, fielmente

sinceridade *n.f.* **1** **franqueza**, lhaneza, honestidade, boa-fé, lisura ≠ **falsidade**, insinceridade, má-fé **2** **verdade** ≠ **mentira**

sincero *adj.* **1** **franco**, lhano ≠ **falso**, insincero **2** **sentido**, verdadeiro **3** **honesto**, leal ≠ **desonesto**, desleal **4** **simples**, natural, singelo, despretensioso ≠ **afetado**, pretensioso

síncope *n.f.* **1** MED. **desmaio**, inconsciência, desacordo, desfalecimento, lipotimia, chilique *col.*, fanico *col.*, delíquio *fig.* ≠ **consciente** **2** MÚS. **síncopa**

sincronia *n.f.* **1** **simultaneidade**, sincronismo, coincidência, tautocronismo, isocronismo **2** LING. ≠ **diacronia**

sincrónico[AO] ou **sincrônico**[AO] *adj.* **simultâneo**, coincidente, paralelo, tautócrono, concomitante ≠ **assíncrono**

sincronismo *n.m.* **simultaneidade**, sincronia, coincidência, tautocronismo, isocronismo

síncrono *adj.* **simultâneo**, coincidente, paralelo, tautócrono, concomitante, sincrónico ≠ **assíncrono**

sindicalizar *v.* **sindicar**, fiscalizar

sindicância *n.f.* **inquérito**, inquirição, sindicação, devassa *ant.*

sindicar *v.* **1** **sindicalizar**, fiscalizar **2** **inquirir**, averiguar, inspecionar, fiscalizar

sindicato *n.f.* ≠ **patronato**

síndico *n.m.* **sindicante**

sinédrio *n.m.* **1** **sanedrim** **2** *fig.* **assembleia**

sineira *n.f.* **ventana**

sineiro *n.m.* **campaneiro**, campeiro

sineta *n.f.* **campana**, campainha

singeleza *n.f.* 1 **simplicidade**, modéstia, humildade, chaneza *fig.* ≠ **soberba**, arrogância 2 **lisura**, honestidade, sinceridade, lhaneza, franqueza ≠ **desonestidade**, falsidade 3 **desatavio**, desafetação, desenfeite, simplicidade, desadorno, nudeza ≠ **atavio**, adorno, enfeite 4 **naturalidade**, genuinidade, autenticidade, espontaneidade, natural ≠ **fingimento**, simulação, artificialidade, simulamento, sorrelfa

singelo *adj.* 1 **simples**, fácil, acessível, compreensível ≠ **difícil**, complicado 2 **puro**, natural, genuíno ≠ **composto**, misturado, combinado, mesclado 3 **desafetado**, despretensioso, natural, simples, humildoso ≠ **afetado**, pretensioso 4 **desataviado**, desenfeitado, desornado, simples, modesto ≠ **enfeitado**, adornado 5 **sincero**, lhano, franco ≠ **falso**, mentiroso 6 **ingénuo**, inocente, crédulo, cândido, puro, simples *fig.*

singrar *v.* 1 **navegar**, velejar 2 *fig.* **andar** 3 *fig.* **progredir**, prosseguir, caminhar, avançar

singular *adj.2g.* 1 **individual**, particular ≠ **coletivo** 2 **original**, único 3 **raro**, especial, invulgar, particular ≠ **comum**, vulgar 4 **extraordinário**, notável, distinto 5 **esquisito**, excêntrico, estranho, insólito 6 GRAM. ≠ **plural**

singularidade *n.f.* 1 **particularidade**, unicidade, pessoalidade, peculiaridade, particularismo ≠ **generalidade**, pluralidade 2 **originalidade**, extravagância, excentricidade, esquisitice ≠ **vulgaridade**, comum, banalidade

singularizar *v.* 1 **especificar**, particularizar, especializar, detalhar ≠ **generalizar** 2 **destacar**, distinguir, salientar 3 **privilegiar**

singularizar-se *v.* **distinguir-se**, sobressair, salientar-se, notabilizar-se

singularmente *adv.* 1 **separadamente**, isoladamente ≠ **juntamente** 2 **especialmente**, invulgarmente, particularmente 3 **particularmente**, pessoalmente, individualmente ≠ **coletivamente**

sinistrado *adj.* 1 **prejudicado**, lesado, agravado, tramado *col.* 2 **avariado**, estragado, danificado ≠ **reparado**, consertado ■ *n.m.* **acidentado**

sinistrar *v.* 1 **acidentar** 2 **naufragar** 3 **perder-se**

sinistro *adj.* 1 **esquerdo**, esquerdino, canhoto, canhenho, canhestro, canho ≠ **destro** 2 **pressago**, funesto, ominoso 3 **tétrico**, lúgubre, fúnebre, sombrio *fig.* 4 **malvado**, cruel, preverso, mau ≠ **bondoso**, compassivo 5 **terrível**, funesto, desastroso 6 **ameaçador**, assustador, aterrador ≠ **tranquilizador**, tranquilizante 7 **desgraçado**, desastroso, calamitoso, catastrófico ■ *n.m.* 1 **desastre**, acidente, desgraça 2 **infortúnio**, desaire, desgraça, revés, naufrágio *fig.* 3 **ruína**, estrago, prejuízo

sino *n.m. ant.* **signo**, sinal

sínodo *n.m.* RELIG. **concílio**

sinonímia *n.f.* 1 GRAM. ≠ **antonímia**, contrário 2 **exergásia**

sinónimo[AO] ou **sinônimo**[AO] *adj.* GRAM. ≠ **antónimo**, contrário

sinopse *n.f.* 1 **epítome**, súmula 2 **resumo**, síntese, sumário, resenha 3 **compêndio**

sinóptico[AO] ou **sinótico**[AO] *adj.* **resumido**, conciso, sintetizado, sintético, abreviado ≠ **dilatado**, aumentado, alargado

síntese *n.f.* **resumo**, breviário, sinopse, sumário, epítome, suma, compêndio, epílogo

sintético *adj.* 1 **resumido**, conciso, abreviado, sintetizado, compendiado, sinóptico ≠ **dilatado**, aumentado, alargado 2 **artificial** ≠ **natural**

sintetização *n.f.* **resumo**, condensação

sintetizador *adj.,n.m.* **resumidor**

sintetizar *v.* **abreviar**, resumir, sumariar, epitomar, recopilar, condensar, compendiar, sumular, laconizar ≠ **aumentar**, alargar, dilatar

sintoma *n.m.* 1 *fig.* **indício**, sinal, anúncio, presságio, prenúncio, indicativo 2 *fig.* **intuição**, presságio, premonição, suspeita, bacorejo, pressentimento, presciência, palpite *fig.*, pancada *fig.*

sintomático *adj.* **indicativo**, revelador, anunciativo, denunciativo

sintomatologia *n.f.* MED. **semiologia**

sintonia *n.f.* 1 **simultaneidade**, sincronia, coincidência, tautocronismo, isocronismo, sincronismo 2 *fig.* **afinidade**, simpatia, coincidência, unidade 3 *fig.* **harmonia**

sintonizar *v.* 1 **captar**, receber 2 *fig.* **ajustar**, harmonizar, combinar

sintrense *adj.,n.2g.* **sintrão**

sintro *n.m.* [REG.] **absinto**, losna, alosna, absíntio

sinuosidade *n.f.* 1 **ziguezague**, anfractuosidade, flexuosidade 2 **volta**, curva, seio, meandro 3 *fig.* **rodeio**, evasiva, tergiversação, desvio, torcedura 4 *fig.* **tortuosidade**

sinuoso *adj.* 1 **curvo**, ondulante, flexuoso, tortuoso, meandroso, onduloso ≠ **reto**, direito 2 **tortuoso** *fig.*, desleal, injusto

sirena *n.f.* **sereia**

síria *n.f.* 1 [REG.] **compleição**, constituição 2 [REG.] **robustez** 3 [REG.] **animação**, vivacidade

siro *adj.,n.m.* **sírio**

siroco *n.m.* **xaroco**

sisa *n.f.* **imposto de transmissão**

sisar *v.* **tributar**, coletar

sismo *n.m.* GEOG. **terramoto**

sismógrafo *n.m.* **sismómetro**

siso *n.m.* 1 **juízo**, tino, sisudez, discernimento, sensatez, prudência, critério ≠ **desatino**, desassiso, insensatez, parvoíce, sandice, tonteira, tontice, alogia 2 **circunspeção**, prudência, ponderação, sensatez, moderação, precaução, consideração, atenção, madureza *fig.* ≠ **imprudência**, insensatez, imoderação

sistema *n.m.* 1 **teoria**, filosofia, tese, doutrina, ideologia 2 **regime** 3 **plano**, técnica, método, procedimento 4 **método**, organização 5 **hábito**, costume, prática, uso

sistematicamente *v.* **invariavelmente**, constantemente, regularmente, sempre ≠ **ocasionalmente**, fortuitamente, raramente

sistemático *adj.* 1 **metódico**, ordenado, disciplinado, organizado ≠ **desordenado**, desorganizado 2 *fig.* **constante**, regular, persistente, contínuo ≠ **irregular**, descontínuo

sistematização *n.f.* **metodização**, seriação, ordenação

sistematizar *v.* **organizar**, metodizar, ordenar, estruturar ≠ **desorganizar**, desordenar

sistro *n.m.* MÚS. **sestro**

sisudez *n.f.* 1 **juízo**, tino, siso, discernimento, sensatez, prudência, critério ≠ **desatino**, insensatez 2 **gravidade**, seriedade, austeridade, sério, severidade, conspeção 3 **prudência**, sensatez, circunspeção, ponderação, moderação, precaução, consideração, atenção, madureza *fig.* ≠ **imprudência**, insensatez, imoderação

sisudo *adj.* 1 **ajuizado**, atinado, assisado, criterioso, judicioso ≠ **desajuizado**, desatinado, irrefletido, aboleimado *fig.* 2 **grave**, austero, circunspecto, pesado ≠ **dessisudo** 3 **prudente**, sensato, refletido, cauteloso, moderado, ponderado, cuidadoso, atento, maduro *fig.* ≠ **imprudente**, insensato, imoderado, negligente 4 **carrancudo**, cenhoso, trombudo, mal-encarado, sombrio *fig.*, supercilioso *fig.* ≠ **risonho**, sorridente, alegre ■ *n.m.* (jogo popular) **sério**

sitiador *adj.,n.m.* **sitiante**, assediador, cercador, obsidente

sitiante *adj.,n.2g.* **sitiador**, assediador, cercador, obsidente

sitiar *v.* **cercar**, rodear, cingir, assediar, bloquear, circundar ≠ **dessitiar**, descercar

sítio *n.m.* 1 **lugar**, local, lado 2 **localidade**, povoação, lugar, local 3 **cerco**, assédio, bloqueio 4 INFORM. **site**

sito *adj.* 1 **situado**, localizado 2 **colocado** ■ *n.m.* **bafio**, mofo, bafum, fartum, bolor, relento, rancidez ≠ **aroma**, perfume, fragrância, bálsamo, cheiro, odor

situação *n.f.* 1 **posição**, localização 2 **distribuição**, disposição, organização, colocação, ordenação ≠ **desarrumação**, desorganização 3 **conjuntura**, circunstância, contexto, condição 4 **condição**, estado, nível 5 **oportunidade**, ocasião, ensejo 6 **vicissitude**, lance

situar *v.* 1 **colocar**, pôr, pousar, dispor, instalar, assestar 2 **edificar**, construir, erigir 3 **localizar**, posicionar 4 **assinalar**, apontar, mostrar, indicar

snifar *v. col.* **cheirar**, aspirar, olfatar

snobismo *n.m.* 1 **filistinismo** *fig.* 2 **presunção**, afetação, jactância, vaidade, orgulho, altivez, soberba, bazófia *fig.* ≠ **discrição**, simplicidade, sobriedade, despojamento, recato, modéstia

só *adj.* 1 **solitário**, desacompanhado, sozinho, desgarrado ≠ **acompanhado** 2 **isolado**, afastado, ermo, deserto, despovoado, vastuoso 3 **único**, singular, simples 4 **abandonado**, desamparado, desprotegido, jogado [BRAS.] ≠ **amparado**, protegido ■ *adv.* **apenas**, somente, unicamente

soada *n.f.* 1 **toada** 2 **rumor**, zoada, ruído 3 *fig.* **fama**, notoriedade, publicidade, berra *fig.* ≠ **anonimato**, desconhecimento, obscuridade *fig.*

soalheira *n.f.* **calor**, calma, canícula, quentura, soleira [BRAS.], tisneira [REG.] ≠ **fresco**, frio

soalheiro *adj.* 1 **ensolarado** 2 **calorífico**, quente ≠ **esfriante** ■ *n.m.* 1 **soalhal** *col.*, solheiro 2 *fig.* **má-língua**, maledicência, murmuração, detração, mentideiro, soalho *col.*, coiquinho [REG.]

soalho *n.m.* 1 **sobrado**, tabuado, assoalhado 2 *col.* **má-língua**, maledicência, murmuração, detração, soalheiro *fig.*

soar *v.* 1 **badalar**, ecoar, ressoar, entoar, bater, retumbar, garrir, ouvir-se 2 **constar**, divulgar-se, espalhar-se, propagar-se 3 **tanger**, tocar 4 *fig.* **celebrar**, cantar, glorificar

sobejamente *adv.* **demasiadamente**, excessivamente, que farte, nimiamente ≠ **insuficientemente**, escassamente

sobejar *v.* 1 **sobrar**, exceder, restar, ficar ≠ **faltar**, escassear 2 **abundar**, superabundar

sobejo *adj.* 1 **superabundante**, prolixo, supérfluo, redundante 2 **excessivo**, demasiado, descomedido, exagerado ≠ **insuficiente**, escasso 3 **enorme**, imenso, considerável, avultado, grande ≠ **pequeno** ■ *n.m.pl.* **restos**, sobras, babados, cascalhos, desperdícios, caídos

soberanamente *adv.* 1 **imperiosamente**, majestosamente ≠ **humildemente**, modestamente 2 *gír.* **muito**, superiormente, consideravelmente ≠ **pouco**, insuficientemente

soberania *n.f.* 1 **poder**, autoridade, dominação, mando 2 **autonomia**, independência 3 **superioridade**, excelência, distinção, supremacia ≠ **inferioridade**, baixeza, mediocridade 4 *fig.* **altivez**, arrogância, soberba, orgulho, império ≠ **humildade**, simplicidade, modéstia, singeleza

soberano *adj.* 1 **supremo** 2 **absoluto**, autoritário, independente 3 **dominador**, debelador, poderoso, preponderante 4 **arrogante**, altivo, orgulhoso, petulante ≠ **humilde**, modesto, simples 5 *fig.* **excelente**, magnífico, distinto, superior ≠

medíocre, inferior ■ *n.m.* 1 **monarca**, rei, potentado, coroa, dinasta 2 *fig.* **influente**, magnata 3 *col.* **libra esterlina**

soberba *n.f.* 1 **altivez**, arrogância, sobranceria, orgulho ≠ **humildade**, simplicidade, modéstia, singeleza 2 *col.* **avareza**, mesquinhez ≠ **generosidade**, magnanimidade, munificência

soberbia *n.f.* **altivez**, arrogância, soberba, sobranceria, orgulho ≠ **humildade**, simplicidade, modéstia, singeleza

soberbo *adj.* 1 **arrogante**, altivo, orgulhoso, petulante, soberano ≠ **humilde**, modesto, simples 2 *col.* **avarento**, mesquinho ≠ **generoso**, magnânimo, munificente 3 **excelente**, magnífico, distinto, superior, soberano *fig.* ≠ **medíocre**, inferior 4 **majestoso**, sumptuoso, grandioso

sobra *n.f.* 1 **resto**, sobejo, restante, excedente, remanescente 2 [*pl.*] **restos**, sobejos, babados, desperdícios, caídos, cascalhos *fig.*

sobrado *n.m.* **soalho**, tabuado, soalhado ■ *adj.* 1 **excessivo**, demasiado, descomedido, desmesurado ≠ **comedido**, mesurado 2 **abastado**, abundante, farto, cheio, copioso ≠ **desabastado**, escasso

sobral *n.m.* **sobreiral**, soveral *ant.*

sobrancear *v.* 1 **sobrepujar**, sobrelevar 2 **sobrepor-se**, encavalitar-se 3 **dominar**, subjugar 4 **exceder**, ultrapassar, superar

sobranceiro *adj.* 1 **elevado**, alteroso 2 **dominante**, proeminente, sobrestante 3 **corajoso**, animoso, decidido, esforçado, forte 4 **saliente**, proeminente, destacado 5 *fig.* **altivo**, desdenhoso, arrogante

sobrancelha *n.f.* **sobrolho**, supercílio

sobranceria *n.f.* 1 *fig.* **superioridade** 2 *fig.* **altivez**, arrogância, soberba, soberbia, orgulho ≠ **humildade**, simplicidade, modéstia, singeleza

sobrante *adj.2g.* **excedente**, restante, remanente

sobrar *v.* **restar**, sobejar, ficar, remanescer ≠ **escassear**, faltar

sobre *n.m.* NÁUT. **sobrejoanete**

sobreavisar *v.* **acautelar**, precaver, prevenir, resguardar ≠ **descuidar**, precipitar

sobreaviso *n.m.* **precaução**, prevenção, cautela, aviso, previdência ≠ **imprecaução**, imprevidência, descuido

sobrecarga *n.f.* 1 **superabundância**, sobrejidão 2 **sobrepeso**

sobrecarregar *v.* 1 **carregar**, agravar, oprimir, onerar, sobrepesar, oberar ≠ **aligeirar**, aliviar 2 **vexar**, oprimir, acabrunhar, humilhar, menosprezar, espezinhar *fig.*, acalcanhar *fig.*, calcar *fig.* ≠ **prestigiar**, estimar, considerar, valorizar, venerar, acatar

sobrecasaca *n.f.* **redingote**, labita *gír.*, levita *col.*

sobredito *adj.* **supramencionado**, supracitado, supradito, susodito

sobreexceder *v.* 1 **exceder**, ultrapassar, superar, sobrelevar, sobrepujar 2 **destacar-se** 3 **avantajar-se**

sobreexcitar *v.* **sacudir**, impressionar, despertar

sobre-humano *adj.* 1 **sublime**, extraordinário, fantástico, excelso 2 **sobrenatural**, supernatural, ultra-humano, ultranatural, super-humano, extra-humano

sobreiral *n.m.* **sobral**, soveral *ant.*

sobreiro *n.m.* BOT. **sobro**, sovro *ant.*, sovereiro *ant.*

sobrelevar *v.* 1 **elevar**, erguer 2 **suplantar**, superar 3 **exceder**, ultrapassar, passar 4 **sobreexceder** 5 **destacar-se**, sobressair, ressaltar, salientar-se, distinguir-se 6 **avantajar**

sobrelevar-se *v.* 1 **exceder-se**, exaltar-se 2 **evidenciar-se**, distinguir-se

sobrelotação *n.f.* **superlotação**

sobremaneira *adv.* 1 **excessivamente**, demasiadamente 2 **muito**, altamente, imensamente, extremamente, extraordinariamente

sobremaravilhar *v.* **espantar**, assombrar, pasmar, estupeficar, abismar *fig.*, deslumbrar *fig.*

sobremesa *n.f.* **pospasto**, postres, sobrepasto

sobremodo *adv.* **sobremaneira**, muito, extremamente

sobrenatural *adj.2g.* 1 **sobre-humano**, supernatural, ultra-humano, ultranatural, hiperfísico, preternatural 2 *fig.* **extraordinário**, maravilhoso, sublime, fantástico, prodigioso 3 *fig.* **miraculoso**

sobrenome *n.m.* 1 **apelido**, cognome, prosónimo 2 **alcunha**, epíteto, cognome, antonomásia, titulatura, denominação

sobrepor *v.* 1 **acrescentar**, adicionar, juntar, acavaleirar ≠ **retirar** 2 **antepor**, preferir ≠ **pospor**, preterir

sobrepor-se *v.* 1 **impor-se** 2 **acumular-se**, amontoar-se, acavalar-se, acastelar-se, apinhar-se, aglomerar-se, encavaleirar-se 3 **sobrevir**, suceder

sobreposição *n.f.* 1 **justaposição**, superposição 2 **acrescentamento**, acréscimo

sobrepujar *v.* **sobrelevar**, ultrapassar, superar, exceder, transcender

sobrescrito *n.m.* **envelope**

sobressair *v.* **ressaltar**, destacar-se, salientar-se, distinguir-se, evidenciar-se

sobressaltar *v.* 1 **surpreender**, espantar 2 **agitar**, inquietar, alvoraçar, perturbar 3 **assustar**, alvoraçar, assarapantar, atemorizar 4 **omitir**, suprimir, silenciar ≠ **mencionar**, revelar 5 **transpor**, saltar

sobressaltar-se *v.* **inquietar-se**, perturbar-se, alarmar-se, assustar-se, alvoroçar-se

sobressalto *n.m.* 1 **susto**, perturbação, alarme 2 **agitação**, inquietação, perturbação, alvoroço, desassossego

sobresselente *adj.2g.* 1 **suplente** 2 **excedente**, sobejo, extra ■ *n.m.* **excesso**, excedente, sobras

sobrestar *v.* 1 **parar**, descontinuar, suster, cessar, interromper, interpolar ≠ **prosseguir**, continuar, avançar 2 **abster-se**, deter-se

sobretaxa *n.f.* **sobresselo**

sobretudo *n.m.* **casacão**, redingote ■ *adv.* **principalmente**, especialmente, particularmente, nomeadamente, mormente, notadamente

sobrevindo *adj.* 1 **advindo**, acrescido 2 **inesperado**, imprevisto, inopinado, intempestivo, fortuito, súbito, repentino ≠ **previsto**, esperado, calculado

sobrevir *v.* **acontecer**, ocorrer, suceder, advir, prover, surgir

sobrevivência *n.f.* 1 **continuidade**, permanência, manutenção 2 **supervivência**, subsistência

sobrevivente *adj.,n.2g.* **supervivente**, supérstite, sobrevivo

sobreviver *v.* 1 **escapar**, resistir ≠ **morrer**, sucumbir 2 **durar**, perdurar, resistir, conservar, sobrerrestar 3 **subsistir**

sobrevivo *adj.* **sobrevivente**, supervivente, supérstite

sobriedade *n.f.* 1 **temperança**, moderação, comedimento, parcimónia 2 **abstemia**, abstinência ≠ **bebedeira**, ebriedade, borracheira *col.*, piela *col.*, pinga *fig.*, zurca *col.*, água [BRAS.] 3 **reserva**, circunspeção, discrição, seriedade ≠ **extroversão**, desinibição, euforia *fig.* 4 **simplicidade**, modéstia, singeleza, chaneza *fig.* ≠ **espalhafato**, extravagância, ostentação

sóbrio *adj.* 1 **frugal**, parco ≠ **comedor**, guloso, lambão, alarve 2 **abstémio**, abstémico ≠ **embriagado**, ébrio, bêbedo, alcoólico, tocado *col.*, tomadete *col.* 3 **comedido**, refletido, prudente, circunspecto ≠ **imprudente**, irrefletido 4 **desafetado**, despretensioso, simples, natural, singelo ≠ **pretensioso**, afetado, vaidoso 5 **discreto**, recatado, secreto, aparatoso ≠ **exuberante**, vistoso

sobro *n.m.* 1 (carvão) **choça** 2 BOT. **sobreiro**

sobrolho *n.m.* **sobrancelha**, supercílio

soca *n.f.* 1 BOT. **rizoma** 2 **tamanca**, taroca [REG.] 3 *col.* **penúria**, indigência, pobreza, necessidade, miséria ≠ **riqueza**, abundância, fortuna, opulência

socalco *n.m.* **calço**, poio [REG.]

socapa *n.f.* 1 **manha**, ardil, artimanha, dolo 2 **disfarce**, fingimento, dissimulação

socar *v.* 1 **sovar**, esmurrar, esmurraçar, sopapear 2 **espalmar**, amassar 3 **calcar**, pisar 4 **apertar**

sociabilidade *n.f.* **cortesia**, afabilidade, civilidade, distinção, educação, gentileza, amabilidade, urbanidade *fig.* ≠ **grosseria**, má-criação, rudeza, incivilidade

sociabilizar *v.* **civilizar**, educar, socializar, polir *fig.*

social *adj.2g.* **sociável** ≠ **associal**, antissocial, dissocial ■ *n.m.* **coletivo**, público

socializar *v.* **civilizar**, sociabilizar, educar, polir *fig.*

sociável *adj.2g.* 1 **social** ≠ **associal**, antissocial, dissocial, intravertido 2 **cortês**, polido, educado, afável, civil, distinto, gentil ≠ **grosseiro**, malcriado, rude, incivil

sociedade *n.f.* 1 **coletividade**, comunidade 2 **convivência**, confraternização, convívio, comunhão, familiaridade, contubérnio, contacto, trato ≠ **enclausura**, recolhimento, isolação 3 **agremiação**, reunião, associação 4 **clube**, grémio, associação, círculo, centro 5 **participação**, parceria

societário *adj.,n.m.* **associado**, sócio, filiado

sócio *n.m.* 1 **companheiro**, colega, parceiro, compadre 2 **cúmplice**, coautor ■ *adj.,n.m.* **associado**, societário, filiado

soco *n.m.* 1 **tamanca**, soca, taroca [REG.] 2 ARQ. **base**, pé, plinto, dado, embasamento, chapim, subenvasamento 3 **murro**, cachação, punhada, sopapo, pero *col.*, murraça *col.* 4 **nica**, mossa 5 *col.* **prejuízo**, desfalque

soçobrar *v.* 1 **revolver** 2 **naufragar**, afundar, mergulhar, imergir, submergir ≠ **emergir**

socorrer *v.* 1 **ajudar**, auxiliar, amparar, assistir 2 **defender**, proteger

socorrer-se *v.* **valer-se**, recorrer, apoiar-se, empregar

socorro *n.m.* 1 **auxílio**, assistência, amparo, apoio ≠ **desauxílio**, desamparo 2 **proteção**, defesa 3 **esmola**, donativo, óbolo *fig.* 4 **benefício**

soda *n.f.* BOT. **barrilheira**, barrilha, barrilha-espinhosa, macaçote

sódio *n.m.* QUÍM. **nátrio**

soer *v. ant.* **costumar**, usar

soerguer *v.* **solevantar**

soerguer-se *v.* **levantar-se**, solevantar-se, solevar-se

soez *adj.2g.* 1 **vil**, torpe, desprezível, ignóbil, imoral, menosprezível, baixo ≠ **decente**, decoroso, digno 2 **imundo**, porco, hediondo, asqueroso, nojento 3 **estúpido**, aparvalhado, palerma, parvo, tolo, idiota, mentecapto, patego, otário *col.*, badana *col.*, paspalho *pej.*, babuíno *fig.,pej.* ≠ **inteligente**, esperto, astuto, perspicaz, sagaz 4 **ignorante**, desconhecedor, inexperiente, leigo ≠ **conhecedor**, experiente, instruído

sofá *n.m.* **canapé**

sofisma *n.m.* 1 FIL., LÓG. **falácia** 2 *col.* **dolo**, engano, fraude

sofismar *v.* **enganar**, iludir, falsear, sofisticar, lograr

sofista *adj.,n.2g.* **cavilador**, enganador

sofisticado *adj.* 1 **complexo** 2 **requintado**, esmerado, aprimorado 3 *pej.* **artificial**, postiço, afetado 4 *pej.* **falsificado**, adulterado, alterado

sofisticar *v.* 1 **sofismar**, enganar, iludir, falsear, adulterar 2 **subtilizar** 3 **requintar**, esmerar, aprimorar

sofístico *adj.* 1 **capcioso**, enganoso, falso, ilusório, insidioso, subtil 2 **subtil** 3 **enganoso**, caviloso, capcioso, fraudulento

sofrear *v.* 1 **reprimir**, coibir, coartar, conter, refrear 2 **corrigir**

sofrear-se *v.* **reprimir-se**, conter-se, comedir-se

sofredor *adj.* **resignado**, paciente, eupático, longânimo ≠ **impaciente**

sôfrego *adj.* 1 **ávido**, insaciável, sequioso, insatisfazível, glutão, edaz ≠ **saciável** 2 *fig.* **ambicioso**, desejoso, ávido, cobiçoso ≠ **desinteressado**, indiferente

sofreguidão *n.f.* 1 **avidez**, voracidade, glutonaria, edacidade, sofreguice 2 **ambição**, cobiça, avidez, esganação *fig.*

sofrer *v.* 1 **suportar**, aguentar, passar, padecer ≠ **reagir**, resistir 2 **admitir**, tolerar, permitir, condescender 3 **afligir-se**, preocupar-se

sofrer-se *v.* **sofrear-se**, reprimir-se, conter-se, calar *fig.*

sofrido *adj.* 1 **resignado**, paciente, conformado, eupático, longânimo ≠ **impaciente** 2 **árduo**, difícil, penoso ≠ **fácil**, suportável

sofrimento *n.m.* 1 **padecimento**, penar, dor 2 **mágoa**, tristeza, infelicidade, amargura, chaga *fig.* ≠ **felicidade**, regozijo, contentamento, prazer 3 **desgraça**, miséria 4 **paciência**, resignação

sofrível *adj.2g.* 1 **suportável**, tolerável, comportável, passável ≠ **insuportável**, intolerável, insofrível, inaturável, irrespirável *fig.* 2 **médio**, razoável, satisfatório, menos-mau ≠ **medíocre**, insatisfatório

sofrivelmente *adv.* **razoavelmente**, medianamente, regularmente, assim-assim, menos-mal

sol *n.m.* 1 (com maiúscula) **astro-rei** 2 **resplendor**, esplendor, brilho 3 **dia** ≠ **noite** 4 *fig.* **felicidade**, alegria, contentamento

sola *n.f.* 1 **cabedal**, couro, coiracho 2 **planta**

solar *n.m.* **palacete** ■ *adj. fig.* **luminoso**, cintilante, radioso

solarengo *n.m.* 1 *ant.* **assento** 2 **origem**

solavanco *n.m.* **abanão**, abanadela, sacudida, sacão, baloiçamento, tranco, bacada [BRAS.]

solda *n.f.* 1 **soldada** 2 *fig.* **aderência**, união 3 BOT. **molugem**

soldada *n.f.* 1 **solda**, gage, gajas *ant.* 2 *fig.* **recompensa**, prémio, gratificação, bonificação

soldadesca *n.f. pej.* **tropa**

soldado *n.m.* 1 **militar**, tropa *col.*, magala *col.*, mílite *poét.*, tarata *gír.*, miliciano 2 *fig.* **partidário**, seguidor ■ *adj.* **ligado**, pegado, unido ≠ **desligado**, despegado, desprendido, desunido

soldadura *n.f.* **soldagem**

soldar *v.* 1 **ligar**, prender, unir, pegar ≠ **dessoldar**, desligar, desprender 2 **consertar**, reparar, arranjar, restaurar, reconstituir, recuperar, refazer ≠ **estragar**, danificar, destruir 3 (ferida) **fechar**, tapar ≠ **abrir**

soldo *n.m.* 1 MIL. **pré** 2 **salário**, vencimento, remuneração, ordenado, retribuição, honorários

solecismo *n.m. fig.* **erro**, falta, incorreção, falha

soleira *n.f.* 1 **limiar**, entrada, patamar, boqueira, liminar 2 [BRAS.] **calor**, calma, canícula, quentura, soalheira ≠ **fresco**, frio, griso *col.*

solene *adj.2g.* 1 **cerimonioso**, cerimonial, formal, protocolar ≠ **informal**, descerimonioso 2 **pomposo**, esplêndido, magnificente, sumptuoso, grandioso ≠ **singelo**, simples 3 **majestoso**, imponente, sublime, grandioso ≠ **humilde**, despojado 4 **sério**, grave, austero

solenemente *adv.* 1 **festivamente** 2 **cerimoniosamente**, formalmente ≠ **informalmente** 3 **majestosamente**, pomposamente, sumptuosamente

solenidade *n.f.* 1 **cerimónia**, comemoração, ato 2 **festividade** 3 **grandiosidade**, imponência, majestade 4 **altivez**, soberba, afetação, jactância, orgulho, presunção, bazófia *fig.* ≠ **discrição**, simplicidade, sobriedade, despojamento, recato, modéstia 5 *fig.* **gravidade**, seriedade, austeridade 6 *fig.* **ênfase**

solenização *n.f.* **celebração**, comemoração

solenizar *v.* **comemorar**, festejar, celebrar, memorar

solércia *n.f.* 1 **astúcia**, manha, malícia, finura, sagacidade, esperteza, habilidade 2 **velhacaria**, vileza, patifaria, baixeza, picardia 3 **ardil**, cilada, emboscada, artifício, engano, logro, embuste, armadilha, traição, ratoeira, traimento

soletração *n.f.* **silabação**, bê-á-bá

soletrar *v.* 1 **silabar** 2 **deletrear** 3 *fig.* **decifrar**, adivinhar, deslindar

solfejar *v.* 1 MÚS. **solmizar**, solfar 2 **trautear**, cantarolar, entoar

solfejo *n.m.* MÚS. **solfa**, solfejação, solmização

solha *n.f.* 1 ICTIOL. **parracho**, rodovalho, patruça, pregado 2 *col.* **bofetada**, tapa, lambada, estalo *col.*, bolacha *col.*, bolachada *col.*, lagosta *col.*, mosquete *col.*, chapada *col.*, estalada *col.*, tabefe *col.*, estampilha *col.*, lostra *col.*, sorvete *col.*, bilhete *gír.*

solicitação *n.f.* 1 **pedido**, súplica, apelo, postulação 2 **convite**, invitação, convocação, invite 3 **tentação**, provocação

solicitador *adj.,n.m.* **requerente**, solicitante, pedidor, pretendente ■ *n.m.* **procurador**

solicitante *adj.,n.2g.* **requerente**, solicitador, pedidor, pretendente

solicitar *v.* 1 **rogar**, implorar, suplicar, instar, pedinchar, pedir 2 **induzir**, incitar, instigar, levar, persuadir 3 **impelir**, impulsionar, empurrar 4 **atrair**, seduzir, chamar ≠ **afugentar**, repelir 5 **requestar**, requerer

solícito *adj.* 1 **prestável**, atencioso, desvelado 2 **diligente**, zeloso, cuidadoso, dedicado ≠ **desatento**, desleixado, negligente

solicitude *n.f.* 1 **carinho**, delicadeza, consideração 2 **cuidado**, desvelo, diligência, zelo, dedicação ≠ **desatenção**, desleixo, negligência

solidão *n.f.* 1 **isolamento**, apartamento, insulamento, soledade, soidade ≠ **acompanhamento**, companhia 2 **retiro**, ermo, intermúndio *fig.*

solidar *v.* 1 **solidificar**, consolidar, fortalecer 2 *fig.* **confirmar**, corroborar, comprovar, aprovar ≠ **negar**, refutar, contestar

solidariedade *n.f.* 1 **solidarização** ≠ **insolidariedade** 2 **companheirismo**, fraternidade, convívio, camaradagem, contubérnio, sodalício, familiaridade ≠ **inimizade**, hostilidade, malquerença, aversão

solidário *adj.* 1 **interdependente**, recíproco, mútuo ≠ **indepedente**, autónomo 2 **auxiliar**, ajudante, adjunto, cooperante, colaborador ≠ **indiferente**

solidarização *n.f.* **solidariedade** ≠ **insolidariedade**

solidez *n.f.* 1 **segurança**, estabilidade, firmeza ≠ **instabilidade**, desequilíbrio, insegurança 2 **resistência**, durabilidade 3 **rijeza**, dureza, firmeza, consistência, macicez ≠ **moleza**, flacidez 4 *fig.* **certeza**, garantia 5 *fig.* **fundamento**, base

solidificação *n.f.* 1 **concreção**, endurecimento 2 **congelação** ≠ **liquefação**, derretimento, descongelamento

solidificar *v.* 1 **concrecionar**, endurecer 2 **congelar** ≠ **liquefazer**, derreter, descongelar

sólido *adj.* 1 **firme**, consistente ≠ **inconsistente** 2 **maciço**, compacto 3 **seguro**, garantido, estável ≠ **inseguro**, precário, instável 4 **duradouro**, resistente, forte, inabalável ≠ **frágil**, fraco 5 **incontestável**, fundamentado ≠ **infundável**, insustentável

solilóquio *n.m.* **monólogo**

solipso *n.m.* 1 **egoísta**, individualista, interesseiro ≠ **altruísta** 2 **solteirão**, celibatário

solitária *n.f.* **ténia**, bicha-solitária

solitário *adj.* 1 **isolado**, só, desamparado, ermo ≠ **acompanhado** 2 **eremítico** 3 **misantrópico**, insociável ≠ **sociável** 4 **despovoado**, desabitado, deserto ≠ **habitado**, povoado ■ *n.m.* 1 **eremita**, anacoreta, ermitão 2 **misantropo**, sociófobo, urso *col.,pej.* 3 ORNIT. **rouxinol-do-mato**, melro-da-rocha, melro-azul, murifela, murfela, macuco

solo *n.m.* 1 **chão**, terra 2 **pavimento**, chão, sobrado, soalho, piso

sol-pôr *n.m.* **pôr-do-sol**, poente, ocaso, sol-posto ≠ **nascente**, amanhecer

sol-posto *n.m.* **pôr-do-sol**, poente, ocaso, sol-pôr ≠ **nascente**, amanhecer

solta *n.f.* 1 **soltura**, libertação 2 **maniota**, peia

soltar *v.* 1 **desprender**, libertar, largar ≠ **prender**, atar 2 **desatar**, deslaçar, desenlaçar, desfazer, desenrolar ≠ **atar**, laçar 3 **desligar**, desunir, desagrupar, desagregar ≠ **ligar**, unir 4 (tiro) **atirar**, disparar, desfechar, descarregar 5 (palavra, som) **proferir**, emitir, pronunciar ≠ **silenciar**, calar 6 (odor, perfume) **exalar**, lançar, libertar, largar, espalhar ≠ **absorver** 7 **cantar**, entoar 8 (criatividade, imaginação) **libertar**, desinibir ≠ **inibir**

soltar-se *v.* 1 **desprender-se**, largar-se, escapar, desatar-se 2 **libertar-se**, livrar-se 3 *fig.* **desinibir-se**, animar-se, relaxar-se ≠ **envergonhar-se**, retrair-se 4 **desfraldar-se**

solteiro *adj.* **celibatário**, ínubo, inupto ■ *n.m.* **celibatário**

solto *adj.* 1 **livre**, liberto ≠ **preso** 2 **desatado**, desprendido, deslaçado, desligado ≠ **preso**, atado, ligado 3 **espontâneo**, fácil, natural ≠ **reprimido** 4 **folgado**, largo, lasso, frouxo, suxo ≠ **esticado**, apertado 5 **espalhado**, desagregado, separado 6 **desobrigado**, isento ≠ **obrigado** 7 **descontínuo**, entrecortado, interrompido ≠ **contínuo** 8 *ant.,pej.* **licencioso**, dissoluto, devasso ≠ **regrado**

soltura *n.f.* 1 **libertação**, livramento, larga, solta 2 **desembaraço**, destreza, agilidade, desenvoltura ≠ **lentidão**, morosidade, dificuldade 3 **arrojo**, atrevimento, ousadia, coragem ≠ **vergonha**, timidez, modéstia, comedimento 4 **diarreia**, copracrasia 5 *fig.,ant.* **licenciosidade**, dissolução, devassidão, libertinagem ≠ **decência**, decoro, moralidade 6 *fig.* **exaltação**, descomedimento, desenfreamento

solução *n.f.* 1 **solvência** 2 FÍS., QUÍM. **soluto** 3 **decisão**, recurso, resolução, deliberação ≠ **hesitação**, indecisão, irresolução 4 **conclusão**, desfecho, desenlace, remate, desenredo ≠ **iniciação**, introdução 5 MAT. **resultado** 6 **resposta**, decifração, explicação, chave *fig.* 7 **liquidação** 8 **intervalo**

soluçar *v.* 1 **impar** 2 **chorar**, lacrimar, lacrimejar, carpir, prantear ≠ **sorrir** 3 *fig.* **sussurrar**, murmurar, segredar, ciciar, mussitar, papear, rumorejar ≠ **berrar**, gritar, bramir, bradar, bramar **4** *fig.* (mar) **bramir**, retumbar

solucionar *v.* **1** **solver**, resolver, remediar **2** **resolver**, decidir, determinar, deliberar

soluço *n.m.* **1** **singulto** *poét.* **2** **choro**, gemido, carpido, lamento, plangor, chorinco ≠ **sorriso**

soluto *adj.* **dissolvido**, diluído ▪ *n.m.* QUÍM. **solução**

solúvel *adj.2g.* **1** **dissolúvel** ≠ **indissolúvel**, insolúvel **2** **resolúvel** ≠ **irresolúvel**, insolúvel

solvência *n.f.* **1** **solvibilidade**, dissolvência ≠ **insolvibilidade** **2** **solução**

solvente *adj.2g.* **1** **dissolvente**, solvível **2** **pagável** ≠ **insolvível** ▪ *n.m.* **dissolvente**

solver *v.* **1** **soltar**, separar, desligar, desatar ≠ **prender**, ligar, atar **2** **dissolver**, liquefazer, diluir **3** **resolver**, solucionar, remediar **4** **saldar**, pagar, liquidar, quitar ≠ **cobrar**, receber

solvibilidade *n.f.* **solvência**, dissolvência ≠ **insolvibilidade**

solvido *adj.* **1** **solto**, separado, desligado, desatado ≠ **preso**, ligado, atado **2** **dissolvido**, liquefeito, diluído **3** **resolvido**, solucionado, remediado **4** **liquidado**, pago ▪ *n.m.* **soluto**

solvível *adj.2g.* **1** **solvente**, dissolvente **2** **pagável** ≠ **insolvível**

som *n.m.* **1** **sonância** **2** **ruído**, sonido, barulho, sonoridade, sopro **3** *fig.* **modo**, maneira, forma

soma *n.f.* **1** MAT. **adição** **2** MAT. **total**, somatório **3** **total**, totalidade, somatório, conjunto **4** **quantidade**, quantia, número **5** **verba**, montante, quantia

somar *v.* **1** **adicionar** ≠ **subtrair**, diminuir **2** **juntar**, reunir **3** **importar**, totalizar **4** **resumir** **5** **reunir**, agrupar, congregar

somático *adj.* **corporal**, físico, corpóreo ≠ **espiritual**, mental

somatório *n.m.* **1** **total**, soma **2** **totalidade**, total, soma, conjunto

sombra *n.f.* **1** **obscuridade**, treva, penumbra ≠ **luminosidade**, claridade **2** **fantasma**, espetro, espírito, abantesma, avejão **3** **guarda-costas**, guardião *col.*, molosso *fig.*, capanga [BRAS.] **4** *fig.* **defeito**, mancha, tacha **5** *fig.* **aparência**, aspeto, semblante, fisionomia **6** *fig.* **silhueta**, imagem, figura **7** [*pl.*] **rudimentos**, noções, laivos *fig.*, lascas *fig.*, tinturas *fig.*

sombreado *adj.* **sombrio**, escuro, umbroso, ensombrado ≠ **luminoso**, claro

sombrear *v.* **1** **sombrejar** **2** **obscurecer**, escurecer ≠ **clarear**, aclarar, iluminar **3** *fig.* **manchar**, macular, infamar, desonrar ≠ **dignificar**, enobrecer, honrar **4** *fig.* **entristecer**, desalegrar, contristar, desgostar ≠ **desentristecer**, alegrar, desensombrar

sombreira *n.f.* **quebra-luz**, pantalha

sombreiro *n.m.* **1** **guarda-sol**, chapéu de sol, umbela **2** BOT. **sombreirinho** ▪ *adj.* **sombrio**, umbrífero

sombria *n.f.* ORNIT. **petinha**, cia

sombrio *adj.* **1** **escuro**, obscuro ≠ **claro**, luminoso **2** **sombreado**, escuro, umbroso, ensombrado, nubloso, abixeiro ≠ **luminoso**, claro **3** *fig.* **carrancudo**, austero, ríspido, severo ≠ **bem-humorado**, brando **4** *fig.* **melancólico**, sorumbático, tristonho, triste ≠ **alegre**, festivo, jovial **5** *fig.* **lúgubre**, funesto, fúnebre, sepulcral, atro, torvo ▪ *n.m.* **1** **tristeza**, melancolia, desconsolo, desgosto, negrume *fig.* ≠ **alegria**, jovialidade **2** **severidade**, austeridade, rigor

somenos *adj.inv.* **inferior**, menor, secundário ≠ **superior**

somente *adv.* **apenas**, unicamente, exclusivamente, meramente, só ≠ **também**

somítico *adj.,n.m.* **avarento**, mesquinho, sovina, forreta, catinga [BRAS.] ≠ **gastador**, dissipador, esbanjador, perdulário

sonambulismo *n.m.* **noctambulismo**

sonâmbulo *adj.,n.m.* **noctâmbulo**

sonância *n.f.* **1** **som** **2** **harmonia**, consonância ≠ **dissonância**

sonante *adj.2g.* **1** **sonoro**, soante **2** LING. **soante**

sonata *n.f.* (pouco usado) **soneca** *col.*, raposada *fig.*, roncada [REG.], cochilo [BRAS.]

sonda *n.f.* **1** **prumo** **2** **estilete** **3** *fig.* **pesquisa**, investigação, indagação

sondagem *n.f.* **pesquisa**, investigação, procura, busca, cata, indagação, averiguação, demanda, pesca *fig.*

sondar *v.* **1** *fig.* **investigar**, indagar, pesquisar, procurar, buscar, catar, averiguar, pescar *fig.* **2** *fig.* **tatear**, babatar [BRAS.]

soneca *n.f. col.* **sonata**, cochilo *col.*, raposada *fig.*, roncada [REG.]

sonegação *n.f.* **ocultação**, encobrimento, escondimento, omissão, dissimulação ≠ **exposição**, exibição

sonegador *adj.,n.m.* **ocultador**, acoitador

sonegar *v.* **ocultar**, encobrir, omitir, esconder ≠ **declarar**, revelar, mostrar

sonegar-se *v.* **negar-se**, recusar-se, furtar-se

soneira *n.f. col.* **sonolência**, moleza, modorra, sopor, sono, madornice

soneto *n.m.* **1** *col.* **remoque**, motejo **2** *col.* **sátira**

sonhado *adj.* **1** **imaginado**, pensado, idealizado **2** **desejado**, ansiado, almejado, apetecido **3** **fictício**, fantasiado ≠ **real**

sonhador *adj.* **idealista**, utopista, fantasista, lunático, imaginador, sonhoso ▪ *n.m.* **1** *pej.* **idealista** **2** *pej.* **fantasista**, devaneador, idealista, visionário *fig.*, pintor *fig.*

sonhar *v.* 1 **imaginar**, idealizar 2 *fig.* **fantasiar**, devanear, idilizar 3 *fig.* **iludir-se**, enganar-se 4 **desejar**, almejar, ansiar, apetecer 5 **prever**, supor, antever, conjeturar

sonho *n.m.* 1 **fantasia**, devaneio, quimera *fig.* 2 **desejo**, aspiração, anseio, vontade, ambição 3 **utopia**, ficção, ilusão 4 **visão**

sonido *n.m.* 1 **som**, ruído, barulho, sonoridade 2 **estrépito**, estrondo, estampido, estouro, fragor, pipoco [BRAS.], ribombância

sono *n.m.* 1 **joão-pestana** *col.* 2 **adormecimento** 3 **sonolência**, moleza, modorra, sopor, soneira *col.* 4 *fig.* **estagnação**, paralisação ≠ **desestagnação**, atividade 5 *fig.* **sossego**, repouso, descanso 6 *fig.* **inércia**, indolência

sonolência *n.f.* **moleza**, sono, modorra, sopor, entorpecimento, madorna, soneira *col.*

sonolento *adj.* 1 **ensonado**, sonarento *col.*, sopito 2 *fig.* **lento**, vagaroso, moroso, pausado ≠ **rápido**, célere, veloz 3 *fig.* **imóvel**, inativo, inerte

sonómetro[AO] ou **sonômetro**[AO] *n.m.* **harmonómetro**

sonoridade *n.f.* 1 **musicalidade** 2 **harmonia**, maviosidade 3 **acústica**

sonoro *adj.* 1 **melodioso**, harmonioso, musical, canoro ≠ **desarminioso**, desagradável 2 **estrepitoso**, estrondoso, fragoroso, ruidoso ≠ **silencioso** 3 LING. ≠ **surdo**

sonsice *n.f.* **dissimulação**, hipocrisia, velhacaria, falsidade ≠ **sinceridade**, lealdade, honestidade, verdade

sonso *adj.,n.m.* **dissimulado**, hipócrita, velhaco, falso, fingido, salamurdo [REG.], mosca-morta *col.* ≠ **sincero**, leal, honesto, verdadeiro

sopa *n.f.* 1 *col.* **sopeira** 2 **molengão**, preguiceiro, pastelão *fig.,pej.*, cataplasma *fig.,pej.*

sopapo *n.m.* 1 **murro**, punhada, soco, cachação, pero *cal.* 2 **bofetão**, sapatada, tabefe *col.*, chapada *col.*, assoa-queixos *col.*, lambada *col.*, biscoito *fig.*, moleque [BRAS.] *col.* 3 *fig.* **revés**, contratempo, transtorno, contrariedade, vicissitude

sopé *n.m.* **base**, falda, aba, sobpé, cocuruta ≠ **cume**, cimo, picoto, cumeeira, cocuruto *fig.*

sopeira *n.f.* 1 **terrina** 2 *col.* **sopa**

sopesar *v.* 1 **pesar** 2 **sustentar**, suportar, suster 3 **conter**, refrear, dominar, reter, controlar ≠ **expandir**, soltar

soporífero *adj.* 1 **narcótico**, soporativo, adormecedor, dormitivo, laudânico, amendoada *fig.*, nicotino ≠ **antinarcótico** 2 *fig.* **maçador**, enfadonho, fastidioso, sensaborão, fastiento, aborrecido ≠ **interessante** ▪ *n.m.* 1 FARM. **narcótico**, estupefaciente, hipnótico 2 *fig.* **maçador**, lapa, chato *col.*, cola *col.*

soprano *n.m.* MÚS. **tiple**

soprar *v.* 1 **bufar**, assoprar, bafar, arquejar, aflar, suflar 2 **ventar**, cursar 3 *fig.* **favorecer**, bafejar, assoprar 4 *fig.* **segredar**, sussurrar, murmurar, ciciar, confidenciar, cochichar ≠ **revelar**, divulgar 5 *fig.* **insinuar**, sugerir, sugestionar 6 *fig.* **atear**, inspirar

sopro *n.m.* 1 **assopro**, expiração 2 **exalação** 3 **bafo**, hálito, alento, respiração, bafagem, assopro, bafejo, fôlego, baforada, anélito 4 **brisa**, aragem, bafagem, viração, assopro ≠ **ventania**, rajada, rabanada, furacão, buzaranha, tufão, ciclone, baforada 5 **som**, sonido, barulho, sonoridade, ruído 6 *fig.* **inspiração**, dom, bafejo 7 *fig.* **força**, influxo, estímulo 8 *fig.* **resto**

soquete *n.f.* 1 **peúga**, meia 2 **socate**

sor *n.m.* 1 *col.* **senhor**, sô 2 *col.* **sóror**, irmã, freira

sórdido *adj.* 1 **sujo**, imundo, asqueroso, nojento, porco, hediondo, repugnante, encardido, porcalhão, sebáceo, lodoso, ludro, cacoso [REG.] ≠ **limpo**, asseado, higiénico, decente, desencardido, imaculado, lavado, nítido 2 **repugnante**, nojento, asqueroso, desagradável, hediondo ≠ **agradável**, aprazível 3 **vil**, torpe, baixo, abjeto, desprezível, acanalhado, reles, biltre, pulha ≠ **correto**, honesto, justo, respeitável 4 **mesquinho**, avarento, sovina, forreta, somítico, triparco ≠ **gastador**, dissipador, esbanjador, perdulário

sorna *n.f.* 1 **preguiça**, indolência, desídia, apatia, displicência, hipocinesia, ignávia, inação ≠ **energia**, força, robustez, vigor, vitalidade 2 **inércia**, inatividade, passividade, indolência, inação ≠ **atividade**, dinamismo 3 *col.* **cama**, leito, quente, tálamo, ninho *col.*, pildra *col.*, jaça *col.*, piano *col.*, camarote *col.* ▪ *adj.* **bonacheirão**, sossegado, pacífico, paciente, pacato, madraço, ocioso, molúria ≠ **ativo**, dinâmico, enérgico, laborioso

sornice *n.f.* 1 **inércia**, inatividade, passividade, indolência, inação, ronceirice ≠ **atividade**, dinamismo 2 **preguiça**, indolência, desídia, apatia, displicência, hipocinesia, ignávia, inação ≠ **energia**, força, robustez, vigor, vitalidade 3 **manha**, vigarice, artimanha, intrujice, fajardismo

soromenha *n.m.* BOT. **pereira-brava**

sóror *n.f.* **irmã**, freira, sor *col.*

sorrateiramente *adv.* **despercebidamente**, furtivamente, tripetrepe ≠ **ostensivamente**

sorrateiro *adj.* 1 **encoberto**, oculto, coberto, disfarçado, sigiloso ≠ **exposto**, visível, patente 2 **fingido**, disfarçado, falso, enganador ≠ **franco**, genuíno 3 **manhoso**, astuto, matreiro, finório, espertalhão, sagaz ≠ **correto**, honesto, verdadeiro, sincero

sorrelfa *n.f.* **dissimulação**, disfarce, ocultação, simulação ≠ **descobrimento**, revelação

sorridente *adj.2g.* 1 **jovial**, alegre, divertido, galhofeiro, lépido, prazenteiro, risonho ≠ **triste**, acabrunhado, descontente, entristecido 2 **amável**, simpático, agradável, afável ≠ **desagradável**, antipático 3 *fig.* **auspicioso**, esperançoso, prometedor, promissor, promissório

sorrir *v.* 1 **rir**, ruçar *col.* 2 *fig.* **prometer**, esperançar 3 *fig.* **agradar**, aprazer, satisfazer

sorriso *n.m.* **rir** ≠ **choro**, pranto, plangor

sorte *n.f.* 1 **fado**, destino, fortuna, fadário, sina *col.*, carma *col.* 2 **fortuna**, ventura, felicidade, dita, plenitude ≠ **desventura**, infelicidade, desdita 3 **quinhão**, porção, parcela, quota-parte 4 **acaso**, casualidade, coincidência, eventualidade 5 **género**, espécie, qualidade, categoria, grupo, casta 6 **maneira**, forma, modo, jeito 7 **riso** 8 **sentimento**

sorteado *adj.* **sortido**, variado, diverso ≠ **idêntico**, igual ■ *adj.,n.m.* **premiado** ≠ **malsorteado**

sortear *v.* **rifar**

sorteio *n.m.* 1 **lotaria**, sorteamento, rifa 2 **rifa**, lotaria

sortido *adj.* 1 **abastecido**, fornecido 2 **sorteado**, variado, diverso ≠ **idêntico**, igual ■ *n.m.* **sortimento**, variedade

sortilégio *n.m.* 1 **feitiçaria**, bruxaria, feitiço, macumba, magia, salga, mandinga, ensalmo, trangalomango 2 **encantamento**, encanto, sedução, enlevo ≠ **desencantamento**, desencanto 3 **maquinação**, intriga, conjuração, complot, conluio, cambalacho, trama *fig.*, tramoia *col.*, cabala *fig.* ≠ **correção**, verdade, boa-fé

sortimento *n.m.* 1 **variedade**, sortido 2 **abundância**, fartura, variedade, abastança ≠ **carência**, escassez, insuficiência, míngua

sortir *v.* 1 **abastecer**, prover, fornecer, dotar 2 **combinar**, misturar, mesclar 3 **variar**, sortear

sortudo *adj.,n.m.* **felizardo**, afortunado, ditoso, venturoso ≠ **infortunado**, desditoso, desventuroso

sorumbático *adj.* **sombrio**, tristonho, macambúzio, taciturno, mazombo, meijengro ≠ **alegre**, divertido, brincalhão, gaiteiro *fig.*

sorvedouro *n.m.* 1 **remoinho**, turbilhão, voragem, absorvedouro 2 **abismo**, voragem, pélago, báratro, pego *fig.*

sorver *v.* 1 **haurir** 2 **chupar**, sugar, aspirar 3 **absorver** 4 *fig.* **submergir** 5 *fig.* **tragar**, devorar, engolir 6 *fig.* **subverter** 7 *fig.* **destruir**, aniquilar, devastar

sorvete *n.m.* 1 **gelado** 2 *col.* **bofetada**, estalo *col.*, tapa, lambada, bolacha *col.*, bolachada *col.*, lagosta *col.*, mosquete *col.*, chapada *col.*, estalada *col.*, tabefe *col.*, estampilha *col.*, lostra *col.*, solha *col.*, bilhete *gír.*

sorvo *n.m.* 1 **sorvedela**, sorvedura 2 **trago**, gole, hausto

soslaio *n.m.* **obliquidade**, esguelha, través, viés

sossega *n.f.* **descanso**, repouso, sossego, sono

sossegado *adj.* 1 **descansado**, despreocupado, imperturbável ≠ **desassossegado**, tumultuado, inquieto 2 **tranquilo**, calmo, sereno, plácido, quieto ≠ **agitado**, perturbado, inquieto 3 **pacato**, pacífico, bonacheirão, pachola *col.* ≠ **agitado**, inquieto, impaciente

sossegar *v.* 1 **aquietar**, acalmar, serenar, apaziguar, tranquilizar ≠ **agitar**, perturbar, irar 2 **adormecer**, sopitar, acalentar ≠ **despertar**

sossegar-se *v.* 1 **acalmar-se**, serenar, tranquilizar-se, aquietar-se, desafreimar-se 2 **descansar**

sossego *n.m.* 1 **alívio**, desapoquentação, consolo, conforto ≠ **aflição**, desassossego 2 **tranquilidade**, quietude, serenidade, calma, paz ≠ **agitação**, desassossego, tumulto, desordem 3 **repouso**, descanso, paz, relego, sossega ≠ **desassossego**, inquietação

sotaina *n.f.* 1 **samarra**, batina, chimarra, loba, roupeta 2 [REG.] **sova**, tunda, surra, tareia, zurzidela, cheganço *col.*, coça *fig.* ■ *n.m. pej.* **padre**, sacerdote, samarra, padreca

sótão *n.m.* 1 **águas-furtadas**, sobrecâmara, falsa, desvão ≠ **cave**, rés-do-chão, subsolo, loja, baixos, porão [BRAS.] 2 [REG.] **cave**, loja, subsolo, baixos, porão [BRAS.] ≠ **águas-furtadas**, sobrecâmara, falsa, desvão

sotaque *n.m.* 1 **acento**, pronúncia 2 **censura**, crítica, reprovação, condenação, reparo, cheganço *col.*, ferroada *fig.* ≠ **elogio**, louvor, aplauso 3 *col.* **remoque**, motejo

sotavento *n.m.* 1 **sulavento**, julavento 2 [REG.] **leste**, este, levante, nascente, oriente ≠ **ocidente**, oeste, poente

soterração *n.f.* **soterramento**, enterramento

soterramento *n.m.* 1 **soterração**, enterramento 2 *ant.* **funeral**, enterro, enterramento, mortório, mortulho

soterrar *v.* 1 **enterrar** ≠ **desenterrar**, desencovar, revelar 2 **enterrar**, sepultar, inumar ≠ **desenterrar**, exumar

soturnidade *n.f.* 1 **lugubridade**, taciturnidade, tristeza, melancolia, nuvem *fig.* ≠ **alegria**, jovialidade 2 **escuridão**, escuro ≠ **claridade**

soturno *adj.* 1 **taciturno**, tristonho, sorumbático, melancólico ≠ **alegre**, vivo 2 **sombrio**, carregado, escuro ≠ **aberto**, claro 3 **lúgubre**, medonho, pavoroso, tétrico, hamlético *fig.*

souto *n.m.* 1 **castanhal**, castanhedo, castinçal 2 **devesa**, cerrado, tapada, seteal

sova *n.f.* 1 **surra**, tunda, tareia, zurzidela, cheganço *col.*, coça *fig.*, moedela *col.*, poleadela *col.*, sotaina [REG.], estira [REG.], guabiroba [BRAS.], fubeca [BRAS.] *col.*, muxinga **2** *fig.* **descompostura**, reprimenda, repreensão, censura, admoestação, exprobração, discurso *col.* ≠ **elogio**, louvor, felicitação, aprovação **3** **soba**

sovaco *n.m.* **axila**

sovar *v.* **1** **bater**, chegar, cascar, desancar, surrar, dar, descascar, obtundir, polear *fig.* ≠ **defender**, proteger, resguardar **2** **amassar**, amolgar, bater, mossar **3** **calcar**, pisar, espezinhar **4** *fig.* **gastar**, usar

sovela *n.f.* ORNIT. **alfaiate**, avoceta, frade, fusela, meio-maçarico, milherango, pernilongo, maçarico-galego, milhereu

soveral *n.m. ant.* **sobreiral**, sobral

sovina *adj.,n.2g.* **avarento**, mesquinho, pelintra, forreta, somítico, foca *col.*, manicurto *fig.* ≠ **gastador**, dissipador, esbanjador, perdulário

sovinice *n.f.* **mesquinhez**, tacanhez, cainheza, forretice, avareza, miséria, somiticaria, mesquinharia, tenacidade *fig.*

sozinho *adj.* **1** **só**, isolado, solitário, ermo ≠ **acompanhado** **2** **abandonado**, desamparado, desprotegido, desabrigado, desagasalhado *fig.* ≠ **protegido**, amparado **3** **único**, singular, isolado

stressado *adj.* **tenso**, preocupado ≠ **descontraído**

suado *adj.* **1** **transpirado** **2** **custoso**, difícil, penoso, duro ≠ **fácil**, cómodo

suar *v.* **1** **destilar**, transpirar, exsudar, transudar **2** **ressumar** **3** *fig.* **trabalhar**, esforçar-se, afadigar-se, labutar, lutar

suave *adj.2g.* **1** **agradável**, aprazível, deleitável, ameno, voluptuoso, prazenteiro, delicioso ≠ **desgostoso**, enfadado, desprazível, desagradável **2** **leve**, brando, ténue, ligeiro, lene ≠ **acentuado**, pronunciado, forte, pesado **3** **doce**, meigo, agradável, terno, brando ≠ **áspero**, desagradável, ríspido

suavemente *adv.* **1** **ligeiramente**, brandamente, tenuemente ≠ **fortemente**, violentamente, contundentemente, ferozmente **2** **agradavelmente**, docemente, harmoniosamente, delicadamente, idilicamente, maviosamente, melodiosamente ≠ **displicentemente**, desgradavelmente **3** **devagar**, lentamente ≠ **abruptamente**, bruscamente

suavidade *n.f.* **1** **brandura**, amenidade, lenidade, mansidão, ternura, doçura *fig.* ≠ **aspereza**, rispidez, severidade, dureza **2** **doçura**, meiguice, ternura, maviosidade, delicadeza, mel *fig.*, açúcar *fig.*, melifluidade *fig.* ≠ **aspereza**, desagrado, rispidez, rudeza, acerbidade

suavização *n.f.* **mitigação**, abrandamento, afrouxamento, moderação

suavizar *v.* **1** **atenuar**, mitigar, aligeirar, abrandar, amenizar, açucarar *fig.*, edulcorar *fig.*, maleabilizar *fig.*, malear *fig.*, melifluentar ≠ **agravar**, intensificar **2** **alivar**, acalmar, atenuar, minorar, aplacar, laxar *fig.*, balsamar *fig.*, linimentar *fig.* ≠ **agravar**, intensificar

suavizar-se *v.* **atenuar-se**, moderar-se, temperar-se, adoçar-se, amenizar-se, esbater-se, aveludar-se, abemolar-se *fig.*

subalimentação *n.f.* **subnutrição** ≠ **superalimentação**, sobrealimentação

subalimentado *adj.,n.m.* **subnutrido**, desnutrido, malnutrido ≠ **superalimentado**, sobrealimentado

subalternar *v.* **1** **subalternizar**, submeter, subjugar, sujeitar ≠ **desobedecer**, desrespeitar, desacatar **2** **revezar**, alternar-se, permutar

subalternar-se *v.* **subalternizar-se**, inferiorizar-se

subalternizar *v.* **1** **subalternar**, submeter, subjugar, sujeitar ≠ **desobedecer**, desrespeitar, desacatar **2** **revezar**, alternar-se, permutar

subalternizar-se *v.* **subalternar-se**, inferiorizar-se

subalterno *adj.,n.m.* **subordinado**, inferior, dependente, submisso ≠ **superior**, subjugador, dominador, principal ■ *adj.* **secundário**, inferior ≠ **superior**

subaquático *adj.* **submarino**

subarrendamento *n.m.* **sublocação**

subarrendar *v.* **sublocar**

subarrendatário *n.m.* **sublocatário**

subcomissão *n.f.* **subsecção**

subconsciente *adj.2g.* **subliminar** ■ *n.m.* PSICAN. **subconsciência**

subdelegação *n.f.* **subdelegacia**, sucursal

subdelegado *n.m.* **subcomissário**

subdelegar *v.* **sub-rogar**

subdirector[aAO] *n.m.* ⇒ **subdiretor**[dAO]

subdirectoria[aAO] *n.f.* ⇒ **subdiretoria**[dAO]

subdiretor[dAO] *n.m.* **vice-diretor**

subdiretoria[dAO] *n.f.* **subdireção**

súbdito[AO] ou **súdito**[AO] *adj.,n.m.* **dependente**, submisso, vassalo, subordinado, sujeito, submetido

subdividir *v.* **fragmentar**, ramificar, fracionar, segmentar ≠ **juntar**, ligar, unir

subdivisão *n.f.* **ramificação**, ramo, segmentação, fragmentação ≠ **junção**, união, ligação

subentender *v.* **supor**, admitir, pressupor

subentendido *adj.* **1** **percebido**, entendido, adivinhado **2** **implícito**, tácito, inexplícito, subjacente, latente ≠ **explícito**, claro ■ *n.m.* **implicação**, sugestão, insinuação

súber *n.m.* **cortiça**

subestimar *v.* **desconsiderar**, desrespeitar, desprezar, desdenhar, menosprezar, desatender, desfeitear, descortejar ≠ **considerar**, acatar, respeitar

subida *n.f.* 1 **ascensão**, subimento, ascendimento 2 **ascensão**, elevação, aclive, ladeira, encosta ≠ **declive**, descida, quebrada, vertente, resvalo, caída 3 **aumento**, crescimento, alta ≠ **diminuição**, descida 4 (preço) **aumento**, alta ≠ **desconto**, abatimento, rebate, rebaixa, bónus

subido *adj.* 1 **alto**, elevado, supino ≠ **baixo** 2 *fig.* **eminente**, superior, notável, extraordinário ≠ **medíocre**, inferior 3 *fig.* **sublime**, nobre, grandioso 4 *fig.* (estilo) **pomposo**, empolado, afetado 5 *fig.* **caro**, dispendioso, custoso, alto, pesado, puxado *col.* ≠ **barato**, económico, módico, baixo, fácil 6 *fig.* **excessivo**, exagerado, descomedido, demasiado

subir *v.* 1 **ascender**, elevar, içar, erguer, sublevar ≠ **descer**, baixar 2 **aumentar**, crescer ≠ **diminuir**, decrescer 3 **encarecer**, aumentar, elevar ≠ **baratear**, embaratecer, baixar 4 (a nível social, profissional) **ascender**, elevar-se, promover 5 **trepar**, galgar, escalar 6 *fig.* **exaltar**, enaltecer, engrandecer ≠ **desprezar**, apoucar, rebaixar *fig.*

subitamente *adv.* **repentinamente**, inesperadamente, bruscamente, abruptamente, surpreendentemente, intempestivamente, nisto, súbito, inopinadamente ≠ **gradualmente**, progressivamente

súbito *adj.* **imprevisto**, repentino, inesperado, surpreendente, intempestivo, abrupto, brusco, súpito *ant.* ≠ **previsto**, calculado, esperado, aguardado ■ *adv.* 1 **repentinamente**, subitamente, inesperadamente, bruscamente, abruptamente, surpreendentemente, intempestivamente, nisto ≠ **gradualmente**, progressivamente 2 **prontamente**, imediatamente, lestamente, rapidamente, logo, depressa, pronto ≠ **demoradamente**, lentamente

subjacente *adj.2g. fig.* **implícito**, tácito, inexplícito, subentendido, latente ≠ **explícito**, claro

subjectivamente[aAO] *adv.* ⇒ **subjetivamente**[dAO]

subjectivismo[aAO] *n.m.* ⇒ **subjetivismo**[dAO]

subjectivista[aAO] *n.2g.* ⇒ **subjetivista**[dAO]

subjectivo[aAO] *adj.* ⇒ **subjetivo**[dAO]

subjetivamente[dAO] *adv.* ≠ objetivamente

subjetivismo[dAO] *n.m.* 1 ≠ objetivismo 2 **egotismo**, filodoxia

subjetivista[dAO] *n.2g.* **egotista**, filodoxo

subjetivo[dAO] *adj.* 1 **aparente**, ilusório, fictício, imaginário, ilusivo ≠ **real**, verdadeiro 2 **individual**, particular, pessoal, próprio, impressionista ≠ **impessoal**, coletivo

subjugação *n.f.* **submissão**, humilhação, subordinação, sujeição, encolhimento *fig.* ≠ **insubmissão**, insubordinação, desobediência

subjugador *adj.,n.m.* **dominador**, forçador, subjugante

subjugar *v.* 1 **submeter**, sujeitar, subordinar, avassalar 2 **reprimir**, refrear, dominar 3 **domar**, domesticar, amansar, dominar, conquistar

subjugar-se *v.* **submeter-se**, sujeitar-se, render-se

subjugável *adj.2g.* **domável**, dominável, sujeitável ≠ **insubjugável**

sublevação *n.f.* **rebelião**, revolta, insurreição, sedição, pronunciamento, motim, amotinação, alevante, levantamento ≠ **pacificação**, apaziguamento, conciliação

sublevar *v.* 1 **ascender**, subir, elevar, içar, erguer ≠ **descer**, baixar 2 **rebelar**, revoltar, insurrecionar, insurgir, amotinar, alvoroçar ≠ **pacificar**, apaziguar, conciliar

sublevar-se *v.* **amotinar-se**, revoltar-se, insurgir-se, indignar-se, levantar-se, insurrecionar-se, convulsionar-se

sublimação *n.f.* 1 FÍS., QUÍM. **volatilização** 2 **elevação**, exaltação, engrandecimento ≠ **desvalorização**, desprezo 3 *fig.* **purificação**, depuração

sublimado *adj.* 1 **sublime**, elevado, exaltado 2 QUÍM. **volatilizado** 3 *fig.* **purificado**, depurado

sublimar *v.* 1 **elevar**, erguer ≠ **baixar** 2 **exaltar**, engrandecer, elevar, enaltecer ≠ **depreciar**, desprezar 3 *fig.* **purificar**, depurar

sublimar-se *v.* 1 **evaporar-se**, volatilizar-se, subtilizar-se, exalar-se 2 **elevar-se**, engrandecer-se, apurar-se, altear-se

sublime *adj.2g.* 1 **transcendente**, supramundano, sobre-humano, ultra-humano 2 **grandioso**, imponente ≠ **pequeno** 3 **magnífico**, esplêndido, admirável, extraordinário, encantador, sobreexcelente, preexcelso ≠ **execrável**, horrível ■ *n.m.* **perfeição**

sublimidade *n.f.* 1 **elevação**, alteza, celsitude 2 **perfeição** 3 **excelência**, magnificência, excelsitude, majestade, sobreexcelência, superexcelência

subliminar *adj.2g.* PSIC. (estímulo, processo) **subconsciente**

sublinhar *v.* 1 **grifar** 2 *fig.* **salientar**, acentuar, destacar, frisar, realçar, relevar ≠ **ocultar**

sublocação *n.f.* **subarrendamento**, subaluguer

sublocador *adj.,n.m.* **subarrendatário**, sublocatário

sublocar *v.* **subalugar**, subarrendar

sublocatário *n.m.* **subarrendatário**, sublocador

submarino *adj.,n.m.* 1 **submersível**, submergível 2 **hipotalássico**

submergir *v.* 1 **imergir**, mergulhar 2 **afundar**, sumir, mergulhar 3 **inundar**, alagar, anegar 4 *fig.* **destruir**, aniquilar, arruinar, tragar 5 *fig.* **absorver**, preocupar, abrenhar

submergível *adj.2g.,n.m.* **submersível**, submarino ≠ **inaufragável**

submersão *n.f.* 1 **afundamento** 2 **abatimento**, aluimento, desabamento 3 **alheamento**, abstração, alienação

submerso *adj.* 1 **imerso**, submergido 2 **afundado** 3 **inundado**, alagado, mergulhado 4 **afogado** 5 *fig.* **abismado**, assombrado, espantado 6 *fig.* **engolido**, tragado 7 *fig.* **absorto**, absorvido, concentrado ≠ **distraído**

submeter *v.* 1 **subjugar**, sujeitar, subordinar, avassalar 2 **domar**, domesticar, amansar, dominar, subjugar, conquistar 3 (tese, trabalho) **apresentar**

submeter-se *v.* **render-se**, sujeitar-se, entregar--se, resignar-se, subordinar-se, avassalar-se, acurvar-se *fig.*

submissão *n.f.* 1 **sujeição**, dependência, subordinação, vassalagem, adscrição ≠ **insubordinação**, desacato 2 **humilhação**, inferiorização, rebaixamento, abaixamento *fig.*, enxovalho *fig.* 3 **dependência**, vassalagem ≠ **independência** 4 **obediência**, vassalagem, subalternidade 5 **humildade**, abnegação, simplicidade

submisso *adj.* 1 **subjugado**, submetido, sujeito, obediente, obsequente, adscrito ≠ **insubordinado**, desobediente, insurreto 2 **dócil**, obediente, obsequente, flexível ≠ **indócil**, indisciplinado, indomável 3 **respeitoso**, humilde

subordinação *n.f.* 1 **sujeição**, submissão, dependência, vassalagem, acorrentamento *fig.* ≠ **insubordinação**, desacato, insurreição 2 **disciplina**, obediência ≠ **indisciplina** 3 LING. **hiponímia**

subordinado *adj.,n.m.* **empregado**, subalterno, inferior ≠ **chefe**, superior ■ *adj.* 1 **secundário**, irrelevante, insignificante ≠ **principal**, relevante, significativo 2 **disciplinado**, obediente ≠ **indisciplinado**, desobediente

subordinar *v.* 1 **submeter**, sujeitar, subjugar, avassalar ≠ **insubordinar**, amotinar 2 **disciplinar**, obedecer ≠ **indisciplinar**, desobedecer

subordinar-se *v.* 1 **submeter-se**, sujeitar-se 2 **limitar-se**, cingir-se

subornador *adj.,n.m.* **corruptor**, corrompedor, peiteiro

subornar *v.* 1 **comprar**, peitar, venalizar, corromper *fig.* 2 **induzir**, aliciar, seduzir

suborno *n.m.* 1 **peita**, corrupção, compra, luvas *fig.* 2 **aliciação**, sedução

sub-repticiamente *adv.* **fraudulentamente**, dolosamente

sub-reptício *adj.* 1 **disfarçado**, simulado, dissimulado 2 **fraudulento**, enganador, doloso, enganoso, artificioso, falso ≠ **correto**, honesto, verdadeiro

sub-rogação *n.f.* **substabelecimento**

sub-rogar *v.* **substabelecer**, substituir, trocar, transferir, permutar ≠ **manter**

sub-rogatório *adj.* **sub-rogante**

subscrever *v.* 1 **assinar**, firmar, chancelar, subscritar 2 **aceitar**, anuir, aquiescer, consentir, aceder, aprovar

subscrição *n.f.* **assinatura**, rubrica

subscritar *v.* 1 **assinar**, firmar, chancelar, subscrever 2 **referendar**

subscritor *adj.,n.m.* **assinante**, signatário, rubricador

subsecretário *n.m.* **vice-secretário**

subsequência *n.f.* 1 **continuação**, sequência, seguimento, sequela, prosseguimento, prossecução, sucessão ≠ **fim**, término 2 **consequência**, resultado, sequela, consectário

subsequente *adj.2g.* 1 **ulterior**, posterior, seguinte ≠ **anterior**, prévio, preliminar 2 **consequente**, decorrente, resultante

subserviência *n.f.* 1 **servilismo** 2 **adulação**, bajulação, lisonja, bajulice, prazenteio, rapapés, graxa *col.*, manteiga *fig.*, engraxadela *fig.*, genuflexão *fig.*, incensação *fig.*, ciganice *pej.* ≠ **censura**, crítica, desagrado, repugnância, exclusão, reprovação

subserviente *adj.2g.* 1 **servil**, obnóxio 2 **lisonjeador**, lisonjeiro, servil, adulador, bajulador, lambedor, engraxador *fig.*, manteigueiro *col.*, puxa--saco [BRAS.] ≠ **crítico**, depreciador, censurador, reprovador

subsidiar *v.* 1 **custear**, subvencionar, financiar 2 **auxiliar**, socorrer, ajudar, assistir, facilitar, remediar, bem-fazer ≠ **desamparar**, desajudar, abandonar, desauxiliar

subsidiário *adj.* **ajudante**, assistente, auxiliar, adjunto, colaborador ■ *n.m.* (rio) **afluente**, convergente

subsídio *n.m.* 1 **subvenção**, achega, auxílio, adminículo 2 [*pl.*] **dados**, informações

subsistência *n.f.* 1 **manutenção**, conservação, permanência, preservação ≠ **deterioração**, estrago 2 **sustento**, mantimento, manutenção

subsistente *adj.2g.* **duradouro**, persistente ≠ **insubsistente**

subsistir *v.* 1 **existir**, durar 2 **persistir**, permanecer, conservar, manter-se, sustentar, sobreviver, perdurar 3 **sustentar**, sobreviver, alimentar

subsolo *n.m.* 1 GEOG. **substrato** 2 **sub-rés-do-chão**

substabelecer *v.* **sub-rogar**, substituir, trocar, transferir, permutar ≠ **manter**

substabelecimento *n.m.* **sub-rogação**

substância *n.f.* 1 **matéria** 2 **natureza**, essência, ser 3 *fig.* **fundo**, âmago, suma, súmula, substancial 4 **sentido**, conceito 5 **força**, vigor, robustez, fibra

substanciado *adj.* condensado, resumido, sintetizado, abreviado, sintético ≠ **aumentado**, dilatado, alargado

substancial *adj.2g.* **1** substancioso, material **2** **nutritivo**, nutriente, alimentar, alimentício, substancioso, suculento **3** *fig.* **primordial**, essencial, principal, fundamental, primário, importante, capital, cardeal, vital ≠ **secundário**, acessório, auxiliar ■ *n.m.* **substância**

substancialidade *n.f.* **materialidade**

substancialmente *adv.* **1** **fundamentalmente**, essencialmente, principalmente, basicamente **2** **resumidamente**, sinteticamente, concisamente

substanciar *v.* **1** **nutrir**, alimentar, sustentar **2** **solidificar**, fortalecer, firmar, fortificar, cimentar *fig.* ≠ **amolecer**, molificar **3** *fig.* **resumir**, sintetizar, condensar, abreviar, sumariar

substancioso *adj.* **1** **substancial**, material **2** **nutritivo**, nutriente, alimentar, alimentício, substancial, suculento

substantivar *v.* GRAM. **nominalizar**

substantivo *n.m.* GRAM. **nome**

substituição *n.f.* **1** **troca**, câmbio, permuta, permutação, comutação, escâmbio, alborque, alboroque ≠ **imutabilidade**, destroca **2** DIR. **fideicomisso**

substituir *v.* **1** **trocar**, permutar, cambiar, comutar, escambar ≠ **destrocar** **2** **transferir**, sub-rogar, trocar, substabelecer, permutar ≠ **manter**

substituível *adj.2g.* **suprível**, dispensável, prescindível ≠ **insubstituível**, indispensável, necessário, impreenchível

substituto *adj.* **suplente**, sobresselente ■ *n.m.* **suplente**, adjunto ≠ **efetivo**

substrato *n.m.* **1** **essência** **2** **fundamento**, base **3** **resíduo**, resto **4** GEOG. **subsolo** ■ *adj.* **1** RELIG. *ant.* **prostrado** **2** **íntimo**

subterfúgio *n.m.* **1** **fuga**, evasão, escapatória **2** **pretexto**, justificação, escusa, razão, desculpa **3** **evasiva**, rodeio, desvio, escapatória

subterrâneo *adj.* **subtérreo** ■ *n.m.* **1** **cave** **2** **caverna**, furna

subtil[AO] ou **sutil**[AO] *adj.2g.* **1** **ténue**, leve, imperceptível, fino **2** **delicado**, delgado, grácil, suave **3** **agudo**, penetrante, fino **4** *fig.* **engenhoso**, hábil, talentoso **5** *fig.* **caviloso**, sofístico, capcioso, astucioso

subtileza[AO] ou **sutileza**[AO] *n.f.* **1** **delicadeza**, suavidade, tenuidade, subtilidade **2** **finura**, penetração, agudeza, argúcia, perspicácia, sagacidade **3** **diplomacia**

subtilidade[AO] ou **sutilidade**[AO] *n.f.* **1** **delicadeza**, suavidade, tenuidade, subtileza **2** **finura**, penetração, agudeza, argúcia, perspicácia, sagacidade **3** **diplomacia**

subtilmente[AO] ou **sutilmente**[AO] *adv.* **1** **imperceptivelmente**, imponderavelmente, arguciosamente **2** **delicadamente**, levemente, tenuemente ≠ **asperamente**, rudemente, abruptamente

subtração[dAO] *n.f.* **1** MAT. **diminuição** ≠ **adição**, soma **2** **diminuição**, dedução, desfalque ≠ **aumento**, acréscimo, acessão **3** **roubo**, furto, extorsão, ladroagem, patifaria, usurpação

subtracção[aAO] *n.f.* ⇒ **subtração**[dAO]

subtractivo[aAO] *n.m.* ⇒ **subtrativo**[dAO]

subtrair *v.* **1** **roubar**, furtar, surripiar, gatunar, larapiar, pilhar, escamotear, bifar *col.* ≠ **devolver**, restituir **2** **arrebatar** **3** **afastar**, retirar **4** **diminuir**, retirar ≠ **acrescentar**, adir, aditar **5** **livrar**, escapar, safar-se

subtrair-se *v.* **esquivar-se**, furtar-se, escapar, fugir

subtrativo[dAO] *n.m.* MAT. **diminuidor** ≠ **aditivo**

suburbano *adj.,n.m.* **arrabaldeiro**, arrabaldino

subúrbio *n.m.* **arredor**, arrabalde, cercania, redor, vizinhança, imediação, proximidade

subvenção *n.f.* **subsídio**, achega, auxílio, adminículo

subvencionar *v.* **custear**, subsidiar, financiar

subversão *n.f.* **1** **subvertimento** **2** **insubordinação**, revolta, sublevação, insurreição **3** **perturbação** **4** **destruição**, excídio, eversão, aniquilação **5** *fig.* **perversão**, adulteração, depravação, devassidão, desmoralização, corrupção, dissolução, envilecimento, libertinagem ≠ **decência**, decoro, moralidade

subversivo *adj.* **1** **subversor** ≠ **insubversivo** **2** **revolucionário**, turbulento, perturbador, convulsível *fig.*, incendiário *fig.* ≠ **insubversivo**

subverter *v.* **1** **amotinar**, revoltar, revolucionar, anarquizar, desordenar, sublevar *fig.* ≠ **desencorajar**, pacificar, apaziguar **2** **perturbar** **3** **destruir**, everter, aniquilar, solinhar *fig.* **4** *fig.* **depravar**, adulterar, perverter, degenerar, desmoralizar, desnaturar, corromper *fig.*, corroer *fig.* ≠ **moralizar**, santificar

sucata *n.f.* **ferro-velho**

sucateiro *n.m.* **ferro-velho**, adeleiro, tarega

sucção *n.f.* **1** **sugação** **2** **absorção**, aspiração **3** *fig.* **extorsão**, exploração

sucedâneo *adj.* **seguinte**, posterior, ulterior, subsequente ■ *n.m.* **ersatz**

suceder *v.* **1** **seguir-se**, vir, pospor-se **2** **acontecer**, ocorrer, verificar-se **3** **realizar-se**, manifestar-se **4** **decorrer**, resultar **5** **substituir**

suceder-se *v.* **seguir-se**, acumular-se

sucedido *adj.,n.m.* **acontecido**, ocorrido, decorrido

sucessão *n.f.* **1** **sequência**, série, seriação, ordem **2** **prosseguimento**, continuação, sequência, prossecução, seguimento **3** **bens**, herança **4** descendência, prole, progenitura, posteridade, geração, derivação *fig.*

sucessivamente *adv.* 1 **seguidamente**, constantemente, continuamente, ininterruptamente, incessantemente, sempre ≠ **ocasionalmente**, raramente, escassamente 2 **gradualmente**, progressivamente

sucessivo *adj.* 1 **contínuo**, seguido, consecutivo, incessante, ininterrupto, persistente ≠ **descontínuo**, inconstante 2 *ant.* **hereditário**

sucesso *n.m.* 1 **acontecimento**, facto, caso, evento, ocorrência 2 **êxito**, triunfo, brilharete, glória, vitória, tiro *fig.* ≠ **fiasco**, fracasso, estenderete, barraca *fig.* 3 *col.* **parto**, paridela, parturição, dequitadura, aliviamento *col.*

sucessor *n.m.* **descendente**, fruto, herdeiro, epígono, filho, rebento *fig.*

sucessório *adj.* **hereditário**

súcia *n.f.* 1 *pej.* **corja**, malta, choldra *col.*, populaça *pej.*, rancho *pej.*, ralé *pej.*, canalha *pej.*, cambada *fig.,pej.* 2 [REG.] **malta**, rancho 3 [REG.] **pândega** *col.*, divertimento, farra, folia, brincadeira, desbunda, patuscada *col.* ≠ **aborrecimento**, tédio, enfado

suciar *v.* 1 **pandegar**, farrar, divertir-se 2 **bandear-se**, coligar-se, enranchar-se, engorrar-se, abandar-se, alcatear *fig.*

sucinto *adj.* **breve**, curto, resumido, conciso, abreviado, lacónico ≠ **prolixo**, difuso, redundante, extenso

suco *n.m.* 1 **seiva**, sumo, linfa, aguadilha, sangue *fig.* 2 *fig.* **substância**, essência, seiva 3 [REG.] **sulco**

suculência *n.f.* **sucosidade**

suculento *adj.* 1 **sucoso**, sumarento 2 **nutritivo**, nutriente, alimentar, substancial, substancioso, alimentício, substantífico 3 **carnudo**, carnoso, polposo ≠ **descarnado** 4 **substancial** 5 *fig.* **interessante**, significativo ≠ **desinteressante**

sucumbir *v.* 1 **dobrar-se**, vergar-se, inclinar-se ≠ **suportar**, sustentar 2 **ceder**, abdicar, submeter-se, arriar ≠ **resistir**, subsistir 3 **acobardar-se**, amedrontar-se, descoroçoar, recuar ≠ **desacobardar**, animar 4 **morrer**, perecer, falecer, expiar, finar-se, acabar ≠ **nascer**, viver

sucursal *n.f.* **filial**, dependência, agência

sudação *n.f.* 1 **transpiração**, suor, água 2 **suadouro**

sudário *n.m.* 1 **mortalha**, lençol *col.* 2 RELIG. **verónica**

sudorífero *adj.,n.m.* **transpiratório**, diaforético, sudorífico, sudoríparo, sudoroso, hidrótico

sueco *adj.,n.m.* **suécio**

suficiência *n.f.* 1 **abastança**, abunbância, fartura ≠ **insuficiência**, escassez 2 **aptidão**, habilidade, capacidade, competência, idoneidade, talento, habilitação ≠ **incompetência**, incapacidade, inaptidão 3 **presunção**, vaidade, jactância, afetação, orgulho, altivez, soberba, bazófia *fig.* ≠ **discrição**, simplicidade, sobriedade, despojamento, recato, modéstia

suficiente *adj.2g.* 1 **bastante**, indeficiente ≠ **escasso**, insuficiente 2 **razoável**, satisfatório ≠ **insatisfatório**, insuficiente 3 **médio**, regular 4 **apto**, capaz, competente, eficiente, hábil, destro, profissional ≠ **incompetente**, incapaz, inábil

suficientemente *adv.* 1 **assaz**, bastante ≠ **insuficientemente** 2 **razoavelmente**, satisfatoriamente

sufixo *n.m.* GRAM. **desinência**, terminação

sufocação *n.f.* 1 **sufocamento** 2 **asfixia**, abafamento, abafo, afogo, sufoco 3 *fig.* **repressão**, opressão, constrangimento, coação ≠ **desopressão**, incoerção, liberdade

sufocador *adj.* **sufocante**, asfixiante, abafadiço

sufocante *adj.2g.* 1 **sufocador**, abafadiço, asfixiante, irrespirável 2 *fig.* **repressivo**, opressivo, esmagador, opressório, pidesco *fig.*, compressivo *fig.* ≠ **desopressor**, libertativo

sufocar *v.* 1 **asfixiar**, abafar, afogar 2 *fig.* **reprimir**, oprimir, coibir, confranger, mortificar, refrear, sujeitar, comprimir *fig.* ≠ **libertar**, desoprimir

sufocativo *adj.* 1 **sufocador**, abafadiço, asfixiante, irrespirável 2 *fig.* **repressivo**, opressivo, esmagador, pidesco *fig.*, compressivo *fig.* ≠ **desopressor**, libertativo

sufoco *n.m.* 1 **asfixia**, abafamento, abafo, afogo, sufocação 2 [BRAS.] *col.* **aperto**, dificuldade 3 [BRAS.] *col.* **pressa**, urgência, azáfama

sufragar *v.* 1 **aprovar**, eleger, apoiar 2 **suplicar**, rogar

sufrágio *n.m.* 1 **votação**, voto, eleição 2 **adesão**, aprovação

sugador *adj.* **suctório** ■ *n.m. fig.,pej.* **borlista**, filante, pendura *col.,pej.*, parasita *fig.,pej.*, chupista *pej.*

sugar *v.* 1 **sorver**, chupar, absorver, chuchar, esgotar, exaurir, libar 2 **tirar**, extrair, auferir 3 *fig.* **extorquir**, apanhar, roubar, defraudar, subtrair, chupar, furtar ≠ **devolver**, restituir, entregar 4 *fig.* **absorver**

sugerir *v.* 1 **inspirar**, incutir, ditar *fig.* 2 **insinuar**, soprar *fig.* 3 **lembrar**, propor, aventar, aviltrar, inculcar 4 **ocasionar**, proporcionar, oferecer, facultar 5 **segredar**, cochichar, ciciar, murmurar, sussurrar, confidenciar ≠ **revelar**, divulgar

sugerível *adj.2g.* **aconselhável**, recomendável ≠ **desaconselhável**

sugestão *n.f.* 1 **proposta**, proposição 2 **inspiração**, estímulo, instigação 3 **insinuação**, alusão 4 PSIC. **hipnotismo**

sugestionar *v.* 1 **influenciar**, induzir, influir, pesar 2 **inspirar**, estimular, instigar

sugestionar-se *v.* 1 convencer-se 2 impressionar-se

sugestionável *adj.2g.* impressionável, influenciável, perturbável

sugestivo *adj.* estimulante, incentivador, encorajador

suíça *n.f.* patilha

suicidar-se *v.* 1 matar-se 2 *fig.* autodestruir-se, aniquilar-se, arruinar-se, perder-se

suíço *adj.,n.m.* helvético

suíno *adj.* porcino ■ *n.m. col.* porco, cerdo, grunho, chico *col.*, chicho *col.*, chino *col.*, erviço *col.*, ganiço *col.*, foção *col.*, chacim *ant.*, borrão [REG.], carrancho [REG.], rocim [REG.]

sujar *v.* conspurcar, manchar, enodoar, emporcalhar, borrar, luchar, cagar *fig.,cal.*, lambuçar ≠ limpar, desenodoar, desenxovalhar

sujar-se *v.* 1 manchar-se, emporcalhar-se, borrar-se, lavajar-se, mascarrar-se, cagar-se *cal.* ≠ limpar-se, lavar-se 2 *fig.* aviltar-se, conspurcar-se, macular-se

sujeição *n.f.* 1 obediência, submissão, dependência, acatamento ≠ desacato, desobediência 2 domínio, jugo, opressão, tirania ≠ insubmissão, insubordinação, desobediência 3 escravidão, servidão, cativeiro 4 constrangimento

sujeira *n.f.* 1 porcaria, imundície, conspurcação, porqueira, cacada *col.*, caca *col.* ≠ asseio, limpeza, higiene 2 *fig.* desaire

sujeitar *v.* 1 subjugar, dominar, submeter, subordinar, avassalar 2 reprimir, oprimir, coibir, confranger, mortificar, refrear, sufocar *fig.*, comprimir *fig.* ≠ libertar, desoprimir 3 constranger, obrigar, forçar, coagir 4 prender, segurar, fixar, firmar

sujeitar-se *v.* 1 submeter-se, render-se, entregar-se 2 obrigar-se, constranger-se 3 conformar-se, seguir, obedecer, moldar-se 4 suportar, sacrificar-se 5 arriscar-se

sujeito *adj.* 1 submetido, subjugado, dependente, dominado 2 obrigado, constrangido, adstrito 3 inclinado *fig.*, predisposto, propenso, disposto 4 passível, suscetível, possível 5 escravizado, cativo ■ *n.m.* 1 indivíduo, pessoa, criatura, figura, ser, tipo *col.*, fulano *col.*, gajo *col.*, zinho [BRAS.] *col.,pej.* 2 FIL. agente

sujidade *n.f.* 1 porcaria, imundície, conspurcação, sujeira, porqueira, porquidão, lucho, cacada *col.*, caca *col.* ≠ asseio, limpeza, higiene 2 excrementos, fezes, cocó *col.*, caca *infant.*

sujo *adj.* 1 imundo, sórdido, hediondo, encardido, porcalhão, sebáceo, inquinado, lixoso, luchoso, porco *pej.*, badalhoco *pej.*, cacoso [REG.], tramposo *cal.* ≠ limpo, asseado, esmerado, decente, desencardido, higiénico, imaculado, lavado, nítido, absterso 2 *fig.* desonesto, desleal, insincero ≠ honesto, sincero 3 *fig.* obsceno, descarado, desavergonhado, indecente, imoral, impudico, vergonhoso ≠ decente, decoroso, digno

sul *n.m.* austro, sulano, suão, sulvento ≠ norte ■ *adj.2g.* suão ≠ norte

sula *n.f.* [REG.] enxô, chula

sulcar *v.* 1 regoar 2 arar, charruar, rasgar, lavrar, aradar, ravinar 3 (as ondas) fender, cortar 4 marear, vogar, navegar, arar *fig.* 5 *fig.* atravessar, cortar

sulco *n.m.* 1 fenda, fissura 2 rego 3 rasto, esteira, aguagem 4 ruga, vinco, gelha 5 prega

sulfatador *n.m.* sulfatadeira

sulfurar *v.* enxofrar ≠ dessulfurar

sulfúreo *adj.* QUÍM. sulfuroso

sulfúrico *adj.* QUÍM. vitriólico

sulista *adj.,n.2g.* sulino, suleiro

sultão *n.m.* 1 *fig.* tirano, déspota, opressor, autocrata ≠ democrata, liberal 2 *fig.* polígamo, plurígamo

suma *n.f.* 1 súmula 2 resumo, sinopse, sumário, síntese, compêndio, epítome, breviário, súmula

sumamente *adv.* extremamente, extraordinariamente, altamente, sobremaneira, sobremodo

sumarento *adj.* suculento, sucoso, sumoso

sumariamente *adv.* 1 resumidamente, sinteticamente, sucintamente, abreviadamente, brevemente ≠ alargadamente, alongadamente 2 simplesmente, informalmente ≠ formalmente

sumariar *v.* resumir, sintetizar, abreviar, epitomar, condensar, compendiar ≠ aumentar, alargar, dilatar

sumário *n.m.* suma, epítome, resumo, sinopse, síntese, compêndio, breviário, súmula ■ *adj.* 1 curto, breve, resumido, sucinto, conciso, abreviado, compendioso, lacónico ≠ longo, extenso, comprido 2 informal, descerimonioso ≠ formal, cerimonioso, convencional 3 decisivo, deliberativo, decretório, resolutivo, determinante ≠ pendente, irresoluto 4 rápido, direto, imediato ≠ lento, demorado

sumiço *n.m.* 1 sumição, desaparecimento, desaparição ≠ aparecimento, aparição 2 descaminho, extravio, perda, desaparecimento ≠ achamento, descoberta

sumidade *n.f.* 1 cimo, cume, alto, cumeeira, cimeira, auge, píncaro, topo, cocuruto *fig.* ≠ base, sopé, falda, aba 2 *fig.* personalidade, capacidade, autoridade, cabeça *col.*

sumidiço *adj.* 1 oculto, encoberto, encovado *fig.* 2 gasto, usado, apagado 3 longínquo, distante 4 fraco, débil ≠ forte

sumido *adj.* 1 submerso 2 fraco, débil ≠ forte 3 magro, delgado, chupado, definhado ≠ gordo, carnudo **4** encovado **5** apagado, gasto, usado **6** desfigurado

sumir *v.* **1** desaparecer, ausentar-se, retirar-se **2** perder **3** gastar, consumir **4** ocultar, esconder, encobrir ≠ mostrar, expor **5** submergir, afundar **6** *fig.* apagar, extinguir, destruir, aniquilar **7** *fig.* arrasar

sumir-se *v.* **1** desaparecer, eclipsar-se, moscar-se **2** fugir **3** esconder-se, ocultar-se **4** perder-se, extinguir-se

sumo *adj.* **1** supremo, máximo, superior, maior, cuminal **2** excelso, excelente, extraordinário, sublime ■ *n.m.* **1** suco, seiva **2** cimo, alto, cumeeira, cimeira, auge, topo, cocuruto *fig.* ≠ base, sopé, falda, aba **3** *fig.* auge, apogeu, requinte, primor, máximo, zénite *fig.*

sumptuárioAO ou **suntuário**AO *adj.* magnificiente, sumptuoso, imponente, grandioso, sublime

sumptuosidadeAO ou **suntuosidade**AO *n.f.* pompa, magnificência, grandiosidade, fausto, luxo, gala, requinte ≠ simplicidade, singeleza

sumptuosoAO ou **suntuoso**AO *adj.* **1** *fig.* opulento, esplêndido, magnífico, imponente, grandioso, magnificente, opíparo, brilhante *fig.*, luxoso *col.* ≠ singelo, simples, despojado **2** aparatoso, pomposo, luxuoso, ostentoso, faustoso ≠ singelo, simples

súmula *n.f.* **1** resumo, sinopse, sumário, síntese, compêndio, epítome, breviário **2** símbolo

suor *n.m.* **1** transpiração, sudação, água **2** *fig.* fadiga, sacrifício

super *adv. col.* muito, bastante, extremamente ≠ pouco

superabundância *n.f.* abundância, abastança, afluência, fartura, cópia, sobrecarga, sobejidão ≠ escassez, insuficiência

superabundante *adj.2g.* **1** excessivo, extraordinário, descomedido, exagerado, desmedido, redundante ≠ moderado, comedido, discreto **2** supérfluo, excedente, sobejo, pleonástico, demasiado, nímio ≠ controlado, comedido

superabundar *v.* sobejar, sobreabundar, exuberar, redundar, exceder, transbordar *fig.* ≠ escassear, faltar

superação *n.f.* **1** excesso, demasia **2** vantagem

superando *adj.* vencível, superável, dominável, transponível

superar *v.* **1** exceder, ultrapassar, suplantar, extrapolar, transpor ≠ comedir, moderar **2** vencer, subjugar, dominar, suplantar **3** transpor, galgar, passar

superável *adj.2g.* **1** vencível, ultrapassável, transponível **2** dominável

supereminente *adj.2g.* **1** preeminente, sobreeminente, elevado **2** *fig.* exagerado

superficial *adj.2g.* **1** *fig.* simplista, reducionista, imediatista ≠ profundo **2** *fig.* ligeiro, leve ≠ profundo **3** *fig.* aparente, ilusório, enganoso, fictício ≠ real, verdadeiro **4** *fig.* leviano, ligeiro, frívolo, fútil, insensato, irresponsável ≠ prudente, ponderado, profundo, sensato

superficialidade *n.f.* **1** exterioridade, balofice *fig.* ≠ aprofundação **2** ligeireza, futilidade, frivolidade, ligeirismo

superficialmente *adv.* **1** levemente, ligeiramente, tangencialmente **2** vagamente, imprecisamente, perfunctoriamente **3** levianamente, ligeiramente, imponderadamente, irrefletidamente, imprudentemente ≠ prudentemente, ponderadamente

superfície *n.f.* **1** face **2** área, extensão, espaço **3** *fig.* aparência, aspeto, figura, presença, fachada

superfino *adj.* extrafino, requintado, superior, sublime, finíssimo

supérfluo *adj.* **1** superabundante, excedente, sobejo, pleonástico, demasiado, nímio ≠ controlado, comedido **2** dispensável, desnecessário, inútil, escusado, supervacâneo ≠ necessário, útil, complementar, preciso ■ *n.m.* superfluidade, demasia, excesso

superintendência *n.f.* **1** direção, gerência **2** feitorização

superintendente *adj.,n.2g.* diretor, dirigente, gerente, chefe

superintender *v.* **1** dirigir, chefiar, gerir, governar, presidir, sobreintender **2** fiscalizar, inspecionar, vistorirar, controlar, revistar

superior *adj.2g.* **1** alto, elevado ≠ baixo **2** excelente, ótimo, perfeito **3** distinto, ilustre, eminente, nobre ≠ inferior, ordinário ■ *n.m.* dirigente, chefe, principal, líder, cabeça, orientador ≠ subordinado, subalterno, inferior

superioridade *n.f.* **1** autoridade, hegemonia, supremacia, potência ≠ obediência **2** excelência, soberania, transcendência, grandeza, preexcelência **3** vantagem

superiorizar *v.* distinguir, extremar ≠ anular, apagar

superiormente *adv.* perfeitamente ≠ mal

superlotação *n.f.* sobrelotação

superlotar *v.* **1** sobrelotar **2** sobrecarregar

superpopulação *n.f.* superpovoamento

supersónicoAO ou **supersônico**AO *adj.* FÍS. ultrassónico

superstição *n.f.* crença *col.*, crendice, crendeirice, birra, abusão

supersticioso *adj.* agourento

supérstite *adj.2g.* sobrevivente, supervivente

superveniente *adj.2g.* incidental, incidente, sobreveniente

supervisão *n.f.* **controlo**, monitorização
supervisionar *v.* **controlar**, monitorizar
suplantação *n.f.* **superação**
suplantar *v.* 1 **calcar**, trilhar, pisar, espezinhar, acalcanhar, esmagar, premer, prensar 2 **exceder**, ultrapassar, extrapolar, transpor ≠ **comedir**, moderar
suplementar *adj.2g.* 1 **adicional**, auxiliar, acessório, extra ≠ **básico**, essencial, fundamental 2 **complementar**, completivo, adicional, supletivo ≠ **dispensável**, desnecessário, supérfluo ■ *v.* 1 **ampliar**, acrescentar, adicionar ≠ **retirar** 2 **complementar**, completar, inteirar ≠ **dispensar** 3 **compensar**, suprir, colmatar
suplemento *n.m.* 1 **complemento**, aditivo ≠ **desnecessidade**, superfluidade 2 **aditamento**, acréscimo, adição 3 **anexo**, adenda, apêndice
suplente *adj.* **substituto**, sobresselente, supletório ■ *n.2g.* **substituto**, adjunto ≠ **efetivo**
supletivo *adj.* **complementar**, completivo, adicional, suplementar, supridor ≠ **dispensável**, desnecessário, supérfluo
súplica *n.f.* 1 **rogo**, rogativa, pedido, prece, precação 2 **oração**, reza, prece
suplicante *adj.,n.2g.* **implorante**, suplicador, rogador, implorador ■ *n.2g.* DIR. **requerente**, impetrante, peticionário
suplicar *v.* 1 **pedir**, deprecar, rogar, implorar, peticionar 2 **requerer**, impetrar, peticionar
supliciar *v.* 1 **condenar**, castigar 2 **justiçar**, executar 3 *fig.* **apoquentar**, angustiar, afligir, compungir, atormentar, agoniar, atribular, molestar, pungir, consternar, dilacerar, relar *fig.*, flagelar, consumir *fig.* ≠ **aliviar**, desapoquentar, sossegar
suplício *n.m.* 1 **pena de morte** 2 **tortura**, tormento, flagelação 3 *fig.* **sofrimento**, tortura, flagelação, aflição, tormento, angústia
supor *v.* 1 **achar**, considerar, crer, julgar, pensar, entender 2 **conjeturar**, presumir, prever, pressupor, calcular, antever, imaginar 3 **fingir**, inventar, forjar, dissimular
supormos *n.m.2n. col.* **presunção**, suposição, hipótese, pressuposto, conjetura, suspeita, cálculo *fig.*
suportação *n.f.* 1 **resignação**, abdicação, desistência, cessão, conformação ≠ **resistência**, persistência 2 **tolerância**, condescendência, indulgência, transigência, flexibilidade, abertura *fig.* ≠ **intolerância**, intransigência, implacabilidade
suportar *v.* 1 **sustentar**, suster ≠ **sucumbir**, vergar-se, dobrar-se 2 **sofrer**, tolerar, admitir, comportar, padecer ≠ **reagir**, resistir 3 **arcar**, aguentar
suportável *adj.2g.* 1 **sofrível**, patível, aturável, passável, tolerável ≠ **insuportável** 2 **tolerável**, aceitável, admissível, concedível ≠ **inadmissível**, intolerável, proibido
suporte *n.m.* **apoio**, assentamento, assento, base, sustentáculo, sustentação, arrimo, alicerce *fig.*
suposição *n.f.* **conjetura**, hipótese, presunção, pressuposto, suspeita, cálculo *fig.* ≠ **realidade**, concreto, facto
supositório *n.m.* FARM. **supositivo**, vela
suposto *adj.* 1 **hipotético**, presumível, pressuposto, supositício 2 **conjeturado**, presumido, calculado, imaginado, pretenso 3 **fictício**, imaginário, aparente, enganoso, ilusório ≠ **real**, verdadeiro ■ *n.m.* **conjetura**, hipótese, suposição, presunção, pressuposto, suspeita, cálculo *fig.* ≠ **realidade**, concreto, facto
supraciliar *adj.2g.* ANAT. **superciliar**
supracitado *adj.* **supramencionado**, referido, supradito, sobredito
supradito *adj.* **supramencionado**, referido, supracitado, sobredito
supranumerário *adj.* **extranumerário**, excessivo, extraordinário
suprassumo[dAO] *n.m.* **auge**, máximo, cúmulo, culminância, clímax, apogeu
supra-sumo[aAO] *n.m.* ⇒ **suprassumo**[dAO]
supremacia *n.f.* 1 **hegemonia**, superioridade, preponderância, preeminência, primazia, domínio, imperialismo *fig.* ≠ **dependência**, inferioridade, subordinação 2 **primazia**, primado, prevalência
supremo *adj.* 1 **máximo**, sumo, extremo, superior, extraordinário, superno, súpero 2 **derradeiro** 3 **divino**, celeste
supressão *n.f.* 1 **eliminação**, extinção, abolição, ab-rogação, anulação ≠ **manutenção**, preservação, conservação 2 **omissão**, eliminação ≠ **acrescento**, acréscimo
suprimento *n.m.* 1 **adição**, acréscimo, aumento, suplemento, aditamento ≠ **supressão**, redução, eliminação 2 **empréstimo**, cessão, mútuo 3 **auxílio**, ajuda, sustento, provimento
suprimir *v.* 1 **eliminar**, anular 2 **cortar**, riscar, eliminar, excluir ≠ **acrescentar**, inserir, adicionar 3 **abolir**, extinguir, dissolver ≠ **instituir**, estabelecer, constituir 4 **omitir**, ocultar ≠ **revelar**, mencionar, declarar
suprir *v.* 1 **colmatar**, preencher, suplementar, compensar 2 **trocar**, permutar, cambiar, comutar, escambiar, substituir ≠ **destrocar** 3 **remediar**, minorar, solucionar 4 **abastecer**, prover, fornecer
suprível *adj.2g.* **substituível**, prescindível, dispensável ≠ **insuprível**, insubstituível, indispensável
supuração *n.f.* 1 **purgação** 2 *fig.* **exteriorização**, manifestação, revelação, sinal
supurar *v.* 1 **purgar**, absceder 2 *fig.* **exteriorizar-se**, manifestar-se, revelar-se, aflorar
sura *n.f.* ANAT. **pantorrilha**

surdez *n.f.* 1 MED. **cofose**, hipoacusia, ensurdecimento, insurdescência, mouquice, anacusia, mouqueira 2 *fig.* **insensibilidade**, indiferença, impassibilidade, apatia ≠ **sensibilidade**

surdimutismo *n.m.* surdo-mudez

surdina *n.f.* 1 **abafador** 2 *gír.* **bofetada**, tapa, lambada, estalo *col.*, bolacha *col.*, bolachada *col.*, lagosta *col.*, mosquete *col.*, chapada *col.*, estalada *col.*, tabefe *col.*, estampilha *col.*, lostra *col.*, solha *col.*, sorvete *col.*, bilhete *gír.*

surdir *v.* 1 **brotar**, jorrar, nascer, manar 2 **emergir**, surgir, sair, aparecer ≠ **imergir**, submergir, abismar 3 **resultar**, surtir, provir, derivar

surdo *adj.* 1 *fig.* **silencioso**, calado, abafado 2 *fig.* **secreto**, oculto, escondido, contido 3 *fig.* **indiferente**, impassível, insensível, apático ≠ **sensível** 4 LING. ≠ **sonoro** ■ *adj.,n.m.* **mouco**

surgir *v.* 1 **erguer-se**, elevar-se, alçar-se, levantar-se 2 **assomar**, aparecer 3 **despontar**, nascer, raiar, emergir, alvejar, rasgar, romper 4 **chegar** 5 **ocorrer**, decorrer, sobrevir, irromper 6 **lembrar** 7 **aportar**, fundear ≠ **partir**

surpreendente *adj.2g.* 1 **inesperado**, imprevisto, súbito, repentino ≠ **esperado**, previsto, calculado 2 **admirável**, maravilhoso, magnífico, arrebatador, deslumbrante, encantador, espantoso, soberbo, notável

surpreendentemente *adv.* 1 **inesperadamente**, imprevistamente, milagrosamente, miraculosamente 2 **admiravelmente**, magnificamente, encantadoramente, extraordinariamente, primorosamente, estupendamente

surpreender *v.* 1 **apanhar**, agarrar, colher 2 **maravilhar**, admirar, encantar, espantar, arrebatar, deslumbrar, assombrar

surpreendido *adj.* 1 **apanhado**, surpreso 2 *fig.* **maravilhado**, admirado, encantado, espantado, arrebatado, deslumbrado, assombrado, pasmado

surpresa *n.f.* 1 **espanto**, pasmo, assombro, admiração, estranheza 2 **sobressalto**, perturbação, inquietação

surpreso *adj.* 1 **apanhado**, surpreendido 2 *fig.* **maravilhado**, admirado, encantado, espantado, arrebatado, deslumbrado, assombrado, pasmado

surra *n.f.* **sova**, tareia, coça, tunda, zurzidela, chegranço *col.*, trepa *col.*, esfrega *fig.*, pisa *fig.*

surrado *adj.* 1 **curtido** 2 **coçado**, cotiado, roçado, poído, usado, sovado *fig.* 3 **sovado**, espancado, aporreado, batido

surrar *v.* 1 (peles) **curtir**, adubar 2 **bater**, sovar, tundar, tarear, espancar, chegar, golpear, desancar, descascar, zumbar, zupar, avergoar, tosar *col.*, trupar [REG.] ≠ **defender**, proteger, resguardar

surreal *adj.2g.* 1 **surrealista** 2 **absurdo**, estranho, bizarro, onírico, insólito

surrealista *adj.2g.* 1 **surreal** 2 *fig.* **absurdo**, estranho, bizarro, onírico, insólito, surreal ■ *n.2g.* **super-realista**

surripiar *v.* **roubar**, furtar, pilhar, subtrair, gatunar, larapiar, escamotear, palmar *col.*, pifar *col.*, gualdripar *col.*, agazuar *fig.*, ladripar ≠ **devolver**, restituir

surro *n.m.* **porcaria**, sujidade, sujeira, imundície, bodeguice ≠ **limpeza**, higiene, asseio

surtir *v.* 1 **causar**, produzir, originar, motivar, provocar, ocasionar, trazer, acarrear, gerar 2 **resultar**, originar, provir, desencadear

surto *n.m.* 1 **arrebatamento**, acesso, arroubo 2 **ímpeto**, arranco, impulso ■ *adj.* NÁUT. **ancorado**, fundeado, aportado, aferrado

susceptibilidade[aAO] *n.f.* ⇒ **suscetibilidade**[dAO]

susceptibilizar[aAO] *v.* ⇒ **suscetibilizar**[dAO]

susceptibilizar-se[aAO] *v.* ⇒ **suscetibilizar-se**[dAO]

susceptível[aAO] *adj.2g.* ⇒ **suscetível**[dAO]

suscetibilidade[dAO] *n.f.* 1 **idiossincrasia** 2 **melindre**, sensibilidade, delicadeza, passibilidade ≠ **insensibilidade**, indiferença, frieza

suscetibilizar[dAO] *v.* **melindrar**, escandalizar, agravar, indignar, ofender, ferir *fig.* ≠ **respeitar**, considerar

suscetibilizar-se[dAO] *v.* **ofender-se**, melindrar-se, ressentir-se, magoar-se, sentir-se

suscetível[dAO] *adj.2g.* 1 **capaz**, passível ≠ **incapaz** 2 **melindroso**, delicado, sensível, passível, comichento *fig.* ≠ **insensível**, indiferente, frio

suscitação *n.f.* 1 **sugestão**, lembrança 2 **instigação**, incitação, induzimento, excitação, aliciação, provocação, atiçamento *fig.*, fustigação *fig.* ≠ **repressão**, coibição

suscitar *v.* 1 **provocar**, originar, causar, desencadear, gerar 2 **sugerir**, lembrar 3 **revoltar**, insurgir, amotinar, provocar ≠ **acalmar**, apaziguar, pacificar

suso *adv.* 1 *ant.* **acima** ≠ **debaixo**, inferiormente 2 *ant.* **atrás** 3 *ant.* **antes**, anteriormente ≠ **depois**, posteriormente

suspeição *n.f.* **suspeita**, desconfiança, dúvida, receio, suspicácia ≠ **certeza**, fé, crença

suspeita *n.f.* 1 **desconfiança**, dúvida, incerteza, receio, suspeição ≠ **confiança**, certeza 2 **pressentimento**, intuição, presságio, premonição, bacorejo, presciência, palpite *fig.*, pancada *fig.*, sintoma *fig.*

suspeitar *v.* 1 **desconfiar**, duvidar, recear, temer ≠ **confiar**, crer 2 **conjeturar**, pressentir, prever, presumir, supor, futurar, antever

suspeito *adj.* **dubidoso**, equívoco, escuso, suspicaz ≠ **insuspeito**, verdadeiro, fidedigno

suspeitoso *adj.* **desconfiado**, receoso, duvidoso, ressabiado, cauto ≠ **confiante**, positivo, seguro

suspender *v.* 1 **pendurar**, dependurar, fixar 2 **interromper**, descontinuar, parar, interpolar, intermitir, cessar ≠ **continuar**, prosseguir 3 **reter**, deter, conter 4 **demorar**, retardar, dilatar, paliar, atrasar, perlongar, adiar ≠ **acelerar**, aligeirar, prontar

suspender-se *v.* 1 **pendurar-se** 2 **interromper-se**, parar, quedar-se

suspensão *n.f.* 1 **interrupção**, cessação, pausa, paralisação 2 **reticência**, pausa 3 **ligadura** 4 *fig.* **dúvida**, incerteza, hesitação, dilema ≠ **certeza**, decisão, firmeza 5 *fig.* **êxtase**, arrebatamento, exaltação, entusiasmo 6 *fig.* **ansiedade**, expectativa 7 MÚS. **retardo**

suspense *n.m.* **tensão**, ansiedade

suspenso *adj.* 1 **pendurado**, pendente 2 **iminente**, pendente 3 **interrompido**, parado, sustado, atalhado 4 *fig.* **hesitante**, vacilante, indeciso, incerto ≠ **determinado**, certo, decidido, resoluto 5 *fig.* **perplexo**, atónito, assombrado, estacado 6 *fig.* **extático**, abstrato, absorto, pensativo, alheado ≠ **atento**, concentrado *fig.*

suspirado *adj. fig.* **desejado**, apetecido, cobiçado, ambicionado, invejado ≠ **desinteressado**, desapegado

suspirar *v.* 1 **gemer** 2 *fig.* **sussurrar**, rumorejar, murmurar, bichanar, ciciar, zumbir *fig.* ≠ **bradar**, berrar, bradejar, clamar, gritar 3 *fig.* **desejar**, pretender, aspirar, sonhar ≠ **renunciar**, abdicar, desistir, resignar

suspiro *n.m.* 1 CUL. **merengue** 2 *fig.* **ai**, gemido, lamento 3 [*pl.*] BOT. **suspiros-brancos-do-monte**, saudades-brancas, suspiros-roxos, saudades-roxas

sussurrar *v.* 1 **murmurar**, ciciar, cochichar, segredar, mussitar, papear, rumorejar ≠ **berrar**, gritar, bramir, bradar, bramar 2 **segredar**, confidenciar, cochichar, murmurar, ciciar ≠ **revelar**, divulgar 3 **zumbir**, zumbar, zuir, zunir, zoar

sussurro *n.m.* 1 **murmúrio**, rumorejo, cicio, ciciamento, bulício, burburinho, murmurejo ≠ **brado**, berro, bramido, grito, troada, vozeamento 2 **zumbido**, zunido 3 **boato**, mexerico, atoada, voz, bacorejo, diz-que-diz-que, rumor *fig.*, eco *fig.*, ruge-ruge *fig.*, ruído *fig.*, toada *fig.*, zunzum *fig.*

sustância *n.f.* 1 *col.* **substância** 2 **alimento** 3 **força**, robustez, vigor, energia

sustar *v.* **interromper**, descontinuar, suspender, deter, suster, parar, cessar ≠ **prosseguir**, continuar, avançar

sustar-se *v.* **suspender-se**, interromper-se, parar

sustenido *n.m.* 1 MÚS. **díese** 2 [REG.] **bofetada**, tapa, lambada, estalo *col.*, bolacha *col.*, bolachada *col.*, lagosta *col.*, mosquete *col.*, chapada *col.*, estalada *col.*, tabefe *col.*, estampilha *col.*, lostra *col.*, solha *col.*, sorvete *col.*, bilhete *gír.*

sustentação *n.f.* 1 **segurança** 2 **apoio**, sustentáculo, base, assentamento, assento, suporte, arrimo, alicerce *fig.* 3 **conservação**, manutenção, mantença ≠ **deterioração**, estrago 4 **argumentação**, fundamentação, alegação 5 **sustento**, alimento

sustentáculo *n.m.* 1 **escora**, esteio, coluna, pilar 2 **apoio**, base, suporte, assento, assentamento, sustentação, arrimo, alicerce *fig.* 3 *fig.* **amparo**, arrimo, proteção, escora, coluna ≠ **desapoio**, desamparo

sustentado *adj.* 1 **apoiado**, suportado 2 **financiado**, custeado, suportado

sustentamento *n.m.* 1 **segurança** 2 **apoio**, sustentáculo, base, assentamento, assento, suporte, arrimo, alicerce *fig.* 3 **conservação**, manutenção, mantença ≠ **deterioração**, estrago 4 **argumentação**, fundamentação, alegação 5 **sustento**, alimento

sustentar *v.* 1 **suportar**, segurar, escorar, suster 2 **aguentar**, amparar, apoiar 3 **conservar**, manter, preservar ≠ **deteriorar**, estragar, danificar 4 **alimentar**, nutrir 5 **alentar**, animar, encorajar 6 **resistir**, suportar 7 **fundamentar**, fundar, alicerçar, basear, apoiar 8 **confirmar** 9 (o som, a voz) **prolongar**

sustentar-se *v.* 1 **aguentar-se**, equilibrar-se, firmar-se, apoiar-se, segurar-se, asir-se 2 **manter-se**, conservar-se, continuar, resistir, durar, subsistir 3 **alimentar-se**, nutrir-se

sustentável *adj.2g.* **defensável**, defensível, justificável ≠ **indefensável**, indefendível

sustento *n.m.* 1 **sustentação** 2 **alimento**, alimentação, nutrição, comida 3 **conservação**, manutenção, mantença, proteção 4 **defesa**, proteção

suster *v.* 1 **suportar**, segurar, sustentar, escorar, amparar 2 **opor-se** 3 **alimentar**, nutrir, sustentar 4 *fig.* **refrear**, moderar, conter, reprimir ≠ **exceder**, extravasar

suster-se *v.* 1 **manter-se**, conservar-se 2 **equilibrar-se**, segurar-se, firmar-se, sustentar-se 3 **conter-se**, dominar-se, refrear-se

susto *n.m.* 1 **sobressalto**, perturbação, alarme, inquietação, tumulto 2 **assombro**, medo, pavor, trepidez, tremuras, cagaço *col.*, cegonhão *col.*

suturar *v.* **coser**, fechar ≠ **abrir**

T

tá *interj.* **alto!**, basta!, chega!

tabacaria *n.f.* **quiosque**, estanco *ant.*, charutaria [BRAS.]

tabaco *n.m.* BOT. **erva-santa**

tabagismo *n.m.* MED. **tabaquismo**, nicotinismo

tabaqueira *n.f.* **1 fungadeira 2** [*pl.*] *col.* **nariz**, narinas, ventas, narículas

tabaqueiro *n.m. col.* **fumador**, fumista

tabefe *n.m.* **1** *col.* **sopapo**, bofetão, sapatada, chapada *col.*, moscardo *col.*, assoa-queixos *col.*, lambada *col.*, biscoito *fig.*, moleque [BRAS.] *col.*, lambefe *col.* **2 almece**

tabela *n.f.* **1 quadro**, tábua, tabuada **2 rol**, lista, índice, relação, inventário, elenco, catálogo, pauta, nomenclatura **3 tarifa**, pauta, preçario, tarifário **4 índice**, tábua, tabuada, elenco **5 horário**, hora

tabelar *v.* **tarifar**, taxar, almotaçar *ant.*

tabelião *n.m.* **notário**, escrivão *col.*

taberna *n.f.* **1 baiuca**, bodega, tasca, lojeca, botequim, biboca, betesga, futrica, locanda, tasco *col.*, chafarica *col.*, catraia [REG.], girianta *col.* **2 tasca**, venda, betesga, baiuca, bodega, locanda, ramo, tasco *col.*

tabernáculo *n.m.* **1 sacrário**, santuário, maquineta **2** (ourives) **tabulão 3** *fig.* **casa**, lar, residência, moradia, edifício, vivenda, habitação, domicílio, fogo, teto *fig.*

taberneiro *n.m.* **1 tasqueiro**, chanfaneiro, tascante, vendeiro **2** *fig.* **bodegueiro**, porcalhão

tabique *n.m.* **1 frontal 2 taipa**, tapume, parede **3 divisória**, separação

tablado *n.m.* **1** TEAT. **palco 2 estrado**, palanque, cadafalso **3** DESP. **ringue**, arena, pista

tabu *n.m.* **interdito**, interdição, proibição

tabua *n.f.* **1** BOT. **tabua-estreita**, tabua-larga **2** BOT. **morrão-dos-fogueteiros**

tábua *n.f.* **1 prancha 2 mapa**, estampa **3 tela**, quadro **4 tabela**, lista, rol, índice, relação, inventário, catálogo, elenco, pauta, nomenclatura

tabuada *n.f.* **1 índice**, tábua, tabela, elenco **2 tabela**, quadro, registo **3** *fig.* **conjunto**, série, repertório

tabuado *n.m.* **sobrado**, soalho, entabuamento

tabuleiro *n.m.* **1 bandeja**, sala *ant.* **2 patamar**, piso **3 talhão 4 canteiro**, talhão, leira, alfobre

tabuleta *n.f.* **1 placa**, letreiro **2 montra**, vitrina **3** *fig.* **indicação**, sinal, aviso, anúncio **4** *col.* **cara**, rosto, face, fisionomia, semblante, caraça, focinho *col.*, fuça *col.*, tromba *col.*, ventas *fig.,col.*

taça *n.f.* **1 copa** *ant.* **2 troféu**, prémio **3** DESP. **torneio**, competição, campeonato, copa [BRAS.]

tacada *n.f.* **1 bolada 2** *fig.,col.* **descompostura**, censura, repreensão, ralhete, advertência, admoestação, ralho, descasca *fig.*, carão [BRAS.] ≠ **elogio**, louvor, aplauso **3** *fig.,col.* **bolada** *fig.*

taçada *n.f. col.* **bebedeira**, tachada, embriaguez, ebriedade, bico, canjica, borracheira *col.*, piela *col.*, bruega *col.*, cabeleira *col.*, cardina *col.*, carraspana *col.* ≠ **sobriedade**, abstemia

tacanhez *n.f.* **mesquinhez**, sovinice, cainheza, forretice, avareza, miséria, somiticaria, mesquinharia, tenacidade *fig.* ≠ **generosidade**, magnanimidade, munificência

tacanho *adj.* **1 baixo**, pequeno, tacão ≠ **alto**, elevado **2 acanhado**, pequeno, apertado ≠ **espaçoso**, amplo **3 estúpido**, bronco, obtuso *fig.,pej.*, tapado *fig.,pej.* **4 limitado**, augusto *fig.*, estreito *pej.* **5 avaro**, mesquinho, pequeno, pelintra, somítico ≠ **gastador**, dissipador, esbanjador, perdulário **6 velhaco**, manhoso, embusteiro, trapaceiro, fraudulento ≠ **sério**, íntegro, reto **7 mesquinho**, miudinho **8 insignificante**, irrelevante, irrisório, ínfimo ≠ **relevante**, importante, valioso

tacão *n.m.* **1 salto 2 taco 3** *fig.* **pateada**, sapateada ■ *adj.* **baixo**, pequeno, tacanho ≠ **alto**, elevado

tacha *n.f.* **1 brocha**, prego **2 mancha**, nódoa, mácula, laivo, pinta, pingo **3** *fig.* **defeito**, mancha, sombra **4** [BRAS.] ORNIT. **xaiá**, xajá, tachã

tachar *v.* **1 qualificar**, timbrar, acoimar, taxar **2 acusar**, condenar, repreender, desaprovar, censurar, vituperar

tachar-se *v. col.* **embebedar-se**, embriagar-se, alcoolizar-se, inebriar-se, enfrascar-se *col.*, emborrachar-se *col.*

tacho *n.m.* **1 caçarola**, caçoila **2** *col.* **alimentação**, sustento, comida, nutrição

tacitamente *adv.* **implicitamente** ≠ **explicitamente**, expressamente

tácito *adj.* **1 calado**, silencioso, emudecido ≠ **barulhento**, ruidoso, estrondoso **2 implícito**, subentendido ≠ **explícito**, expresso **3 secreto**, oculto, escondido ≠ **revelado**, descoberto

taciturno *adj.* **1 reservado**, misantropo ≠ **comunicativo**, expansivo **2 tristonho**, soturno, sorumbático, melancólico, macambúzio ≠ **alegre**, vivo

taco *n.m.* **1 tarugo 2** [REG.] **lanche**, merenda

tactear[aAO] *v.* ⇒ **tatear**[dAO]

táctica[aAO] *n.f.* ⇒ **tática**[dAO]

táctico[aAO] *adj.,n.m.* ⇒ **tático**[dAO]

táctil[AO] ou **tátil**[AO] *adj.2g.* **tateável**, palpável, tangível ≠ **impalpável**, intangível

tacto[aAO] *n.m.* ⇒ **tato**[dAO]

tactura[AO] ou **tatura**[AO] *n.f.* **tateamento**, tateio

tagarela *adj.2g.* **1 falador**, loquaz, gárrulo, palrador, discursivo, galrão, palradeiro, palrão, galreiro, palavreiro, gralhador, terlinta [REG.] ≠ **calado**, reservado **2 indiscreto**, curioso, mexeriqueiro, intrometido *fig.* ≠ **discreto**, reservado ■ *n.2g.* **linguareiro**, indiscreto, intriguista, chocalheiro, bisbilhoteiro ≠ **discreto**, recatado, modesto ■ *n.f.* **1 vozearia**, gritaria, barulho, ruído, alarido, bulha, algazarra, alvoroço, zerichia [REG.] ≠ **silêncio**, paz, calada, emudecimento, sopor **2 tumulto**, confusão, agitação, desordem, alvoroço, conturbação, perturbação ≠ **apaziguamento**, pacificação, serenidade **3** ORNIT. **churreca**, chagaz

tagarelar *v.* **1 palrar** *fig.*, parolar, palavrear, badalar, linguarejar, papaguear, cacarejar *fig.* ≠ **calar**, silenciar, emudecer, entuchar **2 bisbilhotar**, coscuvilhar, intrigar, mexericar, onzenar, alcovitar, fofocar [BRAS.] *col.* ≠ **discretear**, desinteressar

tagarelice *n.f.* **1 palratório**, falatório, garrulice, taramelice, cacarejo *fig.*, palrice, palreira, linguarice, parola, tarelice *col.* ≠ **discrição**, recato, privacidade **2 bisbilhotice**, coscuvilhice, mexerico, intriga, enredo, onzenice, indiscrição ≠ **discrição**, recato, privacidade **3 barulho**, gritaria, vozearia, ruído, alarido, bulha, algazarra, alvoroço, zerichia [REG.] ≠ **silêncio**, paz, calada, emudecimento, sopor

tailandês *adj.,n.m.* **siamês**, tai, siame

tailleur *n.m.* **saia-casaco**

taipa *n.f.* **tabique**, tapume, parede

taipal *n.m.* **1 taipão**, tapume **2 empanada**

tais *n.m.2n.* **lipa**

tal *det.,pron.dem.* **1 este 2 esse 3 aquele** ■ *pron.dem.* **1 isso 2 isto 3 aquilo** ■ *det.indef.* **tamanho**, tanto ■ *pron.indef.* **pouco**, tanto ■ *adj.2g.* **igual**, semelhante, análogo ≠ **diferente**, distinto, díspar ■ *adv.* **assim** ■ *n.2g.* **indivíduo**, sujeito, pessoa, criatura, figura, ser, tipo *col.*, fulano *col.*, gajo *col.*

tala *n.f.* **1 astela 2** [*pl.*] **embaraços**, apertos, dificuldades

tálamo *n.m.* **1 casamento**, núpcias, matrimónio, enlace, consórcio, conúbio, união, boda, casório *col.*, nó *col.*, conjungo *col.* ≠ **divórcio**, separação, desunião, celibato **2 leito**, cama, quente, ninho *col.*, pildra *col.*, jaça *col.*, piano *col.*, sorna *col.*, camarote *col.* **3** BOT. **recetáculo**

talão *n.m.* **calcanhar**

talar *v.* **1 sulcar**, arar, fender **2** *fig.* **devastar**, destruir, arrasar, assolar, arruinar

talco *n.m. fig.* **ouropel**

talefe *n.m.* [REG.] **pinoco** [REG.]

talento *n.m.* **engenho**, habilidade, dom, jeito, aptidão, dote *fig.* ≠ **desajeitamento**, inaptidão

talentoso *adj.* **1 hábil**, engenhoso, destro, perito, jeitoso ≠ **desajeitado**, inábil **2 inteligente**, sagaz, esperto, arguto, astuto, fino, perspicaz, penetrante *fig.*, aguçado *fig.* ≠ **inepto**, inábil, obstuso *fig.,pej.*

talha *n.f.* **1 corte**, incisão, talho, entalhe **2** (jogo da banca) **cartada**, cadernal **3 cadernal**

talhada *n.f.* **1 fatia**, naco, bocado, mica, lasca, mordo, posta, tracanaz *col.*, tagalho [REG.] **2** *fig.* **castigo**, sanção, pena, coima, corretivo ≠ **absolvição 3** *fig.* **descompostura**, reprimenda, repreensão, censura, admoestação, exprobração, discurso *col.* ≠ **elogio**, louvor, felicitação, aprovação

talhado *adj.* **1 cortado**, aparado **2 dividido 3** *fig.* **moldado**, vazado **4** *fig.* **destinado**, reservado, determinado **5** *fig.* **próprio**, apto, apropriado, conveniente, ajustado

talhante *n.2g.* **carniceiro**, magarefe, açougueiro ■ *adj.2g.* **cortante**, incisivo

talhão *n.m.* **1 canteiro**, leira, alfobre, tabuleiro **2 tabuleiro**

talhar *v.* **1 cortar**, golpear **2 dividir**, repartir, partir **3 gravar**, cinzelar, esculpir **4 podar**, debastar, chapotar **5 fender**, sulcar, arar **6** *fig.* **moldar**, modelar **7** *fig.* **preparar**, traçar **8** *fig.* **determinar 9** *fig.* **predestinar**, fadar, predispor

talhar-se *v.* **1 cortar-se 2 rachar-se**, fender-se **3** (leite, maionese, etc.) **coalhar-se**, decompor-se, estragar-se, coagular-se, deteriorar-se ≠ **conservar-se**

talhe *n.m.* **1 talho**, forma, feitio **2 feição**, aspeto, figura, fisionomia

talho *n.m.* **1 açougue**, carniçaria **2 sulco 3 ruga**, vinco, vergão, gelha, sulco **4 talha**, talhamento, talhadura, corte **5 talhadia 6 forma**, feição, talhe

talião *n.m.* **desforra**, vingança, desafronta, revindicta, desagravo, retaliação, desenxovalho *fig.* ≠ **agravo**, afronta

talismã *n.m.* **1 amuleto**, mascote, feitiço, nómina **2** *fig.* **encanto**, encantamento, feitiço

talo *n.m.* **1** BOT. **caule**, haste, pedúnculo, pé, estípite, pecíolo **2** ARQ. **fuste**

talude *n.m.* **1 escarpa**, alcantil **2 rampa**, declive, ladeira, encosta, vertente, lomba

talvez *adv.* **possivelmente**, provavelmente, quiçá, porventura

tamanca *n.f.* **soca**, tairoca [REG.]

tamanco *n.m.* **soco**, soca, taroca [REG.] ■ *adj.* **estúpido**, bronco, obtuso, lerdo, tosco

tamanduá *n.m.* **1** ZOOL. **formigueiro**, urso-formigueiro **2** [BRAS.] **carapetão**, maranhão, peta, palão, patranha, pala *col.*

tamanhão *adj.* **corpulento**, encorpado, robusto, forte, avantajado ≠ **enfezado**, franzino

tamanho *n.m.* 1 **dimensão**, estatura, envergadura, porte 2 **volume**, altura 3 **grandeza**

tâmara *n.f.* BOT. **dátil**

tamareira *n.f.* BOT. **datileira**, palmeira-das-igrejas

tamargueira *n.f.* 1 BOT. **tamarga**, tamariz 2 **tarrafe**

também *adv.* 1 **igualmente**, similarmente, identicamente ≠ **diferentemente**, diversamente 2 **conjuntamente**, juntamente, ainda, outrossim 3 **mas**, porém

tambo *n.m.* 1 **boda**, núpcias, noivado, himeneu 2 **cama**, leito, quente, tálamo, ninho *col.*, pildra *col.*, jaça *col.*, piano *col.*, sorna *col.*, camarote *col.* 3 [BRAS.] **leiteiro**

tambor *n.m.* 1 **caixa** 2 ANAT. **tímpano**

tamborete *n.m.* **banco**, mocho, escabelo, assento

tamboril *n.m.* 1 ICTIOL. **recaimão**, peixe-sapo, penadeira, sarronca, xarroco 2 MÚS. **tamborim**, timburi

tamborilar *v.* **tamborinar**, dedilhar, teclar

tamisar *v.* 1 *fig.* **joeirar**, peneirar, cirandar, crivar, outar 2 *fig.* **depurar**, expurgar, purificar, purgar, limpar, mundificar, estomentar *fig.* ≠ **sujar**, contaminar

tampa *n.f.* 1 **cobertura**, tampo, tapador, tapadoura, obturador 2 *col.* **recusa**, rejeição, negação, nega *col.* ≠ **aceitação**, anuência, consentimento, sim

tampar *v.* **tapar**, cobrir ≠ **destampar**, destapar

tampo *n.m.* **cobertura**, tampa, tapador, tampão

tampouco *adv.* **tão-pouco**, sequer

tanganho *n.m.* [REG.] **trangalho**, galho

tangencial *adj.2g.* **superficial**, ligeiro ≠ **relevante**, aprofundado

tangente *adj.2g.* **tocante**

tanger *v.* 1 (instrumentos musicais) **tocar**, dedilhar, vibrar 2 **soar**, bater, ressoar 3 (os animais) **tocar**, espicaçar, fustigar 4 **referir-se**, respeitar, concernir, pertencer

tangerina *n.f.* 1 BOT. **mandarina** [BRAS.], bergamota [BRAS.] 2 (planta) **tangerineira**

tangerineira *n.f.* BOT. **tangerina**

tangerino *adj.,n.m.* **tingitano**

tangível *adj.2g.* **tateável**, palpável, táctil ≠ **impalpável**, intangível

tanoaria *n.f.* **tonelaria**, tanoa

tanoeiro *n.m.* **barriqueiro**

tanque *n.m.* 1 **piscina**, lago, natário 2 **pia**, lavadoiro

tanso *adj.* **ingénuo**, crédulo, simples, inocente, simplório ≠ **malicioso**, manhoso, astucioso, sabido ■ *n.m.* **simplório**, pacóvio, pateta, papalvo, lorpa, bacoco, palerma, possidónio, loura *col.*

tantã *n.m.* MÚS. **gongo**, acetáculo

tanto *det.,pron.indef.* **tamanho**, tal ■ *n.m.* 1 **porção**, quantidade 2 **quantia** 3 **vez**, quantidade 4 **volume** 5 **totalidade**, todo, globalidade 6 **conjunto** ■ *adv.* **tamanho**

tão *adv.* **tanto**

tão-pouco *adv.* **sequer**, tam-pouco

tão-somente *adv.* **apenas**, unicamente, somente, meramente, simplesmente, exclusivamente

tapa *n.f.* 1 **bofetada**, lambada, estalo *col.*, bolacha *col.*, bolachada *col.*, lagosta *col.*, mosquete *col.*, chapada *col.*, estalada *col.*, tabefe *col.*, estampilha *col.*, lostra *col.*, solha *col.*, sorvete *col.*, bilhete *gír.* 2 **petisco**, acepipe, aperitivo, perrexil 3 [REG.] **tapada**, bouça [REG.] 4 (rolha) **tapadeira** [REG.], tapo [REG.]

tapada *n.f.* 1 **tapinha** 2 **vedação**, cerrado, sebe, muro, cerca, cercado, valado 3 [BRAS.] **logradouro**

tapado *adj.* 1 **coberto**, obducto *poét.* ≠ **descoberto**, destapado 2 **cercado**, vedado, rodeado, sitiado, fechado, cerqueiro 3 **obstruído**, bloqueado, entupido, impedido, ocluso ≠ **desobstruído**, desimpedido, desentupido, desopilado 4 (nariz) **entupido** ≠ **desentupido** 5 *fig.,pej.* **obtuso**, bronco, estúpido, tolo ≠ **perspicaz**, arguto, sagaz ■ *n.m.* 1 **tapada** 2 **vedação**, cerrado, sebe, muro, cerca, cercado, valado, tapada

tapagem *n.f.* 1 **tapamento**, tapadura 2 **vedação**, valado 3 **nassa**

tapar *v.* 1 **cobrir** ≠ **descobrir**, destapar 2 **entupir**, obstruir, obturar, opilar, fechar ≠ **desentupir**, desobturar 3 **murar**, cercar, cingir, vedar, muralhar, valar *fig.* ≠ **desmurar**, descercar 4 **abrigar**, resguardar, cobrir, proteger ≠ **desabrigar**, desproteger 5 **encobrir**, esconder, cobrir, ocultar, revestir, velar ≠ **descobrir**, expor 6 **fechar**, encerrar, cerrar, vedar ≠ **abrir** 7 **arrolhar**, rolhar ≠ **desarrolhar**, destapar, abrir 8 **vendar** ≠ **desvendar**

tapar-se *v.* **vestir-se**, abafar-se, agasalhar-se ≠ **despir-se**, desenfarpelar-se, desenroupar-se, desnudar

tapeçaria *n.f.* 1 **colgadura**, estrágulo 2 **alcatifa**, carpete, tapete, alfombra

tapete *n.m.* **alcatifa**, tapeçaria, alfombra, carpete, tapiz *ant.*

tapir *n.m.* ZOOL. **anta**, tapira

tapume *n.m.* 1 **tapagem**, valado, vedação, entaipado, entaipamento, vedo [BRAS.] 2 **tabique**, taipa, parede

taquigrafar *v.* **estenografar**

taquigrafia *n.f.* **estenografia**, logografia

taquígrafo *adj.,n.m.* **estenógrafo**, logógrafo

tara *n.f.* 1 *col.* **mania**, panca, pancada, bolha *fig.*, telha *fig.,col.* 2 *fig.* **defeito**, imperfeição, falha, falta, mácula

tarado *adj.* 1 *col.* **tresloucado**, amalucado, alucinado, desequilibrado, desvairado, tolo, destrambelhado *col.*, avariado *fig.* ≠ **sensato**, equilibrado, ponderado 2 *fig.,col.* **fascinado**, encantado ■ *n.m.* **maluco**, doido, louco, destrambelhado *col.* ≠ **são**, equilibrado

tarambecos *n.m.pl.* [REG.] **tarecos**, cacarecos, cangalhada, xurumbambos [BRAS.]

tarântula *n.f.* ZOOL. **licosa**

tarar *v. fig.* **enlouquecer**, avariar, desvairar, desequilibrar, desmiolar, tresloucar ≠ **desenlouquecer**

tardar *v.* 1 **demorar**, dilatar, paliar, atrasar, retardar, perlongar, adiar, espaçar ≠ **acelerar**, aligeirar, prontar 2 **demorar-se**, remanchar

tarde *adv.* 1 **tardiamente**, serodiamente ≠ **prematuramente**, precocemente, cedo 2 **ulteriormente**, posteriormente, depois, futuramente ≠ **anteriormente**, antes ■ *n.m.* **futuro**, amanhã ≠ **passado**

tardiamente *adv.* **tarde**, serodiamente ≠ **prematuramente**, precocemente, cedo

tardio *adj.* 1 **serôdio**, tardo, retardativo, assario ≠ **temporão**, precoce, permaturo 2 **lento**, moroso, vagaroso, demorado ≠ **rápido**, célere

tardo *adj.* 1 **lento**, vagaroso, demorado, moroso ≠ **rápido**, célere 2 **dilatado**, delongado, atrasado, retardado, lento, perlongado, vagaroso, diferido ≠ **acelerado**, ligeiro, pronto 3 **serôdio**, tardio, retardativo, asserio ≠ **temporão**, precoce, permaturo ■ *n.m.* [REG.] **pesadelo**, íncubo, onirodinia

tareco *n.m.* 1 **trate**, cacareco, cangalhada 2 *col.* **gato**, bichano, miau *infant.* 3 *fig.* **traquina**, chincharavelho *fig.*, cachorro *fig.* 4 [REG.] **chocalho**, choquilha ■ *adj.* **travesso**, diabólico, turbulento, irrequieto, diabril, desenvolto ≠ **bem-comportado**, ajuizado

tarefa *n.f.* 1 **empreitada**, empresa, empreendimento 2 [REG.] **talha**

tarefeiro *adj.,n.m.* **empreiteiro**

tareia *n.f.* **surra**, sova, tunda, zurzidela, coça *fig.*, chegançо *col.*, capilota *col.*, esfrega *col.*, poleia *col.*, trepa *col.*, trolha *col.*, sotaina [REG.], ponche *fig.*

tarifa *n.f.* **tarifário**, preçario, tabela, pauta

tarifar *v.* **tabelar**, taxar, almotaçar *ant.*

tarja *n.f.* 1 **cercadura**, orla, bordadura, ourela, friso, rodeamento, bainha, guarnição 2 **faixa**, barra, tira, banda, orla, listão, debrum, fita, ribete

tarouca *n.f. col.* **cabeça**, bola *col.*, cachimónia *col.*, capacete *col.*, cachola *col.*, carola *col.*, tarola *col.*, tola *col.*, mona *col.*, pinha *col.*, caco *fig.*, cuca [BRAS.]

tarraco *n.m.* [REG.] **batoque** *fig.*, tortulho, bazulaque, trolho *col.*, odre *col.*, botija *fig.*, pipa *fig.,pej.*, pote *fig.*

tarrafa *n.f.* **chumbeira**, esparavel

tarraxa *n.f.* 1 **parafuso** 2 **cavilha** 3 *fig.* **cunha**, pedido, recomendação, empenho, pistolão, cartola *col.*

tarso *n.m.* ANAT. **társeo**

tartamudear *v.* 1 **gaguejar**, babujar, balbuciar, titubear, tartamelear, tartarear, tremelear ≠ **articular**, pronunciar, dizer 2 **entaramelar**, titubear, tataranhar

tartamudo *adj.,n.m.* **gago**, tardíloquo, balbuciante, balbo, tatibitate, tártaro, tátaro, tato

tartárico *adj.* 1 QUÍM. **úvico** 2 **tartáreo**

tártaro *n.m.* 1 **sarro** 2 **odontólito** 3 *poét.* **Inferno**, Averno, Érebo, báratro ≠ **Céu**, Paraíso

tartufo *n.m.* **hipócrita**, velhaco, fingido, falso, traiçoeiro, enganador, histrião *fig.* ≠ **honesto**, verdadeiro, correto

tasca *n.f.* 1 **taberna**, venda, betesga, baiuca, bodega, locanda, ramo, tasco *col.*, tabernória *pej.* 2 **espadela**

tasco *n.m. col.* **taberna**, venda, betesga, baiuca, bodega, locanda, ramo

tasqueiro *n.m.* **taberneiro**, tascante

tasquinha *n.f.* **espadela** ■ *n.2g.* **debiqueiro**, lambisqueiro, furão *fig.* ≠ **glutão**, comilão

tasquinhar *v.* 1 **espadelar**, tascar, tascoar, estomentar 2 *col.* **debicar**

tatear dAO *v.* 1 **apalpar**, tocar 2 *fig.* **sondar**, palpitar, tentear, palpar 3 **pesquisar**, investigar, indagar, averiguar, procurar, inquirir, buscar, catar, pescar *fig.* 4 **ensaiar**, experimentar, testar, provar

tática dAO *n.f. fig.* **estratégia**, política

tático dAO *adj.* 1 **estratégico** 2 *fig.* **hábil**, astucioso, astuto, engenhoso, estratégico ■ *n.m.* **estrategista**, estratega, estratego

tato dAO *n.m.* 1 **palpação** 2 *fig.* **discrição**, diplomacia, recato 3 *fig.* **discernimento**, tino, siso, juízo, critério, visão, capacidade, clarividência ≠ **insensatez**, desatino 4 *fig.* **vocação**, habilidade, propensão, queda, jeito, tendência, disposição ≠ **inabilidade**, inaptidão, incapacidade

tatuagem *n.f. fig.* **marca**, sinal

tatuar *v.* **marcar**

taumaturgo *adj.,n.m.* **milagreiro**

tauromaquia *n.f.* **toureio**

tautau *n.m. infant.* **palmada**, bofetada, surra, tareia

távola *n.f.* **tábula**

taxa *n.f.* 1 **tarifa**, preço 2 **imposto**, tributo, contribuição, cotização, quota, prestação, coleta 3 **percentagem**, comissão 4 **termo**, limite

taxar *v.* 1 tarifar, tabelar, almotaçar *ant.* 2 regrar, limitar, moderar 3 qualificar, timbrar, tachar, acoimar

taxar-se *v.* julgar-se, considerar-se, reputar-se, acreditar-se, supor-se, imaginar-se

taxativo *adj.* limitado, limitativo, restrito ≠ ilimitado, alargado, extensivo

táxi *n.m.* taxímetro *ant.*

taxímetro *n.m.* 1 celerímetro 2 *ant.* táxi

tê *n.m.* régua-tê

teatral *adj.2g.* 1 *fig.,pej.* artificial, fictício, forçado, excessivo 2 *fig.,pej.* exibicionista, exuberante, espetacular, fiteiro *fig.*

teatralidade *n.f.* 1 *fig.,pej.* artificialidade 2 *fig.,pej.* dramatismo 3 *fig.,pej.* exibicionismo, exteriorização

teatralizar *v.* 1 dramatizar, episodiar 2 *fig.,pej.* dramatizar ≠ desdramatizar, acalmar, suavizar, aligeirar, atenuar, aliviar 3 *fig.,pej.* exagerar

teatro *n.m.* 1 palco, cena, ribalta *fig.* 2 *fig.* ilusão 3 *fig.,pej.* hipocrisia, fingimento, dissimulação

tebaida *n.f. fig.* ermo, retiro, solidão

tecedeira *n.f. fig.* intriguista, enredador, enrodilhador, novelista, urdidor

tecedor *n.m.* tecelão, urdidor ■ *adj.,n.m.* intriguista, enredador, enrodilhador, novelista, mexeriqueiro, urdidor

tecelagem *n.f.* tecedura, tecimento

tecelão *n.m.* tecedor, urdidor

tecer *v.* 1 (teia ou tecido) produzir 2 entrelaçar, ligar 3 mesclar, ligar 4 *fig.* adornar, ornar, enfeitar, ornamentar 5 *fig.* engendrar, preparar, organizar 6 *fig.* tramar, armar, urdir, maquinar 7 *fig.* intrigar, mexericar, inventar

tecer-se *v.* 1 preparar-se 2 organizar-se, ordenar-se ≠ desorganizar-se, desordenar-se

tecido *n.m.* 1 pano, trama, textura, tela 2 *fig.* conjunto, série, sucessão, sequência, seriação, ordem 3 *fig.* disposição, ordem ■ *adj.* 1 *fig.* engendrado, preparado 2 *fig.* tramado, urdido, maquinado 3 *fig.* combinado

tecla *n.f.* 1 clave 2 botão

técnica *n.f.* prática, experiência, habilidade ≠ teoria

tecnicismo *n.m.* tecnicidade

técnico *adj.* tecnológico ■ *n.m.* especialista, perito, mestre, sabedor ≠ ignorante, asno *fig.*

tecnologia *n.f.* (raramente usado) terminologia

tecnológico *adj.* técnico

tecto[aAO] *n.m.* ⇒ **teto**[dAO]

tectónica[AO] ou **tectônica**[AO] *n.f.* 1 geotectónica 2 arquitetura

tectónico[AO] ou **tectônico**[AO] *adj.* arquitetónico

tédio *n.m.* 1 aborrecimento, enfado, enfastiamento, fastio, spleen, cansaço *fig.* ≠ interesse, empenho, motivação 2 desgosto, displicência, sensaboria, dissabor

tedioso *adj.* 1 fastidioso, aborrecido, maçador, fatigante, enfadonho, cansativo, saturante ≠ interessante, estimulante, motivante 2 maçado, aborrecido, enfastiado, entediado, fastidioso ≠ interessado, motivado, empenhado

teia *n.f.* 1 gradeamento, cerca 2 facho, archote, tocha, brandão 3 *fig.* estrutura, organização, rede 4 *fig.* intriga, enredo, mexerico, bisbilhotice, coscuvilhice ≠ discrição, recato, desinteresse, privacidade 5 *fig.* intriga, trama *fig.*, urdidura, maquinação, conluio, conjuração, conspiração, cambalacho, enredo, cabala, tramoia *col.* ≠ correção, verdade, boa-fé 6 *ant.* liça 7 [*pl.*] ilusões, preconceitos

teima *n.f.* teimosia, obstinação, pertinácia, birra, caturrice, obcecação, insistência, relutância, pervicácia, emperramento *fig.* ≠ desistência, renúncia

teimar *v.* obstinar, renitir, relutar, insistir, embirrar, porfiar, martelar *fig.* ≠ desistir, renunciar

teimosamente *adv.* obstinadamente, insistentemente, tenazmente, renitentemente, obsecadamente, pertinazmente

teimosia *n.f.* 1 pertinácia, birra, caturrice, obcecação, insistência, obstinação, renitência, relutância, pervicácia, emperramento *fig.* ≠ desistência, renúncia 2 tenacidade, persistência, firmeza, perseverança, obstinação ≠ renúncia, cessação, desistência, afastamento

teimoso *adj.* 1 obstinado, pertinaz, persistente, relutante, renitente, acasmurrado, opinioso, rebelão *fig.* ≠ desistente, renunciador 2 insistente, persistente, veemente, porfiante, porfioso ≠ desistente, renunciante 3 duradouro, durável, estável, resistente, contínuo, prolongado ≠ passageiro, provisório ■ *n.m.* casmurro, caturra, turrão, maníaco

teísmo *n.m.* FIL., RELIG. ≠ deísmo, ateísmo

teísta *adj.,n.2g.* ≠ deísta, ateísta

teixe *n.m.* dixe

tejadilho *n.m.* capota

tela *n.f.* 1 tecido, pano, trama, textura 2 quadro, pintura, painel 3 pantalha, painel 4 *fig.* cinema

telecomandar *v.* teleguiar, teledirigir, teleconduzir

telecomando *n.m.* telemecânica

teledirigir *v.* teleguiar, telecomandar, teleconduzir

telefone *n.m.* número

telefonema *n.m.* chamada, telefonadela

telegráfico *adj.* 1 *fig.* rápido, imediato, sumário ≠ lento, demorado 2 *fig.* conciso, lacónico, breve, pequeno, sumário, diminuto, curto, compendioso, resumido, sucinto, abreviado ≠ **longo**, extenso, comprido

telegrama *n.m.* **despacho**

teleguiar *v.* **telecomandar**, teleconduzir, teledirigir

telejornal *n.m.* TV **noticiário**, jornal

televisão *n.f.* **1 estação 2 televisor**, telerrecetor

televisor *n.m.* **televisão**, telerrecetor, radiotelevisor

telha *n.f.* **1 caleira 2** *fig.,col.* **mania**, panca, pancada, tara *col.*, bolha *fig.*, telhado *fig.*

telhado *n.m.* **1 cobertura 2** *fig.* **casa**, abrigo **3** *fig.* **mania**, panca, pancada, tara *col.*, bolha *fig.*, telha *fig.,col.*

telhar *v.* **entelhar** ≠ **destelhar**

telheira *n.f.* **1 telhal 2 olaria**, cerâmica

telheiro *n.m.* **alpendre**, coberto, cabanal [REG.], copiara [BRAS.]

telhudo *adj.* **1** *col.* **mal-humorado**, amuado, trombudo, carrancudo ≠ **bem-humorado**, alegre, divertido **2** *col.* **maníaco**, teimoso, obcecado, cabeçudo *fig.*, testudaço

tema *n.m.* **1 tópico**, motivo, objeto, argumento, assunto **2** LING. **tópico**

temente *adj.2g.* **medroso**, receoso ≠ **intemente**

temer *v.* **1 recear**, estremecer, tremer, respeitar, atemorizar, arrecear-se ≠ **destemer 2 respeitar**, reverenciar, venerar, prezar ≠ **desrespeitar**, desconsiderar, desprezar

temerário *adj.* **1 audacioso**, intrépido, arrojado, ousado, audaz, corajoso, destemido, paladínico *fig.* ≠ **cobarde**, medroso **2 arriscado**, perigoso, imprudente

temeridade *n.f.* **1 audácia**, afoiteza, ousadia, intrepidez, arrojo, denodo, coragem, valentia ≠ **cobardia**, medo **2 imprudência**, irreflexão, imponderação, desaviso, precipitação ≠ **reflexão**, prudência, ponderação, meditação

temeroso *adj.* **1 medroso**, receoso, amedrontado **2 timorato**, tímido, cuidadoso **3 pavoroso**, formidável, horroroso, terrífico, horrífico, terrorífico

temer-se *v.* **recear**, arrecear-se, preocupar-se

temido *adj.* **assustador**, temeroso, receado, terrível

temível *adj.2g.* **1 ameaçador**, perigoso, temedouro **2 assustador**, temeroso, temido, terrível, horrífero

temor *n.m.* **1 medo**, pavor, receio, apavoramento, tremor ≠ **destemor**, audácia, coragem, intrepidez **2 reverência**, devoção, respeito, consideração ≠ **desrespeito**, desconsideração **3 zelo**, diligência ≠ **negligência**

têmpera *n.f.* **1 caldeação**, temperamento ≠ **destêmpera 2** *fig.* **estilo**, gosto, modo **3** *fig.* **índole**, temperamento, vocação, natureza, compleição, cariz, génio, carácter **4** *fig.* **carácter**, retidão, integridade

temperado *adj.* **1** CUL. **condimentado**, salpreso ≠ **desenxabido**, insípido, insosso, insulso, sem-sabor **2 fortalecido**, revigorado, tonificante ≠ **enfraquecido**, esmorecido **3** (clima, temperatura) **ameno**, moderado, morno **4** *fig.* **comedido**, moderado, brando, ponderado ≠ **exagerado**, excessivo, descomedido **5** *fig.* **agradável**, delicado, suave, aprazível ≠ **desagradável**

temperamental *adj.2g.* **impulsivo**, emotivo, espontâneo, arrebatado, repentinoso, explosivo *fig.*

temperamento *n.m.* **1 índole**, carácter, vocação, natureza, compleição, feitio, cariz, têmpera, génio **2 constituição**, compleição **3 caldeação**, têmpera ≠ **destêmpera 4 mistura**, mescla, combinação

temperança *n.f.* **1 moderação**, comedimento, continência ≠ **imoderação**, descomedimento **2 parcimónia**, economia, poupança

temperar *v.* **1** CUL. **condimentar**, sazonar ≠ **destemperar**, dessazonar **2 caldear** ≠ **destemperar 3** MÚS. **afinar**, consonar ≠ **desafinar**, dessoar, desarmonizar **4** *fig.* **atenuar**, suavizar, abrandar ≠ **exagerar**, intensificar, agravar **5** *fig.* **reter**, reprimir, conter, moderar, refrear ≠ **descontrolar**, exceder **6 combinar**, conciliar, acordar, coadunar, coincidir ≠ **descombinar**, desacordar

temperatura *n.f.* **1 febre**, pirexia **2 tempérie**

tempero *n.m.* **1** *fig.* **remédio**, paliativo, cura **2 condimento**, adubo, lardo **3 têmpera**

tempestade *n.f.* **1 procela**, tormenta, temporal, borrasca, trabuzana, intempérie ≠ **bonança**, calmaria **2** *fig.* **desordem**, tumulto, agitação, alvoroço ≠ **calma**, serenidade

tempestivamente *adv.* **oportunamente**

tempestivo *adj.* **oportuno**, propício ≠ **inoportuno**, inopinado, intempestivo

tempestuoso *adj.* **1 proceloso**, tormentoso, aborrascado **2** *fig.* **agitado**, revolto, alterado, inquieto, perturbado ≠ **calmo**, tranquilo, sossegado **3** *fig.* **violento**, agressivo, tumultuoso, desabrido, virulento ≠ **pacífico**, sereno, tranquilo, sossegado

templo *n.m.* **igreja**, santuário, capela, delubro, fano *ant.*

tempo *n.m.* **1 duração**, período, prazo **2 época**, conjuntura **3 ocasião**, oportunidade, momento, azo, ensejo **4 estação**, quadra, época, sazão **5 lentidão**, demora, vagar ≠ **pressa 6** METEOR. **condições meterológicas 7** [*pl.*] **época 8** [*pl.*] **estações 9** [*pl.*] **idades**

têmpora *n.f.* ANAT. **fonte**

temporada *n.f.* 1 **época**, quadra, estação 2 (desporto) **época**

temporal *adj.2g.* 1 **temporário**, provisório, passageiro, transitório 2 **mundano**, secular, profano, terrestre *fig.*, terreal *fig.* ■ *n.m.* 1 **tempestade**, tormenta, procela, borrasca, trabuzana, intempérie ≠ **bonança**, calmaria 2 ANAT. **escama** 3 **desavença**, discussão, desaguisado, discórdia ≠ **corcondância**, conciliação

temporão *adj.* 1 **precoce**, lampão, prematuro, imaturo ≠ **tardego** [REG.] 2 (flor, fruto, legume) ≠ **serôdio**, lampo

temporariamente *adv.* **provisoriamente**, transitoriamente, interinamente

temporário *adj.* **provisional**, provisório, interino, transitório, passageiro ≠ **efetivo**, permanente, definitivo

temporização *n.f.* **transigência**, contemporização, tolerância, indulgência, condescendência ≠ **rigidez**, inflexibilidade, implacabilidade

temporizar *v.* 1 **demorar**, adiar, dilatar, delongar, perlongar, atrasar, retardar, paliar, protrair ≠ **adiantar**, antecipar 2 **transigir**, contemporizar, condescender, comprazer, conceder ≠ **obstar**, resistir, opor-se

tenacidade *n.f.* 1 **força**, resistência, robustez 2 *fig.* **firmeza**, constância, perseverança, permanência, porfia 3 *fig.* **aferro**, afinco, apego, teimosia, pertinácia, contumácia, apegamento ≠ **desapego**, desinteresse 4 *fig.* (pouco usado) **avareza**, sovinice, forretice, mesquinhez, tacanhez

tenaz *adj.2g.* 1 **aderente** 2 *fig.* **contumaz**, teimoso, resistente, obstinado, testudo, ferrenho, capitoso *fig.*, cabeçudo *fig.* ≠ **aberto**, flexível, maleável 3 *fig.* **persistente**, insistente ≠ **desistente** 4 *fig.* **avarento**, mesquinho, pelintra, somítico, sovina ≠ **gastador**, dissipador, esbanjador, perdulário ■ *n.f.* **pinça**, fórceps

tenção *n.f.* 1 **intenção** 2 **propósito**, vontade, desígnio, objetivo, resolução 3 **plano**, projeto, ideia

tencionar *v.* **planear**, projetar, arquitetar, conceber, intentar

tenda *n.f.* 1 **tentório**, barraca 2 **locanda**, quitanda

tendão *n.m.* ANAT. **nervo**

tendência *n.f.* 1 *fig.* **inclinação**, propensão, pendor, queda, vocação, orientação, disposição 2 POL. **movimento**

tendencioso *adj.* **faccioso**, partidário, parcial, preconceituoso, sectário *fig.* ≠ **imparcial**, neutral, isento, objetivo, desinteressado

tendente *adj.2g.* 1 **conducente** 2 **inclinado**, vocacionado, apto, orientado, predisposto, propenso *fig.*

tender *v.* 1 **estender**, esticar 2 **desfraldar** 3 (vela) **encher**, enfunar 4 **bater**, enformar 5 **propender**, inclinar, predispor 6 **ambicionar**, prentender, desejar, aspirar

tenebrosidade *n.f.* **escuridão**, trevas, cerração

tenebroso *adj.* 1 **sombrio**, assombreado, escuro, umbroso, ensombrado, trevoso ≠ **luminoso**, claro 2 *fig.* **confuso**, complicado, desentendível, desconhecível, incompreensível, hermético, obscuro ≠ **entendível**, claro, compreensivo 3 *fig.* **terrível**, horrível, medonho, assustador 4 *fig.* **pungente**, doloroso, torturante, dilacerante, aflitivo, angustiante, acerbo 5 *fig.* **dolorido**, magoado

ténia[AO] ou **tênia**[AO] *n.f.* ZOOL. **bicha-solitária**, bicha, solitária

ténis[AO] ou **tênis**[AO] *n.m.2n.* **sapatilha**, basquete [BRAS.]

tenreiro *adj.* (pouco usado) **tenro**, mole ■ *n.m. ant.* **vitelo**, novilho, bezerro, mamão

tenro *adj.* 1 **mole**, tenreiro, fofo, macio ≠ **duro**, rígido 2 *fig.* **recente**, novo ≠ **antigo**, velho 3 *fig.* **delicado**, gracioso, mimoso ≠ **desgracioso**, deselegante 4 *fig.* **inocente**, puro, cândido

tensão *n.f.* 1 **entesadura**, enrijamento ≠ **amolecer** 2 **enervamento**, excitação, stress ≠ **relaxamento**, distensão, abandalhação, abandalhamento 3 ELETR. **voltagem** 4 **pressão**

tenso *adj.* 1 **estendido**, esticado, estirado 2 **teso**, rígido, hirto, retesado ≠ **flexível**, mole 3 *fig.* **embaraçado** 4 *fig.* **preocupado**, inquietante 5 *fig.* (situação, problema) **grave**, difícil

tenta *n.f.* 1 **sonda**, estilete 2 **tentação**, provocação, solitação

tentação *n.f.* 1 **instigação**, incitamento, provocação, induzimento 2 **indução**, sugestão, persuadição, instilação *fig.* ≠ **despersuasão**, dissuasão

tentáculo *n.m.* 1 ZOOL. **braço** 2 *fig.* **meio** 3 [*pl.*] *col.* **dedos**

tentador *adj.* **sedutor**, provocante, provocador, atraente, tentante, tentativo ■ *n.m. col.* **Demónio**, Diabo, Demo, Satanás, Belzebu, Maligno, Canhoto *col.*, Carocho *col.*, Porco-sujo *col.*, Mafarrico *col.*

tentar *v.* 1 **seduzir**, excitar, estimular, provocar 2 **induzir**, persuadir, sugerir ≠ **dissuadir**, despersuadir 3 **instigar**, incentivar, incitar, estimular ≠ **desencorajar**, desincentivar, desanimar 4 **empreender**, executar, realizar, interpresar 5 **experimentar**, testar, provar 6 **aventurar-se**, arriscar, atrever-se, ousar

tentativa *n.f.* 1 **empreendimento**, empresa, esforço 2 **experiência**, ensaio, prova, teste, exame, tentame, balbuciência

tentilhão *n.m.* 1 ORNIT. **batachim**, chapim, chincalhão, chincho, chopim, chupim, pachacim, pardal-de-asa-branca, pardal-dos-castanheiros, patachim, pimpalhão, pincha, pintalhão, pintarroxo, pimpim, pintalhão-preto, pardal-castanheiro 2 ICTIOL. **bodião**

tento *n.m.* 1 **cuidado**, atenção, sentido, cautela 2 **juízo**, siso, tino, sisudez, discernimento, sensatez, prudência, critério ≠ **desatino**, insensatez 3 *fig.* **cômputo**, cálculo, conta, contabilidade, estimativa, avaliação, tenteio, computação 4 **ponto** 5 *col.* **estalo**, bofetada, tapa, lambada, bolacha *col.*, bolachada *col.*, lagosta *col.*, mosquete *col.*, chapada *col.*, estalada *col.*, tabefe *col.*, estampilha *col.*, lostra *col.*, solha *col.*, sorvete *col.*, bilhete *gír.*

ténueAO ou **tênue**AO *adj.2g.* 1 **delgado**, fino ≠ **grosso**, espesso 2 **delicado**, débil, frágil, franzino, fraco ≠ **forte** 3 **subtil**, leve, impercetível

tenuidade *n.f.* 1 **delicadeza**, debilidade, fragilidade, fraqueza ≠ **força** 2 **subtilidade**, leveza, impercetibilidade 3 *fig.* **insignificância**, pequenez, minimidade ≠ **relevância**

teocracia *n.f.* sacerdocracia

teológico *adj.* teologal

teor *n.m.* 1 **conteúdo**, assunto, matéria 2 *fig.* **natureza**, sabor 3 *fig.* **qualidade**, género 4 *fig.* **sistema**, norma, regulamento

teorema *n.m.* (lógica) **proposição**

teoria *n.f.* 1 **sistema**, doutrina 2 **hipótese**, conjetura 3 **séquito**, companhia, comitiva, escolta 4 **conjunto**, grupo 5 *col.* **repreensão**, admoestação, advertência, descompostura, reprimenda, exprobração, censura, chega, esfrega *fig.*, lição *fig.* ≠ **elogio**, louvor, felicitação, aprovação

teoricamente *adv.* 1 **subjetivamente** ≠ **empiricamente**, praticamente 2 **hipoteticamente**, possivelmente, provavelmente

teórico *adj.* 1 **teorético** ≠ **prático**, empírico 2 **especulativo**, hipotético, conjetural, opinável 3 **metafísico**, abstrato ■ *n.m.* 1 **ideólogo**, teorista ≠ **realista** 2 *pej.* **visionário**, utopista, sonhador, idealista ≠ **realista**

teorizar *v.* 1 **intelectualizar** 2 **especular**, conjeturar, meditar

tépido *adj.* 1 **morno**, tíbio, amornado, temperado, hipotermal, borno 2 *fig.* **frouxo**, fraco, tíbio, frágil ≠ **forte**, robusto, consistente 3 **desanimado**, desalentado, abatido, prostrado ≠ **animado**, entusiasmado

ter *v.* 1 **possuir**, deter, haver 2 **gozar**, usufruir, desfrutar, fruir, beneficiar ≠ **desgostar**, desagradar 3 **dispor**, possuir, contar ≠ **necessitar**, precisar, carecer 4 **agarrar**, segurar, prender, suster ≠ **soltar**, libertar, largar 5 **aguentar**, conservar, manter 6 **obter**, adquirir, comprar 7 **conter**, incluir, possuir, apresentar, encerrar, abarcar, englobar ≠ **excluir** 8 (doença) **sofrer**, suportar, padecer 9 (sensação) **sentir**, experimentar, experienciar 10 (experiência) **passar**, viver 11 **parir**, gerar, esbarrigar *col.*, livrar *col.*, aliviar *col.*, desovar *fig.,col.* ≠ **malparir** 12 (extensão, comprimento, altura) **medir**, mesurar ■ *n.m.pl.* **posses**, bens, haveres

terapeuta *n.2g.* **médico**, clínico, doutor, esculápio ≠ **doente**, paciente

terapêutica *n.f.* MED. **terapia**, medicação, tratamento

terapêutico *adj.* **curativo**, medicinal, medicamentoso

terapia *n.f.* **terapêutica**, medicação, tratamento

terça *n.f.* 1 **terça-feira** 2 **madre** 3 **tércia**

terçado *n.m.* **catana**, sabre ■ *adj.* **atravessado**, trançado, cruzado

terçar *v.* 1 **cruzar**, atravessar, entrançar 2 **interceder**, interferir, acudir, intervir 3 **pugnar**, defender, propugnar 4 **lutar**, combater, brigar, batalhar, pugnar

terceira *n.f.* 1 **medianeira**, mediatária, intercessora, intermediária, negociadora, terçadora 2 **alcoviteira**, alcofinha, lena, saga ■ *num.ord.* **terceiro**

terceiro *n.m.* 1 **três** 2 **medianeiro**, mediatário, intercessor, intermediário, negociador, terçador

terceto *n.m.* MÚS. **trio**

terçolho *n.m.* MED. *col.* **hordéolo**, terçogo, terçol

tereso *n.m.* ICTIOL. **pargo**, capatão, dentão, dentelha, mariana, pargo-de-mitra, tolho, parguete

termal *adj.2g.* **térmico**

termas *n.f.pl.* **estância termal**, caldas

térmico *adj.* **termal**

terminação *n.f.* 1 **conclusão**, fim, remate, acabamento ≠ **início**, começo, princípio 2 **extremidade**, ponta, extremo, cabo 3 GRAM. **desinência**

terminal *adj.2g.* 1 **final**, derradeiro, último, extremo ≠ **inicial**, primeiro 2 **demarcador**, balizador, delimitador, limitador 3 (doença) **final** ≠ **inicial** ■ *n.m.* **termo**, remate, fim, final

terminante *adj.2g.* 1 **categórico**, decisivo, procedente, decretório, imperatório, perentório, convincente, formal ≠ **inconcludente**, indecisivo, hesitante, irresoluto 2 **irrevogável**, imprescritível, irretratável, imutável ≠ **revogável**, prescindível

terminantemente *adv.* 1 **categoricamente**, perentoriamente, absolutamente, imperiosamente, formalmente, definitivamente, imperatoriamente 2 **definitivamente**, decisivamente, decididamente, irreversivelmente

terminar *v.* 1 **concluir**, acabar, findar, ultimar, cerrar, fechar ≠ **iniciar**, começar, principiar 2 **prescrever**, expirar, caducar, acabar, cair, desusar, transtempar ≠ **validar**, viger, valer 3 **demarcar**, delimitar, circunscrever, estremar, restringir, limitar, reduzir, confinar, determinar, balizar *fig.* ≠ **desbalizar**, expandir, estender

término *n.m.* 1 **baliza**, marco, demarcação, termo, sinal, meta, limite, raia 2 **extremidade**, cabo, fim

terminologia *n.f.* **nomenclatura**, vocabulário

térmite *n.f.* ZOOL. **formiga-branca**, térmita, terma, salalé, cupim

termo *n.m.* **1** **garrafa-termo** **2** **baliza**, marco, demarcação, término, sinal, meta, limite, raia **3** **prazo**, data-limite, expiração **4** **modo**, jeito, maneira, disposição **5** **teor**, forma **6** **remate**, conclusão, fim, final **7** **vocábulo**, palavra **8** **confins**, circunvizinhança, circunjacência, contiguidade ≠ **distância**, afastamento **9** [*pl.*] **maneiras**, compostura, modos, jeitos **10** [*pl.*] **trâmites**, meios

termómetroAO ou **termômetro**AO *n.m. fig.* **medida**, indicação

ternamente *adv.* **meigamente**, amorosamente, carinhosamente

terno *adj.* **1** **afetuoso**, meigo, amoroso, carinhoso, suave, doce, extremoso, mavioso, mimoso, melieiro ≠ **descarinhoso**, insensível, indiferente **2** **suave**, brando, agradável, doce, meigo ≠ **áspero**, desagradável, ríspido **3** **compassivo**, bondoso, caritativo, clemente ■ *n.m.* **1** **trindade** **2** [BRAS.] **fato**

ternura *n.f.* **1** **meiguice**, carinho, afeto, afeição, amizade, amor, bafo *fig.* ≠ **descarinho**, desafeto, desamor **2** **suavidade**, meiguice, brandura, lenidade, mansidão, amenidade, doçura *fig.* ≠ **aspereza**, desagradado, rispidez, rudeza

terra *n.f.* **1** **solo**, chão, terreno **2** **lugar**, local, território, região **3** **pátria**, país, naturalidade, nacionalidade, nação, origem **4** **propriedade**, fazenda, herdade, domínio **5** **campo**, planície, plano **6** **poeira**, pó, poalha **7** *fig.* **sepultura**, cova **8** *fig.* **mundo**

terra-a-terra *adj.inv.* **1** **simples**, natural **2** **direto**, objetivo **3** **franco**, sincero, lhano, aberto ≠ **falso**, insincero **4** *pej.* **trivial**, corriqueiro, habitual, usual, frequente ≠ **desabituado**, infrequente, irregular

terraço *n.m.* **1** **terrado**, eirado, terreiro, terrapleno **2** **plataforma**, açoteia, eirado

terramoto *n.m.* GEOG. **sismo**, abalo

terraplenagem *n.f.* **desaterro**, terrapleno

terraplenar *v.* **1** **desaterrar**, aplanar **2** **aplanar**, alisar, achanar, alhanar, nivelar

terrapleno *n.m.* **1** **desaterro**, terraplenagem **2** **terraço**, eirado, terreiro, terrado

terráqueo *adj.* **terrestre**, terreal, terrenho

terreiro *n.m.* **adro**, largo, terraço, rossio ■ *adj.* **térreo**

terrenho *adj.2g.* **1** **terrestre**, terreal, terráqueo, terreno **2** *fig.* **mundano**, temporal, secular, terreal *fig.*, terrestre *fig.* ≠ **espiritual**, celestial

terreno *n.m.* **1** **terra**, chão, solo **2** *fig.* **tema**, assunto, matéria, questão ■ *adj.* **1** **terrestre**, terreal, terráqueo, térreo **2** *fig.* **mundano**, temporal, secular, terreal *fig.*, terrestre *fig.* ≠ **espiritual**, celestial

térreo *adj.* **1** **terrestre**, terreal, terráqueo, terreno **2** **terroso** **3** (pavimento) **terreiro** ■ *n.m.* [BRAS.] **rés-do-chão**

terrestre *adj.2g.* **1** **terreno**, terreal, terráqueo, térreo **2** *fig.* **mundano**, temporal, secular, terreal *fig.*, terreno *fig.* ≠ **espiritual**, celestial

terrífico *adj.* **terrível**, aterrador, horrendo, horroroso, pavoroso ≠ **agradável**, aprazível

terrina *n.f.* **sopeira**

território *n.m.* **1** **terra**, região, área, zona **2** **distrito**, comarca

terrível *adj.2g.* **1** **terrífico**, aterrador, horrendo, horroroso, pavoroso, medonho, assustador, larval, metuendo *poét.* ≠ **agradável**, aprazível **2** **violento**, intenso, forte **3** **péssimo**, horrível, mau, deplorável ≠ **excelente**, ótimo, formidável, magnífico **4** **insuportável**, intolerável, detestável ≠ **suportável**, tolerável **5** **extraordinário**, fantástico, magnífico

terrivelmente *adv.* **1** **assustadoramente** **2** **extremamente**, excessivamente ≠ **minimanente**

terror *n.m.* **1** **pavor**, horror, temor, receio **2** **perigo**

terrorismo *n.m.* ≠ **antiterrorismo**

terrorista *adj.,n.m.* **bombista** [BRAS.]

ter-se *v.* **1** **segurar-se**, equilibrar-se **2** **manter-se**, conservar-se **3** **parar**, deter-se, imobilizar-se **4** **considerar-se**, reputar-se, acreditar-se, julgar-se, supor-se **5** **reprimir-se**, conter-se, refrear-se, deter-se, comedir-se ≠ **exceder-se**, descomedir-se **6** **apegar-se**, afeiçoar-se, dedicar-se, prender-se *fig.*

terso *adj.* **1** **limpo**, puro, imaculado **2** **polido**, limado, lustroso **3** **vernáculo**, castiço, puro **4** **correto** **5** **rígido** **6** **túmido**, inchado, tumefeito ≠ **desinchado**

tersol *n.m.* (Religião) **manutérgio**, manistérgio

tertúlia *n.f.* **1** **assembleia**, reunião **2** *col.* **embriaguez**, bebedeira, ebriedade, bico, canjica, borracheira *col.*, piela *col.*, bruega *col.*, cabeleira *col.*, cardina *col.*, carraspana *col.* ≠ **sobriedade**, abstemia

tesão *n.m.* **1** **rigidez**, tesura, dureza, rijeza, fibra ≠ **mole**, brando **2** *fig.* **força**, vigor, robustez, fibra **3** *fig.* **impetuosidade**, ímpeto, intensidade **4** *fig.* **perseverança**, pertinácia, firmeza, obstinação, paciência, persistência, tenacidade, constância ≠ **renúncia**, cessação, desistência, afastamento **5** *vulg.* **ereção** ≠ **frouxidão** **6** *vulg.* **excitação**

tese *n.f.* **1** **dissertação** **2** **enunciação**, asserção **3** **tema**, assunto, questão

teso *adj.* **1** **esticado**, estirado, tenso ≠ **frouxo**, lasso, bambo, folgado **2** **inteiriçado**, hirto, ereto, rígido, testo ≠ **frouxo**, mole **3** *fig.* **intrépido**, valente, corajoso, destemido, afoito, arrojado, ousado ≠ cobarde, medroso, medricas, cagarola *col.* 4 *fig.* enérgico, vigoroso, forte ≠ fraco 5 *fig.* inflexível, firme, duro ≠ flexível, mole 6 *fig.* renhido, violento 7 *col.* depenado, fanado, duro [BRAS.] ≠ endinheirado, rico ■ *n.m. col.* pobre, miserável ≠ rico, ricaço

tesoura *n.f. fig.* maldizente, má-língua, difamador, detraidor, navalha, murmurador

tesourar *v.* 1 talhar, cortar 2 maldizer, censurar, ofender, descompor, detrair, difamar, assetear *fig.*, atassalhar *fig.* ≠ considerar, respeitar, estimar

tesouraria *n.f.* 1 contadoria, pagadoria 2 (finanças) recebedoria

tesoureiro *n.m.* pagador, bolseiro, arcário, arrecadador

tesouro *n.m.* 1 erário, cofre, côa [REG.] 2 riqueza, fortuna, capital, cabedal, património, posses, bens ≠ pobreza, miséria 3 património, riqueza

testa *n.f.* 1 ANAT. fronte, frente 2 couraça, coura, armadura 3 *fig.* frente, dianteira, cabeceira, testeira ≠ traseira, retaguarda

testada *n.f.* 1 testeira 2 frente

testamentário *adj.* testamental ■ *n.m.* testamenteiro, executor

testamenteiro *n.m.* testamentário, executor

testamento *n.m.* manda *ant.*

testar *v.* 1 ensaiar, provar, experimentar 2 legar, deixar, dar, transmitir 3 atestar, testemunhar 4 examinar, avaliar

teste *n.m.* 1 verificação, prova, constatação 2 MED. ensaio, experiência, experimentação, prova, mostragem 3 *gír.* exame, prova, controlo 4 *ant.* testemunha, atestador

testemunha *n.f.* 1 espectador, observador 2 DIR. atestador, teste *ant.* 3 prova

testemunhar *v.* 1 atestar 2 certificar, confirmar, comprovar, atestar, provar, autenticar, reconhecer 3 ver, observar, presenciar, assistir 4 revelar, expressar, exprimir, manifestar, contar ≠ ocultar, omitir

testemunho *n.m.* 1 depoimento, declaração, deposição, prova, testificação 2 demonstração, prova, indício, sinal, manifestação 3 comprovação, constatação, verificação, corroboração, fundamentação, confirmação ≠ negação, impugnação, contradição

testículo *n.m.* ANAT. bola *col.*, tomate *cal.*, grão *col.*, colhão *vulg.*

testo *n.m.* 1 tampa, cobertoura [REG.] 2 testico 3 *col.* cabeça, bola *col.*, cachimónia *col.*, capacete *col.*, cachola *col.*, carola *col.*, tola *col.*, mona *col.*, pinha *col.*, caco *fig.*, cuca [BRAS.] 4 *col.* chapéu, sombreiro ■ *adj.* 1 resoluto, firme, decidido, seguro, inabalável ≠ hesitante, vacilante, inseguro 2 seguro, estável, firme, inabalável, fixo ≠ inseguro, abalável 3 atento, concentrado, desperto ≠ distraído, alheado 4 teso, rijo, hirto, rígido, ereto, inteiriçado ≠ frouxo, mole 5 (vasilha) repleto, atestado, cheio ≠ vazio

teta *n.f.* 1 mama, úbere, teto 2 *vulg.* seio, peito, mama *col.* 3 *fig.* sustento, alimento 4 *fig.* mama 5 *fig.* fonte, manancial 6 *fig.* outeiro, colina, montículo, mamelão, morro

tetania *n.f.* 1 MED. contração, convulsão, retraimento, espasmo, adstringência, crispação, encolhimento ≠ distensão, dilatação 2 agitação, convulsão, perturbação, abalo ≠ tranquilidade, calma, sossego

tétano *n.m.* MED. tonismo

tete *n.m.* mercenário

teto[dAO] *n.m.* 1 cobertura 2 *fig.* casa, habitação, lar, edifício, prédio, residência, vivenda, domicílio, fogo, moradia 3 *fig.* abrigo, pretecção 4 *col.* juízo, prudência, siso, tino, sensatez ≠ imprudência, desatino, insensatez

tetraneto *n.m.* tataraneto

tetravô *n.m.* tataravô

tétrico *adj.* 1 fúnebre, lúgubre, sinistro, sorumbático, macambúzio, sombrio *fig.* 2 medonho, pavoroso, soturno, lúgubre, hamlético *fig.* 3 carrancudo, sisudo, cenhoso, trombudo, mal-encarado, sombrio *fig.* ≠ risonho, sorridente, alegre 4 severo, austero, rigoroso, duro

tetro *adj.* 1 negro, sombrio, escuro ≠ claro, luminoso 2 horrível, pavoroso, tétrico, medonho

teutão *adj.* teutónico, germânico

texto *n.m.* 1 escrito, redação 2 passagem, trecho, excerto, extrato, lugar, passo, página *fig.* 3 LING. discurso

textual *adj.2g.* literal, próprio, exato

textualmente *adv.* 1 literalmente, propriamente 2 exatamente, rigorosamente ≠ metaforicamente, figuradamente, simbolicamente

textura *n.f.* 1 tecido, trama 2 contextura, contexto, compostura, composição, organização, constituição, disposição, formação, tessitura ≠ desorganização 3 aparência 4 consistência

texugo *n.m.* 1 ZOOL. teixugo, bicharengo 2 *fig.,pej.* botija *fig.*

tez *n.f.* cútis, epiderme, cutícula

tia *n.f.* 1 titi *infant.*, titia [BRAS.] *col.* 2 *col.,pej.* celibatária, solteirona

tiá *n.m. col.* porco, suíno, cerdo, grunho, chico *col.*, chicho *col.*, chino *col.*, erviço *col.*, ganiço *col.*, foção *col.*, chacim *ant.*, borrão [REG.], carrancho [REG.], rocim [REG.]

tiara *n.f. fig.* papado

tíbia *n.f.* 1 ANAT. canela, cnémide 2 *poét.* pífaro 3 *col.* perna, gâmbia, gambeta

tibieza *n.f.* 1 tepidez, mornidão 2 fraqueza, frouxidade, moleza, brandura ≠ firmeza, rigidez 3 *fig.* frieza, desinteresse, despreendimento, mornidão ≠ interesse, entusiasmo, sensibilidade

tíbio *adj.* 1 morno, tépido 2 *fig.* fraco, frouxo, mole, indolente ≠ firme, rijo 3 *fig.* desapaixonado, esmorecido, indiferente, frio, insensível ≠ apaixonado, enamorado, interessado 4 *fig.* escasso, raro ≠ abundante, farto

tica *n.f. col.* beata, prisca, carocha

tição *n.m.* 1 brasa, áscua 2 carvão

tico *n.m.* 1 tique 2 [BRAS.] nico, bocado, pedaço 3 [BRAS.] instante, momento

tido *adj.* 1 possuído 2 considerado, reputado, respeitado, apreciado, estimado ≠ desprezado, desrespeitado, desconsiderado

tifo *n.m. col.* febre tifoide, maligna *col.*

tifoide[dAO] *adj.2g.* tifoso, tífico

tifóide[aAO] *adj.2g.* ⇒ **tifoide**[dAO]

tigela *n.f.* malga, cunca, conca *col.*

tijolo *n.m.* 1 adode 2 *col.* calhamaço, cartapácio, livrório *pej.*

til *n.m.* GRAM. tilde

tilintar *v.* telintar, tatalar, traquinar, trincolejar, tintinar, tintinir

timbrado *adj.* 1 (papel) selado, carimbado 2 (voz) harmonioso, melodioso, modulado

timbrar *v.* 1 selar, carimbar 2 assinalar, marcar, distinguir 3 qualificar, tachar, taxar, acoimar 4 aprimorar, caprichar, apurar-se, esmerar, exceder ≠ descuidar, descurar, desmazelar, desleixar

timbre *n.m.* 1 carimbo, selo 2 marca, sinal, distinção, insígnia 3 HER. escudo, armas, insígnia, emblema 4 lema, máxima, sentença, norma, divisa 5 *fig.* uso, costume 6 *fig.* gala, glória 7 (canções) estribilho

timidamente *adv.* receosamente, curtamente ≠ atrevidamente, despudoradamente

timidez *n.f.* acanhamento, encolhimento, inibição, vergonha ≠ extroversão, comunicatividade, expansividade, desinibição

tímido *adj.* 1 acanhado, envergonhado, inibido, confundido, pusilânime, retraído, temudo *ant.* ≠ expansivo, extrovertido, franco, entusiasta 2 assustadiço, espantadiço, medroso, temeroso ≠ corajoso, audaz, valente 3 cuidadoso, temeroso, timorato, escrupuloso

timo *n.m.* BOT. tomilho, salpor *col.*

timocracia *n.f.* plutocracia, argentarismo

timoneiro *n.m.* 1 NÁUT. temoneiro 2 *fig.* guia, chefe, líder, diretor

timor *adj.,n.2g.* timorense

timorato *adj.* 1 tímido, acanhado, envergonhado, inibido, confundido, pusilâmine, retraído ≠ expansivo, extrovertido, franco, entusiasta 2 cuidadoso, temeroso, tímido, escrupuloso 3 receoso, medroso, temeroso, tímido ≠ corajoso, audaz, valente

timorense *adj.,n.2g.* timor

tímpano *n.m.* 1 campainha, sino 2 TIP. timpanilho 3 MÚS. timbale, atabaque, atabale 4 *col.* ouvidos

tina *n.f.* banheira, selha, canoa

tinção *n.f.* tintura, coloração, pigmentação, colorido ≠ descoloração

tingir *v.* 1 colorir, colorar, corar, pintar, pigmentar ≠ descolorir, descorar, destingir 2 ruborizar, carminar, avermelhar, purpurear

tingitano *adj.,n.m.* tangerino

tinha *n.f.* 1 MED. tricofitia, tricofitíase, favosa, porrigem, porrigo 2 *fig.* defeito, vício, imperfeição, falha, falta

tinhoso *adj.* 1 porriginoso 2 *fig.* repelente, repugnante, nojento, asqueroso ≠ agradável, aprazível ▪ *n.m. col.* (com maiúscula) Diabo, Demo, Demónio, Satanás, Belzebu, maligno, canhoto *col.*, carocho *col.*, porco-sujo *col.*, mafarrico *col.*

tinido *n.m.* 1 tinir 2 zumbido, zunzum, murmúrio

tinir *v.* 1 retinir 2 (ouvidos) zunir, zoar 3 *col.* tiritar, tremer, tremelicar, reganhar, estralar *fig.* ▪ *n.m.* tinido

tino *n.m.* 1 juízo, sensatez, siso, discernimento, critério, cabeça *fig.*, cachimónia *col.* ≠ desatino, insensatez, disparate, despautério, despropósito, destempero, nonsense 2 discrição, circunspeção, ponderação, prudência, sobriedade, reserva, seriedade, sisudez ≠ extroversão, desinibição, euforia *fig.* 3 habilidade, vocação, jeito, queda, propensão, tendência, disposição, capacidade, tato *fig.* ≠ inabilidade, inaptidão, incapacidade 4 atenção 5 ideia

tinta *n.f.* 1 matiz, tom 2 BOT. vinhão, sousão 3 *fig.* vestígio, laivo

tinta-da-china[aAO] *n.f.* ⇒ **tinta da china**[dAO]

tinta da china[dAO] *n.f.* nanquim

tinto *adj.* 1 tingido 2 colorido, pintado ≠ descolorido, pálido *fig.* 3 *fig.* manchado, sujo, maculado, conspurcado 4 avinhado, cor de vinho ▪ *n.m.* tintol

tintura *n.f.* 1 tinção, coloração, cor, colorido, pigmentação, cromatismo, tingidura ≠ descoloração 2 [*pl.*] *fig.* noções, rudimentos, luzes, laivos *fig.*, lascas *fig.*, sombras 3 [*pl.*] *fig.* vestígios, laivos

tintureira *n.f.* 1 BOT. tintureiro 2 BOT. bela-sombra, erva-dos-cachos-da-índia 3 ICTIOL. quelha, veletina, tintureiro 4 ZOOL. vinagreira, aplísia, lebre-do-mar, bêbedo

tintureiro *n.m.* 1 BOT. tintureira 2 ICTIOL. quelha, veletina, tintureira ▪ *adj.,n.m.* tingidor, tintor

tipa *n.f. col.* fulana, sujeita, pessoa, criatura, figura, ser, gaja *col.*

tipicamente *adv.* caracteristicamente, especificamente, especialmente, particularmente ≠ atipicamente

típico *adj.* 1 **característico**, próprio, específico, particular, representativo, peculiar, especial, exclusivo, singular ≠ **universal**, geral, genérico, abrangente 2 **simbólico**, emblemático, alegórico, figurado ≠ **real**

tipificar *v.* 1 **caracterizar**, representar 2 **particularizar**, singularizar, personalizar, individualizar ≠ **generalizar**, massificar, universalizar

tipo *n.m.* 1 **espécie**, género 2 **modelo**, exemplar, padrão, standard 3 BIOL. **proterótipo** 4 *fig.* **indivíduo**, sujeito, pessoa, criatura, figura, ser, fulano *col.*, gajo *col.* 5 *fig.* **símbolo**, figura

tipografar *v.* **imprimir**, reproduzir

tipografia *n.f.* **imprensa**, gráfica

tipógrafo *n.m.* **impressor**, compositor, imprimidor

tipoia[dAO] *n.f. pej.* **capoeira**, sege

tipóia[aAO] *n.f.* ⇒ **tipoia**[dAO]

tique *n.m.* 1 **tico** 2 **tiquetaque**, taquetaque 3 *fig.,pej.* **cacoete**, sestro

tira *n.f.* 1 **faixa**, fita, orla, banda, barra, tarja, listão, debrum 2 **risca**, lista 3 **correia** 4 **friso**, filete 5 **franja**, fímbria

tiracolo *n.m.* **boldrié**, bandoleira, talim, talabarte, cinturão

tirada *n.f.* 1 **caminhada**, andada, estirada, calcorreada, marcha, esticão *col.* 2 **rasgo**, ímpeto, lance 3 [BRAS.] **tiragem**

tiragem *n.f.* 1 **tiradura**, tiramento, tirada, tiração, extração 2 **edição**, reimpressão

tirana *n.f. col.* **megera**

tirania *n.f.* 1 **despotismo**, absolutismo, autoritarismo, autocracia, ditadura, miguelismo *fig.* ≠ **democracia**, liberalismo 2 **opressão**, sujeição, domínio, jugo, canga, cativeiro *fig.*, gargalheira *fig.* ≠ **insubmissão**, insubordinação, desobediência 3 **barbaridade**, barbaria, crueza, crueldade, atrocidade, algozaria, impiedade, ferocidade, desumanidade, maldade, feridade, sevícia, barbarismo *fig.* ≠ **humanidade**, bondade, piedade, benevolência 4 *col.* **ingratidão**, desagradecimento, desconhecimento, patada *fig.* ≠ **gratidão**, agradecimento, reconhecimento

tirânico *adj.* 1 **despótico**, tirano, prepotente, iliberal, arbitrário, autoritário, imperativo, ditatorial, procustiano *fig.* ≠ **democrata**, liberal 2 **cruel**, atroz, desumano, feroz, bárbaro, beluíno, impiedoso, protervo ≠ **humano**, bondoso, piedoso, bom, compassivo

tiranizar *v.* 1 **oprimir**, escravizar, avassalar ≠ **descravizar**, libertar, destiranizar 2 *fig.* **reprimir**, oprimir, coibir, confranger, mortificar, refrear, sufocar *fig.*, comprimir *fig.* ≠ **libertar**, desoprimir 3 **embaraçar**, constranger, estorvar, prejudicar, desarranjar, empecer, dificultar, atrapalhar ≠ **ajudar**, facilitar

tirano *n.m.* **déspota**, opressor, autocrata, ditador, proscritor *fig.* ≠ **democrata**, liberal ■ *adj.* 1 **tirânico**, despótico, prepotente, iliberal, arbitrário, autoritário, imperativo, ditatorial, procustiano *fig.* ≠ **democrata**, liberal 2 **bárbaro**, atroz, sanguinário, desumano, impiedoso, beluíno, protervo ≠ **humano**, bondoso, piedoso, bom, compassivo

tira-olhos *n.m.2n.* ZOOL. **libélula**, libelinha, donzelinha, cavalo-das-bruxas

tirar *v.* 1 **extrair**, retirar 2 **arrancar**, extrair, remover, retirar ≠ **colocar**, fixar, implantar 3 **arremessar**, atirar, lançar 4 **inferir**, deduzir, concluir, depreender, coligir 5 **subtrair**, deduzir ≠ **adicionar**, somar 6 **eliminar**, suprimir 7 **obter**, colher 8 **privar**, despojar, desapossar, expropriar 9 **ganhar**, conseguir, auferir 10 **despir**, retirar, desenfiar ≠ **calçar**, colocar, pôr 11 **roubar**, furtar, subtrair, surripiar ≠ **devolver**, restituir, entregar 12 **chocar**

tirar-se *v.* 1 **desviar-se**, afastar-se 2 **livrar-se**, escapar-se 3 **sair**

tiritar *v.* **tinir**, tremer, tremelicar, reganhar, badalejar, estalejar *fig.*, engaranhar-se

tiro *n.m.* 1 **disparo**, estouro 2 **detonação**, estouro, estampido 3 **projétil**, bala 4 *fig.* **êxito**, triunfo, brilharete, glória, vitória, sucesso ≠ **fiasco**, fracasso, estenderete, barraca *fig.* 5 **púrpura**, cor de vinho, vermelho-escuro 6 *col.* **piadinha**, remoque, biscate, picuinha *fig.*

tirocinante *adj.,n.2g.* **aprendiz**, novato, iniciado, praticante, principiante, bisonho, catecúmeno, noviço *fig.* ≠ **experiente**, perito

tirocinar *v.* **praticar**, exercitar-se

tirocínio *n.m.* 1 **aprendizado**, discipulato, aprendizagem, noviciado, preparação, estágio 2 **prática**, experiência, perícia, traquejo *col.* ≠ **inexperiência**, imperícia

tiroteio *n.m.* **fuzilada**, fuzilaria, troada

tirrénico *adj.,n.m.* **etrusco**, tirreno

tirreno *adj.,n.m.* **tirrénico**, etrusco

tisana *n.f.* **infusão**, xarope, poção

tísica *n.f.* MED. **tísis**, tuberculose, héctica, queixa de peito

tísico *adj.,n.m.* 1 **tuberculoso**, héctico 2 *fig.,pej.* **magricela**, escanifrado *col.*, escanzelado *col.*

tisnar *v.* 1 **enegrecer**, escurecer, obscurecer, ofuscar, encarvoejar *fig.* ≠ **clarear**, aclarar, desobscurecer 2 **enfarruscar**, mascarrar, encarvoejar *fig.* 3 **tostar**, carbonizar, esturrar-se 4 *fig.* **manchar**, macular, sujar

titã *n.m.* **gigante**, colosso, torre *fig.* ≠ **anão**, pigmeu *fig.*

titânico *adj.* **despótico**, tirano, prepotente, iliberal, arbitrário, autoritário, imperativo, ditatorial, procustiano *fig.* ≠ **democrata**, liberal

títere *n.m.* 1 **marioneta**, fantoche, bonifrate, androide *fig.*, franca-tripa [BRAS.] 2 *fig.,pej.* **bonifrate** 3 *col.* **palhaço**, bufão, histrião, truão, bobo *fig.*, arlequim *fig.* **4** *col.* **janota**, casquilho, peralvilho, taful, peralta, catita, pimpão, aprumado *fig.*, pinoca *col.* ≠ **deselegante**, desajeitado, desairoso, desgracioso **5 testa-de-ferro**

titi *n.2g. infant.* **tio**, tia

titilar *v.* **1 comichar 2 palpitar**, estremecer, bater **3** *fig.* **adular**, lisonjear, cortejar, bajular, bajoujar, incensar *fig.*, pajear *fig.* ≠ **censurar**, criticar, menosprezar, reprovar

titubeação *n.f.* **hesitação**, vacilação, flutuação, incerteza, indecisão, arrepsia ≠ **resolução**, decisão, determinação

titubeante *adj.2g.* **1 cambaleante**, oscilante **2 vacilante**, hesitante, claudicante, incerto, perplexo, indeciso, oscilante *fig.* ≠ **determinado**, certo, decidido, resoluto

titubear *v.* **1 cambalear**, cambar, oscilar, vacilar **2 hesitar**, vacilar, oscilar, duvidar, balançar *fig.*, claudicar *fig.*, patinar *fig.*, gaguear *fig.* ≠ **decidir**, determinar, deliberar

titular *v.* **1 chamar**, intitular, apelidar **2 rotular**, catalogar, etiquetar **3 registar 4** QUÍM. **quantificar** ■ *adj.2g.* **honorário**, honorífico ■ *n.2g.* **1 nobre**, fidalgo **2** DIR. **dono**, detentor, proprietário, possessor, senhor, possuidor

titularidade *n.f.* **efetividade**

título *n.m.* **1 letreiro**, rótulo, etiqueta, legenda, dístico **2 grau 3 honraria**, dignidade **4 motivo**, fundamento, pretexto, razão, base **5 atributo**, qualidade, merecimento, virtude, mérito **6 documento**, ata, instrumento **7 direito**

tô *n.m.* [REG.] **porco**, suíno, cerdo, grunho, chico *col.*, chicho *col.*, chino *col.*, erviço *col.*, ganiço *col.*, foção *col.*, chacim *ant.*, borrão [REG.], carrancho [REG.], rocim [REG.]

toa *n.f.* **sirga**

toada *n.f.* **1 canto 2 entoação**, tom, tono **3 ruído**, barulho **4 modo**, maneira, estilo, sistema **5** *fig.* **ruído**, rumor, som, soada

toalha *n.f.* **1 mantel**, mantém **2 toalhinha**

toalhete *n.m. ant.* **guardanapo**

toante *adj.2g.* **1 soante**, sonoro **2 sonoro**, melodioso, harmonioso, canoro ≠ **dissonante**

toar *v.* **1 estrondear**, trovejar, ribombar, ressoar **2 soar**, ressoar **3** *fig.* **espalhar-se**, divulgar-se, propagar-se **4** *fig.* **condizer**, combinar, concertar ≠ **destoar**, divergir, aberrar

toca *n.f.* **1 covil**, buraco, cadoz, aprisco, loca, lora, lura, madrigueira, madrilheira, lorca **2** *fig.* **refúgio**, esconderijo, ninho **3 toqueira**, toco

tocadela *n.f.* **1 tocadura**, tocamento, toque **2 tocata** *col.*, musicata **3 contacto**, toque

tocado *adj.* **1 atingido**, alvejado **2 impelido**, empurrado, movido **3 contaminado**, afetado **4 afetado**, lesado **5 comovido**, emocionado **6** (assunto, tema) **mencionado**, citado, referido **7** (fruta, legume) **sorvado**, apodrecido

tocador *adj.,n.m.* **1 tangedor 2** *col.* **bêbado**, bebedor, bêbedo, alcoólatra, ébrio, beberrão, borrachão *col.*, bebedolas *col.*, esponja *col.* ≠ **abstémio**, abstinente

tocante *adj.2g.* **1 relativo**, referente, respeitante, concernente, atinente, respetivo **2 comovente**, enternecedor, comovedor, impressionante ≠ **insensível**, indiferente, apático

tocar *v.* **1 apalpar**, tatear **2 roçar**, aproximar **3 confinar**, circunscrever, delimitar, confrontar, limitar **4** (instrumentos musicais) **tanger**, executar, vibrar, dedilhar **5 bater**, sovar **6** (horas) **soar**, bater, anunciar, dar **7 castigar**, açoitar **8 mencionar**, referir, citar, aportar-se **9 caber**, pertencer, competir, incumbir, tomar, cumprir ≠ **descaber 10 impelir**, impulsionar, instigar, mover ≠ **desencorajar**, desanimar **11 comover**, emocionar, enternecer, impressionar, abalar ≠ **descomover**, empedernir *fig.* **12 aperfeiçoar**, melhorar **13 ofender**, ferir **14** *col.* **beber**, ingerir **15** (gado) **conduzir**, guiar, tanger

tocar-se *v.* **1 relacionar-se**, assemelhar-se, parecer-se **2 aperceber-se**, consciencializar-se, reparar **3 impressionar-se 4 embebedar**, embriagar-se, emborrachar-se, alcoolizar-se, empiteirar-se, engrossar-se, tomar-se

tocata *n.f. col.* **musicata**, tocadela, festada [REG.]

tocha *n.f.* **1 archote**, facho, teia **2 círio**, brandão, lume

toco *n.m.* **1 toca**, toqueira, toqueiro **2 cacete 3 coto**

toda *n.f.* ORNIT. **todeiro**

todavia *conj.* **contudo**, porém, mas, no entanto, ainda assim, não obstante

todo *det.,pron.indef.* **qualquer**, cada ■ *adj.* **inteiro**, completo, íntegro, total, pleno ≠ **parcial**, incompleto ■ *adv.* **inteiramente**, completamente, absolutamente ■ *n.m.* **1 soma**, total, totalidade, tanto ≠ **parte**, porção, fração **2 universalidade**, totalidade, globalidade **3 globalidade**, totalidade, generalidade ≠ **especialidade**, particularidade

toga *n.f.* **1 beca 2** *fig.* **magistratura**, justiça

togado *n.m.* **magistrado**, juiz

tojal *n.m.* **tojeira**

tojeira *n.f.* **1 tojal 2 tojeiro**

tojo *n.m.* BOT. **carraço**

tola *n.f. col.* **cabeça**, bola *col.*, cachimónia *col.*, capacete *col.*, cachola *col.*, carola *col.*, mona *col.*, pinha *col.*, caco *fig.*, cuca [BRAS.], tonta *col.*

tolda *n.f.* NÁUT. **tolde**, tendal

toldar *v.* **1 atoldoar 2** *fig.* **encobrir**, anuviar, nublar, enevoar ≠ **desanuviar**, desenevoar, desnublar **3 escurecer**, ofuscar, assombrar, turvar ≠ **clarear**, desassombrar **4** (raciocínio) **perturbar**, dificultar, confundir, baralhar, atrapalhar **5** entristecer, desalegrar ≠ **desentristecer**, alegrar, desensombrar

toldar-se *v.* 1 **escurecer**, embrumar-se, obnubilar-se, obumbrar-se, nevoar-se, turvejar-se ≠ **clarear** 2 *col.* **embebedar**, embriagar-se, emborrachar-se, alcoolizar-se, empiteirar-se, engrossar-se

toldo *n.m.* NÁUT. **tolda**, tendal

toledo *n.m.* **toleima**, patetice, cisma, tolice, asneira, lorpice, parvoidade, tarouquice, necedade, bajoujice ≠ **juízo**, acerto, esperteza

toleima *n.f.* 1 **patetice**, toledo, cisma, tolice, asneira, lorpice, parvoíce, tarouquice, necedade, bajoujice ≠ **juízo**, acerto, esperteza 2 **presunção**, jactância, afetação, orgulho, altivez, soberba, bazófia *fig.* ≠ **discrição**, simplicidade, sobriedade, despojamento, recato, modéstia

toleirão *n.m. pej.* **parvalhão**, imbecil, parvo, tolo, idiota, estúpido, palerma, patego, paspalho, badana *col.*, bate-orelha *fig.*, babaca [BRAS.] *col.* ≠ **conhecedor**, entendedor, erudito, sábio, sabedor

tolerado *adj.* 1 **consentido**, permitido, cedido ≠ **proibido**, interdito, interditado, proscrito 2 (medicamento) **suportado**, digesto, aturado, aceite ≠ **intolerado**

tolerância *n.f.* 1 **condescendência**, indulgência, transigência, suportação, flexibilidade, abertura, permissividade ≠ **intolerância**, intransigência, implacabilidade 2 **permissão**, autorização, consentimento, licença

tolerante *adj.2g.* **condescendente**, complacente, indulgente, transigente, liberal ≠ **inflexível**, intransigente, implacável

tolerar *v.* 1 **consentir**, transigir, permitir, condescender, deixar, assentir ≠ **impedir**, proibir, recusar 2 **suportar**, aguentar, aturar ≠ **resistir**, recusar 3 BIOL. (organismo) **assimilar**, absorver

tolerável *adj.2g.* 1 **admissível**, aceitável, concedível, transigível, suportável, perpassável ≠ **inadmissível**, intolerável, proibido 2 **sofrível**, patível, aturável, passável, suportável ≠ **insuportável**

tolher *v.* 1 **estorvar**, embaraçar, complicar, dificultar, obstaculizar ≠ **facilitar**, ajudar 2 **inibir**, coibir, reprimir ≠ **desembaraçar**, desinibir 3 **vedar**, impedir, barrar 4 **embargar**, proibir, desautorizar, vetar ≠ **autorizar**, consentir, permitir 5 **paralisar**, imobilizar

tolhido *adj.* 1 **entrevado**, paralítico, paralisado 2 **enfezado** 3 **interdito**, proibido, impedido, vedado ≠ **autorizado**, permitido 4 **atacado** 5 **possuído**, tomado, invadido ≠ **libertado**, despojado 6 **apreendido**

tolice *n.f.* **patetice**, palermice, parvoíce, disparate, idiotice, asneira, lorpice, pateguice, imbecilidade, camelice, burrice, burricada *fig.* ≠ **juízo**, acerto, esperteza

tolo *adj.,n.m.* 1 **idiota**, palerma, estúpido, patego, papalvo, parvo, besta, badana *col.*, burro *fig.*, bate-orelha *fig.*, paspalho *pej.*, jumento *fig.,pej.*, babuíno *fig.,pej.*, babaca [BRAS.] *col.*, inhenho *ant.*, sandio ≠ **inteligente**, esperto, astuto, perspicaz, sagaz, fiúza 2 **louco**, doido, demente, alienado, mentecapto, maluco, desmiolado *fig.* ≠ **atinado**, ajuizado 3 **ingénuo**, crédulo, simples, inocente, simplório *pej.* ≠ **malicioso**, manhoso, astucioso, sabido 4 **disparatado**, absurdo, descabido, desapropriado, despropositado, descabelado *fig.* ≠ **propositado**, conveniente 5 **presunçoso**, presumido, vaidoso, orgulhoso, pretensioso, afetado, fátuo, narciso *fig.* ≠ **despretensioso**, desafetado, modesto

tom *n.m.* 1 **som**, sonância 2 **acento**, timbre 3 **modulação**, entono, inflexão, intonação 4 **tensão** 5 **tonalidade**, cambiante, matiz, nuance 6 **carácter**, estilo, teor, cunho 7 MÚS. **tonalidade** 8 *ant.* **diapasão**

toma *n.f.* **tomada**, apreensão, apresamento, captura, presa, tomadia ≠ **devolução**, reenvio, reposição, restituição

tomada *n.f.* 1 **conquista**, expugnação, presúria 2 **captura**, apreensão, apresamento, presa, tomadia, toma ≠ **devolução**, reenvio, reposição, restituição

tomado *adj.* 1 **conquistado**, expugnado, domado, ocupado ≠ **libertado** 2 **possuído**, dominado, ocupado 3 **preso**, agarrado, apreendido, apanhado ≠ **solto** 4 **atacado** 5 **influenciado** 6 **ofendido**, picado, injuriado, insultado 7 **paralisado**, imobilizado 8 **embriagado**, ébrio, alegre, enfrascado, bicudo, tocado *col.*, grogue *col.* ≠ **sóbrio**, abstémico 9 **avaliado** 10 **julgado**, reputado, apreciado ■ *n.m.pl.* **pregas**, dobras

tomador *adj.,n.m.* **conquistador**, dominador, invasor, expugnador, subjugador ≠ **subjugado**, dominado, subordinado ■ *n.m.* **segurado**

tomar *v.* 1 **pegar**, agarrar, segurar 2 **apanhar**, pegar ≠ **perder** 3 **conquistar**, apoderar-se, ocupar, invadir ≠ **liberar**, libertar 4 **confiscar**, apreender, capturar 5 **roubar**, furtar, extorquir, surripiar, subtrair, cardar *col.* ≠ **devolver**, entregar, dar 6 **optar**, escolher, preferir, eleger, seletar, selecionar ≠ **renunciar**, rejeitar, preterir 7 **adotar**, acolher, receber, aceitar ≠ **recusar**, rejeitar 8 **assumir**, adquirir, apresentar 9 **utilizar**, empregar, usar, servir-se 10 **gastar**, consumir, despender, usar, ocupar 11 **considerar**, julgar, qualificar, classificar 12 **interpretar**, aspirar 13 **beber**, ingerir, absorver

tomar-se *v.* 1 **agastar-se** 2 **embebedar**, embriagar-se, emborrachar-se, alcoolizar-se, empiteirar-se, engrossar-se, tocar-se

tomate *n.m.* 1 (planta) **tomateiro** 2 [*pl.*] *cal.* **testículos**, bolas *cal.*, grãos *col.*, colhões *vulg.*

tomba *n.f.* BOT. **espelina**

tombadilho *n.m.* NÁUT. **convés**

tombar *v.* 1 **cair**, derruir, esborrachar-se 2 **inclinar-se**, descair, pender 3 **descambar** 4 **virar-se**, voltar-se 5 **despreender-se** 6 **derrubar**, derribar, esmoronar, arriar, derruir ≠ **levantar**, erguer 7 *fig.* **morrer**, padecer, falecer, finar 8 **inventariar**, arrolar

tombo *n.m.* 1 **queda**, trambolhão, caída, boléu, baque, cambalhota *fig.* 2 **arquivo**, poeira

tomo *n.m.* 1 **divisão**, parte, parcela, fração 2 **fascículo**, volume 3 *fig.* **importância**, valor, valia, alcance

tona *n.f.* **película**

tonalidade *n.f.* **matiz**, cambiante, tom, nuance

tone *n.m.* **almadia**, canoa, ubá, igara

tonel *n.m.* 1 **cuba**, vasilha, balseiro, dorna 2 *fig.* **beberrão**, borrachão, beberraz, copofone, copista, esponja *col.*, pipa *col.*, sanguessuga *col.*, mata-borrão *fig.*, sopão *col.* ≠ **abstémio**, abstinente

tónica[AO] ou **tônica**[AO] *n.f. fig.* **ênfase**, destaque, realço, relevo

tónico[AO] ou **tônico**[AO] *adj.* 1 **revigorante**, analéptico, reconstituinte, reconfortador 2 *fig.* **fortificante**, revigorante 3 *fig.* **estimulante**, incentivante 4 GRAM. (acento) **predominante** 5 GRAM. (sílaba ou vogal) **predominante** ■ *n.m.* 1 FARM. **reconstituinte** 2 *fig.* **estímulo**, incentivo

tonificar *v.* **revigorar**, robustecer, fortalecer, fortificar, retemperar, avigorar, reanimar ≠ **enfraquecer**, debilitar

tonitruante *adj.2g.* 1 **trovejante**, trovento 2 **retumbante**, estrondoso, atroador, trovejante, trovoso, tonitruoso, tonítruo *poét.* ≠ **silencioso**

tono *n.m.* 1 **tom** 2 **toada**, tom, entoação 3 **cantiga**, ária, moda, modinha 4 **tonicidade**, tonia 5 **atitude** 6 **disposição**, vontade, ânimo

tonsura *n.f.* 1 **tosquia** *col.* 2 **cercilho**, coroa, carola

tonsurado *adj.* **tosquiado**

tonsurar *v.* 1 **tosquiar** *col.* 2 **cercilhar**

tontear *v.* 1 **disparatar**, desatinar, doidejar, asnear, necear, zarelhar, ventoinhar *fig.* ≠ **atinar**, ajuizar 2 *fig.* **atrapalhar-se**, perturbar-se, atarantar, desnortear, atordoar ≠ **orientar**, desatordoar

tonteira *n.f.* 1 **vertigem**, tontura, estonteamento, oura, arvoamento, nutação, vágado, perturbação, zonzeira [BRAS.], piloura [BRAS.] *col.* 2 **disparate**, tolice, asneira, absurdo, parvoíce, despautério, despropósito, sandice, batata, bernardice *col.* ≠ **juízo**, tino, sensatez, discernimento

tontice *n.f.* **disparate**, tolice, asneira, absurdo, parvoíce, despautério, despropósito, sandice, batata, bernardice *col.* ≠ **juízo**, tino, sensatez, discernimento

tonto *adj.* 1 **zonzo**, aturdido, atordoado, estonteado, azabumbado, acocado [REG.] 2 **desequilibrado**, destrambelhado, desvairado, maluco, tolo, desnorteado *fig.* ≠ **sensato**, equilibrado, ponderado 3 **aturdido**, atarantado, perturbado, atrapalhado 4 **disparatado**, despropositado, desapropriado, descomedido, descabido, absurdo, descabelado *fig.* ≠ **propositado**, conveniente 5 **imponderado**, irrefletido, leviano, imprudente, inconsciente, inconsequente ≠ **prudente**, ponderado, sensato, judicioso ■ *n.m.* 1 **idiota**, estúpido, pateta, parvo, pacóvio, palerma, tolo, matias ≠ **sabedor**, entendedor 2 **simplório**, pacóvio, lorpa, tanso, bacoco, palerma, possidónio, loura *col.*

tontura *n.f.* **vertigem**, tonteira, estonteamento, oura, arvoamento, nutação, vágado, perturbação, zonzeira [BRAS.], piloura [BRAS.] *col.*

topar *v.* 1 **deparar**, encontrar, dar, ver, achar, esbarrar 2 **chocar**, embater, colidir 3 *col.* **perceber**, compreender, entender, pescar *fig.,col.* 4 *col.* (convite, proposta, desafio) **aceitar**, concordar, assentir 5 *col.* (aposta) **igualar**, acompanhar

tope *n.m.* 1 **encontrão** 2 **choque**, embate, colisão 3 **cume**, cimo, topo, alto, auge, cumeeira, cimeira, cocuruto *fig.* ≠ **base**, sopé, falda, aba 4 **obstáculo**, impedimento, barragem, oposição, obstrução, estorvo, dificuldade, barreira *fig.* ≠ **desimpedimento**, desbloqueamento, permissão, acesso 5 NÁUT. **galope**

topete *n.m.* 1 **poupa**, pupu [REG.] 2 *col.* **cabeça**, bola *col.*, cachimónia *col.*, capacete *col.*, cachola *col.*, carola *col.*, tola *col.*, mona *col.*, pinha *col.*, caco *fig.*, cuca [BRAS.] 3 *fig.* **insolência**, atrevimento, audácia, desplante, descaro, coragem, despejo, ousadia, arrojo *fig.* ≠ **vergonha**, timidez, modéstia, comedimento

tópico *adj.* **local** ■ *n.m.* 1 **tema**, assunto, ponto, questão, matéria, objeto 2 **argumento** 3 LING. **tema** 4 [*pl.*] **lugares-comuns** 5 [*pl.*] **rudimentos**, noções, sombras, laivos *fig.*, lascas *fig.*, tinturas *fig.*

topo *n.m.* 1 **cume**, cimo, tope, alto, auge, cumeeira, cimeira, cocuruto *fig.*, top ≠ **base**, sopé, falda, aba 2 **extremidade**, ponta, extremo ≠ **meio**, centro 3 **topada** 4 **choque**, colisão, embate, esbarro, tope

topografia *n.f.* **topologia**

topologia *n.f.* **topografia**

toponímia *n.f.* **toponomástica**, geonomástica

toque *n.m.* 1 **tocadura**, tocamento, tocadela 2 **contacto**, tocadela 3 **percussão**, pancada, embate 4 *fig.* **resto**, vestígio, sinal 5 *fig.* **inspiração**, impulso 6 *fig.* **retoque**, arranjo, pincelada

toranja *n.f.* BOT. **toranjeira**, toronja

torar *v.* **atorar**, destorar

tórax *n.m.* **peito**

torça *n.f.* **padieira**, verga

torção *n.f.* **torcedura**, torcedela, torcimento, torcilhão, torço ≠ **destorcimento**, destorção

torcedor *n.m.* 1 **torcedoura**, torcedeira 2 **fuso** 3 [BRAS.] **adepto**, simpatizante, apoiante, partidário, fã ≠ **opositor**, adversário

torcedura *n.f.* 1 **sinuosidade**, tortuosidade 2 *fig.* **desvio** 3 *fig.* **subterfúgio**, fuga, escapatória 4 *fig.* **sofisma**, falácia

torcer *v.* 1 **entortar** ≠ **desentortar**, endireitar 2 (articulação, osso) **deslocar** 3 **espremer** 4 **desviar**, mudar, alterar 5 **dobrar**, encurvar, inclinar, vergar, pender ≠ **endireitar** 6 **enroscar**, encaracolar, espiralar 7 *fig.* **sujeitar**, subordinar, subjugar, submeter 8 *fig.* **corromper** 9 **ceder**, condescender, conceder 10 **contrair-se**, contorcer-se, retrair, encolher

torcer-se *v.* 1 **contorcer-se**, confranger-se, espremer-se 2 *fig.* **roer-se**

torcicolo *n.m.* 1 **ziguezague**, sinuosidade, anfractuosidade, flexuosidade 2 **ambiguidade** 3 *fig.* **rodeio**, evasiva, desvio, tergiversação, torcedura, sinuosidade 4 ORNIT. **papa-formigas**, catapereiro, doudinha, formigueiro, gira-pescoço, peto-da--chuva, retorta, engatateira

torcida *n.f.* 1 **pavio**, mecha 2 *gír.* **bebedeira**, embriaguez, ebriedade, bico, canjica, borracheira *col.*, piela *col.*, bruega *col.*, cabeleira *col.*, cardina *col.*, carraspana *col.* ≠ **sobriedade**, abstemia 3 [BRAS.] **claque**

torcido *adj.* 1 **entortado**, torto ≠ **desentortado**, endireitado 2 **dobrado**, encurvado, inclinado, vergado, pendido ≠ **endireitado** 3 **vencido** 4 **virado** 5 **equívoco**, forçado 6 **adulterado**, alterado, transformado 7 **mau**, desonesto

tordo *n.m.* ORNIT. **toldeia**, torda, tordeia, tordeira, tordela, tordo-branco, tordo-bravo, tordo-visgueiro, tordo-malvis

torga *n.f.* 1 BOT. **quiroga**, torga-ordinária, torgão, torgueira, urze-branca, mongariça [REG.] 2 *fig.,col.* **cabeçorra** *col.*

tormenta *n.f.* 1 **procela**, tempestade, temporal, borrasca, trabuzana, intempérie ≠ **bonança**, calmaria 2 *fig.* **agitação**, rebuliço, desordem, alvoroço, tumulto ≠ **calmia**, serenidade

tormento *n.m.* **tortura**, atormentação, suplício, inquietação, infernação

tormentoso *adj.* 1 **agitado**, tempestuoso, tumultuoso, borrascoso, tormentório ≠ **pacífico**, sereno, tranquilo, sossegado 2 *fig.* **árduo**, difícil, trabalhoso, custoso, pesado, incómodo, fatigante, espinhoso *fig.*, laborioso *fig.* ≠ **fácil**, ligeiro, suportável

torna *n.f.* 1 **volta**, tornada 2 **compensação** 3 **troco**, excesso, retorno, diferença, demasia 4 **viagem**

tornada *n.f.* **volta**, regresso, retorno, torna

tornado *n.m.* METEOR. **furacão**, tufão, ciclone, torvelinho

tornar *v.* 1 **regressar**, voltar, volver, retornar ≠ **partir**, ir 2 **reconsiderar** 3 **mudar**, transformar 4 **volver**, virar, reverter 5 **verter**, traduzir, transladar 6 **restituir**, devolver ≠ **tomar**, tirar 7 **replicar**, responder, retorquir

tornar-se *v.* 1 **transformar-se**, converter-se 2 **ficar**, permanecer 3 **recorrer**, valer-se, socorrer-se

torneado *adj.* 1 **roliço**, cilíndrico, arredondado 2 *fig.* **proporcionado**, bem-feito, elegante

tornear *v.* 1 **circundar**, circuitar, girar 2 *fig.* **evitar**, contornar, esquivar-se ≠ **enfrentar**, encarar 3 *fig.* **burilar**, aprimorar, polir, aperfeiçoar

torneio *n.m.* 1 **torneamento** 2 HIST. **justa**, bufúrdio 3 DESP. **campeonato**, competição, taça, match, copa [BRAS.] 4 *fig.* **polémica**, controvérsia, discussão

torneira *n.f.* **bica**

torneiro *n.m.* **fuseiro**

tornejar *v.* 1 **tornear**, circundar, circuitar, girar, contornar 2 **arredondar**, roliçar, bolear, redondear 3 **encurvar-se**, dobrar-se, arquear-se

torniquete *n.m.* 1 **molinete** 2 **garrote** 3 **trapézio**

torno *n.m.* 1 **cavilha**, pino 2 **roda**

tornozelo *n.m.* ANAT. **artelho**

toro *n.m.* 1 **cepo**, trangalho, atora [BRAS.] 2 ARQ. **bocel** 3 [REG.] **cacete**, moca, maça, pau, cipó, porrete, toco, clava, cacheira

torpe *adj.2g.* 1 **embaraçado**, acanhado, inibido 2 **desonesto**, insincero, desleal, mentiroso, falso ≠ **honesto**, sincero, verídico 3 **nojento**, sórdido, repugnante, repelente, desagradável, asqueroso ≠ **agradável**, aprazível 4 **obsceno**, descarado, impudente, indecente, imoral, impudico, vergonhoso, desavergonhado ≠ **decente**, decoroso, digno 5 **ignóbil**, vil, desprezível, imoral, menosprezível, baixo, servil *fig.* ≠ **decente**, decoroso, digno

torpedear *v.* 1 **bombardear**, atacar 2 *fig.* **contrariar**, desaprovar, opor-se, contestar

torpeza *n.f.* 1 **desonestidade**, insinceridade, deslealdade, mentira, falsidade ≠ **honestidade**, sinceridade, veracidade 2 **ignomínia**, vilania, vileza, canalhice, safadice ≠ **dignidade**, altivez, hombridade 3 **impudícicia**, indecência, desvergonha ≠ **pudor**, pudicícia, recato

tórpido *adj.* 1 **entorpecido**, torpe, dormente ≠ **vigoroso**, reanimador, revigorante 2 MED. (lesão) **estacionário**

torpor *n.m.* 1 **inércia**, inação, letargo, apatia ≠ **alento**, atividade, vivacidade 2 **entorpecimento**, adormecimento, sonolência, modorra, sopitamento, hipnosia 3 *fig.* **indiferença**, prostração, passividade, inatividade, apatia ≠ **atividade**, dinamismo

torração *n.f.* torragem, torrefação

torrada *n.f.* tosta

torrado *adj.* 1 tostado, crestado, tisnado, torrefato, torrefeito 2 *fig.* mirrado, murcho, seco, ressequido ≠ viçoso

torrão *n.m.* 1 gleba, leiva 2 fragmento, pedaço, porção, naco, tracanaço *col.* 3 *fig.* território, pátria

torrar *v.* 1 tostar, crestar, tisnar, queimar, esturrar, torrificar 2 *fig.* estorricar, carbonizar, torriscar 3 *fig.* bronzear, escurecer, amorenar, queimar *col.* 4 *fig.* esbanjar, dissipar 5 *fig.* ressequir, ressicar 6 *fig.* murchar, secar

torre *n.f.* 1 fortaleza 2 campanário 3 arranha-céus 4 (jogo de xadrez) roque 5 *fig.* gigante, titã, colosso, trave ≠ anão, pigmeu *fig.*

torreão *n.m.* 1 atalaia, casa-torre 2 pavilhão

torrefação[dAO] *n.f.* torração, torragem, esturro

torrefacção[aAO] *n.f.* ⇒ **torrefação**[dAO]

torreira *n.f.* soalheira

torrejano *adj.,n.m.* torriense, torrejão

torrela *n.f.* torrinha

torrencial *adj.2g.* 1 caudaloso, diluvial, torrentoso 2 *fig.* abundante, copioso, exuberante, farto ≠ escasso

torrencialmente *adv.* 1 caudalosamente, impetuosamente 2 abundantemente, copiosamente

torrente *n.f.* 1 enxurrada, caudal 2 abundância, profusão, abastança, fluxo *fig.*, enxurrada *fig.* ≠ falta, míngua 3 *fig.* impetuosidade, violência

torresmo *n.m.* 1 rijão, rojão 2 rojão

tórrido *adj.* 1 abrasador, ardente, escaldante 2 *fig.* ardente, sensual, escaldante

torriense *adj.,n.2g.* 1 (de Torres Novas) torrejano, torrejão 2 (de Torres Vedras) torresão, torriano

torrinha *n.f.* 1 torreta, torrela 2 galinheiro, poleiro *col.*

torso *n.m.* 1 tronco 2 busto, peito ■ *adj.* torcido, torto ≠ direito, reto

torta *n.f.* *col.* bebedeira, embriaguez, ebriedade, bico, canjica, borracheira *col.*, piela *col.*, bruega *col.*, cabeleira *col.*, cardina *col.*, carraspana *col.* ≠ sobriedade, abstemia

torto *adj.* 1 torcido, torso, tortuoso ≠ direito, reto 2 inclinado, oblíquo, transversal, enviesado, esguelhado 3 vesgo, estrábico, zarolho, pitosga, pisco, mirolho 4 *fig.* desleal, injusto, tortuoso, traiçoeiro ≠ correto, leal 5 *fig.* errado, erróneo ≠ correto 6 *fig.* embriagado, bêbedo, ébrio, enfrascado, bicudo, tocado, grogue, pingado, chumbado ≠ sóbrio, abstémico ■ *n.m.* *ant.* ofensa, dano, agravo ■ *adv.* erradamente, incorretamente, mal ≠ corretamente, bem

tortuoso *adj.* 1 sinuoso, ondulante, curvo, flexuoso, meandroso, garranchoso ≠ reto, direito 2 torcido, torso ≠ direito, reto 3 *fig.* desleal, injusto, torto, traiçoeiro ≠ correto, leal

tortura *n.f.* 1 suplício, mortificação 2 *fig.* tormento, suplício, flagício, angústia, mortificação, consumição ≠ desapoquentação, alívio, sossego 3 curvatura, tortuosidade, sinuosidade ≠ retidão

torturado *adj.* 1 flagelado 2 *fig.* amargurado, atormentado, flagelado, aflito, rasgado, massacrado

torturante *adj.2g.* dilacerante, lacerante, aflitivo, consumidor, mortificante, pungente *fig.*, martirizante ≠ aliviador, tranquilizador

torturar *v.* 1 flagelar, castigar, mortificar 2 *fig.* atormentar, agoniar, afligir, mortificar, agulhar *fig.*

torvelinho *n.m.* redemoinho, remoinho, bulcão, furacão

torvo *adj.* 1 aterrador, terrível, pavoroso, horrível, horroroso, medonho, dântico, apavorante ≠ agradável, bom 2 iracundo, irascível 3 escuro, sombrio ≠ claro, luminoso

tosa *n.f.* 1 tosquia, tosadura, esquila [REG.] 2 *col.* surra, sova, tunda, tareia, zurzidela, cheganço *col.*, coça *fig.*, sotaina [REG.]

tosar *v.* 1 tosquiar, desquiar, esquilar [REG.] 2 *col.* bater, sovar, chegar, cascar, desancar, surrar, dar, descascar ≠ defender, proteger, resguardar 3 *fig.* roer, ratar

toscar *v.* 1 *col.* avistar, ver 2 *col.* compreender, entender, perceber, topar ≠ desentender, desaperceber

tosco *adj.* 1 malfeito, mal-acabado, mal-ajeitado, grosseiro, chavasco, cepudo 2 *fig.* rude, inculto, boçal, bruto, bronco, labrusco, rudimental, saloio *pej.* ≠ delicado, fino, distinto

tosquia *n.f.* 1 tosadura, tosquiadura, tosa, esquia, esquila [REG.] 2 *fig.* crítica, repreensão, censura, reprovação, condenação ≠ adulação, lisonja, prazenteio 3 *col.* tosquiadela

tosquiadela *n.f.* 1 *col.* tosquia 2 *col.* ensinadela, reprimenda, sabonetada, ensaboadela *fig.* ≠ adulação, lisonja, prazenteio

tosquiar *v.* 1 tosar, aparar, desquiar, esquiar, esquilar [REG.] 2 *fig.* criticar, censurar, desaprovar, reprovar, condenar, desancar *fig.* ≠ aprovar, elogiar, louvar 3 *fig.* espoliar, despojar, desapossar, esbulhar

tosse *n.f.* *col.* birra, teima, teimosia, capricho, obstinação, pertinácia, caturrice, embirração, porfia, turra *fig.*, cenreira *col.* ≠ flexibilidade, plasticidade, maleabilidade

tosta *n.f.* torrada

tostado *adj.* 1 crestado, tisnado, torrefato 2 moreno, trigueiro, baio, bronzeado, queimado *col.* ≠ branco, pálido 3 escuro, enegrecido ≠ claro

tostão *n.m.* chavo, camocho *gír.*

tostar *v.* **torrar**, crestar, tisnar, queimar, esturrar, torrificar, requeimar

toste *n.m.* **brinde**, saudação, saúde *fig.*

total *adj.2g.* **completo**, inteiro, integral, perfeito ≠ **parcial**, incompleto ■ *n.m.* **1 soma**, adição **2 quantidade**, quantia, número **3 totalidade**, soma, somatório, conjunto

totalidade *n.f.* **1 integridade**, inteireza, completude ≠ **parcialidade**, incompletude **2 total**, soma, somatório, conjunto

totalitário *adj.* **1 completo**, absoluto, integral, inteiro ≠ **parcial**, incompleto **2 despótico**, tirânico, ditatorial, autoritário, iliberal, mussoliniano *fig.* ≠ **democrata**, liberal

totalitarismo *n.m.* **absolutismo**, ditadura, despotismo, tirania, autoritarismo, autocracia ≠ **democracia**, liberalismo

totalização *n.f.* **soma**, somatório ≠ **parcelamento**, fracionamento, divisão

totalizar *v.* **1 somar**, montar **2 completar**, inteirar, perfazer, integrar

totalmente *adv.* **completamente**, inteiramente, absolutamente, redondamente ≠ **parcialmente**

totó *n.m.* **1** *col.* **cãozinho**, cadelo **2** [REG.] **porco**, suíno, cerdo, grunho, chico *col.*, chicho *col.*, chino *col.*, erviço *col.*, ganiço *col.*, foção *col.*, chacim *ant.*, borrão [REG.], carrancho [REG.], rocim [REG.] ■ *adj.2g.* **1** *col.,pej.* **tímido**, acanhado, envergonhado, retraído ≠ **extrovertido**, expansivo **2** *col.,pej.* **pateta**, lerdo, estúpido, pacóvio, lorpa ≠ **inteligente**, esperto, espevitado *col.*

touca *n.f.* **1 capelo 2 turbante**, trunfa **3** *col.* **bebedeira**, embriaguez, ebriedade, bico, canjica, borracheira *col.*, piela *col.*, bruega *col.*, cabeleira *col.*, cardina *col.*, carraspana *col.* ≠ **sobriedade**, abstemia

toucado *adj.* **coberto**, copado, tapado ■ *n.m.* **penteado**

toucador *n.m.* **psiché**

toucar *v.* **1 encoifar** ≠ **destoucar 2** (cabelo) **arranjar**, pentear ≠ **destoucar**, despentear, desguedelhar **3** *fig.* **adornar**, enfeitar, ornar, adereçar, assear *ant.* ≠ **desornar**, desenfeitar **4** *fig.* **circundar**, aureolar, encimar, coroar

toucar-se *v.* **1** *fig.* **enfeitar-se**, alindar-se, adornar-se, ataviar-se **2 copar-se**

toucinho *n.m.* **touço** [REG.]

toupeira *n.f.* **1** ZOOL. **cava-terra**, escava-terra, rata, rato-cego **2** ICTIOL. **cantariz**, cantarilha, galinha-do-mar, requeime, rouca, serrão **3** *fig.,pej.* **estúpido**, ignorante, desconhecedor ≠ **conhecedor**, sábio

tourada *n.f.* **1 corrida**, touros **2** *fig.* **barulheira**, bulha, estardalhaço, chinfrim, alarido, azoada, grazinada, grazineira, vasqueiro *col.*, bazé *col.* ≠ **silêncio**, paz, calada, sopor **3** *fig.* **chacota**, troça, caçoada, zombaria, escárnio, judiaria, motejo, mofa, achincalhação, bexiga *col.* ≠ **respeito**, consideração

tourão *n.m.* ZOOL. **gato-toirão**, fueta

tourear *v.* **1** (touros) **correr**, lidar **2** *fig.* **perseguir**, atacar **3** *fig.* **chacotear**, escarnecer, motejar, zombar, apodar, troçar, mofar, chasquear, ridicularizar, zingrar ≠ **respeitar**, considerar, prezar, estimar **4** *fig.* **desafiar**, provocar, instigar, incitar **5** [BRAS.] **namorar**, sapecar, damejar, paquerar [BRAS.] *col.*

toureio *n.m.* **1 lide 2 tauromaquia**

toureiro *adj.,n.m.* **lidador**, toureador, tourista

tourejar *v.* **1** (touros) **correr**, lidar **2** *fig.* **perseguir**, atacar **3** *fig.* **chacotear**, escarnecer, motejar, zombar, apodar, troçar, mofar, chasquear, ridicularizar, zingrar ≠ **respeitar**, considerar, prezar, estimar **4** *fig.* **desafiar**, provocar, instigar, incitar **5** [BRAS.] **namorar**, sapecar, damejar, paquerar [BRAS.] *col.*

touril *n.m.* **curro**

touro *n.m.* **1 cornípeto**, marruaz [BRAS.] **2** [*pl.*] **tourada**, corrida

toutiço *n.m.* **cerviz**, cachaço, nuca, pescoço, cogote, galinheiro *col.*, gorja *col.*, pescoceira *col.*, cacho *ant.*

toutinegra *n.f.* ORNIT. **carapuço**, felosa-real, fulecra, picança, tutinegra, tutinegra-real, picanço-barreteiro

tóxico *adj.* **venenoso**, peçonhento

trabalhado *adj.* **1 lavrado**, ornado **2 trabalhoso**, custoso, laborioso, árduo, penoso, pesado ≠ **fácil**, ligeiro, suportável

trabalhador *adj.* **diligente**, esforçado, aplicado, laborioso, labutador, videiro, vivedor ■ *n.m.* **1 empregado**, subalterno, funcionário ≠ **patrão**, chefe **2 operário**, obreiro, artífice, opífice **3 jornaleiro**, assalariado, operário

trabalhão *n.m.* **trabalheira**, canseira, esforço ≠ **descanso**, sossego

trabalhar *v.* **1 laborar**, obrar, labutar, cuidar ≠ **mandriar**, gazetar, vadiar, descansar **2 agir**, atuar, proceder, comportar-se **3 funcionar**, desempenhar **4 empenhar-se**, diligenciar, esforçar-se, forcejar **5 concorrer 6 manipular**, seduzir, cozinhar *fig.* **7** *fig.* **pensar**, matutar, cogitar, refletir **8** *fig.* **atormentar**, afligir, angustiar, ralar, consumir, apoquentar ≠ **desafligir**

trabalheira *n.f.* **1 canseira**, trabalhão, esforço ≠ **descanso**, sossego **2 maçada**

trabalhista *adj.,n.2g.* **laborista**, laboral

trabalho *n.m.* **1 labor**, faina, lavor, lida, labuta, obragem, laboração, fadiga ≠ **repouso**, descanso, sossego **2 produção**, elaboração, feitura, obragem, manufaturação, opifício **3 emprego**, profissão, ocupação, ofício, cargo, atividade ≠ **desemprego**, desocupação **4 serviço**, tarefa, afazeres, encargo, obrigações, missão **5 resultado**, fruto, produto *fig.* **6 fadiga**, canseira, cansaço, estafa, esfalfamento, esgotamento, fraqueza, afronta, moedeira, abatimento *fig.* ≠ **energia**, força, vigor, robustez **7** [*pl.*] **dores**, sofrimentos, padecimento

trabalhoso *adj.* **árduo**, cansativo, custoso, exaustivo, fatigante, difícil, pesado, penoso, incómodo, espinhoso *fig.*, laborioso *fig.* ≠ **fácil**, ligeiro, suportável

trabucar *v.* **1 trabalhar**, labutar, lidar, esforçar-se, laborar, obrar, cuidar ≠ **mandriar**, gazetar, vadiar, descansar **2 afundar-se**, desmoronar-se, soçobrar, naufragar

trabuco *n.m.* **1 bacamarte 2 balista**

traça *n.f.* **1 plano**, traçado, desenho, projeto, planta, esboço **2 organização**, disposição, ordenação, planificação ≠ **desorganização**, confusão **3** *fig.* **ardil**, manha, malícia, estratagema, logro, engano, dolo, sarna ≠ **honestidade**, correção, sinceridade

traçado *n.m.* **plano**, traça, desenho, projeto, planta, esboço, traçamento ■ *adj.* **1 esboçado**, delineado **2 riscado 3 marcado**, indicado, assinalado **4** (cheque) **cruzado**, barrado **5** (papel, tecido) **roído**, carcomido, corroído

traçar *v.* **1 riscar**, marcar, tracejar **2 esboçar**, delinear, esquiçar, debuxar, bosquejar, tracejar **3** (retrato, imagem, trajetória) **descrever**, percorrer **4 ordenar**, determinar, estabelecer **5 maquinar**, planear, intentar, projetar, idear, arquitetar, engenhar **6** (cheque) **barrar**, cruzar **7** (traça) **roer**, carcomer, corroer **8** (substâncias, elementos) **misturar**, cruzar, mesclar, combinar **9 espatifar**, estilhaçar, despedaçar

tracejar *v.* **1 esboçar**, delinear, esquiçar, debuxar, bosquejar, traçar, galivar **2 riscar**, marcar, traçar

traço *n.m.* **1 risco**, risca, lineamento, rasgo **2 feição**, fisionomia **3 parecença 4 essência 5 esboço**, delineamento **6** *fig.* **marca**, vestígio, rasto, sinal **7 excerto**, trecho, fragmento, passagem, extrato, passo, lugar **8** *col.* (quantidade) **bocado**, naco, pedaço, porção **9 característica**, dominante, constante

tracto[aAO] *n.m.* ⇒ **trato**[1dAO]

tradição *n.f.* **1 memória**, recordação, lembrança **2 uso**, hábito, costume, tendência

tradicional *adj.2g.* **1 costumado**, habitual, usual, rotineiro, comum ≠ **desabituado**, infrequente, irregular **2 convencional**, conservador, imobilista, careta [BRAS.] ≠ **moderno**, avançado, atual

tradicionalista *adj.,n.2g.* **conservador**, retrógrado, reacionário ≠ **progressista**, inovador, vanguardista

trado *n.m.* **gonete**, verrumão, pua, tradela [REG.]

tradução *n.f.* **1 versão**, traslado, translação, trasladação, transplante *fig.* **2** *fig.* **significação**, explicação, interpretação, compreensão, decifração

tradutor *n.m.* **1 translator**, vertedor, trasladador **2 intérprete**

traduzir *v.* **1 verter**, transpor, transladar, transplantar *fig.* **2** *fig.* **exprimir**, expressar **3** *fig.* **interpretar**, compreender, entender

traduzir-se *v.* **manifestar-se**, indicar

trafegar *v.* **1 mercadejar**, negociar, comerciar, traficar **2** *fig.* **lidar**, trabalhar, labutar, esforçar-se, laborar, obrar, cuidar ≠ **mandriar**, gazetar, vadiar, descansar

tráfego *n.m.* **1 comércio**, negócio, negociação, mercancia, tráfico **2 trânsito**, tráfico **3** *fig.* **trabalho**, afã, lida **4 convivência**, convívio, confraternização, comunhão, familiaridade, contubérnio, contacto ≠ **enclausura**, recolhimento, isolação

traficância *n.f.* **chatinagem**, ciganice, negociata, veniaga, arrumação *col.*, alcavalas *fig.*

traficante *adj.2g.* **comerciante**, negociante ■ *n.2g.* **1 contrabandista**, cambolador, chatim, fajardo **2** *pej.* **tratante**, intrujão, impostor, embusteiro, burlão

traficar *v. ant.* **negociar**, comerciar, mercanciar, mercadejar, chatinar, veniagar

tráfico *n.m.* **1 comércio**, negócio, negociação, mercancia, trafego **2 contrabando**, candonguice, mercado negro, candonga, fraude **3 trânsito**, trafego

trafulha *adj.,n.2g.* **aldrabão**, embusteiro, intrujão, trapaceiro, burlão, impostor ■ *n.f.* **trafulhice** *col.*, dolo, burla, trapaça, trapacice, aldrabice

trafulhice *n.f. col.* **trafulha**, dolo, burla, trapaça, trapacice, aldrabice

tragar *v.* **1 beber**, engolir, tomar, ingerir, libar, consumir **2 devorar**, engolir, abocanhar, lamber **3 aspirar**, sorver, inalar **4 submergir 5 aniquilar**, destruir **6** *fig.* **tolerar**, suportar, aguentar, aturar ≠ **reagir**, recusar-se

tragédia *n.f.* **1** LING. ≠ **comédia**, farsa **2** *fig.* **desastre**, desgraça, calamidade, fatalidade, adversidade

tragicamente *adv.* **funestamente**, fatalmente, dramaticamente, sinistramente

trágico *adj.* **1** *fig.* **funesto**, fatídico, sinistro, nefasto **2** *fig.* **horrível**, horroroso, terrível, calamitoso, violento

trago *n.m.* **1 gole**, golada, sorvo, hausto **2** *fig.* **angústia**, aflição, dor, adversidade, agonia **3** ANAT. ≠ **antítrago**

traição *n.f.* **1 deslealdade**, inconfidência, infidelidade, perfídia, aleivosia ≠ **fidelidade**, lealdade **2 adultério**, infidelidade, gualdipério ≠ **fidelidade** **3** *fig.* **emboscada**, cilada

traiçoeiro *adj.* 1 **infiel**, traidor, desleal, pérfido, inconfidente, proditório, tredo ≠ **leal**, fiel 2 **sub-reptício**, dissimulado, camuflado ≠ **descoberto**, visível, manifesto 3 **cobarde**, desleal

traidor *adj.* **desleal**, traiçoeiro, pérfido, infiel, inconfidente ≠ **leal**, fiel ■ *n.m.* **falso**, proditor, iscariote, judas *fig.*, crocodilo *fig.*

trair *v.* 1 **atraiçoar**, perjurar, falsear, insidiar, minotaurizar 2 **delatar**, denunciar, acusar, malsinar ≠ **defender**, inocentar 3 **divulgar**, revelar, difundir, espalhar ≠ **segredar**, confidenciar, murmurar, sussurar

trair-se *v.* 1 **manifestar-se**, revelar-se 2 **comprometer-se**

trajar *v.* 1 **vestir**, usar, envergar ≠ **despir**, desenvergar *col.* 2 **vestir-se**, arranjar-se, preparar-se ■ *n.m.* **traje**, vestuário, indumentária, roupa

traje *n.m.* **indumentária**, vestuário, trajar, roupa, farpela, fato, fatiota, trajadura

trajectoaAO *n.m.* ⇒ **trajeto**dAO

trajectóriaaAO *n.f.* ⇒ **trajetória**dAO

trajetodAO *n.m.* 1 **percurso**, caminho, itinerário, via, trajetória, roteiro, senda *fig.* 2 **viagem**

trajetóriadAO *n.f.* 1 **trajeto**, órbita, percurso 2 *fig.* **percurso**, caminho, itinerário, via, trajeto, roteiro, senda *fig.*

trajo *n.m.* **traje**, vestuário, indumentária, roupa, farpela, fato, fatiota

tralha *n.f.* 1 **tralho** 2 **tralhoada** 3 *col.* **parafernália**, cacaréu

trama *n.f.* 1 **tecido**, textura, contextura, teia 2 *fig.* **enredo**, intriga, entrecho, tecedura 3 *fig.* **ardil**, intriga, conjuração, complô, maquinação, conspiração, cambalacho, conluio, tramoia *col.*, cabala *fig.*, confabulação ≠ **correção**, verdade, boa-fé 4 *col.* **trâmuei**, elétrico

tramaga *n.f.* BOT. **cornogodinho**, tramagueira, tramazeira

tramagueira *n.f.* BOT. **cornogodinho**, tramaga, tramazeira

tramar *v.* 1 **tecer**, entrelaçar, urdir, entraçar, retrançar 2 *fig.* **conspirar**, conluiar, maquinar, projetar, planear, intrigar 3 *fig.* **traçar**, enredar 4 *col.* **prejudicar**, lixar, danar, desgraçar, lesar, infortunar

trambolhão *n.m.* 1 **tombo**, queda, caída, baque 2 *fig.* **contratempo**, contrariedade, baque, desventura, impedimento, entrave, infortúnio, dificuldade, canudo *col.* ≠ **desimpedimento**, desatravancamento, desobstrução, desempeço, desempacho 3 *fig.* **ruína**, queda, caída, baque ≠ **ascensão**, crescimento, subida

trambolho *n.m.* 1 **peia**, tranganho 2 **enfiada**, feixe 3 *fig.* **embaraço**, empecilho, estorvo, obstáculo, tranca

tramitação *n.f.* **trâmites**

trâmite *n.m.* 1 **via**, direção, caminho, rumo, rota, senda *fig.* 2 **corrume** *fig.*, procedimento, tramitação

tramoiadAO *n.f. col.* **ardil**, intriga, conjuração, complô, maquinação, conspiração, cambalacho, conluio, trama *fig.*, cabala *fig.*, malhoada *col.* ≠ **correção**, verdade, boa-fé

tramóiaaAO *n.f.* ⇒ **tramoia**dAO

trampa *n.f.* 1 *cal.* **excremento**, fezes, caca *infant.*, merda *vulg.* 2 *fig.,cal.* **insignificância**, bagatela, ninharia, niquice, nada, farelório, futilidade, migalhice, minúcia, ridicularia, farfalhada *fig.*, babugem *fig.*, avo *fig.*, tuta e meia *col.*, nica *col.*, caganifância *col.* ≠ **importância**, utilidade, valor, transcendência, relevância, interesse 3 *fig.,cal.* **porcaria** 4 *ant.* **engano**, trapaça, enredo, velhacaria

tranca *n.f.* 1 **tranqueira** 2 *col.* **perna**, tíbia, canela, gâmbia *col.*, gambeta *col.* ■ *n.2g. pej.* **empecilho**, trambolho, estorvo, obstáculo

trança *n.f.* 1 **rabicho**, rabada, trançado 2 **mecha** 3 [BRAS.] *fig.* **ardil**, intriga, conjuração, complô, maquinação, conspiração, cambalacho, conluio, trama *fig.*, cabala *fig.* ≠ **correção**, verdade, boa-fé

trancada *n.f.* **paulada**, pancada, mocada, cajadada, cacetada, cipoada

trancado *adj.* 1 **aferrolhado**, encerrado, fechado 2 **cancelado**, anulado, invalidado ≠ **aprovado**, autorizado, validado

trançado *adj.* **entrelaçado**, entrançado, enleado ≠ **desenleado**, desentrançado ■ *n.m.* **rabicho**, rabada, trança

trancar *v.* 1 **aferrolhar**, aldrabar ≠ **desaferrolhar** 2 **fechar**, cancelar 3 (documento escrito) **riscar** 4 *fig.* **rematar**, concluir, terminar 5 [REG.] **arpoar**

trancar-se *v.* **fechar-se**, encerrar-se, atrancar-se

tranquilamente *adv.* **pacificamente**, descansadamente, sossegadamente, calmamente, pacatamente, serenamente ≠ **agitadamente**

tranquilidade *n.f.* **sossego**, quietude, serenidade, calma, paz ≠ **agitação**, desassossego, tumulto, desordem, turbamento

tranquilizador *adj.,n.m.* 1 **pacificador**, sossegador, harmonizador ≠ **desarmonizador**, temedoiro, terrificante 2 **lenitivo**, sedativo, calmante, atarático, acinético, paregórico, temperante

tranquilizante *adj.,n.m.* FARM. **lenitivo**, sedativo, calmante, ataráxico, acinético, paregórico, temperante

tranquilizar *v.* **aquietar**, acalmar, serenar, apaziguar, sossegar, acalentar, aplacar, quietar, amainar *fig.* ≠ **agitar**, perturbar, irar, agonizar, alarmar

tranquilizar-se *v.* **serenar-se**, acalmar-se, aquietar-se, sossegar

tranquilo *adj.* 1 **sossegado**, calmo, sereno, plácido, quieto, quedo, pacífico, manso, brando, inconvulso ≠ **agitado**, perturbado, inquieto, efervescente *fig.* 2 **despreocupado**, descansado, sereno, calmo, imperturbável ≠ **desassossegado**, tumultuado, inquieto 3 **certo**, garantido, seguro, infalível, inegável, inequívoco ≠ **duvidoso**, discutível, contestável

transação[dAO] *n.f.* 1 **permuta** 2 **compromisso**, ajuste, contrato, convenção, combinação, pacto, acordo, arranjo ≠ **desacordo**, desajuste

transacção[aAO] *n.f.* ⇒ **transação**[dAO]

transaccionar[aAO] *v.* ⇒ **transacionar**[dAO]

transacionar[dAO] *v.* 1 **vender** 2 **negociar**, mercadejar, comerciar, tratar, contratar, traficar *ant.*

transacto[aAO] *adj.* ⇒ **transato**[dAO]

transato[dAO] *adj.* 1 **pretérito**, passado, decorrido ≠ **presente**, próximo 2 **antecedente**, anterior, precedente, pregresso ≠ **seguinte**, posterior, subsequente, imediato, subsecutivo

transbordante *adj.2g.* **extravasante**

transbordar *v.* 1 **trasbordar**, extravasar, entornar, derramar 2 *fig.* **sobejar**, sobreabundar, superabundar, exuberar, exceder, redundar ≠ **escassear**, faltar 3 **derramar**, deitar, expelir, transudar 4 **expandir**, dilatar

transbordo *n.m.* 1 **transbordamento** 2 **baldeação**, transbordamento

transcendência *n.f.* **excelência**, superioridade, sagacidade, sublimidade, supereminência

transcendental *adj.2g.* **transcendente**, metafísico

transcendente *adj.2g.* 1 **transcendental**, metafísico 2 **sublime**, superior, eminente, excelente, extraordinário 3 FIL. **metafísico**, numeral

transcender *v.* 1 **exceder**, ultrapassar, sobrepujar, superar, suplantar 2 **distinguir-se**, sobressair, superiorizar-se, elevar-se, destacar-se, salientar-se

transcorrer *v.* 1 **passar**, escoar, discorrer, decorrer 2 **findar**, terminar, acabar, ultimar, concluir ≠ **iniciar**, começar

transcrever *v.* **trasladar**, reproduzir, copiar

transcrição *n.f.* **cópia**, traslado, registo

transcrito *adj.* **copiado**, reproduzido, trasladado ■ *n.m.* **cópia**, traslado, registo, transcrição

transcritor *adj.,n.m.* **copista**, escrivão, amanuense, escrevente

transe *n.m.* 1 **agonia**, aflição, inquietação, angústia ≠ **alívio**, desapoquentação 2 **crise**, perigo 3 **morte**, falecimento 4 **exaltação**, extase, arrebatamento

transeunte *adj.2g.* **transitório**, passageiro, momentâneo, temporário, efémero, amovível, breve, perfunctório ≠ **permanente**, duradouro ■ *n.2g.* **peão**, viandante, passageiro, caminhante, pedestre [BRAS.]

transferência *n.f.* 1 **translação**, transladação, mudança, deslocação, transmutação 2 **passagem**, permutação, substituição

transferidor *n.m.* **semicírculo**, angulómetro, goniómetro

transferir *v.* 1 **transportar**, deslocar, mudar, transplantar, trasladar, trespassar, transmitir 2 **transmitir**, delegar, passar 3 **adiar**, dilatar, perlongar, demorar, atrasar, retardar, paliar, protrair ≠ **adiantar**, antecipar

transferir-se *v.* **deslocar-se**, mudar-se

transferível *adj.2g.* 1 **deslocável**, removível, amovível ≠ **inamovível**, fixo 2 **transmissível**, permutável ≠ **intransitivo**, intransferível

transfiguração *n.f.* 1 **transformação**, metamorfose, mudança, mutação, refundição ≠ **configuração**, formação 2 **deformação**, desfiguração, modificação, mutabilidade, alteração ≠ **conservação**, preservação, manutenção

transfigurar *v.* 1 **transformar**, metamorfosear, mudar, demudar, alterar ≠ **configurar**, formar 2 **desfigurar**, desformar, deformar, desfear, desnaturar, distorcer ≠ **conservar**, preservar

transfigurar-se *v.* **transformar-se**, modificar-se, converter-se

transformação *n.f.* 1 **alteração**, modificação, transmutação, mudança ≠ **conservação**, manutenção 2 **metamorfose**, transfiguração, mudança, avatar *fig.* 3 **evolução**, mutação 4 MAT. **aplicação**, função, operador

transformado *adj.* 1 **mudado**, alterado, modificado, metamorfoseado ≠ **conservado**, mantido, preservado 2 **desfigurado**, deformado, transfigurado, distorcido, adulterado ≠ **configurado**, formado

transformador *adj.* 1 **modificador**, transformante, alterador 2 **regenerador**

transformar *v.* 1 **modificar**, renovar, alterar, transverter 2 **metamorfosear**, transfigurar, mudar, demudar, alterar ≠ **configurar**, formar 3 **regenerar**, melhorar, aperfeiçoar ≠ **agravar**, piorar 4 **variar** 5 **desfigurar**, transfigurar, desformar, deformar, desfear, desnaturar, distorcer ≠ **conservar**, preservar

transformar-se *v.* 1 **converter-se**, transfigurar-se, alterar-se, metamorfosear-se, transubstanciar-se 2 **disfarçar-se**, dissimular-se 3 **modificar-se**, regenerar-se

transformismo *n.m.* **evolucionismo**, mutacionismo, darwinismo ≠ **fixismo**

trânsfuga *n.2g.* 1 **desertor** 2 **apóstata**, renegado ≠ **fiel**, seguidor

transgredir *v.* **infringir**, violar, desobedecer, quebrantar, prevaricar, ofender, descumprir, contravir, desrespeitar, trespassar *fig.* ≠ **cumprir**, respeitar, obedecer, acatar

transgressão *n.f.* **infração**, violação, coima, contravenção, desobediência, delito, quebra ≠ **obediência**, respeito

transgressivo *adj.* **transgressor**, infrator, violador, prevaricador ≠ **obediente**, cumpridor

transgressor *adj.,n.m.* **transgressivo**, infrator, violador, prevaricador ≠ **obediente**, cumpridor

transição *n.f.* 1 **passagem**, mudança, transferência 2 **evolução**, avanço, progresso

transido *adj.* 1 **impregnado**, repassado, penetrado 2 **apavorado**, assustado, aterrorizado, horrorizado, varado *fig.*

transigência *n.f.* 1 **contemporização**, condescendência, acomodação 2 **tolerância**, indulgência, condescendência, suportação, flexibilidade, temporização, abertura *fig.* ≠ **intolerância**, intransigência, implacabilidade

transigente *adj.2g.* 1 **contemporizador**, condescendente 2 **condescendente**, tolerante, complacente, indulgente, deferente, flexível ≠ **inflexível**, intransigente, implacável

transigir *v.* 1 **contemporizar**, condescender 2 **conceder**, condescender, deferir, ceder, conformar, dispensar, agachar-se *fig.* ≠ **opor-se**, contestar, negar, refutar 3 **conciliar**, harmonizar, congraçar, avir, coadunar ≠ **desconciliar**, desarmonizar, desavir

transir *v.* 1 **trespassar**, repassar, penetrar 2 **assustar**, apavorar, aterrorizar, horrorizar 3 *fig.* **assombrar**, fulminar 4 **morrer**, falecer, expirar, finar-se, ficar-se ≠ **nascer**, viver

transitar *v.* 1 **passar**, andar, percorrer, cursar 2 **circular**, circuitar 3 **passar**, transferir, permutar, transmutar

transitável *adj.2g.* **andável**, viável, praticável ≠ **impraticável**, inviável, intransitável

transitivo *adj.* **transitório**, passageiro, provisório, momentâneo, temporário, efémero, amovível, breve, perfunctório ≠ **permanente**, duradouro

trânsito *n.m.* 1 **circulação** 2 **passagem**, transferência, transição, trajeto 3 **afluência** 4 **tráfego**, tráfico 5 *fig.* **morte**, passamento, falecimento 6 *fig.* **acesso**, influência

transitoriamente *adv.* **temporariamente**, provisoriamente, interinamente, passageiramente ≠ **permanentemente**, sempre

transitoriedade *n.f.* **brevidade**, fugacidade, efemeridade, rapidez ≠ **durabilidade**, permanência

transitório *adj.* 1 **passageiro**, momentâneo, temporário, amovível, perfunctório, efémero, decíduo *fig.* ≠ **permanente**, duradouro 2 **efémero**, breve, curto 3 **mortal**, fatal, letal, funesto, mortífero

translação *n.f.* 1 **trasladação**, transladação 2 **transferência**, transladação, mudança, deslocação 3 **tradução**, versão, traslado, trasladação, transplante *fig.* 4 **metáfora**

transladação *n.f.* 1 **transporte** 2 **transferência**, translação, mudança, deslocação

transladar *v.* 1 **trasladar**, transferir, transportar, mudar 2 **verter**, traduzir, transpor 3 *fig.* **adiar**, dilatar, protelar, procrastinar, delongar, retardar, diferir, espaçar, demorar ≠ **adiantar**, antecipar

translúcido *adj.* 1 **diáfano**, transparente, pelúcido ≠ **opaco** 2 *fig.* **esclarecido**, ilustrado, iluminado

transluzir *v.* 1 **transparecer**, reslumbrar 2 **manifestar**, revelar, demonstrar, expor 3 *fig.* **deduzir-se**, concluir-se, inferir

transmigrar *v.* **emigrar**, transferir-se

transmissão *n.f.* 1 **cessão**, cedência, transferência, delegação 2 **legado**, deixa, herança *fig.*, herdança *pej.* 3 **propagação**, divulgação, difusão 4 **comunicação**, emissão

transmissível *adj.2g.* 1 **transferível**, permutável ≠ **intransmissível** 2 **propagável** ≠ **intransmissível**

transmissor *adj.* **comunicador**, transmissivo, transmissório, veiculador ■ *n.m.* **manipulador**

transmitir *v.* 1 **conduzir**, transportar, levar 2 **transferir**, transitar, passar, permutar, transmutar 3 **legar**, herdar, deixar ≠ **deserdar** 4 **contaminar**, contagiar, pegar, infetar, gafar, apegar, inçar ≠ **descontaminar**, desinfetar 5 (concerto, programa, etc.) **passar**, apresentar, exibir, mostrar 6 (notícia, informação) **comunicar**, conduzir, passar, referir 7 (fenómeno físico) **propagar**, espalhar, propalar, conduzir, contagiar *fig.*

transmitir-se *v.* 1 **propagar-se** 2 **comunicar-se** 3 **passar**

transmudar *v.* 1 **transferir**, deslocar, mudar, transplantar, trasladar, transpassar, transmitir, transportar 2 **transformar**, metamorfosear, transfigurar, mudar, demudar, alterar ≠ **configurar**, formar

transmutação *n.f.* 1 **alteração**, modificação, mudança ≠ **conservação**, manutenção 2 **metamorfose**, transfiguração, mudança, avatar *fig.* 3 **transferência**, transladação, translação, mudança, deslocação

transmutar *v.* 1 **transferir**, deslocar, mudar, transplantar, trasladar, trespassar, transmitir, transportar, treladar 2 **transformar**, metamorfosear, transfigurar, mudar, demudar, alterar ≠ **configurar**, formar

transparecer *v. fig.* **manifestar-se**, revelar-se, demonstrar-se, mostrar-se ≠ **ocultar-se**, esconder-se, disfarçar

transparência *n.f.* 1 **limpidez**, clareza, nitidez, perspicuidade, cristal *fig.* ≠ **opacidade**, escuridade 2 **acetato**

transparente *adj.2g.* 1 **límpido**, claro, puro, cristalino, nítido ≠ **opaco**, turvo, crasso 2 **translúcido**, diáfano ≠ **opaco**, adiáfano, fosco, intransparente 3 *fig.* **evidente**, claro, óbvio, inteligível, compreensível, manifesto, nítido ≠ **incompreensível**, inevidente, opaco, obscuro *fig.* 4 *fig.* **inequívoco**, claro

transpiração *n.f.* 1 **suor**, exsudação, transudação, sudação, perspiração 2 BOT. **exsudação**, gotejamento, gutação

transpirar *v.* 1 **suar**, exsudar, transudar, destilar, ressudar, revelir, perspirar 2 *fig.* **constar**, divulgar-se, ressaltar

transplantação *n.m.* 1 MED. **transplante** 2 (em plantas) **transplante** 3 *fig.* **tradução**, versão, traslado, translação, trasladação

transplantar *v.* 1 **transferir**, deslocar, mudar, transmutar, trasladar, trespassar, transmitir, transportar 2 *fig.* **traduzir**, verter, transpor, transladar

transplante *n.m.* 1 MED. **transplantação** 2 (em plantas) **transplantação** 3 *fig.* **tradução**, versão, traslado, translação, trasladação

transpor *v.* 1 **ultrapassar**, exceder, suplantar, extrapolar, superar, trespor, extrapassar ≠ **comedir**, moderar 2 **galgar**, passar, superar, saltar, transcursar 3 **transferir**, transportar, transladar, transmitir 4 *fig.* (obstáculo, problema, dificuldade) **vencer**, superar 5 MÚS. **transportar**

transportar *v.* 1 **conduzir**, levar, transmover 2 **levar**, carregar, suportar ≠ **descarregar** 3 **transmitir**, transferir, transpor 4 **introduzir**, transpor 5 MÚS. **transpor** 6 *fig.* **arrebatar**, enlevar, entusiasmar, extasiar, arroubar

transportar-se *v.* 1 **remontar**, reportar-se 2 **referir-se** 3 *fig.* **enlevar-se**, extasiar-se, arrebatar-se, encantar-se, embevecer-se

transportável *adj.2g.* **transladável**, gestatório, portável ≠ **intransportável**

transporte *n.m.* 1 **mudança**, deslocação 2 **transportação**, porte, condução, portamento 3 **veículo**, viatura 4 *fig.* **êxtase**, enlevo, arroubo, entusiasmo, arrebatamento *fig.*

transposição *n.f.* 1 **transferência**, deslocação 2 **permuta**, troca 3 **adaptação**

transposto *adj.* 1 **transferido**, transportado, mudado 2 **galgado**, passado, ultrapassado 3 **vencido**, superado 4 **adaptado**

transtornado *adj.* 1 **perturbado**, atrapalhado, alterado ≠ **tranquilo**, sereno 2 *col.* **demente**, louco, desvairado

transtornar *v.* 1 **desorganizar**, baralhar, confundir, desarranjar, desordenar, descompor, desconcertar, desarrumar ≠ **arranjar**, arrumar, ordenar 2 *fig.* **perturbar**, incomodar, desassossegar, agitar, inquietar ≠ **acalmar**, tranquilizar, sossegar

transtornar-se *v.* 1 **perturbar-se**, alterar-se, inquietar-se 2 **malograr-se** 3 **estragar-se**, deteriorar-se 4 **desfigurar-se**, deformar-se

transtorno *n.m.* 1 **alteração**, mudança, transformação, modificação 2 *fig.* **contratempo**, contrariedade, obstáculo, dificuldade, impedimento, entrave, infortúnio, canudo *col.* ≠ **desimpedimento**, desatravancamento, desobstrução, desempeço, desempacho 3 *fig.* **deceção**, insatisfação, desapontamento, frustração ≠ **satisfação**, contentamento, regozijo 4 *fig.* **prejuízo**, dano, perda 5 *fig.* **desarranjo**, baralhada, desordenação, confusão ≠ **orientação**, norteação

transubstanciar *v.* **transformar**, mudar, converter, transfigurar

transudar *v.* 1 **suar**, exsudar, transpirar, destilar, ressudar, revelir 2 **derramar**, verter, entornar, trasvazar 3 *fig.* **transparecer**, transluzir

transvazar *v.* 1 **derramar**, verter, entornar, transudar, transbordar 2 **esvaziar**, despejar

transversal *adj.2g.* **oblíquo**, diagonal, enviesado, inclinado, esguelhado, pendente

transverso *adj.* **oblíquo**, transversal, diagonal, atravessado

transviado *adj.* 1 **desorientado**, extraviado, perdido, errante, tesmalhado 2 **desencaminhado**, desviado

transviar *v.* 1 **desencaminhar**, desviar, extraviar 2 *fig.* **corromper**, seduzir, perverter

transviar-se *v.* 1 **extraviar-se**, perder-se 2 *fig.* **corromper-se**, desencaminhar-se, perder-se

transvio *n.m.* **extravio**, desvio, descaminho

trapaça *n.f.* **fraude**, burla, embuste, engano, defraudação, vigarice, ludíbrio, logro, trica, intrujice, embaçadela, gambito, pelotiquice, fulharia, tolã *col.*, mofatra, tribofe [BRAS.] *col.*

trapacear *v.* 1 **ludibriar**, enganar, burlar, iludir, lograr, fraudar, vigarizar, tricar, codilhar *fig.* ≠ **desiludir**, desenganar 2 (ao jogo) **roubar**, gatunar

trapaceiro *adj.,n.m.* **batoteiro**, embusteiro, trafulha, mentiroso, desleal, impostor, burlão, trampão, lograt ivo, girigote *col.* ≠ **honesto**, leal, correto

trapacice *n.f.* **batota**, batotice, burla, fraude, engano, logro, trica, mandinga ≠ **honestidade**, legalidade

trapalhada *n.f.* 1 **confusão**, caos, barafunda, balbúrdia, desordem, salsada, embrulhada, pessegada *fig.,col.*, remexida *fig.*, salada russa *fig.* 2 **enredo**, imbróglio, labirinto *fig.* 3 **embuste**, ardil, trapaça, logro, dolo ≠ **honestidade**, verdade, sinceridade

trapalhão *adj.* **1 atabalhoado**, desorganizado, desajeitado, tranquiberneiro **2 trapaceiro**, embusteiro, enganador, burlão ≠ **honesto**, verdadeiro, correto ■ *adj.,n.m.* **maltrapilho**, farroupilha, mal-arranjado, esfarrapado, gebo, malroupido, trapento, frangalheiro *col.* ≠ **janota**, peralta, taful ■ *n.m.* **rodilhão**, farrapo

trapalhice *n.f.* **1 trapagem 2 confusão**, caos, barafunda, balbúrdia, desordem, salsada, embrulhada, trapalhada **3 enredo**, intriga **4 trapaça**, embuste, ardil, logro, dolo ≠ **honestidade**, verdade, sinceridade

trapezoidal *adj.2g.* **trapeziforme**, trapezoide

trapo *n.m.* **1 farrapo**, trapicalho, bandalho, andrajo, mundongo, fendrelho [REG.] **2** *fig.* **frangalho**, farrapo

traque *n.m.* **flatulência**, flato, ventosidade, vento, pum *col.*, peido *cal.*

traqueia *n.f.* ANAT. **traqueia-artéria** *ant.*

traquejar *v.* **1 perseguir**, seguir, acossar **2 exercitar**, lidar, adestrar

traquejo *n.m. col.* **prática**, perícia, desenvoltura, habilidade, destreza

traquina *adj.,n.2g.* **travesso**, irrequieto, turbulento, buliçoso, endiabrado *fig.*, chicaravelho *fig.*, retoução ≠ **calmo**, sereno

traquinice *n.f.* **traquinada**, travessura, diabrura, cachopice, malandrice, rabinice, tropelia *col.*, rabeadura *fig.*, safadice [BRAS.]

traseira *n.f.* **retaguarda**, zaga, ré ≠ **dianteira**, frente, cabeceira

traseiro *adj.* **posterior** ≠ **anterior**, dianteiro ■ *n.m.* **nádegas**, rabo, posterior, rabiote *col.*, assento *col.*, sim-senhor *col.*, sesso *col.*, culatra *col.*, pousadeiras *col.*, cu *vulg.*, bunda [BRAS.]

trasfego *n.m.* **lida**, movimento, trasfegadura, estrefega *col.*

trasladação *n.f.* **1 versão**, tradução, traslado, translação, transplante *fig.* **2 adiamento 3 transferência**, translação

trasladar *v.* **1 transferir**, deslocar, transplantar, mudar, transmutar, trespassar, transportar, transmitir **2 traduzir**, verter, transpor, transladar, transplantar *fig.* **3 copiar**, reproduzir **4 adiar**, dilatar, protelar, procrastinar, delongar, retardar, diferir, espaçar, demorar ≠ **adiantar**, antecipar

trasladar-se *v.* **mudar-se**, transferir-se, deslocar-se

traslado *n.m.* **1 trasladação**, transferência, mudança **2 cópia**, imitação, reprodução, transunto **3 versão**, tradução, trasladação, traslação, transplante *fig.* **4 modelo**, exemplo

traste *n.m.* **1 móvel**, peça, trasto **2 utensílio 3** *col.* **tratante**, velhaco, maroto, patife, malandro **4** MÚS. **trasto**

tratado *n.m.* **1 estudo**, obra **2 acordo**, convenção, convénio, pacto, aliança, contrato **3 aliança**, coligação ■ *adj.* **1 discutido**, exposto **2 examinado**, estudado, analisado **3 desenvolvido**, aprofundado **4 cinzelado**, lavrado **5 arranjado**, concertado **6 cultivado**, cuidado, arranjado

tratador *adj.,n.m.* **contratador**, negociante, tratante *ant.*

tratamento *n.m.* **1 trato**, comportamento, procedimento **2 terapia**, terapêutica

tratantada *n.f.* **velhacaria**, burla, embuste, impostura, trastada, tratada *col.*, ciganagem *pej.*, maracutaia [BRAS.]

tratante *adj.,n.2g.* **1 patife**, bandalho, futre, safado, brejeiro, infame, velhaco, biltre, pulha *col.*, canalha *pej.*, rufianaz *pej.* ≠ **notável**, honesto, respeitador **2 contratador**, negociante, tratador

tratar *v.* **1** (de alguém) **ocupar-se**, cuidar **2** (de um assunto ou negócio) **ocupar-se**, negociar **3 expor**, examinar, abordar **4 discorrer**, discursar **5 negociar**, combinar, transacionar

tratar-se *v.* **1 curar-se**, sarar-se **2 alimentar-se**, nutrir-se, sustentar-se

tratável *adj.2g.* **1 sanável**, cicatrizável, curável **2 sociável**, cortês, agradável, atencioso, afável, acessível, convivente, dado, abordável ≠ **indelicado**, intratável, grosseiro

trato[1 dAO] *n.m.* **1 extensão**, região, território, terreno **2 separação**, intervalo **3 decurso**, lapso

trato[2] *n.m.* **1 tratamento**, comportamento, procedimento **2 convivência**, convívio, confraternização, comunhão, familiaridade, contubérnio, contacto ≠ **enclausura**, recolhimento, isolação **3 cortesia**, delicadeza, educação, polidez, cerimónia, civilidade, civismo, acatamento, urbanidade *fig.* ≠ **indelicadeza**, incivismo, grosseria **4 acordo**, ajuste, negócio **5** [*pl.*] **tormentos**, suplícios, flagícios, angústias, mortificações, consumições, torturas *fig.* ≠ **desapoquentação**, alívio, sossego **6** [*pl.*] **esforços**

traulitada *n.f.* **1** *col.* **pancada**, mocada, paulada, cipoada, cacetada, bordoeira **2** *col.* **pancadaria**, tareia, calcada, bordoada, tunda, lenha *col.*, trolha *col.*, bazanada [REG.] **3** *pej.* **trauliteiro** *col.*, caceteiro

trauma *n.m.* **1** MED. **traumatismo**, ferimento, lesão **2** *fig.* **traumatismo**

traumatismo *n.m.* **1** MED. **trauma**, ferimento, lesão **2** *fig.* **trauma**

traumatizar *v.* **1 ferir**, lesionar **2 chocar**, perturbar, abalar

trautear *v.* **1 cantarolar**, gargantear, musicar, solfejar ≠ **desentoar**, destoar, desafinar **2** *col.* **maçar**, aborrecer, importunar, enfadar **3 repreender**, censurar, admoestar, criticar ≠ elogiar, louvar, aplaudir, felicitar **4** **burlar**, enganar, lograr, ludibriar, iludir, fraudar, vigarizar, codilhar *fig.* ≠ **desiludir**, desenganar

trava *n.f.* **1** **travagem**, travadura, frenação **2** **peia**, travão **3** **barrote**, vigota, sarrafão

travada *n.f.* **1** **auge** **2** **força**

travado *adj.* **1** **parado**, imobilizado, imóvel, freado, brecado [BRAS.] ≠ **móvel**, movimentado **2** (conversa, discurso) **começado**, entabulado, encetado, principiado ≠ **terminado**, concluído, rematado **3** **entrelaçado**, unido, entrançado, enredado **4** **atravancado**, obstruído, entulhado, bloqueado, impedido ≠ **desobstruído**, desimpedido **5** **preso**, detido, retido, agarrado ≠ **solto** **6** **renhido**, encarniçado **7** **gago**, tartamudo, tardíloquo, balbuciente, balbo, tatibitate, tártaro, tátaro, tato

travagem *n.f.* **frenagem**, travação, travamento, brecada [BRAS.], freada [BRAS.]

travão *n.m.* **1** **freio** **2** *fig.* **freio**, impedimento, obstáculo, sopremo [REG.] **3** **peia**, trava **4** *fig.* **repressão**, coibição

travar *v.* **1** **parar**, frear, brecar [BRAS.] **2** **moderar**, suster *fig.*, reprimir **3** **retardar**, impedir, abrandar, atravancar, obstruir **4** **pear**, ilaquear ≠ **despear** **5** (conversa, discurso) **começar**, entabular, encetar, principiar ≠ **terminar**, concluir, rematar **6** **pelejar**, lutar **7** *fig.* **refrear**

travar-se *v.* **1** **unir-se**, juntar-se **2** **cruzar-se**, entrecruzar-se **3** **empenhar-se**

trave *n.f.* **1** **viga**, barrote, vigote **2** *fig.* **torre**, titã, colosso, gigante ≠ **anão**, pigmeu *fig.*

travessa *n.f.* **1** **través** **2** (via-férrea) **dormente**, chulipa **3** **travessia**

travessão *n.m.* **1** **broche**, alfinete **2** **gancho**

travesseira *n.f.* **1** **cabeceira** **2** **fronha**, travesseiro

travesseiro *n.m.* **1** **alifafe**, cabeceira, almadraque **2** **fronha**, travesseira

travessia *n.f.* **travessa**, passagem, cruzada *fig.*

travesso *adj.* **1** **atravessado**, oblíquo, inclinado, diagonal, enviesado, transversal, esguelhado, pendente **2** **traquina**, irrequieto, turbulento, buliçoso, levadinho, rabeador, malcomportado, sapeca, endiabrado *fig.* **3** *fig.* **colateral**, lateral, ilhargueiro *ant.*

travessura *n.f.* **traquinada**, traquinice, diabrura, cachopice, malandrice, rabinice, tropelia *col.*, rabeadura *fig.*, safadice [BRAS.]

travo *n.m.* **1** **amargor**, travor **2** *fig.* **amargura**, tristeza

trazer *v.* **1** **dirigir**, encaminhar, conduzir **2** **transferir**, mudar, deslocar **3** **conduzir**, guiar **4** **vestir**, usar, levar **5** **causar**, ocasionar, acarretar, originar **6** **chamar**, atrair, puxar ≠ **afugentar**, repelir, espantar **7** **ostentar**, exibir, manifestar **8** (informações, notícias) **informar**, comunicar, anunciar **9** **oferecer**, ofertar, dar, brindar, presentear **10** **manter**, conservar, preservar **11** **produzir**, infligir **12** **proporcionar**, dar

trecentésimo *n.m.* **trecentos**

trecho *n.m.* **1** **espaço**, intervalo, duração, tempo, decurso, termo **2** **excerto**, passagem, extrato, passo, lugar, ponto *fig.*

treco *n.m. col.* **mal-estar**, camoeca, badagaio

trégua *n.f.* **1** **descanso**, folga, vacação, férias *fig.* **2** [*pl.*] **armistício**, indúcias, quartel

treina *n.f. fig.* **cevo**

treinador *adj.,n.m.* **adestrador**, instrutor, monitor

treinar *v.* **1** **praticar**, adestrar, ensaiar, preparar ≠ **destreinar** **2** *fig.* **acostumar**, habituar, afazer

treino *n.m.* **preparação**, ensaio, adestramento

trejeitear *v.* **arremedar**, macaquear

trejeito *n.m.* **1** **gesto**, meneio, gesticulação **2** **esgar**, momice, careta, caratonha, gaifona

trem *n.m.* **1** **comitiva**, cortejo, companhia, corte, equipagem, acompanhamento, séquito **2** **carruagem**, diligência **3** [BRAS.] **comboio**

tremar *v.* **desmanchar**, destramar, decompor, desfazer, destecer

tremelga *n.f.* **1** ICTIOL. **caramelga**, tremão, treme-mão, tremedor, tremedeira **2** (peixe) **torpedo**

tremelicar *v.* **1** **tiritar**, tremer, reganhar, tinir *col.*, estalejar *fig.* **2** **estremecer**, titilar, temer, vasquejar

tremelique *n.m.* **1** **tremura**, estremecimento, tiritação **2** **susto**, medo, pavor, trepidez, tremuras, assombro, cagaço *col.*, cegonhão *col.*

tremeluzir *v.* **cintilar**, brilhar, fulgurar, resplandecer, reluzir, fuzilar, faiscar, lampejar, coriscar, luciluzir, tremulinar

tremendo *adj.* **1** **terrível**, terrífico, horrendo, aterrador, horrível, rugidor *fig.* ≠ **agradável**, aprazível **2** **horrendo**, horroroso, hediondo, desengraçado, desformoso, desagradável ≠ **bonito**, formoso **3** *fig.* **grande**, formidável

tremente *adj.2g.* **trémulo**, tremido, tiritante

tremer *v.* **1** **tiritar**, estremecer **2** **oscilar**, vacilar, bailar, balançar, ondular ≠ **parar**, imobilizar, cessar, estacar, paralisar **3** **recear**, temer **4** *fig.* **assustar-se**, amedrontar-se, apavorar-se

tremês *adj.2g.* **tremesinho**, tremecém

tremido *adj.* **1** **trémulo**, tremente **2** **vacilante**, ondulante, oscilante **3** **perigoso**, arriscado, temerário ≠ **seguro** **4** **duvidoso**, incerto, suspeito, receoso ■ *n.m.* **1** **tremura**, estremecimento, tiritação **2** **sinuosidade**, tortuosidade

tremoceiro *n.m.* BOT. **tremoceira**, tremoço

tremoço *n.m.* BOT. **tremoceira**, tremoceiro

tremor *n.m.* **1** **agitação**, inquietação, convulsão **2** **medo**, pavor, receio, temor, apavoramento ≠ **destemor**, audácia, coragem, intrepidez

tremular *v.* 1 **agitar**, estremecer 2 **cintilar**, brilhar, tremeluzir, reluzir, fulgurar, resplandecer, fuzilar, faiscar, lampejar, coriscar 3 **vibrar** 4 *fig.* **vacilar**, oscilar, hesitar, titubear, trepidar

trémuloAO ou **trêmulo**AO *adj.* 1 **tiritante**, tremente, tremido, tremuloso, trépido 2 **brilhante**, cintilante, bruxuleante, luminoso, resplandecente, fulgurante 3 *fig.* **indeciso**, hesitante, vacilante, claudicante, duvidoso, incerto, irresoluto, perplexo ≠ **determinado**, certo, decidido, resoluto 4 *fig.* **medroso**, assustado, receoso, assustiço ≠ **corajoso**, valente 5 *fig.* **tímido**, acanhado, inibido, corado ≠ **desinibido**, desenvolto, destemido

tremura *n.f.* 1 **tremido**, tremor, estremecimento, tiritação 2 [*pl.*] **susto**, medo, pavor, trepidez, tremuras, assombro, cagaço *col.*, cegonhão *col.* 3 [*pl.*] **temor**, angústia

treno *n.m.* 1 **lamentação**, nénia, elegia *fig.* 2 **treino**, ensaio, adestramento, preparação

trenó *n.m.* **tobogã**

trentino *adj.* **tridentino**

trepadeira *n.f.* 1 BOT. **bons-dias** 2 ORNIT. **trepa-pinheiros**, atrepa, arribadeira, carrapito, engatadeira, marinhadeira, marinheira, serigaita, mexe-mexe, subideira, trepa-gato, trepeira

trepador *adj. fig.* **atrevido**, descarado, ousado, desabusado, confiado *col.* ≠ **inibido**, tímido, modesto, comedido

trepanação *n.f.* MED. **trépano**

trépano *n.m.* MED. **trepanação**

trepar *v.* 1 **subir**, ascender, elevar, içar, erguer, sublevar ≠ **descer**, baixar 2 **escalar**, galgar, subir, grimpar 3 **guindar-se**, montar-se 4 (a nível social, profissional) **ascender**, elevar-se, promover, subir 5 [REG.] **espezinhar**, calcar, pisar, esmagar, prensar

trepidação *n.f.* 1 **abalo**, estremecimento, tremor, vibração 2 *fig.* **agitação**, balbúrdia, confusão, alvoroço, rebuliço, desordem

trepidante *adj.2g.* 1 **oscilante**, trémulo 2 **saltitante** 3 **hesitante**, vacilante, inseguro, trémulo, claudicante ≠ **determinado**, certo, decidido, resoluto 4 **agitado**, alterado, inquieto, revolto ≠ **calmo**, tranquilo, sossegado 5 **assustado**, sobressaltado, agitado, alvoroçado, sarapantado

trepidar *v.* 1 **estremecer**, oscilar, tremer, vibrar 2 **tremer** 3 **hesitar**, vacilar, oscilar, titubear, duvidar, balançar *fig.*, claudicar *fig.* ≠ **decidir**, determinar, deliberar 4 **agitar-se**, inquietar-se

tréplica *n.f.* **contrarréplica**

tresandar *v.* 1 **desandar**, recuar, retroceder, voltar ≠ **avançar**, progredir 2 **transtornar**, perturbar, confundir, desordenar 3 **empestar**, feder, trescalar ≠ **desempestar**

tresler *v. col.* **errar**, disparatar, desatinar ≠ **acertar**

tresloucado *adj.* 1 **desvairado**, alucinado, amalucado, desequilibrado, tolo, tonto, destrambelhado *col.* ≠ **sensato**, equilibrado, ponderado 2 **louco**, desassisado, desajuizado, desatinado, estouvado ≠ **atinado**, ajuizado ■ *n.m.* **louco**, doido, maluco, esmiolado *fig.* ≠ **são**, equilibrado

tresloucar *v.* 1 **desvairar**, desatinar, entontecer, alucinar, relouquear, enlouquecer *fig.* ≠ **ajuizar**, atinar 2 **enlouquecer**, alienar, alucinar, dementar, desequilibrar, desvairar, desmiolar ≠ **desenlouquecer**

tresmalhado *adj.* **transviado**, extraviado, perdido, erradio, desencaminhado, desgarrado ≠ **encaminhado**, orientado

tresmalhar *v.* 1 **fugir**, dispersar, debandar, esmadrigar ≠ **aproximar**, unir, reunir 2 *fig.* **transviar**, extraviar, perder-se, errar, desencaminhar, desgarrar ≠ **encaminhar**, orientar

tresmalhar-se *v.* 1 **desmamar-se**, dispersar-se, disparar, esmadrigar-se, desgarrar-se 2 **desgarrar-se**

tresmalho *n.m.* 1 **sumiço**, extravio, descaminho, perda, desaparecimento ≠ **achamento**, descoberta 2 **debandada**, retirada, dispersão, corre-corre, retiração

tresmontar *v.* **abalar**, fuigr

trespassar *v.* 1 **furar**, perfurar, varar, picotar 2 **atravessar**, passar, perpassar, varar, pertransir, porfender, retransir 3 **atingir**, abalar, impressionar 4 DIR. **passar**, transferir, alhear, alienar 5 **exceder**, ultrapassar, superar, transpor ≠ **conter**, moderar 6 *fig.* **infringir**, violar, desobedecer, quebrantar, prevaricar, ofender, descumprir, contravir, desrespeitar, transgredir ≠ **cumprir**, respeitar, obedecer, acatar 7 **morrer**, falecer, finar, acabar

trespasse *n.m.* 1 DIR. **transferência**, alienação 2 *fig.* **morte**, falecimento, passamento

treta *n.f.* 1 *fig.* **estratagema**, astúcia, ardil, manha, malícia 2 (também usado no plural) **lábia**, paleio, léria, cantata, palavreado, fraseado, galra, música, prosa, conversa *fig.*, garganta *fig.*, cantiga *fig.,col.* 3 [*pl.*] **insignificâncias**, bagatelas, ninharias, niquices, migalhices, nicas *col.*, caganifâncias *col.*, farfalhadas *fig.*, poeiras *fig.* ≠ **importância**, utilidade, valor, transcendência, relevância, interesse

treva *n.f.* 1 **escuridão**, negrume, cerração, tenebrosidade ≠ **luz**, claridade 2 [*pl.*] *fig.* **noite**, chona *col.* ≠ **dia** 3 [*pl.*] *fig.* **ignorância**, incivilidade, bronquice ≠ **cultura**, instrução, ilustração

trezentos *n.m.* **trecentésimo**

tríade *n.f.* **trilogia**, trindade, trio

triagem *n.f.* **seleção**, escolha, eleição, optação, opção, preferência ≠ **renúncia**, rejeição, preterição

triangular *adj.2g.* trígono, trigonal
triângulo *n.m.* **1** trilátero **2** MÚS. ferrinhos
tribo *n.f.* **1** clã **2** BIOL. subfamília
tribromometano *n.m.* QUÍM. bromofórmio
tribulação *n.f.* **1** aflição, angústia, aperto, agonia ≠ serenidade, tranquilidade **2** adversidade, infortúnio, desgraça, calamidade, desventura, infelicidade, arrasto *fig.* **3** amargura, trabalhos
tribular *v.* amargurar, martirizar, atribular, afligir, atormentar, agoniar ≠ serenar, tranquilizar
tribuna *n.f.* **1** púlpito **2** eloquência, oratória **3** fórum
tribunal *n.m.* **1** judicatura **2** juízo, jurisdição **3** auditório
tribuno *n.m.* **1** (na Roma antiga) magistrado **2** *fig.* orador, perorador
tributar *v.* **1** coletar, contribuir, sisar **2** render, lucrar **3** dar, atribuir, prestar, dedicar, consagrar, devotar
tributário *n.m.* contribuinte, pagante, contribuidor
tributar-se *v.* contribuir, coletar-se, cotizar-se, quotizar-se
tributável *adj.2g.* coletável, cobrável, imponível, tributando
tributo *n.m.* **1** imposto, contribuição, quota, taxa, cotização, coleta, décima **2** homenagem, consagração, comemoração, honra, glória, preito
trica *n.f.* **1** trapaça, fraude, burla, embuste, engano, defraudação, vigarice, ludíbrio, logro, intrujice, embaçadela, tolina *col.* **2** enredo, intriga, mexerico, meandro, maranha *fig.* **3** *col.* habilidade, aptidão, jeito, talento, engenho ≠ inaptidão, desajeitamento **4** futilidade, nica, bagatela
tricana *n.f.* camponesa
triciclo *n.m.* tricicleta
tridente *n.m.* fuscina
trienal *adj.2g.* trisanual
triénioAO ou **triênio**AO *n.m.* trienado
trigal *n.m.* seara, messe
trigésimo *n.m.* trinta
trigo-mole *n.m.* trigo-gigantil, trigo-túrgido, trigo-rijo
trigoso *adj.* apressado, acelerado, alvoraçado, atrigado, azafamado, pressuroso ≠ moroso, lento, vagaroso
trigueiro *adj.* **1** moreno, tisnado, bronzeado, queimado *col.* ≠ descorado, esbranquiçado, pálido **2** escuro, moreno, nocticolor, baço, bruno *fig.* ≠ claro, alvadio, alvo, branco ■ *n.m.* **1** ORNIT. trigueirão, tentarraiz, milherão, chirrobia, tem-te-na-raiz **2** ORNIT. escrevedeira, escrevenina, letreira, serrão, cia **3** ORNIT. tordeira, torda, tordoveia, tordo-azul, torda-zorzal, tordonha, tordo-zorzal, zornal
trilha *n.f.* **1** pegada, pisada, palmilha, vestígio **2** rasto, trilho, caminho, vereda, atalho, senda **3** desígnio, intento, intenção **4** exemplo, norma
trilhar *v.* **1** (cereais) debulhar, descascar, desfolhar **2** pisar, calcar, espezinhar, acalcanhar, esmagar, prensar **3** entalar, apertar, velicar ≠ desentalar, soltar **4** contundir, pisar, atundir **5** moer, triturar, macerar, esmagar, contundir, calcar **6** seguir, percorrer, palmilhar
trilho *n.m.* **1** (comboios, carros elétricos, etc.) carril, calha **2** vereda, caminho, trilha, rasto, atalho, senda **3** (artes gráficas) calha **4** *fig.* direção **5** *fig.* norma, regra, exemplo
trilingue *adj.,n.2g.* triglota
trilo *n.m.* MÚS. trinado, trilado, requebro
trilogia *n.f.* trindade, tríade, trio
trimestral *adj.2g.* trimestre
trimestre *adj.2g.* trimestral
trímodo *adj.* trifário
trinácrio *adj.,n.m.* siciliano, sículo
trinado *n.m.* **1** gorjeio, chilro, chilreio, gralhada, regorjeio, chalreadura, chalreio **2** MÚS. trilo, trilado, requebro
trinar *v.* **1** gorjear, chilrar, pipilar, papear, gazear **2** trilar, gargantear, repenicar *fig.*
trinca *n.f.* **1** trio **2** dentada, trincadela, ferradela
trincadela *n.f.* dentada, trinca, ferradela, mordidela
trincar *v.* **1** morder, dentar, ferrar **2** *col.* comer, petiscar, debicar *fig.*, lambiscar, paparicar
trincar-se *v. fig.* zangar-se, irritar-se, encolerizar-se, enfurecer-se ≠ apaziguar-se, acalmar-se
trincheira *n.f.* **1** barreira, reparo, trincha *ant.,gír.* **2** vedação, tapume, sebe **3** obstáculo
trinco *n.m.* tranqueta, ferrolho, belho, pestilo
trindade *n.f.* tríade, triologia, trio, trinca
trinta *n.m.* trigésimo
trinta-e-um *n.m.2n.* **1** *col.* tumulto, revolta, rebuliço, agitação, motim, bulício ≠ calmaria, serenidade **2** *col.* complicação, sarilho, alhada *fig.*, embrulho *fig.*
trio *n.m.* **1** trilogia, trindade, tríada, trinca **2** MÚS. terceto
tripa *n.f.* **1** intestino **2** [*pl.*] entranhas, interior **3** [*pl.*] CUL. dobrada
tripartir *v.* trifurcar, trissulcar
tripé *n.m.* cavalete, tripeça, trípode, tripó
tripeça *n.f.* **1** cavalete, tripé, trípode, tripó **2** trinca, trio
tripeiro *adj.,n.m. col.* portuense ■ *n.m.* bucheiro, mondongueiro, fressureiro
triple *adj.2g.* triplicado, triplo, tríplice
triplicado *adj.* **1** triplo, tríplice, triple, tresdobrado **2** tresdobre ■ *n.m.* triplicata

triplicar *v.* tresdobrar

tríplice *adj.2g.* triplo, triplicado, triple, tergémino, trífido

triplo *num.mult.* tresdobro ▪ *adj.* triplicado, triple, tríplice

tripudiar *v.* **1** sapatear **2** *fig.* folgar, exultar **3** *fig.* degradar-se, viciar-se, corromper-se

tripulação *n.f.* equipagem, marinhagem, gente, nau, chusma

tripular *v.* **1** (embarcação ou avião) **equipar**, prover, aparelhar, chusmar **2** (embarcação ou avião) **governar**, amarinhar, comandar, dirigir

triques *adj.inv. col.* **janota**, elegante, chique, requintado, fino, esmerado, garrido, sécio, pimpão, apurado *fig.* ≠ **deselegante**, desapurado, descuidado

trissílabo *adj.* GRAM., LIT. **trissilábico**

triste *adj.* **1** **desgostoso**, pesaroso, penalizado, descontente, desconsolado, magoado, melancólico, saudoso, injucundo ≠ **alegre**, feliz, contente, ledo, radioso, jubiloso, jucundo, regozijador, ridente, hílare, ovante, aleluiático, álacre, gaio *ant.*, faceiro [BRAS.] **2** **doloroso**, lastimoso, penoso **3** **sombrio**, funesto, macabro, lúgubre, soturno **4** **insignificante**, irrisório **5** **mesquinho**, miserável, avarento, sovina ≠ **esbanjador**, perdulário, gastador, dissipador **6** **ridículo**, caricato, grotesco, irrisório ▪ *n.m.* **miserável**, desgraçado, pobre, infeliz, coitado

tristemente *adv.* **1** **melancolicamente**, infelizmente **2** **infelizmente**, lamentavelmente, lastimosamente

tristeza *n.f.* **1** **melancolia**, angústia, inquietação, abatimento, desgosto, tristura ≠ **alegria**, júbilo, contentamento, alacridade **2** **pena**, mágoa, aflição, consternação, saudade, desconsolo, insatisfação, amargura *fig.* ≠ **contentamento**, satisfação, gosto, bem-estar, agrado

tristonho *adj.* **1** **melancólico**, sorumbático, macambúzio, taciturno, triste, sombrio *fig.* ≠ **alegre**, festivo, jovial **2** **carrancudo**, sorumbático, macambúzio, mal-humorado, trombudo *fig.* ≠ **bem-humorado**, animado

trito *adj.* **triturado**, pisado, esmagado

trituração *n.f.* **1** **tritura**, trituramento **2** **mastigação**, moenga

triturar *v.* **1** **moer**, esmagar, pisar, macerar, calcar **2** **pulverizar** **3** **consumir** **4** **mastigar**, moer, manducar **5** *fig.* **torturar**, afligir, agoniar, atormentar

triunfador *adj.,n.m.* **vitorioso**, triunfante, vencedor, conquistador ≠ **perdedor**, derrotado

triunfal *adj.2g.* **apoteótico**, glorificante, consagrador, consagrante

triunfante *adj.2g.* **1** **vitorioso**, triunfador, vencedor, conquistador, superante ≠ **perdedor**, derrotado **2** **pomposo**, ostentoso, sumptuoso, faustoso ≠ **simples**, singelo

triunfar *v.* **1** **vencer**, ganhar ≠ **perder** **2** *fig.* **dominar**, prevalecer, primar **3** *fig.* **exultar**, gloriar-se, ostentar-se, jactar-se, gabar-se **4** *fig.* **resistir**

triunfo *n.m.* **1** **sucesso**, êxito, brilharete, glória, vitória, tiro *fig.*, palma *fig.* ≠ **fiasco**, fracasso, estenderete, barraca *fig.* **2** *fig.* **júbilo**, regozijo, congratulação, contentamento ≠ **desgosto**, tristeza

trivial *adj.2g.* **banal**, vulgar, comum, ordinário, corriqueiro, exotérico, obnóxio, comezinho *fig.*, terra-a-terra *pej.* ≠ **invulgar**, esquisito, raro, desusual, extraordinário, inabitual, inusitado, singular

trivialidade *n.f.* **banalidade**, vulgaridade, frivolidade, futilidade, palha *fig.* ≠ **singularidade**, originalidade, extravagância, ineditismo, unicidade

triz *n.m. col.* **momento**, instante ▪ *n.f. col.* **icterícia**

troar *n.m.* **estrondo**, troada, ribombo, estampido, fragor ▪ *v.* **estrondear**, ressoar, trovejar, ribombar

troca *n.f.* **1** **câmbio**, permuta, permutação, comutação, escâmbio, alborque, alboroque, substituição, mutuação ≠ **imutabilidade**, destroca **2** **compensação** **3** **mudança**, substituição, permuta, conversão, transformação

troça *n.f.* **1** **zombaria**, escárnio, motejo, sarcasmo, gracejo, mofa, burla, chasco, chufa, malhação [BRAS.] *fig.* ≠ **respeitabilidade**, considerabilidade **2** **pândega**, farra, divertimento, brincadeira, distração, recreação, entretenimento, folguedo, brinquedo, folia, paródia, reinação, pagode *fig.,col.*

trocadilho *n.m.* **equívoco**, calembur, trocados, triquestroques *col.*, jeu de mots

trocado *adj.* **1** **permutado**, substituído, comutado **2** **confundido**, baralhado **3** [*pl.*] **trocadilhos**

trocar *v.* **1** **permutar**, cambiar, escambar, comutar ≠ **destrocar** **2** **cambiar**, converter **3** **inverter** **4** **substituir**, alterar, mudar

troçar *v.* **1** **zombar**, motejar, escarnecer, apodar, chacotear, mofar, chasquear, zingrar ≠ **respeitar**, considerar, prezar, estimar **2** **ridicularizar**, achincalhar, amolecer

trocar-se *v.* **1** **transformar-se**, converter-se **2** **mudar-se**

troca-tintas *n.2g.2n. fig.* **intrujão**, trapalhão, burlão, charlatão, falso, logrador, embusteiro, impostor, histrião, arolas [REG.] ≠ **honesto**, justo

trocável *adj.2g.* **cambiável**, permutável, comutável ≠ **incomutável**

trochada *n.f.* **paulada**, mocada, cacetada, cipoada

trocho *n.m.* **cacete**, bordão

trocista *adj.,n.2g.* **zombador**, troçador, motejador, escarnecedor, achincalhante, bexigueiro, chacoteador, galhofeiro, jocoso, mangão, mofador, zombeiro, irridente ≠ **respeitador**

troco *n.m.* 1 **troca**, permuta, permutação, câmbio, comutação, escâmbio, alborque, alboroque, substituição ≠ **imutabilidade**, destroca 2 **demasia**, diferença, excesso, retorno, torna 3 [*pl.*] **miúdos**

troço *n.m.* 1 **pedaço**, bocado, fragmento, porção, fração, excerto, peça, torrão, tico [BRAS.] ≠ **todo**, soma, totalidade, globalidade 2 **troncho**, talo 3 **grupo**, corpo 4 [BRAS.] **coisa**

tróculos *n.m.pl.* BOT. **dedaleira**, digital, erva-dedal, abeloira

trofa *n.f.* [REG.] **coroça**, palhota [REG.]

troglodita *n.2g.* 1 **cavernícola** 2 *fig.,pej.* **grosseiro**, rude, bruto, batateiro *col.*

troiano *adj.,n.m.* **iliense**, ílio, dardânio, teucro

trolha *n.f.* 1 **servente** 2 *col.* **tareia**, surra, sova, tunda, zurzidela, coça *fig.*, cheganço *col.*, capilota *col.*, esfrega *col.*, poleia *col.*, trepa *col.*, sotaina [REG.]

tromba *n.f.* 1 **focinho**, probóscide 2 *col.* **face**, cara, rosto, fisionomia, semblante, caraça, focinho *col.*, fuça *col.*, ventas *fig.,col.*

trombada *n.f.* 1 **focinhada**, narigada 2 *fig.* **colisão**, encontrão, marrada, topada

trombeta *n.f.* 1 MÚS. **boré** 2 *col.* **narigão**, penca *col.*, bicanca *col.*, corneta *col.* 3 ORNIT. **agami**, jacamim, trombeteiro 4 ICTIOL. **trombeiro**, trombeiro-de-nariz-azul ■ *n.2g.* **trombeteiro**, trombetista

trombetear *v.* **cornetear**

trombeteiro *n.m.* 1 **trombetista**, trombeta 2 ORNIT. **agami**, jacami, trombeta 3 ZOOL. *col.* **muchão**

trombone *n.m.* 1 MÚS. **trombão**, trompão 2 **trombonista**

trombudo *adj.* 1 **focinhudo** 2 *fig.* **amuado**, mal-humorado, carrancudo, zangado, embezerrado *col.* ≠ **bem-humorado**, animado, contente

trompa *n.f.* 1 MÚS. **corne**, corno 2 ARQ. **perxina**

trompete *n.m./f.* MÚS. *ant.* **trompeta** ■ *n.2g.* **trompetista**

tronca *n.f.* **soga**

troncha *n.f.* BOT. **tronchuda**

tronco *n.m.* 1 **lenho**, pernada 2 **geração**, linhagem, estirpe, família, procedência, ascendência, progénie 3 **cadeia**, prisão, cárcere, calabouço, presídio, masmorra, cativeiro, gaiola *col.*, chilindró *col.*, choça *col.*, choldra *gír.* 4 *fig.* **encargo**, obrigação, obriga, dever, incumbência, preceito, dívida ≠ **desobrigação** ■ *adj.* **troncado**, mutilado, troncho

trono *n.m.* 1 **sólio** 2 *fig.* **soberania** 3 *fig.* **realeza** 4 [REG.] **trovão**

tropa *n.f.* 1 **hoste**, milícia, soldadesca *pej.* 2 **multidão**, bando, magote, chusma, caterva, ajuntamento, formigueiro, catrefada, coorte *fig.*, hoste *fig.*, coluvião *fig.*, enxame *fig.*, esquadrão *fig.*, exército *fig.* ■ *n.m. col.* **soldado**, militar, magala *col.*

tropeçar *v.* 1 **esbarrar**, embicar, empeçar 2 *fig.* **enganar-se**, equivocar-se, errar ≠ **acertar**

tropeço *n.m.* 1 **cepo**, toro 2 **tropeção** 3 **tripeça** 4 *fig.* **empecilho**, estorvo, obstáculo, dificuldade, embaraço

trôpego *adj.* **tropeçudo**, ferrugento *col.*, cambaio *fig.*

tropel *n.m.* 1 **tropeada**, tropido [REG.] 2 *fig.* **confusão**, caos, trapalhada, desordem, balbúrdia, babel, badanal, chinfrim, sarrafusca *col.*, pé de vento *fig.* ≠ **ordem**, organização, arrumação, arranjo 3 *fig.* **acervo**, montão, magote, rima

tropelia *n.f.* 1 *col.* **travessura**, diabrura, traquinice, cachopice, malandrice, rabinice, rabeadura *fig.*, safadice [BRAS.] 2 **bulício**, balbúrdia, confusão, caos, trapalhada, desordem, babel, pandemónio, rebuliço, chinfrim, sarapatel *fig.*, feira *fig.* ≠ **ordem**, organização, arrumação, arranjo 3 **ardil**, astúcia, manha, trapaça, dolo 4 **prejuízo**, dano, estrago, malefício

tropical *adj.2g.* (temperatura, clima) **abrasador**, ardente, quente ≠ **frio**, glacial

tropismo *n.m.* BIOL. **tropotaxia**, tropia

trote *n.m. fig.* **zombaria**, troça, escárnio, motejo, sarcasmo, gracejo, mofa, burla, chasco, chufa ≠ **respeitabilidade**, considerabilidade

trouxa *n.f.* 1 (mercadorias) **pacote**, bala, carga, embrulho, fardo, bagagem, volume 2 **palerma**, ignorante, inculto, desconhecedor, estúpido, tolo, parvo, idiota, pacóvio, panaca [BRAS.] ≠ **conhecedor**, entendedor, erudito, sábio, sabedor

trova *n.f.* **cantiga**, loa, canção, ária, hino, motete

trovador *n.m.* **bardo**, vate, poeta, lírico, rapsodo *fig.*

trovão *n.m.* **trono** [REG.]

trovejante *adj.2g.* 1 **trovento** 2 **estrondoso**, ruidoso, barulhento ≠ **silencioso** 3 *fig.* **irado**, exaltado, enfurecido, possesso, furioso ≠ **calmo**, sereno, tranquilo

trovejar *v.* **ribombar**, trovoar, troar, estrondear, tonar, tonitruar ■ *n.m.* 1 **trovão**, ribombo 2 **estrondo**, troada, estampido, fragor, ribombo *fig.*

trovoada *n.f.* 1 **toeira** [REG.] 2 *fig.* **estrondo**, troada, estampido, fragor, trovejar, ribombo *fig.* 3 *fig.* **gritaria**, algazarra, bulha, estardalhaço, chinfrim, alarido, barulheira, vozearia, azoada, grazinada, tourada *fig.*, vasqueiro *col.* ≠ **silêncio**, paz, calada, sopor 4 *fig.* **balbúrdia**, confusão, caos, trapalhada, desordem, babel, badanal, chinfrim, sarrafusca *col.*, pé de vento *fig.* ≠ **ordem**, organização, arrumação, arranjo 5 *fig.* **repreensão**, descompostura, raspanete, berro, rabecada *col.*, batida *fig.*, catilinária *fig.*, casaca *col.*, desandadela *col.*, descalçadela *col.*, foguete *col.*, sermão *col.*, carão [BRAS.] ≠ **elogio**, louvor, felicitações, aprovação 6 *fig.* **bebedeira**, embriaguez, ebriedade, bico, canjica, borracheira *col.*, piela *col.*, bruega *col.*, cabeleira *col.*, cardina *col.*, carraspana *col.* ≠ **sobriedade**, abstemia

truanesco *adj.* **chalaceador**, chocarreiro, gingador *col.*

truão *n.m.* **1 bufão**, bobo **2 palhaço**, bufão, jogral, histrião, polichinelo, títere *col.*, bobo *fig.*, arlequim *fig.*

trucidar *v.* **mutilar**, decapitar, esquartejar, dilacerar, degolar, esfacelar, quartejar

truculência *n.f.* **ferocidade**, crueldade, barbaridade, selvajaria, atrocidade, desumanidade ≠ **humanidade**, bondade, piedade, compassividade

truculento *adj.* **atroz**, bárbaro, brutal, cruel, feroz, terrível, violento, desumano ≠ **humano**, bondoso, piedoso, bom, compassivo

truísmo *n.m.* **trivialidade**, banalidade, lugar-comum, chapa *fig.*

truncado *adj.* **incompleto**, mutilado, interciso, estropiado, retalhado

truncar *v.* **1** (uma parte do tronco) **separar**, cortar **2 mutilar**, amputar, fanar **3 omitir**, ocultar

trunfa *n.f.* **1 turbante**, touca **2 grenha**, gaforina, guedelha, caraminhola **3** (especialmente na urna dos musgos) **coifa**

trunfo *n.m. fig.* **vantagem**, avanço, superioridade, vitória

trúpia *n.f.* **1 cãibra**, algospasmo, breca *col.* **2** [REG.] **inundação**, cheia, enchente, alagamento, undação, aluvião, crescente

truque *n.m.* **1 ilusão**, magia **2 manha**, astúcia, malícia, ardil, estratagema, cabe ≠ **honestidade**, correção, sinceridade

truta *n.f.* ICTIOL. **truta-sapeira**, truta-francesa, truta-marisca, relho, truita *col.*

trutina *n.f.* **1 balança 2 exame**, ponderação

tsé-tsé *n.f.* ZOOL. **cecé**

tsunami *n.m.* GEOG. **maremoto**

tubagem *n.f.* **1 canalização**, encanamento **2 tubulação**

tuberculizar *v.* MED. **entisicar**, tisicar

tubérculo *n.m.* **tuberosidade**

tuberculose *n.f.* MED. **héctica**, tísica

tuberculoso *adj.,n.m.* **1** MED. **tísico**, hétego *col.* **2 tuberoso**

tubo *n.m.* **1 canal**, conduta, cano **2 canudo**, cano

tubular *adj.2g.* **tubiforme**, tubulado, tubuloso

tucupi *n.m.* **mandioca**, aipim [BRAS.], manduba [BRAS.]

tudesco *adj.* **alemão**, germano ■ *n.m.* **alemão**

tudo *pron.indef.* ≠ **nada**

tudo-nada *n.m.* **1 pouco**, insignificância **2 momento**, instante

tufão *n.m.* **1 vendaval**, rabanada, furacão, ventania, rajada, ciclone, lufa, vórtice, buzaranha, remoinho ≠ **aragem**, brisa, sopro, viração, assopro **2 furacão**, ciclone, tornado

tufar *v.* **inchar**, entufar, intumescer

tufo *n.m.* **1 fole**, fofo, refolho, papo, dobra **2 montículo**, proeminência, nodosidade, saliência

tugir *v.* **murmurar**, ciciar, cochichar, segredar, mussitar, papear, rumorejar ≠ **berrar**, gritar, bramir, bradar, bramar

tugúrio *n.m.* **1 choupana**, choça, casinhola, casoto, covil, buraco *fig.*, casinhoto ≠ **casarão**, mansão, casão, convento *fig.* **2 abrigo**, refúgio, retiro

tule *n.m.* **filó**

tumba *n.f.* **1 caixão**, urna, esquife, féretro, ataúde, salgadeira *gír.* **2 sepulcro**, sepultura, túmulo, campa, jazigo, jazida, cova ■ *interj.* **zumba!**, pumba!, bumba!, zás!, zás-trás!

tumefação[dAO] *n.f.* PATOL. **intumescência**, inchaço, tumidez, inchadura

tumefacção[aAO] *n.f.* ⇒ **tumefação**[dAO]

tumefacto[AO] ou **tumefato**[AO] *adj.* **entumecido**, intumecido, inchado, túmido

tumefazer *v.* **intumescer**, inchar, tumeficar, entumecer, turgescer

tumescer *v.* **intumescer**, inchar, tumeficar, tumefazer, entumecer, turgescer

tumidez *n.f.* **intumescência**, inchaço, tumefação, tumor *ant.*

túmido *adj.* **1 intumecido**, inchado, tumefacto, turgente, intumescente, tumoroso, entumecente **2** *fig.* **orgulhoso**, empruado, vaidoso, pretensioso, fátuo, afetado, presumido, soberbo ≠ **despretensioso**, desafetado, modesto

tumor *n.m.* **1 neoplasma**, neoplasia, loba, nascida, polmão *col.* **2** *ant.* **intumescência**, entumecência, inchaço, tumefação, tumidez

tumular *adj.2g.* **sepulcral** ■ *v.* **sepultar**, enterrar, imunar ≠ **desenterrar**, exumar

túmulo *n.m.* **1 sepultura**, sepulcro, jazigo, jazida, campa, tumba, mausoléu **2** *fig.* **morte**

tumulto *n.m.* **1 motim**, sedição, revolta, rebelião, sublevação, insurreição, levantamento ≠ **apaziguamento**, pacificação, serenidade **2 alvoroço**, agitação, rebuliço, polvorosa, azáfama, zanguizarra *col.* ≠ **calmaria**, serenidade **3** *fig.* **inquietação**, perturbação, desassossego, agitação, transtorno, ansiedade ≠ **quietude**, serenidade

tumultuar *v.* **1 amotinar**, agitar, revolucionar, alvoroçar, conflagrar, concitar, insurgir ≠ **acalmar**, apaziguar, pacificar **2** *fig.* **desordenar**, desarrumar, desarranjar ≠ **ordenar**, arrumar

tumultuário *adj.* **1 amotinado**, agitado, rebelde, desordenado, confuso, inquieto ≠ **pacífico**, calmo **2 ruidoso**, barulhento, rumoroso, estrondoso ≠ **silencioso**, calado, tácito, emudecido, silente *poét.*

tumultuar-se *v.* **1 amotinar-se**, sublevar-se, insurgir-se, revoltar-se, insubordinar-se, erguer-se *fig.* **2 estrondear**, toar ≠ **silenciar 3 atropelar-se**, agitar-se **4** *fig.* **efervescer**, espalhar-se, alastrar-se

tumultuoso *adj.* **1 desordeiro**, agitador, tempestuoso, revolto *fig.* **2 impetuoso**, violento, furioso **3 confuso**, desordenado, babilónico *fig.* **4 rápido**

tuna *n.f.* **1** *col.* **ociosidade**, vagabundagem, malandrice, vadiagem, preguiça, gandaia, boémia ≠ **atividade**, dinamismo, labor, trabalho **2** BOT. **nopálea**, figueira-da-índia, nopal, tunal, cumbeba, pimpol

tunantear *v.* **vadiar**, vagabundear, mandriar, preguiçar, gandaiar, pandilhar, mariolar ≠ **trabalhar**, labutar, laborar

túnel *n.m.* **galeria**, cunículo *col.*

túnica *n.f.* **dalmática**, manto

turba *n.f.* **1 multidão**, magote, gente, malta, mundo, pelotão, caterva, catrefada, rebanhada *fig.*, batalhão *fig.*, enxame *fig.*, mar *fig.*, esquadrão *fig.*, exército *fig.*, coluvião *fig.*, hoste *fig.*, gentio *col.* **2 povo**, vulgo

turbante *n.m.* **touca**, trunfa

turbilhão *n.m.* **1 redemoinho**, vórtice, tufão, rajada, pé de vento **2 remoinho**, sorvedouro, voragem **3** *fig.* **tumulto**, conturbação, motim, agitação, alvoroço, revolta, insurreição, onda, pé de vento ≠ **apaziguamento**, pacificação, serenidade

turbilhonar *v.* **redemoinhar**, remoinhar, redopiar

turbulência *n.f.* **1 agitação**, alvoroço, desassossego, inquietação, perturbação, bulício ≠ **calmaria**, serenidade **2 rebeldia**, rebelião, sublevação, insurreição, levantamento ≠ **calmaria**, pacificação **3 perturbação**, desassossego, inquietação, preocupação, transtorno ≠ **descontração**, tranquilidade, desinquietação *col.*

turbulento *adj.* **1 irrequieto**, traquinas, buliçoso, desinquieto, azougado *fig.*, endiabrado *fig.* ≠ **calmo**, sereno **2 agitado**, tumultuoso, desassossegado, buliçoso ≠ **calmo**, sereno ■ *adj.,n.m.* **desordeiro**, arruaceiro, revolucionário, rixoso, chinfrineiro, conflituoso, brigão, malhador ≠ **apaziguador**, pacificador

turca *n.f.* *col.* **bebedeira**, embriaguez, ebriedade, bico, canjica, borracheira *col.*, piela *col.*, bruega *col.*, cabeleira *col.*, cardina *col.*, carraspana *col.* ≠ **sobriedade**, abstemia

turco *adj.,n.m.* **otomano**, túrcico

turgescência *n.f.* **turgidez**, turgência, inchação, intumescência, tumor *ant.*

turgescer *v.* **intumescer**, inchar, inturgescer, entumecer, empolar

turgidez *n.f.* **turgescência**, turgência, inchação, intumescência, entumecimento, tumor *ant.*

túrgido *adj.* **intumecido**, inchado, tumefacto, túmido, turgescente

turíbulo *n.m.* **incensório**, incensário

turma *n.f.* **1 classe 2 turno 3 multidão**, bando, turba, magote, gente, malta, mundo, pelotão, caterva, catrefada, rebanhada *fig.*, batalhão *fig.*, enxame *fig.*, mar *fig.*, esquadrão *fig.*, exército *fig.*, coluvião *fig.*, hoste *fig.*, gentio *col.*

turno *n.m.* **1 turma 2 vez**, ordem, escala **3 bando**, turma, magote, multidão, turba, gente, malta, mundo, pelotão, caterva, catrefada, rebanhada *fig.*, batalhão *fig.*, enxame *fig.*, mar *fig.*, esquadrão *fig.*, exército *fig.*, coluvião *fig.*, hoste *fig.*, gentio *col.*

turra *n.f.* **1** *col.* **cabeçada**, marrada, topetada, coca [REG.] **2** *fig.* **birra**, teima, capricho, teimosia, obstinação, pertinácia, caturrice, embirração, porfia, cenreira *col.* ≠ **flexibilidade**, plasticidade, maleabilidade ■ *n.m. gír.,pej.* (guerra colonial portuguesa) **terrorista**

turrão *adj.,n.m.* *fig.* **caturra**, teimoso, casmurro, obstinado, testudo, embirrento, opiniático, capitoso, orelhudo, turrista, cabeçudo *fig.*, marrão *col.* ≠ **aberto**, flexível, maleável ■ *adj. col.* **marrão**

turrar *v.* **1** *col.* **marrar 2** *fig.* **caturrar**, teimar, casmurrar, obstinar, altercar, embirrar, marrar *col.* ≠ **ceder**, aceitar, conceder

turvação *n.f.* **1 obnubilação**, turvamento, turvo **2 agitação**, inquietação, desassossego, transtorno ≠ **serenidade**, tranquilidade **3 confusão**, desordem

turvar *v.* **1 escurecer**, obscurecer, toldar, ofuscar **2** *fig.* **perturbar**, desassossegar, inquietar, transtornar **3** *fig.* **embriagar**, emborrachar, embebedar, enfrascar, inebriar, alcoolizar, chumbar *col.*, decilitrar *col.*

turvar-se *v.* **perturbar-se**, inquietar-se, desassossegar-se, agitar-se

turvo *adj.* **1 toldado**, túrbido ≠ **límpido**, transparente **2 embaciado**, opaco, fosco, baço, nebuloso ≠ **límpido**, transparente, claro **3 encoberto**, escuro, coberto, anuviado, enevoado, toldado ≠ **desnublado**, aberto, desanuviado, limpo **4** *fig.* **perturbado**, agitado, inquieto, desassossegado, transtornado, ansioso ≠ **quietude**, serenidade **5** *fig.* **confuso**, baralhado, desordenado

tutáculo *n.m.* **abrigo**, proteção, asilo, retiro, resguardo, refúgio

tuta-e-meia[aAO] *n.f.* ⇒ **tuta e meia**[dAO]

tuta e meia[dAO] *n.f. col.* **insignificância**, bagatela, ninharia, niquice, nada, farelório, futilidade, migalhice, minúcia, ridicularia, farfalhada *fig.*, babugem *fig.*, avo *fig.*, nica *col.*, caganifância *col.* ≠ **importância**, utilidade, valor, transcendência, relevância, interesse

tutano *n.m.* **1** **medula** **2** *fig.* **núcleo**, centro, imo, íntimo, profundeza, foco, coração, interior *fig.*, eixo *fig.*, gema *fig.*, medula *fig.* ≠ **superfície**, exterior

tutela *n.f.* **1** DIR. **tutoria** **2** *fig.* **proteção**, defesa, amparo, tutoria **3** *fig.* **sujeição**, subordinação, dependência

tutelado *adj.* **protegido**, amparado ■ *n.m.* **pupilo**

tutelar *v.* **1** **tutorar** **2** *fig.* **proteger**, defender, amparar ■ *adj.2g.* **defensor**, protetor, tutório

tutor *n.m.* **1** *fig.* **protetor**, defensor **2** *fig.* **conselheiro** **3** (planta) **uveira**

tutoria *n.f.* **1** **tutela** **2** *fig.* **amparo**, defesa, tutela, proteção

tutu *n.m.* **1** *infant.* **nádegas**, rabo, pupu, rabiote *col.* **2** [BRAS.] **cacique**, mandachuva, magnata, mandante **3** [BRAS.] **papão** **4** [BRAS.] **dinheiro**, ouro *fig.*, cabedal *fig.*, bagaço *fig.*, metal *fig.,col.*, guita *col.*, pastel *col.*, carcanhol *gír.*, cacau *col.*, pasta *col.*, pingo *col.*, bagalho *col.*, bagalhoça *col.*, massaroca *col.*, milho *col.*, pataco *col.*, pecúnia *col.*, teca *col.*, bago *col.*, grana [BRAS.] *col.* **5** [BRAS.] CUL. **ungui**

U

úbere *adj.2g.* 1 **fértil**, fecundo, produtivo, frutífero ≠ **estéril**, infecundo, infértil 2 **abundante**, farto, copioso ■ *n.m.* **teta**, teto, mama

ubi *n.m.* BOT. **ubim**, ubim-uaçu, ubimirim

ubiquidade *n.f.* **omnipresença**

ubíquo *adj.* **omnipresente**

udo *adj.* **graúdo**, desenvolvido, crescido, medrado ≠ **miúdo**

ufano *adj.* 1 **vaidoso**, orgulhoso, pretensioso, coquete, afetado, fátuo, presunçoso, ufanoso, impante ≠ **despretensioso**, desafetado, modesto 2 **triunfante**

ugar *v.* 1 [REG.] **igualar**, acertar 2 [REG.] **gritar**, berrar, alertar

ui *interj.* **hui!**, ai!, guai! *ant.*

uivar *v.* 1 **ulular**, ganir 2 *fig.* **gritar**, vociferar, bradar, bramar, bramir, clamar, rugir, urrar, vozear ≠ **sussurrar**, murmurar, bichanar *fig.*, zumbir *fig.*

uivo *n.m.* **aulido**, ululação, ululato

uja *n.f.* ICTIOL. **rato**, usga, uje, urze, xuxo, ratão, ratona

ujo *n.m.* ORNIT. **bufo**, corujão, grão-duque

úlcera *n.f.* 1 MED. **ulceração** 2 *col.* **chaga**, ferida, ulceração 3 *fig.* **vício**, doença, defeito 4 *fig.* **desgosto**, mágoa, chaga, ferida, pesar, desconsolação, desconsolo ≠ **contentamento**, alegria, satisfação

ulcerar *v.* 1 **chagar**, mazelar 2 *fig.* **apoquentar**, atormentar, angustiar, afligir, compungir, agoniar, atribular, molestar, pungir, consternar, dilacerar, ralar *fig.*, flagelar, consumir *fig.* ≠ **aliviar**, desapoquentar, sossegar 3 *fig.* **corromper**, adulterar, deteriorar

ulcerar-se *v.* **chagar-se**, enfistular-se

uliginoso *adj.* **pantanoso**, alagadiço, alagoso, paludoso, charcoso, lameirento

ulisseu *adj.* 1 *fig.* **astucioso**, astuto, engenhoso, perspicaz 2 *fig.* **velhaco**

ulissiponense *adj.,n.2g.* **lisbonense**, lisbonês, olissiponense, alfacinha *col.*

ulite *n.f.* MED. **gengivite**

ulmeira *n.f.* BOT. **ulmária**, erva-ulmeira, rainha-dos-prados

ulmeiro *n.m.* BOT. **mosqueiro**, negrilho, olmeiro, olmo, ulmo, lamegueiro

ulnar *adj.2g.* ANAT. (osso) **cubital**

ulterior *adj.2g.* **posterior**, subsecutivo, subsequente ≠ **anterior**, antecedente, precedente

ulteriormente *adv.* **posteriormente**, depois, após ≠ **anteriormente**, antes

ultimação *n.f.* **conclusão**, remate, acabamento, finalização, terminação ≠ **começo**, princípio

ultimado *adj.* 1 **concluso**, concluído, findo, rematado, finalizado, terminado ≠ **começado**, iniciado 2 (negócio) **fechado**, concluído, rematado, finalizado

ultimamente *adv.* 1 **recentemente**, modernamente, atualmente ≠ **antigamente**, outrora 2 ≠ **primeiramente**, primo

ultimar *v.* 1 **concluir**, terminar, acabar, findar, finalizar, completar, rematar ≠ **iniciar**, começar, principiar, encetar 2 (negócio) **fechar**, rematar, encerrar, finalizar

últimas *n.f.pl.* 1 **limite**, extremo, exagero 2 **agonia**

último *adj.* 1 **derradeiro**, final, extremo, postremo ≠ **inicial**, primeiro 2 **antecedente**, anterior, precedente, pregresso ≠ **seguinte**, posterior, subsequente, imediato, subsecutivo 3 **atual**, vigente, presente ≠ **antigo**, prescrito 4 **pior** 5 **restante**, derradeiro, remanescente, sobrante 6 **irrevogável**, definitivo, terminante, concludente ≠ **contestável**, discutível

ulto *adj.* **vingado**, desafrontado, desagravado, desforçado, pago *fig.* ≠ **agravado**, inulto

ultra *adj.,n.2g.* **extremista**, radical

ultrajado *adj.* **ofendido**, insultado, caluniado, injuriado ≠ **estimado**, venerado, respeitado

ultrajante *adj.2g.* **afrontoso**, caluniador, injurioso, ofensivo, insultante, ultrajoso, blasfemo, difamante ≠ **desagravante**

ultrajar *v.* **injuriar**, insultar, difamar, ofender, desfeitear, afrontar, vituperar ≠ **desultrajar**, desagravar, desforçar

ultraje *n.m.* **insulto**, injúria, ofensa, agravo, afronta, contumélia, vitupério, epíteto, impropério ≠ **desagravo**, desafronta

ultramar *n.m.* **além-mar** ≠ **aquém-mar**

ultramarino *adj.* **transmarino**, transoceânico

ultramoderno *adj.* **moderníssimo**, recentíssimo

ultrapassado *adj.* 1 **superado**, vencido, transposto 2 **antiquado**, desatualizado, desusado, batido *col.* ≠ **atualizado**, moderno

ultrapassar *v.* 1 **superar**, vencer, transpor, suplantar 2 **exceder**, superar

ululação *n.f.* **aulido**, uivo, ululo

ulular *v.* 1 **uivar**, ganir 2 *fig.* **queixar-se**, lamentar-se

um *pron.indef.* 1 alguém 2 algum, algo ■ *adj.* indivisível, uno, inseparável, inteiro ≠ divisível, separável ■ *n.m.* primeiro

umbela *n.f.* 1 guarda-sol, sombrinha, para-sol 2 BOT. umbráculo, umbrela

umbigo *n.m.* 1 embigo *col.* 2 *fig.* centro 3 *fig.* excrescência

umbral *n.m.* 1 ombreira 2 *fig.* entrada, limiar, porta, ombreira

umbrático *adj.* 1 sombrio, escuro, umbrátil, umbroso ≠ luminoso, claro 2 *fig.* fantástico, quimérico, imaginário

umbrífero *adj.* sombrio, escuro, sombroso, umbroso, umbrático ≠ luminoso, claro

ume *n.m.* QUÍM. alume, pedra-ume

unanimar *v.* harmonizar, conciliar

unânime *adj.2g.* 1 geral, universal, genérico 2 concorde, acorde, condizente, consenso, uníssono *fig.* ≠ divergente, discrepante, discordante

unanimidade *n.f.* concordância, conformidade, consenso ≠ discrepância, divergência

unar *v.* unir, juntar, ligar ≠ separar, desunir

unção *n.f.* 1 untura 2 *fig.* doçura, suavidade, brandeza ≠ rudeza, brutalidade

undécimo *num.ord.* décimo primeiro ■ *n.m.* onze

ungido *adj.* untado

ungir *v.* 1 untar, besuntar, olear 2 RELIG. sagrar

unguento *n.m.* untura, pomada

unguinoso *adj.* untuoso, gordurento, oleoso

ungulado *adj.* ZOOL. ungulígrado ■ *n.m.pl.* ZOOL. ungulígrados

unha *n.f.* 1 gadachim *col.*, unhaca *col.*, gatázio, gatanho 2 casco, garra 3 *fig.* domínio, poder, competência, autoridade 4 [*pl.*] mãos

unhada *n.f.* unhaço, gadanhada

unhar *v.* 1 arranhar, agatanhar, esgardunhar 2 [BRAS.] furtar, roubar, surripiar

unhas-de-fome[aAO] *n.2g.2n.* ⇒ **unhas de fome**[dAO]

unhas de fome[dAO] *n.2g.2n. pej.* somítico, mesquinho, forreta

unheiro *n.m.* panarício, paroníquia

união *n.f.* 1 junção, ligação, associação, irmanação 2 agrupamento, aglomeração, ajuntamento 3 confederação, coligação, aliança, associação 4 acordo, pacto, aliança, convenção, concerto 5 harmonia, conformidade, concórdia ≠ desarmonia 6 casamento, matrimónio, enlace, conúbio

unicamente *adv.* 1 somente, só, apenas, exclusivamente 2 simplesmente, meramente

unicameralismo *n.m.* POL. monocameralismo

unicelular *adj.2g.* monocelular ≠ pluricelular, policelular

unicidade *n.f.* singularidade ≠ pluralidade

único *adj.* 1 ímpar, singular, irrepetível, sem-par, uno, unário ≠ múltiplo 2 exclusivo, restrito, pessoal ≠ geral, coletivo 3 *fig.* excecional, incomparável, especial, extraordinário ≠ banal, comum, habitual

unicolor *adj.2g.* monocromático, monocolor, monocrómico ≠ multicolor, multicor, matizado, omnicolor, versicolor, vário, variegado, bicolor, alagartado

unicórnio *n.m.* 1 licórnio 2 ZOOL. monoceronte, unicorne 3 ZOOL. narval

unidade *n.f.* 1 uniformidade, coerência, homogeneidade, harmonia ≠ discrepância, heterogeneidade 2 MIL. companhia, agrupamento 3 *fig.* igualdade, identidade 4 *fig.* harmonia, sintonia, conformidade

unido *adj.* 1 junto, ligado, pegado, reunido, congregado, conchavado ≠ separado, desligado, desapegado, afastado 2 [*pl.*] amigos, íntimos

unificação *n.f.* 1 união, junção 2 federação, associação 3 centralização

unificador *adj.* centralizador, convergente, englobante, sumativo

unificar *v.* unir, aunar ≠ desunificar, separar

unificar-se *v.* consubstanciar-se, juntar-se, agregar-se, unir-se, associar-se ≠ desagregar-se, separar-se

uniforme *adj.2g.* 1 regular, igual, constante, invariável ≠ irregular, desigual 2 homogéneo ≠ heterogéneo, diverso, desigual ■ *n.m.* farda, fardamento, libré *col.*

uniformemente *adv.* invariavelmente, regularmente ≠ variavelmente, irregularmente

uniformidade *n.f.* 1 semelhança, analogia, parecença ≠ diferença, diversidade 2 coerência, harmonia, congruência, conformidade, concordância, coesão, consonância ≠ incoerência, desarmonia, desconcordância, discrepância 3 constância, regularidade ≠ irregularidade, instabilidade 4 monotonia, mesmice, unissonância

uniformização *n.f.* estandardização, homogeneização, padronização

uniformizar *v.* 1 estandardizar, homogeneizar, padronizar 2 monotonizar 3 regulamentar, normalizar

unigamia *n.f.* monogamia

unígamo *adj.,n.m.* monógamo

uniovular *adj.2g.* BIOL. monozigótico, univitelino

unipessoal *adj.2g.* 1 individual, particular ≠ impessoal 2 GRAM. impessoal ≠ omnipessoal

unipétalo *adj.* BOT. monopétalo

unir *v.* 1 unificar ≠ desunificar, separar 2 (pessoas) ligar, aproximar, associar ≠ dividir, separar 3 conciliar, harmonizar, congraçar 4 juntar, agregar, anexar, associar, congregar, reunir ≠ separar, desunir 5 casar, esposar, matrimoniar, desposar, conjungir, consorciar ≠ **divorciar**, separar, descasar **6** **aderir**

unir-se *v.* **juntar-se**, agregar-se, associar-se, unificar-se, reunir-se, conglomerar-se, consociar-se ≠ **separar-se**, afastar-se, desagregar-se

unispérmico *adj.* BOT. **monospermo** ≠ **polispérmico**

unissexualidade *n.f.* **gonocorismo**, unissexualismo

uníssono *adj.* **1** **unissonante** **2** **harmónico**, conforme ≠ **discrepante**, desarmónico **3** *fig.* **unânime**, concorde, acorde, condizente, consenso ≠ **divergente**, discrepante, discordante ■ *n.m. fig.* **coerência**, harmonia, conformidade, congruência, acordo, concordância, coesão, uniformidade, consonância ≠ **incoerência**, desarmonia, desconcordância, discrepância

universal *adj.2g.* **1** **geral**, mundial, ecuménico, globalizado ≠ **particular** **2** **geral**, genérico, comum, coletivo ≠ **particular**, individual

universalidade *n.f.* **1** **totalidade**, globalidade ≠ **parcialidade** **2** **generalidade**, universidade ≠ **particularidade**, singularidade

universalização *n.f.* **generalização**

universalizar *v.* **generalizar**, cosmopolizar, globalizar

universalizável *adj.2g.* **generalizável**

universalmente *adv.* **1** **mundialmente**, ecumenicamente ≠ **localmente** **2** **geralmente**, mundialmente ≠ **individualmente**, particularmente

universidade *n.f.* **1** **universalidade**, generalidade **2** **academia**, alma mater

universo *n.m.* **1** ASTRON. **cosmo**, espaço **2** **mundo** **3** **âmbito**, domínio, área **4** **contexto**, ambiente, meio

univitelino *adj.* BIOL. (gémeos) **uniovular**, monozigótico

unívoco *adj.* **1** **inequívoco**, claro, evidente ≠ **equívoco**, ambíguo, dúbio **2** **homogéneo** ≠ **heterogéneo**

uno *adj.* **1** **único**, singular, sem-par, ímpar ≠ **múltiplo** **2** **indivisível**, um, inseparável, inteiro ≠ **divisível**, separável

untadela *n.f.* **besuntadela**

untadura *n.f.* **1** **untura**, unção **2** **untura**, unguento, pomada

untar *v.* **ungir**, besuntar, olear, lubrificar

unto *n.m.* **banha**, pingue, gordura, gordo, pingo, enxúrdia, axúnguia

untuoso *adj.* **1** **gorduroso**, oleoso, unguinoso, graxo **2** **gordo**, nutrido **3** *fig.,pej.* **bajulador**, melífluo *fig.*

untura *n.f.* **1** **untadura**, unção **2** **unguento**, pomada, untadura **3** *fig.* **rudimentos**, noções, sombras, laivos *fig.*, lascas *fig.*, tinturas *fig.*

upa *n.f.* **pinote**, corcovo, sacão ■ *interj.* **acima!**, ânimo!, força!

uranismo *n.m.* (homem) **homossexualidade**, inversão *pej.*, pederastia *pej.*, fanchonice *pej.,vulg.* ≠ **heterossexualidade**

uranografia *n.f.* **astronomia**, cosmografia, uranologia

uranógrafo *n.m.* **astrónomo**, cosmógrafo

uranólito *n.m.* **aerólito**, meteorito, pedra-do-ar

uranoscopia *n.f.* **astrologia**

urbanidade *n.f. fig.* **cortesia**, civilidade, delicadeza, polidez, gentileza ≠ **inurbanidade**, descortesia

urbanizar *v. fig.* **civilizar**, polir, cultivar, domesticar, educar

urbano *adj. fig.* **cortês**, afável, civilizado, delicado, gentil, polido, educado ■ *adj.,n.m.* **citadino**, cidadão ≠ **campesino**, campestre, rústico, agrário, aldeão

urbe *n.f.* **cidade**, cividade *ant.*

urdido *adj.* **1** **tecido** **2** **tramado**, maquinado, conspirado, arquitetado, cozinhado *fig.*, tecido *fig.*

urdidor *n.m.* **tecelão**, tecedor ■ *adj.,n.m. fig.* **maquinador**, tramador, conspirador, conjurador, conspirante, golpista *fig.*

urdidura *n.f.* **1** **urdume**, urdimento **2** *fig.* **enredo**, intriga, trama, entrecho **3** *fig.* **maquinação**, conjuração, conspiração, complô, intriga, cambalacho, trama *fig.*, tramoia *col.*, cabala *fig.* ≠ **correção**, verdade, boa-fé

urdir *v.* **1** **tecer**, fiar, tear **2** *fig.* **imaginar**, fantasiar, entrechar **3** *fig.* **conspirar**, tramar, cozinhar, maquinar, projetar, planear, intrigar

uredo *n.m.* **comichão**, coceira, prurido, safreira, rapeira, formigamento, formigueiro

ureia *n.f.* QUÍM. **carbamida**

urético *adj.* **diurético**, mictório

urgebão *n.m.* BOT. **algebrado**, algebrão, orgevão, verbena, jurujuba, gerbão, gervão

urgência *n.f.* **pressa**, necessidade, premência, diligência, aperto, mister ≠ **vagar**

urgente *adj.2g.* **1** **iminente**, próximo, impendente **2** **indispensável**, imprescindível, essencial, necessário, fundamental *fig.* ≠ **dispensável**, secundário, suplementar, complementar, acessório

urgir *v.* **1** **instar**, apertar *fig.* **2** **apertar** *fig.*, perseguir, seguir **3** **exigir**, reclamar, demandar

urina *n.f.* **águas**, chichi *col.*, xixi *col.*, mijo *col.*, pipi *infant.*, mijina [REG.]

urinar *v.* **mictar**, mijar *col.*

urinol *n.m.* **mictório**, sumidoiro, mijadoiro *col.*

urna *n.f.* **1** **caixão**, esquife, féretro, tumba, cista, ataúde, salgadeira *gír.* **2** BOT. **urnário**

uro *n.m.* ZOOL. **auroque**

urocromo *n.m.* **urobilina**

urofilia *n.m.* ondinismo

urotropina *n.f.* QUÍM., FARM. hexametilenotetramina

urrar *v.* 1 bramir 2 rugir 3 berrar, gritar, vociferar, bradar, bramar, bramir, clamar, rugir, vozear ≠ sussurrar, murmurar, bichanar *fig.*, zumbir *fig.*

urro *n.m.* 1 bramido, rugido 2 *fig.* berro, brado, grito, bramido, rugido *fig.* ≠ murmúrio, sussurro, cochicho, bulício

urso *n.m. col.,pej.* misantropo, sociófobo, bicho do mato, solitário

urticária *n.f.* MED. cnidose

urtigar *v.* 1 ortigar, urticar 2 *fig.* flagelar, atormentar, torturar, castigar

urze *n.f.* 1 BOT. estorga 2 ICTIOL. rato, uja, usga

usado *adj.* 1 experimentado, calejado, trilhado 2 exercitado 3 empregado, utilizado 4 acostumado, habituado, afeito ≠ desabituado, desacostumado 5 velho, gasto, deteriorado, corroído ≠ novo, restaurado 6 coçado, cotiado, puído, roçado ≠ novo

usar *v.* 1 vestir, calçar, pôr, colocar ≠ despir, tirar, descalçar 2 empregar, utilizar, servir-se 3 deteriorar, estragar, gastar ≠ recuperar 4 costumar

usar-se *v.* praticar-se, vigorar-se

useiro *adj.* costumado, habituado, vezeiro, cadimo

uso *n.m.* 1 prática, hábito, costume 2 tradição, costume, usança, tendência, hábito ≠ desuso, desábito 3 frequência 4 moda, voga 5 usufruto 6 emprego, aplicação, utilização 7 serviço, serventia, préstimo, utilidade 8 estilo 9 deterioração

ustir *v.* 1 estimar, considerar, venerar 2 retribuir, pagar 3 [REG.] aguentar, suportar 4 [REG.] arder, queimar-se

usto *adj.* queimado, ustulado

usual *adj.2g.* habitual, comum, rotineiro, corriqueiro, frequente, regular ≠ desabituado, infrequente, irregular

usufruição *n.f.* fruição, gozo, desfrute

usufruir *v.* 1 fruir, usufrutuar, gozar, desfrutar 2 possuir, ter

usufruto *n.m.* gozo, fruição, desfrute, uso

usufrutuário *adj.,n.m.* desfrutador, usuário

usura *n.f.* 1 onzenice, onzena, agiotagem 2 mesquinhez, avareza, sovinice, tacanhez, forretice, cainheza, somiticaria, mesquinharia, tenacidade *fig.* ≠ generosidade, magnanimidade, munificência

usurário *n.m.* agiota, onzenário, urubu *fig.*, abutre *fig.,pej.*, logreiro *ant.*

usurpação *n.f.* intrusão, defraudação, extorsão

usurpador *adj.,n.m.* intruso

usurpar *v.* apoderar-se, apossar-se, obter

utensílio *n.m.* apetrecho, ferramenta, instrumento, traste

utente *n.2g.* utilizador, usuário, beneficiário

útero *n.m.* ANAT. madre, matriz, ventre, seio *fig.*

útil *adj.2g.* 1 proveitoso, vantajoso, profícuo, frutuoso ≠ desvantajoso, improfícuo 2 prestável, utilizável, aproveitável, servível ≠ inútil 3 válido

utilidade *n.f.* 1 préstimo, prestança, serventia, uso, serviço 2 vantagem, proveito, interesse, lucro, conveniência ≠ desvantagem, prejuízo, inconveniência

utilitário *adj.* 1 económico 2 prático, funcional ■ *n.m.* 1 utilitarista 2 (automóvel) comercial

utilização *n.f.* aproveitação, uso, aplicação, emprego

utilizador *n.m.* utente, usuário, beneficiário

utilizar *v.* 1 usar, empregar, servir-se 2 aproveitar 3 lucrar, ganhar

utilizar-se *v.* servir-se, aproveitar-se, valer-se

utilizável *adj.2g.* aproveitável, prestável, útil ≠ inaproveitável, inutilizável, inútil

utopia *n.f.* ficção, sonho, ilusão, quimera *fig.*

utópico *adj.* idealista, fantasioso, quimérico, sonhador

uva *n.f.* 1 bago 2 *col.* dinheiro, cacau *col.*, ouro *fig.*, cabedal *fig.*, bagaço *fig.*, metal *fig.,col.*, guita *col.*, pastel *col.*, carcanhol *gír.*, pasta *col.*, pingo *col.*, bagalho *col.*, bagalhoça *col.*, massaroca *col.*, milho *col.*, pataco *col.*, pecúnia *col.*, teca *col.*, bago *col.*, grana [BRAS.] *col.*, tutu [BRAS.]

uva-crespa *n.f.* BOT. groselheira

uva-de-cão *n.m.* 1 BOT. baganho, norça-preta 2 BOT. vermiculária 3 BOT. doce-amarga, dulcamara, erva-de-cão

uva-passa *n.f.* passa

V

vaca *n.f. pej.,vulg.* cabra *vulg.*

vacaria *n.f.* 1 **vacada** 2 **tambo** [BRAS.] 3 **leitaria**

vacatura *n.f.* vacância, vagatura, vaga ≠ **ocupação**, preenchimento

vacilação *n.f.* 1 **hesitação**, oscilação, nutação, cambaleio, vai não vai ≠ **imobilidade**, estabilidade, fixidez 2 *fig.* **hesitação**, titubeação, flutuação, irresolução, incerteza, indecisão, arrepsia ≠ **resolução**, decisão, determinação

vacilante *adj.2g.* 1 **oscilante**, titubeante, cambaleante, balouçante, vacilatório ≠ **fixante**, imóvel, estático, parado 2 **trémulo**, tremido, tremente 3 *fig.* **hesitante**, indeciso, perplexo, titubeante, claudicante, incerto, oscilante *fig.* ≠ **determinado**, certo, decidido, resoluto 4 *fig.* **precário**, instável, inconstante, variável

vacilar *v.* 1 **cambalear**, cambar, oscilar, titubear 2 **tremer**, estremecer, tiritar 3 **afrouxar**, enfraquecer, combalir ≠ **fortificar**, revigorar 4 *fig.* **hesitar**, titubear, oscilar, duvidar, balançar *fig.*, claudicar *fig.*, patinar *fig.*, bambar ≠ **decidir**, determinar, deliberar

vacina *n.f.* **vacinação**

vacinação *n.f.* **vacina**

vacinado *adj.* 1 **imunizado**, refratário 2 *fig.* **imune**

vacinar *v.* 1 **inocular** 2 *fig.* **imunizar**

vacuidade *n.f.* 1 **inanidade**, inânia 2 *fig.* **estupidez**, imbecilidade, tarouquice ≠ **inteligência**

vacum *adj.2g.* **bovino**, vacaril, vacarino [REG.]

vácuo *adj.* 1 **vazio** ≠ **cheio**, preenchido 2 **desocupado**, vacante, vago ≠ **ocupado**, preenchido 3 **oco**, vão ≠ **cheio**, preenchido ■ *n.m.* 1 **vão**, vazio, oco ≠ **enchimento**, preenchimento, recheio 2 *fig.* **privação**, falta, carência ≠ **abundância**, suficiência 3 *fig.* **aborrecimento**, enfado, tédio, fastio ≠ **interesse**, empenho, motivação

vadear *v. fig.* (uma dificuldade, um problema) **vencer**, ultrapassar

vadiação *n.f.* 1 **vadiagem**, vagabundagem, gandaia, pida [REG.] 2 **ócio**, ociosidade, descanso, desocupação, vagabundagem, vadiagem, malandrice ≠ **atividade**, dinamismo, labor, trabalho

vadiagem *n.f.* 1 **vadiação**, vagabundagem, gandaia, laureio, gandaíce, sarandagem [BRAS.], pida [REG.], guinalda [REG.], guinaldice [REG.] 2 **ócio**, ociosidade, descanso, desocupação, vagabundagem, vadiação, malandrice ≠ **atividade**, dinamismo, labor, trabalho

vadiar *v.* 1 **gandaiar**, garotar, gauderiar, moinar, bargantear, zingarear, bandurrar, larear *col.* 2 **vaguear**, errar, andejar, vagabundear, zanzar 3 **mandriar**, preguiçar, vagabundear, tunantear, gandaiar, pandilhar, mariolar, madraceirar ≠ **trabalhar**, labutar, laborar, abelhar

vadio *adj.* 1 **preguiçoso**, ocioso, mandrião, indolente, madraço, calaceiro, vagabundo, malandrino, inerte *fig.*, gaudério, guinaldeiro [REG.] ≠ **ativo**, dinâmico, enérgico, laborioso 2 **errante**, vagabundo, vagante, andante 3 **rafeiro** ■ *n.m.* **ocioso**, mandrião, preguiçoso, procrastinador, madraço, gandula, moinante, quebra-esquinas, balda *col.*, gamenho *col.*, mangalaço, murciano *fig.*, pinoio [REG.], ravasco ≠ **trabalhador**

vaga *n.f.* 1 **onda**, vagalhão, baldão, escarcéu 2 *fig.* **onda** 3 *fig.* **enchente**, afluência, afluxo, inundação 4 *fig.* **moda**, tendência, voga, uso 5 **vacância**, vagatura ≠ **ocupação**, preenchimento 6 **desocupado**, vacante, vago, vácuo ≠ **ocupado**, preenchido 7 **ausência**, falta 8 **desocupação**, vagar, ócio

vagabundagem *n.f.* 1 **vadiação**, vadiagem, gandaia, pida [REG.] 2 **ócio**, ociosidade, descanso, desocupação, vadiagem, vadiação, malandrice ≠ **atividade**, dinamismo, labor, trabalho

vagabundear *v.* 1 **gandaiar**, garotar 2 **vaguear**, errar, andejar, vadiar 3 **mandriar**, preguiçar, vadiar, tunantear, gandaiar, pandilhar, mariolar ≠ **trabalhar**, labutar, laborar

vagabundo *adj.* 1 **errante**, vadio, vagante, andante, giróvago, multívago, vagamundo 2 **preguiçoso**, ocioso, mandrião, indolente, madraço, calaceiro, vadio, inerte *fig.* ≠ **ativo**, dinâmico, enérgico, laborioso, incansável, inquebrantável, indefesso 3 *fig.* **inconstante**, instável, volúvel, variável ≠ **constante**, invariável ■ *n.m.* **ocioso**, mandrião, preguiçoso, procrastinador, madraço, valdevinos, balda *col.* ≠ **trabalhador**

vágado *n.m.* 1 **vertigem**, tontura, oura, estonteamento, nutação 2 **desmaio**, desfalecimento, inconsciência, desacordo ≠ **consciente**

vagalhão *n.m.* **baldão**, corso, escarcéu, vaga

vaga-lume *n.m.* ZOOL. **pirilampo**, abre-cu, arincu, caga-lume, luze-cu, luz-luz, luzincu

vagamente *adv.* 1 **indistintamente**, indeterminadamente, indecisamente ≠ **distintamente**, precisamente 2 **aproximadamente** 3 **superficialmente**, levemente, ligeiramente

vagante *adj.2g.* **errante**, vadio, vagabundo, andante ■ *n.f.* **vacatura**, vaga, vagatura, vacância

vagão *n.m.* carruagem, carro

vagar *n.m.* 1 **demora**, dilação, atraso, retardamento, lentidão, perlonga, delonga ≠ **aceleração**, ligeireza, prontidão 2 **lazer**, ócio, descanso, repouso, sueto 3 **ensejo**, ocasião, oportunidade, azo, chance, momento, aberta, campo *fig.*, jazigo *fig.* ■ *v.* 1 **desocupar** ≠ **ocupar**, preencher 2 (tempo) **sobrar**, restar, sobejar ≠ **faltar**, escassear 3 **entregar-se**, dedicar-se, ocupar-se 4 **vaguear**, errar, andejar, vadiar, vagabundear, circunvagar, girovagar 5 *fig.* **espalhar-se**, derramar-se, correr 6 **flutuar** 7 **circular** 8 **vacar**

vagarosa *n.f. gír.* **prisão**, cadeia, cárcere, calabouço, presídio, masmorra, cativeiro, gaiola *col.*, chilindró *col.*, choça *col.*, choldra *gír.*

vagarosamente *adv.* **devagar**, lentamente, paulatinamente, calmamente, demoradamente, detidamente, indolentemente, molemente ≠ **aceleradamente**, rapidamente, apressadamente

vagaroso *adj.* 1 **lento**, moroso, arrastado, pausado, paulatino ≠ **rápido**, célere, veloz 2 **pachorrento**, descansado, demorado, ronceiro, lento, fleumático, lerdo ≠ **diligente**, ativo 3 **calmo**, sereno, pacato, plácido, quieto, tranquilo, sossegado ≠ **agitado**, perturbado, inquieto 4 **grave**, pesado, lento

vagem *n.f.* BOT. **pericárpio**, bainha

vagido *n.m.* 1 **vagir** 2 *fig.* **lamento**, gemido, queixume, lamúria ≠ **contentamento**, alegria, júbilo

vagina *n.f.* 1 ANAT. **vaso** *col.*, cona *vulg.* 2 **bainha** 3 [*pl.*] [REG.] **ervilhas**

vaginal *adj.2g.* **vaginiforme**

vagir *v.* 1 *fig.* **gemer**, chorar, lamentar, lamuriar 2 *fig.* **lamentar-se**, queixar-se ■ *n.m.* **vagido**

vago *adj.* 1 **vazio**, desocupado ≠ **ocupado**, preenchido 2 **livre**, vacante, desocupado ≠ **ocupado**, tomado 3 **desocupado**, desabitado, livre ≠ **ocupado**, habitado 4 **errante**, vadio, vagabundo, vagante, andante 5 *fig.* **incerto**, indeterminado, indefinido ≠ **determinado**, definido 6 *fig.* **indistinto**, confuso, obscuro, indeterminado ≠ **claro** ■ *n.m.* 1 **indeterminado**, incerteza, indefinido ≠ **determinado**, definido 2 *fig.* **imprecisão**, obscuridade, confusão, nebulosidade ≠ **clareza**, precisão 3 ANAT. (nervo) **pneumogástrico**

vagotonia *n.f.* MED. **parassimpaticotonia**

vagueação *n.f.* 1 **vagação** 2 **peregrinação** 3 *fig.* **divagação**, devaneio, digressão, desvio, perambulação 4 *fig.* **distração**, desvio, alheamento

vaguear *v.* 1 **errar**, vagabundear, vadiar, andejar, girogirar, nomadizar, vanguejar, zaranzar 2 *fig.* **divagar**, devanear, discorrer, desviar, digressionar, palear [REG.] 3 **boiar**, flutuar, sobrenadar, vogar, sobreaguar ≠ **imergir**, mergulhar, submergir

vagueira *n.f.* [REG.] **intervalo**, falha

vagueza *n.f.* **imprecisão**, indeterminação, vago ≠ **precisão**

vaia *n.f.* 1 **apupada**, apupo, assuada, não-apoiado, corrimaça 2 **chacota**, zombaria, caçoada, escárnio, troça, judiaria, motejo, mofa, achincalhação, bexiga *col.* ≠ **respeito**, consideração

vaiar *v.* 1 **apupar**, assobiar, assuar 2 **zombar**, escarnecer, caçoar, motejar, troçar, derriçar, mangar *col.* ≠ **respeitar**, considerar, estimar, prezar

vaidade *n.f.* 1 **ostentação**, ostensão, vanglória, alarde, exibição, gala, tolaria [REG.] ≠ **discrição**, simplicidade, sobriedade, despojamento, recato, modéstia 2 **presunção**, afetação, jactância, altivez, soberba, orgulho, peneiras, prosápia *fig.*, bazófia *fig.* ≠ **discrição**, simplicidade, sobriedade, despojamento, recato, modéstia 3 **insignificância**, futilidade, frivolidade, trivialidade, bagatela, nulidade, palha *fig.* ≠ **importância**, utilidade, valor, transcendência, relevância, interesse, aquela

vaidoso *adj.* **presumido**, presunçoso, pretensioso, coquete, afetado, fátuo, jactancioso, orgulhoso, ufano, gabazola, presuntuoso, pompeante ≠ **despretensioso**, desafetado, modesto

vaivém *n.m.* 1 **aríete** 2 **balanço**, oscilação, vibração ≠ **estabilidade**, imobilidade 3 **revés**, vicissitude, contratempo, transtorno, contrariedade, sopapo *fig.*

vala *n.f.* 1 **cortadura**, rego, fosso 2 **cova**, fosso, cavidade, cavouqueiro, runa [REG.] 3 **valado**, fosso

valado *n.m.* **vala**, fosso, valo ■ *adj.* **cercado**, rodeado

valar *v.* 1 **cavar**, escavar 2 *fig.* **murar**, muralhar 3 *fig.* **fortificar**, afortalezar 4 *fig.* **defender**, proteger, muralhar

valdevinos *n.m.2n.* 1 **mandrião**, vagabundo, vadio, ocioso, preguiçoso, procrastinador, madraço, balda *col.* ≠ **trabalhador** 2 **estroina**, doudivanas, desvairado, estoura-vergas 3 **pelintra**, pobre, mendigo, humilde, pilão *col.*, pinga *col.* ≠ **rico**, possidente, capitalista *fig.* 4 **patife**, bargante, futre, biltre, bandalho, safado, brejeiro, infame, velhaco, pulha *col.*, canalha *pej.* ≠ **notável**, honesto, respeitador

valdo *n.m.* 1 **mandrião**, vagabundo, vadio, ocioso, preguiçoso, procrastinador, madraço, balda *col.* ≠ **trabalhador** 2 **estroina**, doidivanas, desvairado, estoira-vergas 3 **pelintra**, pobre, mendigo, humilde, pilão *col.*, pinga *col.* ≠ **rico**, possidente, capitalista *fig.* 4 **patife**, bargante, futre, biltre, bandalho, safado, brejeiro, infame, velhaco, pulha *col.*, canalha *pej.* ≠ **notável**, honesto, respeitador

vale *n.m.* 1 **depressão**, baixa, bacia, comba, nava, vão [BRAS.] 2 **bacia**

valência *n.f.* **valimento**

valencianite *n.f.* MIN. **adulária**, pedra-da-lua

valentão *adj.,n.m.* 1 **arrojado**, corajoso, afoito, bravo, audaz, intrépido, peitudo *fig.* ≠ **cobarde**, medroso, medricas, cagarola *col.* 2 **desordeiro**, arruaceiro, revolucionário, rixoso, chinfrineiro, conflituoso, brigão, turbulento ≠ **apaziguador**, pacificador 3 *pej.* **fanfarrão**, gabarola, mata-mouros, traga-mouros

valente *adj.2g.* 1 **corajoso**, destemido, ousado, arrojado, afoito, bravo, audaz, intrépido ≠ **cobarde**, medroso, medricas, cagarola *col.* 2 **robusto**, rijo, sólido, vigoroso 3 *fig.* **enérgico**, poderoso 4 *fig.* **eficaz**

valentia *n.f.* 1 **força**, robustez, vigor, tesura, energia 2 **resistência**, tenacidade, dureza 3 **intrepidez**, coragem, arrojo, bravura, denodo ≠ **cobardia**, timidez, acanhamento 4 *fig.* **façanha**, proeza, feito, heroicidade, gesta

valer *v.* 1 **representar** 2 **equivaler**, corresponder 3 **significar**, indicar, dizer 4 **merecer**, requerer 5 **aproveitar**, lucrar 6 **socorrer**, auxiliar, defender, amparar ≠ **abandonar**, desamparar 7 **viger**, validar ≠ **caducar**, prescrever, expirar, acabar

valer-se *v.* **socorrer-se**, apoiar-se, servir-se, utilizar-se, recorrer

valeta *n.f.* **vala**, rego, fosso, sarjeta, marra, valeira, regueira

valhacouto *n.m.* 1 **esconderijo**, recanto, esvão, segredo, ninho, toca *fig.* 2 **asilo**, abrigo, guarida 3 **proteção**, amparo, auxílio 4 **pretexto**, disfarce, encobrimento, encoberta

valia *n.f.* 1 **valor**, preço 2 **merecimento**, préstimo, valimento, valor 3 **influência**, importância, valimento 4 **proteção**, apoio 5 **empenho**, dedicação, desvelo

validação *n.f.* **legitimação**, legalização, aprovação, autorização, consagração ≠ **anulação**, obliteração, invalidação

validade *n.f.* 1 **valimento**, validez ≠ **invalidade**, nulidade 2 **autenticidade**, legitimidade, certificação ≠ **invalidade**, anulação, inutilização

validar *v.* 1 **confirmar**, sancionar, ratificar, aprovar, consagrar ≠ **invalidar**, desaprovar 2 **autenticar**, legitimar, certificar, legalizar ≠ **invalidar**, anular

validar-se *v.* **enaltecer-se**, engrandecer-se

valido *adj.* **querido**, estimado, prezado, favorito, predileto ■ *n.m.* **favorito**, protegido, favorecido, menino-bonito, privasdo

válido *adj.* 1 **saudável**, sadio, salutar, são ≠ **enfermo**, doente 2 **robusto**, vigoroso, forte, ativo ≠ **débil**, fraco 3 **proveitoso**, útil, profícuo, prestadio, prestimoso ≠ **inútil**, improfícuo 4 **legal**, legítimo ≠ **nulo**, inválido, ilegal 5 **vigente** ≠ **inválido**

valimento *n.m.* 1 **validade** ≠ **invalidade**, nulidade 2 **valor**, importância, monta, consideração ≠ **desvalor**, desconsideração 3 **préstimo**, merecimento, valia, valor 4 **influência**, importância, valia 5 **intercessão**, favor ≠ **desfavor**

valioso *adj.* 1 **precioso**, importante, valedouro 2 **caro**, precioso, avultado, impagável *fig.* ≠ **barato**, módico, baixo 3 **proveitoso**, rentável, útil, vantajoso, lucrativo, choroso *col.* ≠ **prejudicial**, danoso 4 **influente**, importante 5 **válido** 6 **legal**, legítimo, lícito ≠ **ilegal**, ilícito

valor *n.m.* 1 **valia**, preço, porte, importância, custo, monta, montante 2 **apreço**, estima, consideração, respeito 3 **mérito**, préstimo, valimento, valia 4 **significação**, sentido 5 **utilidade**, serventia, uso, préstimo, serviço ≠ **inutilidade** 6 **valentia**, coragem, intrepidez, bravura, audácia, ânimo, esforço, denodo, bizarria, arrojo *fig.* ≠ **cobardia**, timidez, acanhamento 7 [*pl.*] **bens**, haveres, riquezas, capital, fundos

valorização *n.f.* 1 **aumento** ≠ **desvalorização**, diminuição, redução 2 **apreciação**, estima, consideração, respeito ≠ **desconsideração**, desrespeito, desprezo, abjeção, humiliação

valorizado *adj.* 1 **encarecido** ≠ **desbaratado** 2 **privilegiado**, distinguido 3 **considerado**, reconhecido 4 **realçado**, destacado, relevado, distinto

valorizar *v.* 1 **considerar**, apreciar, estimar, valorar ≠ **desconsiderar**, desapreciar, agorentar, aguarentar 2 **aumentar** ≠ **diminuir** 3 **revelar**, realçar, destacar 4 **classificar**, avaliar

valoroso *adj.* 1 **coragem**, ânimo, intrepidez, valentia, audácia, denodo, esforço, bizarria, arrojo *fig.* ≠ **cobardia**, timidez, acanhamento 2 **vigor**, enérgico, vital

valsar *v.* **valsejar**

valverde *n.m.* BOT. **belverde**, belver

válvula *n.f.* **opérculo**

vampiro *n.m.* *fig.* **explorador**, parasita, chupista *pej.*

vandalismo *n.m.* 1 **depredação**, devastação, razia, assolação, destruição ≠ **conservação**, preservação 2 **selvajaria**, barbaridade, bestialidade

vandalizar *v.* (bem, propriedade) **danificar**, destruir, estragar, arruinar ≠ **conservar**, preservar

vândalo *n.m.* 1 *fig.* **destruidor**, devastador, aniquilador, estragador, hooligan 2 *fig.* **selvagem**, bárbaro, besta *pej.* 3 *fig.* **iconoclasta** ■ *adj.* **vandálico**

vanglória *n.f.* 1 **vaidade**, presunção, jactância, ostentação, gala, convencimento, bazófia *fig.* ≠ **discrição**, simplicidade, sobriedade, despojamento, recato, modéstia 2 **presunção**, afetação, jactância, altivez, soberba, prosápia *fig.*, bazófia *fig.* ≠ **discrição**, simplicidade, sobriedade, despojamento, recato, modéstia

vangloriar-se *v.* **gabar-se**, jactar-se, gloriar-se, alardear, ostentar, enfatuar-se, ufanar-se, blasonar-se, pavonear-se, galrar, inchar *fig.*, pabular [BRAS.] ≠ **humildar**, recatar, ocultar

vanglorioso *adj.* **vaidoso**, presunçoso, orgulhoso, pretensioso, soberbo, jactante, altivo, afetado, fátuo, gabarola ≠ **despretensioso**, desafetado, modesto

vanguarda *n.f.* **1** MIL. avançada, dianteira ≠ **retaguarda** **2** avant-garde **3** **frente**, dianteira, anteguarda, rosto, fronte ≠ **retaguarda**, traseira

vanguardista *adj.,n.2g.* **progressista**, inovador, avançado, revolucionário ≠ **retrógrado**, tradicionalista, conservador, sebastianista *fig.*

vanidade *n.f.* **1** **inutilidade**, desnecessidade ≠ **utilidade**, necessidade **2** **insignificância**, bagatela, niquice, ninharia, nada, futilidade, migalhice, minúcia, ridicularia, nica *col.*, avo *fig.*, tuta e meia *col.*, caganifância *col.* ≠ **importância**, utilidade, valor, transcendência, relevância, interesse **3** **vaidade**, afetação, jactância, altivez, ostentação, exibição, prosápia *fig.*, bazófia *fig.* ≠ **discrição**, simplicidade, sobriedade, despojamento, recato, modéstia

vaníloquo *adj.* **1** **fanfarrão**, gabarola, blasonador **2** **mentiroso**, falso, enganador

vantagem *n.f.* **1** **superioridade**, supremacia ≠ **desvantagem**, inferioridade **2** **benefício**, proveito, lucro, bonificação, melhoria, bónus **3** DESP. **avanço** ≠ **atraso** **4** **vitória**, trunfo, avanço

vantajoso *adj.* **1** **proveitoso**, profícuo, proficiente, benéfico, favorável ≠ **improfícuo**, desvantajoso, inútil **2** **lucrativo**, rentável, proveitoso ≠ **prejudicial**, danoso

vante *n.f.* NÁUT. (do navio) **proa** ≠ **popa**

vão *adj.* **1** **vácuo**, vazio, oco ≠ **cheio**, preenchido **2** **insignificante**, fútil **3** **infundado**, fantástico, aparente **4** **fútil**, frívolo, fátuo, leviano ≠ **profundo**, ponderado **5** **enfatuado**, vaidoso, afetado, pretensioso, jactante ≠ **despretensioso**, desafetado, modesto ■ *n.m.* **1** **vácuo** **2** **abertura**, intervalo, espaço, rebaixo **3** [BRAS.] **vale**, depressão, baixa, bacia, comba, nava

vapor *n.m.* **1** **fumo** **2** **exalação**, emanação, eflúvio, efluência

vaporar *v.* **volatilizar**, vaporizar, evaporar, nebulizar

vaporização *n.f.* **1** **volatilização** **2** **pulverização**, nebulização, aspersão

vaporizador *adj.,n.m.* **pulverizador**, nebulizador

vaporizar *v.* **1** **volatilizar**, vaporar **2** **pulverizar**, nebulizar, aspergir

vaporizar-se *v.* **1** **evaporar-se**, volatilizar-se **2** **pulverizar-se**, borrifar

vaporoso *adj.* **1** **vaporífero** **2** *fig.* **leve**, subtil, delicado, ténue, silfídico **3** *fig.* **transparente**, diáfano, translúcido **4** **magro**, fino ≠ **grosso**

vaqueiro *n.m.* **boieiro**, ganadeiro [REG.]

vara *n.f.* **1** **ramo**, haste **2** **bastão**, cajado, bordão, pértiga, varapau, trocho, arrocho **3** **vergasta**, chibata, verdasca, junco, badine **4** **vareta**, baqueta **5** **porcada** **6** *fig.* **poder**, autoridade, influência **7** *fig.* **jurisdição**

varada *n.f.* **bastonada**, paulada

varado *adj.* **1** **atravessado**, trespassado **2** (barco) **encalhado**, preso **3** *fig.* **atónito**, perplexo, pasmado, estupefacto, surpreso, banzado *col.* **4** *fig.* **apavorado**, assustado, horrorizado, assombrado, aterrado

varal *n.m.* **estendal**

varanda *n.f.* **1** **balcão**, sacada **2** **terraço**, eirado, plataforma

varapau *n.m.* **bastão**, cajado, vara, bordão, trocho, arrocho, pírtiga

varar *v.* **1** **açoitar**, vergastar, chibatar **2** **atravessar**, perpassar, passar, trespassar **3** **furar**, perfurar, tespassar, picotar **4** **expulsar**, escorraçar, xotar **5** **encalhar**, abicar **6** **galgar**, passar **7** **redundar** **8** *fig.* **espantar**, aterrar, fulminar **9** *fig.* **desapontar**, desiludir

vareja *n.f.* ZOOL. **varejeira**

varejamento *n.m.* **1** **varejadura**, varejo **2** **encurvadura**

varejar *v.* **1** **açoitar**, fustigar, varar **2** **varear** **3** *fig.* **incomodar**

varejeira *n.f.* ZOOL. **vareja**

varejo *n.m.* **1** **varejadura**, vareja **2** **revista**, busca, inspeção **3** *fig.* **repreensão**, descompostura, reprimenda, descalçadela *col.*

varela *n.f.* **vareta**, varola ■ *adj.2g.* **volúvel**, inconstante, variável, desigual, impersistente, incerto ≠ **constante**, firme, estável

vareta *n.f.* **1** **varela**, varola, varinha **2** **vara**, baqueta **3** BOT. **píretro** **4** [*pl.*] *col.* **pernas**, canelas, gâmbias, tíbias, gambetas

varga *n.f.* **várzea**, vargem

vargem *n.f.* **varga**, várzea

vária *n.f.* ICTIOL. **variaz**

variabilidade *n.f.* **inconstância**, instabilidade, variação, volubilidade, mutabilidade ≠ **constância**, estabilidade

variação *n.f.* **1** **mudança**, modificação, transferência, alteração, transmutação **2** **variante** **3** **inconstância**, instabilidade, variabilidade, volubilidade, mutabilidade, intercorrência ≠ **constância**, estabilidade

variado *adj.* **1** **mudado**, modificado, transferido, alterado, transmutado **2** **vário**, diverso, multifário **3** **matizado**, sarapintado, mosqueado, pintado, pingado, salpicado **4** *fig.* **delirante**, alucinado, doudo ≠ **ajuizado**, atinado, sensato **5** *fig.* **leviano**, inconstante, inconsistente ≠ **constante**, firme

variante *adj.2g.* **1** **variável**, alterável ≠ **invariável**, inalterável **2** **inconstante**, mutável, mudável, variável, cambiante ≠ **constante**, permanente **3** **desviante** ≠ **padronizável**, uniformizador ■ *n.f.* **1** **diversidade**, diferença, dissemelhança, desigualdade, disparidade, distinção ≠ **igualdade**, semelhança **2** **alteração**, modificação, mudança, variação ≠ **conservação**, manutenção **3** LING. **variedade** **4** **matiz**, nuance, cambiante, gradação, tonalidade **5** (curso universitário) **especialidade**

variar *v.* **1** **mudar**, alterar, modificar, transformar, diversificar-se ≠ **permanecer**, conservar **2** **variegar**, matizar, sarapintar, mesclar, pintalgar **3** **desvairar**, alucinar, desatinar, entontecer ≠ **ajuizar**, atinar **4** **alternar**, revezar, mudar

variável *adj.2g.* **1** **inconstante**, oscilante, incerto, mutável ≠ **constante**, permanente **2** **diferente**, diverso **3** GRAM. **flexionável**

varicela *n.f.* MED. **variceloide**, bexigas doidas, bexigas loucas

varicoso *adj.* **varicelar**

variedade *n.f.* **1** **diferença**, diversidade, variação **2** **multiplicidade**, pluralidade ≠ **singularidade**, unicidade **3** **alternativa** **4** **mudança** **5** **inconstância**, instabilidade, mutabilidade, variação ≠ **constância**, permanência

variegado *adj.* **1** **matizado**, sarapintado, mosqueado, pintado, pingado, salpicado, variado, abigarrado **2** **diferente**, diverso, vário

variegar *v.* **1** **variar**, matizar, sarapintar, mesclar, pintalgar **2** **alternar**, diversificar, diferençar, variar

varinha *n.f.* **varela**, varola, vareta

varino *adj.,n.m.* **ovarino**, vareiro, ovarense ■ *n.m.* **gabão**, gabardo, gabinarda

vário *adj.* **1** **matizado**, sarapintado, mosqueado, pintado, pingado, salpicado, variado **2** **múltiplo**, diverso **3** **hesitante**, indeciso, vacilante, claudicante, duvidoso, incerto, irresoluto, perplexo ≠ **determinado**, certo, decidido, resoluto **4** **incerto**, inconstante, indeciso, instável, volúvel, mudável **5** **caprichoso** **6** **desvairado**, delirante, alucinado, desatinado ≠ **ajuizado**, atinado **7** [*pl.*] **diversos**, variados, numerosos

varíola *n.f.* MED. **bexigas**, bexigas-negras

variz *n.f.* MED. **flebectasia**

varonil *adj.2g.* **1** **másculo**, viril ≠ **feminil**, mulheril **2** *fig.* **destemido**, enérgico, esforçado, valoroso

varonilidade *n.f.* **1** **masculinidade**, virilidade ≠ **feminilidade** **2** *fig.* **valentia**, ânimo, intrepidez, coragem, audácia, bravura, esforço, bizarria, arrojo *fig.* ≠ **cobardia**, timidez, acanhamento

varrão *n.m.* **1** **varrasco**, barrão, barrote **2** **mulherengo**, femeeiro, garanhão *fig.*

varrer *v.* **1** **vassourar**, lambazar, esfulinhar **2** **dispersar**, espalhar, debandar, dissipar **3** **arrastar** **4** *fig.* **roubar**, furtar, pilhar, subtrair, gatunar, larapiar, escamotear, palmar *col.*, pifar *col.* ≠ **devolver**, restituir **5** *fig.* **esgotar**, destruir, dissipar **6** *fig.* **apagar** **7** **acabar**, findar, terminar ≠ **começar**, principiar

varrer-se *v.* **desvanecer-se**, dissipar-se, apagar-se, acabar, findar

varrido *adj.* **1** **vassourado**, limpo **2** *fig.* **tresloucado**, alienado, alucinado, desvairado, amalucado, desequilibrado, tolo, doido, tonto, destrambelhado *col.* ≠ **sensato**, equilibrado, ponderado **3** *fig.* **desavergonhado**, descarado, desabusado ≠ **envergonhado**, comedido

várzea *n.f.* **campina**, chã, planura, planície, chapada

vascão *adj.,n.m.* **vasco**, vascongado

vasco *adj.* **vascongado**

vasconço *adj.,n.m.* **vascongado**

vasculhar *v.* **1** **vassourar**, varrer **2** *fig.* **remexer**, revistar, revolver **3** *fig.* **investigar**, pesquisar, perscrutar

vasculho *n.m.* **vassouro**

vasilha *n.f.* **barril**, pipa, tonel, pipo

vasilhame *n.m.* **loiça**

vaso *n.m.* **1** **recipiente**, recetáculo **2** **bacio**, bacia, vaso de noite, defecador, urinol, camareiro, doutor *col.*, penico *col.*, pote *col.*, bispote *col.* **3** *col.* **vagina**, cona *vulg.* **4** **navio** **5** RELIG. **píxide**

vassalagem *n.f.* **1** HIST. **homenagem**, preito, obediência, tributo **2** **sujeição**, dependência, subordinação, submissão ≠ **insubordinação**, desacato **3** **obediência**, submissão, subalternidade, disciplina ≠ **desobediência**

vassalo *n.m.* HIST. (sistema feudal) **súbdito** ■ *adj.* **tributário**, feudatário ■ *adj.,n.m.* **dependente**, sujeito, subordinado, submisso, subalterno ≠ **independente**, insubordinado

vassoura *n.f.* **escova**

vassourada *n.f.* **1** **varredela**, varredura **2** *fig.* **depuração**, limpeza, expurgação, limpamento, limpadura

vassourar *v.* **1** **varrer**, lambazar **2** *fig.* **limpar**, expurgar, depurar

vassouro *n.m.* **1** **varredouro** **2** **basculho**

vastar *v.* **devastar**, assolar, arruinar, depredar, destruir, arrasar, derrotar *fig.* ≠ **conservar**, preservar

vastidão *n.f.* **1** **vasteza**, largueza, amplitude **2** **amplidão**, extensão **3** *fig.* **grandeza**, imensidade, magnitude, oceano, relevância **4** *fig.* **alcance**

vasto *adj.* **1** **amplo**, aberto, abrangente, ancho ≠ **estreito**, pequeno **2** **dilatado**, largo, folgado, espaçoso ≠ **estreito**, apertado **3** *fig.* **importante**, considerável, relevante **4** *fig.* **variado**, abrangente, multíplice **5** *fig.* **profundo** ≠ **superficial**

vate *n.m.* 1 **profeta**, adivinho, vidente, vaticinador, áugure *fig.* 2 **poeta**, bardo, trovador, cantor *fig.*, rapsodo *fig.*

vaticanismo *n.m.* papismo

vaticanista *adj.,n.2g.* papista

vaticinação *n.f.* **profecia**, vaticínio, prognóstico, prenúncio, predição, auspício, prenunciação

vaticinar *v.* **profetizar**, prognosticar, pressagiar, antedizer, predizer, prenunciar, futurar, augurar, anunciar, agourar

vaticínio *n.m.* 1 **predição**, profecia, oráculo, prognóstico, presságio, auspício, prenunciação, prenúncio 2 **prognóstico**, conjetura, previsão, antevisão, antevidência

vau *n.m.* 1 **baixio**, parcel, escolho, restinga, cachopo, baixia, baixo, banco 2 *fig.* **comodidade** 3 *fig.* **oportunidade**, ocasião, ensejo, facilidade

vazadouro *n.m.* **desaguadouro**, despejadouro, vertedouro, sanja, sarjeta

vazamento *n.m.* vazão, despejo, vazadura

vazante *adj.* (maré) **descendente** ≠ **ascendente** ■ *n.f.* 1 **baixa-mar**, baixia, jusante, minguante, refluxo ≠ **maré-alta**, maré-cheia, montante, influxo 2 **refluxo**, contracorrente 3 **saída**, vazão, escoamento 4 **vazão**, despejo

vazão *n.f.* 1 **vazante**, despejo, vazamento 2 **caudal**, débito 3 **escoamento**, vazante, saída 4 *fig.* **saída**, extração 5 *fig.* **procura**, venda, saída, consumo ≠ **oferta**

vazar *v.* 1 **esvaziar**, despejar ≠ **ocupar**, preencher 2 **derramar**, entornar, verter, transvazar 3 **verter**, infundir, moldar 4 **desaguar**, desembocar, afluir, confluir 5 **furar**, trespassar, perfurar 6 **escavar**, cavar 7 *col.* **sair**, bazar

vazar-se *v.* 1 **escoar-se**, esvair-se 2 **derramar-se**, verter 3 **esvaziar-se** 4 **exprimir-se**

vaziar *v.* 1 **esvaziar**, despejar ≠ **ocupar** 2 (animal) **estrabar**, evacuar

vazio *adj.* 1 **vácuo**, oco 2 **desocupado**, vagante, vago ≠ **ocupado** 3 **deserto**, desabitado, despovoado ≠ **habitado**, povoado 4 **esvaziado**, despejado ≠ **ocupado**, cheio, preenchido, abarbado 5 **oco**, cavo ≠ **recheado**, cheio 6 *fig.* **insatisfeito**, descontente, desagradado ≠ **satisfeito**, agradado 7 *fig.* **frívolo**, fútil, vão ≠ **profundo**, útil 8 *fig.* **oco**, estúpido, idiota, descerebrado *col.* ≠ **inteligente**, esperto ■ *n.m.* 1 **vácuo**, vão, oco ≠ **enchimento**, preenchimento, recheio 2 *col.* **hipocôndrio** 3 [*pl.*] (besta) **ilhargas**, flancos

veado *n.m.* 1 ZOOL. **cervo**, veado-real, suaçu [BRAS.] 2 [BRAS.] *pej.,vulg.* (homem) **homossexual**, gay *col.*, maricas *cal.*, pederasta *pej.*, bicha *pej.*, fanchono *pej.*, paneleiro *col.,pej.*, invertido *col.,pej.*, puto [BRAS.] *vulg.* ≠ **heterossexual**

vector[aAO] *n.m.* ⇒ **vetor**[dAO]

veda *n.f.* **proibição**, vedação, interdição, impedimento, defensa ≠ **autorização**, permissão, aprovação

vedação *n.f.* **tapume**, sebe, cerrado, muro, cerca, cercado, valado, tapada, tapado

vedado *adj.* 1 **murado**, fechado 2 **proibido**, interdito, impedido, travado, obstruído ≠ **desimpedido**, desbloqueado, permitido, acessível 3 **estancado**, tapado, calafetado ■ *n.m.* **couto**

vedalhas *n.f.pl.* **presente**, prenda, recompensa

vedar *v.* 1 **murar**, muralhar 2 **fechar**, encerrar, cerrar, tapar ≠ **abrir** 3 **interdir**, impedir, interditar, proibir, defender, vetar, intredizer ≠ **consentir**, permitir 4 **impedir**, obstruir, estorvar, barrar, proibir ≠ **desimpedir**, desobstruir 5 **estancar**, fechar, calafetar ≠ **abrir** 6 [REG.] (uma criança) **desmamar**, desamamentar, desleitar

vedeta *n.f.* 1 **celebridade**, estrela, astro *fig.* 2 *pej.* **personalidade**, notabilidade, celebridade, vulto *fig.*, sumidade *fig.* ≠ **desconhecido**, anónimo

vedor *adj.,n.m.* 1 **intendente**, inspetor 2 **hidróscopo**, aquílego

vedro *n.m.* 1 **valado** 2 **tapume**, sebe, cerrado, muro, cerca, cercado, valado, tapada, tapado, cerradura ■ *adj.* **antigo**, velho

veemência *n.f.* 1 **vigor**, intensidade, energia, força, chama *fig.*, calor *fig.* ≠ **fraqueza**, frouxidão, moleza, tepor *fig.* 2 **impetuosidade**, violência, impulso, arrebate, furor 3 **eloquência**, facúndia, verbo 4 *fig.* **instância**, insistência, empenho, interesse

veemente *adj.2g.* 1 **enérgico**, vigoroso, forte, intenso ≠ **fraco**, frouxo, mole 2 **caloroso**, fervoroso, entusiástico, animado, apaixonado, ardente, incendido ≠ **desanimado**, apático 3 **impetuoso**, inflamado, violento 4 **empenhado**, insistente, interessado ≠ **desinteressado**

veementemente *v.* 1 **energicamente**, vigorosamente, intensamente 2 **ardentemente**, calorosamente, entusiasticamente, ferverosamente, febrilmente, incendidamente, delirantemente

vegetação *n.f.* 1 BOT. **flora**, verde 2 *fig.* **inércia**, apatia, letargia, torpor, indiferença, inação ≠ **alento**, atividade, vivacidade

vegetal *n.m.* 1 **planta** ≠ **animal**, mineral 2 [*pl.*] **verdura**, legumes ■ *adj.2g.* **vegetativo**

vegetar *v.* 1 (planta) **crescer**, medrar, desenvolver-se 2 *fig.* **pulular**, desenvolver-se, florescer

vegetariano *n.m.* **legumista**, leguminista, vegetarista, vegetalino

vegetativo *adj.* 1 **vegetante**, végeto 2 *fig.* **apático**, letárgico, indiferente, inativo, inerte ≠ **ativo**, vivo

veia *n.f.* 1 ANAT. **vaso** 2 **filão** 3 **veio**, fio de água, regato 4 *fig.* **âmago**, núcleo, essência, medula, miolo, substância 5 *fig.* **tendência**, inclinação, vocação, propensão, pendor, queda, orientação, disposição **6** *fig.* **disposição**, graça, espírito **7** *fig.* **mordacidade**

veicular *v.* **1 transportar**, conduzir, levar **2 transmitir**, propagar, difundir, espalhar, propagandear ≠ **ocultar**, omitir

veículo *n.m.* **1 transporte**, viatura **2 portador**, condutor, meio

veiga *n.f.* **várzea**, campina, chã

veio *n.m.* **1** MIN. **filão**, veia, veeiro **2 filete 3 veia**, fio de água, regato, riacho **4** *fig.* **fundamento**, eixo, essência, núcleo, miolo

vela *n.f.* **1 círio**, brandão, lume, tocha **2 supositório**, supositivo **3 veladura**, vigília, sentinela

velada *n.f.* **vigília**, sentinela, velatura, vela

veladamente *adv.* **disfarçadamente**, dissimuladamente, ocultamente, secretamente, escondidamente

velado *adj.* **1 encoberto**, oculto, tapado ≠ **descoberto**, exposto **2 disfarçado**, dissimulado, coberto, camuflado ≠ **exposto**, exibido **3 enfraquecido 4 vigiado 5 assistido 6 guardado**, protegido

velame *n.m.* **1 cobertura**, velamento, invólucro **2 disfarce**, dissimulação, camuflagem ≠ **exposição**, exibição

velar *v.* **1 tapar**, ocultar, esconder, cobrir, revestir, encobrir ≠ **descobrir**, expor **2 intercetar 3 vigiar**, olhar **4** (doente) **assistir 5 proteger**, guardar, zelar ≠ **abandonar**, desproteger

velar-se *v.* **1 cobrir-se**, tapar-se, esconder-se, ocultar-se **2 acautelar-se**, precaver-se **3 encobrir-se**, escurecer

veleidade *n.f.* **1 capricho**, vontade, fantasia, volição *fig.* **2 volubilidade**, leviandade, imprudência

veleiro *adj.* **expedito**, rápido, ligeiro, veloz, lesto ≠ **lento**, vagaroso, arrastado

velejar *v.* **singrar**

velhacaria *n.f.* **patifaria**, vileza, solércia, baixeza, picardia, traição, perfídia, deslealdade, granjolada, granjolice, galazia, maquiavelismo *fig.*, macanjice, ribaldaria *col.*

velhaco *adj.* **1 malicioso**, traiçoeiro, fingido, maroto, brejeiro, ronhoso, raposino *fig.*, frescalhão *col.*, sansadorninho ≠ **sério**, íntegro, reto **2 dissoluto**, libertino, depravado, licencioso, devasso, desregrado, vicioso ≠ **regrado**, bem-comportado, moralizador ■ *n.m.* **1 patife**, finório, futre, safado, brejeiro, infame, bandalho, biltre, pulha *col.*, canalha *pej.*, macanjo *col.*, socarrão ≠ **notável**, honesto, respeitador **2 devasso**, pervertido, corrupto *fig.*

velharia *n.f.* **1 velhada 2 arcaísmo 3 antigualhas**, antiguidade, ranço *fig.*, xaveco [BRAS.]

velhice *n.f.* **1 antiguidade**, vetustade, vetustez **2 ancianidade**, anciania, anosidade, senectude, veteranice ≠ **juventude**, mocidade, adolescência, primavera, aurora **3 decrepitude**, caducidade, decadência, senilidade **4** *fig.* **rabugice**, resmunguice

velho *adj.* **1 idoso**, anoso, senecto *ant.* ≠ **jovem**, novo **2 antiquado**, antigo, desusado, vetusto ≠ **moderno**, atual, recente **3 usado**, gasto, deteriorado, corroído, desgastado, caduco ≠ **novo**, restaurado ■ *n.m.* **1 idoso**, ancião, sene, múmia *pej.* ≠ **jovem 2** *col.* **pai**, padre, progenitor, genitor, procriador, velhote *col.*, papá *infant.*, tatá *infant.*, papai [BRAS.] **3** [BRAS.] ORNIT. **velhinha**, rendeiro

velhote *n.m. col.* **pai**, progenitor, padre, genitor, procriador, velho *col.*, papá *infant.*, tatá *infant.*, papai [BRAS.]

velo *n.m.* **1 velocino 2** *fig.* **caracol**, cacho, anel

velocidade *n.f.* **rapidez**, celeridade, ligeireza, presteza, pressa, gasosa *col.*, mecha *col.*, aguça *ant.* ≠ **lentidão**, vagareza *col.*, morosidade

velocípede *n.m.* **bicicleta**, burra *col.*, pedaleira *col.*

velocipedista *n.2g.* **ciclista**, estradista

vê-lo-emos *n.m.2n.* **adiamento**, prolongamento, prorrogação, protelação, dilação, dilatação ≠ **adiantamento**, antecipação

velório *n.m.* **1 vigília**, vela **2** [*pl.*] **avelórios**, missangas

veloso *adj.* **1 lanoso**, lanudo **2 peludo**, peloso, cabeludo, felpudo

veloz *adj.2g.* **rápido**, célere, ligeiro, lesto, acelerado, alado, precípite, voador *fig.* ≠ **lento**, vagaroso, pausado, moroso

veludo *adj.* **felpudo**, lanudo, veloso ■ *n.m.pl.* BOT. **crista-de-galo**, veludilho, galocrista, amaranto, macelão

venal *adj.* **1 vendável**, vendível ≠ **invendável 2** *fig.* **corruptível**, subornável, compradiço ≠ **incorruptível**, insubordinável, íntegro **3 venoso**

venatório *adj.* **cinegético**

vencedor *adj.* **1 vitorioso**, triunfador, triunfante, conquistador ≠ **perdedor**, derrotado **2 premiado**, laureado, galardoado ■ *n.m.* **1 triunfador**, conquistador ≠ **derrotado**, perdedor **2 campeão**

vencer *v.* **1 triunfar**, ganhar, derrotar ≠ **perder 2 superar**, ultrapassar, suplantar, transpor **3 dominar**, subjugar, submeter, avassalar **4 persuadir**, convencer, induzir ≠ **dissuadir**, desaconselhar **5 percorrer**, perfazer **6 atingir**, alcançar **7 destruir**, aniquilar, eliminar **8** (um salário, um vencimento) **receber**, auferir, ganhar

vencer-se *v.* **1 refrear-se**, dominar-se, controlar-se, reprimir-se, submeter-se **2 terminar**

vencida *n.f.* **vitória**, triunfo, vencimento

vencido *adj.* **1 derrotado**, batido, sucumbido, desfeito, caído *fig.* ≠ **ganhador**, triunfante, invicto **2 ultrapassado**, superado, suplantado, transposto **3 decorrido 4 vergado**, submetido, subjugado ≠ **insubmisso**, indomado **5** *fig.* **persuadido**, convicto, convencido, compenetrado ≠

hesitante, indeciso, vacilante *fig.* 6 *fig.* **desalentado**, desanimado, desconsolado, abatido, prostrado, infeliz, desmoralizado, deprimido *col.* ≠ **animado**, entusiasmado, feliz

vencimento *n.m.* 1 **vitória**, triunfo, vencida 2 **derrota**, perda 3 **ordenado**, salário, remuneração, honorários, retribuição, soldo

vencível *adj.2g.* 1 **dominável** 2 **superável**, ultrapassável, transponível ≠ **insuperável**, invencível

venda *n.f.* 1 **vendagem**, vendição 2 **permutação**, transferência, câmbio 3 **procura**, extração, saída, consumo, vazão *fig.* ≠ **oferta** 4 **tira**, faixa 5 **taberna**, tasca, betesga, baiuca, bodega, locanda, ramo, tasco *col.* 6 *fig.* **obsessão**, mania, vício 7 *fig.* **cegueira**, ignorância, incapacidade, insciência ≠ **sabedoria**, cultura, saber, conhecimento

vendagem *n.f.* **venda**, vendição

vendar *v.* 1 **tapar**, descobrir ≠ **desvendar**, cobrir 2 *fig.* **cegar**, obscurecer ≠ **esclarecer**, clarificar, iluminar *fig.*

vendaval *n.m.* 1 **rabanada**, rajada, ventania, tufão, furacão, ciclone, lufa, vórtice, buzaranha, remoinho ≠ **aragem**, brisa, sopro, viração, assopro 2 **borrasca**, tempestade, trabuzana, tormenta 3 *fig.* **tumulto**, alvoroço, agitação, rebuliço, polvorosa, azáfama ≠ **calmaria**, serenidade 4 *fig.* **devastação**, assolação, destruição

vendável *adj.* **venal**, vendível ≠ **invendável**

vender *v.* 1 **transacionar** ≠ **comprar**, adquirir, obter 2 *fig.* **delatar**, acusar, malsinar, denunciar, entregar ≠ **defender**, inocentar

vender-se *v.* 1 *fig.* **corromper-se** 2 *fig.* **prostituir-se**

vendido *adj.* 1 **subornado**, comprado, corrupto ≠ **incorrupto**, íntegro 2 **enganado**, logrado, traído 3 **contrafeito**, contrariado, constrangido, malgradado

vendilhão *n.m.* **revendão**, revendilhão

vendível *adj.2g.* **vendável**, venal ≠ **invendável**

veneno *n.m.* 1 **peçonha**, solimão *col.* ≠ **antiveneno**, contraveneno 2 *col.* **vírus** 3 [REG.] **embriaguez**, bebedeira, ebriedade, bico, canjica, borracheira *col.*, piela *col.*, bruega *col.*, cabeleira *col.*, cardina *col.*, carraspana *col.*, cabra [REG.] ≠ **sobriedade**, abstemia 4 *fig.* **malignidade**, malvadez, maldade, crueldade, perversidade ≠ **bondade**, benevolência, caridade

venenoso *adj.* 1 **venéfico**, venenífero, virulento, viroso, tóxico 2 *fig.* **nocivo**, maligno, prejudicial, ruim ≠ **benéfico**, saudável, benévolo 3 *fig.* **caluniador**, maldizente, injuriador, detrator, má-língua, difamador ≠ **respeitador** 4 *col.* **amargo**

venera *n.f.* 1 **medalha**, placa, insígnia 2 **comenda**, condecoração, agraciamento, crachá

venerabilidade *n.f.* **respeitabilidade**, honorabilidade, dignidade, considerabilidade ≠ **ignobilidade**, indignidade

veneração *n.f.* 1 **devoção**, adoração, reverência, culto *fig.* 2 **estima**, simpatia, adoração, consideração, admiração

venerado *adj.* 1 **adorado**, reverenciado 2 **estimado**, admirado, considerado, respeitado, adorado ≠ **desconsiderado**, desrespeitado

venerador *adj.,n.m.* **reverente**, respeitador, admirador, apreciador

venerando *adj.* 1 **venerável**, adorável 2 **respeitável**, considerável, apreciável, estimável ≠ **desprezável**, desdenhável

venerar *v.* 1 **adorar**, reverenciar 2 **respeitar**, considerar, apreciar, estimar, acatar ≠ **desprezar**, desdenhar

venerável *adj.2g.* 1 **venerando**, adorável 2 **respeitável**, considerável, apreciável, estimável ≠ **desprezável**, desdenhável

venéreo *adj.* **sensual**, erótico ■ *n.m. col.* **sífilis**, avariose, lues

venereologia *n.f.* **cipridologia**

veneta *n.f.* **mania**, tineta, telha *fig.,col.*, tara *col.*, pancada *fig.*, panca *fig.*, bolha *fig.*

veneziana *n.f.* **persiana**, tabuinhas, rótula, gelosia

vénia[AO] ou **vênia**[AO] *n.f.* 1 **mesura**, cumprimento, cortesia, reverência, salva 2 **licença**, permissão, autorização 3 **indulgência**, perdão, desculpa

venial *adj.2g.* RELIG. (falta, pecado) **leve** ≠ **mortal**

venoso *adj.* 1 **venal** 2 **venífluo** *poét.*

venta *n.f.* 1 **narícula**, narina 2 [*pl.*] *col.* **nariz**, tabaqueiras, narículas 3 [*pl.*] *fig.,col.* **cara**, face, rosto, fisionomia, semblante, caraça, focinho *col.*, fuça *col.*, tromba *col.* 4 [*pl.*] *fig.* **olfato**, cheiro, faro

ventania *n.f.* **rabanada**, rajada, vendaval, ventaneira, tufão, furacão, ciclone, lufa, vórtice, buzaranha, remoinho ≠ **aragem**, brisa, sopro, viração, assopro

ventar *v.* 1 **soprar**, assoprar, ventanejar, cursar, lufar 2 *fig.* **favorecer**, bafejar, assoprar *fig.*, soprar *fig.*

ventilação *n.f.* 1 **arejo**, aeração, arejamento 2 FISIOL. **respiração**

ventilado *adj.* 1 **arejado**, fresco ≠ **abafado**, sufocante 2 *fig.* **debatido**, discutido, questionado 3 *fig.* **arejado**, recetivo ≠ **conservador**

ventilador *adj.* **ventilante** ■ *n.m.* 1 **exaustor** 2 **ventoinha**

ventilar *v.* 1 **arejar**, refrescar, ventanear, aventar ≠ **abafar** 2 (os cereais) **limpar** 3 *fig.* **agitar**, sacudir, ventanear 4 *fig.* **debater**, discutir, analisar

vento *n.m.* 1 (nos animais) **faro**, olfato 2 **ventosidade**, flato, flatulência, traque, pum *col.*, peido *cal.* 3 *fig.* **impulso**, ímpeto, arranco 4 *fig.* **causa**

ventoinha *n.f.* 1 **ventilador** 2 **cata-vento**, veleta, anemoscópio, zingamocho 3 *fig.* **cata-vento**, vira-casaca, veleta, arlequim, camaleão *pej.*

ventosidade *n.f.* 1 **flatulência**, flato, vento, traque, pum *col.*, peido *cal.* 2 **eructação**, arroto

ventoso *adj.* 1 **flatulento**, flatoso 2 *fig.* **fútil**, vão, frívolo 3 *fig.* **arrogante**, orgulhoso, altivo, presumido, petulante, soberbo ≠ **humilde**, modesto, simples

ventral *adj.2g.* **abdominal**

ventre *n.m.* 1 ANAT. **abdómen** 2 **abdómen**, barriga, pança, bucho 3 **útero**, matriz, madre, seio *fig.* 4 *fig.* **âmago**, seio, coração, centro, interior, fundo, medula

ventrículo *n.m.* **estômago** *ant.*

ventura *n.f.* 1 **contentamento**, alegria, felicidade, jubilação, dita, agrado, gosto, satisfação, bem-estar ≠ **infelicidade**, desgosto, insatisfação 2 **perigo**, risco 3 **acaso**, sorte, fortuna, destino

venturoso *adj.* 1 **afortunado**, ditoso, feliz, bem-aventurado, fausto ≠ **inditoso**, infeliz, desventuroso, infausto 2 **arriscado**, perigoso, aventuroso

ver *v.* 1 **olhar**, contemplar, observar, examinar, atentar 2 **assistir**, presenciar, testemunhar 3 **reparar**, notar, divisar, atentar 4 **perceber**, compreender, entender 5 **ponderar**, considerar, pesar 6 **deduzir**, concluir, inferir, depreender 7 **prever**, antever, predizer 8 **imaginar**, fantasiar, idealizar 9 **visitar**, percorrer, rever 10 **conhecer**, saber 11 **experimentar** 12 (um doente) **examinar**

veracidade *n.f.* **verdade**, fidelidade, certeza, certa, exatidão, infalibilidade, justeza, realidade, veridicidade, canonicidade ≠ **inexatidão**, imprecisão, incerteza

veraneio *n.m.* **vilegiatura**

verãodAO *n.m.* **Estio**

veras *n.f.pl.* **realidade**, verdade

verba *n.f.* 1 **quantia**, monta, importância 2 **parcela**, item 3 **nota**, apontamento, registo

verbal *adj.2g.* 1 **oral** ≠ **escrito** 2 *pej.* **fútil**, oco ≠ **profundo**

verbalizado *adj.* **dito**, proferido, pronunciado

verbalmente *adv.* **oralmente**

verberação *n.f.* 1 **condenação**, censura, reprovação, desaprovação, anátema, condenamento, reprimenda ≠ **elogio**, louvor, felicitação, aprovação 2 **flagelação**, fustigação 3 **reflexo**, brilho

verberar *v.* 1 **flagelar**, fustigar, açoitar, vergastar, chibatar 2 *fig.* **censurar**, repreender, arguir, reprovar, reverberar, condenar, desaprovar ≠ **elogiar**, felicitar, aprovar

verbete *n.m.* **nota**, apontamento, registo

verbo *n.m.* 1 **palavra** 2 **elocução**, enunciação 3 **eloquência**, oratória 4 **entoação**, ênfase, expressão 5 **expressão** 6 RELIG. (com maiúscula) **Filho**

verborreia *n.f. pej.* **verbosidade**, palavreado, palavrório, paleio, logorreia, verbiagem, caudalosidade *fig.*, psitacismo *fig.*

verbosidade *n.f.* 1 **palavreado**, palavrório, paleio, logorreia, verborreia *pej.*, caudalosidade *fig.*, psitacismo *fig.*, discurseira *col.,pej.* 2 **loquacidade**, facúndia

verdade *n.f.* 1 **realidade**, veras, verdadeiro ≠ **irrealidade**, ficção 2 **exatidão**, rigor, precisão, justeza ≠ **imprecisão**, inexatidão, vagueza 3 **sinceridade**, boa-fé, franqueza, honestidade, frontalidade ≠ **falsidade**, má-fé, inautenticidade, mentira, inverdade, aldrabice, peta, conto, fabulação, embrulhada, broca, paparrotice, lona, mendácia, patarata, punha, chaço *col.*, trafulhice *col.*, galga *col.*, lampana *col.*, loa *col.*, pala *col.*, rodela *col.*, arara *fig.*, bota *fig.*, grila [REG.], embromação [BRAS.] 4 **axioma** 5 **máxima**, princípio

verdadeiramente *adv.* 1 **deveras**, realmente 2 **muito**, realmente ≠ **pouco**

verdadeiro *adj.* 1 **verídico**, autêntico, real, exato ≠ **falso**, irreal, inexato 2 **sincero**, franco, fiel, honesto, lhano, probo ≠ **mentiroso**, falso, desonesto, impostor, refalsado, beatão, beático, santimonial, beguino *col.*, doble *fig.*, dobrado *fig.*, farisaico *fig.*, jesuítico *fig.,pej.*, ajesuitado *ant.,pej.* 3 **leal**, fiel 4 **certo**, seguro ▪ *n.m.* 1 **verdade**, veras, realidade ≠ **irrealidade**, ficção 2 **dever** 3 **melhor**, certo

verde *adj.2g.* 1 **imaturo**, dessazonado ≠ **maduro**, amadurecido, sazonado 2 **fresco** ≠ **seco** 3 **viçoso**, verdejante, viridante ≠ **murcho**, seco 4 *fig.* **tenro**, delicado, mimoso 5 *fig.* **ágil**, vigoroso, forte ≠ **fraco**, débil 6 *fig.* **inexperiente**, imaturo, novo, bisonho, principiante, viçoso ≠ **experiente**, calejado, versado, perito, sazonado *fig.* 7 *fig.* **débil**, delicado 8 **ecológico**, ambientalista ▪ *n.m.* 1 **pasto**, erva 2 **vegetação**, flora

verdejante *adj.2g.* **verde**, viçoso, viridente ≠ **murcho**, seco

verdelhão *n.m.* 1 ORNIT. **amarelão**, canário-bravo, emberiza, milheira-amarela, milheirão, mourisco, verderol, verdilhão, verdilhote, verdizel, verdizelo, verdelha 2 ICTIOL. **bodião**, chalrão, margota

verdelho *n.m.* **gouveio**

verdugo *n.m.* 1 **carrasco**, algoz, açoitador, carnífice, saião 2 **dobra**, prega, plica

verdura *n.f.* 1 **verdor**, verdume, viço 2 **imaturo** ≠ **maduro**, amadurecido, sazonado 3 **vegetais**, legumes 4 **hortaliça** 5 **erva** 6 *fig.* **força**, vigor, viço 7 *fig.* **inexperiente**, imaturo, novo, bisonho, principiante, viçoso ≠ **experiente**, calejado, versado, perito, sazonado *fig.* **8** *fig.* **juventude**, adolescência, juvenilidade, mocidade, primavera *fig.*, alvorada *fig.*, aurora *fig.* ≠ **velhice**

vereação *n.f.* **edilidade**, municipalidade, vereamento

vereador *n.m.* **edil**, senador

vereda *n.f.* **1 caminho**, trilho, carreiro, atalho, senda, carril, calhe, carreirão, sendeiro **2** *fig.* **senda**, rumo, direção, rota, trilho

veredito[AO] ou **veredicto**[AO] *n.m.* **1 sentença 2 decisão**, resolução

verga *n.f.* **1 virga**, vara **2 vime**, junco **3 padieira 4** *vulg.* **pénis**, falo, pila *col.*, membro *col.*, badalo *col.,vulg.*, piça *vulg.*, caralho *vulg.*, pau *vulg.*, catano *vulg.*, porra *vulg.*, pica *vulg.*, moca *vulg.*, pífaro *vulg.*

vergão *n.m.* **1 vergueiro 2 vinco**, talho, vergoada

vergar *v.* **1 arquear**, dobrar, curvar, inclinar, flexionar ≠ **endireitar**, desencurvar **2 torcer**, entortar **3** *fig.* **submeter**, humilhar, vencer **4** *fig.* **persuadir**, convencer, induzir ≠ **dissuadir**, desaconselhar **5** *fig.* **comover**, emocionar

vergar-se *v.* **1 curvar-se**, derrear-se, arquear-se, dobrar-se, recurvar-se **2** *fig.* **subjugar-se**, sujeitar-se, submeter-se, curvar-se, ceder, sucumbir ≠ **resistir**

vergasta *n.f.* **chibata**, verdasca, junco, vara, badine, açoite

vergastada *n.f.* **verdascada**, chibatada, labrestada, vergalhada, vergastão, lostra [REG.]

vergastar *v.* **1 chibatear**, chicotar, verdascar, fustigar, zurzir **2 castigar**, açoitar, punir, chibatar, zurzir, fustigar *fig.* **3** *fig.* **zurzir**, fustigar

vergel *n.m.* **1 pomar**, viridário **2 jardim**, viridário **3 horto**

vergonha *n.f.* **1 pejo**, pudor, decoro, pudicícia ≠ **despudor**, desvergonha, sem-pudor **2 timidez**, acanhamento, constrangimento, inibição ≠ **extroversão**, comunicatividade, expansividade, desinibição **3 rebaixamento**, humilhação, menosprezo, aviltamento, desvalorização, depreciação *fig.* ≠ **consideração**, engrandecimento **4 desonra**, opróbrio, vexame, infâmia, desconsideração, desmerecimento, desmérito, desautorização, descrédito, deslustre *fig.*, mancha *fig.* ≠ **consideração**, mérito, crédito, honra

vergonhosa *n.f.* BOT. **sensitiva**

vergonhosamente *adv.* **1 indecorosamente**, indecentemente, desbragadamente **2 desavergonhadamente**, insolentemente, desabusadamente, petulantemente, impudentemente **3 ignominiosamente**

vergonhoso *adj.* **1 indecoroso**, obsceno, desavergonhado, descarado, impudente, indecente, imoral, impudico ≠ **decente**, decoroso, digno **2 desonesto**, insincero, mentiroso, desleal, falso ≠ honesto, sincero, verídico **3 indigno**, indecente, desonroso, imoral, indecoroso ≠ **digno**, honroso, respeitoso

verídico *adj.* **autêntico**, verdadeiro, vero, veraz ≠ **falso**, inverídico

verificação *n.f.* **1 exame**, averiguação **2 conferência**, confirmação **3 prova**, constatação, confirmação, comprovação **4 realização**

verificado *adj.* **1 investigado**, averiguado, apurado, certificado **2 comprovado**, confirmado, provado **3 conferido**, controlado, inspecionado, fiscalizado, lealdado

verificador *adj.,n.m.* **conferente**, confirmador

verificar *v.* **1 averiguar**, investigar, apurar, certificar **2 confirmar**, corroborar, atestar, validar ≠ **negar**, refutar, desmentir, desdizer, rebater **3 conferir**, controlar, inspecionar, fiscalizar, lealdar **4 examinar**, analisar, observar **5 demonstrar**

verificar-se *v.* **realizar-se**, efetuar-se, acontecer, ocorrer, passar-se, cumprir-se, comprovar-se, operar-se

verme *n.m.* **1** ANAT. **vérmis 2 minhoca**, bichoca **3 larva 4 helminto**, parasita **5** *fig.* **remorso**, arrependimento, contrição, escrúpulo, pesar

vermelhão *n.m.* **1 vermelhidão**, carmim **2 zarcão**, mínio **3 rubor**, vermelhidão

vermelhar *v.* **1 avermelhar**, purpurejar **2 enrubescer**, ruborizar

vermelhidão *n.f.* **1 vermelhão**, rubidez, rubor **2** *fig.* **afogueamento**, enrubescimento, rubor

vermelho *adj.* **1 amarantino**, puníceo *poét.* **2** *fig.* **afogueado**, corado, ruborizado, rubro, rúbido **3 envergonhado**, acanhado ■ *n.m.* **rubor**, vermelhão

vermelhusco *adj.* **1 avermelhado**, ruivasco, vermelhaço, vermelhoso **2** *fig.* **exaltado**, agitado, inquieto ≠ **calmo**, tranquilo

vermicida *adj.2g.,n.m.* FARM. **vermífugo**, antelmíntico, anti-helmíntico

vermífugo *adj.,n.m.* FARM. **vermicida**, antelmíntico, anti-helmíntico, lumbricida, antiverminoso

vernaculidade *n.f.* **1 genuinidade**, pureza ≠ **artificialidade**, facticidade **2 propriedade**

vernaculizar *v.* **nacionalizar**

vernáculo *adj.* **1 pátrio**, nacional **2** (linguagem) **genuíno**, puro, autêntico, castiço ≠ **artificial**, falso

verniz *n.m.* **1 esmalte 2 polimento**, brilho **3** [REG.] **bebedeira**, embriaguez, ebriedade, bico, canjica, borracheira *col.*, piela *col.*, bruega *col.*, cabeleira *col.*, cardina *col.*, carraspana *col.* ≠ **sobriedade**, abstemia **4** *fig.* **distinção**, polidez, civilidade, cortesia, educação ≠ **incivilidade**, indelicadeza **5** *fig.* **finura**, requinte, distinção, elegância

verno *adj.* **primaveril**, vernal

vero *adj.* 1 **real**, autêntico, verídico ≠ **falso**, irreal 2 **exato**, preciso, certo ≠ **inexato**

verosímil *adj.2g.* 1 **provável**, verosimilhante 2 **plausível**, possível, admissível, presumível, hipotético, provável, crível

verosimilhança *n.f.* **probabilidade**, verosimilitude, plausibilidade, possibilidade ≠ **inverosimilhança**, improbabilidade

verrinar *v.* **vituperar**, exprobrar, reprochar, repreender, censurar, acusar

verruga *n.f.* **botão**, cravo

verruma *n.f.* 1 **berbequim**, furadeira 2 **broca**

verrumar *v.* 1 **furar**, parafusar 2 *fig.* **espicaçar**, irritar, enervar, instigar, provocar 3 *fig.* **maçar**, aborrecer 4 *fig.* **cogitar**, meditar, pensar, matutar

versado *adj.* 1 **experimentado**, experto, perito, entendido, conhecedor, prático ≠ **inexperiente**, desconhecedor, principiante 2 **discutido**, estudado, tratado, cursado, analisado 3 **versificado**

versão *n.f.* 1 **volta**, contorção 2 **mudança**, alteração, transversão 3 **tradução**, transladação, translação, traslado, transplante *fig.* 4 **variante** 5 **interpretação**, explicação, representação 6 **boato**, mexerico, diz-que-diz, rumor *fig.*

versar *v.* 1 **manejar**, volver, manusear, manobrar 2 **praticar**, exercitar, exercer, trenar 3 **examinar**, estudar, analisar 4 **abordar**, tratar, ocupar-se, perspetivar 5 **versejar**, poetar 6 **consistir**, constar, compreender, comportar 7 **incidir**, recair

versaria *n.f.* **versalhada**

versátil *adj.2g.* 1 **polivalente**, multifacetado, polifacetado 2 **inconstante**, instável, volúvel, variável, bandeiro ≠ **constante**, permamente

versatilidade *n.f.* 1 **polivalência**, ecletismo *fig.*, ecleticismo *fig.* 2 **inconstância**, mutabilidade, volubilidade, variabilidade, instabilidade ≠ **constância**, permanência

ver-se *v.* 1 **mirar-se**, observar-se 2 **encontrar-se**, achar-se 3 **imaginar-se**, supor-se 4 **considerar-se**, julgar-se

versejador *adj.,n.m.* **metrificador**, rimador, versista

versejar *v.* **versificar**, versar, poetar, rimar, metrificar ≠ **prosar**

versículo *n.m.* **verseto**

versificação *n.f.* **metrificação**

versificar *v.* **versejar**, versar, poetar, rimar, metrificar ≠ **prosar**

verso *n.m.* 1 **poema**, carme, poesia 2 **poesia** 3 **costas** *fig.* ≠ **frente**

vértebra *n.f.* ANAT. **espôndilo** *ant.*

vertebrado *adj.* **vertebral**, vertebroso, craniota, osteozoário ■ *n.m.pl.* ZOOL. **craniotas**, osteozoários

vertebral *adj.2g.* 1 **vertebrado**, vertebroso 2 **raquidiano**, raquídeo

vertente *n.f.* 1 **declive**, encosta, ladeira, rampa, descida, quebrada 2 *fig.* **perspetiva**, prisma, ótica, ângulo

verter *v.* 1 **derramar**, entornar, espalhar, vazar, transbordar 2 **jorrar**, brotar, manar 3 **espalhar**, difundir, disseminar, irradiar, propagar 4 **traduzir**, transpor, transladar, transplantar *fig.*

vertical *adj.,n.m.* **perpendicular**, ortogonal, normal ≠ **horizontal** ■ *adj.2g.* 1 *fig.* **direito**, aprumado, ereto 2 *fig.* **reto**, íntegro, honesto, sério, correto ≠ **indigno**, corrupto ■ *n.m.* ASTRON. **círculo vertical**

verticalidade *n.f.* 1 **aprumo**, prumagem, prumada 2 *fig.* **retidão**, integridade, honestidade, honradez, seriedade ≠ **desonestidade**, falsidade

verticalmente *adv.* 1 **perpendicularmente** ≠ **horizontalmente** 2 **corretamente**

vértice *n.m.* 1 **cume**, cimo, pináculo, ápice, grimpa, cocuruto, picaroto, auge ≠ **base**, sopé, falda, aba 2 **bifurcação** 3 ANAT. **vértex** 4 *fig.* **sumidade**

vertigem *n.f.* 1 **tontura**, tonteira, estonteamento, oura, arvoamento, nutação, vágado, perturbação, zonzeira [BRAS.], piloura [BRAS.] *col.* 2 **cenofobia** 3 *fig.* **desvario**, loucura, doidice, desacerto ≠ **juízo**, tino

vertiginosamente *v.* 1 **rapidamente**, aceleradamente, apressadamente ≠ **vagorasamente**, lentamente 2 **precipitadamente**, irrefletidamente, imprudentemente, imponderamente ≠ **prudentemente**, refletidamente

vertiginoso *adj.* 1 *fig.* **rápido**, alucinante, acelerado 2 *fig.* **precipitado**, arrebatado, impulsivo, irrefletido ≠ **ponderado**, refletido, sensato

verve *n.f.* 1 **imaginação**, fantasia 2 **eloquência**, facúndia, retórica

vesgo *adj.* **estrábico**, zarolho, pisco, pitosga, mirolho, lusco, caolho [BRAS.], olhizaino

vesicotomia *n.f.* MED. **cistotomia**

vesícula *n.f.* **bolha**, empola

vésper *n.m.* **ocidente**, ponente, oeste, ocaso ≠ **oriente**, nascente, levante, este

véspera *n.f.* **tarde**

vespertino *adj.* **vesperal**, acrónico

vestal *n.f. fig.* **virgem**, donzela

veste *n.f.* 1 **indumentária**, traje, trajar, roupa, farpela, fato, fatiota 2 **véstia**, jaqueta, jaleca 3 [*pl.*] **hábitos**, vestimentas

vestíbulo *n.m.* **átrio**, pátio, portal, adro, portaria, saguão, hall

vestido *adj.* **coberto**, revestido ≠ **despido**

vestígio *n.m.* 1 **pegada**, peugada, pisada, palmilha 2 **sinal**, peugada, rasto, pista, trilha, encalço, treita, pegada *fig.* 3 [*pl.*] **restos**, resquícios, sobejos 4 [*pl.*] **ruína**

vestimenta *n.f.* 1 **veste**, vestuário, traje, indúvia 2 [*pl.*] **hábitos**, vestes

vestir *v.* 1 **usar**, pôr, colocar, calçar, envergar, trajar ≠ **despir**, tirar, descalçar 2 **cobrir**, revestir, forrar 3 **proteger**, resguardar, defender 4 **adornar**, enfeitar, ornar, ataviar ≠ **desenfeitar**, desornar 5 **adotar**, tomar, aceitar 6 **realçar**, salientar 7 **encobrir**, disfarçar, simular, ocultar ≠ **expor**, mostrar

vestir-se *v.* 1 **preparar-se**, aprontar-se, arranjar-se ≠ **despir-se** 2 *fig.* **cobrir-se**, tapar-se, recobrir-se 3 **disfarçar-se**, fantasiar-se, mascarar-se

vestuário *n.m.* 1 **veste**, vestimenta, traje, indúvio, roupa, toilette 2 **compostura**

vetar *v.* **impugnar**, invalidar, impedir, proibir, interditar ≠ **consentir**, permitir

veterano *adj.* **experimentado**, experiente, calejado, traquejado, prático, habituado ≠ **inexperiente**, principiante ■ *n.m. gír.* ≠ **caloiro**

veterinária *n.f.* **zooterapêutica**, zooterapia, zoiatria, zooiatrologia

veterinário *n.m.* **zoiatra**, zoiatrologista, zoiatrólogo, hipiatro

veto *n.m.* 1 **interdição**, proibição, impedimento, proscrição, defendimento ≠ **autorização**, permissão, aprovação, consentimento 2 **recusa**, negação, negativa, rejeição ≠ **aceitação**, anuência, consentimento, sim

vetor[dAO] *n.m.* MED. **portador**

vetustez *n.f.* **vetustade**, antiguidade, velhice

vetusto *adj.* 1 **antigo**, velho ≠ **novo** 2 **respeitável**, venerável, notável 3 **antiquado**, obsoleto, antigo, velho ≠ **novo**

véu *n.m.* 1 **velamento** 2 **cortina**, cortinado 3 **película** 4 *fig.* **pretexto**, justificação, escusa, razão, desculpa 5 *fig.* **ilusão**, aparência 6 *fig.* **obscuridade**, escuridão

vexação *n.f.* 1 **vexame**, vergonha, humilhação, desonra, afronta 2 **opressão**, gravame, vexame

vexado *adj.* 1 **envergonhado**, humilhado, desonrado, afrontado 2 **irritado**

vexame *n.m.* 1 **vergonha**, humilhação, desonra, vergonhaça 2 **desonra**, opróbrio, vergonha, infâmia, desconsideração, desmerecimento, desmérito, desautorização, descrédito, deslustre *fig.*, mancha *fig.* ≠ **consideração**, mérito, crédito, honra 3 **afronta**, injúria, ultraje, ofensa, agravo, enxovalho *fig.* ≠ **desagravo**, desafronta, explicação 4 **opressão**, gravame, vexação 5 **escândalo**, escarcéu, bomba *fig.*

vexante *adj.2g.* 1 **vexativo**, vexatório, vexador 2 **afrontoso**, injurioso, ultrajante 3 **desonroso**, humilhante, vergonhoso

vexar *v.* 1 **humilhar**, envergonhar, confranger, embaraçar, perturbar ≠ **desinibir** 2 **oprimir**, sobrecarregar, atormentar, agravar

vexativo *adj.* 1 **vexante**, vexatório, vexador 2 **afrontoso**, injurioso, ultrajante 3 **desonroso**, humilhante, vergonhoso

vexatório *adj.* 1 **vexativo**, vexante, vexador 2 **afrontoso**, injurioso, ultrajante 3 **desonroso**, humilhante, vergonhoso

vez *n.f.* 1 **ocasião**, momento, circunstância, situação 2 **turno**, ordem, escala 3 **ensejo**, oportunidade, aberta, azo, chance 4 **alternativa**, opção, escolha 5 **reciprocidade**, mutualidade 6 **dose**, porção, quinhão, quantidade

vezeiro *adj.* 1 **habituado**, acostumado, afeito 2 **reincidente**, recaidiço

via *n.f.* 1 **itinerário**, caminho 2 **direção**, rumo, linha, trâmite 3 *fig.* **método**, modo, sistema 4 **mensagem**, carta

viabilidade *n.f.* 1 **transitabilidade** 2 **exequibilidade** ≠ **inexequibilidade** 3 **probabilidade**, possibilidade ≠ **impossibilidade**, improbabilidade

viabilizar *v.* **permitir**, possibilitar, autorizar, proporcionar ≠ **impossibilitar**, impedir, inutilizar, anular

viador *n.m.* 1 **viajante**, passageiro, transeunte, caminhante 2 **mensageiro** 3 **peregrino**, romeiro, peregrinante

viagem *n.f.* 1 **jornada**, expedição, torna, viajada [BRAS.] 2 **trajeto** 3 **itinerário**

viajante *adj.,n.2g.* **viandante**, caminhante, trajetor, viador, viajador, viajor

viajar *v.* 1 **visitar**, percorrer, correr, jornadear 2 *fig.* **divagar**, devanear, delirar

vianda *n.f.* 1 **alimento**, comida 2 [REG.] **lavadura**, lavagem 3 [*pl.*] **iguaria**, manjar

viandante *adj.,n.2g.* 1 **viajante**, caminhante, trajetor, viador 2 **traseunte**, passageiro, passante, caminhante, pedestre

viandar *v.* 1 **viajar**, caminhar, percorrer, jornadear 2 **peregrinar**

viandeiro *adj.,n.m.* **comilão**, glutão, guloso, lambão, alambazado, alarve, papão *fig.,col.* ≠ **frugal**, parco

vianense *adj.,n.2g.* **vianês**

viático *n.m.* 1 **farnel**, merenda 2 RELIG. **Senhor-fora**

viatura *n.f.* **carro**, veículo

viável *adj.* 1 **transitável**, praticável ≠ **intransitável** 2 **exequível**, praticável, realizável, factível ≠ **inexequível**, irrealizável, infactível

víbora *n.f.* 1 ZOOL. **áspide** 2 *fig.* **serpente** *col.,pej.*, bisca, cobra *fig.*, cascavel [BRAS.] *pej.*

vibração *n.f.* 1 **baloiço**, balanço, oscilação, balanceamento, libração, nutação, embalo ≠ **imobilidade**, estabilidade, fixidez, repouso 2 **trepidação**, tremor, estremecimento, abalo 3 *fig.* **sensação** 4 *fig.* **comoção**, emoção, perturbação, abalo ≠ **tranquilidade**, serenidade

vibrante *adj.2g.* 1 **vibratório**, vibrátil 2 **sonoro** 3 *fig.* **forte**, timbrado, tonante 4 *fig.* **entusiástico**, animado, arrebatado, entusiasmado 5 *fig.* **comovente**, impressionante

vibrar *v.* 1 **agitar**, brandir, mover, mexer 2 **tanger**, dedilhar, tocar 3 **lançar**, atirar, arremessar 4 **estremecer**, tremer, trepidar 5 **soar**, ecoar, ressoar 6 **romper** 7 **comover-se** 8 **entusiarmar-se**, animar-se

viçar *v.* 1 **vicejar** 2 **vicejar**, medrar, crescer, vegetar 3 *fig.* **propagar-se**, alastrar-se, desenvolver-se

vicário *adj.* 1 **substituto** 2 **delegado**, transmitido

vice-director[aAO] *n.m.* ⇒ **vice-diretor**[dAO]

vice-diretor[dAO] *n.m.* **subdiretor**

vicejar *v.* 1 **viçar**, medrar, crescer, vegetar, luxuriar 2 *fig.* **ostentar**, exibir

vicente *n.m.* 1 *col.* **corvo**, gralha, grelha 2 [*pl.*] [REG.] **tamancos**, socos, socas

vicentino *adj.* **vicentista**, gil-vicentino

vice-rei *n.m.* **vice-realeza**, vice-reinado

vice-secretário *n.m.* **subsecretário**

vice-versa *adv.* 1 **reciprocamente**, mutuamente 2 **inversamente**, reciprocamente

viciação *n.f.* 1 **viciamento** 2 **adulteração**, falsificação, deturpação, fraude

viciado *adj.* 1 **adulterado**, deturpado, falsear 2 **falsificado**, imitado, adulterado, fictício ≠ **verdadeiro**, original, autêntico 3 **corrompido**, corroído, degradado ■ *adj.,n.m.* **dependente**, adicto

viciar *v.* 1 **estragar**, deteriorar, adulterar, alterar, degradar ≠ **conservar**, preservar 2 **corromper**, deturpar, falsificar, perverter, fraudar, malignar 3 (em matéria jurídica) **anular**, invalidar

vicinal *adj.2g.* **adjacente**, contíguo, próximo, vizinho, pegado, circunjacente

vício *n.m.* 1 **defeito**, imperfeição, falha, falta, tinha *fig.* 2 **libertinagem**, desregramento, desmoralização, depravação, perversão, devassidão, dissolução, corrupção, envilecimento ≠ **decência**, decoro, moralidade 3 **inclinação**, propensão, pendor, queda, vocação, orientação, disposição, tendência *fig.* 4 **mania**, sestro, vezo 5 [BRAS.] **geofagia**

vicioso *adj.* 1 **imperfeito**, defeituoso, falho ≠ **perfeito** 2 **corrupto**, desmoralizado, depravado, perverso, leproso *fig.* ≠ **virtuoso**, regenerado 3 **incorreto**, defeituoso ≠ **correto**

vicissitude *n.f.* 1 **variação**, mudança, alteração, transformação 2 **eventualidade**, acaso, causalidade, contingência 3 **revés**, contrariedade, contratempo, adversidade, viravolta, baque, pontapé *fig.*

viço *n.m.* 1 **verdor**, verdura, verdume 2 **força**, vigor, energia, potência ≠ **fraqueza**, debilidade, frouxidão 3 *fig.* **ardor**, fogosidade, exuberância, entusiasmo

viçoso *adj.* 1 **verde**, verdejante, viridente ≠ **murcho**, seco 2 *fig.* **inexperiente**, imaturo, novo, bisonho, principiante, verde ≠ **experiente**, calejado, versado, perito, sazonado *fig.*

victricide *n.f.* **vencedora**, triunfadora, vitoriosa

vida *n.f.* 1 **existência** 2 **espírito**, alento, alma 3 **sustento**, subsistência 4 **biografia**, história 5 **comportamento**, conduta, procedimento 6 **profissão**, ocupação, emprego, carreira, trabalho, ofício, atividade 7 *fig.* **animação**, vitalidade, entusiasmo 8 **causa**, origem 9 **essência**, base, substrato 10 **vigor**, energia, potência 11 **progresso**, avance

vide *n.f.* 1 **bacelo** 2 **videira**, cepa, parreira 3 *col.* **envide**, embida

videira *n.f.* BOT. **cepa**, vide, parreira

vidente *adj.2g.* 1 **vaticinante** 2 *fig.* **sagaz**, perspicaz, astuto ■ *n.2g.* **profeta**, vate, adivinho, vaticinador, áugure *fig.*, hierofante

vido *n.m.* BOT. **vidoeiro**, bétula, bédulo, bidoeiro

vidoeiro *n.m.* BOT. **vido**, bétula, bédulo, bidoeiro

vidrado *adj.* 1 **vidrento**, desvidrado, baço 2 (olhos) **embaciado**, baço, vidrento, vidroso 3 [BRAS.] **apaixonado**, caído *fig.*

vidrar *v.* (olhos) **embaciar**

vidraria *n.f.* 1 **hialurgia** 2 **vidralhada** 3 **frascaria**

vidro *n.m.* 1 *fig.* **vidro de cheiro** 2 PETROL. **pedra-pomes**

vieira *n.f.* 1 ZOOL. **leque**, pente, pente-do-mar 2 **venera**

viela *n.f.* **quelha**, quelho, beco, congosta, caleja, ruela

viés *n.m.* **esguelha**, soslaio, través, enviés, obliquidade

viga *n.f.* **trave**, barrote, sonave [REG.]

vigamento *n.m.* **travejamento**, envigamento

vigar *v.* **travejar** ≠ **desvigar**

vigarice *n.f.* **burla**, intrujice, trapaça, fraude, embuste, engano, defraudação, ludíbrio, logro, trica, embaçadela, tolã *col.*

vigarista *n.2g.* **intrujão**, trapaceiro, embusteiro, trafulha, batoteiro, charlatão, impostor, burlão, medicastro ≠ **honesto**, leal, correto

vigarizar *v.* **burlar**, enganar, lograr, fraudar, ludibriar, iludir, codilhar *fig.* ≠ **desiludir**, desenganar

vigência *n.f.* 1 **validade**, prazo 2 **permanência**, constância, continuidade ≠ **impermanência**, cessaçao, descontinuidade

vigente *adj.2g.* **vigorante**, atual

viger *v.* **vigorar**, usar-se, valer ≠ **desvigorar**

vigésimo *n.m.* 1 **vinte**, vinteno 2 **vintavo**

vigia *n.f.* 1 **vigilância**, sentinela, guarda, vela 2 **guarita**, atalaia, vedeta 3 *fig.* **insónia**, vigília, vela, agripina, espertina ≠ **hipersónia**, sono 4 baixio, parcel, escolho, vau, banco, cachopo ■ *n.2g.* **sentinela**, guarda, espia, esculca

vigiar *v.* 1 **guardar**, velar, atalaiar, desvelar ≠ **desvigiar** 2 **espiar**, espreitar, espionar 3 **examinar**, fiscalizar, verificar 4 **guardar**, proteger, defender

vigilância *n.f.* 1 **vigia**, sentinela, guarda, vela 2 **cuidado**, prevenção, atenção, zelo

vigilante *adj.2g.* 1 **desvelado**, vigiador 2 **atento**, desperto, cuidadoso, cauteloso ≠ **desatento**, distraído 3 **diligente**, zeloso, dedicado ≠ **negligente**, desleixado ■ *n.2g.* **vigiador**, guarda, sentinela

vigilar *v.* 1 **guardar**, velar, atalaiar, desvelar ≠ **desvigiar** 2 **espiar**, espreitar, espionar 3 **examinar**, fiscalizar, verificar 4 **guardar**, proteger, defender

vigília *n.f.* 1 **insónia**, vela, agripina, espertina, vigia *fig.* ≠ **hipersónia**, sono 2 **desvelo**, cuidado, zelo

vigor *n.m.* 1 **robustez**, energia, força, pujança, vicejo *fig.*, guzo [BRAS.] ≠ **fraqueza**, debilidade, frouxidão 2 **atividade**, funcionamento 3 **viço**, frescura, frescor, verdura, virescência

vigorante *adj.2g.* 1 **fortificante**, tonificante, robustecedor, vital, tónico *fig.* 2 **vigente**, atual

vigorar *v.* 1 **robustecer**, fortificar, fortalecer, avigorar, tonificar ≠ **enfraquecer**, debilitar 2 **valer**, usar-se, viger ≠ **desvigorar**

vigoroso *adj.* 1 **robusto**, forte, possante, rijo, pujante, são, forçudo, toroso *fig.*, membrudo *fig.* ≠ **fraco**, débil 2 **enérgico**, ativo, dinâmico 3 **expressivo**, vivo

vil *adj.2g.* 1 **insignificante**, irrisório, bagatela ≠ **significante**, precioso, valioso 2 **mesquinho**, miserável ≠ **generoso**, magnânimo 3 **humilde**, simples, modesto, obscuro *fig.* ≠ **altivo**, arrogante, soberbo, orgulhoso 4 **desprezível**, abjeto, infame, torpe, miserável, reles, biltre, vilão, terrulento ≠ **correto**, honesto, justo, respeitável

vilanagem *n.f.* 1 **vilania**, vileza, ignomínia, canalhice, safadice, torpeza, baixeza, bandalhice ≠ **dignidade**, altivez, hombridade 2 **vilões**

vilania *n.f.* 1 **vilanagem**, vileza, ignomínia, baixeza, canalhice, safadice, torpeza, indignidade, bandalhice ≠ **dignidade**, altivez, hombridade 2 **afronta**, ofensa, agravo, ultraje

vilão *adj.* 1 **desprezível**, abjeto, infame, torpe, miserável, reles, biltre, vil ≠ **correto**, honesto, justo, respeitável 2 **avarento**, mesquinho, pequeno, pelintra, somítico, sovina 3 **plebeu**, popular ≠ **nobre**, aristocrata, fidalgo 4 **rústico**, grosseiro, saloio *pej.* ■ *n.m.* **bandalho**, futre, safado, patife, infame, biltre, brejeiro, pulha *col.*, canalha *pej.* ≠ **notável**, honesto, respeitador

vilar *n.m.* **aldeola**, casal, lugarejo

vilegiatura *n.f.* **veraneio**

vilela *n.f.* **vilota**, vilória, vileta

vileza *n.f.* **ignomínia**, vilania, baixeza, canalhice, safadeza, safadice, torpeza, picardia, sordidez, velhacagem ≠ **dignidade**, altivez, hombridade

vilipendiar *v.* **amesquinhar**, menosprezar, enlamear, desestimar, desprezar, degradar, menoscabar, envilecer, deprimir, humilhar ≠ **elogiar**, respeitar, valorizar

vilipêndio *n.m.* 1 **desprezo**, menosprezo, menoscabo, desdém, desapreço, desamor, desestimação, desconsideração, desrespeito ≠ **apreço**, estima, consideração 2 **vileza**, degradação

vime *n.m.* 1 **verga**, vara 2 (planta) **vimeiro**, bunho

vimeiro *n.m.* 1 BOT. **vime** 2 **vimieiro**, vimial

vinagre *n.m. fig.* **causticidade**, mordacidade, sarcasmo, dicacidade

vinagreira *n.f.* 1 ZOOL. **bêbeda**, lebre-do-mar, tintureira, aplísia 2 BOT. **azeda** 3 BOT. **sumagre**, sumagreira 4 [BRAS.] BOT. **fanfã**, marioranta 5 [REG.] **solteirona**, tia *col.,pej.* 6 [REG.] **gaspacho**

vincada *n.f.* 1 **vinco**, dobra, prega 2 **rego**, sulco

vincar *v.* 1 **dobrar** 2 **marcar** 3 **enrugar**, franzir 4 *fig.* **gravar**, marcar, fixar 5 *fig.* **sublinhar**, realçar, destacar

vinco *n.m.* 1 **vincada**, dobra, prega 2 **marca** 3 **rego**, sulco, vincada 4 **vergão**, talho, vergoada 5 **ruga**, dobra 6 **arganel**, arganéu

vinculação *n.f.* **ligação**, vínculo, junção, união

vinculado *adj.* 1 **ligado**, unido, vincular 2 *fig.* **enraizado**, perpetuado, eternizado, imortalizado

vincular *v.* 1 **ligar**, unir, atar ≠ **desligar**, desunir 2 *fig.* **obrigar**, sujeitar, prender, forçar ≠ **libertar**, desobrigar ■ *adj.2g.* **ligado**, unido, vinculado

vincular-se *v.* 1 **ligar-se**, prender-se 2 **eternizar-se**, perpetuar-se, arreigar-se

vinculativo *adj.* **vinculatório**, vinculador

vínculo *n.m.* 1 **atilho**, laço, nó, vencilho, liame 2 **morgadio** 3 **relação**, liame, ligação 4 **parentesco**, afinidade 5 **casamento**, união, enlace, nó *col.*

vinda *n.f.* **regresso**, volta, tornada, aparecimento, venida ≠ **partida**, saída

vindicação *n.f.* 1 **reclamação**, revindicação, protesto, queixa 2 *ant.* **vingança**, desforra, revindicta, desforço, saldo *fig.*

vindicar *v.* 1 **reivindicar**, reclamar, protestar 2 **defender**, justificar 3 **castigar**, punir, corrigir 4 **recuperar**, reaver, readquirir, resgatar ≠ **perder**

vindicta[AO] ou **vindita**[AO] *n.f.* 1 **vingança**, represália, desforra, desforço 2 **perseguição**, persecução, seguimento, acossamento, acossa *fig.* 3 **castigo**, punição, corretivo

vindima *n.f.* 1 **vindimadura** 2 *fig.* **colheita**, granjeio, apanha, recolha 3 *fig.* **destruição**, morte, razia, vastação

vindimar *v. fig.* **ceifar**, assassinar, matar, exterminar, dizimar, liquidar, despachar, aviar, eliminar, limpar

vindo *adj.* 1 **chegado**, aparecido 2 **proveniente**, originário, procedente, descendente

vindouro *adj.* **futuro**, venturo ≠ **passado** ■ *n.m.pl.* **posteridade**

vingador *adj.,n.m.* **desafrontador**, desforçador, utor, retaliativo, ultor, víndice *poét.*

vingança *n.f.* 1 **vindicta**, represália, desforra, desforço, retaliação, vendeta 2 **punição**, castigo, corretivo

vingar *v.* 1 **desforrar**, desafrontar, desagravar 2 **reabilitar**, recuperar, reparar, restabelecer 3 **atingir**, alcançar, chegar ≠ **falhar** 4 **defender**, libertar, salvar 5 **vencer**, conseguir 6 **subir**, trepar 7 **galgar**, ultrapassar, transpor

vingativo *adj.* **desagravador**, retaliativo, vingador, desagravativo, utor, víndice *poét.*

vingue *adj.2g.* [REG.] **maduro**, sazonado ≠ **verde**

vinha *n.f.* 1 **vinhal**, vinhago, vinhedo, bacelo, vinhádego, vinhagem 2 *fig.* **mina**, pechincha, achado

vinhal *n.m.* **vinha**, vinhago, vinhedo, bacelo

vinhateiro *n.m.* **vitivinicultor**

vinhedo *n.m.* **vinha**, vinhago, vinhal, bacelo

vinheta *n.f.* **cabecel**

vinho *n.m.* 1 **briol** *col.*, petróleo *col.*, pinga *fig.*, gimbolinha *col.* 2 *fig.* **bebedeira**, ebriedade, embriaguez, bico, canjica, borracheira *col.*, piela *col.*, bruega *col.*, cabeleira *col.*, cardina *col.*, carraspana *col.* ≠ **sobriedade**, abstemia

vínico *adj.* **vinário**

vinícola *adj.2g.* **vitícola**, enícola

vinicultor *n.m.* **vinhateiro**, vitivinicultor

vinicultura *n.f.* **vinhataria**

vinificação *n.f.* **vinagem**

vinolento *adj.* **bêbedo**, ébrio, embriagado, alcoólatra, beberrão, borrachão *col.*, bebedolas *col.*, esponja *col.* ≠ **abstémio**, abstinente, sóbrio

vinte *n.m.* 1 **vigésimo** 2 **vintena**

vintena *n.f.* 1 **vinte** 2 **vintavo**

viola *n.f.* 1 MÚS. **guitarra-espanhola** 2 MÚS. **violeta**, viola de arco 3 ICTIOL. **guitarra**, peixe-anjo, rabeca 4 [BRAS.] ORNIT. **japacanim**, batuquira, casaco-de--couro 5 *gír.* **bidé**

violação *n.f.* 1 DIR. **estupro**, forçamento 2 **transgressão**, infração, quebramento ≠ **cumprimento**, obediência 3 **profanação**, profanidade, sacrilégio

violáceo *adj.* **arroxeado**, roxo, aviolado, purpúreo, iântino, morado

violador *adj.,n.m.* 1 **profanador** 2 **transgressor**, infrator, contraventor, prevaricador ≠ **cumpridor**, obediente

violão *n.m.* 1 MÚS. **guitarra-francesa**, viola-francesa 2 [BRAS.] MÚS. **viola**, banza [BRAS.]

violar *v.* 1 **estuprar**, desflorar *fig.* 2 **violentar** 3 **infringir**, transgredir, quebrar ≠ **cumprir**, obedecer 4 **ofender**, afrontar 5 **profanar** 6 **trespassar** 7 **poluir** 8 (a correspondência) **devassar** 9 (um segredo) **divulgar**, revelar, difundir ≠ **segredar**, confidenciar

violável *adj.2g.* **profanável** ≠ **inviolável**

violência *n.f.* 1 **crueldade**, brutalidade, atrocidade, barbaridade, virga-férrea 2 **força**, ímpeto, intensidade, rompante, furor, fúria 3 **impetuosidade**, veemência, impulso, arrebate, furor 4 **prepotência**, tirania, coação, pressão *fig.*

violentado *adj.* **forçado**, coagido, constrangido, opresso, oprimido, contrafeito, invito ≠ **livre**, independente

violentar *v.* 1 **forçar**, coagir, constranger, compelir, obrigar ≠ **desobrigar**, liberar 2 **arrombar** 3 **violar**, desflorar, estuprar 4 *fig.* **deturpar**, desvirtuar, alterar, modificar ≠ **manter**, preservar

violento *adj.* 1 **intenso**, veemente, forte, vigoroso, fervoroso ≠ **brando**, fraco 2 **impetuoso**, arrebatado, fogoso, explosivo, vulcânico *fig.* ≠ **sereno**, tranquilo 3 **agitado**, tumultuoso, tempestuoso, agressivo, desabrido ≠ **calmo**, manso 4 **irascível**, irritadiço, colérico, furioso, raivoso ≠ **calmo**, pacífico

violeta *n.f.* 1 BOT. **violeta-de-cheiro**, víola 2 MÚS. **viola**, viola de arco ■ *n.m.* **roxo**

violinista *n.2g.* **violino**, rabequista

violino *n.m.* 1 MÚS. **rabeca** 2 MÚS. **violinista**, rabequista

violoncelo *n.m.* 1 MÚS. **rabecão** 2 MÚS. **violoncelista**

viperino *adj.* 1 *fig.* **venenoso**, venéfico, venenífero, peçonhento, virulento, viroso, tóxico 2 *fig.* **mordaz** 3 *fig.* **perverso**, maléfico, malvado, impiedoso ≠ **bondoso**, piedoso

vir *v.* 1 **encaminhar-se**, dirigir-se 2 **chegar**, surgir ≠ **partir**, sair 3 **regressar**, voltar, retornar, revir ≠ **partir**, ir 4 **acompanhar**, levar, conduzir, seguir ≠ **desacompanhar**, abandonar 5 **aparecer**, surgir, irromper, despontar 6 **provir**, advir, descender, resultar, decorrer ≠ **causar**, originar, provocar 7 **suceder**, acontecer, ocorrer, dar-se 8 **mostrar-se**, apresentar-se, aparecer, comparecer ≠ **faltar**, falhar 9 **nascer** ≠ **ir**, morrer 10 **transmitir-se**, passar 11 **ocorrer**, trazer, surgir, aparecer, lembrar, recordar ≠ **esquecer**, olvidar 12 **medrar**, crescer, desenvolver-se ≠ **definhar**, mirrar

virada *n.f.* 1 **viradela** 2 **reviravolta**, guinada, mutação, volte-face, viragem *fig.*, salto *fig.*, pirueta *fig.*

virado *adj.* **voltado**, volvido, invertido, torcido ■ *n.m.* [BRAS.] CUL. **viradinho**

viragem *n.f. fig.* **reviravolta**, guinada, mudança, mutação, volte-face, virada *fig.*, salto *fig.*, pirueta *fig.*

virago *n.f. pej.* **mulher-homem**, marimacho, fanchonaça, fanchona

virar *v.* 1 **inverter**, voltar, volver, emborcar 2 **voltar**, retornar, regressar, revir ≠ **ir**, seguir 3 **desviar**, orientar, direcionar, mudar 4 **dobrar** 5 **entornar**, despejar 6 *fig.* **converter** 7 [BRAS.] **tornar-se**, transformar-se, converter-se

virar-se *v.* 1 **voltar-se** 2 **girar** 3 **revirar-se**, agitar-se, rebolar-se 4 **entornar-se** 5 **dirigir-se** 6 **dedicar-se** 7 **atacar** 8 *col.* **arranjar-se**, desenvencilhar-se

viravolta *n.f.* 1 **cambalhota**, pirueta, reviravolta, cabriola, vira-cu *col.* 2 **vicissitude**, contrariedade, contratempo, adversidade, revés, baque, pontapé *fig.* 3 **reviravolta**, guinada, mutação, volte-face, viragem *fig.*, salto *fig.*, pirueta *fig.*

virga *n.f.* 1 **verga**, vara 2 **rebento**

virgem *n.2g.* **donzela** *ant.*, vestal *fig.*, cabaçuda [BRAS.] *vulg.* ■ *n.f.* 1 ASTRON. **Astreia** *ant.* 2 RELIG. (com maiúscula) **Senhora**, Madona ■ *adj.2g.* 1 **puro**, casto, imaculado, virginal 2 **ingénuo**, inocente, cândido *fig.*, virginal *fig.* 3 **isento**, livre 4 **sincero**, franco, lhano, honesto ≠ **falso**, desonesto 5 **intacto**, novo ≠ **usado**

virginal *adj.2g.* 1 **puro**, casto, imaculado, virgem 2 **ingénuo**, inocente, impoluto, virgem, cândido *fig.*

virgindade *n.f.* 1 **pureza**, pudicícia, castidade, inocência, honra *ant.*, cabaço *fig.,vulg.* 2 *fig.* **candura**, singeleza, inocência, sinceridade, ingenuidade ≠ **falso**, dissimulado, insinceridade, afetação 3 *fig.* **hímen**, virgo *col.*

virgular *v.* **pontuar** ≠ **desvirgular**

viril *adj.2g.* 1 **varonil**, másculo, masculino ≠ **feminil**, mulheril 2 *fig.* **corajoso**, esforçado, vigoroso, enérgico, forte ≠ **fraco**, débil

virilidade *n.f.* 1 **masculinidade**, varonilidade ≠ **feminilidade** 2 *fig.* **energia**, vigor, força ≠ **fraqueza**, frouxidão, debilidade

viro *n.m.* **vírus**, veneno *col.* ≠ **antivírus**

viroso *adj.* 1 **virulento**, viral 2 **venenoso**, peçonhento, venéfico, venenífero, virulento, tóxico 3 **nocivo**, prejudicial, danoso, ruim ≠ **benéfico**, saudável 4 **repugnante**, nauseabundo, asqueroso, nojento ≠ **agradável**, aprazível

virotão *n.m.* **gorgaz**, gorguz

virtual *adj.2g.* 1 **possível**, provável ≠ **impossível**, improvável 2 **potencial**

virtude *n.f.* 1 **probidade**, retidão, integridade, respeitabilidade 2 **bem**, bondade, honra, caráter, brio, valor ≠ **imoralidade**, desonestidade, vício 3 **valentia**, coragem, valor, força ≠ **fraqueza** 4 **austeridade**, despojamento, severidade, sobriedade, simplicidade ≠ **aparato**, estravagância, ostentação 5 *ant.* **castidade**, pureza 6 **validade**, legitimidade, autenticidade ≠ **invalidade**, iletimidade 7 **força**, vigor

virtuosismo *n.m.* **virtuosidade**

virtuoso *adj.* 1 **honesto**, sério, correto, honrado, íntegro, decente ≠ **indigno**, indecente 2 **caritativo**, clemente, piedoso, compassivo, misericordioso, bondoso, humano ≠ **desumano**, desalmado, desapiedado 3 **eficaz**, eficiente, potente ≠ **ineficaz**, ineficiente ■ *n.m.* MÚS. **génio**

virulento *adj.* 1 **viroso** ≠ **antivirulento** 2 **venenoso**, peçonhento, venéfico, venenífero, viroso, tóxico 3 *fig.* **violento**, agressivo, ofensivo

vírus *n.m.2n.* 1 **viro**, veneno *col.* 2 **veneno**, peçonha

visado *adj.* **citado**, mencionado, referido, aludido

visão *n.f.* 1 **vista**, conspeção, visiva 2 **sonho** 3 **fantasmagoria**, aparição 4 **devaneio**, quimera, fantasia, divagação, visionice 5 **previsão**, antevisão, antevidência 6 **perceção**, entendimento, conceção 7 **discernimento**, clarividência 8 **aspeto**, perspetiva, ótica, sentido 9 [*pl.*] **imagens** 10 [*pl.*] **projetos**

visar *v.* 1 **apontar**, mirar, colimar 2 **validar**, autenticar 3 **propor-se**, dispor-se

Viscáceas *n.f.pl.* **Lorantáceas**

visceral *adj.2g.* 1 **visceroso** 2 *fig.* **profundo**, íntimo, entranhado ≠ **superficial**

visceralmente *adv.* 1 **essencialmente**, fundamentalmente, vitalmente, basicamente ≠ **secundariamente** 2 **profundamente**, estruturalmente ≠ **superficialmente** 3 **intimamente**, internamente ≠ **exteriormente**

vísceras *n.f.pl.* 1 **entranhas** 2 **entranhas** *fig.*, profundezas

visco *n.m.* 1 **visgo** 2 *fig.* **engodo**, isco, cevo, anzol

viscoso *adj.* 1 **pegajoso**, pegadiço, peganhento, conglutinoso, glutinativo, gomoso, lentescente, mucoso 2 *fig.* **maçador**, aborrecido, fastidioso, fatigante, enfadonho, tedioso ≠ **interessante**, estimulante, motivante

viseira *n.f.* 1 **pala**, aba, guarda-vista 2 *fig.* **aspeto**, máscara, capa, fachada

visgar *v.* **atrair**, engodar, seduzir, cevar, embelecar, aliciar, enviscar ≠ **desengodar**, desenganar, desiludir

visionar *v.* 1 **fantasiar**, idealizar 2 **lobrigar**, enxergar, entrever, vislumbrar, bispar, escortinar *col.*

visionário *n.m.* 1 **iluminado** 2 *fig.* **fantasista**, devaneador, idealista, sonhador *pej.*, pintor *fig.*

visita *n.f.* 1 **visitação** 2 **visitante**, visitador 3 *col.* **período**, mênstruo, sangue, regras, chica, mês, menorreia, incómodo, embaraço, assistimento, catarnénio, menarquia, pingadeira, trabuzanada ≠ **amenorreia** 4 [*pl.*] **saudações**, lembranças, cumprimentos, recomendações

visitar *v.* 1 **inspecionar**, fiscalizar, vistoriar 2 **viajar**, percorrer, correr 3 **assomar**, aparecer, surgir

visível *adj.2g.* 1 **aparente**, observável, visivo ≠ **escondido** 2 *fig.* **percetível**, manifesto, evidente, patente, descortinável, ostensório ≠ **vago**, indeterminado, obscuro 3 *fig.* **indubitável**, incontestável, inegável, certo ≠ **contestável**, discutível, questionável, refutável

visivelmente *adv.* **claramente**, manifestamente, notoriamente, evidentemente ≠ **indistintamente**, vagamente, obscuramente

vislumbrar *v.* 1 **lobrigar**, enxergar, entrever, descortinar, visionar, bispar 2 **conjeturar**, antever 3 **surgir**, apontar, aparecer

vislumbre *n.m.* 1 **reflexo** 2 **parecença**, semelhança, longes, similitude ≠ **dissemelhança**, diferença, dissimilitude 3 **vestígio**, mostra, indício, viso, sinal 4 **conjetura**, suspeita, presunção, pressuposto, hipótese 5 **lembrança**, recordação, reminiscência, reflexo

viso *n.m.* 1 **aspeto**, aparência 2 **semelhança**, parecença, similitude ≠ **dissemelhança**, diferença, dissimilitude 3 **vestígio**, mostra, indício, vislumbre, sinal 4 **alto**, cimo, cume 5 **colina**, oiteiro, montículo

visor *n.m.* 1 FOT. **visador** 2 INFORM. **ecrã**

vispar-se *v. col.* **escapulir-se**, safar-se, esgueirar--se, bispar-se, raspar-se, fugir

vista *n.f.* 1 **visão**, conspeção 2 *col.* **olhos**, gázeo, faróis 3 **olhar** 4 **aspeto** 5 **panorama**, paisagem, cenário 6 **estampa**, quadro 7 **contemplação** 8 **janela**, abertura 9 **vivo**, debrum, galão 10 *fig.* **perceção**, entendimento, visão 11 **desígnio**, intenção, propósito 12 [*pl.*] **planos**, intuitos, projetos

visto *n.m.* **confirmação** ■ *adj.* 1 **olhado**, observado, notado 2 **conhecido**, notório, sabido ≠ **desconhecido**, incógnito 3 **sabido**, entendido, percebido 4 **aceite**, acolhido 5 **versado**, sabedor, perito, ciente

vistoria *n.f.* **revista**, busca, inspeção, fiscalização, exame

vistoriar *v.* **inspecionar**, examinar, visitar, fiscalizar

vistoso *adj.* **aparatoso**, garboso, chamativo, gaiteirice, gaiteiro, flamante *fig.*

visual *adj.2g.* **visório**, visivo

visualização *n.f.* **observação**, visualidade

visualizar *v.* 1 **ver**, observar 2 **imaginar**, conceber, idealizar

vital *adj.2g.* 1 **fortificante**, revigorante, tonificante, vitalizador, refetivo, retemperante, vivificante 2 *fig.* **fundamental**, essencial, importantíssimo, primordial

vitalício *adj.* **perpétuo**, permanente, eterno ≠ **temporário**, passageiro, provisório

vitalidade *n.f.* 1 **vitalismo** 2 **energia**, entusiasmo, exuberância, vigor, vicejo *fig.* ≠ **degenerescência**, declínio

vitalizar *v.* **revigorar**, fortificar, tonificar, robustecer ≠ **desvitalizar**, enfraquecer

vitela *n.f.* **terneira**, bezerra, novilha, almalha, tenreira *ant.*

vitelo *n.m.* **bezerro**, novilho, anejo, juvenco, anaco, anelho, terneiro, vítulo, guecho [REG.]

vitícola *adj.2g.* **viticultor**

viticultor *adj.,n.m.* **vitícola**

viticultura *n.f.* **vinhataria**

vítima *n.f.* **padecente**, mártir, pagante *fig.*

vitimar *v.* 1 **acidentar** 2 **matar**, assassinar, trucidar 3 **prejudicar**, danificar 4 **sacrificar**, imolar

vitivinicultor *n.m.* **vinhateiro**

vitória *n.f.* 1 **triunfo**, glória, êxito, brilharete, sucesso, tiro *fig.*, palma *fig.* ≠ **fiasco**, fracasso, estenderete, barraca *fig.* 2 **vantagem**

vitoriar *v.* **aplaudir**, aclamar, ovacionar, saudar

vitorioso *adj.* **vencedor**, triunfador, triunfante, glorioso ≠ **vencido**, perdedor

vítreo *adj.* 1 **hialino**, vidrino 2 *fig.* **transparente**, límpido, cristalino

vitrina *n.f.* **escaparate**, mostruário, montra, vidraça

vitualhas *n.f.pl.* **mantimentos**, víveres, alimentos

vituperação *n.f.* **vitupério**, exprobração

vituperar *v.* 1 **injuriar**, afrontar, ultrajar, insultar, ofender, improperar ≠ **desultrajar**, desagravar, desforçar 2 **depreciar**, rebaixar, desdenhar, desprezar 3 **censurar**, repreender, admoestar

vituperável *adj.2g.* **vituperioso**, ignominioso

vitupério *n.m.* 1 **exprobração**, vituperação 2 **ultraje**, agravo, ofensa, injúria, vilta, doesto, insulto, impropério, epíteto, sugilação *fig.* ≠ **desagravo**, desafronta 3 **infâmia**, vileza, ignomínia

viúva *n.f.* 1 *col.* **corda**, cabo 2 BOT. **flor-de-viúva** 3 ICTIOL. **corvina** 4 ORNIT. **galeirão**, nágera, negra

viuvar *v.* **enviuvar**

viuvez *n.f. fig.* **privação**, solidão, desamparo

viúvo *adj.* 1 *fig.* **privado**, falto, falho 2 *fig.* **desamparado**, abandonado, desprotegido ≠ **protegido**, amparado

viva *interj.* 1 **olá!**, olé!, salve! 2 **hurra!**, bravo!, aleluia! 3 **santinho!**

vivacidade *n.f.* 1 **atividade** ≠ **segnície** 2 **esperteza**, finura, perspicácia, sagacidade 3 **brilhantismo**, fulgor, viveza

vivaço *adj.* **animado**, entusiasmado, ativo, vigoroso ≠ **desanimado**

vivamente *adv.* **energicamente**, vigorosamente, fortemente ≠ **frouxamente**, debilmente

vivar *v.* **aclamar**, saudar

vivaz *adj.2g.* **1 perene**, vivedouro, permanente ≠ **temporário**, transitório, passageiro **2** *fig.* **resistente**, duradouro, persistente, forte ≠ **frágil**, fraco **3** *fig.* **vivo**, ardente

viveiro *n.m.* **1 pejo 2 aquário**, natatório **3 alfobre**, tabuleiro, leira **4 reunião**, enxame, multidão, acumulação **5 seminário**

vivência *n.f.* **existência**, vida

vivenciar *v.* **experimentar**, experienciar, viver, passar

vivenda *n.f.* **1 habitação**, prédio, residência, edifício, casa, lar, domicílio, fogo, moradia, teto *fig.* **2 passadio**, manutenção, subsistência, vivença [REG.]

vivente *n.2g.* **1 criatura**, ente, ser **2 pessoa**, indivíduo ■ *adj.2g.* **vivo**, animado ≠ **morto**

viver *v.* **1 existir 2 residir**, habitar, morar **3 alimentar-se**, sustentar-se, manter-se, nutrir-se **4 portar-se**, proceder, atuar, comportar-se **5 durar**, conservar-se **6 aproveitar**, avantajar-se **7 gozar**, usufruir

víveres *n.m.pl.* **comestíveis**, mantimentos, vitualhas, frasca, refresco

vivido *adj.* **1 sentido**, experimentado, tentado **2 experimentado**, experiente ≠ **inexperiente**

vívido *adj.* **1 chamativo.**, garrido, brilhante *fig.*, flamante *fig.* ≠ **discreto**, sóbrio **2** *fig.* **vivo**, ardente, apaixonado, inflamado ≠ **indiferente**, apático, amorfo, abúlico, letárgico, insensível, marasmático

vivificar *v.* **1 animar**, reanimar, alentar, fortificar, instigar, incentivar ≠ **desanimar**, desalentar **2 fecundar**, fertilizar, uberar

vivo *adj.* **1 ágil**, ativo, diligente, expedito **2 perspicaz**, sagaz, arguto, esperto, penetrante *fig.*, agudo *fig.* **3 travesso**, buliçoso, turbulento, irrequieto, traquina, endiabrado *fig.* ≠ **calmo**, sossegado **4 engraçado 5 intenso**, forte ≠ **leve 6 marcado**, visível, distinto ≠ **indistinto**, invisível **7 ligeiro**, apressado, acelerado ≠ **lento**, moroso **8 agudo**, afiado ■ *n.m.* **1 âmago**, cerne, essência, centro **2 debrum**, galão, orla

vizinhança *n.f.* **1 vizinhos**, vizindário [BRAS.] **2 proximidades**, arredores, cercanias, imediações **3** *fig.* **afinidade**, analogia, semelhança, parecença ≠ **diferença**, assimetria

vizinhar *v.* **convizinhar**, avizinhar ≠ **desvizinhar**

vizinhar-se *v.* **aproximar-se**, acercar-se

vizinho *adj.* **1 próximo**, perto, cercano ≠ **longe**, longínquo **2 contíguo**, limítrofe, circunjacente, circunvizinho, comarcão, confinante ≠ **afastado**, distante **3** *fig.* **análogo**, semelhante, afim, parecido ≠ **diferente**, diverso **4** (parentesco) **chegado**, próximo, íntimo ≠ **afastado**

voador *adj.* **1 voante**, volátil, volante **2** *fig.* **rápido**, veloz, célere, ligeiro, alado ≠ **lento**, vagaroso, pausado, moroso ■ *n.m.* **1 andarilho**, aranha **2 trapezista**

voar *v.* **1 adejar**, voejar, volitar, esvoaçar **2** *fig.* **propagar-se**, espalhar-se **3** *fig.* **desaparecer**, sumir, ausentar-se ≠ **aparecer 4** *fig.* **explodir**, rebentar, estalar, estourar, detonar, expluir

vocabulário *n.m.* **1 léxicon 2 terminologia**, nomenclatura **3 dicionário**, tira-teimas *col.*

vocábulo *n.m.* **1** GRAM. **termo**, palavra, fala **2 voz**, dicção

vocação *n.f.* **1 tendência**, inclinação, disposição, propensão, predisposição, orientação, pendor, queda **2 talento**, jeito, queda, habilidade, engenho

vocal *adj.2g.* **oral**, verbal ≠ **escrito**

você *pron.pess.* **vossemecê** *col.*

vociferação *n.f.* **1 berreiro**, gritaria, vozearia, barulheira, vasqueiro *col.* ≠ **silêncio**, calada, sopor **2 censura**, crítica, reprovação ≠ **elogio**, aprovação **3 descompostura**, reprimenda, admoestação, exprobação ≠ **elogio**, louvor **4 imprecação**, impropério, vitupério, ultraje, ofensa

vociferar *v.* **1 exclamar**, clamar, brdar **2 berrar**, clamar, bradar, bramar, bramir, rugir, gritar, urrar, vozear ≠ **sussurrar**, murmurar, bichanar *fig.*, zumbir *fig.*

voeira *n.f.* ORNIT. **alvéola**, arvéola-amarela, boeirinha, lavandisca-da-índia, alvéola-amarela, alberca

voga *n.f.* **1** NÁUT. **remada 2 popularidade**, fama, notoriedade, berra *fig.* ≠ **impopularidade**, anonimato **3 divulgação**, vulgarização, difusão, disseminação **4 moda**, uso ≠ **desuso**

vogar *v.* **1 navegar**, marear, sulcar, arar *fig.* **2 boiar**, flutuar, sobrenadar, ondear, vagar **3 remar 4 escorregar**, deslizar, patinar, derrapar, resvalar **5 divulgar-se**, circular, espalhar, propagar, difundir, disseminar

volante *adj.2g.* **1 voante**, volátil, voador **2 flutuante**, nadante, vogante **3 móvel**, movediço, mudável ≠ **imóvel**, fixo, imobilizado **4 errante**, erradio, errático, nómade ■ *n.m.* **1 guiador 2 dardo**, seta

volátil *adj.2g.* **1 voante**, volante, voador **2** *fig.* **volúvel**, instável, inconstante, inseguro ≠ **estável**, constante

volatilização *n.f.* **vaporização**

volatilizar *v.* QUÍM. **vaporizar**

volatilizar-se *v.* **sublimar-se**, evaporar-se, subtilizar-se

volfrâmio *n.m.* QUÍM. *ant.* **tungsténio**

volição *n.f.* 1 **aspiração**, querer, desejo, vontade ≠ nolição 2 *fig.* **veleidade**, vontade, capricho

volta *n.f.* 1 **regresso**, retorno, tornada, revinda, remigração ≠ **ida**, partida 2 **mudança**, transformação, viragem, modificação ≠ **constância**, estabilidade 3 **rotação**, circulação, giro, revolução 4 **circuito**, périplo 5 **giro**, passeio, passeata *col.* 6 **curva**, seio, sinuosidade, meandro 7 **rosca**, espiral 8 **torna**

voltagem *n.f.* ELETR. **tensão**

voltar *v.* 1 **regressar**, retornar, tornar, revir, remigrar ≠ **ir**, partir 2 **voltear**, volver, virar 3 **remexer**, revolver, revirar 4 **girar**, circular 5 **repetir-se**, reproduzir-se 6 **recomeçar**, reincidir ≠ **acabar**, cessar 7 **replicar**, responder, retorquir 8 **encaminhar**, dirigir, orientar, guiar 9 **turvar**, toldar-se 10 **devolver**, restituir, entregar, repor

voltar-se *v.* 1 **virar-se** 2 **dirigir-se** 3 **dedicar-se** 4 **revoltar-se** 5 **recorrer**, apelar

voltear *v.* 1 **voltar**, volver, virar 2 **girar**, rodopiar, circular, rotar, tornear 3 **esvoaçar**, adejar, volitar, alear 4 *fig.* **discorrer**

volte-face *n.m.* **reviravolta**, transição, mutação, virada, viragem *fig.*, salto *fig.*, pirueta *fig.*

voltejar *v.* 1 **voltar**, volver, virar 2 **girar**, rodopiar, circular, rotar, tornear, volutear 3 **esvoaçar**, adejar, volitar, alear 4 *fig.* **discorrer**

volume *n.m.* 1 **capacidade** 2 **tamanho**, corpulência, calibre 3 **massa**, quantidade 4 **tomo** 5 **fardo**, pacote, maço, embrulho

volumoso *adj.* 1 **voluminoso**, corpulento, massivo, massudo, planturoso 2 **gordo**, corpulento, forte ≠ **esguio**, magro, delgado 3 (som, voz) **forte**, intenso ≠ **fraco**

voluntariamente *v.* 1 **espontaneamente**, livremente 2 **deliberadamente**, intencionalmente, propositadamente ≠ **involuntariamente**, acidentalmente

voluntariedade *n.f.* 1 **espontaneidade**, naturalidade 2 **arbítrio**, escolha, eleição, alvedrio, bel-prazer, nução, nuto 3 **capricho**, teima, cisma, pertinácia, veneta

voluntário *adj.* **espontâneo**, voluntarioso ≠ **involuntário** ■ *n.m.* **ventureiro** *ant.*

voluntariosidade *n.f.* **teimosia**, pertinácia, birra, caturrice, obcecação, insistência, obstinação, renitência, relutância, pervicácia, emperramento *fig.* ≠ **desistência**, renúncia, aceitação

voluntarioso *adj.* 1 **espontâneo**, voluntário ≠ **involuntário** 2 **caprichoso**, birrento, teimoso, discricional, impertinente 3 **teimoso**, obstinado, pertinaz, persistente, relutante, renitente ≠ **desistente**, renunciador

voluntarismo *n.m.* **autoritarismo**

volúpia *n.f.* 1 **prazer**, gozo, deleite 2 **sensualidade**, lubricidade, luxúria, lascívia, voluptuosidade

voluptuosidade[AO] ou **volutuosidade**[AO] *n.f.* 1 **prazer**, gozo, deleite 2 **sensualidade**, lubricidade, luxúria, lascívia

voluptuoso[AO] ou **volutuoso**[AO] *adj.* 1 **deleitoso**, aprazível, delicioso 2 **sensual**, lúbrico, luxurioso, lascivo, libidinoso, voluptuário

volutear *v.* **rodopiar**, girar, circular, rotar, tornear, voltejar ■ *n.m.* **rodopio**, giro

volúvel *adj.2g.* *fig.* **inconstante**, instável, incerto, inseguro, versátil, varela, mudável, voltário *fig.*, voltívolo *fig.* ≠ **constante**, estável

volver *v.* 1 **voltear**, voltar, virar 2 **remexer**, revolver, revirar, voltar 3 **tornar**, retornar, regressar, revir, remigrar ≠ **ir**, partir 4 **meditar**, cogitar, matutar 5 **replicar**, responder, retorquir, retrucar, redarguir 6 **passar**, decorrer, transcorrer

volver-se *v.* 1 **agitar-se**, revolver-se 2 **virar-se** 3 **tornar-se**, transformar-se, converter-se

vomitado *adj.* *fig.* **cuspido**, expelido ■ *n.m.* **vómito**, lançado, cabrito *col.*

vomitar *v.* 1 **expelir**, despejar, deitar, reversar, revessar, gomitar *col.*, borcar [REG.] 2 **jorrar**, lançar 3 *col.* **desembuchar**, desabafar, confidenciar, desafogar ≠ **conter** 4 *col.* **mexericar**, bisbilhotar, coscuvilhar, onzenar, intrigar

vómito[AO] ou **vômito**[AO] *n.m.* 1 **vomição** 2 **vomitado**, lançado, cabrito *col.*, gómito *col.*

vontade *n.f.* 1 **arbítrio**, escolha, eleição, voluntariedade, alvedrio, bel-prazer, nução, nuto 2 **determinação**, firmeza, deliberação ≠ **indecisão**, irresolução 3 **desejo**, intenção, determinação, deliberação 4 **ânimo**, alento, coragem, espírito ≠ **desânimo**, desalento 5 **empenho**, interesse, diligência, arreganho, indústria, atocho *fig.* ≠ **desinteresse**, desapego 6 **zelo**, dedicação, devoção, entrega *fig.* 7 **apetite** 8 **capricho**, veleidade, veneta 9 *fig.* **pessoa**

voo *n.m.* 1 **voadura**, adejo 2 *fig.* **arrebatamento**, êxtase, arroubo, enlevo 3 *fig.* **aspiração**, fantasia

voracidade *n.f.* 1 **sofreguidão**, avidez, intemperança, glutonaria 2 *fig.* **avareza**, sovinice, mesquinhez, usura

voragem *n.f.* 1 **remoinho**, turbilhão, sorvedouro, vórtice 2 **abismo**, sorvedouro, tragadoiro, báratro, pego *fig.*, pélago *fig.*

voraz *adj.2g.* 1 **devorador**, edace, sôfrego, ingluvioso 2 **insaciável**, ávido 3 *fig.* **destruidor**, aniquilador, devorador, consumidor, vastador 4 *fig.* **ambicioso**, ávido, cobiçoso, tragaz

vórtice *n.m.* 1 **remoinho**, turbilhão, sorvedoiro, voragem 2 **turbilhão**, tufão

vossemecê *pron.pess.* *col.* **você**

votação *n.f.* **escrutínio**, sufrágio, voto

votante *n.2g.* eleitor, elegista

votar *v.* 1 **eleger**, escolher 2 **prometer**, jurar 3 **consagrar**, dedicar, oferecer 4 **conferir**

votar-se *v.* **dedicar-se**, entregar-se, consagrar-se, devotar-se

voto *n.m.* 1 **votação**, sufrágio, escrutínio 2 **parecer**, opinião, apreciação 3 **decisão** 4 **juramento**, jura, promessa

vovó *n.f. infant.* **avó**

vovô *n.m. infant.* **avô**

voz *n.f.* 1 **som**, ruído 2 **fala** 3 **grito**, brado, clamor 4 **boato**, mexerico, rumor *fig.*, ruído *fig.* 5 **palavra**, expressão 6 *fig.* **poder** 7 *fig.* **inspiração** 8 *fig.* **conselho**, sugestão, parecer, opnião

vozear *v.* **berrar**, bradar, bramar, bramir, clamar, rugir, vociferar, urrar, gritar ≠ **sussurrar**, murmurar, bichanar *fig.*, zumbir *fig.* ■ *n.m.* **gritaria**, brado, clamor, grito, vozearia, berreiro ≠ **murmúrio**, sussurro, cochicho, bulício

vozearia *n.f.* 1 **gritaria**, brado, clamor, grito, vozear, berreiro, grulhada *fig.* ≠ **murmúrio**, sussurro, cochicho, bulício 2 **ruído**, barulho, barulheira, farfalha, chiada *fig.* ≠ **silêncio**, calada

vozeirão *n.m.* **vozeiro**

vulcânico *adj.* 1 **vulcâneo**, extrusivo 2 *fig.* **ardente**, fogoso, abrasador, cálido ≠ **frio**, insensível, gélido *fig.* 3 *fig.* **impetuoso**, impulsivo, fogoso, arrebatado ≠ **calmo**, sereno

vulcanizar *v.* 1 **calcinar**, aquentar, abrasar *fig.* ≠ **arrefecer**, esfriar 2 *fig.* **inflamar**, exaltar, arrebatar, entusiasmar

vulgacho *n.m. pej.* **ralé** *pej.*, malta, corja, choldra *col.*, gentalha *pej.*, súcia *pej.*, canalha *pej.*, plebe *pej.*, populacho *pej.*, arraia *pej.*, rancho *pej.*, cambada *fig.,pej.* ≠ **elite**, escol, nata *fig.*

vulgar *adj.2g.* 1 **popular**, plebeu, vilão ≠ **nobre**, aristocrata, fidalgo 2 **banal**, trivial, comum, ordinário, corriqueiro, exotérico, obnóxio, comezinho *fig.*, terra-a-terra *pej.* ≠ **invulgar**, esquisito, raro, desusual, extraordinário, inabitual, inusitado, singular 3 **medíocre**, ordinário 4 **conhecido**, notório, público, sabido ≠ **desconhecido**, ignoto, incógnito 5 **baixo**, grosseiro, reles, ordinário ■ *adj.2g.,n.m.* **frequente**, habitual, corrente, usual, regular ≠ **infrequente**, desabituado, irregular

vulgaridade *adv.* **banalidade**, trivialidade, insignificância, bagatela, frivolidade, futilidade, mediocrismo, palha *fig.*, salabórdia *col.* ≠ **importância**, utilidade, valor, transcendência, relevância, interesse, aquela

vulgarismo *n.m.* 1 **vulgaridade** 2 **palavrão**, obscenidade, palavrada, plebeísmo, praga, turpilóquio

vulgarização *n.f.* 1 **popularização** 2 **propagação**, divulgação, difusão, generalização, expansão, publicidade 3 **publicidade**, propaganda

vulgarizar *v.* 1 **divulgar**, propagar, disseminar, espalhar, generalizar, difundir 2 **banalizar**, trivializar, futilizar, familiarizar, popularizar ≠ **singularizar**, particularizar, especializar, especificar 3 **popularizar**, generalizar ≠ **singularizar**, particularizar, especializar, especificar 4 **simplificar**, assingelar ≠ **complicar**, dificultar 5 **abandalhar**, aviltar, rebaixar, acanalhar, achincalhar ≠ **honrar**, dignificar, elevar

vulgarizar-se *v.* 1 **generalizar-se**, popularizar-se, divulgar-se, banalizar-se 2 **abandalhar-se**, aviltar-se

vulgarmente *adv.* **comummente**, habitualmente, usualmente, frequentemente, regularmente, prosaicamente ≠ **raramente**

vulgo *n.m.* **povo**, plebe, patuleia, povinho *col.*

vulnerar *v.* 1 **ferir**, lesar, magoar 2 **ofender**, melindrar, suscetibilizar, molestar, magoar, ferir

vulnerável *adj.2g.* 1 **frágil** 2 **desprotegido**, desabrigado, indefeso ≠ **protegido**, abrigado, defendido, resguardado

vulto *n.m.* 1 **rosto**, face, semblante, caraça, fisionomia 2 **imagem**, figura 3 **estátua**, escultura 4 **volume**, massa, tamanho, dimensão, grandeza 5 **consideração**, interesse, notabilidade, importância

vultoso *adj.* 1 **volumoso**, voluminoso, massivo, massudo, grande, planturoso 2 **considerável**, avultado, significativo, apreciável

vultuoso *adj.* 1 **volumoso**, voluminoso, massivo, massudo, grande, planturoso 2 **considerável**, avultado, significativo, apreciável

vulva *n.f.* ANAT. **passarinha** *vulg.*, pito *vulg.*, rata *vulg.*, racha *vulg.*, grila *vulg.*, crica *vulg.*, cona *vulg.*

vulvar *adj.2g.* **vulvário**

X

x *num.* dez ■ *n.m.* incógnita

xabregas *adj.inv.* [REG.] *pej.* **ordinário**, reles, rasca, medíocre, grosseiro, xacoco ≠ **superior**, excelente

xacoco *adj.,n.m.* **1 enxacoco 2** *pej.* **ordinário**, reles, rasca, medíocre, grosseiro ≠ **superior**, excelente **3** *pej.* **desengraçado**, insípido, insosso

xadrez *n.m.* **1** *fig.* **complicação**, dificuldade ≠ **facilidade 2** [BRAS.] *col.* **prisão**, cadeia, calabouço, chilindró

xairel *n.m.* **sobreanca**, efípio, xaréu ■ *adj.2g.* **1 xairelado 2** [REG.] **adoentado**

xaroco *n.m.* METEOR. **siroco**

xarope *n.m.* **1 tisana**, infusão **2 calda 3** [BRAS.] **maçador** *fig.*, lapa *fig.*, chato *col.*, cola *col.*

xenofobia *n.f.* **jingoísmo**, xenofobismo, jacobinismo [BRAS.] ≠ **xenofilia**

xenófobo *adj.,n.m.* **jingoísta** ≠ **xenófilo**

xeque *n.m. fig.* **perigo**, contratempo, risco, entrave, xaque *ant.*

xexé *adj.2g. col.* **apatetado**, senil, decrépito, caquético, gagá *col.,pej.*

xícara *n.f.* **chávena**

xilofagia *n.f.* **hilofagia**

xilófago *adj.,n.m.* **hilófago**, lignívoro, lenhívoro

xilografia *n.f.* **xilogravura**

xingar *v. col.* **insultar**, injuriar, ofender, descompor, afrontar, invetivar, ultrajar

xis *n.m.2n.* **incógnita**, enigma, segredo

xistoso *adj.* **esquístico**, xistento

xixi *n.m. col.* **urina**, águas, chichi *col.*, mijo *col.*, pipi *infant.*

xonar *v. col.* **dormir**, repousar, descansar, nanar *infant.* ≠ **velar**, desvelar, vigiar

xuxo *n.m.* ICTIOL. **ratão**, rato, uja, uje, usga, urze, ratona, peixe-rato, papagaio-do-mar, batage [REG.]

Y

yen *n.m.* iene

Z

zagal *n.m.* **pegureiro**, pastor

zagaleto *n.m.* **zagalete**, zagalejo

zambro *adj.* **cambado**, cambaio, azambrado, zãibo

zambujeiro *n.m.* BOT. **azambujeira**, azambujeiro, azambuja, azambujo, zambujo, oleastro, oliveira-brava, zambulha

zambujo *n.m.* BOT. **azambujeira**, azambujeiro, zambujeiro, azambuja, azambujo, oleastro, oliveira-brava, zambulha

zampar *v.* **1 devorar**, tragar, abocanhar, lambear, engulipar *col.*, sorver *fig.*, lamber *fig.*, transvorar **2 empachar**, empanturrar, fartar, enfartar, entulhar, abarrotar, empandeirar, empanzinar **3** *fig.* **embatucar**

zanga *n.f.* **1 irritação**, arreminação, amuo, exaltação, escamação *col.* **2 quezília**, desavença, dissensão, birra, incompatibilização **3 importunação**, contrariedade, aborrecimento, obstáculo, arrelia **4 aversão**, ódio, antipatia, repugnância **5 enguiço**, agouro

zangado *adj.* **1 irritado**, arreliado, aborrecido, colérico, furioso, arrudado, assanhado, raivoso, rabioso, atrigado, esquentado, exaltado, encruado, inflamado *fig.*, alterado *fig.*, furente *poét.* **2 contrariado**, constrangido, contrafeito, aborrecido, descontente ≠ **satisfeito**, agradado, contente **3 desavindo**, discordante, discorde, incompatibilizado, enrixado, inimizado, indisposto, mal-avindo ≠ **concordante**, compatibilizado

zangão *adj.* **irascível**, antipático, embirrento, impopular, desagradável, insuportável ≠ **simpático**, amável, agradável ■ *adj.,n.m.* **parasita**, explorador, comedor, chupista *pej.*, vampiro *fig.* ■ *n.m.* ZOOL. **zângão**, abegão, abelhão

zangar *v.* **irritar**, arreliar, aborrecer, encolerizar, enfurecer, arrufar, assanhar, enraivecer, exaltar, alterar, esquentar *fig.*, encruar *fig.*, inflamar *fig.*

zangarilho *n.m.* **1** (engenho) **picota**, cegonha, picanço **2** (máquina) **sarilho**

zangar-se *v.* **1 irritar-se**, arreliar-se, aborrecer-se, encolerizar-se, enraivecer-se, agastar-se, exaltar-se, alterar-se, encrespar-se, abespinhar-se, escamar-se, encanzinar-se, antagonizar-se, inflamar-se *fig.* **2 incompatibilizar-se**, indispor-se, desavir-se, malquistar-se

zape *n.m.* **pancada**, golpe ■ *interj.* **sape!**

zaragata *n.f.* **confusão**, barulho, algazarra, desordem, trapalhada, balbúrdia, babel, badanal, alvoroço, tumulto, espalhafato, rebuliço, chinfrim, sarrafusca *col.*, sarapatel *fig.*, feira *fig.*, pé de vento *fig.*, tropel *fig.* ≠ **ordem**, organização, arrumação, arranjo

zaragatear *v.* **tumultuar**, escabechar, amotinar

zaragateiro *adj.,n.m.* **arruaceiro**, desordeiro, turbulento, rixoso, bulhento, chinfrineiro, tavanês ≠ **quieto**, calmo, pacífico

zaré *adj.2g.* **1** *col.* **atoleimado**, apatetado, abajoujado, aparvalhado, biruta, maninelo, zaruco *col.*, aloilado [REG.] **2** *gír.* **embriagado**, ébrio, enfrascado, bêbedo, tocado *col.*, grogue *col.* ≠ **sóbrio**, abstémico

zarolho *adj.,n.m.* **estrábico**, vesgo, pisco, pitosga, mirolho, torto, zanaga, tortelos *col.*, caolho [BRAS.], zambaio [REG.]

zarpar *v.* **1** NÁUT. **desancorar**, desamarrar, desatracar ≠ **ancorar**, amarrar, atracar, fundear, pojar, poutar **2** NÁUT. **partir**, sarpar **3** [REG.] **lograr**, enganar, embair, iludir, embaçar *col.*

zarro *n.m.* ORNIT. **perra** ■ *adj.* **ébrio**, embriagado, enfrascado, bêbedo, tocado *col.*, grogue *col.* ≠ **sóbrio**, abstémico

zaruco *adj. col.* **atoleimado**, apatetado, abajoujado, aparvalhado, biruta, maninelo, zaré, aloilado [REG.]

zé *n.m.* 1 *col.* **zé-povinho** 2 *col.* **trabalhador** 3 *col.* **pacóvio**, pateta, matias, idiota, parvo, estúpido, palerma, tolo ≠ **sabedor**, entendedor

zebral *adj.2g.* **zebrário**, zebrino

zebro *n.m.* **azevinheiro**, azevinho, farinheiro, pica-folha

zéfiro *n.m.* **aragem**, brisa, bafagem, sopro, viração, assopro, favónio ≠ **ventania**, rajada, rabanada, furacão, buzaranha, tufão, ciclone, baforada

zelação *n.f.* 1 **zelo** 2 [BRAS.] **estrela-cadente**, bólido

zelar *v.* 1 **cuidar**, vigiar, guardar, proteger ≠ **descuidar**, deszelar 2 **administrar**, dirigir 3 **velar**, pugnar, interessar-se, empenhar-se, trabalhar

zelo *n.m.* 1 **afeição**, dedicação, afeto, devoção 2 **cuidado**, desvelo, interesse, diligência, esmero, esforço, zelosia, laboriosidade 3 [*pl.*] **ciúme**, desconfiança, rivalidade, ferruncho *col.*, avareza *fig.*

zeloso *adj.* 1 **cuidadoso**, desvelado, diligente, solícito, dedicado, cioso, sédulo, incerne [REG.] ≠ **desatento**, desleixado, negligente 2 **ciumento**, cioso, ciado ≠ **indiferente**, desinteressado

zembro *adj.* **cambado**, cambaio, azambrado, zãibo

zé-ninguém *n.m. pej.* **homenzinho** *pej.*, zé-da-véstia *col.*, janistroques *col.*, alfarricoque *col.*, joão-ninguém *col.,pej.*, jagodes *col.,pej.*, badano, zé-quitólis [REG.], nagalhé

zéniteAO ou **zênite**AO *n.m. fig.* **auge**, clímax, culminância, fastígio, zina, ápice, pino *fig.*, apogeu *fig.*, coronal *fig.*

zero *n.m.* 1 **nada**, patavina, peva *col.* 2 *fig.* **bagatela**, insignificância, ninharia, niquice, migalhice, minúcia, ridicularia, nada, avo *fig.*, tuta e meia *col.*, nica *col.*, caganifância *col.* ≠ **importância**, utilidade, valor, transcendência, relevância, interesse

zigoto *n.m.* BIOL. **ovo**, gâmeta

ziguezague *n.m.* **sinuosidade**, torcicolo, caracol

ziguezagueante *adj.2g.* **sinuoso**, curvo, ondulante, flexuoso, tortuoso, meandroso ≠ **reto**, direito

ziguezaguear *v.* **serpentear**, meandrar, torcicolar

zimbório *n.m.* **cúpula**, domo, pináculo

zimbro *n.m.* 1 **orvalho**, relento, rocio, humidade 2 BOT. **genebreiro**, junípero, zimbreiro 3 BOT. **cade**

zíngaro *adj.,n.m.* **cigano**, gitano

zingrar *v.* 1 **chacotear**, escarnecer, motejar, zombar, apodar, troçar, mofar, chasquear, ridicularizar ≠ **respeitar**, considerar, prezar, estimar 2 **burlar**, iludir, lograr, enganar, trapacear

zipar *v.* INFORM. (ficheiro) **compactar**, comprimir

zoada *n.f.* 1 **zumbido**, zoeira, zunido, zunzum 2 **rumor**, boato, zunzum *fig.* 3 [BRAS.] **festa**, farra

zoar *v.* 1 **toar**, ribombar, retumbar 2 (inseto) **zumbir**, zunir

zoeira *n.f.* 1 **zoada**, zoadeira 2 **zumbido**, zoada, zunido, zunzum 3 [REG.] **maluqueira**, doidice

zoidiofilia *n.f.* BIOL. **zoogamia**, zoidiogamia

zola *n.f.* [REG.] **bebedeira**, embriaguez, ebriedade, bico, canjica, borracheira *col.*, piela *col.*, bruega *col.*, cabeleira *col.*, cardina *col.*, carraspana *col.*, rola [REG.] ≠ **sobriedade**, abstemia

zombar *v.* 1 **escarnecer**, motejar, chacotear, apodar, troçar, mofar, chasquear, ridicularizar, zingrar, pantear, gaivotear, jogatar ≠ **respeitar**, considerar, prezar, estimar 2 **gracejar**, gozar, galhofar, brincar, brejeirar, gingar [REG.], cachetar [BRAS.] 3 [REG.] **triunfar**, vitorirar, vencer, ganhar ≠ **perder** 4 [REG.] **seduzir**

zombaria *n.f.* **troça**, chacota, caçoada, escárnio, judiaria, motejo, mofa, achincalhação, bexiga *col.*, judiação [BRAS.], chincalhada ≠ **respeito**, consideração

zombetear *v.* **escarnecer**, chacotear, motejar, zombar, apodar, troçar, mofar, chasquear, ridicularizar, zingrar ≠ **respeitar**, considerar, prezar, estimar

zombeteiro *adj.,n.m.* **motejador**, escarnecedor, escarninho, troçador, zombador, achincalhante, bexigueiro, chacoteador, galhofeiro, jocoso, mangão, trocista ≠ **respeitador**

zona *n.f.* 1 **faixa**, cinta, banda 2 **área**, parte, região 3 [BRAS.] **confusão**, desordem, tumulto

zonzo *adj.* **atordoado**, aturdido, estonteado, tonto, ourado

zoologista *n.2g.* **zoólogo**

zootecnia *n.f.* **taxidermia**

zorra *n.f.* 1 **trinquevale** 2 *fig.* **lesma**, zorrão [REG.] 3 BOT. **rabo-de-raposa** 4 [BRAS.] **confusão**, desordem, barafunda, bagunça [BRAS.] 5 [REG.] *pej.* **prostituta**, meretriz, messalina, menina *cal.,pej.*, marafona *cal.*, michela *col.*, dadeira *col.*, perdida *col.,pej.*, borboleta *fig.*, calhandreira *fig.,pej.*, colareja *fig.,pej.*, rameira *pej.*, coia *pej.*, faniqueira *pej.*, fêmea *pej.*, pega *vulg.*, puta *vulg.*, zoina [REG.], bruaca [BRAS.] *pej.*, rapariga [BRAS.] *pej.*

zorro *n.m.* 1 ICTIOL. **peixe-alecrim**, peixe-zorro, raposo, arrequim 2 ZOOL. **guaraxim** 3 [REG.] **raposo** 4 [REG.] **enjeitado**, exposto 5 **velhaco**, manhoso, safado, bandalho ≠ **honesto**, respeitador

zortar *v.* [REG.] **sair**, partir

zote *adj.,n.2g.* **estúpido**, pateta, parvo, palerma, pacóvio, tolo, sonso, besta, ignaro, bobo ≠ **esperto**, inteligente, alacre, ressabido, saído *col.*, zarucho [REG.]

zovo *n.m. ant.* **hipopótamo**, cavalo-marinho

zuca *n.2g.* 1 [REG.] **pateta**, tolo, totó *col.,pej.* 2 [REG.] **bêbedo**, bebedor, alcoólatra, ébrio, beberrão, borrachão *col.*, bebedolas *col.*, esponja *col.* ≠ **abstémio**, abstinente ■ *n.f.* [REG.] **bebedeira**, embriaguez, ebriedade, bico, canjica, borracheira *col.*, piela *col.*, bruega *col.*, cabeleira *col.*, cardina *col.*, carraspana *col.* ≠ **sobriedade**, abstemia

zuir *v.* **zumbir**, zumbar, zunir, sussurrar, zoar

zular *v. col.* **espancar**, sovar, bater, zupar, zucar [REG.]

zumbaias *n.f.pl.* **adulação**, bajulação, bajulice, prazenteio, rapapés, graxa *col.*, manteiga *fig.*, engraxadela *fig.*, genuflexão *fig.*, incensação *fig.*, ciganice *pej.* ≠ **censura**, crítica, desagrado, repugnância, exclusão, reprovação

zumbido *n.m.* **zoada**, zoeira, zunido, zunzum

zumbir *v.* **1 zumbar**, zuir, zunir, sussurrar, zoar **2** *fig.* **murmurar**, sussurrar, ciciar, cochichar, segredar, mussitar, papear, rumorejar ≠ **berrar**, gritar, bramir, bradar, bramar

zumbrir-se *v.* **1 arquear-se**, vergar-se, dobrar-se **2** *fig.* **humilhar-se**, rebaixar-se, vergar-se

zunido *n.m.* **sibilo**, assobio, sibilação, silvo, zonzom, zuidouro, zumbo, zunimento

zunir *v.* **1 sibilar**, ciciar, assobiar, silvar, esfuziar **2 zumbar**, zumbir, zuir, sussurrar, zoar

zunzum *n.m.* **1 zumbido**, zoeira, zunido, zoada, runrum, zão-zão **2** *fig.* **rumor**, boato, zoada

zurrapa *n.f.* **mistela**, água-pé *pej.*, zurpa [REG.], jalapa [REG.]

zurrar *v.* **ornear**, ornejar, azurrar, rebusnar, zornar [REG.]

zurro *n.m.* **orneio**, ornejo, rebusno

zurzidela *n.f.* **surra**, tunda, sova, sovadela, tareia, pola, zimbrada, chegançо *col.*, amachucadela *col.*, torra *col.*, coça *fig.*, sotaina [REG.], cachoça [REG.], dosa [REG.]

zurzir *v.* **1 chibatear**, vergastar, chicotear, verdascar, fustigar **2 espancar**, sovar **3 castigar**, punir, sancionar **4** *fig.* **repreender**, admoestar, criticar, castigar, animadvertir, escarmentar, ensaboar *fig.* ≠ **elogiar**, louvar, aplaudir, felicitar, preconizar, ressaltar *fig.*

Guia do Acordo Ortográfico

Alfabeto

As letras **k**, **w** e **y** passam oficialmente a fazer parte do alfabeto português, que é, deste modo, constituído por vinte e seis letras.

a A (á)	n N (ene)
b B (bê)	o O (ó)
c C (cê)	p P (pê)
d D (dê)	q Q (quê)
e E (é)	r R (erre)
f F (efe)	s S (esse)
g G (gê ou guê)	t T (tê)
h H (agá)	u U (u)
i I (i)	v V (vê)
j J (jota)	**w W (dáblio** ou **dâblio)**
k K (capa ou **cá)**	x X (xis)
l L (ele)	y Y (ípsilon)
m M (eme)	z Z (zê)

Os nomes das letras acima apresentados não excluem outras formas de as designar.

Usos de k, w, e y

- nomes de pessoas (antropónimos) e seus derivados originários de línguas estrangeiras

Kant – kantiano
Weber – weberiano
Yang – yanguiano

- nomes de localidades (topónimos) e seus derivados originários de línguas estrangeiras

Kosovo – kosovar
Washington – washingtoniano
Yorkshire – yorkshiriano

- siglas, símbolos e unidades de medida internacionais

WC
KB
Kg

Sequências consonânticas

O Acordo Ortográfico prevê a supressão das consoantes mudas ou não articuladas. Nos casos em que há oscilação de pronúncia, aceitam-se duas grafias.

Supressão gráfica de consoantes mudas ou não articuladas

cc > c	*accionar* > *acionar* *direccional* > *direcional* *leccionar* > *lecionar*
cç > ç	*acção* > *ação* *colecção* > *coleção* *direcção* > *direção*
ct > t	*colectivo* > *coletivo* *dialectal* > *dialetal* *electricidade* > *eletricidade*
pc > c	*adopcionismo* > *adocionismo* *assumpcionista* > *assuncionista* (*N.B.: mpc* > *nc*)
pç > ç	*adopção* > *adoção* *assumpção* > *assunção* (*N.B.: mpç* > *nç*)
pt > t	*óptimo* > *ótimo* *peremptório* > *perentório** (*N.B.: mpt* > *nt*)

* caso de dupla grafia

Grafia dupla: oscilação da pronúncia

Palavras com sequências consonânticas em que uma consoante é ou não pronunciada

cc ou **c**	*infecioso* / *infeccioso*
cç ou **ç**	*dicção* / *dição*
ct ou **t**	*sector* / *setor*
pc ou **c**	*dececionar* / *decepcionar*
pç ou **ç**	*conceção* / *concepção*
pt ou **t**	*corrupto* / *corruto*
bd ou **d**	*súbdito* / *súdito*
bt ou **t**	*subtil* / *sutil*
gd ou **d**	*amígdala* / *amídala*
mn ou **n**	*amnistia* / *anistia*

Acentuação gráfica

Supressão do acento

Palavras graves com ditongos tónicos *ói*

bóia > ***boia***
jóia > ***joia***

Formas verbais graves terminadas em *-êem*

dêem > ***deem***
crêem > ***creem***

Palavras graves homógrafas de palavras proclíticas

- *para* /á/ (presente do indicativo e imperativo do verbo *parar*) não se distingue de *para* (preposição)
- *pelo* /é/ (presente do indicativo do verbo *pelar*) não se distingue de *pelo* /ê/ (nome) nem de *pelo* (contração de *por* + *o*)
- *pela* /é/ (presente do indicativo e imperativo do verbo *pelar*) não se distingue de *pela* /é/ (nome) nem de *pela* (contração de *por* + *a*)
- *polo* /ó/ (nome) e *polo* /ô/ (nome) não se distinguem de *polo* (antiga contração de *por* + *o*)
- *pera* /ê/ (nome) não se distingue do arcaísmo *pera* (preposição)
- *pero* /ê/ (nome) não se distingue do arcaísmo *pero* (conjunção)

Verbos *arguir* e *redarguir* perdem acento no *ú* na flexão do presente do indicativo

argúis, argúi, argúem > ***arguis, argui, arguem***
redargúis, redargúi, redargúem > ***redarguis, redargui, redarguem***

Supressão do acento exclusiva da norma brasileira

Palavras graves com ditongos tónicos *éi*

assembléia > ***assembleia***
idéia > ***ideia***

Palavras graves terminadas em *-ôo(s)*

vôo > *voo*
enjôo > *enjoo*

Palavras graves com *í* e *ú* tónicos, precedidos de ditongo

baiúca > *baiuca*
feiúra > *feiura*

Palavras com trema

lingüista > *linguista*
tranqüilo > *tranquilo*

Excetuam-se as palavras com trema que derivam de nomes próprios estrangeiros.
mülleriano (de Müller)

Dupla acentuação

Palavras agudas com *é* e *ó* tónicos, geralmente provenientes do francês, em que há oscilação de pronúncia

bebé / bebê
cocó / cocô

Palavras graves ou esdrúxulas com *é* e *ó* tónicos, seguidas das consoantes nasais *m* ou *n*, com as quais não formam sílaba

académico / acadêmico
anatómico / anatômico

Verbos terminados em *-guar*, *-quar* ou *-quir* que apresentam dois paradigmas de conjugação

- ou perdem a acentuação gráfica (mas não a tónica) em *ú*
  averigue / averigues / averiguem
- ou acentuam tónica e graficamente as vogais *a* e *i* radicais
  averígue / averígues / averíguem

Uso facultativo do acento

Formas verbais terminadas em *-ámos* no pretérito perfeito do indicativo

amámos / amamos

Forma verbal *dêmos* ou *demos* no presente do conjuntivo

Nome feminino *fôrma* ou *forma* (com sentido de molde)

Hifenização

Uso do hífen

Formas compostas que designam espécies zoológicas ou botânicas

estrela-do-mar
couve-flor

Formações por prefixação, recomposição e sufixação

- com os prefixos *circum-* e *pan-*, quando o 2.º elemento começa por vogal, *h*, *m* ou *n*

  *circu**m-n**avegação*
  *pa**n-a**fricano*

- com os prefixos *hiper-*, *inter-* e *super-*, quando o 2.º elemento começa por *r*

  *hipe**r-r**ealista*
  *inte**r-r**egional*
  *supe**r-r**esistente*

- com os prefixos *pós-*, *pré-* e *pró-*

  ***pós**-graduação*
  ***pré**-fabricado*
  ***pró**-europeu*

- quando o 2.º elemento começa pela mesma vogal com que termina o prefixo

  *ant**i-i**bérico*
  *infr**a-a**xilar*
  *micr**o-o**ndas*

Supressão do hífen

Compostos em que se perdeu a noção de composição. Passa a aglutinar-se:

manda-chuva > *mandachuva*
pára-quedas > *paraquedas*

Formas derivadas

- quando o prefixo ou falso prefixo termina em vogal e o 2.º elemento começa por *r* ou *s*, duplicando-se a consoante

  anti-relexo > *anti**rr**eflexo*
  mini-saia > *mini**ss**aia*

- quando o prefixo ou falso prefixo termina em vogal e o 2.º elemento começa por vogal diferente

auto-estrada > *autoestrada*
extra-escolar > *extraescolar*
intra-ósseo > *intraósseo*

- com o prefixo *co-*, exceto quando o 2.º elemento começa por *h*

co-administração > *coadministração*
co-ocorrência > *coocorrência*

Verbo haver acompanhado da preposição *de*

hei-de > *hei de*
há-de > *há de*

Na maior parte das locuções

cartão-de-visita > *cartão de visita*
fim-de-semana > *fim de semana*

Minúsculas e maiúsculas

Uso de minúscula

Meses e as estações do ano

Janeiro > *janeiro*
Verão > *verão*

Pontos cardeais e colaterais, exceto quando empregados absolutamente ou quando se usam as correspondentes abreviaturas

*Viajei de **n**orte a **s**ul do país.*
*Vivo no **N**orte* (de Portugal).

Todos os usos de *fulano, sicrano, beltrano*

Uso facultativo: minúscula ou maiúscula

Disciplinas escolares, cursos e domínios de saber

matemática / Matemática
medicina / Medicina

Lugares públicos, templos e edifícios

rua da Restauração / Rua da Restauração
palácio da Bolsa / Palácio da Bolsa
igreja do Carmo / Igreja do Carmo

Formas de tratamento (axiónimos) e nomes sagrados (hierónimos)

senhor doutor Luís Rocha / Senhor Doutor Luís Rocha
santa Filomena / Santa Filomena

Nomes de livros ou obras (bibliónimos), exceto o primeiro elemento e os nomes próprios, que têm necessariamente de aparecer em maiúscula

O Crime do Padre Amaro / O crime do padre Amaro
Memorial do Convento / Memorial do convento

nom